CB003041

FIÓDOR DOSTOIÉVSKI
Obra completa

BIBLIOTECA
UNIVERSAL

Fiódor Dostoiévski
OBRA COMPLETA
Em 4 volumes

VOLUME 1
INTRODUÇÃO GERAL
NOVELAS DA JUVENTUDE
Pobre gente / O duplo / O senhor Prokhártchin / A dona da casa / Um romance em nove cartas / Polzunkov / Coração frágil / O ladrão honrado / A mulher alheia e o homem debaixo da cama / Uma árvore de Natal e um casamento / Noites brancas / Niétotchka Niezvânova / O pequeno herói / o sonho do tio / A granja de Stiepântchikovo e os seus moradores

VOLUME 2
OBRAS DE TRANSIÇÃO
Humilhados e ofendidos / Memórias da casa dos mortos / Uma história aborrecida / Notas de inverno sobre impressões de verão / Memórias do subterrâneo
ROMANCES DA MATURIDADE
Crime e castigo

VOLUME 3
O jogador / O idiota / O eterno marido / Os demônios

VOLUME 4
O adolescente / Os irmãos Karamázovi
OUTROS ESCRITOS
Esquema para o grande pecador / O crocodilo / O Mujique Márei / Uma doce criatura / O sonho de um homem ridículo / Excertos do diário de um escritor

Retrato , a pena, de K. Grunóvski, colega de
Dostoiévski, na Escola de Engenharia e depois
pintor célebre (1847). Moscou, Museu Dostoiévski.

FIÓDOR DOSTOIÉVSKI
Obra completa

VOLUME 1
Introdução Geral
Novelas da Juventude

Versão anotada de
NATÁLIA NUNES E OSCAR MENDES

Precedida de uma Introdução Geral, Prólogos às Seções, por NATÁLIA NUNES

Acompanhada de extenso documentário gráfico e ilustrada com uma centena
de desenhos de LUIS DE BEN

EDITORA
NOVA
AGUILAR

APÊNDICE E ÍNDICE

APRESENTAÇÃO

Nota editorial[1]

Desde o primeiro quartel do século 20 que a obra de Dostoiévski começou a difundir-se entre os leitores de língua portuguesa, principalmente por meio de traduções francesas, ou de versões portuguesas nelas baseadas. Existem até edições de caráter popular.

Pode dizer-se que não há no Brasil, nem em Portugal, pessoa medianamente culta que não conheça pelo menos Crime e castigo, a obra de Dostoiévski mais divulgada em língua portuguesa, seguindo-se-lhe Os irmãos Karamássovi e depois O jogador, O sonho do tio, A granja de Stiepántchikovo, O idiota e alguns contos. Obras como Os demônios, Memórias da casa dos mortos, Memórias do subterrâneo, O adolescente, O eterno marido alcançaram menor divulgação; outras, porém, como muitos contos, ou o romance incompleto Niétotchka Niezvânova, pertencem apenas ao conhecimento de reduzido número de leitores.

Não existe ainda em Portugal nenhuma versão integral da obra do genial romancista russo, mas sim uma edição brasileira das obras completas, em volumes avulsos, que, embora não sendo exatamente completa, é excelente, bem documentada e organizada.

O escopo da nossa edição não é, por conseguinte, o de preencher nenhuma dessas "lacunas" do lugar-comum editorial, mas apenas — o que não é pouco — o de incorporar a esta Biblioteca Universal a obra completa daquele que é tido como o maior romancista da literatura universal, e — o que já é muito — o de oferecê-la numa edição compacta, acessível e orgânica, aligeirada, porém, de uma parte daqueles escritos que, não pertencendo ao gênero da ficção, só teriam cabimento numa edição crítica, o que não é a presente, e implicariam um inflacionismo editorial, absolutamente contrário ao critério desta Editora. Esse critério consiste em considerar obra completa básica de qualquer autor — posterior, é claro, a Gutenberg — a publicada em vida dele e em forma de livro, o que não impede a inclusão de obras póstumas de importância ou de outros escritos selecionados entre os publicados em revistas e jornais.

Assim, eliminaram-se do nosso plano o Diário de Raskólhnikov, forma embrionária de Crime e castigo; os rascunhos e anotações para Os demônios, O adolescente e outras obras; diversas peças ocasionais, sem qualquer significado; bem como O diário de um escritor. Esta obra, também publicada ainda em vida de Dostoiévski, abrange todos os trabalhos que saíram à luz em várias revistas: no Tempo, fundada por seu irmão Mikhail Mikháilovich, no Cidadão e em A Subscrição, uma espécie de antologia editada para socorrer com o produto da sua venda as vítimas da fome que, em 1874, assolou a região de Samara.

Encontramos neste Diário a maior variedade de escritos: artigos sobre impressões de visitas a hospícios, a exposições de pintura, de crítica literária, contos de ficção, recordações de infância, ensaios de ordem política, social, religiosa, estética, pedagógica, bem como autênticas reportagens de acontecimentos coevos. Quanto

---

1 Esta Nota editorial, de José Aguilar, foi publicada na edição da Editora Aguilar, de 1963. Por justificar os critérios fundamentais da organização das Obras completas e pelo valor histórico, foi mantida em todas as reimpressões subsequentes. [N.E.]

a estas, não têm hoje interesse para nós; quanto à ideologia expressa nesses ensaios — e se bem que O diário de um escritor tenha contribuído grandemente para a popularidade de Dostoiévski, pois chegou a atingir três milhares de assinantes e quatro mil de leitores avulsos, além de que o Escritor passou a receber diariamente uma avultada correspondência enviada de toda a Rússia, na qual os seus compatriotas, de todas as condições e de todas as idades, lhe pediam conselhos e consolo espiritual — não encerra nenhum pensamento fundamentalmente novo, que Dostoiévski não tivesse já expendido implícita ou explicitamente nas suas obras de criação literária, sobretudo em Os demônios. A única diferença está em que, neste Diário, o Escritor assume pessoalmente e completamente a responsabilidade das suas ideias, visto que são as suas e não as de qualquer personagem.

É neste Diário que ele desenvolve teoreticamente as suas doutrinas sobre o messianismo do povo russo, que considera o único povo que traz verdadeiramente Cristo no coração, e ao qual está destinada a missão de salvar não só o Oriente como a decrépita Europa, que considera envenenada pelo cientificismo, pelo materialismo e pelo mercantilismo. E chega a cair num autêntico fanatismo, tal é o seu entusiasmo ao falar nesse povo e no seu Czar Branco.

Como, porém, figuram nesse Diário peças puramente literárias de grande valor, tais como os contos Uma doce criatura, O sonho de um homem ridículo, e as páginas de recordações da infância, conhecidas pelo título de O mujique Márei, foram elas incluídas nesta edição.

Igualmente incluímos outros trabalhos importantes, de grande interesse para uma compreensão mais completa da obra do Dostoiévski: o esquema para o inacabado O grande pecador; outras peças menores; a "Confissão de Stravróguin", capítulo suprimido pelo autor em Os demônios, e as variantes da confissão de Viersílov em O adolescente.

Vê-se, pois, que apesar de não se tratar de uma edição para fins eruditos, também não é uma edição vulgar. Há tempos que adotamos como nossa, aplicando-a ao trabalho editorial em geral, a tese de uma das maiores autoridades internacionais em matéria de diagramação de livros, segundo a qual

> ... a tipografia pode ser definida como a arte de se dispor corretamente o material de impressão, de acordo com um propósito específico: o de colocar as letras, distribuir os espaços e selecionar os tipos, tendo em vista prestar ao leitor a máxima ajuda na compreensão do texto... Por conseguinte, é errada toda e qualquer disposição do material de impressão que, por qualquer causa, produza o efeito de se interpor entre o autor e o leitor.[2]

Ora, pelas mesmas razões que é errada toda e qualquer intromissão ou "originalidade" do tipógrafo — ou do editor — que venha dificultar ou deformar a transmissão ao leitor da mensagem do autor, está absolutamente certa qualquer colaboração que contribua para a melhor compreensão daquela mensagem. E são tão raras as obras de autores estrangeiros ou de tempos passados que não precisam destas anotações marginais do editor, que já se tornaram rotineiras as edições anotadas dos clássicos,

---

2   Sir Stanley Morrison, *Principios fundamentales de tipografía*. Aguilar. Madrid, 1957. Tradução espanhola de José Aguilar.

e as edições comentadas para fins didáticos. O mais tímido estágio desta tentativa de auxílio informativo são os textos nas orelhas das capas de muitos livros.

Com efeito, e limitando-nos ao gênero literário da ficção, é evidente que o romancista, na criação de cada uma de suas obras, tem em mente, de uma forma por vezes precisa, por vezes subconsciente, determinada categoria de leitores, mais ou menos ampla, mas que, obviamente, são, em primeiro lugar, os seus contemporâneos e, em segundo plano, dentre eles, os que falam e leem sua própria língua, isto é, seus compatrícios. Pode acontecer ainda que o Escritor selecione como os seus leitores potenciais certa camada da sociedade, econômica, cultural, racial, social etc. Em todas as hipóteses, parte o autor da suposição de que seus leitores possuem um patrimônio de conhecimentos, experiências, costumes, princípios de conduta, e até ideias e filosofias, e quando sai dos limites deste pressuposto acervo mental dos seus prováveis leitores, ele mesmo se dá o trabalho de intercalar, no fio de sua narrativa, as notícias e os elementos informativos e esclarecedores que propiciem — e voltamos ao ponto fundamental desta justificação — a perfeita transmissão da sua mensagem.

Isto significa que, quando o leitor não pertence ao grupo ou categoria para o qual o autor escreveu, precisa de esclarecimentos complementares, exatamente a respeito daquela parte do acervo mental que ele não possui, e que possuía o leitor para quem o romancista escrevera. Cabe, então, ao editor tratar de detectar as principais "deficiências" do leitor para o qual está publicando a obra de um terceiro — o Escritor —, e fornecer-lhe discretamente à margem, para que, à vontade, se valha ou não delas, as notícias e esclarecimentos que lhe permitam situar-se na ação no enredo, incorporar-se plenamente ao ambiente da obra, e aumentar o prazer e o proveito da leitura. Talvez os mesmos esclarecimentos que o Escritor lhe teria prestado, se soubesse que os novos leitores iam pertencer a um grupo muito distante, geográfica, temporal, cultural ou ideologicamente daquele para o qual escreveu; e acrescentando, é claro, uma notícia, embora sucinta, acerca do autor, que é consubstancial com a obra, pois não é debalde que ele é o pai da criatura. O perigo está no exagero na extensão de tais elementos informativos e esclarecedores; excesso esse não pouco frequente, aliás, em muitas das edições chamadas críticas, nas quais o preparador mais se atém a ostentar os próprios conhecimentos e "achados", a tributar homenagem à própria vaidade e estabelecer polêmica com outros críticos e eruditos — também mais ou menos "donos" do autor em causa, — do que a oferecer ao leitor, na medida justa, a colaboração de que ele precisa. O resultado dessa inflação crítica é sempre o mesmo, o contrário do que deveria ser. A obra comentada e anotada fica sufocada pelos comentários e anotações, já que o preparador traiu o autor, e em lugar de transmitir a mensagem deste, preferiu transmitir a sua própria.

Essa consciência do papel e da responsabilidade do editor, e a preocupação de "não subestimar a inteligência do leitor, nem superestimar a sua informação", caracterizam o estilo editorial dos livros até agora por nós publicados; explicam os esforços da Editora por obter a colaboração dos assessores, tradutores, preparadores e prologuistas certos para cada autor ou cada obra; e justificam a entrega dessa tradução da obra completa do genial romancista russo à Natália Nunes e ao crítico e escritor Oscar Mendes. Natália Nunes é, também, a autora da Introdução geral à vida e obra de Dostoiévski, em que, socorrendo-se de alguns intérpretes notáveis do grande romancista, como Bierdiáiev, Stephan Zweig, André Gide, Henri Troyat e Cansinos Assens, aponta também, em breves traços, a necessidade de se estudar e apreciar a obra e a personalidade do escritor dentro das condições epocais da civilização europeia e do ambiente nacional russo em que ele viveu, e para cujo escopo deverá constituir um subsídio da maior utilidade as *Notas sociais e históricas* da Rússia, que constitui a segunda parte da *Introdução geral*, ilustrada, como a primeira, com documentação gráfica recolhida em diversas fontes.[3] *Introdução* esta completada, no primeiro volume, com um *Prólogo geral às novelas da juventude*, em que são minuciosamente analisadas as características da primeira fase da obra literária de Dostoiévski, da mesma maneira que, na devida altura do segundo volume, surgem um *Prólogo geral às obras de transição*, e outro aos *Romances da maturidade* e, no quarto, um *Prólogo geral aos outros escritos*, incluídos ou não nesta edição. E, no fim da cada volume, um *Glossário dos termos russos e de outras línguas*, respeitados na tradução, mesmo aqueles já dicionarizados em português, tais como czar, rublo, vodca etc., que vão seguidos porém da transliteração fonética, entre parênteses.

Foi também convocada, para enriquecer esta edição, a arte do desenhista Luis de Ben, quem, numa série não muito extensa, mas sim suficiente e de alto nível artístico, apresenta uma fiel interpretação da época, o habitat, os costumes e os personagens dostoievskianos. Esperamos pois apresentar ao público de língua portuguesa uma das mais aperfeiçoadas edições da obra de Dostoiévski, destinada ao leitor geral, que até hoje se publicou em língua portuguesa... e em qualquer outra língua. Não consideramos o nosso trabalho, porém, livre das falhas próprias de toda tarefa humana; por isso mesmo será bem recebida, e agradecida, toda e qualquer sugestão ou crítica construtiva que vise ao aprimoramento do nosso serviço, na futura reedição da obra de Dostoiévski, ou na dos outros vultos da literatura universal, já por nós publicados, ou por publicar.

J.A.

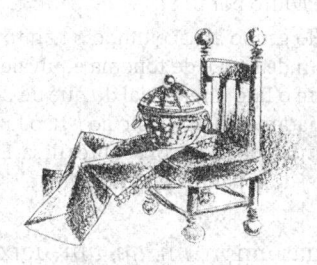

---

3   Entre elas, a Missão Comercial Soviética no Rio de Janeiro, cujo funcionário, Sr. Vassíli Glukhóvski, prestou à Editora a máxima colaboração, não só proporcionando abundante material gráfico, como também encaminhando e orientando nossas consultas ao Instituto de Linguística da Academia de Ciências da URSS a respeito da transliteração do russo para o português. É a ele e a Sra. Vera Neverova que se devem a versão definitiva da grafia e acentuação dos antropônimos constantes desta edição, bem como a revisão das definições constantes do *Glossário de termos russos e de outras línguas*.

Critério observado na transliteração e grafia dos vocábulos russos[4]

Transliteração

Um dos problemas que esta edição pretende resolver é o da transliteração dos nomes próprios e comuns, russos, que figuram no texto. Se é verdade que serviram de grande subsídio as transliterações existentes nas versões espanhola e francesa, não é menos verdade que a transposição do russo para o português enfrenta fatos novos, tendo em vista que tanto o espanhol quanto o francês possuem certos fonemas, representados nos seus alfabetos (j, ch) (ch, f, ine), que se ajustam muito melhor do que os fonemas portugueses à "imitação" dos fonemas russos.

O problema não consiste exatamente em adotar os símbolos da transliteração internacional, destinados a fins científicos, mas em escolher um método fácil e, digamos, popular e acessível, de reproduzir com a maior aproximação os sons da língua russa, mediante letras e fonemas portugueses. As dificuldades surgem sobretudo quanto às letras Ц, Ч, Щ, Ы, Х em especial às duas últimas.

> Ц pode ser transliterada por *ts* ou *tz*, mas é preferível representá-la por *ts*.
>
> Ч translitera-se *facilmente* por *tch*.
>
> Щ, não oferecendo maior dificuldade, reproduzir-se-á por *chtch*.
>
> Ы corresponde a um *i* surdo e duro, apresentando maior dificuldade visto tratar-se de som que não existe em português. Tem semelhança com o *i* inglês da palavra *till* (até). A transliteração que proporcionaria talvez uma figuração fonética mais fiel seria pelos ditongos portugueses *ei* ou *oi*. Preferimos, entretanto, transcrever simplesmente esse *i* duro por um *i*.
>
> Х foi transcrita pelo grupo *kh*, aceitando o hábito já estabelecido nas línguas ocidentais que carecem de som e de fonema equivalente, e com o intuito mais de assinalar graficamente o fato diferencial do que de procurar uma pronúncia similar, visto que o *h* imediatamente posposto ao *k* não fará com que o leitor emita o som aspirado, duro e gutural daquela consoante russa. Esse som corresponde, com grande aproximação ao *j* do espanhol e ao *ch* alemão.

Nas palavras terminadas em *in, im, an, am*, deixou-se de acrescentar um *e* final, de apoio às consoantes, pelo fato de que realmente não são apoiadas. *Púchkin* não é exatamente o mesmo que *Púchkine*. E nem o leitor medianamente culto lerá, por exemplos, *Diévuchquim*, nasalizando, em vez de *Diévuchquin*.

Outros aspectos haveria ainda a considerar numa transliteração rigorosa, como o caso do *e* doce, equivalente a *ie*, que foi assim transliterado, salvo raras exceções — *Ekatierina, Eliena, Turguéniev* — no caso de formas erradas que já adquiriram carta de cidadania em português. E também o das consoantes doces, para não

---

4 Seguido de outras informações a respeito do emprego, formação e significação dos antropônimos e nomes comuns russos e sobre as notas de rodapé.

falar na diferença entre o *l* e o *n* duros e o *l* e o *n* doces — transliterados estes últimos por *lh* e *nh*, e ainda o caso das consoantes dúbias. Todos compreendem, porém, que um rigor excessivo seria demasiado em edição de caráter não erudito.

Aliás, para o caso das consoantes de valor dúbio, como o *v* dos nomes próprios terminados em *ov* (Raskólhnikov), em que o *v* oscila entre o *v* e *f*, adotou-se o critério de conservar essa mesma letra, tal como figura na escrita russa, ao contrário do que geralmente fazem os franceses, ao trocar quase sempre este *v* por *f* ou *ff*.

Foram abolidas as consoantes duplas, e o *y* passou para *i*, bem como foram suprimidos os dois *ii* finais de alguns nomes (p.e.: Grigóri[i]), mas, obedecendo à estrutura ortográfica da língua portuguesa, que assim o exige, aparecem transcritas, contudo, consoantes duplas, em certos nomes (p.e.: Afanássi, Aliessiéiko).

ACENTUAÇÃO

Conquanto na língua russa não exista o acento gráfico, aparecem com ele, sempre que necessário, os vocábulos russos não aportuguesados, transcritos nesta tradução, e tanto os nomes próprios como os comuns. Assim decidimos, com o intuito de contribuir, mais especialmente no caso dos antropônimos e nos limites admissíveis nesta edição, à correção das flagrantes deturpações fonéticas comumente verificadas quando são pronunciados, não só em português como também na maioria das línguas ocidentais.

FORMAÇÃO DO PLURAL

Todos os substantivos femininos russos, e a esmagadora maioria dos masculinos e neutros, tanto próprios quanto comuns, formam o plural agregando — ou substituindo — ao singular a desinência *i* — p.e.: *blin, blini; nagaika, nagaiki;* podendo a acentuação tônica permanecer na mesma sílaba do singular ou se deslocar para a anterior. Só um número reduzido de substantivos masculinos e neutros formam o plural com as terminações *á* ou *ia*, as quais são sempre tônicas — p.e. *górod, gorodá; slovo, slová; brat, brátia.*

Por esta razão é que o leitor, no lugar da terminação característica do plural português, em *s*, encontrará a do plural russo, isto é, em *i*, em *á* ou em *ia*, conforme já exemplificamos, nos termos daquela língua, respeitados e transliterados nesta edição inclusive os nomes próprios, de vez que, na língua russa, topônimos e antropônimos experimentam modificações estruturais em todos os três aspectos da flexão: gênero, número e caso.

Outrossim, o sufixo *i*, nos termos comuns, e também nos nomes próprios, respeitados neste trabalho, poderá ser, às vezes, a terminação própria de determinado nome no singular, mas indicará na maioria dos casos a terminação de um plural, o que, obviamente, o leitor distinguirá pelo próprio sentido do contexto.

Emprego e formação dos antropônimos

Quanto aos nomes próprios, apresentamos lista dos que mais frequentemente ocorrem na obra de Dostoiévski, com a respectiva correspondência em português, e completada com os diminutivos. Estes diminutivos familiares são muito usados na língua russa. Os mais frequentes formam-se, para os nomes femininos e para os masculinos, com os sufixos *otchka* (Eliena, Liênotchka, Dímitri, Mítrotchka) e *etchka* (Tânia, Tânietchka; Kólia, Kólietchka). Usuais são também os sufixos *uchka*, tanto para o feminino como para o masculino (Akulina, Akulínuchka; Piotr, Pietruchka); e *acha* (Nikolai, Nikolacha; Natália, Natacha).

É de interesse, a respeito dos antropônimos, lembrar que:

a. O nome completo de uma pessoa compõe-se, normalmente, de três elementos: o prenome, o patronímico e o nome da família ou sobrenome, p.e.: Alieksandr Alieksándrovitch Alieksandrov; Anna Grigórievna Dostoiévskaia.

b. O nome da família é tido como cerimonioso.

c. Em russo é incorreto, porém, tratar uma pessoa apenas pelo seu prenome.

d. Em vez do sobrenome, ou nome da família, os russos empregam, falando com um interlocutor com quem não tenham grande intimidade — inclusive entre os esposos na presença de terceiros — o seu nome próprio seguido de patronímico. Este último é uma derivação do nome do pai e só se aplica aos filhos e filhas.

e. Os três elementos do nome completo, isto é, o prenome, o patronímico e o nome da família ou sobrenome experimentam, nas suas terminações e acentuação, as alterações próprias da flexão de gênero, número e caso, p.e.:

	MASCULINO	FEMININO	PLURAL DE AMBOS OS GÊNEROS
PRENOME	Alieksandr	Alieksandra	Alieksandri
PATRONÍMICO	Alieksándrovitch	Alieksándrovna	Alieksándrovi
SOBRENOME	Alieksándrov	Alieksandrova	Alieksandrovi

f. As terminações mais frequentes dos nomes de família apresentam-se em *ov* (Gontcharov), *iev* (Turguéniev), *in* (Púchkin), *ski* (Dostoiévski), e *oi* (Tolstói). Os sobrenomes em *ov* e em *in* fazem o feminino, respectivamente, em *ova* e *ina*, como se vê, acrescentando-se um *a*; os terminados em *ski*, fazem o feminino em *skaia* (Ivanov, Ivanova; Lápin, Lápina; Krukóvski, Krukóvskaia).

g. Os patronímicos formam-se pela junção, ao nome do pai, da terminação *ovitch*, para o filho, e *ovna* para a filha, quando aquele termina em consoante, i.e., consoante dura (p.e. Kiril Kirílovitch, Cirilo, filho de Cirilo); Polina Kirílovna, Paulina, filha de Cirilo). Se o nome do pai termina em *i*, as terminações respectivas dos patronímicos são *evitch* e *evna* (p.e.Nikolai Nikoláievitch, Ekatierina Nikoláievna). Na pronúncia corrente e popular, *ovitch* e *evitch* reduzem-se muitas vezes a *itch*. Por exemplo: Ivânovitch passa a Ivânitch; Andriéievitch a Andriéitch.

h. Os nomes das famílias têm em russo, como nas outras línguas, as mais diversas origens: toponímicas, linguísticas, profissionais, factuais etc., e não raro derivam de alcunhas ou características físicas ou morais dos ancestrais. São em reduzido número os sobrenomes derivados dum prenome, mas existem alguns (como em português Fernandes, de Fernando, ou Rodrigues, de Rodrigo), cuja grafia coincide, por vezes, com a do respectivo patronímico, porém com clara diferenciação na acentuação tônica, que frequentemente se desloca para o final da palavra nos nomes de família, e para o início nos patronímicos (p.e. Ivan Ivânovitch Ivanov; Anna Ivânovna Ivanova; Maksim Maksímovitch Maksimov).

NOMES COMUNS

Conservaram-se, também, na tradução, e obedecendo ao mesmo critério de transliteração, os termos comuns russos e de outras línguas que não têm ainda exata equivalência em português e até por uma questão de conservação de certo sabor específico que assegura maior ambiência ao texto.

Ao contrário, procedemos com aqueles já muito generalizados e que são, por assim dizer, de conhecimento internacional, estando mesmo aportuguesados e dicionarizados, alguns.

NOTAS DE RODAPÉ

Para fugir à enfadonha repetição, no pé das páginas, dos significados em português dos termos russos e de outras línguas, organizou-se o Glossário que aparece no fim de cada um dos volumes.

Somente aparecem nos casos em que o termo precisa de pormenores que ajudem à interpretação do texto.

TOPÔNIMOS

No que diz respeito aos topônimos, russos e não russos, haja vista as notáveis discrepâncias nas grafias com que são transcritos nos diferentes dicionários da língua portuguesa que foram consultados, escolhemos em definitivo a lição — embora por vezes oscilante e irregular — do *Atlas geográfico* e do *Atlas histórico* escolares publicados pelo Instituto Brasileiro de Geografia e Estatística e pelo Ministério de Educação e Cultura. Aqueles nomes geográficos e logradouros, que não constam dessas duas obras, foram por nós transliterados por analogia com os que delas constam, ou de acordo com o nosso critério acima exposto.

Reduziu-se, assim, em benefício da comodidade e fluidez da leitura, o volume das notas de rodapé, que ficaram limitadas às anotações do autor e àquelas de imediato interesse do leitor; às traduções de frases e expressões vasadas em outras línguas; e às notas dos tradutores e da editora, de caráter elucidativo, sobre fatos histéricos, acontecimentos; costumes, provérbios, termos familiares e tradições; lugares e personagens reais; citações; e, em geral, esclarecimentos de passos menos compreensíveis para o leitor de hoje e não russo.

Breve nominata de prenomes russos[5]

Afanássi	Arkacha	Emieliânuchka
Agápia	Arkhip	Falala
Aglaia	Arkhípuchka	Falálei
Ágnia	Astáfi	Feodora
Agacha	Avdótia	Fiedóssia
Agrafiena	Arsiénia	Fiedossiéi
Akim	Boris	Fieofil
Akíndi	Bórienhka	Filat
Aksiênti	Dária	Filatka
Aksinia	Dacha	Filip
Akulina	Diemid	Filhka
Akulínuchka	Dienis	Fiódor
Akulka	Dima	Fiedka
Alieksandr	Dimachka	Fiokla
Alieksandra	Dimítri, Mítri	Fomá
Sacha	Mirochka	Gavrila
Sáchenhka	Mitka	Gavrilka
Sachka	Mitrochka	Glafira
Alieksiéi	Mitiúchka	Glacha
Alhocha	Domna	Grigóri
Aliessiéiko	Dorofiéi	Grichka
Alpátitch	Dúnia	Grúchenhka
Ambróssi	Duniacha	Iákov
Andriéi	Ekatierina	Iacha
Andron	Katarínuchka	Iároslav
Anfissa	Kátia	Iefim
Ânkel	Kátienhka	Iefímia
Ankúdi	Kátiuchka	Iefrônia
Anna	Eliena	Iegor
Anieta	Liena	Iegorka
Aníutka	Liênotchka	Iegóruchka
Ânuchka	Elisavieta	Ierochka
Aniuchka	Lisa	Iúri
Niétotchka	Lisanhka	Ieriemieia
Antip	Lisavieta	Iermak
Anton	Lísotchka	Ievguéni
Apolon	Elissiéi	Ievstáfi
Arina	Emielian	Iliá
Arkádi	Emiélia	Iliúcha

Iliúchka
Ilínichna
Iésus
Issa
Iólkin
Ióssif
Isaak
Issai
Iúlian
Ivan
Ivânuchka
Vânia
Vaniuchka
Vanhka
Kalist
Karolina
Karp
Khavrochka
Kiedril
Kiril
Klara
Kólia
Kólietchka
Krestian
Kira
Kurs
Kutchum
Kuzmá
Laurênti
Lieonid
Liev
Lióvonhka
Liúbova
Liudmila
Luísa
Luká
Luchka
Makar
Márei
Melânia
Marfa
Macha
Machka
Máchenhka
Mariáchka
Mark

Matriona
Matríochka
Matviéi
Mavra
Mikei
Mikhail
Mikita
Missail
Mítri, Dimítri
Mitrofan
Nastássia
Nástia
Nástienhka
Natália
Natacha
Niéstor
Nikita
Nikitka
Nikola
Nikolai
Nikolacha
Nikolachka
Niurra
Olsuf
Óssip
Pafnúti
Páviel
Pávlucha
Pavluchka
Pielagueia
Piotr
Piétia
Piétienhka
Pietruchka
Polina
Porfíri
Praskóvia
Prokófi
Roman
Samson
Sídor
Siemion
Sienhka
Sierguiéi
Sierioga
Sieriójka

Sófia
Sônia
Sonhka
Sofron
Sofrochka
Solomonka
Stienhka
Stiepan
Stiopka
Stiepanida
Tânia
Tânietchka
Tatiana
Tieriênti
Teresa
Timofiéi
Tina
Tínotchka
Trifon
Uliana
Usládi
Ustínia
Ustínuchka
Valientin
Vanda
Varlam
Varvara
Várienhka
Vassei
Vassíli
Vássia
Vasska (pejorativo)
Vássienhka
Vassiúk
Vassiútka
Viera
Vladímir
Volodka
Vsévolod
Zakhar
Zinaída
Zina
Zínotchka
Zinóvi
Zóssim
Zuleika

INTRODUÇÃO

GERAL

Vida e obra de Fiódor Mikháilovitch Dostoiévski

I / A vida
ASCENDÊNCIA, NASCIMENTO E INFÂNCIA

Aquele que havia de ser um dos maiores, se não o maior dos romancistas de todos os tempos — somente se lhe comparam em grandeza literária Homero, Shakespeare e Cervantes — nasceu num hospital de pobres, em Moscou, onde clinicava seu pai, Mikhail Andriéievitch Dostoiévski, depois de ter deixado de ser médico militar, e vivia com sua mulher Maria Fiódorovna Nietcháieva. Mikhail Dostoiévski, pai do escritor, descendia de uma família da Podôlia, na Lituânia, e sua mãe era filha dum comerciante moscovita. Alguns biógrafos do romancista traçaram a sua genealogia, pondo em destaque figuras de guerreiros, de religiosos e até de criminosos, com o fim de ressaltar a pesada carga hereditária do escritor. Diz-se, por exemplo: "Mikhail Andriéievitch conta entre os seus antepassados exemplares magníficos de raça, que explicam o seu orgulho e o seu ressentimento";[1] ou: "Gatunos, assassinos, magistrados, visionários, toda essa ascendência em que o mal e o bem se aliam através de gerações, dir-se-ia prefigurar a própria obra de Dostoiévski".[2] E citam-se um primeiro Dostoiévski no século XVI, inimigo combativo do czar Ivan, o Terrível; Maria Dostoiévskaia, condenada à morte por ter mandado assassinar o marido... E padres, juízes, guerreiros sanguinários, quais bandoleiros, e também Akíndi Dostoiévski, que morreu com fama de santo...

Não nos parece razoável juntar estes dois fatos: a genialidade de Dostoiévski e sua hereditariedade, onde avultam essas figuras, provavelmente mais ou menos lendárias, os tais guerreiros, criminosos e santos. Santos e bandoleiros, mansos e violentos, grandes e pequenos, cada um de nós, pessoa genial ou vulgar, normal ou anormal, poderá encontrá-los na sua ascendência. Se pudéssemos traçar a nossa árvore genealógica — e não era preciso percorrer muitas gerações com uma informação completa, lá iríamos encontrar ancestrais apagados ou ilustres, dentro de todas as modalidades caracterológicas e de condição social.

O que tornou digna de menção a ascendência de Dostoiévski foi a personalidade de... Dostoiévski. O que faz dignas da humana curiosidade e admiração certas extravagâncias e até certos vícios dos grandes homens é a sua própria grandeza e não as suas qualidades extravagantes ou viciosas; os homens vulgares e os medíocres também têm extravagâncias, vícios e manias que só não se tornam notórios porque os seus praticantes também não são.

Influência direta e perdurável terão no espírito do pequeno Fiódor o caráter de seus pais e todo o ambiente em que passa a infância. Sabe-se que o pai começara

---

1 Rafael Cansinos Assens: *Introducción a las Obras completas de Fiódor M. Dostoiévski*, Aguillar, Madrid.
2 Henri Troyat: *A vida de Dostoiévski*, Estúdios Cor, Lisboa.

Maria Fiodórovna Dostoiévs-kaia, nasc. Nietcháieva, mãe de Dostoiévski.

por ingressar na carreira sacerdotal, como alguns dos seus antepassados, mas veio a desistir, trocando-a pela medicina. Foi admitido na Escola Médico-Cirúrgica de Moscou, tratou dos feridos durante a campanha de 1812, e em 1821, ano em que nasceu Fiódor, é nomeado médico interno desse hospital de pobres, situado na Rua dos Asilos. O ordenado é modesto, mas consegue aumentar os rendimentos com o dote da mulher.

Os biógrafos do escritor descrevem-nos seu pai como um homem austero, desconfiado, azedo, excessivamente metódico e autoritário, e econômico até a avareza, mas, por outro lado, capaz de excessos sentimentais. Quanto à mãe, é uma figura doce, sofrendo em silêncio o despotismo doméstico do marido avaro, que não lhe dá o dinheiro necessário para o provimento da casa, embora consiga amealhar a soma necessária para adquirir o pequeno domínio de Darávoie e de Tchermátchnia.

A casa que os Dostoiévski ocupam no Hospital Maria, e que dava, como se disse, para a Rua dos Asilos, era de um só pavimento, cercada de jardim, atrás do qual se estendia o parque do hospital. Mas a entrada neste mundo vegetal estava proibida aos pequenos Dostoiévski. A família ocupava nesse andar dois compartimentos e um vestíbulo, pintado de cinza-escuro. O vestíbulo era dividido ao meio por um tabique, e uma das divisões assim formadas servia de quarto aos dois filhos mais velhos, Mikhail e Fiódor. Havia ainda um salão e uma saleta modestamente mobiliados: algumas cadeiras, canapés, arcas com roupa, duas mesas de jogo, uma das quais servia para as refeições.

A vida da família regulava-se pela severidade do pai de Dostoiévski: horas certas para todos os trabalhos e ocupações, poucas distrações, pouca convivência.

Além da severidade do pai, que fazia sofrer a esposa com a sua avareza — quantas vezes o pequeno Fiódor, que amava ternamente a mãe, a teria visto chorar às escondidas — que ensinava o latim aos filhos sob uma autêntica disciplina militar, repreendendo-os, aos gritos, quando qualquer deles se enganava nas declinações ou nas conjugações, devem ter pesado no espírito do futuro escritor o ambiente físico do seu pequeno e triste quarto sem janelas, que devia ser escuro e decerto lhe proporcionou visões tenebrosas, com os móveis rígidos, fantasmagoricamente iluminados pela lâmpada do ícone; as escapadas que, apesar da proibição paterna, fazia até ao parque do hospital, onde passeavam os doentes pobres e com os quais conversava; os serões familiares à volta da mesa iluminada por velas de sebo, e nos quais se lia a Bíblia, a história da Rússia e alguns poetas, como Dierjávin, Jukóvski e Púchkin. O Dr. Mikhail Andriéievitch Dostoiévski era pessoa culta e procurava igualmente encaminhar os filhos no amor da cultura; e também nunca saíram da imaginação de Fiódor as histórias tradicionais que lhe contavam Alíona Frólovna, a *nhanha*, a criada dos meninos, e as amas de leite que vinham duas vezes por ano visitar aqueles que tinham criado ao peito.

"No seio desta família crescia Fiódor Mikháilovitch Dostoiévski, ao abrigo de qualquer contacto com o mundo exterior, privado de amigos, de experiência, de liberdade. Marcá-lo-ia para sempre esse desenvolvimento artificial da sensibilidade."[3]

Adolescência

Em 1837, contava portanto dezesseis anos, Dostoiévski perdeu a mãe. Maria Fiódorovna morria com trinta e sete anos, tuberculosa e talvez também desgostosa da vida. O marido não só a atormentava com a sua avareza mas também com crises de ciúmes injustificados. A sua morte foi um golpe terrível para ele e para os filhos. O Dr. Mikhail Andriéievitch, terminado o seu tempo de serviço no hospital, passa a se dedicar completamente à educação dos filhos, retirando-se para a propriedade de Daravóie, a 150 km de Moscou, comprada à custa de apertadas economias. Aí procurará abafar o desgosto no álcool e no embrutecimento.

Para o sensível Fiódor, a morte da mãe deve ter representado também algo muito além do desgosto que a morte duma mãe amada pode causar a um filho dedicado: um autêntico drama existencial. A mãe de Dostoiévski morreu em 27 de fevereiro de 1837 e, na primavera próxima, sofre ele de uma doença de garganta, uma afonia que deixará vestígios por toda a sua vida. Poderia ter-se tratado de uma doença puramente física. Mas podemos também interpretar esse mal como o reflexo, no organismo fisiológico, do violento choque emocional que o jovem Dostoiévski acabara de sofrer. Aqui intervém a psicanálise e se fala do estabelecimento de um complexo de Édipo na psique do futuro escritor: Dostoiévski em criança teria assistido às cenas de despotismo paterno, teria visto por várias vezes sua terna e submissa mãe chorar. Quer por sua natureza afetiva e excessiva, quer por sua qualidade de filho e de rapaz, era natural que tomasse partido da mãe contra o pai. Num temperamento como o seu, este amor pela mãe viria a se tornar exclusivo e teria mesmo como reverso o ódio pelo pai.

Poderemos admitir que o futuro escalpelador de consciências humanas teria, ele próprio, nesta época uma consciência nítida, isto é, seria já capaz de encarar o problema, da mesma maneira, por exemplo, que viria equacioná-lo (no que respeita ao ódio pelo pai) n'*Os irmãos Karamássovi*? Que ele se formulasse uma síntese como esta: "amo muito mais minha mãe do que meu pai", ou até, "amo minha mãe e detesto meu pai", é admissível, e qualquer criança pode formular um juízo desta natureza. Que pusesse isso diante de si mesmo como problema, como drama existencial consciente e definitivo, por muito grande que fosse, como era, a sua inteligência, é que talvez seja mais difícil de admitir; apareceria para ele somente como drama existencial intuído, pressentido e não completamente enfrentado (só chegará realmente a encará-lo de frente em *Os irmãos Karamássovi*, a sua última obra). Daí o complexo. Quem sabe se Fiódor teria sentido ímpetos de acusar o pai culpado? Mas como acusar um pai soberano, que exige dos filhos uma obediência completa? Acusar... um pai? E então, como não podia falar e gritar... a voz extingui-se-lhe. Extinção temporária, mas que lhe deixará para sempre a voz velada e tanto rouca.

---

3   Henri Troyat, op. cit.

Formamos ao lado daqueles que acreditam no complexo de Édipo de Dostoiévski, pois julgamos descortinar na sua obra os traços iniludíveis que nos permitem, senão defender essa tese, pelo menos fundamentar tal hipótese.

Mas deixemos por agora essa questão complicada e acompanhemos os estudos dos dois jovens Dostoiévski.

Vimos como nos serões caseiros se liam a Bíblia, a história da Rússia e certos autores, em casa do Dr. Mikhail Andriéievitch — serões a que se assistiam obrigatoriamente os filhos — e como ele lhes ensinava latim e falava ainda de geometria e aritmética. Mais tarde contratou um professor para ensinar-lhes História Sagrada e outro para francês, Souchard, de seu nome pátrio, e Drachússov, de seu nome russificado.

Aos doze anos já Fiódor e seu irmão Mikhail estão em casa deste Souchard como semipensionistas, onde estudam francês, um pouco de matemática e de estudos eslavos. Deste semipensionato passam os dois irmãos para a escola de Tchermak, onde se instruem especialmente nas disciplinas literárias. Mikhail e Fiódor liam muito, por este tempo: Walter Scott, Dickens, George Sand, Vítor Hugo, Púchkin, Jukóvski. Nesta altura começa a idolatria de Dostoiévski por Púchkin.

Neste colégio, junto aos discípulos, revela-se um novo e doloroso aspecto da personalidade de Dostoiévski: a sua incapacidade de sociabilidade. Não consegue amigos, vive num isolamento triste e ressentido entre os rapazes de sua idade. "Fiódor gostaria bastante de arranjar amigos entre os alunos de Tchermak, mas afastavam-no dos condiscípulos um amor-próprio excessivo, uma desconfiança e timidez doentias. Ardia em desejos de se dedicar ao primeiro que lhe aparecesse, mas retraía-se, fechava-se dentro de si mesmo. Tinha medo de viver. Que havia de comum entre esses garotos alegres e Fiódor Dostoiévski, a quem uma melancolia, cuidadosamente conservada, sombreava a existência? Que havia de comum entre as suas aspirações românticas, os seus vagos ideais de glória, as suas admirações literárias e os jogos frustres dos companheiros? Revoltavam-no os gracejos vulgares que lhes ouvia..."[4] Fiódor Dostoiévski sofrerá durante toda a sua vida desta incapacidade. Nas *Memórias do suberrâneo* e noutras obras suas, encontramos sinais evidentes, muitos passos autobiográficos, demonstrativos dessa sua maneira de ser.

Em setembro de 1837, Fiódor e seu irmão Mikhail apresentam-se à inspeção na Escola de Engenharia Militar de São Peterburgo. O irmão é eliminado por motivo de saúde, mas Fiódor é aprovado. Aí começa Fiódor os estudos que, conforme o pai desejava, o fariam entrar na carreira militar, ser oficial num regimento da guarda imperial ou de engenharia militar. Mas, ainda mais uma vez, Dostoiévski não se adapta ao ambiente coletivo: os camaradas estão imbuídos de preconceitos e de ideais práticos e realistas sobre a vida, sobre o seu futuro, as carreiras mais lucrativas, as subidas de posto. Embora estudante aplicado e cumpridor dos seus deveres, não se junta a esses grupos, pelos quais sente desprezo. Entrega-se antes aos seus anseios e devaneios indefinidos e lê muito: Balzac, Vítor Hugo, Goethe, Schiller, Racine, Corneille. Apenas se aproxima para falar-lhes de literatura, para tentar convencê-los dos seus ideais do "belo e do sublime" (a que por mais de uma vez alude nas *Memórias do subterrâneo*), guiando-os no conhecimento das melhores

---

4 H. Troyat, op. cit.

obras literárias. É-lhe também lenitivo, nos primeiros anos de difícil contacto com o mundo acadêmico da Escola de Engenharia, a correspondência entusiástica, juvenil e amigável com seu irmão Mikhail, que ficara em Reval, em anexo da Escola. Também aí fala de literatura e de ideais.

Durante esta época conhecerá uma personagem real que mais tarde reviverá duplamente n'*Os irmãos Karamássovi*: será ao mesmo tempo o crente Alhocha e o negativista Ivan: trata-se de Tchedlóvski — Ivan Nikoláievitch Tchedlóvski — um jovem poeta que, então, entusiasma o também jovem Dostoiévski. É um rapaz de caráter estranho, que oscila entre dois extremos — ora se entrega à libertinagem, ora, em acessos de misticismo, à oração e à abstinência. Depois de muitos anos de hesitação entra num mosteiro, para tornar a sair, conservando no entanto o seu hábito de monge e tornando-se uma espécie de pregador ambulante. Dostoiévski criou na juventude uma admiração enorme por este Tchedlóvski. Chegou a escrever a seu respeito: "O cohecimento de Tchedlóvski... valeu-me momentos dos mais belos de minha existência. Oh, que alma sincera e pura! Meus olhos se enchem de lágrimas quando me acodem estas recordações...".

Foi ainda durante este tempo de vida estudantil que começaram as confrangedoras cartas de pedidos, em que se queixa ao pai da penúria monetária e lhe suplica com palavras lastimosas o envio de algum dinheiro.

Entretanto seu irmão Mikhail fica noivo e prepara-se para casar. Dostoiévski não foi ainda tocado por nenhum amor. Isso só virá bastante tarde. A decisão do irmão perturba-o, faz com que se sinta ainda mais só e infeliz. E vai dar-se um acontecimento que, dentro de certa interpretação do seu psiquismo, pode considerar-se como crucial na sua futura vida de escritor: a morte violenta do pai, assassinado pelos seus próprios camponeses na aldeia de Daravóie. A morte do pai deve ter abalado todo o ser de Dostoiévski até às maiores profundidades. Se, quando a mãe morreu, sua voz sumiu, talvez por não poder bramar contra o pai que, em parte, fora o causador desta morte prematura, deve ter havido já uma primeira vaga revelação de seu complexo de Édipo — agora com este assassinato, o segundo termo do complexo, o ódio pelo pai, deve ter se imposto perante a consciência do jovem Dostoiévski em toda a sua pecaminosidade. Essa morte inesperada não teria sido desejada por ele, no fundo do coração? Freud chega mesmo a dizer que Dostoiévski devia ter tido a intenção de matar seu pai. "O caráter do pai permanece o mesmo; piora até com os anos. O ódio de Dostoiévski mantém-se, bem como o seu desejo de matar esse mau pai."[5] "Talvez seja ir longe demais supor que ele teria tido a intenção definida de matar o pai. Podia ser que tal ideia lhe tivesse aflorado o espírito apenas como hipótese, integrada naqueles devaneios em que há coisas de tal ordem que tememos que se revelem a nós próprios..."; admitamos pelo menos, dentro de nossa interpretação psicanalítica, que, se ele não se abeirou desse abismo criminoso, teria pelo menos desejado essa morte e, quem sabe? sentido regozijo por ela. Mas num homem com a inteligência, a sensibilidade e a profundeza de autoanálise de Dostoiévski, a descoberta em si próprio deste desejo ou regozijo pecaminoso equivaleria quase a um ato realizado por suas próprias mãos. E tal revelação lhe traria um remorso pungente, de que ele não conseguiria jamais libertar-se, que o impeliria constantemente de

---

5 S. Freud: *Dostoiévski e o parricídio*, publicado em francês in *Dostoiévski*, por Anna Grigórievna, Gallimard, Paris.

confissão em confissão, até chegar à declaração formal de culpa por intenção em *Os irmãos Karamássovi*. "O principal assassino és tu, embora eu é que o tivesse morto" diz o Smerdiakov de *Os irmãos Karamássovi*. "Desejaria eu a esse ponto a morte de meu pai?" pergunta Ivan Karamássov, o instigador mental do assassínio.

Os estudos da Escola de Engenharia terminam em 1843 e Dostoiévski entra no serviço ativo. É nomeado alferes e designado para a repartição de desenho da Seção de Engenharia. Aluga casa, que vem a partilhar com um alemão, o Dr. Riesenkampf. Isento de tutela paterna, começa para Dostoiévski uma vida mais livre. Frequenta teatros, concertos, casas de jogo, e percorre todas as ruas, ruelas e antros de Petersburgo, para conhecer a vida da cidade e dos seus habitantes. Segue os transeuntes, descobre-lhes os segredos e as misérias, entra nas tabernas, nos bairros operários, nos tugúrios da gente humilde. Escreve dois dramas: *Maria Stuart* e *Boris Godunov* sob a influência de Schiller e de Púchkin, cujos manuscritos se perderam. Traduz *Eugênia Grandet*, de Balzac, faz projetos de se editar a si próprio, mas... continua sempre em apuros de dinheiro. Perde no jogo, deixa-se roubar por um, explorar e enganar por outros. E, entretanto, em setembro de 1844, pede demissão. Fartara-se daquela vida de repartição, oficial e burocrática, cuja recordação de pesadelo terá influência persistente nas suas obras. Neste ano começa a redação do seu primeiro romance. Uma nova fase se abre na sua vida: vai iniciar a sua carreira de escritor.

Asa lateral do prédio onde morou o escritor até a idade de dezesseis anos, em Moscou. Hoje o número 2 da rua Dostoiévski.

A ESTREIA LITERÁRIA

O seu primeiro romance, *Pobre gente*, está pronto. Mas como publicá-lo? Um dia encontra por acaso o seu amigo Grigórievitch, seu condiscípulo na Escola de Engenharia, escritor, com obras publicadas e algum nome nos meios literários. Chama-o a sua casa e lê-lhe o manuscrito de seu romance. Grigórievitch fica entusiasmado. Arranca-o das mãos de Dostoiévski e corre a mostrá-lo a Niekrássov, diretor e proprietário de *O Contemporâneo*. Depois da leitura, em que ambos choram, comovidos, vão procurar Dostoiévski em sua casa, às quatro da manhã, para o abraçar. No dia seguinte, Niekrássov leva o manuscrito de *Pobre gente* a Bielínski, o crítico todo-poderoso, com estas palavras: "Trago-lhe aqui um novo Gógol". O crítico lê todo o manuscrito de um fôlego e, ao terminar, tão grande é seu entusiasmo que, voltando Niekrássov a visitá-lo nessa mesma tarde, diz-lhe: "Traga-me esse homem!". No dia seguinte Dostoiévski é apresentado a Bielínski. Felicitações, abraços, louvores, conselhos. Quando Dostoiévski se separa do crítico, pergunta a si próprio: "É possível que eu seja tão grande?".

Bielínski, o poderoso crítico literário, contemporâneo de Dostoiévski.

Bielínski vai falar a todos do jovem escritor que acaba de descobrir. Dostoiévski está encantado com o seu triunfo. Ainda *Pobre gente* não foi publicado em letra de forma e já ele é conhecido, falado e discutido nos círculos literários, convidado para os salões de personalidades elevadas. Inebria-se, envaidece-se com sua glória; conhece Turguéniev. Um dia é apresentado no cenáculo de *O Contenmporâneo* presidido por Avdótia Panáieva. Apaixona-se por esta mulher, que coqueteia com ele e consente no seu amor silencioso e platônico.

Mas Dostoiévski não é homem para salões. É desconfiado, orgulhoso, tímido e melindroso. E, por outro lado, a inveja e a incompreensão não o poupam. Ouve alusões maldosas, epigramas, Turguéniev e Niefrássov compõem uma poesia satírica em que lhe chamam "cavaleiro da triste figura" e espalham anedotas ridículas e indignas acerca de Dostoiévski, que se desespera, foge e isola por algum tempo, mas volta de novo ao encontro dos falsos amigos e maledicências dos salões, cedendo ao seu impulso de convivência e desejo de notoriedade.

Em janeiro de 1846 *Pobre gente* é finalmente publicado no almanaque de Niekrássov, *Compilação de Petersburgo*, e a crítica de Belínski, n'*Os Anais da Pátria*, é ainda elogiosa.

Mas as obras que publica a seguir, *O duplo, O senhor Prokhártchin, Um romance de nove cartas, A dona da casa, Niétotchka Niezvânova*, já não são acolhidas pelo crítico com o mesmo entusiasmo, pelo contrário até, a crítica mostra-se severa. Dostoiévski é acusado de ter imitado Gógol, em *O duplo*, de ter-lhe mesmo copiado frases inteiras. E é verdade. Este romance está nitidamente influenciado pela obra *O nariz*, desse autor. *A dona da casa* é inspirado também em Gógol. A propósito desta última obra diz Bielínski: "Dostoiévski publicou outro romance, *A dona da casa*. É a

Niekrássov, o poeta que publicou Pobre Gente, *pela primeira vez, num almanaque que dirigia.*

maior das inépcias! Cada uma das suas novas produções é um novo fiasco. Enganamo-nos estupidamente a respeito do gênio de Dostoiévski... Eu, o primeiro dos críticos, mostrei-me um burro chapado".

Passaram-se três anos desde que Dostoiévski iniciou publicamente a sua vida literária. "Começou por ser proclamado um gênio e agora é apeado do seu pedestal glorioso, apontado como uma nulidade".[6] Então, no espírito de Dostoiévski surgem dúvidas sobre seu próprio talento. Precisa descobrir um caminho, mas não o encontra. Rompe com Niekrássov, o seu editor. Continua crivado de dívidas. Restam-lhe alguns amigos, mas a insociabilidade forçada, o ressentimento, a vaidade ferida, a angústia acabam por afastá-lo de todos. Nas cartas ao irmão, por este tempo, mostra bem o seu doloroso estado de espírito: "Vou no terceiro ano da minha carreira literária e ando como no meio de um nevoeiro denso. Não descubro a vida, não tenho ocasião para parar e refletir. A minha arte perde-se por falta de tempo. Gostaria de me deter... Criaram-me uma celebridade duvidosa. Não sei até quando durará este inferno: a pobreza, o trabalho perdido... Quando alcançarei a paz?... Como é terrível trabalhar para viver! O meu trabalho não suporta opressão... Quanto a mim, é sempre o mesmo estribilho, nem um copeque. Dívidas. Escrevo e não vejo o fim do meu trabalho. Torturam-me o aborrecimento, a apatia, a expectativa de qualquer coisa melhor...".

Mas o destino, essa força misteriosa em que ele acreditava, se encarregará de dar-lhe um golpe que vem quebrar essa apatia e, ao mesmo tempo, dar-lhe ocasião para parar e refletir.

CONSPIRAÇÃO, PRISÃO E CONDENAÇÃO

Irá parar e refletir durante nove anos na Sibéria. Há de refletir, primeiro, à beira da morte, num patíbulo, em frente dum pelotão de execução, e depois já na casa da morte, num presídio, entre assassinos, ladrões, salteadores, falsários, entre réprobos de toda espécie.

Na crise da sua fase de abatimento, do seu desespero, Dostoiévski chegou a julgar-se louco, tuberculoso, perdido de ataques epiléticos, tomara-o a neurose, pensa no suicídio. E é um autêntico suicídio a ligação que vai estabelecer com um grupo de niilistas revolucionários, propagandistas de novas ideias. Talvez os seus ideais políticos não estejam ainda bem definidos, nem saiba bem o que deseja. Pode ser que queira apenas fazer qualquer coisa onde desafogue o seu ressentimento contra o mundo e a sociedade, descobrir o seu caminho por um ato de loucura.

O ambiente da Rússia é de agitação social. Durante as campanhas napoleônicas de 1812-1814, os russos tomaram contato direto com a cultura ocidental. Como

---

6 H. Troyat, op. cit.

por toda a Europa, também na Rússia se formaram sociedades clandestinas, imbuídas de novas ideias socialistas e progressistas. Clamam pela libertação dos servos, pela abolição dos castigos corporais e pela supressão do absolutismo do czar. Quando Nicolau I sobe ao trono, a oposição torna-se declarada, o movimento subversivo invade o Exército e estala o motim de dezembro de 1825; os insurretos ficam conhecidos pelo nome de *dezembristas*, os quais foram vencidos, uns enforcados e outros deportados para a Sibéria. Mas a agitação continuou. O czar quer ser ele próprio a realizar as reformas preconizadas, mas não admite que outras cabeças pensem e alvitrem. Institui a *Okhrana*, isto é, a polícia política, que passa a exercer a vigilância, principalmente sobre os intelectuais. É uma vasta organização que estende por todo o país a sua espionagem e as suas devassas, e que comporta agentes secretos encarregados da denúncia. São dois os principais grupos que pensam e fazem oposição ao czarismo absolutista: os ocidentalistas, influenciados pelas teorias socialistas de Fourrier, Saint-Simon e Louis Blanc, e pelos ideais de progresso técnico e industrial; entendem que a Rússia é um país atrasado, que necessita de uma reforma nos estilo das reformas ocidentais; os eslavófilos desejam uma Rússia russa, que procure nas suas fontes tradicionais as suas próprias instituições e reformas.

Estamos em 1840. Os grupos de revolucionários progressistas são agora mais numerosos: englobam os estudantes universitários, jornalistas, escritores, comerciantes, funcionários, pequeno-burgueses. Um destes grupos é o de Pietrachévski, antigo estudante e funcionário. Dostoiévski foi-lhe apresentado em 1846. No ano seguinte frequenta o círculo dos pietrachevskistas. Que se passa nesse círculo de revolucionários? Verdadeiramente, nada de importante: alguns rapazes reúnem-se em volta de Pietrachévski; fumando e bebendo chá, falam de literatura, de política; criticam o regime, censuram o estado deplorável dos camponeses, da economia, da sociedade, de maneira geral. Nenhum programa definido, nenhum plano de ação.

"Quanto a Dostoiévski, permanece céptico. Apesar de reconhecer a generosidade dessas miragens humanitárias, achava que não se adaptavam à Rússia. Para ele, os russos deveriam agarrar-se à própria história e daí extrair um ensinamento salutar."[7]

Dostoiévski espera e deseja que o czar realize as reformas necessárias, porque o czar é como um pai para o seu povo. Que o prende, pois, a esse grupo vociferante com o qual, afinal, não está de acordo? A necessidade de simpatia humana, de preencher o vazio da sua insatisfeita necessidade de convívio, de se agarrar a qualquer coisa que marque um objetivo na sua vida.

Mais tarde surge no grupo um novo elemento, um tal Spiechniov, indivíduo estranho que acabará por fazer decidir Dostoiévski a passar das palavras à ação. Ele próprio é partidário da ação, ainda que se tenha de recorrer a meios violentos.

Fundam então uma outra sociedade à parte daquela: tencionam montar uma tipografia clandestina e distribuir panfletos. Entretanto, a polícia secreta entra em ação. O denunciante é um espião italiano que se introduzira disfarçadamente no grupo. E na madrugada de 23 de abril de 1849, Dostoiévski é despertado às cinco da manhã por um barulho de vozes à porta do seu quarto. Dostoiévski está preso. Às onze da noite desse dia já está na fortaleza de Pedro e Paulo, mandada construir por

---

7   H. Troyat, op. cit.

Pietrachévski, chefe do círculo de conspiradores que tem seu nome.

Pedro, o Grande no século anterior. Aí aguardará Dostoiévski a organização do processo dos pietrachvskistas, em que está implicado.

Durante bastante tempo suporta Dostoiévski com coragem os meses de clausura. Escrevendo ao irmão, diz: "Aproveito conforme posso o tempo de que disponho; já imaginei três novelas e dois romances. Há uma vitalidade surpreendente na natureza do homem. Nunca suporia que existisse tanta, mas agora o sei por experiência própria". E na prisão escreve esse conto encantador que é *O pequeno herói*, narrativa poética, em que descreve o despertar do instinto sexual num rapazinho de onze anos, e aí também continua e termina *Niétotchka Niezvânova*, que é ao mesmo tempo o drama de um gênio falhado e também o despertar da sensibilidade e da inteligência na alma duma jovem.

A instauração do inquérito dura cinco meses. Dostoiévski é acusado de "tomar parte em reuniões onde se criticavam atos do governo, a instituição da censura e da servidão"; de ter lido numa dessas reuniões uma carta de Bielínski, na qual se continham injúrias contra a igreja ortodoxa e o poder supremo.

A comissão de inquérito acaba por declarar que não pode concluir pela "existência duma sociedade de propaganda organizada". Mas a revisão do processo é exigida pelo Ministério do Interior e agora já se pensa em punir os conspiradores; o "caso Pietrachévski" sobe ao tribunal militar e à Auditoria Geral. Depois de várias tergiversações acerca da sentença a aplicar aos culpados, que começa por ser a pena de morte para todos, e é depois abrandada para a de trabalhos forçados, a pena que finalmente cabe a Dostoiévski é a de quatro anos de trabalhos forçados, como presidiário, e depois mais quatro como soldado raso. Mas o imperador deseja que seja dada uma lição severa as conspiradores: os condenados irão ser atores duma tragicomédia espantosa, uma simulação de fuzilamento, subirão ao patíbulo na Praça Siemionóvski, serão atados aos postes, de olhos vendados, e verão alinhar-se na sua frente os pelotões de execução. Os soldados apontarão as espingardas e uma voz gritará: "Fogo!"... mas os tiros não chegam a partir. Alguém agita um lenço, clarins tocam à retirada e ouve-se a voz do General Rostóiev:

— "Em sua inefável clemência, Sua Majestade, o czar, concede-vos a graça da vida...".

Dostoiévski conta-nos n'*O diário de um escritor* o que foram esses minutos em que esteve amarrado ao poste de execução e que julgou serem os últimos de sua vida. Num cálculo breve, dividiu em três partes o tempo que restava: dois minutos para se despedir dos amigos, outros dois para refletir sobre o que será a morte, outro para olhar o mundo pela última vez. Mas como adivinhar o que é a morte? O que ele sabe é que é jovem — tem vinte e sete anos — e que o sol faz brilhar a cúpula da catedral. E não consegue retirar o sol desse deslumbramento, o sol, a vida, a vida... oh, morrer, não: "E se eu não morresse, se eu pudesse recomeçar a vida... que eternidade! Faria de cada minuto um século, não deixaria perder nem um. Regularia todos os meus instantes para não perder nem um inutilmente," escreverá *O idiota*, obcecado ainda por essa recordação pungente, que jamais esqueceu. E que homem poderia esquecê-la?

Antes de partir para Omsk, na Sibéria, escreveu ao irmão: "Não me sinto abatido, não perdi a coragem, meu irmão. A vida está em toda parte, a vida reside em nós e não no mundo que nos rodeia. Perto de mim haverá homens, e ser um homem entre os homens, e continuar a ser sempre, em quaisquer circunstâncias, sem desfalecer nem tombar, eis o que é a vida, o verdadeiro sentido da vida".

Dostoiévski no exílio siberiano, fotografado em companhia de Tchokan Valikanov. Semipalatinsk, 1858.

O PERÍODO SIBERIANO. O PRESÍDIO

Embora as grandes obras de Dostoiévski não tenham sido escritas imediatamente à sua saída do presídio e de seu tempo de serviço como soldado raso, ainda na Sibéria, pois os seus romances desse período, *O sonho do tio, A granja de Stiepántchikovo* e *Humilhados e ofendidos*, não pertencem ainda a essa categoria, quase todos os seus biógrafos são unânimes em considerar que a sua estada no presídio siberiano foi decisiva na evolução de seu gênio e, portanto, da sua obra: "Aqueles quatro anos são como o reservatório secreto onde o seu gênio se alimentará daí para o futuro".[8] É *entre criminosos*, assassinos e ladrões que Dostoiévski passa esses quatro anos; o seu trabalho consiste em polir alabastro, transportar tijolos, limpar ruas e edifícios, retirando a neve com uma pá. Usa o uniforme dos presidiários, traz grilhetas e a cabeça raspada; vive na promiscuidade entre judeus, ucranianos, mongóis, polacos; dorme sobre esteiras, em cima do chão gelado, úmido e imundo do alojamento; ouve cons-

8   H. Troyat, op. cit.

tantemente pragas e insultos à sua volta, conhece histórias de crimes espantosos; não tem um momento de intimidade, pois os presos não podem estar sozinhos; suporta a violência e os vexames do major do presídio, um tal Kritzov, homem cruel e estúpido, que tiraniza os presos e os manda castigar por mínimas infrações; assiste, no hospital, à chegada de supliciados, à morte dos tuberculosos; e sente sobretudo que, por ser nobre, não pode verdadeiramente ser amado por esses criminosos plebeus. Estes odiavam os nobres, pertencentes à raça opressora do povo, e não podiam suspeitar que em Dostoiévski estava um irmão que os compreendia e queria aproximar-se deles. Cobriam-no de zombarias nos trabalhos. Os polacos, presos políticos, também o desprezavam por causa de sua resignação e ainda por ser russo.

Qual a lição desses quatro anos de presídio, em que consiste a marca que eles gravaram no espírito de Dostoiévski? É que ele descobrira a alma do povo russo. Para além do estigma de criminosos que a justiça imprimira na face dos seus infelizes companheiros, acabou ele por encontrar homens, verdadeiros homens de caráter vigoroso e belo. "Ouro debaixo de lixo."[9] E é este conhecimento, este amor do povo, que ele irá opor ao intelectualismo, ao cientificismo, ao socialismo importado; é no povo bom e ingênuo, pensa, que está a salvação da Rússia e do mundo; a Rússia será o novo Messias, que levará a salvação a todos os povos.

Há ainda outra matéria que Dostoiévski aprendeu na lição do presídio: a penetração dos evangelhos. Só nos últimos tempos da sua condenação lhe permitiram ler alguns livros; durante a maior parte da sua permanência no presídio apenas leu a *Bíblia*, único livro consentido aos presos. Por isso teve tempo de meditar profundamente a doutrina do *Evangelho*, que será essencialmente a sua. Se é verdade que toda a sua vida se debateu sobre o problema da crença em Deus, e que nunca aceitará uma ligação definitiva com a Igreja, o certo é que o amor evangélico penetrou o seu coração e chegará a escrever estas palavras, em carta dirigida a uma senhora[10]: "Se alguém me provasse que Cristo está fora da verdade, e se realmente ficasse estabelecido que a verdade está fora de Cristo, eu preferia Cristo à verdade".

O estudo dos textos sagrados terá ainda influência no aspecto formal das suas futuras obras. Henri Troyat define perfeitamente essa influência: "As alegrias e os sofrimentos de suas criaturas já não são estritamente terrenos. Todos os romances que fizer terão como que dois planos. No primeiro teremos a vida cotidiana, com as suas complicações, ciúmes, questões de dinheiro e de precedência. No segundo vai se desenrolar o verdadeiro drama do homem: a procura de Deus, a procura do ente novo".

O PRIMEIRO CASAMENTO

Saído do presídio, em fevereiro de 1854, Dostoiévski é enviado como soldado para a primeira seção do sétimo batalhão da Sibéria, em Semipalatinsk, uma pequena cidade, ponto de passagem de caravanas, de aspecto asiático, apenas com cinco ou seis mil habitantes, mercados tártaros, soldados e funcionários. Como recompensa do seu bom comportamento, Dostoiévski é autorizado a morar fora do

---

9   Carta ao irmão.

10   A senhora Fonvízin, que lhe oferecera um *Evangelho*, quando passara em Tobolsk, a caminho de Omsk, o lugar do presídio siberiano onde cumpriu a sua pena.

quartel. É nesta cidade que conhece o barão Vrangel, nomeado promotor de Sua Majestade nesta cidade. Uma grande amizade se estabelece entre os dois. Aqui também começa Dostoiévski a redigir as suas *Memórias da casa dos mortos*, no casebre de madeira que lhe servia de albergue.

Antes de conhecer o barão Vrangel, Dostoiévski travara relações com a família Issáiev, composta do marido, Alieksandr Issáiev, da mulher, Maria Dimítrievna, neta dum emigrado francês e filha do Coronel Dimítri Stiepânovitch, funcionário em Astrakan, e de um filho do casal, Páviel Issáiev. O marido é um bêbado incorrigível e, dado seu comportamento irregular, não consegue êxitos em parte nenhuma. Essa cidadezinha asiática é o epílogo de sua vida falhada. Aqui, até do seu lugar de mestre-escola fora despedido. A mulher, de trinta anos aproximadamente, é uma criatura doente, tuberculosa, dotada de um temperamento exaltado, sentimental e fantasista; e, ao mesmo tempo, uma decepcionada. Todos os seus sonhos de moça se haviam despedaçado com a companhia e a frustração daquele marido alcoólatra, que a forçava a viver numa insignificante cidade como aquela e a fazer trabalhos grosseiros a que não estava habituada. Quando o marido lhe apresenta Dostoiévski, Maria Dimítrievna fica lisonjeada com o conhecimento dum homem com o qual poderá conversar sobre literatura e outros assuntos. É provável que, por seu lado, Dostoiévski tenha sentido uma grande piedade por essa mulher nova, bonita, delicada e infeliz. "Ambos pessoas maltratadas pelo destino, perdidas no mundo. Para os dois os sonhos da mocidade tinham-se desfeito perante uma realidade sem alegria; para os dois o futuro não significava nada."[11]

Teria Dostoiévski ficado realmente apaixonado por Maria Dimítrievna? Até que ponto ele confundiu e assimilou a sua piedade a uma paixão amorosa? Perguntas que não esperam por resposta, ou melhor, cuja resposta se encontra sobretudo nas obras da sua maturidade — onde se vê que, afinal, o amor, o amor entre o homem e a mulher, participa também do sentimento de piedade. Fosse como fosse, a piedade e a ternura que essa mulher infeliz lhe inspirava, tomou-a Dostoiévski por uma paixão. Quanto a ela, Maria Dimítrievna, parece que não chegou a ter um grande entusiasmo pelo escritor. Era uma desiludida que buscava o refúgio de uma nova ilusão. Além disso, a sua vaidade de mulher sentia-se também lisonjeada. Mas a sua mútua atração e piedade não podiam ter futuro. Dostoiévski era um deportado e Maria uma mulher casada. Ademais, Issáiev conseguiu um novo lugar, foi nomeado adjunto do Tribunal de Semipalatinsk. O casal parte e Dostoiévski perde essa afeição a que já se acostumara.

Maria Dimítrievna Issáieva, primeira mulher do escritor.

Entretanto, parece que Maria Dimítrievna se entusiasma com um jovem professor de seu filho. Dostoiévski sente ciúmes, escreve cartas sobre cartas, tem crises nervosas. Até que a morte de Alieksandr Issáiev vem precipitar os acontecimentos, apesar de que Maria continua indecisa e chega a confessar-lhe, a ele, Dostoiévski,

11 H. Troyat, op. cit.

que está apaixonada por Viergunov, o professor do filho. Fiódor luta, tenta convencer Maria da insensatez desse amor com aquele rapazelho vaidoso e sem futuro, e chega até a encontrar-se e a falar também com ele. Toda estas situações se encontram transpostas em *Humilhados e ofendidos*.

Em outubro de 1856 Dostoiévski é promovido a oficial, o que significa um ordenado certo e a proximidade da recuperação da sua perdida liberdade. É então que Maria se decide e casam finalmente em fevereiro de 1857.

Todo o nervosismo desta longa espera e a excitação dos últimos dias, em que Fiódor teve ainda de escrever cartas à família, implorando um auxílio pecuniário para o casamento, abalaram a sua saúde: Dostoiévski sofre um violento ataque de epilepsia na noite do casamento. Mais uma vez Maria deve ter amaldiçoado o seu destino funesto, que da primeira vez a unira a um ébrio e, da segunda, a um epiléptico. E Dostoiévski, "sem saber, enganou a mulher. Pensando salvar uma existência miserável, impôs-lhe outra mais miserável ainda; matou qualquer esperança de amor entre os dois e, todavia, terão de viver lado a lado, de se aturarem, de mentirem e fingirem afeição".[12]

Quando ela morreu, daí a sete anos, a carta que o romancista escreveu ao seu amigo Vrangel, acerca da morte de sua mulher, resumirá o que foi essa vida entre eles, que nunca deixou de assisti-la com sua piedade, e ela, de gênio irritável, mórbido e fantasista, exacerbado pela tuberculose que avançava: "Ela, meu amigo, amou-me sem limites, e eu a amava também sem medida, e, contudo, não fomos felizes; mas embora tenhamos sido verdadeiramente desgraçados, devido ao seu estranho caráter, receoso e morbidamente fantástico, nunca deixamos de nos querer, e quanto menos felizes éramos, mais apego tínhamos um ao outro... Era a mulher mais nobre, mais leal e generosa de todas que tenho conhecido...".

Dostoiévski prestará ainda homenagem a Maria Dimítrievna, sua primeira esposa, tomando-a como modelo de Natacha de *Humilhados e ofendidos* e de Ekatierina Marmieládov de *Crime e castigo*.

A ATIVIDADE DE DOSTOIÉVSKI, COMO ESCRITOR, DURANTE O PERÍODO SIBERIANO

Vimos como o único livro que consentiam no presídio siberiano era a *Bíblia*. Afastado do mundo donde saíra, Dostoiévski sentia-se desatualizado a respeito do que iria pela Rússia e no mundo das letras. Assim que se instala em Semipalatinsk, pensa imediatamente em retomar as suas interrompidas atividades literárias e pôr-se a par das últimas novidades. Os projetos pululam no seu cérebro. O irmão promove a publicação do seu conto *O pequeno herói*, escrito durante sua prisão na fortaleza de Pedro e Paulo; continua a tomar notas para a futura redação de *Memórias da casa dos mortos*, planeja "um grande romance", que não chega a escrever. As obras que consegue levar a cabo, nesta época, são dois romances satíricos, *O sonho do tio* e *A granja de Stiepántchikovo*, escritas apenas com o intuito de publicar qualquer coisa que lhe reabra as portas da carreira literária, e que, pelo seu tom de

---

12   H. Troyat, op. cit.

humorismo jovial devem também traduzir a alegria do homem liberto do presídio, que pode outra vez respirar em liberdade.

Ao mesmo tempo começa Dostoiévski as suas diligências para se tornar definitiva e absolutamente livre, deixar a Sibéria e regressar a Petersburgo. E escreve uma série de cartas a antigos condiscípulos influentes e de jaculatórias às pessoas régias. Em 1855 compõe uma ode ao imperador Nicolau I, que o condenara a trabalhos forçados; em 1856 escreve um poema em louvor a Alexandre II; dirige-se ao General Totleben, seu antigo camarada na Escola de Engenharia. Devido às diligências deste, é que Dostoiévski é promovido a oficial em 1856.

Seis meses depois, é reintegrado nos seus direitos à nobreza. Em 1859 obtém licença para deixar o exército e regressar à Rússia. Mas não lhe consentem ainda que se instale em Moscou ou em Petersburgo. Fixam-lhe uma residência — Tver — e estabelecem à sua volta uma vigilância secreta — que o acompanhará até o fim de sua vida. Finalmente, em 2 de julho de 1859, com a mulher e o enteado, deixa Semipalatinsk. Vivera na Sibéria quase dez anos.

O regresso a Petersburgo

Durante a sua estada em Tver, Dostoiévski continua inquieto. Sente que não é esse o lugar em que há de assentar, que precisa regressar a Petersburgo. Continua com as suas petições dirigidas ao imperador e a personalidades importantes. Sofre de ataques frequentes de epilepsia. Continua a trabalhar em *Memórias da casa dos mortos*. Finalmente, em novembro de 1859, o imperador defere a sua petição e Dostoiévski regressa a Petersburgo.

Mas quando aqui chega, encontra-se, por assim dizer, na situação dum novato na literatura. É como se tivesse de recomeçar. A Rússia mudou. Agora é Alexandre II o imperador, quem concede a emancipação dos servos e estuda outras reformas liberais que, no entanto, não conseguem satisfazer os ânimos mais exaltados. O ambiente é de censura e ataque ao regime e reclama-se uma mudança radical. E eis que Dostoiévski entra neste mundo em efervescência, cheio de um enternecido amor pelo imperador, a quem considera como pai do povo russo. Surge como submisso ao regime e à ortodoxia. "Perante os seus contemporâneos, assume a velha atitude. O presídio não o modificou. Não é conservador. É conservador-russo. Não é liberal. É liberal-russo. Imagina uma série de reformas, não copiadas das do Ocidente, mas extraídas dos recônditos da história."[13] E assim que chega a Petersburgo funda, juntamente com seu irmão Mikhail, a revista *Vriémia*, isto é, *O Tempo*, em cujas páginas defenderá as suas ideias sobre os destinos da Rússia. Esta revista, que chegou a inserir colaboração de Turguéniev, de críticos como Apolon Grigóriev, e artigos de Strákhov, dos quais um se torna motivo para que a Censura suspenda a publicação. Foi nesta revista que publicou também *Humilhados e ofendidos*. Aliás, não será ainda este romance que reconquistará para Dostoiévski a fama perdida. Foi mal acolhido pela crítica. Chegaram a dizer dele: "O Senhor Dostoiévski não deve levar-me a mal que eu classifique o seu romance abaixo do nível crítico de arte".

---

13   H. Troyat, op. cit.

Somente com a publicação de *Memórias da casa dos mortos* é que o nome de Dostoiévski volta a readquirir um êxito enorme, uma autêntica popularidade. Conta-se que o imperador chorou ao ler esta obra.

Depois de *Vriémia*, Dostoiévski lança ainda outra revista, *A Época*, que veio também a ser suprimida por motivos políticos.

PRIMEIRA E SEGUNDA VIAGEM À EUROPA.
AVENTURA COM POLINA SÚSLOVA

Na sua primeira viagem à Europa, no verão de 1862, visitou Dostoiévski Berlim, Dresde e Colônia, de passagem, Paris durante dez dias, Londres, Genebra, Turim, Gênova e Florença. As suas impressões desta primeira viagem ficaram registradas num pequeno escrito intitulado *Notas de inverno sobre impressões de verão*.

Nelas é evidente uma série de generalizações apressadas sobre o caráter dos povos com os quais esteve em contato, pois, por muito arguto observador que Dostoiévski fosse, as suas estadas nessas cidades foram demasiado breves para que pudesse conhecer bem todas as condições de vida e o temperamento desses povos e, além disso, as suas apreciações são prejudicadas pelo seu preconceito da excelência do povo eslavo sobre os demais europeus. E a sua visão dessas cidades ficou também incompleta porque, afinal, Dostoiévski viaja sem dar atenção à paisagem e interessando-se diminutamente pelos monumentos. Entretanto não deixou de fazer nessas *Notas* algumas observações satíricas, que encerram algumas verdades.

A segunda viagem já não a faz só, vai na companhia duma mulher, que não é a esposa, pois esta está quase às portas da morte: Dostoiévski irá viajar em companhia de uma amante. Quem é essa mulher? Aliás, não é ainda uma mulher, mas uma moça, uma jovem estudante entusiasmada com as ideias niilistas e progressistas, a literatura e a política, o feminismo e com pretensões a escritora. Ouvira as conferências de Dostoiévski nos serões literários organizados a favor dos estudantes pobres e ficou impressionada. Um dia leva uma novela sua a Dostoiévski, a qual virá a ser publicada na revista *O Tempo*, por ele dirigida.

As relações íntimas entre os dois só devem ter começado entre 1862 e 1863. Paulina — assim se chama a moça — tem dezesseis anos e Fiódor o dobro da idade. É o *Diário* da própria Paulina Súslova que nos permite fazer uma ideia do que foram esses amores. Podemos pensar que teriam representado para o escritor uma fuga à vida aborrecida e triste que, como homem, devia levar junto da esposa definhada, envelhecida e sempre lamentosa; uma paixão sensual de homem mais velho por uma mulher mais nova; quanto a ela, deve ter sido seduzida pelo prestígio do escritor; não chegou a amá-lo verdadeiramente, pois não era uma amorosa, mas uma aventureira, que gostava de ser adorada para ter depois o prazer de dominar e repelir, quando o desejasse. Não partiram os dois juntos para a sua viagem de lua de mel. Ela partiu primeiro e ele depois, com o dinheiro emprestado pela Caixa de Socorros a Escritores Necessitados. Mas ambos se atraiçoam mutuamente, antes de se reunirem em Paris. Dostoiévski vai traí-la com a sua paixão mais funda pelo jogo: antes de chegar a Paris detém-se em Wiesbaden e joga furiosamente na roleta, onde ganha e perde sucessivamente avultadas quantias. A paixão pelo jogo consegue fazê-lo esquecer quase a paixão amorosa. Esta experiência ele a transpôs em *O jogador*.

Polina, essa, atraiçoa-o com um homem, um espanhol ou sul-americano que encontra em Paris. Confessa a Dostoiévski a sua nova aventura. Mas partem ainda juntos para viagem pela Europa, pela Itália. Antes, porém, passam por Wiesbaden e aí temos de novo Dostoiévski na tentação da roleta, que lhe leva quase todo o dinheiro que possui. Restam-lhe apenas cento e trinta francos e é com esta quantia que os dois partem afinal para a Itália, "como amigos". Veem-se na contingência de empenharem certos objetos e recebem algum dinheiro de empréstimos já anteriormente suplicados. Finalmente separam-se. Polina regressou a Paris e Dostoiévski à Rússia, com o dinheiro que ela lhe emprestara.

Esta estranha criatura, como não podia deixar de ser, tornou-se também um modelo das suas futuras heroínas femininas. Além de ser a protagonista feminina de *O jogador*, a sua figura aparece ainda na Aglaia de *O idiota*, na Lisa de *Os demônios*, na Ekaterina Ivânovna de *Os irmãos Karamássovi*; representa o tipo de mulher que ora parece uma amorosa e ardente apaixonada, ora um ser frio e por vezes até um pouco cruel.

Quando chega à Rússia, Dostoiévski vem encontrar a esposa moribunda. Antes, porém, perde também o irmão, que fora o seu grande amigo, e recolhe então para si o encargo de sustentar a cunhada viúva e os sobrinhos. Está outra vez em grandes dificuldades econômicas, tanto mais que luta ainda por prolongar a vida do jornal *A Época*, que o irmão dirigia.

Entretanto, é no meio destas angústias que Dostoiévski redige uma das suas grandes obras, *Memórias do subterrâneo*.

Embora alguns biógrafos de Dostoiévski, como Levison, Hallet Carr, Henri Troyat, considerem dois grandes períodos fundamentais na vida de Dostoiévski, o período anterior às *Memórias da casa dos mortos*, e o posterior, pedimos vênia para nos colocarmos ao lado de Bierdiáiev, e somos também da opinião de que a segunda fase literária só começa verdadeiramente com *Memórias do subterrâneo*: só com esta obra o escritor deixa a primeira fase de tentativas, digamos até, em certo sentido, impessoal, abandona a imitação, as escolas, o respeito e acatamento por fórmulas e por

Dostoiévski, em 1860.

Polina Súslova, a grande paixão de Dostoiévski.

críticos, para encontrar a sua maneira de sondagem progressiva em profundidade e extensão, explorando um campo imenso que abarca desde as estruturas ínfimas do psiquismo humano até aos grandes e permanentes problemas metafísicos da consciência universal. Dostoiévski será, a partir desta obra, o escritor do subterrâneo. É uma obra de um pessimismo azedo, antirracionalista, na qual deve ter influído o seu estado de ânimo depressivo, consequente a sucessivos ataques de epilepsia e hemorroidal.

A 15 de abril de 1864 morre finalmente Maria Dimítrievna, sua mulher, após uma prolongada agonia. Dostoiévski sente que a sua solidão no mundo se torna ainda mais profunda.

Na ânsia de restabelecer amizades e relações que preencham o seu vazio, conhece por esta época a família Korvin-Krukóvski, que tem duas filhas, Anna e Sófia. Mais uma vez Dostoiévski se julga apaixonado: pede a Anna que case com ele, mas ela recusa-o; é verdade que há também Marfa Brown, uma mundana que por esse tempo era amante de um jornalista boêmio e alcoólatra. Parece que Dostoiévski chegou a viver juntamente com ela, por brevíssimo tempo. Estas duas inclinações fugazes deixam no entanto uma impressão nítida no espírito e na obra do escritor. Anna Krukóvski e Marfa Brown estão representadas nas duas heroínas femininas de *O idiota*: uma é a noiva do espírito, e a outra a mulher carnal que, para além do amor sensual, inspira também ao príncipe Míchkin uma imensa piedade.

Anna Grigórievna, segunda esposa de Dostoiévski.

A par de mais estas experiência amorosas falhadas continuam para Dostoiévski as aflições pecuniárias. O irmão deixara-lhe uma viúva com quatro filhos, a responsabilidade da revista *A Época* e alguns milhares de rublos de dívidas. Pois, no fim do verão desse ano, é intimado a liquidar essas dívidas, sob pena de prisão. A revista é suspensa e o editor Stolóvski aparece junto de Dostoiévski com uma proposta que tanto pode representar a salvação provisória como a ruína: receberá três mil rublos, parte em dinheiro, parte em letras, pelo direito, concedido ao editor, de publicar todas as suas obras até à data do contrato, mais uma inédita, que deverá ser-lhe entregue até novembro do próximo ano (1866). Dostoiévski aceita o perigoso contrato à Caixa de Socorros a Escritores Necessitados, e parte de novo para o estrangeiro ao encontro de Polina Súslova e da roleta. Escusado será dizer que outra vez a roleta o deixa na penúria e se vê compelido a solicitar empréstimos de amigos e inimigos. Também chegou a pedir Polina em casamento, mas ela não o quis. Entretanto, na sua mente delineia-se já uma nova obra, que virá a ser *Crime e castigo*.

O SEGUNDO CASAMENTO. PERMANÊNCIA DE QUATRO ANOS NO ESTRANGEIRO

Para poder cumprir o contrato a que se obrigara, de apresentar uma obra inédita até o fim de novembro de 1866, Dostoiévski viu-se na necessidade de ditar *O jogador* e de procurar uma estenógrafa. Recomendaram-lhe Anna Grigórievna, uma jovem de vinte anos, modesta, moderna, medianamente instruída e inteligente, mas sensata e carinhosa. A maneira como se estabeleceu uma mútua simpatia e compreensão entre a jovem estenógrafa de vinte anos e o escritor que ultrapassara os quarenta, foi por ela própria narrada no livro que escreveu sobre ele.[14] É provável que tenha havido da parte da jovem uma grande admiração e piedade por esse homem de gênio, infeliz e torturado, e, pelo lado dele, a necessidade de encontrar finalmente uma amizade pacífica, carinhosa e maternal. O romance *O jogador*, que devia ser entregue a Stolóvski, ficou pronto na data combinada, e o casamento do escritor com a estenógrafa realiza-se rapidamente, em fevereiro do ano seguinte (1867).

A companhia e a dedicação dessa mulher lhe permitirão a calma e a estabilidade necessárias para a realização dos seus futuros grandes romances. Agora que dispõe da bagagem procelosa do passado, poderá reconstruir à vontade a agitação de todas as suas paixões anteriores no porto firme duma vida burguesa e familiar. Anna Grigórievna "não trouxe à existência do escritor nenhum desses desesperos férteis, nenhuma dessas cenas espetaculares, desses êxtases sobrenaturais a que as mulheres o haviam acostumado. Não foi nenhuma mina para os seus romances, não enriqueceu o tesouro dos seus apontamentos; ordenou, porém, esse tesouro com um desvelo de dona de casa modelar... meticulosa, econômica, cheia de virtudes, apreciando os livros de contas... examinando os contratos do marido, vigiando o pagamento dos direitos do autor, fazendo frente a credores, catalogando, rodopiando laboriosamente na órbita do gênio — Anna Grigórievna fica como o tipo da mulher que põe a sua casa em ordem..."[15]. "Fosse como fosse, desempoeirou a existência de Dostoiévski. Ao lado do grande homem não foi a musa, mas a irmã de caridade. Ora Dostoiévski tinha mais precisão de uma irmã de caridade do que de musas."[16]

Prédio onde Dostoiévski viveu em 1869, em Dresde.

Mas os princípios da sua vida conjugal foram difíceis. À família de Dostoiévski não agradou o seu novo casamento, pois estavam interessados em açambarcarem os recursos do escritor que generosamente os tinha tomado à sua conta. Moveram guerra aberta conta Anna Grigórievna, a quem consideravam como uma intrusa. Além disso, Dostoiévski está de novo a ser assediado pelos credores, que o ameaçam com a prisão por dívidas. Que lhe resta senão a fuga? Empenham-se os móveis de Anna Grigórievna, a fim de juntar o dinheiro necessário para uma viagem ao

14   Anna Grigórievna, *Recordações da minha vida*. Em francês, *Dostoiévski, Gallimard*, Paris.
15   H.Troyat, op. cit.
16   H.Troyat, op. cit.

estrangeiro. E mais uma vez Dostoiévski vai deixar a Rússia bem amada, para só voltar daí a quatro anos.

Passam por Berlim, por Dresde. Chegado aqui, deixa a jovem esposa sozinha e parte para Hamburgo, onde novamente é arrastado pela paixão da roleta. Em Baden-Baden retorna ao vício. Perde e ganha sucessivamente, empenha e desempenha os únicos objetos de valor que lhes restam, as alianças de casamento, os brincos e um vestido da mulher, o sobretudo. Finalmente, com um adiantamento de quinhentos rublos, recebidos da Rússia, consegue partir com a mulher para Genebra, ao fim de várias oscilações. Aqui, recomeça a trabalhar nas suas obras, com dificuldade. Concebe a ideia de *O idiota*, isto é, de um homem admirável em todos os aspectos. Entretanto, Anna Grigórievna está prestes a dar-lhe um filho, que será uma menina.

Mas o destino prepara-lhe mais uma dura prova: esse pequenino ser, que ele amava já apaixonadamente — era uma menina, a quem tinha dado o nome de Sonhka, em homenagem à heroína de *Crime e castigo* — desaparece da vida apenas com três meses. O casal cai no desespero. Deixam Genebra, onde lhes fica o túmulo da filhinha, e pela Itália vagueiam, atormentados de saudade pela pequenina morta e de nostalgia da pátria.

O GRANDE PERÍODO CRIADOR

É depois da morte da primeira mulher que começa o grande período criador de Dostoiévski. *As Memórias do subterrâneo* e *Crime e castigo* datam já deste período. Seguem-se-lhe *O jogador, O idiota, O eterno marido, Os demônios, O adolescente, O diário de um escritor* e, finalmente, *Os irmãos Karamázovi*. Podemos dizer que ao longo de todos estes romances, há um certo número de problemas éticos e metafísicos fundamentais no espírito de Dostoiévski, que vão tomando em cada obra não só uma forma mais consciente como também multiplicando-se em todas as suas diretrizes possíveis; todas as experiências acumuladas na sua vida, ele as porá nas suas grandes obras, sobretudo em *Crime e castigo*, em *O idiota, Os demônios* e *Os irmãos Karamázovi*, que são considerados mais importantes. *O diário de um escritor* não é um romance mas produto de sua atividade jornalística.

Dostoiévski e sua mulher tinham chegado a Petersburgo um julho de 1871 e, como sempre, encontram-se em grandes dificuldades financeiras. Os credores continuavam a assediá-lo e a ameaçá-lo. Foi a decisão da mulher que valeu, pois enfrenta corajosamente esses credores dirigindo a edição de algumas das suas obras, tomando a seu cargo toda essa contabilidade, tratando com tipógrafos e livreiros. E, no fim de 1872, o Príncipe Mieklúski, proprietário de *O Cidadão*, oferece-lhe o lugar de chefe de redação desse jornal, com o ordenado de três mil rublos por

Dostoiévski, em 1870, quando escrevia "Os Demônios".

Anna Grigórievna com sua filha Liúbov e seu filho Fiódor.

ano. Dostoiévski aceita. Pode assim realizar o seu grande sonho de escrever *O diário de um escritor*. Mais tarde, desligado já de *O Cidadão*, *O diário de um escritor*, em vez de simples crônica num jornal, tornou-se uma publicação independente. "Com *O diário de um escritor* Dostoiévski inaugura um gênero novo, em que mistura impressões pessoais sobre política externa, temas eternos das pequenas preocupações momentâneas, fantasias romanceadas e fatos do dia. É um processo de conversar de vez em quando com o leitor... As suas crônicas são redigidas em estilo familiar, frouxo, difuso, mas que se eleva de repente a uma eloquência bíblica."[17] Os escritos d'*O diário de um escritor* dão-nos as ideias políticas, religiosas e sociais do autor, sob uma forma através da qual é evidente o seu preconceito do eslavismo ortodoxo. Além destas ideias inclui também Dostoiévski, como dissemos, narrativas puramente literárias e até memórias da sua infância, como o episódio do camponês Márei, contos admiráveis como "O sonho dum homem ridículo" e "Uma doce criatura". Este *Diário* traz-lhe um grande êxito literário. Recebe inúmeras cartas de toda

---

17   H. Troyat, op. cit.

a Rússia, conquista a juventude. Entra de novo num círculo de relações mais largas. A maior parte das suas dívidas está paga. Alugou uma casa de campo em Stáraia Russa, onde passa grandes temporadas com a mulher e os dois filhos, Liúbova e Alieksiéi, que em 1876 virá a morrer de um ataque de epilepsia.

Casa dos Dostoiévski em Stáraia Russa.

O romance *Os irmãos Karamázovi* é a última obra que escreveu, a apoteose gloriosa de sua carreira de escritor. É agora tão admirado como Turguéniev e Tolstói.

Em maio de 1880, Dostoiévski recebe um convite para fazer um discurso na inauguração do monumento a Púchkin. Fez esse discurso, em que eleva Púchkin à categoria de poeta nacional russo, que lhe valeu uma ovação delirante.

Dostoiévski fez ainda novos projetos literários. Deseja continuar *O diário de um escritor* e escrever a segunda parte de *Os irmãos Karamázovi*, isto é, a história de Alhocha, uma das personagens, o que significa a *Nova Rússia* evangelizada e salvadora messiânica da humanidade.

Mas o Escritor está velho, doente e cansado. Sofre há muito de enfisema pulmonar e a epilepsia não o larga. Na noite de 25 ou 26 de janeiro deste ano de 1881, tem uma hemorragia pulmonar, que torna a repetir-se, até que a sua vida se extingue no dia 28, ao fim da tarde. Trinta mil pessoas acompanharam o seu funeral. "Começará então a verdadeira vida de Dostoiévski, fora do tempo e do espaço."[18]

PÓSTUMA: "O INCIDENTE STRÁKHOV"

A verdadeira glória de Dostoiévski começa depois de sua morte. É então que vai surgir a exegese apaixonada da sua obra e da sua personalidade e a sua disper-

---

18   H. Troyat, op. cit.

são pelos países cultos da Europa. Grande é o número de memórias, de encontros, de biografias, de estudos e de críticas que se publicam.

Entre o número de seus biógrafos conta-se a sua própria mulher, Anna Grigórievna, que depois da sua morte se dedicou de uma maneira absoluta à edificação da glória póstuma do marido, pondo em ordem todos os seus manuscritos, cartas e demais papéis por ele deixados, promovendo edições das suas obras, organizando o Museu de Dostoiévski, redigindo memórias e saindo em sua defesa contra os detratores, que também existiam e muito a faziam sofrer, de tal maneira que chega a dizer no livro que escreveu: "As pessoas que conheceram, ou julgam ter conhecido Dostoiévski, que escreveram 'recordações' sobre o meu marido, acarretaram-me muitas vezes grandes aborrecimentos. Cada vez que eu lia num jornal que tal ou qual pessoa falava de meu marido, nas suas recordações, o meu coração apertava-se e eu pensava: 'Aí temos outra vez, é o mais certo, um exagero, uma invenção qualquer ou simples bisbilhotice...' Ficava sempre espantada por causa do tom, quase geral dessas 'recordações de Dostoiévski'. Todos os narradores o representavam, como de comum acordo (e isto a partir das suas obras), sob o aspecto dum homem lúgubre, de convívio difícil, intolerante para com a opinião dos outros, discutindo constantemente com toda a gente e procurando ofender o seu semelhante; e, além disso, ainda excessivamente orgulhoso e sujeito à mania das grandezas...".[19]

Mas dentre todos os aborrecimentos que Anna Grigórievna teve de suportar, o maior de todos foi o devido à carta difamadora e depreciativa que o primeiro biógrafo de Dostoiévski, Strákhov, que tinha sido seu amigo, depois de sobre ele ter escrito primeiramente uma biografia panegírica, enviou a Liev Tolstói em 28 de novembro de 1883, na qual retificava muitas das suas apreciações favoráveis ao grande escritor. Eis o texto dessa carta:

"Estimadíssimo Liev Nikoláievitch — Quero escrever-lhe uma carta breve, se bem que o tema seja prolixo. Mas não me sinto muito bem de saúde e seria necessário muito tempo para desenvolver esse tema como devia ser. É provável que já tenha recebido a *Biografia de Dostoiévski*, para a qual peço sua atenção e o favor de dar-me sua opinião sobre ela. Porque quero confessar-lhe uma coisa. Durante todo o tempo que gastei em escrevê-la, tive de lutar contra um sentimento de horror que surgia no fundo da minha alma e que não consegui dominar. Ajude-me a encontrar uma saída! Não consigo ver em Dostoiévski nem um homem bom nem um homem feliz, coisas que, no fundo, se contradizem; era um mau caráter, invejoso, petulante, e passou toda a sua vida numa grande excitação o que o teria feito parecer digno de dó e ridículo, se não tivesse sido tão maldoso e tão astuto. Tal como Rousseau, tinha-se na conta de o melhor e o mais feliz dos mortais. Quando compunha a sua biografia, lembrava-me nitidamente desse seu aspecto. Na Suíça[20] pôs-se a insultar o criado na minha frente, a tal ponto que ele, ofendido, respondeu: 'É preciso ver que eu também sou uma pessoa!'. Lembro-me de como me surpreenderam então essas palavras dirigidas a um defensor da humanidade e nas quais se refletia o conceito que na livre Suíça se tem dos direitos do homem. Episódios deste gênero aconteciam-lhe a cada passo, pois não sabia dominar a sua cólera. Eu costumava

---

19   H. Troyat, op. cit.

20   Numa das suas viagens à Europa, Dostoiévski percorreu alguns países em companhia de Strákhov.

suportar estoicamente os seus *ex abrupto*, que pareciam absolutamente de mulher, espontâneos e impensados. Mas por duas vezes não pude conter-me e disse-lhe coisas muito ofensivas; mas na sua maneira de pensar, perante as ofensas, era sempre superior ao comum dos homens, e o pior é que tinha prazer nisso, e, depois nunca confessava as suas... vilanias... As vilanias atraíam-no, parecia-se com elas. Viskóvatov contou-me que Dostoiévski tinha se vangloriado perante ele de ter abusado, nos banhos de vapor, de uma jovem que uma preceptora lhe levara. E note que, de todas as suas paixões bestiais, não tinha o gosto nem o sentido da beleza feminina. Isso vê-se pelos seus romances. As personagens que melhor correspondem ao seu caráter são o herói do *Subterrâneo*, o Svidrigáilov de *Crime e castigo* e o Stravróguin de *Os demônios*. Katkov negou-se a publicar uma cena de *Os demônios*, a da violação da garota; mas Dostoiévski leu-a a muitos amigos...

Apesar disto tinha também propensão para uma sentimentalidade piegas, para os devaneios elevados, humanitários, e é nisso que assenta precisamente a tendência da sua musa literária e da sua inspiração. Em conjunto, os seus romances constituem uma justificação, pretendem demonstrar que podem coexistir numa alma a nobreza e todo o gênero de horrores.

Torna-se-me muito doloroso não poder afastar estas ideias e não tenho um momento de repouso. Será o caso de que eu tenha antipatia por ele? Ou que eu o inveje? Ou que lhe queira mal? Nada disso. Só eu podia chorar lágrimas ao pensar nessas recordações, que poderiam ter sido luminosas, mas que constituíam para mim um tormento.

Lembro-me das suas palavras a respeito de que as pessoas que nos conhecem a fundo não podem gostar de nós. Mas, outras vezes, acontece também outra coisa: que no convívio íntimo com os homens descobrimos uma qualidade pela qual tudo se lhe pode perdoar. Os impulsos da verdadeira bondade, uma pequenina centelha de autêntica cordialidade, um momento só que seja de positiva contrição podem compensar de tudo... Se eu pudesse também recordar qualquer coisa de semelhante de Dostoiévski, também poderia perdoar-lhe tudo e folgaria com isso.

Na verdade era um homem infeliz e mau, que se comprazia em fingir-se feliz e só a si mesmo se amava com ternura. Como sei por experiência que posso ser atroz e estou em condições de compreender e perdoar esse sentimento no próximo, pensava que poderia encontrar uma saída para o meu modo de proceder para com Dostoiévski. Mas não a encontro, não encontro.

Que isto sirva de comentário à minha *Biografia*. Eu podia ter descrito e contado esse aspecto do caráter de Dostoiévski; muitos casos se me apresentam mais vivos do que os descritos, e a representação da figura teria podido resultar mais verídica; mas que esta verdade pereça. Queremos ver a vida de frente, como fazemos sempre em todos os lados... Enviei-lhe ainda duas obras que me agradam e que lhe interessam, conforme fiquei convencido quando da minha visita: Pressensé, um livro magnífico, verdadeira ciência, e *Joly*, a melhor tradução de Marco Aurélio, cuja obra-prima me entusiasmou."

Foi esta a resposta de Tolstói:

"Também li o livro de Pressensé. Mas toda a sua ciência se perde por causa de um só defeito. Há cavalos bonitos; um, bom, vale mil rublos, mas de repente apercebemo-nos de um defeito, e o cavalo, magnífico e possante, já não vale nada...

Quanto mais vou vivendo, melhor aprendo a estimar os homens que não têm coisas estranhas. Diz-me que fez as pazes com Turguéniev. Eu também tenho muita amizade por ele. E, coisa curiosa, porque não tem nenhuma qualidade estranha e cumpre uma missão. Mas também há cavalos aos quais não há quem os faça arrancar, a não ser para levar uma pessoa para o outro mundo. Pressensé e Dostoiévski sofrem ambos de excentricidade. A ciência dum, o coração e a inteligência do outro não deram fruto nenhum. Turguéniev sobreviverá a Dostoiévski, e não pela sua grandeza artística, mas sim por estar isento de extravagâncias".

A carta de Strákhov foi publicada no número de outubro de 1913 de *O Mundo Contemporâneo*. Mas a mulher de Dostoiévski só veio a tomar conhecimento dela um ano mais tarde, saindo então a refutar todas as afirmações de Strákhov, em defesa do marido, no livro que sobre ele escreveu.[21]

Hoje, já longe das discussões entre detratores e glorificadores, por vezes violentas, e mais sobre a sua personalidade do que sobre a sua obra, pode-se dizer que Dostoiévski não foi um santo nem um monstro; foi apenas um homem, e um homem contraditório, como o são a maior parte de todos os seres humanos, os gênios em particular. Teve fraquezas, vícios, tentações, atitudes menos dignas, mas tudo isso foi talvez necessário para que ele chegasse ao conhecimento do próximo, que também tem fraquezas, vícios e pecados. Sofreu, lutou e amou; e basta a sua imensa simpatia e o amor pelo próximo para o resgatar de todas as suas fraquezas. Foi ele quem disse em 1880 ao jovem Mieriechkóvski, então com a idade de quinze anos, e que foi ler-lhe os seus versos: "Para escrever bem é preciso sofrer, sofrer".

II / A OBRA
O ESTILO E A TÉCNICA

Estudemos em primeiro lugar o aspecto formal da sua obra. Vimos já como podemos considerar nela dois grandes períodos, o primeiro, desde a publicação de *Pobre gente*, a sua estreia literária, até às *Memórias da casa dos mortos*, e o segundo, desde as *Memórias do subterrâneo* até à obra final da sua carreira de escritor, *Os irmãos Karamázovi*. Dissemos também como a nova maneira de Dostoiévski, a partir de *Memórias do subterrâneo*, se caracteriza por uma dialética em profundidade.

É verdade que muitas das características da sua obra se mostram desde *Pobre gente*; que nela há já uma prefiguração, não só de muitos dos seus tipos, como de muitos dos seus problemas fundamentais. Mas sente-se ainda muita hesitação; encontram-se já páginas de grande intensidade e todo esse tônus de paixão característico das suas obras; as suas personagens da primeira fase praticam atos desmedidos; mas falta ainda ao jovem escritor aquela ousadia extrema que se sente no homem subterrâneo; apenas em *Polzunkov* aparece, nas obras dessa primeira fase, uma personagem dotada da coragem de expor a sua verdadeira natureza masoquista. É só na segunda fase que os seus protagonistas se tornam autênticos possessos, ou das suas paixões, ou dos seus grandes problemas.

Se quisermos apreciar a obra de ficção de Dostoiévski à luz dos conceitos

21 Anna Grigórievna, *Memórias da minha vida*.

Gabinete de trabalho de Dostoiévski, na sua última morada em Petersburgo.

clássicos da técnica romanesca, teremos de reconhecer que, a esse respeito, se caracteriza por uma certa inabilidade. Uma grande parte da sua obra foi escrita na primeira pessoa ou sob a forma de memórias, às vezes aparece também um narrador que toma parte na ação, mas não como espectador. Em *Pobre gente*, além do recurso simples de uma ação romanesca que se vai apreendendo através da leitura duma série de cartas, há muitas páginas ocupadas com a narrativa no pretérito, das memórias da infância e da primeira juventude de Virienhka, a protagonista. Em *Um romance em nove cartas* volta Dostoiévski ao processo de nos dar a trama episódica por meio de uma série de cartas; em *Polzunkov* há um narrador-assistente; em *O ladrão honrado* há dois narradores, um que nos introduz na história e outro que está em conversa com o primeiro e que conta a história propriamente dita; em *Noites brancas* há novamente um narrador, que é o protagonista da novela; *Niétotchka Niezvânova* é uma autobiografia da protagonista, escrita sob a forma de memórias, na primeira pessoa; o conto *O pequeno herói* é também uma narrativa memorialística na primeira pessoa; em *O sonho do tio* há um cronista que relata os acontecimentos da pequena cidade de Mordássov, cronista esse que se dirige familiarmente ao público que o lê; em *A granja de Stiepántchikovo*, mais uma vez um narrador nos conta uma série de episódios em que ele participa e, em *Humilhados e ofendidos*, a presença do narrador-protagonista, devido ao seu papel de medianeiro entre todos os outros comparsas do drama, chega a tornar-se quase inaceitável; a sua presença constante em casa de Natacha e de Alhocha, mesmo nos momentos de maior intimidade destes, é quase risível. Nas *Memórias da casa dos mortos* há, seguindo nisto o gosto da época, um manuscrito deixado pelo narrador. Aqui não se trata de processo mas de necessidade. Além de que Dostoiévski parece ter pensado primeiramente apresentar esta sua obra sob a forma de reportagem jornalística, era necessário usar de cautela com a Censura. Em *Memórias do subterrâneo* temos novamente a forma autobiográfica, e *Crime e castigo*, o primeiro da série dos grandes romances, foi de princípio escrito sob a forma de *Diário de Raskólhnikov*. *O jogador* e *O adolescente* são também escritos na primeira pessoa.

De uma maneira geral os seus romances são prolixos e tortuosos, as peripécias cavalgam confusamente umas sobre as outras, há uma desordem aparente que, nas primeiras impressões, pode chocar o leitor. O seu estilo é pesado, cheio de longos períodos, desprovido de raça. Não nos esqueçamos, entretanto, das condições em que o escritor trabalhava; podemos dizer que Dostoiévski escrevia romances a prazo, para ganhar o pão de cada dia; e quantas vezes recebia adiantadamente o pagamento das suas obras e, ainda elas estavam longe de ser acabadas, já ele se via de novo na penúria, vivendo de empréstimos mendigados e de *dinheiro cedido pelos* agiotas.

Não pensemos que um gênio da categoria de Dostoiévski tivesse em menos conta a forma das suas obras. Fez e desfez várias dessas obras e sofria por não poder dar-lhes a forma desejada. A propósito de *O sonho do tio* escreveu ao irmão: "Não me agrada, e entristece-me a ideia de que me vou apresentar novamente ao público em tão más condições. É impossível escrever aquilo que desejamos; temos de escrever o que nunca pensaríamos se não necessitássemos de dinheiro".

A esposa, Anna Grigórievna, fala também nas memórias que escreveu da sua vida com Dostoiévski, acerca das condições desfavoráveis em que ele trabalhava: "Infelizmente as suas dívidas obrigavam-no a oferecer o seu trabalho aos jornais: em virtude disto recebia direitos inferiores a certos escritores, em particular Turguéniev e Gontcharov, que viviam à grande. Na mesma época e no mesmo jornal, pagavam o *placard* impresso a 150 rublos a Dostoiévski e, às vezes, a quinhentos, a Turguéniev. Mas o mais lamentável era que a sua situação o colocava na obrigação de trabalhar rapidamente; não tinha tempo nem condições para compor e aperfeiçoar as suas obras, o que, para ele, era uma grande causa de desgosto. Os críticos censuravam-lhe frequentemente a falta de uma boa forma nas suas obras, a coexistência de vários assuntos no mesmo romance, o encavalitamento e a confusão dos acontecimentos, inacabados, na sua maior parte. Não há dúvida de que estes críticos severos ignoravam em que condições trabalhava Dostoiévski.

Eis um exemplo: os três primeiros capítulos dum romance estão impressos, o quarto está a compor, o quinto acaba de ser enviado pelo correio, e o sexto está em vias de ser escrito pelo autor; quanto aos restantes, ainda nem os imaginou. Quantas vezes ouvindo-o confessar que perdera uma ideia das que mais gostava, ideia que já não podia reaver, quantas vezes eu assisti a um ataque de desespero sincero! Quanto não teriam ganho as obras de meu marido, no ponto de vista artístico, se ele não tivesse de preocupar-se com este pesadelo (as dívidas)! Se pudesse ter escrito os seus romances sem se apressar, se tivesse podido revê-los, corrigi-los, poli-los, antes de entregá-los ao editor! Na literatura, na sociedade, comparam-se frequentemente as obras de Dostoiévski com as de outros escritores de talento, censuram a meu marido uma complicação extraordinária, a confusão e uma sobrecarga de ideias e episódios nos seus romances, e que outros, como Turguéniev, por exemplo, publicavam quase peças de joalharia. Mas raramente viria à ideia de alguém perguntar em que condições, em que circunstâncias viviam ou escreviam esses autores, e em que situação se encontrava o meu marido!".

Ao pesadelo das dívidas devemos acrescentar ainda os frequentes ataques de epilepsia, de que o escritor sofreu durante a maior parte da sua vida. Estes ataques, alguns de extraordinária violência, deixavam-no prostrado e desmemoriado às vezes por muitos dias. Diz Stefan Zweig: "A clareza do seu cérebro, que abrangia milhares de pormenores, numa harmoniosa visão de conjunto, desapareceu; já não se recorda das coisas mais próximas; o fio que o ligava ao seu ambiente, à sua obra, quebrou-se. Depois de um ataque, enquanto recopiava *Os demônios*, verifica, espantado, que não tem a mínima ideia dos acontecimentos que imaginou, que esqueceu até o nome dos seus heróis...".

A inabilidade técnica de Dostoiévski a que nos referimos é apenas uma inabilidade relativa aos processos duma técnica oficial, por assim dizer, reconhecida pelos críticos encartados. Pois Dostoiévski tinha a sua técnica, que não obedecia a outras regras senão às que lhe eram ditadas pelo seu gênio criador.

Quando muitos autores gastam páginas e páginas de prosa para descreverem o ambiente, o quadro em que se desenvolve uma certa cena, a Dostoiévski basta-lhe apenas meia dúzia de palavras, uns simples apontamentos; os retratos das personagens são também desenhados rapidamente, mas de tal maneira que a personagem surge imediatamente caracterizada na nossa frente. Mas as suas personagens nos são ainda dadas em toda a sua profundidade psíquica, à custa dum processo que é caracteristicamente dostoievskiano: a paixão. "As personagens só ganham relevo na paixão."21 É só nos momentos em que as suas personagens quebram todas as fronteiras, ultrapassam todas as medidas, se tornam possessas, extravasam todos os seus sentimentos, já aquecidos ao rubro, que elas surgem em toda a verdade da sua alma. E poderá dizer-se que o defeito das suas personagens é serem quase exclusivamente almas e não homens de carne e osso, que pratiquem os atos comezinhos que toda gente pratica na vida cotidiana; e a criação destas personagens faz-se toda num cenário imaterial; até mesmo quando comem, dormem, se vestem ou se despem, tudo isto é visto e descrito em função do papel que podem ter relativamente ao significado na ação espiritual dos dramas.

A paixão através da qual se nos revelam as suas personagens espirituais é-nos transmitida por meio de um dos instrumentos mais poderosos da técnica dostoievskiana: a palavra. "É preciso ouvir e fazer falar as suas personagens para que tenhamos a sensação da sua existência... O lugar das palavras, a sua escolha são características simbólicas, nada é deixado ao acaso; uma sílaba é suprimida, um som fica por articular, porque é necessário que assim seja. As paradas, as repetições, as tomadas de fôlego, o gaguejar são indispensáveis, porque debaixo dessa palavra falhada adivinha-se uma vibração abafada; numa conversa, toda a comoção secreta da alma vem à superfície, e nós sabemos não somente o que cada personagem diz e quer dizer, mas o que dissimula."22

E por isso Dostoiévski é também um grande mestre do diálogo e das cenas de efeito espetacular.

Da mesma maneira que as suas personagens são somente puros espíritos, falta nos seus romances um elemento importante de realidade: a natureza. Em alguns da juventude, como por exemplo, no primeiro, *Pobre gente*, há ainda, em algumas páginas em que a heroína evoca a sua infância feliz, a descrição de alguns quadros campestres. Mas a sua grande tendência é para mergulhar nos subterrâneos da alma humana, esquecendo-se quase por completo da terra com árvores, animais, plantas, rios e estrelas, sobre a qual os homens caminham e param de vez em quando a descansar das suas paixões.

"Falta-lhe esta ponta preciosa de panteísmo que dá às obras gregas e alemãs a sua atmosfera benéfica e libertadora."23 "O domínio de Dostoiévski é a alma e não a natureza; o seu universo limita-se à humanidade."24

E esta sua humanidade, em que meios vive, ou, por outras palavras, onde se passa a ação dos seus romances? Raramente à luz do sol. Quem percorrer toda a sua obra poderá verificar que os cenários escolhidos são sempre quartos ou pensões miseráveis, ou pior ainda, cubículos infectos, alugados em grandes prédios habitados por uma chusma de pobretões; tabernas nauseabundas, de ar viciado pelos vapores

22   Stefan Zweig, *Dostoiévski*, Rieder, Paris.

23   H. Troyat, op. cit.

24   Stefan Zweig, op. cit.

do álcool e pelas pragas dos ébrios; vielas de Petersburgo, de chão coberto de neve enlameada e enevoadas pela neblina densa que sobe do canal.

E as suas personagens, quem são? Funcionários sem categoria, de uniforme batido e botas rotas; estudantes pobres, que vivem de expedientes e passam fome e frio; vadios, ébrios, idiotas, prostitutas, moças perseguidas, mulheres tuberculosas, crianças esfomeadas e maltratadas, sádicos, tarados, assassinos, loucos, enfim, toda a escória da sociedade.

"Mas é nesta banalidade que ele introduz as mais comoventes tragédias do seu tempo. O sublime surge fantasticamente num meio lamentável."[25]

A FILOSOFIA DE DOSTOIÉVSKI

Disse Bierdiáiev que a "preocupação exclusiva de Dostoiévski, o tema único ao qual consagrou a sua força criadora, é o homem e o seu destino... para ele o homem é um microcosmo, o centro do ser, um sol em torno do qual tudo se move".

Uma página do manuscrito d'Os Demônios.

---

25   Stefan Zweig, op. cit.

E é de fato esta a impressão que sempre acabarão por colher os leitores dessa obra.

Sublinhamos já o fato de tanto as paisagens como o vestuário, o mobiliário, as refeições surgirem apenas como brevíssimos apontamentos secundários, aduzidos apenas na medida estritamente necessária para formar o exíguo suporte material, real, das cenas e ambientes em que se movimentam as personagens. E esses homens, ou melhor, esses homens que se agitam freneticamente nos seus romances, vimos também que são, na sua grande maioria, criaturas socialmente decaídas e quase sempre nevropatas, quando não doidos completos. "Um hospital de nevropatas", disse-se alguém, falando do mundo dostoievskiano.

Também se aventaram já hipóteses explicativas para a abundância quase exagerada de neuróticos, loucos, maníacos e sádicos que enxameiam a obra do grande escritor. Na verdade, se Dostoiévski era, ele próprio, um nevropata, um epiléptico, um masoquista e um vicioso dos jogos de azar, por outro lado possuía uma inteligência e um espírito lógico extraordinários. Por consequência, como não pensar que um gênio da sua envergadura não reparasse naquilo que estava fazendo, isto é, nesse povoamento de anormais, no terreno dos seus romances? Pode admitir-se que isso fosse também um recurso, um disfarce, não só perante a Censura, como perante a sociedade do seu tempo.

Mas poderemos ainda apreciar o caso de outra maneira. Vimos já como as suas personagens somente chegam à revelação completa da sua personalidade autêntica quando atingem certos momentos extremos da paixão, quando se tornam paroxísticas, possessas. Ora, os excessos, a perda do autodomínio são muito mais fáceis em desequilibrados ou doentes do que em homens sãos ou normais, e é nos estados de paixão que o homem pode ver melhor até onde é que pode chegar e aquilo de que é capaz. Porque o grande problema subjacente na antropologia de Dostoiévski é o mesmo de Sócrates: *Conhece-te a ti mesmo*. Os heróis de Dostoiévski, verdadeiramente, têm apenas uma ambição: medirem as suas próprias forças, provarem a si próprios se são livres ou não, saberem o que há nas profundezas mais recônditas da sua alma, tanto de bem como de mal, avaliarem a parte de anjo e a de besta que habita no fundo do seu ser. Este é o seu grande problema, a finalidade que procuram, o objetivo da sua existência. Por isso mal conseguimos vê-los neste mundo real, pois fazem uma torturante viagem através de si próprios, em busca do seu eu autêntico. Em última análise, nenhum herói ou heroína de Dostoiévski procura a felicidade, a alegria, a riqueza, o poderio, mas a conquista da liberdade. Para isso são capazes não só de atos de abnegação extraordinária, como de devassidões, de ignomínias, de crueldades e de crimes. Se Raskólnikov mata a velha usurária, não é verdadeiramente para se apoderar do seu pecúlio, mas para saber se pode ou não ultrapassar os limites da moral gravada no coração dos homens, se é livre, "se tudo é ou não permitido".

Dominada por um problema tão terrível, a alma destes homens acaba por debater-se entre os sentimentos mais contraditórios. "Correm do desejo para o arrependimento, do arrependimento para o ato, do crime para a confissão, da confissão para o êxtase."[26] Esta luta de contrários, a natureza antinômica da personalidade humana, é uma das características mais notáveis das suas personagens, e é até apon-

---

26   Stefan Zweig, op. cit.

tada como uma das descobertas de Dostoiévski nos domínios da antropologia. Para Dostoiévski não há sentimentos simples, nem estabilizados, na alma do homem. Os sentimentos penetram-se mutuamente, confundem-se, sobrepõem-se, atropelam-se, combatem-se violentamente. "Em Dostoiévski, a alma é um puro caos; encontramos na sua obra bêbados por desejo de pureza, criminosos por sede de arrependimento, homens que violam virgens por respeito pela inocência, blasfemos por necessidade religiosa."[27] Não há unidade no psiquismo humano, a antiga psicologia, que assentou sobre a unidade, a geometria dos sentimentos e dos caracteres, é substituída por uma psicologia analista que dissocia e desfibra, atingindo as estruturas antinômicas nos seus elementos mais simples. Stefan Zweig põe em confronto as personagens-tipos da literatura clássica anterior a Dostoiévski, em que os caracteres são de uma só peça, passíveis de um rótulo qualificativo: "Ulisses é manhoso, Aquiles corajoso, Ájax irascível, Nestor prudente"; e falando dos heróis de Balzac, Walter Scott e Dickens, diz que eles nos dão sempre, na sua conduta, uma ideia de pureza, de linha, de continuidade, ao contrário das personagens de Dostoiévski, em que todos os sentimentos são ambíguos e cuja conduta é imprevisível.

De conflito em conflito, os heróis dostoievskianos chegam a autênticos estados de desdobramento da personalidade; este fenômeno é mesmo primacial na sua obra. A primeira obra sua em que nos aparece um caso típico de desdobramento é *O duplo*. Goliádkin, o protagonista, atinge um estado patológico em que vê o seu duplo materializado, fora de si. E Ivan Karamássov não tem uma hora de delírio ou quase loucura, em que vê o seu duplo sob a forma demoníaca? A aplicação deste fenômeno à criação literária está estreitamente ligada aos métodos psicológicos de Dostoiévski. Embora nesse tema do duplo possam ver-se influências literárias de Hoffmann, no caso do escritor russo representa uma maneira artística de pôr o problema do inconsciente: um homem pode não ser capaz de analisar-se a si próprio e de descobrir os elementos de que se compõem os seus problemas morais, desfibrar e conscientizar os seus complexos, ou então, pode também não ter coragem de enfrentar racional e lucidamente a sua verdade; mas de nada lhe valem tal ignorância ou os disfarces e as fugas que para si próprio procura: o inconsciente é ativo e procura constantemente atingir a consciência plena. Para conseguir os seus fins, todos os meios lhe servem: a alucinação, a loucura, se for necessário. Quem revela ao senhor Goliádkin a sua verdadeira natureza, quem lhe põe o problema da sua condição moral perante si próprio e a sociedade, é o seu duplo, ridículo, zombeteiro e metediço; quem revela a Ivan Karamássov a parte satânica da sua natureza é também o seu duplo, que lhe aparece sob a forma do Diabo.

Para atingir as formas de atuação do inconsciente serviu-se Dostoiévski ainda de outros processos, como o da confissão, o da análise dos sonhos, das visões e dos pressentimentos. Neste sentido costuma afirmar-se que Dostoiévski foi um precursor de Freud. Em todos os seus romances chega sempre um momento, altamente dramático, em que uma ou mais personagens se confessam perante um público que as escuta, ou perante outra, que pode até ser a sua inimiga. A confissão dostoievskiana corresponde à catarse grega, à grande purificação da alma. Enquanto se confessa, o homem humilha-se, e essa humilhação é já uma meia redenção de todos os pecados.

---

27   Stefan Zweig, op. cit.

Já se disse que não há na obra de Dostoiévski nenhum homem ou nenhuma mulher que procure a felicidade. O seu mundo é um mundo de dor. Todos sofrem, ou a doença, ou a miséria, ou a injustiça social, ou as consequências das suas paixões, ou tudo isto ao mesmo tempo; mas são a dor e o sofrimento que resgatam o mal e o pecado, e acabamos sempre por ver que, em última análise, os seus heróis aceitam sempre como uma bênção o castigo do Céu ou dos outros homens, o qual vai permitir-lhes conhecer um novo nascimento, criar uma alma nova purificada pelo conhecimento do mal e pela experiência da dor.

Para um escritor cujo tema capital é a personalidade humana, é claro que não poderia ser-lhe indiferente o mundo das crianças e dos adolescentes, onde os sentimentos estão ainda em gestação. Raro será o escrito de Dostoiévski onde não entrem personagens infantis. As suas crianças sofrem no mesmo mundo que os adultos e são vítimas inocentes da injustiça e da crueldade destes; Dostoiévski envolve-as de piedade, mas dá-lhes quase sempre um destino trágico.

Neste momento é ocasião de falarmos numa figura infantil feminina, ou melhor, na figura duma adolescente que surge, sob retratos diversos, mas no fundo sempre semelhantes, em várias das suas obras. É a Nely de *Humilhados e ofendidos*, a Matríochka de "A confissão de Stavróguin", n'*Os demônios*. Não há dúvida de que, lendo atentamente as páginas em que ele nos fala destas criaturinhas, encontramos expressões que se repetem e que parecem estar em relação com qualquer imagem emocional gravada na alma do escritor. Há na verdade uma história, ou melhor, uma lenda — visto que nada de positivo se conhece a respeito de certa adolescente em relação à qual Dostoiévski teria tido uma conduta condenável.

Seja como for, há, da parte do escritor, páginas admiráveis em que nos dá a psicologia da adolescência, não só ao descrever o caráter tímido e impetuoso dessa Nely de *Humilhados e ofendidos*, como o da Niétotchka Niezvânova, do romance inacabado do mesmo nome, e o do protagonista infantil de *O pequeno herói*.

O AMOR E A MULHER

Stefan Zweig considera que a obra-prima de Dostoiévski é a sua análise do sentimento do amor. Enquanto para outros escritores o amor é um absoluto "a finalidade da sua obra, a finalidade da sua vida", e o amor correspondido representa o cúmulo da felicidade, para Dostoiévski o amor serve apenas para "revelar ao homem o seu caminho trágico, para servir de reativo à liberdade humana"[28] e nunca leva à união harmoniosa de dois seres em espírito e em carne. É sempre ou um amor só espiritual, ou somente sensual, e geralmente um homem e uma mulher se veem repartidos entre dois amores, como a Nastássia Filipovna de *O idiota*, que ama espiritualmente o bondoso príncipe Míchkin, sensualmente o tempestuoso Rogójin; também a Grúchenhka de *Os irmãos Karamázovi* ama Dimítri e Alhocha ao mesmo tempo. Nunca o amor é, nos seus romances, um sentimento doce e sereno, e não conduz nunca à felicidade; pelo contrário, o amor é uma tentação monstruosa, que participa da loucura e leva à ruína da personalidade; ora conduz o homem aos

---

28   Stefan Zweig, op. cit.

extremos da paixão desenfreada, ora às águas gélidas da apatia e da depressão; é mais uma provocação que o homem experimenta no seu caminho de purificação e ascensão para uma personalidade pura e livre.

Se o amor não conduz o homem à felicidade, o mesmo pode dizer-se da sensualidade. Dostoiévski analisou igualmente a fundo esta paixão humana, deixando-nos tipos extraordinários de homens sensuais, como o Svidrigáilov de *Crime e castigo*, o Stavróguin de *Os demônios* e os Karamázovi.

Não só o homem não encontra na sensualidade a sua realização como, pelo contrário, cai na destruição total da sua personalidade. O sensual, o devasso, é sempre um egoísta e egotista, um homem que fica completamente isolado.

Quando dizemos que o amor, em Dostoiévski, é uma prova de tentação e sofrimento imposta ao homem nos caminhos da conquista da sua liberdade espiritual, temos de tomar a palavra homem no sentido sexual particular, isto é, o amor é uma prova imposta ao homem e não à mulher. Porque a mulher é sempre uma personagem secundária na obra de Dostoiévski, interessa-lhe "exclusivamente como um momento no destino do homem, um trecho do seu caminho".[29] Nenhuma das suas heroínas é o centro dos dramas que descreve. Os caracteres femininos que criou são quase todos frouxos. Sobretudo as heroínas dos seus romances da juventude são tipos mal definidos, figuras literárias somente, sem vida nem sentimentos verdadeiramente femininos. As mulheres só lhe interessam em função do destino das suas personagens viris. "Nastássia Filípovna e Grúchenhka são apenas forças, correntes que arrastam os homens que as enfrentam."[30]

O PROBLEMA DA LIBERDADE E DO MAL

Dostoiévski reconhece a existência do mal, que não é transcendente mas imanente à própria natureza do homem, uma provação pela qual tem de passar antes de atingir a liberdade. O mal é necessário para fazer surgir o bem e a pureza. Dostoiévski não só estudou várias paixões humanas, como chegou até ao problema do crime. Em quase todas as suas obras nos surge um crime, pelo menos. O crime é o momento extremo da experiência humana nos caminhos da purificação, da descoberta da Verdade e da procura de solução para o magno problema da sua liberdade interior.

Vimos já que o destino último do homem, na vida, é saber até onde pode chegar, aquilo que lhe é permitido. O homem que põe essa interrogação e força a resposta enverada pela via dolorosa das experiências sobre a liberdade.

Numa primeira fase desse caminho o homem revolta-se e dispõe-se a todos os sofrimentos, contanto que se torne livre. Pode então optar pelo mal ou pelo bem. É o tema de *Crime e castigo*. Raskólnikov chegou à ideia duma liberdade arbitrária e pensou que tudo é permitido, que nada existe acima do homem que possa tolhê-lo nas suas ações arbitrárias. Dentro dessa liberdade revoltosa, em que nega as leis fundamentais gravadas na consciência humana, o homem permite-se ir até ao crime. Mas a consciência é o grande juiz que inflige castigo, até quando os

---

29   N. Bierdiáiev. *O espírito de Dostoiévski*, Pan-Americana, Rio de Janeiro.

30   N. Bierdiáiev. *O espírito de Dostoiévski*, Pan-Americana, Rio de Janeiro.

Fac-símile da primeira página do Diário dum Escritor.

tribunais do mundo não o aplicam. O crime tem sempre por consequência o castigo na consciência humana. Portanto, a liberdade de escolha do mal é destrutiva da personalidade humana. Raskolhnikov e Ivan Karamássov perderam-se nessa liberdade arbitrária, mal compreendida. Quiseram tornar-se super-homens, divinizar-se. Dostoiévski põe o problema do super-homem, ainda antes de Nietszche. O super-homem é aquele que se insurge contra a ordem natural, caindo assim na mais perigosa das ilusões. É este o tema de *Crime e castigo*: Raskólhnikov, o protagonista, quer ultrapassar os limites da moral fundamental, mas cai no remorso e no arrependimento naturais.

Chega-se assim à conclusão de que a única ideia superior é Deus. O homem verdadeiramente livre deve aportar a Cristo, pois só nele é possível a liberdade total, que não é destruída nem pelo mal, nem pelo bem. Só na sua entrega livre, voluntária, em Cristo, é que o homem se torna conquistador da paz e da liberdade autênticas.

Deus

A fé de Dostoiévski em Cristo é qualquer coisa de muito diferente da crença na existência de Deus. A Cristo vão ter todos os seus anseios ainda humanos. O cristo de Dostoiévski não é verdadeiramente um Deus, mas, por assim dizer, a concretização viva, personificada, de tudo quanto há de sagrado na pessoa humana; Cristo é um símbolo vivo, real, concreto, da humanidade máxima do homem.

Quanto a Deus, Dostoiévski manteve-se dolorosamente na dúvida racionalista. Se concebe um Cristo. por assim dizer, imanente ao espírito do homem, o problema de Deus, esse é sempre posto no plano da transcendência. Nunca chegou a decidir-se por uma crença definida. "Deus torturou-me toda a vida", diz Kirílov em *Os demônios*. O mesmo é dizer que Deus o torturou a ele, Dostoiévski, toda a sua vida. Há conflito entre a sua razão, que duvida, e o seu sentimento que precisa de um porto de abrigo onde encontre finalmente a paz e o amor puro. É visível, através de toda a sua obra, este anseio, esta aspiração à paz suprema que, entretanto, não chegou nunca a tornar-se definida. "Dostoiévski é um Sísifo que empurra eternamente o rochedo para as alturas do conhecimento, donde cai eternamente, é aquele que se eleva eternamente para Deus, sem nunca o alcançar."[31]

É n'*Os demônios* e n'*Os irmãos Karamázovi* que o problema se põe com a maior agudeza, sobretudo neste último romance, no qual se situa a célebre lenda

---

31 N. Bierdiáiev. *O espírito de Dostoiévski*, Pan-Americana, Rio de Janeiro.

do Inquisidor, que pode considerar-se o ponto culminante de toda a obra de Dostoiévski, onde resume todas as suas dúvidas sobre os temas da liberdade humana, do amor de Cristo, da crença em Deus, da união entre a religião da alma e a religião da Igreja. Mas as suas personagens expõem tantos argumentos a favor como contra a existência de Deus, sem chegarem nunca a uma decisão. Quando Stavróguin pergunta a Chátov (*Os demônios*) se crê em Deus, a resposta deste é: "Creio na Rússia".

Nesta resposta se condensa muito do pensamento de Dostoiévski. Adiado, evitado ou iludido o problema de Deus, Dostoiévski precisa no entanto de qualquer objeto concreto para a sua necessidade de crença. Esse objeto é o Cristo, como vimos, mas esse Cristo é ao mesmo tempo um Cristo especial, um Cristo russo, diferente do Cristo católico. Cristo chega a confundir-se, a assimilar-se ao povo russo, no espírito de Dostoiévski. E é da Rússia, crê o escritor, que há de vir um dia a salvação para a humanidade. A Rússia é pois o novo Messias que todos devem esperar e acolher. Só o povo russo tem o dom de compreender os outros povos e por isso é preciso

Frontispício da edição de 1881, de Os Irmãos Karamázovi.

que todos os homens se tornem russos — chegou a dizer. O povo russo, o mujique russo, na sua rudeza e ignorância, possui tesouros de ternura e pureza no seu coração, neles se preservou a fé essencial em Cristo e o instinto do Sagrado; o povo russo é o único povo que possui uma autêntica e profunda religiosidade. O conhecido episódio do mujique Márei, que Dostoiévski incluiu no n'*O diário dum escritor*, ilustra perfeitamente esta sua convicção.

Esta ideia de messianismo russo leva Dostoiévski, n'*O diário de um escritor*, a uma atitude fanática e violenta, verdadeiramente imperialista. Despreza e ataca a civilização ocidental, fala mal de franceses, ingleses e alemães, de católicos e judeus, da ciência, da democracia, e põe na Rússia e no seu povo todas as excelências humanas; o caminho para a reconciliação universal terá de fazer-se através da Rússia — é o dogma a que aporta Dostoiévski.

AS IDEIAS SOCIAIS

Os anos compreendidos entre 1800 e 1813 representam uma reação contra as consequências da Revolução Francesa: revolta contra a razão e a ciência, e esforços para coibir a liberdade e a igualdade. Depois da queda de Napoleão, os aliados vitoriosos elaboram planos para restaurarem o mapa da Europa, para que ele fosse outra vez o que tinha sido antes de Luís XVI e para que as antigas dinastias fossem restauradas. Muitos desses planos vieram a efetivar-se no chamado Congresso de Viena, superiormente orientado por Metternich. Procedeu-se assim a arranjos territoriais em que imperam a conveniência e a cobiça das grandes potências, com total desrespeito pelos povos menos poderosos. Estava aberto o caminho para futuras revoltas. Em todos os países da Europa eclodiu em breve uma série de conflitos violentos entre liberais e conservadores, na Inglaterra, na França, na Alemanha, na Rússia; o sistema de Metternich foi ainda enfraquecido por uma série de revoluções que se deram na Europa Ocidental em 1830: a Revolução de Julho, na França, de que resultou a queda de Carlos X, grande reacionário, e sua substituição por uma monarquia constitucional baseada no princípio da soberania popular (Luís Filipe de Orléans); a revolta e independência da Bélgica, da Holanda; houve também revoltas na Itália, na Alemanha e na Polônia, embora com menos êxito.

No campo das ideias domina também o princípio conservador. A ordem é preferida à liberdade, o interesse do Estado é posto acima dos interesses individuais; a fé, a autoridade e a tradição sobrepõem-se à supremacia da razão e da ciência, tão enaltecidas no século XVIII. O racionalismo, o materialismo e o individualismo da época do Iluminismo são responsabilizados pelos horrores da Revolução Francesa. Rousseau nega a eficácia da razão e coloca em primeiro plano o valor da comoção e dos sentimentos. Joseph de Maistre pensa que a piedade mística, a crença na infalibilidade da Igreja e o Supernaturalismo é que servirão de guias para os homens.

A filosofia alemã do idealismo é, no campo das ideias, o mais alto expoente desta época da reação. Reconhecia esta filosofia o valor do conhecimento intuitivo como complemento do que resulta da razão e procurava explicar o universo num sentido espiritual. O agrupamento social está acima do indivíduo; o indivíduo só pode ter direitos numa sociedade organizada. A liberdade individual consiste na obediência à lei e no respeito pela tradição consagrada. O filósofo mais importante do idealismo romântico é Hegel (1770-1831). A ideia central de Hegel é a da evolução determinada: o universo está em fluxo contínuo e tudo nele tende a passar ao extremo oposto. A evolução é o desenvolvimento de Deus na história e o choque dos opostos leva finalmente a um fim benéfico.

O idealismo romântico viria a ter influência em muitas diretrizes históricas. Na sua época foi adotado pelos conservadores, isto é, por aqueles que tinham interesse na manutenção da ordem, no culto da tradição e da autoridade, e condenavam portanto o espírito revolucionário ou de rebeldia.

O romantismo invadiu também o campo da arte. Se não falamos do romantismo na pintura e na música, não podemos deixar de referir duas ou três palavras sobre o romantismo na literatura, visto que, sob muitos aspectos, Dostoiévski é ainda um romântico. Também na literatura essa corrente ideológica se caracterizou pela glorificação dos instintos e das comoções, desvalorizando a razão e a ciência. Além da veneração pela natureza, o romantismo incluía também um desprezo pelo formalismo, uma inclinação sentimental pelos humildes e um grande interesse pela reforma da sociedade, proclamando a dignidade do homem comum.

As primeiras leituras de Dostoiévski incluem um grande número de românticos, tanto compatriotas seus, como Púchkin e Gógol, como outros escritores da Europa Ocidental: Walter Scott, Dickens, George Sand, Vítor Hugo, Hoffmann etc. Se excetuarmos a veneração pela natureza, vemos que todas as características da atitude romântica estão bem presentes no espírito e na obra de Dostoiévski. Característica romântica é a instabilidade psíquica das suas personagens;

há uma ideia hegeliana do movimento contínuo, em que tudo tendia passar ao extremo oposto. Em todos os seus romances, mas de maneira mais exclusiva nas obras da juventude, se nota a inclinação sentimental pelos humildes e oprimidos; lembremo-nos de títulos de obras suas como *Pobre gente* e *Humilhados e ofendidos*. Em *Crime e castigo* há a condenação da revolta individual contra os ditames gravados desde sempre nos corações do homem, pela fé e pela moral tradicionais, a condenação do homem que deseja uma liberdade sem Deus, e quer tornar-se um super-homem; nas *Memórias do subterrâneo* começa a definir-se a sua antipatia contra o racionalismo e a ciência, antipatia que atingirá o seu ápice em *Os demônios*, n'*Os irmãos Karamázovi* e n'*O diário de um escritor*. Há mais do que antipatia contra o racionalismo, há a condenação da revolução socialista que fermenta já na terra russa. Presume que a revolução, que se fez contra a autocracia, terminará numa nova autocracia, que haverá apenas mudança de senhores e o povo continuará reduzido à escravidão, à sua condição de rebanho. O princípio religioso perecerá e surgirão crimes contra o próximo, em nome da felicidade social. Mas nenhuma felicidade social longínqua justifica que se sacrifique em seu nome uma só vida humana. É em Chátov, uma das mais importantes personagens de *Os demônios*, que Dostoiévski define suas ideias fundamentais, opostas às de outras figuras revolucionárias do romance. "A finalidade de qualquer movimento popular — diz Chátov — é unicamente a busca de Deus, do seu próprio e verdadeiro Deus." A revolução é condenável, pois conduz à escravização do indivíduo. A comunidade ideal é, pois, a de natureza religiosa. A Rússia identifica-se com o Cristo e está destinada a um papel messiânico de salvadora do mundo. O povo russo devia procurar as suas diretrizes nas suas próprias tradições e fundamentos morais e psíquicos do seu povo e não na adoção das corrompidas civilizações ocidentais, como as suas miragens enganosas de socialismo, ateísmo e racionalismo científico.

Temos, pois, um Dostoiévski anticonspirador e anti-revolucionário, nacionalista fanático e reacionário, que chegou até à adulação do próprio regime que o deportou para os trabalhos forçados na Sibéria.

Mas temos também um Dostoiévski que luta pela dignidade do indivíduo, pelo amor do próximo, pela fraternidade humana universal, pela piedade pelos fracos e oprimidos — expondo em suas obras os quadros negros da miséria e da corrupção da sociedade e satirizando vaidades e mediocridades.

Disse André Gide que Dostoiévski, sendo liberal mas não progressista, "permanece aquele do qual não sabemos como utilizá-lo. Encontra-se sempre nele qualquer coisa com que descontentar todos os partidos".

Se não sabemos "como utilizá-lo", devemos pelo menos tentar compreendê-lo como homem, um homem historicamente colocado dentro dum determinado *período* da evolução humana universal e das condições particulares do seu país. Uma interpretação da sua personalidade — da sua obra, como a que nos deu Bierdiáiev, embora admirável, não é suficiente; enferma de um ponto de vista exclusivamente metafísico, é apenas descritiva e não explicativa. Por muito inteligente e consciente que seja um homem — e era o caso de Dostoiévski — e por muito longe que a sua lógica possa levar as deduções — e foi ainda o caso de Dostoiévski —, um homem é sempre um homem que vive num certo momento histórico.

Se, por um lado, a sua herança romântica determinou logo as características que devia tomar a sua obra, as grandes transformações, provocadas em toda a Europa pelo incremento da Revolução Industrial e Científica do século XIX, vão também influir sobre ele, não no sentido de uma adoção das novas ideologias daí resultantes, mas, precisamente, na definição da situação dramática, crítica, que deriva dos últimos contactos de duas épocas; a romântica, que agoniza, e a realista, mecanicista, racionalista, que nasce, luta e vai crescendo.

O fator histórico fundamental, que impulsionou todos os movimentos político-sociais e estéticos do século XIX, foi a Revolução Industrial. Em traços brevíssimos diremos que a Revolução Industrial compreendeu: a mecanização da indústria e da agricultura; a aplicação da energia elétrica à indústria; o desenvolvimento do sistema fabril; um extraordinário aceleramento dos transportes e das comunicações; um notável aumento do domínio capitalístico de quase todos os campos da atividade econômica. A fase inicial da Revolução Industrial, que lançou os alicerces da nossa civilização mecânica moderna, estende-se de 1760 a 1860 — é portanto contemporânea de Dostoiévski, que nasceu em 1821 e morreu em 1881.

Uma das grandes consequências da Revolução Industrial foi a criação de duas novas classes: a burguesia industrial e o proletariado. A burguesia tornou-se o elemento diretor da sociedade e passou a dedicar-se ao capitalismo financeiro; os seus membros entregaram-se a operações de capitalização, ao lançamento de novos negócios cujo propósito era o lucro imediato, sem levarem em consideração o que pudesse vir depois.

Se, por um lado, a Revolução contribuiu para uma melhoria de condições da vida do homem, pelo aumento de recursos materiais e do maior conforto e segurança postos à sua disposição, por outro foi também prejudicial, mas isto por causas não inerentes à condição da mecanização da indústria e da agricultura e à intromissão, em larga escala, da ciência na vida humana. É no fato da desigual repartição dos benefícios das riquezas que assentam fundamentalmente os prejuízos de que costumam inculpar-se a mecanização e a ciência. Integrada num sistema basicamente defeituoso, era fatal que a mecanização da indústria produzisse, a par de efeitos progressivos, alguns grandes malefícios. De fato, o lavrador e o operário continuam sujeitos a tarefas extenuantes. Produz-se maior quantidade de artefatos, mas a dureza do trabalho não diminui. Muitas das fábricas tinham condições absolutamente desumanas, sobretudo as de produtos têxteis.

Colocados em tais condições, os operários organizam-se coletivamente com o fim de reclamarem salários mais elevados e melhores condições de trabalho. Constitui-se uma classe consciente de si própria, o proletariado, que acaba por alcançar força suficiente para desafiar a burguesia capitalista que o explora.

Como era natural, perante o novo estado de coisas formou-se um grande número de teorias econômicas — umas que tendem a justificar a nova ordem, outras a analisá-la e a criticá-la, e outras ainda com programas de reforma social.

Falemos apenas, por agora, no primitivo socialismo proletário, visto que tal doutrina está mais diretamente na linha do futuro. Era um socialismo revolucionário, baseado na convicção de que os membros da classe operária têm qualquer coisa a conquistar por si mesmos, precisam adquirir o domínio da máquina política e econômica e não devem esperar por filantropos para organizar comunidades ideais. Não é necessariamente pregado na base da cooperação voluntária; a força e a arregimentação devem ser também utilizadas neste novo sistema, tal como no antigo. Era, pois, uma forma de socialismo do Estado. Um dos últimos desenvolvimentos deste socialismo revolucionário viria a ser o marxismo, com a sua nítida interpretação econômica da história, a sua metafísica do materialismo dialético, o princípio da luta de classes e as doutrinas da mais-valia e da evolução socialista.

Outra das superestruturas ideológicas que ajudaram a movimentar a Europa de 1830 a 1914 foi o nacionalismo. Não só surgiram movimentos a favor da defesa e da grandeza nacional, nos vários países, como, em alguns casos, o nacionalismo tornou-se uma força agressiva que atacava e desprezava os direitos dos outros povos, transformando-se em autêntico imperialismo.

Ao lado da Revolução Industrial ocorre, no século XIX, um extraordinário desenvolvimento científico, sobretudo nas ciências biológicas e na medicina. Dos mais importantes aspectos da biologia, foram o estabelecimento da lei da evolução orgânica, o da teoria celular, a lei da biogênese de Pasteur; o capítulo mais significativo da medicina é a teoria de que a doença é produzida por germes.

Além disso, ao lado das ciências já existentes, nascem, por assim dizer, ciências novas: a Sociologia (com Augusto Comte, 1798-1857, e com Herbert Spencer, 1820-1903); a Antropologia (James Pichard, 1786-1848, e *Sir* Edward Burnett Taylor, 1832-1917); cerca de 1870, a Psicologia desliga-se da Filosofia e torna-se ciência independente.

As descobertas, hipóteses e teorias científicas, meditadas e criticadas pela especulação filosófica, dão origem a novas correntes doutrinárias. Assim se desenvolve a filosofia de Haeckel, 1834-1919, com o seu ateísmo, materialismo e mecanicismo; a filosofia evolucionista do já mencionado Spencer, e de Huxley, 1825-1895.

Temos, pois, como movimentos e correntes ideológicas dominantes na Europa do século XIX, o socialismo, com todas as suas formas e variantes, inclusive o anarquismo, as importantíssimas teorias da evolução da vida, as doutrinas materialistas, a exegese dos textos sagrados.

É evidente que todas as tendências pragmáticas e realistas provocadas por este formidável desenvolvimento da ciência, da crítica e da técnica levaram alguns homens a atitudes perplexas, angustiadas e reacionárias. Houve também muitas atitudes de indiferença, de cepticismo e até de refúgios esotéricos, como, por exemplo, o espiritismo. Surgiram inimigos da ciência, houve um prolongamento histórico da atitude romântica, apareceram escolas filosóficas e literárias de neo-idealistas e de filósofos da satisfação estética...

Dostoiévski não se decide inteiramente pela nova atitude realista; pertence ao número dos que se sentem abalados e até assustados.

Teve uma consciência genial da problemática humana da época, das atitudes e diretrizes que se entrechocavam e hostilizavam, mas, por outro lado, estava tão profundamente mergulhado e oprimido dentro da sua contemporaneidade que, apesar de muitas das suas previsões e antecipações, não lhe era possível projetar-se integralmente fora dela e compreender que, em última análise, se antevia a crise, era ele próprio um homem em crise dentro dessa época crítica e hipercrítica. Foi a sua relativa inconsciência — seja-nos permitido este paradoxo a respeito do admirável aprofun-

Escultura de S. Merkurova, erigi-da em 1919 diante do ex-hospital Marínskaia para pobres, onde trabalhou o pai do escritor.

dador de consciências — da sua própria situação crítica que permitiu que ele nos desse tão dramaticamente — tão artisticamente — o drama de consciência dos seus contemporâneos. E, se bem que a industrialização não se tenha difundido na Rússia tão rapidamente, nem tão profundamente, antes de 1890, como no ocidente europeu, os problemas sociais existiam em estado agudo na Rússia e as doutrinas socialistas tinham já penetrado nela, logo após as guerras de Napoleão. Surgiram também na Rússia, à semelhança de outros países, como dissemos já atrás, várias sociedades secretas, de tendências reformistas; apareceram partidos, grupos, entre os quais sobressaem o dos ocidentalistas, que pretendem levar a Rússia a adotar as reformas e a civilização do Ocidente, e o dos eslavófilos, desejosos de que a transformação de seu país se produza dentro dos quadros tradicionais do país.

O primeiro grande período de reformas sociais é o do reinado de Alexandre II, contemporâneo de Dostoiévski (1855-1881). A ele se deve a libertação dos servos russos, que viviam nessa dura condição desde o século XVI. Alexandre II procedeu ainda a outras reformas de caráter político e educacional, mas acabou por cair de novo no espírito reacionário. E o período que se segue à morte de Alexandre II é de reação contra todas as reformas sociais.

Dostoiévski viveu nessa Rússia do século XIX, uma Rússia que sai do czarismo absolutista e caminha para a revolução socialista, uma Rússia "que não sabe que direção tomar, se para oeste, se para leste, se para a Europa, se para a Ásia... O czarismo encontra-se de repente perante a anarquia comunista; a fé profunda dos antepassados transforma-se num ateísmo profundo e fanático... Os homens de Dostoiévski são desenraizados duma grande tradição, são russos autênticos, homens de transposição, cujo coração está cheio do caos inicial, oprimido de entraves e incertezas".[32]

A obra e as ideias de Dostoiévski traduzem perfeitamente o drama desses homens russos do século XIX, que saem dum mundo semibárbaro e entram em contacto com toda a moderna civilização europeia, por sua vez tão carregada também de problemas, de dúvidas e de incertezas.

---

32   Stefan Zweig, op. cit.

Breve cronologia da vida e obra

1790   Nasce Mikhail Dostoiévski, pai do escritor. Filho dum sacerdote ortodoxo, descendente de uma família de fidalgos da Podôlia, foi médico do Hospital Maria, de pobres. Em 1819 casou com Maria Nietcháiev.

1821   *Out. 30*. Nasce Fiódor Mikháilovitch Dostoiévski, filho segundo do dr. Mikhail Dostoiévski, numa dependência do Hospital Maria, onde vivem seus pais.

1831   *Verão*. O dr. Mikhail Dostoiévski compra a pequena aldeia de Daravóie, na província de Tula. *Ago*. Episódio do mujique Márei (*O diário de um escritor*, fev. 1876).

1832   *Abr*. Maria Dostoiévski vai com seus três filhos para a aldeia de Daravóie.

1833   Dostoiévski e seu irmão Mikhail são colocados em regime de semipensionato em casa de M. Drachússov (Souchard, de origem francesa).
       Abr. 4. Os Dostoiévski são informados de que um incêndio devastou a sua propriedade durante a Semana Santa. Os prejuízos são reparados durante o verão.

1834   *Outono*. Dostoiévski e seu irmão mais velho, Mikhail, entram no Liceu de Tchermak, para meninos pobres, em Moscou.

1837   *Jan. 29*. Morte de Púchkin, em duelo. A notícia perturba toda a Rússia.
       Fev. 27. Morre a mãe de Dostoiévski. *Primavera*. Dostoiévski sofre de uma violenta doença de garganta e de uma afonia, que para sempre lhe deixará vestígios.
       Maio. Os dois irmãos, Fiódor e Mikhail, vão para Petersburgo, onde ficam como pensionistas em casa de Kostománov.
       Jul. O pai de Dostoiévski pede a reforma e retira-se para o campo com as duas filhas mais novas.
       Set. Os dois irmãos apresentam-se ao exame de admissão na Escola de Engenharia Militar. O mais velho é eliminado. Fiódor é admitido.

1838   *Jun*. Vida de campo, perto de Peterhof — Dostoiévski encontra-se em dificuldades de dinheiro, que pede constantemente ao pai, na sua correspondência.

1839   *Jun. 8*. O pai de Dostoiévski morre, assassinado pelos camponeses da sua propriedade.

1840   *Nov. 29*. A vida militar vai ficando pesada. Lê muito: Balzac, Hoffmann, Schiller, Vítor Hugo, Shakespeare, Racine, Goethe.

1841   Escreve dois dramas que ficam inacabados: *Maria Stuart* e *Boris Godunov*. Frequenta o Teatro Alieksandra, os bailes, os concertos.

1843   *Ago. 12*. Dostoiévski termina os seus estudos de engenharia militar e é nomeado alferes para as repartições de desenho da seção de engenharia, em Petersburgo.
       Set. Instala-se na mesma casa que o seu amigo, o Dr. Riesenkampf. Trava relações com os amigos deste. Dificuldades de dinheiro.
       Dez. Traduz *Eugênia Grandet*.

1844   *Out. 19*. Dostoiévski pede demissão. Começa *Pobre gente*.

1845   Começa uma nova redação de *Pobre gente*, desde o princípio.

        Mar. Termina *Pobre gente*.

        Abr. Reconstrói completamente este romance, pela terceira vez.

        Maio. Lê o manuscrito ao seu amigo e condiscípulo Grigórievitch, e este, entusiasmado, passa-o a Niekrássov, diretor de *O Contemporâneo*, o qual, por sua vez, o dá a ler ao grande crítico Bielínski. Foi um êxito. Dostoiévski trava amizade com eles.

        Verão. Em casa de seu irmão Mikhail, em Reval, começa o seu segundo romance: *O duplo*.

        Nov. Escreve, numa só noite, *Um romance em nove cartas*. Bielínski e Turguéniev censuram a Dostoiévski a sua vida desregrada.

        Dez. Dostoiévski lê *O duplo* num serão literário em casa de Bielínski.

1846   *Jan*. Dostoiévski desmaia ao ser apresentado, uma noite, em casa de Vilhgórski, à célebre beldade Sieniávina.

        Jan. 24. Aparece o *Almanaque Petersburgo*, onde se anuncia *Pobre gente*.

        Primavera. Dostoiévski trava conhecimento com Pietrachévski.

        Verão. Em Reval, em casa do irmão, trabalha em *O senhor Prokhártchin*.

        Out. Dostoiévski conhece Herzen. — Começa *A dona da casa* e *Niétotchka Niezvânova*. — Sofre de uma epilepsia benigna. Turguéniev e Niekrássov compõem um epigrama sobre Dostoiévski: "Cavaleiro da Triste Figura...". — Ruptura com Niekrássov. — Publicação de *Pobre gente* no *Almanaque Petersburgo*. — Publicação de *O duplo* e de *O senhor Prokhártchin* n'*Os Anais da Pátria*.

1847   No princípio do ano, uma discordância entre Dostoiévski e Bielínski, sobre questões literárias, torna-se uma verdadeira querela. — Dostoiévski começa a frequentar o círculo de Pietrachévski e a utilizar os livros da sua biblioteca.

        Jul. Tem a primeira crise violenta de epilepsia. *Um romance em nove cartas* aparece no *Contemporâneo*. — *A dona da casa* é publicada n'*Os Anais da Pátria*, e é pessimamente acolhido pela crítica. Edição separada de *Pobre gente,* Eduardo Pratz.

1848   *O duplo. A dona da casa*. Não têm êxito. Dostoiévski leva uma vida mundana. Luta com dificuldades econômicas.

        Maio. 28. Morte de Bielínski.

        Outono. Dostoiévski aproxima-se de Pietrachévski e Spiechniov, interessa-se pelas suas teorias socialistas.

        Dez. Escuta, no círculo de Pietrachévski, uma conferência sobre o *fourierismo* e comunismo. *Os Anais da Pátria* publicam *A mulher alheia e o homem debaixo da cama, Coração débil, Polzunkov, O ladrão honrado, Uma árvore de natal e um casamento, As noites brancas* etc.

1849   No princípio do ano, Dostoiévski assiste às reuniões literárias de sábado, com os amigos de Pietrachévski.

        Mar. Lê-lhes a carta em que Bielínski censura Gógol por ter abraçado a causa da monarquia absoluta.

        Abr. 7. Jantar dos *pietrachevskistas* em honra de Fourier.

        Abr. 15. Numa reunião em casa de Pietrachévski, Dostoiévski lê, pela segunda vez, a carta de Bielínski.

Abr. 23. Dostoiévski é preso às cinco horas da manhã, em consequência de uma denúncia.

Abr. 24. Os *pietrachevskistas* são conduzidos à fortaleza de Pedro e Paulo.

Set. 30. Início do processo.

Nov. 16. O Conselho de Guerra condena Dostoiévski à morte por ter divulgado a carta "criminosa" de Bielínski.

Dez. 22. Os condenados são conduzidos à Praça Siemiônovskaia onde vai ser executada a sentença. Mas no último momento chega o indulto, comutando a pena capital pela de quatro anos de trabalhos forçados na Sibéria.

Dez. 24. A caravana de presos deixa a fortaleza de Pedro e Paulo.

Dez. 25. Chegam a Chusselburgo. *Niétotchka Niêzvânova* aparece n'*Os Anais da Pátria*.

1850   *Jan. 11.* Dostoiévski chega a Tobolsk. Recebe aí a visita de três mulheres de dezembristas: as senhoras Muraviov, Ânnienkov e Fonvízin, que lhe entregam um *Evangelho*, única leitura permitida no presídio.

Jan. 23. Chega a Omsk, onde permanecerá quatro anos. Durante estes anos é-lhe proibido escrever à família.

1854   *Fev.* Dostoiévski sai do presídio.

Fev. 22. Carta a seu irmão, descrevendo-lhe a vida no presídio.

Mar. 2. Dostoiévski é incorporado ao 7º Batalhão de Linha da Sibéria, na guarnição de Semipalantinski.

Primavera. Trava conhecimento com o casal Issáiev. O romancista apaixona-se pela mulher de Aleksandr Issáiev, Maria Dimítrievna.

Nov. 21. É convidado para a casa do barão Vrangel, que lhe entrega dinheiro e cartas, da parte da família. Estabelecem amizade.

1855   *Fev. 18.* Morte de Nicolau I.

Ago. 4. Morte de Issáiev.

Dez. Vrangel deixa Semipalatinsk. Dostoiévski trabalha este ano nas *Memórias da casa dos mortos*.

1856   Promovido a oficial. Vrangel, em São Petersburgo, faz diligências para obter o perdão de Dostoiévski.

Nov. 24. Maria Dimítrievna consente em ser mulher de Dostoiévski depois de muitas hesitações.

1857   *Fev. 6.* Dostoiévski casa-se em Kudsnietsk com Maria Dimítrievna Issáievna. O filho desta, Paulo Issáiev, ficará a cargo do escritor até o fim da vida deste.

Abr. 17. Dostoiévski recupera os seus antigos direitos.

O pequeno herói aparece n'*Os Anais da Pátria*, assinado com M.

1858   *Jan. 2.* Atentado de Orsíni contra Napoleão III. Dostoiévski refere-se ao acontecimento nos seus cadernos.

Jan. É autorizado a pedir a reforma; residência fixada: Moscou.

Primavera: Dostoiévski escreve a Katkov e propõe-lhe uma novela para *O Mensageiro Russo*. Katkov aceita.

Jun. 19. Mikhail Dostoiévski pede autorização para publicar uma revista política e literária: *O Tempo.* — Dostoiévski encontra-se sem dinheiro. Escreve duas novelas e um romance.

Set. 30. Mikhail Dostoiévski recebe autorização de publicar a sua revista.

1859 *Mar. 18*. Dostoiévski é reformado e autorizado a viver em Tver.

Abr. 18. Dostoiévski envia o seu romance. *A granja de Stiepántchikovo* a Katkov.

Jul. 2. Deixa Semipalatinsk para ir para Tver.

Ago. 19. Chega a Tver.

Ago. 28. Chega Mikhail Dostoiévski, que fica alguns dias com o irmão. — Dostoiévski começa com as suas diligências para conseguir autorização para viver em São Petersburgo. Sente-se insatisfeito em Tver.

Out. Dostoiévski faz o projeto de escrever um grande romance, "com uma ideia".

Out. 6. Niekrássov consente em publicar *A granja de Stiepántchikovo* n'*O Contemporâneo*.

Out. Dostoiévski começa a redação de *Memórias da casa dos mortos*. Prepara as suas obras da "década de 40" para uma nova edição.

Nov. Recebe autorização para viver em São Petersburgo. Mas ficará sujeito, até o fim da sua vida, à vigilância da polícia secreta.

Dez. Chega a Petersburgo. Alguns dias depois trava conhecimento com Strákhov que ficará seu amigo e, mais tarde, o seu biógrafo oficial.

O sonho do tio aparece na *Palavra Russa*. *A granja de Stiepántchikovo* é publicada n'*Os Anais da Pátria*.

1860 *Jan. 29*. A censura autoriza a publicação das obras de Dostoiévski.

Primavera. Dostoiévski frequenta assiduamente a casa da atriz Schubert.

Mar./Abr. Participa de dois espetáculos em favor do "Fundo Literário".

Nov. A Censura autoriza a publicação de *Memórias da casa dos mortos*, que tinham sido começadas a publicar no *Mundo Russo* de Stolóvski, com a condição de ser expurgada de expressões inconvenientes.

A edição das obras de Dostoiévski, em dois volumes, consta de: Tomo I: *Pobre gente, Niétotchka Niezvânova, As noites brancas, O ladrão honrado, Um casamento e uma árvore de natal, A mulher alheia e o homem debaixo da cama, O pequeno herói*. Tomo II: *O sonho do tio, A granja de Stiepántchikovo*.

1861 *Mar. 5*. Promulgação do manifesto de 19 de fevereiro, libertando os camponeses.

Jul. Dostoiévski dá os últimos retoques a *Humilhados e ofendidos*. Colabora no jornal *O Tempo (Vriémia)*, dirigido por seu irmão Mikhail, e cujo primeiro número saiu em 7 de janeiro deste ano.

Set. Autorização de publicar *Humilhados e ofendidos*.

Durante este ano entra em relações com um grande número de escritores, entre os quais, Gontcharov, Ostróvski e Saltikov-Chtchedrin. — *Humilhados e ofendidos* aparece na revista *O Tempo*. — *O Mundo Russo* de janeiro retoma os primeiros capítulos de *Memórias da casa dos mortos*. — Diferentes artigos polêmicos, sem assinatura, n'*O Tempo*. — Edição separada, em dois volumes, de *Humilhados e ofendidos*. Praz. — Série de artigos sobre a literatura russa n'*O Tempo*. — Folhetim *Visões de São Petersburgo em verso e em prosa* n'*O Tempo*.

1862 *Jan. 16*. Contrato com Bazunov para a edição separada de *Memórias da casa dos mortos*.

Maio. Dostoiévski pede um passaporte para a estação de águas.

Maio 16. Principia o incêndio de Petersburgo, que durou quinze dias e destruiu milhares de lojas. Dostoiévski ficou muito chocado.

Jan. 7. Dostoiévski parte pela primeira vez para o estrangeiro.

Jan. 15/16. Chega a Paris.

Jun. 27. Vai a Londres, onde encontra Herzen. "Dostoiévski veio ver-me, ontem. É ingênuo, pouco claro, mas é um homem encantador. Acredita no povo russo com entusiasmo." (Carta de Herzen a Ogariev, 17 de julho de 1862.)

Jul. 7. Prisão de Tchernichévski na fortaleza de Pedro e Paulo. Dostoiévski falará do caso n'*O diário de um Escritor*.

Jul. 15. Vai a Colônia, depois à Suíça, pelo vale do Ródano, e à Itália. Dostoiévski "antes de chegar a Paris", ganha no jogo cerca de quinze mil francos. — Durante o inverno 1862-1863, Dostoiévski liga-se com Paulina Súslova. — Edição em dois volumes das *Memórias da casa dos mortos*, pela Casa Bazunov. — Segunda parte das *Memórias da casa dos mortos* n'*O Tempo*. — *Uma história aborrecida*, n'*O Tempo*. — Artigos de polêmica, sem assinatura, n'*O Tempo*.

1863   *Fev. Notas de inverno sobre impressões de verão* aparecem n'*O Tempo*, em folhetim. — Dostoiévski é escolhido como membro da comissão e secretário do "Fundo Literário".

Verão. Súslova parte para o estrangeiro. Modificação das suas relações com Dostoiévski. Seu amor pelo espanhol Salvador.

Abr. Última publicação de *O Tempo*, o nº 4, com o artigo de Strákhov "Uma Questão Fatal", julgado demasiado favorável aos polacos (então em plena insurreição).

Maio. Proibição de *O Tempo*.

Ago. Dostoiévski parte para o estrangeiro. Chega a Paris em 14 de agosto. Na véspera, encontro com a Súslova. Crise nas suas relações. Perda no jogo.

Set. Dostoiévski e Súslova partem para a Itália. — Estada em Baden-Baden, onde encontram Turguéniev. — Dostoiévski perde 3000 francos no jogo. Deixam Baden-Baden por Turim, depois Genebra, onde Dostoiévski empenha o relógio e Súslova um anel. Vão depois a Gênova, a Roma e a Livorno.

Set. 17. Visitam São Pedro de Roma.

Set. 18. Dostoiévski passeia pelo Forum. Carta a Strákhov onde lhe fala d'*O jogador* e das suas dificuldades de dinheiro. Strákhov consegue para ele, do redator da *Biblioteca de Leitura*, um adiantamento que lhe envia para Turim.

Out. 8. Separam-se, e Súslova parte para Paris.

Out. Dostoiévski parte para Hamburgo, onde joga e perde. — Escreve a Súslova, que lhe responde enviando-lhe 350 francos. É nesta época que Dostoiévski projeta escrever *O jogador* e *Memórias do subterrâneo*. — Volta à Rússia nos fins de outubro.

Nov. Mikhail Dostoiévski pede a Valúviev, Ministro do Interior, autorização para publicar *O Tempo* com outro título. — Dostoiévski vai instalar-se em Moscou com a mulher.

Dez. São publicados fragmentos de *Memórias da casa dos mortos* e de *Pobre gente* na *Russische Revue*.

1864   *Jan. 24.* A Censura autoriza a editar *A Época*.

Mar. 21. Saem os primeiros números de *A Época* e aí se publica a primeira parte de *Memórias do subterrâneo*.

Abr. 15. Morte de Maria Dimítrievna, primeira mulher de Dostoiévski.

Abr. 16. Dostoiévski anota os seus pensamentos, à cabeceira da mulher morta. "Macha descansa sobre a mesa. Tornarei eu a ver Macha?" — No fim do mês regressa a Petersburgo.

Jul. 10. Morre Mikhail Dostoiévski, irmão mais velho do romancista. — A viúva recebe autorização para continuar a publicação de *A Época*.

Set. 25. Morte de Apolon Grigóriev, amigo de Dostoiévski.

Durante o ano aparece uma edição alemã de *Memórias da casa dos mortos*, na Casa Gerhard, de Leipzig.

1865   *Mar. 31*. Carta de Dostoiévski ao seu amigo Vrangel, em que lhe anuncia a morte de sua mulher: "Oh, meu amigo, ela amava-me infinitamente e eu amava-a também sem medida, mas não éramos felizes juntos... agora, a minha vida está partida em duas...". — Nesta época Dostoiévski trava amizade com Anna Kórvin-Krukóvski, e a irmã desta, a jovem Sófia Kovaliévski, mais tarde célebre matemática.

Abr./Maio. Dostoiévski pede Anna Kórvin-Krukóvski em casamento, que recusa.

Maio 10. Dostoiévski pede um passaporte para o estrangeiro.

Jun. A Época deixa de aparecer, por falta de meios.

Verão. Dostoiévski faz um contrato com o editor Stolóvski, pelo qual lhe vende as suas obras completas e se compromete a trazer-lhe no primeiro de novembro de 1866 um novo romance, com um certo número de páginas. No caso de não cumprimento, Stolóvski terá o direito de mandar imprimir todas as obras posteriores de Dostoiévski, sem lhe dar o mínimo de subsídio. — Dostoiévski recebe 3000 rublos em troca dos direitos sobre as suas obras completas.

Jul. No fim do mês, Dostoiévski chega a Wiesbaden.

Ago. Carta a Turguéniev, na qual lhe anuncia que perdeu uma avultada quantia no jogo e lhe pede que lhe empreste 100 táleres. — Súslova vem visitar Dostoiévski a Wiesbaden.

Ago. 8. Carta a Turguéniev, na qual lhe agradece o envio de 50 táleres.

Ago. 10/12. Cartas de Súslova, depois da partida desta, para lhe pedir dinheiro.

Set. Carta perdida a Miliukov, na qual lhe propõe vender um romance seja onde for, contanto que ele lhe envie imediatamente 800 rublos. "Estou no hotel, cheio de dívidas até à raiz dos cabelos; ameaçam-me e não tenho um copeque." Miliukov consulta a *Biblioteca de Leitura, O Contemporâneo, Os Anais da Pátria,* e todos lhe recusam o adiantamento pedido. — Rascunho duma carta a Katkov em que Dostoiévski lhe propõe *Crime e castigo* e onde traça o esboço do romance.

Out. Chegada a Copenhague, onde Dostoiévski passa dez dias em casa do seu amigo Vrangel. Em 15 já estão de volta a Petersburgo.

Nov. 2. Torna a encontrar-se com Súslova e propõe-lhe casamento pela segunda vez.

Nov. 8. Carta a Vrangel na qual lhe diz ter tido três crises de epilepsia na primeira semana do seu retorno. Kathov faz-lhe um adiantamento de dinheiro. No fim do mês, Dostoiévski queima a primeira redação de *Crime e* castigo "Uma nova forma, um novo plano me seduziram e recomecei tudo." (Carta a Vrangel em 18 de fev. de 1866.)

Aparecimento das *Obras completas de Dostoiévski*, revistas e aumentadas pelo autor, no editor Stolóvski. — Publicação em livros separados da mesma edição, de diferentes narrativas e novelas de Dostoiévski. — Terceira edição das *Memórias da casa dos mortos*, revista e aumentada com um novo capítulo.

1866   *Jan. Crime e castigo* começa a aparecer n'*O Mensageiro Russo*.

Jan. 14. O usuário Popov e a Sra. Nordmann, sua criada, são assassinados e roubados pelo estudante Danílov. Dostoiévski pensa neste caso, enquanto trabalha n'*O idiota*.

Fev. Mar. Aparecimento n'*O Contemporâneo*, de críticas desfavoráveis a *Crime e castigo*.

Abr. 4. Atentado de Karakózov contra o czar. Dostoiévski fica perturbado.

Jun. Dostoiévski passa o verão em Sublinó, nos arredores de Moscou, perto da família de sua irmã. — Trabalha no plano d'*O jogador* e na quinta parte de *Crime e castigo*. É obrigado a corrigir o capítulo 12 e a segunda parte (cena da leitura do *Evangelho* por Raskólnikov e Sônia), que parecera imoral ao redator d'*O Mensageiro Russo*, Katkov (carta a Miliukov, 10 de junho de 1866).

Set. Processo e condenação de Karakózov. Encontram-se alusões a este processo nos cadernos de Dostoiévski e num projeto de introdução a *Os demônios*.

Set. 22. Dostoiévski instala-se na pequena Rua dos Burgueses nº 7, em São Petersburgo.

Out. Dostoiévski decide empregar uma estenógrafa para acabar a tempo o romance prometido a Stolóvski.

Out. 3. À tarde, Anna Grigórievna Snítkin vem propor-lhe os seus serviços como estenógrafa. No dia seguinte, Dostoiévski começa a ditar-lhe *O jogador*, que acaba a 29. O manuscrito é recopiado nos dias 30 e 31.

Nov. Dostoiévski leva o manuscrito de *O jogador* a Stolóvski. Este está ausente e o seu secretário recusa o manuscrito. Dostoiévski deposita o romance no comissariado da polícia do editor.

Nov. 3. Dostoiévski visita Anna Grigórievna Snítkin em casa de sua mãe e propõe-lhe estenografar a última parte de *Crime e castigo*.

Nov. 8. Dostoiévski pede Anna Grigórievna em casamento, a qual aceita. — No fim do mês vê-se obrigado a empenhar o seu único sobretudo para ajudar os parentes necessitados.

Publica-se o III tomo das *Obras completas de Dostoiévski*, edição de Stolóvski, que edita também, em volumes separados, contos e narrativas. — Terceira edição de Stolóvski, revista, de *Humilhados e ofendidos*. — Terceira edição de *A granja de Stiepántchikovo*, do mesmo editor. — Aparecimento de *Crime e castigo* n'*O Mensageiro Russo*.

1867   *Fev. 15.* Dostoiévski casa-se com Anna Grigórievna na catedral de Trindade.

Mar. 30. Dostoiévski e sua mulher chegam a Moscou. — Assassinato, em Moscou, do joalheiro Kálmikov, por um filho de boa família, Mazúrin. Este crime foi utilizado por Dostoiévski nos últimos capítulos de *O idiota*.

Abr. Os Dostoiévski projetam partir para o estrangeiro, com grande indignação dos parentes, dos quais são o amparo.

Abr. 12. Anna Grigórievna empenha objetos pessoais para conseguir dinheiro. Uma parte da quantia assim adquirida é enviada à família de Dostoiévski.

Abr. 14. Partida para o estrangeiro, onde os Dostoiévski ficarão mais de quatro anos. Anna Grigórievna começa a escrever o seu *Diário*.

Abr. 17/18. Estada em Berlim.

Abr. 19. Chegada a Dresde, visita do museu de pintura. A *Madona* de Rafael, compra de livros.

Maio 4. Dostoiévski parte para Hamburgo, para jogar na roleta.

Maio 5. Começa a jogar. Primeiro ganha, mas depois perde grandes quantias, pede por várias vezes dinheiro à mulher, o qual perde ainda no jogo.

Maio 15. Retorna a Dresde.

Maio 23. Atentado de Bierezóvski contra Alexandre II, em Paris.

Jun. Leituras: Dickens, Hugo. — Concertos: Beethoven, Wagner. — Dostoiévski sofre várias crises de epilepsia durante o mês.

Jun. 21. Os Dostoiévski partem para Baden. Nos dias seguintes, Dostoiévski joga na roleta.

Jun. 28. Vai visitar Turguéniev. Questão de ideias acerca das relações da Rússia com o Ocidente.

Jul. 10. Dostoiévski perde no jogo o seu último dinheiro. Penhoram vários objetos.

Jul. 16. Dostoiévski começa o seu artigo sobre Bielínski.

Ago. 11. A caminho de Genebra, os Dostoiévski estacionam em Basileia, onde visitam o museu de pintura.

Ago. 13. Chegam a Genebra.

Ago. 28. Abertura do primeiro congresso da *Liga para a Paz e a Liberdade*, em Genebra, com o concurso de Garibaldi e de Bakunin. Dostoiévski assiste a várias sessões.

Set. Novas perdas no jogo. Dostoiévski desagrada-se de Genebra. Situação material difícil.

Out. Dostoiévski trabalha n'*O idiota*. — Jogo. Perdas. Empréstimos sobre penhores.

Dez. 6. Dostoiévski começa uma redação definitiva de *O idiota*. "A ideia principal do meu romance é a de descrever um homem absoluto perfeito."

Edição Bazunov, corrigida, em dois volumes, de *Crime e castigo*.

1868   *Fev. 22.* Nascimento duma filha, Sófia.

Mar. 10. Assassinato duma família completa (6 pessoas) em Tambov, cujas suspeitas recaem sobre um estudante do Liceu, de 18 anos. Dostoiévski serve-se do episódio na segunda parte de *O idiota*. — O jogo.

Maio 12. Morte, em Genebra, da pequena Sófia Dostoiévski. — No fim do mês, Dostoiévski parte para Vevey.

Maio 31. Recebe uma carta do enteado, Paulo Issáiev, pedindo-lhe dinheiro e felicitando-o pelo nascimento da filha. Durante todo o verão, vivem recolhidos em Vevey. Dostoiévski trabalha em *O idiota*.

Set. Dostoiévski chega a Milão. Visitas à Catedral.

Nov. Partida para Florença, onde ficam todo o inverno.

Publicação de *O idiota* n'*O Mensageiro Russo*.

1869   *Primavera*. Correspondência ativa com os amigos da Rússia. Dostoiévski sonha com um romance sobre o ateísmo.

Jul. Depois de uma estada de três dias em Praga, volta a Dresde por Veneza e Bolonha.

Set. 14. Nascimento de uma filha, Liúbova.

Nov. 21. A sociedade revolucionária A Vingança do Povo, tendo à cabeça de Nietcháiev, faz assassinar o estudante de agronomia Ivanov, por desobediência. Dostoiévski estuda o caso com atenção, e emprega-o mais tarde n'*Os demônios*.

Dez. 8. Nota num caderno de Dostoiévski: Plano do romance *A vida de um grande pecador*.

1870   *Primavera*. Dostoiévski trabalha numa grande "coisa tendenciosa" contra o niilismo (*Os demônios*).

Jun./Ago. Guerra franco-prussiana. Dostoiévski comenta os acontecimentos europeus no seu diário e na sua correspondência.

Publicação de *O eterno marido* na *Aurora*. Aparecimento de *Crime e castigo* no quarto volume das obras completas, Stolóvski.

1871   *Mar./Maio*. A Comuna. Encontram-se ecos disso na correspondência de Dostoiévski, n'*O adolescente*, nos cadernos de notas.

Abr. Dostoiévski vai a Wiesbaden, onde joga na roleta. Perde e escreve à mulher prometendo-lhe nunca mais jogar. — Sente a falta da Rússia e sonha com o regresso.

Jul. 1. Processo de Nietcháiev. Os relatórios são utilizados por Dostoiévski na segunda e terceira partes de *Os demônios*.

Jul. 5. Dostoiévski deixa Dresde e vai para Petersburgo.

Jul. 16. Nascimento de um filho em Petersbugo, Fiódor.

Aparecimento de *Os demônios* n'*O Mensageiro Russo*. — Edição separada de *O eterno marido* na *Biblioteca dos Escritores Contemporâneos*, Bazunov.

1872   *Abr./Maio*. Dostoiévski posa para Pietrov, para o retrato encomendado por Trieviakov.

Maio 15. Dostoiévski parte para Stária Russa, onde passará o verão e, depois, largas temporadas.

Set. Regresso a Petersburgo.

Out. 30. A revista *Cidadão* anuncia a futura colaboração de Dostoiévski.

Nov./Dez. Anna Grigórievna faz diligências para editar por si própria *Os demônios*. — Dostoiévski propõe encarregar-se da redação de *O Cidadão*.

Dez. fins. Dostoiévski leva para a tipografia o manuscrito do primeiro capítulo d'*O diário de um escritor*, para o primeiro número de *O Cidadão*. — Dostoiévski começa a sofrer de bronquite e de um enfisema.

A terceira parte de *Os demônios* aparece nos fascículos XI e XII de *O Mensageiro Russo*. — Edição especial de *O Eterno Marido* na *Biblioteca dos Escritores Contemporâneos*, Bazunov.

1873   *Jan. 1.* Saída do primeiro número de *O Cidadão*. Redator-chefe: Dostoiévski

Jan. 17. Uma delegação quirguiz apresenta-se a Alexandre II, no Palácio de Inverno. Por ter dado notícia do acontecimento em *O Cidadão*, sem prévia autorização da Censura, Dostoiévski é perseguido.

Jan. Carta ao herdeiro do trono, Alieksandr Alieksándrovitch, a quem Pobiedonóstev, procurador do Santo Sínodo, tinha levado um exemplar de *Os demônios*.

Fev. 26. É posto à venda o romance *Os demônios*, editado por Anna Grigórievna Dostoiévski.

Fev. 27. Dostoiévski é escolhido como membro da Sociedade Eslava de Beneficência.

Jun. 11. Dostoiévski é condenado a 25 rublos de multa e a 48 horas de prisão, por ter infringido as regras da Censura (questão da delegação quirguiz).

Out. Dostoiévski escreve uma série de artigos n'*O Cidadão* sobre a situação política em França (tentativa de restauração do Conde de Chambord). Aparecimento de *Os demônios* numa edição separada, em três volumes. *O diário de um escritor*: artigos políticos, crônicas literárias, narrativas, quadros da vida cotidiana aparecidos n'*O Cidadão*.

1874 *Mar. 11*. Aparecimento no nº 10 de *O Cidadão* do artigo: "Duas palavras acerca do que pensa o Príncipe de Bismarck dos Alemães da Rússia", pelo qual a revista recebe uma primeira advertência.

Mar. 21/22. Dostoiévski vai cumprir a sentença no corpo da guarda do *Mercado dos Fenos*. Aproveita a ocasião para reler *Os miseráveis*.

Abr. 22. Por causa da saúde, Dostoiévski abandona as funções de redator de *O Cidadão*, sem interromper a sua colaboração na revista.

Jun. 4. Dostoiévski deixa Stáraia Russa para ir fazer uma cura de águas a Ems.

Jun. 12. Chega a Ems, onde verificam que sofre de bronquite.

Jun. Dostoiévski aborrece-se em Ems. Relê Púchkin, trabalha n'*O adolescente*. "Ems aborrece-me de tal maneira, que me sentia melhor no presídio."

Jul./Ago. Vai visitar em Genebra o túmulo da sua filha Sófia.

Ago. 10. Volta para Stáraia Russa, onde decide passar todo o inverno.

Out. 12. Anuncia, numa carta a Niekrássov, que a revista *Os Anais da Pátria* poderá contar com o seu romance *O adolescente*.

Saída de *O diário de um escritor* n'*O Cidadão*. Aparecimento de *O idiota* numa edição separada, em dois volumes.

1875 *Maio 26*. Dostoiévski parte para Ems. Sente aí as mesmas impressões dolorosas que sentira já durante a primeira estada. Lê o *Livro de Jó*.

Jul. 7. Volta para Stáraia Russa.

Ago. 10. Nascimento de um filho, Alieksiéi.

Dez. Dostoiévski encontra frequentemente na rua um pequeno mendigo de sete anos pelo qual se interessa e a quem interroga sobre sua vida. — Vai visitar uma árvore de Natal em exposição, para estudar as crianças, tendo em vista um romance em que pensa, sobre os pais e as crianças modernas.

Dez. 27. Visita uma colônia penitenciária para jovens delinquentes.

Quarta edição de *Memórias da casa dos mortos*. — *O adolescente* aparece n'*Os Anais da Pátria*.

1876 *Mar*. Dostoiévski faz experiências de espiritismo.

Maio 18. Anna Grigórievna encarrega seu irmão de comprar para ela uma casa em Stáraia Russa.

Jul. Dostoiévski vai para Ems, onde o seu médico lhe afirma que "a morte ainda vem longe".

Out. Processo Kornílov, do qual Dostoiévski fala n'*O diário de um escritor.* Vai visitar por duas vezes à condenada (oito anos de trabalhos forçados e exílio na Síbéria). *O diário de um escritor* traz-lhe correspondência cada vez mais abundante.

Nov. Carta ao Czárevitch. Dostoiévski aconselhado por Pobiedonóstsev, oferece-lhe o envio dos fascículos d'*O diário de um escritor.* O Czárevitch aceita. — Dostoiévski trabalha em *Krótkaia.*

Dez. 6. Manifestação de estudantes, e tumultos na Praça de Kazan. Dostoiévski relata o acontecimento n'*O diário de um escritor.*

Edição separada, em três volumes, de *O adolescente.* Continuação de *O diário de um escritor.*

1877   *Primavera.* Compra de uma casa em Stáraia Russa, em nome do irmão de Anna Grigórievna Dostoiévskaia.

Abr. Manifesto do czar acerca da entrada das tropas russas em território turco. Dostoiévski assiste ao segundo processo Kornílov. Absolvição da acusada. O procurador diz que a primeira sentença foi levantada, em consequência dos artigos d'*O diário de um escritor.*

Verão. A família de Dostoiévski passa a temporada na propriedade do irmão de Anna Grigórievna, na província de Kursk.

Jul. A oitava parte de *Anna Kariênina* sai em edição separada, devido à redação de *O Mensageiro Russo,* que a publicava, ter recusado o texto por causa das opiniões subversivas de Tolstói acerca da guerra. Dostoiévski compra o livro.

Jul. 19. A caminho da província de Kursk, Dostoiévski vai a Daravóie, onde passou a infância. Durante a viagem fala da guerra com as pessoas que o rodeiam.

Dez. 27. Morte do poeta Niekrássov.

Dez. 29. Na sessão solene do fim do ano, é anunciada a escolha de Dostoiévski como membro correspondente da Academia das Ciências.

Dez. 30. Dostoiévski pronuncia uma alocução no enterro de Niekrássov. Continuação d'*O diário de um escritor.* — Quarta edição de *Crime e castigo,* em dois volumes. — Tradução francesa de *Krótkaia* sob o título de *Une douce créature,* no *Diário de São Petersburgo* e numa edição separada.

1878   No princípio do ano, Dostoiévski assiste aos jantares organizados todos os meses pela Sociedade dos Literatos.

Mar. Processo de Viera Zassúlitch, que disparou sobre o prefeito da polícia Triépov, por este ter condenado o preso político Bogolíubov a vergastadas por um motivo fútil. Dostoiévski assiste ao julgamento.

Maio 16. Morte do pequeno Alieksiéi Dostoiévski, depois de uma violenta crise de epilepsia. Depois da morte do filho, Dostoiévski visita frequentemente Vladímir Soloviov.

Jun. 23. Dostoiévski vai com Soloviov ao mosteiro Optina, um dos centros de espiritualidade russa. Tem duas conversas com o *stáriets* Ambróssi, nas quais se inspirará para a figura do *stáriets* Zóssim d'*Os irmãos Karamázovi.*

Dez. Dostoiévski traça o plano e escreve o princípio d'*Os irmãos Karamázovi.*

Dez. 14. Dostoiévski lê a história de Nely de *Humilhados e ofendidos* numa sessão literária de beneficência.

Numa sessão do "Fundo Literário" lê *O profeta* de Púchkin. Durante este inverno frequenta muito os meios literários — Continua *O diário de um escritor*.

1879 *Mar. 9.* Numa sessão a favor do "Fundo Literário", Dostoiévski lê passos d'*Os irmãos Karamázovi*.

Mar. 13. Troca de palavras pouco agradáveis, num jantar em honra de Turguéniev, entre esse último e Dostoiévski.

Mar. 20. Processo dos Brunst, em Kharkov, acusados de martirizarem a própria filha. Dostoiévski, muito impressionado, utiliza o acontecimento n'*Os irmãos Karamázovi*.

Mar. Dostoiévski é atirado ao chão, na rua, por um homem embriagado, e fere-se no rosto. Apesar dos seus protestos, o agressor é condenado a dezesseis rublos de multa, que Dostoiévski lhe retribui.

Maio. Convidado a participar no congresso literário de Londres, sob a presidência de Vítor Hugo, Dostoiévski declina o oferecimento por causa da saúde.

Jul. 22. Dostoiévski, a caminho de Ems, para dois dias em Berlim. Visita o aquário, o museu e o *Tiergarten*.

Jul. 24. Chega a Ems.

Ago. 6. Morte da cunhada de Dostoiévski, mulher de seu irmão Mikhail.

Set. Regresso à Rússia. Dostoiévski trabalha n'*Os irmãos Karamázovi*.

Out. A Condessa Tolstói, viúva do poeta Alieksiéi Tolstói, envia a Dostoiévski uma grande fotografia da *Madona Sixtina*, de Rafael, do museu de Dresde. Anna Grigórievna organiza o envio de obras de Dostoiévski para a província. — Aparecimento de uma parte d'*Os irmãos Karamázovi* no *Mensageiro Russo*. — Segunda edição d'*O diário de um escritor*, relativo ao ano de 1876. — Quinta edição de *Humilhados e ofendidos*.

1880 *Jan.* São postas à venda as obras de Dostoiévski editadas por sua mulher.

Jan. 17. Disputa entre Dostoiévski e o diplomata e escritor francês E.M. de Vogué (que escreveu mais tarde o seu célebre livro, *O romance russo*). Dostoiévski disse-lhe: "Nós possuímos o espírito de todas as nações, e ainda o espírito russo; é por isso que nós podemos compreender-vos, ao passo que vós não podeis compreender a nós". — Dostoiévski participa em numerosas sessões literárias de beneficência onde lê passos das suas obras.

Maio 11. Dostoiévski é escolhido como delegado da sociedade eslava de beneficência, à inauguração do monumento de Púchkin em Moscou.

Maio 23. Dostoiévski chega a Moscou.

Maio 24. Jantar no *Ermitage* em honra de Dostoiévski, a quem assistem numerosos escritores.

Jun. 6. Inauguração do monumento a Púchkin.

Jun. 7. Primeira sessão pública, discurso de Turguéniev.

Jun. 8. Segunda sessão pública. Dostoiévski pronuncia um discurso sobre Púchkin, que suscita um grande entusiasmo no público. Trazem-lhe uma coroa de louros. À tarde faz a leitura de *O profeta*. À noite vai até junto do monumento de Púchkin e depõe aí a coroa que lhe ofereceram.

Jun. 10. Dostoiévski deixa Moscou e vai para Stáraia Russa. Modifica *Os irmãos Karamázovi*.

Set. 26. Carta de Tolstói a Strákhov, em que fala das *Memórias da casa dos mortos* como de "o mais belo livro de toda a nova literatura, incluindo a de Púchkin".

Nov. 8. Dostoiévski envia os últimos capítulos de *Os irmãos Karamázovi* ao *Mensageiro Russo*: "O meu romance está pronto, trabalho nele há três anos e há dois que é publicado. Para mim, é um momento significativo. Dê-me licença que não me despeça do senhor. Tenho a intenção de viver e de escrever ainda durante vinte anos".

Nov. 29. Dostoiévski lamenta-se numa carta do seu mau estado de saúde (sofre de um enfisema).

Dez. 10. Dostoiévski é recebido pelo Czárevitch.

Recebe a visita do jovem Mieriechkóvski, então com a idade de quinze anos, que lhe lê seus versos. "Para escrever bem, é preciso sofrer, sofrer", diz-lhe Dostoiévski — O "Discurso sobre Púchkin" é publicado nas *Notícias Moscovitas*, em 18 de junho. — Continuação de *Os irmãos Karamázovi* no *Mensageiro Russo*. — Segunda edição d'*O diário de um escritor*, relativo ao ano de 1880. — Edição separada de *Os irmãos Karamázovi*, que se esgota em alguns dias.

1881   *Jan.* Dostoiévski trabalha n'*O diário de um escritor*.

Jan. 26. Depois de uma visita de sua irmã, que se zanga com ele por causa de uma questão de heranças, Dostoiévski cospe uma saliva sanguinolenta. Às cinco horas e meia chega o Doutor Von Bretzel. Nova hemorragia durante o exame médico. Dostoiévski desmaia. Perto das seis horas recebe os últimos sacramentos. Às *7 horas* despede-se da mulher e dos filhos.

Jan. 27. A hemorragia para.

Jan. 28. Às *8 horas* da manhã diz à mulher que tem a certeza de morrer neste dia. Abre o *Evangelho* ao acaso e os seus olhos caem sobre o passo de Mateus, III, 14-15: "Não me retenhas". E vê nisso um presságio de sua morte. — *11 da manhã*: nova hemorragia. — *7 horas da noite*: chama as crianças e entrega o Evangelho ao filho — *8 h. e 38 da noite*: morre Dostoiévski.

Jan. 31. Enterro de Dostoiévski no cemitério do convento Alieksandr Niévski. Uma imensa multidão acompanha o seu féretro.

Quadro sincrônico da vida russa contemporânea de Dostoiévski	
Anos	Acontecimentos políticos da Rússia Vida e obra de Dostoiévski. A literatura russa
1818	Nascimento de Turguéniev.
1821	Nascimento de Dostoiévski.
1825	Morte de Alexandre I. Reinado de Nicolau I.
1826	Conquista da Pérsia por Erivan. Morte de Karamzin, nascido em 1766.
1827/29	Intervenção anglo-franco-russa a favor dos gregos.
1828	Nascimento de Tolstói.
1830	Primeira insurreição polaca.
1837	Morte de sua mãe; estudos em São Petersburgo. Púchkin morto em duelo.
1839	Morte de seu pai.
1841	Escola de Engenharia Militar. Liérmontov, nascido em 1814, é também morto em duelo.
1843	Sai desta escola.
1844	Pede demissão. Morte de Kirílov, nascido em 1768.
1846	*Pobre gente*.
1848	A Rússia auxilia a Áustria a reprimir a insurreição húngara.
1849	Prisão.
1850/56	Exílio.
1852	Morte de Gógol.
1855	Segunda guerra contra os turcos, sem êxito. França e Inglaterra intervêm na Crimeia. Morte de Nicolau I, reinado de seu filho Alexandre II.
1860	Regresso a Petersburgo. *Pais e filhos*, de Turguéniev.
1861	Abolição a servidão. Funda uma revista. *Humilhados e ofendidos*.
1862	*Memórias da casa dos mortos*.
1863	Morte de sua mulher e de seu irmão.

1864	Tolstói começa *Guerra e paz* (1864-1869).
1865/66	*Crime e castigo.* Gontcharov (1812-1891) publica *Oblómov*.
1867	Segundo casamento. Turguéniev publica *Fumo*.
1868	*O idiota.*
1869	*O eterno marido.*
1871/72	*Os demônios.* Tolstói publica *Anna Kariênina*.
1873/77	*O diário de um escritor.*
1875	Intervenção contra Bismarck, que deseja lutar contra a França.
1876/77	Terceira guerra contra a Turquia.
1878	Tratado de Berlim.
1889	*Os irmãos Karamázovi.*
1881	Assassinato de Alexandre II, pelos terroristas. Morte de Dostoiévski.
1883	Morte de Turguéniev.

Notas sociais e históricas da Rússia para o leitor de Dostoiévski

Formação da nação russa

As origens

Entre os antigos gregos e romanos já havia notícia das populações que ocupavam a Rússia atual. Os próprios gregos fundaram muitas colônias nas embocaduras do Danúbio, do Dniester, na Crimeia, na embocadura do Don, e sobre a costa, junto do Cáucaso. Ao norte destas colônias e nas imensas planícies do sul e do centro da Rússia viviam tribos bárbaras, algumas entregues à cultura do solo, mas, a maior parte, errando pelas estepes. Os gregos designavam estes povos com o nome de citas, que tinham vindo da Ásia.

Os vizinhos destes citas eram também populações bárbaras; umas acantonadas junto do mar Negro, outras nas florestas do norte da Rússia; é àquelas populações que remontam os lituanos, os eslavos, os finlandeses, os estonianos e outros povos de raça indo-germânica, que, sob a pressão sucessiva dos godos e dos hunos, emigraram para o ocidente.

No século III d.C., os godos da Escandinávia deixaram o seu país em consequência de guerras intestinas, atravessaram o Báltico e espalharam-se nas planícies ocupadas pelos eslavos, resíduos étnicos de migrações anteriores. Acabaram por conquistar toda a região central e dividiram-se em dois grupos, separados pelo Dnieper: os godos orientais ou ostrogodos, e os godos ocidentais ou visigodos. Ainda no século III, os hunos, povo asiático de raça amarela, precipitaram-se sobre os godos, sujeitando os ostrogodos e pondo em fuga os visigodos. A invasão cobre todas as planícies da Rússia e chega até ao Danúbio. As culturas agrícolas dos povos de raça indo-germânica são abandonadas, a vida sedentária desaparece, e as longas planícies do Danúbio ao mar Cáspio e ao longo do mar Negro tornam-se um lugar de passagem perpetuamente percorrido pelas hordas de rebanhos e seus nômades pastores. Depois, os hunos foram avançando pela Europa, entraram em luta contra o Império Romano, chegaram até a Gália arrastando atrás de si numerosas tribos asiáticas e indo-europeias, nestas incluídas muitas populações eslavas.

Todo o sul da Rússia é então percorrido por imensas invasões: aos hunos sucedem-se os *avaros*, os búlgaros, os turcos *kazakes*, os húngaros. Entretanto, os eslavos, ou se refugiavam nas florestas da Rússia central e nas margens do alto Volga, ou, em relações com os escandinavos que tinham invadido no século IV as margens do Báltico, exerciam a pirataria nos grandes rios russos, ao longo dos quais se tinham desenvolvido uma vida econômica ativa, que dava origem a mercados e a cidades que negociavam constantemente com comerciantes chineses, com árabes de Bagdad e com mercadores gregos de Bizâncio ou da Crimeia.

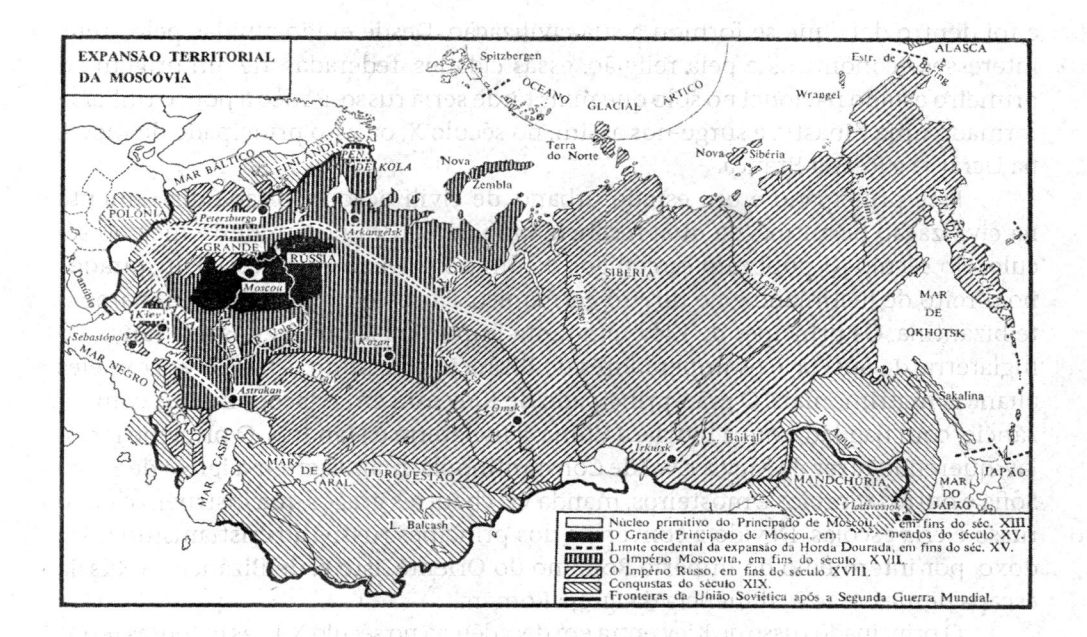

Séculos IX-XIII. Relações com Bizâncio.
O principado de Nóvgorod-Kiev.

São estes escandinavos, os suecos ou *varegos*, que em meados do século IX e chefiados por Rurik, penetram novamente na planície russa, a pedido dos eslavos, e se tornam chefes das tribos eslavas escapadas ao domínio dos povos invasores asiáticos. Estabelecem-se em Nóvgorod[33],cidade situada na estrada de caravanas entre o Volga e o Báltico, e chegam mais para o Sul, até Kiev, já no Dnieper.

Através da Rússia, estes povos sentem a atração do brilhante centro da civilização que é Bizâncio. Descobrem a estrada de Dnieper para o mar Negro, aparecendo em Bizâncio como mercenários e mercadores.

Sob a influência deste movimento comercial, que liga o mar Báltico a Constantinopla, criam-se mercados ao longo dos rios pela venda do mel e das peles. Kiev, na bacia de Dnieper, é uma florescente cidade que nasceu deste comércio.

Assim, no século IX, enquanto o ocidente europeu dormita no regime senhorial, na economia fechada e na servidão, duas grandes estradas de tráfico surgem: uma de Bizâncio e da Ásia para o Báltico, nas mãos dos russos e dos suecos (*varegos*), que seguia o Dnieper, passando pela cidade de Kiev, e outra na mão dos turcos *kazakes* (orientais), servia-se do Don, subia o Volga e dava origem ao território de Nóvgorod-a-Grande, que estendeu seus domínios do lago Ilman aos montes Urais e às costas do mar Branco, entre outros importantes mercados. Estas duas cidades ficam ligadas entre si por vias importantes sobre os quais nascem Riazan e Smolensk.

Apesar dos grandes conflitos que levantaram estas cidades contra Bizâncio, as cidades russas que dela viviam sofreram afinal profundamente a sua influência

---

33   Nóvgorod Vieliki = Cidade Nova-a-Grande.

e foi dentro dela que se formou a sua civilização. Desde então, unidas pelos seus interesses econômicos e pela religião, essas cidades, federadas, deram origem ao primeiro estado nacional no solo que mais tarde seria russo. Pouco a pouco tinha-se formado uma dinastia e surge-nos assim, no século X, o vasto principado de Kiev[34], na Ucrânia e Rússia Branca.

Este principado é um estado urbano, de civilização inspirada diretamente na civilização bizantina, da qual recebeu a religião cristã no fim deste mesmo século. No século XI publicam-se códigos de direito privado e comercial, inspirados no direito de Justiniano e no direito germânico. Floresce uma arte originariamente bizantina. Os príncipes de Kiev têm tanta importância que os reis de França, de Inglaterra, da Suécia, e os imperadores de Bizâncio procuram estabelecer com eles alianças matrimoniais. O grão-principado de Kiev está em relações diretas com Bizâncio, com Bagdad, com a Índia e a China, a Inglaterra e Flandres. O príncipe Iároslav, querendo fazer de Kiev a rival de Constantinopla, manda erigir a igreja de Santa Sófia e outros templos e mosteiros, manda vir chantres gregos que instruem o clero russo e cria escolas. Devido à conversão dos príncipes russos ao cristianismo ortodoxo, por intermédio do Império Romano do Oriente, isto é, de Bizâncio, a Rússia escapa desde então à influência da Igreja Romana.

O principado russo de Kiev entra em decadência no século XII; "as extensas terras da Europa Oriental, repartidas entre os descendentes do chefe escandinavo, acham-se divididas em numerosos principados", mais ou menos federados em dois grupos principais, ao oeste e ao leste, "e que tinham em comum a língua, o parentesco da maioria dos príncipes, a religião e um certo respeito pelo grão-príncipe de Kiev", a metrópole econômica, religiosa e cultural. "Não havia ainda 'Rússia', mas apenas Rússias."[35]

"Cedo, porém, começaram a se destacar um do outro, o grupo do leste e o grupo do oeste. Os russos orientais eram tidos por eslavos puros, os ocidentais incluíam muitos elementos alógenos. A Rússia do leste era a Rússia primitiva, a do oeste era a Rússia da colonização. Neste último setor destacava-se Nóvgorod-a-Grande, que estendia seus domínios do lago Ilman aos montes Urais e às costas do Mar Branco."[36] Do século XI ao século XIII a Rússia vai sofrer novas e constantes invasões de várias hordas turcas vindas da Ásia. As relações entre Bizâncio e as cidades russas ficam quase completamente cortadas. Ao mesmo tempo, as invasões russas na Ásia anterior fecham a estrada de caravanas que, da Ásia central, alcançavam Bizâncio pelo porto de Trebizonda. As invasões turcas arruinavam assim simultaneamente as cidades russas e o Império Bizantino. E as invasões mongólicas ou tártaras do Cã de Karakorum, no século XIII, vêm dar o golpe de misericórdia sobre a nascente civilização russa do grupo oriental e reconduzem à barbárie asiática todas as populações que encontram no seu caminho.

De Kiev a Moscou, todo o território é obrigado a aceitar o domínio mongólico. E ao mesmo tempo o grupo ocidental sofre a noroeste a invasão de alemães que se espalham pelas províncias bálticas, e a dos lituanos, que unidos aos poloneses, formam

---

34 Ou Kiev-Nóvgorod Sieversk. Existem na Rússia no mínimo três cidades com o nome de Nóvgorod; Nóvgorod-Vieliki, sobre o rio Volkov, entre o lago Ilman e S. Petersburgo; Nóvgorod-Sieversk, sobre o rio Desna, ao leste de Kiev; e Níjni Nóvgorod, na confluência do rio Moscova com o Volga ao leste de Moscou.

35 Ministério de Ed. e Cultura, Depto. Nac. de Ed.: *Atlas histórico escolar*.

36 Ministério de Ed. e Cultura, Depto. Nac. de Ed.: *Atlas histórico escolar*

um estado em 1386; no século XIV, as regiões do alto Dnieper encontram-se assim sob o domínio dos duques da Polônia e a influência dos Cavaleiros da Ordem Teutônica.

No século XV a coligação lituano-russo-polonesa derrotara os Cavaleiros Teutônicos em Tannenberg e lhes impuseram o tratado de Thorn, que os tornou feudatários do rei da Polônia."[37]

Séculos XIII-XV. A invasão mongólica e a progressiva Independência do principado de moscou

Os mongóis construíram sobre um dos braços do Volga uma cidade — Saraí — que se tornou em breve a capital de um vasto império independente — a Horda de Ouro — que ia da Rússia ao mar Cáspio e ao Danúbio e reunia sob a sua autoridade muitas das anteriores tribos asiáticas invasoras, os finlandeses, e também alguns principados eslavos.

Durante o domínio mongólico os russos ficaram na posse das suas terras. Os tártaros nômades limitam-se, sobretudo, a exigir tributos e escravos, "pouco interferindo nas comunidades eslavas, com resultados posteriores da maior transcendência, pois sendo o jugo tártaro mais leve e indiferente, favoreceu o crescimento da autoridade do grão-príncipe de Suzdal e determinou a hegemonia de Moscou, núcleo da Moscóvia. Este, no século XVII, por aquisições sucessivas, se estendeu no Mar Branco ao Mar Cáspio, e permitiu a Pedro, o Grande e seus sucessores, a incorporação à Grande Rússia dos territórios ocidentais, embora fossem de cultura mais aprimorada. Assim tornaram-se os seus soberanos *Czares de Todas as Rússias*".[38]

São os príncipes de Moscou que ficam encarregados de recolher para os dominadores asiáticos os impostos sobre os seus súditos e vizinhos. Moscou torna-se assim um estado russo semi-independente. Entretanto, a Horda de Ouro entra em declínio, divide-se em territórios de diferentes cãs, os canatos, que se guerreiam uns aos outros infindavelmente; alguns tornam-se independentes, como os de Riazan e de Astrakan.

Durante muito tempo, os príncipes de Moscou, paralisados por dissensões de família, não puderam aproveitar-se desta decadência tártara. Mas, na segunda metade do século XV, Moscou ia começar a sua expansão.

A preponderância ascendente do principado de Moscou, ou Moscóvia, deve-se em primeiro lugar à sua situação central, à política prudente e perseverante, dos seus príncipes, ao apoio que lhe deu o clero ortodoxo, à habilidade sem escrúpulos pela qual se tornaram os cobradores dos impostos para o dominador até ao dia em que se sentiram suficientemente fortes para se voltarem contra ele.

No século XV o grande príncipe de Moscou impõe seu domínio à república de Nóvgorod que, ao norte, protegida pelas florestas e pelos pântanos que a rodeavam, tinha escapado ao domínio dos asiáticos. Por outro lado, rompendo com as tradições da sucessão germânica, que era eletiva, adotaram o princípio da sucessão do filho mais velho. Esta transformação teve grande importância, pois assegurou a continuidade dos esforços dos grandes-príncipes de Moscou para a supremacia sobre

---

37   Ministério de Ed. e Cultura, Depto. Nac. de Ed.: *Atlas histórico escolar.*

38   Ministério de Ed. e Cultura, Depto. Nac. de Ed.: *Atlas histórico escolar.*

todos os outros príncipes russos. "A própria submissão dos príncipes de Moscou aos mongóis, os seus casamentos com as filhas dos chefes tártaros ou cãs, evitaram ao território de Moscou incursões e devastações que enfraqueceram outros principados eslavos; a sua função de coletores de impostos para os mongóis, colocando nas suas mãos as riquezas de toda a região, deu-lhes a faculdade de criarem uma clientela entre os senhores ou boiardos, de concederem terras em feudo a milhares deles, de manterem, enfim, um corpo de tropas regulares muito considerável, para reduzir os seus inimigos e constrangerem os seus súditos a uma completa obediência."[39]

Outro acontecimento que veio aumentar a importância da nova capital foi a queda de Bizâncio nas mãos dos turcos em 1453.

O grande-príncipe de Moscou, Ivan III, alia-se aos cãs da Crimeia e de Kazan contra a Horda de Ouro, e recusa o pagamento do tributo ao cã de Saraí. Estava declarada a rebelião. Em 1501 Ivan III apodera-se de Saraí: a futura Rússia tinha-se libertado do domínio mongólico. A Horda de Ouro estava destruída na Rússia europeia e, como vestígios do poder tártaro, restavam apenas os canatos da Crimeia, de Kazan e de Astrakan. "Ivan III declara retomar a sucessão dos imperadores bizantinos, ao mesmo tempo como chefe da Igreja Ortodoxa e como continuador do Império Romano. O povo russo herdava a missão 'sagrada' de Bizâncio; a Rússia tornava-se a Santa Rússia, a Nova Israel, destinada a fazer triunfar sobre a terra o reino de Cristo. Moscou seria daqui em diante a terceira Roma."[40] Assim, enquanto o Império Otomano estendia o seu poder sobre a Europa Central, o príncipe de Moscou, empreendendo contra o Islã uma verdadeira guerra santa, expulsava-o da Rússia. No momento em desaparecia o Império Bizantino, o estado moscovita, a cujo imperador os príncipes foram buscar o nome de czar (César), entrava na história da Europa para nela tomar o seu lugar. Desde as suas origens, e isto é um elemento essencial da sua história, Moscou afirma-se assim como o centro de um Estado Universal. Visa à restauração do Império e da Fé. A política russa não cessará jamais, visto que se liga diretamente à do Império Bizantino, de ser ao mesmo tempo imperialista e messiânica."[41]

"Daquelas duas ordens de conquistadores orientais e ocidentais resultaram influências polonesas e germânicas, isto é, ocidentais, nos principados do Oeste, e influências muçulmanas, asiáticas, nos principados do Leste. Daí a formação da Rússia-Branca e da Pequena Rússia, mais mongólica em suas feições, apesar de usar a mesma língua e seus dialetos."[42]

SÉCULOS XVI-XIX
A EXPANSÃO RUSSA

A expansão russa começou desde o momento em que o estado russo se formou, e realiza-se em duas direções: para o lado da Europa e para o lado da Ásia. A Rússia procuraria sobretudo uma expansão em direção às margens marítimas que

---

39 Guénin: *La Russie*, 1990.
40 Jacques Pirenne: *Les grands courants de l'Histoire Universelle*.
41 Jacques Pirenne: *Les grands courants de l'Histoire Universelle*.
42 Ministério da Educação e Cultura: op. cit.

lhe faltavam. O principado da Moscóvia entra não só em luta contra outros príncipes russos do interior, contra os boiardos ou senhores que não queriam submeter-
-se, como contra os novos surtos de turcos e mongóis e contra os canatos independentes. No século XVI, com a tomada de Kazan e de Astrakan, a Rússia atinge o mar
Cáspio e os Montes Urais. Com a travessia destes montes por um bando de cossacos,
também no século XVI, a Rússia adquire a Sibéria, submetendo hordas de tártaros,
quirguizes, samoiedos e ainda outros povos. No seu imenso desejo de alcançar uma
saída para o Báltico, trava uma grande e prolongada luta, que atinge o seu ponto
agudo no tempo de Pedro, o Grande (portanto já no século XVIII), contra os suecos
que se tinham estabelecido nas margens deste mar, na Finlândia, na Íngria, na Estô-
nia, na Livônia e na Pomerânia. À morte de Pedro I, o Grande (século XVIII), a Rússia
tinha adquirido essas costas do Báltico e as províncias por ele conquistadas à Pérsia,
entre elas Baku e o Daguestão. Estava igualmente na posse de Azov, das margens do
mar Negro, entre o Dnieper e o Dniester, e da Crimeia.

    À data da morte de Catarina II, no fim do século XVIII, assenhoreia-se das
margens do mar Negro e do mar Cáspio, seguindo-se a conquista do Cáucaso, já no
século XIX, em época contemporânea de Dostoiévski e de Tolstói.

    Das margens do mar Cáspio e das planícies da Sibéria, os russos avançam du-
rante o século XIX pela Ásia Central ou Turquestão, continuando a sua luta contra os
povos nômades, os quirguizes e os turcomanos (1845-1885). De 1865 a 1884 ocupam
sucessivamente Tachkent, Samarcanda, Bukara, Kiva, Merv, sobre a estrada do Afe-
ganistão. Para assegurar o seu domínio constroem uma via férrea de quase dois mil
quilômetros, o transcaspiano. Estavam assim nos confins da Índia, onde vão encontrar a rivalidade da Inglaterra. Já anteriormente a longa e cruel guerra da Crimeia fora
devida a esta rivalidade da Inglaterra, que temia a expansão russa no mar Negro.

    Para terem um porto livre de gelos durante todo o ano, os russos procuraram
estender-se para o sul da Sibéria e obtêm da China a região costeira, desde a embocadura do rio Amur até a Coreia (1859-1860); foi nesta Província Marítima que fundaram um grande porto de guerra, Vladivostok, isto é, "o dominador do Oriente".
Depois, as vistas russas lançaram-se sobre a Mandchúria e a Coreia.

    Em 1898 obtiveram Porto Artur e construíram o transmandchuriano. Mas,
aqui, a Rússia teve de defrontar a rivalidade do Japão e foi vencida na guerra da
Mandchúria de 1904-1905 e viu-se obrigada a ceder Porto Artur a esse país.

Configuração geográfica. Regiões naturais.

    A Rússia ficou assim compreendida em dois continentes.

    Distinguem-se neste imenso território várias regiões naturais, habitadas por
povos pertencentes à raça branca e à raça amarela, e praticantes das mais diversas
religiões: ortodoxos, católicos, protestantes, judeus, islamitas etc.

    Aos mares glaciais do norte, gelados e impraticáveis durante meio ano, chega-
vam, no verão, os caçadores de baleias e morsas, pertencentes a tribos finlandesas, e os
samoiedos e os lapões; muitos destes povos dedicavam-se também à criação de rena.

    Saindo das solidões da região polar, atinge-se a região dos lagos. É no golfo
da Finlândia, na embocadura do rio Nevá, que se encontra a cidade de Petersburgo,

também conhecida com o nome de Petroburgo ou São Petersburgo, fundada por Pedro, o Grande.

A região dos bosques vem desde os pântanos gelados do norte, chega até ao centro do país e, daqui, até Kiev. Esta parte do norte e do centro era a zona das características isbás, ou casas de madeira.

No sul vimos encontrar a região das planícies, denominadas *tchernosiom* — terras negras —, próximas da região das florestas, de solo fecundo, onde se cultiva o trigo; as estepes férteis, desde as terras negras até ao mar — pradarias cobertas de erva e flores na primavera; e as estepes estéreis, impróprias para a agricultura, desde o Don ao Volga, e em volta do mar Cáspio. É nas embocaduras do Volga que se encontram os célebres viveiros do esturjão, cujos ovos fornecem o apreciado caviar.[43]

A região natural menos extensa, da Rússia, de solo montanhoso e de clima meridional, é o Cáucaso e a costa sul da Crimeia. Fica entre o mar Negro e o mar Cáspio e, devido às suas grandes riquezas, é uma região importante. Nos vales do Cáucaso encontram-se florestas enormes, espessas e vigorosas. Existem no Cáucaso árvores frutíferas, uma grande variedade de plantas, a vinha, a amoreira, a oliveira, o algodão, a cana-de-açúcar e o chá. Mas, além destas riquezas, a principal é ainda a exploração dos poços de petróleo do mar Cáspio.

Para além deste mar ficam as estepes arenosas do Turquestão, que se estendem sobre uma grande parte da Ásia Central, até ao deserto de Gobi, na China. Nestes vastos espaços erravam nômades, os quirguizes e turcomanos. Nos oásis ricos do Turquestão vive uma população de turcos, mongóis e iranianos, agrupada em antigas cidades de civilização mulçumana, Samarcanda, Bukara, Kiva, Tachkent, que praticam a cultura do algodão.

A Sibéria ocupa todo o norte da Ásia e tem uma extensão equivalente a três vezes a da Rússia europeia. Está separada da China pelos maciços montanhosos do Altai e pelo rio Amur. É uma região de neves, frios e ventos. Até o século XIX era sobretudo habitada nos grandes centros como Tobolsk, Tomsk, Irkutsk, pelos russos cossacos, os degredados políticos, os condenados de direito comum, e os colonos livres; e percorrida na sua maior parte por tribos de origem mongólica, como os tunguses; nas margens siberianas do mar glacial encontram-se os samoiedos, os lapões e outros povos, que se dedicavam ainda no século XIX quase exclusivamente à criação da rena e ao comércio de peles e chá. A Sibéria é um grande centro de riqueza mineral; possui ouro, prata, cobre, chumbo, ferro, hulha, sal e imensas florestas. Além disto a Sibéria é a província que leva ao Pacífico.

Assim como para consolidar o seu domínio no Turquestão, os russos construíram de 1880 a 1888 uma via férrea de quase dois mil quilômetros, o transcaspiano; também, para ligarem a Rússia ao Pacífico construíram outra via férrea de 6.600km, o transiberiano, acabado em 1901.

---

43 Caviar, em russo, diz-se *ikra*.

A CIVILIZAÇÃO RUSSA NOS SÉCULOS XVII/XVIII

PEDRO I, O GRANDE. OCIDENTALIZAÇÃO SUPERFICIAL DA RÚSSIA E FORMAÇÃO DA BURGUESIA

O domínio mongol tinha afastado os russos da civilização que se ia desenvolvendo na Europa. Até o século XVII a Rússia permaneceu mais asiática do que europeia.

Tal como o imperador da China, o soberano russo, o czar, era considerado como o pai dos seus súditos. Tinha, pois, uma autoridade sem limites.

A organização social era primitiva. Dividiam-se em duas grandes classes, os nobres ou boiardos, senhores da terra, e os camponeses ou mujiques, que eram de condição servil, como os camponeses franceses da Idade Média, e pertenciam, quer ao czar ou aos boiardos, ou ao clero. A indústria era rudimentar e o comércio pouco ativo, embora existisse uma colônia de europeus comerciantes em Moscou.

Os homens calçavam babuchas, usavam trajes compridos, que arrastavam pelo chão, de longas mangas pendentes, como os dos mongóis, e deixavam crescer a barba. As mulheres, rigidamente submetidas à autoridade dos homens, viviam em clausura, como as orientais, e só podiam sair à rua de véu sobre o rosto. Os russos deste tempo só sabiam fazer cálculos aritméticos por meio de ábacos, os prisioneiros de guerra eram reduzidos à escravatura e os enterros seguidos por carpideiras. A moeda corrente eram as peles dos animais. A massa do povo levava uma vida rude, grosseira e ignorante.

O czar Pedro I, o Grande (1682-1725) teve a pretensão de fazer aquilo que costumava chamar-se a "ocidentalização da Rússia", impondo a civilização europeia ao seu povo, ainda que para isso tivesse de servir-se da violência. Além de uma notável obra de fomento de muitas indústrias, do impulso dado aos estudos científicos e às atividades artísticas, da criação de uma classe burguesa de negociantes, Pedro I quis também modificar os costumes do povo russo. Ordenou o lançamento de impostos sobre as barbas e as vestes longas. As mulheres tiveram de passar a aparecer em público ao lado dos homens e foi-lhes proibido usar véu.

Mas esta política de ocidentalização agiu apenas superficialmente; Pedro I criou uma burguesia mas não deu à Rússia o sentido da liberdade individual; não modificou o regime senhorial nem libertou os servos.

A CONCEPÇÃO IMPERIALISTA

A Rússia herdara a concepção imperialista de Constantinopla (Bizâncio). Tal concepção só é realizável mediante uma real concentração de poder nas mãos dum soberano todo-poderoso. A política dos czares tende à reconstituição de um império universal e à unidade cristã: tomou, assim, um caráter absolutista, o estado transformou-se num estado territorial, apoiado na igreja ortodoxa. Para isso o czar necessitou de um governo central e de um exército. Foi em volta dos príncipes de Moscou que se formaram os principados fundiários, povoados de grandes proprietários e de camponeses que, a princípio, eram livres.

Mas, como não possuía capitais móveis, o czar estendeu a sua autoridade sobre a propriedade fundiária, formou um exército de homens de armas, possuidores de terras; os camponeses dessas terras trabalhavam para os seus detentores. Estes grandes proprietários são encarregados de servir de intermediários entre o czar e os camponeses, tornando-se uma espécie de nobreza fiscal coletora dos impostos que oneram a população. Nos meados do século XVII o czar promulga um código fixando a condição jurídica da população do seu Estado, no qual se estabelece a sujeição do camponês ao proprietário, como um princípio de direito público. O camponês russo, que já desde o século XVI era, de fato, um servo da gleba, entrava agora de direito nessa triste e miserável condição. Depois, o estatismo fundiário completa-se com uma economia e política dirigidas. O czar mobilizou também a fortuna da burguesia que, sob o influxo do comércio marítimo inglês e holandês, se tinha constituído desde o século XVI, agrupando os burgueses em corporações obrigatórias. "As reformas de Pedro, o Grande, em vez de romperem com a evolução em que a Rússia tinha entrado desde o século XVI, tiveram como consequência o rigoroso sistema estatista, em cujos quadros estreitos permanecerá prisioneira daqui para diante, e no interior da qual se fará, no século XX, a revolução bolchevista."[44]

O reinado de Pedro, o Grande marcou, no entanto, profundamente a Rússia, porque lhe deu, para além dos quadros especificamente russos que construiu, uma burguesia formada na escola do estrangeiro, que tomou contato com o pensamento francês, se iniciou nas concepções políticas, econômicas e sociais dos países marítimos, e formou no seio do império estatista russo um corpo estranho cujo isolamento devia conduzir ao extremo as tendências individualistas. Incapazes de se adaptarem à sociedade servil, assim como ao Estado onipotente criado pelo estatismo dos czares, incapazes de agirem sobre a evolução do imenso corpo social russo, as ideias do liberalismo ocidental russo degeneraram na Rússia até darem origem às teorias anarquistas... A burguesia econômica e intelectual, que se formou na Rússia depois do reinado de Pedro, o Grande, não podia desenvolver-se senão em oposição ao regime estatista. Foi por isso que a grande revolução totalitária de 1917, à qual conduziram as reformas de Pedro, o Grande, se realizou extirpando radicalmente do corpo russo a burguesia que se tinha formado sob a influência das sociedades liberais do Ocidente."[45]

A NOBREZA HEREDITÁRIA

A nobreza hereditária, em algumas famílias, vinha desde o tempo dos primeiros soberanos. Aos mais antigos companheiros dos czares dava-se o nome de boiardos. No russo antigo essa palavra era *boiárin*, que, na linguagem popular, se transformou em *bárin*, isto é, senhor. A partir de Pedro, o Grande, os czares passaram a ter o direito de criar títulos de nobreza.

A nobreza russa compreendia príncipes, condes, barões e outros fidalgos sem título, uns anteriores outros posteriores a Pedro, o Grande. Não havia duques, marqueses, viscondes e cavaleiros. Os nobres não usavam partículas nos seus nomes,

---

44 J. Pirenne, op. cit.
45 J. Pirenne, op. cit.

por exemplo, era-se príncipe Gálizin e não príncipe *de* Gálizin. Como o título de príncipe se transmitia a todos os descendentes masculinos e femininos, havia na Rússia czarista uma grande quantidade de príncipes, como pode verificar-se nos romances desse tempo. Os condes eram também muito numerosos. O título de barão só era concedido a banqueiros ou a grandes industriais de origem estrangeira.

A CLASSE URBANA

A classe urbana era formada pelos cidadãos mais notáveis da cidade, os mercadores, os artífices e os pequenos burgueses. Tinham as suas assembleias próprias, com os seus representantes e as suas instituições. Alguns desses artífices estavam agrupados em corporações ou *ártieli*, de origem muito antiga, que datavam do século XII.

O "TCHIN": QUADRO DAS CATEGORIAS BUROCRÁTICAS

Foi Pedro I, o Grande quem fixou legalmente o "quadro das categorias sociais" da Rússia ou *tchin*. Esta instituição estabelecia um hierarquia entre a carreira burocrática dos funcionários do Estado e constituía dentro dela um verdadeiro *cursus honorem*, em cujo vértice se obtinha um título honorífico. Havia mesmo uma correspondência entre os graus da carreira burocrática e os da carreira militar. "A escala de valores humanos assim estabelecida contava catorze *tchin* que iam, para os civis, do miserável registrador de colégio até ao todo-poderoso chanceler do Império, e, para os militares, de alferes ou porta-estandarte até ao general-de-campo. Entre estes dois extremos situavam-se o general-de-infantaria, de cavalaria ou de artilharia, e o conselheiro privado (segundo *tchin*), que tinham direito ao título de Vossa Alta Excelência; o tenente-general e o conselheiro efetivo (terceiro *tchin*); o general-major e o conselheiro de Estado efetivo (quarto *tchin*), que tinham direito ao título de Vossa Excelência; o general-de-brigada e o conselheiro de Estado (quinto *tchin*) que tinham direito ao título de Vossa Alta Origem; o coronel e o conselheiro de colégio (sexto *tchin*); o tenente--coronel e o conselheiro da corte (sétimo *tchin*), que tinham direito ao título de Vossa Alta Nobreza; o capitão e o conselheiro titular[46] (nono *tchin*); o capitão de segunda e o secretário de governo (décimo segundo *tchin*); o alferes e o registrador do Senado ou do Sínodo (décimo terceiro *tchin*) tinham direito ao título de Vossa Nobreza.

Na Rússia, o funcionário era, pois, etimologicamente, um *tchinóvnik*, um homem que possuía um *tchin*, um cargo, e não como em França, um homem que possuía uma função.

Assim, um homem plebeu podia, depois de alguns anos de trabalho assíduo nas repartições, tornar-se igual a um capitão ou a um major, sem nunca ter servido no exército."[47]

---

46   O senhor Goliádkin, a personagem do romance *O duplo*, era conselheiro titular.

47   Henri Troyat: *A vida na Rússia no tempo do último czar*.

A sociedade russa no século XIX

Os ricos

Antes da abolição da servidão, uma casa rica possuía uma grande quantidade de criados. No século XIX já só tinham geralmente um cozinheiro, muitas vezes francês, um ajudante de cozinheiro, dois criados de quarto, uma lavadeira, uma mulher que tratava das roupas, um cocheiro, um palafreneiro e um carregador. Além destes havia ainda outros dois servidores temporários, como certos operários especializados: o relojoeiro que vinha de tempos em tempos dar corda a todos os relógios da casa, o fabricante de fogões, que tratava do problema do aquecimento, os enceradores etc. Para o serviço das senhoras vinham ainda a massagista, o cabeleireiro, o perfumista e o florista. Havia também preceptoras e professores para a educação das crianças e adolescentes. As preceptoras eram muitas vezes de nacionalidade francesa e os professores alemães. A sociedade elegante usava a língua francesa. Uma das serviçais mais "importantes" era a ama, ou *nhanha*, das crianças.

Estas casas ricas possuíam os seus armazéns privativos de gêneros alimentícios, o seu celeiro, a sua copa. Tinham também a sua cavalariça e uma cocheira onde havia trenós, um *landau*, uma caleça e um pequeno *breck* de caça.

Uma tarantás.

A alimentação dos ricos era variada e requintada; consistia num misto de cozinha russa e de cozinha francesa. Os *zakúski* ou aperitivos eram numerosos: caviar fresco, caviar seco, filetes de arenque, pepinos salgados, esturjão defumado, leitão com rábanos, salmão frio, pequenos pastéis quentes, de carne, de couves, de peixe. Pratos nacionais eram o *borchtch*, sopa de couves e carne, com creme; vários *kulebiáki*, de carne, de arroz, de peixe; as costeletas de Kiev; os *pielhmiéni*. É claro que havia também doces tradicionais: a *pinchka*, pãozinho, redondo e fofo, doce ou salgado, e o *kulitch*, uma espécie de *brioche*, que se comiam na Páscoa; os *blini, cre-*

pe de creme e caviar; os *jávoronki*, pãezinhos torcidos em forma de pássaros, com os quais se festejava o regresso das andorinhas. Uma outra especialidade, muito apreciada no verão, era a *okrochka*, sopa fria, picante, aromatizada, com pedaços de peixe e de gelo.

As bebidas nacionais russas eram, além da vodca — aguardente de cereais, da qual existiam algumas variedades perfumadas com diferentes essências — o *kvas*, feito de cevada fermentada. Quanto a vinhos, os melhores eram os da Crimeia. Usavam muito também o champanhe e o vinho do Porto. E, acima de tudo, o chá. "O chá tinha tal importância na vida nacional que gorjeta, se dizia em russo *na tchai*, isto é, para o chá. O samovar era, em todas as províncias, a alma da casa, o símbolo do repouso e do bem-estar."[48] O samovar não era um utensílio para fazer chá, como algumas pessoas pensam, uma chaleira, mas um recipiente que se destinava a manter a água sempre fervendo, pronta a ser lançada sobre as folhas de chá. Os homens usavam copos que tinham suporte próprio para poderem segurar neles o chá escaldante, e as mulheres bebiam-no por chávenas. Os homens fumavam uns cigarros compridos, por meio de umas boquilhas ou tubos de cartão, e as senhoras de sociedade também fumavam.

As pessoas abastadas viviam quase sempre nas cidades, em casas próprias, as quais eram de poucos andares, um ou dois geralmente, pintadas de cores claras, e possuíam um pátio e um jardim.

Era costume decorar os salões com palmas e fetos exóticos.

Além da vivenda citadina, era elegante possuir também uma casa de campo, a *datcha*.

As senhoras, depois de terem dado as suas ordens à criadagem e de terem sido tratadas pela massagista e pelo cabeleireiro, e de as modistas lhe terem vindo provar as *toilettes*, saíam de tarde para ir às lojas elegantes, aos estabelecimentos de joias, de tecidos, de peles; ou então iam para os parques famosos das cidades passear, patinar sobre os lagos gelados, enquanto ouviam música e também os galanteios dos seus admiradores, e acabavam as suas tardes em qualquer café célebre comendo iguarias e guloseimas.

A sociedade elegante vestia-se à moda europeia e os seus agasalhos eram de peles caras. As senhoras usavam *lorgnon* e, no inverno, traziam as mãos anichadas e quentes em regalos de peles macias.

Os trajes de corte eram de uma suntuosidade e riqueza verdadeiramente orientais; havia damas da corte que ostentavam diademas e colares que valiam, cada um, mais de cem mil rublos. Nas recepções da corte era uma autêntica orgia de brocados, de ouro, de joias, de seda, de plumas e de peles. No teatro, nos concertos e na corte, os homens ostentavam as suas fardas recamadas de condecorações.

Além das esplêndidas residências e de todo este conforto e elegância, os ricos tinham ainda outros prazeres e divertimentos a gozar na vida. As grandes cidades, como Moscou e Petersburgo, ofereciam a seus habitantes grandes espetáculos teatrais e de *ballet*. A dança era a grande atração artística dos russos. Um outro divertimento muito apreciado era ir ouvir as canções ciganas ou as canções russas com acompanhamento de balalaicas, em algum célebre restaurante noturno.

---

48   Henri Troyat, op. cit.

Os camponeses

Os camponeses representavam a grande massa da nação. Viviam em aldeias, que mais não eram que um aglomerado de humildes casas de madeira, de pequeninas janelas, as isbás. No interior dessas cabanas de madeira, os móveis eram poucos e pobres: uma grande arca pintada de cores vivas e ligada por aros de ferro, onde se guardavam todas as riquezas do mujique: um ou dois trajes que só se vestem nas ocasiões solenes, algumas toalhas com rendas, alguns *bibelots* de estimação, algumas especiarias, e outros objetos. A louça era de barro, as colheres de madeira. Os compartimentos destas cabanas eram poucos, um ou dois. Os camponeses dormiam vestidos, no chão, em cima de peles, de palha ou de trapos. Em todas estas casas havia um forno e uma banheira, na qual todos os membros da família tomavam banho ao sábado. Durante os restantes dias da semana os mujiques e as outras pessoas da família limitavam-se a lavar as mãos calosas, crestadas da neve e gretadas dos trabalhos campestres, de unhas sujas de terriça, antes das refeições. Mas muitas aldeias possuíam o seu balneário, para onde a população ia nas vésperas do dia de festa. Eram os célebres banhos de vapor,[49] onde as pessoas transpiravam até desfalecerem, e se flagelavam com ramos de bétula. Dificilmente um europeu ocidental poderia suportar a violência dos exercícios físicos praticados durantes esses banhos, que vêm descritos em várias obras, e que Dostoiévski nos descreve também nas *Memórias da casa dos mortos*.

Isbá do norte da Rússia, no século XIX.

Os mujiques eram robustos e sãos; apenas sobreviviam aqueles que eram poupados por seleção natural; as crianças eram criadas em plena liberdade e, praticamente, ninguém tomava conta da sua educação e da instrução.

O traje dos dias festivos era, para as mulheres, o *sarafan*, um vestido de cores garridas, com alças, que deixava ver no peito a blusa bordada com ponto russo. Na cabeça usavam nos dias vulgares um lenço de cor e, nos dias de festa, um diadema azul de vidrilhos. Ao pescoço traziam um colar comprido de pedras multicores.

---

49   Banhos turcos, ou finlandeses, atualmente estendendo-se no Ocidente sob a denominação finlandesa de *sauna*.

O traje masculino compunha-se de um blusão de algodão, abotoado ao lado, que descia abaixo da cintura, até aos joelhos, sobre as calças metidas nas botas. Mas as botas eram já um requinte de elegância; o calçado do mujique pobre eram as sandálias tecidas com a entrecasca da tília, os *lápti*.

De fato, o camponês russo entrou na condição servil no século XVI. Havia duas categorias de servos: os servos da gleba (*kriepostnie*) e os servos ligados ao serviço doméstico do senhor (*dvoróvie*): porteiros, cozinheiros, cocheiros, que podiam ser vendidos como e quando aprouvesse ao senhor, ao passo que os servos da gleba só podiam ser vendidos juntamente com o pedaço de terra que ocupavam. Em 19 de fevereiro de 1861, o czar Alexandre II concedeu legalmente a emancipação dos servos. Mas esta lei foi mal acolhida porque não dava ainda satisfação às necessidades da classe. "Pelo regulamento, os *dvoróvie* deviam ainda durante dois anos, ou pagar uma renda ao senhor, ou assegurar junto dele um serviço pessoal. Passado este breve prazo eram livres, mas não recebiam nenhuma terra. Criava-se assim uma classe de eternos criados. O pagamento dos *kriepostnie* inspirava-se, em contrapartida, no duplo cuidado de dar terra aos antigos servos, e de salvaguardar, na medida do possível, o direito dos proprietários. Estes viam-se, pois, obrigados a ceder aos mujiques uma parte do seu domínio, mas mediante uma retribuição estabelecida pelas tabelas anexas à lei. A aplicação destas fórmulas, extremamente complexas, era confiada a um árbitro da paz, escolhido entre os membros da realeza. As decisões deste último podiam ser submetidas a um tribunal especial, composto pelos nobres da província. Era o Senado, assembleia nobre por excelência, que julgava as questões em última instância. Este aspecto da reforma despertava a desconfiança entre os mujiques. Persuadidos, de modo confuso, de que eram possuidores das terras por eles cultivadas, admiravam-se de ter de as pagar agora! Os proprietários tinham, talvez, deformado a ideia generosa do imperador. Mais dia, menos dia, a verdade viria à tona. O czar publicaria um novo ucasse escrito "em letras de ouro", para afirmar que dava simultaneamente a terra e a liberdade dos mujiques. Mas os anos passavam. O ucasse com letras de ouro tardava a aparecer. E os mujiques davam-se conta de que, se estavam livres da servidão corporal, outras obrigações lhes pesavam sobre os ombros."[50]

Como o trabalho da agricultura não lhes dava o suficiente para subsistirem, os mujiques praticavam uma pequena indústria doméstica durante o inverno, fabricando, conforme as regiões, os mais variados objetos: colheres de madeira, calçados, tecidos de junco, de linho, de seda, rendas, artigos de peles, imagens religiosas, brinquedos, instrumentos musicais, samovares. Muitos mujiques saíam das suas aldeias e iam tentar vida longe, noutras províncias, ou nas cidades; iam servir de cocheiros, trabalhar em fábricas, nos estaleiros, nas minas, calcetar ruas, servir de criados nos cafés e nos restaurantes.

A alimentação do mujique era pobre e pouco variada: pão negro, couves amargas, sopa de couves, trigo mourisco cozido com toucinho, pepinos frescos no verão e salgados no inverno; *kvas* e chá, como bebidas.

Os mujiques aprendiam a ler em casa, nos *Evangelhos* e no *Martirológio*. Conheciam as lendas bíblicas e possuíam um cristianismo arcaico e por vezes mescla-

---

50   H. Troyat, op. cit.

do de heresias. Aliás, o camponês russo, se por um lado era paciente, dócil, hospitaleiro e caridoso, por vezes era cobiçoso e desregrado, e a sua verdadeira religião era uma mescla de crenças muito primitivas e pagãs, acreditando em espíritos benéficos e do mal, em feiticeiras, nos gênios das florestas e dos lagos, e em almas do outro mundo. "Os próprios russos não eram unânimes quanto ao caráter desta personagem [o mujique]. Para os eslavófilos, os *naródniki*, o rude invólucro do mujique escondia virtudes generosas, que se desenvolviam mais tarde ou mais cedo, ao sol da liberdade. Para os ocidentalistas, o mujique era, em contrapartida, um eterno menor, atolado na rotina e no egoísmo, incapaz de colocar o interesse geral acima do interesse particular, hostil a todo o progresso, a toda a modificação, e só respeitando o *nagaika* sibilante dos cossacos. Anjo ou demônio, representava uma força imensa, inacessível, incontrolável. Todos sentiam que o futuro da Rússia teria talvez o rosto estranho dum pequeno mujique de barba loura, nariz achatado, testa baixa e olhar infantil."[51]

OS OPERÁRIOS

A classe operária era constituída por camponeses que deixavam a vida rural e vinham para a cidade trabalhar nas fábricas. De entre cada família eram os homens os primeiros a vir para a cidade na ânsia dum salário certo, mas, em breve, verificando que os seus ganhos não eram suficientes para si e para enviar à mulher e aos filhos que tinham ficado na aldeia, o operário mandava vir a família para trabalhar a seu lado na fábrica.

Um dos piores problemas que o operário tinha de enfrentar na cidade era o do alojamento. As grandes fábricas tinham ao seu lado prédios enormes, que eram uma espécie de quartéis para civis. Mas as instalações eram miseráveis: desconforto máximo, falta de higiene e uma grande promiscuidade. Havia compartimentos nos andares de alguns prédios onde dormiam vinte ou trinta operários em reles tarimbas de madeira, colocadas lado a lado, ou em estreitos cubículos que abrigavam várias famílias. Aqui tentavam os casais obter redutos discretos, estabelecendo frágeis divisórias com cartões ou trapos pendurados em cordas. Nestes cubículos lavavam também as suas roupas e, como as janelas eram exíguas, o ar era úmido e putrefato.

Isto quanto ao alojamento dos operários das grandes fábricas, porque os de certas pequenas manufaturas, esses dormiam e viviam nos barracões das oficinas, no meio das máquinas, dos ruídos, das águas sujas e dos vapores deletérios.

O regime de trabalho era violento, sujeito a pesadas multas e descontos. Havia algumas leis protetoras e humanitárias, que nem sempre eram rigorosamente cumpridas. E essas melhorias não tinham sido conseguidas por deliberação espontânea das autoridades ou dos donos das fábricas, mas sim por rebelião dos operários.

O operariado passou a constituir na Rússia do século XIX, como nos outros países da Europa, uma nova classe social "sem lar, sem saudades, sem tradições, que não possuía nada próprio e vivia do dia a dia, perdida na massa anônima dos seus semelhantes".[52]

---

51 H. Troyat, op. cit.
52 H. Troyat, op. cit.

Mas tinham adquirido assim uma consciência coletiva, unida para a defesa dos seus interesses. Nas grandes cidades organizavam-se círculos clandestinos, muitas vezes dirigidos por intelectuais e por alguns teóricos dos partidos socialistas avançados, que se misturavam ao pessoal destas fábricas preparando a revolta.

O CZAR

Sobre toda esta população, segundo se disse já, reinava como senhor absoluto, e muitas vezes também despótico, o czar.

O czar governava por ucasses, isto é, decretos. O Exército e o funcionalismo eram os principais instrumento do absolutismo imperial. Depois das revoluções europeias liberais de 1848, o absolutismo foi ainda reforçado. Existia uma polícia secreta do Estado, a "polícia de segurança" ou *Okhrana*, "que espiava os indivíduos suspeitos e fazia abortar a preparação dos atentados".[53]

OS INTELECTUAIS

Apesar do regime autoritário, existia na Rússia do século XIX uma elite de vida intelectual intensa, que era conhecida sob o nome de *intieligéntsia*, a que pertenciam literatos da categoria de Púchkin, de Gógol, de Turguéniev, Dostoiévski, Tolstói, para citar apenas os maiores. Foi num grupo de jovens que discutiam em comum as obras de Louis Blanc, de Fourier e de Proudhon, que a polícia encontrou o moço Dostoiévski e o prendeu como "conspirador". Perante a verificação da necessidade de uma reforma total da vida social da Rússia, os homens que faziam parte da *intieligéntsia* dividiram-se em dois grupos, os eslavófilos e os ocidentalistas. Os eslavófilos pensavam, como o czar, que tudo quanto vinha do Oeste era mau e comprometia o gênio nacional do povo russo. "Ortodoxia, autocracia, espírito nacional", era esse o lema. Os ocidentalistas eram mais numerosos e pensavam que as ideias progressistas do Ocidente poderiam encontrar na Rússia uma aplicação fecunda.

Quando morreu o czar Nicolau I, que foi um soberano rigorosamente autocrata, e lhe sucedeu seu filho Alexandre II (1855-1881 — Dostoiévski morre em 1881) houve um incremento nos grupos liberais. O grupo de *intieligéntsia* discutia acaloradamente os problemas sociais. A primeira grande reforma que saiu destes movimentos e discussões foi a abolição da servidão (1861) que, apesar do seu alcance social e das enormes transformações que provocou na Rússia, não satisfez os camponeses, como vimos. Além disso a população crescia e a terra não chegava já para o sustento dos camponeses, muitos dos quais, libertados, vieram para as cidades engrossar a população operária.

Além dos problemas internos, a Rússia tinha ainda de contar com certos outros problemas, como os que derivavam de conter no seu império povos submetidos, os polacos, por exemplo, que se revoltaram em 1830 e em 1863. E, com o contragolpe, a insurreição polaca (que tinha sido dominada) despertou o nacionalismo russo. Os eslavófilos aproveitaram-se dele para retomar o seu papel preponderante e o governo voltou às medidas de opressão e arbitrariedade.

---

53 H. Troyat, op. cit.

Então passaram os ocidentalistas para o socialismo revolucionário, para o anarquismo e para o niilismo. O niilismo tendia a não aceitar tudo o que era tradição, autoridade e conservador no ponto de vista político-social. Os revolucionários recrutavam-se sobretudo entre a classe dos estudantes universitários, os quais, não encontrando carreiras abertas quando terminavam os estudos, formavam uma classe de desclassificados e passavam a fazer parte de sociedades secretas que tentaram algumas revoltas.

É este o ambiente pré-revolucionário, o ambiente cuja influência transparece na alma dum Raskólhnikov, o herói de *Crime e castigo*, e na trama de *Os demônios*, o ambiente em que viveu Dostoiévski.

As grandes instituições

A máquina administrativa

O império russo, no século XIX, estava dividido em 78 governos e 18 províncias ou regiões, isto é, territórios que, pelo seu afastamento ou originalidade de instituições, viviam sob regime especial. Havia quatro cidades diretamente subordinadas ao poder central, chamadas "cidades de prefeitura", entre elas Petersburgo e Sebastópol. Os governos estavam divididos em distritos (*uiesd*), que, por sua vez, se subdividiam em cidades e comunas.

À frente de cada governo estava um governador, representando o poder central: promulgava as leis, dirigia a sua execução, vigiava as instituições administrativas, da polícia e da assistência pública.

Em cada distrito estava colocado um chefe de polícia ou *isprávnik*, que dirigia outros funcionários do mesmo organismo.

Além dos representantes da administração central, havia em cada governo e em cada distrito assembleias eleitas ou *ziémstvo*, que se ocupavam dos interesses econômicos e agrícolas da região.

Para ser eleitor era necessário ter nacionalidade russa, vinte e cinco anos de idade e representar um censo que diferia conforme cada uma das três categorias de eleitores: nobres, habitantes das cidades e camponeses. A população do distrito elegia os seus deputados (*glásnei*), conforme a sua categoria (nobres, comerciantes, mujiques). O *ziémstvo* do distrito reunia-se habitualmente uma vez por ano e discutia os assuntos locais, sob a presidência do marechal da nobreza do distrito.

Havia também um *ziémstvo* da província ou de governo.

A administração das cidades estava confiada (desde 1870) a um conselho municipal (*Gorodskaia Duma*) eleito pelos mais importantes habitantes da cidade, proprietários de imóveis, comerciantes, industriais, tudo gente rica.

A classe dos camponeses dividia-se em comunas. Para administrar os seus negócios, os camponeses formavam uma assembleia cantonal, a *vólost*.[54]

---

54 Uma lei de 1889 introduziu os chefes de cantão (*ziêmskie natchálhniki*).

As autoridades municipais da comuna da aldeia eram o conselho (*mir* ou *skhod*) e o seu representante, o *stárosta*, o antigo, o mais velho. O *mir*, composto de todos os chefes da família da comuna, deliberava sobre os impostos, a admissão de novos membros, as crianças menores, as escolas rurais, a assistência aos pobres, a repartição das terras nas regiões submetidas ao regime de posse de terras em comum etc. A assembleia cantonal, a *vólost*, reunia-se sob a presidência do *starchiná* ou decano. Esta assembleia regulava todos os assuntos que dissessem respeito às necessidades econômicas e sociais da *vólost*.

Todas estas disposições davam uma aparência de autonomia à administração provincial e comunal, mas, a partir da lei de 12 de junho de 1889, com a criação dos chefes de cantão, com o aumento dos representantes da nobreza em relação ao número de deputados das outras classes, e com a restrição das atribuições dos membros dos governos e dos distritos, essa autonomia ficou de fato muito combalida.

Uma aldeia siberiana no século XIX.

Os chefes de cantão só tinham acima deles: o czar, de poder ilimitado consagrado pela Igreja, o Conselho do Império, formado por todos os ministros e alguns dignatários poderosos, cujo papel era o de sancionar as leis, a Comissão dos Ministros, que preparava as medidas legislativas, o Mui Santo Sínodo, encarregado de velar pela vida religiosa da nação, e o Senado, cuja competência se estendia à publicação de ucasses ou decretos, à confirmação dos títulos de nobreza, à fixação dos limites de propriedade territorial e ao julgamento em cassação das questões civis e criminais.

Esta organização só era estritamente aplicada nos trinta e quatro governos que constituíam o núcleo da Rússia. Para os territórios de raça e civilização diferentes, tinha sido criada uma administração especial.

Toda esta máquina política e administrativa era sustentada por uma forte polícia, que tinha também a sua hierarquia.

Além dessa polícia, a que podíamos chamar a Polícia de Segurança Pública e a Polícia Judiciária, havia também a polícia política secreta ou *Okhrana*. O papel da *Okhrana* era, como já dissemos, o de espiar os indivíduos politicamente suspeitos e fazer abortar a preparação dos atentados. A repressão não era da sua competência. A *Okhrana* nunca executava os seus presos. As condenações à morte eram todas pronunciadas pelos tribunais regulares.

A *Okhrana* vigiava também a correspondência dos particulares.

A JUSTIÇA

Antes da reforma de Alexandre II, filho de Nicolau I, a organização judiciária russa era muito primitiva, os tribunais não tinham independência e o processo era secreto.

Mas com essa reforma o poder executivo separou-se do poder legislativo, os debates tornaram-se públicos, os crimes mais graves foram submetidos à deliberação de um júri, os tribunais de paz estatuíam sobre questões de menor importância, os processos foram simplificados.

O sistema judiciário ficou compreendendo assim duas espécies de jurisdições: por um lado, a dos tribunais de paz, por outro lado, a dos tribunais comuns.

Acima destes tribunais existia o Senado, que era um tribunal de Cassação e dirigia a justiça de todo o império.

Os juízes de paz julgavam os litígios sem gravidade e eram eleitos pelo *ziémstvo* do distrito; conheciam a população local, os seus usos e costumes. Tinham a obrigação de ser instruídos e de possuírem fortuna. O processo era simples e conciliador. Os debates eram sempre públicos, sem aparato, o juiz não usava toga nem uniforme.

Ao lado da justiça de paz existia a magistratura ordinária, que tratava de questões mais graves do que as que estavam a cargo dos juízes de paz. Os magistrados destes tribunais usavam uniforme, os advogados fraque. Os debates eram sempre públicos, rodeavam-se de um brilho espetacular. Enquanto os juízes de paz eram eleitos, os juízes ordinários eram escolhidos entre os juristas e nomeados pelo imperador. O governo era senhor da sua promoção e transferência.

Havia duas instâncias nos tribunais ordinários: o Tribunal de Circunscrição, que cobria com a sua jurisdição toda a província e o Tribunal de Justiça, cuja competência se estendia a diversas províncias.

O Senado, erigido em Tribunal de Cassação, não conhecia os litígios em toda a sua extensão. Examinava as sentenças dos tribunais de circunscrição, sob o aspecto de forma e de interpretação da lei. Se achava necessário anular uma sentença, a questão era por ele mandada a um outro tribunal de apelação.

Além destes, havia na Rússia um certo número de tribunais especiais: tribunais militares, tribunais eclesiásticos, tribunais do comércio, tribunais de camponeses, chamados tribunais de cantões, e os tribunais alógenos, encarregados de aplicar, em certas regiões, o direito consuetudinário.

Perante os tribunais ordinários, a defesa dos particulares era geralmente assegurada por advogados ajuramentados. Para o estabelecimento regular das atas, dos contratos e das convenções entre as partes, existiam notários. Mas a Rússia não conhecia a instituição dos solicitadores. Os grandes advogados russos ganhavam fortunas e gozavam de grande consideração junto do público.

Antes da reforma de Alexandre II, a instrução dos processos criminais estava confiada à polícia, que usava da violência para obter as confissões dos suspeitos. Em 1860 apareceram os juízes de instrução.

A lei de 1864 introduziu na Rússia o júri. Para ser jurado era necessário possuir cerca de 109 hectares de terra, ou um prédio de dois mil ou de mil rublos, conforme as cidades onde se encontrava, ou de 500 rublos nas outras localidades, ou ter um rendimento ou um ordenado de 500 rublos nas capitais ou de 200 rublos nos outros lugares.

*

O *knut* foi proibido desde os primeiros anos de reinado de Nicolau I; um decreto de 1863 tinha suprimido também as vergastadas a que o servo russo estivera sujeito durante séculos. Entretanto, nas regiões mais afastadas do império, continuaram em uso os castigos corporais.

A pena capital foi abolida em 1753 pela imperatriz Isabel. Só em caso de atentado contra a vida dos soberanos ou contra a segurança do Estado se mantinha esta pena. Para os crimes políticos secundários, a pena de morte era geralmente substituída pela deportação e pelos trabalhos forçados.

Em 1878 ainda passavam às centenas no Ural hordas inteiras de condenados políticos e presos de direito comum, de pés agrilhoados, condenados a trabalhos forçados na Sibéria.

Estes deportados dividiam-se em duas grandes classes: os presidiários propriamente ditos, e os condenados a uma pena mais leve, os colonos forçados. Os presidiários eram empregados nas tarefas mais duras nas minas. Sofriam maus-tratos de todo gênero, eram mal alimentados, atacados por muitas doenças. Trabalhavam também nas fábricas, nas salinas, nas pedreiras e na construção de estradas. Só ficavam retidos nas penitenciárias durante a primeira quarta parte do tempo da pena. Depois passavam à categoria de colonos forçados e tinham o direito de se alojar nas proximidades do edifício, com a condição de se apresentarem diariamente, para vigilância, às autoridades do presídio.

Para os deportados simples, a disciplina era menos rigorosa. Apenas estavam submetidos à obrigação de não abandonar a residência que lhes tinha sido fixada. Os que tinham alguns rendimentos, alugavam uma casa; outros ganhavam a vida exercendo o seu antigo ofício ou oferecendo os seus serviços nas fábricas etc.

Havia muitos destes condenados, tanto colonos como presidiários, que fugiam, apesar da vigilância dos guardas, e erravam pelas estepes e pelas florestas geladas da Sibéria. Roubavam, mendigavam, assaltavam e assassinavam, se fosse preciso.

Mas, sobre a vida destes deportados, destes presidiários e destes fugitivos, o leitor encontrará a mais empolgante das descrições nas admiráveis *Memórias da casa dos mortos*, pois Dostoiévski também foi presidiário, condenado a trabalhos forçados na Sibéria.

Uma muda de posta na Sibéria, no século XIX.

A IGREJA ORTODOXA

A Rússia foi evangelizada nos fins do século X por monges gregos e, durante algum tempo, reconheceu a supremacia dos patriarcas de Constantinopla, até que o metropolita de Moscou se torna o senhor da hierarquia eclesiástica russa.

Em 1721, Pedro o Grande funda o Santo Sínodo, corporação encarregada da direção dos negócios religiosos, composta pelos altos dignitários do clero regular, que serão daqui por diante nomeados pelo czar. A religião ortodoxa passa assim a ser a religião do Estado.

A principal diferença entre a Igreja Católica e a Igreja Ortodoxa, estabelecida no sétimo concílio ecumênico de Niceia, realizado no século VIII, deriva da supressão da fórmula *e do Filho*, contida na oração da Igreja Católica: "Creio no Espírito Santo... que procede do Pai e do Filho", expressão esta que não se encontra também no *Evangelho segundo São João*. O texto do Concílio de Niceia diz apenas: "Creio no Espírito Santo que procede do Pai".

Os ortodoxos deixaram também de reconhecer a infabilidade do papa e não admitiam igualmente a concepção do Purgatório nem as Indulgências; admitem o casamento dos padres, mas não dos bispos, condenam o emprego do pão ázimo, sem fermento, para a celebração da missa, e batizam por imersão e não lançando água sobre a cabeça. A comunhão dos fiéis é feita sob duas espécies, de pão e de vinho (pão ensopado em vinho).

As igrejas eram ricamente decoradas com ouro, tetos pintados, mármores e numerosos candelabros. Não havia estátuas nem altos-relevos, que foram substituídos por imagens pintadas, os ícones, permitidos pelo sétimo concílio de Niceia, os quais não eram apenas a representação dos santos ou seres divinos, considerava-se que existia uma relação mística real entre a imagem e seu modelo. Assim, a veneração dos fiéis era dirigida, não aos ícones, mas sim àqueles que eles representavam. Os russos demonstravam fervorosamente a sua devoção diante destes ícones, com *genuflexões, ósculos, círios acesos*. Estes ícones eram levados pelos soldados para a guerra, e havia alguns de especial e popular devoção. Havia também numerosas reproduções em todas as casas particulares, das quais, algumas tinham um oratório privativo, repleto de inúmeros ícones. Muitos atos familiares eram praticados sob os olhares destas imagens.

Os russos usavam a água benta, a persignação, e as bênçãos; havia grande número de dias festivos, dos quais o mais importante era a Páscoa, que era alegremente celebrada; havia também dias de abstinência (havia quatro quaresmas), missas, cânticos religiosos em coro, muito apreciados, e grande número de santos (o número de santos russos canonizados é cerca de 385), e existia também o culto das relíquias.

Fenômeno religioso curioso era o de grande número de peregrinos (*bogomólietsi*) que andavam a esmolar pelas estradas.

Além da religião ortodoxa, que era, como dissemos, a religião do Estado, existiam também na Rússia czarista alguns milhões de católicos e de protestantes; e havia ainda fiéis de culto armênio-georgiano, hebraico, maometano, bramânico, e também pagãos. Existiam muitas seitas, das quais a mais importante era dos *staroviéri*, ou Velhos Crentes, que eram verdadeiros cismáticos.

Formaram-se estes cismáticos no século XVII, quando o patriarca Nikon ordenou a revisão da liturgia e introduziu certas inovações no culto. Os Velhos Crentes não aceitaram tais inovações e pretenderam manter a pureza dos primitivos ritos cristãos. Passaram, assim, a ser perseguidos pelo poder central, porque a sua força associativa era, até certo ponto, um elemento de desagregação relativamente à ação centralizadora do czar. As suas associações tornaram-se tão fortes que havia regiões quase por completo sujeitas ao domínio econômico dos *staroviéri*. É, pois, à luz do seu significado político-econômico, e não apenas religioso, que se deve encarar a formação destas seitas, bem como o da existência de grande número de peregrinos, quase sempre mujiques velhos e miseráveis que abandonavam o trabalho ingrato dos campos.

O clero ortodoxo estava dividido em clero secular ou branco, e clero monástico ou negro. O clero monástico fazia voto de celibato e era no seu seio que se recrutavam os altos dignitários da Igreja; o clero secular fornecia os padres das paróquias, que tinham a obrigação de se casar.

Havia três graus no clero monástico: os monges, os padres-monges e os bispos. Os monges e os padres--monges viviam em conventos. Estavam integrados numa hierarquia: *pósluchniki* (irmãos-conversos ou noviços), que faziam um longo período de estudos e espera, antes de tomarem votos definitivos para serem monges (*monákhi*). Os sacerdotes monacais começavam por ser diáconos (*ierodiákoni*), depois padres-monges (*ieromonakhi*), e chegavam finalmente a *arkhimandrit* (grau intermediário entre o bispo e o monge). Só podia ser ordenado *arkhimandrit* se possuísse um título acadêmico: mestre ou doutor em Teologia. Nos graus superiores da hierarquia eclesiástica encontravam-se os bispos, os arcebispos e os metropolitas. Toda a Rússia estava dividida em eparquias ou

Monge russo do século XIX.

dioceses administrativas por um arcebispo (*arkhiepískop*) ou por um bispo (*epískop*). As mais importantes destas eparquias, que eram a de Novgorod e de São Petersburgo, a de Moscou, e a de Kiev, tinham um *mitropolit* à frente. Em cada eparquia funcionava um consistório presidido pelo bispo. O clero secular do campo e das cidades estava sob a dependência absoluta deste alto prelado do clero monástico.

O clero secular, ou branco, subdividia-se por sua vez em: 1º *protoieiriéi* (arciprestes); 2º *ieriéi* (padres ou popes); 3º *protodiákon* (arquidiáconos, ligados geralmente ao serviço do bispo); 4º *diakon* (diáconos).

Todos os membros deste clero tinham a obrigação de usar barba, cabelo comprido e serem casados. O clero paroquial estava submetido ao bispo da diocese. Cada paróquia tinha uma igreja servida por um cura ou pope e um diácono (*diakon*), assistido, por sua vez, por um leitor de saltério (*psalómchtchik*) e um sacristão (*ponomar*).

Igreja de São Basílio, em Moscou.

Os curas ou os popes ocupavam lugar social de pouco relevo e eram mal remunerados, ao passo que os monges eram profundamente venerados pelo povo, que os julgava capazes de milagres e ia ao mosteiro pedir-lhes conselhos. Havia um mosteiro, o de Optina Pústin, situado na província de Kaluga, que se tornou muito célebre, pois atraía grande número de peregrinos, devido ao renome extraordinário do seu *stáriets*.

O *stáriets* era quase sempre um monge idoso, que adquirira grande reputação, por suas virtudes e meditações.

O leitor irá encontrar um admirável retrato de um destes *stáriets* no romance *Os irmãos Karamázovi*.

O EXÉRCITO

O serviço militar passou a ser obrigatório para todos, na Rússia, a partir das reformas de 1874, desde o vinte e um aos quarenta e três anos. Os homens aptos eram inscritos, ou no serviço ativo, ou na reserva. O serviço durava dezoito anos, cinco nas fileiras e treze na reserva e na milícia; na infantaria e na artilharia a pé os homens só passavam quatro anos nas fileiras. Como a população da Rússia era enorme, somente os rapazes escolhidos num sorteio eram incorporados no exército ativo. Os outros só eram chamados, em caso de guerra, por um ucasse do imperador.

Os postos do exército eram equivalentes aos das outras nações europeias e nas suas designações notava-se às vezes a influência alemã: *unteroffizier* (suboficial, sargento), *feldwebel* (sargento maior), *práporchtchik* (alferes), *porútchik* (tenente), *kapitan* (capitão), *podpólkovnik* (tenente-coronel), *pólkovnik* (coronel).

Cada regimento tinha seu coro, pois a arte do canto estava muito espalhada na Rússia, até mesmo no Exército. Na infantaria, os soldados cantavam durante a marcha. Havia também bailarinos de danças populares e tradicionais.

O posto de oficial conhecia-se pelas dragonas. O soldo dos oficiais era modesto, mas tinham bons subsídios de alojamento e alimentação. Havia grande variedade de condecorações e de insígnias. As ordens mais apreciadas eram as de Santo André, reservadas aos membros da família imperial, aos soberanos e aos príncipes estrangeiros e alguns chefes de Estado, a de Santo Alexandre Névski, a de São Vladímir, a da Águia, a de Santa Ana e a de São Estanislau. A cruz de São Jorge só se obtinha por gloriosos feitos de guerra.

Os castigos, para os oficiais, podiam ir desde a detenção simples até a prisão. Para as faltas graves de disciplina ou de honra havia um tribunal especial de oficiais em cada regimento.

Os oficiais da Guarda Imperial tinham de comprar montada à sua própria custa. Para estes oficiais o serviço era tão caro que o seu soldo não chegava a custear todas as despesas. Mas a maior parte destes oficiais possuía uma considerável fortuna pessoal. Também para os grandes regimentos da guarda os uniformes eram mais numerosos, mais variados e mais ricos do que os dos regimentos ordinários.

O uso do traje civil era severamente proibido aos oficiais, exceto em casos de viagem ao estrangeiro. O czar dava o exemplo e só aparecia em público com o uniforme de general.

A disciplina era rígida, mas havia grande espírito de camaradagem entre os oficiais dum mesmo regimento, e muita humanidade nas relações dos oficiais com os soldados.

O espírito religioso dos russos estendia-se ao Exército. Havia missas campais, e as orações matinais e noturnas eram obrigatórias nos regimentos. Em todos os momentos solenes da vida militar o padre intervinha para elevar a alma do soldado com um ofício religioso. Nos quartéis, havia em cada camarata, o ícone da companhia com a sua lamparina de vidro vermelho. Em caso de guerra os russos levavam sempre consigo alguns ícones sagrados e atribuíam-lhe os êxitos das suas armas. Cada regimento tinha a sua capela.

Os quartéis, nas grandes cidades, eram vastos e bem cuidados.

A alimentação do soldado era abundante, parecida com a alimentação do camponês: pão negro, papas de trigo mourisco, sopa de carne, couves, beterrabas. A bebida era o *kvas*; para as festas havia vodca. Não lhes distribuíam chá, mas cada soldado tinha a sua caixa de chá e ia buscar na cozinha a água fervente de que necessitava.

*

Os oficiais do Exército recebiam a sua preparação especial nas escolas militares. Uma das escolas militares mais famosas era a Escola de Cavalaria de Elisavet-grado. Os alunos desta escola eram cadetes, geralmente pertencentes à nobreza, e chamados *junkers*.

O curso durava dois anos para que os que possuíam já o curso do liceu ou ginásio. Passados dois anos, os *junkers*, se tivessem feito exame final com aproveitamento, eram incorporados nos regimentos com o posto de alferes.

A vida dos alunos das escolas militares obedecia a uma série de tradições comuns e a muitas outras do mesmo gênero da Europa. Os calouros, ou "medíocres animais", sofriam as brincadeiras e os maus-tratos dos mais antigos, os alferes-honorários, que lhes impunham uma série de obrigações de respeito e obediência servis, de humilhações e proibições, também em público.

O programa de ensino compreendia equitação, volteio, esgrima, ginástica, manobras a pé e exercícios ao ar livre. Nas aulas aprendiam história militar, arte de fortificação, balística, topografia, administração, hipologia, mecânica e química.

A mentalidade destes rapazes era geralmente baixa. As grandes preocupações dos cadetes e dos alferes eram o vinho, os cavalos e as mulheres. Procuravam aventuras amorosas com atrizes, bailarinas e mundanas, consideravam a mulher como um animal de prazer. Acabavam por casar com meninas decentes, filhas de boas famílias e abastadas. Os oficiais da Guarda Imperial que desposassem atrizes eram obrigados a abandonar o regimento e a se rebaixarem a um regimento ordinário. O casamento com mundanas prejudicava a carreira militar.

Terminados os estudos na escola militar, a escolha do regimento fazia-se pela ordem das notas obtidas, o que levantava entre os cadetes grandes disputas. Os bem classificados podiam obter os regimentos que preferiam.

*

Trenó de renas.

O termo pajem, entre os russos, designava os alunos oficiais de origem aristo-crática. Para que um rapaz pudesse ser admitido no "corpo de pajens" era necessário não só que os pais ou o avô fossem de incontestável nobreza, como também que um ou outro tivesse servido no Exército russo com o posto de general. Era entre estes rapazes que se escolhiam os oficiais dos regimentos da Guarda Imperial. Era um recrutamento quase hereditário, em que os oficiais se sentiam ligados ao seu regimento por tradições familiares.

As crianças eram inscritas no "corpo de pajens", muitas vezes logo à nascença. Entravam para lá aos doze ou treze anos e só saíam depois de cinco anos de curso médio e dois de curso superior. Só então eram colocados num regimento de Guarda.

O uniforme de gala dos pajens era de uma suntuosidade extraordinária: teci-do negro e vermelho, com alamares dourados, luvas brancas, capacete com plumas brancas. A instrução militar e a instrução geral eram muito extensas neste estabele-cimento destinado a formar a elite guerreira do império.

Moscou no século XIX, e a ri-beira do Moscova.

Dentre este corpo de pajens formavam-se ainda os *kammerpajens*, ou seja, os pajens da câmara, que se destinavam ao serviço do palácio; cada um deles ficava pessoalmente ligado ao séquito deste ou daquele membro da família imperial.

*

A situação dos cossacos era diferente da dos outros. Em certas regiões, essa condição era hereditária. Recebiam terras para cultivar, mas tinham de fornecer os cavalos e o equipamento. Havia onze exércitos cossacos, quase todos estabelecidos junto das fronteiras: os cossacos do Don, do Kuban, do Terek, de Astrakan, do Ural, de Oremburgo, da Sibéria, de Siemirietchie do Transbaical, do Amur e de Ussúri, e o esquadrão do Cáucaso da guarda.

O uniforme do cossaco compunha-se de um dólmã largo, calças tufadas, metidas nas botas, e um *papacha*, boné de peles.

Os cossacos circassianos (Kuban e Terek) usavam o dólmã negro (*tchiekmien*), sem colarinho, de mangas largas na extremidade, com um estreito cinto de couro, cartuchos dispostos à esquerda e à direita, sobre o peito; debaixo do dólmã, colete de seda negra, azul ou vermelha, o *biechmiet*; nos ombros um casaco de lã de cabra ou de carneiro, a *burka*. O armamento dos cossacos compunha-se de uma lança muito comprida (*pika*), de um sabre sem copo (*chachka*), e de uma carabina; usavam também um punhal e uma pistola.

Os cossacos eram excelentes em equitação. No trote, não se sentavam, e a parte superior do corpo inclinava-se para a frente; usavam obrigatoriamente uma *nagaika*, ou seja, um chicote de couro.

A sua instrução de cavalaria começava na mais tenra idade; mais tarde aprendiam a *djiguitovka*, conjunto de acrobacias equestres muito apreciadas.

Gozavam de grande liberdade, de autonomia na administração local, de desafogo econômico, o que lhes incutiam o sentimento da dignidade e da coragem.

A cavalaria cossaca, em combate, era sobretudo empregada nos assaltos individuais. A carga especial dos cossacos chamava-se a *lava*, isto é, torrente. "Nesta *lava*, os cossacos dispersavam-se e preparavam o ataque mediante investidas e retiradas, a fim de poderem, quando as circunstâncias lhes parecessem favoráveis, cair sobre o adversário desorganizado e obrigá-lo a uma série de combates isolados à arma branca. Nestes casos, a sua habilidade, mobilidade e coragem operavam maravilhas."[55]

PETERSBURGO NO SÉCULO XIX

Com exceção dos anos da sua infância e adolescência passados ora em Moscou, ora no campo, e daqueles que viveu no presídio siberiano e nas suas viagens ao estrangeiro, ou estadas em estâncias de águas, Dostoiévski viveu quase sempre em

---

55   H. Troyat, op. cit.

Petersburgo, e a maior parte de seus romances passa-se também nesta cidade. Não deixará de ser interessante para o leitor lançar uma vista de olhos sobre o ambiente físico e humano dessa cidade (que já foi Petrogrado, Leningrado e é hoje outra vez São Petersburgo), para, assim, chegar a uma melhor compreensão do meio íntimo, subjetivo, dos romances de Dostoiévski.

"A nova capital da Rússia cintila e brilha aos olhos do estrangeiro pela regularidade, o asseio e o comprimento das ruas, pela imensidade dos palácios, pela beleza das casas e pelos soberbos passeios de granito.

"É sobretudo no inverno que Petersburgo adquire interesse para o viajante. Milhares de trenós ou viaturas montadas sobre patins deslizam rapidamente. Todas as pessoas andam carregadas de peles mais ou menos ricas; o camponês, o mercador russo, o operário retomam seus casacos e capotes e seus altos gorros forrados, tudo muda de aspecto. O Nevá e todos os canais, algumas semanas antes ainda carregados de barcos e de ricos navios, já não levam senão trenós que sobre eles cruzam em todos os sentidos. O frio, que se apodera dos homens e dos cavalos, parece dar asas a todos, e é um espetáculo verdadeiramente fantástico o de Petersburgo, sobretudo numa bela noite de inverno, quando o céu tão límpido do norte acendeu todas as estrelas e quando as ruas e as lojas ricas da Perspectiva Niévski estão iluminadas. Como que se veem então circular sombras nos raios de luz que chegam de todos os lados, o peão apressado, o modesto trenó de aluguel e as suntuosas equipagens dos senhores, com as suas lanternas, cujos faróis correm e se cruzam incessantemente. O barulho, amortecido pela neve, não é mais do que um surdo roçar, quase imperceptível, interrompido de tempos a tempos pelos gritos e pelas pragas dos cocheiros.

"Como o verão é muito curto, todos os senhores o vão passar, uns nas suas terras, outros nas ricas casas de campo que possuem nos arredores de Petersburgo. É para as ilhas[56] que vão os mais ricos senhores. Ainda há cem anos estas ilhas não eram mais de que pântanos ou dunas formados pelo Nevá na sua embocadura do golfo da Finlândia; mas o tempo fez delas um lugar de delícias para a voluptuosa indolência dos grandes. Cortadas de canais, sulcadas sem cessar por barcos de cores variadas, unidas entre si por pontes elegantes, semeadas de *cottages* brilhantes de frescura e de graciosidade, estas ilhas, durante o mês de junho, em que a natureza despertando de repente parece querer compensar-se do seu longo silêncio, são bem a estância mais deliciosa que se pode sonhar sobre a Terra. Além disso, cada casa é rodeada das mais raras plantas exóticas, conservadas durante nove meses, com grande despesa, em estufas que são as mais ricas do mundo, depois das de Moscou...

"Entre as construções mais curiosas de Petersburgo é preciso citar o Palácio de Inverno, assim chamado porque serve de residência à Corte durante esta estação...

"Um pouco acima do Palácio de Invenro fica o Ermitage[57], outro palácio onde está reunida a mais rica coleção de quadros da Rússia. Mais acima ainda encontra-se o Jardim de Verão, cuja grade de ferro é de uma grande magnificência.

"À frente do Palácio de Inverno, do outro lado do Nevá, sobre uma ilha formada pelo grande e pelo pequeno Nevá, eleva-se a sombria fortaleza onde se encerram os prisioneiros do Estado e onde repousam as cinzas dos soberanos...

---

56   As "ilhas" designam o grupo de ilhas Pietróvski, Kriestróvski, Kámieni, apreciadas pelos petersburgueses por causa dos seus espaços verdes e das suas casas de campo.

57   Ou Eremitério (palácio do).

"Esta é a fisionomia exterior da capital russa. A fisionomia moral é igualmente magnífica, segundo as descrições da época.

"Sede da corte mais fastosa da Europa, coração do mais vasto império da Terra, onde se encontram as forças de meio hemisfério, habitado por todos os grandes funcionários russos, possuindo no seu perímetro corporações científicas de todo o gênero, escolas militares para todas as armas, uma guarnição militar cujos chefes são a flor da sociedade russa, Petersburgo é, sem contradição, uma das cidades mais suntuosas da Europa. Juntemos a todos estes elementos de grandeza e de prosperidade a atividade dum porto muito comercial, um afluxo imenso de estrangeiros atraídos e retidos pelo amor do lucro, as relações tão ativas do corpo diplomático com todas as regiões do globo...

"Se Lion teme o Ródano, Petersburgo não teme menos o Nevá, que, no entanto, é causa das riquezas. No inverno... as suas águas inundam a cidade e ameaçam-na de uma destruição completa... E, entretanto, o temor de semelhante catástrofe não afasta ninguém da cidade. Desde o mês de novembro, e algumas vezes até em outubro, o Nevá está gelado a dois pés de profundidade e, apesar da rapidez do seu curso, a navegação está fechada até o meio de abril. Em dezembro e no começo de janeiro o sol não aparece acima do horizonte senão às onze horas; o seu disco é de um vermelho sangrento, sempre envolto em nevoeiros, e os seus raios pálidos e oblíquos são completamente privados de calor. Às noves horas da manhã ainda é necessário estar de luz acesa, e às três horas já as lojas estão iluminadas. Em compensação, a última metade de junho é constantemente iluminada, e faz de quinze dias um só dia sem noite. Nada mais estranho do que Petersburgo nesta época, às duas horas da manhã. As ruas estão desertas, as lojas fechadas, o silêncio reina por todo o lado e, no entanto, o dia vai já avançado; julgamo-nos transportados a uma cidade encantada, em que uma varinha de feiticeiro tivesse tocado de morte todos os habitantes no meio do seu sono."[58]

Talvez o leitor da novela *Noites brancas* volte a lembrar-se destas descrições, ainda completadas com outra, extraída de uma obra mais recente,[59] escrita por um autor que é também um dos melhores biógrafos de Dostoiévski, e sobre o qual nos temos já apoiado para a elaboração desta introdução acerca do povo russo.

Como se sabe, Petersburgo fica situada no fundo do golfo da Finlândia, numa região coberta de lagos. Quem viajasse de trem, de Moscou a Petersburgo, veria desfilar diante de seus olhos esta paisagem:

"Planícies nuas, pequenos bosques de folhagem mísera, charcos glaucos e sombrias turfeiras. As aldeias estavam semiafogadas em lama. As estradas eram rastros de lodo acastanhado, esburacadas pelas rodas dos carros, cortadas por poças.

"À medida que o trem se ia aproximando de Tver[60], a paisagem tornava-se ainda mais desolada:

"A planície imensa, troncos de árvores no local das florestas que haviam sido abatidas, emaranhados de canais cheios de água suja e de xistos gordurosos, e, a toda a volta, tijolos de turfa negra, dispostos em forma de urna. Seguidamente apareciam os pinheiros copados e bétulas de troncos brancos como ossadas secas. Nos prados

---

58 *Bulletin de La Societé de Geografie*, [da França], *troisième série, tome second, Paris*.

59 H. Troyat, *A vida de Dostoiévski*, Estudios Cor., Lisboa.

60 Cidade onde Dostoiévski viveu algum tempo, ao regressar da Sibéria.

elevavam-se cabanas de troncos, sem janelas, para a conservação do feno. À volta dum poço agrupavam-se casas. Eram de madeira, de alto a baixo. Uma igrejinha rústica, sem janelas, com a sua cúpula azul estrelada de ouro... E outra vez os pântanos.

"Petersburgo foi construída por ordem de Pedro, o Grande, numa planície esponjosa e ensopada, na embocadura do Nievá. Erguia-se aí, outrora, uma fortaleza sueca. O imperador mandou arrasá-la em 1702. No ano seguinte, em 1703, era lançada a primeira pedra da nova capital russa, que se destinava a ser, segundo ele pensava, uma janela aberta para o Ocidente. A sua ambição era construir uma cidade tão rapidamente como se constrói uma casa.

A Perspectiva Niévski, em Petersburgo, no século XIX.

"Quarenta mil operários foram empregados à força nesta tarefa sobre--humana, num clima doentio. O solo era tão mole que tinham que trazer de longe, em sacos, a terra necessária para os alicerces... A maior parte dos edifícios foi construída em cima de estacas. Para secar os pântanos cavaram-se canais que partiam do rio e a ele voltavam. A acumulação de trabalhadores era tal que lhes faltavam o alojamento e a alimentação. Os menos robustos morriam à míngua de cuidados. Chegavam outros, em grupos, dos confins do império... Um ucasse ordenara que 350 famílias nobres e outras tantas famílias de mercadores e artífices se domiciliassem em Petersburgo e aí construíssem as suas moradas conforme os projetos já concebidos e aprovados pelo czar. Ele próprio lá se instalou, a partir de 1703, numa modesta residência, enquanto esperava que o palácio de verão estivesse pronto.

"A cidade foi solenemente elevada à categoria de residência da corte em 1712... Depois, começando Petersburgo a engrandecer e embelezar-se, afluíram 'voluntários' aos milhares para fazerem fortuna nos negócios ou na administração. Agora, nesta estranha região, em que o céu era verde-pálido, em que a relva fraca se misturava com a urze e o musgo, em que dominavam o pinheiro eriçado e o triste larício, em que as exalações das águas mortas enchiam o ar de umidade, entravam nas casas, impregnavam os homens até à medula, elevava-se uma cidade artificial, sistemática e fria. Aí viviam um milhão e quinhentos mil habitantes à sombra do soberano. Todos os ministérios, todas as administrações estavam reunidos neste canto da Terra nevoenta... de onde, desde Pedro, o Grande... a dinastia de Romanov governava o país... desta Petersburgo com avenidas em linha reta, o seu nevoeiro, os seus uniformes, a sua altivez e a sua papelada..."

Continuemos a acompanhar Henri Troyat na sua vívida evocação de Petersburgo no século XIX, entremos com ele no coração da cidade e reconheçamos tantos dos nomes das ruas, locais ou monumentos, que nos surgem nos romances de Dostoiévski; meditemos também um pouco sobre a influência que esta cidade úmida e nevoenta teria tido nos ambientes um tanto lúgubres e até "tétricos" do nosso romancista:

"Petersburgo parecia sair, gotejante, de um charco profundo. Úmidos rastos impregnavam as parede. No ar flutuava um cheiro estranho a fumo, podridão, sal marinho e fenol. As ruas eram largas, retilíneas, sem uma árvore, uma sebe. Por toda parte, fachadas de pedra de imponentes dimensões. Nos passeios, os transeuntes desfilavam lado a lado, com o mesmo ar automático. Guarda-chuvas negros oscilavam acima das cabeças. As fisionomias eram pálidas, preocupadas. Não se passeava, não se olhava para as vitrines, não se parava para trocar algumas palavras com um desconhecido, andava-se para a frente como se se fosse arrastado por uma ideia fixa. Carros de rodas forradas de borracha rolavam silenciosamente sobre o pavimento molhado e faziam espirrar jatos de água suja quando atravessavam as poças.

"A Perspectiva Niévski... desenrolava-se numa extensão de quatro quilômetros[61]. Esta via triunfal estava ladeada de palácios, igrejas, edifícios administrativos e lojas: o palácio Ânitchikov, a biblioteca imperial, o Gostíni Dvor, espécie de galeria abobadada com as suas lojas baixas, sob as arcadas, e a sua multidão de compradores, a *Duma* municipal com os seus degraus de granito, e a catedral de Kazan com a sua colunata imitada de São Pedro de Roma...

"A Grande Morskaia, com as suas lojas de luxo, casas e vilas particulares e restaurantes da moda, era o local de reunião das elegantes de Petersburgo... A Grande Morskaia desembocava numa imensa praça, ou, mais exatamente, em duas praças juntas, uma das quais rodeava o Conselho do Império e a outra a esmagadora catedral de Santo Isaac, construída em mármore e granito, ornada de colunas monolíticas e encimadas de cúpulas de ouro...

"Na margem setentrional [do Nievá] a catedral de São Pedro e de São Paulo, de campanário encimado por uma delgada agulha de ouro, dominava os muros sinistros da fortaleza. Esta margem setentrional estava dividida em numerosas ilhas pelos braços que se destacavam do rio. A primeira das ilhas era ocupada pela fortaleza de São Pedro e de São Paulo, prisão de células úmidas, onde — como tantos outros presos políticos — Dostoiévski passara alguns meses à espera de ser julgado e mandado, de correntes nos pés, para a Sibéria. Na segunda ilha, Vassiliévski Óstrov, elevavam-se os edifícios da Universidade, da Academia das Ciências, da Academia de Belas-Artes, da Academia da Marinha, da Academia das Minas, e diferentes estabelecimentos escolares... Aqui uma juventude uniformizada, grave, preocupada e geralmente pobre,[62] vivia no tédio das avenidas retilíneas e das casernas suntuosas construídas pelos im-

---

61   E tinha trinta e cinco metros de largura.

62   Atentemos em todos os estudantes pobres que perpassam na obra de Dostoiévski.

peradores para a educação dos seus melhores vassalos. Ao norte alinhavam-se ilhas mais pequenas e menos povoadas: a ilha dos boticários, com o seu Jardim botânico, a ilha Kámieni... o Teatro de Verão e ricas vivendas, a ilha Krestóvski, com o seu castelo, os seus jardins e o seu *yatchclub* fluvial, a ilha Pietróski, preferida por Pedro, o Grande, e cujo parque fora arranjado de acordo com as suas diretrizes...

As margens no Nievá, em Petersburgo, no século XIX e uma troica.

"No verão... todas estas ilhas verdejantes eram invadidas pelos citadinos ávidos de espaço e de frescura[63]. Nos pequenos bosques abriam-se restaurantes, esplanadas com música, cafés-concerto. O ar marulhava com o sussurro contínuo de canções e de risadas. A multidão juntava-se para ver o pôr do sol no golfo finlandês, a ocidente, e o seu renascer quase imediato, a oriente, na cercadura das cores matinais. Era a estação das noites brancas...

"Mas Petesburgo estendia a sua vilegiatura muito para além destas ilhas, até Peterhof, Gátchina, Pavlovsk, Tsarskoie Seló...[64]

"As paredes do Palácio de Inverno alongavam-se a perder de vista: eram de cor ocre acastanhada e sobrecarregadas com ornamentos e estátuas. Depois, seguia-se o palácio do Eremitério... e outros palácios e residências pertencentes às principais famílias da nobreza russa... Altos dignitários, de uniformes constelados de condecorações, grandes senhoras, toucadas de diademas, viviam atrás das janelas [desses palácios]...

---

63   Local próximo do centro de Petersburgo, onde a gente rica ia passar o verão. Repare o leitor no princípio da novela *Noites Brancas*, em que Dostoiévski alude a esta fuga da população veraneante para as ilhas.

64   Lugar de vilegiatura e residência imperial, 24 km ao sul de Petersburgo.

NOVELAS DA

Prólogo geral

Características ideológicas e formais

Este primeiro volume da obra completa de Dostoiévski reúne toda a sua obra da juventude, exceto o romance *Humilhados e ofendidos*, que, sem apresentar ainda as características dos grandes romances da maturidade, inicia, entretanto, o segundo volume.

São as características ideológicas e formais destes contos, novelas e romances da juventude que vamos procurar analisar.

Apontaremos desde já que um dos aspectos fundamentais desta obra é o de apresentar certos temas que vão sofrendo um desenvolvimento progressivo, a partir de uma condensação nebulosa inicial. É todo um processo de conscientização gradual, uma explicitação de certos problemas que parece só poderem encontrar a plena clareza, precisamente depois de todas as tentativas anteriores. Talvez seja possível traçar até uma árvore genealógica de cada personagem, que os romances posteriores estão sempre implícitos nos anteriores, que todos os problemas apresentados vão tendendo infinitamente para uma solução, e que, por vezes, cada livro representa uma nova maneira de por certo problema, determinada por um ou pelos vários caminhos que podem escolher-se para sua solução.

A primeira obra que Dostoiévski publicou foi, como vimos, o romance *Pobre gente*, escrito aos vinte e cinco anos, e que teve o acolhimento triunfal do crítico Bielínski e do poeta Niekrássov.

Pobre gente

Neste romance são dadas, embora de maneira embrionária, muitas das figuras e dos quadros típicos que vão surgir não só nestas obras da juventude como em toda a sua obra. A personagem principal é um modesto funcionário burocrático, escriturário ou copista, já velho, que vive numa pensão barata, em companhia de gente humilde, outros modestos funcionários, como ele, militares de baixa patente, um desempregado e um escritor de terceira categoria.

O enredo é simples. O velho Makar corresponde-se por cartas com uma jovem, Várienhka, sua parente afastada. Assim, estas duas criaturas que estão sozinhas no mundo, sem carinhos de ninguém, desprotegidas e humildes na sociedade, se prestam mutuamente amparo moral e até auxílio material, na medida das suas modestíssimas posses; trocam desabafos de infortúnios, comunicam-se alegrias, e contam a história do seu passado. Um dia surge um pretendente à mão de Várienhka. Trata-se de um homem mais velho do que ela, mas proprietário rural afortunado. A moça aceita a proposta de casamento para se livrar da miséria, e parte deixando o pobre Makar mergulhado na sua velhice solitária e miserável.

Poderia parecer, que os protagonistas principais são dois, mas verdadeiramente é só um, o velho escriturário, pois Várienhka é incaracterística, é quase só um pretexto para dar lugar à exibição do caráter do velho.

Dois aspectos sobressaem no caráter de Makar: um, o seu aspecto pessoal, íntimo, a bondade inata, a ternura, o amor do próximo, a ânsia de abnegação e de sacrifício; este é o seu fundo humano, ao qual se sobrepõe um outro aspecto que lhe é dado pelo meio social em que se acha inserido: a humildade, a consciência dessa própria humildade, a credulidade ingênua na superioridade dos chefes burocráticos, o pudor do seu próprio aspecto ridículo (cena do botão no gabinete de Sua Excelência, a vergonha de trazer as bota rotas).

Ao lado dos dois protagonistas surgem, ou perpassam ao longo do romance, várias personagens de segundo plano ou até de plano de fundo.

A mais interessante é o velho pai do estudante Pokróvski, aquele que morrera tuberculoso e fora o primeiro amor de Várienhka, é o tipo de pobre-diabo sem eira nem beira, meio aparvalhado, ridículo, tímido, alcoólatra, mentiroso, covarde, pelo qual o filho sente um misto de piedade e desprezo. Mas todos estes defeitos e pecados são resgatados pelo imenso amor que ele sente pelo filho e pela sua grande humildade, pois tem consciência da sua própria abjeção.

Outra figura de interesse é também uma pobre criatura, Gorchkov, um desempregado que vive com a mulher e os filhos no quarto mais acanhado e miserável da pensão onde habita também Makar Diévuchkin. O homem tem todo o destino e o dos seus, e a sua honra, pendentes do resultado de um processo que se arrasta há anos, no qual fora inculpado por desfalque. Vive por isso na miséria e na vergonha. No dia em que o tribunal o absolve morre de comoção, ao ver finalmente reconhecida a sua inocência e o seu nome salvo da infâmia.

O literato Rotasiéiev é uma figura que serve ao escritor de pretexto para criticar certa literatura dramática do tempo. Um funcionário demitido e que passou a entregar-se ao alcoolismo (Emielian Ivânovitch); um estudante universitário, Pokróvski, que dava lições para ganhar a vida, morava num pobre quarto alugado, não conseguiu colocação e morreu tuberculoso; um homem de meia-idade, rico, avarento, que intentara primeiramente seduzir uma moça pobre, mas acaba por casar com ela; o pai de Várienhka, surgindo só no plano de fundo da evocação, homem de caráter violento, colérico e taciturno; a galeria de mulheres: uma espécie de alcoviteira (Anna Fiódorovna) que se entrega a negócios ocultos e ilícitos, uma espécie de proxeneta clandestina, que apresenta moças pobres e indefesas a homens viciosos; a mãe de Várienhka, uma viúva triste e pobre, que "passava a vida num pranto contínuo"; uma dona de pensão ordinária, mulher grosseira, sem escrúpulos, malcriada e interesseira; e, enfim, criados, dedicados uns, petulantes outros, algumas crianças, como a pequena Macha, que nos surge somente em evocação, os filhos de Górchkov, o garoto do realejo, e ainda várias figuras burocráticas, como Sua Excelência, o chefe máximo da repartição onde Makar é copista.

Temos assim, desde este primeiro romance, toda a teoria dos escriturários humildes, dos burocratas arrogantes, dos estudantes tuberculosos, das proxenetas, das criadas dedicadas, dos néscios enfatuados, dos ébrios, das donas de pensões reles, das crianças sofredoras, das moças pobres e perseguidas pela concupiscência dos velhos ricos, das mulheres chorosas e sacrificadas, de pobres velhotes, ridículos mas bondosos e dignos de dó; e o ambiente de quartos miseráveis, das pensões ordinárias, dos cais, das ruas e das vielas úmidas e lúgubres de Petersburgo, das tabernas, das casas de agiotas.

Um dos motivos que levaram o crítico Bielínski a glorificar o primeiro romance de Dostoiévski, parece que foi o fato de tê-lo considerado como um romance de caráter social, pois ele próprio era também um dos socialistas russos do seu tempo. Entretanto, um romance como *Pobre gente* não pode classificar-se de social, no mesmo sentido, por exemplo, de *Ressurreição*, de Tolstói. O lado psíquico das personagens, o estudo da sua solidão moral íntima, a captação do fundo bondoso nuns, malévolo ou maldoso e egoísta noutros, considerados independentemente do meio social, é qualquer coisa que atenua sempre, tanto nesta primeira obra como em todas as seguintes, o seu aspecto social. O que se vê desde já é a sua compenetração amorosa no sofrimentos dos humildes e oprimidos. Mas esse sentimento é, da parte do escritor, uma comoção; nenhuma acusação explícita, nenhum combativismo ou reivindicação diretos e claros.

Desde esta obra aponta também um pressuposto fundamental na obra de Dostoiévski: a ideia da compreensão do sentido profundo e último da vida e do destino do homem no mundo. Makar Diévuchkin, falando do ébrio que lhe serve de companheiro, quando ele próprio passou a entregar-se também à bebida para esquecer o sofrimento, ou melhor, para consumar irremediavelmente a sua degradação, provando a si próprio que era "indecoroso conceder-se algum valor, por modesto que fosse", diz: "Ele é muito bondoso e muito sensível. Tudo isso percebia eu, minha filha, e por isso, precisamente, é que aconteceu aquilo (o entregar-se à bebida), por eu compreender tudo". Veremos aparecer mais tarde esta ideia na boca do ébrio Marmieládov de *Crime e castigo*, quando, ao referir as palavras que Deus há de proferir no Juízo Final, quando chamar a si os justos e os pecadores e perdoar tanto a uns como outros, acaba de dizer: "Então tudo será compreendido". Há aqui uma atitude não só metafísica como até verdadeiramente religiosa. Nessa compreensão de tudo envolve Dostoiévski uma espécie de visão englobante do sentido teleológico e providencial do universo e do destino do homem, abrangendo nessa visão a diluição do chamado problema metafísico do mal: tudo aquilo que hoje se nos afigura sofrimento, pecado, injustiça social, crueldade e crime, não teria mais sentido quando chegasse a hora da revelação final. Parece até que nesse pensamento há, por assim dizer, uma aceitação de que as coisas são assim porque têm que ser assim, em obediência aos desígnios impenetráveis da divindade. E é por isto que os prevaricadores e os criminosos são sempre redimidos na obra de Dostoiévski pelo seu próprio sofrimento, pela sua própria degradação, e aparecem-nos como instrumentos num processo de desenvolvimento da verdade e da justiça, folhas de papel onde Deus escreve direito por linhas tortas.

Importa também pôr em relevo o lugar ocupado em *Pobre gente* pela crítica explícita que Dostoiévski faz incidir sobre a literatura de estilo "literário e grandioso", segundo as suas próprias palavras, o estilo superficial afastado da realidade da vida cotidiana e psíquica dos homens. É na boca do próprio protagonista que ele coloca a definição da sua diretriz de escritor: "Escrevo ao correr da pena, digo aquilo que me vem à ideia, com a intenção de lhe proporcionar alguma distração... Se eu fosse um homem de letras, era uma coisa muito diferente..." O estilo "literário e grandioso" está representado por Rotásieiev, o literato ordinário que vive na mesma pensão que Makar Diévuchkin. À ingênua admiração que este mantém por ele, opõe Dostoiévski as palavras de Várienhka, que censura o bom do velhote: "Como é possível que o senhor aprecie os seus dramalhões? São autênticos disparates".

Nos elogios frequentes que dirige a Púchkin — outras das constantes que iremos encontrar nestas obras da juventude — Dostoiévski exalta sobretudo a verdade e a simplicidade da sua maneira: "Isso é que é pintar ao natural"; "É tudo tão verdadeiro como a própria vida!". Em seu entender, a literatura não é um instrumento para exibição dos dotes estilísticos, desempenha antes uma função didática: "A literatura é instrução e educação ao mesmo tempo, é crítica e um grande documento humano".

Afloram também desde já neste primeiro romance dois outros temas sobre os quais Dostoiévski há de insistir ao longo de toda a sua obra: a crítica ao pendor ocidentalizante da sociedade russa do seu tempo, e a ideia de que o povo russo é o povo sagrado, ideia que perpassa nos louvores dirigidos a Púchkin, precisamente por ele ter cantado *A Rússia sagrada*.

Aparecem igualmente outras características que hão de manter-se até a'*Os irmãos Karamázovi*, que é também o seu último romance: a crença no destino, a importância dada a certos fenômenos psíquicos, como os sonhos divinatórios, os pesadelos, os presentimentos, as alucinações.

As características fundamentais da obra da juventude de Dostoiévski são a transposição autobiográfica e a prefiguração das personagens, paralelas a uma explicitação progressiva dos temas da obra da maturidade. Procuraremos reconhecer e analisar, em cada escrito, os passos ou os capítulos em que surgem tais características.

Para compreendermos como é fundamental nestas obras da juventude de Dostoiévski o aspecto autobiográfico, temos não só de conhecer ou relembrar as circunstâncias e os fatos da sua vida, desde o seu nascimento até a data da sua morte, como também tentarmos perscrutar a sua própria alma.

De *Pobre gente* poderemos dizer que, além de ser a sua primeira obra literária, é também o primeiro volume da sua grande e genial autobiografia.

Lembramos pois ao leitor que, ao escrever este livro, Dostoiévski já tinha perdido a mãe e o pai. Vimos em que condições, e quais as hipóteses que se põem para interpretar a influência que tais acontecimentos teriam tido na psique do escritor, como, por exemplo, na formação do seu tão falado *complexo de Édipo*. Nós, que aderimos a esta hipótese consideramos importante seguir a pista de tal complexo a partir desta primeira obra.

É sobretudo no caderno de memórias, em que Várienhka conta a sua vida, que vamos encontrá-lo. Suponha o leitor, por momentos, que a infância e a primeira juventude de Várienhka são a do próprio Dostoiévski, e sigamos então as memórias do seu caderno. Verificaremos que o primeiro fato apontado pela narradora é precisamente a morte do pai, que morreu quando ela era ainda muito jovem: o pai de Dostoiévski morreu quando ele contava também

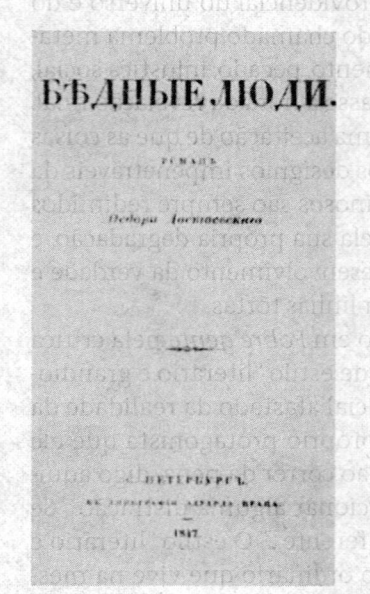

Frontispício da primeira edição de Pobre gente, *1847.*

apenas dezoito anos. O pai de Várienhka é administrador duma grande propriedade rural: o pai de Dostoiévski chegou também a adquirir uma propriedade no campo, onde a família passava a primavera e o verão. Depois, esse pai é pintado como um homem de caráter sombrio, que pouco a pouco se vai azedando cada vez mais, até tornar-se por vezes violento e levando-o a proferir pragas e vociferações coléricas: "Tornava-se mais triste, mal-humorado e colérico de dia para dia; o seu caráter tinha mudado de um modo desfavorável", diz Várienhka. Como justificação desse caráter surge uma questão de dinheiro e de projetos ou sonhos frustrados: "Nada lhe corria bem, tudo se lhe frustrava, e as dívidas iam aumentando de uma maneira espantosa".[1] Ora, vimos já como o problema do dinheiro era grave no lar dos Dostoiévski, não verdadeiramente por escassez, mas devido à avareza do pai do futuro escritor. Sabemos também do estado de semiembrutecimento em que caiu o dr. Mikhail Dostoiévski quando se retirou para a sua aldeia de Darávoie, depois da morte da esposa: "Tinha-se tornado agora desconfiado, costumava cair frequentemente numa grande amargura, que tocava o desespero; começou a descuidar a sua saúde... morreu de um modo tão repentino e inesperado que demoramos muitos dias até nos acostumarmos à realidade". Isto o que Várienhka nos conta acerca do fim de seu pai; quanto ao Dr. Mikhail Dostoiévski, morreu, de fato, de modo repentino, pois foi assassinado pelos próprios camponeses, cansados e revoltados contra a sua tirania.

Até a severidade deste homem, no caso dos estudos dos filhos, está bem patente através da narrativa de Várienhka. E o mesmo poderá dizer-se quanto à vida sacrificada e infeliz da mãe do escritor, sempre assustada e aflita perante esse marido azedo, avaro e colérico: "Minha mãe bebia em silêncio as suas lágrimas e o meu pai encolerizava-se", recorda ainda Várienhka, que o mesmo é dizer Dostoiévski. E eis a revolta e a recriminação: "Como seria possível atormentar tanto a minha pobre mãezinha? Só de olhá-la parecia que o coração me estalava".

Há também as recordações tristes que Várienhka guarda do pensionato: traduzem igualmente os sentimentos que deviam ter sido os do pequeno Fiódor, tímido, desconfiado, perante um meio hostil e indiferente. E as recordações das estadas de Várienhka no campo que correspondem às de Dostoiévski em Darávoie e Tchermátchnia; e as da casa triste da cidade, que correspondem às do alojamento da família Dostoiévski no Hospital Maria, que dava para a Rua dos Asilos: "Diante da nossa casa tínhamos uma cerca amarela e na rua não se via senão lama!"; e ainda as recordações da velha ama que surge em algumas dessas obras da juventude; nem sequer falta uma alusão às reduzidas relações da família: "Não tínhamos, na cidade, parentes nem pessoas conhecidas".

Depois da morte do pai de Várienhka, avulta nas suas memórias a situação desesperada das duas, dela e da mãe, por falta de recursos econômicos. Sabemos como o problema do dinheiro foi sempre aflitivo na vida de Dostoiévski: é por isso que surge na sua obra uma vasta galeria de pobretões, de mães que passam fome para dar de comer aos filhos, de estudantes que se finam tuberculosos ou se tornam charlatães, por falta de dinheiro e de amparo social.

---

1 Anteriormente a *Pobre gente* escreveu Dostoiévski dois dramas, *Maria Stuart* e *Boris Godunov*, cujos manuscritos se extraviaram.

Podemos dizer que na primeira parte das memórias de Várienhka, a soma da transposição literária é mínima, e que seria possível fazer corresponder episódio a episódio, ou caráter a caráter, entre a vida fictícia e a vida real de Dostoiévski, o escritor.

Na segunda parte dessas memórias, a destrinça da autobiografia torna-se mais difícil, porque a transposição se faz através de um simbolismo mais complicado. A figura de Anna Fiódorovna é complexa. Definimo-la esquematicamente como uma espécie de intermediária de amores ilícitos. Iremos encontrar tal personagem, embora sob outros nomes e outros disfarces, em muitos dos romances de Dostoiévski. É provável que personagens como essa existissem com abundância notória na sociedade petersburguesa contemporânea do escritor, aliás são de todos os tempos e lugares, e que a sua existência merecesse a sua crítica. Entretanto, pode ser interpretada dentro de outro significado. Referimo-nos já, de passagem, a um caso a que os biógrafos de Dostoiévski costumam aludir, e que vem a ser o de certo ato ilícito e reprovável, talvez pecaminoso, que ele teria cometido na pessoa duma adolescente que uma preceptora sem escrúpulos — uma proxeneta — lhe teria ido levar aos banhos[2].Ora, não deixa de ser impressionante o fato de, em várias das suas obras, surgir o estupro duma mocinha, praticado por um adulto libidinoso e depravado. Se não queremos cometer também um pecado, lançando sobre a memória do genial romancista uma afirmação de tal gênero, não deixaremos de frisar que nos impressiona a insistência sobre esse tema, sabendo nós, como sabemos, que o pano de fundo da sua obra é largamente autobiográfico. A antipática Anna Fiódorovna, que intentara entregar a pobre Várienhka nas mãos dum abusador, representa, quanto a nós, a primeira encarnação dessa figura. Mas Anna Fiódorovna assume ainda outro simbolismo. Reparemos que ela começa a interferir na vida de Várienhka quando, morto o pai, ela e sua mãe se viram sem recursos. Atente o leitor em que é ela que passa a prestar às desamparadas uma assistência caritativa, recebendo-as na sua casa e dando-lhes, juntamente com as magras sopas, um tratamento desprezível e quase maldoso. E que, mais tarde, é ela quem tenta vender, prostituir a jovem Várienhka. Não representará também, esta criatura, o mundo inimigo, cheio de obrigações mesquinhas e desagradáveis, de destrinças sociais baseadas no dinheiro, o mundo dos interesses, da corrupção, do egoísmo hostil, e até talvez o das ocupações rotineiras, que se cumprem sem interesse, apenas pela necessidade de serem um ganha-pão? Mais concretamente, não representará, em suma, o aborrecido emprego, a detestada carreira de engenheiro-militar que às vezes forçava Dostoiévski a estar adstrito a funções burocráticas, administrativas ou de secretaria, e que eram um odioso, insuportável entrave para a sua carreira de escritor?

A transposição do complexo de Édipo não se esgota, neste romance, na primeira parte das memórias de Várienhka; volta a surgir na segunda, figurado na pessoa do velho Pokróvski. Neste velho ridículo e vicioso, mas digno de dó, projeta Dostoiévski muito dos sentimentos contraditórios que lhe inspiraria seu pai e até a sua memória; esse velho é uma criatura decaída, completamente degradada pela miséria, pelo alcoolismo, pela infelicidade, mas que ama doidamente o filho. Entretanto, este, o jovem estudante, "não podia suportar aquelas visitas paternas. Esse desprezo pelo pai

---

2 Deve entender-se aos banhos turcos.

era, sem dúvida alguma, o maior defeito do estudante". Porque Dostoiévski sabia que, apesar de tudo, seu pai amava os filhos e era, no fundo, uma criatura infeliz.

Sob o ponto de vista da forma, *Pobre gente* apresenta uma técnica muito simples, vulgar em escritores principiantes: Dostoiévski utilizou a forma epistolar e, no meio desta troca de cartas, entre um velho e uma jovem, interpõem-se duas evocações do passado das personagens, uma de Makar, outra de Várienhka, sob a forma de memórias.

Pobre Gente apresenta também uma nítida inspiração na obra *O capote* de Gógol. Há até um passo deste primeiro romance de Dostoiévski, em que Várienhka empresta a Makar essa obra de Gógol. Makar fica aborrecido com a leitura, ao ver-se tão parecido com o protagonista desse livro, Akáki Akákievitch, que é também um humilde empregado de repartição pública. Makar pensa que Gógol se inspirou na sua figura para traçar a do herói... Podemos pensar que o próprio Dostoiévski via perfeitamente que o seu Makar era quase um sósia de Akáki, e que serviu desta artimanha literária para sossego da sua consciência e como defesa de prováveis acusações de plágio. Aliás, na figura de Makar Alieksiéievitch, de Dostoiévski, há algo que a diferencia do Akáki, de Gógol: toda a sua insignificância social e seu ridículo são compensados pela sua nobreza de caráter, pela sua ternura, pelo seu devotamento, pela sua compreensão e amor ao próximo.

O DUPLO

No seu segundo romance, *O duplo*, que começa a escrever ainda antes de *Pobre gente* ter sido posto em letra de forma, a personalidade principal, o senhor Goliádkin, é também um modesto empregado de repartição do Estado, tal como o Makar Alieksiéievitch do romance anterior. Entre os dois notam-se certas características que derivam da sua condição profissional e social. São ambos pobres, o seu grau na carreira burocrática é também modesto. Ambos tímidos e envergonhados da sua pobreza. O pudor é mesmo um traço muito acentuado no caráter dos dois. Preocupam-se extraordinariamente com a sua apresentação pessoal, com o aspecto da roupa, com o calçado. E desde já apontamos como curioso este pormenor da preocupação com o calçado, com as botas, com as solas das botas. Podemos dizer que tem até uma tonalidade obsessiva em Dostoiévski. O leitor encontrará já nestes dois romances a insistência do escritor sobre este ponto em muitos passos, e vai vê-lo mais tarde surgir como uma das obsessões de Raskólnikov,[3] durante o seu delírio, após ter praticado o crime.

Também, tanto Goliádkin como Makar sofrem de mania de perseguição e de um complexo de inferioridade, criado, em última análise, pelo sofrimento que lhes causa a consciência do lugar inferior, considerado como inferior, que ocupam na escala social. Vivem os dois quase na miséria, em alojamentos pobres, um numa pensão barata, outro num cubículo desguarnecido, e em companhia dum criado rufião e trocista.

Entretanto, há uma complexidade muito maior nas características de Goliádkin. Seu complexo de inferioridade é evidente e simultaneamente contrariado pelo complexo reverso, isto é, por uma megalomania. Entretanto Makar aceita sua

---

3 O protagonista de *Crime e castigo*.

posição modesta na sociedade — embora defenda a sua dignidade humana — em Goliádkin há uma revolta, um azedume, uma crítica irônica e quase rancorosa, dirigida contra aqueles que não se dignam reconhecer a existência da sua pessoa. Basta vermos as apreciações que ele ousa fazer acerca do psiquiatra que o trata: "Este médico é tolo... É um tolo chapado... É possível que trate bem dos doentes... O que não quer dizer que... não seja completamente parvo!". (Daqui por diante, sempre que lhe surge a oportunidade, não deixará mais Dostoiévski de lançar farpas aguçadas sobre os médicos do seu tempo.)

Outro dos aspectos que diferencia Goliádkin do seu antecessor é o grau patológico que os seus complexos assumem. Makar Diévuchkin não é um neurótico, é um homem normal, cuja única anormalidade será talvez a sua bondade e humildade fundamentais. Mas Goliádkin é um neurótico e acaba num manicômio; é um maníaco, um obsecado, que sofre desdobramentos de personalidade.

Foi neste fenômeno psíquico do desdobramento da personalidade que Dostoiévski quis fazer incidir todo o interesse e até toda a novidade do seu segundo romance. Influenciado pela nova psicologia patológica, que estudava, estava convencido de que este romance era já sua obra-prima. Hoje, conquanto *O duplo* não seja uma obra desprovida de interesse e, pelo contrário, Goliádkin é até uma figura curiosa e a sua ironia é muito interessante, vemos que esse tema do desdobramento da personalidade, que viria a ser tão importante em toda a obra do romancista e se torna culminante em *Os irmãos Karamázovi*, é aqui utilizado de uma maneira formal e esquemática, ao passo que, mais tarde, o desdobramento é um fenômeno que aparece somente em algumas cenas capitais, ou até como fundo subjacente ao desenvolvimento do caráter das personagens. Em *O duplo*, o desdobramento da personalidade é o próprio tema do romance, e foi a maneira direta, a intenção evidente de utilizá-lo como tema, que deu a esta obra um certo tom estranho, um tanto falho de realidade e absurdo. A pretensão de querer estudar um caso psíquico prejudicou o romance no seu aspecto artístico.

Se *Pobre gente* é em grande parte autobiográfico, *O duplo* o é inteiramente. Goliádkin é um autorretrato psicológico de Dostoiévski. Define o seu estado de espírito após a experiência mundana nos salões literários. Depois do êxito de *Pobre gente*, Dostoiévski foi introduzido nos cenáculos literários de Petersburgo pelos seus admiradores. Mas, em breve, por um lado devido ao seu caráter suspeitoso, tímido e, ao mesmo tempo, crítico e mordaz, e também ansioso e desejoso de nomeada; por outro, a inveja real e maledicência, as piadas dos falsos amigos e dos desajeitados fizeram com que Dostoiévski se retraísse, se sentisse escarnecido e até perseguido. Deseja a sociabilidade mas, ao mesmo tempo, não pode suportá-la. Aparece e desaparece. Ser gabado e troçado, ser humilde e desejar glória, ser modesto e vaidoso: alternâncias contraditórias que destroem dolorosamente a unidade do eu, da personalidade.

A timidez de Dostoiévski perante as mulheres surge já também neste romance. A incrível atitude, romântica e timorata, acanhada até à indicação, de Goliádkin perante Klara Olsúfievna, traduz a atitude real de Dostoiévski perante as mulheres belas, cultas e inteligentes que encontrava nesses salões. Sabe-se que, uma vez ao ser apresentado a uma beldade famosa, Dostoiévski desmaiou.

Também aqui se nos deparam, pela primeira vez, os reflexos da sua paixão impossível por Avdótia Panáieva, que era casada com o escritor Panáiev e foi durante quinze anos amante do poeta Niekrassóv. Assim que Dostoiévski começa a frequentar o salão, fica imediatamente apaixonado por essa beleza morena, mulher inteligente e cheia de vivacidade (a heroína de *Noites brancas* é também uma bonita morena, e Klara Olsúfievna é igualmente morena). Parece que a senhora Panáieva explorou habilmente a paixão do escritor, tornando-se galante e garrida diante dele, por vezes, zombeteira, alimentando, em suma, a chama duma autêntica paixão platônica.

O rastro desta paixão vai se prolongar longamente em toda a obra de juventude do escritor. E, tal amor platônico, transposto literariamente, só produziu figuras de mulheres irreais, sem calor humano. Apenas a heroína de *Noites brancas* consegue dar a impressão de um ser vivo e ardente: talvez que a senhora Panáieva tivesse alguma vez concedido ao seu apaixonado um beijo de gratidão e piedade por tanto amor, como fez a Nástinhka dessa novela lindíssima ao seu adorador.

Neste segundo romance surgem igualmente as constantes reprimendas de Dostoiévski contra a adoção de costumes ou da cultura estrangeira na Rússia. Repare-se nas frases que ele escreve acerca de certos autores e livros franceses, "que nada ensinam de bom e antes escondem veneno, um veneno mortal".

O seu ódio contra a orgânica burocrática, contra a imbecilidade de alguns dos seus pequenos funcionários, contra a soberba balofa dos chefes de alto coturno, está também à vista neste romance.

O duplo, se sob certo aspecto é a tentativa de introdução da nova psicologia patológica, que tão grande incremento começou a apresentar na Europa contemporânea de Dostoiévski, sob outros aspectos é revelador de que o escritor não encontrou ainda uma forma própria de expressão: há quem considere este romance, em muitos dos seus passos, quase um plágio de *O nariz*, de Gógol. E a pretensão de apresentar o estudo de um caráter pode também significar uma influência de Balzac. Até *Humilhados e ofendidos* inclusive, a obra de Dostoiévski não é isenta de imitação ou de visíveis influências de vários autores como Hoffmann, Gógol, Púchkin, Vítor Hugo, Balzac, Eugene Sue etc.

Só na obra da maturidade todos estes elementos se apresentam de tal maneira fundidos no estilo dostoievskiano, que então já não se pode mais falar de imitação.

O SENHOR PROKHÁRTCHIN

Em *O senhor Prokhártchin*, um conto que foi mutilado pela Censura a ponto de ficar quase desfigurado, uma história desconexa, temos de novo como personagem principal um modesto funcionário público, que vive igualmente numa pensão reles e cuja patroa é, como a de *Pobre gente,* uma criatura ordinária, cobiçosa e indiferente pela miséria alheia. Também Prokhártchin arranja um amigo e com este novamente Dostoiévski introduz na narrativa a figura dum mendigo vadio e alcoólatra, que fora expulso do emprego: é uma nova encarnação daquele Emielian Ivânovitch que acompanha o Makar Alieksiéievitch de *Pobre gente*, na época em que este se entregou também à bebida para esquecer os seus desgostos.

Parece que anteriormente a este conto teve Dostoiévski o projeto de um romance que queria intitular *As repartições suprimidas*. Daqui podemos admitir a hipótese de que o tema da miserável condição dos modestos funcionários, sempre preocupados com a farda no fio[4], com os botões caindo, com as botas esburacadas, com o desconforto, a fome, na promiscuidade de pensões humílimas, e que se entregavam à bebida para esquecer a sua miséria — era um dos temas capitais do seu pensamento, e realmente surge em toda a sua obra. De tal maneira que até *Crime e castigo* teve, nos seus projetos de escritor, o título prévio de *Os bons ébrios*, e a figura do pobre Marmieládov não será mais do que uma expansão do Emielian Ivânovitch e de outros seus irmãos que povoam toda a obra da juventude.

Embora nesta altura Dostoiévski se encontre sob a influência de Balzac, e tenha ainda desejado fazer o estudo dum caráter neste conto, isto é, o estudo da personalidade dum avarento, são já notórias algumas das características verdadeiramente suas, como, por exemplo, a exteriorização das profundidades anímicas através dos delírios da embriaguez e da loucura, que vimos em *O duplo*. E mais uma vez fazemos notar que esse recurso, se por um lado pode ser encarado como uma consequência da sua própria personalidade de epiléptico e neurótico, das suas leituras de psicologia, e até da difusão do vício do alcoolismo, tão espalhado entre o povo russo seu contemporâneo, e até como o reflexo do temperamento de "extremos" desse mesmo povo russo, por outro pode também ser tomado como um disfarce, um artifício astucioso com que o escritor pretendia deitar poeira aos olhos dos censores políticos e religiosos, ao tratar de temas tão "perigosos" como eram os que ele tratava. Prokhártchin enlouquece e delira para poder extravasar o terror do funcionário que não tem segurança nem amparo na sociedade, nem consideração, e que só tem uma certeza, a miséria que o espreita a todo o momento e em que pode ver-se de um dia para o outro. Se dissesse coisas demasiadas, lá estava a desculpa da loucura e da bebedeira. E temos a notar também uma realização que é já verdadeiramente dostoievskiana: a análise (implícita) que o escritor nos apresenta da transposição inconsciente que os homens fazem dos seus próprios problemas básicos, transformando-os em vícios, que afinal não são vícios, mas sim o disfarce que o inconsciente dá intencionalmente aos motivos reais, aos autênticos problemas humanos, quer de ordem material, quer de ordem sentimental ou espiritual, para que eles não os vejam de frente, em toda a sua crueza, para que não os sintam em toda a sua nudez trágica: Prokhártchin tornou-se avarento para não ter de confessar a si próprio que economizava exageradamente, copeque a copeque, por causa do seu terror de se ver um dia na miséria, para não ver de frente que a sua condição social era desgraçada e sem segurança.

Prosseguindo na nossa pesquisa do fundo autobiográfico da obra de Dostoiévski, também neste conto o podemos encontrar, embora não seja tão evidente como nos dois romances anteriores. Aqui, a autobiografia é realmente de fundo, isto é, a transposição não é de ordem factológica, e temos de procurá-la antes na intencionalidade e na motivação subjacente à narrativa. Assim, não podemos dizer que Prokhártchin é o próprio Dostoiévski, como acontece em relação aos protagonistas de *O duplo*, de *Noites brancas*, de *A dona da casa*.[5] Entretanto, a sua preocupação financeira é ainda o aflitivo problema econômico do escritor, e certos aspectos da conduta do senhor Prokhártchin, que passa os dias estendido na cama, sem

---

4 Os funcionários públicos andavam fardados.

5 A esta novela também se dá às vezes o título de *A senhoria*.

convívio, as ironias que lança sobre os versejadores fáceis e as pessoas que têm o hábito de falar num estilo pretensioso, o seu ressentimento contra os trocistas que se fixam de preferência "sobre as aparências" — são bem alusões à vida ou a sentimentos que eram os de Dostoiévski.

Na insistência sobre o tema da condição econômico-moral dos modestos funcionários do Estado, na figura do vadio-ébrio que é expulso do emprego, vemos ainda, para além do estrito problema da falta de dinheiro, que toda a vida afligiu Dostoiévski, a tradução do profundo aborrecimento e antipatia, e até de amargas recordações dos anos em que servira nas repartições adstritas aos serviços de engenharia militar. Quanto não teria ele sofrido ao ter de realizar as tarefas rotineiras, para que não tinha vocação, ao estar sujeito a um regime de disciplina contrário à sua liberdade de ação e de meditação, ao seu "desregramento" interior, ao ter de suportar a inveja e a estupidez de colegas medíocres e envilecidos e, pior que o seu sofrimento pessoal, nestas circunstâncias, tenha aberto a sua sensibilidade para a compreensão e piedade daqueles que estavam igualmente dentro delas e, daí, a sua insistência em nos apresentar estes tipos.

A DONA DA CASA

Embora *A dona da casa* não seja uma novela de mérito igual, por exemplo, ao de *Coração frágil*, de *Noites brancas*, ou do conto *O pequeno herói*, é no entanto de importância capital na compreensão da obra de Dostoiévski, pois, conforme a interpretação que apresentamos na Nota Preliminar a essa novela, nela está prefigurado o chamado episódio do Grande Inquisidor, que faz parte de *Os irmãos Karamázovi* e representa o ponto culminante da temática religiosa e antropológica dostoievskiana.

Uma vez que essa nossa hipótese foi claramente posta e fundamentada na Nota Preliminar a essa novela, não insistiremos mais a respeito, mas queremos fazer notar que mais uma vez, portanto, estamos perante essa característica fundamental da obra de Dostoiévski, que é prefiguração dos grandes temas e personagens desenvolvidos e aprofundados na maturidade.

Formalmente, *A dona da casa* é também uma obra de influência alheia: é visível o caráter offmannesco de uma simbólica "maravilhosa", e ainda podemos apontar influências de *A terrível vingança* de Gógol, onde há um feiticeiro apaixonado por uma moça, que é a própria filha, e à qual ele tenta afastar do marido com as suas artes mágicas.

Todos os outros motivos que aparecem nos escritos que vimos estudando continuam visíveis nesta novela.

Nela continua o ciclo do amor pela senhora Panáieva: a paixão arrebatada de Ordínov por Ekatierina, a protagonista feminina da novela, moça de beleza extraordinária, temperamento ardente e fantasia exaltada, a impossibilidade de amor entre os dois — traduzem essa adoração entusiasta, mas sempre reprimida e impossível, do escritor por Avdótia Panáieva.

Literariamente, a figura de Ekatierina enferma do mesmo defeito de todas as heroínas dostoievskianas, sobretudo das heroínas das obras da juventude: embora de temperamento ardente (que, em parte, é o do próprio escritor), é uma mulher demasiado idealizada, pouco humana, sem verdade, quase uma figura mitológica.

O escritor prossegue, nesta novela, com as suas descrições das ruas tristes e miseráveis de Petersburgo; o motivo da natureza que, como vimos, surge em *Pobre gente*, através das recordações da infância do protagonista, sob uma forma saudosista e impregnada de verdadeiro amor físico e espiritual pela sua beleza, pela sua pureza e salubridade, é aqui, como aliás, em *O duplo*, uma natureza tétrica, tempestuosa, noturna e fantasmagórica — uma noite verdadeiramente romântica, cheia de presságios e de acontecimentos supranaturais.

Pormenores de somenos importância, mas que não deixam de ser significativos, na medida em que demonstram a permanência de certos motivos de terceiro plano nesta obra da juventude, e que continuarão ainda na obra da maturidade, são, por exemplo, a antipatia do escritor pelos médicos: "não simpatizo com os médicos"; há também uma alusão a uma velhota muito simpática, dona duma casa onde Ordínov morou: é ainda a persistência da recordação da velha ama da sua infância; continuam os louvores a Púchkin, e é abonando-se com ele que nos representa a figura do velho charlatão, dizendo que nele se encontra "algo de semelhante"; continuam as observações sobre os alemães, rara será mesmo a obra sua em que não surjam um alemão, uma alemã, que são sempre vistos com olhos um tanto irônicos, mas mais complacentes do que aqueles com que vê os franceses ou os ingleses.

Uma personagem secundária nos aparece nesta novela, à qual temos de prestar atenção, a de Iároslav Ilhitch, pois, com outros nomes, iremos encontrá-la em outras obras; será, por exemplo, o Maslobóiev de *Humilhados e ofendidos*. Esta personagem surge, quase sempre, como amigo e condiscípulo do protagonista; psicologicamente, trata-se de um indivíduo de inteligência e argúcia excepcionais, mas que, entretanto, é um caráter rebelde a toda disciplina e vida metódica ou de rotina; é quase sempre um ex-estudante que passa a viver de expedientes e possui uma filosofia cínica sobre a vida: pode, por exemplo, tornar-se agente particular de informações e, dentro destes limites, não se importa de explorar as fraquezas, a estupidez ou os vícios alheios; mantém, entretanto, uma generosidade fundamental, um espírito de lealdade às velhas amizades, um conceito de justiça e até de abnegação e sacrifício. Ao mesmo tempo, o aparecimento desta personagem é um recurso técnico na trama episódica dos acontecimentos: é sempre o velho amigo que o protagonista não vê já há tempos, mas que o acaso lhe depara como medianeiro entre circunstâncias aparentemente sem ligação, ou o instrumento por meio do qual se realizam certos fins.

A dona da casa é uma novela integralmente autobiográfica. É evidente que a figura de Ordínov, o protagonista, é o próprio Dostoiévski, e que o tema fundamental da novela é a primeira concretização, embora em esboço, de um grande problema metafísico de Dostoiévski.

A psicologia e o passado de Ordínov, antes de ter conhecido Ekatierina (i.e., a senhora Panáieva), é a psicologia autoanalisada do escritor e algo da sua própria vida antes de ter publicado os seus primeiros livros; lá estão a existência solitária, sem amizades, a falta de contacto com a sociedade: "Tinha vivido isolado desde a infância e, agora, que era já quase um homem, essa solidão fazia já parte da sua estranha maneira de ser"; as alusões à inveja e aos ataques dos inimigos; à sua capacidade de observação, à sua ânsia de conhecimento do mundo, dos homens, da arte e da cultura universais, as visões delirantes da evolução da humanidade; as análises sobre as várias fases da gênese do poder criador e artístico, quando surgem os projetos tumultuantes, ainda mal definidos, no seu espírito sonhador. Dentre estes projetos sobressai o de dedicar-se à ciência, isto é, à literatura, à criação duma antropologia metafísica, indagadora dos grandes problemas éticos e religiosos do homem, e de, para isso, escrever um livro sobre a história da Igreja.

Não chegou Dostoiévski a escrever essa história da Igreja, porque não era um erudito nem um historiador, mas um artista e um pensador, que viria mais tarde a criar essas páginas culminantes da literatura de todos os tempos e de todos os lugares, essa obra-prima que é o episódio do Grande Inquisidor, integrado n'*Os irmãos Karamázovi*, onde o problema da liberdade ética do homem foi tratado de uma maneira genial.

Uma personagem, ou um tema, de toda a obra de Dostoiévski, é a do bobo, ou melhor, do "mártir ridículo". Em certa medida, nesta obra da juventude, Makar Alieksiéievitch, Goliádkin e Prokhártchin, não são só mártires, como têm também uma dose de ridículo que chega a inspirar piedade. E é claro que a psicologia de Dostoiévski não erra ao dar-nos a quota de ridículo que existe até na própria desgraça humana. Entretanto, um Makar Diévuchkin tem demasiada dignidade para ser verdadeiramente um mártir ridículo, como também não o é completamente o trocista, azedo e mordaz Goliádkin; e até Prokhártchin se torna demasiado recalcitrante para com os seus companheiros de pensão, para poder ser considerado um autêntico mártir ridículo ou bobo. Mas encontramos já nesta obra da mocidade certas figuras em que o escritor quis criar deliberadamente essas características. Por vezes chegam quase a corporizar-se no aspecto dum homenzinho socialmente decaído, paupérrimo, orgulhoso, mas dedicado e terno, de fundo honrado, mas capaz de pequeninas astúcias, hipocrisias e mentiras e, por cima de tudo isto, envergonhado da sua própria humildade e miséria, e de um físico caricato. Está visível no pai do estudante Pokróvski de *Pobre gente*, e tornará ainda a aparecer nesta obra da juventude, no protagonista de *O ladrão honrado*, no alemão Karl Fiódoritch de *Niétotchka Niezvânova* e no pai da Nástienhka de *A granja de Stiepántchikovo*. Mártir ridículo é também o ébrio Marmieládov de *Crime e castigo*.

Mas, qualquer destas figuras é secundária, hesitante, não assume integralmente todas as implicações do seu significado, representam a sua qualidade de mártires ridículos dentro dum nível em que a ironia tange por vezes o nível da comicidade. No entanto, Dostoiévski explorou mais perfeitamente esta figura pelo seu lado "sério" e dramático, encarando-a numa personagem de primeiro plano ou até na figura dum protagonista. Vamos encontrá-la, nesta obra da juventude, no protagonista de *Polzunkov*, que dá nome ao conto que vamos analisar e, sobretudo, na personagem do coronel Iegor Ilhitch, o "tio" de *A granja de Stiepántchikovo*; na obra da maturidade essa figura atingirá finalmente a sua realização plena, suprema, genial, no príncipe Míchkin de *O idiota*.

POLZUNKOV

Polzunkov é um pequeno conto que vale mais pelo que representa de autobiográfico do que por suas virtudes literárias. É ainda outro momento de transposição autobiográfica do seu malogrado amor por Avdótia Panáieva, e também dos seus desgostos e das suas desilusões com a crítica e com as tertúlias literárias: Dostoiévski é Polzunkov, o bobo que se ri da própria desdita e ingenuidade, e a expõe aos olhos do público, não só para ganhar a vida, como para automodificar-se — trabalho de autoanálise que incide sobre a sua condição de escritor que, afinal, debaixo da capa de ficção literária, o que narra é a sua própria vida, com toda a sua amargura e ridículo e, ao mesmo tempo, com um gosto masoquista de exibir e analisar o próprio ridículo.

Naquela cara de Polzunkov "podia observar-se tudo: vergonha, descaramento, cólera, o abatimento na derrota da vida, súplicas e perdão, a consciência do próprio valor e, ao mesmo tempo, a plena consciência da própria insignificância"; em Polzunkov havia "a preocupação consigo próprio, a par da humilhação contínua da personalidade" e "não conseguia de maneira nenhuma chegar ao equilíbrio". Tudo isto é instrospeção que o escritor realiza sobre si mesmo.

Na personagem de Fiedossiéi, podemos ver o marido de Avdótia Panáieva, cujo salão Dostoiévski começou a frequentar, como dissemos, depois do êxito de *Pobre gente*: "Você, que há tanto tempo é amigo da nossa família, que tem sido para nós quase um filho..."; diz esse Fiedossiéi, falando a Polzunkov: "Em sua casa (de Fiedossiéi) todos me consideravam como um filho. Já há um ano que assim era, ou seja, quando vivia Mikhail Maksímitch Dvigáilov, aquele fidalgo antigo...". Este fidalgo antigo não é outro senão o crítico Bielínski. Tudo isso se refere, pois, aos tempos da estreia do romancista nos salões.

Mas eis que o caráter desconfiado e tímido, e ao mesmo tempo orgulhoso e consciente do próprio valor, de Dostoiévski, irrita os amigos, os amigos e os inimigos, que as suas obras posteriores a *Pobre gente* desiludem a crítica — a única obra da juventude de Dostoiévski que a crítica aplaudiu foi esse primeiro romance — e aqui temos de novo os reflexos desses reveses e sofrimentos: "Polzunkov era o bobo de toda a gente..."; "Tinham-me pregado uma linda partida!"; "Quiseste fazer-te engraçado e, com todas as tuas chalaças, arranjas-te-a bonita"; quanto ao tal fidalgo antigo, a Bielínski, "podia tê-lo considerado seu filho natural, mas deserdou-o" [i.e., foi-lhe desfavorável nas críticas aos livros posteriores a *Pobre gente*] "e, por essa razão", em casa de Fiedossiéi (i.e., nos salões), "todos lhe mostravam má cara" (i.e., Dostoiévski foi apeado do seu pedestal de gênio precoce). Então, roído de despeito, com a vaidade e o orgulho insatisfeitos, dorido de motejos e epigramas, isola-se, retrai-se e acalenta no íntimo o desejo de, por sua vez, troçar deles servindo-se dos disfarces da ficção literária, é claro: "Saí dali com a resolução de não voltar mais a pôr os pés naquela casa... e de fazer a denúncia".

Além do desejo de fazer a denúncia, Dostoiévski é também impulsionado por essa estranha força masoquista que o leva à mortificação pela confissão que, como dissemos, é uma das características constantes da sua obra — chega sempre um momento em que uma personagem devassa o seu íntimo até às profundidades mais recônditas: "Daqui a pouco, quando eu lhes tiver contado os meus segredos, hão de rir-se de mim e enxotar-me; mas, apesar disso, quero contar-lhes tudo, tudo sem esconder nada. E, afinal, quem me obriga a isso? Quem me o ordena? Alguém que está por detrás de mim e que em voz baixa me diz: conta, conta!". Muitas das páginas mais extraordinárias de Dostoiévski correspondem precisamente aos momentos em que uma personagem faz a sua confissão, geralmente em público, para assim resgatar os pecados pela humilhação.

Coração frágil

Coração frágil é, ao lado de *Noites brancas* e de *O pequeno herói*, uma das novelas mais perfeitas da época da juventude de Dostoiévski, não só pela sua unidade dinâmica e harmoniosa, pela vivacidade do diálogo, como também pela ternura, pela poesia delicada que encerra.

Teremos de analisá-la também quanto ao seu significado autobiográfico, pois é dentro dele que continuamos a encontrar certas figuras e certos temas que surgiram já nas obras anteriores.

Os protagonistas são de novo dois modestos escriturários, ou copistas duma repartição oficial; há uma outra personagem que, aliás, não chega a aparecer em cena, e que vem a ser Sua Excelência, o ministro da repartição, o chefe burocrata de alto coturno, que foi mencionado já em *Pobre gente*, em *O duplo* e em *O senhor Prokhártchin*. Como veremos, somente no pequeno conto *Uma árvore de natal e um casamento*, é que Sua Excelência se apresenta como ator que chega à boca de cena. Também nesta novela há certas atitudes que são características do sentimentalismo romântico, expresso em pormenores como o da história do "cabelinho preto" que Lisa manda ao noivo, bem como o da promessa que o amigo deste lhe faz, de oferecer-lhe um medalhão onde ele possa guardar o "cabelinho". Igualmente continuam as objurgatórias contra os médicos, e surge mais um caso de loucura declarada: tal como o senhor Goliádkin, Vássia, o protagonista, acaba num manicômio.

Dissemos na Nota Preliminar a esta novela que ela contém já implicações de ordem metafísica. Dostoiévski tocou num sentimento complexo, o remorso de ser feliz, que analisamos nessa altura.

Dentro dum nível de transposição já mais complexo, *Coração frágil* é também completamente autobiográfico e pertence ainda ao ciclo do amor pela senhora Panáieva e consequências sociais e psicológicas da sua estreia literária e entrada nos círculos literários, ciclo que, como veremos, abrange quase toda a obra da juventude de Dostoiévski. Vássia, o jovem escriturário que, devido à bela caligrafia que possui, é encarregado por um chefe da sua repartição de trabalhos particulares, e que o gratifica e vai elevando na carreira da burocracia, é o jovem Dostoiévski estreante literário que devido ao seu talento é glorificado pelo crítico Bielínski, e sente, portanto, a responsabilidade de continuar a sua carreira para não desiludir aqueles que depositaram nele tantas esperanças. O amigo que é para ele quase um pai e o assiste com uma amizade e uma ternura fraternais, é o irmão; a noiva formosa que o destino lhe depara, apesar do seu defeito físico, da sua pequena estatura e fraca compleição (e aqui, e, aliás, em muitas das suas obras, vemos o desgosto de Dostoiévski pelo seu próprio aspecto físico), é ainda Avdótia Panáieva; o fato de não lhe ser possível trabalhar, devido à imensa felicidade que sente com esse amor, de não poder acabar a tarefa que lhe confiara — copiar seis grossos cadernos, os serões exaustivos, o esgotamento, a loucura — tudo isso representa o inebriamento da glória que lhe toldou as faculdades criadoras na produção das obras posteriores à da estreia literária. Esse sentimento de remorso de ser feliz, encarado num ângulo psicológico, pode ser interpretado como o pressentimento e o medo da inveja que ele, Dostoiévski, iria desde logo despertar com a sua estreia gloriosa.

O LADRÃO HONRADO / UMA ÁRVORE DE NATAL...

A seguir às *Noites brancas* publicou o escritor duas pequenas obras onde a análise do fundo autobiográfico se torna mais difícil e, em rigor, não pode ser posta nenhuma tese, mas apenas uma hipótese, mais ou menos verossímil. Referimo-nos a dois pequenos contos, *O ladrão honrado* e *Uma árvore de natal e um casamento*.

No primeiro, mais uma vez surge Emielian, o ébrio semi-imbecilizado que foi demitido do emprego e resvalou muito baixo na escala social; aqui, além de ébrio, é um ladrão que rouba para alimentar o vício da bebida, mas que se arrepende, quer dizer, os delitos que pratica são nele algo de acidental na sua natureza.

Neste conto são já afloradas duas das mais importantes premissas da temática metafísica de Dostoiévski: a revelação da pureza de alma através de um ato pecaminoso e, portanto, doloroso: "o sofrimento purifica tudo", é a sua grande tese. Simplesmente, neste conto, tal premissa não passa de um simples apontamento, aliás, dado com notável vibração emotiva, de tal maneira que este conto é, literariamente, uma obra já valiosa. É o debuxar do problema básico de *Crime e castigo*: Raskhólnikov também não mata, verdadeiramente, para roubar, mas sim para conhecer os limites da ética natural.

Seguir o rasto da autobiografia, nestes dois contos, é um pouco aventuroso. Como a esta data Dostoiévski estava já em relações com o círculo literário-político de Pietrachévski, onde ouvia conferências contra o regime e sobre o comunismo e, sabendo nós, por outro lado, como tais atitudes extremistas nunca chegaram a ser por ele plenamente aceitas, pois permaneceu sempre no seu respeito e amor pelo czar, podemos aventar a hipótese, com muitas reservas, de que o ato de Emielian, ao furtar um objeto que representava um valor para o pobre e caridoso alfaiate que o tinha recolhido, dando-lhe abrigo e até o pão, e depois o despertar do remorso nessa consciência adormecida, representam o seu ato de "traição" para com o czar bem amado, para com o pai do povo russo, ao ligar-se a esse círculo de conspiradores oposicionistas.

Quanto ao outro conto, *Uma árvore de natal e um casamento*, a figura de Iulian Mostakóvitch, o burocrata de elevada categoria que aí assume uma personalidade quase sinistra, com o seu físico repugnante, a sua crueldade, a sua ambição e a falta de escrúpulos, talvez haja também nele qualquer coisa de Niekrássov, o poeta e escritor que publicou *Pobre gente*, mas com o qual Dostoiévski vem a cortar relações depois da publicação de *O duplo*.

NOITES BRANCAS

É na novela *Noites brancas*, que a transposição literária da paixão de Dostoiévski por Avdótia Panáieva ganha o máximo de relevo. Nesta lindíssima novela, para além da sua beleza, que é muita, seguirá o leitor também a autobiografia do escritor.

Duas conclusões há a tirar das afirmações que faz o narrador-protagonista: em primeiro lugar, a sua grande timidez perante as mulheres, expressa em frases como estas: "Por muito tímido que eu seja com as mulheres..."; "Eu já não tenho o hábito de lidar com senhoras..."; "Eu tenho vivido sempre isolado... Nem sequer sei como hei de falar com as mulheres"; "Eu não conheço nenhuma mulher, nenhuma"; em segundo lugar, aquela sua estranha maneira de ser, reveladora de uma magnanimidade quase incompreensível e absurda, pela qual ele, Dostoiévski, se apresenta através de alguns dos seus protagonistas como o medianeiro, por vezes conciliador, entre os amores da mulher que ele ama e o seu próprio rival. Esta atitude é já visível no velho Makar Diévuchkin, que vai fazer recados a Várienhka, tratar das suas encomendas na modista e no joalheiro, dos preparativos para o seu casamento com outro. Aqui é o romântico apaixonado de Nástienhka que a acompanha e ampara moralmente nos seus ansiosos momentos de espera por aquele que ama, se oferece para lhe escrever e levar as cartas que ela dirige a "outro"...

É também de grande interesse, nesta novela, a análise que Dostoiévski faz da psicologia do seu herói [i.e., da sua], caracterizando-o como um sonhador solitário, afastado das realidades, tal como era também Ordínov de *A dona da casa*: "Eu, em sonhos, imagino romances completos"; "Sou um sonhador, mal conheço a vida real"; "Tenho vivido para mim próprio, como costuma dizer-se, só, completamente só, sempre só, completamente só"; "Um sonhador não é um homem, mas uma criatura de sexo neutro".

Aparecem nesta novela alguns quadros descritivos da natureza paisagística, como o do aspecto de Petersburgo quando desperta a primavera.

De todas as heroínas femininas apresentadas na obra da juventude, Nástienhka é, como dissemos, a mais humana, a mais veridicamente mulher. A sua falsa inconstância, exprimindo o seu ardente desejo de amar e ser amada, de ter um objeto sobre o qual extravase toda a sua ternura, é uma característica real da maior parte das almas femininas.

Niétotchka Niezvânova

A autobiografia de Dostoiévski, na obra da juventude, explicita-se em volta de certos fulcros psíquicos: complexo de Édipo; autoanálise do seu próprio temperamento solitário, tímido, orgulhoso, sonhador, masoquista; dificuldades financeiras; ódio à vida medíocre e mesquinha do funcionalismo burocrático; glória e decepção nos começos da sua carreira literária; amor frustrado por Avdótia Panáieva.

Vimos a revelação do complexo de Édipo logo na sua primeira obra publicada, em *Pobre gente*, através das recordações de infância da protagonista feminina. Quanto aos outros motivos, inserem-se, com maior ou menor amplitude, em todas as obras até aqui apreciadas.

No romance inacabado, *Niétotchka Niezvânova*, em parte escrito já na fortaleza de Pedro e Paulo, onde o escritor aguardou a sentença que o condenaria à morte, e que representa talvez como que uma revisão de todo o seu passado e o desejo de escrever uma autobiografia completa na véspera de um destino que ele não sabia qual seria, embora estejam presentes todos esses motivos que acabamos de citar, um deles sobressai de maneira vultosa: é o complexo de Édipo. Com esta obra, a existência de tal complexo pode passar a tese seguramente fundamentada. E, o que é mais e muito importante na interpretação da obra e do psiquismo de Dostoiévski, é nesta obra que, pela primeira vez, esse complexo se põe conscientemente diante do homem e do escritor.

O clima, o ambiente deste romance há de parecer ao leitor talvez ainda mais fantástico do que a novela maravilhosa que é *A dona da casa*. Se a vida da pequena Niétotchka numa água-furtada, entre um padrasto semilouco e alcoólatra, e uma mãe doente e amarfanhada pela tísica, pela miséria e pela dor, e com o seu temperamento de uma sensibilidade precoce e quase mórbida — o que compõe a primeira parte do romance — e já algo de estranho e febricitante, a segunda parte, principalmente a vida de Niétotchka, no meio desse casal de vida estranha, é qualquer coisa que chega a dar ao leitor uma impressão tenebrosa, de algo que se passa num mundo extraterreno, só dentro das próprias almas.

De fato, é nesta segunda parte que está a chave da interpretação do verdadeiro significado deste romance.

O leitor deverá reparar que em *Niétotchka Niezvânova* há como que uma sobreposição, um embrincamento de vários romances: no romance de Niétotchka insere-se o romance do seu padrasto e o romance da vida da princesa Alieksandra Mikháilovna com o marido. Pensamos que a intenção de Dostoiévski seria a de escrever a autobiografia de um grande artista, de uma cantora [ou seja, a sua vida de escritor].

O processo de transposição empregado é de ordem muito complexa, de tal maneira que, como veremos, certa pessoa da vida real aparece apresentada por um animal, um cão, e certa circunstância por um instrumento musical, um violino; a sua personalidade de homem e de escritor, com todos os seus problemas de ordem ética e artística, encarna simultaneamente em Niétotchka, a protagonista, no padrasto desta, o violonista falhado, Iefímov, e na princesa Alieksandra Mikháilovna; e a permanência do complexo de Édipo do fundo da sua consciência, com todos os seus disfarces, covardias, cinismo e, ao mesmo tempo, o impulso latente para emergir, para se revelar à plena luz do dia, isto é, da consciência, está até figurada numa personagem que atua como um reflexo, um espelho acusador, um duplo realmente encarnado em outra personagem. A transposição deste complexo de Édipo foi também feita por inversão, isto é, foi transformado no complexo de Electra: o amor de Niétotchka pelo padrasto e a hostilidade concomitante contra sua mãe. Entretanto, a hostilidade real de Dostoiévski para com seu pai fica logo patente por essa criação da figura dum padrasto.

Ao analisarmos a primeira parte do romance, surgem algumas expressões que traduzem a súmula do caráter e da vida de Iefímov, o músico, ou seja, do pai do escritor: "A impressão que deixa às pessoas é muito triste", embora "seja uma pessoa interessante"; "Começa por ser um maníaco, mas é um louco que tem três crimes a pesar-lhe sobre a consciência — além da sua, arruinou mais duas vidas: a da mulher e a da filha". "Tornou-se antipático a todos os componentes da orquestra, brigou com todos e não tardou muito, também com o próprio diretor, conduziu-se grosseiramente com os superiores, arranjou fama de homem turbulento e intriguista... e levou as coisas a tal extremo que para todos se tornou insuportável"; "Puseram-no no olho da rua e, nos dois últimos anos da sua vida, foi como se já estivesse morto para aquela gente, pois nunca mais quiseram vê-lo"; "Até que sobreveio a catástrofe que devia pôr termo aquela vida triste, asfixiante, desolada e enferma".

É evidente que a transposição abrange dois aspectos da autobiografia do escritor: o caráter do pai, os seus últimos tempos[6] e a morte por assassinato, e também o seu comportamento nos salões literários, onde acabou por ser troçado e hostilizado, até que chegou à catástrofe da prisão por conspirador político.

E, agora, as afirmações que nos dizem alguma coisa ou mesmo muito a respeito do seu amor condoído pela mãe desventurada. Simplesmente, o leitor terá de inverter as situações, e onde o ficcionista põe na boca de Niétotchka Niezvânova palavras de amor pelo padrasto e de inimizade pela mãe, entenda o contrário, isto é, veja em Niétotchka o próprio Dostoiévski dizendo palavras de ternura para mãe e de quase ódio pelo seu pai: "Despertou em mim um carinho sem limites pelo meu pai"; "E quanto mais me agarrava ao meu pai, mais obrigada me sentia a aborrecer minha mãe"; "Como podia a minha alma enraivecer-se daquela maneira contra a pobre e desditosa criatura que era a minha mãe?"; "Também então me acontecia sentir a consciência revoltada e percebia muito bem que era injusta para com a minha mãe"; "De certo modo, opunha-me até à sua ternura, não deixando transparecer nem o menor sentimento, ainda que, por dentro, estivesse a sofrer"; "E, no entanto, por mais de uma vez cheguei a sofrer quase fisicamente quando pensava na minha insensibilidade para com minha mãe".

Além da razão do mau viver inflingido a sua amada mãe, do caráter violento e da avareza, outro dos aspectos dominantes no caráter do dr. Mikhail Dostoiévski devia também ter contribuído fortemente para a animosidade do filho contra o pai: quer-nos parecer que, até de certo ponto pelo menos, senão até em grande medida, Fiódor Dostoiévski devia considerar seu pai culpado para consigo, pensar que ele o teria prejudicado na sua mocidade com essa avareza, ao negar-lhe as quantias de que talvez pudesse dispor e que lhe teriam permitido levar uma vida muito mais larga, sem ter necessidade de passar pela servidão da disciplina militar e da burocracia, iniciar mais cedo e com mais independência as suas tentativas literárias e a sua elevação na sociedade. Sabemos das cartas suplicantes que Dostoiévski enviou, na primeira juventude, a seu pai, pedindo-lhe dinheiro, até para necessidades elementares, e conhecemos também o desejo que ele sempre manteve de editar-se à sua própria custa.

Ora, em *Niétotchka Niezvânova*, o músico Iefímov (que, não nos esqueçamos, simboliza, simultaneamente, o pai de Dostoiévski e o próprio Dostoiévski dentro da sua carreira artística) atribui a frustração dessa carreira à existência da mulher, à sua presença impeditiva e inibitória. É no episódio do "violino do italiano" que nos surge a evocação do passado de Iefímov, o padrasto de Niétotchka. Por muito estranho que pareça, se o leitor refletir e apreciar atentamente esta narrativa, em função da apreciação autobiográfica que seguimos, não deixará de admitir como coerente a hipótese de que o "violino do italiano" simboliza o problema financeiro de Dostoiévski. Atentemos em que há um músico que acusa Efímov, o padrasto de Niétotchka, de ter assassinado o italiano que lhe deixara o violino, mas que al-

---

6   O embrutecimento progressivo do dr. Mikhail Dostoiévski: já depois de viúvo, quando se retirou para as suas propriedades rurais e começou a tiranizar os camponeses, a dar-se ao alcoolismo e a fincar-se na sua avareza.

guém objeta tê-lo ele feito, talvez, movido pelo desejo de vingança, pelo fato de o italiano não lhe ter deixado a ele esse valioso instrumento. O violino assume dois significados: pode representar a inteligência e o espírito sensível, apesar de todas as violências, do dr. Mikhail Dostoiévski, que por hereditariedade passa para o filho e, ao mesmo tempo, o secreto desejo, presente na alma de Dostoiévski, de que o pai o contemplasse com preferência na herança ou lhe dispensasse ainda em vida maior desafogo econômico. A este respeito são também muito elucidativas as cenas do padrasto extorquindo dinheiro à enteada, e a cena em que, na noite da morte da mulher, ele se põe a tocar o violino junto do cadáver.

Continuemos na pista no complexo de Édipo. Apesar do seu amor quase patológico pelo padrasto, Niétotchka tem muitas vezes rebates de consciência, como aliás se verifica nas frases já transcritas, em que censura a sua frieza para com a mãe e em que se vê como esta, por sua muita infelicidade e resignação, como merecedora de maior ternura da sua parte: "A minha mãe [i.e., o pai do escritor], que apesar de tudo manteve por ele [i.e., manteve por ela, pela mulher, mãe de Dostoiévski] até à morte uma ternura apaixonada, não estava costumada a uma vida daquelas. Começou a ficar adoentada e, por último, adoeceu a valer... Como se tudo isto não bastasse, tinha ainda de prover à manutenção de todos nós... Mas o marido, às furtadelas, tirava-lhe o dinheiro todo". Nesta última frase, a realidade se sobrepõe, como vemos, à transposição literária.

E, como dissemos, é neste romance que se vê despontar em Dostoiévski a consciência do seu próprio complexo de Édipo: "Exerceu (o padrasto, i.e., o pai) uma grande influência sobre mim, e a impressão que me deixou foi tão forte que, nunca mais, enquanto eu viver, sairá da minha memória". "Essa catástrofe (a da morte do padrasto, i.e., do pai) foi não só o acontecimento mais dramático da minha infância, mas por certo, também da minha vida inteira." "As suas vidas (de seus pais) tiveram um fim trágico, que deixou uma marca grave e dolorosa na minha recordação."

E a sua consciência começa a sentir-se culpada e a pensar que talvez o objeto da sua hostilidade, seu pai, não fosse tão grandemente culpado que não pudesse ele próprio ser considerado uma vítima das circunstâncias e um mártir nesta vida: "Só Deus sabe por que é que a cólera de minha mãe (i.e., de seu pai) era infundada, e que o meu pai[7] estava inocente"; "Via nele (no padrasto, i.e., no pai) uma espécie de mártir"; "Ainda hoje não compreendo claramente por que é que se me teria metido na cabeça que ele era um mártir e um homem sumamente desventurado. Quem teria infundido em mim aquela ideia?"; "Como podia a minha alma enraivecer-se daquela maneira contra a própria criatura que era a minha mãe (i.e., o seu pai)?"; "E, no entanto, por mais de uma vez cheguei a sofrer quase fisicamente quando pensava na minha dura insensibilidade para com a minha mãe (i.e., para com seu pai).

A análise vai descendo e abeira-se do abismo: Dostoiévski teria chegado a desejar a morte desse pai: "A tua mãe (i.e., o seu pai)? Morta? Quando ela morrer? Mas que maluquices vêm a ser essas, minha tonta? E depois ralhou, ralhou comigo, ralhou muito..." Quando Niétotchka percebe que teve esse pensamento pecaminoso de desejar a morte da mãe, para poder realizar o seu sonho de ficar só com o padrasto no "Paraíso", então é "acometida de um grande medo e de um grande espanto, e

---

7   Sobreposição da realidade.

depois vieram certas dúvidas que se insinuaram na minha alma e me fizeram estremecer toda por dentro".

A consciência do homem-escritor chega à exigência de um exame claro, responsabilizante. É na narrativa das relações de Iefímov com o italiano que podemos descobrir essa exigência, sob a capa da transposição literária: "Exigia que se exumasse e observasse novamente o cadáver". O cadáver é o problema normal de Dostoiévski relativamente aos pensamentos pecaminosos sobre a pessoa de seu pai. Dentro da trama fictícia, a insistência na hipótese do padrasto ter morto o italiano (sentimento de culpa de Dostoiévski ao desejar a morte do pai), em virtude da autópsia não ter revelado o assassinato, significará que os fatos, de per si, nada podiam dizer, que a realidade é simbólica, de interpretação, e está para além dos fatos: o pai do escritor morreu assassinado pelos camponeses, mas o filho desejou intimamente a sua morte. Quem o sabia? Só ele, e de princípio, talvez nem ele mesmo, mas, de qualquer maneira, "se ele não tinha envenenado [i.e., assassinado], fosse como fosse devia tê-lo despachado para outro mundo". Forças incógnitas, o destino, encarregaram-se de dar realidade aos seus desejos. Não foi ele o assassino pessoal, o instrumento, mas foi a vontade que moveu secretamente a mão dos algozes. Nem só por obras um homem peca, mas também por palavras e pensamentos. E, assim, em *Os irmãos Karamázovi*, quem executa o assassinato do velho Karamázovi é o criado Smerdiakov, mas quem insuflou na sua alma disforme esse projeto foi Ivan, o intelectual.

A segunda parte de *Niétotchka Niezvânova* contém a autobiografia da juventude do escritor, com o despertar da sua vocação, a iniciação da vida literária, nas tertúlias e nos salões, o amor pela senhora Panáieva (representada pela princesa, esposa do príncipe H***, que corresponde, provavelmente, a seu marido, ou ainda, ao Conde Soloviov ou ao príncipe Odoiévski)[8], com ascendente de Bielínski, personificado na velha fidalga, e com a emulação de Turguéniev, transpostas nas cenas de amizade entre as duas adolescentes, Niétotchka e a princesinha Kátia. Levaremos a nossa análise da autobiografia de Dostoiévski até pôr a hipótese, por muito ousada que se afigure, de que Falstaff, o corpulento, orgulhoso, soberbo e voluntarioso cão que existe em casa do príncipe, mas que habita de preferência os aposentos privados da princesa, sua esposa, onde então se torna manso e tolerável, corresponde ao poeta Niekrássov, que foi durante anos coeditor dum jornal juntamente com o escritor Panáiev, e era o amante de Avdótia.

É de notar que, nesta altura, o amor de Dostoiévski por Avdótia deve já ter esfriado e começado a entrar no domínio das recordações criticadas. A princesa é apresentada como uma mulher altiva, fria, orgulhosa e pouco amorável, até mesmo pouco simpática.

Aqui revê o romancista a sua situação no salão de Panáiev: "Ficava verdadeiramente cômica (isto é, cômico), no meio daquela melodramática situação em que me encontrava: como uma mocinha qualquer, tímida ou intimidada, e até mesmo um pouco palerminha. Principalmente isto desagradou muito à princesa, e creio que não tardou a fartar-se da minha presença, do que tive toda a culpa"; "Mas, no dia seguinte começou de novo o mesmo jogo; quero dizer que fui levada outra vez à presença da princesa (i.e., de Avdótia Panáieva). Até que por fim esta se aborreceu

---

8   Em casa dos quais Dostoiévski era também recebido.

de contar a minha história às visitas e estas de fazer espaventos de compaixão e de dó (i.e., de admiração pelo laureado escritor de *Pobre gente*). Afinal de contas eu era uma mocinha como as outras, sem ponta de candura".

E perante o crítico Bielínski: "Todos os petersburgueses (i.e., os literatos) que iam a Moscou (à casa da velha princesa, tia do príncipe que recolheu Niétotchka, i.e., a casa de Bielínski) não deixavam de fazer-lhe a sua visita (i.e., de prestar-lhe homenagem, de lisonjeá-lo para lhe conquistarem as boas graças). Aqueles que fossem recebidos em sua casa (i.e., louvados por ele) achavam logo bom acolhimento em todos os outros (i.e., conseguiam a fama e a consagração literárias).

Recorda o bom acolhimento que obteve o seu primeiro romance, junto ao grande crítico, através da cena em que Niétotchka é apresentada à "velha dama": "Em suma, quebrou-se de repente a rotina da minha vida". Mas a velha e orgulhosa aristocrata, observadora rigorosa das praxes antigas, acaba por achar que Niétotchka "estava muito mal-educada", tal como Bielínski teria dito a alguém que Dostoiévski ainda precisava de trabalhar muito para se tornar um grande escritor.

Há ainda outras alusões aos seus insucessos literários, consequentes à publicação de *Pobre gente*, como por exemplo: "Por infelicidade deixei cair uma chávena (i.e., Dostoiévski publicou uma obra fraca)... Isto aborreceu a francesa e toda a criadagem (i.e., os medíocres e os invejosos, que espreitavam os seus insucessos, ficaram satisfeitos com eles) e imediatamente me levaram para o quarto mais afastado (i.e., caíram sobre ele com críticas e sarcasmos)".

O episódio do amor de adolescentes entre Niétotchka e a pequena princesa Kátia constitui, só por si, uma novela de extraordinária verdade psicológica e de grande beleza literária. Aqui tratou Dostoiévski, pela primeira vez, um dos temas em que várias vezes pegou: a alma da adolescência, o amor adolescente. Se no amor infantil de Niétotchka pelo seu padrasto, Dostoiévski apreendeu a verdade de uma erótica que se revela já no amor do rapaz pela mãe e no da menina pelo pai, agora apreende a fase em que a projeção do amor se revela muitas vezes sob o aspecto de uma atração homossexual.

Aqui há duas meninas que sentem uma pela outra uma atração em que chega a haver qualquer coisa de libidinoso, pois os seus beijos e afagos não são apenas de amizade pura, estão mesclados de uma sofreguidão sexual.

Freud apontou em Dostoiévski tendências homossexuais. Não aceitamos essa tese dentro de um sentido estritamente sexual. Haveria antes nesse gênio universal e de humanidade total uma capacidade imensa de amor, que podia projetar-se em qualquer objeto — desde que ele fosse humano. O episódio da pequena princesa Kátia interpretamo-lo como correspondendo, na vida real do escritor, ao seu encontro com Turguéniev. Nós sabemos como durante toda a sua vida Dostoiévski esteve em emulação com esse outro grande escritor seu compatriota, como o admirava, mas como lhe invejava também a elegância mundana, as maneiras fidalgas, a presença cativante, e a situação econômica desafogada. Sabemos ainda que, no princípio da sua carreira literária, nos primeiros encontros com Turguéniev, Dostoiévski, encantado com a personalidade do brilhante escritor e com a admiração recíproca que ele lhe testemunhava, chegou a escrever para o irmão a respeito dele: "Estou apaixonado por Turguéniev".

Em que sentido estaria Dostoiévski apaixonado por Turguéniev? Haveria qualquer coisa de sexual nessa paixão? Se nos cingirmos a análise do episódio de

Kátia, neste romance, poderíamos quase ser levados à conclusão freudiana. Entretanto, quer-nos parecer que, na realidade o que Turguéniev verdadeiramente representaria para Dostoiévski seria antes um ideal, um modelo que ele próprio desejaria seguir; Dostoiévski desejaria talvez possuir uma aparência física agradável como a de Turguéniev, as suas maneiras, a sua sociabilidade, ele que era um tímido, um rude, um "cavaleiro da triste figura". Parece, se entre ambos não tivesse surgido a malevolência de terceiros e a emulação literária, que se tratava apenas da admiração luminosa e pura de um artista pelo outro.

Quanto à inserção do erotismo neste episódio, somos antes levados a pensar que se trata de uma sobreposição de qualquer recordação erótica infantil que, em si, ainda que se tivesse passado com qualquer criança do mesmo sexo, não pode ser considerada como definidora de qualquer inclinação anormal, pois a psicologia diz-nos que, dentro de certos limites, são normais as inclinações homossexuais entre adolescentes! Tenhamos em vista, por exemplo, na *Adolescência* de Tolstói, o amor do pequeno protagonista por Sieriójka, um rapazinho de sua idade. Aliás, o caso tratado por Dostoiévski poderia até corresponder a uma intuição divinatória do artista psicólogo que ele era.

O leitor encontrará igualmente nas *Memórias da casa dos mortos* a narrativa do "amor" de Dostoiévski por Ali, um jovem caucasiano condenado a quatro anos de prisão e trabalhos forçados, no mesmo presídio siberiano em que se encontrava o escritor, pelo crime de ter sido compelido por seus irmãos mais velhos a participar de um ato de banditismo. O escritor descreve-nos a figura do jovem montanhês caucasiano com tanta ternura e embevecimento, como talvez nunca tenha descrito nenhuma das suas personagens femininas que, ou são mais ou menos incolores, ou dotadas de um temperamento exaltado, orgulhoso e por vezes violento. Ali é de uma beleza maravilhosa e possui um caráter dócil, afável, meigo, enfim, amorável; Dostoiévski está só no meio de camponeses brutais, assassinos e, alguns, decaídos quase ao nível da animalidade e da aberração patológica. Que há de estranho em que a sua alma de artista e ansiosa de fraternidade universal procure um convívio fraternal, ou paternal, com esse rapaz que estava inocente e que era, afinal, a personificação do amor, da beleza e da ternura?

Mas, como dissemos, o que há de fundamental nesta segunda pergunta de *Niétotchka Niezvânova* é a emergência de um problema, desde o inconsciente ou do subconsciente, até a consciência, isto é, a progressiva autoconscientização do complexo de Édipo do escritor: "Cada vez mais, com maior certeza, ao meu coração se revelava qualquer coisa...".

A estranha personagem feminina que é Alieksandra Mikháilovna, e que assume uma função de transposição dupla, pois é simultaneamente a mãe de Dostoiévski e ele próprio, vive um terrível drama de consciência: no passado cometeu, ou julgou ter cometido, qualquer falta, e vive torturada pelo remorso e pela humilhação perante o marido, que é para ela uma acusação viva, uma censura permanente. Existe "algo de inexprimível" entre Alieksandra e o marido.

Este marido é uma personagem de importância capital. A conscientização do grande problema de Dostoiévski projeta-se duplamente nestas duas personagens: Alieksandra é quem sofre o remorso, o marido é a própria censura da consciência. É uma figura impressionante, enigmática, este marido de Alieksandra, que "dava a impressão de que ocultava o seu olhar por detrás dos vidros grandes e verdes dos óculos". Isto corresponde aos sucessivos fluxos e refluxos da consciência, a períodos de revelação e de obscurecimento do próprio problema e da censura da consciência. Niétotchka "notava que, de repente, ele parecia lembrar-se de qualquer coisa; era como se caísse em si, como se contra sua vontade se recordasse de qualquer coisa terrível, inevitável, e então, do seu rosto desaparecia aquele sorriso de superioridade...".

Niétotchka segue todo este drama (i.e., o escritor prossegue na sua instrospecção): "Havia momentos em que me parecia que tinha já adivinhado completamente o enigma. Mas logo a seguir acabavam por apoderar-se de mim certa indiferença e apatia, e até certa raiva, e esquecia aquele interesse, pois não chegava a encontrar uma resposta para aquela pergunta única". Mas surge a descoberta de uma carta que encerra a descoberta do segredo: "Cheia de espanto, cheguei à compreensão de que tinha nas minhas mãos um grande segredo e que esse segredo havia de ser, enquanto eu vivesse, uma prisão pra mim... Como? Eis aqui o que, por então, eu ignorava"; "Parecia-me ver um pecador que imputava pecados a um justo e o meu coração despedaçava-se"; "Tudo aquilo havia de encontrar um dia a sua solução, mas não via, por então, o seu desenlace, ou tinha medo de vê-lo". A certa altura, o marido de Alieksandra Mikháilovna procede ao "julgamento" de Niétotchka: "Comédia (grita ele). Um crime é sempre um crime, uma culpa, uma ação suja e desonesta, por muito alto que tu queiras colocar o sentimento pecaminoso".

Podemos assim considerar este romance como uma espécie de exame de consciência e de tentativa de autobiografia completa realizada pelo escritor antes de entrar na nova fase da sua vida que iria ser a do presídio siberiano.

O SONHO DO TIO

As duas últimas obras da mocidade de Dostoiévski, incluídas neste volume, são *O sonho do tio* e *A granja de Stiepántchikovo*. Tanto *O sonho do tio* como outras duas obras que aqui não analisamos, *Um romance em nove cartas* e *A mulher alheia e o homem debaixo da cama*, pertencem ao gênero de farsa ou pitoresco, que Dostoiévski quis também experimentar, e não podemos dizer que não o tivesse feito com certo êxito. Entretanto, não é explicitamente na farsa que brilha o humor dostoievskiano, pois é o humorismo fator permanente e de altíssimo nível em toda a sua obra, é um elemento que condiciona o drama; o humorismo de Dostoiévski percorre uma vasta escala, tanto se manifesta na ironia sutil e de profunda implicação crítica, como foca o ridículo através do anedótico — Dostoiévski conta muitas anedotas — para chegar até ao sarcasmo e ao cômico.

A GRANJA DE STIEPÁNTCHIKOVO

Esta obra interessante é dominada pela personagem de Fomá Fomitch, uma espécie de charlatão, um ignorante que pretende fazer-se passar por sábio, um egoísta e orgulhoso que finge colocar-se ao serviço da humanidade, mas está envenenado de vaidade, de amor-próprio, e não passa de um parasita que vive à custa alheia.

A transposição, neste romance, é muito complexa. Alguns têm pensado que Fomá outro não é senão o crítico Bielínski. Das muitas ironias dirigidas contra os pseudo-cultos, os estrangeirados e os cabotinos da literatura, podemos pensar que Dostoiévski tinha em mente o pano de fundo do meio literário que lhe era já conhecido, com os seus triunfadores, os seus cortesãos mais ou menos fátuos e néscios; uma figura como o criado Vidopliássov, e outra a do janota, malandrin e imbecil Obnóskin, são símbolos de figuras semelhantes que o escritor teria conhecido nos meios literários. Não é pois provável que Fomá simbolize o crítico Bielínski com todo o seu poder de fazer ou desfazer reputações literárias, o seu caprichismo, a sua vaidade, o seu gosto de ser adulado e temido, e até com a mudança da sua atitude, ao passar de conservador que era para revolucionário progressista e preconizador da adoção na Rússia das reformas de caráter ocidentalizante. Mas, quer-nos parecer que Fomá será antes uma figura compósita, como, aliás, o são tantas outras deste romance e de outros romances do escritor.

Um dos outros elementos que nos parece indubitável existir na composição dessa figura é a do terrível major do presídio da Sibéria onde Dostoiévski cumpriu a pena de degredo e trabalhos forçados. Tratava-se de um tipo brutal, um tarimbeiro estúpido, ignorante e soberbo, de caráter colérico que, guindado a uma posição de comando, se aproveita dessa situação para se vingar sobre os seus subordinados das antigas humilhações e violências sofridas. Gostava de torturar os presos com os seus sarcasmos e todos o temiam e o odiavam pelos castigos cruéis e por vezes arbitrários que ordenava. É questão debatida se Dostoiévski teria ou não sido vítima do ódio do major, se teria ou não sido condenado ao açoitamento por sua ordem, apesar da proibição existente de os nobres sofrerem castigos corporais. A questão não está esclarecida. Na análise da transposição autobiográfica que estamos realizando, interessa por em relevo a compreensão psicológica a que o escritor preso chegou, para além de todo o ódio pessoal, neste caso do major. Isto é, Dostoiévski chegou a compreender e a desculpar o caráter dessa criatura, acabando por julgá-lo, em última análise, uma vítima da sociedade, o que, aliás, sucede com todas as personagens dos seus romances: todos os criminosos e pecadores, afinal, não são mais do que pobres vítimas da sociedade, ou, até, dos obscuros desígnios de Deus: "Pode muito bem dar-se o caso de que esse desmedido amor-próprio tivesse sido simplesmente, no seu princípio, um falso sentimento de dignidade pessoal, ofendido pela primeira vez ainda na infância... pela arbitrariedade alheia, pela pobreza e pela sujidade...".; "Fomá (i.e., o major do presídio), no fundo, um voluptoso (o major era um sádico que parecia gozar com os suplícios e vexames infligidos aos presos), que tinha alma de déspota, apesar de todas as passadas misérias e humilhações, Fomá, vaidoso e transtornado pelo êxito, graças a uma proteção idiota e à sua arte para ludibriar..."; "As almas baixas, quando se libertam da opressão, transformam-se elas próprias em opressoras"; "Vejam o que eu pensei: é muito provável que estejamos equivocados a respeito de Fomá Fomitch... Pode ser que o seu temperamento exaltado, exacerbado pelos sentimentos, segundo dizem, sentisse ânsias de vingança contra toda a humanidade". Foi assim que Dostoiévski aportou à compreensão-piedade pela pessoa desse homem cruel e degenerado.

Mas deviam ter existido, entre os dois momentos de ódio recíproco. Quantas vezes o espírito generoso e humanitário de Dostoiévski não se teria revoltado perante as injustiças do major contra os pobres presidiários, indefesos e acovardados: "Não podia compreender tamanha insolência, uma tão grande fatuidade, dum lado, e uma tão voluntária submissão, uma tão dócil conformidade, de outro". É possível que Dostoiévski algumas vezes tivesse passado, indignado, da reprovação íntima e tácita, apenas expressa em olhares, perante o odioso comportamento do major, a alguma atitude de palavras revoltadas: "Eu ansiava ardentemente por ter algum atrito com Fomá (i.e., com o major), haver-me de algum modo com ele, dizer-lhe duas coisas... acontecesse depois o que acontecesse. Este pensamento punha-me num desassossego!". E a oportunidade de atrito teria chegado um dia, daquela vez em que os presos fizeram uma tentativa de protesto, Dostoiévski se pôs ao lado deles e o major ficou apoplético de raiva. É confrontar estas palavras de Fomá com as do major, nessa ocasião:[9] "O quê? Atreverem-se a insultar-me? A mim? Mas isto é uma rebelião!".

Também as palavras de Fomá perante o sobrinho do coronel Iegor Ilitch, que apoia e secunda a atitude de Gavrila, o criado (i.e., dos presos), devem representar o ódio secreto do major pelo preso Dostoiévski, que teria explodido por ocasião desse protesto coletivo: "Também este? — exclamou por fim, avançando como um louco furioso e verrumando-me materialmente com os seus olhinhos injetados de sangue[10] — Quem és tu?... Ah, é o tal que é muito culto? — grunhiu Fomá. — Com que então é este o tal que é culto? Não meu caro! Aqui não é a Saxônia! Aqui não é Petersburgo! Se os outros não o tivessem contido, creio que teria se lançado sobre mim, de punhos cerrados".

A figura do coronel Iegor Ilhitch pode considerar-se um esboço intencional daquele tipo dum homem admirável sob todos os aspectos, que o escritor vem mais tarde a realizar na personagem de o príncipe Míchkin, de *O idiota*. É claro que em muitos dos protagonistas masculinos de Dostoiévski há a nota de uma grande bondade, e mais, de uma excepcional generosidade e tolerância para com os outros, e esta nota é sobretudo visível no caráter dos seus apaixonados, como o do amigo de Nástienhka,[11] o sonhador de *Noites brancas*, o do protagonista-narrador de *Humilhados e ofendidos*, que são dotados de uma estranha complacência que os leva, como dissemos, até a aplaudirem e auxiliarem as relações daquelas que amam com os rivais! Aqui, o tio embora apaixonado por uma moça, chega a tomar a resolução de casá-la com o sobrinho. Veremos mais tarde como o *idiota* vive imiscuído entre os amores de Nastássia com Rogójin.

O homem admirável sob todos os aspectos corresponde também ao do mártir ridículo (Polzunkov). Aqui, o coronel Iegor Ilhitch chega na verdade a parecer ridículo, tal é a sua ingenuidade, a sua credulidade, paciência, caridade, humildade e generosidade, não pobreza de espírito, mas sim pureza de alma, humanidade superior, bondade e compreensão infinitas. É nítida a semelhança fundamental com o idiota príncipe Míchkin: "Era um desses homens de coração puro, que se recusam a admitir a maldade dos outros"; "Sacrificar-se pelo bem do próximo... eis aí a sua vocação. Não faltará quem chame a isto pobreza de espírito, falta de caráter e fraqueza"; "Em suma: era efetivamente fraco, excessivamente brando de caráter, não por falta de integridade, mas sim pelo medo de ofender, de uma maneira geral".

---

9   In *Memórias da casa dos mortos*.
10   O major do presídio siberiano também tinha os olhos injetados de sangue.
11   *Coração frágil*.

O único tipo feminino deste romance, com verdadeiro interesse, é a desvairada e fantasmagórica Tatiana Ivânovna, a histérica que lança uma flor aos pés dum rapaz, e que é simultaneamente uma prefiguração de Ekatierina Ivânovna de *Crime e castigo* e da coxa de *Os demônios*, aquela com quem casa Stávroguin. Esta Tatiana Ivânovna é assim a primeira transposição literária feita pelo escritor, do caráter fantástico e mórbido de sua primeira mulher, Maria Dimítrievna Issáieva.

Alguns biógrafos têm levantado o problema de saber se Dostoiévski estaria ou não realmente apaixonado por essa mulher, e ela por ele. Henri Troyat faz-nos acreditar que não, que da parte dela teria havido apenas a atração pelo renome do escritor e a previsão de um amparo para a sua situação de viúva pobre e desprotegida e, da parte dele, uma imensa piedade por essa mulher infeliz. Partilhamos da mesma opinião. É a análise da transposição autobiográfica que sugere isso.

Reparemos que o enredo da ficção gira à volta dum casamento forçado, que vários desejam impor ao bondoso coronel Iegor Ilhitch, a união com uma semiloluca, Tatiana Ivânovna. Como a transposição é quase sempre de essência compósita, a mulher a respeito da qual se põe o problema do casamento está simultaneamente representada por duas: Maria Dimítrievna passa a ser alternadamente Nastássia Ievgráfovna e Tatiana Ivânovna. O coronel ama uma, mas tem piedade das duas: "Eu, apaixonado por ela?", pergunta, ao falar de Nastássia; "Como é que eu podia casar-me com ela se a encaro como filha e não de outro modo?"; "Talvez ela, por gratidão, não me repudiasse; mas depois não deixaria de olhar-me com desprezo por ter-me querido aproveitar da sua gratidão; só a faria infeliz e perderia a sua amizade".

Falando de Tatiana, diz: "É uma mulher que sofreu muito, sabes? É uma infeliz". E o sobrinho preveniu-o: "Meu tio, olhe que ela está doida!". Resposta: "Que se há de fazer, meu amigo?! Com certeza que eu preferia uma com o juízo todo!".

E temos também as alusões aos fatos que permitiram aos biógrafos as suspeitas de que Maria Dimítrievna se tivesse relacionado intimamente com um jovem professor de seu filho, um certo Viergúnov, antes de casar com Dostoiévski, mas já depois de tê-lo conhecido: há na trama episódica do romance uma questão de encontros secretos, de ligações lícitas, de mexericos. Obnóskin, o janota com pretensões a intelectual e que corteja Tatiana Ivânovna, aproveitando-se do seu desvairamento para apanhar-lhe a fortuna, deve corresponder ao jovem professor que cortejava a viúva, não evidentemente para lhe ganhar a fortuna, pois ela era pobre, mas para dela conseguir certos favores.

Uma figura nos surge nesta obra que consideramos uma criação de grande beleza astística: é a do pequeno criado bailarino, Falálei, um formoso adolescente, mas meio imbecil, embora dotado de grande intuição artística, intérprete admirável do bailado folclórico nacional russo. Falálei deve ser um símbolo da alma do povo russo, um síntese de vários tipos de camponeses que Dostoiévski conheceu no presídio da Sibéria.

Além da autobiografia, muitas das características do pensamento dostoievskiano se encontram presentes e desenvolvidas neste romance: a crítica ao cabotinismo dos pseudo-intelectuais da literatura, ao "veneno da vaidade literária", expressa um tom sarcástico, de uma ironia incisiva; a crítica contra os estrangeirados, representada pelos motejos contra a pretensão de Fomá, de querer ensinar os criados a falar francês, e contra os literatos que usam pseudônimos formados de nomes estrangeiros; a criação de um tipo ideal de homem russo, dotado de irascibilidade, de rudeza nos modos e nas expressões, mas de uma delicadeza, de uma generosidade e pureza fundamentais, representado caricaturalmente na figura do Senhor Baktchéiev; crítica ao cientificismo, à incredulidade e às teorias que apregoam o amor da humanidade, mas não advogam o amor do próximo concreto e real; o apelo constante às virtudes, àquilo que de bom resta ainda no coração dos homens, para que todos possamos enfim, "ser felizes". O leitor há de reparar como esta ou qualquer outra expressão semelhante aparece repetidamente em todas as obras que vai ler: "e poderíamos ser todos felizes". Há também alusões irônicas contra os jesuítas. Igualmente surge a narrativa de sonhos, cenas de violência extrema, como muitas que hão de aparecer mais tarde na obra da maturidade; e verifica-se, como sempre, a inserção da anedota e a utilização do mexerico e do boato, como elementos na urdidura da ficção. Tal como na maioria das obras da mocidade, como dissemos já, a narrativa é na primeira pessoa, sendo o narrador uma das personagens influentes.

RESUMO ANALÍTICO

Podem-se agora resumir as conclusões a que chegamos nesta análise das novelas da juventude de Dostoiévski, nos seguintes tópicos:

I / CARACTERIZAÇÃO GERAL

Esta obra é de transposição autobiográfica e prefiguradora dos grandes temas e de certos caracteres de protagonistas ou de personagens secundárias, desenvolvidos em toda a sua plenitude na obra da maturidade.

II / MOTIVOS

A autobiografia explicita-se em função de certos motivos:

— recordações da infância e da adolescência no colégio, no meio da hostilidade ou incompreensão dos colegas, e evocações saudosistas de contatos com a vida campestre e a natureza física;

— psicologia da adolescência; despertar da vocação literária; sonhos projetos literários da primeira mocidade; estreia literária, êxito de *Pobre gente*, entrada nos cenáculos; convívio com o crítico Bielínski, com o poeta Niekrássov e outros literatos e figuras dos meios intelectuais petersburgueses; emulação e admiração de Turguéniev; insucessos posteriores nos salões, críticas desfavoráveis às obras subsequentes a *Pobre gente*;

— sua vida de estudante pobre em quartos alugados; aflitivas preocupações de dinheiro; aborrecimento pela burocracia e serviços rotineiros;

— seu caráter tímido e reservado, orgulhoso, desconfiado e sonhador, desde *a infância; falta de convívio social* — timidez perante as mulheres — desgosto pela própria aparência física — amor platônico por Avdótia Panáieva;

— complexo de Édipo: sua conscientização progressiva.

III / Ideias filosóficas

As suas ideias filosóficas estruturam-se em função de certos temas:
— valor ético da confissão;
— resgate do pecado pela humildade e pelo sofrimento;
— apologia da fraternidade universal;
— crença no destino;
— compaixão pelo lado ridículo da humanidade;
— crítica ao cientificismo e à incredulidade;
— crítica social implícita ou não diretamente acusatória contra a injustiça social;
— paixão do ciúme;
— admiração por Gógol e Púchkin;
— crítica à introdução dos costumes e da cultura ocidental;
— crítica aos franceses e aos alemães;
— ironia contra os médicos;
— crítica à literatura empolada e afastada da vida real; crítica ao cabotinismo literário.

IV / Tipos humanos

Os tipos criados e esboçados nesta obra da juventude são:

Femininos:
— a adolescente de caráter mórbido, arredio e orgulhoso, amorosa e sensual, impetuosa e dedicada (*Niétotchka Niezvânova*);
— a heroína doce e suave, falho de realidade e de calor humano, demasiado idealista (Nástienhka de *A granja...*);
— um outro tipo de heroína, também demasiado idealizada, mas de temperamento ardente e impetuoso (Nástienhka de *Noites brancas*);
— a moça nova e humilde, perseguida pela concupiscência dos homens, sobretudo dos velhos (Várienhka, de *Pobre gente*);
— a histérica solteira (Tatiana Ivânovna, de *A granja...*);
— a velha ama (criada dedicada);
— a dona da pensão ordinária;
— a proxeneta.

Masculinos:
— o "sonhador": estudante pobre, jovem literato ou estudioso;
— funcionário burocrático amanuense;
— "Sua Excelência", o chefe burocrata;
— o "mártir ridículo", ou "bobo voluntário";
— o "bom ébrio";
— o "bom russo";
— o cabotino da literatura;
— o almofadinha presunçoso;

— o criado velhaco, cretino e pretensioso;
— o cínico inteligente, que vive de expedientes;
— vários "humilhados e ofendidos".

V / CENÁRIOS

Os ambientes em que vivem estas personagens atacadas de tuberculose, de embriaguez, de loucura, de desdobramento de consciência e até de epilepsia situam-se na *cidade de Petersburgo*:

pensões baratas, quartos miseráveis, ruas e vielas; frequentam também tabernas, e a vida campestre surge somente em evocação.

VI / RECURSOS TÉCNICOS

A sua técnica romanesca adota os seguintes meios ou recursos:

— os romances são quase todos escritos na primeira pessoa: na *forma epistolar* (*Pobre gente*); sob a forma de *memórias*, por exemplo, *Niétotchka Niezvânova*; outros são narrativas também na primeira pessoa, em que o próprio narrador intervém ou é mesmo o protagonista;

— longas páginas de introspecção analítica; longos períodos; poucos diálogos (só na obra da maturidade é que o *diálogo dostoievskiano* assumirá a sua importantíssima função); longas evocações; intromissão de histórias ou biografias de outras personagens;

— utilização do maravilhoso em *A dona da casa*; inserção de *anedotas* e da *ironia*;

— utilização do *mexerico*, do *boato*, do *acaso*, do *encontro fortuito*; dos presságios, sonhos, pesadelos, delírios febris, pressentimentos, profecias, pavores místicos, estados de loucura e de embriaguez; esboços de confissões; surgem já algumas "cenas paroxísticas", isto é, cenas de efeito espetacular, sobretudo n'*A granja de Stiepántchikovo*...;

— preferência pelos cenários noturnos e tempestuosos;

— referências à influência do clima, da temperatura, da estação do ano e do ambiente físico;

— influência e imitação de outros escritores russos e estrangeiros;

— transposição simples ou complexa.

POBRE GENTE

Pobre gente
(1844-46)

> Não senhor, não quero nada com esses fazedores de histórias! Em vez de escreve-rem algo de útil, agradável e consolador, comprazem-se em rebuscar as mais pequenas coisas deste mundo para divulgá-las depois por aí. Eu os proibia muito simplesmente de pegarem na pena. Senão, veja: acontece que alguém os lê... Logo sem querer se põe a pensar naquilo que leu, o resultado é ficar com a cabeça cheia de disparates. É como lhes digo: eu, muito simplesmente, os proibia de escrever, de maneira terminante e categórica! Absolu-tamente proibido!
>
> Príncipe V. F. Odoiévski

8 de abril.

Minha cara Varvara Alieksiéievna:

Ontem senti-me muito feliz, extraordinariamente feliz, como não será possível ser mais! Até que enfim, ao menos uma vez na vida, a menina, sempre tão renitente, acabou por fazer caso de mim! Quando acordei, já escuro, aí pelas oito horas, (sabe já, minha amiga, que acabado o trabalho na repartição, quando venho para casa gosto de fazer uma sestazinha de uma ou duas horas), acendi a luz; tinha já disposto os meus papéis e só me faltava afiar a pena, quando de repente me lembrei de erguer os olhos e foi neste momento que... só de lhe dizer, o coração começa aos saltos! Com certeza que adivinhou já o que teria acontecido! É que uma pontinha da cortina da sua janela estava levantada e agarrada ao vaso de bal-samina, tal como eu anteriormente lhe tinha recomendado! E foi por isso que se afigurou contemplar o seu adorado rosto entrevisto por um momento na janela; e que também a menina me olhava da sua salinha, que também pensava em mim. Que mágoa me deu, meu amorzinho, de não poder distinguir seu rosto perfeita-mente! Já vai longe o tempo em que eu tinha boa vista, minha filha! Os anos não nos trazem nenhuma alegria, meu amor! Às vezes acontece-me ver tudo a bailar diante dos olhos! Se trabalho um pouquinho de noite, se escrevo um bocadito, no dia seguinte, levanto-me com os olhos inflamados e lacrimosos; a tal ponto que tenho depois vergonha de que alguém me veja. Mas, em espírito via muito bem, minha filha, o seu amável e afetuoso sorriso, e no meu coração experimentava uma comoção semelhante àquela que tive quando a beijei pela primeira vez, Vá-rienhka. Ainda se recorda disso, meu anjo? Sabe a minha pombinha que me pare-ce estar a vendo-a, neste momento, a ameaçar-me com o dedinho. Será verdade, minha mazinha? Quando voltar a escrever, há de dizer-me sem falta e com todos os pormenores.

E agora, vejamos: que pensa a menina da nossa ideia? Refiro-me à cortina da sua janela, Várienhka! Magnífica, não é verdade? Sempre que eu sente para escrever, ou me deite, ou me levante, poderei a toda hora saber se estou presente no seu pen-samento, se lembra de mim, e também se está de saúde e satisfeita. Se deixar cair a cortina, isso quererá dizer: "Boa-noite, Makar Alieksiéievitch, já são horas de ir para cama!". Quando voltar a levantá-la, será para dizer: "Bom-dia, Makar Alieksiéievitch! Como passou a noite e como está de saúde, Makar Alieksiéievitch? Eu, graças a Deus, estou ótima e muito contente!".

Já vê, minha amiguinha, como esta ideia é excelente. Por este processo nem precisamos de escrever! Não é verdade que está bem pensado? Pois fui eu o inventor desta ideia tão sutil!

E agora, Varvara Alieksiéievna, poderá ainda dizer que não tenho imaginação?

Devo declarar-lhe também, minha menina, que dormi a noite passada toda de um sono só, otimamente, ao contrário do que esperava, pelo que também estou agora muito contente, sobretudo se levar em conta que, numa casa nova, por falta de hábito, não se consegue pegar no sono. Pelo visto, as coisas nem sempre acontecem segundo as regras: hoje quando me levantei, sentia-me absolutamente tão... tão alegre e despreocupado. Hoje também madruguei...! Abri a janela, o sol entrou por ela a rodos, os pássaros começaram a cantar, o ar encheu-se de aromas primaveris e toda a Natureza ressuscitou; tudo estava como devia, tal como deve estar a primavera. Vou confessar-lhe que me pus a sonhar também um pouquinho, claro que pensando unicamente em você, Várienhka! Comparava-a mentalmente a um anjinho do Céu, criado com toda a perfeição para alegria dos homens e ornamento da Natureza. E pensava também que nós, Várienhka, nós os homens que passamos a vida no meio de angústias e sobressaltos, poderíamos invejar os passarinhos do céu pela sua despreocupada e inocente alegria... e alguma coisa mais também, e tudo assim, segundo me parece. Resta acrescentar que só de longe fazia tais comparações.

Várienhka, tenho aqui um livrinho no qual se fala dessas coisas e onde se descreve tudo com grande pormenor. Digo isto para mostrar que, embora as opiniões sejam diferentes — não é verdade querida Várienhka? — agora na primavera, ocorrem a todos ideias igualmente agradáveis, espirituais, fantásticas e idênticos sonhos de ternura. Todo o mundo nos parece cor-de-rosa. Foi por isso precisamente que escrevi o que fica para trás. Se bem que, na sua maior parte, tivesse tirado tudo do tal livrinho a que me referi. Nele exprime o autor o mesmo desejo que eu, com a diferença só de ser em verso:

Oh! Se eu fora uma ave, uma ave de rapina...

Etc. Logo nos vêm também outros pensamentos diferentes... dedico-os a você, Várienhka! Mas diga-me, Varvara Alieksiéievna, aonde ia esta manhã? Ainda eu não tinha saído para a repartição e já a menina, como um passarinho primaveril, deixava o ninho e, toda folgazã, atravessava o portal... Como fiquei contente por vê-la! Ah, Várienhka, Várienhka! Não se aflija! As lágrimas não afogam as tristezas, acredite-me, sei isso de sobra e por experiência própria. Agora leva uma vida alegre e distraída e está melhor de saúde. Muito bem... E depois de tudo isto, que faz a sua Fiódora? Como é boa, a pobrezinha! Devia dizer-me tudo, com todas as minúcias, Várienhka, como se dá com ela e se está contente com tudo. Fiódora é às vezes um tanto resmungona, mas não faça caso disso, Várienhka. Deus seja com ela! Apesar de tudo é uma alma de Deus.

Já lhe escrevi falando da nossa Teresa. É também uma criatura boa e fiel. Que trabalho me deram nossas cartinhas... Como fazê-las chegar ao destino. Até que Deus quis que aparecesse Teresa, como uma enviada do Céu. É uma boa moça, modesta e de bom feitio. Mas a patroa, nem será preciso dizer, não se mostra muito caridosa em esgotá-la daquela maneira. A pobre criatura não pode com tanto trabalho.

Mas em que estou pensando, Varvara Alieksiéievna! Ainda não lhe disse que, agora, vivo acompanhado! Dantes vivia numa solidão completa, bem sabe, com uma paz e um silêncio tais que podia ouvir uma mosca voando. Enquanto agora... tudo é barulho, algazarra e estrondo à minha volta. Não pode fazer a mais leve ideia do que isto seja. Imagine um corredor interminável, muito escuro e muito sujo. À direita está a parede exterior da casa, sem portas nem janelas; mas à esquerda, estendem-se como num hotel muitas portas uma ao lado da outra. E por detrás de cada porta há o respectivo quarto, com o número correspondente, e em cada um desses quartos vivem juntas duas ou três pessoas que repartem o custo do aluguel entre si. Quanto à disciplina, que ninguém se lembre de falar nisso. Isto é uma arca de Noé! Apesar disso, os inquilinos são boas pessoas, segundo penso, educados, e até cultos, sim senhor. Há aqui, entre outros, um certo empregado... que é um homem muito lido... Será capaz de lhe falar de Homero e de muitos outros escritores, numa palavra, de lhe falar de tudo... Sim senhor, é um homem de talento!

Temos também dois oficiais que passam a vida a jogar as cartas. E, além disso, um oficial que dá lições de inglês. Espere um pouco, que vou contar-lhe alguma coisa para rir. Na minha próxima carta hei de descrever-lhe em estilo satírico toda esta gente, mostrando com todas as minúcias o modo como vivem.

A dona da casa é uma velha pequenina e muito suja, que anda todo o dia de chinelas, metida num roupão, e que está constantemente a insultar a pobre da Teresa. Eu vivo na cozinha, ou, para melhor dizer... já deve calcular: contíguo à cozinha há um quarto (a cozinha é muito limpa, muito clara e ajeitadinha) — um quartinho muito pequeno, um cantinho muito discreto... ou, para melhor dizer, deve ser assim; a cozinha é grande e tem três janelas. Paralelamente ao tabique colocaram-me um biombo, de maneira que assim se faz um quartinho, um número supranumerário, como costuma dizer-se. Tudo muito espaçoso e cômodo, até tenho uma janela, e o mais importante é que, como lhe digo, está tudo muito bem e muito confortável. É este o meu cantinho. Mas não vá imaginar, minha filha, que lhe digo isso com uma segunda intenção, porque ao fim e ao cabo, isto não passa de uma cozinha! Quero dizer, para falar com precisão: eu vivo na própria cozinha, mas separado por um biombo, o que não quer dizer nada. Estou aqui muito satisfeito e a meu gosto, muito modesta e calmamente!

Coloquei neste cantinho a minha cama, uma mesa, uma cômoda, duas cadeiras, nada menos que um par de cadeiras! E até pendurei na parede uma imagem piedosa. Certamente que há casas melhores e até muito melhores, porém o mais importante neste mundo é a comodidade; é somente por isso que eu vivo aqui, porque estou vivendo mais à vontade. Não, não vá pensar que é por alguma outra razão... A sua janelinha fica mesmo em frente do meu quarto, por cima do vestíbulo e, como o vestíbulo é também muito pequeno, posso vê-la perfeitamente ir e vir. Com o que, pobre de mim, sempre me sinto mais acompanhado, e também me fica mais barato este conjunto.

Nesta casa, o quarto mais pequeno, incluindo a alimentação, custa trinta e cinco rublos por mês. Ora, isso não o poderia suportar a minha bolsa! Mas o meu cantinho vem a sair-me apenas por sete rublos, e pela comida pago cinco, ao passo que dantes vinha a custar-me ao todo, em números redondos, trinta rublos, mas para os pagar tinha de renunciar a muitas coisas. Não podia, por exemplo, tomar sempre chá, e agora, em compensação, sobra-me dinheiro para açúcar. É como lhe digo, Várienhka: não faz ideia da vergonha que uma pessoa sofre quando não pode tomar chá. Nesta casa vivem somente pessoas que contam com rendimentos seguros, e isso envergonha-nos um pouco. É para que saiba, Várienhka, só por que um toma chá, para não dar que falar têm os outros que tomá-lo também; pois isso, aqui, é que dá a nota do bom-tom. Se tal não fosse, tanto me fazia, pois não sou homem que dê muita importância aos prazeres.

Devo contar, além disso, que é preciso trazer algum dinheiro no bolso, pois sempre se torna necessário qualquer coisa; suponhamos, por exemplo, um par de botas, um corte de tecido para um terno, contando com tudo isto, no final das contas, o que me resta? É assim que eu gasto todo o ordenado. Entretanto, não me queixo, e, pelo contrário, sinto-me até muito contente. A mim chega o que tenho. Há muitos anos que chega! Também é verdade que uma vez por outra, se ganha uma gratificação...

Bem, meu anjo, por hoje fique com Deus. Comprei um par de penas, dois vasos, um de balsamina e outro de gerânio... baratinhos. Por acaso gosta de reseda? Basta que me diga por carta para que imediatamente tenha aí a reseda. Mas escreva-me sem esquecer nada, sim? Para mais não quero acreditar, minha filha, que isso possa aborrecer você... Nada do que eu faça, nem o fato de ter arranjado um quartinho tão ordinário... Fiz isso somente pela comodidade; nisto, deixei-me guiar unicamente pelo pensamento de o ter achado confortável... No entanto devo confessar-lhe também, minha filha, que tenho amealhado algum dinheiro, e posto de parte uma certa quantia; oh!, sim, tenho já o meu pé-de-meia! Não vá pensar que eu seja tão pacífico e tímido que uma mosca possa derrubar-me com as suas asas! Não, minha filha, não sou assim tão insignificante e possuo precisamente as características dum homem que tem a consciência tranquila, e aquela inteireza que nos empresta o sentimento do decoro próprio.

Mas adeus, meu anjo! Enchi já duas páginas e chegou a hora de ir para a repartição. Beijo os seus dedinhos, Várienhka, e continuo o seu devotadíssimo servidor e fidelíssimo amigo.

Makar Diévuchkin

P.S. — Perdoe, mas peço-lhe mais uma vez que escreva uma carta muito grande, meu anjo. Juntamente, Várienhka, envio-lhe um pacotinho de doces. Saboreie-os com gosto e, pelo amor de Deus, não se preocupe comigo nem me veja com maus olhos. E agora é que é de vez: adeus, minha filha.

8 de abril

Meu estimado Makar Alieksiéievitch:

Sabe o senhor que me vejo obrigada a retirar-lhe a minha amizade? Juro-lhe, meu bom Makar Alieksiéievitch, que a mim me custa muitíssimo aceitar os seus favores. Sei o que lhe custam e a brecha que abrem na sua bolsa, a quantas privações o obrigam e como tem de escamotear o necessário. Quantas vezes não lhe disse já que a mim nada falta, absolutamente nada, e que não está na minha mão corresponder devidamente às atenções com que o senhor me cumula? Quanto à balsamina, ainda vá; mas a que propósito veio também o gerânio? Será o caso de bastar que eu pronuncie uma frase qualquer, como por exemplo, "gosto de gerânios", para o meu amigo ir logo em seguida comprar-me um vaso de flores? Para o senhor nada é caro? Que maravilhosas são as flores! Que vermelho brilhante, e como são tantas! Mas diga-me, homem de Deus, onde conseguiu encontrar um exemplar tão bonito? Pus o vaso na esquina da janela, no local mais fácil de ver. Vou pôr também outras flores no banquinho que está junto da janela. E agora deixe-me gabar também as minhas coisas! Fiódora não se cansa de gabar o nosso quartinho, que está um verdadeiro paraíso, limpo, claro e acolhedor. Mas... a que propósito vieram também os doces? Além disso, deduzi logo da sua carta que havia por detrás das suas palavras alguma coisa que não caminha muito bem; a primavera, os perfumes, o cantarolar dos passarinhos... não! Pensei: querem ver que vai dedicar-me uma poesia? Porque, para dizer a verdade, Makar Alieksiéievitch, só versos faltavam à sua carta. Os sentimentos que nela exprime são muito ternos e as ideias coloridas de tons róseos... tudo como deve ser. Com isso da cortina é que eu não tive nada que ver. Essa pontinha de que falava devia ter ficado presa num ramo quando mudei os vasos, eis o que foi!

Ah, Makar Alieksiéievitch, a que vem isso de dar-me conta das suas economias e dos seus gastos, a tranquilizar-me, a fazer-me acreditar que tudo quanto gasta o gasta porque quer?

No que me diz respeito, não pode o senhor enganar-me. Sei perfeitamente que se priva de coisas necessárias por minha causa. Quer dizer-me com toda a franqueza por que motivo se lembrou de alugar esse quarto? Aí aborrecem-no e distraem-no; o quarto é, evidentemente, demasiado pequeno, incômodo e feio. O senhor gosta do silêncio e da solidão, porém... aí nessa casa que vida não vai passar? E com respeito ao seu ordenado, o senhor podia procurar uma casa muito melhor. Fiódora disse-me que dantes vivia melhor do que agora. Realmente, terá o senhor passado toda a sua vida assim, sempre sozinho, sempre com privações, sem gozar de nada, sem ouvir uma palavra de amizade, sempre num desvão alugado, entre gente estranha? Ah, meu amigo, se soubesse a compaixão que me causa! Ao menos cuide da sua saúde, Makar Alieksiéievitch. Diz que não anda muito bem dos olhos... então não escreva com luz artificial! Para que é que o senhor escreve? Não tem necessidade disso, os seus superiores devem já conhecer muito bem o zelo que tem pelo serviço...

Torno a pedir-lhe peço que não gaste tanto dinheiro comigo. Já sei que gosta de mim, mas o senhor não é rico!

Hoje, quando me levantei, estava tão bem disposta como o senhor. Se visse como estava contente! Fiódora tinha-se posto já a trabalhar e eu me preparava também para a minha faina. O que me encheu de alegria. Saí de casa só para comprar seda e a seguir pus-me logo a trabalhar. E toda a manhã e toda a tarde, estive sempre tão contente! Mas agora... voltam outra vez a atormentar-me ideias tristes, indefinidas. Meu Deus, o que vai ser de mim, qual será a minha sorte? O pior é uma pessoa não saber nada, absolutamente nada, do que lhe reserva o destino, não poder dispor do futuro e nem de longe poder adivinhar o que está para acontecer! Esta ideia faz-me sofrer tanto, dá-me tamanho desgosto, que só de pensar nela o coração me salta. Toda a minha vida hei de ter lágrimas nos olhos por causa das pessoas que fizeram a minha desdita. Que criaturas tão horrorosas!

Já se vai tornando escuro. É hora de retornar à tarefa. De bom grado lhe escreveria mais, mas por agora não pode ser; o trabalho deve estar pronto na data marcada. Por isso tenho de me desembaraçar.

Claro que gosto sempre de receber as suas cartas; sem elas ficaria tão aborrecida! Mas por que não vem visitar-me pessoalmente? Há de dizer-me por que, Makar Alieksiéievitch... Vivemos tão perto e o senhor deve ter tanto tempo livre! Assim que... não, tem de fazer-nos uma visita.

Vi hoje a sua Teresa. Parece de saúde delicada. Tive tanta pena dela que lhe dei vinte copeques.

Sim, é verdade, quase me tinha esquecido; escreva-me tudo, com toda a minúcia possível... que gênero de vida leva, o que se passa à sua volta... tudo! Que espécie de gente é essa que aí vive e se se dá bem com eles.

Quero saber tudo. Não se esqueça o senhor também, quero todos os pormenores. Hoje não deixarei prender-se involuntariamente a ponta da cortina. Vá deitar-se mais cedo. Vi luz no seu quarto perto da meia-noite. E agora, fique com Deus!

Hoje tudo voltou de novo: desgosto, sobressalto e aborrecimento. Que dia! Mas, enfim, fique com Deus!

Sua,

Varvara Dobrossiélov

8 de abril

Minha muito estimada Varvara Alieksiéievna:

Sim, minha filha, sim, meu amor, deve ter sido um daqueles dias que a miúdo nos depara o destino. Varvara Alieksiéievna, com certeza que a menina se divertiu à minha custa, um pobre velho! Se bem que afinal sou eu o culpado, eu e mais ninguém! Quem me manda a mim, na minha idade, com o cabelo que me resta na cabeça, meter-me em aventuras? E, no entanto, é preciso que me confesse, minha filha: o homem é às vezes uma coisa estranha, muito estranha até. Oh, meu Deus! O que não diz uma pessoa, às vezes! Mas depois as consequências, os resultados finais? Sim, apesar do que possa acontecer, às vezes diz uns tais desatinos que Deus nos livre e nos defenda! Sim, minha filha, eu não me aborreço absolutamente nada. No entanto, é-me sem dúvida muito desagradável ficar agora pensando em todas essas coisas de que com tanta despreocupação e tão levianamente lhe falei...

Até para o emprego fui hoje cheio de altivez e presunção; fulgiam tais luzes nos meus olhos, havia tal festa na minha alma e, tudo isto, sem a menor razão... Sentia-me tão feliz! Ansioso por gastar energias, atirei-me ao trabalho sobre a papelada. E em que acabou afinal tudo isso? Aconteceu que ao relancear a vista à minha volta, tornei a encontrar tudo como dantes... cinzento e insípido. Por todo lado as mesmas manchas de tinta, as mesmas mesas e os mesmos papéis, e inclusive eu próprio tinha permanecido como era antes, exatamente igual... Que motivo teria havido, portanto, para cavalgar o Pégaso?[1] Donde procedia tudo isso? Simplesmente porque o sol tinha sorrido por entre as nuvens e o céu se tingira de uma cor mais clara. Era a isso que tudo se devia, somente a isso? E que têm a ver as fragrâncias primaveris, quando uma pessoa tem à sua frente um pátio no qual se podem ver todas as imundícies do mundo? Verdadeiramente, todas essas coisas, fui eu que me pus a imaginá-las, tolamente. Mas acontece às vezes que o homem se perde nos seus próprios sentimentos, esquadrinha o horizonte e profere disparates. Isto é apenas o efeito de um calor estúpido, e no que toma sua parte o coração.

Quando regressei a casa, doía-me a cabeça. Isso, às vezes, acontece. E talvez tenha apanhado frio nas costas. Tal qual um burro velho, estava todo contente com a chegada da primavera e saí para a rua com uma capa demasiadamente leve. Até isso! Entretanto, no que toca aos meus sentimentos, engana-se, meu amor. Tomou as minhas palavras num sentido completamente diferente. Trata-se unicamente de uma inclinação paternal, Várienhka, pois eu ocupo na triste orfandade em que se encontra o lugar dum pai. Digo-lhe com toda a alma e de coração puro. Mas, seja como for, em última análise, sou um pouco seu parente, ainda que muito afastado, talvez como diz o ditado: "a última palavra do credo"; porém, de qualquer forma, um parente seu e, já agora posso acrescentar, também o seu melhor parente e o seu único protetor. Pois nos parentes, onde seria natural que a menina encontrasse ajuda e proteção, somente tem encontrado traição e indiferença.

No que toca aos versos, devo dizer-lhe, minha filha, que não me fica bem, na minha idade, pôr-me a compor rimas. As poesias são disparates! Hoje castigam os garotos nas escolas quando os apanham a fazer versos. Por aí já pode ver, minha querida, o que é a poesia!

A que propósito Varvara Alieksiéievna, vem isso de que me fala na sua carta, de comodidade, sossego e não sei que mais? Eu não sou exigente, minha filha, e nunca vivi melhor do que hoje vivo. Por que haveria agora de pôr-me a perder? Não me falta de comer, estou bem quanto a roupa e calçado... Que mais posso eu desejar? Não nos fica bem metermo-nos sabe Deus em que aventuras! Não sou nenhum fidalgo! O meu pai não era nenhum aristocrata e mantinha toda a sua família com um ordenado tão modesto como o meu. Não estou mal-acostumado. No entanto, se é meu dever dizer-lhe a verdade completa, então digo-lhe que estava muito melhor no meu anterior alojamento. Desfrutava ali de mais liberdade e independência, isso é certo, minha filha. Entretanto, a minha morada atual também é boa e, em determinado sentido, tem as suas vantagens. Leva-se aqui uma vida mais alegre, e, num

---

1   Segundo a mitologia grega, *Pégaso* foi o cavalo alado nascido do sangue de Medusa, quando Perseu decepou a cabeça desta Górgona. Com uma patada, Pégaso fez brotar do Hélicon a fonte de Hipocrene, onde os poetas iam beber a inspiração, conduzidos por ele mesmo. Daí a expressão.

certo ponto de vista, há mais variação e distração. Não nego que não seja assim. Acontece somente que tenho pena de minha antiga morada. Nós, os velhos, somos assim... quero dizer, os que vão começando já a tornar-se velhos. Olhamos as coisas antigas, a que estamos acostumados, quase como se fossem da família.

Aquele quarto, a menina já sabe, era pequeno mas bonito. Tinha um cantinho só para mim. As paredes eram... mas, ai! Para que falar nisso? As paredes eram como todas as paredes do mundo... Não se trata das paredes, mas das recordações que em mim despertam e que me põem triste. A verdade é que essas recordações me afligem. Não obstante, por outro lado, é como se me alegrassem, como se pensasse até com prazer nas coisas do passado. Até as coisas desagradáveis, aquilo de que eu às vezes me queixava, até isso mesmo aparece agora nas minhas recordações como purificado de todo mal e vejo-o somente em espírito, como algo de familiar e de bom.

Tanto a dona de casa, a boa velhota, como eu, levávamos ali uma vida muito tranquila. Sim, Várienhka, até na pobre velha eu penso e, agora, com tristeza. Era uma excelente mulher e não me cobrava caro pelo quartinho. Estava sempre a fazer colchas de retalhos velhos que cortava em tiras estreitas, e empregava nesse trabalho umas agulhas enormes. Esta era a sua única ocupação. A luz era utilizada pelos dois em comum, porque trabalhávamos ambos, à noite na mesma mesa. Com ela vivia uma sobrinha, Macha, e lembro-me de como, então, era ainda pequenina... Agora deve ter os seus trezes anos e ser já uma mulherzinha. Era tão desengraçada e tão preguiçosa que até nos fazia rir. De maneira que formávamos um trio e, nos compridos serões de inverno, sentávamo-nos os três em torno da mesa redonda, tomávamos o nosso chá e a seguir voltávamos a pegar no trabalho. Muitas vezes a velha punha-se a contar histórias para que Macha não se aborrecesse e também para instruí-la um pouco. E que histórias nos contava a velhota! Não só podia ouvi-las uma criança mas até um homem adulto e ajuizado. E de que maneira as contava! Eu próprio, muitas vezes, puxava uma fumaça do meu cachimbo e detinha-me a escutá-la com a maior atenção, esquecendo-me por completo do meu trabalho. A garotinha, a nossa miúda, ficava muito pensativa, apoiava o queixo cor-de-rosa sobre a mão, abria a boquinha e quedava-se ouvindo a velha com olhos muitos abertos; e quando a história era de medo, então, ia-se aproximando pouco a pouco da velha, muito devagarinho, até lhe pegar as saias, toda assustada.

Para nós dois era uma satisfação contemplar a pequenina, de maneira que, com umas coisas e com outras, estávamos até horas mortas sentados à mesa sem darmos conta de que o tempo passava, e esquecidos por completo de que lá fora estava nevando.

Sim, era uma ótima vida, Várienhka! E dizer que a vivemos em comum quase durante vinte anos! Mas para que falar disso! A você talvez não lhe agradem estas histórias, e a mim também me custam estas recordações... sobretudo e esta hora do pôr do sol.

Teresa está fazendo um barulhão com a louça e, além disso, dói-me um pouco a cabeça e as costas; e vêm-me uns pensamentos tão estranhos que parece que fazem doer também; estou terrivelmente triste, Várienhka!

E você a me falar de visitas, minha filha! Como posso eu ir a sua casa? Que diriam os outros se eu fizesse isso, minha querida? Tinha de atravessar o átrio e não haviam de deixar de me ver e de bisbilhotar... Logo ia virar um burburinho e as comadres não deixariam de urdir histórias, deturpando completamente todas as coisas! Não, meu anjo; será melhor que a veja amanhã, à hora da missa da tarde; será mais discreto e mais inofensivo para ambos.

Não conserve aborrecimento contra mim por lhe ter escrito uma carta como esta. Ao revê-la agora, vejo bem as incoerências do seu texto. Sou um velho sem ilustração, Várienhka; em novo não cheguei a aprender nada e, com a idade que tenho, seria uma loucura empenhar-me em recomeçar a estudar.

Devo desde já confessar-lhe, minha filha, que não redijo lá muito bem e, sem necessidade de opiniões alheias nem de observações trocistas, sei muito bem que, quando me meto a espirituoso não faço senão soltar despropósitos... Vi-a hoje à janela, vi-a quando deixava cair a cortina. E finalmente, adeus, Varvara Alieksiéievna.

Seu amigo, de uma amizade sem qualquer interesse.

Makar Diévuchkin

P.S. — Meu amor: não voltarei a fazer troça de ninguém. Sou já muito velho para permitir-me gracejos com o único fim de passar o tempo. Se assim fizesse, daria motivo para que os outros se rissem de mim, pois poderiam aplicar-me o ditado que diz: "Quem para outro cava um buraco, nele cai!".

9 de abril.

Makar Alieksiéievitch:

O senhor não se envergonha, meu amigo e protetor, de dar guarida no seu cérebro a semelhantes ideias? De verdade que se considera ofendido? Ai, costumo ser tão irrefletida nas minhas apreciações! Porém, repare que desta vez nem sequer pensei que o senhor pudesse tomar como chacota o tom de graça inofensiva com que eu me exprimia. Fique com a certeza de que jamais me passaria pela cabeça gracejar com uma pessoa da sua idade e do seu caráter. Tudo isso o escrevi eu, como dizer?... levada apenas pela minha boa disposição, pelo meu aturdimento, ou para dizer melhor, devido ao tédio que me rodeava, um tédio horroroso... Que não somos nós capazes de fazer, às vezes para sacudir o aborrecimento? Além disso, acreditei até que o senhor, na sua carta, se expressava também com um certo bom humor... Mas agora custa-me muito pensar que está aborrecido comigo. Não, meu leal amigo e protetor; engana-se muito se me supõe ingrata e insensível. Reconheço tudo quanto fez por mim, como me defendeu do ódio e da perseguição de homens execráveis, e sei apreciá-lo no seu verdadeiro valor. Hei de pedir eternamente a Deus pelo senhor, e se até Ele chegam as minhas preces e se Se digna escutá-las, o senhor há de ser absolutamente feliz.

Sinto-me hoje muito mal. Arrepios e febre, alternadamente, não me têm deixado em paz um instante. Fiódora está muito assustada... Além disso, não tem fun-

damento nenhum o que me escreveu a propósito da sua visita e dos seus temores...
Que importa essa gente? O senhor é nosso amigo, é quanto basta.

Fique com Deus, Makar Alieksiéievitch. Não tenho mais para dizer-lhe nem tão pouco poderia; sinto-me verdadeiramente muito mal. Uma vez mais lhe peço: não se aborreça comigo e tenha a certeza do meu respeito e afeto inalteráveis.

Sua devota e agradecida,

VARVARA DOBROSSIÉLOV

12 de abril.

Minha estimada Varvara Dobrossiélov:

Ai, meu amor! O que se passa? Assusta-me, minha filha! Em todas as minhas cartas recomendo-lhe sempre muito bem que não saia à rua quando fizer mau tempo, que tenha sempre muito cuidado... mas a menina, meu anjo, não faz caso das minhas recomendações! Ai, minha querida, é ainda uma criança, verdadeiramente! E tão delicada como uma palhinha, bem o sei. Basta que sopre um ligeiro vento para que logo se torne doente. Por isso deve cuidar mais da sua pessoa, procurar não se expor a perigos, ainda que seja só para não dar motivos de inquietação, de dor e de sobressalto àqueles que lhe querem.

Na sua penúltima carta exprimia a minha filha o desejo de conhecer um pouco mais em pormenor o meu gênero de vida e tudo quanto me rodeia e me diz respeito. Com muito gosto vou satisfazer esse desejo. Começarei pois... pelo princípio, minha filha, para haver assim mais ordem no relato.

Assim, pois, em primeiro lugar, digo-lhe que as escadas da nossa casa são muito aceitáveis; a escada principal está bem conservada, mesmo em muito bom estado, pode-se dizer: limpa, clara, larga, toda de ferro fundido e corrimão de madeira reluzente como acaju. Em compensação, a escada de serviço é de tal espécie, a coitada, que preferia nem falar dela: úmida, suja, com os degraus já gastos e as paredes tão pegajosas que, se nelas nos apoiamos, as mãos ficam lá coladas. Em cada patamar desta escada veem-se cofres, cadeiras e armários velhos, todos estragados e aos montes, roupa a secar, e os vidros das janelas quebrados; e, se nos descuidarmos, tropeçamos com os caixotes do lixo, cheios de todas as imundícies imagináveis, cascas e desperdícios, cascas de ovos e restos de comida; e tudo isto espalha um fedor horrível... numa palavra: quanto a esta escada, estamos mal.

Já descrevi a situação do meu quarto; é realmente cômodo, é verdade — não se pode dizer outra coisa — mas também nele se respira um ar um pouco úmido; quero dizer: não pretendo dar a entender que cheira mal nos quartos, mas que... enfim, que exalam um certo cheiro putrefato, se posso falar assim, um cheiro penetrante e enjoativo a mofo ou a qualquer coisa parecida. A primeira impressão, pelo menos, não é agradável; mas isto não quer dizer nada, porque, depois de estarmos cá dentro, já não se nota o referido odor e, por fim, cada um começa também a cheirar ao mesmo; cheiram-lhe as roupas, as mãos, cheira tudo à mesma coisa, de maneira que uma pessoa acaba sossegadamente por se habituar.

É talvez por isso que não se dão aqui os canários. O marujo comprou já cinco, mas está visto que não podem viver neste ambiente e nada podemos fazer para o remediar.

A cozinha é grande, espaçosa e clara. Pela manhã fica um tanto enfumarada quando assam carne ou peixe, e então cheira a fumo e a gordura; depois, sempre se entorna qualquer coisa, e por isso também o chão, de manhã, está um tanto úmido. Porém, à tarde, está-se na cozinha como no paraíso. Também costumam estender lá roupa a secar numas cordas e, como o meu quartinho não está longe, pois fica quase pegado, acontece incomodar-me às vezes um pouco esse cheirinho de barrela. Mas isto não tem importância; logo que esteja aqui há mais tempo, hei de ficar habituado.

A vida, aqui, começa logo que amanhece; a essa hora já todos estão despertando, fazendo barulho, dando pancadas, até que pouco a pouco, todos acabam por se levantar; uns para irem para o trabalho ou para outro local, outros por gosto, e é então que começam as libações de chá. Os samovares são quase todos propriedade da senhoria, mas são poucos, e por isso temos de nos conformar e aguardar a nossa vez; aquele que saia da fila antes do tempo é energicamente admoestado. Isso já me aconteceu uma vez, no primeiro dia em que estive nesta casa, mas, sobre isso, muito haveria que contar! Foi nessa ocasião que me tornei amigo de todos. O primeiro com quem travei amizade foi com o marinheiro, que é homem de coração franco e me contou toda a sua história. Disse-me que ainda tem pais e uma irmãzinha casada em Tula com um adjunto, e que viveu durante muito tempo em Kronstadt.[2] Também se ofereceu com muito boa vontade para tudo o que eu pudesse precisar dele e logo me convidou para o chá da tarde.

Fui procurá-lo a essa hora e encontrei-o no compartimento que aqui faz as vezes de casa de jogo. Ofereceu-me chá e instou comigo para que tomasse também parte nos seus jogos. Seria o caso de que desejariam unicamente rir de mim ou teriam em mente qualquer outra coisa? O certo é que estiveram a jogar toda a noite e quando eu entrei estavam já agarrados às cartas. Por todos os lados se viam pedaços de gesso, cartas, e havia no quarto uma tal fumarada que, para dizer a verdade, até os olhos da gente ficavam ardendo. É claro que eu não queria jogar e quando o declarei, começaram a dizer que logo se via que eu era um filósofo. E, com isto, mais ninguém voltou a prestar-me atenção, nem a trocar comigo uma só palavra durante aquele tempo. No entanto, justiça seja feita, sentia-me ali muito bem. Agora já não paro nunca por lá, pois essa gente não faz outra coisa senão jogar, unicamente jogar. Mas às vezes, à noite, costumo juntar-me com o empregado que, diga-se de passagem, é também um pouco literato. E no seu quarto é tudo muito diferente, pois reinam ali a modéstia, a inocência e o decoro... Uma vida austera, a do nosso homem.

Mas, Várienhka, queria confiar-lhe uma coisa, entre parênteses: é que a nossa senhoria é uma velhorra muito má, uma verdadeira bruxa. Conhece a Teresa; pois, pelo que se passa com a pobre moça já pode fazer uma ideia; está fraca como uma tísica, como uma galinha depenada. Além disso, a senhoria tem unicamente dois servidores: a sobredita Teresa e Faldôni. Para dizer a verdade não sei com certeza como se chama este último, pode ser que tenha outro nome. Seja como for, o caso

---

2   Porto militar e comercial da Rússia, situado ao fundo do golfo da Finlândia, em frente da embocadura do rio Nievá e a cerca de 30 km de São Petersburgo.

é que vem quando o chamam assim, e por isso todos lhe chamam Faldôni. É ruivo e parece um rústico de olhos vesgos, com uma narigueta enorme; passa a vida a insultar a Teresa e pouco lhe falta para que a espanque. Devo declarar desde já que a vida, aqui, não pode classificar-se precisamente de boa... Por exemplo, isso de todos recolherem-se e deitarem-se à mesma hora... é a coisa que nem por sombras se passa nesta casa. Há sempre alguém acordado ou que esteja a jogar, seja a que horas for, e às vezes acontecem também coisas que, só de imaginá-las, uma pessoa se envergonha. Eu estou aclimatado e pouco me assusto; no entanto espanto-me de que, até mesmo casais autenticamente casados, possam viver nesta sucursal de Sodoma.

Temos aqui, numa das dependências que não pertence à série dos quartos numerados, no outro lado, num quartinho de esquina, quer dizer, lá mais para diante, uma pobre família que faz pena. Que gente tão calada! Ninguém os ouve. E vivem todos juntos no mesmo quarto, sem separação que não seja um pequeno biombo. O pai, segundo parece, é um desempregado que haverá uns sete anos perdeu o emprego, não se sabe por que. Chama-se Gorchkov. É um homúnculo baixinho e encanecido, que anda vestido com roupas velhas e puídas a tal ponto, que faz horror olhá-lo... Anda muito mais malvestido do que eu! É uma criatura envergonhada, enfermiça; costumo encontrá-lo no corredor. Tem os joelhos e a cabeça sempre a tremer, devido a uma doença, ou, quem sabe, a outra razão. É extremamente tímido, foge de todos, encolhe-se a um canto todo assustado e cose-se com as paredes quando se encontra com alguém. Eu também sou um pouco tímido, mas não posso comparar-me com ele. A sua família compõe-se da mulher e de três filhos. O mais velho é exatamente a cara do pai e tem também um aspecto doentio. A mulher não devia ter sido feia, mas agora, só vendo... E anda tão malvestida, com roupas de segunda mão, já tão velhas! Segundo tenho ouvido dizer estão devendo à dona da casa; esta, pelo menos, não os trata lá muito bem. Murmura-se também que Gorchkov deve ter cometido alguma feia ação para ter sido despedido do emprego... O que se ignora é se, de permeio não existirá qualquer processo judicial ou qualquer coisa desse gênero, talvez uma denúncia ou uma demanda. Do que não pode duvidar-se é que se encontram na miséria e na miséria mais horrorosa! Jamais se ouve um ruído no seu quarto, como se ali ninguém vivesse. Nem sequer se ouvem as crianças. Nunca se dá o caso de que brinquem ou façam algazarra, e não há pior sinal do que esse. Uma tarde tive de passar diante daquela porta — na casa reinava nesse instante um desacostumado silêncio — e então pude distinguir um soluço abafado, seguido de um murmúrio brando, e logo depois mais soluços, tal como se ali dentro estivesse alguém chorando, mas tão baixinho, com tal tristeza e abandono que me partia o coração... Estive até de madrugada sem poder afastar essas pobres criaturas do meu pensamento e foi-me muito difícil conseguir adormecer...

Fique com Deus, Várienhka, minha amiguinha. Já lhe disse tudo, segundo me parece. Hoje passei o dia inteiro pensando em você. Meu coração ficava apertado por sua causa, pois bem sei que a menina não tem cuidado. Conheço bem esta primavera petersburguesa, estas ventanias primaveris e estas chuvas que às vezes se complicam em nevascas... de morrer, Várienhka. E, valha-nos Deus, sempre há umas tais mudanças de temperatura! Minha amiguinha, não leve a mal o que acabo de lhe dizer; já sabe que eu não sou para retóricas, Várienhka; não entendo nada dessas sutilezas. Se ao menos soubesse escrever um pouquinho melhor! Escrevo ao correr da pena, digo aquilo que me vem à ideia, com a intenção de lhe proporcionar alguma distração, com o fim único de dar-lhe um pouco de alegria. Se eu fosse um homem de letras, era uma coisa muito diferente; mas assim... que sei eu? Os meus pais não gastaram muito dinheiro em educar-me...

Seu eterno e fiel amigo,

MAKAR DIÉVUCHKIN

25 de abril.

Meu muito estimado Makar Alieksiéievitch:

Hoje encontrei a minha prima Sacha. Que encontro tão desagradável! Esta pobrezinha está indo também por água abaixo! E fui informada, casualmente e de modo indireto, de que Anna Fiódorovna pergunta por mim em toda parte, e que naturalmente deseja saber de tudo. Nunca se cansa de perseguir-me. Parece que disse que me perdoava tudo, que estava pronta a esquecer o passado e que deseja fazer-me uma visita! Referindo-se ao senhor, anda por aí dizendo que nem de longe é meu parente, que a minha parenta mais próxima e única é ela, e que o senhor não tem qualquer direito de intrometer-se nos nossos assuntos. Que é uma vergonha para mim deixar-me sustentar pelo senhor e viver à sua custa... Diz que eu já não me lembro quanto pão de caridade ela nos deu; à minha mãe e a mim, para evitar que morrêssemos de fome; que nos manteve e cuidou de nós quase por espaço de dois anos e meio, e que só lhe demos dissabores, e que além de tudo isso nos pagou também uma dívida antiga. Arre, que nem a pobre mamãe deixa em paz na sepultura! Se a mamãe pudesse ver o mal que ela me fez! Mas de Deus ninguém consegue esconder nada...

Anna Fiódorovna disse também que somente por pura estupidez é que eu não soube alcançar uma felicidade que ela pôs ao alcance da minha mão, e que não tem culpa que eu não soubesse ou não quisesse apanhar um bom partido. Mas quem teve a culpa, meu Deus!

Disse que o senhor Búkov está perfeitamente no seu direito; que, afinal, nem todas as mulheres se podem casar... e que... eu sei lá, quantas tolices mais!

É demasiado cruel ter de escutar todas essas patranhas, Makar Alieksiéievitch!

Não consigo explicar o que se passa hoje comigo. Quando percebo estou tremendo, chorando, a soltar suspiros. Há duas horas já que estou escrevendo esta carta. Eu já estava convencida de que aquela mulher tinha pelo menos reconhecido as suas culpas e a injustiça que cometeu para comigo... E eis que agora se põe a falar de mim, dessa maneira!

Peço-lhe, meu amigo, que não se preocupe com meu estado; por Deus, não se apoquente, meu único e bom amigo. Fiódora exagera sempre. Eu não estou doente. Tudo se resume a que, ontem, me resfriei um pouco no cemitério de Volkov, enquanto estive a ouvir missa de sufrágio pela pobre mamãe. Por que não veio comigo? Devia ter pedido que me acompanhasse. Ah, minha pobre mãezinha, se pudesses erguer-te, se tu soubesses, se supusesses sequer o que fizeram de mim!

V. D.

20 de maio.

Minha querida Várienhka:

Mando-lhe um par de cachos de uvas, meu amorzinho, pois são muito boas para os convalescentes e os médicos recomendam-nas também contra a sede... de maneira que, Várienhka, pode comê-las quando tiver sede. Você desejava também um raminho de rosas... Pois tenho muito gosto em lhas enviar. E quanto à vontade de comer, como vamos, minha pequenina? Porque isso é o principal. Graças a Deus que o mal vai se atenuando, e que bem depressa a nossa infelicidade há de acabar. Dê graças ao Criador!

Quanto aos livros, não me é possível, de momento, enviar-lhe nenhum. Mas ouvi dizer que um dos hóspedes da casa tem um muito bom, escrito num estilo elevado; asseguram que se trata, com efeito, de um livro excelente, e se bem que eu não o tenha lido, foi muito recomendado. Já pedi que me emprestassem e creio que o farão. Mas... vai lê-lo, de verdade? É tão caprichosa nestes assuntos, que é difícil atinar com o seu gosto; digo-lhe isto porque a conheço muito bem, minha filha. A você só lhe agradam os versos que falam de amor e de saudade e, por isso, posso procurar-lhe também essas poesias e tudo, tudo o que desejar. Tenho precisamente em meu poder um caderno cheio de versos copiados.

Eu ando agora muito bem. Esteja tranquila sobre este assunto, minha filha. O que Fiódora lhe foi contar, da última vez, não é completamente verdade e a menina deve recomendar-lhe que não seja tão mentirosa. Sim, diga-lhe isso muito a sério! Que trapalhona! Não é verdade que eu tenha vendido o paletó do terno novo e nem sequer tal coisa me passou pela ideia; e por que havia eu de vendê-lo? Ainda não há muito ouvi dizer que me iam dar uma gratificação de quarenta rublos e, sendo assim, por que havia eu de desfazer-me do paletó? Não, minha filha; não se aflija com isso. Essa Fiódora é maliciosa e desconfiada e isso não está certo. Tenha um pouco de paciência, minha filha, e verá como a vida ainda nos há de sorrir. Para isso é preciso, antes de mais nada, que goze de perfeita saúde e que se esforce ao máximo para conseguir, pelo amor de Deus. Que ande assim tão fraca é o que mais me custa e desilude.

Quem é que lhe apareceu com a história de que eu estou mais magro? Eis aí outra calúnia! Encontro-me de ótima saúde e bem disposto, e engordei tanto que até me envergonho. Estou satisfeito e alegre, pois não me falta nada... Se a menina já estivesse completamente restabelecida... Fique com Deus, meu anjo; com um beijo em cada um dos seus dedinhos, sou sempre o seu fiel e constante amigo,

MAKAR DIÉVUCHKIN

P.S. — Ai, meu amor, de que me falava na sua carta! Outra vez! Que coisas vão nessa cabecinha... Como quer, minha filha, que eu vá a sua casa? Diga-me! Só se for a coberto de escuridão da noite! Mas isso só quando as noites voltarem, pois, agora, nesta época do ano não existem. No entanto não me afastei do seu lado nem um instante enquanto esteve doente e a febre a mantinha prostrada, sem conhecimento. Verdadeiramente nem eu próprio sei como tive tempo para tudo, sem faltar às minhas obrigações. Mas depois tive de suspender as minhas visitas porque os curiosos começaram a bisbilhotar e a querer saber. E, apesar disso, que intrigas não inventaram! No entanto, tenho uma confiança absoluta em Teresa, porque não é linguaruda. Sem dúvida, minha filha, a menina mesma pode fazer uma ideia do que havia de sofrer se nós chegássemos a andar nas bocas do mundo... Que haviam de pensar e dizer de nós? Por isso tenha um pouquinho de paciência, filhinha, espere até estar completamente restabelecida e então não nos há de faltar onde nos vermos sem ser em sua casa.

1 de junho.

Meu bom Makar Alieksiéievitch:

Queria fazer alguma coisa para demonstrar-lhe a minha gratidão pelos seus cuidados e pelos sacrifícios que faz por mim; por isso decidi-me a tirar da minha cômoda esse velho caderno que juntamente lhe envio. Comecei a apontar nele as minhas impressões quando a vida ainda me sorria. Tantas vezes o senhor me manifestou o desejo de conhecer o meu passado, e tanto me pediu que lhe falasse de minha mãe, de Pokróvski, da minha estada em casa de Anna Fiódorovna, e que lhe contasse as minhas recentes desditas; e com tanta veemência exprimia o desejo de ler este caderno, ao qual confiei uma parte da minha vida, que acredito proporcionar-lhe uma alegria com a remessa. A mim, pelo contrário, fez-me pena reler agora as suas páginas. Parece que a partir do momento em que escrevi a última linha me tornei duplamente mais velha do que era antes, quero dizer, duas vezes mais velha. Escrevi todas essas notas em épocas diferentes.

Que continue a passar bem, Makar Alieksiéievitch. Eu, agora, sou com frequência acometida de crises de tédio horríveis e, à noite, atormentada pelas insônias. Que convalescença tão aborrecida!

V. D.

I

Tinha catorze ANOS quando o meu pai morreu. A minha infância foi a época mais feliz da minha vida. Não a passei aqui, mas lá longe, na província, no campo. O meu pai era administrador duma grande fazenda, propriedade do príncipe P. Ali vivíamos tranquilos e felizes... Eu era o que se pode dizer uma selvagem, pois não fazia mais nada durante o dia senão correr por aqui e por ali, pelo campo ou pelos bosques ou por onde me apetecia, e ninguém se preocupava comigo. Meu pai estava sempre ocupado e a minha mãe tinha muito que fazer com o trabalho da casa. Não me mandavam à escola... o que me agradava. Logo de manhã cedo me punha a traquinar à volta do grande tanque, ou na floresta, ou no prado, com os ceifeiros, conforme me apetecia. Que me importava que o sol queimasse, que nem eu própria soubesse às vezes onde estava, nem como havia de voltar para casa, nem que as silvas me picassem e rasgassem os vestidos! Que me importava que em casa estivessem preocupados!

Acreditava que havia de ser sempre feliz como então, mesmo que vivêssemos toda a vida no campo. Infelizmente logo tive que despedir-me daquela vida livre e rústica e abandonar todos os recantos que me eram familiares. Teria apenas doze anos quando nos mudamos para Petersburgo.[3] Ai, quanto me custou deixar aquilo! O que eu chorei quando tive de abandonar tudo quanto amava! Ainda me lembro de como me abracei convulsivamente a meu pai, com lágrimas nos olhos, suplicando-lhe que ao menos me deixasse ficar na fazenda, um instantinho, só mais um instantinho! E de como o meu pai se zangou e a minha mãe chorava! O meu pai dizia que tínhamos de partir, que assim o exigiam as circunstâncias. Tinha morrido o príncipe P e os seus herdeiros prescindiam dos nossos serviços.

Foi assim que mudamos para Petersburgo, onde moravam algumas pessoas que deviam dinheiro ao papai... o qual queria resolver por si próprio as suas questões. Tudo isto vim a saber por minha mãe.

Alugamos um andar no Lado Petersburguês[4], onde vivemos até a morte de meu pai.

Quanto me custou acostumar-me a essa nova vida! Chegamos a Petersburgo no outono, Tínhamos deixado a propriedade num dia de sol claro, diáfano e cálido. Nos campos terminavam as últimas fainas. O trigo estava já enfeixado nas eiras em altas medas, em torno das quais revoluteavam, inquietos, grandes bandos de passarinhos chilreadores. Como todas as coisas brilhavam alegres e claras!

Mas ao chegar à cidade, em vez disso, encontramo-nos com chuva, frio outonal, mau tempo e lama, e uma multidão de seres desconhecidos que tinham todos um ar hostil, maldoso e mal-humorado. Instalamo-nos o melhor que pudemos. Quanto trabalho nos custou ter finalmente uma casa acomodada! O meu pai passava o dia quase todo na rua e a minha mãe andava sempre atarefada, de maneira que se esqueciam completamente de mim. Como foi triste o primeiro dia em que acordamos naquela casa! Diante das nossas janelas tínhamos uma cerca amarela e na rua não se via senão lama! Passavam poucas pessoas, todas muito agasalhadas nas suas roupas e *echarpes* e todas pareciam tiritar de frio.

Em nossa casa, reinavam somente um desgosto e um aborrecimento insuportáveis. Não tínhamos na cidade parentes nem pessoas conhecidas. Meu pai tinha deixado de se dar com Anna Fiódorovna porque ela lhe devia muito dinheiro. No entanto, visitavam-nos algumas pessoas que precisavam tratar de negócios com o meu pai. Entre ele e os visitantes tratavam-se geralmente discussões e ouviam-se cá fora os gritos e o burburinho. E quando esses tais se iam, o meu pai ficava triste e de mau humor. Durante horas, de sobrolho carregado e sem dizer uma palavra, punha-se a dar voltas na casa, para trás e para diante. A mamãe, nessas ocasiões, nem sequer se atrevia a entreabrir os lábios e ficava calada. Eu me encolhia num canto com um livro na mão e não ousava sequer mexer-me.

Após três meses da nossa chegada a Petersburgo, meteram-me num pensionato. Que tristeza, a princípio, entre tantas caras desconhecidas! Era tudo tão seco, tão indiferente, tão hostil e tão pouco atraente! As professoras ralhavam, os colegas faziam trapaças e eu me encolhia toda... Que rigor tão tolo, aquele! Tudo

---

3 Também conhecida como Petroburgo, Petrogrado e por São Petersburgo. Foi fundada pelo imperador Pedro I na embocadura do rio Nievá e elevada à categoria de residência oficial da corte em 1712.

4 Nome dum bairro de São Petersburgo, numa ilha do rio Nievá.

tinha de ser feito a horas certas e com toda a pontualidade, as refeições na mesa redonda, as lições tão aborrecidas...; a princípio sentia-me muito desolada. Nem sequer podia dormir. Quantas intermináveis, aborrecidas e frias noites não passei em claro, chorando até o amanhecer! À tarde, quando as outras meninas estavam estudando ou revendo as suas lições, eu ficava muito quietinha, com o livro adiante, sem me atrever a mexer-me; mas o meu pensamento voava até a casa, lembrava-me dos meus pais, da minha boa e velha ama e das suas histórias... oh! que saudades se apoderavam então de mim! Recordava-me com toda a clareza dos mais insignificantes objetos de casa e ainda hoje mesmo recordo tudo com um prazer especial... doloroso... E assim ficava, naquele devaneio... "Que bom seria estar agora em casa! A esta hora eu estaria sentadinha na sala de jantar, à mesa, sobre a qual ferve o samovar e à volta dela estão também sentados os meus pais; que calorzinho se sente, que bom e que cômodo é estar ali! Como gostaria — pensava eu — de abraçar agora a minha mãezinha, com força, com muita força, oh! com muito carinho!" E voltava logo ao meu devaneio, até que as saudades me faziam chorar de mansinho e me punha a engolir as lágrimas... E, com isto, a lição não me ficava na cabeça. No entanto uma lição não é coisa que se possa deixar para o dia seguinte e aí ficava eu a pensar no professor durante toda a noite, na *madame* e nas companheiras de classe, sonhando que estudava a lição e que, naturalmente, ao outro dia não a sabia; e depois não teria outro remédio senão enrodilhar-me em qualquer canto e ficar sem comer.

Eu andava assim sempre murcha e tristonha. As outras meninas riam-se de mim, pregavam-me peças, distraíam-me durante o estudo e davam-me beliscões, quando, formadas duas a duas, nos dirigíamos ao refeitório, ou então faziam queixas de mim à professora.

Mas que felicidade, quando nos dias de saída a minha boa ama me vinha buscar! Como eu a abraçava e não a queria largar, de tão contente, à minha boa velhinha! Ela se punha a vestir-me, para eu ficar quentinha, como dizia, embrulhando-me a cabeça. Mas, já a caminho, não podia acompanhar o meu passo — eu corria tanto — e eu também não podia andar tão devagar quanto ela. Durante todo o caminho não parava um momento de tagarelar e de lhe contar coisas. Louca de alvoroço, assim que entrava em casa lançava-me nos braços dos meus pais, como se não nos víssemos já há dez anos. Começavam então as histórias e as perguntas; a rir, tirava a *echarpe* da cabeça e punha-me a correr pela casa, a fazer uma grande festa e a saudar todas as pessoas e todas as coisas. O papai começava depois a fazer-me perguntas mais sérias: acerca dos professores, da matemática, do francês, da gramática de L'Homond...[5] e todos nos sentíamos loucos de alegria, amigos e palradores. Ainda hoje, só de recordar essas horas me sinto feliz.

Fiz os maiores esforços para aprender bem as lições, só com o fim de proporcionar alegria ao meu pobre pai. Via muito bem que ele me adorava, apesar das preocupações cada vez mais graves que o atormentavam. De dia para dia foi ficando mais triste, colérico e mal-humorado; o seu feitio tinha mudado de maneira muito desfavorável. Nada lhe corria bem, tudo lhe falhava e as dívidas aumentavam de modo assustador.

---

5   Gramático e escritor clássico francês (1727-1794).

Minha mãe não se atrevia a chorar, nem sequer a deixar escapar uma palavra de queixume, pois com isso irritaria ainda mais o meu pai. A pobrezinha acabou por tornar-se adoentada e fraca, e começou a tossir de maneira inquietante. Quando eu voltava do pensionato, somente encontrava em casa caras tristes; minha mãe bebia em silêncio as suas lágrimas e o meu pai encolerizava-se. E vinham logo as queixas e as censuras; a minha presença não dava a meu pai qualquer alegria ou consolação e, no entanto, não se poupava a sacrifícios por minha causa; mas, eu continuava a não perceber nem uma só palavra de francês. Em resumo: eu era a culpada de tudo; de todos os seus insucessos; de toda a sua desdita, as únicas responsáveis éramos nós, a mamãe e eu.

Mas como seria possível atormentar tanto a minha pobre mãezinha? Só de olhá-la parecia que o coração me partia. As faces chupadas, os olhos encovados... O aspecto acabado duma tuberculosa! A mim faziam-me as mais graves censuras. Geralmente, o meu pai começava a queixar-se de alguma coisa sem importância, para depois desbocar-se e dizer coisas que só Deus sabe... Eu ficava muitas vezes sem perceber uma palavra do que ele dizia. O que saía daquela boca! Que isso do francês não valia nada, que eu era uma imbecil e a professora do pensionato uma idiota que não se preocupava de maneira nenhuma com a nossa educação; e que, deste modo, eu não poderia nunca encontrar um emprego, que a gramática de L'Homond também nada valia, que a de Sapolski[6] era muito melhor; que se estava gastando muito dinheiro comigo sem um objetivo nem utilidade, que eu era uma garota estonteada e sem ponta de coração. Em suma: eu era uma infeliz que tinha um trabalhão para aprender as palavras e as frases francesas e, evidentemente, era culpada de tudo e portanto tinha de suportar todos os maus humores.

O meu pai procedia assim não porque não nos estimasse, muito pelo contrário, pois nos dedicava até um afeto desmedido. Mas tinha aquele feitio... Ou, para melhor dizer, foram os desgostos, os desenganos, os insucessos que lhe azedaram o caráter que, ao princípio, não podia ser melhor; depois é que se tornou desconfiado, acontecendo-lhe frequentemente encher-se de tristeza, tanto que tocava as raias do desespero; começou a descuidar da saúde até que, uma vez, apanhou um resfriado e morreu depois de ter estado de cama só uns dias. Isto aconteceu de maneira tão repentina e inesperada que levamos muito tempo até compreendermos a realidade. Aquele golpe deixou-nos aturdidas! A mamãe parecia alheada e eu, a princípio, cheguei a temer pelo seu juízo.

Imediatamente depois da morte do meu pai os credores apresentaram-se aos bandos em nossa casa. Nós entregávamos-lhes tudo quanto tínhamos. Tivemos também que vender a nossa casinha do Lado Peterburguês, aquela que o papai tinha adquirido meio ano depois da nossa chegada.

Não sei o que teria sido feito do resto; o certo foi encontrarmo-nos sem abrigo, sem dinheiro, desprotegidas e carentes de todos os recursos. A mamãe estava doente — tinha uma febre lenta que a ia consumindo. Nós não sabíamos angariar recursos e estávamos resignadas a sucumbir. Eu tinha então acabado de fazer catorze anos.

---

6 Professor de língua e literatura russa, autor de muitos trabalhos pedagógicos, e comentários sobre Goethe, Schiller, Shakespeare e Púchkin.

Foi nessa altura que pela primeira vez recebemos a visita de Anna Fiódorovna. Fez-se passar aos nossos olhos por proprietária e assegurou-nos que era nossa parenta próxima. A mamãe dizia que isso era verdade, mas tal parentesco era já muito remoto. Quando papai estava vivo nunca ela veio a nossa casa. Agora, apresentava-se de lágrimas nos olhos, a afirmar-nos que tomava parte do nosso luto. Mostrava compadecer-se muito da nossa desgraça, mas deixava entender que fora papai quem tivera a culpa de todos os nossos infortúnios por ter querido elevar-se demais e contado exageradamente com as suas forças. Manifestou, além disso, à conta de ser a nossa única parenta, o desejo de tratar-nos com maior intimidade e propôs-nos que esquecêssemos o passado. Quando a mamãe lhe respondeu que pela sua parte nunca lhe tivera rancor, pôs-se a chorar, numa comoção ruidosa, levou a mamãe à igreja e encomendou uma missa por alma do querido morto — foi assim que logo começou a tratar o papai. E assim, solenemente, fez as pazes com a mamãe.

Depois de muitos preâmbulos e observações, e de nos ter feito ver com toda a clareza a nossa situação desesperada e a nossa falta de recursos, de proteção e de amparo, instou conosco para que compartilhássemos o seu teto, como dizia. Mamãe agradeceu-lhe o oferecimento mas, durante muito tempo, não se decidiu a aceitar. Até que, uma vez que não tínhamos outro remédio, se viu obrigada a escrever a Anna Fiódorovna participando-lhe que, muito grata, aceitava o seu oferecimento.

Como recordo claramente aquela manhã em que nos mudamos do Lado Peterburguês para a outra parte da cidade, para Vassili Óstrov![7] Foi por uma clara, seca e fria manhã de outono. A mamãe chorava. Eu, estava muito triste; era como se uma angústia indefinida me oprimisse o peito... Que tempos tão difíceis!

II

De começo, quando ainda não nos tínhamos instalado em definitivo, a mamãe e eu sentíamos uma certa tristeza em casa de Anna Fiódorovna, essa tristeza que se costuma sentir quando nos encontramos perante uma situação de insegurança. Anna Fiódorovna vivia em casa sua, na Sexta Linha.[8] A casa tinha ao todo somente cinco divisões habitáveis. Anna Fiódorovna ocupava três, juntamente com minha prima Sacha, a qual tinha sido recolhida e criada por ela como uma pobre órfã. Nós nos instalamos no quarto compartimento, e no quinto, contíguo ao nosso, alojava-se um pobre estudante, Pokróvski, o único que pagava aluguel pelo alojamento.

Anna Fiódorovna vivia bem, muito melhor do que parecia possível; mas as fontes dos seus rendimentos eram tão misteriosas como as suas ocupações. E, sem dúvida, tinha sempre que fazer, andava sempre para cá e para lá, saía e entrava em casa muitas vezes durante o dia. Mas não nos era possível fazermos a menor ideia aonde ela iria nem o que faria fora de casa. Tinha relações com muitas e variadas pessoas. A toda hora chegava gente a procurá-la, sempre para falar-lhe de negócios e apenas uns escassos minutos. A mamãe costumava retirar-se comigo para o quarto quando a campainha tocava. Anna Fiódorovna aborrecia-se muito com isto e censurava constantemente a mamãe pelo nosso orgulho; que nada teria que dizer se tivéssemos algum motivo para ele, mas que na situação em que nos encontrávamos...

---

7   Ilha de Basílio. A maior das ilhas do rio Nievá, onde se encontravam a Bolsa e diversas academias culturais e militares.
8   As ruas principais de Vassili Óstrov chamam-se *linhas*.

e durante várias horas continuava neste tom. Até então eu não tinha ouvido tais censuras, mas quando as ouvi é que compreendi o motivo por que a minha mãe, a princípio, resistira em aceitar a hospitalidade de Anna Fiódorovna.

É uma péssima criatura, a tal Anna Fiódorovna. Comprazia-se em atormentar-nos sem tréguas. Mas ainda hoje constitui para mim um mistério a razão por que nos teria convidado para vivermos com ela. Todavia, no começo, tratava-nos muito bem, com muito carinho, mas não tardou em mostrar o seu verdadeiro caráter quando teve a certeza de que nos encontrávamos verdadeiramente desamparadas e completamente à sua mercê. Mais tarde voltou a tratar-me como antigamente, talvez até com mimos excessivos; chegava a dirigir-me lisonjas tolas, mas antes tive de suportá-la, tal como a mamãe. Censurava-nos a cada passo e não falava de outra coisa senão dos benefícios que nos fazia. Apresentava-nos a todas as suas visitas como parentes pobres, uma viúva e uma órfã desvalidas que somente por compaixão e caridade cristã tinha recolhido debaixo do seu teto e sentado à sua mesa. À hora das refeições não despregava os olhos de cada pedaço que ousávamos tomar; no entanto, também nem por isso ficava mais satisfeita quando não comíamos ou comíamos muito pouco, pois então começava a dizer que se não achávamos boa a sua comida, ou se lhe encontrávamos algum defeito, uma vez que ela nos oferecia do que podia e do mesmo que ela comia... talvez nós pudéssemos arranjar outra melhor, que isso não o sabia ela etc.

Do papai, dizia constantemente calamidades; não podia passar sem criticá-lo. Afirmava que sempre se tinha feito mais do que era, e que agora podia ver-se a verdade, pois tinha deixado uma viúva e uma órfã, as quais, se não fora encontrarem uma alma caridosa entre os seus parentes, — queria dizer, ela — teriam ficado expostas a morrer de inanição no meio da rua. E a coisa não ficava por ali! Fazia mais nojo do que desgosto, escutá-la!

A mamãe passava a vida a chorar. O seu estado de saúde piorava de dia para dia, definhava a olhos vistos, mas, apesar disso, trabalhávamos de manhã até à noite. Fazíamos costura por fora, o que não era do agrado de Anna Fiódorovna. Dizia que sua casa não era nenhum *atelier*. Mas nós tínhamos necessidade de fazer não só a nossa roupa como também não nos restava outro recurso para ganhar algum dinheiro, quando nada para não vivermos à míngua de tudo. Por isso trabalhávamos com afinco e íamos economizando na esperança de podermos algum dia alugar um quartinho para nós as duas. Porém, aconteceu que, com tanto trabalho, o estado de minha mãe se agravou; cada dia estava mais fraca. A doença minava a sua existência e empurrava-a para o túmulo. Eu via tudo isso, sofria, e não podia fazer nada para evitá-lo!

Os dias passavam, todos iguais. Fazíamos as duas uma vida tão recolhida que nem parecia que estávamos numa grande cidade. Com o tempo, Anna Fiódorovna foi-se apaziguando, à medida que foi verificando o seu ilimitado domínio sobre nós e que nada tinha a temer. Para mais, nunca nós a contrariávamos em coisa alguma.

O nosso quarto estava separado dos três que ela ocupava, por um corredor, e era contíguo ao de Pokróvski, como já disse. O estudante ensinava a Sacha o francês e o alemão, História e Geografia, isto é, todas as ciências, como dizia Anna Fiódorovna e, em troca disso era dispensado do pagamento do quarto e da alimentação. Sacha era uma menina muito esperta, mas ordinária e exaltada a ponto de ser repulsiva. Andava então pelos trezes anos. Ultimamente, Anna Fiódorovna tinha chegado a dizer à mamãe que talvez fosse bom que eu assistisse às aulas com ela, visto que não chegara a terminar o curso no colégio. A mamãe, naturalmente, ficou muito contente com a proposta; de maneira que Pokróvski lecionou para nós duas durante um ano inteiro.

Era um pobre rapaz, o tal Pokróvski. A sua falta de saúde não lhe permitia assistir com regularidade às aulas, na Universidade; por isso, não era propriamente aquilo que nós costumamos chamar de estudante. Vivia tão recolhido e silencioso no seu quarto que eu e a mamãe, no nosso, nem o sentíamos. Tinha também um aspecto especial; movimentava-se e curvava-se de uma maneira tão desajeitada e falava de um modo tão singular que, a princípio, eu não podia vê-lo que não me desse logo vontade de rir. Sacha estava sempre pronta para pregar partidas, especialmente durante a aula. Mas ele não lhe ficava nada atrás em questão de violência: encolerizava-se a toda hora e por qualquer ninharia ficava logo fora de si; punha-se a ralhar e a dar gritos, e às vezes levantava-se e saía furioso, dando a aula por terminada antes de tempo e fechando-se em seguida no seu quarto. Porém aí, no quarto, passava dias inteiros sentado a ler, sem se mexer. Tinha muitos livros e todos em edições raras e primorosas. Dava também aulas em mais duas casas e por essas recebia dinheiro; no entanto, nunca trazia nenhum no bolso, pois logo que lhe pagavam, ia imediatamente comprar mais livros.

Com o tempo cheguei a conhecê-lo mais a fundo. Era o homem mais honesto e melhor do mundo, a melhor das pessoas que até então eu tinha conhecido. A mamãe gostava também muito dele. Com o convívio chegou a ser para mim um amigo dedicado e aquele que mais próximo estava do meu coração... claro, depois da mamãe.

De princípio eu me associava — se bem que fosse já uma mulherzinha — a todas as partidas que Sacha tramava contra ele, e às vezes combinava com ela, durante muito tempo, a maneira de enganá-lo e de pôr à prova a sua paciência. Ele ficava verdadeiramente ridículo quando se zangava e nós duas gostávamos de nos divertir à sua custa. No entanto, hoje, envergonho-me disso quando o recordo. De uma vez o arreliamos tanto que as lágrimas lhe saltaram dos olhos e eu o ouvi murmurar: "Não há ninguém tão cruel como uma criança!". Aquelas palavras causaram-me uma certa confusão: pela primeira vez despertava em mim uma espécie de vergonha, de pesar e de compaixão. Pus-me vermelha até às orelhas e, quase a chorar, supliquei-lhe que não levasse a mal as nossas brincadeiras; mas ele fechou o livro e foi para o quarto sem acabar a aula.

Durante todo esse dia me atormentei com os remorsos. A ideia de que nós, umas garotas, o tínhamos feito encolerizar até ao ponto de chorar, ia ficando insuportável. Fora então verdade que tínhamos desejado as suas lágrimas? Que nós tivemos gosto em excitar a sua irritabilidade doentia? E que, por fim, tínhamos conseguido esgotar a sua paciência e obrigado o pobre rapaz a sentir ainda mais a tristeza da sua situação?

Nessa noite não pude dormir... Como me torturavam os remorsos! Dizem que as coisas novas alegram o espírito. Pois o contrário é que é verdade! Não sei como, mas o certo é que ao meu desgosto se juntava um certo orgulho! Nem me vinha à lembrança que ele tinha me achado criança. Eu tinha então quinze anos.

A partir desse dia não pensei em mais nada senão descobrir um processo de fazer com que Pokróvski mudasse de opinião a meu respeito. Mas a minha timidez impedia-me sempre de pôr em prática alguns dos mil planos que me ocorriam; não chegava a tomar uma decisão e tudo acabava apenas em sonhos e projetos (e o que eu sonhava, Santo Deus!). Porém, daí em diante não voltei a acompanhar Sacha nas suas brincadeiras de mau gosto, a qual pouco a pouco foi perdendo também a sua grosseria. De tudo isto resultou que Pokróvski não tornou mais a zangar-se conosco. Mas isso não era compensação suficiente para o meu orgulho.

Quero dizer aqui somente algumas palavras acerca do homem mais invulgar e mais digno de compaixão que conheci em toda a minha vida. E quero fazê-lo neste lugar, porque, a partir desse tal dia, eu que jamais até então me tinha preocupado com ele, comecei a dar-lhe um lugar, e grande, nos meus pensamentos. De quando em quando apresentava-se em nossa casa um homenzinho sujo e malvestido, de cabelo esbranquiçado, acanhado e desajeitado de maneiras e que, acima de tudo, tinha umas características muito especiais. À primeira vista podíamos pensar que se envergonhava um pouco de si próprio e que pedia perdão de ter vindo a este mundo. Pelo menos encolhia-se constantemente ou procurava fazer-se ainda mais pequeno, reduzir-se a nada, e aqueles seus gestos inseguros e envergonhados provocavam em quem o observava uma certa suspeita acerca do seu estado mental. Sempre que vinha visitar-nos ficava plantado por detrás do reposteiro envidraçado e não se decidia propriamente a entrar. Quando por acaso alguma de nós vinha até ao corredor — Sacha ou eu — e o víamos ali parado, atrás da porta, começava então a fazer-nos sinais para nos chamar a atenção; se nós, por meio de sinais, lhe dávamos a entender que podia passar, e que não havia outra visita lá em casa, ou se o chamávamos em voz alta, cobrava ânimo e atrevia-se a entrar; abria então o reposteiro muito devagarinho e entrava sorridente; a seguir esfregava as mãos e dirigia-se nas pontas dos pés para o quarto de Pokróvski. O velhinho era o pai dele.

Mais tarde tive ensejo de conhecer a história do pobre velho. Fora empregado não sei onde, havia já muito tempo, mas por falta de capacidade não conseguira passar de um posto subalterno. Quando ficou viúvo da primeira mulher — a mãe de Pokróvski — voltou a casar com uma meia-camponesa. A partir desse instante nunca mais houve paz nem tranquilidade na sua casa; a nova consorte colocou-se num pedestal e tratava todos com desprezo. O enteado — o estudante Pokróvski, que a esse tempo tinha dez anos — padeceu muito por causa do ódio que lhe tinha a madrasta. Mas, por felicidade, as coisas correram depois de outro modo. O proprietário Búkov, que noutro tempo tinha conhecido o pai quando ainda estava empregado, arvorou-se pouco mais ou menos em seu protetor, tomou a seu cargo o rapaz e o pôs num colégio. Interessara-se pelo rapaz, só porque tinha conhecido a sua falecida mãe, quando, então dama de companhia de Anna Fiódorovna, gozava de proteção desta e por seu intermédio veio a casar-se com o empregado Pokróvski. Nesse tempo o senhor Búkov, como bom amigo de Anna Fiódorovna, teve a generosidade de oferecer à noiva um dote de cinco mil rublos. Ainda hoje é um mistério saber onde foi parar todo esse dinheiro.

O estudante Pokróvski jamais me falou da sua família e não lhe agradava que lhe perguntassem pelos pais. Dizem que a mãe era uma linda mulher e, por esse motivo, choca-me que tivesse casado com um partido tão desvantajoso como o que representava aquele homem insignificante. E o que é pior ainda, ao quarto ano de casamento finava-se a pobre criatura.

Da escola passou o estudante Pokróvski para o liceu, e daí para a Universidade. O senhor Búkov, que costumava vir frequentemente a Petersburgo, não o deixou por ali e continuou a protegê-lo. Infelizmente, Pokróvski, devido à sua delicada saúde, não pôde prosseguir nos estudos e foi então que o senhor Búkov veio pessoalmente a casa de Anna Fiódorovna para procurar instalá-lo, com a condição de que, a troco da alimentação e do alojamento, ele ensinaria a Sacha todas as ciências.

O pai de Pokróvski, para se consolar da má vida que lhe dava a segunda mulher, entregou-se ao pior de todos os vícios, a bebida, até ao ponto de estar quase sempre bêbado. A mulher surrava-o a valer e deixava-o dormir na cozinha; com o tempo, levou a tal extremo as suas crueldades que o infeliz já suportava tudo sem nada reclamar e acabou por acostumar-se às pancadas. Todavia não era ainda muito velho, mas, devido à sua péssima vida, parecia, como disse, que não estava já em seu perfeito juízo.

A única amostra de sentimentos que aquele homem ainda apresentava era o carinho sem limites que tinha pelo filho. Tinham-me dito que o rapaz se parecia tanto com a mãe como uma gota de água se parece outra. Seria por acaso a recordação da primeira mulher, que tinha sido tão boa para ele, aquilo que lhe infundia no coração degenerado esse carinho imenso pelo filho? O velho não falava senão nele. Todas as semanas ia vê-lo duas vezes. Não se atrevia a vir com mais frequência, porque o próprio filho não podia suportar aquelas visitas paternas.

Esse desprezo pelo pai era, sem dúvida alguma, o maior defeito do estudante. No entanto é verdade que o velho se tornava algumas vezes extremamente antipático. Em primeiro lugar, era terrivelmente curioso e, além disso, não deixava o filho trabalhar com a sua oca tagarelice e com as suas perguntas contínuas e absurdas; além disso nem sempre se apresentava completamente sereno. Mas o filho, com o tempo, conseguiu curá-lo desses maus costumes, da sua curiosidade e da sua verborreia, até que, por fim, o pai acabou por obedecer-lhe como a um Deus, não se atrevendo sequer a abrir a boca sem o seu consentimento.

O pobre velho não tinha palavras que lhe bastassem para gabar e por nas maiores alturas o seu Piétienhka. Quando ia vê-lo parecia sempre decaído, abatido, preocupado e até aflito... provavelmente por ignorar a maneira como o filho ia recebê-lo. Regra geral, demorava muito até decidir-se a entrar e, quando me lobrigava, já à porta, aproximava-se rapidamente e ficava pelo menos uma meia hora perguntando como ia o seu Piétienhka, o que estaria fazendo, se estava com saúde e em que disposição se achava, e se naquele momento não estaria a trabalhar em alguma coisa de importância. Estaria escrevendo ou estudando alguma obra filosófica? Quando eu o tinha suficientemente tranquilizado e o animava, resolvia-se finalmente a abrir muito devagarinho e com muito cuidado a porta do quarto do seu Piétienhka, metendo a cabeça pela abertura; quando via que o filho estava de bom humor ou respondia com um aceno à sua saudação, entrava então resolutamente no quarto, tirava a capa e o chapéu — este, trazia-o ele sempre amolgado e cheio de buracos, quando não todo desabado — e pendurava-os num prego. Fazia tudo isto com o maior cuidado e sem qualquer ruído. A seguir sentava-se também cuidadosamente numa cadeira e já não afastava os olhos do filho, seguindo todos os seus movimentos e todos os seus olhares, com o fim de adivinhar qual seria o seu estado de espírito. Se percebia que o filho nesse dia estava de mau humor, levantava-se logo da cadeira e dizia que tinha vindo "só para ver-te um bocadinho, Piétienhka. Tinha que dar uma grande volta e como por acaso devia caminhar por aqui, disse para comigo: deixa-me ir até lá num instantinho, só para o ver e descansar um pouco. Agora me retiro, Piétienhka". E sem acrescentar mais nada, com muito cuidado ia buscar a capa, tão leve, e o amolgado chapéu; fechava atrás de si a porta também com muito cuidado e saía esforçando-se ainda por sorrir e disfarçar o seu desgosto, para que o filho não o notasse.

Mas quando Piétienhka o acolhia afetuosamente, então o pobre velho não cabia em si de contente. Se o filho se dignava conversar com ele, o velho levantava-se um pouco da cadeira e respondia num tom humilde e brando, quase respeitoso, esforçando-se constantemente por escolher as expressões mais corretas que, como era natural, naquelas circunstâncias resultavam verdadeiramente cômicas. Acrescente-se a isto que ele não sabia falar, precisamente; ao fim de duas ou três palavras começava a embrulhar tudo, a fazer uma grande confusão e já nem sabia o que havia de fazer com as mãos, nem da sua própria pessoa... acabando por atabalhoar as respostas, repetindo-as baixinho, como para retificá-las. Mas quando por acaso conseguia responder corretamente, ficava todo ufano, alisava a jaqueta, endireitava a gravata, sacudia o pó das bandas da jaqueta, endireitava a gravata, sacudia o pó das bandas da jaqueta, e o seu rosto tomava uma expressão de certa gravidade. E ficava às vezes até tão animado que quase se tornava atrevido; levantava-se da cadeira, dirigia-se para a mesa dos livros, pegava num e punha-se a ler sem lhe importar qual fosse. Fazia tudo isto com uma certa cara, como se quisesse demonstrar o maior aprumo e sangue frio, como se desde sempre lhe tivesse sido permitido mexer nos livros do filho, à sua vontade, e como se a afetuosidade deste fosse uma coisa vulgar. Mas uma vez pude eu ver muito bem como o velho ficou assustado quando o filho lhe pediu que não lhe remexesse nos livros; perdeu completamente a cabeça, apressou-se a reparar o seu erro, quis colocar entre os outros o livro em que tinha pegado, mas ele escorregou-lhe das mãos, caiu e ficou achatado no chão; tornou a levantá-lo rapidamente, voltou a querer encaixá-lo aqui e ali, colocou-o em falso e deixou-o cair de novo, desta vez, de aresta; sorriu com um sorriso forçado, pôs-se muito corado e acabou por não atinar com a maneira de remediar a sua falta.

Pouco a pouco, o filho com as suas prevenções e afetuosas reprimendas, foi conseguindo afastar o pai dos seus maus costumes, e quando ele se comportava calmamente umas três vezes de seguida, à quarta dava-lhe vinte e cinco ou cinquenta copeques, ou até mais. Às vezes comprava-lhe calçado, uma jaqueta ou uma gravata, e quando o velho se apresentava depois com essas coisas, vinha tão emproado como um galo.

Às vezes também nos visitava e trazia, a Sacha e a mim, tortas de especiarias ou de maçã, e falava com muita naturalidade do seu Piétienhka. Pedia que ficássemos atentas e sossegadas durante as aulas e que respeitássemos o nosso professor, pois Piétienhka era um bom filho, o melhor dos filhos, e era, além disso, um filho muito ilustrado. Quando dizia isto piscava comicamente o olho esquerdo e tomava um ar tão importante que nós duas, quase sempre, não conseguíamos nos conter e desatávamos a rir.

A mamãe simpatizava muito com o velhote. Ele odiava Anna Fiódorovna, se bem que diante dela se mostrasse "mais humilde do que a erva e mais tranquilo do que a água".

Não tardou que eu deixasse de assistir às aulas. Pokróvski continuava a considerar-me como uma meninota, meninota mal-educada, tal como Sacha. Isso ofendia-me grandemente, pois a verdade é que eu tinha feito todo o possível por corrigir a minha conduta anterior. Porém, inutilmente: ele não a apreciava. E era isso o que mais feria meu amor-próprio e me irritava. Quase nem falava com ele fora das horas de estudo... É que eu não lhe podia falar; ficava muito vermelha e ia logo para um canto chorar às escondidas... aborrecida comigo própria.

Não sei onde me teria conduzido este estado de coisas se não tivesse surgido um acidente casual, de uma vez que nos aproximamos um do outro.

Aconteceu o seguinte: uma tarde, estava a mamãe sentada junto de Anna Fiódorovna; então, furtivamente, fui até o quarto de Pokróvski. Sabia que ele não estava em casa mas não poderia explicar claramente a mim própria como é que pude ter a ideia de me enfiar daquela maneira no quarto dum homem. Era a primeira vez que fazia isso, ainda que houvesse mais de um ano que vivíamos parede-meia. Meu coração batia com tanta força como se quisesse saltar. Tomada de uma estranha curiosidade, pus-me a dar voltas no quarto. Não podia ser mais simples, mobiliado quase com pobreza, e nem se fala da desordem que nele reinava. Sobre a mesa e as cadeiras havia papéis e folhas escritas, livros e papéis por todo lado! De repente veio-me uma ideia: que a minha amizade e até o meu amor nada podiam significar para ele. Era tão culto e eu tão ignorante... Dizer que eu não sabia nada, não lia nada nem possuía um único livro! Com que inveja contemplava aquela mesa tão larga, cheia de livros a tal ponto que parecia ir desabar debaixo de tal peso! Sentia raiva e pena, tristeza e cólera! Veio-me uma vontade enorme de ler todos aqueles livros, os seus livros, de ler todos desde o primeiro até o último e o mais depressa possível. Não sei; talvez pensasse que, uma vez que tivesse lido tudo aquilo e soubesse tanto como ele, poderia conquistar a sua amizade muito melhor do que agora, que nada sabia. O que é certo é que me encaminhei muito resoluta para a tal mesa e, sem hesitar, nem sequer pensar no que fazia, peguei no primeiro livro que me veio às mãos... por acaso um livro muito velho e muito cheio de pó. Tremendo de susto e muito nervosa, levei-o para o meu quarto para lê-lo à noite, à luz da lamparina, logo que a mamãe adormecesse.

Mas que grande foi a minha decepção quando, já no meu quarto, abri o livro furtado e vi então que se tratava de um calhamaço velhíssimo, amarelo e roído de traça e... escrito em latim! Não me demorei muito tempo a apreciá-lo e voltei resolutamente a penetrar no quarto do estudante. Porém, quando me dispunha precisamente a pôr de novo o livreco no seu lugar, eis que ouço abrir-se e fechar o reposteiro do corredor e depois um ruído de passadas; alguém tinha entrado! Quis despachar-me depressa, mas aquele calhamaço tinha estado tão apertado entre os demais que, quando eu o tirei dali, a pressão diminuiu e os outros tinham voltado a juntarem-se todos, de tal maneira que nem deixaram espaço para o seu antigo com-panheiro de penas e trabalhos. Faltava-me a força para encaixá-lo entre os outros. O barulho das pisadas soava cada vez mais próximo; punha eu todo o meu esforço em colocar ali o livro, quando o ferrugento apoio que sustinha uma das extremidades da mesa, parecendo que tinha esperado daquele exato momento para isso... se quebrou. A mesa veio abaixo com estrondo, bateu com uma ponta no chão e deixou cair ruidosamente todos os volumes. Neste momento crítico a porta se abriu e Pokróvski entrou no quarto.

Devo prevenir desde já que ele não podia tolerar que alguém tocasse nas suas coisas. Ai daquele que se atrevesse a mexer nos seus livros! Podem imaginar, portanto, qual não teria sido a sua indignação ao ver espalhados pelo chão todos os seus livros, os grandes, os pequenos, encadernados ou em brochura, e que, misturados uns com os outros, tinham ido parar debaixo da mesa e das cadeiras e bater contra a parede, onde muitos ficaram formando um montão! Eu ainda quis escapar, correndo, mas era já demasiado tarde. "Acabou-se — disse eu — acabou-se para sempre! Estou perdida! Sou desajeitada como uma garota de dez anos, sou uma idiota, uma acriançada, uma estúpida!"

Pokróvski encolerizou-se de maneira indescritível.

— Só faltava isto! — exclamou, iracundo. — Não tem vergonha, menina? Nunca mais tomará juízo e deixará essas infantilidades de colegial?

Ao mesmo tempo pôs-se a apanhar os livros. Eu me inclinei também para ajudá-lo mas ele me proibiu em tom foribundo:

— Não é preciso, não é preciso, deixe! Era melhor que não se metesse onde não é chamada!

A minha silenciosa intenção de ajudá-lo, que talvez demonstrasse a consciência da minha culpa, pareceu no entanto amansá-lo um pouco, pois continuou em seguida a falar num tom mais suave, de advertência, no mesmo tom em que pouco antes me falara como professor.

— Quando renunciará finalmente às suas maluqueiras, quando é que finalmente tomará juízo? Deve reparar que já não é nenhuma menina, não senhor... já fez quinze anos!

E foi então que, de repente, como para certificar-se de que eu já não era uma garota, me olhou de frente e se fez vermelho até as orelhas. Eu não percebi por que é que ele se pôs tão corado; estava diante dele e contemplava-o atônita, com os olhos muito abertos. Ele já não sabia o que havia de fazer; aturdido, deu dois passos para mim, ficando ainda mais embaraçado, e murmurou qualquer coisa em voz baixa, como se se desculpasse... talvez de não ter notado até então que eu era já uma mulherzinha. Finalmente, percebi. Não sei o que se deu comigo então; cravei os olhos no chão envergonhada; pus-me ainda mais vermelha do que Pokróvski, cobri o rosto com as mãos e saí do quarto correndo.

Não sabia o que havia de fazer, nem onde ocultar a minha vergonha. Pensar que ele me tinha surpreendido no seu quarto! Durante três dias não tive coragem para fitá-lo de frente. Ruborizava-me a ponto de me saltarem as lágrimas. Vinham-me à cabeça os pensamentos mais horríveis e ridículos. Um, mais teimoso, era que devia ir procurá-lo e explicar-me, confessar-lhe e contar-lhe tudo com absoluta franqueza e assegurar-lhe depois que não tinha procedido como uma desnorteada mas sim animada das melhores intenções. Estava quase decidida a fazer isso, mas por sorte faltou-me a coragem e não me atrevi a pôr em prática o meu plano. Tudo teria corrido de outra maneira! Ainda hoje me envergonho só de pensar.

Dias depois mamãe caiu gravemente doente. Na terceira noite a febre aumentou e começou a delirar com grande violência. Havia já uma noite que eu não dormia e estava sentada junto da cama para dar-lhe de beber e administrar-lhe os remédios que o médico tinha prescrito. Na noite seguinte estava sem forças e senti-me completamente esgotada. Meus olhos fechavam de quando em quando, via dançar à minha frente uns pontinhos verdes, a cabeça andava-me à roda e parecia que, de um momento para o outro, iria perder os sentidos; mas um leve gemido de doente voltava a despertar-me; criava ânimo me recuperava um pouco, para voltar a adormecer outra vez, esgotada de cansaço. Então, vinham-me pesadelos. Não posso recordar agora exatamente quais fossem, mas recordo-me de que eram uns pesadelos espantosos, e que durante a minha luta cada vez maior com a fadiga, me atormentavam com visões sombrias. Despertava num sobressalto. O quarto estava às escuras; a lamparina tinha-se apagado. Reanimava a torcida e um claro resplendor iluminava o aposento até que de novo voltava a ficar reduzida a uma chamazinha azulada que projetava nas paredes umas sombras oscilantes, para momento depois deixar tudo sumido em trevas quase totais. De uma vez tive um susto enorme e apoderou-se de mim um estranho temor; as minhas sensações e a minha imaginação encontravam-se debaixo da impressão do horrível pesadelo que tivera e o medo oprimia-me o coração. Cambaleando, levantei-me da cadeira e lancei um pequeno grito, levada pelo impulso torturante de um medo indefinido. Nesse instante a porta se abriu e Pokróvski entrou no quarto.

Somente agora me lembro que despertei do meu desmaio nos seus braços. Sentou-me carinhosamente numa cadeira, deu-me de beber e, com um ar preocupado, fez-me umas perguntas que não compreendi. Não me recordo do que lhe teria respondido.

— A menina está doente, muito doente — dizia ele enquanto me apertava a mão. — Está com febre, está arriscando a sua saúde, assim, sem fazer caso de si. Descanse, deite-se e durma. Eu a acordo daqui a duas horas, não se preocupe... Deite-se e durma tranquila — ordenou, sem me dar tempo a objetar.

O esgotamento tinha dado conta das minhas energias. Os olhos iam fechando, de tão fraca que estava. Foi assim que me deitei com o firme propósito de não dormir senão meia hora, mas continuei dormindo até ser dia. Pokróvski veio despertar-me precisamente à hora em que eu devia dar o medicamento à mamãe.

No dia seguinte, quando depois de um leve descanso me dispunha a velar a minha mãe, com a disposição de não dormir por essa vez, aí pelas onze horas bateram à porta; abri... e era Pokróvski.

— Pensei que ficaria aborrecida tomando conta dela aqui sozinha — disse-me — por isso trago-lhe este livro, para se distrair um pouco...

Peguei no livro... Já nem me lembro que livro era... Contudo, durante a noite, acabei por adormecer depois de lhe dar rápida olhada. Era uma estranha excitação íntima, que não me deixava um momento de repouso; não podia dormir nem tão pouco podia estar muito tempo quieta na cadeira... Levantava-me a todo momento para dar voltas pelo quarto. Um estranho alvoroço interior agitava todo o meu ser. Estava tão contente com a delicadeza de Pokróvski! Sentia-me vaidosa de sua atenção, daqueles cuidados que tinha comigo. Em toda a noite não fiz senão pensar nisso e sonhar acordada. Ele não voltou a aparecer e eu sabia muito bem que nessa noite já não voltaria, mas esforçava-me por imaginar o nosso próximo encontro.

Na noite seguinte, quando todos estavam já deitados, Pokróvski abriu a porta do seu quarto e pôs-se a falar comigo sem sair do limiar da porta. Já não me recordo de nada daquilo que ele me disse então e do que lhe teria eu dito a ele; lembro-me apenas de que estava muito perturbada e confusa e, por isso, aborrecida comigo própria, e que aguardava impaciente o fim do nosso colóquio, não obstante ter posto nele todo o meu sentido e não ter pensado em outra coisa naquele dia, chegando até mesmo a urdir perguntas e respostas na minha imaginação...

A nossa amizade começou a partir dessa conversa. Durante todo o tempo que mamãe esteve doente passávamos todas as noites algumas horas juntos. Pouco a pouco acabei por vencer a minha timidez, se bem que depois de cada conversa tivesse ainda mais motivos para estar descontente comigo própria. À parte isto, enchia-me de íntima alegria e secreto orgulho ao verificar que ele abandonava por minha causa os seus horríveis livrecos. Uma vez a conversa recaiu sobre o episódio da queda da mesa e falamos disso, muito naturalmente, de brincadeira. Foi esse um momento único; creio que me exprimi com absoluta franqueza e ingenuidade. Fui arrebatada por uma inspiração estranha e confessei-lhe tudo... Disse-lhe que queria estudar para saber e quanto me aborrecia que me tomassem por uma criança... Como disse, encontrava-me nesse momento numa disposição de ânimo especial; sentia-me enternecida e assomavam-me lágrimas aos olhos... Não lhe escondia coisa nenhuma, mas até pelo contrário, contei-lhe tudo, tudo; falei-lhe do carinho que ele me inspirava, da minha ânsia de amá-lo, de me sentir próximo do seu coração, de consolá-lo, de amá-lo...

Ele me olhava de maneira singular, parecia ao mesmo tempo perturbado e surpreendido e não dizia uma palavra. Isso desgostou-me e fez-me ficar triste. Pensei que ele não me compreendia e estaria rindo à minha custa; Então as lágrimas saltaram-me e comecei a chorar como uma infeliz; era impossível me conter, estava dominada por uma vertigem. Ele, então, pegou-me nas mãos e as beijou, estreitando-as contra o seu peito e pôs-se a falar-me com muita ternura e a consolar-me. As minhas palavras deviam tê-lo tocado fundo, pois dava mostras de grande comoção. Não me recordo já do que lhe teria dito, sei só que chorava e ria ao mesmo tempo, que me punha corada e voltava a chorar de puro contentamento, sem poder articular uma palavra. Mas não deixei de perceber que Pokróvski, apesar disso, conservava uma certa perturbação e rigidez. Era indubitável que a minha explosão sentimental o deixara maravilhado, aquele arrebatamento ardente e repentino. Pode ser que na primeira impressão eu tivesse despertado apenas o seu interesse; mas em seguida acabou por perder toda a reserva e correspondia à minha dedicação, às minhas palavras carinhosas, às minhas atenções, com um sentimento não menos sincero e verdadeiro; mostrava-se tão carinhoso como um verdadeiro amigo, como se fosse meu irmão. Como me aquecia o coração e que bem me fazia o seu afeto!... Eu não lhe ocultava nada nem dissimulava perante ele; mostrava-me aos seus olhos tal como era e, cada dia que passava, se aproximava mais de mim e ia aumentando o nosso amor...

Verdadeiramente não poderei dizer de que falávamos naquelas horas torturantes e ao mesmo tempo tão agradáveis, nos nossos colóquios noturnos, à luz trêmula da lamparina que ardia diante de uma imagem e quase colada ao leito da minha pobre mãe enferma...

Falávamos de tudo o que nos acontecia, de tudo aquilo que enchia os nossos corações... e éramos quase felizes... Ah! Como esse tempo foi alegre e triste, ao mesmo tempo as duas coisas! Também ainda hoje o recordo com tristeza e alegria. As recordações são sempre torturantes, quer sejam alegres ou melancólicas. Pelo menos é o que acontece com as minhas... Entretanto, esse tormento vem sempre acompanhado de uma certa medida de prazer. E quando a melancolia nos assalta e o coração nos parece pesado, quando nos sentimos magoados e tristes, as recordações servem-nos de lenitivo e vivificam-nos, tal como o fresco orvalho que, depois de um dia cálido, refrigera pelas tardes úmidas as pobres flores amolentadas pelo ardor do sol, comunicando-lhes uma nova vida.

Mamãe estava já muito melhor; no entanto, apesar disso, continuei a velar todas as noites, à cabeceira da sua cama. Pokróvski emprestou-me livros. A princípio lia apenas com o fim de não me deixar dormir; depois começaram a interessar-me e acabava por devorá-los com autêntica sofreguidão. Parecia-me que à minha frente se abria um mundo novo de coisas até aí desconhecidas e insuspeitadas. Novos pensamentos, novas impressões se abriam na minha alma. E quanto maior excitação, quanto mais trabalho e luta me custavam essas novas impressões ao acolhê-las no meu espírito, tanto mais queridas se me tornavam e tanto mais alvoroçadamente comoviam todo o meu ser. Penetravam de um golpe no meu coração e afugentavam dele todo o sossego. Era uma confusão estranha essa que começava a agitar o meu espírito. Porém, apesar de tudo, esse domínio exercido sobre o meu espírito não podia aniquilar-me. Eu era demasiado idealista e sonhadora e isso é que salvava.

Logo que a minha mãe venceu completamente a sua crise, acabaram as nossas entrevistas noturnas e as nossas compridas conversas. Somente de quando em quando é que encontrávamos oportunidade de trocar duas ou três palavras insignificantes e indiferentes; mas eu me consolava emprestando a cada uma daquelas palavras insulsas um significado especial e dando-lhe a entender a ele alguma coisa de secreto. Sentia a minha vida cheia de significado: era feliz, plácida e tranquilamente feliz. E assim se foram passando algumas semanas...

Até que um dia o velho Pokróvski entrou de repente e casualmente no nosso quarto. Pôs-se a falar pelos cotovelos de todas as coisas imagináveis, dando mostras de estar muito contente e atrevendo-se mesmo a fazer chalaça e a dizer gracejos — gracejos à sua maneira, é claro — até que por fim se saiu com a grande novidade que era a chave do seu bom humor, dizendo-nos que dali a uma semana seria o aniversário de Piétienhka e que nunca deixava de visitar o filho nesse dia. Por isso havia de pôr o seu terno novo, e a mulher — acrescentou — tinha-lhe prometido comprar umas botas novas. Em resumo: o velho estava louco de alegria e não se cansava de palrar.

O aniversário dele! Essa ideia tirava-me o sossego, de dia e de noite. Foi assim que resolvi dar um presente a Piétienhka para testemunhar-lhe o meu carinho. Mas que havia eu de lhe dar? Até que por fim me ocorreu uma excelente ideia: ia oferecer-lhe uns livros. Sabia que ele estava ansioso pela última edição das *Obras completas* de Púchkin[9] e decidi comprá-las. Possuía uns trinta rublos que tinha ganho com os meus trabalhos de costura. Tinha destinado essa quantia para um

---

9   Grande poeta nascido em Moscou em 1799. Morto em Petersburgo, em 1837.

vestido novo que pensava fazer. Mas acabei por enviar a nossa cozinheira, a velha Matriona, à livraria mais próxima para que se informasse do preço da nova edição das obras de Púchkin. Que infelicidade! Os onze tomos encadernados custavam sessenta rublos! Onde havia eu de ir buscar esse dinheiro? Por mais voltas que desse ao problema na minha cabeça, não lhe encontrava uma solução. Não queria pedir dinheiro à mamãe. Certamente que ela me daria; no entanto iria perguntar para que o queria eu e todos ficariam sabendo que desejava dar um presente a Piétienhka. Além disso, então podiam não considerar isso um presente mas uma compensação pelos cuidados que durante todo o ano tivera comigo, enquanto o que eu desejava era presenteá-lo com os livros, eu sozinha, sem que ninguém soubesse. Pelos cuidados que se dava quanto a minha educação, teria eterno reconhecimento, sem oferecer por eles outra coisa em troca senão o meu carinho. Até que, por último, encontrei uma solução.

Eu sabia que nas lojas de antiguidades, no Gostini Dvor[10], podiam adquirir-se os livros mais recentes por metade do preço, se nos déssemos ao trabalho de regatear. Não era raro encontrarem-se ali livros pouco usados e às vezes completamente novos. Optei por esta solução e planejei dirigir-me ao Gostini Dvor na primeira vez que saísse à rua. A ocasião apresentou-se no dia seguinte; mamãe precisava de uma coisa qualquer de uma loja e Anna Fiódorovna também; esta, por sorte minha, não se sentia com disposição para sair. De maneira que me encarregaram de ir fazer as compras em companhia de Matriona.

Não tardou que encontrasse a cobiçada edição e numa encadernação primorosa e muito bem conservada. Perguntei o seu preço. A princípio, o livreiro pediu-me mais do que custava novo, numa livraria; mas pouco a pouco obriguei-o a ir baixando o preço — evidentemente, com bastante trabalho — até que, depois de afastar-me várias vezes da sua loja e fingir que ia dirigir-me a outra, fixou o último preço em trinta e cinco rublos. Como eu gostei de regatear!

A pobre Matriona não podia compreender o que estava a passar-se comigo nem por que teria eu tanto empenho em comprar de uma só vez tantos livros. Ah! Se alguém pudesse ver o meu desespero... Dispunha somente de trinta rublos e o comerciante não queria dar-me os livros por menos. Porém eu lhe pedi e insisti, e tanto fiz para convencê-lo que por fim abrandou e desceu o preço ainda mais um pouquinho, apenas dois rublos e meio, mas jurando e perjurando que já não baixaria mais e que fazia isso somente por mim, atendendo a que se tratava de uma jovem tão simpática; que a nenhum outro cliente teria feito um desconto semelhante. Todavia, faltavam-me ainda dois rublos e meio! Sentia-me angustiada a tal ponto que estava quase a chorar. Mas, nesse instante, um acontecimento imprevisto veio em meu socorro.

Não longe dali, acabava de descobrir o velho Pokróvski, que andava numa livraria próxima. Estava rodeado por quatro ou cinco livreiros que pareciam tê-lo já desanimado com as suas considerações exaltadas. Todos lhe ofereciam livros, os mais diversos que poderiam imaginar-se. Santo Deus, se ele os comprasse todos! O pobre velho estava completamente perplexo e indeciso, sem saber por qual decidir-se, dos muitos livros que lhe ofereciam por todos os lados, com grandes elogios dos

---

10   O maior mercado de Petersburgo. Era uma espécie de galeria abobadada, com as lojas sob as arcadas.

respectivos méritos. Aproximei-me dele e perguntei-lhe o que procurava. O velho ficou muito contente por me ver, pois gostava muito de mim, se bem que não tanto como do seu Piétienhka.

— Repare, Varvara Alieksiéievna: estou comprando uns livrinhos — disse-me ele — para Piétienhka, sabe? O dia dos anos já está perto e o de que ele gosta mais no mundo é de livros; foi assim que disse para comigo: "Vou comprar-lhe uns livrinhos...".

O velho exprimia-se sempre de um modo muito estranho; e dessa vez estava completamente atordoado. Qualquer livro que comprasse ali custar-lhe-ia pelo menos um ou até dois ou três rublos. Dos volumes grandes não ousava ele aproximar-se, limitando-se a mirá-los de soslaio com um sorrisinho guloso e a folheá-los um pouco, muito devagarinho, com muita timidez e respeito... Mirava-os e remirava-os por todos os lados, volteava-os nas mãos, e depois voltava a colocá-los no seu lugar.

— Não, não; este é muito caro — dizia depois a meia voz — Vejamos antes estes... — e começava a rebuscar por entre as rimas de folhetos e de opúsculos, por entre os livros de canções e os almanaques velhos, que naturalmente eram baratos.

— Mas o que vai o senhor comprar? — disse-lhe eu. — Estes folhetos não valem nada.

— Alguma coisa, sim — objetou-me. — Mas repare que livros bonitos há por aqui!

Proferiu estas últimas palavras com tanta veemência e melancolia na voz, que eu tive medo de que ele se pusesse a chorar... com pena de que os livros bons fossem tão caros... e que pelas suas faces pálidas uma lagrimazinha lhe escorregasse até ao nariz vermelho...

Apressei-me a perguntar-lhe que dinheiro trazia.

— Aqui está tudo — e, dizendo isto, o pobre homem mostrou toda a sua fortuna, que levava embrulhada num pedaço de jornal muito sujo. — Olhe: meio rublozinho, uma moeda de vinte copeques, mas uns cobres, mais vinte copeques...

Em seguida, levei-o à loja do meu livreiro.

— Repare: aqui há onze volumes que, todos juntos, custam trinta e dois rublos e cinquenta copeques. Eu tenho trinta rublos; dê-me o senhor os dois e meio que tem, compramos estes onze volumes e damos-lhe os dois o presente!

Parecia que ia enlouquecendo de alegria, o velho; com as mãos trêmulas tirou dos bolsos todo o dinheiro e dispôs-se depois a carregar com a nossa improvisada biblioteca. O pobre velho pôs-se a acomodar os volumes em quantos bolsos tinha, ajeitou os restantes nos braços, encaminhou-se para sua casa, dando-me logo a sua palavra de honra de que os levaria à nossa, no dia seguinte, sem que ninguém visse.

E, na verdade, ao outro dia apresentou-se com o pretexto de visitar o filho. Esteve no seu quarto, mal chegou a uma hora; foi logo ver-nos e mostrou-me uma cara indescritivelmente cômica e misteriosa. Sorrindo e esfregando as mãos, intimamente orgulhoso por estar na posse de um segredo, participou-me no maior sigilo que os livros já estavam ali, sem que ninguém os tivesse visto, e que os tinha escondido na cozinha, onde poderiam ficar sob a proteção de Matriona até ao dia do aniversário de Piétienhka.

Depois, como era natural, a conversa recaiu sobre a festa solene que se aproximava. O velho pôs-se a falar dela com muito entusiasmo, explicando como, segundo o seu parecer, se devia efetuar a entrega do presente; e quanto mais ele insistia no assunto e mais ambiguamente o fazia, melhor ia eu percebendo que o pobre homem tinha alguma coisa para me dizer, que não queria ou não sabia explicar ou, quem sabe, que talvez nem se atrevesse a confessar-me. Eu permanecia calada e aguardava. A misteriosa alegria e a grotesca satisfação que no começo transluziam nos seus gestos, em toda a sua mímica facial, nos seus sorrisinhos e em certos trejeitos que fazia com o olho esquerdo, pouco a pouco, foram se dissipando. Saltava à vista que estava possuído de um desassossego interior, triste e preocupado. Até que, por último, não pode mais conter-se e começou a dizer com voz titubeante:

— Ora veja, Varvara Alieksiéievna... Sabe Varvara Alieksiéievna? — O pobre velho estava completamente transtornado. — Sim, repare: quando chegar o dia do aniversário, a menina lhe entrega dez volumes, sabe? O último fica comigo e eu entrego sozinho, quero dizer, por mim, propriamente pela minha parte. Assim já vê: a menina tem que dar-lhe alguma coisa, eu também tenho que lhe dar um presente; assim, desta maneira, cumprimos os dois a nossa obrigação...

Neste ponto o velho calou-se e não sabia como continuar. Levantei os olhos do meu trabalho: ele estava muito quieto no seu lugar e esperava, sem dúvida a tremer, o que eu iria dizer...

— Mas, por que não quer o senhor que lhe demos os dois a prenda juntos, Zakhar Pietróvitch? — perguntei eu.

— Sim, Varvara Alieksiéievna, faremos assim, como está sugerindo... O que eu queria dizer era que...

Enfim, o velho não conseguia explicar-se, calou-se, e por uns momentos não continuou.

Só depois de uma breve pausa é que prosseguiu:

— Olhe, queria dizer-lhe que tenho os meus pequenos defeitos, isto é, às vezes não me comporto lá muito bem... Ou seja, bom, confesso-lhe que às vezes caio em disparates, Varvara Alieksiéievna... que não estão certos... É isso: que não estão bem... No entanto... Ora veja... Às vezes acontece que faz muito frio na rua, ou que alguém tenha contrariedades que deseja esquecer, ou que lhe tenha acontecido qualquer coisa de desagradável em que não quer pensar... Pois bem: uma pessoa então empurra a porta da taberna, entra e bebe um copinho a mais... Pietruchka não pode aceitar isto com paciência. Aborrece-se comigo, ralha-me e põe-se a explicar-me o que é a moral. Muito bem. Pois é por tudo isso que eu quero agora dar-lhe um presente, para demonstrar-lhe que comecei a pôr em prática as suas lições e a emendar-me. Ou, para falar de outra maneira, quer isto dizer que economizei uns cobrinhos, o suficiente para comprar-lhe um livro e que não fiz pequena economia, pois eu tenho apenas o dinheiro que ele me dá de quando em quando. Isto sabe-o ele muito bem. Por isso com certeza que há de me ver com satisfação aquilo em que eu gasto o dinheiro que me dá: e que faço tudo isto por ele, por mais ninguém senão por ele!

Que pena me fez ouvir o velhinho! Pus-me a pensar e disse:

— Olhe, Zakhar Pietróvitch, dê-lhe o senhor os livros todos!

— Como todos? Os onze volumes?

— Sim, os onze.

— Os onze, eu sozinho?

— O senhor, sozinho.

— Mas... Como se fossem só meus? Sem falar-lhe da menina? Julguei ter-me explicado com suficiente clareza — porém, o velho demorou um bom pedaço de tempo a compreender-me.

— Ah! Ah! — exclamou finalmente, refletindo. — Isso seria maravilhoso, verdadeiramente maravilhoso mas, e a menina, Varvara Alieksiéievna?

— Eu? Não lhe dou nada, simplesmente.

— Como? — exclamou o velho quase assustado. — Não dará nada a Piétienhka? Não lhe quer dar nada?

Tenho a certeza absoluta de que, naquele momento, o velhinho estava disposto a recusar o meu oferecimento só com a intenção de que eu pudesse oferecer qualquer coisa ao seu filho. Que bom coração tinha aquele homem!

Apressei-me a assegurar-lhe que, naturalmente, eu desejava também dar-lhe alguma coisa; mas custava-me diminuí-lo na sua satisfação.

Porque se o presente agradar ao seu filho e ele ficar contente, e se o senhor também ficar contente — acrescentei — a mim, basta-me compartilhar dessa alegria...

Consegui assim tranquilizar o velho que ficou ainda conosco duas horas. Mas nem um único momento conseguiu estar quieto na cadeira; levantava-se, andava de um lado para o outro, punha-se a falar mais alto do que nunca, divertia-se com Sacha, beijava-me a mão às furtadelas e fazia-me sinais por detrás de Anna Fiódorovna. Assim esteve todo o tempo, até que finalmente se foi embora. Resumindo: o pobre velho não cabia em si de contente e nunca em toda a sua vida se tinha sentido tão alegre.

Na manhã do dia solene apresentou-se em casa às onze em ponto, logo depois de ter ouvido missa, vestindo uma jaqueta muito decente, ainda que remendada; umas botas novas, como tinha prevenido, e um sobretudo novo também. Em cada mão trazia um pacote de livros... Matriona tinha-lhe emprestado duas toalhas para embrulhá-los. Nós estávamos nesse momento tomando o café, sentadas junto de Anna Fiódorovna (era domingo). Creio que o velho começou por falar-nos de Púchkin, dizendo-nos que ele era um grande poeta; daí, não sem dificuldade e com a sua insegurança e confusão habituais, fazendo mais pausas do que nunca — porém, apesar disso, com desusada fluência — tomou alento para passar a outro assunto: que devíamos todos ser bons, e quando não o somos é sinal de que fizemos quaisquer tolices. Que as más inclinações sempre irromperam e degradaram os mortais. Sim, acabou até por apontar-nos alguns exemplos pavorosos de intemperança para chegar à conclusão de que ele, havia já algum tempo, estava muito emendado em seu vício, comportando-se agora de maneira quase exemplar. Já anteriormente reconhecera toda a razão que tinha o filho em admoestá-lo; mas somente agora é que começara verdadeiramente a abster-se de todo mal e a viver de acordo com o que a sua razão considerava bom. Como prova disso ia oferecer ao filho aqueles livros que ali tinha e para a compra dos quais, durante muito tempo, tinha amealhado o dinheiro necessário.

Foi-me extremamente difícil conter as lágrimas e o riso enquanto o pobre velho falava. Como tinha aprendido a mentir bem, segundo as suas conveniências!

Começamos logo a proceder à mudança solene dos livros para o quarto de Pokróvski, onde os colocamos na mesa própria. O rapaz compreenderia depois a verdade...

Convidamos o velho para nos fazer companhia, à mesa. Esse dia lá em casa era de alvoroço para todos. Depois da refeição pusemo-nos a jogar prendas e depois cartas. Sacha fazia das suas e mostrava-se mais estouvada do que nunca; mas eu não a secundava nas suas criancices. Pokróvski estava cheio de atenções e procurava a todo instante ocasião para falar comigo; e eu, nisso, também não lhe ficava atrás... Foi esse o dia mais feliz daqueles quatro anos da minha vida.

É a partir dessa data que guardo tristes e graves recordações e começa a história dos meus dias nublados. Talvez seja por isto que a minha pena começa agora a correr mais devagar, tal como se estivesse sentindo cansaço e não quisesse levar mais adiante a sua narrativa. Por isso é que eu contei com tanta minúcia e tanto amor todos os pormenores de tudo o que me aconteceu naqueles dias felizes da minha vida. Como foram breves, esses dias! A seguir vieram os desgostos, fundos desgostos, e só Deus sabe quando terão fim as minhas desventuras.

A minha desdita começou com a doença e morte de Pokróvski.

Tinham passado dois meses desde o seu aniversário, quando ele caiu doente. Durante muito tempo, o pobrezinho tinha-se esgotado à procura de uma colocação que pudesse assegurar-lhe a existência, pois até então nunca tivera nenhuma. Como todos os tuberculosos, andava na ilusão de que ia ter uma longa vida, ilusão que jamais o abandonou até o último momento. Uma vez apareceu-lhe uma colocação de professor, não sei onde; mas ele sentia uma aversão invencível pelo ensino. E a sua doença, já declarada, era um obstáculo a que pudesse entrar no Exército. Isto sem contar que, nesse caso, teria ainda de deixar passar muito tempo até que começasse a ganhar. Em suma: Pokróvski não via uma saída, fosse qual fosse o lado para onde virasse. Isto, naturalmente, exerceu sobre ele péssima influência. Consumia-se, ia arruinando a saúde, sem no entanto dar por isso. Até que chegou o outono. Todos os dias, metido na sua capa leve, lá saía ele em busca de um emprego... o que, para ele, era um tormento. E voltava sempre cansado, esfomeado, molhado da chuva e com os pés úmidos, até que finalmente a doença fez tais progressos que acabou por cair de cama... para não mais se levantar... Morreu nos últimos dias do outono, em fins de outubro.

Acompanhei-o em toda a sua doença. Durante o tempo que ela durou, raramente abandonei o seu quarto. Passei ali muitas noites em claro. Ele estava quase sempre amodorrado por causa da febre e delirava; depois punha-se a falar, sabe Deus de quê... Às vezes falava do emprego que tinha projetado, dos seus livros, de mim, do pai... Foi assim que fiquei ao corrente de muitas coisas da sua vida que ignorava e de que nunca tinha suspeitado.

Nos primeiros tempos da sua doença, e pelo fato de eu lhe prestar assistência, todos lá em casa me olhavam de uma maneira especial e Anna Fiódorovna abanava a cabeça. Mas eu costumava fitá-los todos bem de frente e então acabaram por deixar de criticar o interesse que tinha pelo doente... Mamãe, pelo menos, deixou de censurar-me.

De vez em quando Pokróvski reconhecia-me; mas estes intervalos de lucidez eram muito raros. Passava a maior parte do tempo inconsciente. Frequentemente punha-se a falar, a falar, às vezes durante quase toda a noite, mas com umas palavras vagas, entarameladas, não se sabia para quem, e a sua voz rouca repercutia pelo pequeno quarto com um eco tão sumido como se viesse de um túmulo. Nessas ocasiões, chegava a ter medo. Sobretudo nas últimas noites parecia estar já com o estertor; sofria terrivelmente e os seus lamentos doloridos torturavam-me a alma. Todos lá em casa estavam comovidos. Anna Fiódorovna não fazia senão rezar, pedindo a Deus que aliviasse a sua agonia. Chamou-se o médico. Este veio dizer que o doente já não passaria da manhã seguinte.

O velho Pokróvski passava as noites no corredor, colado à porta do quarto do filho. Tínhamos-lhe arranjado ali uma cama com algumas esteiras a servirem de colchão, sobre o soalho. A todo o momento assomava à entrada do quarto... Fazia medo olhar para ele. O sofrimento atingia-o tão fundo que parecia completamente desorientado, insensível e estúpido. Tremia-lhe a cabeça, tremia-lhe todo o corpo e murmurava mecanicamente palavras misteriosas, falando consigo próprio. Parecia que a dor acabara por deixá-lo aparvalhado.

Pela manhã, o velho acabou por adormecer na sua esteira, no corredor. Aí pelas oito horas, o filho entrava na agonia. Fui acordar o pai. Pokróvski encontrava-se então perfeitamente lúcido e despediu-se de todos nós. Que coisa tão estranha! Eu não podia chorar, e no entanto parecia sentir que meu coração se desfazia em pedaços!

Mas o mais terrível para mim foram os últimos momentos do doente. Esteve primeiro a rezar durante muito tempo, implorando algo que eu não entendia, até que por fim a língua já lhe ficava presa. O meu coração confrangeu-se todo. Durante uma hora esteve o maior desassossego, e a todo instante pedia qualquer coisa, intentando fazer um gesto com a mão rígida, para voltar outra vez a pedir, com a voz rouca e apagada, não sei o que... pois as suas palavras mais não eram já do que sons incoerentes que eu não conseguia decifrar. Levava-lhe à cama tudo quanto havia no quarto; dava-lhe de beber, mas ele não fazia mais nada senão mover a cabeça e olhar-me tristemente. Até que por fim adivinhei o que ele queria: pedia-me que levantasse as cortinas da janela e que a abrisse. Queria ver, pela última vez, a luz do dia, a divina luz do sol.

Levantei as cortinas e abri as portas de madeira; mas o dia que vinha surgindo era escuro e triste tal como aquela pobre vida que se extinguia ali. Não havia nem sinal do sol. As nuvens cobriam o céu com uma névoa espessa e este mostrava-se chuvoso, melancólico e sombrio. Uma chuvinha miúda batia levemente contra os vidros da janela, desfazendo-se sobre eles em gotas grossas, frias e transparentes. Um dia que provocava tristeza e turvação. A sua pálida luz só muito tenuamente entrava pelo quarto, onde apenas brilhava a lamparina trêmula que ardia em frente de uma imagem.

O moribundo contemplou-me tristemente, muito tristemente, e com estremecimento de cansaço, movimentou a cabeça. Um minuto depois estava morto.

Foi Anna Fiódorovna quem se encarregou do funeral. Mandou comprar um caixão muito simples e alugar um carro mortuário. Todavia, para reembolsar-se de tais despesas apossou-se de todos os livros e objetos que pertenciam a Pokróvski.

O velho insistiu para que ela lhe entregasse a herança do filho, lutou, gritou, exaltou-se, levou os livros, guardando-os em todos os bolsos e até no chapéu, em todos os lugares onde era possível, e assim, carregado de livros, deixou-se ficar por ali, sem separar-se deles nem sequer para ir conosco à igreja. Durante todos esses dias parecia que estava doido. Com uma estranha atividade, punha-se constantemente a arranjar qualquer coisa respeitante ao enterro, quer endireitando os ramos de folhas verdes, quer acendendo as velas para em seguida as apagar e voltar depois a acendê-las. Percebia-se perfeitamente que não conseguia fixar o pensamento por muito tempo na mesma coisa.

À missa de sufrágio na igreja não assistiram minha mãe nem Anna Fiódorovna, que estava já vestida para sair, acabou por entrar outra vez em conflito com o velho Pokróvski; aborreceu-se e resolveu ficar em casa.

Na igreja estavam somente o velho e eu. Durante a missa fui subitamente acometida de uma angústia indescritível, como que um vago pressentimento daquilo que o destino me reservava. Só muito dificilmente conseguia manter-me de pé.

Finalmente fecharam o ataúde, colocaram-no no carro e levaram-no para o cemitério. Eu o acompanhei somente até ao extremo da rua. A partir daí o carro começou a correr. O velho continuou atrás dele, chorando alto; e o seu pranto era trêmulo e entrecortado, pois quase se sufocava na corrida. A certa altura caiu-lhe o chapéu, mas o infeliz nem se deteve para apanhá-lo, continuando sempre a correr. Levava a cabeça toda molhada da chuva. Levantara-se um vento fino e frio que lhe fustigava o rosto. O velho, porém, parecia que nem dava por isso e continuava correndo e chorando, ora de um lado, ora de outro, do carro. As largas abas do seu velho sobretudo revoluteavam como asas sob o embate do vento. Por todo lado da sua figura espreitavam livros e no braço levava um grande e pesado volume que estreitava convulsivamente contra o peito. Os transeuntes descobriam-se e persignavam-se. Alguns ficavam parados, olhando o velho, com os olhos assombrados. A cada passo lhe caíam livros que iam tombar sobre a lama da rua. Então, chamavam-no, obrigavam-no a parar e a dar conta do objeto. Ele apanhava o livro do chão e continuava a caminhar atrás do carro fúnebre. Um pouco antes de voltar a esquina, aproximou-se uma velha mendiga e pôs-se a seguir também atrás do carro. Finalmente este rodeou a esquina e desapareceu.

Voltei para casa. Estremecendo de dor, lancei-me nos braços da minha mãe. Estreitei-a fortemente contra o peito, beijei-a e rompi a chorar. Apegava-me angustiadamente à única pessoa que me restava ainda, como uma derradeira consolação, como se quisesse guardá-la para sempre, a fim de que a morte não pudesse a pudesse arrebatar.

Mas a morte encarniçava-se já sobre a minha pobre mãe...

11 de junho.

Como lhe agradeço o nosso passeio de ontem pelas ilhas, Makar Alieksiéievitch! Como tudo estava lindo e maravilhosamente verde, e como o ar rescendia de aromas! Havia já tempo que eu não via árvores nem relvados... Quando estava doente tinha a impressão de que ia morrer, de que isso era fatal. Pense no que eu devia ter sofrido! Não fique aborrecido por me ter mostrado triste. Sinto-me muito bem e muito alegre. Contudo está escrito que eu tenha sempre alguma tristeza precisamente nos meus momentos mais felizes; tudo me acontece sempre assim. Também não representa nada de especial que eu tivesse chorado; eu própria não sei por que acabo sempre por chorar. Reconheço que sou de uma excitabilidade doentia; todas as impressões que experimento tornam-se sempre morbidamente... morbidamente violentas. O céu claro e sem nuvens, aquele pôr do sol, o silêncio vespertino... tudo isso... e nada disso, afinal... Em resumo: encontrava-me ontem numa disposição de espírito tal que qualquer coisa deixava em mim uma impressão triste e torturante, a tal ponto que sentia o coração apertado e até parece que me apeteciam as próprias lágrimas. Mas... por que lhe digo, ao senhor, tudo isto? Se custa tanto ao nosso coração explicar estas coisas, como não será difícil exprimi-las! No entanto pode ser que me compreenda.

Ó dor! Ó alegria! Mas... como é bom, Makar Alieksiéievitch. Ontem, o senhor olhava-me nos olhos como se quisesse ler neles o que eu sentia e estava tão feliz por ver-me tão contente! Quer se tratasse de um renque de verdura, de uma alameda ou de um regato... aí estava o senhor sempre diante de mim, todo orgulhoso, olhando-me sempre nos olhos, como se tudo aquilo que me mostrava fosse propriedade sua. Tudo isso demonstra que tem um bom coração, Makar Alieksiéievitch! Por isso eu lhe quero tanto.

Tenho que deixá-lo aqui. Hoje estou outra vez um pouco adoentada; ontem molhei os pés e apanhei um resfriado. Fiódora também não está ainda boa de todo, não sei o que ela tem. De maneira que estamos as duas adoentadas. Não se esqueça de mim e venha ver-nos mais vezes. Sua,

V. D.

12 de junho.

Minha pombinha, Varvara Alieksiéievna! Eu a imaginar, minha filha, que ia descrever-me o nosso passeio de ontem em termos poéticos e afinal manda-me uma carta de uma só página!

Mas não quero censurá-la, pois apesar de me escrever tão pouco, isso lhe foi suficiente para descrever-me tudo muitíssimo bem. A Natureza, todas as diferentes sensações que experimentou diante da paisagem... tudo isso, numa palavra, soube a menina descrever-me breve mas admiravelmente. Eu, pelo contrário, não tenho nem uma amostra de jeito para descrever o que quer que seja; ainda que escrevinhasse dez folhas de papel, nunca chegaria a fazer uma autêntica descrição, fosse do que fosse.

Disse-me também que eu sou bom, benigno de condição, cheio de benevolência para toda a gente, incapaz de causar ao próximo o mais ligeiro dano e que sei apreciar a bondade do Criador, que encontra a sua expressão na Natureza, e além disso honra-me ainda com outras várias amabilidades... Tudo isso que me diz é verdade, minha filha, a pura verdade, pois realmente sou como me descreve, sei disso; e sinto-me contente quando vejo que alguém me descreve tal como a menina fez; sem querer fico satisfeito e alegre; apesar disso vêm-me também pensamentos graves de várias espécies. Mas escute-me, minha menininha, quero falar-lhe um pouco sobre tudo isso.

Começarei por remontar à época em que eu contava apenas dezenove anos, quando ingressei na burocracia oficial; bem depressa se passariam trinta anos da minha vida como funcionário... Durante todo este tempo, fique sabendo, gastei muitas fardas, tornei-me um homem grave e sisudo, conheci e tratei com muitas pessoas... vivi... Sim, por que não dizê-lo? Vivi e adquiri experiência... e um dia quiseram até propor-me para ser condecorado: pensaram em dar-me uma cruz como recompensa dos meus bons serviços. Talvez que isto custe a acreditar, mas é a pura verdade, não estou a mentir-lhe, minha filha. Mas a que propósito vem tudo isto? Já vai ver. O fato é que neste mundo há de tudo: pessoas boas e pessoas más.

No entanto, repare no que eu vou dizer-lhe, minha filha: sou um homem inculto, estúpido até, se quiser; mas em troca possuo um coração completamente igual ao dos outros homens. Sabe lá, Várienhka, o que me fizeram sofrer os meus companheiros de trabalho! Até me envergonho de dizer isso. Há de perguntar-me, com certeza, por que se davam afinal, todas essas coisas. Pois davam-se precisamente porque eu sou uma pessoa que se cala, um homem modesto, porque eu sou um bom rapaz. Eu não ia pelo seu lado e, por isso, punham as culpas de tudo sempre em cima de mim. A princípio, quando alguém fazia uma coisa malfeita, acabavam por dizer:

— Sim, deve ter sido o senhor, Makar Alieksiéievitch...

Com o tempo essa pequena frase converteu-se nesta outra:

— Sim, com certeza que foi Makar Alieksiéievitch. Senão, quem poderia ter sido?

Até que por fim apenas diziam:

— Evidentemente que foi Makar Alieksiéievitch, isso nem se pergunta...

Já vê por aqui no que acabou toda essa história. De tudo quanto de mau acontecia, era Makar Alieksiéievitch o culpado. Chegaram até o ponto de converter o nome de Makar Alieksiéievitch, não só em sinônimo de todo mal que acontecia na repartição, mas também, não contentes ainda com terem feito do meu nome uma palavra maldita, uma censura digna de maldição, ou até mesmo uma palavra digna de desprezo, tinham sempre, além disso, que falar do meu calçado, da minha roupa, do meu cabelo e das minhas orelhas; numa palavra, de toda a minha pessoa; tudo quanto me dizia respeito eles achavam mal e de maneira muito diferente daquela que devia ser. E ouvir o mesmo estribilho todos os dias, durante uma infinidade de anos! Acabei por me acostumar a essas coisas porque sou um homem pacífico, um pobre-diabo. Mas, afinal, ainda me apetece perguntar: que teria feito eu para merecer tudo isso? Cortei a carreira a qualquer pessoa? Fiz intrigas junto do chefe acerca de algum colega, com o fito de conquistar uma recompensa? Urdi alguma conjura contra alguém? Cometeria um pecado, minha filha, se imagina sequer que eu, mesmo de longe, tenha algum dia feito alguma coisa de semelhante! Sou um homem capaz de cometer tais ações? Pense com atenção, minha filha, e diga-me a menina se me julga capaz de urdir intrigas ou cabalas. Mas, então, por que teria caído essa praga sobre mim? Senhor, perdoai-lhes! Você me considera um homem de bem, mas isto é porque você própria é incomparavelmente melhor do que todas as demais criaturas, Várienhka!

Qual é a maior virtude cívica? A este respeito, ainda há dois dias que Ievstáfi Ivânovitch, numa conversa particular, se exprimia nestes termos, dizendo: "A maior virtude cívica consiste em procurar ganhar dinheiro". Evidentemente que falava em tom de gracejo (parece-me que o dizia por troça); mas a moral da frase (o que ele verdadeiramente queria dizer) é que ninguém deve prejudicar o próximo. E eu nunca prejudiquei ninguém! Ganhei sempre o meu pão à minha custa. E é verdade que se trata verdadeiramente de um pedaço de pão, de pão quantas vezes duro e seco, mas do meu pão, adquirido honrada e legalmente com o meu trabalho.

Mas, afinal, que havemos de fazer? Vejo muito bem que não faço nada de extraordinariamente importante quando me sento à secretária na repartição e me ponho a copiar minutas. E, no entanto, sinto-me vaidoso: trabalho, faço qualquer coisa de útil e faço-o pelo meu próprio esforço. E, além disso, há alguma coisa de mau no fato de eu não fazer outra coisa senão copiar? É porventura algum pecado? Ora! Não passo de um amanuense! Mas vamos ver: que tem isso de desonroso? A minha letra é perfeitamente clara, legível, tanto que até parece letra de imprensa, e dá gosto ver uma página escrita por mim... Sua Excelência, o ministro, está muito satisfeito comigo. Quer sempre que seja eu quem lhe copie os documentos que levam a sua assinatura. Ora, tudo isto está muito bem; o que é pena é eu não redigir com elegância. De sobejo sei que não tenho estilo, que não domino a construção da prosa. Também sei isso perfeitamente e essa foi a razão por que eu não pude subir no emprego... A você mesma, minha filha, lhe escrevo eu agora ao correr da pena, tal como as coisas me saem, sem artifícios nem primores, tal como o coração me diz... Sei tudo isto lindamente; mas, afinal, se todas as pessoas escrevessem de maneira original, diga-me, quem diabo havia de copiar as minutas?

Já pode ver que este é o nó da questão. Tem alguma coisa a opor a isto, minha querida? Por isso eu sei muito bem que sou necessário, ou para falar melhor, imprescindível, e que seria insensato aborrecer-me com ditos ociosos. Comparo-me a um ratinho... Não acha que tenho uma certa semelhança? Pois bem: este ratinho no entanto é necessário, sem ele não se pode andar para diante; é um elemento com o qual é preciso contar, e por último, a este ratinho chegaram a prometer uma gratificaação... Veja, veja, como eu sou tolo!

Já falei demais acerca disso tudo. Não queria dizer-lhe nada, mas como a ocasião se apresentou... Além disso as suas palavras tocaram-me. A menina gosta tanto de saber que ainda há justiça neste mundo!

Adeus, minha filha e minha consolação. Sim, com certeza que hei de ir visitá-la, minha estrela, para ver como vão as duas e o que fazem. E até lá, não se aborreça muito. Vou lhe levar um livro. Que passe bem, Várienhka, é o que estimo!

De todo o coração lhe deseja as maiores felicidades o seu,

MAKAR DIÉVUCHKIN.

20 de junho.

Meu muito estimado Makar Alieksiéievitch:

Escrevo-lhe correndo, pois tenho muito pouco tempo... Devo acabar um trabalho para uma data certa.

Vou imediatamente dizer-lhe uma coisa, sem rodeios: apareceu uma oportunidade para uma boa compra. Fiódora disse-me que um seu conhecido tem um terno quase novo de que queria desfazer-se, calças, paletó e gorro e, segundo ela disse, tudo muito barato. Se o senhor quisesse ficar com ele! Agora tem dinheiro e não está em dificuldades. Foi o senhor próprio quem o disse que tinha um dinheirinho de lado. Por isso acho que deve pensar bem e adquirir essa pechincha.

É que a roupa lhe está fazendo muita falta. Basta que se olhe ao espelho para ver como já está velho esse terno que usa. Até faz pena! Está todo cheio de manchas. E consta-me que não tem outro novo, por mais que me assegure que o tem. Sabe Deus o que teria feito dele... Por isso peço-lhe que me escute, que compre essas coisas, insisto! Faça isso por mim, se na verdade me quer como diz!

O senhor ofereceu-me a roupa branca. Ora, devo dizer-lhe, Makar Alieksiéievitch, que isso é demais. Está a arruinar-se, e não estou brincando, pois o que gastou já comigo representa uma boa soma! Como pode o senhor esbanjar dessa maneira? Eu já não preciso de nada; todos esses obséquios estão a mais. Acredite que já sei quanto o senhor me estima, e portanto é escusado que procure demonstrar-me à custa de presentes atrás de presentes a verdade da sua afeição. Se soubesse como me custa aceitar as suas prendas! Sei quanto lhe custam também. Por isso, terminantemente, digo-lhe que não me mande mais nada. Entende-me? Suplico-lhe, imploro-lhe!

Pede-me que lhe envie a continuação dos meus apontamentos e diz que devo terminá-los. Meu Deus, nem eu própria compreendo como pude escrever tanto nesse caderno, como escrevi! Não; não tenho coragem, agora, para falar do meu passado. Não quero ocupar com ele, de novo, o meu pensamento. Tenho medo dessas recordações. Falar da minha pobre mãe, cuja filha, depois que ela morreu, veio a ser vítima de tantos infortúnios... Seria completamente impossível. Meu coração fica a sangrar quando, mesmo de longe, evoco tais recordações! A ferida está ainda demasiado fresca! Nem sequer tenho sossego para pensar; apesar de ter decorrido já um ano inteiro sobre essas coisas, ainda não consegui recuperar a serenidade! Além disso, o senhor já sabe tudo...

Também lhe comuniquei já as intenções atuais de Anna Fiódorovna. Joga-me no rosto a minha ingratidão e calunia-me dizendo que eu tinha certos entendimentos com o senhor Búkov! Intima-me a que volte para a sua companhia. Diz que estou vivendo de esmolas e que enveredei por um mau caminho. Se voltar para o seu lado, diz ela, vai se encarregar de refazer a história com o senhor Búkov e vai obrigá-lo a dar-me a reparação que me é devida. Chegou a ponto de dizer que o senhor Búkov vai me dar uma indenização. Que Deus lhe perdoe! Sinto-me aqui muito bem debaixo da sua proteção e ao lado da minha Fiódora que, com a dedicação que tem por mim, me faz lembrar a minha antiga e feliz infância. O senhor não é apenas um parente afastado e portanto nada impede que olhe por mim e me proteja com o seu nome e a sua boa reputação. Àquela gente, não quero conhecê-la... Hei de fazer por esquecê-la... se puder. Que mais querem de mim? Fiódora diz que tudo aquilo é falar por falar e que hão de acabar por deixar-me em paz. Queira Deus que assim seja.

V. D.

21 de junho.

Minha flor, meu amor, tenho tanta vontade de lhe escrever, mas não sei por onde hei de começar...

É extraordinário como vivemos os dois, agora! Digo isto unicamente porque já o deve saber; nunca passei uns dias tão felizes. É tal qual como se Deus me tivesse feito a graça de possuir um lar e uma família! A menina é a minha filha, a minha pequenina!

O que é que dizia a respeito dessas quatro blusas que lhe mandei? Sim senhora, Fiódora disse-me que lhe estavam fazendo falta... E, para mim, acredite minha filhinha, é um autêntico prazer cuidar de você, acredite, é mesmo o meu maior prazer. Portanto não me negue isso e consinta em fazer-me feliz...

Nunca experimentei nada de semelhante, meu amor. Vivo agora outra vida muito diferente da anterior.

Em primeiro lugar, uma vida entre dois, se me é lícito exprimir-me assim, pois que a tenho tão próxima, o que é para mim uma grande alegria e uma grande consolação. Em segundo lugar, o meu vizinho de quarto Rotasiéiev — o tal empregado em cujo aposento se celebram serões literários — convidou-me hoje para o chá. Só isto! Quero avisá-la de que hoje se realiza no quarto dele uma dessas reuniões e que nela vai ler-se um pouco de literatura. Já pode ver a vida que agora levo... Hem, e que tal?

Fique com Deus, minha pequenina. Já lhe escrevi bastante, sem qualquer objetivo concreto, unicamente para falar-lhe da minha satisfação.

Mandou-me dizer por Teresa que precisava de seda de cor para os seus bordados; pois fique descansada, minha filha, que eu vou comprá-la, que vai tê-la já amanhã, visto que lhe dão tanta pressa. Já sei onde posso encontrá-la, e da melhor qualidade.

Seu amigo sincero,

Makar Diévuchkin.

25 de junho.

Querida Varvara Alieksiéievna:

Estas linhas têm por fim comunicar-lhe que aconteceu aqui em casa uma coisa tão triste, que certamente há de provocar a compaixão de toda a gente. Esta manhã, pelas cinco horas, morreu o rapazinho dos Gorchkov. Não sei ao certo de quê. Se de bexigas ou, vá-se lá saber, se de escarlatina. Fui hoje visitar os pais. Ah, minha filha, se soubesse a pobreza em que vivem! E que desordem naquele quarto! Se bem que, afinal, não tenhamos nada que nos admirar, pois toda a família vive nesse único compartimento, o qual somente por pudor dividiram a meio por um biombo.

Agora, por enquanto, ainda ali está o caixão da criança... um caixão muito simples, o que há de mais barato, mas no entanto muito bonito. Compraram-no já pronto. O pequenino tinha dez anos e, segundo dizem, dava muito boas esperanças. Faz-me pena, muita pena, ver o corpinho inanimado, Várienhka! A pobre da mãe não chora, mas está muito triste. Pode ser que para eles represente um alívio o se verem livres de uma boca; mas ainda lhes ficam dois para sustentar, um menino de peito e uma garotinha que não deve ter mais de seis anos.

O que não sentirá um pai quando vê sofrer um filho seu, querido, e se encontra na impossibilidade de lhe valer? O pai desta criança que acaba de morrer está metido numa roupa velha, suja e esfiapada, sentado numa cadeira meio desengonçada. As lágrimas correm-lhe pelas faces, talvez não por efeito do sofrimento, mas apenas pelo costume... Seja como for, aqueles olhos choram. É um homem tão esquisito!

Fica sempre ofendido quando lhe falam e nunca sabe o que há de responder. A pequenina está apoiada ao caixão, muito quietinha, séria e pensativa. Não gosto de ver as meninas tão sérias, Várienhka, causam-me inquietação. No soalho jaz uma boneca velhas, mas a criança não pega nela para brincar. Com o dedinho na boca, assim está... assim estava, sem se mexer. A dona da casa acaba de oferecer-lhe um bombom. Ela pegou, mas não comeu. Que triste é isto tudo! Não é verdade, Várienhka?

Seu,

Makar Diévuchkin.

25 de junho.

Meu inestimável Makar Alieksiéievitch:

Devolvo-lhe o seu livro. Que objeto tão pesado! Onde encontrou o senhor esse tesouro? Agora falando a sério... O senhor gosta de verdade de livros desse gênero? Há já dois dias que prometeu arranjar-me alguma coisa para ler. Eu posso também compartilhar a despesa dos livros, se quiser. Mas, adeus, até à vista. Não tenho tempo para continuar esta carta.

V. D.

26 de junho.

Querida Várienhka:

Confesso-lhe sinceramente, minha filha, que não cheguei a ler esse livro. Para dizer a verdade, folheei-o apenas por alto, o bastante para compreender que se tratava de uma coisa disparatada, escrita unicamente para fazer rir e distrair as pessoas. Mas disse para comigo: "É um livro engraçado, pode ser que agrade a Várienhka". E sem pensar mais, peguei nele e mandei-lho.

Mas, agora, Rotasiéiev prometeu dar-me uma coisa de caráter verdadeiramente literário para ler. De maneira que se vá já preparando para receber bons livros, minha menina.

Rotasiéiev... esse sim, que entende de livros. Ele também escreve e de que maneira! *Escreve muito bem e tem um estilo simplesmente grandioso*. Em cada palavra sua encerra-se sempre alguma coisa... até nas mais correntes e vulgares, em cada frase, até no modo como eu, por exemplo, digo alguma coisa a Faldôni ou a Teresa... Pois até aí sabe ele exprimir-se com arte.

Eu, agora, assisto com toda a regularidade aos seus serões literários. Nós, os do auditório, ficamos fumando enquanto ele nos vai lendo tudo numa tirada, durante cinco horas; mas conseguimos escutá-lo sem pestanejar, durante todo esse tempo. É que são pérolas as suas palavras, e não literatura! Flores, flores perfumadas... tantas flores em cada página, que podíamos formar um ramo com elas! E é tão espontâneo e amigável no seu trato! Que sou eu comparado com ele? Nada. Não presto para nada e nada valho. E, no entanto, ele me honra com a sua benevolência. Já lhe copiei duas ou três coisinhas. Não vá pensar agora, Várienhka, que isto possa influir nele de algum modo, quero dizer, que se mostre tão carinhoso comigo porque eu lhe copio os trabalhos... Não dê atenção a esses murmúrios; não acredite neles, não lhes dê a menor importância! Não; se eu lhe copio essas coisas é por puro prazer, simplesmente porque quero proporcionar-lhe qualquer coisa de agradável. E se ele me mostra, como realmente faz, aquela benevolência, fá-lo também num impulso espontâneo, para proporcionar-me alegria! Não sou tão parvo que o não perceba e vejo muito bem quanta ternura se oculta em tudo isso! Ele é um homem excelente, bom e, além disso, um escritor admirável.

A literatura encerra qualquer coisa de belo, Várienhka, algo de muito belo, tal como ainda ontem pude ver bem em casa de Rotasiéiev. E é ao mesmo tempo uma coisa profunda! Fortalece, afirma e ilustra as pessoas... e faz ainda muito mais, e tudo isso se vê perfeitamente nos seus livros. Estão verdadeiramente bem escritos! A literatura... vem a ser uma pintura, em certo sentido, já se vê; um quadro e um espelho; um espelho das paixões e de todas as coisas íntimas; é instrução e educação ao mesmo tempo, é crítica e um grande documento humano.

Tudo isto ouvi dizerem os companheiros de tertúlia de Rotasiéiev e deduzi-o também das suas conversas. Confesso-lhe sinceramente, minha filha, que quando estou no meio deles, sentado, a escutar... fumando o meu cachimbo, tal como eles... e quando se põem a falar confrontando o seu saber e as suas opiniões, discorrendo acerca das coisas mais diversas, eu muito simplesmente "passo" tal como no jogo. Eu, e a menina também teria que dizer o mesmo... Continuo sentado junto deles, tão calado como um basbaque, e chego a envergonhar-me de mim próprio. E ainda que durante todo o serão uma pessoa fique a pensar na maneira de meter uma palavrinha na conversa geral, nem sempre o consegue. É que por mais que se esforce não encontra essa palavra, por mais voltas que dê, não lhe ocorrem senão insignificâncias! Até parece bruxedo, Várienhka, e acaba-se por se ter dó de si mesmo, essa é que é a verdade. Até se lhe pode aplicar o ditado: "O que o berço dá, a tumba leva".

Sabe o que faço agora nos momentos livres? Olhe, durmo, durmo que nem um bacorinho. Pois em vez dessas sonecas inúteis podia empregar o tempo disponível em qualquer coisa de agradável ou proveitosa, como, por exemplo, sentar-me à mesa e pôr-me a escreve isto e aquilo, o que me viesse à cabeça... não acha? Não só por utilidade e formação espiritual, como também para meu próprio prazer. E ouça, minha filha: não calcula o que eles ganham com os seus escritos, juro! Por exemplo, e para não ir mais longe, o já falado Rotasiéiev... é de admirar como trabalha!

Sem custo nenhum, garatuja ele uma folha inteira! Há muitos dias em que chega a escrever cinco e, segundo disse, recebe trezentos rublos por unidade! Se escreve uma historieta ou coisa humorística, ou alguma anedotazinha ou qualquer coisa do gênero, para o público... quinhentos, pouco mais ou menos, e por menos desse preço, nunca! "É tanto, está acabado... Não convém? Ótimo... Tenho quem pague mil!" Que tal, hem?

Mas a coisa não fica aí. Por exemplo: ele tem um caderninho de poesias, tudo coisas pequenas — uma meia dúzia de linhas apenas. Pois bem, sete mil rublos, minha filha, nada mais nada menos do que sete mil rublos é quanto hão de pagar pelo tal caderninho. E que me diz a isto? Isto representa um capital equivalente a uma propriedade, isto significa uma boa porcentagem duma casa de cinco andares. Cinco mil rublos já ele teve quem lhe oferecesse, simplesmente, mas não cedeu. Tentei convencê-lo com boas razões, dizendo-lhe: "Ó homem, agarre nos cinco mil, apanhe-os e depois então já poderá voltar as costas e cuspir nesses fulanos, se quiser; porque cinco mil rublos, homem, já é dinheiro!". Mas qual o que, diz que dali não arreda pé e que os velhacos hão de conformar-se e largar os sete mil rublos. Veja lá se isto não é esperteza, hem?

E já agora, minha filha, uma vez que estamos a falar no assunto, vou copiar-lhe aqui um trecho das *Paixões italianas*, que é o título duma das suas obras. Leia e aprecie, Várienhka:

> ... Vladímir aproximou-se; no seu íntimo ardiam as paixões e o sangue fervia-lhe...
> — Condessa! — exclamou. — Condessa! Sabe a senhora quão espantosa é esta paixão e ilimitado este delírio? Não, os sentidos não me enganam! Amo, amo com todo entusiasmo, de maneira louca, delirante! Todo o sangue do seu marido não chegaria para apagar a fervorosa paixão da minha alma! Esses pequenos obstáculos não chegam para conter a torrente de chamas do fogo destruidor, infernal, que arde no meu peito desolado! Ó Zinaída, Zinaída!...
> — Vladímir... murmurou a condessa desfalecida, deixando tombar a cabeça sobre o ombro dele.
> — Zinaída! — exclamou Smiélhski fora de si, e do seu peito fugiu um soluço...
> A chama irrompeu clara no altar do amor e rodeou a alma dos dois amantes:
> — Vladímir! — murmurou a condessa. O peito arfava-lhe, as faces tingiam-se-lhe de vermelho, os olhos brilhavam...
> Estava consumado aquele novo e espantoso pacto!
>
> Ao fim de meia hora, o velho conde entrou no quarto de *toilette* de sua esposa.
> — Mas, meu amor, por que é que não se preparou o samovar para o nosso querido hóspede? — perguntou ele acariciando-lhe as faces.

Agora diga-me, minha filha: que lhe parece isto? Não é verdade que é um pouquinho livre?... Impossível negá-lo, mas, ao mesmo tempo, que sabor isto tem e como está bem escrito! Entretanto tenho de copiar-lhe ainda outro passo daquele conto que se chama *Iermak*[11]*e Zuleika*.

Comece por imaginar, minha filha, que o cossaco Iermak, o ousado conquistador da Sibéria, se encontra enamorado de Zuleika, a filha do chefe de tribos siberianas, Kutchum, ao qual fizera seu prisioneiro. A ação decorre no tempo em que reinava Ivan, o Terrível, como poderá verificar. Pois bem, agora vou copiar-lhe um diálogo entre Iermak e Zuleika:

> — Amas-me, Zuleika? Oh, diz-mo outra vez, repete-mo!...
> — Graças ao Céu e à Terra! Como sou feliz! Concedeste-me tudo aquilo por que desde a infância tem lutado o meu espírito arrebatado! E tu, estrela que guias os meus passos,

---

11 Chefe dos cossacos do Don, que atravessou o Ural e conquistou as tribos siberianas chefiadas por Kutchum, cuja filha, Zuleika, aceitou e retribuiu o amor do cossaco. Isto ocorreu no tempo do primeiro czar, Ivan IV, chamado Ivan, o Terrível (1533-84).

que me trouxeste até aqui por cima do pétreo cinturão do Ural! Hei de mostrar ao mundo inteiro a minha Zuleika, e então os homens, esses monstros selvagens, não ousarão acusar-me! Oh, se eles pudessem entender as secretas torturas da sua alma terna, se, tal como eu, soubessem contemplar numa só lágrima de Zuleika todo um mundo de poesia! Oh, deixa-me que enxugue com os meus beijos essa lágrima, essa gota de orvalho celestial... Oh, celestial criatura...

— Iermak — disse Zuleika — o mundo é mau, os homens são injustos. Hão de perseguir-nos e julgar-nos, meu amor! Que vai ser de uma pobre moça como eu, criada nos nevados campos da Sibéria, na cabana de seu pai, além, nesse mundo teu, frio, glacial, desapiedado e egoísta? Os homens não serão capazes de compreenderem-me, meu amado!

— Pois hão de ter que entender-se com a minha espada de cossaco! — exclamou Iermak volvendo a um e outro lado os olhos iracundos...

Imagine agora, minha Várienhka, esse mesmo Iermak ao ter conhecimento de que a sua Zuleika foi assassinada. O velho Kutchum, a coberto da escuridão da noite, durante a ausência de Iermak introduziu-se na sua tenda e matou a própria filha, Zuleika, com o fim de vingar-se de Iermak que lhe roubara o cetro e a coroa.

— Oh, como é bom poder afiar a espada! — exclamou Iermak possuído de um selvagem furor de vingança, batendo com a espada na pedra do altar sagrado. — Preciso de ver sangue, sangue! Tenho que vingá-la, vingá-la, vingá-la!

Porém, apesar de tudo isso, Iermak não consegue sobreviver à sua Zuleika, de maneira que se atira ao Irtich e afoga-se. Com o que termina a narrativa.

Vá lá mais um trechinho, apenas uma amostra. É humorismo, com o qual o autor procura somente fazer rir:

— Então não me conhece Ivan Prokófievitch Joltopuz[12]...? Não? Pois olhe, é o mesmo que mordeu na barriga da perna de Prokófi Ivânovitch! Ivan Prokófievitch é um homem de mau gênio, mas, ao mesmo tempo, é também um homem de raras virtudes. Prokófi Ivânovitch, pelo contrário, é doce como o mel. Sobretudo quando convive com Pielagueia Antônovna. O que, não conhece Pielagueia Antônovna? Pois é aquela que lhe cose sempre o sobretudo com o forro para fora, com o intento de poupar o tecido...

Não é verdade que isto é engraçado, Várienhka, deveras engraçado? Nós, os do auditório, torcíamo-nos de riso enquanto ele nos lia esta página. Veja que pândego é ele, Várienhka! Quanto ao mais é muito esquisito e grotesco na sua maneira de conduzir-se; no entanto, no fundo, é um ingênuo, sem ponta de livre pensador nem de nenhum desses erros dos liberais. Devo participar-lhe também que Rotasiéiev possui boas maneiras e talvez seja essa uma das razões que façam dele um literato tão notável e tão acima de muitos outros.

E o que é que aconteceria se... Pois para dizer a verdade, às vezes isso me passa pela cabeça... Que aconteceria se eu me pusesse também a escrever? Suponhamos, por exemplo, que de repente me lembrasse de publicar um livrinho em cuja capa se lesse: *Poesias de Makar Diévuchkin*. Que tal, hem? Que diria a menina, meu anjo? Que lhe pareceria isto, o que é que pensaria? Pela minha parte posso desde já dizer-lhe, minha filha, desde o instante em que o meu livro fosse publicado, já não teria coragem

---

12   Barriga amarela.

para apresentar-me na Niévski.[13] Não poderia suportar que toda a gente se pusesse a dizer: "Olhem, ali vai o poeta Diévuchkin", e que eu fosse realmente o próprio!

Que faria eu, então, com estas botas? Pois há de saber, minha filha, que as tenho quase sempre manchadas, e as solas, para ser sincero, também estão longe de se encontrarem nas devidas condições. Que faria eu se todos ficassem sabendo que o poeta Diévuchkin andava de botas sujas? Se o vinha a saber alguma condessa ou alguma duquesa, que diriam? Sem dúvida, podia dar-se o caso de que não reparassem nisso, pois as condessas e as duquesas não costumam demorar os seus olhos sobre as botas e muito menos ainda sobre as botas dum empregadinho (afinal de contas, botas são botas...). Mas não havia de faltar quem lhes relatasse a história, a começar pelos meus próprios amigos. Rotasiéiev, por exemplo, havia de ser o primeiro! Rotasiéiev é íntimo, segundo ele diz, em casa da condessa B***, na qual se apresenta até sem convite prévio, sempre ele diz, e, além disso, uma dama de grande cultura literária. Que espertalhão é este Rotasiéiev!

Mas enfim... já chega. Escrevo tudo isto para distraí-la, minha menina, a título de brincadeira. Passar bem, minha pombinha.

Muito escrevinhei eu hoje! Para ser franco, foi porque estou muito contente. Hoje ceamos todos no quarto de Rotasiéiev e este (encontram-se pândegos por todo lado) costuma apresentar um licorzinho especial que... não encontro palavras para descrevê-lo. Mas, veja lá, não vá agora pôr-se a pensar mal de mim, Várienhka! Não se trata disso!

Vou enviar-lhe os livrinhos. Anda por aí de mão em mão uma novela de Paul de Kock[14], mas nesse Paul de Kock a menina nem sequer deve tocar! Não e não, Deus a defenda. Esse Paul de Kock não é para você, Várienhka. Dizem que inspira a todos os críticos decentes de Petersburgo uma grande desconfiança.

Envio-lhe uma onçazinha de doces... que comprei especialmente para você. E preste atenção, minha menina, de cada vez que coma um, há de se lembrar-se de mim. Não morda os bombons que é para não os gastar muito depressa; deixe-os antes ficar na boca até que se derretam, pois, de outro modo, poderiam estragar-lhes os dentes. E depois diga-me ainda se também gostou das pastilhas de chocolate.

Chega! Fique com Deus e passe muito bem. Eu sou sempre o seu fidelíssimo amigo,

Makar Diévuchkin.

27 de junho.

Querido Makar Alieksiéievitch:

Fiódora disse-me que conhece umas pessoas que poderiam ajudar-me muito na situação em que me encontro e, se eu quisesse, poderiam arranjar-me um ótimo lugar como governante em certa casa. Que lhe parece isto, meu amigo? Devo decidir-

---

13   Ao tempo, a maior avenida de Petersburgo. Tinha 35m de largura e 4 km de comprimento. Ladeavam-na palácios, igrejas, edifícios administrativos e lojas.

14   Fecundo romancista francês, autor de histórias chistosas sobre a vida do povo simples (1794-1871).

-me? Gostava de lhe não ser pesada por mais tempo, e o tal lugar parece bom. Mas, por outro lado, custa-me um pouco a ideia de ter de entrar ao serviço de pessoas estranhas. Dizem que se trata de uma família de proprietários rurais. Supondo que desejam pedir informações acerca do meu passado, que hei de eu dizer-lhes? E, sobretudo, sendo eu tão arredia e pouco sociável... Onde me sinto mais satisfeita é precisamente no lugar em que me encontro. Uma pessoa sempre se sente melhor no cantinho a que já se acostumou e, mesmo que nele se sofram dificuldades, ainda é o melhor de tudo. Além disso, teria que viajar para chegar à residência da tal família e sabe Deus para que serviços me guardariam depois! Podia acontecer que me pusessem a cuidar das crianças. E que espécie de gente será essa que, até à data, num período de dois anos, mudou já três vezes de governanta? Aconselhe-me como lhe parecer melhor, querido Makar Alieksiéievitch: devo aceitar essa proposta ou deixar-me ficar em casa?

Por que não vem agora visitar-nos? Aparece tão pouco! A não ser aos domingos na igreja, durante a semana quase nunca nos vemos. É assim tão insociável? Então é como eu. Pois que, afinal de contas, nós somos parentes. Ou será o caso de já não gostar de mim, Makar Alieksiéievitch? Costumo sentir uma grande tristeza quando me vejo sozinha. Às vezes, sobretudo à tardinha, tenho momentos em que fico completamente só; Fiódora sai para comprar qualquer coisa e aí fico a pensar, a pensar... a recordar o passado, tanto as alegrias como as tristezas; tudo isso passa diante de mim como uma névoa. Surgem outra vez diante dos meus olhos os rostos que conheci (creio que os vejo, assim desperta, quase como costumamos ver os seres e as coisas, quando sonhamos). E aquele que me aparece mais frequentemente é o da mamãe... Os sonhos que eu tenho, quando durmo! Vejo bem que a minha saúde está abalada. Estou tão fraca! Esta manhã, quando me levantei, senti-me muito mal, e pior ainda, não me deixa esta maldita tosse! Pressinto, sei que não hei de viver muito. Quem há de fazer o meu enterro? Quem irá atrás do meu caixão? Quem há de chorar por mim?... E se me acontece morrer num lugar estranho, numa casa alheia e entre pessoas que me são desconhecidas? Meu Deus, como é triste a vida, Makar Alieksiéievitch!

Meu amigo, por que há de estar sempre a mandar-me doces? Verdadeiramente, não compreendo onde vai buscar o dinheiro. Meu amigo, guarde esse dinheiro para aquilo que mais desejar, guarde!

Fiódora encontrou um comprador para o meu tapete, aquele que fiz. Vão dar-me quinze rublos. E ficará assim muito bem pago; pensava que me dariam menos... Três rublos competem a Fiódora; eu vou comprar tecido para fazer um vestidinho simples, um pedaço de qualquer tecido, baratinho, mas que aqueça. Para o senhor vou fazer uma jaqueta à americana, uma jaqueta bem jeitosa; hei de procurar um bom tecido e hei de confeccioná-la eu mesma.

Fiódora arranjou-me um livro, os *Contos de Biélkin*[15], que juntamente lhe envio para que o senhor o leia também. Peço-lhe apenas que o não retenha aí por muito tempo, pois não é meu. É uma obra de Púchkin. Ainda há dois anos eu o lia na companhia da mamãe... Por isso, agora, ao lê-lo pela segunda vez, trouxe-me tristes recordações.

Se tiver aí algum livro à mão, gostaria que me mandasse, mas com a condição de que não há de pedi-lo a Rotasiéiev. Pois pelo certo ele lhe daria uma obra das

---

15 *Os contos do falecido Ivan Pietróvitch Biélkin*, célebre coleção de novelas de Púchkin.

suas, se é que tem alguma publicada. Como é possível que o senhor aprecie os seus dramalhões, Makar Alieksiéievitch? São uns autênticos disparates.

Fique com Deus. Não deixe de reparar que, desta vez, escrevi muito. Quando me chega este abatimento, dá-me sempre alegria poder falar com alguém. Este é o melhor remédio; em seguida sinto-me mais aliviada, sobretudo quando posso deixar expandir-se aquilo que tenho no coração.

Adeus, adeus, meu amigo. Sua,

V. D.

28 de junho.

Minha querida Varvara Alieksiéievna:

Basta de tristezas! Você não se acanha? Dê fim a isso, filha minha! Como pode entregar-se a esses pensamentos? Pois se já está boa, minha querida, completamente boa! Está tão bem que até dá gosto vê-la, acredite que é a verdade pura; está apenas um pouco pálida, mas, apesar disso, está viçosa como uma flor! E que sonhos e pesadelos, que fantasmas vêm a ser esses? Ai, não se acanha, minha filha? Deixe-se dessas coisas! Não se preocupe com esses sonhos tão tolos... É a maneira de afugentá-los. É muito simples! Isso a mim não me acontece, durmo até muito bem! Será porque não me falta nada? Olhe bem para mim, minha filha, e veja se não estou contente e satisfeito, se não durmo como uma ratazana, se não estou cheíssimo de saúde, numa palavra, se não parece mesmo que eu sou da pele do diabo... e com muita honra! Por isso deixe-se dessas ingenuidades, envergonhe-se e faça por se emendar. O pior é que eu já sei como é essa cabecinha; por qualquer coisa, começa logo de novo a entristecer-se, a preocupar-se e a atormentar-se com pensamentos de toda espécie. Mas, ainda que fosse só por mim, Várienhka, a menina devia por fim a todos esses desvarios!

Servir a gente desconhecida? Isso nunca. Não, mil vezes não! Como lhe passou semelhante ideia pela cabeça? E que é pior, para fora daqui... Não, minha filha; a menina, ainda não me conhece bem; nunca na minha vida consentirei numa coisa dessas; vou me opor a esse projeto com todas as minhas forças. E ainda que eu tivesse de vender o meu velho casaco e de ficar unicamente com a camisa, nunca a menina havia de passar fome, minha Várienhka! Não, Várienhka, não, conheço-a muito bem! Isso são tolices, nada mais do que tolices! A única coisa certa é que a culpada de tudo isso é Fiódora, ninguém senão ela; essa codorniz velha é que anda a meter-lhe esses disparates na cabeça! Não deve dar ouvidos ao que ela diz. Não a conhece já? Não sabe que essa mulher é uma imbecil, uma mentirosa incorrigível que amargurou a vida do falecido marido com os seus disparates? Pense bem se ela nunca a aborreceu ou nunca a ofendeu também...

Não, não, minha filha; de tudo quanto me falou, nada poderá realizar... O que havia de ser de mim, sim, o que havia de ser de mim? Não Várienhka, meu amorzinho, tem de tirar isso da ideia; não está bem conosco, assim? Ter você a nosso lado nos proporciona infinita alegria e, para você também, nós somos uma satisfação.

Por isso, não se vá, vivamos juntos em paz e na graça de Deus. Vá fazendo as suas costuras e leia um pouco... ou então, não leia... faça como mais lhe agradar, contanto que nunca nos deixe. Porque se assim fizesse, bem sabe, que seria de nós? De vez em quando havemos de levá-la a passear. Mas é preciso que afugente definitivamente esses pensamentos, que procure ser razoável e que não se preocupe nem aflija sem motivo por coisas tão insignificantes. Passarei a visitá-las e o mais brevemente possível. Entretanto deixe-me que lhe diga com toda a franqueza: isso que pensou, não lhe fica nada bem, meu amorzinho, não senhor!

Eu não sou, evidentemente, um homem culto, estou longe de ser ilustrado, quase que tenho só as primeiras letras... Bem, não se trata disso agora, nem é isso o que eu queria dizer... Mas por Rotasiéiev sou capaz de tudo, pense a menina o que pensar! É meu amigo e tenho o dever de vir em sua defesa. Escreve bem, muito bem, e mais que bem. De maneira nenhuma estou de acordo com você. Possui um estilo cheio de colorido e distinção, chegando por pensamentos naquilo que escreve. Em suma: escreve admiravelmente! Talvez a menina o tivesse lido, já desconfiada, Várienhka, talvez estivesse maldisposta quando o leu, ou Fiódora a tivesse aborrecido com uma das suas, se é que não se deu o caso de estar aborrecida pelos dois motivos nesse dia. Não, há de lê-lo outra vez com atenção e com interesse, quando estiver contente e bem-disposta; por exemplo, quando tiver na boca uma guloseima... Nessa altura é que deve voltar a lê-lo.

Não quero dizer que não exista outro escritor capaz de passar acima de Rotasiéiev; mas, supondo mesmo que os há melhores do que ele, nem por isso poderemos afirmar que ele é mau; são todos bons; ele escreve bem, e segundo me parece, os outros também escrevem bem. Além disso, não esqueçamos que ele escreve unicamente para si próprio, quer dizer, que só pega na pena nos seus momentos livres... e vê-se bem que é assim e para dizer a verdade, com certas vantagens...

Adeus, minha filha; hoje não lhe escrevo mais; preciso de copiar uma coisinha e tenho alguma pressa. Minha filha, não deixe de fazer qualquer coisa que me tranquilize. Deus a proteja, meu amor, com tanta segurança como eu sou o seu fiel amigo,

Makar Diévuchkin.

P.S. — Muito obrigado pelo livro, minha filha; também aqui se lê Púchkin.
Esta tarde irei vê-la, sem falta.

***

Meu querido Makar Alieksiéievitch:[16]

Não, meu amigo, não é possível que eu continue aqui por mais tempo. Pensei muito bem e vejo claramente que faria muito mal se deixasse escapar uma colocação tão vantajosa. Ali, ao menos, posso ganhar com segurança o pão de cada dia. Trabalharei, hei de procurar tornar-me simpática a essa gente, e se preciso for, tentarei,

---

16   No original, algumas cartas não têm data nem assinaturas.

mesmo, mudar de feitio. Certamente que é difícil e doloroso viver entre pessoas estranhas, curvar-se a tudo o que elas quiserem, negar o próprio temperamento e depender delas em todas as coisas, mas com certeza Deus não há de faltar-me com a sua ajuda. Uma pessoa não pode viver toda a vida afastada das outras! E eu já noutro tempo passei por circunstâncias parecidas quando estava no pensionato.

Passava os domingos brincando e saltando alegremente como uma autêntica selvagem, e quando a mamãe me ralhava — às vezes fazia-o — nem por isso deixava de estar satisfeita e de sentir o coração iluminado e quente. Mas quando a tarde chegava, aí tornava eu a sentir-me tão infeliz... é que, às nove horas, devia estar de regresso ao colégio e aí tudo me era estranho, frio e severo. As professoras aos domingos estavam sempre de mau humor, e a mim dava-me tamanha tristeza, tal desolação, que nem podia conter as lágrimas. Escapava-me logo para um canto e ali ficava a chorar, solitária e abandonada. Como era natural, diziam depois que eu era uma folgazã e que não queria estudar. Mas não era essa a causa do meu pranto. Até que finalmente... como teria acontecido isso? O certo é que acabei por habituar-me e quando um dia cheguei a abandonar o colégio, chorei muito ao separar-me das minhas companheiras.

Não, não está certo que continue aqui, a ser-lhe pesada ao senhor e a Fiódora. Só pensar nisso é para mim um tormento. Digo-lhes isto francamente, pois não estou acostumada a ocultar-lhes nenhum segredo. Então não vejo eu como Fiódora se levanta assim que amanhece e se põe a lavar, e não para de lidar durante todo o dia e até ainda pela noite adiante? Ora, as pessoas de idade precisam de descanso. E não vejo eu também como o senhor se sacrifica por minha causa, como se priva do necessário para gastar comigo tudo quanto ganha? Sei muito bem, meu amigo, que faz muito mais do que aquilo que está nas suas posses. Diz-me que preferia ficar sem nada do que consentir que eu passasse fome. Acredito, meu amigo; sim, sei que tem um coração bondoso... mas pense um pouco, criatura. Pode ser que agora tenha algum dinheirinho de sobra, pode acontecer que tenha recebido uma gratificação inesperada, mas... e depois? Já sabe que eu ando sempre doente. Não posso trabalhar como o senhor, ainda que de boa vontade o faria, e além disso nem sempre aparece trabalho. Que hei de eu fazer? Sofrer e atormentar-me e deixar que o senhor e Fiódora cuidem de mim enquanto eu fico sem fazer nada? Como poderia agradecer-lhes o mais ínfimo dos seus cuidados, como poderia ajudá-los de qualquer modo? Por que hei de eu ser-lhe tão indispensável, meu amigo? Que lhe trouxe eu de bom? Apenas fiz uma coisa: querer-lhe de todo coração, e esta é a única coisa que lhe posso fazer. Uma vez mais me persegue o meu cruel destino! Sei amar... mas fazer bem, corresponder aos seus benefícios com atos meus, não me é permitido. Por isso não me retenha, pense com vagar no meu projeto e diga-me depois com toda a sinceridade o que lhe parece.

Aguardando, fico a sua,

V. D.

1 de julho.

Tolice, Várienhka; tudo isso não é mais do que tolice, uma pura tolice! Que coisas se lhe metem na cabeça quando fica entregue a si mesma! Tão depressa imagina isto como aquilo! Mas o que lhe falta a si, na nossa companhia, não quererá vai dizer de uma vez? Nós gostamos de você e você gosta de nós, e todos vivemos tão satisfeitos e tanto a nosso gosto... Que mais deseja? Por que há de teimar em ir viver no meio de gente estranha? Sabe a menina o que significa isso de gente estranha? Não... Pois então me pergunte que eu... eu conheço muito bem esses estranhos e posso dizer-lhe como são. Conheço-os, minha filha, e muito bem. Comi do seu pão. Toda criatura estranha é má, Várienhka, sim, muito má; tão má que o nosso pobre coração não pode conter-se, tal é o ponto a que o próximo sabe martirizar uma pessoa com censuras, recriminações e olhares de desprezo. Pelo menos entre nós desfruta a menina de complacência e de bondade, e vive recolhida como em um ninho. Como é possível agora que assim nos deixe e se vá, de um momento para o outro? Que há de ser de mim? Por que me é tão indispensável? Que não me serve de nada?... Não, minha filha; reconsidere e logo verá se me é útil ou não. Saiba a menina que preciso de você, preciso muito de você! Bem sabe que exerce um influxo benéfico sobre mim! Veja isto, por exemplo: lembrar-me de você e ficar bem-disposto é tudo uma e a mesma coisa... Escrevo-lhe uma carta em que lhe declaro todos os meus sentimentos e manda-me logo uma resposta muito comprida; de quando em quando compro-lhe um vestidinho ou um chapeuzinho e a menina algumas vezes tem também uma lembrançazinha para mim, sim, minha filha, arranjo-lhe aquilo de que necessita... Não; preciso muito de você. E que havia de fazer sem a menina, na minha idade? Para que serviria eu depois?

Talvez não tenha pensado nisto, Várienhka; mas, pense e pergunte a si mesma o que vou fazer sem a menina. Acostumei-me a você, Várienhka. E que seria feito a tudo isto, a quem dedicar este carinho? Então me jogaria no Nievá[17] e acabou-se a história. Não, sinceramente, que ficaria fazendo neste mundo, Várienhka?

Ah, meu amorzinho, Várienhka! Parece-me que estou já a ver o carro fúnebre que há de levar-me ao cemitério de Volkov, que uma velhota qualquer acompanha o meu caixão, que me atiram para a cova, que me cobrem com a terra e depois se vão todos, deixando-me sozinho. Isso seria um pecado da sua parte, minha filha, um autêntico pecado! Digo-lhe muito a sério, um autêntico pecado!

Devolvo-lhe o seu livrinho, minha família, e se deseja saber a minha opinião acerca dele, vou dizer somente que nunca em toda a minha vida li um livro tão bom. Pergunto até como é que pude viver até hoje tal como um lorpa! Que Deus me perdoe! Em que gastei a minha vida? Creio que tenho vivido na lua! Donde se vê, minha filha, que não sei nada de nada, que sou aquilo a que se pode chamar um ignorante. Digo isso francamente, Várienhka, não tenho cultura. Até agora li muito pouco, pouquíssimo, para não dizer nada. Li *O retrato de um homem*, que é um bom livro, e mais meia dúzia deles: *O menino que tocava várias peças de música só com campainhas* e *Os grous de Íbico*.[18] Aqui tem as minhas leituras. Mas agora, nesse livrinho, li *O inspetor*, e só quero dizer-lhe, minha filha, que chega a acontecer às vezes que uma pessoa está neste mundo e não sabe que tem ao alcance da sua mão um livro no qual se descreve toda uma vida, com todos os pormenores, e muitas ou-

---

17   Rio que nasce na Prússia e atravessa Petersburgo. É uma grande via de acesso do comércio marítimo para a Rússia.

18   Poema de Schiller, baseado numa lenda. Dizia-se que Íbico, trovador grego, fora assassinado perto de Corinto, sendo o crime denunciado por um bando de grous que no momento passava pelo local e despertou a atenção dos gregos que iam aos jogos naquela cidade.

tras coisas das quais anteriormente nada conhecia. É isso o que uma pessoa sente, ao ler um livro desses; mas depois, pouco a pouco, à medida que avança na leitura, vai dando conta de muito mais coisas, até que acaba por compreendê-las e vê-las com toda a clareza. Mas repare ainda nisto que é mais uma das razões pela qual eu simpatizei tanto com esse livrinho: existem muitas obras que, por muito notáveis que sejam, se põe uma pessoa a lê-las com o máximo interesse acaba por ficar atordoado e sem perceber absolutamente nada. Estão tão bem escritas, contêm tal substância... que as não podemos compreender! Eu, por exemplo... eu sou rude, tacanho de meu natural, *a nativitate*, e, por isso, não consigo ler nenhuma obra demasiado profunda. Porém, desta lhe digo eu que a lê uma pessoa como se ela própria a tivesse escrito, tal qual como se tivesse brotado do seu próprio íntimo... do seu coração. Sim, e pode bem ser que seja assim: como se ficasse grudada muito naturalmente no coração e o virasse do avesso e depois se pusesse a descrevê-lo com todos os pormenores... Assim mesmo, minha filha! E afinal isso é uma coisa tão simples, meu Deus! Tão simples! Eu próprio, digo a verdade, não teria nenhuma dificuldade em escrever dessa maneira. Por quê? Porque sinto exatamente as coisas de que fala esse livrinho. Também já me tenho encontrado às vezes nas mesmas circunstâncias que esse pobre Samson Vírin[19], por exemplo. E quantos Samsons Vírines não andam por aí entre nós, igualmente pobres e bons! Como tudo está escrito com verdade, nessas páginas! A mim, ao lê-las, quase me saltam as lágrimas. Como se embebedava aquele desventurado, até perder os sentidos, depois que a infelicidade lhe caiu por cima, como passava o dia inteiro a dormir, coberto de uma pele de carneiro, e como se esforçava por afugentar os desgostos com um ponche, como, apesar disso, aquele farrapo humano se punha a chorar, até que depois acabava por limpar as lágrimas que lhe corriam pela cara — quando se punha a pensar na sua pobre ovelha extraviada, a sua filhinha, a sua Duníacha!

Isso é que é pintar ao natural! Torne a lê-lo e verá como tudo é tão verdadeiro como a própria vida! Eu próprio sinto muito bem que tudo isso vive, palpita, que nos rodeia por todos os lados. Aí temos o caso da Teresa... E, para não ir mais longe, aqui temos este pobre empregado... que é exatamente um Samson Vírin, apenas com outro nome, que por acaso é o de Gorchkov. Isto é uma coisa que pode acontecer a qualquer pessoa: à menina, ou a mim. E inclusive também o próprio conde que mora na Niévski ou nos cais, pode um dia vir a passar pelo mesmo transe, com a diferença apenas de que, exteriormente, havia de conduzir-se de maneira muito diferente... Visto que também por fora tudo nele é diferente; mas apesar disso podem sofrer o mesmo que nós. É pois a isto que se pode dar o nome de Vida.

Mas a menina quer abandonar-nos! Várienhka, nem de longe pode fazer uma ideia do mal que com isso me causaria! Seria um mal irreparável para você e para mim. Ai, minha estrela, por Deus lhe peço, afaste tais pensamentos da sua cabecinha e não me torture inutilmente! E, sobretudo, meu pobre passarinho que ainda não sabe voar, diga-me como poderia ganhar o seu sustento, defender-se do mal e de todas as ciladas? Não; deixe ficar as coisas como estão, Várienhka, e vá rezando a Deus. Não dê ouvidos a conselhos néscios e torne a ler esse livrinho; acredite que lhe fará bem.

---

19   Personagem de *O inspetor*, comédia satírica de Gógol.

Falei também com Rotasiéiev acerca de *O inspetor*; ele diz que tudo isso já está velho, e que agora só se publicam livros com ilustrações e descrições; creio que foi isto o que ele disse, pois não o percebi lá muito bem. Mas ele acabou foi por dizer que Púchkin se tolera, que cantou a Rússia Sagrada e não sei que mais; sim, quanto a isso estamos de acordo, Várienhka. Volte a ler o livro com atenção. E siga o meu conselho: torne este velho feliz com a sua obediência, que Deus há de recompensá-la, minha filha, sim, por certo que há de recompensá-la.

Seu fiel amigo,

Makar Diévuchkin.

***

Meu querido Makar Alieksiéievitch:

Fiódora trouxe-me hoje os quinze rublos do tapete. Como ficou contente quando lhe dei os três que lhe cabiam! Estou escrevendo com muita pressa. Acabei agora mesmo de cortar a sua jaqueta... O tecido é tão bonito! Amarelo com umas florzinhas...

Envio-lhe um livro; tem várias histórias das quais apenas li algumas. Mas aquela que se chama *O capote*[20], essa, de maneira nenhuma deve deixar de ler.

O senhor prometeu levar-me uma noite ao teatro. Mas não será muito caro? Ainda se fôssemos para a galeria... Há quanto tempo não vou ao teatro, há tanto, que já nem me recordo qual foi a última vez. Mas tenho um receio, que é este: não virá a diversão ficar-nos muito cara? Fiódora abana a cabeça e diz que o senhor está gastando dinheiro além das suas posses. E isso também eu vejo: já gastou tanto comigo! Acautele-se, meu amiguinho, pode acontecer-lhe algum contratempo. Fiódora disse-me que as relações entre o senhor e a dona da casa andam um pouco enredadas porque lhe está devendo uma certa quantia, o que me deixou muito preocupada.

Bem, fique com Deus. Tenho de ir fazer um trabalhinho, pôr uma fita no meu chapéu.

P.S. — Olhe, quando formos ao teatro, quero pôr o meu chapéu novo e a mantilha nova, para ver se assim ficarei a seu gosto.

7 de julho.

Minha querida Varvara Alieksiéievna:

Torno a pegar no fio da nossa conversa de ontem, no ponto onde a deixamos... Sim, minha filha, também eu noutros tempos fiz as minhas loucuras... Estive apaixonado até ao fundo da alma por uma comediante, apaixonado até ter vontade de

---

20   Célebre romance do escritor russo Gógol.

morrer, sim de morrer! E isto ainda não é nada; o mais extraordinário é que nunca na minha vida a tinha visto na rua e apenas a vira uma vez no teatro... Pois apesar disso apaixonei-me por ela.

Nesse tempo vivíamos nós, cinco rapazes novos e folgazões, paredes-meias. Juntei-me a esse grupo espontaneamente, apesar de ao princípio me ter mostrado muito reservado. Mas depois, para não ser diferente dos outros, juntei-me à pandilha. E que maravilhas eles não falavam dessa atriz! Todas as noites em que havia representação, lá estava a tropa toda, se bem que, para as coisas, nunca tivéssemos um tostão... Íamos para a galeria... Aí, todos os nossos aplausos e ovações eram exclusivamente para essa atriz... Apre, que não se cansavam de aplaudi-la, até parecia que ficavam possessos! E depois, durante toda a noite, não me deixavam dormir, falando a respeito dela. Todos a chamavam a sua Glacha, todos estavam apaixonados e traziam uma só pessoa no coração: ela. Até que por fim conseguiram contagiar-me com aquele entusiasmo. Eu era ainda tão novo!

Não sei como foi, o certo é que me encontrei uma vez sentado ao lado deles na galeria! Apenas conseguia ver uma ponta do palco, mas ouvir, ouvia tudo. Tinha ela uma voz linda... clara, doce como a do rouxinol. Aplaudíamos até ficar com as mãos roxas e não nos cansávamos de gritar. Em suma: tinham que nos levar pelo pescoço, pouco faltava, e correr conosco para que saíssemos dali.

Voltei para casa como se fosse envolvido numa nuvem! Tinha apenas um rublo no bolso e dali até o fim do mês faltavam ainda uns bons dez dias! Pois quer saber o que eu fiz? No dia seguinte, quando ia para a repartição, entrei numa perfumaria e gastei toda a minha fortuna em perfumes e sabonetes... sem que eu próprio soubesse para que queria tudo aquilo. E ainda por cima nessa tarde não comi e fui por-me a rondar a casa dela, por baixo das janelas.

A atriz vivia na Niévski, num quarto andar. Depois voltei para casa, descansei uns momentos, tomei um refresco e voltei imediatamente para a Niévski, para continuar a rondar-lhes as janelas.

Andei nisto meio mês, e de todas as vezes, tomava um *drójki*, ou um *likhatch*, e ia por-me a andar de cá para lá, debaixo das suas janelas. Enfim, gastei todo o ordenado e acabei fazendo dívidas; até que, por último, a paixão acabou por si própria e eu me cansei daquela corte.

Já pode ver por aqui o que uma comediante esteve a ponto de fazer de um homem morigerado! No entanto é preciso levar em conta que eu, então, era ainda muito novo, Várienhka, mesmo muito novo!

M. D.

8 de julho.

Apresso-me a devolver-lhe, minha querida Varvara Alieksiéievna, o livrinho que teve a amabilidade de enviar-me no dia 6 deste mês. Ao mesmo tempo desejo ter uma explicação com você, minha filha. Não está certo, evidentemente que não, que me tenha colocado numa situação tão melindrosa.

Permita-me que lhe diga que a todos os homens se lhe afigura que devem a Deus a sua condição social. Uns julgam que nasceram para exibir as dragonas de general, outros, para ser literatos; àquele parece-lhe que nasceu para mandar, a este outro para obedecer de bico fechado. Esta é a realidade e isto corresponde às faculdades humanas. Este tem aptidão para uma coisa e aquele para outra; mas essas aptidões é Deus quem as concede.

Eu tenho já trinta anos de serviço, cumpro escrupulosamente o meu dever, procuro ser sempre modesto e nunca incorri em qualquer falta. Como cidadão e como pessoa humana, julgo-me verdadeiramente um homem, com todos os seus defeitos e todas as suas virtudes. Os meus superiores estimam-me e até Sua Excelência está contente comigo... Se bem que nunca até a data me tivesse dado qualquer prova da sua satisfação, sei de fonte limpa que assim é, que está satisfeito comigo. Tenho um tipo de letra agradável, nem muito grande nem muito pequena, mais próxima do cursivo, mas em todo caso muito satisfatória. De todos os empregados do Ministério talvez somente um, Ivan Prokófievitch, tenha uma letra tão boa como a minha, quero dizer, quase tão boa como a minha.

Criei cabelos brancos no serviço. Julgo que não cometi jamais qualquer falta grave. Claro que, pequenas faltas, quem não cometeu alguma na sua vida? Todos pecamos, minha filha, até a menina. Mas não me pesa na consciência nenhum delito grave, nem sequer um ato consciente de revolta... como seja ter perturbado a tranquilidade pública ou qualquer coisa do gênero... Não, não tenho que censurar-me nada disso, nunca tiveram de repreender-me por coisas assim. Pelo contrário, concederam-me até uma pequena cruz... Mas não falemos nisso... Tudo isto a menina já deveria saber e também ele deveria saber, pois antes de se pôr a escrever, deveria ter começado por informar-se melhor. Não, nunca a julguei capaz de tal coisa, minha filha! Não, não esperava isso de você, Várienhka![21]

Será pois o caso de que me não possam deixar viver em paz no meu canto? Seja lá como for... que seja em paz e sossego, sem agitar as águas, sem molestar ninguém, temeroso de Deus e recolhido, para que também os outros não me aborreçam nem venham meter o nariz, nem farejar no meu cubículo... só para darem conta de tudo, para saberem se uma pessoa tem, por exemplo, um bom colete, e não lhe falta nada em questão de roupa interior, e ainda se tem botas e em que estado se encontram as solas, e o que come, mais o que bebe e ainda que cópias faz em casa! Que tem de particular, minha filha, quando o piso da rua é mau, caminhar nas pontas dos pés para não estragar as botas? Para que hão de encher-se páginas e páginas à custa do próximo, para dizer que às vezes tem as suas dificuldades de dinheiro e que nem sequer prova chá? Como se toda gente, sem exceção, fosse obrigada a tomar chá! Por acaso olho eu para a boca dos outros, para saber o que comem? Fiz eu algum dia semelhante ofensa a uma pessoa? Não, minha filha. Então por que fazer mal a quem mal não faz?

Vou apresentar-lhe um exemplo, Varvara Alieksiéievna. Tem aqui um homem que sabe o que diz; servir, servir, cumprir o seu dever zelosa e conscientemen-

21   Neste passo deverá o leitor lembrar-se que Varvara Alieksiéievna enviou a Makar Alieksiéievitch o livro *O capote*, da autoria de Gógol. Nesta obra o herói é também um empregado de pequena categoria, uma figura simpática, humilde e comovedora, mas grotesca. Ora, Makar, ao ler esse livro, viu-se por assim dizer retratado nele e chegou a pensar que Gógol teria se inspirado na sua própria figura. Daí as censuras que nesta carta dirige à jovem.

te... Sim, até os supervisores o estimam (digam os outros o que disserem, o certo é que o estimam) e, de repente, pespega-se-lhe um qualquer à frente do nariz, e sem um motivo, sem vir a propósito, põe-se a rabiscar um libelo à sua custa, sim senhor, um panfleto, que é o que vem a ser esse tal livro!

Já se sabe que todo aquele que estreia qualquer coisa se sente todo vaidoso, e que até, com essa alegria, chega às vezes a perder o sono... É mesmo assim... Senão, vejamos. A menina, por exemplo, compra umas botas novas... Com que gosto não vai estreá-las! Sei bem o que isso é, pois já tenho sentido o mesmo: é agradável vermo-nos calçados com botas elegantes... Isso está muito bem descrito no tal livro. No entanto, digo-lho sinceramente, choca-me que Fiódor Fiódorovitch[22] tenha podido ler o livro sem se sentir ofendido!

É verdade que se trata de um chefe ainda muito jovem e que gosta, de vez em quando, de menosprezar os seus subordinados. Por que não havia ele de gostar disso? Por que não havia ele de dar-lhes uma ensinadela de vez em quando, visto que entre nós não se consegue nada de outra maneira? Muito bem; convenhamos em que tal se faça apenas pró-forma... mas isso, afinal, é necessário. Têm de apertar-se bem as rédeas, mostrar energia, pois, de outra maneira... sem energia, sem severidade, ninguém consegue nada; cada um deseja unicamente conservar o seu emprego e poder dizer: "Eu estou empregado nisto ou naquilo"; quanto a trabalhar, o que todos procuram como podem é a maneira de alijar o fardo. Mas como há muitas categorias e cada uma delas deve receber a reprimenda merecida no tom correspondente, daí resulta naturalmente que existem diferentes tons quando sucede o chefe ralhar com todos... O que está muito bem!

É nisto que assenta o mundo, minha filha: haver sempre alguém que mande nos outros e que os sustenha pelas rédeas... A não ser desse modo, o mundo não poderia subsistir nem um instante, pois então para onde ia a ordem? Espanto-me realmente de que Fiódor Fiódorovitch tenha podido deixar passar inadvertida semelhante ofensa.

E afinal para que escrever? Para que serve isso? Será o caso de que algum leitor possa assim comprar algum capote? Ou um par de botas novas? Não, Várienhka, o leitor o que faz é ler o livro e ficar à espera da continuação.

Uma pessoa esconde-se, oculta-se, acovarda-se, e até chega a acanhar-se de mostrar a ponta do nariz por temor das troças, pois já se sabe que tudo neste mundo pode prestar-se para zombarias. "Vamos, põe a tua vida toda a reluzir em letra de forma, tanto a pública como a privada, que tudo se publique e se leia e provoque motejos e risadas!" Já uma pessoa não pode sair à rua. Aqui está tudo escrito, tudo... que até pela maneira de andar podem conhecer uma pessoa! Talvez possamos concordar que, por último, o autor mudou um pouco de tom, quero dizer, que talvez tenha amenizado um tanto as coisas, como por exemplo quando diz, depois da cena em que lhe atiram com os papéis à cabeça, que ele afinal foi sempre um cidadão honrado e virtuoso e não era merecedor de tratos tais da parte dos seus colegas; que era obediente aos superiores e cumpria com consciência os seus deveres (aqui, o autor podia ter incluído um exemplozinho...); que nunca desejou mal a ninguém,

---

22 Nome dum dos chefes da personagem principal de *O capote*.

que acreditava em Deus e que pela sua morte (se é que, irremediavelmente, tinha de morrer) todos choraram por ele...

Melhor fora, porém, que não tivesse feito morrer a pobre criatura, que tivesse arranjado as coisas de maneira que seu capote aparecesse e que Fiódor Fiódorovitch... mas, que ia eu dizendo... que aquele chefe tivesse estado mais bem-informado acerca das suas virtudes e o tivesse empregado na sua repartição, destinando-lhe um cargo elevado e aumentando-lhe o ordenado, de tal maneira que o mal tivesse sido castigado e a virtude recompensada... Assim, os seus companheiros de emprego teriam até inveja dele!

Sim, eu, por exemplo, teria feito isso, pois assim tal como está escrita... que tem de particular ou de bela essa história? Não é mais do que um exemplo da humilde vida cotidiana. Como pôde você, Várienhka, tomar a decisão de enviar-me semelhante livro? É um livro maligno, um livro prejudicial, como pode ver! É simplesmente infiel à verdade, pois é completamente impossível que, seja onde for, possa encontrar-se um empregado como esse! Não; tenho de queixar-me, Várienhka; tenho de queixar-me, simples e formalmente!

Seu certo servidor,

Makar Diévuchkin

27 de julho.

Meu querido Makar Alieksiéievitch:

A sua carta e os últimos acontecimentos encheram-me de susto, tanto mais que a princípio não conseguia compreender do que se tratava... Até que Fiódora me contou tudo. Mas por que há de o senhor desesperar-se até esse ponto e desinquietar-se por semelhante motivo? As suas explicações, Makar Alieksiéievitch, não me satisfizeram completamente. Vê o senhor agora como eu tinha razão em querer aceitar aquela colocação tão vantajosa? Aflige-me especialmente a minha última aventura.

Diz o senhor que foi a amizade que me tem que o obrigou a ocultar-me muitas coisas. Eu sabia muito bem até que ponto lhe devia gratidão, se bem que o senhor me garantisse que gastava comigo somente o supérfluo, e que de outro modo o teria guardado na gaveta. Mas agora que já sei que o senhor não tem dinheiro nenhum amealhado; que o senhor, ao saber casualmente da minha triste situação, somente por dó e piedade decidiu gastar comigo o seu ordenado, e mais, que até pedia adiantamentos e que durante a minha doença chegou inclusive a vender a sua roupa de uso... agora que sei isso tudo, vejo-me numa situação muitíssimo melindrosa, a tal ponto que não sei como interpretar o que aconteceu nem que pensar de tudo isso.

Ah, Makar Alieksiéievitch! O senhor devia ter-se contentado com prestar-me apenas um auxílio mais urgente, por compaixão e por afeto de parentesco, sem atrever-se para além disto a esses gastos desnecessários, que representam um verdadeiro esbanjamento. O senhor enganou-me, Makar Alieksiéievitch, abusou da minha confiança e agora me vejo obrigada a ter de ouvir que gastou até o último copeque comprando roupa, doces e livros para mim, e me levando a passeios e ao teatro... Agora pago bem caro tudo isso com as censuras que a mim própria faço e com este amargo pesar que sinto pela minha imperdoável leviandade, pois aceitava tudo isso, sem perguntar-lhe donde vinha. Desta maneira as coisas tomam agora outro aspecto e aquilo com que o senhor quis trazer-me alegria transforma-se num peso que me oprime e o desgosto empana a recordação daquilo que um dia foi tão agradável...

Nos últimos tempos, naturalmente, não deixei de reparar que o senhor andava abatido; mas, se bem que eu própria, tomada de pressentimentos, suspeitasse algo de mau, não podia nem de longe fazer uma ideia do que agora está acontecendo. Pois como pôde perder a cabeça a esse ponto, Makar Alieksiéievitch? Que hão de dizer as pessoas que o conhecem? Será possível que o senhor, a quem eu e toda a gente estimávamos pela sua bondade, simplicidade e dignidade, tenha acabado por vir a contrair um vício tão repugnante e que nunca, segundo parece, o seduziu?

Nem sei o que senti quando Fiódora me veio contar que o tinham encontrado embriagado no meio da rua e que a polícia o tinha vindo trazer a casa! Fiquei petrificada... embora já tivesse imaginado que se passava algo de extraordinário, pois havia quatro dias que o senhor não aparecia. Mas, Makar Alieksiéievitch, não pensou ainda naquilo que hão de dizer os seus superiores quando conhecerem a verdadeira causa da sua falta à repartição? Dizem que toda a gente se ri à sua custa, que ninguém ignora já as nossas relações e que os seus vizinhos me incluem a mim também nos seus gracejos. Não se preocupe com isso, Makar Alieksiéievitch. Por tudo lhe peço que esteja tranquilo!

Estou também muito preocupada por causa desse outro caso seu com aquele oficial... Não estou bem a par da questão, ouvi apenas uns rumores muito por alto. Peço-lhe que me explique em que ficou tudo isso.

Dizia-me na sua carta que tem medo de contar-me a verdade, pois talvez com isso se exponha a perder a minha amizade, e que durante a minha doença, desesperado, vendeu tudo para poder acudir às despesas, para evitar que me levassem para o hospital e que se empenhou até à raiz dos cabelos, e por isso a dona da sua casa o escandaliza agora todos os dias... Mas ao esconder de mim tudo isso, procedia da pior maneira possível. Queria evitar que eu soubesse que era a causa das suas dificuldades de dinheiro; porém, agora, sofro duas vezes mais. Tudo isto dá cabo de mim, querido Makar Alieksiéievitch. A infelicidade é uma doença contagiosa, meu amigo! Os pobres e os desgraçados devem andar longe uns dos outros para que não se agravem mutuamente as suas misérias. Fui eu a causa de um dos maiores aborrecimentos que sofreu em toda a sua vida! Isto apoquenta-me de maneira indescritível e rouba-me ânimo para tudo.

Escreva-me e diga com sinceridade tudo quanto lhe aconteceu e como pôde abandonar-se até esses extremos. Tranquilize-me, se isso lhe for possível. Não falo assim por egoísmo, mas por todo o afeto e carinho que lhe tenho, e que coisa alguma no mundo poderá afugentar do meu coração.

Adeus, Makar Alieksiéievitch. Aguardo impacientemente a sua resposta e lembre-se de que chegou a pensar mal de mim.

A que lhe quer de todo o coração,

Varvara Dobrossiélov

28 de julho.

Minha muito estimada Varvara Alieksiéievna:

Sim, agora que tudo passou e que de novo, pouco a pouco, o rio regressa ao seu leito, posso ser sincero com você, minha filha. Pois bem: incomoda-se com o que as pessoas possam pensar e dizer de mim? Então apresso-me desde já a dizer-lhe que na repartição me demonstram agora mais apreço do que nunca. E depois de contar-lhe todas as minhas desgraças e aborrecimentos, posso informá-la de que nenhum dos meus chefes ainda sabe nada, e por isso todos continuam a ter-me no mesmo conceito favorável. Só tenho medo de uma coisa: da maledicência. Aqui em casa era a senhoria que falava, mas como já lhe paguei parte da minha dívida, graças aos dez rublos que me enviou, limita-se agora a rosnar em voz baixa. Quanto aos outros, queira Deus que a coisa nunca seja pior. A menos que se trate de emprestar dinheiro, quanto ao resto são boas pessoas. E para remate das minhas explicações, tenho de lhe dizer ainda, minha filha, que para mim a sua amizade vale mais do que tudo neste mundo e que me consolo nas dificuldades presentes com a ideia de a não ter perdido. Graças a Deus que os piores momentos já passaram e que a menina é tão boa que chega a tomar as culpas sobre si própria, que não me toma por um falso amigo e por um homem egoísta, só pelo fato de me ter esforçado por retê-la aqui entre nós e de tê-la enganado, pois eu lhe queria tanto e não tinha coragem para separar-me de você, meu anjo. Agora, aplico-me de novo com todo o fervor ao meu trabalho, esforço-me por reparar a minha falta, cumprindo fielmente os meus deveres profissionais. Ievstáfi Ivânovitch, ontem, não me disse absolutamente nada quando passei a seu lado.

Não quero esconder-lhe, minha filha, que as minhas dívidas e o péssimo estado da minha roupa me aborrecem enormemente. Mas tudo se há de arranjar e, entretanto, peço-lhe que não se preocupe com estas coisas, que não têm importância.

Envia-me outro meio rublo. Traspassou-me o coração esse meio rublo, Várienhka! Veja como se inverteram os papéis! Não sou eu, o velho imbecil, a ajudá-la, meu anjo, mas a menina, a minha pobre orfãzinha, quem me ajuda a mim! Temos de dar graças a Fiódora, que foi quem arranjou o dinheiro. Eu não tinha a menor ideia de poder conseguir qualquer coisa, em qualquer parte, minha filha; a menina, sempre que tenha conhecimento de alguma possibilidade, não deixe de me avisar e eu depois escrevo-lhe mais pormenorizadamente. O que me apoquenta são os boatos, unicamente os boatos!

Fique com Deus, minha filha. Beijo as suas mãozinhas e suplico-lhe fervorosamente que faça o possível por pôr-se completamente boa. Escrevo-lhe muito à pressa porque quero chegar cedo à repartição; desejo compensar as faltas e tranquilizar a consciência com o meu zelo e a minha aplicação. Deixarei para outra vez a descrição mais completa daquilo que me sucedeu, assim como aquele caso com os oficiais. Agora não tenho tempo.

Seu amigo que a estima e respeita.

Makar Diévuchkin.

28 de julho.

Minha querida Várienhka:

Ah Várienhka, Várienhka! Agora a culpa é sua e há de vir a pesar sobre a sua consciência. A sua carta acabou com o resto do meu bom senso e deixou-me completamente aturdido. Agora que pude pensar nisso com toda a calma e perscrutar até muito fundo no meu coração, consegui ver e compreender perfeitamente que eu é que tinha razão. Razão de sobra. Não me refiro àqueles meus três dias terríveis (seja boa, minha filha, não falemos mais nisso!), mas limito-me apenas a insistir no fato de eu lhe ter amizade e que de maneira nenhuma era absurdo que eu gostasse de você; não senhor, não era, de maneira nenhuma! Mas a menina não conhece nem sequer metade desta história... Se soubesse como isso aconteceu, como é que eu cheguei ao ponto de vir a tomar-lhe amizade, falaria de outro modo! A menina diz isso agora, mas eu estou convencido de que no íntimo pensa de outra maneira...

Olhe, minha filha, para dizer a verdade, nem eu próprio sei o que me aconteceu com esse tal oficial. Devo confessar-lhe, meu anjo, que nessa ocasião me encontrava ainda numa situação bem embaraçosa. Imagine que trazia já um mês inteiro atrasado. De você, escondia tudo, e aqui em casa também conseguia dissimular; porém, a senhoria encarregava-se de falar a respeito a toda a gente. Não seria isso que me faria um grande abalo, por ela poderia gritar à vontade, essa velhorra indecente; mas, em primeiro lugar, isso era uma vergonha, e em segundo, é preciso ver também que, não sei como, mas o certo é que ela estava informada da nossa amizade e pôs-se a dizer aqui em casa tais coisas a nosso respeito que eu acabava por ficar agoniado e tinha de tapar os ouvidos. O pior é que os hóspedes, esses, não os tapavam e até muito pelo contrário, abriam-nos muito bem abertos. E agora nem sei já onde me hei de esconder...

Eu não estava acostumado a todas estas complicações. E foi também por essa altura que vim a saber por Fiódora que, na véspera, um tipo insignificante apareceu em sua casa e lhe disse não sei que coisas ofensivas. Calculo por mim próprio quanto lhe devia ter custado essa ofensa. Pois bem... o certo é que perdi a cabeça e perdi-me também. Tomou conta de mim uma cólera tão forte como jamais senti em toda a minha vida. O meu desejo foi correr imediatamente em busca desse sujeito, desse sedutor, para o qual não existe nada de sagrado neste mundo. Se bem que, para dizer a verdade, nem eu próprio sabia o que queria. Ou melhor, o que eu queria era que ninguém pudesse ofendê-la, anjo meu! Mas... que tristeza! Havia chuva e lama lá fora e dor e pesar na minha alma... Pensava já em desistir... Foi nesse momento que aconteceu o irremediável. Dei de frente em Emiélia, com Emiélia Ilhitch... que é meu colega de repartição, quero dizer, que era, pois agora já o não é, visto que o despediram não sei por que motivo... Não sei o que ele faz agora... Por certo que já se arrumou em qualquer parte... Pois bem. Emiélia pôs-se a meu lado e depois saímos juntos... Sim, é preciso dizer a verdade toda, Várienhka, mesmo que não lhe dê satisfação alguma tornar-se conhecedora de todos os maus passos e os erros deste seu amigo... e escutar o relato das minhas desventuras.

Ao terceiro dia, aí pela tardinha, Emiélia, Deus lhe perdoe, começou a instigar-me... Até que acabei por me resolver a ir ver o tal tenente. Conhecia já a sua morada pelo nosso criado. Havia um certo tempo que... — vem agora a propósito dizê-lo

— que eu trazia debaixo de olho esse espertalhão; tive ocasião de estudá-lo bem quando ele esteve aqui hospedado. Compreendo agora que, apesar de tudo, não me portei corretamente, pois não estava perfeitamente lúcido quando lhe fiz anunciar a minha visita. E depois, depois, minha filha, francamente, não sei já o que aconteceu. Lembro-me somente de que estavam com ele muitos oficiais, ainda que seja possível, desde já lhe digo, que eu nessa ocasião visse tudo em duplicado. Também não sei ao certo o que teria feito; recordo-me somente de me ter posto a falar pelos cotovelos, em tom indignado. Até que, finalmente, eles me expulsaram e eu rolei pelas escadas abaixo; mas, em última análise, não é verdade que eles me tivessem expulsado; fui eu próprio que saí dali. Como voltei para casa, isso, só Deus sabe!

E aqui tem, Várienhka! Certamente que fiquei muito comprometido e que a minha reputação sofreu bastante. No entanto, ninguém sabe ao certo como as coisas se passaram, nenhuma pessoa estranha, ninguém, a não ser a menina. De maneira que, no fim de contas, é como se nada tivesse acontecido. Mas será assim, na verdade, minha querida Várienhka? Que lhe parece? O que eu sei é que o ano passado, Aksiênti Óssipovitch surrou Piotr Pietróvitch; mas não o fez publicamente, estavam os dois sozinhos. Aquele pediu a este que passasse ao quarto de guarda (eu, casualmente, assisti a tudo)... Pois bem, quando o apanhou ali, bateu-lhe a fartar... mas guardando sempre as conveniências, pois, como lhe disse, ninguém a não ser eu deu por nada. E acontece que eu, claro, que eu não sou ninguém, quero dizer, que se me perguntassem qualquer coisa, ia me limitar a dizer que nada tinha ouvido, e portanto foi realmente como se ninguém tivesse dado por nada. E, além disso, depois do caso, Piotr Pietróvitch e Aksiênti Óssipovitch continuam a falar-se também como se tal coisa jamais tivesse acontecido. Piotr Pietróvitch, como sabe, é muito orgulhoso, teve o cuidado de não dizer nada a ninguém, e agora ambos, quando se encontram, cumprimentam-se, chegam mesmo a apertar as mãos como se nada tivesse acontecido entre eles.

Não quero ter o atrevimento de contradizê-la. Eu próprio compreendo que tombei muito baixo, e até, o que é ainda mais horrível, perdi a minha dignidade. Mas, quem sabe, talvez tudo isto estivesse escrito desde a hora em que nasci, talvez fosse este o meu destino... e ao destino, como sabe, ninguém pode fugir.

Aqui tem, Várienhka, a descrição pormenorizada de tudo quanto me aconteceu, todas as minhas dificuldades e desventuras. Como vê, são de tal natureza que mais valia não falar nelas. Estou doente, Várienhka, e todos os sentimentos bons me abandonaram. Acabo estas linhas, Varvara Alieksiéievna, afirmando-lhe a certeza do meu afeto, do meu apreço e da minha estima, e continuo o seu mais fiel servidor,

MAKAR DIÉVUCHKIN

29 de julho.

Meu querido Makar Alieksiéievitch:

Li a sua carta e bati palmas. Meu Deus, meu Deus! Veja bem, meu amigo: ou o senhor me esconde alguma coisa, ou me diz apenas uma parte das suas desgraças, ou... verdadeiramente, Makar Alieksiéievitch, pode acontecer que eu não tenha percebido bem a sua carta... Venha hoje ver-nos, peço-lhe por tudo! Ouça: venha almoçar conosco... Não sei qual é agora a sua vida aí, nem como vão as suas relações com a dona da casa. O senhor não me falou em tal e estou achando que é de propósito, como se não desejasse falar-me nisso.

E até a vista, meu bom amigo, venha hoje sem falta. O melhor será que venha almoçar conosco. Fiódora faz uns guisados excelentes... Até logo, portanto. Sua,

VARVARA DOBROSSIÉLOV

1 de agosto.

Minha querida Varvara Alieksiéievna:

A menina sente-se feliz por Deus ter lhe proporcionado uma oportunidade de pagar o bem com o bem, de demonstrar a sua gratidão. Acredito nisto, Várienhka, acredito na bondade do seu coração e não quero fazer-lhe a mínima censura; mas também a menina não deve voltar a censurar-me como já o fez, acusando-me de esbanjador. Incorri nesse pecado uma vez... Se é que isso foi um pecado... Que se há de fazer? Mas acredite, custa tanto ouvi-lo de você, precisamente de você!

Não me queira mal por falar nisto. Ando tão desgostoso, minha filha! Nós, os pobres, somos duros... Foi a natureza que assim quis, já tinha observado antes disto tudo. O pobre é desconfiado, vê o mundo à sua maneira, olha de soslaio cada pessoa que passa, com receio, e apanha as palavras no ar... Estarão por acaso a falar dele? Acontecerá que estejam a comentar em voz baixa o seu mau aspecto? Ou a perguntar em que se ocupa? Quem sabe se o inquirirão também como é que ele se arranja, como é que consegue livrar-se de apuros? Todos nós sabemos, Várienhka, que um homem pobre é menos do que um frangalho que, digam lá o que disserem, não merece a menor consideração. Porque, por mais que escrevam todos esses literatos, um homem pobre sempre é pobre, com todas as suas consequências. E por que há de passar-se isso só com os pobres? Porque num homem pobre, por assim dizer, tudo deve vir e andar à superfície, nada pode guardar no íntimo da sua alma, nem sequer o orgulho ou qualquer outro sentimento parecido, pois isso não é tolerado. Ainda não há muito tempo disse-me Emiélia que uma vez, já não sei onde, fizeram uma subscrição a seu favor, e que para cada copeque que lhe deram teve de suportar uma inquirição em forma. Esses tipos, bem se vê, ainda pensavam que não deviam dar-lhe as suas esmolas... Entregavam o dinheiro, para dar-lhe uma ensinadela, a esse pobretão. Hoje, minha filha, a beneficência é já muito rara... E quem sabe, talvez tenha sido sempre assim! Ou então pode ser que as pessoas já a não compreendam, ou que a compreendam já de sobra... Uma das duas coisas.

Não sabia disto? Pois agora ficou sabendo. Acredite que sobre muitas outras coisas não saberei eu nada... mas sobre esta, sei mais do que muitos. Mas como pode um indivíduo saber estas coisas? E, sobretudo, por que razão pensa desta maneira? Sim, como sabe? Como? Por experiência. É precisamente o caso desse sujeito que caminha a seu lado e que dentro de um instante vai entrar num restaurante, pensando com os seus botões: "Que irá comer a esta hora ao almoço, este empregadeco? Eu vou pedir *sauté aux papillotes*, enquanto ele é possível que tenha de contentar--se com um mingau sem manteiga". Mas que importa a ele que eu apenas tenha para comer um mingau sem manteiga? Sim, existem homens destes, Várienhka; existem de verdade homens que pensam dessa maneira. E andam por aí no meio da rua esses tipos inúteis, esses bisbilhoteiros e mexeriqueiros que se enfiam por todo lado a olhar, à cata de ver se este, quando caminha, assenta as plantas ou as pontas dos pés no chão, ou se aquele outro, desta ou daquela repartição, se está com o dedo grande do pé saindo de um buraco das botas, ou se trazem as mangas da farda gastas nos cotovelos — para ir depois escrever tudo isso sem omitir nenhum pormenor e, sem mais preâmbulos, darem-no a imprimir... Mas que lhes importa a esses que eu tenha as mangas da farda puídas nos cotovelos? Deixe passar a expressão, Várienhka, mas asseguro-lhe que uma pobre criatura, nestas circunstâncias, chega a sentir uma vergonha idêntica ao seu pudor virginal de moça. Perdoe-me este exemplo grosseiro, mas a menina também não seria capaz de se desnudar diante de todos, não é verdade? Pois bem: da mesma maneira, com o mesmo desagrado encara o pobre o fato de que outrem venha meter o nariz no seu canil para bisbilhotar como vivem ele e os seus. Que direito têm, Várienhka, de me ofender, confundindo--me precisamente com esses que não respeitaram a honra e a boa reputação dum homem digno?

Esta manhã estava eu sentado na repartição, muito calado e absorto; foi assim que me pus a imaginar a minha própria figura e cheguei à conclusão de que parecia um pardal depenado... Acabei por ter vontade de morrer, de tão envergonhado que me sentia. Tinha vergonha, Várienhka! É que mesmo sem querer uma pessoa perde a coragem quando sabe que pelos rasgões das mangas se lhe veem os cotovelos e que os botões da jaqueta apenas estão presos por um fio. Acabei por ver tudo negro, tudo perdido! Sem querer, perde-se a coragem. Sim, que tem isso de extraordinário? O próprio Stiepan Kárlovitch, quando me falou de qualquer coisa relacionada com o serviço, começou por me falar disso, e depois, de repente, sem querer, exclamou: "Ai, Makar Alieksiéievitch!". Não chegou a dizer o que pensava, mas eu adivinhei tudo e fiquei vermelho a tal ponto que até a calva me devia ter corado também. No fundo, isto não quer dizer nada, mas sempre nos deixa certa inquietação e imprime uma tonalidade melancólica ao nosso pensamento. Já sentiu alguma vez uma coisa parecida? Sim, para falar-lhe com toda a franqueza, tenho fortes suspeitas acerca de um certo indivíduo. São insuportáveis, esses malandros! Capazes de despir em público uma pessoa, sem mais nem menos! Capazes de leiloar a vida dum homem. Várienhka! Para eles não existe nada de sagrado!

Eu já sei quem foi o autor dessa façanha; foi tudo obra de Rotasiéiev! Deve ser amigo de algum lá da repartição, deve ter ido procurá-lo e ter-lhe dito qualquer coisa, provavelmente metendo de permeio qualquer coisa da sua lavra. Se é que não chegou ele próprio a contar tudo no seu emprego e daí a história passou às outras seções até que chegou à nossa. Aqui em casa já todos estão perfeitamente a par de tudo e até apontam com o dedo para a janela da minha amiga. Consta-me que o fazem. E ontem, ao meio-dia, quando eu me dirigia para sua casa para almoçar com você, esconderam-se por detrás das janelas, assomando a cabeça com muito cuidado para que não os víssemos; a patroa, essa, dizia que já o diabo andava metido com criancas de mama, e em seguida pôs-se a exercitar a língua de maneira indecente, sobre a menina.

Mas nada disto pode comparar-se ainda ao intento escandaloso de Rotasiéiev, de meter-nos aos dois em uma das historietas, de descrever-nos numa sátira leve... Isto foi o que ele próprio afirmou e disso me avisaram alguns bons companheiros lá da repartição. Agora não consigo pensar noutra coisa e não sei o que hei de fazer. Sim... ainda que tenhamos esquecido os nossos pecados... Com certeza que Deus deve estar muito zangado conosco, minha querida!

A menina queria mandar-me um livro para que eu não me aborrecesse. Mas por agora, não; para que eu preciso dele? E de que livro se trata? Pois também as sátiras e as novelas vêm a ser disparates, escritas com o propósito de dizer desatinos e para que as pessoas ociosas tenham alguma coisa com que se entreter. Acredite no que lhe digo, minha filha, pense em toda a minha experiência. A começar por Shakespeare — a literatura conta com um Shakespeare — esse mesmo não diz senão disparates! Livrecos cheios de mentiras e zombarias, escritos por esses garatujadores apenas para divertimento do público!

Seu,

Makar Diévuchkin.

2 de agosto.

Meu querido Makar Alieksiéievitch:

Por favor não se apoquente mais. Deus há de dar-nos a sua ajuda e verá como tudo se arranjará. Fiódora encontrou muito trabalho para as duas, e depois, todas contentes, metemos logo mãos à obra. Talvez com isto consigamos pôr outra vez as coisas em ordem. Fiódora disse-me também que lhe parece que Anna Fiódorovna está bem informada de todos os meus últimos contratempos, mas isso, a mim, é-me completamente indiferente. Hoje sinto-me verdadeiramente satisfeita.

Então o senhor queria pedir dinheiro emprestado... Deus o livre de uma coisa dessas! Com isso iria apenas agravar a sua vida pois tinha de pagar os juros e já sabe como isso é custoso. Procure antes fazer vida mais econômica, venha visitar-nos com mais frequência e não se preocupe com aquilo que disser a dona da sua casa. Quanto aos seus outros inimigos e a todas as outras pessoas que pensam mal de nós, estou convencida, Makar Alieksiéievitch, de que o senhor se está torturando com apreensões sem fundamento.

O senhor podia também ter em muito maior conta o seu estilo; já não será esta a primeira vez que lhe digo que o senhor escreve de maneira admirável.

Bem, até à vista. Tome nota de que fico à sua espera. Sua,

V. D.

3 de agosto.

Anjo meu, Varvara Alieksiéievna:

Apresso-me a comunicar-lhe, minha querida, que volto a ter novos projetos e novas esperanças. Mas antes de falar nisso, dê-me licença para dizer-lhe uma coisa: acha que não devo pedir dinheiro emprestado? Mas se não tenho outro remédio... E se lhes acontece alguma coisa inesperada, a você e a Fiódora? A menina anda sempre tão fraquinha! É por tudo isso que eu acho necessário pedir algum dinheiro emprestado. E agora, escute.

Quero informá-la, antes do mais, de que o meu lugar na repartição é ao lado de Emiélia Ivânovitch. Este não é aquele indivíduo do mesmo nome, do qual falei já. Este, tal como eu, é também um funcionário do Estado. Somos ambos os mais antigos da casa, os veteranos, como às vezes nos chamam. O tal Emiélia é um excelente homem, sem ponta de egoísmo, mas que mal consegue dizer duas coisas seguidas; e para que veja como as coisas são, tem todo o aspecto dum urso. Trabalha conscienciosamente, escreve com uma bela letra inglesa e, para dizer a verdade, não o faz pior do que eu. É um homem verdadeiramente honesto. Entre nós dois não houve nunca o que pode chamar-se intimidade, limitamo-nos a uma troca de saudações: "Bom-dia" e "Fique com Deus"; mas às vezes acontece que eu, por exemplo, preciso do canivete e então digo-lhe: "Caro Emiélia Ivânovitch, pode emprestar-me o seu canivete só por um momento?". Uma conversa propriamente dita nunca a tivemos, mas apesar disso temos trocado essas palavras que é costume dizerem-se entre empregados que trabalham à mesma secretária. Pois bem, já vai ver. Hoje, o tal Emiélia disse-me de repente: "Makar Alieksiéievitch, por que está tão pensativo?".

Tive a certeza de que ele me falava com boa intenção e então abri-me com ele. Contei-lhe tudo, ponto por ponto... tudo, absolutamente tudo, não... e, provavelmente, se Deus quiser, nunca o contarei a ninguém, Várienhka, não teria coragem. Mas contei-lhe várias coisas... por outras palavras: confessei-lhe que me encontrava em apuros de dinheiro etc.

— Ó homem — disse-me ele — você podia procurar alguém que lhe emprestasse dinheiro a juros, por exemplo, Piotr Pietróvitch, que empresta a tantos por cento. Garanto que nem por isso costuma cobrar um juro muito pesado, não senhor!

Pois bem: quando ouvi aquilo, meu coração ficou logo aos saltos, tal foi a minha alegria... Pensava e tornava a pensar e punha toda a minha confiança em Deus, que talvez inspirasse a Piotre a ideia de emprestar-me o dinheiro. Depois comecei a fazer contas, a calcular a maneira como havia de pagar à patroa e ajudar você, e dar também um jeito à minha própria pessoa para ver se adquiro de novo aspecto mais decente... pois ando numa autêntica vergonha... tenho até receio de sentar-me no lugar de costume, tanto mais que há sempre aqui uns rapazelhos prontos a rir dos outros. Que Deus lhes perdoe! Além disso, também já tem acontecido passar Sua Excelência junto da nossa mesa de trabalho, e se um dia... Deus me livre e me defenda!... ele se lembrasse, ao passar, de lançar-me uma olhadela e reparasse que ando tão malvestido... Pois fique desde já sabendo que Sua Excelência considera o aprumo e a disciplina como as coisas mais importantes deste mundo. Provavelmente nada me diria; mas eu, Várienhka, parece-me que numa altura dessas, morreria de vergonha... É como lhe digo.

Foi assim que me enchi de coragem, disfarcei o melhor que pude o meu temor e fui procurar Piotr Pietróvitch, ao mesmo tempo cheio de esperança e de inquietação.

E afinal, Várienhka, tudo isso acabou em nada. Nessa ocasião estava esse sujeito muito ocupado, provavelmente estava falando com Fiedossiéi Ivânovitch. Aproximei-me dele e toquei-lhe delicadamente num braço para dar-lhe a entender que tinha necessidade de lhe falar. Ele se voltou, olhou para mim, e então eu lhe disse pouco mais ou menos: "As coisas andam ruins etc. ... Se puder ser, Piotr Pietróvitch, mesmo que sejam só trinta rublos...". Ele, no primeiro momento, pareceu não ter compreendido; mas eu tornei a explicar-lhe tudo outra vez, e então pôs-se a rir, sem dizer uma só palavra. Comecei de novo com a minha lenga-lenga até que ele me perguntou: "Que garantia me dá?"; depois voltou a abismar-se na sua papelada e continuou a escrever sem olhar para mim nem sequer uma só vez. Tudo isso acabou por inibir-me um tanto. "Não — respondi-lhe eu — garantia não posso dar, Piotr Pietróvitch." Depois acrescentei: "Mas vou devolver o dinheiro logo que receba o ordenado deste mês, essa será a primeira coisa que hei de fazer, a primeira obrigação a cumprir". Nesse momento alguém o chamou e ele saiu do escritório, onde eu fiquei à sua espera. Não se demorou. Sentou-se, afiou a pena e tudo isto sem reparar em mim. Mas eu voltei à carga, dizendo-lhe: "Haverá então alguma maneira de regular o assunto, Piotr Pietróvitch?".

Ele não dizia nada, parecia até que nem tinha ouvido; eu continuava de pé, à espera... "Bom — pensava eu — farei outra tentativa, a última" — e voltei a tocar-lhe numa manga. Mas ele nem sequer mexeu os lábios, Várienhka; tirou um pelinho qualquer da pena e continuou a escrever. Então saí do escritório.

Olhe, minha filha, pode ser que estes tipos sejam muito respeitáveis, mas que são também uns soberbões, isso sim, que o são e não é pouco... É tão difícil entrar em contato com eles! Conto-lhe este episódio, Várienhka, para que fique sabendo como estas coisas são.

Emiélia Ivânovitch desatou a rir e abanava a cabeça; mas como é boa criatura, não queria tirar-me as esperanças. É em verdade excelente pessoa. Prometeu recomendar-me a certo indivíduo que vive para os lados de Viborg[23] e que também empresta dinheiro. Diz ele que esse com certeza emprestará. Que lhe parece? Sem dinheiro, nada feito! A dona da casa já ameaçou de me pôr na rua e de não me deixar mais sentar à mesa. E tenho os sapatos em mísero estado, minha filha! Falta-me também uma quantidade de botões e sabe Deus quantas coisas mais! Ah, se algum dos chefes se lembra de olhar para mim! Uma verdadeira desgraça, Várienhka, uma verdadeira desgraça!

Makar Diévuchkin

---

23 Bairro fabril à margem direita do Nievá, em Petersburgo.

4 de agosto.

Querido Makar Alieksiéievitch:

Por amor de Deus, Makar Alieksiéievitch, arranje dinheiro mais depressa que puder! Evidentemente que nas circunstâncias presentes, por nada deste mundo eu pediria o seu auxílio, mas se soubesse em que situação me encontro! Não posso continuar nesta casa, preciso mudar! Tenho sofrido os contratempos mais desagradáveis e não pode fazer uma ideia do estado de excitação e desespero em que me encontro!

Ora, veja isto, meu amigo: esta manhã apresentou-se aqui, inesperadamente, um senhor conhecido, um homem já de idade, quase um velho, com uma condecoração sobre o peito. Eu fiquei verdadeiramente espantada e não conseguia compreender o que ele queria. Fiódora tinha saído para comprar não sei o quê. O visitante começou a fazer-me perguntas: que vida levava eu, em que me ocupava, e depois, sem esperar pelas respostas, começou a dizer que era tio do tal oficial e que estava muito aborrecido com a conduta incorreta do sobrinho, sobretudo por ter feito perigar a minha reputação... Que o sobrinho era um doidivanas, que não ligava para nada; e portanto ele, como seu tio, julgava-se obrigado a reparar as suas faltas e a tomar-me debaixo da sua proteção. Além disso tudo, aconselhava-me a que não desse atenção a rapazes novos; ligava para que ele, em compensação, sentia por mim a compaixão dum pai e um amor paternal, e que estava disposto a ajudar-me em todos os sentidos.

Eu fiquei muito vermelha, não sabia o que pensar de tudo aquilo, e naturalmente, naquela altura não tinha disposição para pensar em nada. Ele pegou e apertou minha mão, sem a largar; por mais que eu fizesse por me escapar, deu-me umas palmadinhas nas faces e disse que eu era muito bonita e que lhe agradava muitíssimo, sobretudo por causa das covinhas que fazia no rosto. Continuou a falar pelos cotovelos, até que, finalmente, fez menção de me beijar... "Sou um velho", dizia, todo derretido... Nesse momento apareceu Fiódora. O sujeito ficou um pouco atrapalhado, continuou a dizer que apreciava acima de tudo a minha modéstia e a minha boa educação, e acrescentou que ficaria muito contente se eu deixasse de ter medo dele. Depois chamou de parte Fiódora e quis meter-lhe dinheiro na mão, não sei com que pretexto. Evidentemente que Fiódora não aceitou.

Ao despedir-se voltou a repetir que estava muito aborrecido com o que me tinha acontecido e prometeu fazer-me outra visita daí a pouco tempo e trazer-me uns brincos (creio que nesta altura estava um pouco acanhado). Além disso, aconselhou-me a mudar para outra casa, recomendando-me uma muito bonita e muito em conta. Repetia que eu lhe tinha inspirado um afeto especial, por ser uma jovem honesta e recatada. Voltou depois a insistir em que tivesse muito cuidado com os jovens libertinos e, finalmente, explicou-me que conhecia Anna Fiódorovna, e que esta o tinha encarregado de me dizer que em breve viria fazer-me uma visita. Foi então que eu percebi tudo! Nem posso explicar o que me passou pela cabeça... Foi a primeira vez que isso me sucedeu: fiquei fora mim! Lancei-lhe à cara o seu procedimento... Fiódora pôs-se a meu lado e expulsou-o dali para fora. Tudo isto é, evidentemente, obra de Anna Fiódorovna. Mas como terá ela conseguido ficar sabendo da nossa vida?

É ao senhor que me dirijo, Makar Alieksiéievitch, para lhe pedir que me proteja. Ajude-me, pelo amor de Deus, não me desampare numa situação destas! Por favor arranje-nos algum dinheiro, mesmo que seja pouco, pois não temos com que custear uma mudança e de maneira nenhuma podemos continuar a viver aqui. Fiódora, sobre isto, pensa o mesmo que eu. Precisávamos pelo menos de vinte e cinco rublos. Pagarei esta quantia com o produto do meu trabalho. Fiódora daqui a dias já me traz mais trabalho; e não se assuste, que o juro não há de ser muito puxado; não pense nisso e aceite todas as condições. Vou pagar tudo, tudo, mas não me abandone neste momento, pelo amor de Deus. Custa-me terrivelmente fazer-lhe um pedido destes, nas circunstâncias presentes; mas o senhor é o meu único amparo, a minha única esperança.

Que continue a passar bem, Makar Alieksiéievitch. Lembre-se de mim e que Deus o ajude.

V. D.

4 de agosto.

Varvara Alieksiéievna, minha querida:

Sim, são precisamente estes golpes inesperados que me desnorteiam. Essas calamidades são exatamente as que me abatem. Esses janotas desenxabidos, esses desprezíveis comediantes é que acabaram por nos lançar neste leito de dor, não somente a você, meu anjo, com todos os desgostos que lhe dão, mas também a mim me hão de pôr a perder, esses vadios! É como lhe digo, minha filha! Mas eu preferia morrer do que deixar de prestar-lhe o auxílio de que precisa... Sim, porque se eu não pudesse ajudá-la, isso para mim seria a morte, a morte, a morte verdadeira. Mas logo que lhe tenha dado o meu auxílio, Várienhka, fuja daí, voe para longe, pois só assim conseguirá ver-se livre desse bando de passarões e de aves de rapina que rondam agora à volta do seu ninho. Porque isto, minha filha, é ainda o que mais me atormenta!

Mas eu sofro também por sua culpa, Várienhka. Como pode ser tão cruel? Como? Atormentam-na, ofendem-na, meu bem, minha alma, fazem-na sofrer constantemente, e no entanto... apesar disso ainda arranja por si própria preocupações por suas próprias mãos, preocupações que também a mim me trazem desorientado... Promete devolver o dinheiro e ganhá-lo com o seu trabalho, o que significa na realidade que a menina, assim tão fraca como está, se vai pôr a trabalhar afanosamente para me pagar no prazo combinado. Teria pensado bem naquilo que prometeu? Por que há de coser e trabalhar e torturar a sua pobre cabecinha com preocupações e estragar a saúde? Ah, Várienhka, Várienhka!

Olhe, minha querida: eu não valho nada, absolutamente nada, mas vou tentar arranjar tudo de maneira que se possa dizer que, afinal, ainda sirvo para alguma coisa. Hei de vencer todas as dificuldades, procurarei trabalho suplementar, farei cópias para os nossos literatos, irei procurá-los, sim, irei vê-los e pedir trabalho, pois precisam de bons copistas. Ouvi dizer que os procuram por todo lado! Quanto a você é preciso evitar que caia doente com tanto trabalho; por nada deste mundo

consentiria eu numa coisa dessas! Sim, vou procurar dinheiro, sem dúvida vou procurar; antes eu morra se não fizer isso...

Diz-me também, minha querida, que não me assuste com os juros; sim, fique
descansada que não me assustarei... já nada me assusta! Pedirei quarenta rublos
emprestados. Não será pouco, Várienhka! Que lhe parece? Será que vão me emprestar realmente quarenta rublos, sem outra garantia que a minha palavra? O que gostaria de saber, minha família, é se acha que eu sou pessoa para inspirar confiança
logo à primeira vista. Pela expressão do rosto, e sobretudo... quero dizer, se acha que
serão capazes, só de olhar para mim, de formar uma opinião favorável? Pense bem
nisso, meu amor, pense muito bem. Poderei realmente provocar boa impressão naqueles que me veem pela primeira vez? Que lhe parece? Apesar de tudo, sinto uma
tal angústia... uma angústia doentia, verdadeiramente doentia!

Dos quarenta rublos, vou lhe dar vinte e cinco. Várienhka; dois à dona da casa
e o resto ficará para os meus próprios gastos.

À dona da casa, verdadeiramente, devia entregar mais dinheiro; sim, não há
dúvida disso, mas veja bem, minha filha; faça um cálculo de tudo quanto preciso,
tudo quanto me é imprescindivelmente necessário e verificará que, de fato, de maneira nenhuma me é possível entregar-lhe mais dinheiro... E por isso não temos
que nos preocupar mais com isso, nem falar mais no assunto. Com cinco rublos
compro um par de botas. Pois digo-lhe a verdade, não sei se amanhã terei coragem
para apresentar-me na repartição com estas que possuo. Também não deixava de
vir a tempo uma gravata, pois esta que agora uso já tem quase um ano; mas como
me deu um avental velho, não só fiz um peitilho como também uma gravata, e portanto, por agora, não se pensa mais em comprar uma nova. De maneira que botas
e gravata já tenho. O que me falta ainda são os botões. Com certeza que há de estar
de acordo comigo a respeito dos botões: não se pode passar sem eles e a casaca do
meu uniforme não tem mais nem metade dos que tinha. Até tremo quando penso
que Sua Excelência poderia reparar em semelhante prova de desleixo e dizer-me
qualquer coisa... e com toda a razão. Apenas teria que dizer-me uma vez, com certeza, morreria nessa ocasião! Só de pensar nisso sinto uma tal vergonha que até me
parece que desfaleço... De maneira que, depois de satisfeitas essas necessidades, me
ficariam ainda uns bons três rublos para viver e para comprar um pouquinho de
tabaco, pois o tabaco para mim é vida, e faz hoje nove dias que o meu cachimbo
não vê fumo. Confesso-lhe que já teria comprado o tabaco, mesmo sem lhe dizer
nada, mas o fato é que me envergonharia disso perante a minha própria consciência. Confesso-lhe sinceramente, Várienhka, que no momento me encontro numa
situação de absoluto desespero, como nunca estive na minha vida. A dona da casa
despreza-me, não tem por mim nem uma ponta de estima ou de respeito. Por todos
os lados necessidades, por todos os lados dívidas; mas na repartição, onde com os
colegas as coisas sempre estiveram longe de andarem bem, agora... bom, disso, mais
vale não falar. Eu dissimulo, sou o primeiro a querer ocultá-lo e até a ocultá-lo de
mim próprio; quando entro na repartição faço o possível para passar despercebido
e deslizo furtivamente por entre os colegas. Só a você eu tenho coragem para contar
tudo isto, com tanta franqueza... Mas... e se não derem o dinheiro?

Não, Várienhka, é melhor não pensar nisso nem atormentar-me com suposições que nos tiram a coragem antes do tempo. Digo estas coisas para preveni-la e

a pôr em guarda, para que não fique pensando nelas nem se atormente com ideias tristes. Não, não faça isso! Mas... meu Deus, que havia de ser de você? Evidentemente que não poderia mudar de quarto e que teria de continuar a ser minha vizinha... Não, não poderia resistir a esse golpe, nesse caso ia parar debaixo do chão, desaparecia, sucumbia!

Aqui tem outra carta bem grande, mas, em vez de gatafunhar tanto, talvez tivesse sido melhor que me arrumasse um pouco, pois bem arrumada, uma pessoa parece melhor e mais respeitável, o que é muito importante, visto que sempre ajuda a aplanar o caminho que nos leva ao encontro daquilo que buscamos. Mas seja o que Deus quiser! Primeiro vou pedir o dinheiro... e depois então aplainarei o caminho.

MAKAR DIÉVUCHKIN

5 de agosto.

Querido Makar Alieksiéievitch:

Se ao menos não desesperasse! Temos já tantas preocupações... Envio-lhe trinta copeques, mais não me é possível, é quase tudo quanto tenho. Compre com eles aquilo que lhe fizer mais falta, para ver se aguenta pelo menos até amanhã... Que vai ser de nós? Não sei. Que tristeza, Makar Alieksiéievitch! Mas não quebre a cabeça com essas preocupações. Não lhe emprestaram o dinheiro... pronto, que havemos de fazer? Fiódora diz que, no fim de contas, não estamos tão mal como isso, que apesar de tudo ainda poderíamos ficar aqui mais algum tempo... e que ainda que nos mudássemos para outro local, não ganharíamos muito com isso, pois quem tivesse certas intenções, sempre acabaria por dar conosco. No entanto não deixa de ser verdade que é muito desagradável continuarmos aqui. Se não estivesse tão desgostosa, havia de falar-lhe de outras coisas.

Mas que feitio tão estranho o seu, Makar Alieksiéievitch! Leva tudo muito a peito e por isso acaba por ser o mais infeliz de todos os homens. Leio as suas cartas com toda a atenção e vejo por elas que o senhor se preocupa e atormenta por minha causa como nunca se preocupou nem se extremou pela sua própria pessoa. Naturalmente qualquer pessoa dirá que isso é consequência do seu bondoso coração. Mas eu digo que não é só bondoso, mas demasiado bondoso. Se me deixasse, eu lhe daria um conselho afetuoso, Makar Alieksiéievitch. Estou-lhe muito grata, muito grata mesmo, por tudo quanto tem feito por mim; creia que sinto a mais profunda gratidão. Mas avalie o senhor mesmo como é que não hei de estar, depois de saber que fui a causadora involuntária de todos esses dissabores e contratempos, de saber que vive unicamente para mim, e de certo modo, unicamente também por mim, *pois que as minhas alegrias são as suas alegrias, os meus desgostos os seus desgostos, e os meus sentimentos têm mais importância para o meu amigo do que os seus próprios sentimentos!* Porém, se o senhor toma tanto a peito as dores alheias e é capaz de sentir tanta compaixão, já pode ver que há razão para ser o mais desgraçado de todos os mortais! Quando hoje me saudou, a caminho da repartição, fiquei verdadeiramente aflita só de olhá-lo. Estava tão pálido, tão decaído e prostrado que quase nem parecia o mesmo... e tudo isso porque tinha medo de confessar o seu insucesso, dando-me assim um desgosto e uma inquietação. Só quando percebeu que eu levava o caso para a brincadeira, é que o vi então respirar! Makar Alieksiéievitch, não se preocupe a esse ponto, não se desespere dessa maneira, seja razoável. Peço-lhe, imploro-lhe! E verá como tudo se há de arranjar, como as coisas hão de tomar outro rumo melhor. Enegrece a vida sem necessidade com essas eternas preocupações e aflições por causa das dores alheias.

Adeus, meu amigo. Suplico-lhe uma vez mais que não se aflija por minha causa!

V. D.

5 de agosto.

Várienhka, minha pombinha! Anjo meu, anjinho querido! Chegou à conclusão de que não é nenhuma desdita não me terem querido emprestar o dinheiro. Pois também eu estou tranquilo e satisfeito. Estou mesmo quase cheio de alegria por ver que não abandona este pobre velho e continua nesse quarto. E já agora, para lhe dizer tudo, quero confessar-lhe também que se me encheu o coração de alegria ao ler essas coisas tão lindas que de mim dizia na sua carta e os elogios que dedicava aos meus sentimentos. Não digo por orgulho, mas porque vejo que a menina não se poupa a esforços para me tranquilizar o coração. Bom... já estou a falar demais do meu coração, assunto que se deve restringir a mim próprio. Quanto no caso dirá você que não devo ser pusilânime. Sim, meu anjo, é uma coisa que está a mais e realmente não faz falta nenhuma... quero dizer, a timidez. Mas, entre parêntesis, não me diz que botas hei de calçar amanhã para o emprego? Aí é que está o ponto... é para que veja... Só isso é capaz de arrojar um homem ao pó, de aniquilá-lo redondamente. A raiz do mal está em que eu não cuido da minha pessoa nem me condoo de mim próprio. A mim, pessoalmente, isso me é indiferente, e seria capaz de andar sem capa nem botas por essas ruas com a maior tranquilidade deste mundo; a mim tudo isso me seria indiferente, e nada me custaria, pois sou um homem simples e modesto. Mas que diriam os outros? Que diriam todos os meus inimigos e todas essas línguas venenosas se me vissem sem capa? Uma pessoa usa capa e até botas unicamente por causa dos outros. As botas são, num caso destes, necessárias unicamente para a manutenção da honra e da reputação duma pessoa. Quem traz as botas estragadas perde ao mesmo tempo uma e outra, acredite no que lhe digo, creia no que lhe diz este velho, aceite os meus muitos anos de experiência, dê atenção a um velho que conhece os homens, e não a esses pedantes!

Mas ainda não lhe contei em pormenor, minha filha, em que ponto estão verdadeiramente as coisas. Esta manhã tive de suportar tanto, passar por tantas torturas como talvez outras pessoas não sofram num ano inteiro. Escute-me, que lhe vou contar o que se passou. Saí de casa muito cedinho com a intenção de saudá-la, a você, e de seguir logo para poder chegar a horas à repartição. Como chovia hoje e que quantidade de lama! Meti-me na capa, meu anjo, e pouco a pouco lá ia andando o meu caminho enquanto pensava comigo mesmo: "Meu Deus! Perdoai-me todas as culpas e fazei com que se cumpram os meus desejos!". Quando passei pela igreja de *** persignei-me, fiz ato de contrição de todos os meus pecados, mas ao mesmo tempo pensei que não estava muito bem que eu conversasse assim com Deus Nosso Senhor. De maneira que voltei a abismar-me nos meus pensamentos e segui para diante, sem olhar para a frente, sem olhar para lado nenhum, sem pensar no caminho que levava, sempre para diante. As ruas estavam desertas e os transeuntes que de quando em quando encontrava pareciam preocupados e pensativos... o que, verdadeiramente, não tinha nada de estranho, pois quem é que andaria a passear àquelas horas e com um tempo daqueles? Nesse momento esbarrei até com um grupo de operários todos sujos, os quais me deram uma forte cotovelada, os insolentes! Foi então que a timidez voltou a apoderar-se de mim e, para ser franco, nem queria lembrar-me do dinheiro... Bem, caminhemos à aventura, entreguemo-nos nas mãos de Deus...

Precisamente quando passava pela ponte Vosniessiénski desprendeu-se a sola duma das botas, de maneira que a partir daquele momento, nem sei como é que continuei a caminhar. E foi exatamente neste lugar que por acaso encontrei o servente Iermolaiev, o qual parou e ficou a seguir-me com o olhar, como se quisesse pedir-me uma gorjeta. "Deus te favoreça, meu irmão — pensava eu; — uma gorjeta. O que vem a ser uma gorjeta?"

Sentia-me terrivelmente cansado e por isso parei com a ideia de descansar um momento; depois, continuei a caminhar. Pus-me então a olhar de propósito para tudo visando encontrar qualquer coisa em que fixar o pensamento para me distrair e alegrar um pouco; mas afinal nada encontrei; e, como se ainda fosse pouco o não poder deter em nada o meu pensamento, estava sujo de lama a tal ponto que me sentia envergonhado. Até que por fim descobri ao longe uma casa amarela, de madeira, com uma fachada, uma espécie de casa de campo. "Ali está — disse para comigo. — Deve ser a casa que Emiélia Ivânovitch me descreveu... A casa de Márkov." (É este o nome desse indivíduo, o tal que empresta dinheiro a juros.) Pois bem; nesse momento, um turbilhão de pensamentos me assaltou a imaginação; tinha a certeza de que aquela era a casa de Márkov; no entanto perguntei ao guarda do Comissariado a quem pertencia realmente aquela casa, isto é, quem vivia nela. Mas o guarda, um gobiano, respondeu de má vontade, como se estivesse zangado comigo, e acabou por resmungar entre dentes: "Essa casa pertence a um tal de Márkov!". Esses guardas são todos uns homens sem nenhuma sensibilidade... Mas, a mim, afinal de contas, tanto se me dá. No entanto aquelas palavras deixaram-me uma impressão má e desagradável. Em suma, o aspecto das coisas, para mim, mudou por completo. Em todas as coisas achamos sempre algo que corresponde exatamente à situação em que nos encontramos, ou então, que julgamos de certo modo relacionado com essa mesma situação. É sempre assim... Passei em frente dessa casa por três vezes, mas quanto mais a rondava, tanto pior. "Não, — pensava eu — esse homem não me emprestará nada, por certo que não me emprestará nada. Para ele eu sou um estranho, uma pessoa completamente desconhecida; o assunto é muito embaraçoso e o meu aspecto nada tem de recomendável." Mas depois dizia: "Bem, seja o que Deus quiser; pelo menos não não vou precisar me lamentar mais tarde de não ter feito uma tentativa. Não perco nada em tentar!". E no meio desta conversa comigo mesmo, muito devagarinho abri a porta da casa. Mas então aconteceu-me outra desgraça: ainda bem não tinha atravessado o portal, quando logo um cachorro estúpido se atirou contra mim e se pôs a latir desesperadamente, com tal fúria que atroava os ares. E repare, minha filha: são sempre incidentes de tão pouca importância como este os que desconcertam uma pessoa e a enchem de timidez, aniquilando num só momento todas as resoluções que anteriormente tinha conseguido tomar. Entrei naquela casa mais morto do que vivo... Porém, ali, uma nova calamidade tinha ainda de me acontecer... Foi o caso que eu não distinguia perfeitamente o caminho, e quando ia parando por um instante, junto dum umbral... tropecei inesperadamente com uma mulher que, de cócoras, enchia vasilhas de leite que tirava de uma ovelha de ordenhar. Foi tal o encontrão que lhe dei que o leite se entornou todo! A idiota da mulher começou a gritar, a grunhir e a apostrofar-me dizendo: "nem ao menos vê onde põe os pés, criatura? Se procura alguma coisa, abra os olhos primeiro!" e muitas outras coisas neste estilo, sem parar. Digo-lhe tudo isto, minha filha, porque a mim, em casos como esse, há de sempre acontecer qualquer coisa de semelhante. É caso de dizer que a sorte assim o determinou; hei de sempre deparar com qualquer coisa de somenos importância, que entretanto se atravessa no meu caminho.

Aos gritos da mulher apareceu uma megera finlandesa. Voltei-me imediatamente para ela e perguntei-lhe se vivia ali o senhor Márkov.

— Não — respondeu-me com mau modo, parando ali, e depois, por sua vez, perguntou com ar displicente: — O que deseja dele?

Eu então expliquei-lhe tudo: que etc. e tal, que Emiélia Ivânovitch... enfim, contei-lhe... "Em resumo: venho para assuntos de negócios."

Quando ouviu isto a velha chamou uma sua filha... que apareceu logo, uma mocetona descalça.

— Vai chamar o teu pai. Está com inquilinos — e voltando-se depois para mim: — Chegue aqui, faz favor.

Aproximei-me. A sala era... bem, era como são geralmente essas salas: quadro nas paredes, na sua maioria retratos de generais; um sofá, uma mesa redonda, vasos de reseda e de balsamina... Então pus-me a pensar: "E se eu me fosse embora, enquanto é tempo?". E digo-lhe a verdade, minha filha, estive quase a cair fora. Pensava: "É melhor vir antes amanhã, pois amanhã talvez faça um tempo mais agradável. Espero até amanhã. Hoje já entornei aquele leite todo e, além disso, esses generais parece que não me veem com bons olhos...". Ia já a encaminhar-me para a porta quando apareceu o... Um tipo vulgar, um sujeito pequenino, grisalho, com uns olhinhos, sabe como?... um tanto vesgos, encafuado numa bata engordurada, apertada com um cordão sobre a cintura.

Informou-se dos meus desejos e perguntou-me em que poderia ser-me útil; eu então contei-lhe que Emiélia Ivânovitch...

— Em resumo: precisava de uma quantia que me faz falta — disse-lhe. Mas nem disse tudo quanto tencionava porque percebi imediatamente nos seus olhos que tinha falhado o golpe.

— Não — disse-me ele — sinto muito, mas não posso agora dispor de dinheiro. Mas poderia dar-me alguma garantia?

Comecei a explicar-lhe que verdadeiramente não podia dar-lhe nenhuma garantia, mas que Emiélia Ivânovitch me tinha dito que... Numa palavra: expliquei o que tinha a explicar. Ele me ouvia em silêncio.

— Sim, sim — disse. — Emiélia Ivânovitch não tem nada a ver com o assunto. Não tenho dinheiro.

"É claro, — pensei — isso já eu sabia, já sabia que era isso o que acabaria por ouvir, isso o que teria de engolir." E na verdade, Várienhka, teria sido bem melhor que a terra me tivesse engolido também nesse momento, pois tinha os pés gelados e corriam-me calafrios pela espinha. Eu olhava para ele e ele olhava para mim, como se quisesse dizer: "Bem, vai-te meu caro, não sei de que estás à espera"; noutras circunstâncias teria sido uma vergonha mortal...

— E para que queria o senhor esse dinheiro? — perguntou-me ainda ele. Abri a boca só para não ficar ali pasmado, mas ele nem sequer se dignou a escutar-me. — Não — disse — não tenho dinheiro; noutras circunstâncias, — acrescentou — noutras circunstâncias, teria muito gosto em...

Eu me pus a insistir, informei-o de que não era propriamente de dinheiro que precisava, de que estava decidido a pagar-lhe religiosamente no prazo combinado, que podia pedir-me o juro que quisesse, pois que eu, repetia-lhe, estava disposto a pagar-lhe tudo. Nesse momento pensava em você, minha filha, nos seus dissabores e nas suas dificuldades e lembrava-me também dos seus cinquenta copeques.

— Não — disse ele. — Quem fala aqui de juros? Mas se ao menos pudesse dar qualquer garantia... De momento não disponho de dinheiro; Deus é testemunha de que o não tenho; noutras circunstâncias teria muito gosto em...

Sim, até pelo nome de Deus, me jurava, aquele patife!

Em resumo, minha filha, não sei como saí dali e voltei a encontrar-me sobre a ponte de Vosniessiênski.

Estava horrivelmente cansado e morto de frio, completamente gelado; passaria já das dez quando cheguei à repartição. Desejava limpar a roupa, sacudir a lama; mas o servente não quis emprestar-me a escova, dizendo que eu ia estragá-la toda e que as escovas eram propriedade do Estado! É para que veja, minha filha, como sou tratado agora por essa gente. Tal como um capacho no qual todos podem limpar os pés!

O que será que tanto me deprime, Várienhka? Não é o dinheiro que me faz falta, mas todos esses dissabores, e o ter de encontrar-me com os homens; todo esse falatório, esses risinhos e esses motejos... E pensar que de um momento para o outro pode Sua Excelência, casualmente, dirigir-se a mim ou reparar no meu aspecto! Ai, minha filha, o meu bom tempo já lá vai! Hoje voltei a ler todas as suas cartas... Que desgosto, minha filhinha! Adeus, minha adorada, que Deus a guarde!

M. Diévuchkin.

P. S. — A minha intenção era a de contar-lhe as minhas desditas, assim, a modo de gracejo; mas vejo que não o consegui, quero dizer, que não consegui gracejar. O meu desejo era distraí-la. Logo hei de ir vê-la, sim, hei de ir.

11 de agosto.

Varvara Alieksiéievna! Minha querida! Estou perdido, estamos os dois irremediavelmente perdidos! A minha boa reputação, a minha honra... Tudo perdido!

E sou eu também a causa da sua perdição, minha querida! Todos me tomam como objeto de desprezo e zombarias, e a senhoria insulta-me agora aos berros diante de qualquer um. Hoje pôs-se outra vez a gritar, a fazer um grande alarido enchendo-me de injúrias tal como se eu fosse um joão-ninguém! E à tarde, um dos tipos da tertúlia de Rotasiéiev pôs-se a ler em voz alta uma das cartas que lhe escrevi, a você, minha filha: uma carta que eu não chegara a acabar de escrever, que tinha guardado num bolso de onde depois devia ter caído. Como os fez rir! O que eles pensaram e o que disseram de nós, aqueles traidores! Não pude conter-me, fui ter com eles, acusei Rotasiéiev de desleal e chamei-lhe falso. Mas ele me respondeu que falso era eu, pois não me preocupava com outra coisa senão com conquistas! Segundo ele, eu os tinha enganado a todos, porque afinal era um Dom Juan. Agora todos aqui me chamam o Dom Juan, ninguém me trata de outra maneira. Veja isto, meu anjo, veja! Estão a par de todos os nossos atos e de toda a sua vida, minha pobrezinha! De tudo quanto lhe diz respeito! Até Faldôni se passou para o lado deles. Hoje quis mandá-lo à mercearia para que me trouxesse umas salsichas, e ele me respondeu com toda a petulância que não podia, que tinha muito que fazer.

— No entanto, isto faz parte das tuas obrigações — disse-lhe eu.

— Ora, ora... As minhas obrigações! O senhor não paga a minha patroa, por isso não tenho obrigação nenhuma.

Eu, minha filha, não posso suportar tais atitudes da parte dum sujeito daqueles, estúpido e insolente. E então gritei-lhe:

— Seu animal!

Mas ele me respondeu tranquilamente:

— Ora! Isso é o que toda a gente aqui me chama...

Pensei que ele devia ter bebido e disse-lhe isso:

— Parece mesmo que estás bêbado!

Ao que ele replicou:

— Por acaso deu-me o senhor dinheiro suficiente para me embriagar? O senhor nem sequer tem que chegue para mandar encher um copo! — e depois resmungou ainda: — E é isto um cavalheiro!

Já vê, minha filha, o ponto a que as coisas chegaram. Sinto uma tal vergonha de viver, Várienhka! Estou perdido, completamente perdido! Irremediavelmente perdido!

M. D.

13 de agosto.

Querido Makar Alieksiéievitch.

A desgraça persegue-nos e eu não sei o que havemos de fazer. Que irá ser de nós? Com o meu trabalho já não posso contar. Hoje queimei a mão esquerda com o ferro de passar; larguei-o distraidamente, magoei-me e queimei-me, as duas coisas ao mesmo tempo. De maneira que não posso trabalhar e Fiódora há três dias também que está doente. Ah, que angústias, que aflições!

Envio-lhe trinta copeques, é quase tudo o que temos. Deus sabe como gostaria de poder ajudá-lo. Apetece-me tanto chorar!

Fique com Deus, meu amigo. Ajudar-me-á a ficar mais tranquila se vier hoje visitar-nos.

V. D.

14 de agosto.

Makar Alieksiéievitch:

Que lhe aconteceu? Será o caso de que tenha perdido o temor de Deus? E a mim, faz-me até perder a cabeça! O senhor não tem juízo? Está caminhando a passos largos para a ruína. Pense na sua reputação! Lembre-se de que é um homem honrado, respeitável, trabalhador... Que hão de dizer os outros quando souberem uma coisa dessas? Até o senhor, Makar Alieksiéievitch, o senhor mesmo há de morrer de vergonha. Lembre-se dos seus cabelos brancos! Isso é faltar ao respeito que se deve a Deus!

Fiódora diz que não tornará a ajudá-lo, e eu, nessas condições, também não voltarei a enviar-lhe dinheiro. Já não quer saber de mim para nada, Makar Alieksiéievitch! Julga que me é indiferente a sua boa ou má conduta?

O senhor bem sabe o que eu sofri por sua causa! Nem sequer posso chegar à escada, pois todos me olham, me apontam com o dedo e dizem certas coisas... Sim; olhe, para que fique sabendo: dizem que eu ando metida com um bêbado. Julga que gosto de ouvir estas coisas? E quando o senhor vem visitar-nos, todos dizem com desprezo: "Lá está outra vez o empregadeco". E eu, eu me envergonho mentalmente por sua causa. Juro-lhe que vou mudar de quarto. Ainda que tenha de ir servir... aqui é que eu não continuo.

Mandei-lhe dizer que o esperava e o senhor não veio. São-lhe assim tão indiferentes, Makar Alieksiéievitch, os meus prantos e as minhas súplicas? Mas diga-me uma coisa: onde vai arranjar o dinheiro... para isso? Por amor de Deus, tenha mais dignidade! Senão, pode dar-se já por perdido, com certeza! Que nojo, que vergonha!

Ontem, a senhoria não o deixou entrar e o senhor passou a noite na escada... Estou a par de tudo. Se soubesse como sofro quando me vêm contar essas coisas a seu respeito!

Venha ver-nos, sempre estará aqui melhor; podemos ler juntos e falar dos tempos passados. E Fiódora também nos contará coisas da sua vida, Makar Alieksiéievitch; não queira perder-se, que me perde também a mim, acredite! Eu vivo apenas para o senhor, continuo nesta casa apenas por sua causa, e o senhor a portar-se dessa maneira! Seja uma pessoa decente, mantenha o seu caráter e tenha ânimo, mesmo na infelicidade.

O senhor sabe muito bem que ser pobre não é vergonha. Então, por que desespera? Tudo isto há de passar. Deus nos ajudará e tudo se há de arranjar, contanto que o senhor faça também alguma coisa por isso!

Envio-lhe vinte copeques; compre tabaco ou o que quiser, mas por Deus lhe peço, não os gaste em nada de mau. Caia em si. Venha ver-nos sem falta! Talvez volte a envergonhar-se, como da outra vez... Mas que não seja uma falsa vergonha. Se ao menos se arrependesse sinceramente! Tenha confiança em Deus e verá como tudo se há de arranjar.

19 de agosto.

Varvara Alieksiéievna, minha pombinha:

Sinto-me envergonhado, minha estrela, muito envergonhado, se bem que, afinal, que há de especial numa coisas destas? Por que não havemos de procurar alegrar-nos um pouco? Olhe, assim até já me esqueci das minhas botas. Uma sola de bota nada é e nunca será mais do que isso, uma simples sola, vulgar e suja. E o mesmo quanto as próprias botas. Os sábios gregos andavam descalços. Por que havemos nós agora de nos preocuparmos com uma coisa de tão pouco valor? Por que hão de os outros ofender-me e desprezar-me por uma coisa destas? Ai, minha filha, até que enfim teve alguma coisa para censurar-me... Mas a essa Fiódora, diga-lhe que ela é maluca, que não tem juízo, que anda com a cabeça à razão de juros, e que ainda por cima é estúpida, inacreditavelmente estúpida! Quanto aos meus cabelos brancos, está muito enganada, minha bela, pois não sou ainda nenhum velho, como pensa.

Emiélia manda-lhe muitos cumprimentos. Diz-me a menina que ao ler a minha carta teve vontade de chorar e eu lhe digo que também tive um grande desgosto e que também cheguei a chorar. Para acabar, desejo-lhe saúde e prosperidade, e quanto à minha pessoa, encontro-me de perfeita saúde e sou sempre, meu anjo, com os meus melhores cumprimentos, o seu amigo,

MAKAR DIÉVUCHKIN.

21 de agosto.

Minha senhora e querida amiga Varvara Alieksiéievna:

Vejo que sou culpado e que a menina tem de perdoar-me muitas coisas. Mas, a meu ver, minha filha, nada se adianta com o fato. Tudo isso eu já sentia anteriormente, perante a minha consciência, apenas até agora não tinha ainda avaliado completamente as minhas culpas.

Filha, minha filhinha, eu não sou duro de coração, nem mau. E para poder dilacerar o seu coraçãozinho, minha pomba, seria preciso ser um tigre sedento de sangue, ao passo que eu possuo um coração terno como o dum cordeirinho e, como deve saber, não tenho inclinação alguma para fazer figura de fera voraz. E por isso, meu anjo, em rigor eu não sou verdadeiramente culpado perante a minha consciência, nem tampouco o meu coração e os meus sentimentos. Sendo assim, eu próprio acabo por não saber quem é que é culpado neste caso. Mas que grande confusão tudo isto, minha filha!

Enviou-me trinta copeques primeiro e depois mais vinte; chorei quando vi na minha mão esse dinheirinho, o dinheiro duma órfã! Tinha queimado as suas mãozinhas e não tardaria em sentir o aguilhão da fome; apesar disso escrevia-me a dizer que comprasse tabaco com aquele dinheiro... Diga-me... que havia eu de fazer? Havia de pôr-me a despojá-la sem remorsos na consciência, como um patife, a você, uma pobre órfã?

Faltou-me a coragem para uma coisa dessas: quero dizer, ao princípio senti apenas, sem querer, que não presto para nada, e que afinal apenas valho um pouco mais do que a sola do meu sapato. Pois bem: pareceu-me indecoroso conceder a mim próprio algum valor, por modesto que fosse, e comecei a descobrir em mim qualquer coisa de indigno, e, até certo ponto, de vulgar e de vil. Muito bem: pois uma vez perdido todo o meu amor-próprio, tendo-me já entregue à negação das minhas boas qualidades e da minha dignidade de homem, podia portanto dar tudo por perdido, podia deixar vir a ruína, o irremediável.

Eu não tenho culpa disso. Saí de casa unicamente com a intenção de tomar um pouco de ar. Mas tudo ia conjurar-se contra mim: o tempo estava chuvoso e frio e eis senão quando me encontro com Emiélia. Esse tinha gasto já tudo quanto possuía, Várienhka, e havia dois dias que não provava nem um gole sequer; de maneira que estava disposto a empenhar certas coisas que nem sequer podem vender-se porque ninguém as aceita.

Pois bem, Várienhka; acompanhei-o mais por compaixão humana do que por gosto próprio. E foi assim que caímos outra vez naquele pecado, minha filha. Como chorávamos, nós os dois! Falamos tanto de você, Várienhka! Ele é muito bondoso e muito sensível. Tudo isso percebia eu, minha filha, e por isso precisamente é que aconteceu aquilo, por eu compreender tudo.

Muito obrigado, minha filha, eu já sabia que era culpado para com você! E quando soube comecei então a conhecer-me melhor a mim próprio e a tomar-lhe amizade. Mas até à data, anjo meu, tenho vivido sempre só e levado uma vida obscura; não tenho vivido neste mundo como os outros homens. Esses tipos cruéis que andavam sempre a dizer que eu tinha um aspecto desagradável e que se envergonhavam de andar a meu lado, fizeram-me tamanha impressão, que eu próprio acabei por considerar-me reles e envergonhar-me de mim mesmo. Diziam que eu era bronco de inteligência e eu pensava que era realmente. Mas desde que a menina surgiu na minha vida, ela encheu-se de claridade; tanto na minha alma como no meu coração, entrou a luz. Pude finalmente começar a saborear qualquer coisa de parecido com a tranquilidade de espírito e a compreender que não era menos do que os outros. Que sou assim e assim, que não tenho méritos nenhuns, que não tenho graça nem posição social, tudo isso é bem verdade, mas apesar disso sou um homem, absolutamente um homem, no que respeita ao coração e ao pensamento! Pois bem: desde o momento em que compreendi que a desdita me perseguia, e que, humilhado pela sorte, me permiti rebaixar a minha própria dignidade de homem, quando cedi ao peso dos meus infortúnios, estava demonstrado que tinha perdido a coragem... E essa foi a verdadeira desgraça!

E agora, minha filha, agora que já sabe tudo, é com as lágrimas nos olhos que lhe peço que não me pergunte nunca nada acerca desse incidente, que nem sequer me volte a falar nisso, pois não preciso de tal para trazer o coração dilacerado e para que a vida me seja dura e amarga.

Apresento-lhe os meus respeitos, minha filha, e continuo o seu fiel amigo,

MAKAR DIÉVUCHKIN.

3 de setembro.

Deixei por acabar a minha carta anterior, Makar Alieksiéievitch, porque não tive coragem para isso. Às vezes há momentos em que me agrada estar sozinha para poder entregar-me à minha vontade aos meus desgostos e saborear a minha tortura: estes estados de espírito para mim estão se tornando cada vez mais frequentes. Perdura nas minhas recordações algo de misterioso que me cativa a ponto de ficar às vezes durante muito tempo insensível a tudo quanto me rodeia e completamente esquecida do presente, de todo o presente. Sim; não existe hoje na minha vida atual uma só impressão que não me recorde algo de parecido com a minha vida anterior, sobretudo da minha infância, da minha maravilhosa infância. Mas depois desses momentos apodera-se sempre de mim uma melancolia indescritível. Sinto-me completamente sem forças, esgotada pelos meus devaneios e cada vez pior de saúde.

Mas hoje, esta manhãzinha de outono, tão fresca, tão clara e tão brilhante como já raras vezes acontece, infundiu-me uma nova vida e comunicou-me uma grande alegria. Oh, como eu gostava do outono no campo! É claro que nesse tempo era criança; mas já percebia e sentia tudo com grande intensidade. Verdadeiramente até gostava mais das tardes de outono do que das manhãs. Ainda me lembro. Pouco mais ou menos a dois passos da nossa casa, ficava o lago, nas faldas da montanha. Esse lago... Parece-me que estou a vê-lo, agora... Tão claro e puro como um cristal! A tarde estava muito serena e todas as coisas nele se refletiam. Nas árvores da margem nem uma folha se movia; o lago, brilhante e imóvel, parecia um espelho. Tão límpido e tão frio! Na relva, o orvalho cintilava. Lá longe, numa choça, fumegava já uma fogueira pastoril e os pastores incitavam o rebanho... Eu me escapava de casa, às escondidas, corria para a margem do lago, punha-me a olhar, a olhar, até que acabava por me esquecer de tudo, até de mim própria. Um montão de ramos ardia junto dos pescadores, perto da margem, e o fogo prolongava-se numa grande faixa pela água, na minha direção. O céu era pálido e frio, e no horizonte, para as bandas do oeste, estendiam-se faixas vermelhas, ígneas, que pouco a pouco se iam tornando mais pálidas, até que finalmente acabavam por ficar sem cor. Depois aparecia a lua. O ar está tão diáfano, tão sereno e tão plácido... De repente um pássaro levanta voo e os juncos sussurram de manso, agitados por uma lufada de ar... Tudo, até ao mais leve rumor, se sente claramente. Por sobre a água azul, lenta, sobe uma branca neblina, leve e translúcida. Ao longe começa a escurecer, ou melhor, parece que uma névoa vai envolvendo tudo; mas de perto, como se vê ainda distintamente! O barco, a margem, a ilha... Um barril velho, que ficou esquecido dentro do barco, faz um gorgolejar quase imperceptível em cima da água; um ramo de salgueiro, de folhas secas, está caído por entre os juncos, ali perto. Uma gaivota que ficou para trás do bando, revoluteia, roça pela água e torna a subir nos ares até desaparecer na névoa... Eu ficava ali, olhando e escutando... Oh, como era belo! E, no entanto era eu ainda uma criança!

O outono me encantava, sobretudo no fim, quando o trigo estava já colhido, quando as fainas campestres tinham terminado e os lavradores recolhiam às suas cabanas preparando-se para o inverno. Então, os dias tornavam-se mais escuros, o céu cobria-se de nuvens, os bosques tornavam-se amarelos, as folhas tombavam das árvores e estas ficavam negras e despidas... especialmente ao cair da tarde, quando se levanta uma bruma espessa e parecem então gigantes escuros e disformes como espectros pavorosos. E quando nos deixamos atrasar no nosso passeio e vamos ficando para trás... que pressa temos então de alcançá-los e que medo tão grande se apodera de nós! Trememos como as folhas dos álamos. Quem sabe se... por detrás daquele tronco de árvore... não estará escondido algum monstro, que ao passarmos por ali vai atirar-se sobre nós? E por cima de tudo isto o vento corre pelo bosque, ruge e silva, às vezes julgamos ouvir vozes que gemem e que se queixam, as folhas revoluteiam pelo ar, redemoinham no meio do vento, e de repente passa zumbindo numa guincharia estridente um bando enorme de aves de rapina. O medo cresce a passos agigantados e parece-nos que... que se ouve alguém dizer, que escutamos uma voz estranha que murmura: "Corre, corre, não te atrases, que de um momento para o outro um sortilégio espantoso vai acontecer no bosque; corre, corre!"... O medo apodera-se do nosso espírito e corremos, corremos, até chegar a casa exaustos. Mas em casa encontramos de novo a vida e a alegria; e as crianças, depois, têm que fazer a sua tarefa: a de descascar ervilhas e de extrair das suas cápsulas os grãos da dormideira. No forno chispa o fogo; a mãe olha sorridente o nosso alegre trabalho e a velha Uliana conta-nos histórias terríveis de bruxas e de salteadores. Nós, as crianças, aproximamo-nos mais uns dos outros e o riso murcha nos nossos lábios. De repente tudo fica em silêncio... "Escuta, não parece que estão batendo à porta?"... "Qual! É o barulho que faz a roca da tia Frólovna!" E então todos desatam a rir! Mas depois a noite chega e o medo não nos deixa dormir, visões pavorosas e enormes pesadelos afugentam o nosso cansaço. Ficamos despertos, não nos atrevemos a mover um dedo e assim ficamos acordados e a tremer com a cabeça debaixo dos lençóis, até que finalmente começa a despontar a manhã. Mas quando o sol entra no quarto levantamo-nos aliviados e alegres e olhamos com curiosidade pela janela... No restolho brilha uma franja prateada de luz outonal e todas as árvores e arbustos estão envoltos em nevoeiro. O gelo formou como que um disco cristalino sobre o lago, e os passarinhos gorjeiam de contentes. Por todo o lado, o sol, com os seus raios quentes, começa a derreter o gelo fino. Que claridade, quanta luz... que delícia!

O forno volta a chispar fogo; sentamos à mesa na qual murmura já o samovar, e através da janela o nosso cão preto, Polkan, espreita para dentro e mexe o rabo, de contente. Um camponês passa diante da casa em direção ao bosque, em busca de lenha. Como todos estão contentes e bem dispostos!... Nos celeiros, empilhadas, há montanhas de trigo e a coberta de palha das medas de feno brilha ao sol, faiscando em amarelo de ouro... É um verdadeiro deleite contemplar tudo aquilo! E todos estão tão sossegados e tão felizes, todos sentem a bênção de Deus que os fez usufruir daquela colheita; todos sabem que no inverno não hão de ter dificuldades e hão de ter pão a fartar para os seus filhos. E é por isso que então, pelas tardinhas, se escutam as cantigas das moças que, alegres, dançam em rodas, e é por isso que ao domingo na igreja todos vêm dar graças a Deus nas suas orações... Ah, como foi bela a minha infância!

Aqui estou eu agora chorando como uma menina. São as minhas recordações as causadoras destas lágrimas. Vi tudo tão distintamente à minha frente, revivi tão perfeitamente o passado que agora o presente me parece muito mais turvo e obscuro... Como acabará tudo isto, que vai ser de nós? Olhe, Makar Alieksiéievitch, tenho o estranho pressentimento, ou para melhor dizer, a convicção de que hei de morrer neste outono. Sinto-me doente, muito doente. Penso frequentemente na minha morte mas, para falar verdade, não gostaria de morrer já... Não queria ficar nesta terra... Talvez torne ainda a adoecer, como já estive na primeira, pois nunca cheguei a refazer-me completamente daquela doença.

Fiódora saiu e só volta lá para o fim da tarde, de maneira que ficarei sozinha todo o dia. Há já algum tempo que tenho medo de ficar sozinha; parece-me sempre que está aqui alguém comigo dentro de casa, alguém que me fala, especialmente nos momentos em que me entrego a esses devaneios que me fazem esquecer a realidade; de repente acordo e olho à volta... E aí torno a sentir a tal impressão de que há qualquer coisa de sinistro escondida dentro de casa. É por isso que lhe escrevo uma carta tão grande, pois ao menos enquanto escrevo esqueço-me de tudo...

Fique com Deus, meu amigo. Fez muito bem em dar dois rublos à dona da casa; assim o deixará tranquilo durante um certo tempo... Mas procure melhorar o seu vestuário, seja lá como for. Adeus, estou cansada... Não percebo como é que posso estar tão fraca. Esgota-me o menor esforço. Se Fiódora me trouxer trabalho... como hei de poder trabalhar? É isto que me tira a coragem.

V. D.

5 de setembro.

Várienhka, minha pombinha: Hoje experimentei tantas sensações, anjo querido! Todo o dia me doeu a cabeça. Para ver se me passava a enxaqueca, saí até à rua; pelo menos tomaria um pouco de ar, passeando pelo Fontanka. Estava uma tarde nublada e úmida. Agora, às seis horas, já é escuro! Não chovia mas o céu estava coberto de nuvens, o que muitas vezes é ainda mais desagradável do que a verdadeira chuva. As nuvens corriam pelo céu em grandes rolos. Havia muita gente pelo cais. Eram rostos alvares, espantosos, aqueles que por ali se viam, rostos que nos faziam tristeza: velhotes bêbados, mulheres finlandesas de narizes rombos, com sapatos de homem e cabelos despenteados; operários e cocheiros, pessoas de todas as idades, um ou outro aprendiz de serralheiro com a sua blusa manchada; no meio deles um garoto delgadinho e pálido, de cara morena e brilhante de fuligem e com uma fechadura na mão; um ou outro soldado, de estatura colossal, a oferecer aos transeuntes canivetes e anéis falsos, de baixo preço. Esse era o público daquele lugar, essa devia ser a hora em que precisamente se encontram por ali esses tipos.

O Fontanka[24] é um canal largo e profundo no qual até podem navegar barcos. Aí existem lanchas de transporte em tão grande número que nem sabemos como cabem tantas... Mas apesar disso o Fontanka é um canal e não um rio. Na ponte viam-se mulheres sentadas, umas mulherzinhas velhas e sujas, como guloseimas já amolecidas e maçãs já podres. Ah, como é aborrecido passear pelo Fontanka! O granito úmido, as casas altas e escuras; em baixo, os pés enterrados na espessura do nevoeiro, por cima, nevoeiro também sobre a cabeça... Que triste, que turva e *obscura a tarde de hoje!*

---

24 Grande canal que atravessa a parte central de Petersburgo.

Quando desembarquei na rua mais próxima, a Gorókhovaia, era já noite fechada. Começavam a acender as luzes do gás. Havia muito tempo que eu não passava pela Gorókhovaia...[25] e antes não o tivesse feito hoje... Que rua tão larga e populosa! Que quantidade de lojas e de vitrines! Tudo tão bem arranjado e esplendente... Tecidos e trajes de seda e flores entre cristais... E que chapéus, cheios de fitas e de laços! Chega a parecer que tudo aquilo está ali apenas para enfeitar a rua e nem se acredita que haja homens que comprem aquelas coisas para dá-las às mulheres! Linda, linda, essa rua! É aí que muitos alemães têm as suas padarias... Deve ser gente opulenta. E quantas carruagens passam, constantemente! Nem sei como o pavimento suporta um movimento daqueles! E como são belas essas carruagens, com as janelas brilhantes como espelhos e lá por dentro tudo de veludo e de seda! Os cocheiros e os lacaios como vão orgulhosos com os galões e alamares das suas fardas e os espadins do lado... Admirava-os quando eles passavam e via que levavam quase todos senhoras frívolas e luxuosas. Quem sabe se não seriam princesas e condessas! Era precisamente à hora em que todos partem para os bailes, para os banquetes e para os saraus. Deve ser uma estranha sensação essa de ter um dia na vida a oportunidade de ver uma grande dama: acho que deve ser uma coisa muito agradável. Eu nunca vi nenhuma, de perto; apenas as tenho visto assim, quando passam nos seus coches. Como pensei hoje em você, Várienhka! Ah, minha pombinha, meu anjo! Será a menina pior do que elas? Não, minha filha, é bondosa, linda e instruída. Por que havia de ter tido esse destino? Por que estarão as coisas deste mundo feitas de tal maneira que uns têm de viver pobres e miseráveis, enquanto a outros, é a própria felicidade que vem bater-lhes à porta? Já sei, minha filha, já sei que não devo pensar assim, que isto é o que se chama ser livre-pensador. Ora, para falar com honestidade e com franqueza, quando meditamos sobre a justiça das coisas... por que, sim, por que estarão uns destinados desde o ventre materno, e para toda a vida, à felicidade, enquanto outros passam da roda dos enjeitados para o outro mundo? É assim a vida e o mais vulgar é que a sorte calhe a um maluco de um Ivânuchka[26]!

"Ivânuchka maluco, todas as vezes que quiseres, mete a mão no bolso de teu pai; come, bebe, refocila! Quanto a ti, a ti e a ti também, contentem-se em lamber os lábios, pois não merecem outra coisa!"

Bem sei, sei muito bem que é pecaminoso pensar desta maneira mas, quando se pensa, sem querer, os pecados entram-nos na cabeça. Sim, por que não poderíamos nós também ir assim, num coche daqueles? Enfatuados generais e funcionários do estado haviam de disputar o favor de um olhar dos seus olhos... não dos meus. A menina não andaria assim com um vestido velho de algodão, mas havia de usar sedas e pedras preciosas. Não estaria também tão magrinha e adoentada como agora, e pareceria uma bonequinha de açúcar, toda fresca e rosada. E eu seria feliz só de poder olhar as janelas iluminadas da sua casa e nelas distinguir o seu vulto de longe em longe... Só de imaginá-la assim feliz e satisfeita, minha avezinha linda, também eu fico feliz e satisfeito! Mas, agora... Não era suficiente que gente reles a tivesse feito infeliz, como também era ainda preciso que um grosseirão viesse insultá-la! Mas, esta é a verdade, só porque o terno dele é de corte elegante e porque

25   Rua das Ervilhas, uma das mais importantes de Petersburgo.
26   Diminutivo depreciativo de Ivan. No caso, figura dos contos populares russos: personagem cheia de manhas, que consegue sempre os fins que deseja.

usa um monóculo de aro de ouro, somente por isso esse desavergonhado sente-se no direito de fazer o que quiser, e a menina se vê obrigada a escutar pacientemente as suas palavras insolentes. Portanto, onde está a justiça? E por que hão de as coisas ser assim? Simplesmente porque a menina é uma órfã, Várienhka; porque não tem quem a defenda, porque não tem a seu lado pessoas amigas de influência, capazes de virem em sua defesa e de lhe assegurarem amparo e proteção.

E que espécie de homem é esse, que homens vêm a ser esses que não têm o mínimo escrúpulo em ofender uma órfã? Nem podem ser chamados homens; não passam de uns fanfarrões, de meros rufiões, de uma gentalha desprezível que somente pesa pelo número, que não passa de abstração, um vago não sei quê, que é o que realmente é, e que nada vale quando a decompomos nos indivíduos que a formam... Disso, não tenho eu a menor dúvida. É assim mesmo! E a meu ver, o mendigo que vi esta tarde na Gorókhovaia é muito mais digno da estima dos outros homens do que toda essa canalha. Esse mendigo arrastava-se por ali, penosamente, à procura de alguns copeques com que prover o seu sustento. Não pede propriamente esmola, pois ali está todo o dia a tocar realejo, para distrair as pessoas... até parece uma máquina a que tivessem dado corda. Portanto, este homem é útil aos outros na medida das suas posses. É um pobre, um mendigo, é certo; no entanto, por isso mesmo, é um homem honrado, está alquebrado e decrépito, transido de frio, mas apesar disso trabalha e ainda que o seu trabalho não seja igual ao das outras pessoas, trabalha. E há muitos homens na mesma classe, minha filha, mesmo muitos que, em relação ao trabalho que fazem, ganham muito pouco; no entanto, nem por isso precisam inclinar-se perante os outros, nem saudar o próximo com humildade, nem tão pouco pedir a alguém um pedaço de pão, por caridade. Eu sou como aquele mendigo; por natureza sou um homem completamente diferente, mas em sentido figurado sou exatamente semelhante a ele, pois faço também o que está nas minhas posses. Não será muito, mas de qualquer maneira, é mais que nada.

Demorei-me a falar desse mendigo, minha filha, porque devido a esse encontro senti ainda melhor a minha pobreza. Cheguei a ficar parado, a olhá-lo. E passaram-me pela cabeça sentimentos tão estranhos... que estava ali entretido e que o olhava para afugentar aquelas ideias. Também tinham parado ali alguns cocheiros e uma jovenzinha, e depois outra, mais nova, horrivelmente suja. O mendigo estava postado debaixo de uma janela. Entre toda aquela gente fixei um menino aí dos seus dez anos, que talvez fosse um belo rapazinho se não tivesse aquele aspecto enfermiço, se não estivesse tão fraco e com aquela aparência de esfomeado. Vestia uma espécie de camisinha e uma calcinhas muito finas; e ainda por cima disso tudo, estava descalço. Pois ouvia a música, de boca aberta... As crianças são sempre crianças! Parecia ter concentrado toda a sua atenção com assombro pueril sobre os bonecos que bailavam em cima do realejo do mendigo; mas as mãozinhas e os pezinhos estavam tiritantes de frio, tremia-lhe o corpo todo e mascava um farrapo da manga que segurava entre os dentes... Na outra mão tinha um papel... Passou por ali um senhor, deitou uma pequena moeda ao mendigo, a qual foi cair precisamente sobre a tábua em que bailavam os bonecos. O rapaz mal ouvia o retinir da moeda, saiu imediatamente do seu êxtase, olhou com timidez à sua volta e imaginou que tinha sido eu quem atirara a moeda... Receoso aproximou-se de mim, e mostrando-me o papel, com uma vozinha que tremia, disse: "Uma esmolinha, meu senhor!".

Eu peguei no papel, desdobrei-o e li-o... Bem, dizia as palavras de costume: "Às almas caridosas etc. ... Três crianças mortas de fome, a mãe quase a morrer. Tende piedade de nós! Quando me encontrar diante do trono de Deus, não esquecerei jamais aqueles que ajudaram os meus pobres filhos".

Não vale a pena falar do caso, que não deixa dúvidas e é vulgar. Mas... que havia eu de lhe dar? Portanto, não lhe falei nada. E, no entanto, fez-me tanta compaixão! E assim aquele pobre menino estava completamente lívido de frio e com o ar de quem tem fome, e ninguém lhe dava nada! Ninguém o socorria! O que isto significa bem eu sei! O mal é aquela mulher não poder sustentar os filhos e ver-se obrigada a pô-los na rua a pedir, meio nus e com aquele frio. Também pode dar-se o caso de que a mãe deles seja uma imbecil que não saiba cumprir o seu dever; ou talvez ninguém se preocupe com ela e que assim se deixe ficar sossegada em sua casa, sem fazer nada. Mas também pode ser verdade que esteja doente! Sim, mas de qualquer maneira podia dirigir-se a uma instituição de beneficência ou apresentar-se à polícia, que é como costuma proceder-se nesses casos. Ou talvez se trate muito simplesmente de uma embusteira que atira com uma criança esfomeada e doente para a rua, a fim de servir de chamariz perante o público, até que acabe por apanhar uma doença e morra. O que aprende este mocinho, nesta vida de mendigo? O seu coração há de tornar-se duro e cruel. Desde manhã até à noite nada mais faz do que andar de cá para lá, pedindo esmola. Muita gente passa junto deles, mas ninguém repara na sua insignificante figura. As pessoas têm o coração duro e a fala cruel...

— Dá o fora, desaparece, seu vadio! — ouve muitas vezes palavras destas. Sente um aperto no coração, treme, todo assustado e gelado de frio. Tem as mãos e os pés intumescidos. Pois olhem, já tosse... Como um verme nojento e horroroso, a doença anda à sua volta e antes que ele próprio chegue a dar por isso, a morte o agarrou.

E assim irá tombar o pobre garoto, ferido de morte, em algum sombrio, sujo e hediondo cubículo, sem quaisquer cuidados nem assistência...

E assim terá acabado a sua vida. Sim, é isto o que acontece frequentemente... uma vida humana! Ai, Várienhka, como custa a ouvir um "Pelo amor de Deus", e não podermos dar nada àquele que tem fome! E vermo-nos obrigados a dizer: "Tenha paciência!".

É verdade que de muitos "Pelo amor de Deus!" não precisamos nos comover. (Há muitas espécies de "Pelo amor de Deus!", minha filha!) Alguns são de pedinchão useiro e vezeiro, ditos em tom arrastado, lamuriento e indiferente. Passar junto desses mendigos e nada lhes dar nem por isso é grande pecado, pois esses são os mendigos de profissão, que sabem muito bem como hão de governar-se. Mas há outros "Pelo amor de Deus" pronunciados por vozes inexperientes, atormentadas e exaltadas e que nos fazem um arrepio sinistro ao longo das costas e das pernas... Foi o que me aconteceu hoje com o rapazinho do papel que, por certo, segundo disse alguém que ali estava... não se dirigia a todas as pessoas. "Meu senhor, dê-me uma esmolinha pelo amor de Deus!" Foi assim que ele disse com uma voz tão vacilante e sumida, que sem querer estremeci num grande espanto. E no entanto não lhe dei esmola, pois não tinha nem uma única moeda. E ainda há gente rica que não quer que os pobres se queixem da sua sorte... dizendo que são uma vergonha pública e que são incomodativos, verdadeiramente incomodativos. Ou não se dará antes o caso de que os queixumes dos esfomeados não deixem dormir os que estão fartos?

Vou confessar-lhe, minha querida, que se escrevi tudo isto, por um lado foi para desabafar, e por outro, a falar a verdade, foi para dar-lhe uma amostra do meu estilo. Pois deve já ter reparado, minha filha, que o meu estilo nos últimos tempos tem melhorado de maneira considerável. Mas afinal em vez de aliviar o meu coração, o que me aconteceu foi ter-se apoderado de mim, enquanto escrevia, um tal desgosto, que agora começo a sentir, no mais íntimo da alma, piedade pelos meus próprios sentimentos, se bem que eu saiba muito bem, minha filha, que com esta piedade nada se consegue... No entanto, de certo modo, uma pessoa faz assim justiça a si própria.

Sim, minha querida, é um fato que nos humilhamos a nós mesmos sem razão; que nos consideramos como se nem sequer valêssemos um copeque ou uma palha. Mas talvez isso seja devido, metaforicamente falando, a que nos assustamos e diminuímos exatamente como aquele rapazinho que hoje me pediu esmola...

Desde agora vou continuar a falar-lhe por metáforas, minha filha; vou apresentar-lhe uma parábola. Preste atenção:

Às vezes, de manhã, quando vou para a repartição, costumo demorar-me pelo caminho a contemplar o aspecto da cidade, para ver como desperta e pouco a pouco se vai levantando, e começa a fumegar, a mexer, a murmurar e a remoer; esqueço-me, repito, esqueço-me de mim próprio, e perante esse espetáculo, sinto-me pequeno e insignificante, tal como se alguém me tivesse dado um piparote no nariz bisbilhoteiro... Então esgueiro-me muito encolhido, sem fazer ruído e sem atrever-me a pensar em nada. Mas imagine agora o que acontecerá no interior dessas casas grandes e denegridas, sim, tente pô-lo na sua imaginação e então poderá julgar por si mesma que está certo que nós, os pobres, nos tenhamos a nós próprios em tão pouco e que nos deixemos acovardar tão indignamente... Não esqueça, Várienhka, de que eu falo em sentido figurado, somente em estilo de parábola.

Mas vejamos agora o que sucede no interior dessas casas.

Ali, no canto bafiento dum sótão, que só a necessidade pôde converter em morada de gente, um operário acaba de acordar. Toda a noite sonhou com um par de botas que ontem, por descuido, cortou de maneira defeituosa. Como se um homem não devesse senão sonhar com tais insignificâncias! Pois bem... esse operário é sapateiro... e isso explica que ele tenha tido aquele sonho. O nosso sapateiro tem filhos pequenos e uma mulher faminta. E não vá pensar, minha filha, que estas coisas acontecem apenas aos sapateiros. Tão só por si nada significa e nem valeria a pena pensar no caso; no entanto, repare: no mesmo prédio, com a diferença de ser num andar mais elevado e num quarto luxuoso, nessa mesma noite um senhor esteve sonhando todo o tempo com outro par de botas, botas também, mas claro, de outra classe, naturalmente, elegantes, mas apesar de tudo, um par de botas. Então... dentro do significado da minha parábola, todos somos um pouco sapateiros. Mas também isto, em si mesmo, não tem nada de especial, e o mal está apenas em não haver junto desse ricaço um homem, nem um só, que pudesse sussurrar-lhe ao ouvido: "Deixa-te disso, não penses nessas coisas; pensa apenas em ti próprio, em ti que não és nenhum sapateiro, que tens os teus filhos de perfeita saúde e uma mulher que não se queixa de fome; olha à tua volta e vê se encontras qualquer coisa diferente, algo mais nobre e elevado do que um par de botas para te ocupares".

Pois bem, Várienhka, era isto o que eu queria explicar-lhe por meio de uma parábola. Pode ser que isto seja de livre-pensador, mas às vezes ocorre-me esta ideia e então escapam-me do íntimo umas palavras mais fortes. E é por isso que eu digo também que fazemos mal em nos humilharmos tão injustificadamente, todas as vezes que nos assustamos com rumores ou com boatos. E digo-lhe ainda minha filha, não deve pensar que tudo isto contenha qualquer insinuação maligna ou que o tirei de algum livro. Não, nada disso, fique tranquila; não sei carregar as coisas de tons negros, nem tampouco me ocupo de coisas inúteis, e finalmente, repito-o para que fique bem ciente, também não o copiei de nenhum livro...

Regressei a casa muito triste, sentei-me à mesa, pus-me a aquecer um pouco de água e dispunha-me a preparar o chá, quando, de repente, o que havia de acontecer! Gorchkov, o nosso pobre companheiro de pensão, entra no meu quarto. Já de manhã tinha eu suspeitado de que o tal Gorchkov andava pelo corredor vigiando as portas dos outros quartos, e houve um momento em que pareceu que ele teve vontade de se dirigir a mim. Diga-se de passagem que a sua situação é muito pior do que a minha, nem tem comparação. Ele tem mulher e filhos para sustentar... Eu, no caso dele... Bom, nem sei o que faria! Mas, como ia dizendo, o bom do homem entra no meu quarto e cumprimenta-me... Como de costume, uma lágrima escorrega-lhe de um olho... E faz um ruído com a boca, sem no entanto articular uma palavra... Ofereço-lhe uma cadeira, rota, naturalmente, pois é a única que tenho. Também lhe ofereci chá. Recusou, recusou por muito tempo, mas por fim acabou por aceitar. E depois teimou em que devia tomá-lo sem açúcar... Insistiu nos seus pretextos e desculpas, agradeceu-me, tornou a desculpar-se... Finalmente pôs um torrãozinho na chávena e assegurou-me que o chá até estava enjoativo de doce! Já vê, Várienhka, onde a miséria pode levar uma criatura!

— Bem, o que temos de novo, meu amigo? — perguntei-lhe eu.

— Etc. e tal... é preciso que seja nosso protetor, Makar Alieksiéievitch; ajude-me, ampare uma família que se encontra na miséria. Os meus filhos e a minha mulher...! Não tenho nem uma côdea de pão para meter na boca! E eu, como pai... Ponha-se no meu lugar, compreenda o meu sofrimento!...

Dispunha-me já a responder-lhe, mas ele me interrompeu:

— Tenho medo de todos os que há por aqui, Makar Alieksiéievitch; quero dizer, não tenho propriamente medo, mas o senhor compreende, sinto-me envergonhado... São todos tão orgulhosos e emproados! Também não viria incomodá-lo — acrescentou — se não fosse... Já sei que teve contratempos e também sei que não poderá dar-me grande coisa, mas talvez possa pelo menos emprestar-me qualquer coisa... Se me atrevo a pedir-lhe isto é porque conheço o seu bom coração e porque sei que o senhor também conhece o que é a necessidade, pois também é pobre... e por isso é capaz de sentir compaixão...

Por último pediu-me que lhe perdoasse o seu atrevimento e a sua falta de vergonha.

Respondi-lhe que de todo o meu coração estaria disposto a ajudá-lo, mas que infelizmente nada podia dar-lhe, ou pouco menos do que nada.

— Makar Alieksiéievitch, não julgue que venho pedir-lhe muito — e fez-se rubro até a raiz dos cabelos — mas a minha mulher e os meus filhos têm fome... Não teria ao menos dez copeques, Makar Alieksiéievitch?

Que havia eu de dizer-lhe, Várienhka! O meu coração sangrava ao ouvir aquele pedido de dez copeques. Em comparação com ele eu era rico! Na realidade, o que eu possuía eram vinte copeques, com os quais contava para o dia seguinte, a fim de me aguentar até receber o ordenado. E por isso respondi-lhe que, de fato, não podia... E expliquei-lhe a minha situação.

— Dez copeques, só dez copeques, para não morrermos de fome, Makar Alieksiéievitch!

Então decidi-me, tirei o dinheiro da gaveta e entreguei-lhe os meus últimos vinte copeques, minha filha... Sempre era um ato de caridade... Se eu não soubesse o que é a miséria! Depois entabulou-se entre nós dois uma pequena conversa e aproveitei para lhe perguntar como é que tinha chegado àquele extremo e como é que conseguia aguentar-se num quarto cujo aluguel mensal era nada mais nada menos do que cinco rublos de prata.

O homem então explicou a sua situação. Tinha tomado o quarto por seis meses e pago três adiantados. Mas depois as coisas correram-lhe tão mal que já não pôde pagar os outros três meses, nem tampouco juntar o dinheiro necessário para mudar-se daquela casa. Entretanto, aguardava inutilmente o desenlace do seu processo. Mas um processo é uma coisa tão complicada, Várienhka! O homem está implicado nas irregularidades dum certo comerciante que cometeu não sei que abusos nos fornecimentos à Coroa. Esses abusos descobriram-se, o comerciante foi parar na cadeia, mas depois procurou maneira de implicar Gorchkov no assunto. Parece que este, verdadeiramente, apenas pode ser acusado de certa negligência, de não ter inspecionado na devida maneira os fornecimentos e de não ter velado suficientemente os interesses da Coroa. Seja como for, o assunto arrasta-se há dois anos e no entanto não está ainda bastante esclarecido. E por isso nada está ainda decidido acerca da inocência de Gorchkov. "Da desonestidade que me atribuem — diz o próprio Gorchkov — da fraude e do seu encobrimento, não sou culpado, de maneira nenhuma." O que não impediu que o demitissem, apesar de não terem podido demonstrar, como já disse, a sua culpabilidade. Também não conseguiu reaver uma apreciável quantia de dinheiro que lhe pertence e que o tal comerciante reclama agora. Isto é tanto mais triste quanto é certo que vão protelando a hora do reconhecimento da sua inocência.

Eu acredito no que ele me disse, mas o tribunal pensa de outro modo. É um assunto muito confuso, que não poderá deslindar-se nem dentro de cem anos. Quando às vezes parece que vai fazer-se um pouco de luz, logo o dito comerciante o lança de novo na obscuridade, com o que as coisas tomam depois um aspecto completamente diferente. Compadeço-me muitíssimo da infelicidade de Gorchkov, identifico-me com ele. Um homem demitido já não arranja novo emprego, pois por todo lado corre a fama da sua inaptidão. Tudo quanto o pobre Gorchkov tinha amealhado foi já consumido. A questão pode ainda prolongar-se, sabe Deus por quanto tempo... Entretanto eles têm de viver... E ainda por cima, acaba de lhes nascer mais um filho... O que, naturalmente, acarretou despesas. A criança adoeceu e morreu. Novas despesas. A mulher também está doente e ele próprio padece de não sei que mal contagioso. Em suma: a sua situação é triste, muito triste. No entanto ele diz que a coisa terá que resolver-se dentro de alguns dias, e seguramente a seu favor, disto não há que duvidar. Faz-me pena, muita pena, minha filha. Tratei-o o melhor que pude. O desgraçado encheu-se de timidez, ansiava por uma palavra de encorajamento, um pouco de bondade e de afeto. Eu, como digo, o tratei com a maior afetuosidade.

Fique com Deus, minha filha; Cristo seja com você e continue sempre boa. Minha pombinha! Quando penso em você, é como se sentisse um bálsamo sobre a minha alma dolorida, e quando me preocupo por você até os cuidados me parecem agradáveis.

Seu amigo sincero,

MAKAR DIÉVUCHKIN.

9 de setembro.

Minha querida filha, Varvara Alieksiéievna:

Escrevo-lhe, num estado terrível, completamente fora de mim. Aquele incidente alterou-me tanto que ia perdendo os sentidos. A minha cabeça ainda está rodando. Parece-me realmente que tudo gira à minha volta. Ai, minha filha, como hei de poder contar-lhe tudo! Se nem ao menos o tivesse sonhado! Se bem que... parece-me que já tinha pressentido tudo, que já tinha pressentido tudo! Meu coração o anunciava tal como depois aconteceu! E ainda há pouco tive um sonho em que vi uma coisa parecida!

Agora, veja o que me aconteceu... Vou contar-lhe tudo, desta vez sem preocupações de estilo, com toda a simplicidade, segundo a minha inspiração.

Esta manhã, como de costume, dirigi-me para a repartição. Uma vez ali, sento-me e ponho-me a escrever. Já sabe, minha filha, que ontem também tive de fazer uma cópia, na repartição. Foi ontem, precisamente, que Timofiéi Ivânovitch se aproximou da minha secretaria e me disse: "Aqui tem um documento que é preciso copiar rapidamente. Por isso trate disto imediatamente. Faça boa letra e tenha o máximo cuidado! Sua Excelência deseja-o ainda para hoje..." Começo por adverti-la, minha filha, que ontem eu não estava lá muito bem disposto... Nada deixava perceber, mas sentia-me oprimido e desgostoso. Parece que eu tinha frio no coração e trevas no entendimento. Mas os meus pensamentos iam todos para você, minha pombinha... Pois bem... então peguei na pena e pus-me a copiar... a copiar com boa letra e muito cuidado, quando... Não é que Ele... Louvado seja Deus, de que Ele próprio tivesse guiado a minha mão. Ele ou qualquer outra força misteriosa, ou então, podia ser que aquilo tivesse muito simplesmente que acontecer... A verdade é que ao copiar saltei uma linha completa. E daí, só Deus sabe o disparate que resultou naquele texto, talvez um absurdo. Mas o documento ficou pronto ainda ontem e esta manhã foi levado a Sua Excelência para ser assinado.

Pois esta manhã, como de costume, entro e ocupo o meu lugar junto de Emiélia Ivânovitch. Devo observar-lhe, minha filha, que desde há um certo tempo para cá me sinto ainda mais envergonhado e procuro também, ainda mais do que anteriormente, passar despercebido. Sim, nestes últimos tempos, até perdi a coragem de olhar os outros de frente. Basta-me ouvir arrastar a cadeira para ficar algo mais morto do que vivo. Pois era nesse estado de espírito que eu me achava hoje; estava todo encolhido e tão quieto no meu lugar como um ouriço, de tal maneira que Iefim Akímovitch (o tipo mais trocista que existe debaixo do céu), de repente me diz em voz alta, de tal modo que todos o ouviram:

— Ó homem, por que estás sentado dessa maneira? Até pareces um U!

E ao dizer isto fez um tal trejeito que todos os presentes se redobraram de riso, à minha custa, evidentemente, e não à dele. Tapei as orelhas, fechei os olhos, e não fiz o menor movimento. É isso o que costumo fazer quando os outros começam com as suas graças; é a maneira de deixarem mais depressa uma pessoa em paz. Mas depois ouço umas vozes excitadas, passos apressados, correrias, gritos... que me chamam, que chamam pelo meu nome, que chamam a Diévuchkin. Meu coração se acelera e sinto em todo o corpo um medo como nunca senti na minha vida! Continuo sentado na minha cadeira como se nela estivesse colado... sem fazer um movimento! Eu nem era eu! Mas eis que gritos se aproximam cada vez mais: "Diévuchkin! Mas onde está Diévuchkin? Diévuchkin!". Abro os olhos: à minha frente está Ievstáfi Ivânovitch... e então ouço-o dizer: "Makar Alieksiéievitch, Sua Excelência chama-o imediatamente. Causou-nos um transtorno terrível com a sua cópia!". Foi isto apenas o que ele me disse, mas foi o bastante. Não é verdade minha filha, que era suficiente? Fiquei rígido, como morto; já não sentia e fui até ao gabinete do ministro... Quero dizer, os meus pés é que me levavam porque eu, propriamente, estava mais morto do que vivo! Conduziram-me através de uma sala, depois doutra e doutra... até ao gabinente de Sua Excelência... Foi então que percebi onde estava. Não posso dizer-lhe ao certo nada do que pensei naquele momento. Via apenas que Sua Excelência estava ali, de pé, e à volta todos os outros. Creio que nem sequer fiz uma reverência; esqueci-me de fazê-la. Estava tão emocionado que me tremiam os lábios e as pernas. E não me faltava razão para isso, minha filha! Em primeiro lugar porque sentia uma imensa vergonha, e depois porque ao voltar casualmente a vista, à direita, e ao ver-me num espelho, tive motivo mais do que suficiente para me deixar cair no chão. Acrescente-se a tudo isto que eu sempre tenho procurado conduzir-me de maneira como se não existisse, pelo que nem de longe poderia supor que Sua Excelência tivesse qualquer notícia acerca da minha pessoa. Pode ser que alguma vez Sua Excelência, ao passar perto da sala quatro, tivesse ouvido que ali trabalhava um empregado chamado Diévuchkin, mas com certeza que a referência não teria ido mais além.

Pois Sua Excelência, muito aborrecido, exclamou imediatamente:

— Mas que disparate vem a ser este que pôs aqui, criatura? Onde é que tinha os olhos? Um documento desta importância, que é preciso enviar imediatamente! Em que estava pensando, homem?

E ao mesmo tempo Sua Excelência se voltava para Ievstáfi Ivânovitch. Eu ouvia apenas palavras soltas que me pareciam vir de muito longe: "Descuido! Negligência! Só serve para provocar contratempo!...".

Abri a boca, mas não disse nada. Queria desculpar-me, pedir perdão, mas não podia. Sair a correr... Mas nisso nem era possível pensar. De repente aconteceu alguma coisa... alguma coisa, minha filha, que ainda agora mesmo me envergonho de contar... o meu botão... o diabo o leve... o meu botão, que estava apenas preso por um fio, caiu de repente (talvez eu lhe tivesse mexido sem dar por isso), foi tombar sobre o chão e, a rolar, acabou por ir cair mesmo aos pés de Sua Excelência, no meio do silêncio sepulcral que ali reinava. Foi essa a minha justificação, a minha desculpa, tudo quanto tive para dizer a Sua Excelência! As consequências não se fizeram esperar. Sua Excelência, logo a seguir, fixou-se atentamente no meu aspecto e no meu fato. Eu pensei que estava a ver-me no espelho... Com isto fica tudo dito... Então curvei-me para apanhar o botão e colocar outra vez no seu lugar aquele desertor inoportuno. Estava completamente atordoado! Agachei-me e estendi a mão para apanhar o botão, mas este continuou a rolar como um pião e por mais esforços que eu fizesse não conseguia alcançá-lo... De maneira que estava assim a dar grandes provas da minha habilidade! Senti que me fugiam as últimas forças e que tudo estava perdido. Toda a dignidade desaparecera: a minha parte humana estava absolutamente aniquilada. Ao mesmo tempo os ouvidos começaram a zumbir-me e parecia-me que para além daquelas paredes escutava os insultos de Teresa e de Faldôni, tal como os ouço constantemente na cozinha. Até que por fim consegui apanhar o botão... Mas em vez de reparar a minha tolice, de pôr-me em posição de sentido, vou e ponho-me a querer prendê-lo no lugar donde pendiam apenas dois fiozinhos, como se ele pudesse ficar ali colado... E ainda por cima conseguia rir-me do sucedido, sim ainda tinha a desfaçatez de me pôr a rir...

Sua Excelência, primeiro voltou-se para um lado, mas depois tornou logo a olhar para mim... e foi então que lhe ouvi dizer para Ievstáfi Ivânovitch:

— Ora, repare para aquela figura! Mas por que é que ele anda daquela maneira? O que lhe aconteceu?

Ai, minha adorada, que mais era preciso? Sua Excelência acabara de me caracterizar de maneira insuperável. Ouvi depois Ievstáfi Ivânovitch responder-lhe:

— Não há razão para censurá-lo de nada, Excelência; até agora tem sido sempre de uma conduta irrepreensível... Tem boa letra... Parece que aquilo que ganha...

— Muito bem... pois então veja se há alguma maneira de ajudá-lo — acrescentou o ministro. — Dê-lhe um adiantamento sobre o ordenado...

— Mas isso foi o que já se lhe fez, por várias vezes; já levou adiantado o ordenado de alguns meses. Parece que se encontra presentemente numas condições especiais... No entanto, a sua conduta, apesar disso, como disse, continua exemplar, irrepreensível...

Parecia-me que estava no centro dum círculo de chamas infernais que me queimavam e abrasavam vivo! Eu... nada. Estava simplesmente como se tivesse exalado o último suspiro; sim, estava perto.

— Bem — disse depois em voz alta Sua Excelência — é preciso copiar isto outra vez. Venha cá, Diévuchkin: vai copiar isto de novo, sem um único erro; e os senhores...

Quando disse isto, Sua Excelência dirigia-se aos outros que ali estavam e começou a encarregá-los de diferentes assuntos, e um após o outro, todos foram saindo. Logo que o último tinha acabado de sair, imediatamente Sua Excelência, puxando da carteira, tirou uma nota de cem rublos.

— Olhe, isto é tudo o que posso... aceite...

E, ao dizer isto, meteu-me a nota na mão.

Então senti um estremecimento em todo o meu ser e não tenho palavras para descrever a comoção que me tomou. Tentei pegar-lhe a mão para beijá-la mas ele ruborizou-se, Várienhka, e... ao dizer não me afasto nem um milímetro da verdade, minha filha... Pegou na minha mão indigna e apertou-a, sim, pegou nela simplesmente e apertou tal qual como se fosse a mão dum seu igual, alguma pessoa altamente colocada, como ele.

— Bem, pode retirar-se — disse. — Se em alguma coisa puder ser-lhe útil... Copie-me isto outra vez e procure não ter nenhum erro. Quanto a esta cópia, já se pode rasgar...

E agora, minha filha, escute bem o meu desejo, que é este: rogo a você e a Fiódora — como ordenaria a meus filhos, se os tivesse — que nas suas orações, ao dirigirem-se a Deus, não peçam pelo vosso pai carnal mas sim por Sua Excelência, e que por ele rezem todos os dias, até o último da vossa existência. Mas tenho ainda mais alguma coisa para dizer-lhes, o que vou fazer solenemente. Por isso tome atenção, minha filha: juro-lhe que... por muito grande que fosse a minha necessidade e por muito que me fizesse sofrer a nossa falta de dinheiro, quando pensava em todas as suas dificuldades e além de tudo isso, ainda na humildade da minha condição e na minha inutilidade... apesar de tudo isso, juro-lhe que estes cem rublos não têm para mim tanto valor como esse gesto de Sua Excelência ao estender-me a mim a sua mão, a mim, o bêbado, o pior entre os piores, ao dignar-se estreitar esta minha indigna mão! Com este gesto Sua Excelência fez com que eu recuperasse a minha verdadeira personalidade! Com isso ressuscitou-me de entre os mortos, para sempre suavizou a minha existência, e estou firmemente convencido de que, por muito pecador que eu seja perante os olhos do Todo-Poderoso... as minhas preces pela felicidade e prosperidade de Sua Excelência hão de chegar até ao trono de Deus e ser ouvidas...

Minha querida, minha filha! Estou agora numa grande excitação, tal como nunca experimentei. O meu coração bate e pula, e sinto-me tão esgotado como se todas as forças me abandonassem.

Mando-lhe 45 rublos; 20, dei-os à senhoria e reservo 35 para mim: 20 para comprar alguma roupa e os outros 15 para ir gastando.

As impressões desta manhã abalaram-me de tal maneira que me encontro extremamente fraco. Preciso de deitar-me um pouco. Mas por agora estou tranquilo, absolutamente tranquilo. Tenho apenas um certo peso no coração, e em algum lugar, não sei bem onde, muito no fundo de mim mesmo, parece-me que a minha alma estremece e está como que para levantar voo.

Irei vê-la em breve. Ainda estou transtornado por todas estas impressões...

Deus vê tudo, minha filha, tudo!

Seu digno amigo,

MAKAR DIÉVUCHKIN.

10 de setembro.

Meu muito querido Makar Alieksiéievitch:

Estou muito contente com a sua felicidade e aprecio bem todo o valor da ajuda do seu superior. Assim já pode finalmente respirar e descansar das suas preocupações. Mas agora vou dirigir-lhe uma súplica: pelo amor de Deus não torne a gastar o dinheiro em coisas inúteis! Faça uma vida tranquila e ordenada, o mais econômica possível e, peço-lhe! comece já amanhã a pôr todos os dias de lado um dinheirinho para que não volte a encontrar-se em tantas dificuldades. Conosco, para dizer a verdade, não tem que preocupar-se. Nós aqui nos arranjaremos. Por que nos mandou tanto dinheiro, Makar Alieksiéievitch? É que não nos fazia falta... O que ganhamos chega-nos bem. É certo que dentro de pouco tempo teremos necessidade de uma certa quantia para a mudança; mas Fiódora espera que lhe paguem em breve uma dívida antiga. Seja como for, reservo vinte rublos para uma necessidade e devolvo-lhe o resto. Não considere o dinheiro como uma coisa supérflua. Makar Alieksiéivitch!

Adeus, meu amigo! Continue a ser feliz e mantenha-se com saúde e alegria. Por minha vontade prolongaria ainda esta carta mas sinto-me muito cansada. Ontem estive de cama todo o dia. Fez excelente a sua ideia de nos visitar. Faça-o depressa, Makar Alieksiéivitch. Não se esqueça de que fico à sua espera.

Sua,

V. D.

11 de setembro.

Minha querida Varvara Aliéksiéievna:

Peço-lhe, minha adorada, agora que eu sou tão feliz e que tudo corre à medida dos meus desejos, não vá esquecer-se de mim! Minha pombinha, não faça caso de Fiódora! Prometo fazer-lhe tudo o que quiser. Daqui por diante vou me comportar decente e dignamente, pois, quando mais não fosse, pelo menos havia de ser por atenção para com Sua Excelência. Havemos de voltar a escrever cartas cheias de júbilo e a comunicar mutuamente os nossos pensamentos, as nossas alegrias e as nossas preocupações... Se é que havemos de ter preocupações... e de novo voltaremos a viver uma vida feliz e em boa harmonia... Poderemos nos dedicar à literatura... anjo meu! Tudo na minha vida tende agora para o melhor. A senhoria voltou a admitir-me nas conversas. Teresa tornou-se muito mais inteligente e Faldôni já é mais serviçal. Fiz as pazes com Rotasiéiev. A alegria levou-me para ele outra vez. É realmente um bom rapaz, minha filha, e todo o mal que disseram dele é um erro, um disparate; pude agora comprovar perfeitamente que não passava tudo de calúnia. Não é verdade que pensasse alguma vez em fazer uma sátira à nossa custa. Ele próprio me disse. Leu-me seu novo trabalho. E quanto a essa história de ele ter me dado o apelido de Tenório, bom... isso não tem nada de mau, nem é nenhum nome ofensivo. Ele me explicou o significado dessa designação. Isso de Dom Juan é um nome estrangeiro que significa pouco mais ou menos um "tipo às direitas", ou, para nos exprimirmos em linguagem mais polida, mais literária, por assim dizer: um "homem de verdade". É isto o que essas palavras querem dizer e não... Muito diferente até! Portanto, isso não passava de uma brincadeira inofensiva! E eu, pobre de mim, que achei tratar-se de uma ofensa! Pois muito bem: hoje lhe apresentei já as minhas desculpas...

Que lindo dia está hoje, Várienhka! É verdade que da parte da manhã nevou um tanto, mas isso não tem importância, assim o ar ficou mais fresco. Sabe? Comprei um par de botas... umas botas bem bonitas, sem nada que se possa criticar... Fui logo dar um passeio pela Niévski e depois comprei o jornal. Mas espere, que já me esquecia de lhe contar o mais importante. Aí vai:

Esta manhã pus-me a conversar com Emiélia Ivânovitch e com Aksiênti Mikháilovitch: falamos de Sua Excelência. É verdade, Várienhka. É verdade, pois que eu não sou o único objeto da bondade de Sua Excelência. Prodigalizou-a também a outros e de todos é conhecida a sua grande virtude. São muitos e muitos aqueles que enaltecem essa bondade e vertem lágrimas de agradecimento ao recordar o bem que lhes fez. Sua Excelência tomou conta de uma órfã, educou-a em sua casa, e depois casou-a com um empregado de cargo elevado, um daqueles que pertence ao número dos que trabalham debaixo das suas ordens imediatas e, não contente com isso, Sua Excelência deu-lhe ainda um bom dote. Além disso Sua Excelência colocou também numa chancelaria o filho duma pobre viúva, e não ficam por aqui todas as coisas boas que se podem contar de Sua Excelência. Entendi que era obrigação minha introduzir uma palavra naquela conversa e confessei tudo o que Sua Excelência fez por mim. Contei tudo, sem esquecer o mínimo pormenor. Lancei a timidez para trás das costas. Qual timidez nem precauções, uma vez que se tratava de um assunto daqueles! Contei tudo em voz alta, de maneira que todos pudessem ouvi-lo; muito alto, sim, a fim de propagar aos quatro ventos as nobres ações de Sua Excelência! Falei com entusiasmo e não me senti envergonhado, até pelo contrário, sentia-me orgulhoso de poder contar um episódio semelhante. Contei tudo (felizmente só não falei de você, minha filha; fiz apenas uma breve referência, muito discreta), tudo o que diz respeito à senhoria, a Faldôni, a Rotasiéiev e a Márkov, e até a história das minhas botas... de tudo isso falei, com todas as minúcias... Alguns troçaram um pouco de mim, ou pelo menos, todos gracejaram. Pelo menos todos se riram! Pelo visto encontravam em mim alguma coisa que os fazia rir... Mas talvez tenham dado risada apenas do caso das botas... Sim, devia ser isso, riam-se desse caso! O que é certo é que não deviam rir-se com má intenção, são incapazes de uma coisa dessas. O mais provável é que se rissem por serem uns garotos... ou porque tragam os bolsos cheios. No entanto, repito, não devo pensar que se tivessem rido de mim com qualquer má intenção... Porque acredito firmemente que Sua Excelência... Não. De maneira alguma seria possível que lhes passasse pela cabeça rirem-se de Sua Excelência... Não lhe parece, Várienhka?

Entretanto, ainda não me sinto completamente refeito de todos estes acontecimentos. Tem lenha para o fogo, minha filha? Veja se não se resfria, como acontece tantas vezes. Peço a Deus, minha filha, que olhe por você e a proteja. Tem meias de lã e todos esses agasalhos que são precisos durante o inverno? Tenha cautela, minha filha! Se alguma dessas coisas lhe fizer falta, não ofenda este pobre velho, valha-se de mim imediatamente. Terminou o mau tempo e a vida mostra-se radiante e bela!

Foram realmente muito tristes aqueles tempos, Várienhka! Mas para que falar deles, visto que vão longe...

Quando acabar o ano, poderemos recordá-los, com um sorriso. Tal como hoje recordamos a nossa infância. O que eu sofri, nessa idade! Às vezes chegava a não ter um só copeque no bolso. Passava fome e frio, e no entanto estava sempre contente!

Logo de manhã saía até a Niévski, encontrava uma cara bonita... e pronto, meus desgostos acabavam pelo resto do dia. Belos tempos, maravilhosos tempos, apesar de tudo, minha filha! É bom viver neste mundo, Várienhka! E melhor ainda em Petersburgo. Ontem fiz ato de contrição diante de Deus, com as lágrimas nos olhos, para que me perdoe todos os pecados que pratiquei nessa época lamentável e que se resumem em pensamentos avançados, boemia e jogatina. Também me lembrei de você, comovidamente, nas minhas recordações. A menina foi o meu único consolo e o meu único amparo, a única criatura que me dirigiu palavras de encorajamento, ajudando-me a vencer todas as minhas dificuldades. Nunca o esquecerei, minha filha! Hoje beijei as suas cartas uma por uma, minha pomba, meu anjo! Mas... bem, adeus!

Ouvi dizer que aqui perto há uma pessoa que vende uma farda. E que quero alindar-me também no exterior. Adeus, meu anjo, desejo-lhe muita saúde e até a vista.

Seu devotadíssimo,

MAKAR DIÉVUCHKIN

15 de setembro.

Meu querido Makar Alieksiéievitch:

Estou num estado de excitação extraordinário! Ora veja o que me acontece. O coração adivinha-me qualquer coisa... Avalie por si mesmo, meu querido amigo: o senhor Búkov está em Petersburgo!

Fiódora encontrou-o. Ele passou junto dela numa carruagem, reconheceu-a, mandou parar, dirigiu-se a ela e perguntou onde mora. Evidentemente que Fiódora não disse. Então, sorridente, continuou que já sabia com quem ela vivia. (Pelo visto Anna Fiódora deve ter-lhe contado tudo.) Ao ouvir aquilo, Fiódora ficou furiosa e pôs-se a fazer-lhe acusações em plena rua, chamando-lhe desonesto e dizendo-lhe que ele era o único culpado de toda a minha infelicidade. Ao que ele respondeu que quando se não possui nem um copeque por força que se há de ser infeliz.

Fiódora diz que lhe explicou que eu ganho muito bem a minha vida com o meu trabalho; que posso casar-me, ou, em último lugar, procurar uma colocação; mas que a felicidade, essa, que a perdi para sempre; que estou muito doente e talvez pouco falte para morrer.

Ao que ele respondeu que eu ainda sou muito nova, que ainda não sei o que quero e que as minhas boas qualidades me tinham toldado um pouco o próprio juízo (foi isso mesmo o que ele disse).

Fiódora e eu julgávamos que ele não sabia onde nós vivíamos e eis senão quando, imediatamente ontem... mal eu tinha saído para comprar umas miudezas no Gostíni Dvor, zás! logo ele se apresenta aqui em casa. Pelo visto não queria encontrar-se comigo! Começou a fazer uma infinidade de perguntas a Fiódora, relativas ao nosso gênero de vida, e observou tudo com muita atenção, mesmo os meus trabalhos.

E depois, de repente, perguntou:

— E quem vem a ser esse tal empregado, que é vosso amigo?

Precisamente nesse momento, o senhor atravessava o portal e Fiódora então apontou-lho; ele assomou à janela e pôs-se a rir. Quando Fiódora o intimou a sair, pois eu andava muito adoentada devido aos meus desgostos e não me seria nada agradável encontrá-lo em casa quando regressasse, ele não disse nada, permaneceu um instante em silêncio mas declarou depois que tinha ido até lá só por ir, porque não tinha nada que fazer, e finalmente insistiu em oferecer vinte e cinco rublos a Fiódora, que ela, naturalmente, não aceitou.

Que significará tudo isto? Por que e para que terá ele vindo a nossa casa? Não consigo explicar como é que pode saber a nossa morada. Perco-me em mil suposições. Fiódora diz que Aksinia, sua cunhada, que nos visita de quando em quando, é muito amiga de Nastácia, a nossa lavadeira, a qual por sua vez tem um primo colocado na mesma repartição em que está um dos mais íntimos amigos do sobrinho de Anna Fiódorovna. Não teriam os boatos chegado até ele por estes caminhos? Nós duas sabemos o que pensar. Será que ele vai voltar aqui outra vez? Só essa ideia me revolta! Quando ontem Fiódora me contou o que tinha acontecido, fiquei tão assustada que quase desmaiei... de angústia. Que quererá de mim esse homem? E eu que não quero saber dessa gente para nada! Em que lhes posso eu interessar? Ah, se soubesse o terror em que eu vivo! A todo o momento se me afigura que Búkov vai surgir à minha frente. Que vai ser de mim? O que me espera? Por amor de Deus, venha depressa, Makar Alieksiéievitch! Peço-lhe, venha!

18 de setembro.

Minha querida Varvara Alieksiéievna:

Hoje aconteceu aqui em casa uma coisa muito triste, inexplicável e absolutamente inesperada. Vou contar-lhe tudo ordenadamente.

Em primeiro lugar direi que o pobre do Gorchkov foi enfim declarado inocente no tal processo. Havia já algum tempo que se dizia isso, mas até hoje a sentença não tinha sido ainda confirmada. O assunto acabou portanto de maneira muito favorável para ele. Todas aquelas coisas de que o acusavam... descuido, negligência etc. etc. ficaram sem fundamento. O Tribunal reconheceu a sua honestidade integral e condenou o comerciante a pagar a Gorchkov aquela importante quantia de que lhe falei, de maneira que de um momento para o outro o homem melhorou a sua vida, visto que o comerciante será obrigado a entregar o dinheiro por via judicial. Mas o mais importante ainda é a pobre criatura ver-se livre daquela mancha na sua honra! Em suma: estavam realizados todos os seus desejos.

Foi aí pelas três horas da tarde que ele chegou em casa. Até era difícil reconhecê-lo. Trazia o rosto branco como a cal da parede. Os lábios tremiam-lhe e ao mesmo tempo sorria... e depois, pôs-se a abraçar a mulher e os filhos. Todos nós, num grupo compacto, nos dirigimos a ele para felicitá-lo. Creio que a nossa atitude o comoveu muito pois não se cansava de nos agradecer e apertou-nos a mão várias vezes. Até parecia que tinha crescido, pelo menos estava mais direito do que de costume! E os olhos também já não lhe lacrimejavam e, pelo contrário, resplandeciam até! Como estava comovido, o pobre homem! Não parava nem dois minutos no mesmo lugar; se pegava em qualquer coisa, largava-a logo em seguida; tão depressa se apoiava no espaldar da cadeira, sorria e agradecia, como se sentava e voltava a levantar-se e a sentar-se outra vez e murmurar não sei o quê. Em certo momento disse? "A minha honra, sim, a minha honra, uma boa reputação... já posso legá-las aos meus filhos..." E de que maneira dizia ele essas palavras! Tinha os olhos cheios de lágrimas e pouco faltava para que todos nós chorássemos também. Rotasiéiev ainda quis dissimular, mas acabou por dizer:

— Ora, ora, a honra! Que importa a honra, criatura, quando não temos que comer? Dinheiro, meu amigo, dinheiro, isso é que é o principal! Pelo dinheiro, por ele é que deve dar graças a Deus! E deu-lhe uma palmadinha no ombro.

A mim quis-me parecer que Gorchkov ficou um tanto ofendido com aquelas palavras. Não que ele tenha mostrado cara de ofendido, mas olhou de maneira particular para Rotasiéiev, e por única aposta afastou do seu ombro a mão do literato. Antes não tivesse feito isso, minha filha. Acontece que nem todos os feitios são iguais. Eu, por exemplo, no meio da minha alegria, teria ficado também muito orgulhoso. Às vezes, minha querida, uma pessoa diz coisas absolutamente desnecessárias, diz sem motivo algum, simplesmente um excesso de ternura ou por uma efusão de simpatia... E isso não me diz respeito...

— Sim — disse Gorchkov depois de uma pausa — o dinheiro também calha bem... Graças a Deus... Graças a Deus...

E repetiu várias vezes para consigo próprio:

— Graças a Deus... Graças a Deus...

A mulher serviu-lhe uma refeição mais abundante e melhor do que a de costume. E foi a própria senhoria quem a preparou. Temos que reconhecer que a senhoria, no fundo, é boa pessoa. Até a hora da refeição, Gorchokov não pôde ficar sentado nem um momento. Dava voltas e mais voltas pela casa, de cá para lá, aproximando-se de nós como se o tivéssemos chamado. Aproximava-se simplesmente, sorrindo à sua maneira; sentava-se numa cadeira, dizia qualquer coisa, ou então não dizia nada... e depois ia-se de novo. No quarto do marinheiro, onde estavam jogando nessa ocasião, pegou nas cartas e os outros deixaram-no entrar no jogo. E ali esteve a jogar, mas de uma maneira que a todos admirava; mas por fim, depois de três ou quatro jogadas, abandonou também as cartas.

— Não, eu só tenho isto — digam o que quiserem — eu só tenho isto...

E saiu do quarto.

Encontrei-me com ele no corredor. Tomou-me as duas mãos e fitou-me por muito tempo nos olhos, de modo especial. Apertou-me as mãos e afastou-se, sem deixar de sorrir, com aquele sorrisinho estranho, impassível e deprimente como o sorriso dum louco.

A mulher chorava de alegria. O dia de hoje foi uma autêntica festa para eles. Logo que a refeição acabou, disse para a mulher:

— Onde está Piétienhka? O nosso Piétia — perguntou —, o nosso Piétienhka...

A mulher persignou-se e respondeu-lhe que Piétienhka já tinha morrido...

— É verdade, eu sei, Piétienhka está no céu!

A mulher reparou que ele não estava exatamente como de costume; que os acontecimentos daquele dia lhe tinham feito uma grande impressão, e por isso aconselhou-lhe a que se esforçasse por dormir e descansar.

— Está bem... Vou ver se consigo dormir um pouco...

E enquanto dizia isto, estendeu-se ao comprido, esteve assim um momento e fez um gesto como de quem queria dizer qualquer coisa. A mulher perguntou-lhe:

— Que queres, homem?

Mas ele já não lhe respondeu. "Naturalmente adormeceu", pensou a mulher, e saiu do quarto para falar à senhoria. Ao fim de uma hora voltou ao quarto. O marido ainda não tinha acordado e continuava a dormir a sono solto, sem se mexer. Ela então lhe disse: "Dorme, dorme, que é para arranjares forças para trabalhar".

Diz ela agora que esteve sentada à cabeceira do marido por mais de meia hora, mas que no entanto não pode precisar aquilo em que pensava, apesar de estar abismada em vários pensamentos; diz que se tinha alheado completamente da presença do marido; entretanto voltou a si, despertada da sua meditação por um indefinido desassossego, e que então ficou surpreendida pelo silêncio sepulcral que reinava em todo o quarto.

Olhou para a cama e verificou que o marido continuava deitado como há hora e meia. Então aproximou-se e tocou-lhe... Encontrou-o frio, porque estava morto, minha filha. Gorchkov tinha morrido de repente, como que fulminado por um raio! Só Deus sabe qual foi a causa da sua morte!

Este acontecimento impressionou-me tanto, Várienhka, que ainda não estou completamente em mim. Não quero acreditar que um homem possa morrer assim... de uma maneira tão simples! Pobre Gorchkov! Por que havia de morrer hoje, hoje que era para ele um dia de alegria? É o destino, o destino! A mulher está quase destruída em lágrimas, completamente transtornada por causa deste choque! Quanto à pequenina, encolheu-se num canto, muito assustada. No quarto dele há agora uma azáfama constante. É preciso fazer uma inspeção facultativa, não sei bem se é assim que se diz... Que tristeza, minha filha, que tristeza! Custa muito pensar que de um momento para o outro uma pessoa pode morrer, e pronto tudo se acabou...

Seu,

MAKAR DIÉVUCHKIN

19 de setembro.

Minha querida Varvara Alieksiéievna:

Apresso-me a comunicar-lhe que Rotasiéiev me arranjou trabalho, trabalho dum escritor... Hoje veio alguém visitá-lo e trouxe-lhe um manuscrito enorme... Muito trabalhinho, graças a Deus. O pior é que as folhas estão escritas de maneira tão ilegível, que nem sei como hei de decifrar a letra e, além disso, quer tudo pronto com a máxima rapidez. E ainda por cima, trata-se de coisas muito difíceis, custosas de perceber. Quanto ao preço, chegamos já a um acordo: quarenta copeques por folha. Digo-lhe isto, minha filha, para que saiba que agora já conto com um extraordinário, além do ordenado.

Fique com Deus, meu anjo. Vou já pôr-me a trabalhar.

Seu fiel,

MAKAR DIÉVUCHKIN

23 de setembro.

Meu fiel amigo Makar Alieksiéievitch:

Há já três dias que não lhe escrevo, meu amigo, e no entanto não me têm faltado preocupações nem inquietações em todo este tempo.

Há três dias também, Búkov esteve aqui. Eu estava sozinha, pois Fiódora tinha saído.

Abri-lhe a porta mas fiquei tão assustada quando o vi que mal podia mexer-me do lugar em que estava. Parecia-me que ia desmaiar. Ele entrou, sorridente, como é seu costume; sem mais palavras pegou numa cadeira e sentou-se. Eu levei ainda uns instantes para recuperar a serenidade. Por fim tornei a sentar-me perto da janela a trabalhar. Quanto a ele, deixou imediatamente de rir-se. Pelo visto ficou admirado da minha cara. Tenho piorado muito nos últimos tempos: tenho as faces e os olhos encovados, e além disso estava pálida como uma morta... Sim, devo fazer pena àqueles que me conheceram há um ano...

Ele esteve a observar-me durante um certo tempo, com muita atenção; até que por fim o seu rosto pareceu alegrar-se. Disse qualquer coisa... à qual eu respondi já nem me lembro o quê... Então ele voltou às suas risadas. Esteve aqui durante uma hora aborrecendo-me com perguntas e tagarelando com toda a desenvoltura. Finalmente, antes de ir-se embora pegou-me na mão e disse-me (reproduzo textualmente as suas palavras):

— Varvara Alieksiéievna, vou dizer-lhe uma coisa em particular: Anna Fiódorovna, sua parenta e minha antiga amiga, é uma mulher ordinária. (Deu-lhe mesmo um nome muito pouco decente.) Já afastou a sua prima do caminho honrado e quis também conduzir você mesma à perdição. É verdade que eu também me portei nessa altura como um infame; mas, enfim, não percamos tempo em falar de coisas inúteis, visto que estas são o pão nosso de cada dia, coisas próprias desta vida...

E tornou a rir bem alto. Depois disse que não tinha nada de um orador brilhante, que a única coisa que tinha para dizer era aquilo que a sua dignidade lhe ordenava que não deixasse de dizer, o que já tinha feito; e que, portanto, apenas iria explicar o resto em duas palavras. E assim fez: explicou-me que vinha pedir a minha mão, que considerava seu dever restituir-me a honra, que é rico, e que depois do casamento me levaria consigo para as suas propriedades na estepe. Que pensa dedicar-se à caça das lebres e que era sua intenção não voltar mais a Petersburgo, pois lhe repugna a vida nas grandes capitais. Além do que, tem aqui um sobrinho que lhe não dá quaisquer esperanças, e que resolveu deserdar aquele malandrim. E por isso decidiu casar-se e deixar herdeiros diretos. A seguir demorou-se em considerações sobre este quarto que habito com Fiódora: disse que não tinha nada de extraordinário que eu estivesse doente, uma vez que vivia num cubículo destes, e profetizou-me uma morte próxima se eu teimar em continuar a viver aqui. "Não há uma casa que preste, em Petersburgo", disse ele; depois perguntou-me se eu não precisava de qualquer coisa.

Eu estava tão perturbada pela sua proposta que, de repente... sem saber por que... desatei a chorar. Ele atribuiu as minhas lágrimas à gratidão e pôs-se a dizer que havia já muito tempo estava convencido de que eu era uma boa moça, culta e sensível; e que não se tinha decidido até então a fazer-me aquela proposta porque achara necessário informar-se previamente da minha maneira de viver. Acrescentou que o senhor era um homem de bem e que ele não queria ficar a dever-lhe nada... Perguntou se o senhor se daria por pago de tudo quanto gastou comigo com um total de quinhentos rublos... Quando eu lhe respondi que o senhor tinha feito por mim coisas que não se pagam com dinheiro, respondeu-me que isso era absurdo, que essas coisas ficam bem só nos romances, que eu ainda sou muito nova e que encaro a vida só através dos livros; que os romances só servem para enfiar ideias extravagantes na cabeça das mocinhas e que, em geral, segundo seu modo de pensar, os livros só servem para corromper os costumes e por isso é que ele não os suporta. Aconselhou-me a que esperasse até chegar à idade dele para poder ter opiniões sobre as pessoas: "Só nessa altura — disse — poderá dizer que as conhece".

Incitou-me a que meditasse sobre a sua proposta e a pesar maduramente todas as razões, pois julgava necessário que eu, antes de dar semelhante passo, refletisse bem; e acrescentou que as resoluções precipitadas ocasionam às vezes a infelicidade das jovens inexperientes; mas que o seu maior desejo era obter de mim uma resposta afirmativa, pois que, em caso de negativa, se via obrigado a casar-se com a filha dum certo comerciane de Moscou, uma vez que tinha jurado por todos os santos que não deixaria os seus bens àquele sobrinho inútil. Por fim, levantou-se e colocou quinhentos rublos sobre o meu bastidor, "para os meus alfinetes", segundo disse, e quase à força impediu-me de me levantar do meu assento. Para terminar, disse-me que nas suas propriedades, no campo, eu iria ficar gorda e saudável e que poderia dormir à minha vontade.

Parece que tem aqui muitos assuntos para tratar e que os seus negócios o ocupam todo o dia quase por completo. E por isso viera visitar-nos apenas por uns minutos... E, dizendo isto, foi-se embora...

Tenho pensado muito sobre o assunto, revirei o problema por todos os lados e, por último, meu amigo, tomei já uma resolução: sim, caso-me com ele, é aceitável a sua proposta. Se há alguém que possa salvar-me da minha vergonha, restituir-me a honra e manter-me no futuro a bom recato da pobreza e da desdita é ele, unicamente ele. Que mais devo eu esperar do futuro ou pedir aos fados? Fiódora diz que não devemos fazer negaças à sorte; mas pergunta a soluçar, se a isto se pode chamar sorte. Eu também não vejo outra solução para mim, meu amigo. Que hei de fazer? Com o trabalho acabei por perder a saúde. Trabalhar sem descanso... é coisa superior às minhas forças. Servir a estranhos? Morreria de desgosto e também não agradaria a nenhuns patrões. Sou doente por natureza e portanto seria apenas um fardo para esses estranhos. É claro que não é um paraíso, esse lugar para onde vou agora. Mas que havia de fazer, meu amigo, que havia de fazer?

Não lhe pedi conselho porque queria pensar em tudo sozinha. A minha resolução, que acabo de comunicar-lhe, mantém-se firme e vou já escrever a Búkov, que aguarda impaciente a minha resposta — a participar-lhe que aceito. Ele me disse que os seus negócios mal lhe deixavam algum tempo livre, que tinha de partir e que por estas ninharias não podia adiar a sua viagem. Somente Deus, em seu sagrado e imperscrutável poder sobre o meu destino, sabe se eu vou ou não ser feliz; mas a minha resolução já está tomada. Dizem que Búkov é boa pessoa; se assim é, pode acontecer que venha a ter-me afeição e que eu também a venha a ter por ele. Que mais se pode desejar da nossa união?

Digo-lhe isto tudo, Makar Alieksiéievitch, porque sei que é capaz de compreender a minha dor. Não pretenda dissuadir-me do meu propósito. Os seus esforços não dariam qualquer resultado. Pese bem no seu coração todas as razões que me levaram a dar este passo. A princípio custou-me muito, mas agora já estou mais tranquila. O que me espera... não sei. O que tiver que ser será, segundo Deus o tenha disposto...

Búkov chegou agora mesmo e já não tenho tempo de terminar esta carta. Tinha ainda muitas coisas para dizer-lhe mas... Búkov já está aqui.

23 de setembro.

Varvara Alieksiéievna, minha filha:

Apresso-me a responder-lhe. Sim, minha filhinha, apresso-me a explicar-lhe que... mal consigo sair do meu espanto. Tudo isto, parece-me, vai ser agora muito diferente... Ontem fomos ao enterro de Gorchkov. Sim, esta é a verdade, a pura verdade; Búkov portou-se de maneira muito digna, mas diga-me uma coisa apenas, minha filha: já lhe disse que sim? É provável que em tudo isto se manifeste a vontade de Deus. A providência divina, ainda que inescrutável, não tem outro objetivo senão a felicidade das criaturas e o destino não faz mais do que executar a vontade de Deus.

Fiódora também toma parte nos seus sentimentos. Claro. Quer dizer que agora vai ser feliz, viver na riqueza e na abundância? Minha pomba, minha estrela! Não me canso de chamar por você, meu anjo... Mas diga-me uma coisa, Várienhka, só uma: por que há de ser isso assim já tão breve? Ah, sim, os negócios! O senhor Búkov tem os seus negócios... Naturalmente... Quem é que não tem negócios? Também ele pode tê-los. Tive oportunidade de vê-lo, quando ele saía de sua casa. É um homem imponente, talvez até excessivamente imponente, quero dizer, de uma presença que se impõe, que tem um aspecto imponentíssimo. No entanto... não, não é disso que se trata. Eu, veja lá, eu já nem sou o mesmo. Como nos poderemos corresponder no futuro? E eu... sim, eu... Como hei de poder viver aqui tão só? Eu, repare bem, minha querida, como me recomendava, avalio tudo no meu coração; quero dizer, peso todas as razões etc. Já tinha copiado quase vinte folhas, quando surge de repente esse acontecimento. Filha, minha filhinha!Se se vai embora, com certeza que há de ter de comprar uma quantidade de coisas, vários pares de sapatos e vários vestidos, não é verdade? Pois muito bem, já me veio à ideia de que conheço um ótimo armazém na Gorókhovaia... Lembra-se da descrição que eu lhe fiz dessa rua?... Mas, não. Que estou eu a dizer? O que pensará a menina, que coisas lhe virão ao pensamento? Não; a menina não deve, é completamente impossível; não pode pôr-se a caminho assim, sem mais nem menos. Há de ter que fazer muitas compras e que alugar um coche. Além disso, agora tem feito um tempo tão mau! Bem vê que continua a chover a cântaros, sem um momento de descanso, e, além disso... o frio não tarda, anjo da minha alma, e pode apanhar um resfriado. Dizia a menina que tem medo das pessoas estranhas e dispõe-se agora a viajar com esse senhor desconhecido! Como é possível que tenha a coragem de me deixar aqui sozinho! Fiódora diz que a menina vai ter um ótimo futuro... Mas essa Fiódora é uma desalmada e o que ela quer é tirar-me o último bem que me resta...

Vai hoje à igreja, à missa da tarde? Eu tenciono ir, minha filha, com a ideia de vê-la por uns momentos.

Realmente é verdade, minha filha, que você é uma boa menina, culta e sensível, mas olhe... o melhor seria que esse sujeito casasse com a tal filha do comerciante. Não acha, minha querida? Que se case com a tal moça de Moscou! Logo que escureça, Várienhka, estarei aí para a ver... Agora escurece muito cedo, e portanto, daqui a pouco estou aí. Dentro de uma hora, sem falta! Neste momento Búkov está em sua casa, bem o sei; mas logo que ele saia... Espere-me, que eu não tardo...

MAKAR DIÉVUCHKIN

27 de setembro.

Querido Makar Alieksiéievitch:

O senhor Búkov diz que devo levar para a minha futura morada umas três dúzias de roupas brancas de Holanda. Por isso preciso de arranjar o mais depressa possível algumas costureiras que me façam pelo menos duas dúzias, pois o tempo voa. O senhor Búkov lamenta-se por não se ter lembrado das atrapalhações que causam sempre os preparativos dos *toilettes*...

O casamento realiza-se daqui a cinco dias e no outro partimos logo. O senhor Búkov está apressadíssimo e diz que não se deve perder muito tempo com estas frioleiras. Eu estou tão cansada de toda esta azáfama que mal posso manter-me de pé. Ainda tenho de dar andamento a uma montanha de trabalhos, e no entanto, penso que talvez seria preferível que não fossem necessárias tantas coisas. E ainda não é tudo: não temos rendas suficientes, é preciso comprar mais algumas, pois o senhor Búkov diz que não quer que a sua mulher vá vestida como uma cozinheira e que é preciso que eu "meta num chinelo as mulheres de todos os proprietários vizinhos" — foram as suas próprias palavras.

De maneira que, querido Makar Alieksiéievitch, preciso que vá a casa de *madame* Chiffon (já sabe, é na Gorókhovaia) e lhe diga que me envie o mais rapidamente possível algumas costureiras. Isto é a primeira coisa. Em segundo lugar, gostaria que se despachasse desta minha incumbência com a maior brevidade, e para isso pegue um coche. Eu estou maluca de todo. No nosso andar faz tanto frio e tudo está aqui numa total desordem que dá até medo. A tia do senhor Búkov, que é já muito velha e achacada, mal pode respirar. Oxalá não vá ela exalar o último suspiro antes de começarmos a nossa viagem de núpcias! Mas o senhor Búkov assegura que isso não é de temer, que ela há de restabelecer-se a tempo. Aqui em casa anda tudo num reboliço. Como o senhor Búkov não vive aqui, as criadas andam de um lado para o outro e fazem as coisas como muito bem lhes parece. Às vezes apenas contamos com Fiódora para o nosso serviço. O secretário do senhor *Búkov*, que é quem devia vigiar aqui a criadagem, já faz três dias que não aparece. O senhor Búkov vem todos os dias de carruagem e fica então muito zangado...

Ontem bateu no criado e por isso até já teve umas questiúnculas com a polícia... Neste momento nem sequer tenho aqui uma pessoa para lhe enviar esta carta. Por isso vou eu própria levá-la no correio. Ai, que já me esquecia do mais importante! Diga a *madame* Chiffon que mude as aplicações de renda e que procure outras novas que combinem com a amostra que ontem escolhi, e venha depois encontrar comigo para me mostrar as que arranjou. E diga-lhe também que as iniciais dos lenços são a cheio e não singelas... Compreende? A cheio! Não se esqueça: a cheio! Ai, e ainda me esquecia de outra coisa! Diga-lhe ainda que as folhinhas do cabeção devem ser muito bem costuradas, as hastezinhas e as espigas em trancelim, e que na gargantilha deve por uma aplicação de renda ou um babado largo. Explique-lhe tudo muito bem, Makar Alieksiéievtch!

Sua,

V. D.

P.S. — Tenho vergonha de voltar a incomodá-lo com as minhas incumbências. Ainda antes de ontem o obriguei a andar numa correria daqui para ali, durante toda a tarde. Mas vou fazer o quê? Aqui em casa não há nem uma amostra de ordem e eu até me sinto doente. Por isso, não se aborreça comigo Makar Alieksiéievtch! Se visse como isto tudo me aflije! Que vai ser do senhor, meu amigo, meu bom e querido amigo, Makar Alieksiéievtch? Tenho medo de pensar no futuro. Assaltam-me mil pressentimentos funestos e sinto a cabeça atordoada.

P.S. — Pelo amor de Deus, não se esqueça daquilo que lhe recomendo para *madame* Chifon. Tenho medo que façam tudo ao contrário. Por isso fixe bem: a cheio e não bordado singelo!

V. D.

27 de setembro.

Minha querida Varvara Alieksiéievna:

Cumpri rigorosamente as suas indicações. *Madame* Chiffon disse que já tinha pensado em bordar as letras a cheio porque é mais distinto ou... Não sei se foi exatamente isto o que ela disse, pois não compreendi bem, mas deve ter sido qualquer coisa no gênero.

Falou-me num babado; pois também ela me falou dele. Mas infelizmente esqueci por completo o que me disse acerca do tal babado. Só me lembro de que ela me disse muitas coisas sobre ele. Que mulher mais estúpida! Mas o que é que ela me disse? Enfim, ela mesma vai lhe dizer ainda hoje. Eu estou, minha filha, eu estou completamente fora de mim. Esta manhã nem fui à repartição. Não se preocupe, não foi por nada de grave. Contanto que consiga a sua satisfação e o seu sossego, estou na disposição de percorrer todas as lojas de Petersburgo.

Diz-me que tem medo de encarar o futuro ou pensar nele.

Pois hoje, às sete horas, já vai desfazer as suas dúvidas. *Madame* Chiffon irá visitá-la pessoalmente... Portanto, tenha paciência. Pense que talvez tudo acabe bem. Esse tal babado é que não me sai da cabeça e meus ouvidos zumbem... O babado, o babado, o babado!

Dentro de um momento irei vê-la, meu anjo. Tenho de decifrar sem falta um período com a sua ajuda; já por duas vezes me aproximei da sua porta, mas Búkov, isto é, o senhor Búkov, tem muito mau gênio e talvez não achasse muita graça... Não é verdade?

Seu,

Makar Diévuchkin

28 de setembro.

Meu querido Makar Alieksiéievitch:

Por amor de Deus, vá depressa à joalheria. Diga ao dono que não faça mais os brincos com pérolas e esmeraldas. O senhor Búkov diz que são muito caros e que dariam um grande rombo no seu bolso. Ele está muito aborrecido. Diz que eu já lhe estou custando os olhos da cara e que nós estamos a depená-lo. E ontem disse mesmo que se tivesse podido calcular todas estas despesas, não teria precipitado tanto as coisas. Disse que temos de começar a viagem imediatamente depois do casamento e que eu não devo ter ilusões: que na boda não haverá convidados, nem baile, que as festas serão celebradas no campo, mas que não imagine eu que vou poder dançar em seguida! Disse assim mesmo, tal e qual! Sabe Deus até que ponto eu penso nestas coisas! O senhor Búkov é quem resolve tudo. Eu não me atrevo a contradizê-lo em nada: tem um gênio irascível! Que vai ser de mim, meu Deus?

V. D.

28 de setembro.

Minha querida Varvara Alieksiéievna, eu, quero dizer, o joalheiro disse que... está bem. Eu, pelo meu lado, queria apenas dizer-lhe que me sinto mal, que nem me aguento de pé. Exatamente agora que há tantas coisas para fazer e que a menina tem tanta necessidade do meu auxílio, é que havia de apanhar este resfriado. Não é um absurdo? Quero também participar-lhe que, para cúmulo da infelicidade, Sua Excelência resolveu ficar hoje de mau humor; zangou-se com Emiélia Ivânovitch, ralhou muito com ele, tanto, que o pobrezinho até parecia mais morto do que vivo. Tudo isto me impressionou muito.

Queria escrever-lhe mais; temo, porém, roubar-lhe um tempo que pode dedicar a outras coisas. Eu, minha filha, sou um homem sem instrução, um ignorante, que *escrevo desajeitadamente*, tal como as coisas me vêm à cabeça, de maneira que a menina, às vezes, pode achar que... Verdadeiramente nem sei o que quero dizer...

Ah, sim, ainda temos que falar!

Seu,

MAKAR ALIEKSIÉIEVITCH

28 de setembro.

Varvara Alieksiéievna, minha adorada: hoje vi Fiódora e estive falando com ela. Disse-me que o seu casamento é amanhã, que no dia seguinte partirá logo, e que o senhor Búkov até já encomendou os cavalos.

Ontem falei-lhe de Sua Excelência, minha filha. Muito bem: já verifiquei as contas de *madame* Chiffon, está tudo certo, simplesmente é tudo muito caro. Mas por que se zanga o senhor Búkov com a menina? Bem, que seja muito feliz. Fico muito contente com a sua felicidade, sim, sempre me dará alegria a sua felicidade, minha filha.

Gostaria muito de ir amanhã à igreja, mas não posso, minha filha, isso seria superior às minhas forças.

Mas... o que havemos de fazer quanto às nossas cartas? Insisto outra vez sobre esse assunto... Como havemos de continuar a escrever, quem há de encarregar-se de entregá-las, meu Deus?

Sim; era sobre isso que eu queria falar: a menina conduziu-se de maneira admirável com Fiódora! Praticou assim uma bela ação, digna de si. O Senhor abençoa-nos em cada boa ação que praticamos. Nada fica sem recompensa e a virtude há de sempre receber o galardão de Deus.

Filha, minha filha! Tinha tantas coisas para lhe dizer! Por minha vontade escreveria a todas as horas, em todos os minutos... Ainda tenho aqui um livrinho que lhe pertence, os *Contos de Biélkin*, que me esqueci de lhe entregar. Mas ouça, minha filha, deixe-me ficar com este livro como um presente, minha querida! Não é que eu tenha gosto em ler outra vez essas histórias, mas é que, minha filha, bem sabe que o inverno não tarda e as noites serão compridas... e então, uma pessoa acaba por ser entristecer... e há e vou gostar muito de ter um livro para ler... Eu, minha filha, vou deixar este quarto e mudar-me para o de vocês, onde Fiódora me dispensará alojamento. Agora já não haverá ninguém que possa separar-me desta boa velhota. Além disso é tão trabalhadora! Ainda ontem fui ver o compartimento que a menina vai deixar. Lá estava ainda o seu bastidor com o trabalho começado; deixamos tudo intacto tal como estava. Também vi os seus bordados. Havia ainda alguns pedacinhos, já cerzidos... E um fio que, via-se mesmo que ia começar a ser enrolado num pedaço duma carta minha... Na sua mesinha encontrei ainda outro pedaço de papel de carta dobrado, o qual a menina tinha escrito: "Meu querido Makar Alieksiéievitch: apresso-me". E nada mais. Parece que tinha começado a escrever essa carta, quando, de repente, alguém veio interrompê-la. No canto,por detrás do biombo, está a sua caminha... Meu anjo! Bem, minha filha, que passe bem, muito bem. Por tudo aquilo que mais deseja, escreva-me qualquer coisa em resposta a esta minha carta, muito depressa!

MAKAR ALIEKSIÉIEVITCH

30 de setembro.

Amigo, querido amigo, Makar Alieksiéievitch: Pronto, a minha sorte está decidida! Não sei o que me reserva o destino, mas a partir deste momento entrego-me nas mãos de Deus. Partimos amanhã.

Pela última vez me despeço do senhor, meu único, meu fiel, querido e bom amigo. É o meu único parente, o único que me ajudou nas minhas dificuldades!

Não se preocupe por minha causa, viva feliz, lembre-se de mim de vez em quando e que Deus o abençoe! Eu hei de pensar muito no senhor e não o esquecerei nas minhas orações. Os bons tempos vão longe! Poucas são as recordações agradáveis que levo do passado para a minha vida futura; e é por isso mesmo que a sua recordação é mais grata para o meu coração. O senhor é o meu único amigo, a única pessoa que nesta terra me guardou afeição. Eu não sou cega, vi muito bem quanto gostava de mim. O meu riso era o bastante para o fazer feliz e uma linha da minha mão chegava para o reconciliar com tudo e com todos. Agora terá que acostumar-se a passar sem mim. Como vai poder viver aí, tão sozinho? Quem estará ao seu lado, meu bom, inestimável e único amigo?

Dou-lhe o livro, o bastidor e a carta interrompida. Quando ler as linhas começadas, continue a ler, faça de conta que está lendo no meu pensamento tudo aquilo que teria lido ou escutado de mim própria, com muito gosto, tudo o que eu poderia... porque agora não posso escrever-lhe mais! Não se esqueça da sua pobre Várienhka, que sincera e cordialmente o estimou. As suas cartas estão no gavetão da cômoda, Fiódora sabe.

Diz-me que está doente. De boa vontade iria vê-lo, mas o senhor Búkov não me deixa sair hoje. Hei de escrever-lhe ainda, prometo; mas só Deus sabe o que pode acontecer... Por isso vamos nos despedir agora para sempre, meu amiguinho, meu pombinho, como o senhor me chama a mim, meu querido. Para sempre!... Ai, que abraço não lhe daria eu agora! Continue bem, meu amigo; que seja muito feliz, muito, muito, muito! Que tenha boa saúde. Não me esquecerei nunca de rezar pelo senhor. Oh, se soubesse como isto me custa, como tenho a alma dolorida!

O senhor Bukov chama-me.

Da que sempre lhe há de querer,

V.

P.S. — Tenho a alma tão cheia, tão cheia, tão cheia de lágrimas... Ameaçam afogar-me, destroçar-me! Que continue a passar bem, Makar Alieksiéievitch! Adeus! Que tristeza!

Não me esqueça, não esqueça nunca a sua pobre Várienhka.

*

Minha filha, Várienhka, minha pombinha, minha adorada: levam-na, vai-se. Sim, preferia que me arrancassem o coração do peito do que sofrer um tal roubo.

Como pode acontecer uma coisa destas? E como pode a menina consentir? Acabo de receber agora mesmo a sua carta, que em muitas partes está salpicada de lágrimas. Não dizia que gostava de viajar? Terá coragem para dizer que sai daqui à força? E sentirá verdadeiramente pena de mim? Ah, sim? Então é porque me tem uma grande amizade! Como é possível... então... que irá acontecer agora? Com certeza que não poderá resistir... lá longe é tudo muito frio, horrível, frio. A nostalgia há de fazer com que caia doente, as saudades hão de dar conta de você... Vai morrer lá longe, vão enterrá-la na terra úmida e não há de ter ninguém que chore por você... O senhor Búkov continuará indefinidamente a caçar lebres... Ai, minha filha! Mas que resolução foi a que tomou? Como pôde decidir-se por uma coisa semelhante? Que ação praticou contra si própria? Hão de acabar com você, minha filha, acabarão com você pura e simplesmente, minha querida! A menina é uma criancinha, fraca e leve como uma pena! Ai, por onde andava eu? Eu sou um tolo que dormia de olhos abertos! Por que não reparei eu que uma cabecinha de menina devia ter as suas ilusões, por que não calculei eu que ela não devia ter juízo? Eu devia, muito simplesmente... Não! Portei-me como um verdadeiro idiota; nada pensava, nada via, como se o assunto não me dissesse respeito e não me interessasse, e até era capaz nem sei de quê, por causa de um babado, de um simples babado... Não, Várienhka; eu hei de acordar. Pode ser que continue a dormir até amanhã, mas depois, hei de acordar. E então, então irei me jogar debaixo das rodas do coche que a vai levar! Não consentirei que a levem! Sim, o que vem a ser tudo isto? Com que direito acontecem estas coisas? Quero ir com você! Hei de correr na retaguarda do seu coche, visto que não quer levar-me lá dentro, hei de correr, correr até já não poder mais, até que me falte o alento e exale o último suspiro!

Sabe o que a espera nesse lugar para onde a levam? Pois se não sabe pode me perguntar, que eu sei muito bem! Espera-a a planície, a estepe plana, infinita e nua, tão nua como a palma da minha mão! Aí há de ver apenas camponeses brutais, grosseiros, bêbados e ignorantes. Agora mesmo não encontrará ali uma árvore com folhas, lá estará chovendo e fazendo frio... Pois é para aí que a levam... O senhor Búkov, esse já tem com que se entreter: começará logo a caçar lebres. Mas... a menina? Que vai fazer? Apreciará isso de ser proprietária rural? Minha querida, será verdade que tal situação lhe é tão atrativa que você estava morta por isso?

Como é possível, Várienhka? A quem hei de eu escrever agora? Aí é que está o problema! Medite e pergunte a si própria: a quem é que há de escrever este infeliz? Daqui por diante, a quem hei de chamar "minha filha", a quem poderei dirigir esta doce invocação? Quando tornarei a vê-la, anjo meu? Morrerei, Várienhka! Por certo que morrerei! Não, o meu coração não poderá suportar tamanha infelicidade!

Gostei de você como se gosta da luz do sol, como teria gostado de uma filha, e gostei de tudo o que lhe pertencia, minha pombinha! Vivia só para você... Talvez não possa compreender isto, mas era realmente assim como estou dizendo...

Reconsidere, minha filha, pense bem, minha pombinha, se está certo que me deixe assim... Não, minha filha, não é possível, isso não pode ser! Nem sequer devemos pensar numa coisa dessas! Está chovendo e a menina é tão fraquinha... É claro que vai apanhar um resfriado! O coche em que vai fazer a viagem vai ficar todo molhado, porque um coche não é uma casa... A menina ficará também toda molhada e assim que sair da povoação, uma roda da carruagem pode quebrar ou até pode acontecer que fique toda estraçalhada! Aqui em Petersburgo fazem uns coches tão malfeitos! Eu conheço muito bem todos os fabricantes de coches: fazem-nos muito vistosos, muito bonitos, mas quanto a solidez, nem vou falar nisso! Acredite, juro--lhe: essas carruagens não prestam para nada.

Minha filha, vou me deitar aos pés do senhor Búkov e vou lhe contar tudo, tudo. E a menina também, procure convencê-lo! Vai lhe contar tudo, discretamente, e há de convencê-lo. Diga-lhe muito simplesmente que deseja ficar aqui, que não pode acompanhá-lo na viagem... Ah! Se ele tivesse casado com a filha do comerciante de Moscou! Por que não optou antes por essa solução? Teria sido melhor para todos e mais apropriado para ele, segundo me parece! Assim, a menina teria continuado aqui, a meu lado. Que tem a ver com você esse senhor Búkov? Como é que se enamorou tanto de você, de um momento para o outro, e lhe tomou tanta amizade? E a menina... talvez tenha ficado tonta com todos esses babados e cacarecos com que ele a presenteou... ou então, por que, afinal? Mas para que servem todos esses babados? Afinal de contas, minha filha, um babado não é mais que um pedaço de pano. O que está em causa, aqui, é a vida dum homem e esses babados todos não passam de trapos... trapos sem importância nenhuma e nada mais. E no fim das contas eu também posso oferecer-lhe babados como esses: basta esperar pelo próximo ordenado, e então, verá, minha filha, como eu também posso comprá-los para você; até já sei onde os vendem e conheço bem a loja; o que é preciso é ter paciência, até ao dia do ordenado, meu anjo, Várienhka!

Meu Deus! Meu Deus! Sempre é verdade que parte para a estepe com o senhor Búkov? Para sempre? Ai, minha filha! Não, tem de voltar a escrever-me, ainda que seja só mais uma vez, a contar-me tudo, e mesmo que já tenha começado a viagem, mesmo assim escreva-me, escreva-me! Porque, senão, esta seria a última carta, e isso não é possível, não é possível que esta seja a última carta! Como, como é que isso poderia ser, assim tão de repente? A última, verdadeiramente a última! Não; hei de ainda escrever-lhe muitas cartas e a menina a mim, também... Sim, agora é que eu começava a saber escrever... Ah, minha filha! Mas por que falo de estilo? Estou a escrever-lhe sem saber verdadeiramente o que digo, porque não o sei... sem rever, sem emendar, nem nada! Escrevo unicamente por escrever, por escrever e nada mais!... Oh! Minha pombinha, minha pequenina, minha filhinha, minha Várienhka!...

O DUPLO

O DUPLO
(1845-46)

Capítulo primeiro

Por volta das oito da manhã, Iákov Pietróvitch Goliádkin, funcionário numa repartição pública, acordou. Tinha dormido durante muito tempo. Abriu a boca, espreguiçou-se, e finalmente acabou por abrir os olhos. Durante dois minutos continuou deitado sem fazer um movimento, como alguém que não sabe bem se ainda dorme ou se já está acordado, se já está rodeado do mundo real ou se continua a sonhar. Em breve, porém, o senhor Goliádkin sentiu claramente que lhe voltavam as impressões habituais. As paredes do pequeno quarto cobertas de pó, de um verde sujo, defumadas, olhavam-no como se fossem uns rostos conhecidos, e o mesmo pareciam fazer a cômoda e as cadeiras de acaju, a mesa, o divã turco vermelho com ramagens esverdeadas e ainda as roupas despidas à pressa na véspera e atiradas ao acaso para cima do divã. Por fim, uma luz cinzenta de outono, triste e sombria, entrou no quarto pela janela embaciada, tão insidiosamente e com um ar tão soturno que Goliádkin deixou de ter dúvidas: não estava efetivamente em nenhum reino fantástico mas em São Petersburgo, na capital, na Rua Chestilavótchnaia, no quarto andar duma grande casa, nos seus próprios aposentos.

Depois desta importantíssima descoberta, o senhor Goliádkin fechou os olhos com força, como se tivesse saudades do seu último sonho e desejasse prolongá-lo um pouco mais. Porém, minutos depois, saltou da cama. Tinha sem dúvida apanhado o fio que ligava os sonhos incoerentes que sonhara.

Mal saiu da cama pegou num pequeno espelho redondo que estava em cima da cômoda. Refletido no espelho, o seu rosto ensolarado, de olhos semicerrados, um tanto gasto, era daqueles que passam despercebidos. Todavia, o senhor Goliádkin estava indubitavelmente muito satisfeito com a imagem que o espelho lhe oferecia.

"Seria bem desagradável — disse baixinho para si próprio — seria bem desagradável, se hoje qualquer coisa corresse mal, se me aparecesse, por exemplo, um furúnculo ou qualquer outra coisa aborrecida. Felizmente, por enquanto tudo está correndo bem, muito bem até..."

Encantado com a ideia de que tudo ia bem, Goliádkin tornou a pôr o espelho no seu lugar e, descalço, com a roupa com que tinha dormido, foi até a janela que dava para o pátio. Contemplou-o muito interessado e, visivelmente satisfeito, sorriu feliz. Então o senhor Goliádkin deu uma olhadela para o quarto do seu criado Pietruchka e viu que este não estava. Então, em pontas de pés voltou para junto da mesa, abriu uma gaveta, meteu a mão até ao cantinho mais escondido, debaixo de uns velhos papéis amarelecidos e sujos, pegou numa carteira verde já usada e abriu-a com cuidado. Entreabrindo a divisão mais secreta, olhou para dentro e pareceu muito feliz. Certamente o maço de notas verdes, cinzentas, azuis, vermelhas e ainda de outras cores também por seu lado encarou o senhor Goliádkin com amabilidade e aprovação. Com o rosto radiante de felicidade, colocou a carteira aberta na sua frente, em cima da mesa, e esfregou as mãos de contente. Tirou dela o simpático maço de notas — era com certeza a centésima vez que o fazia desde a véspera — e pôs-se a contá-las, separando cuidadosamente cada uma delas entre o polegar e o indicador.

— Setecentos e cinquenta rublos em notas... Setecentos e cinquenta rublos! Um bom dinheiro... Um quantia interessante! — continuou com voz trêmula um pouco velada pela alegria...

Balouçava o maço nas mãos e sorria alegremente:

— É um bom dinheiro... é um bom dinheiro para qualquer pessoa... Gostaria muito de encontrar alguém capaz de não ficar contente com semelhante quantia... Uma importância destas pode levar uma pessoa muito longe.

"No entanto — pensou o senhor Goliádkin — onde diabo se meteu Pietruchka?"

Sem mudar de roupa, foi de novo ver o quarto do criado. Pietruchka continuava ausente. O samovar a um canto, no chão, sozinho, fervia, pulava, ameaçava continuamente extravasar ou desaparecer e murmurava ao senhor Goliádkin com o calor da sua estranha fala: — "Estou pronto, meu amigo, tire-me daqui..."

— Diabos o levem! — disse o senhor Goliádkin pensando no criado. — Este animal, preguiçoso como é, põe uma pessoa fora de si. Onde terá ele ido agora?

Indignado — e com toda a razão — entrou no compartimento vizinho, espécie de pequeno corredor que dava para a entrada. Entreabriu a porta e deu com o criado rodeado de outra criadagem e de espectadores de acaso. Pietruchka falava, os outros escutavam. Teriam sido as palavras de Pietruchka ou esta assembleia imprevista que desagradaram ao senhor Goliádkin? O certo é que ele também chamou Pietruchka não só aborrecido mas muito excitado.

"Este animal, por cinco réis seria capaz de vender a alma do parceiro, sobretudo a do patrão — pensou ele. — Já o fez, tenho a certeza. Apostaria em como me trocou por um copeque."

— Que aconteceu?

— Já trouxeram a libré, senhor.

— Veste-a e vem cá.

Já com a libré vestida, Pietruchka, com um sorriso mal dissimulado, entrou no quarto do patrão. Tinha um aspecto estranho. A libré era verde já muito gasta, com galões dourados e parecia feita para alguém que tivesse mais setenta centímetros de altura do que Pietruchka. Segurava na mão um chapéu também guarnecido de galões e de plumas verdes e da cinta pendia-lhe uma espada metida numa bainha de couro. Para completar o conjunto, Pietruchka, que primava por ser descuidado, estava descalço.

O senhor Goliádkin examinou Pietruchka por todos os lados e pareceu satisfeito. A libré tinha decerto sido alugada para uma ocasião solene. Pietruchka, durante este exame, observava o patrão atentamente, com uma extraordinária curiosidade e seguindo cada um dos seus movimentos, o que embaraçava o senhor Goliádkin.

— Então, quando vem o coche?

— O coche já chegou.

— Alugaste-o para todo o dia?

— Sim, senhor, para todo o dia. São vinte e cinco rublos.

— E as botas já vieram?

— Já estão aqui.

— Então vai buscá-las, seu idiota...

O senhor Goliádkin pareceu contente com as botas, achou-as realmente muito bem feitas. Mandou então o criado servir-lhe o chá, preparar-lhe o banho e os objetos de barba. Barbeou-se e lavou-se com todo o esmero, tomou o chá à pressa e começou depois a vestir-se. Primeiro enfiou uma das calças quase novas, depois uma camisa com botões dourados, um colete de florinhas de uma cor clara, bonita, uma gravata de seda furta-cores e, por último, a casaca do seu uniforme, toda flamante, cuidadosamente escovada, com ar de nova.

Enquanto se vestia olhava frequentemente, e com uma espécie de carinho, as botas novas, levantando ora um pé, ora outro, encantado, murmurando entre dentes palavras ininteligíveis, ao mesmo tempo que o seu rosto ia sublinhando os pensamentos com expressões adequadas.

Por fim, o senhor Goliádkin meteu a carteira no bolso, olhou satisfeito para Pietruchka, também calçado e pronto, e concluiu que estava tudo em ordem e nada mais era necessário. Então, com o coração tranquilo, apressou-se a descer as escadas...

A carruagem azul, decorada de estranhos brasões, avançou ruidosamente até a altura do portão... Pietruchka trocou um olhar significativo com o cocheiro e com alguns basbaques que por ali estavam e seguiu até a carruagem, atrás do patrão. Com um tom de voz forçado e procurando reprimir um riso tolo, disse: "Vamos"... e subiu para a parte de trás do carro, destinada à criadagem... Com um grande barulho de freios estalando e de guizos tilintantes, a carruagem pôs-se a caminho através da Perspectiva Niévski.

Logo que o coche azul atravessou o portão do pátio, o senhor Goliádkin esfregou as mãos com nervosismo e pôs-se a rir para si próprio, como uma pessoa de comportamento brincalhão que conseguiu pregar uma boa partida e se diverte depois com isso.

Mas logo depois deste assomo de alegria, o rosto do senhor Goliádkin tomou um ar preocupado.

Apesar da umidade e do nevoeiro, baixou os vidros e olhou com ar inquieto as pessoas que passavam de um lado e do outro, tomando um aspecto compenetrado e grave quando dava conta de que alguém o observava.

Na esquina da Avenida Litiéinaia[1] para a Perspectiva Niévski, estremeceu e fez uma cara aborrecida, como de alguém a quem tivessem pisado um calo. Instantaneamente e com ar receoso, encafuou-se no lugar mais escondido da carruagem. É que tinha acabado de passar por dois colegas, dois jovens funcionários da repartição em que trabalhava. Por seu lado, eles — o senhor Goliádkin bem o vira — ficaram também muito admirados ao encontrarem o colega em semelhante coche. Um deles havia mesmo apontado o dedo em direção ao senhor Goliádkin. Este convenceu-se também que o outro o chamava em voz alta pelo seu nome. Ora, isto em plena rua era deselegante... O senhor Goliádkin fez de conta que nada viu e não respondeu.

"Imbecis!... — murmurou consigo mesmo — Sim, o que tem isto de extraordinário? Uma pessoa andar de coche... Pode-se ter necessidade de tomar um coche,

---

1 Uma das principais avenidas de Petersburgo.

ora que coisa! São idiotas, coitados. Eu os conheço... Uns fedelhos que estão ainda precisando de umas boas palmadas... Eu devia ter-lhes dado uma lição, mas..."

O senhor Goliádkin não acabou... Estacara petrificado: um coche aberto, puxado por uma bela parelha de cavalos que ele muito bem conhecia, ultrapassou rapidamente o seu pela direita. O homem que ia sentado deu por acaso com os olhos no rosto do senhor Goliádkin que imprudentemente espreitava pela janela. O outro inclinou-se o quanto pôde, e com um ar admirado e curioso, olhou para o interior do veículo onde o senhor Goliádkin se tinha escondido à pressa. O tal senhor do carro aberto era nem mais nem menos que Andriéi Filípovitch, chefe de departamento na repartição em que o senhor Goliádkin era amanuense. Certo de ter sido reconhecido por Andriéi Filípovitch, que olhava cheio de espanto, não tentou sequer esconder-se, corando até às orelhas.

"Devo cumprimentar ou não? Dou-me a conhecer ou faço de conta que não sou eu? — dialoga consigo próprio o nosso herói, terrivelmente perplexo. — Será melhor fazer de conta que não sou eu mas alguém que se parece muito comigo, e não fazer caso. É isso, não sou eu, é o mais fácil."

Então Goliádkin mostrou-se a Andriéi Filípovitch e olhou-o bem de frente:

"Não, meu caro — murmurou para si. — Não sou eu... Andriéi Filípovitch, estás enganado não sou eu, não senhor..."

Instantes depois, o carro aberto ultrapassou a carruagem e o olhar magnético do chefe desapareceu. Contudo, Goliádkin continuava afogueado e a falar sozinho...

"Foi um disparate não o ter cumprimentado — pensava ele muito atrapalhado. — Devia ter-me mostrado natural, ter tomado o ar superior e desempoeirado, próprio das pessoas duma certa condição... Não tens que admirar-te, Andriéi Filípovitch, fui muito simplesmente convidado para um jantar."

O senhor Goliádkin conclui que acaba de fazer um disparate. Enerva-se, carrega as sobrancelhas, olha de má catadura à sua frente, como se quisesse reduzir a pó todos os seus inimigos... De repente, uma súbita inspiração... Puxa o cordão atado ao cotovelo do cocheiro, obriga o carro a parar e dá ordem de voltar para a Avenida Litiéinaia. Era necessário, a bem de sua tranquilidade pessoal, que Goliádkin falasse imediatamente com o seu médico Krestian Ivânovitch. Conhecia-o ainda há pouco tempo, na semana anterior tinha-o consultado, sem que da consulta resultasse nada de importante. Todavia o médico aparecia-lhe como um confessor... Com ele era inútil dissimular... Faz parte do seu dever conhecer bem os doentes...

"Mas valerá a pena? — interrogava-se o senhor Goliádkin ao apear-se da carruagem diante da entrada duma casa de cinco andares, na Avenida Litiéinaia. — Valerá a pena? Não será uma tolice? Contudo..."

Sobe a escada procurando conter as pulsações do coração, que lhe batia sempre com muita força quando subia qualquer outra escada que não fosse a sua.

"Afinal, venho consultá-lo... Não tem mal nenhum... Não vale a pena fingir... Faço de conta que passei aqui por acaso... Ele verá o que é que eu devo fazer..."

Assim vai raciocinando o senhor Goliádkin. Sobe até ao segundo andar e para. Na porta está afixada uma bonita placa de cobre com esta inscrição:

KRESTIAN IVÂNOVITCH RUTENSPITZ
MÉDICO CIRURGIÃO

Para, arranja uma expressão adequada à circunstância, segundo o seu gosto, sem excluir um certo ar amável, e puxa o cordão da campainha. Então pensa: "Não seria melhor deixar para amanhã? Não é absolutamente necessário que seja hoje..." Mas, de repente, o senhor Goliádkin ouviu passos na escada; então resolve-se, e com ar decidido bate a porta de Krestian Ivânovitch.

CAPÍTULO II

Krestian Ivânovitch Rutenspitz, doutor em Medicina e Cirurgia, é um homem já de certa idade mas com uma saúde sólida. De sobrancelhas e suíças espessas e grisalhas, olhos expressivos e brilhantes, sente-se que é capaz de diagnosticar qualquer doença ao primeiro olhar. Krestian Ivânovitch usa sempre uma honrosa condecoração que lhe foi conferida.

Na manhã de hoje está em casa, sentado numa confortável poltrona do seu consultório. Neste momento bebe o café que sua mulher trouxe, fuma um charuto e, de tempos a tempos, passa uma receita aos doentes.

Agora mesmo acaba de passar uma a um velhote que sofria de hemorroidas, e de acompanhá-lo à porta... Senta-se, espera o doente seguinte... É então que entra o senhor Goliádkin.

Krestian Ivânovitch não esperava nem mesmo desejava a visita do senhor Goliádkin; por isso, durante uns instantes parece contrariado e, sem mesmo dar por isso, o seu rosto toma uma expressão diferente, de aborrecimento. Por seu lado o senhor Goliádkin, que ficava sempre atrapalhado quando era necessário dirigir-se a alguém para qualquer assunto pessoal, também para essa ocasião não tinha preparada a primeira frase, o que, em circunstâncias tais, constituía sempre para ele um verdadeiro obstáculo. Fica muito atrapalhado, balbucia umas palavras ininteligíveis, certamente palavras de desculpa, e depois, como não sabe o que há de dizer, puxa uma cadeira e senta-se.

Mas logo se dá conta de que se sentou sem que para isso tivesse sido convidado; compreende que foi inconveniente e, para reparar a falta, contra todas as regras de etiqueta, ergue-se bruscamente... Recompõe-se, apercebe-se vagamente que de uma só vez cometeu dois disparates... e então não perde tempo... comete o terceiro; tenta desculpar-se, murmura, sorrindo, algumas palavras, cora, atrapalha-se, deixa de falar, toma um ar grave, torna a sentar-se, agora definitivamente, e procura sossegar-se lançando o tal olhar provocante cujo efeito é, segundo pensa, reduzir a pó todos os seus inimigos. Este olhar exprime também a independência do senhor Goliádkin; significa claramente que o senhor Goliádkin nada tem de extraordinário, que é como toda a gente.

Krestian Ivânovitch tossiu ligeiramente em sinal de aprovação e pousou um olhar interrogador sobre o senhor Goliádkin.

— Krestian Ivânovitch — começou com um sorriso o senhor Goliádkin — venho outra vez incomodá-lo e outra vez lhe peço que me desculpe...

Era evidente que o senhor Goliádkin não encontrava as palavras.

— *Bem, deixemos isso* — disse Krestian Ivânovitch soltando uma fumaça e colocando o charuto sobre a mesa. — O que é preciso é seguir a minha receita. Já lhe expliquei que o remédio para o senhor está em mudar de hábitos... Procurar todas as distrações possíveis, sair com os amigos, arranjar relações... beber um pouco... enfim, divertir-se de vez em quando.

O senhor Goliádkin, sempre sorrindo, apressa-se a observar que se julga igual a todas as pessoas, que se distrai como todos... e que evidentemente lhe é possível também ir ao teatro. Tem possibilidades disso, como qualquer pessoa... Durante o dia está no emprego, à noite em casa... como os outros. Nota que a vida que leva não é pior que a dos outros, tem a sua casa, o seu criado Pietruchka... Nesta altura, o senhor Goliádkin para.

— Bem... não é isso... não é isso o que eu quero dizer. O que eu quero saber é se se sente bem em sociedade, se gosta de conviver... Diga-me: como é sua vida? Melancólica ou alegre?

— Eu... Bem, doutor...

— O que eu disse — interrompeu o médico — é que é preciso mudar de vida, é preciso, de certo modo, mudar a maneira de ser.

Krestian Ivânovitch acentuou a palavra mudar e parou um momento, com ar importante:

— É preciso procurar distrações, frequentar os teatros e as reuniões, e até beber um pouco... Não deve ficar em casa... A sua vida não deve ser sedentária...

— Mas eu, Krestian Ivânovitch, eu gosto do sossego, da tranquilidade — disse o senhor Goliádkin lançando ao médico um olhar importante. E, como se procurasse as palavras para exprimir as suas ideias o melhor possível:

— Vivo só no meu apartamento com Pietruchka... isto é, com o meu criado... Quero dizer, Krestian Ivânovitch, que faço a minha vida à parte... Sou como sou e, parece-me, não dependo de ninguém, eu... Além disso, Krestian Ivânovitch, eu também passeio...

— Deveras? Mas hoje não está bom para passear, o tempo está péssimo.

— Sim, doutor, é claro... Acontece que eu, na minha modéstia, suponho que já lhe expliquei, faço a minha vida à parte... Krestian Ivânovitch... Pode viver-se de muitas maneiras... Eu gostaria... quero dizer... Krestian Ivânovitch... Bem... eu não sei expressar-me...

— Hum... Estava dizendo...

— Estou dizendo que tem de me desculpar, Krestian Ivânovitch, por eu não falar com muita eloquência — disse o senhor Goliádkin num tom ao mesmo tempo ofendido e embaraçado. — Neste ponto, Krestian Ivânovitch, não sou como as outras pessoas — acrescentou, com um sorriso especial. — Não sou capaz de falar muito; nunca tive jeito para fazer grandes discursos. Em compensação gosto de agir, Krestian Ivânovitch, gosto de agir...

— Muito bem! Gosta de agir? — perguntou Krestian Ivânovitch.

Houve um curto silêncio. O médico olhou o senhor Goliádkin com um ar estranho e desconfiado. Por sua vez o senhor Goliádkin olhou também o facultativo com certa desconfiança.

— Eu, Krestian Ivânovitch — continuou o senhor Goliádkin com o mesmo tom um tanto irritado, diante da obstinação do médico — eu gosto da tranquilidade, detesto o barulho das reuniões. Quando se faz vida de sociedade, doutor, tem de saber-se engraxar o chão (e o senhor Goliádkin ia esfregando os pés no soalho)... É uma obrigação, como é preciso também fazer trocadilhos... e galanteios. É obri-

gatório... Ora eu, eu nunca aprendi estas coisas, Krestian Ivânovitch. Nunca aprendi todas estas artimanhas... Nunca tive tempo para isso. Sou um homem simples,
modesto, não fui feito para brilhar. E tenho muito gosto nisso. São esses os meus
trunfos, Krestian Ivânovitch, pelo menos, estou convencido disso. Enfim, estou a
falar-lhe com o coração nas mãos.

O senhor Goliádkin falava num tom que indicava estar contente em ser como
era, em nunca ter aprendido a ser afetado, muito pelo contrário.

Krestian Ivânovitch ouvia-o de olhos no chão, com uma expressão de desagrado, com se tivesse um mau pressentimento.

Às palavras do senhor Goliádkin seguiu-se um pesado e longo silêncio.

— Está-me parecendo que se afastou... que se afastou um pouco do assunto
— disse por fim Krestian Ivânovitch a meia voz. — Confesso que não o compreendo
muito bem.

— É que eu não tenho muito jeito para falar, Krestian Ivânovitch, já lhe disse.
Não sou nenhum orador — disse o senhor Goliádkin num tom que era agora áspero
e resoluto.

— Bem...

— Krestian Ivânovitch — começou o senhor Goliádkin com uma voz pausada
e grave, um tanto solene, parando depois de cada frase — Krestian Ivânovitch, ao
entrar aqui comecei por apresentar as minhas desculpas; peço agora um pouco de
paciência. Não quero esconder-lhe nada, Krestian Ivânovitch, sou um homem modesto, sabe disso muito bem, e não me arrependo de ser um homem modesto. Pelo
contrário... Tenho mesmo um certo orgulho em não ter nada de notável, em ser uma
pessoa vulgar. Não sou cínico... e tenho muita satisfação nisso. Não gosto de fazer
coisas às escondidas mas de agir às claras, sem manhas. Eu podia fazer mal e muito
até; sei a quem e como o podia fazer, Krestian Ivânovitch, mas não quero sujar-me,
as minhas mãos estão limpas, felizmente.

O senhor Goliádkin durante uns instantes fez uma pausa muito expressiva e
depois recomeçou a falar com uma certa animação.

— Eu vou direto ao fim das coisas, Krestian Ivânovitch, decididamente, e não
por caminhos escusos... detesto esses meios e deixo-os para os outros. Não quero
ofender os que são talvez melhores do que eu ou que o senhor..., isto é, melhores
que eu e que os outros; Krestian Ivânovitch, não queria referir-me ao senhor. Não
gosto de meias palavras; detesto a hipocrisia, desprezo a calúnia e a maledicência,
não me agrada usar máscara senão quando vou a algum baile; na vida de todos os
dias, com as outras pessoas, não uso máscara. Só lhe quero fazer uma pergunta,
Krestian Ivânovitch: o senhor seria capaz de se vingar de um inimigo, do seu pior
inimigo ou de quem parecesse assumir tal condição?... — Com isto, o cliente calou-
-se lançando um olhar provocante a Krestian Ivânovitch.

O senhor Goliádkin tinha dito tudo isto com segurança e clareza, tinha pesado cada palavra e contava com um efeito certo. No entanto, olha agora Krestian
Ivânovitch com inquietação, com uma grande, uma enorme inquietação. O seu aspecto mudou por completo e é com timidez e ao mesmo tempo com impaciência
que espera a resposta de Krestian Ivânovitch. Acaba, porém, por ficar desapontado;
Krestian Ivânovitch murmura umas palavras insignificantes, puxa a cadeira para
junto da mesa e, secamente, embora com correção, diz-lhe ou dá-lhe a entender

que o seu tempo é precioso, que não o entende muito bem, enfim, que está às suas ordens na medida do possível mas que não pode, de modo nenhum, ocupar-se de coisas que são estranhas à medicina. Pega na pena, puxa do papel, corta a porção necessária para uma receita e informa o senhor Goliádkin que vai receitar o remédio de que ele precisa.

— Não, não vale a pena, Krestian Ivânovitch. Não é preciso... de modo nenhum — exclama o senhor Goliádkin, que se levanta e segura a mão do médico. — Não é preciso...

E, enquanto fala, uma estranha transformação se opera no senhor Goliádkin. Os seus olhos cinzentos brilham então de maneira estranha; os lábios agitam-se, os músculos e os traços do rosto movem-se... O senhor Goliádkin treme. Segue o seu primeiro impulso, agarra a mão do médico e fica imóvel, como se não tivesse confiança em si próprio, como se esperasse uma inspiração para saber o que iria fazer a seguir.

Deu-se então uma cena muito estranha. Krestian Ivânovitch parecia pregado na cadeira. Estupefato, olhava com uns olhos muito espantados o cliente, que, por sua vez, o olhava também.

Por fim o médico ergueu-se puxando de leve o paletó do senhor Goliádkin. Durante momentos ficaram os dois silenciosos, imóveis sem deixarem de se fitar. Depois deu-se uma esquisita mudança na atitude do senhor Goliádkin. Os lábios começaram a tremer-lhe, o queixo a mexer e, de repente, desatou a chorar. Soluçava, abanava a cabeça, batia com a mão direita no peito e com a outra puxava pelo casaco de Krestian Ivânovitch. Quis falar, dar logo uma explicação, mas não conseguiu pronunciar nem uma só palavra... Finalmente Krestian Ivânovitch conseguiu vencer o seu espanto:

— Acalme-se... Acalme-se — disse ao mesmo tempo que procurava obrigar o senhor Goliádkin a sentar-se.

— Tenho inimigos, Krestian Ivânovitch, tenho inimigos... inimigos terríveis que juraram liquidar-me — respondeu baixo e receosamente o senhor Goliádkin.

— Ora, vamos lá... mas que inimigos? É um disparate falar de inimigos... Um disparate... Sente-se, — sente-se, continuou Krestian Ivânovitch. E acabou por conseguir que o senhor Goliádkin se sentasse.

Ele sentou-se mas não despregava os olhos de Krestian Ivânovitch, que com um ar muito aborrecido se pôs a caminhar de um lado para o outro, no consultório. Depois fez-se um silêncio prolongado.

— Estou-lhe muito agradecido, Krestian Ivânovitch, e não esqueço o que fez por mim. Nunca esquecerei a sua paciência — disse por fim o senhor Goliádkin que se ergueu com ar agastado.

— Basta, basta, por amor de Deus! Basta — interrompeu o médico fazendo-o sentar-se de novo. — Mas que se passa com o senhor? Conte-me o que o aflige. Que inimigos são esses de que está falando? Diga-me de que se trata, conte-me tudo!

— Não, Krestian Ivânovitch, deixemos isso por agora — respondeu o senhor Goliádkin baixando os olhos. — Deixemos isso para outro dia, para outra ocasião mais adequada, quando tudo estiver claro, quando a máscara de certas pessoas tiver caído e tudo seja visível... Agora, depois de tudo isto, o senhor terá que concordar, Krestian Ivânovitch... Enfim, dê-me licença de que me despeça...

E desta vez o senhor Goliádkin ergueu-se resolutamente e pegou no chapéu.

— Bem... Como queira.

Seguiu-se um breve silêncio.

— Pelo que me diz respeito — continuou Krestian Ivânovitch — já sabe o que posso fazer... é desejar-lhe de todo o coração que seja feliz...

— Compreendo, Krestian Ivânovitch, compreendo perfeitamente... Desculpe-me a maçada que lhe dei...

— Oh... não é isso... Não é isso o que eu queria dizer... Enfim... faça como quiser... Continue a seguir o que lhe digo na receita, como até aqui...

— Sim, continuarei com a receita, como diz, Krestian Ivânovitch, e comprarei os remédios na mesma farmácia... Hoje ser farmacêutico é muito importante...

— Como...? Que quer dizer com isso?

— Nada de extraordinário, Krestian Ivânovitch, acho que as coisas estão de uma tal maneira...

— Hum...

— ... que qualquer idiota, mesmo um farmacêutico, olha por cima do ombro uma pessoa de posição.

— Que quer o senhor dizer?

— Eu falo de uma pessoa muito conhecida e que o senhor também conhece, Krestian Ivânovitch, eu falo de Vladimir Siemiônovitch.

— Hã?!

— Sim, Krestian Ivânovitch, conheço algumas pessoas que não ficam muito contentes quando se lhes diz a verdade.

— Por que diz isso?

— É que é assim mesmo... Mas isto é coisa sem importância. Só quero dizer que essas pessoas sabem muito bem oferecer um bombom recheado na ocasião propícia.

— Como!? Oferecer o quê?

— Um bombom recheado, doutor. Isto é a maneira russa de falar. Quero dizer que sabem, por exemplo, felicitar uma pessoa no momento exato da oportunidade. Há criaturas assim, doutor...

— O senhor falou de felicitações. Que quer dizer?

— Exatamente isto, Krestian Ivânovitch. Ainda um dia destes certo amigo meu...

— Um dos seus amigos... Hem? Como foi isso? — disse Krestian Ivânovitch, olhando com toda a atenção o senhor Goliádkin.

— Sim, uma pessoa minha conhecida felicitou outra com quem me dou muito também, de quem sou amigo, a propósito da sua nomeação para um lugar. Disse assim: "Tenho o maior prazer, Vladimir Siemiônovitch, em apresentar-lhe as minhas mais sinceras felicitações por lhe terem nomeado assessor. E é tanto mais para louvar quando é certo que hoje — sabemo-lo muito bem — os cargos não se herdam".

Nesta altura o senhor Goliádkin pisçou o olho e fitou o médico intencionalmente.

— Ah... Então ele disse isso?

— Disse, Krestian Ivânovitch, disse e ao mesmo tempo olhou para Andriéi Filípovitch, tio de Vladimir Siemiônovitch... Mas o que é eu tenho com isso, Krestian Ivânovitch, que o tenham nomeado assessor? Que me importa a mim? Somente que... para que o senhor saiba, ele não tardará a casar-se, embora ainda esteja cheirando a leite. Foi isto que eu falei a ele ontem na cara, com toda a franqueza. Agora já disse tudo... Vou-me embora, se me dá licença...

— Hum...

— Sim, Krestian Ivânovitch, se me dá licença, retiro-me. Mas para matar logo dois coelhos de uma só cajadada, falei com Klara Olsúfievna; foi antes de ontem, em casa do pai, Olsuf Ivânovitch. Ela acabava de cantar uma romanza cheia de sentimento. Foi então que eu lhe disse: "Cantou a sua romanza com muito sentimento, mas nem todos a escutaram com intenção desinteressada..." A alusão era muito clara, Krestian Ivânovitch, eu queria dizer que não era ela que os atraía mas outra coisa bem diferente...

— E... ele?

— Ele, Krestian Ivânovitch, engoliu a pílula, como é costume dizer-se.

— Hum...

— Sim, Krestian Ivânovitch. E disse ainda mais ao velho Olsuf Ivânovitch: "Sei o que lhe devo, não esqueço os benefícios que recebi do senhor desde pequeno. Mas repare bem... Veja, eu gosto de dizer as coisas sem rodeios...".

— Ah, foi então assim...?

— Sim, Krestian Ivânovitch, exatamente assim...

— E ele, depois?

— Ele, Krestian Ivânovitch, ele saiu a resmungar isto e aquilo, que me conhecia, que Sua Excelência é um benfeitor... etc., etc. Mas de que serve isto? Ele está velho, já deu o que tinha de dar, como se costuma dizer.

— Então é isso...?

— Sim, Krestian Ivânovitch... Somos todos assim... Aquele está velho... Está com um pé na tumba, como se diz, mas quando diante dele se fala de intrigas, ainda gosta de as ouvir. Para isto está sempre em forma.

— Intrigas, diz o senhor?

— Sim, Krestian Ivânovitch, fizeram intrigas. O tio e o sobrinho andaram metidos nisso... Com certeza que foram ajudados por algumas velhotas como ele, e todos juntos tramaram a coisa... Sabe lá o que foram capazes de inventar para liquidar um homem!

— Liquidar um homem?

— Sim, Krestian Ivânovitch, liquidar um homem, pelo menos, moralmente... Espalham certos boatos... Continuo a falar de tal pessoa que conheço muito bem...

Krestian Ivânovitch abanou a cabeça.

— Fizeram correr sobre ele o boato... confesso, Krestian Ivânovitch, que até o tenho vergonha de repetir isso...

— Hum...

— Fizeram correr o boato de que ele prometeu casamento, de que já está noivo.. e adivinhe de quem, Krestian Ivânovitch?

— Não faço ideia...

— Duma estalajadeira, uma alemã, uma mulher sem cotação, à casa de quem ele vai almoçar. Dizem que em vez de lhe pagar a conta resolveu propor-lhe casamento...

— Isso é o que eles, então...?

— E o senhor acredita, Krestian Ivânovitch? Uma alemã feia, uma desavergonhada, sem pudor, Karolina Ivânovna. Se a conhecesse...

— Confesso que...

— Compreendo o que quer dizer, Krestian Ivânovitch, compreendo e vejo que...

— Diga-me por favor, onde vive agora?

— Onde vivo, Krestian Ivânovitch?

— Sim, gostava... parece-me que dantes vivia...

— Sim, claro que vivia, Krestian Ivânovitch, e até há pouco vivia também. Como não havia eu de viver...? — Acompanhada de um risinho, foi esta a resposta do senhor Goliádkin, que deixou Krestian Ivânovitch perplexo.

— Não, o senhor não compreendeu bem... Eu queria dizer que...

— Também eu, eu também queria dizer... — continuou, rindo, o senhor Goliádkin. — Mas, Krestian Ivânovitch, já me demorei tempo demais... Agora é que me vou mesmo embora, se me dá licença...

— Hum...

— Sim, Krestian Ivânovitch, compreendo-o, compreendo-o perfeitamente — respondeu o senhor Goliádkin, parando um instante em frente do médico. — Até qualquer dia!

O senhor Goliádkin cumprimentou e saiu do consultório deixando Krestian Ivânovitch espantado. Enquanto descia as escadas, sorria e esfregava alegremente as mãos.

Lá embaixo, aspirou o ar puro com uma sensação de liberdade. Sentia-se disposto a considerar-se o mais feliz dos homens. Iria dali direitinho à repartição. De repente, porém, o coche avançou ruidosamente até à entrada, ele ergueu os olhos e recordou-se...

Pietruchka abria já a porta da carruagem. Apossou-se do nosso herói uma sensação estranha e desagradável. Corou um pouco. Sentia uma espécie de picadas... Quando já estava pondo o pé no estribo, virou-se e olhou para as janelas de Krestian Ivânovitch. Não havia dúvida! O médico estava à janela; com a mão direita afagava as suíças e examinava-o com uma grande curiosidade.

"Este medicastro é um imbecil! — pensou ele, instalando-se no carro. — É um rematado imbecil... É possível que trate bem dos doentes... Isso não quer dizer que... não seja completamente parvo!"

O senhor Goliádkin sentou-se no carro. Pietruchka ordenou: "Vamos embora", e a carruagem pôs-se de novo a rodar pela Perspectiva Niévski.

Capítulo III

Esta manhã deixou no senhor Goliádkin a impressão de um terrível caos... Dá ordem para o cocheiro parar perto do Gostíni Dvor.

Desce então do carro, atravessa as arcadas, seguido de Pietruchka, e entra com ar decidido e afadigado numa loja de utilidades. Pergunta o preço de um serviço de chá completo, de mil e quinhentos rublos, compra por outro tanto uma boquilha de forma original, um estojo de barba, de prata, e algumas outras coisas úteis e graciosas... Promete voltar no dia seguinte, sem falta. A menos que volte ainda no próprio dia a buscar as compras; anota o endereço da loja, ouve com atenção o comerciante que pede um sinal e promete que o dará assim que for possível. Depois despede-se à pressa do vendedor boquiaberto, caminha ao longo das vitrines das lojas, importunado por um enxame de caixeiros. Volta-se constantemente para Pietruchka... Procura com afã outra loja.

De passagem, entra numa casa de câmbio e troca as notas maiores por outras mais pequenas. Perde com a troca, mas a sua carteira está agora muito mais cheia... Sente com isto um grande prazer íntimo. Para, por fim, numa loja de tecidos de senhora. Escolhe e manda guardar alguns que perfazem uma elevada quantia, promete formalmente ao negociante que voltará, anota o número da loja e de novo diz ao vendedor que lhe reclama um sinal, que irá entregá-lo no devido tempo.

Vai ainda a outras lojas, observa os preços, discute por vezes durante muito tempo com os negociantes, deixa uma loja e torna a voltar várias vezes, demonstrando extraordinária atividade. Daí vai a uma casa de móveis muito conhecida, escolhe uma mobília de seis peças, admira um toucador moderno, original e de fino gosto, assegura ao negociante que virá buscar tudo e sai do estabelecimento prometendo mais uma vez que dará um sinal. Entra noutra e faz novas encomendas.

Por fim isto começava já a aborrecer o próprio senhor Goliádkin. E, subitamente, Deus sabe por que razão, começa a sentir certos escrúpulos. Por nada desta vida ele desejaria encontrar naquele momento Andriéi Filípovitch ou Krestian Ivânovitch.

O relógio da torre deu três badaladas...

Quando o senhor Goliádkin acabou por se sentar definitivamente na carruagem, depois de todas as voltas daquela manhã, tinha comprado apenas duas coisas — um par de luvas e um frasco de perfume de rublo e meio. Tendo ainda algum tempo à sua frente, deu ordem ao cocheiro que parasse diante de um restaurante muito conhecido da Perspectiva Niévski, mas de que ele mal tinha ouvido falar. Saiu do carro e entrou para tomar alguma coisa e descansar um pouco.

Comeu então como come alguém que está convidado para um jantar de festa, isto é, apenas para enganar o apetite. Bebeu um cálice de vinho, sentou-se numa poltrona, olhou à sua volta com ar tímido e pegou tranquilamente num jornal.

Leu duas linhas, ergueu-se, mirou-se ao espelho, compôs a indumentária e depois chegou-se à janela para ver se o carro ainda estava lá. Voltou a sentar-se e a pegar no jornal. Estava visivelmente agitado. Olhou o relógio. Como eram só três horas e um quarto e ainda tinha muito tempo, pareceu-lhe que não era conveniente continuar sentado sem tomar alguma coisa. Mandou então vir um chocolate que não lhe apetecia nada. Tomou-o e, como o tempo ia passando, ergueu-se para pagar. De repente alguém lhe tocou o ombro. Voltou-se e viu dois dos seus colegas, os mesmos que tinha encontrado de manhã na Avenida Litiénaia. Eram dois rapazes ainda no princípio da carreira. Não tinha grandes relações com eles, não lhes queria mal nem bem. De parte a parte havia o respeito das conveniências e nenhum desejo de aumentar a intimidade.

Tal encontro foi muitíssimo desagradável para o senhor Goliádkin. Franziu ligeiramente as sobrancelhas e, por um instante, sentiu-se perturbado.

— Iákov Pietróvitch! Iákov Pietróvitch! — exclamaram os dois aspirantes. — Que surpresa!

— Ah, são vocês! — interrompeu com desembaraço o senhor Goliádkin, pouco à vontade e chocado com o espanto e também com a familiaridade dos colegas. Mas, fazendo um esforço sobre si próprio, disse:

— Flanando um pouco, hem?... Ah... Ah...!

O senhor Goliádkin não queria de modo nenhum parecer demasiado familiar com estes jovens da repartição, os quais desejava manter a uma certa distância.

Tentou bater no ombro de um deles, mas a familiaridade não assentava bem ao senhor Goliádkin. Como não conseguiu que o gesto lhe saísse a tempo e a propósito, precipitou-se:

— Então o urso ainda lá está?

— Quem?

— O urso, sabem muito bem quem é o urso...

O senhor Goliádkin riu e voltou-se para o criado para receber o troco...

— Falo de Andriéi Filípovitch, — continuou ele depois de despachar o criado e falando agora num tom muito sério.

Os dois funcionários olharam um para o outro com ar grave.

— Está no escritório e perguntou pelo senhor, Iákov Pietróvitch — respondeu um deles.

— Está no escritório, ah sim? Faz muito bem, que continue por lá. Então perguntou por mim?

— Perguntou, Iákov Pietróvitch; mas que lhe aconteceu, afinal? O senhor está todo perfumado, todo bem arrumado, de uma elegância...

— É para que vejam, meus amigos; é para que vejam! — respondeu o senhor Goliádkin que olhou de lado e tentou sorrir.

Logo que viram o senhor Goliádkin sorrir, os dois funcionários caíram na gargalhada. O senhor Goliádkin zangou-se um pouco...

— Aqui para nós, quero dizer-lhes, meus amigos... — começou depois de um curto silêncio e como se fosse fazer alguma revelação sensacional. — Vocês conhecem-me, é verdade, mas somente um aspecto... e assim, não se pode criticar ninguém e confesso até que a culpa disto talvez seja um pouco minha.

O senhor Goliádkin mordeu os lábios e olhou com ar importante os dois funcionários que trocaram entre si um olhar significativo.

— Até hoje vocês não me conheceram. E não é agora, neste lugar, que vem a propósito dar-lhes explicações. Uma coisa apenas lhes direi: há homens, meus amigos, que não gostam de rodeios e que só põem máscara para ir aos bailes. Há homens para quem o destino humano é mais alguma coisa do que passar a vida polindo o soalho com as botas. Há homens que não são felizes e que julgam a vida incompleta quando o vinco das calças lhes assenta bem. Enfim, há homens que não gostam de andar atrás dos outros, a adulá-los e principalmente a meter o nariz onde não são chamados. E agora que já disse quase tudo que tinha a dizer, vou-me embora se me dão licença...

O senhor Goliádkin calou-se. Os dois funcionários, muito divertidos, dando mostras de pouca educação, começaram a rir. O senhor Goliádkin irritou-se.

— Riam, riam, entretanto quem viver verá — disse com um ar de dignidade ofendida.

Pegou no chapéu e encaminhou-se para a porta.

— Mas ainda lhes direi mais alguma coisa, meus amigos, — acrescentou ele, dirigindo-se a eles pela última vez. — Vocês estão aqui comigo em conversa amena. Não esqueçam o que lhes disse. Se não lhes servir de nada... paciência... mas pode ser que sirva... Seja como for... procuro não fazer mal a ninguém. Não sou de intrigas e tenho muito gosto nisso. Não daria um bom diplomata. Há quem diga, rapazes, que o pássaro é que vai às vezes meter-se no alçapão. Isto é verdade, concordo. Mas aqui quem é o pássaro e quem é o caçador? E este é o problema, meus amigos.

O senhor Goliádkin fez uma pausa muito expressiva tomou um ar de importante, ergueu as sobrancelhas, mordeu os lábios e saiu depois de ter cumprimentado os dois funcionários que deixou no auge da admiração.

— Aonde vamos agora? — perguntou Pietruchka num tom sério e parecendo aborrecido por estar ali ao frio. — O que é que digo ao cocheiro? — repetiu, enquanto o senhor Goliádkin lançava aqueles olhares dardejantes que, segundo acreditava, já por duas vezes o tinham salvo e que utilizava agora pela terceira vez, ao subir para o estribo.

— À ponte Ismaílov.

— Vamos para a ponte Ismaílov! — gritou Pietruchka ao cocheiro.

"O jantar só deve começar depois das quatro horas, talvez mesmo por volta das cinco. Não será ainda cedo demais? Claro que posso chegar um pouco antes... É um jantar de família, onde tudo se passa *sans façon*[2] como dizem as pessoas da alta roda. E por que havia eu de fazer cerimônia? O urso fala muito em proceder *sans façon*. Ora, eu também estou no meu direito..."

O senhor Goliádkin vai pensando assim, mas, apesar disso, está cada vez mais enervado. É evidente que conta de antemão ir encontrar-se dali a pouco numa situação que há de embaraçá-lo. Fala sozinho, faz gestos com a mão direita e continua sempre a olhar pela janela. Quem o visse não poderia imaginar que ele se preparava para ir simplesmente comer um bom jantar em família, *sans façon como* dizem as pessoas "bem".

O senhor Goliádkin aponta uma casa junto da ponte Ismaílov. O carro ultrapassa o portão e para junto do patamar. Vislumbra um rosto de mulher na janela do segundo andar e faz-lhe um cumprimento cortês.

Não tem noção do que está fazendo. Sai do coche, pálido, alheado, sobe os degraus do patamar, tira o chapéu, compõe a roupa maquinalmente e, com uma leve tremura nos joelhos, começa a subir a escada.

— Olsuf Ivânovitch está? — pergunta ao criado que vem abrir a porta.

— Sim... Ah... não, saiu.

— Como? Que estás dizendo? Não pode ser. Fui convidado para jantar... Sabes bem quem eu sou.

— Sim, conheço-o. Mas tenho ordem para não o deixar entrar.

— Deves estar enganado... eu fui convidado... fui convidado para jantar — diz o senhor Goliádkin tirando o sobretudo e dispondo-se a entrar.

<hr>

2 Sem cerimônia.

— Desculpe, senhor, mas não pode ser... deram-me ordem para não o deixar entrar...

O senhor Goliádkin empalidece; entretanto abre-se a porta duma das salas e aparece Guerássimovitch, o velho criado de Olsuf Ivânovitch.

— Este senhor quer entrar, mas eu...

— És um idiota. Vai chamar Siemiônitch. — O senhor desculpe, mas não pode ser — respondeu ele dirigindo-se ao senhor Goliádkin de uma forma correta mas resoluta. — É absolutamente impossível... Pedem desculpa, mas não podem recebê-lo.

— Disseram que não podiam receber-me? — perguntou Goliádkin a medo. — Gostaria de saber, Guerássimovitch, por que é que não podem receber-me.

— É absolutamente impossível. O patrão disse-me: "Pede desculpa, mas diz que não posso recebê-lo".

— Mas por que... por que é isso? Por que? Por que é que é impossível? Vá anunciar-me, estou convidado para jantar...

— Desculpe, desculpe... o patrão manda pedir desculpa.

— Mas, pedir desculpa, Guerássimovitch, o que significa isto?

— Desculpe, senhor, desculpe — respondeu o criado que afastou resolutamente o senhor Goliádkin para dar passagem a dois cavalheiros que entravam naquele momento no vestíbulo. Esses dois cavalheiros eram Andriéi Filípovitch e o sobrinho, Vladimir Siemiônovitch. Olharam com espanto, o senhor Goliádkin. Andriéi Filípovitch quis falar, mas Goliádkin, entretanto, tomara já a resolução de abandonar a entrada da casa de Olsuf Ivânovitch, de olhos no chão, vermelho e a sorrir, com um ar infelicíssimo.

— Voltarei, Guerássimovitch, hei de tirar isto a limpo... tudo se há de esclarecer — disse, enquanto transpunha o patamar em direção à escada.

— Iákov Pietróvitch... Iákov Pietróvitch...

Era a voz de Andriéi Filípovitch que viera atrás do senhor Goliádkin.

Mas este descera já o primeiro lanço. De súbito, virou-se para Andriéi Filípovitch:

— Que deseja, Andriéi Filípovitch? — disse num tom resoluto.

— Que tem você, Iákov Pietróvitch? Que aconteceu?

— Não foi nada, Andriéi Filípovitch. Não tenho que dar contas dos meus atos a ninguém. Assuntos particulares, Andriéi Filípovitch.

— O que?

— Assuntos particulares, Andriéi Filípovitch, nada que diga respeito a coisas de serviço.

— Como? Por que se refere a coisas de serviço? O que é que você tem, homem?

— Nada, Andriéi Filípovitch... absolutamente nada. Denguices de mocinha mimada, apenas isto.

— O quê?... O quê?

Andriéi Filípovitch estava absolutamente perplexo. O senhor Goliádkin continuava embaixo, na escada. Seu chefe, do alto, parecia prestes a cair sobre ele. Quase sem dar por isso, deu um passo para a frente e Andriéi Filípovitch recuou. O senhor Goliádkin subiu dois degraus, Andriéi Filípovitch olhou à sua volta com inquietação. De um pulo, o senhor Goliádkin tornou a subir a escada, Andriéi Filípovitch correu a toda a pressa e fechou a porta atrás de si. O senhor Goliádkin ficou só. Não conseguia compreender bem. Sentia-se longe dali, assombrado, como perante a lembrança de um acontecimento sem sentido.

— "Hum... Hum — murmura com um sorriso forçado. Ouve cá embaixo, no fundo da escada, vozes e passos. Provavelmente são mais convidados de Olsuf Ivânovitch. O senhor Goliádkin recompõe-se um pouco. Levanta num ápice a gola da pele, esconde-se o mais possível e, depressa, correndo, desce a escada. Sente-se sem forças, como que entorpecido. É tal a sua atrapalhação que, chegado ao patamar, nem espera pelo coche mas atravessa o saguão para ir ter com ele. Uma vez junto do carro, prepara-se para subir. No íntimo, o seu desejo é meter-se num buraco, enconder-se como um rato, a si e à carruagem. Convence-se de que em todas as janelas da casa de Olsuf Ivânovitch há gente que o espreita. Se se voltasse, tem a certeza de que morreria.

— Por que te ris, palerma? — diz para Pietruchka que se dispunha a ajudá-lo a subir. — Por quê?

— Eu... não, senhor. Onde deseja ir agora?

— Para casa... Vamos.

— Para casa! — exclama Pietruchka, que se instala na parte de trás do carro.

"Com quem ando eu metido!" — pensa o senhor Goliádkin. A carruagem, felizmente, já está longe da ponte Ismaílov. Subitamente, o senhor Goliádkin puxa o cordão com toda a força e grita ao cocheiro que volte ao lugar de onde vinham. O cocheiro obriga os cavalos a darem meia volta e daí a dois minutos o coche entra de novo no pátio de Olsuf Ivânovitch.

— Não... não quero... vamo-nos embora, idiota! — grita o senhor Goliádkin.

O cocheiro, como se já estivesse à espera disto, não diz nada, não chega mesmo a parar junto do patamar e, dando a volta ao pátio, volta para a rua.

O senhor Goliádkin resolve não regressar a casa. Depois de ter passado a ponte Siemiônovski ordena que entrem por uma ruazinha estreita e manda parar junto de um bar de aparência modesta. Desce do carro e diz a Pietruchka que volte para casa e que o espere lá. Entra no café, senta-se num compartimento isolado e pede um jantar. Sentia-se o pior possível. Dentro de si tudo era um caos. Andou muito tempo de um lado para o outro, perturbadíssimo.

Depois, já sentado, pousou a cabeça nas mãos e, esforçando-se por refletir, procurou uma saída para a situação em que se encontrava.

CAPÍTULO IV

Era um dia solene, o do aniversário de Klara Olsúfievna, filha única do conselheiro de Estado Bieriendiéiev, antigo protetor do senhor Goliádkin. Festejavam-no com um grande jantar, um jantar magnífico, como já há muito não se realizava outro em qualquer das casas dos funcionários que habitavam na zona da ponte Ismaílov e nas suas redondezas; parecia mais um festim real do que propriamente um jantar. O esplendor, o luxo, a etiqueta davam ao cenário um ar babilônico. Havia um *Cliquot*[3] do velho, ostras e frutas da casa Elissiéiev[4]. Tinham sido convidados os funcionários mais categorizados. Este dia solene, comemorado com um tão esplendo-

_____

3 Antiga e afamada marca de champanhe francês.

4 Nome do proprietário e de um grande armazém de gêneros alimentícios de Petersburgo.

roso jantar, terminava por um baile de família, íntimo. Apesar disso, era de esperar que fosse brilhante pelo requinte, ilustração e maneiras dos convidados. Há outros bailes no mesmo gênero, mas são raros. Tratam-se mais de festas de família do que de bailes. Para isso é preciso haver uma casa como a do conselheiro de Estado Bieriendiéiev. E isso mesmo ainda não chega: acho que nem todos os conselheiros de Estado podem dar bailes semelhantes. Se eu fosse poeta como Homero ou Púchkin — talento menor do que o deles não bastava — desejava pintar, oh leitores! — com cores brilhantes e um hábil pincel, este dia triunfal. Seria pelo jantar que havia de começar o meu poema. Procuraria fixar sobretudo o instante único e solene em que se ergue a primeira taça à saúde da rainha da festa. Também falaria do silêncio grave dos convivas, dessa atitude de espera que se parece mais com a eloquência de Demóstenes do que com o silêncio. E ainda falaria de Andriéi Filípovitch, o decano dos convidados que, de direito, preside a festa; dos seus cabelos grisalhos e das condecorações que tão bem se harmonizam com eles; de Andriéi Filípovitch, de pé, tendo na sua frente a taça que parece cheia com um néctar divino e não com um simples vinho; dos convidados e dos felizes parentes da rainha da festa que ergueram as suas taças secundando Andriéi Filípovitch e que têm os olhos fixos nele. E falaria mais de Andriéi Filípovitch que começa por deixar cair uma lágrima na taça, profere palavras de felicitação, e faz um brinde... Confesso, porém humildemente, que não seria capaz de exprimir a solenidade do instante em que a própria rainha da festa, Klara Olsúfievna, corada como uma rosa primaveril, corada de alegria e de pudor, vencida pela emoção, cai nos braços de sua mãe e esta se põe a chorar, e o próprio pai soluça também. Simpático velho, o conselheiro de Estado Olsuf Ivânovitch. Tinha trabalhado muito. Estava paralítico das pernas mas a sorte tinha compensado o seu esforço. Possuía uma certa fortuna, uma casa, bens de raiz, e aquela filha, que era lindíssima. Chorava como uma criança e dizia por entre lágrimas: "Sua Excelência é uma grande alma".

Não seria também capaz de vos descrever os instantes que se seguiram. Ninguém dizia que naquela ocasião solene Andriéi Filípovitch era o chefe de repartição que todos conheciam. Parecia outra pessoa.

Oh, que pena não possuir eu os segredos dum grande estilo para poder descrever estes instantes de beleza e satisfação moral! Instantes destes são a prova cabal de que muitas vezes a virtude triunfa sobre o vício e a inveja!

Não direi, pois, mais nada: melhor do que tudo aquilo que pudesse dizer, o meu silêncio permitirá antever o feliz jovem de vinte e seis anos, sobrinho de Andriéi Filípovitch, que por sua vez se ergue e faz um brinde, enquanto nele se fixam os olhos enevoados de lágrimas de Klara Olsúfievna, os olhos entusiasmados dos convidados e os olhos invejosos de alguns colegas da mesma idade. Sobre isto não direi mais nada. Tenho contudo de notar que neste jovem tudo lembra um velho, a começar pelas faces luzidias. Tudo neste instante solene parece dizer: "Eis onde o culto das virtudes pode conduzir o homem". Não vos direi que Anton Antônovitch Siétotchkin, colega de Andriéi Filípovitch e outrora de Olsuf Ivânovitch, velho amigo da casa e padrinho da Klara Olsúfievna, por sugestão dos pais, veio beijá-lo, *felicitando-o pela sua disposição e talento*.

Os convidados, que depois de um tal jantar se sentiam todos como se fossem parentes e irmãos, acabaram por levantar-se da mesa. As pessoas mais velhas e as mais respeitáveis conversaram durante uns instantes cordialmente, e mesmo com uma certa intimidade. Passaram depois a outra sala e, sem perderem um tempo que era precioso, dividiram-se em grupos (conservando a noção da sua dignidade), e foram sentar-se diante das mesas de jogo. As senhoras instalaram-se na sala e tornaram-se muitíssimo amáveis. Conversam umas com as outras sobre as coisas mais variadas e por fim o próprio dono da casa, que tinha perdido em serviço o uso das pernas e obtido as compensações que já dissemos, vem passear por entre os seus convidados, apoiado nas muletas e amparado por Vladimir Siemiônovitch e por Klara Olsúfievna. Tocado pela amabilidade dos que o rodeiam, decide-se a improvisar um pequeno baile, não obstante as despesas que isso lhe acarretará. Mandou um rapaz procurar músicos. Vieram onze, e às nove e meia em ponto, ouviram-se as notas duma quadrilha francesa, seguida depois de outras danças... A minha pena não basta para pintar como devia o baile que a extraordinária gentileza do velho dono da casa improvisou. Como poderia eu, aliás modesto narrador das aventuras do senhor Goliádkin — curiosas no seu gênero, lá isso é certo! — como poderia eu exprimir esta amálgama surpreendente de beleza, de brilho, de elegância, de alegria, de amabilidade e de júbilo; e os risos e passatempos de todas estas esposas de funcionários... Parecem mais fadas do que mulheres, com os ombros rosados, as figuras angélicas e os pezinhos encantadores e aparecem-lhes debaixo dos vestidos. Como descrever-vos, por fim, estes funcionários transformados agora em brilhantes homens de salão, estes jovens alegres e bem constituídos, contentes e sonhadores, que, numa salinha retirada, onde as paredes são todas pintadas de verde, fumam cachimbo entre duas danças... E os cavalheiros que ocupam altos cargos e usam nomes muito sonoros, cavalheiros profundamente compenetrados dos seus deveres de elegância e que, na maior parte, falam francês com as senhoras. Se falam russo é só para proferirem cumprimentos e frases profundas em tom distinto.

Unicamente na sala de fumar se permitem alguns deslizes de linguagem, frases familiares, no gênero desta "Olá, Pietienhka, dançaste esta polca como um artista". Mas — oh leitor! — tive já ocasião de dizer que a minha pena não é capaz de um tal esforço, por isso vou parar. Voltemos antes ao senhor Goliádkin, o único herói desta novela verídica. A situação é a mais estranha possível. Para falar com exatidão, ele não se encontra naquele baile; no entanto poderíamos dizer que... está quase lá.

Então onde está ele afinal? Coisa estranha! Está no patamar da escada de serviço da casa de Olsuf Ivânovitch. Está ali, o que não quer dizer nada de especial, mas simplesmente que está ali. Metido num cantinho frio e sombrio, escondido por um armário enorme e por um biombo velho, no meio dos restos e da louça suja. Enquanto espera, observa os acontecimentos como um espectador indiferente. Observa e nada mais, meus senhores. Contudo, podia entrar. Por que não entra? Seria suficiente dar um passo... vai talvez entrar daqui a pouco. Por que há de ficar três horas ao frio, entre o armário e o reposteiro, no meio destas porcarias de todo gênero? Para se justificar cita para si mesmo uma frase dum antigo ministro francês: "Quem sabe esperar alcança sempre o que deseja".

O senhor Goliádkin tinha lido outrora esta frase num livro. Veio-lhe agora à memória, muito a propósito. Adapta-se perfeitamente à circunstância... Passam tantas coisas pela cabeça dum homem que espera perto de três horas num vestíbulo obscuro e frio o desenrolar favorável dum acontecimento! Não há dúvida de que o senhor Goliádkin se lembrou muito a propósito da frase do antigo ministro francês.

Lembra-se então também — não se sabe por que — do antigo vizir turco Marsimir e da bela condessa Luísa, cuja história lera há muito tempo. Lembra-se de que os jesuítas têm por norma considerar aceitáveis todos os meios contanto que o fim seja atingido. Este exemplo histórico dá-lhe coragem. O senhor Goliádkin pensa para consigo: "Quem eram afinal os jesuítas? Eram, do primeiro ao último, perfeitos cretinos. Que fossem todos para o diabo!". Se, durante uns minutos, a copa estivesse vazia (a porta desta dava para o vestíbulo, onde o senhor Goliádkin esperava) — se não houvesse lá ninguém, não obstante todos os jesuítas, o senhor Goliádkin passaria da copa para a sala de jantar, desta para a sala onde agora se jogavam as cartas e, por último, para o salão onde se dançava a polca. Iria, iria sem olhar para ninguém, deslizando entre as pessoas sem que ninguém se apercebesse. Seria muito simples. Ninguém daria por isso. Depois de lá estar sabia bem o que lhe caberia fazer... Eis aqui, meus senhores, a situação em que se encontra o herói desta verídica história.

Que tinha ele feito, afinal? Tinha alcançado o patamar da escada de serviço. Por que não? Qualquer pessoa podia ir até ali... Não ousa avançar mais. Não ousa... Não é bem não ousar, é não querer. Prefere agir cautelosamente. Ora aí está... Espera, escondido, durante três horas. Por que não havia ele de esperar? O próprio ministro tinha esperado. "Que faço eu aqui?" — pensa o senhor Goliádkin. — Ah! Se eu pudesse entrar agora! Sou bem tolo em estar aqui...!" — disse, apalpando com a mão a face gelada. E continuava a falar consigo próprio sobre coisas sem sentido nem finalidade. Mas eis que dá agora alguns passos em frente: a copa está vazia... não há ali ninguém. O senhor Goliádkin vê pela janela o interior do compartimento. Dá mais dois passos, fica junto da porta, e por fim entreabre-a.

"Entro... ou não entro? Devo entrar... ou não?... Vou... Por que não hei de ir? O audacioso encontra sempre maneira de atingir o que deseja..."

Enquanto diz estas coisas, o senhor Goliádkin ganha coragem. De repente recua bruscamente para trás do biombo.

"Não, — diz ele — pode entrar alguém! Olha, já entrou mesmo. Por que não aproveitei eu, enquanto não estava ninguém? Devia ter-me decidido e entrado! Oh, a natureza humana!... Como somos covardes! Ter medo é a nossa sina. Ora aí está. Aqui estou eu feito bobo... Se estivesse em casa, tomaria agora uma chávena de chá... seria bem bom neste momento... Mas se chego a casa muito tarde, Pietruchka resmungará. Não seria melhor voltar para casa? Que o diabo os leve a todos!"

Todavia, depois de ter tomado esta resolução, o senhor Goliádkin avança rapidamente como movido por uma mola. É um instante enquanto entra na copa, tira o casaco e o chapéu, e ao atira à pressa para um canto. Compõe-se um pouco e entra na sala de jantar. Daí passa para a outra sala, sem que quase ninguém dê por ele, tão entretidos estão os jogadores. Então... então... o senhor Goliádkin esquece tudo o que acaba de passar-se e, sem mais demoras, cai como uma bomba na sala de baile.

Parecia de propósito: ninguém dançava. As senhoras passeavam em grupos pelo salão; os cavalheiros estavam todos juntos ou atravessavam a sala para irem convidá-las. O senhor Goliádkin não dava conta de nada. Apenas tinha olhos para Klara Olsúfievna. Junto dela, Andriéi Filípovitch e Vladimir Siemiônovitch, e mais dois ou três oficiais que — bastava olhar para eles para se ver logo que estavam ainda no princípio das suas carreiras, que por certo haviam de ser brilhantes. Aqui e ali, vê ainda este ou aquele, ou antes, não vê ninguém. Continua levado pelo mesmo impulso que o atirou para este baile, para o qual não fora convidado. Avança. Dá um encontrão num conselheiro, pisando-lhe um calo. Pisa também e chega mesmo a romper o vestido duma senhora de idade. Empurra o criado que segurava uma bandeja, dá uma cotovelada não sei em quem e, sem dar conta de nada, ou antes, dando muito bem conta de tudo, encontra-se diante de Klara Olsúfievna. Ah, não há dúvida, o que lhe apetecia era meter-se num buraco! Mas o que está feito, feito está. Já não tem remédio. Que fazer agora? "Mesmo quando tudo parece perdido, uma pessoa não se deve deixar ir abaixo." O senhor Goliádkin não é nenhum intriguista nem nenhum "engraxador"... O que está feito, feito está. Os jesuítas também tinham tido naquilo as suas culpas... Mas não são eles que estão agora diante do senhor Goliádkin. Toda aquela gente que andava de um lado para o outro, conversando e rindo, calou-se como por encanto e agrupou-se em volta do senhor Goliádkin. Este sente-se incapaz de ver e de ouvir. Não olha para ninguém. Por nada desta vida ousaria olhar para quem quer que fosse. Baixa os olhos e fica assim... Entretanto jura a si próprio que não passará daquela noite. "Seja o que Deus quiser", diz para consigo. E fica ele próprio extremamente admirado, a ponto de lhe custar a acreditar que o som que ouve é o da sua voz.

Começa pelas felicitações e votos de praxe. As felicitações ainda lhe saíram menos mal, mas quando começou a formular os votos, meteu os pés pelas mãos. Sentiu que, se parasse, tudo estaria perdido. E assim foi. Calou-se e pôs-se vermelho. Corou e perdeu a cabeça. Perdida esta, levantou os olhos. Olhou então à sua volta e ficou espantado. Todos se tinham levantado, todos estavam de pé e esperavam. Os que estavam mais longe começaram a cochichar, os que estavam mais perto riam. O senhor Goliádkin lançou um olhar submisso e desvairado na direção de Andriéi Filípovitch. Este respondeu-lhe com um olhar tal que, se o senhor Goliádkin não estivesse já morto, morreria de novo. O silêncio era de chumbo.

— Isto é um assunto particular, Andriéi Filípovitch, — disse o senhor Goliádkin numa voz que mal se ouvia — isto nada tem que ver com a minha vida oficial, Andriéi Filípovitch.

— O senhor devia ter vergonha, ter vergonha — respondeu Andriéi Filípovitch indignado. Pegou na mão de Klara Olsúfievna e afastou-se do senhor Goliádkin.

— Não tenho nada que ter vergonha, Andriéi Filípovitch — murmura o senhor Goliádkin, que procura desesperadamente, à sua volta, na assistência estupefata, um rosto amigo, qualquer pessoa das suas relações.

— Então, meus caros senhores, que foi? Que há? Isto pode acontecer a qualquer pessoa — murmurou ainda o senhor Goliádkin que, aos poucos, vai mudando de lugar e tenta escapar da multidão que o rodeia. Deixam-no passar. Passa pelo meio de duas filas de observadores espantados e cheios de curiosidade. O seu destino o arrasta. E o senhor Goliádkin bem o sente. Quanto não daria para estar de novo no patamar, na escada de serviço! Mas há as conveniências. É impossível. Começa então a arranjar maneira de se escapar para um canto onde há de manter-se muito encolhido, muito à parte, sem chamar a atenção de ninguém, de tal modo que, quer o dono da casa, quer os convidados, acabarão por achá-lo simpático. Subitamente cambaleia como se fosse cair... mas consegue chegar a um canto. Encafua-se aí e põe-se então a observar à sua volta com indiferença, como um estranho, com as mãos postas em cima do espaldar de duas cadeiras, como se quisesse disputar aos outros a sua posse.

Olha agora com altivez para os convidados de Olsuf Ivânovitch que se agrupam à sua volta. Próximo está um oficial, um grande e belo homem. Diante dele o senhor Goliádkin sente-se um mosquito.

— Estas duas cadeiras, tenente, estão reservadas para Klara Olsúfievna e para a princesa Chtchegânova, que estão dançando. Eu estou aqui tomando conta, tenente — diz ao oficial o senhor Goliádkin, com um olhar suplicante.

O tenente não responde, sorri malevolamente e afasta-se. Repelido desta maneira, o senhor Goliádkin tenta de novo a sorte, dirigindo-se a um convidado ilustre que traz ao peito uma rica condecoração. E há um conselheiro que o olha tão desdenhosamente que o senhor Goliádkin fica como se lhe tivessem lançado um balde de água fria pela cabeça.

O senhor Goliádkin decidiu não falar com mais ninguém. "É preferível — pensa — não entabular conversa". Há de ficar ali, como qualquer outra pessoa, com a maior naturalidade.

Para se entreter olha as abas do seu uniforme, mas logo em seguida ergue a cabeça e põe-se a observar um senhor de aspecto respeitável.

"Este senhor tem cabeleira postiça — pensa o nosso herói. — Se lhe tirassem a cabeleira, a sua cabeça seria igual à palma da minha mão."

E pensa também que se tirassem o turbante verde aos emires árabes, o qual revela o seu parentesco com Maomé, a cabeça deles apareceria calva. Por associação de ideias, o senhor Goliádkin chega às pantufas turcas e, muito a propósito, lembra-se de que as botas de Andriéi Filípovitch parecem mais pantufas do que botas. É evidente que o senhor Goliádkin começa a sentir-se mais adaptado à situação.

Põe-se a pensar: "Se o lustre caísse, eu correria a salvar Klara Olsúfievna e depois lhe diria: 'Não se aflija, minha senhora, não foi nada, eu a salvei...!'".

O senhor Goliádkin olha para o lado. Procura Klara Olsúfievna e dá com os olhos em Guerássimovitch, o velho criado de Olsuf Ivânovitch.

Guerássimovitch, com o ar mais solene que se pode imaginar, dirige-se para ele. O senhor Goliádkin estremece. Faz um trejeito, sente qualquer coisa de estranho e desagradável. Olha à sua volta maquinalmente. Pensa em ir-se embora, encostado às paredes, devagarinho, como se não fosse nada com ele. Mas antes que tivesse tempo de tomar qualquer resolução, já o criado está diante dele.

— Olhe, Guerássimovitch — diz-lhe sorrindo — seria bom dar ordem... Vê aquela vela no candelabro? Vai cair, Guerássimovitch. É preciso dar ordem para endireitá-la. Olhe, vai cair e não tarda, Guerássimovitch.

— A vela? Não, a vela está direita. Está lá embaixo alguém perguntando pelo senhor.

— Quem é que está lá embaixo, Guerássimovitch?

— Não sei ao certo. Parece-me que é um criado... "Iákov Pietróvitch Goliádkin está aqui?" — disse-me ele. — "Então, chama-o, trata-se de uma coisa urgente".

— *Não, Guerássimovitch, deve ser engano, deve ser engano.*

— Não me parece.

— Não, Guerássimovitch, tenho a certeza, tenho a certeza, ninguém veio perguntar por mim. Eu estou aqui como em minha casa, Guerássimovitch...

O senhor Goliádkin respirou e olhou à sua volta. Todas as pessoas na sala tinham os olhos postos nele. Era uma expectativa solene. Os homens avançam e escutam. Mais atrás as senhoras cochicham. O próprio dono da casa se aproximou do senhor Goliádkin, fingindo, porém, não ter dado conta do que acontecera. Tudo se passa entre pessoas bem educadas. Contudo, o senhor Goliádkin sente claramente que se trata de um momento decisivo. Apercebe-se de que é altura de vibrar um golpe, de confundir os seus inimigos. Sente-se comovido. Obedece à sua inspiração e, com voz trêmula e solene, diz a Guerássimovitch, que continua à espera:

— Não, meu amigo, ninguém me chama. Estás enganado. E mais: já te enganaste esta manhã ao afirmar, quando ousaste afirmar (aqui levanta a voz) que Olsuf Ivânovitch, meu protetor há tanto tempo, e que — posso dizê-lo — me fez as vezes de pai, me fechava a porta no momento duma festa de família tão grata ao seu coração. (O senhor Goliádkin, muito contente consigo próprio, vai pousando em todos um olhar grave e há lágrimas e tremerem-lhe nas pestanas.) — Repito, meu amigo, é um engano, enganaste-te de uma maneira que te não posso perdoar...

O instante é solene. O senhor Goliádkin sente que não poderia ter obtido efeito mais seguro. De olhos baixos, humildemente, espera que Olsuf Ivânovitch lhe abra os braços.

Os convidados estão comovidos e admirados. O próprio Guerássimovitch, sempre tão seguro de si, não ousa responder. Mas de repente a orquestra começa a entoar uma polca. Tudo está perdido, tudo estragado. O senhor Goliádkin estremece. Guerássimovitch recua. Todos os convidados do salão se agitam como vagas num oceano. Um primeiro par avança: é Vladimir Siemiônovitch com Klara Olsúfievna, logo a seguir outro, o garboso tenente e a princesa Chtchegânova. Os espectadores, curiosos e encantados, olham em grupos os que dançam. A polca era então uma dança apaixonante, nova, moderna, que fazia todas as cabeças andarem à roda. O senhor Goliádkin foi esquecido durante uns instantes; mas de repente tudo se agitou, houve uma confusão. A música parou. Aconteceu que Klara Olsúfievna, fatigada pela dança, respirando dificilmente, as faces ardendo, o peito arfando, extenuada, cai numa poltrona. Todas as atenções se voltam para ela, todos se apressam a saber como está.

De súbito, aparece o senhor Goliádkin diante dela. Está pálido e terrivelmente perturbado. Também ele parece extenuado. Mal se tem em pé. Sorri a custo e estende-lhe a mão. Klara Olsúfievna, espantada, não tem sequer tempo de retirar a sua e ergue-se, maquinalmente, ao convite do senhor Goliádkin. Este dá um passo, depois outro, ergue um pé, pisa o outro, firma-se... e... cambaleia. Também ele queria dançar com Klara Olsúfievna... Esta dá um grito. Todos se precipitam para libertar a sua mão da do senhor Goliádkin. A multidão afasta-o dali. Forma-se novo círculo à sua volta. Duas senhoras de idade que ele, ao recuar, quase atirou ao chão, soltam gritinhos e lamentações. A confusão é terrível. Todos fazem perguntas, gritam e falam. O senhor Goliádkin volta-se e sem dar conta do que faz, com um leve sorriso, murmura que "a polca é, a seu ver, uma dança nova, interessante, inventada para a alegria das senhoras... Mas se continua assim... ele não consentirá que...".

Ora, ninguém pedira o consentimento do senhor Goliádkin. Sente que subitamente há uma mão que lhe pega no braço, outra que o agarra pelas costas e que ambas o obrigam a sair dali. Nota que o fazem caminhar em direção à porta. Quer falar, fazer alguma coisa... ou antes, já não quer fazer nada. Sorri, apenas maquinalmente. Sente que lhe vestem o casaco, lhe enterram o chapéu quase até aos olhos, e vê-se na entrada, no escuro e ao frio, e finalmente, na escada. Tropeça, parece-lhe que cai num abismo. Quer gritar mas verifica que já está no pátio.

O ar fresco dá-lhe no rosto. Para um instante. Chegam até ele os sons da orquestra. De repente, o senhor Goliádkin lembra-se de tudo... Voltam-lhe as forças... Sai dali, sai daquele ambiente onde estivera enclausurado e foge para a rua, ou para qualquer outra parte, onde encontre ar e liberdade. E começa a andar sempre em frente, sem nunca mais se voltar.

Capítulo V

Soava meia-noite em todos os relógios das torres de Petersburgo, quando o senhor Goliádkin chegou aos cais do Fontanka, perto da ponte Ismaílov, fugindo aos seus inimigos e perseguidores, às afrontas que recebera, aos gritos das damas assustadas, aos oh! e aos ah! das mulheres, e aos olhares terríveis de Andriéi Filípovitch. O senhor Goliádkin estava aniquilado e, se ainda conseguia correr, era somente por milagre, por um milagre em que ele próprio se recusava a acreditar.

Estava uma noite medonha, uma noite de novembro úmida e brumosa, toda de chuva e de neve, uma noite portadora de pneumonias, de gripes, de febres, de tifos, de todos os males de novembro em São Petersburgo. O vento soprava nas ruas desertas, erguia acima das correntes da ponte a água negra do Fontanka, batia nas lanternas do cais que respondiam a estes assobios com um ranger agudo e lamentoso. Era aquele concerto sem fim que todos os habitantes de São Petersburgo conhecem. Chovia e nevava ao mesmo tempo. Empurrada pelo vento, a água caía em jorros quase horizontais, tal como sai das mangueiras dos bombeiros. Batia e chicoteava o rosto do infeliz senhor Goliádkin, como se fossem agulhas e alfinetes aos milhares. No silêncio da noite, apenas quebrado pelo ruído longínquo dos carros e pelos assobios do vento, pelo estremecer dos bicos de gás, ouvia-se o marulhar triste da água que escorria dos telhados e das grades sobre o granito dos passeios. Nem vivalma. Parecia que a esta hora, e com um tempo assim, ninguém poderia andar nas ruas. Por isso o senhor Goliádkin caminhava só, com o seu desespero. Seguia num passo apressado pelo passeio do cais do Fontanka e corria o mais que podia em direção a casa, um quarto andar da Rua Chestilavótchnaia.

A neve, a chuva, toda a agitação difícil de exprimir, da tempestade prestes a desencadear-se no céu de novembro de São Petersburgo, perseguem o senhor Goliádkin, já tão acabrunhado com seus próprios desgostos. Não lhe deixam um instante de repouso, trespassam-no até aos ossos, enevoam-lhe os olhos, assobiam-lhe ao rosto, fazem-no sair do passeio. Todos os elementos se unem contra o senhor Goliádkin como se estivessem de acordo com os seus inimigos, a fim de que tivesse uma dia e uma noite de amargura. No entanto o senhor Goliádkin permanece quase insensível a esta última perseguição do destino, de tal modo ficou chocado com o que se passara minutos antes, em casa do atual conselheiro Bieriendiéiev.

Quem se pusesse a observar disfarçadamente a pobre figura do senhor Goliádkin compreenderia logo a tristeza das suas desditas e reconheceria que ele parecia querer esconder-se de si próprio, e até, se possível, desaparecer completamente, não viver mais, reduzir-se a pó. Não dá atenção a nada, não compreende nada, olha à sua volta como se nada existisse, nem as aventuras daquela noite trágica, nem o caminho longo, nem a chuva, a neve, o vento, a tempestade... Uma galocha caiu-lhe do pé esquerdo. Fica imóvel no meio da lama e da neve, no passeio do cais do Fontanka, não pensa sequer em voltar atrás para ir procurá-la, nem dá conta que a perdeu. Está tão fora de si que, por vezes, para de repente no meio da tempestade, lembrado somente do seu terrível insucesso, e fica imóvel como uma estaca no meio do passeio. Parece-lhe então que vai morrer, desaparecer; depois, de repente, dá um salto como se estivesse louco, e põe-se a correr, a correr, sem se voltar, parece fugir diante de um inimigo, diante do infortúnio... pois a sua situação é terrível. Por fim, já sem forças, o senhor Goliádkin para, apoia-se na amurada do cais como se de súbito tivesse começado a pôr sangue pelo nariz e olha fixamente a água turva e negra do rio. Quanto tempo permaneceu assim? Ninguém sabe, mas ele está tão desesperado, tão atormentado, tão perturbado, tão fatigado e fraco que esquece tudo, a ponte Ismaílov e a Rua Chestilavótchnaia e até o presente. Enfim, tudo lhe é indiferente; aquele caso está concluído, arrumado, a sentença está lavrada. Que há de fazer agora? Subitamente, estremece dos pés à cabeça e, inconscientemente, dá dois passos em frente. Olha à sua volta numa grande inquietação, mas não vê ninguém. Nem vivalma. Nada avista de extraordinário e, contudo... contudo... pareceu-lhe que alguém estava ali, naquele momento, a seu lado, apoiando-se tal como ele à amurada do cais e, coisa estranha! — que esse alguém se dirigiu a ele e falou com uma voz rápida e sacudida, não muito clara. E as palavras que proferiu diziam-lhe intimamente respeito.

— Que teria sido? Estaria sonhando? — diz, olhando mais uma vez à sua volta. — Mas onde estou eu? — concluiu abanando a cabeça. Entretanto, uma dolorosa inquietação se apossa dele; chega a ter medo, olha ao longe, e tanto quanto lhe permitem os seus pobres olhos míopes, perscruta à sua volta o ar úmido e enevoado. Mas nada de novo nem de especial se oferece aos olhos do senhor Goliádkin. Tudo lhe parece na mesma. Só a neve é cada vez mais forte e mais espessa. Não se distingue nada a uma distância de vinte passos. O chiar dos candeeiros é agora mais lúgubre ainda. Mais lúgubre é também a canção do vento, semelhante à súplica dum mendigo importuno que pechincha um copeque para comprar pão.

"Que se passa comigo, afinal!" — repete de novo o senhor Goliádkin, que torna a pôr-se a caminho e olha uma vez mais à sua volta. E eis que uma sensação nova se insinua no seu ânimo. Não é propriamente medo... é um tremor que lhe percorre as veias como se fosse febre. "Tudo isto no fundo não vale nada — diz, tentando tranquilizar-se. — Não vale nada. Decerto tudo acabará bem, sem nenhuma ofensa séria — continua sem compreender o que está dizendo. — Com o tempo talvez as coisas se arranjem. Ninguém terá levado a mal e todos acabarão por retratar-se."

Com estas palavras o senhor Goliádkin sente-se mais forte, sacode a espessa camada de neve que se acumulou no seu chapéu, na gola, no casaco, na gravata e nas botas. Só não pode desembaraçar-se dos seus estranhos sentimentos, da sua amargura. Ao longe ouve-se o estampido dum canhão.[5] "Que tempo este! — pensa o senhor Goliádkin. — É impossível que não haja uma inundação! A água sobe tão depressa..." Mal tinha acabado de formular este pensamento quando avista na sua frente um transeunte, talvez algum retardatário, que vem na sua direção. Por que teria o senhor Goliádkin ficado tão perturbado e até amedrontado? Não é que receasse qualquer mau encontro. "Mas... às vezes — quem sabe? — pensou. — Talvez este transeunte seja um enviado do Destino. Talvez não seja por acaso que passa por aqui, mas com qualquer finalidade."

É possível que o senhor Goliádkin não tenha chegado a pensar estas coisas com nitidez, mas teve delas uma percepção fugidia e desagradável.

Aliás, foi pouco o tempo que teve para pensar e para sentir. O transeunte estava lá a dois passos. Imediatamente, como era seu hábito, o senhor Goliádkin arranjou um ar muito seu, um ar que significava claramente que ele, senhor Goliádkin, seguia o seu caminho certo de que a rua chegava para todos e sem se preocupar com ninguém.

De repente, parou assombrado como se um raio lhe tivesse caído em cima; depois voltou-se bruscamente para trás, para olhar pelas costas a tal pessoa que acabava de passar por ele. Voltou-se como puxado por um cordão, tal como um catavento que gira em torno de um eixo...

O transeunte tinha desaparecido rapidamente na espessura da neve... Também ele caminhava à pressa e estava vestido como o senhor Goliádkin; como ele, caminhava pelo passeio do Fontanka com passo apressado, levemente ritmado.

"Que vem a ser isto? Que vem a ser isto?", murmurou o senhor Goliádkin sorrindo desconfiado. Estremeceu: um arrepio percorreu-lhe a espinha.

Neste momento o outro tinha já desaparecido completamente, nem sequer se lhe ouviam os passos.

O senhor Goliádkin continuava no mesmo lugar e olhava para trás. Aos poucos, ia voltando a si. "Mas afinal que vem a ser isto? — pensou transtornado. — Estarei doido?" Voltou-se e continuou a caminhar, apertando cada vez mais o passo e esforçando-se por não pensar em nada.

Acabou por fechar os olhos. Mas de súbito, por entre os gemidos do vento e o barulho da tempestade, chegou de novo aos seus ouvidos um ruído de passos próximos. Estremeceu e abriu os olhos. Na sua frente, a uns vinte passos, a silhueta negra dum homem avançava rapidamente. O homem apressava-se cada vez mais. A distância diminuía. O senhor Goliádkin podia já examinar à sua vontade o seu novo companheiro daquela hora tardia. Soltou então um grito de espanto e horror. Suas pernas vergaram. Era o mesmo transeunte que tinha passado por ele dois minutos antes e que, bruscamente, de improviso, voltava a aparecer na sua frente.

A ocorrência causou tal assombro ao senhor Goliádkin, que ele estacou, trêmulo e quis falar... Até que se lançou em perseguição do desconhecido e lhe gritou algumas palavras para o obrigar a deter-se. O desconhecido para a dez passos do *senhor Goliádkin, sob* a luz da lanterna mais próxima, que o iluminava completa-

5   Sinal com que na fortaleza de Pedro e Paulo se avisava à população de São Petersburgo de que as águas do Nievá tinham subido e ameaçavam inundar os bairros baixos da cidade.

mente. Parou, virou-se para o senhor Goliádkin e, com ar impaciente e interrogador, ficou à espera.

— Peço desculpa, julgo que me enganei — disse o senhor Goliádkin com voz trêmula.

O desconhecido, silencioso e enfadado, afastou-se e continuou a caminhar como se quisesse reaver os segundos que o senhor Goliádkin o obrigara a perder. Quanto a este último, tremia dos pés à cabeça, os joelhos dobravam-se, vacilava, e acabou por se sentar, suspirando, numa das beiras do passeio. Na verdade tinha razões para estar assim perturbado. O desconhecido parecia-lhe agora muito seu conhecido, podia até descrevê-lo da cabeça aos pés. Vira já muitas vezes aquele homem. Tinha-o visto há tempos e ainda muito recentemente. Onde? Ontem, talvez?

Mas o tê-lo visto muitas vezes era ainda o menos. Em si, este homem nada tinha de especial. Nada nele chamava a atenção à primeira vista. Era um homem como outro qualquer, de uma certa distinção, talvez até com grande qualidades. Em suma, era um homem igual aos outros e o senhor Goliádkin não lhe tinha ódio nem sentia sequer contra ele qualquer animosidade. Pelo contrário.

Contudo, por nada deste mundo teria desejado encontrá-lo especialmente neste momento. Mais ainda: o senhor Goliádkin conhecia-o perfeitamente, sabia até o seu nome e, apesar disto, não queria de forma alguma falar nele, nem mesmo pronunciar o seu apelido. Não se sabe ao certo quanto tempo durou o espanto do senhor Goliádkin, se esteve ou não muito tempo sentado na beira do passeio. Mas, mal se refez um pouco, ergueu-se e pôs-se a correr a toda a velocidade, sem se voltar. Faltava-lhe a respiração. Por duas vezes tropeçou e esteve quase a cair. Perdeu então a outra galocha. Por fim abrandou o passo para poder respirar, olhou rapidamente à sua volta e verificou que, sem dar por isso, tinha passado o cais, atravessara a ponte Ânitchkov, uma parte da Perspectiva Niévski e estava já na esquina da Avenida Litiéinaia. Chegado aqui, o senhor Goliádkin retornou. Sentia-se como alguém que está suspenso sobre um abismo e vê a terra a esboroar-se a seus pés. Ainda há pouco a terra tremia. Agora ela se move mais uma vez, fende-se e arrasta-o para a morte. Ele, desgraçado, não tem força nem presença de espírito para recuar, nem sequer mesmo para despregar os olhos do abismo escancarado. Este o atrai e ele se precipita, abreviando por iniciativa própria o momento da sua perdição.

O senhor Goliádkin sabia agora, sentia, estava absolutamente convencido de que nova desgraça o esperava e que ele ia, sem dúvida alguma, encontrar de novo o desconhecido.

O mais estranho, porém, é que ele quase desejava esse encontro. Considerava-o inevitável. Queria acabar com aquilo o mais depressa possível. Interenssava-lhe que a sua situação se resolvesse de qualquer maneira, contanto que fosse o quanto antes. E continuava correndo, correndo sempre, como que impelido por uma força estranha. Sentia-se enfraquecer e invadia-o uma espécie de temor. Não era capaz de pensar em nada, ainda que as suas ideias se agarrassem a qualquer coisa, como as silvas.

Um cãozinho perdido, encharcado e a tremer, seguia o senhor Goliádkin, corria a seu lado, a cauda entre as pernas e as orelhas caídas. De vez em quando, lançava-lhe um olhar tímido e cheio de compreensão. Uma ideia longínqua, há muito esquecida, a recordação de um acontecimento antigo, tinha vindo alojar-se na cabeça do nosso desditoso herói, martelava-lhe o cérebro, obcecava-o, não queria deixá-lo.

"Oh! Um cãozinho!" — murmurou o senhor Goliádkin sem reparar no sentido das suas palavras, até que, à esquina da Rua de Itália, avistou o desconhecido. Agora este já não vinha ao seu encontro mas seguia o mesmo caminho e corria à sua frente, alguns passos mais adiante... Vai agora já na Rua Chestilavótchnaia. O senhor Goliádkin deixou de respirar. O desconhecido parou diante da casa onde ele morava. Ouviu-se o som da campainha e logo a seguir o ruído da lingueta de ferro.

A porta de entrada abriu-se, o desconhecido curvou-se e desapareceu sob o teto abobadado.

Quase ao mesmo tempo, o senhor Goliádkin chegou defronte da porta e, como uma flecha, entrou no pátio; sem dar ouvidos ao porteiro que resmungava, atravessou o pátio, ofegante, e avistou logo o curioso companheiro que durante momentos perdera de vista. O desconhecido estava já no fundo da escada que levava ao andar do senhor Goliádkin.

Este seguiu-o correndo. A escada era escura, úmida e suja. Os locatários tinham amontoado detritos em todos os cantos. Um estranho que não estivesse habituado a vir àquela casa e que a subisse de noite andaria ali às voltas durante meia hora com o risco de quebrar alguma perna, e finalmente acabaria por mandar para o diabo uma visita tão incômoda.

Ora, o companheiro do senhor Goliádkin era sem dúvida familiar da casa. Subia com ligeireza, sem dificuldade, com um conhecimento perfeito dos lugares.

O senhor Goliádkin depressa o alcançou, Por duas ou três vezes a aba do casaco do desconhecido lhe roçou pelo nariz e ele estava pálido de assombro. O homem misterioso parou mesmo em frente à porta do senhor Goliádkin. Bateu. Pietruchka (em qualquer outra altura isto teria espantado o patrão) parecia esperar, pois não se tinha deitado. Abriu logo a porta e, de vela na mão, seguiu o homem que entrava.

Fora de si, o senhor Goliádkin precipitou-se para os seus aposentos sem tirar o chapéu nem o casaco, atravessou o pequeno corredor e parou no meio do quarto como se um raio o tivesse fulminado.

Todos os seus pressentimentos se tornavam realidade; os seus pressentimentos e... os seus receios. Deixou de respirar, a cabeça andava-lhe à roda. O desconhecido sentou-se diante dele, na sua cama; também ele continuava de chapéu e casaco. Sorriu de leve, piscou os olhos e baixou um pouco a cabeça em sinal de cumprimento. O senhor Goliádkin quis gritar, protestar, mas não pôde, não teve forças. Seus cabelos ficaram em pé. Sentou-se apavorado, perdeu os sentidos.

E tinha razão para isso. O senhor Goliádkin acabava de reconhecer o seu amigo noturno. Este não era outro senão ele próprio, senhor Goliádkin, um outro senhor Goliádkin, absolutamente igual a ele e em tudo seu sósia...

Capítulo VI

No dia seguinte às oito horas em ponto, o senhor Goliádkin acordava na sua cama e todas as extraordinárias aventuras da véspera, as aventuras inverossímeis daquela noite terrível, surgiram ao mesmo tempo na sua imaginação, em toda a sua crueza. O ódio medonho, infernal, que lhe tinham os seus inimigos, e sobretudo a última manifestação deste ódio, seriam motivos suficientes para gelar de pavor o coração do senhor Goliádkin.

Mas era tudo tão estranho, tão incompreensível, tão cruel, tudo se lhe afigurava de tal modo impossível, que toda aquela história lhe parecia inacreditável. O senhor Goliádkin estava inclinado a atribuir tudo a um sonho, a um passageiro delírio de imaginação, a um obscurecimento momentâneo do espírito. Mas, felizmente, ele sabia pela experiência dolorosa da vida até onde o ódio pode levar o homem, especialmente se se trata de um inimigo que quer desafrontar a sua honra e a sua ambição. Por outro lado o senhor Goliádkin sentia os membros quebrados, a cabeça entontecida, os rins fatigados, e um grande resfriado testemunhava-lhe a veracidade de todos os incidentes do seu passeio noturno.

Aliás, o senhor Goliádkin sabia já há muito tempo que alguma coisa se preparava lá longe, na casa dos outros. Mas o quê? Depois de refletir com calma, decidiu calar-se, submeter-se e não protestar até nova ordem.

"Naturalmente eles quiseram apenas pregar-me um susto, mas, se virem que eu não faço barulho, que me calo e suporto tudo com paciência, vão se arrepender. Serão eles os primeiros a fazer marcha à ré..."

Era assim que pensava o senhor Goliádkin, enquanto, estendido na cama, esperava que Pietruchka entrasse no quarto, como era costume todas as manhãs.

Já há um quarto de hora que estava à espera dele. Bem o ouvia para lá do reposteiro, preparando o samovar e, contudo, não se decidia a chamá-lo. Preocupava-o um pouco a ideia de estar a sós com Pietruchka.

"Sabe Deus — pensava — sabe Deus o que aquele maroto pensa de tudo isto. Não fiz nada, mas lá no fundo..."

Por fim a porta rangeu e Pietruchka apareceu de bandeja na mão. O senhor Goliádkin olhou para ele com medo, esperando que fizesse qualquer referência ao que se passara. Mas Pietruchka não disse nada. Parecia ainda mais silencioso, mais grave e mais manhoso que de costume. De olhos no chão, parecia extremamente aborrecido. Não olhou para o patrão nem uma única vez, o que — diga-se de passagem — deixou um tanto irritado o senhor Goliádkin. Colocou a bandeja na mesa, voltou-se e, sem dizer uma palavra, passou ao outro quarto.

"Este malandro sabe tudo..." — murmurou o senhor Goliádkin, começando a tomar o chá. Mas não lhe fez nenhuma pergunta das várias vezes que ele voltou ao quarto sob pretextos vários.

O senhor Goliádkin estava perturbado. Receava ir à repartição. Tinha um pressentimento de que ali as coisas não iriam correr bem... "Não seria melhor esperar? Que se arranjem lá como quiserem... Hoje ficarei aqui, reunirei as minhas forças... refletirei melhor em tudo isto... Depois escolherei o momento oportuno e cairei sobre eles... Será como se nada tivesse acontecido..."

Enquanto meditava, o senhor Goliádkin ia fumando cachimbo sobre cachimbo.

O tempo fugia. Eram quase dez e meia... "Ora, já são dez e meia — pensou ele. — É tarde demais para eu ir... Além disso estou doente, sim, doente... Qualquer pessoa vê que estou doente! Se não acreditarem, que mandem alguém informar-se... Doem-me as costas, tenho tosse, estou gripado... Não posso sair, ainda mais com um tempo destes. Era capaz de cair de cama e... ir desta para melhor, especialmente agora que tem morrido tanta gente..."

Desta maneira o senhor Goliádkin tranquiliza a sua consciência e antecipadamente justifica perante si próprio a censura que Andriéi Filípovitch lhe fará pela sua negligência no serviço. Não era a primeira vez que ele encontrava razões irrefutáveis para acalmar escrúpulos da mesma natureza. Ficou assim mais uma vez com a consciência serena. Então tornou a pegar no cachimbo...

Mal o acendeu, ergueu-se do divã num pulo, barbeou-se apertou a roupa, enfiou o uniforme, pegou nuns papéis e foi correndo para a repartição...

Entrou receoso, esperando de forma inconsciente mas desagradável que qualquer coisa de mau viesse a acontecer.

Sentou-se timidamente no lugar habitual, junto do chefe de repartição, Anton Antônovitch Siétotchkin. Sem distrair-se um só momento, pôs-se a ler os papéis que estavam na sua frente; tinha resolvido, tinha jurado evitar a mínima provocação que pudesse comprometê-lo, qualquer pergunta indiscreta, qualquer brincadeira ou qualquer alusão inconveniente à festa da véspera.

Tinha resolvido mesmo não trocar com os colegas as frases habituais de cortesia, os "Como está?" etc. Compreendeu, porém que isto não podia durar. À inquietação e à ignorância dos fatos, ele preferira sempre o conhecimento, mesmo das coisas desagradáveis. Por isso, apesar de ter jurado a si próprio manter-se afastado e não dar atenção a nada, o senhor Goliádkin de vez em quando levantava a cabeça de mansinho, disfarçadamente, olhando à direita e à esquerda e procurando ler alguma coisa no rosto dos camaradas... Quer saber com um simples olhar se não haverá nada tramado contra ele, nada de novo nem de particular, nada escondido... Procura uma ligação estreita entre os acontecimentos da véspera e as atitudes de hoje.

Enfim, no seu desespero, o que ele deseja é uma solução, seja ela qual for, mesmo desfavorável.

O destino pareceu ouvi-lo. Mal ele tinha acabado de exprimir este desejo anterior, já as suas dúvidas estavam dissipadas da maneira mais estranha e mais inesperada que imaginar se possa...

A porta da sala vizinha rangeu de leve, timidamente, como a anunciar que ia dar passagem a uma personagem insignificante. Um rosto sem nada de particular, bem conhecido do senhor Goliádkin, apareceu diante da mesa em que estava sentado. O senhor Goliádkin não levantou a cabeça; olhou aquele rosto sem fazer um movimento, à socapa. Mas já tinha percebido tudo, tudo, nos seus mínimos pormenores. Corou de vergonha e enterrou a cabeça nos papéis com um sentimento igual ao da avestruz que, perseguida pelos caçadores, esconde a sua na areia escaldante.

O recém-chegado cumprimentou Andriéi Filípovitch, o qual respondeu com aquela voz oficial e acolhedora com que os chefes em todas as repartições recebem os novos funcionários.

— Sente-se aqui — disse Andriéi Filípovitch, apontando a mesa de Anton Antônovitch. — Sente-se em frente do senhor Goliádkin... Vão dar-lhe trabalho...

Quando acabou de dizer estas palavras, Andriéi Filípovitch fez ao recém-chegado um aceno amigável e logo a seguir mergulhou no exame dos papéis acumulados na sua frente...

Finalmente o senhor Goliádkin levantou os olhos. Só não desmaiou porque adivinhara antecipadamente tudo o que ia passar-se. O seu primeiro movimento foi olhar à volta para ver se os outros funcionários cochichavam entre si, se não havia qualquer rosto em que se pudesse ler espanto ou terror. Contudo, o senhor Goliádkin verificou com grande admiração que não se passava nada deste gênero. A conduta dos colegas deixava-o perplexo. Parecia-lhe fora do senso comum. Aquele silêncio extraordinário chegava a assustá-lo. Todavia, o caso era bem claro. Mais: era estranho, horrível, de enlouquecer. Os pensamentos atravessavam o cérebro do Senhor Goliádkin como relâmpagos. Parecia-lhe que estavam a assá-lo a fogo lento.

Tinha razão. O homem que estava sentado na sua frente era o seu terror, a sua vergonha, o pesadelo da véspera, era o próprio senhor Goliádkin. Mas não era aquele que, sentado numa cadeira, com a boca um pouco entreaberta e a pena parada na mão, ia desempenhando as funções de adjunto do chefe. Não aquele que tinha o hábito de apagar-se e desaparecer na multidão e cuja atitude significava claramente: "Se não se meterem comigo, eu também não me meto com ninguém" ou "Não me façam mal... porque eu também não lhes faço". Não. Era um outro senhor Goliádkin, completamente diferente mas em tudo semelhante ao primeiro.

Tinha a mesma estatura, a mesma corpulência, a mesma roupa, a mesma calvície. Era em tudo igual ao outro, sem tirar nem pôr, a tal ponto que ninguém, ninguém poderia gabar-se, comparando-os, de ser capaz de determinar qual era o verdadeiro senhor Goliádkin e qual o falso, qual o antigo, qual o novo, qual o original, qual a cópia.

O senhor Goliádkin está na situação de alguém sobre quem, por uma brincadeira de mau gosto, outros tivessem fixado um espelho. Estarei sonhando ou não? — pensa ele. — É hoje ou ontem? E... com que direito? Sim, quem deu licença para introduzirem aqui este funcionário? Com que direito?... Estarei dormindo ou sonhando? O senhor Goliádkin beliscou-se para certificar-se de que estava acordado. Não, infelizmente não era um sonho. O senhor Goliádkin sentiu o suor correr-lhe em grossas bagas. Não há que duvidar. Passa-se com ele algo de inesperado, de nunca visto e, para cúmulo de desgraça, algo de monstruoso. O senhor Goliádkin compreende o que há de aborrecido em ser-se o "primeiro caso". Acaba por duvidar da sua própria existência.

Ainda que estivesse preparado para tudo, desejava poder esclarecer todas as suas dúvidas, fosse qual fosse o preço desse esclarecimento. Tudo isto, porém, era já demais. O senhor Goliádkin sentia-se no extremo das suas forças. Durante minutos perde os sentidos e a memória. Depois volta a si e dá conta de que arrasta a pena sobre o papel, maquinalmente, inconscientemente. Perdeu toda a confiança em si próprio, olha para o que escreveu e não compreende nada.

Entretanto, o outro senhor Goliádkin, o qual tem estado calmamente sentado, levanta-se e vai à outra seção buscar um maço de papéis.

O senhor Goliádkin observa. Nada. Reina a maior calma. Apenas se ouve o barulho das penas, dos papéis quando os voltam e um ciciar de palavras no canto mais afastado, no lugar de Andriéi Filípovitch.

Como não poderia deixar de ser, o rosto do senhor Goliádkin refletia o que lhe ia na alma, estava de acordo com os acontecimentos e não podia ser natural. Por isso o bondoso Anton Antônovitch, pousando a pena, informa-se com uma inesperada solicitude sobre a saúde do senhor Goliádkin.

— Oh, Anton Antônovitch — gagueja o senhor Goliádkin — graças a Deus, estou bem! Estou menos mal — acrescenta, hesitando e não ousando confiar-se inteiramente a Anton Antônovitch.

— Ah! Pensei que estivesse doente. Não seria nada de extraordinário. Especialmente hoje em dia, que há tantas doenças, como sabe.

— Sim, Anton Antônovitch, sei que há, de fato, muitas doenças... Mas não é isso; — continuou, olhando fixamente Anton Antônovitch. — Acredite, não sei como hei de explicar-lhe... não sei por onde hei de começar, Anton Antônovitch...

— O quê? Sabe que... Confesso que... Não compreendo muito bem... Explique-se melhor, se faz favor. De que está o senhor falando? — diz Anton Antônovitch, sem saber já bem o que havia de dizer, quando viu aparecer lágrimas nos olhos do senhor Goliádkin.

— Mas... É que está aqui, Anton Antônovitch... está aqui um funcionário...

— Continuo sem saber o que diz, meu amigo.

— Estou a dizer, Anton Antônovitch, que há aqui um novo funcionário...

— Ah! Sim..., é claro,... o seu homônimo...

— Como? — exclamou o senhor Goliádkin.

— Sim, o seu homônimo... Também se chama Goliádkin... Não é seu irmão?

— Não, Anton Antônovitch, não...

— Então, desculpe! Julguei que era um parente seu. Sabe? Tem um ar de família...

O senhor Goliádkin ficou mudo de espanto. Durante uns instantes não conseguiu articular palavra. Falar tão levianamente de um fato tão extraordinário, tão monstruoso que espantaria qualquer pessoa por mais indiferente que fosse! Falar de ar de família quando um ser reproduz outro exatamente como a imagem dum espelho!

— Posso dar-lhe um conselho, Iákov Pietróvitch? — continuou Anton Antônovitch. — Vá consultar um médico. O senhor anda com mau aspecto e os seus olhos não têm a expressão habitual.

— Não, Anton Antônovitch. Estou bem. O que eu gostaria de saber é como este funcionário...

— O quê?

— O senhor não notou nele nada de particular? Nada de demasiado característico?

— Por exemplo?

— Por exemplo, isto, Anton Antônovitch, não notou que ele se parece extraordinariamente com alguém...? Sim... comigo? O senhor já me disse que tem a impressão de que há um certo ar de família, Anton Antônovitch... Sabe? Há as vezes gêmeos tão semelhantes como duas gotas d´água, que não é possível distinguir... Era aqui que eu queria chegar...

— Sim, — respondeu Anton Antônovitch após uns instantes de reflexão e como se pela primeira vez reparasse em tal fato. — Sim, tem razão, a semelhança é na verdade assombrosa, a ponto de se confundir um com o outro. Tal como se ele fosse o senhor mesmo e não outro. A princípio reparei ligeiramente, mas agora noto que a semelhança é surpreendente, pasmosa! Mas diga-me uma coisa, Iákov Pietróvitch: o senhor é natural daqui mesmo?

— Não.

— Pois nem ele tampouco é. Há de ser da mesma região que o senhor. Permita-me mais uma pergunta: qual foi o último endereço de sua mãe?

— O senhor estava dizendo... — interrompeu Goliádkin. — O senhor estava dizendo que esse homem não é daqui?

— Não, não é. O caso é verdadeiramente espantoso — prosseguiu Anton Antônovitch, que dava a vida por uma conversa — é digno de interesse. Quantas vezes nos sucede passar de largo por fenômenos como este sem lhes dar atenção. Mas afinal, não se aborreça com isso. São coisas que acontecem. Eu posso citar-lhe casos. Aconteceu um com minha tia da parte da minha mãe. Antes de morrer, deu para ver as coisas em duplo.

— Não, desculpe interrompê-lo, Anton Antônovitch. Não se trata disso. O que eu queria saber era como é que este funcionário veio parar aqui. Por que razão...?

— Veio para o lugar do falecido Siemion Ivânovitch. O lugar estava ainda vago. Deram-lhe. Sabe? Dizem que o pobre Siemion Ivânovitch deixou três filhos de tenra idade e que a viúva se lançou aos pés de Sua Excelência. Parece, contudo, que ela fez uma grande "comédia", que tem dinheiro, mas está escondido...

— Vejamos, Anton Antônovitch, eu torno a fazer-lhe a mesma pergunta.

— Mas que pergunta? Por que é que o senhor se interessa por isto? Volto a dizer-lhe: nada há em tudo isto que prejudique ao senhor. É uma solução provisória. E depois? Nada disto lhe diz respeito. Foi Deus quem assim o quis, foi a sua vontade, e é pecado revoltarmo-nos contra os seus desígnios. E o senhor, Iákov Pietróvitch — é fácil de ver — não meteu nisto prego nem estopa. Há muitas coisas estranhas por este mundo. A mãe natureza não se preocupa com estas anomalias. O senhor não tem nenhuma culpa disto. Olhe, quer ver outro exemplo? Já ouviu falar de uns irmãos chamados siameses, não é verdade? Estão unidos pelas costas e vivem, comem e dormem juntos e diz-se que ganham muito dinheiro exibindo-se.

— Olhe, Anton Antônovitch...

— Eu compreendo, sim. Mas, o quê? Já lhe disse que não há motivo para que o senhor se aflija. Oh, não! Trata-se de funcionário muito bom; disse que se chamava Goliádkin, que não era daqui e que é conselheiro da corte. Ele tratou pessoalmente com Sua Excelência.

— Mas como?

— Diz-se que falou muito bem, que apresentou razões de peso. "Visto que não tenho fortuna — disse ele — interessa-me de um modo especial trabalhar sob as ordens de V. Ex.ª e... mais isto e mais aquilo..." Falou com muita habilidade, deve ser muito inteligente. Mas com certeza trouxe qualquer recomendação, de outro modo seria impossível admitirem-no.

— Mas recomendação de quem? Não vejo... isto é... quem andará por trás de tudo isto?

— Sim, diz-se que tinha uma recomendação muito boa. Diz-se que Sua Excelência e Andriéi Filípovitch até sorriram.

— Sorriram?

— Sim, sorriram e disseram... Que pelo lado deles não haveria dificuldades... contanto que ele fizesse bem a sua obrigação.

— E depois? Está-me pondo curioso, Anton Antônovitch. Diga-me, e depois?

— Enfim... olhe... isto não tem importância nenhuma. Já lhe disse. Não esteja preocupado. Não há nenhuma razão para ter medo.

— Não. Isto é: eu gostaria que o senhor me dissesse, Anton Antônovitch, se Sua Excelência não disse mais nada. Por exemplo: a meu respeito?

— O quê? Não, dou-lhe a minha palavra de honra. O senhor pode estar sossegado. É claro que é um caso bastante extraordinário. Olhe eu, por exemplo, a princípio não reparei em nada antes de o senhor ter me chamado a atenção. Mas pode estar absolutamente tranquilo. Isto nada tem de importante, absolutamente nada — acrescentou o simpático Anton Antônovitch erguendo-se da cadeira.

— Está bem, Anton Antônovitch...

— Ah, desculpe, fiquei aqui de conversa... e tenho um trabalho urgente e muito importante para fazer. Tenho de ir buscar umas informações.

— Anton Antônovitch! — era a voz barulhenta de Andriéi Filípovitch — Sua Excelência pergunta pelo senhor.

— Estarei lá neste momento, Andriéi Filípovitch.

E Anton Antônovitch, pegando numa pilha de papéis, foi primeiro ter com Andriéi Filípovitch e depois dirigiu-se ao gabinete de Sua Excelência.

"Que haverá por detrás de tudo isto? — pensou o senhor Goliádkin. — A coisa agora é aqui. Será daqui que o vento sopra? Enfim, podia ser pior. As coisas não estão tão mal como pareciam." Esfregou as mãos de contente. "Afinal este assunto é vulgar. Tudo acaba em anedota. Nada mais, felizmente. Nada, nem ninguém. Os marotos não se mexem. Sentaram-se e trabalham. Bem, bem. Gosto de gente assim. Sempre gostei. Por outro lado, por outro lado, quando penso neste Anton Antônovitch... Não se pode ter grande confiança nele. Já está velho. Mas o mais extraordinário é que Sua Excelência não tenha dito nada e tenha deixado passar a coisa assim... Foi bom, concordo. Afinal, o que pretenderá Andriéi Filípovitch com as suas ironias? Ele tem alguma coisa com tudo isto, o idiota? Sempre a meter-se no meu caminho, como um gato preto. Quer se atravessar à minha frente, pôr-me obstáculos, o malandro..."

O senhor Goliádkin lançou novo olhar à sua volta e pôs-se de novo à espera. Contudo, no fundo um pensamento mau o perturbava. Chegou a pensar em abordar sob qualquer pretexto os colegas à saída da repartição, e, em conversa, deixar escapar qualquer alusão como esta: "Ora reparem, meus senhores, mais isto e mais aquilo, vejam que extraordinária semelhança, que casualidade tão estranha...". Contudo, à medida que ia brincando com o caso, ia-se apercebendo da extensão do perigo.

"Ah, a natureza humana é assim! — disse para consigo, batendo ao de leve com a mão na testa. — Pomo-nos a fantasiar e ficamos logo alegres e alvoroçados! Não, o melhor é esperares um pouco, Iákov Pietróvitch, esperar e sofrer."

Todavia, o senhor Goliádkin sente uma alegria sem limites. Tem a impressão de ressuscitar do meio dos mortos.

"Afinal isto não vale nada — pensa ele. — Saiu-me um peso de muitas arrobas de cima do peito. E, quanto ao outro, que trabalhe em paz. Contanto que não incomode ninguém, que não se meta com ninguém e seja um bom funcionário, não serei eu que irei contra ele."

Entretanto o tempo foi passando, chegam as quatro horas e o escritório fecha. Andriéi Filípovitch pega no chapéu e todos fazem o mesmo. O senhor Goliádkin ficou um pouco atrás e, de propósito, é o último a sair, quando todos se dispersavam já em várias direções. Na rua sente-se como se estivesse no paraíso. Sente até desejos de ir dar uma volta pela Perspectiva Niévski.

"Que vida esta! — diz de si para si. — Tudo muda. Lá voltou o bom tempo, o frio e os trenós. O frio é essencial para os russos. Eles só estão contentes quando há gelo. Gosto dos russos e do gelo e também do frio..."

É assim que o senhor Goliádkin exprime o seu entusiasmo. No entanto há ainda um espinho ferindo-lhe a alma. Não é propriamente tristeza e, contudo, sente o coração tão apertado que não sabe como se há de consolar.

"Enfim, tempo virá em que terei vontade de rir de tudo isto. Senão, vejamos, meu amigo, raciocinemos. Tu és um homem absolutamente igual a mim, em tudo semelhante, e daí? Será razão para eu me pôr a chorar? Que tenho eu com isso? Isso não me diz respeito. Não sei de nada, eis a verdade. O que é preciso é que ele faça a sua obrigação! Afinal onde está o milagre? Fala-se dos irmãos siameses. Pois bem. Suponhamos que somos gêmeos. Até mesmo os grandes homens têm às vezes as suas excentricidades. Na história, por exemplo, temos o célebre Suvórov[6] que cantava como um galo... por causa da política... E também grandes senhores... Oh, mas que me importam os grandes senhores? Eu sou eu. Não desejo conhecer ninguém, não tenho culpa de nada e não quero saber dos inimigos. Não sou de intrigas e tenho orgulho nisso; sou simples, correto, honesto, cordial..."

De repente o senhor Goliádkin cala-se, para e treme como uma folha ao vento. Fecha os olhos durante um minuto. Entretanto, espera... Se estivesse enganado! Torna a abrir os olhos. Olha a medo para a direita. Não, não foi ilusão. A seu lado caminha... o outro senhor Goliádkin, que, muito sorridente, o olha nos olhos e parece esperar o momento de entabular conversa. A conversa, porém, não havia forma de surgir. Dão assim mais de quinze passos. O senhor Goliádkin procura aconchegar-se no casaco e enterrar o chapéu até às orelhas. Mas o ultraje é completo... O próprio casaco e o chapéu do *amigo* eram em tudo absolutamente iguais aos do senhor Goliádkin.

— Senhor — disse por fim o senhor Goliádkin com uma voz fraca que parecia um murmúrio e sem ousar olhar para o amigo — parece-me que os nossos caminhos são diferentes...

— Julgo — acrescentou em tom severo e após um curto silêncio — julgo que não é preciso dizer mais nada...

— Eu gostaria — disse por fim o amigo do senhor Goliádkin. — Eu gostaria... Espero que me desculpe. Não sei a quem hei de dirigir-me. São as circunstâncias da vida... Espero que desculpe a minha ousadia. Mas pareceu-me que o amigo me olhava com simpatia hoje de manhã. Pela minha parte, simpatizei logo com o senhor...

O senhor Goliádkin desejaria meter-se pelo chão adentro.

— Se o senhor, Iákov Pietróvitch... quisesse ter a bondade de ouvir-me...

---

6 Marechal russo (1729-1800) que venceu os turcos, conquistou Varsóvia e Praga e derrotou os franceses na Itália. A "Medalha Suvórov", instituída em 1942, é a mais alta condecoração militar russa.

— Olhe, o melhor... é irmos para minha casa — respondeu o senhor Goliádkin. — Atravessemos para o lado de lá da avenida, vai-se melhor, e depois entramos pela travessa. Sim, é melhor irmos pela travessa.

— Como quiser, vamos por essa travessa — diz timidamente o dócil companheiro do senhor Goliádkin; o tom da resposta significava que ele não tinha o direito de discutir. Na sua situação, tinha de contentar-se com a tal travessa. O senhor Goliádkin não compreendia nada do que se passava. Não acreditava no que via. Não havia forma de refazer-se do seu espanto.

Capítulo VII

O senhor Goliádkin só se refez um pouco já na escada, diante da porta de sua casa. Em pensamento estava furioso consigo próprio e insultava-se. "Sou um idiota! Por que o trouxe para aqui? Fui arranjar sarna para me coçar! Que pensará Pietruchka quando nos vir juntos? O que não irá ele pensar, aquele patife? Desconfiado como é..." Mas era já demasiado tarde para voltar atrás.

O senhor Goliádkin bateu, a porta abriu-se e Pietruchka pegou nos sobretudos do hóspede e do patrão. O senhor Goliádkin olhou Pietruchka disfarçadamente, procurando através da fisionomia adivinhar-lhe os pensamentos. Mas com grande espanto seu, Pietruchka mantinha o seu ar natural. Parecia até já estar à espera daquela visita.

"Hoje toda a gente sofreu qualquer sortilégio! — pensou o senhor Goliádkin. — Passou por aqui algum feiticeiro. Todos têm qualquer coisa que não é natural. Que o diabo os leve a todos!".

Assim pensava o senhor Goliádkin enquanto introduzia o hóspede no quarto. Pouco à vontade, disse-lhe que se sentasse. O outro parecia muito intimidado, e seguia humildemente todos os movimentos do senhor Goliádkin, procurando com o olhar descobrir os seus pensamentos. Tinha gestos tímidos, desajeitados. Podia-se compará-lo a alguém que, não tendo roupas próprias, vestisse as de outra pessoa: as mangas são compridas demais, a cintura fica-lhe muito acima. Puxa constantemente o colete que está curto, encolhe-se, procura sumir-se. Observa os outros para ver se o acham ridículo, se fazem troça dele, ou se sentem envergonhados com a sua companhia e cora, fica aniquilado, sofre no seu amor-próprio.

O senhor Goliádkin pôs o chapéu na janela. Movimento imprudente. O chapéu cai no chão. O hóspede precipita-se ao mesmo tempo que o senhor Goliádkin para o apanhar. Limpa-lhe o pó com todo o cuidado, volta a pô-lo no lugar e coloca o seu no chão, junto da cadeira em que se senta. Este pequeno incidente elucidou um pouco o senhor Goliádkin. Compreendeu que aquele homem devia estar em grandes necessidades. E pôs-se a pensar como iniciaria a conversação. O hóspede mantém-se calado. Timidez, vergonha ou delicadeza? Estaria à espera que o dono da casa começasse? Olhando-o, nada se conclui.

Então, Pietruchka abriu a porta, parou na entrada e, sem olhar nem para o patrão nem para o outro, disse negligentemente e com secura:

— Será preciso trazer dois jantares?

— Sim... Não sei. Sim, podes trazer.

Pietruchka saiu, o senhor Goliádkin olhou para o hóspede que corara até às orelhas. O senhor Goliádkin era bom e, levado pela bondade da sua alma, estabeleceu imediatamente uma teoria.

"É um pobre coitado — pensou — que só hoje se empregou e que deve ter sofrido muito. Talvez nada mais possua do que aquele sobretudo e não tenha com que jantar. Ele é tão tímido!... Mas que tem isso? Até é melhor assim..."

— Se não sou indiscreto — perguntou o senhor Goliádkin — posso saber como o senhor se chama?

— Eu... eu me chamo Iákov Pietróvitch — murmurou como se tivesse vergonha e pedisse desculpa de se chamar assim.

— Iákov Pietróvitch — repetiu o senhor Goliádkin que não foi capaz de dissimular o seu mal-estar.

— Sim, é isso, sou seu homônimo — respondeu o tímido hóspede que ousou sorrir e quis gracejar. Parou logo a seguir com um ar muito sério e um pouco atrapalhado. Reparou que o senhor Goliádkin não estava com vontade nenhuma de brincar.

— O senhor... a que devo a honra?... — perguntou Goliádkin.

— Como sabia já que o senhor é bondoso — interrompeu-o o hóspede com voz tímida, erguendo-se um pouco na cadeira — tomei a liberdade de me dirigir ao senhor e de lhe pedir... a sua proteção... — Tinha dificuldade em encontrar as expressões, procurando palavras nem demasiado lisonjeiras nem demasiado humildes, de forma a não comprometer a sua dignidade e evitando frases ousadas que pudessem exprimir igualdade, o que seria descabido.

O hóspede do senhor Goliádkin tinha a atitude dum nobre transformado em mendigo, de fraque remendado e que, com os pergaminhos no bolso, ainda não tem o hábito de estender a mão.

— Por amor de Deus — respondeu o senhor Goliádkin, passeando o olhar por si próprio, pelas paredes e pelo seu hóspede. — Em que lhe posso ser útil?

— Iákov Pietróvitch, eu simpatizei logo com o senhor e, desculpe-me, mas pensei que seria capaz de ajudar-me. Pensei, Iákov Pietróvitch... Sou um homem perdido nesta cidade, sou pobre e tenho sofrido muito. Não conheço aqui ninguém. Quando soube que o senhor era meu homônimo e me disseram que era muito bondoso...

O senhor Goliádkin franziu as sobrancelhas.

— Meu homônimo e da mesma terra que eu, resolvi dirigir-me ao senhor e expor-lhe a minha situação...

— Bom, bom... Eu não sei francamente o que hei de dizer-lhe — respondeu com voz perturbada o senhor Goliádkin. — Falaremos depois do jantar.

O hóspede baixou a cabeça. Chegou o jantar. Pietruchka pôs a mesa e os dois homens começaram a comer. Foi uma refeição pouco demorada. Um e outro comeram depressa. O dono da casa não se sentia à vontade. Estava também aborrecido pela má qualidade do jantar. Teria querido obsequiar o conviva e mostrar-lhe que não vivia como um pelintra. Por seu lado, o hóspede também não estava à vontade. Pegou no pão e comeu, mas já não ousou pegar outro. Estava com receio de comer mais que a sua parte. E afirma constantemente que não tem fome nenhuma, que o jantar é muito bom, que está muito contente e que a sua gratidão será eterna.

Depois de terminada a refeição, o senhor Goliádkin acendeu o cachimbo e ofereceu outro ao hóspede. Sentaram-se um diante do outro e o hóspede começou a contar as suas aventuras.

A história do senhor Goliádkin Júnior durou três ou quatro horas. Era uma história feita de circunstâncias comezinhas e vazias de interesse. Tratava-se de um emprego não sei onde, na província, à mistura com procuradores e presidentes de tribunais, intrigas de repartição, um funcionário de alma depravada, uma inspeção e uma mudança inesperada de chefes. O senhor Goliádkin número dois contou também como o fizera sofrer a sua velha tia Pielagueia Siemiônovna, como tinha perdido o lugar por intrigas dos inimigos, como viera a pé até Petersburgo, as tentativas que tivera de fazer, como procurara em vão durante tanto tempo uma situação, como gastara tudo vivendo nos vãos de escada, comendo pão duro, bebendo lágrimas amargas, dormindo no chão, e como por fim uma pessoa qualquer se encarregara de interceder por ele, recomendando-o e arranjando-lhe a atual situação.

Enquanto falava, o hóspede do senhor Goliádkin chorava. Limpara as lágrimas com um lenço azul de quadros, que parecia mais uma toalha do que um lenço.

— É uma confissão geral que lhe faço — diz ele. E confessa que não só não sabe como há de viver e onde instalar-se antes de receber o seu vencimento, mas também que não tem com que encomendar o uniforme.

— Nem sequer pude — diz — comprar as botas.

O senhor Goliádkin ficou comovido, sinceramente comovido, embora a história do seu hóspede fosse banal. Todas as palavras caíram no coração do senhor Goliádkin como um bálsamo celestial. Graças a elas esqueceu-se das suas últimas dúvidas. Uma alegria vivificante: tudo isto afinal é tão natural! Não havia razão, nem para estar triste nem preocupado. "Meu Deus! Há nisto apenas uma coincidência que não é vulgar, mas não se trata, afinal, de nenhuma desgraça. Não é nada que possa molestar uma pessoa ou ferir o seu amor-próprio, ou cortar-lhe a carreira. O homem não tem culpa quando é a própria natureza a atuar."

Por último, o hóspede pediu-lhe auxílio, chorou, vociferou contra o destino. Parecia tão simples, sem maldade, sem qualquer intenção reservada! Tão desgraçado e desprotegido! Era de dizer que ele, por seu lado, por qualquer razão oculta, se envergonhava da sua estranha semelhança com o senhor Goliádkin.

A sua atitude era irrepreensível. Procurava agradar ao senhor Goliádkin e o seu olhar era o dum homem que os remorsos de consciência abatem e se sente culpado perante outrem. Se houvesse qualquer assunto a discutir, ele concordaria logo com a opinião do senhor Goliádkin; se por engano ou convicção tivesse contraditado o senhor Goliádkin, ou se julgasse ter-se afastado das ideias deste, ele imediatamente pediria desculpa, daria as suas explicações, faria compreender que o seu pensamento era o do senhor Goliádkin e que via as coisas com os mesmos olhos que ele. Esforçava-se o mais possível por descobrir o pensamento do senhor Goliádkin, a tal ponto que este achou que o seu conviva devia ser o mais amável dos homens.

Pietruchka serviu o chá.

Eram já nove horas. O senhor Goliádkin sentia-se de excelene humor, alegre, animado, e entabulara com o seu hóspede uma conversa muito viva e cheia de interesse. O senhor Goliádkin, quando estava bem disposto gostava de contar coisas interessantes. Assim, por sua vez falou longamente da capital, dos seus divertimentos e belezas... dos teatros, dos círculos, do último quadro de Brulov. Contou que dois ingleses vieram de Londres a Petersburgo de propósito paa verem a famosa grade do Jardim de Verão e regressaram logo à capital inglesa. Falou do serviço, de Olsuf Ivânovitch e de Andriéi Filípovitch; de como a Rússia ia em franco progresso, notadamente nas artes; contou uma anedota lida ultimamente na *Abelha do Norte*[7]; falou de uma serpente que há na Índia dotada de força extraordinária etc., etc. Enfim, o senhor Goliádkin estava muitíssimo contente; primeiro porque se sente tranquilo, segundo porque não só já não tem medo dos inimigos, mas está até disposto a provocá-los para um combate decisivo; terceiro, porque ele próprio dispensara a sua proteção a outrem e tinha assim praticado uma boa ação.

Parecia-lhe, contudo, que não se sentia ainda totalmente feliz, que continuava no seu coração um vermezinho, insignificante, sim, mas que o ia corroendo. O que o atormentava deste modo era a recordação do que ocorrera na véspera em casa de Olsuf Ivânovitch. Quanto daria ele agora para que nenhum dos acontecimentos da véspera se tivesse passado! "No fundo, isso não vale nada" — concluiu, jurando a si próprio que dali para o futuro se portaria como deve ser e não voltaria a incorrer em semelhantes deslizes. Agora o senhor Goliádkin ganha ânimo; de súbito, sente-se quase totalmente feliz e pensa até em tirar certo partido da vida.

Ordena a Pietruchka que lhes traga o rum e prepare um ponche. O senhor Goliádkin e o seu hóspede esvaziam dois copos. O convidado está cada vez mais amável e dá provas de um comportamento agradável e de grande compostura. Compartilhava da alegria do senhor Goliádkin. Parecia alegrar-se com a boa disposição do dono da casa e olhava-o como seu verdadeiro e único benfeitor. Pegou numa pena e numa folha de papel e pediu ao senhor Goliádkin que não olhasse para o que ele ia escrever, antes de acabar. Era uma quadra muito sentimental, escrita com mão segura e cujo autor se adivinhava ser ele próprio:

> Se tu viesses a olvidar-me,
> Eu jamais te olvidaria!
> Venha lá o que vier,
> Deve também recordar-me!

Com os olhos cheios de lágrimas, o senhor Goliádkin, abraçou o hóspede e acabou por tornar-se muito afetuoso. Contou-lhe confidencialmente alguns dos seus segredos e falou de sentimentos íntimos. Falou sobretudo de Andriéi Filípovitch e de Klara Olsúfievna. "Havemos de nos entender bem, os dois, Iákov Pietróvitch — dizia ele. — Viveremos juntos como peixes na água, como irmãos. Seremos nós os mais espertos, meu amigo, e havemos de pregar-lhes uma partida. Não confies neles... eu conheço-te, Iákov Pietróvitch e avalio já o teu caráter. Tu serias capaz de lhes contares tudo, alma cândida! Não, meu irmão, afasta-te deles, de todos eles..."

---

7 Jornal político e literário que apareceu em Petersburgo, de 1825 a 1854.

O hóspede estava completamente de acordo, agradeceu ao senhor Goliádkin e pôs-se também a chorar.

— Ouve, Iacha — continuou o senhor Goliádkin com uma voz trêmula e fraca — instala-te em minha casa por algum tempo ou para sempre. Havemos de entender-nos bem, não te parece? Não te preocupes com a nossa extraordinária semelhança. Há entre nós um laço tão estranho que seria pecado revoltarmo-nos! Seria um pecado! A natureza assim quis e ela sabe o que faz. Digo isto no teu interesse, meu irmão, e ambos agiremos com habilidade e havemos de mostrar-lhes...

Já iam no terceiro ou quarto copo de ponche. O senhor Goliádkin experimenta duas sensações. A princípio sente-se extremamente feliz, depois já não pode suster-se nas pernas. Acaba por convidar o hóspede a passar ali a noite. Arranjaram uma cama improvisada sobre duas cadeiras grandes. O senhor Goliádkin Júnior declarou que é agradável dormir em casa dos amigos, ainda que seja no chão. Dormirá em qualquer parte, onde quiserem, e ficará reconhecido. Agora está no paraíso, mas tem suportado tanto durante a sua vida, sofrido tanto! E quem pode prever o futuro? Deus sabe o que terá ainda de passar! O senhor Goliádkin Sênior insurgiu-se contra estas palavras e pôs-se a demonstrar-lhe que se deve confiar absolutamente em Deus. O hóspede concordava e dizia "que não há como Deus, evidentemente". Nesta altura o senhor Goliádkin Sênior notou que os turcos têm razão em invocar o nome de Deus, mesmo durante o sono; depois, sem seguir os sábios que caluniam Maomé, o profeta muçulmano, admitiu fosse ele um grande político, e para confirmá-lo faz a descrição do salão dum barbeiro argelino, que lera num livro. Ambos se riram da ingenuidade dos turcos, mas sentiram-se incapazes de não os elogiar e admirar pelo seu fanatismo, que o ópio torna exaltado...

Por fim, o hóspede começou a despir-se. O senhor Goliádkin retirou-se para trás do biombo, pensando que o infeliz talvez nem tivesse camisa, pelo menos camisa decente, e que não se devia humilhar um homem que já tinha sofrido tanto. Queria, por outro lado, entretanto, saber o que fazia Pietruchka, e sondá-lo, observá-lo, e se possível alegrá-lo para que todos se sentissem felizes.

A verdade é que Pietruchka continuava inquietando um pouco o senhor Goliádkin.

— Pietruchka, deita-te — disse baixinho o patrão ao entrar no quarto do criado — deita-te já e amanhã às oito, não te esqueças de acordar-me. Ouviste, Pietruchka?

O senhor Goliádkin falava num tom de voz muito afetuoso, mas Pietruchka não respondeu. Estava arrumando qualquer coisa em cima da cama e nem sequer se voltou para o patrão, como era da mais elementar correção.

— Ouviste, Pietruchka? — repetiu o senhor Goliádkin. — Deita-te já e amanhã às oito acordas-me, ouviste?

— Sim, já sei — resmungou Pietruchka entre dentes.

— Está bem, Pietruchka, digo-te isto para poderes estar descansado. Agora somos todos felizes. Dorme tu também tranquilo. Boa-noite, Pietruchka! Dorme. Todos temos de trabalhar, tu bem sabes, meu amigo. Não penses que eu tenho qualquer intenção reservada...

O senhor Goliádkin pensou: "Não terei ido longe demais? É sempre assim, só faço disparates". Afastou-se de Pietruchka, descontente consigo próprio. Além disso, sentia-se ofendido com a grosseria e estupidez do criado. "Não se pode ser atencioso com esta corja... O patrão a tratá-lo com deferência... e ele não compreende — pensa o senhor Goliádkin. — Estes imbecis são todos os mesmos." Voltou para o quarto cambaleando um pouco. O hóspede já estava deitado. Sentou-se um instante na cama.

— Confessa, Iacha — murmurou ele, — confessa, maroto, que não há direito de seres assim para mim, de me teres roubado o nome.

Por fim deu as boas-noites e foi se deitar. O hóspede começava a ressonar. O senhor Goliádkin meteu-se na cama e murmurou sorrindo: "Estás bêbado hoje, meu caro Iákov Pietróvitch, meu grande patife! Agora ris-te, amanhã hás de chorar, tanto mais que choramingas já és tu. Que queres que te faça?". Neste momento uma estranha sensação se apoderou do senhor Goliádkin, quer fosse dúvida, quer arrependimento. "Sinto a cabeça à roda, estou embriagado, excedi-me. Sou tolo e disse disparates. Não há dúvida de que o perdão e o esquecimento das ofensas é a maior das virtudes. Contudo, fiz mal. Aí está."

O senhor Goliádkin levantou-se, pegou na vela e, nas pontas dos pés, foi olhar mais uma vez o hóspede que dormia. Permaneceu diante dele muito tempo, refletindo profundamente. "Que figura triste! Parece um mendigo, um verdadeiro mendigo!" Finalmente o senhor Goliádkin deitou-se. Sentia a cabeça estalando, ouvia campainhas e sinos. Já não se lembrava de nada. Procurou fixar o pensamento. Quis lembrar-se de uma resolução importante, de um assunto delicado. Não podia. Por fim o sono apossou-se dele e dormiu como dormem as pessoas que não têm o costume de beber mas que beberam cinco copos de ponche numa noite, em cavaqueira com os amigos.

Capítulo VIII

No dia seguinte o senhor Goliádkin acordou, como de costume, às oito horas. Lembrou-se do que se passara e franziu as sobrancelhas. "Eu, ontem, estava idiota de todo" — pensou ele ao levantar-se e olhando a cama do hóspede. Mas qual não foi o seu espanto! Não só o hóspede já não estava no quarto, como a cama em que dormia tinha desaparecido!

— Que vem a ser isto? (O senhor Goliádkin quase gritava.) Que nova história teremos nós?

Enquanto o senhor Goliádkin, de boca aberta, olhava a sala vazia, a porta rangeu e Pietruchka entrou com a bandeja do chá.

— Onde está ele? Onde está? — perguntou o senhor Goliádkin com uma voz que mal se ouvia, apontando para o lugar onde na véspera o hóspede se tinha deitado.

A princípio, Pietruchka não respondeu, nem sequer olhou para o patrão, voltando propositadamente os olhos para o lado oposto. O senhor Goliádkin seguiu o seu olhar. Contudo, após um curto silêncio, Pietruchka respondeu com voz rouca e grosseira:

— O patrão não está em casa.

— Idiota, o teu patrão sou eu, Pietruchka.

Com os olhos desmedidamente abertos, fitou o criado. Pietruchka não respondeu mas olhou o senhor Goliádkin de tal modo que este corou até às orelhas.

Olhou-o e havia no seu olhar uma censura pesada que valia como uma ofensa. O senhor Goliádkin deixou tombar os braços ao longo do corpo. Por fim Pietruchka declarou que o outro se tinha ido embora havia já hora e meia e não tinha querido esperar. A resposta era aceitável. Pietruchka não tinha razões para mentir. O seu olhar agressivo, a palavra *o outro* que empregou eram nem mais nem menos do que o resultado natural de toda aquela complicada história. O senhor Goliádkin sentia no entanto, de modo impreciso, que as coisas não estavam indo bem e que o destino lhe preparava ainda qualquer surpresa desagradável.

"Bom... veremos — pensou — veremos em que isto vai dar. Oh, meu Deus! — suspirava ele. Depois, com voz já diferente, acrescentou: — Mas por que diabo terei eu feito isto? Não há dúvida. Eu próprio fui buscar lenha para me queimar e risquei o fósforo. Ah! Esta minha cabeça! Esta minha cabeça! Nunca mais deixo de fazer disparates como se fosse um garoto ou um ignorante. Maroto... desavergonhado... Oh, céus! Ele até escreveu versos, o patife, e não havia forma de acabar com os seus protestos de amizade... É sempre assim, vejam bem. Qual será a melhor maneira de o pôr na rua, se ele voltar? Claro que há muitas maneiras. Por exemplo: que, com o meu modesto ordenado... ou meter-lhe medo por isto ou por aquilo; que se quiser viver comigo, mas terá de pagar-me metade da casa e da comida... e dar o dinheiro adiantado. Não... isto não. Não fica bem... seria indelicado. Talvez seja preferível incitar Pietruchka a pregar-lhe qualquer partida ou a ser malcriado com ele. Não, não. É perigoso e não está certo. Que fazer, então, se ele voltar? Está tudo correndo mal, muito mal. Ah, esta minha cabeça! E se ele já não quiser viver comigo? Deus queira que venha... Ficarei muito contente se ele vier. Nem sei quanto daria para o ter aqui." Assim vai raciocinando o senhor Goliádkin enquanto engole o chá e olha o relógio de momento a momento.

"São nove menos um quarto. São horas de ir para o serviço. Que se irá passar? Gostaria de saber o que estão a tramar, qual é o objetivo deles, qual será o primeiro passo dos meus adversários." O senhor Goliádkin já não podia aguentar-se por mais tempo. Abandonou o cachimbo por fumar, vestiu-se, e foi para a repartição. Queria descobrir o perigo e observá-lo com os seus próprios olhos. O perigo existia, isso ele sabia muito bem. "Vou já ver... — disse o senhor Goliádkin deixando o sobretudo e as galochas à entrada. — Vou imediatamente tirar tudo a limpo."

Enquanto tomava esta resolução, o senhor Goliádkin compôs-se e tomou um ar oficial e correto. Quis penetrar no compartimento vizinho, quando, subitamente, no vão duma porta, deu de cara com o seu amigo da véspera. O senhor Goliádkin Júnior parecia muito preocupado e apressado e tinha um ar tão solene e afadigado que qualquer pessoa, ao vê-lo, não podia deixar de pensar: "Deve estar encarregado de uma missão importante".

— Ah, é o senhor, Iákov Pietróvitch? — diz o senhor Goliádkin detendo o hóspede da véspera.

— Desculpe-me, depois, depois me poderá falar! — exclamou o senhor Goliádkin Júnior, fazendo menção de continuar o seu caminho...

— Contudo, dê-me licença... O senhor, Iákov Pietróvitch, quis, como direi?

— *O quê? Explique-se mais depressa.*

Nesta altura o hóspede do senhor Goliádkin parou, contrariado, e pôs o ouvido mesmo à altura do nariz do seu interlocutor.

— Era só para dizer, Iákov Pietróvitch, que estou admirado com a sua atitude e que estava longe de esperar...

— Há sempre maneira de se tratarem todos os assuntos. Vá ter com o secretário de Sua Excelência e depois com o chefe de Gabinete e apresente sua reclamação. Tem algum pedido a fazer?

— Decididamente o senhor me espanta, Iákov Pietróvitch. É impossível que não me reconheça. É evidente que está brincando... Tem um jeito brincalhão...

— Ah, é o senhor? — diz o senhor Goliádkin Júnior como se apenas naquele momento acabasse de reconhecer o outro senhor Goliádkin. — Ah, é o senhor? Então, dormiu bem?

O senhor Goliádkin Júnior sorriu ligeiramente embora se mantivesse aprumado, pois ocupava no serviço um lugar hierarquicamente inferior ao do senhor Goliádkin Sênior. Foi com um sorriso oficial que acrescentou que folgava em saber que o senhor Goliádkin "tinha dormido bem". Depois inclina-se, bate com os pés, olha à direita e à esquerda, põe os olhos no chão e desaparece pela porta mais próxima dizendo que está encarregado de uma missão especial.

"Temos nova história! — murmura o senhor Goliádkin, perplexo. — Nova história!" Sente um formigueiro por todo o corpo. "Há muito já que eu previa isto — continuou, dirigindo-se para a secretária. — Já há muito que o pressentia. Quer dizer que está encarregado de uma missão especial! É isso. Já ontem eu tinha dito que este homem, se veio para aqui, foi com qualquer recomendação particular."

— Iákov Pietróvitch, terminou aquele seu papel de ontem? — perguntou Anton Antônovitch ao senhor Goliádkin que se sentava ao seu lado. — Tem-no aí?

— Aqui está — murmurou o senhor Goliádkin com ar distraído.

— Bom. Pergunto-lhe por ele porque Andriéi Filípovitch já o pediu por duas vezes. Parece que Sua Excelência estava com receio...

— Não, está pronto.

— Ainda bem.

— Parece-me, Anton Antônovitch, que cumpro sempre as minhas obrigações e executo com cuidado as ordens dos meus chefes...

— Sim, mas que quer dizer com isso?

— Eu... nada, Anton Antônovitch, só lhe queria explicar, Anton Antônovitch... isto é... queria dizer que, às vezes, a maldade e a inveja não poupam ninguém quando está em jogo o pão de cada dia.

— Não estou entendendo bem. Desculpe. A quem quer se referir?

— Quero dizer com isto, Anton Antônovitch, que eu gosto de ir sempre direto ao fim das questões, não sou intriguista e — convenhamos — tenho um certo orgulho nisso.

— Sim, é certo. Aprovo plenamente as suas ideias, mas consinta que lhe faça notar, Iákov Pietróvitch, que não é de boa educação dizer na cara das pessoas o que pensamos delas. Eu, por detrás, não me importo com o que possam dizer de mim mas na minha frente não permito insolências. Enchi-me de cabelos brancos ao serviço do estado e, na minha idade, não admito que me insultem.

— Oh, não, Anton Antônovitch. Vejo que não me compreendeu bem. Eu, Anton Antônovitch, considero uma honra...

— Sim... também eu lhe peço que me desculpe. Fui educado à moda antiga e é já demasiado tarde para aprender as maneiras que hoje se usam. Tenho até agora cumprido sempre os meus deveres. Como sabe, recebi uma medalha de bons serviços...

— Eu sei, Anton Antônovitch. Eu também sou da sua opinião. Não era disso que eu queria falar, mas da máscara, Anton Antônovitch...

— Da máscara?

— Isto é... Receio que volte a interpretar mal o sentido das minhas palavras. Nós somos os dois da mesma opinião, Anton Antônovitch. Eu só quero acrescentar que hoje em dia não são raros os homens que usam máscaras, e que, debaixo da máscara, é difícil reconhecer um homem...

— Não creio. Não é assim tão difícil, às vezes é mesmo muito fácil e não é preciso irmos muito longe para vermos isso.

— Não, Anton Antônovitch. Repare. Eu falo por mim. Eu, por exemplo, uso máscara no carnaval, em reuniões mundanas. Mas não uso máscara nos restantes dias, perante os homens. É isso que eu quero dizer, Anton Antônovitch.

— Bem. Agora deixemos isso. Não tenho tempo — diz Anton Antônovitch, o qual se ergueu e pegou nuns documentos para os levar ao ministro.

— O seu caso não tardará a esclarecer-se. Acabará por ver quem o acusa e contra quem terá de se defender. Deixemo-nos, pois, de explicações e conversas pessoais que são prejudiciais ao serviço...

— Não, Anton Antônovitch, e... — começou o senhor Goliádkin, empalidecendo um pouco diante de Anton Antônovitch que se afastava — não, não era minha intenção...

"Que quer dizer tudo isto? — pensou o senhor Goliádkin já sozinho. — Donde soprará o vento? Que significará tudo isto?"

No próprio instante em que o senhor Goliádkin, perplexo e meio morto, se preparava para resolver este novo problema, ouviu-se certo reboliço na sala ao lado, a porta entreabriu-se e na moldura apareceu Andriéi Filípovitch que, instantes antes, tinha sido chamado ao gabinete de Sua Excelência. Andriéi Filípovitch, muito agitado, chamou pelo senhor Goliádkin. Este sabia do que se tratava e, como não queria fazer esperar Andriéi Filípovitch, saltou do seu lugar, e foi buscar o documento pedido. Com este na mão, dispunha-se a seguir Andriéi Filípovitch ao gabinete de Sua Excelência. Subitamente, passando quase por debaixo do braço de Andriéi Filípovitch, que estava parado no limiar da porta, o senhor Goliádkin Júnior entrou no compartimento empurrando tudo, afogueado, com ar grave e decidido. Avançou resolutamente em direção ao senhor Goliádkin Sênior, que estava longe de esperar uma coisa daquelas.

— O papel, Iákov Pietróvitch, onde está o papel? Sua Excelência perguntou se já estava pronto — disse depressa e baixo o amigo do senhor Goliádkin Sênior. — Andriéi Filípovitch está à sua espera...

— Já sei, já sei que ele está a espera — murmurou precipitadamente o senhor Goliádkin Sênior.

— Não, Iákov Pietróvitch, não é isso, Iákov Pietróvitch, não sou como pensa; sou muito diferente do que imagina, Iákov Pietróvitch, e interesso-me muito pelo senhor...

— Deixe-me em paz, peço-lhe. Com licença...

— Olhe, Iákov Pietróvitch, ponha-lhe uma capa e na terceira página ponha um sinal, Iákov Pietróvitch...

— Deixe-me em paz, já lhe disse...

— Olhe, Iákov Pietróvitch, há um borrão aqui, já reparou?

Andriéi Filípovitch chamou pela segunda vez o senhor Goliádkin.

— Vou imediatamente, Andriéi Filípovitch. É só um momento... — E voltando-se para o homônimo: — Será que o senhor não entende russo?

— É melhor tirar isso com uma raspadeira, Iákov Pietróvitch. Acredite no que lhe digo. Eu lhe raspo isso, Iákov Pietróvitch, deixe ver...

Pela terceira vez Andriéi Filípovitch chamou o senhor Goliádkin.

— Onde é que o senhor vê o borrão? Não há borrão nenhum...

— Um borrão enorme... olhe aqui. Com licença. Eu o notei. Aqui. Olhe. Com licença, Iákov Pietróvitch... Vou raspá-lo com o canivete. Isto é para o ajudar, Iákov Pietróvitch. Olhe, aqui está.

Neste momento o senhor Goliádkin Júnior, que já tinha ganho a primeira parte da luta, agarrou o papel que o chefe pedira mas em vez de o rapar com o canivete, enrolou-o, meteu-o debaixo do braço e em duas passadas estava junto de Andriéi Filípovitch, que não dera por nada.

O senhor Goliádkin ficou pregado no lugar, com o canivete na mão, como se estivesse se preparando para rapar alguma coisa.

Ainda não tinha compreendido totalmente este novo acontecimento. Ainda se não refizera por completo. Sentira o ataque mas ainda não o interpretara. Por fim, com uma angústia terrível, impossível de descrever, deu um salto e precipitou-se em direção ao gabinete do diretor, pedindo a ajuda do Céu. No compartimento contíguo a esse gabinete dá de cara com Andriéi Filípovitch e o seu homônimo, que vinham de falar com o ministro. O senhor Goliádkin escondeu-se. Andriéi Filípovitch falava e sorria; o homônimo do senhor Goliádkin falava e sorria e, mantendo-se a uma certa distância do primeiro, segredou-lhe qualquer coisa ao ouvido com o ar mais feliz deste mundo. Andriéi Filípovitch abanava a cabeça com benevolência. Num segundo, o senhor Goliádkin compreendeu a situação. O seu trabalho (como veio a saber mais tarde) tinha excedido as esperanças de Sua Excelência. O ministro estava extremamente satisfeito. Dizia-se até que tinha agradecido ao senhor Goliádkin número dois com toda a simpatia e lhe tinha prometido lembrar-se dele na primeira ocasião...

O imediato pensamento do senhor Goliádkin foi protestar, protestar por todos os meios, até ao extremo das suas forças. Quase sem saber o que fazia, pálido como a morte, foi ter com Andriéi Filípovitch. Mas este, considerando que o assunto do senhor Goliádkin era de ordem pessoal, recusou-se a ouvi-lo e avisou-o de que não tinha tempo a perder, nem mesmo com as coisas que lhe dizem respeito.

O tom seco da recusa chocou o senhor Goliádkin. "É melhor ir bater a outra porta. É preferível dirigir-me a Anton Antônovitch." Mas por desgraça este último não estava ali. Estava noutro local, ocupado com qualquer coisa. "Foi de propósito que ele não me quis dar explicações — pensou. — Não tenho pois outro remédio senão ir ter com Sua Excelência." Sempre pálido, de cabeça perdida, sem o poder de decisão necessário, o senhor Goliádkin deixou-se cair numa cadeira.

"Tudo isto é inacreditável! — pensou. — Não é possível... Eu devo ter sonhado. Fui eu com certeza quem foi ao gabinete do ministro! Fui eu quem julgou que era outra pessoa... Não percebo nada! Tudo isto é inverossímil."

O senhor Goliádkin tinha acabado de tirar esta conclusão, quando de repente o senhor Goliádkin Júnior surgiu na sala com muitos papéis na mão e debaixo do braço. Ao passar diz qualquer coisa a Andriéi Filípovitch e dirige-se com familiaridade a um e outro dos seus colegas.

É evidente que o senhor Goliádkin número dois não tem tempo a perder. Parece preparar-se para sair, mas para bem do senhor Goliádkin Sênior para à porta e põe-se a conversar com dois ou três funcionários que ali se encontram. O senhor Goliádkin Júnior adivinha as intenções do senhor Goliádkin Sênior. Por isso olha à sua volta com inquietação e procura desaparecer. Mas o senhor Goliádkin agarrou já por um braço o seu hóspede da véspera. Os funcionários que o rodeiam afastam-se e esperam com curiosidade. O senhor Góliadkin número um sabe bem que a opinião pública já não está com ele. Sente que se armam intrigas nas suas costas. Mais uma razão para dominar-se. O momento é decisivo.

— Então? — diz o senhor Goliádkin Júnior, olhando com descaramento o senhor Goliádkin Sênior, que mal podia respirar.

— Eu preciso de saber... como é que o senhor explica a sua estranha atitude para comigo...

— Continue... — Nesta altura o senhor Goliádkin Júnior olhou à sua volta, piscou os olhos como para dar entender aos colegas que o rodeavam que a comédia ia começar naquele momento...

— A audácia e a hipocrisia da sua conduta para comigo mostram melhor do que quaisquer palavras quem é o senhor. Não se fie, porém no seu jogo... Não terá sorte...

— Muito bem, Iákov Pietróvitch. Dormiu bem esta noite? — respondeu Goliádkin Júnior desafiando com os olhos o senhor Goliádkin Sênior.

— O senhor esqueceu-se..., — disse o senhor Goliádkin número um, completamente transtornado, a ponto de perder quase os sentidos. — O senhor há de mudar de tom, juro-lhe!

— Meu pobre amigo... — diz o senhor Goliádkin Júnior fazendo uma careta ao senhor Goliádkin Sênior. Depois, com grande familiaridade, deu um beliscão na face direita do senhor Goliádkin, que ficou fora de si. O sósia dá conta que o seu adversário treme da cabeça aos pés, que fica mudo de raiva, vermelho como um lagostim, e percebe que irá exceder-se e agredi-lo. Então, de modo mais grosseiro, toma ele a dianteira, dá-lhe dois piparotes na cara, e goza ao ver o adversário imóvel, louco de raiva, com grande galhofa dos rapazes que assistem à cena. O senhor Goliádkin Júnior com um descaramento indecente, continuou dando piparotes no senhor Goliádkin Sênior e, com o sorriso mais venenoso e trocista que pode imaginar-se, diz:

— Não, meu caro Iákov Pietróvitch, estás muito enganado. Não querias mais nada? Quer dizer que vamos os dois fazer intrigas, Iákov Pietróvitch!

Antes que o senhor Goliádkin tivesse tempo de se refazer do seu espanto, sorri para os espectadores, toma o ar mais atarefado do mundo, baixa os olhos, encolhe-se, lança um rápido "Estou com muita pressa", move as pernas curtas e desaparece no compartimento vizinho.

O senhor Goliádkin não acreditava no que os seus olhos viam, nem conseguia ainda compreender o que se passara.

Por fim, acaba por vir a si, compreende de repente que está perdido, desonrado, que deu cabo da sua reputação, que se deixou escarnecer e insultar em público, que foi ofendido da maneira mais infame e traiçoeira por um homem do qual ainda na véspera pensava que poderia vir a ser o seu melhor amigo, e verifica que mais uma vez não soube portar-se à altura da situação. O senhor Goliádkin lança-se então em perseguição do inimigo.

Já não quer saber mais das testemunhas da ofensa. "São todos da mesma força — dizia para si. — Valem tanto uns como os outros. Estão todos contra mim."

Contudo, andados dez passos, apercebe-se de que é inútil tentar qualquer perseguição. Por isso recua.

"Não me escaparás — pensa. — O lobo terá de pagar as lágrimas dos cordeiros." É agora total o seu sangue frio e a sua resolução é bem enérgica. O senhor Goliádkin aproxima-se de uma cadeira e nela se deixa cair. "Não me hás de escapar — repete. — Não se trata de uma defesa passiva, mas de uma ofensiva resoluta."

Quem tivesse visto o senhor Goliádkin, com a voz estrangulada, afogueado, contendo a custo a sua comoção, molhar com raiva a pena no tinteiro e depois escrever, teria com certeza afirmado que o assunto não terminaria de um modo vulgar.

A resolução estava agora formada no fundo do seu coração e havia de realizá-la. A bem dizer, não sabia ainda o que iria fazer. Isso pouco lhe importava. "O descaramento não aproveita a ninguém. Conduz muitos à forca. Somente Grichka Otriépiev[8] conseguiu enganar o povo com a sua desfaçatez, mas não por muito tempo."

Não obstante, o senhor Goliádkin resolveu esperar que as máscaras caíssem e que a verdade começasse a aparecer. Para isso, o que de momento interessava era que a hora da saída chegasse o mais depressa possível. Antes, não faria qualquer tentativa. Mas quando chegasse a hora da saída, tomaria as suas medidas. Sabe muito bem como há de agir depois, como há de organizar o seu plano de ação a fim de esmagar a serpente... Não hão de dar cabo dele como de um farrapo velho. O senhor Goliádkin não o consentiria. Especialmente agora. Sem a última afronta, talvez ele se tivesse resolvido a impor silêncio ao seu coração, talvez se tivesse calado e submetido, e talvez nem chegasse a protestar.

Decerto, a princípio havia de discutir um pouco zangado, procuraria fazer valer o seu direito, mas depois iria cedendo aos poucos e acabaria por consentir em tudo, quando os adversários reconhecessem que quem tinha razão era ele. Talvez fosse até ao ponto de reconciliar-se e de ficar um pouco enternecido. E — quem sabe? — podia ser que uma nova amizade nascesse, sólida e reconfortante, maior ainda que a da véspera e capaz de apagar o que havia de desagradável naquela semelhança. E ambos os funcionários seriam muito felizes, viveriam até velhinhos etc., etc. Enfim, para dizer tudo, o senhor Goliádkin começava a estar arrependido de querer defender-se e afirmar o seu direito. "Se ele quiser ceder — pensou — se disser que estava brincando, vou perdoá-lo com a condição de me pedir desculpa na frente de todos. Mas não consentirei que me pise aos pés como um capacho. Não o permitiria a ninguém, por mais forte que fosse. Muito menos o permitirei a um indivíduo daquela laia. Não, senhor. Não sou nenhum farrapo." Desta vez o senhor Goliádkin estava firmemente decidido a fazer alguma coisa. Resolvera protestar, protestar até ao extremo limite das suas forças. Afinal ele era um homem às direitas. Não podia permitir que o ofendessem e que o calcassem como um pobre-diabo. Não o podia admitir, e sobretudo a

---

8 Nome verdadeiro do falso czar Dimítri.

um homem daqueles. Realmente, se alguém se empenhasse muito em transformar o senhor Goliádkin num "pobre-diabo", consegui-lo-ia sem grande dificuldade e sem perigo (o próprio senhor Goliádkin tinha a noção disto). Ele se tornara nada menos que isso, no caso em questão, mas um "pobre-diabo" com ambições e sentimentos. Sim, com sentimentos, e isto era afinal o mais importante de tudo.

As horas iam passando lentamente. Por fim soaram as quatro. Os funcionários levantaram-se logo e, a exemplo do chefe, abandonaram a repartição. O senhor Goliádkin mistura-se no meio deles. Os seus olhos não estão sossegados. Não, não há de se deixar escapar uma certa pessoa que ele sabe quem é (e nós também).

Finalmente avista o *amigo* que se dirige para o rapaz do vestiário.

O momento é decisivo; a custo o senhor Goliádkin abre caminho através da massa dos funcionários. Não quer chegar atrasado. Pede o sobretudo, porém, em primeiro lugar, atendem ao amigo, pois havia chegado antes. Enquanto veste o sobretudo, o senhor Goliádkin Júnior olha o senhor Goliádkin Sênior insolentemente, descaradamente, e logo em seguida, com a desfaçatez habitual, passeia o olhar em redor, anda em volta dos colegas, diz uma palavra a um, uma frase a outro, sorri respeitosamente a um terceiro, aperta a mão dum quarto e desce a escada com ar radiante.

O Goliádkin Sênior segue-o e tem a satisfação de o apanhar no último degrau. Agarra-o pela gola do casaco. O senhor Goliádkin Júnior parece um pouco estupefato e um tanto assustado.

— Que deseja de mim? — pergunta com voz fraca.

— Se ainda tem um resto de vergonha, espero que o senhor se lembre das nossas relações de ontem.

— Ah, ótimo! E então? Dormiu bem?

A raiva paralisou por um momento a língua do senhor Goliádkin.

— Dormi bem, dormi... Mas faço questão dizer-lhe que o senhor se vai dar mal com a sua brincadeira...

— Quem lhe disse isso? Isso é o que os meus inimigos dizem!... — respondeu com voz entrecortada o outro senhor Goliádkin, escapando das mãos do verdadeiro senhor Goliádkin.

Logo em seguida correu pela escada abaixo, olhou à sua volta, avistou um cocheiro, correu para ele, sentou-se num *drójki* e desapareceu da vista do senhor Goliádkin Sênior. Este, desesperado, abandonado por todos, procura por sua vez um carro. Não há mais nenhum. Tenta correr, mas sente as pernas enfraquecidas. Com a cabeça transtornada, a boca aberta, aniquilado, apoia-se tremendo de encontro a um poste de luz e fica assim alguns instantes no meio do passeio. Tudo parecia agora definitivamente perdido para o senhor Goliádkin...

Capítulo IX

Até o próprio destino parecia armar-se contra o senhor Goliádkin. Mas ele continuava de pé e não cedia. Sentia que ainda não estava vencido. Pelo contrário, estava disposto à luta. Uma vez refeito do seu espanto, esfregou as mãos com energia. Via-se bem que não se entregaria. Claro que o perigo era evidente. O senhor Goliádkin sabia-o. Mas, como enfrentá-lo? O problema era esse. Surgem-lhe várias ideias. "Não seria melhor fazer de conta que não é nada comigo? E então? Então... nada... Punha-me de fora, como se o assunto não me dissesse respeito. Talvez ele acabasse por cansar-se. Andaria à minha volta duas, três vezes, e acabaria por ir-se embora. É isso. Sairei vencedor pela resignação. Afinal onde é que está o perigo? Gostaria que alguém me dissesse... Lavo daqui as minhas mãos... Isto é uma história que não vale nada..."

As palavras não lhe saíam da boca. Estava furioso consigo próprio, censurando-se pela sua baixeza e cobardia. Contudo, as coisas não tinham melhorado. Era necessário que tomasse uma decisão.

Teria dado não sei quanto a quem lhe tivesse indicado qual devia ser essa decisão. Como encontrá-la? Não tinha tempo para se pôr à procura dela. Para não perder tempo, saltou para um *drójki* e voltou para casa.

"E agora, como te sentes? — diz para si. — Como te sentes, Iákov Pietróvitch? Que vais fazer? Que vais fazer, patife? É a hora decisiva e pões-te a chorar e a gemer! Parece impossível!"

O senhor Goliádkin sentia um prazer, que era quase voluptuosidade, em arranhar as suas próprias feridas no meio dos solavancos da carruagem. Pensou: "Se algum mágico viesse dizer-me (ou me fizesse oficialmente a seguinte proposta): 'Goliádkin, dá-nos um dedo da tua mão direita e ficamos quites; o outro Goliádkin desaparecerá e seremos felizes, ficando tu apenas com um dedo a menos'". "Oh! Eu daria o dedo, daria o dedo de boa vontade, sem dizer uma palavra... Que o diabo o leve!" — exclamou por fim, desesperado, o senhor Goliádkin. "Mas por que terá acontecido tudo isto e justamente a mim? Haveria necessidade que fosse assim? Por que terá sido assim e não de outra maneira? Dantes tudo estava bem, todos viviam contentes e felizes. Mas... era preciso que isto acontecesse. Enfim, agora não serve de nada todo este discurso. O que é preciso é agir..."

O senhor Goliádkin resolveu-se, pois, a agir. Uma vez nos seus aposentos, sem perder um minuto, pegou no cachimbo e, aspirando grandes fumaças, lançava depois o fumo para a direita e para a esquerda, enquanto caminhava pelo quarto, muito agitado.

Pietruchka pôs-se a servir a mesa. O senhor Goliádkin acaba por tomar uma resolução. Põe de parte o cachimbo, lança o sobretudo pelas costas, previne que não janta em casa e sai precipitadamente. Pietruchka, esbaforido, apanha-o na escada e entrega-lhe o chapéu de que se tinha esquecido.

O senhor Goliádkin pega no chapéu e arranja à pressa uma explicação qualquer para que Pietruchka não se ponha a magicar e acabe por pensar que ele estava tão perturbado que até se esquecera do chapéu... Mas Pietruchka nem sequer olhou para ele e volta logo a subir a escada. Então, o senhor Goliádkin, de chapéu na mão, sem mais explicações, desce a escada à pressa. Diz de si para si que tudo há de correr pelo melhor e acabar em bem. No entanto todo ele treme... Ei-lo já na rua. Toma um coche e dirigi-se à casa de Andriéi Filípovitch.

"Não seria melhor esperar por amanhã? — pensa ele já à porta de Andriéi Filípovitch, com a mão no cordão da campainha. — Que vou eu dizer-lhe? Não tenho nada de especial para lhe contar. Esta história é tão ridícula... Nem merece a pena... Vale mais levá-la na brincadeira."

De súbito, puxa o cordão. Ouve dentro ruído de passos. Amaldiçoa-se a si próprio, à sua pressa e à sua audácia. As suas últimas desventuras e contactos com Andriéi Filípovitch, que quase tinha já esquecido, voltam-lhe à memória. Mas é demasiado tarde para se retirar. A porta abre-se. Com grande alívio, o senhor Goliádkin sabe que Andriéi Filípovitch ainda não voltou da repartição e que não vem jantar em casa. "Eu bem sei onde ele janta, é lá para os lados da ponte Ismaílov" — pensa o senhor Goliádkin rejubilando interiormente. O criado pergunta:

— Quem é V.Ex.ª, para eu poder dizer ao patrão? — Ele responde:

— O senhor Goliádkin. Voltarei mais tarde.

Torna a descer a escada com muito melhor disposição. Já na rua, manda embora o carro e paga ao cocheiro que lhe pede uma gorjeta, alegando: "Estive tanto tempo à espera... os cavalos andaram bem...". O senhor Goliádkin deu-lhe de boa vontade cinco copeques e pôs-se a andar a pé.

Pensa: "Não posso pôr este assunto, assim, de parte. Mas, pensando bem, haverá razão para todo este barulho? Por que é que eu me aflijo e sofro assim? É um caso consumado... Não se pode voltar atrás. Ora vejamos: há um homem que tem boas referências e é um bom funcionário. É pobre, sofreu muito. Mas ser pobre não é vergonha nenhuma... Eu estou à margem de tudo isto. Que vem a ser, afinal, todo este disparate? Se o destino, se a natureza quiseram que dois homens se pareçam um com o outro como duas gotas de água, que um seja a cópia fiel do outro, será razão para lhe fecharem a porta do ministério? Se o destino é cego, ninguém tem culpa. Deverá ele por isso ser escorraçado e deverão recusar-lhe um emprego? Onde estaria a justiça? É um homem pobre, abandonado, digno de dó. A caridade manda protegê-lo. Não há dúvida nenhuma... Se os chefes pensassem como eu, seriam bons chefes... Boas ideias não me faltam! Mas não, fizeram bem e merecem que os felicitemos por terem ajudado esse pobre... Sim, suponhamos que somos gêmeos... Nesse caso... Os funcionários acabarão por se habituar a esta ideia e as pessoas de fora que forem ao ministério também pouco hão de preocupar-se com isso. Chega a ser comovente. Deus criou dois seres semelhantes em tudo, chefes benévolos ouviram este aviso de Deus e deram asilo aos dois gêmeos... Claro — continua o senhor Goliádkin, baixando um pouco a voz — claro seria muito melhor que nada disto tivesse acontecido, que não houvesse gêmeos nenhuns... Que o diabo leve tudo isto! Para que esta estúpida coincidência? Meu Deus, que diabo de barulho se fez por causa disto tudo!... E o pior é que tem mau caráter, é vil, arisco e bajulador, este Goliádkin. É capaz de dar cabo do meu nome, o malandrim! É preciso trazê-lo debaixo de olho... Ah! Que bomba! E no fim de contas... Tudo isto para quê? É covarde, que continue a sê-lo; para honesto aqui está o outro. É um canalha e eu sou honesto. Hão de dizer: 'Olhem, este Goliádkin é um malandro, não se fiem nele e não o confundam com o outro: o outro é um bom homem, honesto e virtuoso, regular no serviço e digno de chegar aos postos mais altos...' Pois é... Mas se nos confundirem? Dele tudo é de esperar... Ah, meu Deus!...".

O senhor Goliádkin correu assim ao acaso, sem saber para onde ia. Ao atravessar a Perspectiva Niévski voltou a si, mas só depois de ter dado tal empurrão a um transeunte que ele até ficou a ver estrelas. O senhor Goliádkin murmurou uma desculpa sem erguer a cabeça. O transeunte resmungou palavras pouco lisonjeiras.

Já ele ia longe quando o senhor Goliádkin ergueu o nariz para ver onde estava. Pois encontrava-se precisamente junto do restaurante onde tinha estado a descansar enquanto esperava pela hora do jantar de Olsuf Ivânovitch. Sentiu uma impressão no estômago e lembrou-se de que não tinha jantado. Não esperava nenhum convite. Por isso, sem perder tempo, subiu à pressa a escada do restaurante... Os preços eram muito elevados, mas este pormenor não deteve o senhor Goliádkin. Passara o tempo em que ele se preocupava com semelhantes ninharias...

Na sala iluminada, junto do balcão onde estavam expostos os aperitivos, havia grande número de clientes. O empregado mal tinha tempo de sorrir, de pegar no dinheiro e de dar o troco. O senhor Goliádkin esperou a sua vez e estendeu a mão, modestamente, para um simples bolo.

Afastou-se para um canto, virou as costas aos outros clientes e comeu-o com apetite. Depois voltou para o balcão, pousou o pratinho e como já sabia os preços, tirou da bolsa dez copeques e pôs o dinheiro no balcão, procurando o olhar do vendedor, como se quisesse dizer: "Aqui fica o dinheiro... foi um bolo...".

— O senhor Goliádkin deve um rublo e dez copeques — diz o empregado por entre dentes.

O senhor Goliádkin ficou estupefato.

— É comigo que está falando? Não... não é, pois não? Eu apenas comi um bolo...

— Comeu nada menos de onze — respondeu o criado com segurança.

— O quê?... o senhor está enganado, garanto-lhe. Eu só comi um bolo...

— Eu contei. Foram onze. Cada um tem de pagar o que come. Aqui não há nada de graça.

O senhor Goliádkin estava perplexo. Parecia obra de feitiçaria! Entretanto o vendedor esperava. Já havia gente em volta do senhor Goliádkin.

Tirou um rublo do bolso. Estava vermelho como um camarão.

"Pois bem, suponhamos que foram onze — pensou. — Não é nada de extraordinário que tenham sido onze. Um homem com fome come onze bolos. Que lhe façam bom proveito! Não é nada do outro mundo!"

De repente ergue os olhos e compreende então onde estava o enigma e a feitiçaria; tudo era claro... Na porta que dava para a sala vizinha, que o nosso herói supunha ser um espelho, quase por detrás das costas do empregado do balcão, em frente do senhor Goliádkin, estava um homem. Este era o próprio senhor Goliádkin, não o antigo, não o herói desta novela, mas o outro Goliádkin, o novo senhor Goliádkin. Parecia de excelente humor; sorriu ao senhor Goliádkin número um, cumprimentou-o e piscou-lhe o olho. Balouçava as pernas e olhava com atenção, pronto a desaparecer na sala contígua e a descer pela escada de serviço. Qualquer perseguição teria sido inútil. Conservava na mão o último bocado do décimo bolo que levou à boca mesmo nas bochechas do senhor Goliádkin, dando estalidos com a língua para demonstrar o seu prazer.

"Malandro — pensa o senhor Goliádkin fazendo-se vermelho de raiva. — Não tem mesmo vergonha nenhuma. Terá sido visto? Parece-me que ninguém deu por ele..." O senhor Goliádkin atira um rublo que lhe queimava os dedos, não reparara no sorriso descarado do vendedor triunfante, abre caminho por entre os fregueses e sai dali sem voltar a cabeça. "Tenho de agradecer-lhe por não me ter comprometido ainda mais. Tenho de agradecer, a ele e ao destino, que tudo tenha acabado bem. O empregado é que foi atrevido. Claro que ele tinha razão. Deviam-lhe um rublo e dez copeques, estava no seu direito de os reclamar. Sem dinheiro ninguém faz nada. Mas podia ter sido mais delicado, aquele maroto."

Assim ia falando o senhor Goliádkin enquanto descia a escada em direção ao portão. No último degrau, estacou. Corou e apareceram-lhe lágrimas nos olhos. Durante meio minuto, ficou ali pespegado. Depois bateu resolutamente com o pé no chão, correu para a rua, e, sem voltar a cabeça, afogueado, mas sem sentir a fadiga, pôs-se a caminho de casa.

Uma vez em casa, nem sequer tira o sobretudo, ele que costuma, assim que chega, pôr-se logo de roupão. Não quer saber de cachimbo, senta-se imediatamente no divã, puxa do tinteiro, pega na pena, numa folha de papel e, com uma mão que a comoção torna trêmula, escreve a seguinte carta:

Caro senhor Iákov Pietróvitch:

Eu não pegaria na pena se as circunstâncias não me obrigassem a isso. Creia que é impelido pela necessidade que entro em semelhantes explicações. Por isso desde já lhe peço que não veja nisto nenhuma intenção de o ofender, mas uma consequência própria das circunstâncias que nos ligam...

"Parece-me que isto sim é bem educado e ao mesmo tempo exprime segurança e firmeza. Não tem nada que possa escandalizá-lo e, enfim, estou no meu direito" — pensava o senhor Goliádkin relendo o que escrevera.

A sua estranha e inesperada aparição numa noite de tempestade, após um ataque grosseiro dos meus inimigos, cujos nomes calo por desprezo, foi a causa de todos os mal-entendidos que surgiram entre nós. E a sua teimosia em querer entrar à força na minha vida pública e particular ultrapassa os limites da mais elementar delicadeza e correção. Penso que é inútil lembrar-lhe, meu caro senhor, o documento de que indevidamente se apossou, o nome honrado que usurpou para conquistar a simpatia dos superiores, simpatia essa que não merece. É igualmente inútil lembrar-lhe que, voluntariamente e do modo mais ofensivo, o senhor se tem furtado a toda e qualquer explicação. Por último não lembrarei aqui o ato estranho que o senhor cometeu no restaurante. Não é a perda de um rublo — embora isso também tenha alguma importância para mim — que eu lamento. Não posso é furtar-me a exprimir toda a minha indignação pelo que representa de atentado contra a minha honra, na presença de pessoas estranhas e dignas de toda a consideração...

"Não irei demasiado longe? — pensou o senhor Goliádkin. — Não será exagero? Esta alusão à qualidade das pessoas não o irá chocar? Tanto pior; o que é preciso é mostrar firmeza de caráter. Aliás, para adoçar a pílula, posso no fim lisonjeá-lo um pouco."

...Mas, senhor, esta carta já vai longa. Plenamente convencido da nobreza dos seus sentimentos, espero que a sua lealdade lhe sugerirá os meios de reparar estas faltas de modo a que as nossas relações possam voltar a ser como eram. Espero não leve a mal o que lhe digo nesta carta, e não me recuse a sua resposta, de que o meu criado será o portador.
Seu dedicado

Goliádkin

"Bem, levantei a lebre. Chegamos ao ponto das explicações por carta. De quem é a culpa? O culpado é ele. Foi ele quem me levou à necessidade de explicações por escrito. Estou no meu direito..."

O senhor Goliádkin releu a carta mais uma vez, dobrou-a, fechou-a e chamou Pietruchka. Este apareceu como de costume, com olhos de sono e depois de uma grande demora.

— Estás vendo esta carta?

Pietruchka não respondeu.

— Pega nela e vai levá-la ao ministério. Procura o contínuo Vakramáiev. Ele está sempre de serviço, entendes?

— Entendido.

— Entendido! Não sabes falar de outra maneira? Pergunta pelo funcionário Vakramáiev e diz-lhe, olha, diz-lhe assim: "O meu patrão manda-lhe muitos cumprimentos e pede-lhe que veja no seu registro a direção do conselheiro Goliádkin".

Pietruchka não respondeu e o senhor Goliádkin julgou ver-lhe um sorriso na cara.

— É só isso. Vai depressa, e pergunta onde mora o novo funcionário Goliádkin.

— Já vou.

— Depois levas esta carta ao endereço que te disserem. Entendes?

— Entendido.

— E lá... onde fores levar a carta... hás de entregá-la a esse senhor Goliádkin... Por que te ris, palerma?

— Eu? Eu... não, não estou com vontade nenhuma de rir.

— Escuta: se esse tal senhor perguntar-te quem é o teu patrão, o que faz... enfim, se tentar saber coisas, tu respondas apenas:

— "O meu patrão está bem, muito obrigado. Foi fazer umas visitas... e pede uma resposta por escrito"... Está claro?

— Está claro.

— Então vai.

"Ninguém pode confiar neste idiota! Ri-se! De que se rirá ele? Estou inquieto, aborrecido... É possível que tudo isto acabe bem... Este lorpa vai levar duas horas a fazer o recado. Põe-se a passear... Não se pode mandar a parte nenhuma. Que maçada! Que maçada!"

O nosso herói dispôs-se a esperar tranquilamente, durante duas horas, o regresso de Pietruchka. Durante uma hora, passeia no quarto, fuma cachimbo, para de fumar, pega num livro, estende-se no divã e torna a pegar no cachimbo. Volta a passear no quarto. Quer raciocinar mas não consegue. Esta espera passiva parece-lhe uma agonia.

É-lhe necessário um derivativo. "Pietruchka não virá antes de uma hora, o porteiro pode ficar com a chave, e eu, enquanto espero, pensarei com vagar neste assunto. Vou examiná-lo eu próprio, como deve ser" — diz de si para si o senhor Goliádkin.

Pega no chapéu, deixa o quarto, fecha a porta, entra na casa do porteiro, dá-lhe a chave e dez copeques de gorjeta. O senhor Goliádkin tornou-se agora extremamente liberal.

Antes de mais nada vai a pé até à ponte Ismaílov. Caminha durante meia hora, aproximadamente. No fim do passeio entra no pátio duma casa que bem conhece.

Olha as janelas do conselheiro de estado Bieriendiéiev. Exceto três, de cortinas vermelhas, mais nenhuma estava iluminada. Hoje com certeza não tem convidados. Fica um momento no pátio a fim de tomar uma decisão, que não chega a tomar, reflete, faz um gesto com a mão e volta para a rua. "Não tenho nada que ir lá. Que iria fazer? É claro... É preferível que veja eu sozinho o que devo fazer..."

Tomada esta resolução, o senhor Goliádkin pôs-se a caminho da repartição que ficava bastante longe dali. A lama era muita e a neve caía em grossos flocos. Mas para ele, neste momento não havia obstáculos. Estava molhado e sujo de lama, mas... "o fim seria atingido". Efetivamente o senhor Goliádkin estava perto do fim. Divisava já a massa negra dum grande edifício do estado...

"Esperemos — pensa ele... Vou lá ou não? Que vou fazer lá? Ficarei sabendo onde mora... Mas Pietruchka a estas horas já deve ter voltado com a resposta... estou malbaratando tempo precioso... E para nada... No fim tudo se há de arranjar... No entanto, se eu fosse ter com Vakramáiev... Não. Depois... Afinal nem precisava ter saído... O meu jeito é assim... Não sei dar tempo ao tempo... Hum! Que horas são? Devem ser nove... Se Pietruchka chega, não me encontra em casa... Foi uma tolice ter saído... Que droga!"

Então o senhor Goliádkin correu para casa, na rua Chestilavótchnaia. Chegou estafado, ansioso... e soube pelo porteiro que Pietruchka ainda não tinha voltado... "Eu já sabia... Já são nove horas... Que patife! Com certeza que apanhou alguma bebedeira. Oh, meu Deus, mas que dia!" Meditando e lamentando a sua pouca sorte, o senhor Goliádkin abriu a porta, acendeu um fósforo, despiu-se, pegou no cachimbo e, extenuado, desfeito, esfomeado, deitou-se no divã à espera de Pietruchka. A vela ardia tristemente, a luz dançava nas paredes. O senhor Goliádkin olhava, olhava, pensava, pensava. Por fim, exausto, adormeceu.

Era já muito tarde quando acordou. A vela fumegava, prestes a apagar-se. O senhor Goliádkin deu um salto, sacudiu a cabeça e lembrou-se de tudo, de tudo. Por detrás do tabique ouvia-se o ressonar de Pietruchka. O senhor Goliádkin aproximou-se da janela... Já não havia luzes!... Abriu as vidraças. Em redor o silêncio... A cidade parecia morta, adormecida. "...Com mil diabos, são duas ou três horas..." O relógio por detrás do biombo deu duas pancadas. O senhor Goliádkin correu ao quarto contíguo.

Foi com grande dificuldade que conseguiu, após longas tentativas, acordar Pietruchka e obrigá-lo a sentar-se na cama. Nesse momento a vela apagou-se. Passaram dez minutos antes que o senhor Goliádkin encontrasse outra vela e a acendesse. Durante estes dez minutos Pietruchka voltou a adormecer... "Patife, canalha, maroto..." — gritava o senhor Goliádkin sacudindo-o. — "Levantas-te ou não? Acordas ou não?" Ao cabo de uma meia hora de esforços, o senhor Goliádkin conseguiu acordá-lo e arrastá-lo para fora... Mas Pietruchka estava a cair de bêbado e mal se tinha nas pernas.

— Patife — gritou o senhor Goliádkin. — Porcalhão, queres dar cabo de mim? Onde puseste a minha carta? Ah, meu Deus!... Por que a escrevi eu? Sou um imbecil com esta malvada suscetibilidade! Onde puseste a carta, malvado? A quem a entregaste?

— Não entreguei a carta a ninguém... Não tinha carta nenhuma...

O senhor Goliádkin torcia as mãos com desespero.

— Ouve, Piotr... ouve o que eu te digo.

— Estou ouvindo...

— Onde foste tu? Responde-me!

— Onde fui? A casa duns amigos... Que tem isso?

— Oh, meu Deus, onde foste primeiro? Estiveste no ministério? Ouve, Piotr, tu bebeste, não foi?

— Eu, bêbado? Não, parece-me que ainda me aguento nas pernas. Nem uma go-o-o-ota...

— Bem, isso não importa que estejas bêbado ou não... Perguntei-te isso para saber... Isso de te embebedares é lá contigo... tenho medo é que te tenhas esquecido... Mas tu te vais lembrar. Foste ou não ter com o funcionário Vakramáiev?

— Não fui... Não há nenhum funcionário com esse nome...

— Bem... Pietruchka... Eu já sei que hoje está frio na rua e que tu bebeste uns copos. Isso não tem importância. Não faz mal. Eu não me zango. Eu também bebi. Mas procura lembrar-te. Foste falar com o funcionário Vakramáiev?

— Bom... Se é isso... Sim, estive lá...

— Fizeste bem em ir lá, Pietruchka. Vês que eu não me zango?

Depois prosseguiu, batendo amigavelmente no ombro do criado e sorrindo-lhe:

— Então tomaste uns tragos... hem, seu beberrão? Mas eu não me importo... Não me zango, vês que não me zango...?

— Não, faz favor, eu não sou beberrão. Fui à casa duns amigos. Não sou nenhum beberrão, nunca o fui.

— Olha, Pietruchka, ouve-me. Não tem importância... não te quero ofender, é de brincadeira que te chamo beberrão. É até porque sou teu amigo. Mas isso não interessa... Vejamos, dize-me agora francamente, Pietruchka, sem esconderes nada, a mim que sou teu amigo: foste procurar o funcionário Vakramáiev e ele te deu o endereço?

— Sim, deu-me o endereço. É um bom homem. "O teu patrão — disse-me ele — é um homem às direitas. Dá-lhe meus cumprimentos, agradece-lhe e diz-lhe que eu o estimo muito e que o respeito, porque o teu patrão, Pietruchka, é um bom homem e tu também és um bom homem."

— Ah, meu Deus! E o endereço? Com os diabos! Deu-te?

O senhor Goliádkin pronunciou estas últimas palavras em voz quase inaudível.

— Deu.

— Deu! Bem, onde mora então esse funcionário Goliádkin?

— Goliádkin, disse-me ele, mora na rua Chestilavótchnaia. Segues pela tua direita... é num quarto andar. É lá que mora o senhor Goliádkin...

— Velhaco, miserável! — grita o senhor Goliádkin, já com paciência perdida.

— Patife! Esse de quem falas sou eu mesmo. Mas há outro senhor Goliádkin. É do outro que eu te estou falando.

— Oh... é como o senhor quiser, como quiser, a mim tanto me faz. É como quiser...

— E a carta? A carta?

— Que carta? Não há carta nenhuma, não tenho carta nenhuma...

— Onde a puseste tu, malandro?

— Entreguei-a. E ele me disse: "Dá cumprimentos meus ao teu patrão, é um bom patrão. Dá-lhe cumprimentos..."

— Quem disse isso? O próprio Goliádkin?

Pietruchka calou-se um instante, sorriu com a boca escancarada e olhou o patrão nos olhos.

— Responde-me, bandido! — disse o senhor Goliádkin sufocando de raiva. — Que fizeste tu, miserável? Deste cabo de mim, liquidaste-me... Maldito!

— Como quiser. Já estou farto disto — disse resolutamente Pietruchka, retirando-se para trás do biombo...

— Vem cá, vem cá, meu malandro...

— Não vou, não vou. Vou mas é para casa de gente de juízo, de pessoas que não têm embrulhadas nem duplos...

Os pés e as mãos do senhor Goliádkin gelaram. Deixou de respirar.

— Sim, — continuou Pietruchka — que não têm duplos... são pessoas como deve ser, que não ofendem ninguém.

— Malvado, tu estás bêbado... Vai dormir, maroto. Amanhã conversaremos — disse o senhor Goliádkin com uma voz que mal se ouvia.

Pietruchka resmungou, deitou-se na cama que estalou, abriu a boca, estendeu-se e adormeceu tranquilamente como uma criancinha.

O senhor Goliádkin estava mais morto que vivo. A atitude de Pietruchka, as suas alusões vagas mas significativas, que, por virem de um bêbado não o deviam chocar, o mau aspecto que as coisas estavam tomando, tudo isso o abalou profundamente.

"Que diabo de ideia esta de me pôr a discutir com ele a meio da noite?" — disse com um tremor doentio.

"Por que me pus eu a discutir com um bêbado! Que se pode esperar de um homem nestas condições? Só disse mentiras... Mas o que queria ele dizer com aquilo? Oh céus! Para que diabo escrevi eu aquela carta? Bandido, miserável... Contudo eu não podia deixar de lhe dizer qualquer coisa!"

Assim falava o senhor Goliádkin, sentado no divã, imóvel e apavorado. De repente seus olhos se fixaram num ponto com atenção. Temendo uma ilusão ou uma alucinação, estendeu a mão com uma estranha mistura de esperança e de medo. Não, não era nenhuma ilusão nem nenhum logro, mas uma carta, uma carta autêntica que lhe era dirigida. O senhor Goliádkin pegou nela; o coração batia-lhe com força. "Foi com certeza este maroto que a trouxe — pensou ele — "que a colocou aqui e não se lembrou mais. Foi isso, com certeza..."

A carta era do funcionário Vakramáiev, o jovem colega e outrora amigo do senhor Goliádkin. "Eu tinha o pressentimento disto — pensou ele — e adivinho tudo o que esta carta contém..." A carta rezava assim:

Caro Senhor Iákov Pietróvitch:

O seu criado está bêbado e não nos podemos fiar nele. Por isso prefiro responder-lhe por escrito. Apresso-me a declarar-lhe que não terei dúvida em desempenhar-me da missão de que fala, e que por meu intermédio as suas cartas serão entregues à pessoa que sabe. Essa pessoa de quem sou amigo (não direi o seu nome para não enegrecer inutilmente a reputação dum homem sem mácula) mora conosco em casa de Karolina Ivânovna, no quarto em que, quando o senhor era dos nossos, morava um oficial de infantaria que vinha de Tambov. Aliás, encontrará a dita pessoa sempre no meio de gente honesta e leal (o que infelizmente não se pode dizer de muitas outras pessoas).

Quero preveni-lo que daqui para o futuro as nossas relações terminaram. O nosso convívio amigável e a camaradagem de outrora acabaram. Peço-lhe, por isso, senhor, logo que receba esta carta me devolva imediatamente os dois rublos que me deve, da navalha de barba que há sete meses lhe vendi a crédito — não sei se ainda se lembra — quando vivíamos juntos em casa de Karolina Ivânovna.

Sou forçado a tomar esta decisão porque na opinião das pessoas qualificadas o senhor comprometeu a sua honra e a sua reputação e constitui um perigo para os homens de bem e de vergonha. Há na verdade pessoas que vivem uma vida falsa e cuja conduta é suspeita. Não faltam pessoas dispostas a vingar a ofensa feita a Karolina Ivânovna, que pertence a uma boa família estrangeira, senhora de conduta irrepreensível e, apesar de não ser já muito nova, com um passado sem mancha. Algumas dessas pessoas me pedem que não deixe de lhe dizer em que o senhor ficará sabendo tudo, se é que não sabe já.

Antes de terminar a minha carta quero dizer-lhe, meu caro senhor, que a pessoa que sabe e cujo nome não refiro por simples delicadeza merece o respeito de toda a gente; que tem um esplêndido caráter que o torna simpático a todos, é um bom funcionário e, sobretudo, é sempre fiel à sua palavra e leal, e não tem o costume de apunhalar pelas costas aqueles de quem pela frente se faz muito amigo.

Às suas ordens,

N. Vakramáiev.

P.S. — Aconselho-o pôr na rua o seu criado; é um bêbado que só lhe pode causar aborrecimentos. Fique com Ievstáfi que esteve em tempos lá em casa e agora está desempregado. O seu criado além de bêbado é gatuno: na semana passada vendeu a Karolina Ivânovna, por uma insignificância qualquer, uma porção de açúcar em cubos que lhe deve ter roubado pouco a pouco. Digo-lhe isto no seu interesse, embora certas pessoas passem a vida a ofender e enganar os outros, principalmente os homens honestos e bons. Além disso, há quem o calunie por detrás, por inveja e falta de honestidade.

V.

Depois de ter lido a carta de Vakramáiev, o senhor Goliádkin ficou durante algum tempo imóvel sobre o divã. Uma nova luz irrompia através do nevoeiro espesso que o rodeava, havia já dois dias. Começava a compreender. Tentou erguer-se, dar volta ao quarto para esclarecer e reunir ideias dipersas, para dirigir e concentrar o pensamento e para refletir na sua situação a sangue frio. Mas voltou a cair sem forças sobre o divã.

"Eu pressentia tudo isto, mas por que me escreve ele esta carta? Qual o verdadeiro sentido das suas palavras? Supondo que consiga descobrir, onde me levará tudo isto? Que desagradável feição tomam estas coisas! Ah! Quem me dera que chegue o dia de amanhã e que tudo se esclareça! Agora sei o que tenho a fazer. Direi seja o que for. Serei razoável, mas não deixarei o meu nome ir por água abaixo... Mas ele, o tal, como é que anda metido em tudo isto? Por que se meteu neste assunto? Ah, quem me dera já fosse de dia! Anda fazendo intrigas! Trabalha contra mim! Mas o que é preciso é não perder tempo. Vou já... já escrever uma carta... declarar que estou de acordo, que consinto... e enviá-la amanhã cedo... e também irei lá preveni-los... Senão caluniam-me..."

O senhor Goliádkin foi buscar papel, pegou na pena e escreveu a seguinte carta em resposta à do funcionário Vakramáiev:

CARO SENHOR NIÉSTOR IGNÁTIEVITCH:

Foi com uma enorme e dolorosa surpresa que li a sua carta, a qual me feriu profundamente. Vi claramente que, ao falar das pessoas maldizentes, é a mim que alude. É triste verificar com que rapidez e com que êxito a calúnia estendeu as suas raízes para destruir a minha felicidade, a minha honra e a minha reputação. Choca-me especialmente ver que as pessoas de bons sentimentos, de caráter franco e leal, não se importem com a honra dos outros e acedam a aceitar a calúnia malévola que — ai de nós! — está tão espalhada nestes tempos cruéis e terríveis que vão correndo.

No que se refere à dívida de dois rublos que o senhor me recorda, considero meu dever pagá-la integralmente e o mais depressa possível.

Quanto às suas alusões, meu caro senhor, a determinada pessoa do sexo feminino, digo que não as compreendi muito bem e que ignoro as intenções e desígnios de tal pessoa. A nobreza dos meus sentimentos e a honradez do meu nome, felizmente, continuam intactos. Em qualquer caso estou disposto a consentir numa explicação pessoal, que prefiro a uma explicação por escrito. Estou também disposto a uma reconciliação e espero a reciprocidade. Por isso, peço-lhe, senhor, o favor de transmitir a essa pessoa o meu desejo de ter com ela uma explicação direta e de marcar a hora e o local de um encontro para esse fim. Foi com tristeza que li, meu amigo, as alusões que significam que eu o feri, traindo a nossa velha amizade e difamando-o. Atribuo tudo isto a um mal-entendido, a calúnias grosseiras, à inveja e à malevolência daqueles que, sem exagero, possam chamar os meus inimigos figadais. Eles decerto desconhecem que a inocência é em si uma força, que o descaramento, a arrogância e a grosseria revoltante de certas pessoas chamam a si mais tarde ou mais cedo o desprezo geral, e que tais pessoas serão vítimas da sua própria maldade. Para terminar, peço-lhe que lhes transmita o que se segue. As suas estranhas pretensões, o seu desejo inato de expulsar os outros e de ocupar o lugar deles provocarão o desprezo e a piedade e poderão levá-los a um triste fim. Tais atos são proibidos pela lei. E é bem feito, pois cada um deve contentar-se com o lugar que ocupa. Tudo tem limites. E se se trata de uma simples brincadeira, é inconveniente, direi até imoral. Não tenho dúvida em afirmar, senhor Vakramáiev, que as ideias que acabo de expor, sobre o dever de cada um ocupar o seu lugar, estão de acordo com a mais estrita moralidade.

Sempre a seu dispor,

GOLIÁDKIN.

CAPÍTULO X

Todos estes acontecimentos tinham perturbado o senhor Goliádkin até ao mais fundo da alma. Passou uma noite péssima e não dormiu cinco minutos. Parecia-lhe que algum brincalhão de mau gosto se tinha entretido, espalhado a crina do colchão entre os lençóis. Toda a noite esteve numa semissonolência, dando voltas sobre voltas, gemendo e dormindo alguns minutos para acordar logo em seguida. Recordações confusas, pesadelos horríveis, sensações desagradáveis oprimiam-no de um modo angustioso. Às vezes, numa meia-luz misteriosa, aparecia-lhe o rosto duro e o olhar de Andriéi Filípovitch a fazer-lhe observações num tom cortês mas gelado. O senhor Goliádkin reconhecia facilmente pela expressão trocista do seu rosto — era aquele que invalidara de modo indigno as tentativas do senhor Goliádkin, comprometera a sua reputação, calcara aos pés as suas ambições e se apoderara do seu lugar no emprego e na vida. Outras vezes sentia formigueiros na cabeça, ao lembrar o piparote que recebera sem protestar, em público e no exercício das suas funções oficiais...

O senhor Goliádkin dava cabo da cabeça à procura da razão pela qual é difícil protestar contra um piparote. Insensivelmente chegou à conclusão de que só pode ser por covardia. E tinha sido ele próprio o covarde. Por quê? Não fora por falta de caráter... Tinha sido por acaso ou por delicadeza, ou por não ter meios para se defender, ou simplesmente porque... porque...

Ah, no fundo, o senhor Goliádkin sabia bem o por quê! Então corava, mesmo dormindo. Mas não quer voltar a corar. Há de mostrar uma grande firmeza de caráter. Para quê, afinal? É já demasiado tarde... Que raiva! Chamassem-no ou não, surgia então uma personagem de alma misteriosa que, não obstante estar já esclarecido o mistério, murmurava com um sorriso odioso: "Que vem a ser a firmeza de caráter? Valerá a pena ter firmeza de caráter contigo, Iákov Pietróvitch?".

Outras vezes ainda o senhor Goliádkin sonhava que estava na alta roda, entre pessoas seletas, distintas. E ele sobressaía no meio delas pela inteligência e boas maneiras. Todos o apreciavam, inclusive alguns dos seus inimigos que se encontravam também ali. Era o convidado mais ouvido. O dono da casa chamava à parte um dos seus convivas e fazia-lhe o elogio do senhor Goliádkin. Este ouvia o que diziam e exultava... E eis que, de novo, voltava a aparecer o maroto, o tal indivíduo mal-intencionado, o senhor Goliádkin Júnior, cuja presença era suficiente para dar cabo do triunfo e da glória do senhor Goliádkin Sênior. O primeiro provava que o verdadeiro senhor Goliádkin não era o autêntico, mas um falso Goliádkin, que o verdadeiro era ele, que o senhor Goliádkin Sênior não era o que parecia e que não tinha o direito de se misturar com as pessoas da alta roda. O senhor Goliádkin nem sequer tinha tempo de dizer uma palavra. Já todas as pessoas se tinham dedicado de corpo e alma ao senhor Goliádkin Júnior e punham-no fora a ele, verdadeiro senhor Goliádkin, com o mais profundo desprezo. O falso senhor Goliádkin tinha feito mudar instantaneamente todas as opiniões, a seu bel-prazer; chamava a si todos os convidados, mesmo os mais insignificantes!

Procurava a simpatia de todos. Aproximava-se das pessoas com passinhos e falas mansas. Todo ele eram doçuras. Todos sorviam o incenso que ele exalava, e cheios de comoção, soltavam suspiros de prazer. Era instantâneo. A presença deste homem suspeito agia no ambiente com uma rapidez espantosa. Mal tinha acabado de cumprimentar uma pessoa e conquistar a sua simpatia, já estava voltado para outra a enchê-la de amabilidade e de sorrisos. E logo a seguir volta-se para um terceiro e fala-lhe em tom melífluo. Sem que tenhamos tempo de abrir a boca ou de nos espantarmos, já está junto de um quarto. É de meter medo! Parece bruxaria!

Todos se sentem felizes com a sua presença. Todos gostam dele, o admiram e concluem unanimemente que a sua amabilidade e a sua graça ultrapassam em muito a amabilidade e graça do verdadeiro senhor Goliádkin. Quanto a este, ninguém faz caso dele, todos o desprezam e enxotam. Pobre do verdadeiro senhor Goliádkin, tão bondoso e dedicado ao amor do próximo...

Cheio de angústia, de terror e de cólera, o pobre senhor Goliádkin corre para a rua. Quer alugar um fiacre para ir diretamente à casa do ministro ou, pelo menos, à casa de Andriéi Filípovitch. Mas — ó céus! — os cocheiros recusam-se a levá-lo e dizem: "Impossível, senhor, não podemos levar clientes absolutamente iguais. O senhor, se é uma pessoa decente, como toda a gente, não deve deixar acompanhar-se por um duplo!".

Que vergonha! O honestíssimo senhor Goliádkin olha à sua volta e vê com os seus próprios olhos que os cocheiros do fiacre, e Pietruchka que concorda com eles, têm razão, pois o indigno senhor Goliádkin está mesmo a seu lado e prepara-se evidentemente para uma daquelas patifarias que a nobreza de caráter e a boa educação reprovam. Aquela nobreza de caráter de que o infame Goliádkin número dois, quando lhe convém, sabe tão bem tirar partido.

Sem poder mais, desesperado, o verdadeiro senhor Goliádkin lança-se contra ele, à sorte. Mas a cada passo que dá, cada vez que o seu pé toca no asfalto do passeio surge debaixo da terra um novo senhor Goliádkin, cada vez mais repugnante e com um ar mais atrevido. Todos estes Goliádkin se põem a correr uns atrás dos outros como um bando de patos. Perseguem o senhor Goliádkin Sênior, que já não pode respirar. São já tão numerosos que enchem toda a capital. Um guarda, diante de tal escândalo, vê-se forçado a agarrá-los pela gola e a conduzi-los ao calabouço mais próximo. Tolhido e gelado de medo, o senhor Goliádkin acordou, mas sentiu que a realidade não era mais agradável...

Sensação terrível e atroz... Tal angústia o dominava que era como se alguém lhe arrancasse o coração. O senhor Goliádkin já não podia mais.

"Isto não pode ser!" — gritou resoluto, erguendo-se da cama. Só então acordou completamente.

O dia ia já alto e muito claro. Raios de sol atravessavam as vidraças cobertas de geada e inundavam o quarto. O senhor Goliádkin parecia muito admirado. Em geral, em sua casa, o sol só entrava ao meio-dia e não se lembrava de que em qualquer outra ocasião o tivesse brindado com uma visita tão matinal. Mal tinha tido tempo para se refazer da sua admiração, quando, por detrás do biombo, se ouviu o ruído característico do relógio prestes a bater as horas.

"Vejamos que horas serão" — pensa o senhor Goliádkin. Atento e ansioso espera... Com grande admiração sua, o relógio só bate uma pancada. "Que quer isto dizer?" — exclama saltando da cama.

Sem poder acreditar no que ouve, vai, mesmo em ceroulas, ao cubículo vizinho. Realmente o relógio marcava uma hora. O senhor Goliádkin olhou a cama de Pietruchka. Deste, nem a sombra. A cama estava feita há muito. As botas dele também não estavam ali. Pietruchka com certeza saíra. O senhor Goliádkin foi ver a porta. Fechada. — "Onde estará Pietruchka?" — murmurou já preocupado e com um arrepio na espinha.

De repente surgiu-lhe uma ideia... Correu à secretária, revolveu papéis, procurou por toda a parte: a carta que escrevera na véspera a Vakramáiev não estava mais ali... Pietruchka tinha saído... O relógio marcava uma hora. A carta de Vakramáiev continha certas alusões, à primeira vista obscuras, mas cujo sentido agora lhe parecia claro. Pietruchka tinha sido aliciado. Não havia dúvida nenhuma.

"Eis o fio da meada!" — exclamou Goliádkin com os olhos muito abertos e batendo com a mão na testa. É então no covil da alemã que está agora o veneno todo. Quando ela me falava na ponte Ismaílov, era já uma medida estratégica. Caçoava comigo. Aquela feiticeira maldita preparava o cerco. É isso, se virmos bem as coisas, é isso. E agora está explicado o aparecimento do outro bandido. Faz tudo parte do mesmo plano. Há muito tempo que manobravam contra mim, que queriam dar-me cabo da vida. Agora está tudo bem claro. Mas que importa? Não perdem por esperar."

O senhor Goliádkin lembra-se então de que já passava da uma da tarde. Fica aflito. "Terão eles tido já tempo para...? Não, não pode ser, não tiveram tempo. Havemos de ver..."

Veste-se à pressa, pega no papel e na pena, e escreve a seguinte carta:

Caro senhor Iákov Pietróvitch:

Ou o senhor ou eu. Ambos não pode ser. Digo-lhe muito simplesmente que esse seu desejo absurdo e ridículo, de passar por meu gêmeo, só servirá para o prejudicar e acabará por causar a sua perda. Peço-lhe, pois, no seu próprio interesse, que se afaste e deixe o caminho livre àqueles cujo coração é nobre e cujas intenções são puras. Em caso contrário estou decidido a recorrer a medidas extremas. Por agora deponho a pena e aguardo. Entretanto estou à sua disposição para um duelo à pistola.

I. Goliádkin.

Logo que o nosso herói terminou este bilhete, esfregou as mãos, pôs o chapéu, abriu a porta da rua e foi até à repartição, mas sem decidir-se a entrar, porque era já muito tarde. O relógio marcava três horas e meia. Foi um pequeno pormenor, à primeira vista insignificante, que o levou a decidir-se.

Virava então a esquina do edifício um homem baixinho, açodado e vermelhusco, que se introduziu no vestíbulo. Era o escriturário Ostáfiev. O senhor Goliádkin conhecia-o bem. Era um homem prestável e pronto para tudo a troco de alguns copeques. Como o senhor Goliádkin conhecia o ponto fraco de Ostáfiev, presumia, com certo fundamento, que o outro viria de alguma taverna, mais ansioso do que nunca por alguns copeques. Decidiu não os poupar e introduziu-se também na entrada. Interpelou-o então e chamou-o com um ar misterioso para um canto retirado, atrás de um grande fogão de ferro. Pôs-se a fazer-lhe perguntas:

— Escuta, meu amigo, como vão as coisas lá por dentro... Não sei se me entendes...

— Entendo, perfeitamente. O senhor como vai?

— Bem. Mas dize-me uma coisa: eu saberei recompensar-te. Que está acontecendo?

— Que quer o senhor dizer?

E Ostáfiev levou a mão à boca.

— Tu bem sabes... Não te ponhas a imaginar coisas. Olha, Andriéi Filípovitch está aí?

— Está.

— E os funcionários também estão?

— Sim, todos.

— E o ministro?

— Sua Excelência também.

O escriturário pôs de novo a mão na boca e olhou o senhor Goliádkin com um ar intrigado e curioso, pelo menos foi o que lhe pareceu.

— E não há nada de extraordinário?

— Não, nada.

— Não há nada a meu respeito? Nada... Hem? Não ouviste dizer nada?

— Não, até agora nada.

O escriturário pôs uma vez mais a mão diante da boca e olhou com um ar especial para o senhor Goliádkin. Este procurava agora penetrar na fisionomia de Ostáfiev, decifrá-la, ver o que ela podia esconder. Escondia qualquer coisa... Ostáfiev tornava-se mais grosseiro e duro e manifestava menos interesse pelo senhor Goliádkin do que no princípio da conversa.

"No fim de contas, ele tem razão? — pensou o senhor Goliádkin — Quem sou eu para ele? Decerto já está pago pelos outros e é talvez por isso que saiu há pouco. Mas eu hei de dar-lhe..."

O senhor Goliádkin tinha compreendido que a hora da gorjeta chegara.

— Olha, amigo, isto é para ti.

— Muito obrigado, senhor.

— Posso te dar mais, agora, e vou te dar mais quando tudo estiver arrumado. Compreendes?

O escriturário calou-se e, imóvel, olhava para o senhor Goliádkin.

— Bem, agora fala. Não se diz nada a meu respeito?

— Parece-me que até agora... isto é... não, até agora não disseram nada.

Ostáfiev falava lentamente, tal como o senhor Goliádkin, e mantinha um ar um pouco misterioso, mexendo as sobrancelhas, olhando o chão e procurando encontrar o tom adequado. Esforçava-se por merecer a soma prometida. O dinheiro que recebera, esse, achava que já lhe pertencia de direito.

— Quer dizer que não sabes nada?

— Nada, até agora.

— Então trata de observar. Poderás tomar conhecimento de alguma coisa.

— Sim senhor. Mais tarde talvez venha a saber alguma coisa.

"Nada feito", pensou o senhor Goliádkin.

— Toma isto, meu amigo.

— Muito obrigado, senhor.

— Vakramáiev veio ontem?

— Veio.

— Não veio mais ninguém? Procura lembrar-te. Puxa por essa cabeça...

O escriturário procurou em vão recordar-se.

— Não, não veio mais ninguém.

Houve um silêncio.

— *Escuta, homem,* aceite mais isto e dize-me tudo o que sabes.

— Bem...

Ostáfiev estava agora tão manso quando o podia desejar o senhor Goliádkin.

— Dize-me, qual é a opinião que fazem dele?

— Ótima, — respondeu o escriturário arregalando os olhos.

— Que queres dizer com isso?

— Nada: que é ótima.

Ostáfiev franziu significativamente as sobrancelhas. De fato, não sabia o que havia de dizer mais...

"Assim não se consegue nada", pensou o senhor Goliádkin.

— Ele não estará tramando nada com Vakramáiev?

— Não há nada de novo.

— Pensa bem...

— Diz-se que ambos andam a preparar não sei o quê...

— Mas, o quê?

Ostáfiev levou a mão à boca.

— Não se tratará de uma carta minha para ele?

— O caso é o seguinte: o servente Mítchev foi hoje à casa de Vakramáiev, onde mora também a tal alemã. Posso-lhe perguntar alguma coisa, se o senhor quiser.

— Faze-me este favor, meu amigo, por amor de Deus. Não é que isto tenha tanta importância mas de qualquer modo pergunta-lhe, procura saber se não andam preparando qualquer coisa que me diga respeito. O que é que ele faz? é o que eu quero saber. Depois terás tua recompensa.

— Eu vou fazer como o senhor deseja. Ah, sim! O seu lugar está desde hoje ocupado por Ivan Siemiônovitch.

— O quê? Por Ivan Siemiônovitch! Não pode ser!

— Foi Andriéi Filípovitch quem o mandou para lá.

— Não pode ser! Com que direito? Por que razão? Procura saber, pelo amor de Deus, procura saber tudo. Eu depois te agradecerei. É necessário... Não fiques imaginando coisas... Preciso de saber o que se passa...

— Compreendo. Vou fazer-lhe a vontade. Mas o senhor não entra?

— Não. Eu vim só para ver. Depois, não me esquecerei de te agradecer.

— Sim, senhor.

O escriturário subiu rapidamente a escada e o senhor Goliádkin ficou sozinho.

"As coisas não estão boas — pensou ele — não estão mesmo nada boas... Sim. Estamos metidos em maus lençóis. Que significa tudo isto? Que significarão as alusões dste bêbado? Quem arranjaria toda esta confusão? Ah, agora já eu sei o que isto quer dizer! Eles souberam qualquer coisa e então mandaram outro para o meu lugar... Foi Andriéi Filípovitch quem mandou Ivan Siemiônovitch ocupar o meu lugar. Por quê? Com que fim? Decerto souberam alguma coisa. É Vakramáiev quem manobra tudo isto. Vakramáiev propriamente, não, porque é burro demais para ter ideias. Mas os outros servem-se dele. Foi por isso que mandaram para cá o outro canalha e que a desavergonhada da alemã se queixou. Eu sempre suspeitei da causa das intrigas e do que se escondia debaixo das falinhas do diabo da velha. Bem dizia eu a Krestian Ivânovitch que eles tinham jurado liquidar-me moralmente e que se serviam para isso de Karolina Ivânovna. Por detrás disto há mão de mestre. Não é Vakramáiev, ele é estúpido, já disse. Agora já sei quem trabalha para todos eles. É o malandro, o falsário! Por isso ele é forte. Tem as costas quentes. Daí vêm todos os seus êxitos. Gostaria de saber ao certo o que anda ele agora tramando. Por que recorreram a ele? Como se não tivessem mais ninguém! No fundo, tanto faz ele como outro qualquer. Porém, há muito tempo já que eu andava desconfiado de Ivan Siemiônovitch. Já há muito que eu o observava. É macaco velho. Diz-se que faz empréstimos a pequenos prazos e a alto juro. Mas o malandro do urso é quem dirige tudo. Está sempre a par de tudo. A coisa deve ter começado lá para os lados da ponte Ismaílov. Decerto começou assim..." Nesta altura o senhor Goliádkin fez uma careta, como se acabasse de morder a casca dum limão. Decerto ocorrera-lhe qualquer recordação desagradável. Pensou: "No fundo, isto não tem importância, só tenho que me preocupar com os meus assuntos pessoais. Por que será que Ostáfiev demora tanto? Naturalmente retiveram-no. É bom que, por minha vez, seja eu quem dirija a intriga e arme a ratoeira. Basta dar dez copeques a Ostáfiev e... ele fica do meu lado. Bem... isso agora é o que falta saber! Mas decerto também lhe pagam e se servem dele para me fazer mal. Ele tem má pinta, o malandro. Esconde o seu jogo com os *não há nada* e os *muito obrigado ao senhor.* Que patife!".

Ouvem-se passos. O senhor Goliádkin esconde-se depressa atrás do fogão. Alguém acabava de descer a escada e tinha saído para a rua. "Quem vai embora a esta hora?", pensou o senhor Goliádkin.

Um instante depois tornaram a ouvir-se os mesmos passos. O senhor Goliádkin não pode ter a mão em si e meteu o nariz por uma fresta da "muralha" que o escondia, mas recuou logo a seguir como se lhe tivessem picado a ponta do nariz. Era o malandrim que passava, o intriguista, o sem-vergonha. Caminhava com o passo habitual, bamboleando as pernas. "Canalha!"

O senhor Goliádkin notou que o bandido levava debaixo do braço uma enorme pasta verde que pertencia a Sua Excelência.

"Outra vez em comissões particulares" — pensou o senhor Goliádkin que, despeitado, se encolheu ainda mais e corou.

Acabava o senhor Goliádkin Júnior de passar pelo senhor Goliádkin Sênior, sem dar por isso, quando pela terceira vez soaram passos. O senhor Goliádkin pensou que era o escriturário. Efetivamente foi um escriturário quem se aproximou do fogão. Mas não era Ostáfiev. Era um outro chamado Pissarienko.

O senhor Goliádkin ficou surpreendido: "Por que teria Ostáfiev metido terceiros no assunto? Oh, estes marotos... não se pode confiar neles!".

— Viva! O que há? — diz a Pissarienko. — Quem te mandou aqui?

— Vim por causa do senhor. Não há nenhuma novidade. Se houver qualquer coisa, será avisado.

— E Ostáfiev?

— Não pode vir. Sua Excelência passou duas vezes pela secretaria. Eu também não me posso demorar.

— Obrigado, meu amigo, obrigado... Diz-me só...

— Dou-lhe a minha palavra de honra que não tenho tempo... estão sempre *a chamar por nós. O senhor* fique por aqui e, se houver alguma coisa que lhe diga respeito, será avisado.

— Não, diz-me só...

— Agora deixe-me, tenho pressa — dizia Pissarienko tentando soltar-se das mãos do senhor Goliádkin, que o tinha agarrado pela aba do casaco. — Agora não posso. Deixe-se estar por aqui e será informado do que se passa.

— Mas já vais, meu amigo, já vais. Olha, tenho aqui uma carta. Pagarei pela entrega...

— Está bem, senhor.

— Trata de a entregar ao senhor Goliádkin.

— Bem. Logo que termine o meu serviço, irei levá-la. Entretanto o senhor fique aqui, ninguém o verá.

— Não, meu amigo, não tenciono ficar aqui. Poderiam ver-me. Vou ali, a um café naquela rua. Esperarei por ti. E tu, se souberes alguma coisa, manda-me recado. Entendes?

— Está bem, agora tenho de ir. Já entendi.

— Eu saberei agradecer-te — gritou o senhor Goliádkin a Pissarienko, que tinha finalmente conseguido escapar-se.

"Rufião! Está cada vez mais malcriado — pensou o senhor Goliádkin saindo detrás do fogão. — Todos se calam, não há dúvida. A princípio é mais isto e mais aquilo. Talvez ele estivesse com pressa, talvez tivesse muito que fazer lá em cima. E Sua Excelência a passar duas vezes pela seção... Por quê? Hum! Isto não tem importância, claro. É muito possível que não queira dizer nada. Agora é que se vai ver..."

O senhor Goliádkin tinha aberto a porta e preparava-se para sair à rua, quando, de repente, diante do portão ouviu o rodar da carruagem de Sua Excelência.

Antes que ele se refizesse do seu espanto, a portinhola do carro abriu-se e a pessoa que ali vinha saltou do estribo. Era o senhor Goliádkin Júnior que havia saído dez minutos antes.

O senhor Goliádkin Sênior lembrou-se de que a casa do diretor era dali a dois passos.

"É a sua última façanha" — pensou o nosso herói.

O senhor Goliádkin Júnior pegou na pasta verde e noutros papéis, deu uma ordem ao cocheiro e, abrindo a porta de entrada, empurrou o senhor Goliádkin Sênior e, fingindo não o ver, subiu rapidamente a escada.

"Mau sinal — pensou o senhor Goliádkin — as coisas estão ficando pretas. Ah, meu Deus!" Ficou imóvel durante alguns segundos. Por fim decidiu-se. Com o coração alvoroçado e as pernas tremendo, correu atrás do outro. "Ah, que me importa a mim? Não tenho nada que recear! Isto não me diz respeito!" — pensou ao mesmo tempo que tirava no vestíbulo o chapéu, o casaco e as galochas.

Quando entrou na sala de trabalho já o dia declinava e nem Andriéi Filípovitch nem Anton Antônovitch se encontravam mais ali. Estavam ambos conferenciando com o diretor, que — dizia-se — estava com muita pressa, pois tinha assuntos a tratar com o ministro.

Os chefes também já tinham saído. Começava a escurecer. A hora regulamentar do serviço já passara, por isso muitos funcionários, especialmente os mais novos, já tinham deixado o trabalho, conversavam em grupos e gracejavam. Os mais novos de todos brincavam de "cara ou coroa" num canto perto da janela.

O senhor Goliádkin era um homem bem-educado e não queria perder nenhum meio de colher informações. Por isso aproximou-se daqueles com quem tinha melhores relações, para os cumprimentar. Mas os colegas do senhor Goliádkin corresponderam de maneira estranha. Ficou desagradavelmente impressionado pela frieza de todos, pela recusa, pode mesmo dizer-se pela severidade de tal acolhimento. Ninguém lhe apertara a mão. Uns disseram-lhe simplesmente "boa-tarde" e afastaram-se, outros cumprimentaram-no com a cabeça. Um deles virou as costas, fazendo de conta que o não viu. Outros ainda — e isto exasperou o senhor Goliádkin — outros, os mais novos, os fedelhos, como justamente ele lhes chamava, os que não perdem a ocasião de jogar "cara ou coroa" e de fazer tolices, rodearam-no pouco a pouco, agruparam-se à sua volta, fecharam-lhe a saída. Olhavam todos para ele com uma curiosidade insultuosa.

Era mau sinal. O senhor Goliádkin sentiu-o e, sensatamente, preparava-se para não prestar atenção ao fato, quando um acontecimento inesperado o aniquilou de repente e deu cabo dele.

No meio dos jovens que o rodeavam, no instante em que a sua angústia atingia o auge, apareceu subitamente o senhor Goliádkin Júnior. Alegre e bem-disposto como sempre, apressado como sempre, avançava com ar brejeiro, saltitante, mesureiro, sorrindo e caçoando como acontecera na véspera, naquele momento de tão tristes recordações para o nosso amigo Goliádkin. Mostrando os dentes, saracoteando-se, saltitando com um sorriso que era uma saudação a todos, tinha-se introduzido no meio dos outros empregados, apertando a mão a um, batendo no ombro do outro, dando um abraço a um terceiro, explicando ao quarto a missão que Sua Excelência lhe confiara, as suas iniciativas, atos e funções.

Isto era sem tirar nem pôr o que se passara no sonho do senhor Goliádkin Sênior. Depois de ter saltitado por aqui e por ali e desempenhando o seu papel junto de cada um, logo que chamou sobre si as atenções e abraçou a todos, o senhor Goliádkin Júnior, que decerto por descuido não tinha ainda reparado no seu amigo mais antigo, estendeu a mão ao senhor Goliádkin Sênior. Também por descuido — e, contudo, ele tivera tempo de sobra para reconhecer o nojento senhor Goliádkin Júnior — o nosso herói apertou com força e simpatia a mão que o outro lhe estendia.

Teria se deixado enganar pelo gesto imprevisto do seu terrível inimigo ou teria sido colhido de surpresa? Não se sabe. A verdade é que o senhor Goliádkin Sênior, espírito lúcido, de moto próprio, diante de testemunhas, apertou solenemente a mão daquele que considerava o seu pior inimigo. Grande porém foi sua surpresa e maior a vergonha quando reconhece o homem que anda a persegui-lo e enganá-lo despudoradamente.

Mas o senhor Goliádkin Júnior apercebe-se logo do erro do seu homônimo e, sem pudor, sem a mínima delicadeza, retira repentinamente e com uma insolência brutal a sua mão da do senhor Goliádkin Sênior, e sacode-a depois como se estivesse suja. Cospe de lado num gesto insultuoso, tira o lenço do bolso e limpa a mão que durante um momento estivera na do senhor Goliádkin Sênior.

O senhor Goliádkin Júnior, como era seu hábito, olhava intencionalmente em volta cada um dos presentes para que aprovassem a sua atitude e desprezassem o senhor Goliádkin. O seu gesto parecia, contudo, ter despertado a indignação de todos e até os novos mais estouvados mostravam descontentamento. A desaprovação era geral. Já o senhor Goliádkin número um se regozijava, quando, de repente, uma gracinha lançada a propósito pela boca do senhor Goliádkin número dois derruba e desfaz as últimas esperanças do nosso herói e faz de novo pender a balança a favor do seu terrível inimigo.

— É o nosso Faublas[9] russo! Permitam-me que lhes apresente o jovem Faublas — diz o senhor Goliádkin Júnior, em voz fraca e com a insolência habitual. Bamboleava-se no meio dos outros funcionários e apontava-lhes o verdadeiro senhor Goliádkin petrificado. — Abracemo-nos — continuou ele com uma insuportável familiaridade aproximando-se do homem que ultrajara.

A brincadeira do maldoso senhor Goliádkin Júnior fizera mais efeito por conter uma pérfida alusão a um fato que se tinha espalhado. O senhor Goliádkin sentiu nos ombros as mãos pesadas dos seus inimigos. Tinha tomado uma decisão. Com o olhar brilhante, o rosto pálido e um sorriso forçado, saiu do grupo e dirigiu-se a passos incertos e precipitados para o gabinete de trabalho de Sua Excelência.

Na antecâmara encontrou Andriéi Filípovitch que saía de lá. Havia ali várias pessoas que o senhor Goliádkin não conhecia e às quais não prestou atenção.

Diretamente, resolutamente, espantado da sua própria coragem e ao mesmo tempo contente consigo próprio, sem perder um segundo, aproximou-se de Andriéi Filípovitch, o qual ficou surpreendido com aquele ataque inesperado.

— Ah! É o senhor... Que deseja? — perguntou o chefe de seção, mal reparando no que o senhor Goliádkin dizia.

— Andriéi Filípovitch, eu... Poderei ir agora mesmo falar com Sua Excelência? — pronunciou distintamente o senhor Goliádkin, fixando resolutamente Andriéi Filípovitch.

— Como? Claro que não pode. — E mirou desdenhosamente o senhor Goliádkin dos pés à cabeça.

— Se digo isto, Andriéi Filípovitch, é porque me admiro de que ninguém obrigue aquele impostor, aquele canalha a desmascarar-se.

— O que!?

— Um canalha, Andriéi Filípovitch!

— De quem está falando?

— De uma pessoa bem conhecida. Sim, — refiro-me a uma pessoa conhecida. Estou no meu direito. Eu julgo, Andriéi Filípovitch, que os chefes deviam ser os primeiros a aprovar reações como esta — acrescentou o senhor Goliádkin fora de si. — Andriéi Filípovitch, o senhor deve ser o primeiro a ver que a minha reação é compreensível e prova a minha inocência... Eu quero ver no meu chefe um pai, Andriéi Filípovitch. Sim, estimo-o como a um pai e vou colocar o meu destino nas suas mãos. Quero dizer-lhe o seguinte. Ouça-me...

Nesta altura a voz do senhor Goliádkin tremeu, o rosto tornou-se vermelho e duas lágrimas apareceram a brilhar-lhe nas pestanas.

Andriéi Filípovitch ficou tão admirado que, sem dar por isso, recuou dois passos e olhou inquieto à sua volta...

---

9   Herói de célebre romance francês *Os amores do cavaleiro de Faublas*, de Louvet de Couvray. Era um moço de belo porte, atrevido e caprichoso, um elegante depravado.

Como terminaria este incidente? Eis, porém, que se abre a porta do gabinete ministerial. Sua Excelência sai acompanhado de alguns funcionários. Todas as pessoas que estavam na antecâmara aproximaram-se. Sua Excelência chamou Andriéi Filípovitch e deram ambos alguns passos juntos, tratando de assuntos oficiais. Então é que o senhor Goliádkin voltou a si. Envergonhado, pôs-se ao lado de Anton Antônovitch Siétotchkin, que caminhava, coxeando, atrás dos outros, de rosto preocupado.

"Eu cometi um deslize, um disparate — pensa — mas não faz mal..."

— Espero — disse baixinho e com voz trêmula — espero que ao menos o senhor, Anton Antônovitch, queira ouvir-me e julgar o meu caso. Enxotado por todos, dirijo-me ao senhor. Não consigo compreender as palavras de Andriéi Filípovitch. Explique-as, por favor, caso possa Anton Antônovitch.

— Tudo se esclarecerá no momento oportuno — respondeu Anton Antônovitch com voz severa e vagarosa, que significava que não lhe interessava prolongar a conversa. — O senhor saberá em breve... Hoje mesmo será avisado oficialmente de tudo.

— O quê?... Oficialmente, Anton Antônovitch? Por que... oficialmente? — perguntou timidamente o senhor Goliádkin.

— Não nos compete a nós, Iákov Pietróvitch, discutir as decisões dos chefes.

— Por que dos chefes? — pergunta o senhor Goliádkin cada vez mais assustado. — Por que dos chefes? Eu não vejo nenhuma razão para incomodar os chefes, Anton Antônovitch. Quererá por ventura referir-se ao que aconteceu ontem?

— Não, não é isso... há outras coisas que lhe censuram...

— Que coisas, Anton Antônovitch?

— Quem é que o senhor quis enganar, afinal? — interrompeu com dureza Anton Antônovitch...

O senhor Goliádkin, pasmado, estremeceu e tornou-se pálido como cera.

— Sim... Anton Antônovitch — disse com voz sumida — se derem ouvidos só às calúnias dos inimigos, se ninguém quiser tomar a defesa de um acusado, então é claro que este... acabará por sofrer sem culpa nenhuma...

— Sim. E que me diz da feia ação que cometeu, atentando contra a reputação de uma honesta menina, cuja família sempre o cumulou de atenções?

— Mas, Anton Antônovitch, que ação foi essa?

— Olhe. Também não sabe o que lhe pode censurar outra jovem, esta, pobre, mas de uma família estrangeira digna de todo o respeito?

— Deixe-me falar, Anton Antônovitch. Escute-me...

— E as outras indecências, as calúnias contra outra pessoa que o senhor acusou de uma ação de que era o único culpado? Como se chama isso, hem?

— Eu não o expulsei de minha casa, Anton Antônovitch, nem fui eu quem deu ordem a Pietruchka... ao meu criado... Ele partilhou do meu pão, Anton Antônovitch, aceitou a minha hospitalidade — afirma o senhor Goliádkin em tom sincero, com o queixo a tremer e as lágrimas nos olhos...

— Compartilhou do seu pão... é o senhor quem o diz — chacoteou Anton Antônovitch com voz irônica que feriu profundamente o nosso herói.

— Dê-me licença, Anton Antônovitch, que lhe pergunte se Sua Excelência sabe...

— Claro que sabe... Mas deixemos isto... Eu não tenho tempo para estar aqui a falar. Hoje ainda o senhor saberá o que tem a saber.

— Por favor, Anton Antônovitch... é só um momento...

— Em outra hora conversaremos.

— Não, Anton Antônovitch... Olhe, escute-me. Eu não sou herético. Estou disposto a...

— Sim... eu sei.

— Não, não sabe, Anton Antônovitch. — Não é isso. O que eu quero dizer, Anton Antônovitch, é que a providência divina concebeu dois seres absolutamente iguais, e os chefes, respeitando este desígnio da providência, resolveram dar asilo aos dois e fizeram bem. É assim ou não, Anton Antônovitch? Eu não sou nenhum libertino. Pelo contrário. Um chefe bondoso é para mim como um pai. E depois... O pobre homem tem necessidade de trabalhar... Ajude-me, Anton Antônovitch. Por amor de Deus, só mais uma palavrinha, Anton Antônovitch...

Anton Antônovitch, porém, já estava longe. O senhor Goliádkin já não sabia dele. Que fazia agora ali especado e qual iria ser a sua sorte? Que iriam fazer dele?

Com o olhar suplicante, procurou Anton Antônovitch por entre os funcionários, a fim de se desculpar e defender bem a inocência dos seus propósitos.

Aos poucos uma nova luz começou a iluminar o caos em que o senhor Goliádkin mergulhara. Era terrível essa luz e dela emergiam fatos que nunca lhe haviam passado pela cabeça. Alguém lhe tocou. Voltou-se. Na sua frente estava Pissarienko.

— Uma carta... senhor.

— Ah! Até que enfim! Estiveste lá?

— Não, a carta veio hoje às dez da manhã. Mítchev trouxe-a da parte de Vakramáiev.

— Está bem, rapaz, está bem. Eu saberei agradecer-te.

O senhor Goliádkin meteu a carta no bolso do casaco que abotoou com todo o cuidado.

Com grande espanto, percebeu então que se encontrava no vestiário dos escritórios, no meio dos funcionários que, tendo terminado o serviço, se dirigiam para a saída.

O senhor Goliádkin não se lembrava de nada. Voltara a vestir o sobretudo, calçara as galochas, pegara no chapéu, fazendo tudo maquinalmente. Os outros funcionários, de pé, imóveis, pareciam esperar fosse o que fosse. Sua Excelência tinha parado no fundo da escada à espera do carro que demorava a chegar e, entrementes, conversava animadamente com dois conselheiros e com Andriéi Filípovitch. Um pouco atrás estava Anton Antônovitch Siétotchkin e mais alguns funcionários que sorriam ao verem o ministro rir e gracejar. No cimo da escada os empregados sorriam também esperando nova gargalhada de Sua Excelência. Só o gordo Fiedosséitch não sorria. Aprumado, junto da porta, esperava com impaciência o seu momento de alegria cotidiana. Era quando, com um gesto ostensivo, abria a porta de par em par para deixar passar Sua Excelência. Mas mais que todos os outros, o indigno e repelente inimigo do senhor Goliádkin, exteriorizava o seu contentamento...

Nesta ocasião tinha esquecido os outros funcionários. Não pensava em insinuar-se junto de cada um deles como era seu hábito. Agora não fazia outra coisa senão ouvir e ver. Não tirava os olhos de Sua Excelência e parecia beber cada uma das suas palavras. Mas, de quando em quando suas mãos, pés e cabeça moviam-se revelando os movimentos secretos da sua alma.

"Que maneiras! — pensou o senhor Goliádkin. — Bandido! Parece um favorito! Gostaria de saber o que tem ele para se insinuar daquela maneira. Nem sutileza, nem caráter, nem cultura, nem sentimentos. Contudo, triunfa. Meu Deus. A que um homem pode chegar! Como ele tem artes de *levar* os outros! Há de ir longe, o malandro! Ainda por cima tem sorte. Que estarão cochichando? Que segredos serão os dele com esta gente? De que estarão todos a falar? Meu Deus! Se eu lhe fosse perguntar..."

"Não, não voltarei a ceder. Eu tenho também as minhas culpas. Eu bem sei que, hoje em dia, os novos têm direito a ter a sua situação. Sim, por isso não protestarei. Suportarei tudo com paciência e humildade. E se eu tentasse demovê-lo? Não, não conseguirei demovê-lo com palavras. Aquela cabeça é dura, ali não entra nada. Ainda assim, é de tentar. Talvez seja agora o momento oportuno. Tentemos, pois."

Preocupado, aflito, perplexo, sentindo que não podia continuar assim, que tinha chegado o momento decisivo e lhe era necessária uma explicação, o senhor Goliádkin aproximou-se vagarosamente do seu indigno e misterioso camarada. No mesmo instante, porém, ouviu-se o barulho do carro de Sua Excelência.

Fiedosséitch puxou a porta e... curvado até ao chão, deixou passar o ministro. Todos os que estavam à porta precipitaram-se para a saída, separando assim, por momentos, o senhor Goliádkin Sênior do senhor Goliádkin Júnior.

"Hei de apanhar-te" — disse para si próprio o senhor Goliádkin abrindo caminho por entre a massa dos funcionários e sem o perder de vista.

Por último a aglomeração desfez-se e ele se lançou em perseguição do inimigo.

Capítulo XI

A respiração do senhor Goliádkin tornava-se ofegante. Voava, como se tivesse asas nos pés, em direção ao inimigo que se afastava rapidamente. Sentia em si uma energia desusada. Apesar disso tinha a impressão de que um simples mosquito — se houvesse mosquitos em São Petersburgo numa época daquelas — teria sido suficiente para, com um simples toque de asas, quebrá-lo pelo meio. Sentia-se fatigado, exausto. Uma força estranha impelia-o para a frente mas já não tinha ânimo para caminhar e os pés recusavam-se a andar. "Tudo isto se podia arranjar pelo melhor. Pelo melhor ou pelo pior" — pensava o senhor Goliádkin, já sem fôlego, devido à corrida. — "Tudo está irremediavelmente perdido. Já não há lugar para dúvidas. É um caso certo, decidido, arrumado." No entanto, o senhor Goliádkin pareceu ressuscitar, como se tivesse ganho a vitória numa grande batalha, quando, finalmente, conseguiu deitar a mão ao sobretudo do inimigo no momento em que este ia subir a um carro.

— Cavalheiro, cavalheiro, espero que...

— Não, não espere coisa nenhuma. — Tal foi a resposta evasiva do seu cruel inimigo que, já com um pé no estribo, procurava meter o outro pé dentro do carro e manter-se em equilíbrio enquanto agitava a perna. Ao mesmo tempo tentava com toda força desprender o casaco das mãos crispadas do senhor Goliádkin Sênior.

— Iákov Pietróvitch, apenas dez minutos.

— Estou com pressa, desculpe.

— Por favor, Iákov Pietróvitch... Peço-lhe por amor de Deus, Iákov Pietróvitch! Precisamos de ter uma explicação como homens de palavra que somos. É só um segundo, Iákov Pietróvitch.

— Meu querido amigo, não tenho tempo — respondeu com uma familiaridade fora do propósito e uma certa bonomia o tratante do senhor Goliádkin. — Fica para outro dia. Creia que outro dia, da melhor vontade, mas agora é impossível.

"Covarde" — pensou o senhor Goliádkin.

— Iákov Pietróvitch! — exclamou desesperado. — Nunca lhe quis mal nenhum. Houve gente sem escrúpulos que me caluniou. Mas, por meu lado, estou disposto a... Iákov Pietróvitch. Vamos entrar neste café e lá, de coração nas mãos, francamente, tudo se explicará.

— Está bem, vamos ao café. Concordo, mas só com uma condição, meu amigo; é que fique tudo bem claro, de uma vez para sempre. Só assim — disse o senhor Goliádkin, descendo do carro e batendo descaradamente no ombro do senhor Goliádkin. — Para ser-te agradável, meu amiguinho, irei onde quiseres. És um bom patife, fazes dos outros o que queres — continuou o falso amigo do senhor Goliádkin, e pôs-se a andar em volta dele com um sorriso.

O café onde entraram os dois Goliádkin ficava retirado das ruas de movimento e, naquela ocasião, estava deserto. Uma alemã fortona surgiu por detrás do balcão quando tocaram a campainha. O senhor Goliádkin e o seu inimigo foram até ao compartimento do fundo, onde um garoto gorducho, de cabeça rapada, procurava com um feixe de cavacos dar vida ao fogão apagado. Entretanto veio o chocolate que o senhor Goliádkin número dois tinha mandado vir.

— É bem apetitosa, esta dona... — disse o senhor Goliádkin Júnior piscando maliciosamente o olho ao senhor Goliádkin Sênior, que corou e não disse nada.

— Ah, bom, já me esquecia. Desculpe. Já sei que o senhor gosta das alemãs pequenas e frágeis, meu caro Iákov Pietróvitch. Aluga-se um quarto na casa duma delas, depois toca a difamá-la, a comer à sua custa etc. e tal.

Enquanto ia fazendo estas alusões maliciosas o senhor Goliádkin número dois andava em volta do seu homônimo, sorria-lhe e fingia-se encantado por estar ali com ele. Mas o senhor Goliádkin Sênior não era tolo que se deixasse iludir.

Depois, o senhor Goliádkin Júnior mudou de tática e começou a jogar mais às claras. Bateu no ombro do outro com uma desenvoltura revoltante e foi ao ponto de dar-lhe um beliscão na face. O nosso herói ficou fulo... e não abriu a boca.

— Tudo isso são fantasias dos meus inimigos — respondeu ele com voz trêmula, dominando-se a custo. Ao mesmo tempo lançava para a porta olhares inquietos, pois o senhor Goliádkin Júnior mostrava-se muito exuberante e era bem de ver que se propunha fazer macaquices, deslocadas num lugar público e impróprias de pessoas educadas.

— É possível que seja como o senhor diz — respondeu friamente o senhor Goliádkin Júnior que adivinhara o que o outro estava pensando.

Colocou sobre a mesa a chávena que tinha esvaziado com uma sofreguidão imprópria.

— Fazia muito tempo que não nos víamos. Como tem passado, Iákov Pietróvitch?

— Eu só tenho uma coisa a dizer-lhe, Iákov Pietróvitch — respondeu o senhor Goliádkin com calma e dignidade — é que nunca fui seu inimigo.

— Hum! E Pietruchka? É Pietruchka que se chama? Como está ele? Como sempre, não é verdade?

— Sim, como de costume — respondeu o senhor Goliádkin Sênior um tanto admirado. — Não sei como hei de compreendê-lo, Iákov Pietróvitch, pelo meu lado, tem de concordar que sou sincero e correto...

— Sim. Mas o senhor sabe por si — interrompeu o senhor Goliádkin Júnior com voz calma, mostrando-se triste e digno, como que arrependido e repentinamente mudado — sabe que os tempos mudaram para pior. Iákov Pietróvitch, o senhor é inteligente e compreende que a vida não é uma simples brincadeira — concluiu com ar solene o senhor Goliádkin Júnior, procurando fazer acreditar que sabia interessar-se por assuntos elevados.

— Pela minha parte, Iákov Pietróvitch — continuou o senhor Goliádkin com mais vibração — desprezo os rodeios e gosto de dizer francamente as coisas e por isso quero dizer-lhe, Iákov Pietróvitch, que não tenho nenhuma culpa do que se passa. Ora, sabemos bem que é sempre possível corrigir a opinião das outras pessoas. Quero ainda acrescentar, Iákov Pietróvitch, que se olharmos as coisas de um ângulo superior, eu serei obrigado a reconhecer, sem falso amor-próprio, que, claro, se eu tiver certas culpas, estou pronto a confessá-las. O senhor é inteligente e eu estou pronto a confessar com dignidade, sem falsa vergonha que...

— É a fatalidade, o destino, Iákov Pietróvitch. Mas deixemos isto. Gastemos antes os poucos momentos de que dispomos, a conversar como se fôssemos dois camaradas. Realmente, durante todos estes dias não tive oportunidade de dizer-lhe duas palavras. Mas a culpa não foi minha, Iákov Pietróvitch...

— Nem minha — interrompeu com vivacidade o senhor Goliádkin. — Não tenho culpa de nada disto, sinto-o perfeitamente. Acusemos antes o destino — diz o nosso homem no tom mais conciliador que se pode imaginar.

Aos poucos, a voz ia-se tornando cada vez mais fraca. Tremia.

— Mas afinal não me disse: como tem passado? — insiste com voz melosa o desconcertante sósia do nosso herói.

— De vez em quando tenho tosse — respondeu em voz baixa o senhor Goliádkin.

— Tenha cuidado, andam por aí muitas doenças. É fácil apanhar anginas e eu já comecei a usar roupa de flanela, veja...

— Sim, de fato. As anginas apanham-se facilmente, Iákov Pietróvitch...

Houve um curto silêncio.

— Iákov Pietróvitch, vejo que me enganei. Lembro-me das horas que passamos juntos na minha casa modesta mas acolhedora...

— Não foi o que o senhor referiu na sua carta — disse o senhor Goliádkin Júnior, que pela primeira vez falava a verdade.

— Iákov Pietróvitch, eu estava enganado. Hoje é que vejo. Excedi-me quando escrevi a carta, Iákov Pietróvitch. Até me custa olhar para você. Dê-me essa carta para que eu a rasgue, aqui, na sua frente, Iákov Pietróvitch. Se não quiser, atribua-lhe — peço-lhe — um sentido totalmente diverso, interprete-a como amigo, dê a cada palavra o valor oposto. Eu estava fora de mim. Perdoa-me, Iákov Pietróvitch, eu não sabia o que fazia...

— Que me diz? — perguntou o inimigo com ar distraído e indiferente.

— Digo que estava absolutamente fora de mim, Iákov Pietróvitch.

— Ah bem! Tinha-se enganado — respondeu, troçando, o senhor Goliádkin Júnior.

— Eu cheguei a pensar, Iákov Pietróvitch — acrescentou o nosso herói com uma total fraqueza e sem compreender a terrível perfídia do seu falso amigo — cheguei mesmo a dizer: "Ora aqui estão dois homens semelhantes em tudo, que foram criados..."

— Ah! Pensou isso?

O instável senhor Goliádkin Júnior ergueu-se e pegou o chapéu. O senhor Goliádkin Sênior não viu a velhacaria e levantou-se também, sorriu francamente e pensou, na sua simplicidade, em encorajá-lo para que se tornasse bom e pudessem até ser amigos.

— Adeus, Excelência! — exclamou inesperadamente o senhor Goliádkin Júnior. O outro estremeceu ao reparar na cara do inimigo.

Para ver-se livre dele estendeu-lhe a mão a despedir-se, mas então... então a insolência do senhor Goliádkin Júnior ultrapassou todos os limites. Apertou-lhe desdenhosamente dois dedos e ousou repetir a intolerável graçola daquela manhã. Isto ia além das medidas da paciência humana, por maior que ela fosse.

Já tinha metido no bolso o lenço com que limpara os dedos, quando o senhor Goliádkin número um se pôs a perseguir na sala vizinha o seu figadal e covarde inimigo. Como se nada tivesse acontecido, instalara-se junto do balcão, comera bolos como uma pessoa que se preza e ia fazendo a corte à pasteleira alemã.

"Diante de uma senhora, não posso" — pensou o senhor Goliádkin que, muito agitado, se aproximara do balcão.

— Realmente, a garota é muito "comestível". Não acha? — e o senhor Goliádkin Júnior voltava às suas disparatadas brincadeiras, contando com a paciência inesgotável do senhor Goliádkin.

A grande e gorda alemã olhava os seus dois clientes com olhos inexpressivos. Era evidente que não compreendia o russo e lhes sorria com ar afável. O senhor Goliádkin corara. O seu inimigo não tinha vergonha... Sem poder conter-se por mais tempo, lançou-se sobre ele. Quis fazê-lo em bocados, ver-se livre do inimigo de uma vez para sempre. Mas, segundo o seu hábito, o senhor Goliádkin Júnior já estava longe. Tinha desaparecido pela porta.

Depois de um momento de estupefação bem natural, o senhor Goliádkin Sênior, já mais refeito, lançou-se com quantas pernas tinha em perseguição do outro que saltava, entretanto, para o carro que o esperava. A alemã, vendo fugir os dois clientes, pôs-se a gritar e a tocar a campainha com toda a força.

O senhor Goliádkin virou-se, atirou-lhe dinheiro de sobra para pagar duas despesas e nem esperou o troco. Apesar do atraso pode apanhar o inimigo. Agarrou-se bem ao carro e correu na rua procurando subir, o que o outro Goliádkin tentava impedir com energia. O cocheiro, com o chicote, com as rédeas e com os pés, encorajava a mula que, de súbito, se pôs a galope mordendo o freio e escoiceando furiosamente. Por fim o senhor Goliádkin conseguiu trepar para o carro. Face a face com o seu inimigo, com as costas de encontro às costas do cocheiro, os joelhos de encontro aos joelhos do insolente, conseguira agarrar com a mão direita a gola de pele do casaco do outro.

O carro levava vertiginosamente os dois silenciosos inimigos. O senhor Goliádkin mal podia respirar. O caminho era mau, e a cada solavanco ele saltava e corria o risco de quebrar a cabeça. O inimigo não se dava por vencido e procurava precipitá-lo na lama. E ainda por cima o tempo estava horrível. Os flocos de neve teimavam em penetrar através do casaco do senhor Goliádkin. Não se via nada. Era impossível distinguir as ruas por onde o cavalo galopava. O senhor Goliádkin tinha a impressão de já ter vivido estes instantes. Procurava lembrar-se se não fora na véspera, talvez em sonhos, que sentira algo de semelhante. A impressão que tinha não era de angústia, mas de verdadeira agonia. Apertou-se com força de encontro ao seu adversário e quis gritar. Mas os gritos não lhe saíram dos lábios... Por um instante esqueceu tudo, concluiu que aquela aventura não era real, que era inverossímil e que de nada valia protestar... Tinha chegado a esta conclusão quando um solavanco maior o chamou à realidade. O senhor Goliádkin, como um saco de farinha, caiu do coche, rolou, e concluiu que fora um tolo que se tinha excedido sem razão. Levantou-se. O carro tinha parado no meio dum pátio e o senhor Goliádkin reconheceu imediatamente a porta da casa de Olsuf Ivânovitch. Avistou simultaneamente o homônimo que se dirigia para o portão e ia certamente à casa de Olsuf Ivânovitch. Desesperado, ia correr atrás dele, mas, felizmente, retrocedeu a tempo. Pagou ao cocheiro e pôs-se a correr para onde o levavam os pés. A neve continuava a cair. A noite permanecia úmida e escura como breu. O senhor Goliádkin não corria, voava, derrubando tudo que encontrava: homens, mulheres e crianças. Por onde passava, ouviam-se gritos... Parecia ter perdido a consciência e que não reparava em nada do que existia em seu redor.

Acabou por voltar a si junto da ponte Siemiônovski, depois de ter derrubado duas vendedoras e de ter caído ele próprio.

"É preciso não perder a calma — pensou o senhor Goliádkin. — Ainda há de haver uma solução." Procurou no bolso, tirou um rublo para compensar as duas mulheres por causa das maçãs, das nozes e por bolos espalhados pelo chão. Deu então com a mão na carta que o escriturário lhe entregou pela manhã. Uma súbita esperança o iluminou. Conhecia uma espécie de taverna que ficava a dois passos. Entrou aí, sentou-se logo a uma mesa e sem sequer ouvir o rapaz, o qual veio informar-se do que ele desejava, abriu o envelope e pôs-se a ler com grande surpresa:

Nobre e amado cavalheiro:

Venho pedir-te, a ti, que sei que és um homem de sentimentos e sofres por minha causa, a ti que eu nunca esquecerei, que me venhas salvar, pois encontro-me em perigo. O caluniador, o intriguista que todos conhecem, prendeu-me nas suas redes e eu estou perdida. Não pude resistir mas ele é um odioso, ao passo que tu... Separaram-nos e têm interceptado as cartas que eu te tenho dirigido. Um homem sem escrúpulos aproveitou-se da sua única qualidade — a sua semelhança contigo... Mesmo quando um homem não é belo, *pode seduzir pela sua inteligência, pela força dos sentimentos, pelo encanto das suas maneiras...* Estou desgraçada! Querem casar-me à força e é o meu pai, o meu grande amigo, o conselheiro de estado Olsuf Ivânovitch que favorece o plano daquele que quer apenas partilhar a minha posição social e servir-se das minhas relações. Mas estou decidida a protestar por todos os meios ao meu alcance. Espera-me hoje às nove horas em ponto, com uma carruagem, diante das janelas da casa de meu pai. Há um baile em nossa casa. Eu escaparei e fugiremos. Não faltam lugares onde se pode servir utilmente à pátria. Aconteça o que acontecer, lembra-te sempre, meu amigo, que a inocência é, só por si, uma força.

Adeus. Espera-me com o carro diante da porta de entrada. Vou me entregar à tua proteção, às duas da manhã em ponto.

Klara Olsúfievna

Depois de ler esta carta, o senhor Goliádkin ficou atemorizado durante um instante. A angústia, a comoção deixaram-no branco como a cal da parede. Com a carta na mão, sem saber o que fazia, pôs-se a passear pela sala.

Para cúmulo da desgraça, nem sequer se apercebia de que os outros clientes não tiravam os olhos dele. O desarranjo da roupa, a sua visível comoção, o caminhar desordenado através da sala, os gestos, as palavras soltas que proferia sem dar por isso, não podiam de modo nenhum chamar a seu favor a opinião dos presentes. O próprio empregado olhava desconfiado para ele.

Assim que voltou a si viu-se em pé no meio da sala, olhando de um modo despropositado para um velhote com ar respeitável, que tinha acabado o jantar, e depois de dizer as suas orações diante duma imagem, voltara a sentar-se no seu lugar e o observava atentamente. Muito confuso, notou que todos, sem exceção, o encaravam de um modo pouco tranquilizador.

Um oficial reformado pediu em voz alta que lhe dessem um jornal.

O senhor Goliádkin estremeceu e corou. Por acaso baixou os olhos. A sua roupa estava imprópria não só para estar em público — mas até para estar em casa. Os sapatos, as calças, ou antes, todo o corpo do lado esquerdo estava coberto de lama; o fundo das calças, do lado direito, tinha um enorme rasgão, e o casaco estava esgarçado em várias partes. Contrariado, aproximou-se da mesa diante da qual acabara de ler a carta. O rapaz aproximou-se dele com ar estranho e ameaçador. Sem perceber, o senhor Goliádkin olhou a mesa que estava à sua frente. Não tinha sido tirada. Lá estavam as travessas, um prato sujo e uma faca, um garfo e uma colher.

"Quem jantou aqui?" — perguntou de si para si. — Terei sido eu? É possível. Decerto comi sem dar por isso. Que hei de fazer agora?"

Erguendo os olhos avistou o empregado que parecia querer falar-lhe.

— Quanto devo? — perguntou com voz hesitante.

À sua volta todos começaram a rir, até mesmo o empregado. O senhor Goliádkin compreendeu que acabava de dizer um grande disparate. Procurou o lenço para fazer qualquer coisa. Mas, com surpresa geral e também dele próprio, não foi um lenço que tirou do bolso mas um frasco que continha um medicamento receitado quatro dias antes por Krestian Ivânovitch. "Este medicamento provém da tal farmácia!" Esta frase veio-lhe à ideia. De súbito estremeceu e quase que ia gritando.

Um líquido repugnante e vermelho escuro apareceu com ar sinistro sob os olhos do senhor Goliádkin. O frasco caiu-lhe das mãos e quebrou-se. Lançou um grito e recuou dois passos. O líquido espalhara-se no chão. Pôs-se a tremer dos pés à cabeça e um suor frio perlava-lhe as fontes e a testa. "A minha vida está em perigo." Movimento, confusão na sala. Há gente em volta do senhor Goliádkin, fazem-lhe perguntas. Alguns agarram-no por um braço. Imóvel, mudo, não sente nada, não vê nada, não ouve nada... Por fim, fugindo do lugar, sai da loja empurrando todos que o querem reter. Caiu quase desfalecido no primeiro coche que encontrou e mandou seguir para casa, à rédea solta.

Ao entrar em casa encontrou Mítchev, o porteiro da repartição, que trazia um sobrescrito oficial.

— Já sei, já sei tudo — disse com voz fraca e triste o senhor Goliádkin, visivelmente aniquilado. — É oficial...

O sobrescrito dirigido ao senhor Goliádkin continha efetivamente um mandato, assinado por Andriéi Filípovitch, para que entregasse a Ivan Siemiônovitch todos os trabalhos que tinha em mãos, bem como a respectiva documentação. O senhor Goliádkin deu dez copeques ao portador.

Uma vez em casa, viu Pietruchka a reunir as roupas e tudo o que lhe pertencia. Ia deixar o senhor Goliádkin a fim de substituir Ievstáfi em casa de Karolina Ivânovna.

Capítulo XII

Pietruchka aproximou-se com os braços abanando, descuidado e triunfante. Tinha o ar de alguém que não foi apanhado de surpresa e se sente seguro de si. Era como se fosse agora um estranho à casa, um criado que deixara já de estar ao serviço do senhor Goliádkin.

— Dize-me, Pietruchka — começou o senhor Goliádkin respirando a custo. — Que horas são?

Pietruchka passou silenciosamente para o outro lado do tabique e declarou com toda a independência que devia faltar pouco para as oito.

— Está bem, meu rapaz. Vês... Dá-me licença que te diga que me parece que nos vamos separar.

Pietruchka não disse nada.

— Bem, agora que nos vamos separar, diz-me, francamente, onde estiveste este tempo todo?

— Onde estive? Em casa de pessoas amigas.

— Já sabia, já sabia. Sempre me serviste bem e eu vou passar-te um bom certificado. Mas confessa: vais servir agora na casa dessas pessoas?

— Ora! O senhor bem sabe. É claro que as pessoas de bem não podem influenciar mal a outros.

— Claro, claro. Hoje em dia as pessoas dignas de estima são cada vez mais raras, devemos por isso apreciá-las. Mas quem são os teus novos patrões?

— O senhor bem sabe. Acontece que não posso mesmo continuar ao seu serviço.

— Sim, conheço a tua dedicação e zelo. Apreciei-os e tenho-te amizade. Eu gosto de todas as pessoas boas, mesmo que se trate de um criado.

— Claro, os bons é que vencem. É assim mesmo. A vida não é possível se não houver gente boa.

— Bem, bem, meu amigo. Compreendo. Toma o teu dinheiro e o teu certificado. Agora dá cá um abraço e vamos dizer adeus... Quero ainda pedir-te uma coisa — acrescentou solenemente o senhor Goliádkin. — Tudo pode acontecer, nunca se sabe. A pouca sorte está em toda parte e ninguém lhe pode fugir. Eu, eu julgo que não tens razão de queixa de mim...

Pietruchka calara-se.

— Parece-me que não tens razão de queixa de mim... Mas dize-me uma coisa: que roupas tenho ainda?

— O que há é isto: seis camisas de algodão, três pares de meias, quatro peitilhos, um colete de flanela, dois pares de ceroulas. Eu, por mim, não levo nada que lhe pertença. Sempre olhei pelas coisas do meu patrão. O senhor conhece-me bem...

— Não se trata disso, homem! Não é nada disso.

— Bem sei... senhor. Quando eu trabalhava em casa do general Stolbniakov mandaram-me embora porque a família foi toda para Saratov. Tinham lá uma herdade...

— Ó homem, não se trata disso. Não penses nisso.

— O senhor bem sabe que, na nossa situação, é fácil levantarem-nos má fama. Mas nunca, em casa nenhuma, tiveram nada que me dizer. Estive em casa de ministros, generais, senadores e condes. Estive em casa deles e em casa do príncipe Svintchátchin, em casa do capitão Pieriebórkin e do general Niedobárov e se me vim embora foi porque eles foram para as suas chácaras.

— Claro, está bem. Tudo isso é assim. Eu também vou partir... Cada um segue o seu caminho e não se sabe quando nos voltaremos a encontrar. Agora ajuda-me a vestir. Depois arranja-me um terno, lençóis, cobertores e almofadas.

— Quer que faça um embrulho?

— Sim, faz um embrulho. Ninguém sabe o que pode acontecer; e depois vai chamar um carro.

— Um carro?

— Sim, um carro que seja cômodo e disponível por algum tempo. Agora não te ponhas a pensar coisas...

— É longe onde o senhor vai?

— Não sei, meu caro, não sei. É melhor incluíres também uma manta. Não achas bom? Olha que eu tenho confiança em ti.

— O senhor vai sair já?

— Sim, vou já, vou. Aconteceu... enfim...

— Compreendo, senhor. Aconteceu o mesmo a um tenente do nosso regimento. Raptou a filha de um proprietário...

— Raptou? Que estás dizendo?!

— Sim, raptou-a e casou com ela noutra freguesia. Tinham preparado tudo de antemão. Tramaram uma perseguição. Mas o príncipe, que agora é falecido, meteu-se no caso e tudo se arranjou.

— Casaram-se? Mas... como sabes tu disso?

— Bem, senhor. Estas coisas espalham-se. Tudo se sabe... Todos têm as suas aventuras... Mas como sou sempre seu amigo quero dizer-lhe uma coisa. O senhor tem uma pessoa que lhe quer mal, que o não pode ver.

— Bem sei, bem sei, E tu também sabes. Vês como tenho confiança em ti? Que me aconselhas a fazer?

— Olhe, senhor, se precisa de comprar lençóis, almofadas e outra manta para casal ou um cobertor, tudo isso se arranja na vizinha debaixo. Ela tem uma manta de pele que é uma maravilha. É um instante enquanto se compra. E o senhor precisa dela... É de pele e forrada de cetim.

— Bem, tens razão. Tenho confiança em ti. Vai buscá-la. Mas depressa. Temos que nos despachar. Compro a manta, mas tem de ser depressa. Daqui a nada são oito horas. Despachemo-nos pelo amor de Deus. Avia-te, meu amigo. — Pietruchka pôs o embrulho das roupas a um canto e saiu do quarto.

O senhor Goliádkin voltou a pegar na carta mas não teve coragem de tornar a lê-la. Com a cabeça entre as mãos, de boca aberta, encostou-se à parede. Sentia-se incapaz de pensar ou de agir. Não compreendia o que tinha acontecido. Entretanto, o tempo ia passando e Pietruchka não chegava. Resolveu ir procurá-lo. Ao abrir a porta da escada ouviu embaixo as vizinhas tagarelando e gritando, em grande discussão. O senhor Goliádkin compreendeu qual seria o motivo da conversa. Ouviu a voz de Pietruchka e passos logo a seguir. "Oh céus, toda essa gente vem para cá!" — gemeu o senhor Goliádkin, que voltou a correr para o quarto e se lançou para cima de um divã com a cara escondida na almofada.

Depois de um ápice, ergueu-se, calçou as galochas, pôs o sobretudo e o chapéu, pegou na carteira e desceu a escada como um furacão. A certa altura encontrou Pietruchka a quem disse por entre dentes:

— Já não preciso de nada. Posso arranjar-me sozinho. Não necessito de ti. Tudo há de correr da melhor maneira.

Quando chegou ao pátio o coração batia-lhe com força. Não sabia o que havia de fazer. Que iria acontecer? Momento crítico...

"Que hei de fazer, Deus meu! Por que terá acontecido tudo isto? — gritou ele desesperado enquanto caminhava pela rua. — Se não fosse isto, se isto não tivesse acontecido, tudo se arranjava. Até dava um olho ao diabo se isto não ficasse arrumado de uma vez para sempre... Eu bem sei como seria: eu devia ter dito: 'Não é assim que se fazem as coisas. O senhor não passa de um impostor, de um homem perigoso para a comunidade. O senhor deve compreender etc. e tal...' Ora aí está. Mas não. Aqui estou a dizer disparates, sou um imbecil. Onde hei de ir? Que vou fazer agora? Para que sirvo eu, afinal? Para que serves tu, idiota de Goliádkin? Para quê? É preciso arranjar um coche, para que ela não molhe os pés, coitadinha. Quem poderia adivinhar? Ora, aí está no que deu uma menina com juízo! Meteu-me numa enrascada, não há dúvida! É o resultado duma educação defeituosa. Desde pequena, em vez de a castigarem, enchiam-na de bombons e de outras gulodices. E depois o velho sempre a choramingar: 'Minha linda, minha joia, hei de casar-te com um conde!' Em vez de a terem em casa puseram-na interna em casa dessa tal francesa, uma emigrada, uma madame Faublas[10] qualquer. Ora aí está. Basta levar-lhe um carro para debaixo da janela a cantar-lhe uma ária espanhola. 'Eu sei que me amas e espero por ti! Fujamos os dois e iremos viver para uma choupana.' Ora fique sabendo, belezinha, que isso não é permitido. A lei proíbe que se tire de casa uma donzela inocente, contra a vontade dos pais. E com que intenção, afinal? Que necessidade há disso? Ela acabará

---

10 Designação genérica para a mulher que faz ou ensina trabalhos manuais femininos às moças, por ter uma senhora francesa, daquele nome, se dedicado a esta atividade e nesta ter obtido grande popularidade.

por casar com aquele que o destino lhe enviou. Mais ainda. Eu não sou mais que um pobre funcionário que vai ser demitido do seu lugar. Podem levar-me ao tribunal. Tudo isto são artimanhas da alemã. Instigados por Andriéi Filípovitch, levantaram-me calúnias. Se assim não fosse, como estaria Pietruchka a par de tudo? Em que é que isto lhe diria respeito? Não, minha filha. Não pode ser. E talvez não seja a feiticeira alemã, mas a menina, a única culpada de tudo isto. Ela, no fundo, não é má pessoa. Só a você, Klara, eu devo todo o mal que tenho sofrido a ponto de sentir-me perdido. Não sei que vai ser de mim. Posso eu pensar em casar? Como acabará isto? Daria não sei quanto para o saber."

Mergulhado na sua mágoa o senhor Goliádkin ia caminhando e meditando, até que deu consigo na rua Litiéinaia.

O tempo estava medonho. A neve não parava de cair, como naquela noite inesquecível, à hora fatal da meia-noite, quando começara o seu infortúnio. "Não se pode pensar em viajar com um tempo destes — dizia para si o nosso desgraçado herói. — É o fim do mundo! Oh, meu Deus, onde irei eu encontrar um carro? Parece que lá ao longe há um ponto negro. Vamos ver, Deus meu!" E o senhor Goliádkin encaminhou-se, vacilando, para o local onde julgara ver um coche. "Não, o que eu vou fazer é ir lá, rojar-me aos pés dele e suplicar: 'Ouça-me Excelência, eu ponho o meu destino nas suas mãos, nas suas mãos de chefe. Ajude-me, Excelência, este ato é proibido pela lei; ajude-me a salvar a minha dignidade, a minha honra e o meu nome. Eu considero Sua Excelência como um pai. Livre-me deste miserável! Ele não sou eu, é outra pessoa.' Um bom chefe deve intervir numa circunstância destas, fica-lhe bem, até. Direi que o estimo como se fosse meu pai e como o melhor dos chefes, que lhe confio a minha vida e que me retirarei da vida pública!"

— Olá, você é cocheiro?

— Sim, sou.

— Preciso de uma carruagem para esta noite.

— É para ir longe?

— É para esta noite, amigo. Não interessa o lugar onde vamos.

— Mas quer sair da cidade?

— Sim, talvez. Não sei ao certo. Pode ser que não seja preciso, que as coisas consigam ainda arranjar-se.

— Oxalá, senhor, é preciso sorte para tudo.

— Sim, obrigado. Quanto pedes?

— É para partir já?

— Sim, já, ou antes, não, terás de esperar por mim... mas não muito tempo.

— Se é à hora, com um tempo destes, não posso fazer menos de seis rublos.

— Está bem, pode ser. Depois dou-te uma gorjeta. Vamos, leva-me lá.

— Então suba... Olhe, dê-me licença que dê aí um jeito. Agora sente-se. Onde quer que vá?

— À ponte Ismaílov.

O cocheiro subiu para o seu lugar e fez avançar as duas mulas que estavam comendo aveia. Subitamente, porém, o senhor Goliádkin puxou o cordão, obrigou o cocheiro a parar o carro ordenou-lhe que desse meia volta e seguisse por outra rua.

Dez minutos depois o carro parou diante da casa onde morava o ministro. O senhor Goliádkin desceu, recomendou ao cocheiro que esperasse, subiu correndo até ao segundo andar e, com o coração aos pulos, puxou a campainha.

A porta abriu-se: estava na antecâmara da residência ministerial.

— Sua Excelência está? — perguntou ao lacaio.

— Que deseja? — perguntou por sua vez o lacaio olhando-o dos pés à cabeça.

— Eu... eu sou o senhor Goliádkin... funcionário... Preciso de tratar de um assunto...

— Faça favor de esperar, tem de esperar um momento.

— Oh, meu caro amigo, eu não posso perder tempo. Trata-se de um assunto sério e urgente.

— Mas... da parte de quem vem? São documentos para entregar?

— Não, eu venho... da minha parte? Anuncie-me, faça favor. É para esclarecer um assunto. Não me importo de lhe dar depois qualquer coisa.

— Impossível. Não podemos aceitar seja o que for. Ele está com visitas. Faça favor de vir amanhã às dez.

— Vá lá dizer que estou aqui. Não posso esperar. A responsabilidade do que acontecer é sua.

— Oh, homem, vai lá anunciá-lo. Tens medo de romper as solas ou quê? — disse outro lacaio que até então estivera calado.

— As solas? Tu sabes muito bem que não se pode receber ninguém. A vez deles é de manhã.

— Ora, vai lá anunciá-lo. Não te vão cortar a língua por causa disso.

— Eu vou, mas bem sabes que é contra as ordens que temos...

O senhor Goliádkin foi introduzido na primeira sala. Em cima de uma mesa estava um relógio. Viu as horas. Eram nove e meia. Sentiu o coração apertado. No mesmo instante, o criado, na entrada da porta seguinte, anunciou o senhor Goliádkin.

— "Que voz! — pensou, mal-humorado. — Este burro não poderia dizer em tom mais baixo que fulano de tal... está ali e pede licença para informar respeitosamente S. Ex.ª... etc. e aguarda que Sua Excelência o receba. Enfim, parece-me que o meu caso não tem solução. Paciência..." Não teve tempo para mais raciocínios porque o criado estava já de volta, pronto a conduzi-lo ao gabinete do ministro.

Mal entrou, os objetos baralharam-se aos seus olhos. Não conseguia distingui-los. Pensou: "São visitas." Finalmente conseguiu reparar numa condecoração sobre o fraque negro de Sua Excelência. Pouco a pouco voltou-lhe a visão nítida das coisas.

— Que há? — disse a seu lado uma voz conhecida.

— Eu sou conselheiro titular, Excelência...

— Sim. E, então?

— Eu vim para dar uma explicação.

— Como? O quê?

— Vim para dar uma explicação a Vossa Excelência.

— Mas... quem é o senhor?

— Goliádkin, Excelência.

— Bem... Que deseja?

— É isto... Enfim... Eu considero V.Ex.ª como um pai. Eu próprio peço a minha demissão. Peço que me defenda do inimigo.

— Qual inimigo?

— Todos o sabem.

— Que é que todos sabem?

O senhor Goliádkin calou-se. O queixo começava a tremer-lhe...

— Mas o que deseja afinal, diga!

— Eu pensava que seria uma atitude nobre... Eu considero o meu chefe como um pai. Proteja-me, pe... peço-lhe... a cho... rar. Será uma boa ação...

Sua Excelência virou a cabeça. Durante alguns segundos o senhor Goliádkin não viu mais nada. Sentia o peito oprimido e custava-lhe a respirar. Já não sabia onde estava. A vergonha e o desespero apossaram-se dele. Quando voltou a si, notou que Sua Excelência conversava com as outras pessoas e discutia em voz alta.

O senhor Goliádkin reconheceu imediatamente uma delas: era Andriéi Filípovitch. Mas não havia forma de lembrar-se quem era a outra. Contudo, aquele rosto não lhe era estranho. Era um homem já de uma certa idade, alto e forte, com sobrancelhas e suíças espessas e um olhar duro mas expressivo. Trazia uma condecoração e fumava um charuto. Fumava e abanava gravemente a cabeça, olhando de vez em quando para o senhor Goliádkin. Este sentiu-se pouco à vontade e resolveu olhar para outro lado. Deu então com os olhos num conviva inesperado. No meio da porta, que o senhor Goliádkin supusera ser um espelho, como já acontecera uma outra vez, apareceu *o tal*, o seu conhecido, *o amigo*, do senhor Goliádkin. Vinha do compartimento contíguo, onde decerto estivera a escrever. Sobraçando um maço de papéis, foi pôr-se diante do ministro e, com habilidade, meteu-se na conversa. Estava um pouco atrás de Andriéi Filípovitch e ficava encoberto pelo tal desconhecido que fumava charuto. Parecia interessadíssimo na conversa, abanava a cabeça, sorria e olhava Sua Excelência com ar servil, sempre à espera de poder meter a sua colherada.

"Covarde" — pensou o senhor Goliádkin dando um passo em frente. Então o ministro voltou-se e aproximou-se em pessoa do senhor Goliádkin.

— Está bem, está bem. Pode retirar-se. Eu examinarei o seu caso e darei ordem para que seja readmitido.

Ao dizer isto Sua Excelência olhou o desconhecido das suíças que fez com a cabeça um sinal de assentimento.

O senhor Goliádkin teve a sensação muito nítida de que não o julgavam tal como era. Pensou: "É preciso que eu me explique. Chegou a ocasião... Excelência".

No momento em que baixava os olhos viu com grande espanto uma mancha branca nos sapatos de Sua Excelência. "Os sapatos terão um rasgão?" — pensou. Mas logo se apercebeu que era apenas um reflexo do verniz que brilhava muito. Levantou os olhos e compreendeu que, se não falasse, o seu caso não acabaria bem... Deu um passo em frente.

— Façam favor... Excelência. Eu penso que nos nossos dias já não se pode usar um nome falso...

Sua Excelência não respondeu mas puxou com força o cordão da campainha. O senhor Goliádkin deu mais um passo.

— É um homem vulgar e corrompido, Excelência — disse ele. Estava transtornado, morto de medo; contudo, corajosamente, apontava para o seu infame sósia que andava em volta do ministro.

— Sim, senhor, é este mesmo. É a este que me refiro.

Estas palavras provocaram um movimento geral. Andriéi Filípovitch e o desconhecido moveram a cabeça. Sua Excelência puxou a campainha com impaciência. Então o senhor Goliádkin Júnior por sua vez avançou.

— Excelência, peço humildemente perdão de ousar levantar a minha voz.

O seu ar resoluto, os seus gestos, tudo nele significava que se sentia senhor dos seus direitos.

— Dê-me licença que lhe pergunte — disse, dirigindo-se agora ao seu rival — diante de quem é que o senhor julga que está falando? Diante de quem está o senhor? Em casa de quem?

O senhor Goliádkin Júnior estava vermelho de comoção e tremia de indignação e de cólera. Tinha lágrimas nos olhos.

— O senhor e a senhora Basovríukov! — anunciou o lacaio no centro da porta.

"Que belo nome!" — pensou o senhor Goliádkin. Mas, ao mesmo tempo, sentiu que alguém lhe punha amigavelmente a mão nas costas e que o empurrava brandamente com a outra mão. O seu covarde gêmeo passava-lhe à frente, indicando-lhe o caminho. O senhor Goliádkin viu claramente que o encaminhavam para as grandes portas do gabinete. "Foi exatamente como em casa de Olsuf Ivânovitch" — pensou.

Já estava na antecâmara. Junto dele só os dois lacaios e o seu gêmeo.

— O sobretudo, o sobretudo... do meu melhor amigo! O sobretudo do meu melhor amigo! — disse o infame com voz de falsete. Arrancou o sobretudo das mãos dum criado e — brincadeira disparatada! — meteu-o nele pela cabeça abaixo.

Enquanto procurava libertar-se, o senhor Goliádkin ouviu distintamente os dois criados rindo. Mas não fez caso, não se importou com coisa nenhuma, saiu da antecâmara e deu consigo na escada iluminada. O senhor Goliádkin Júnior tinha-o seguido.

— Adeus, Excelência! — exclamou ele.

— Sacripanta! — respondeu com voz sufocada o senhor Goliádkin Sênior.

— Está bem, se isso lhe agrada.

— Velhaco!

— Também serve... — respondeu o indigno inimigo do digno senhor Goliádkin, enquanto o encarava do cimo da escada, de pé, olhando o seu rival nos olhos. Parecia provocá-lo... Indignado, o senhor Goliádkin escarrou e dirigiu-se ao portão.

Estava tão abatido que nem se lembrava de quem o tinha ajudado a subir para o carro. Por fim, deu conta de que o levavam ao longo do canal do Fontanka. "Estou vendo que vamos em direção à ponte Ismaílov", pensou ele. Quis formar uma ideia mas não foi capaz. A única ideia que lhe surgira era atroz e inexplicável. "Bem, isto não tem importância." — concluiu. E deixou-se levar até à ponte Ismaílov.

Capítulo XIII

Parecia que o tempo ia melhorar. A neve que até então tinha caído em grandes flocos, tornava-se cada vez mais rara e acabou por parar. Finalmente o céu descobriu-se e algumas estrelas brilharam aqui e além. A rua estava agora apenas molhada e suja. No entanto a atmosfera continuava úmida e irrespirável, principalmente para o senhor Goliádkin, que já de si tinha dificuldade em respirar. O sobretudo encharcado deixava passar a umidade, o que lhe dava uma desagradável sensação de mal-estar. A água tornava-o mais pesado e o senhor Goliádkin sentia-se tão fraco que mal podia com ele. Vinham-lhe arrepios de febre e parecia-lhe que um enxame de mosquitos vorazes lhe picavam o corpo. E sentia-se inundado por um suor gelado. Nem forças tinha já para repetir com a firmeza e a decisão habituais a sua frase favorita: que talvez de um momento para o outro tudo viesse a arranjar-se pelo melhor, fosse lá de que maneira fosse. "Porque afinal nada disto tem importância" — concluiu simplesmente o senhor Goliádkin.

Enxugou as gotas frias que lhe corriam pelo rosto, caídas das abas do chapéu redondo que estava completamente encharcado.

"Nada tem importância!" Tentou sentar num cepo grosso que estava junto de um montão de cavacos, no pátio de Olsuf Ivânovitch. Não era agora ocasião de pensar em serenatas à moda de Espanha ou em escadas de corda, mas de procurar um canto cômodo onde pudesse esconder-se à vontade.

A bem dizer, ele se sentia muito tentado pelo cantinho de entrada da casa de Olsuf Ivânovitch, onde já quase no princípio desta verídica história, tinha passado duas horas, entre um armário e um velho biombo, no meio do lixo, dos restos e da louça suja da cozinha. E havia já duas horas que o senhor Goliádkin esperava no pátio de Olsuf Ivânovitch. Mas, desta vez, o canto cômodo onde estivera tão à vontade apresentava inconvenientes. Provavelmente tinham reparado nele e tomado precauções, depois da história do último baile. Além disso era-lhe necessário esperar um sinal combinado com Klara Olsúfievna. Um sinal combinado era imprescindível. É o costume em ocasiões destas.

Diz de si para si: "Não fui eu quem tomou a iniciativa, por isso, a mim, apenas me compete aguardar o desenrolar dos acontecimentos, nada mais".

O senhor Goliádkin lembrou-se de um romance que tinha lido há muito tempo. A heroína, em circunstâncias absolutamente análogas, fazia a Alfredo um sinal combinado, pendurando uma fita cor-de-rosa na janela. Mas de noite e com o clima de São Petersburgo, conhecido pela umidade e súbitas variações, era impossível utilizar uma fita cor-de-rosa.

"Já não estamos no tempo das fitas cor-de-rosa — pensou o senhor Goliádkin. — Vou sentar-me sem fazer barulho. Pode ser ali, por exemplo."

O senhor Goliádkin tinha escolhido o seu lugar no pátio, mesmo em frente das janelas, junto de uma rima de cavacos. Com certeza que devia haver ali muita gente: cocheiros, moços e um ou outro criado. Ouvia-se o barulho de rodas e o relinchar dos cavalos. Não obstante, o local era cômodo. E tinha a vantagem de estar na sombra. Ninguém podia ver o senhor Goliádkin mas ele podia observar tudo o que se passava... As janelas estavam iluminadas... Olsuf Ivânovitch reunia os amigos. No entanto não se ouvia música. "Afinal não é um baile, mas outra reunião qualquer" — pensou o senhor Goliádkin meio desfalecido. "Mas... será mesmo hoje? Não haverá engano de data? É muito possível, tão possível como qualquer outra coisa. É possível que a carta tivesse sido escrita ontem e não me tivesse sido entregue. E isto por culpa desse maroto de Pietruchka, que é um desleixadão. Ou talvez tivesse sido escrita amanhã... não — que estou a dizer? Talvez amanhã é que eu tivesse de esperar com o carro." O senhor Goliádkin sentiu-se gelar e procurou a carta no bolso para ficar sossegado. Mas — Ó céus! — a carta não estava lá. "Que aconteceu? — balbuciou meio morto. — Onde a terei eu deixado? Será que a perdi? Só me faltava isto! — gemeu. — Sabe Deus em que mãos iria ela cair (ou talvez já tivesse caído). Meu

Deus, que irá acontecer agora? Oh, que triste sorte a minha!" O senhor Goliádkin tremeu só de pensar que talvez o seu malvado gêmeo lhe tivesse enfiado o sobretudo pela cabeça só com o único fim de apoderar-se da carta, de cuja existência teria tido conhecimento pelos seus inimigos. "Não é a primeira vez que ele se apodera de alguma coisa — pensou. — E a prova é que... Mas, de que serve agora a prova?" Seguiu-se uma crise de espanto e de medo. O sangue subiu-lhe à cabeça. Gemendo e rangendo os dentes, enterrou nas mãos a cabeça que lhe escaldava, curvou-se, e pôs-se a pensar. Mas os pensamentos saíam-lhe desordenados.

Vinham-lhe à ideia caras estranhas, lembrava-se de acontecimentos esquecidos havia muito. Surgiam-lhe, ora de uma forma vaga, ora de uma forma precisa, pedaços de canções que nada tinham a ver com o caso e que o obcecavam. Estava verdadeiramente acabrunhado. "Oh meu Deus, meu Deus — pensou, procurando ganhar ânimo e conter os soluços. — Meu Deus, dai-me coragem no meio de tantas infelicidades! Estou perdido, aniquilado. Isto tinha de ser assim, não podia deixar de ser assim. O meu lugar está perdido, perdido sem esperança! E ainda que por este lado as coisas se arumassem... Admitamos que as coisas se arrumem. O pouco dinheiro que tenho ainda me chegaria para algum tempo. Só precisaria um pequeno quarto, meia dúzia de móveis. Já não terei Pietruchka e passaria muito bem sem ele. Seria apenas um hóspede. O que não deixava de ter as suas vantagens... Entra-se e sai-se quando se quer, Pietruchka não estará sempre a resmungar que eu entro tarde. Ser hóspede... bem bom! Contudo... não é nada disto que interessa agora!" A sua exata situação vem-lhe de novo à memória. Olha em redor. "Ah, Deus meu! Ah, Senhor! Que estou eu a dizer! Tudo está perdido!" Voltou a pôr a cabeça, que escaldava, entre as mãos geladas.

— O senhor ainda demora muito a ir-se embora? — disse uma voz por cima dele.

Estremeceu. À sua frente estava o cocheiro encharcado e a tiritar de frio.

Já impaciente e também porque estava ali sem fazer nada, tinha-se lembrado de ir ver o que o cliente fazia atrás do monte de madeira.

— Eu? meu amigo... não... Vou já, vou já... Espero só um momento.

O cocheiro partiu resmungando.

"Que tem ele que resmungar?" — pensou o senhor Goliádkin por entre lágrimas. — Eu o contratei para a noite inteira... estou no meu direito. A obrigação dele é esperar. A demora é comigo. Tanto faz que eu vá como fique. Ora essa! Se me apetece estar atrás de um monte de lenha, isso é comigo! Não tem nada com isso, é comigo. Se uma pessoa quer estar aqui, está mesmo. Não faço mal a ninguém."

"Pense bem, minha senhora: fique sabendo que, nos dias de hoje, já ninguém quer habitar uma cabana. E neste nosso século industrial, minha querida senhora, não se pode viver sem umas certas bases. O melhor exemplo disso é a senhora mesma." — "Sim" — dirá ela — basta ser-se chefe de repartição e habitar uma cabana à beira-mar." — "Mas em primeiro lugar, minha querida senhora, não há chefes de repartição à beira-mar. E depois há uma grande distância entre mim e um chefe de repartição. Suponhamos que eu faça o meu pedido. Apresento-me, chego e digo: quero ser chefe de repartição. E digo mais: defenda-me do meu inimigo. Vão responder, responderão que já há muitos chefes de repartição e que isto aqui não é como em casa dessa tal francesa, que lhe meteu na cabeça esses famosos princípios, cujo resultado está à vista. A moral, minha menina, é ficar em casa, respeitar o pai e não pensar cedo demais em namoricar. Os namoros virão na altura devida. Ora aí está. Eu estou de acordo sobre que é necessário possuir várias prendas. É preciso tocar piano, saber francês, história, geografia, catecismo e aritmética, e nada mais. Ou melhor, também é preciso saber cozinhar. Uma jovem bem educada deve também saber cozinhar. Mas antes disso... hão de impedi-la de casar, hão de persegui-la e fechá-la num convento e então que será de mim? Serei obrigado a subir até a colina vizinha, como acontece nos romances idiotas, a desfazer-me em lágrimas e a olhar a fria muralha do seu cárcere de reclusão e a morrer, por fim, à maneira dos idiotas poetas e romancistas alemães? Será assim, minha senhora?"

"Em primeiro lugar permita-me que lhe diga com toda a amizade que não é assim que se deve agir. Em segundo lugar, merece umas palmadas e os seus pais também as merecem, por a terem deixado ler livros franceses que nada ensinam de bom, e antes escondem veneno, um veneno mortal, minha querida senhora. Para onde julga — permita-me perguntar-lhe — que poderemos fugir os dois impunemente?"

"Quer uma cabana à beira-mar? Para nos pormos a arrulhar, a fazer festas um ao outro e vivermos toda a vida cheios de alegria e felicidade? E depois surgiria um passarinho novo na cabana... Ah, muito bem... E um dia eis que diz a seu pai, o conselheiro de estado Olsuf Ivânovitch: — pai, nasceu-nos um passarinho, retire-nos, pois, a sua maldição e abençoe a nossa união."

"Não, minha senhora, as coisas não podem ser assim. E, em primeiro lugar, não haverá arrulhos, não conte com isso. Hoje o marido é o senhor e uma mulher bem educada deve agradar-lhe em tudo. Quanto à ternura, ninguém se importa com ela neste século da grande indústria. Fique sabendo que o tempo de Jean Jacques Rousseau já vai longe. Hoje o marido volta do trabalho com fome e diz: 'Querida, tens qualquer coisa que se coma, aguardente e arenque?' E então a senhora deverá ter sempre prontos a aguardente e o arenque. O marido sentará diante da comida, cheio de apetite. Nem sequer olhará para a esposa e dirá: 'Vai para a cozinha, amor, vai olhar pelo jantar'. Dará um beijo uma vez por semana e ainda por cima com indiferença. Vendo bem as coisas, é assim mesmo. Mas que tenho eu a ver com tudo isto? Por que me envolveu nos seus caprichos?"

"O senhor é um homem generoso — dirá a senhora — um homem que sofre por mim e que me é querido."

"Mas, minha senhora, em primeiro lugar eu não sou o homem que lhe convém. Não sei dizer galanteios, como vê. Não sei dizer gracinhas às senhoras, detesto brincar de amor e a minha cara, confesso, não se presta absolutamente nada para isso. Em mim não há presunção nem cinismo. Eu sou um homem de senso, não gosto de intrigas e tenho muito gosto nisso. Ora aí está. Ando entre as pessoas sem máscara de qualquer espécie..."

De súbito, o senhor Goliádkin estremeceu. A barba ruiva e encharcada do cocheiro surgiu de novo por detrás da lenha.

— Eu vou já... vou já — disse o senhor Goliádkin com voz trêmula e meio desfalecido.

O cocheiro coçou a cabeça, cofiou a barba, deu um passo em frente, parou e olhou o senhor Goliádkin com desconfiança.

— Vou já. Bem vês... é só um instante. Só demoro mais um instante... bem vês...

— O senhor vai ficar aí eternamente? — disse por fim o cocheiro com ar decidido e aproximando-se mais do senhor Goliádkin.

— Não, vou já. Estou à espera, como vês.

— Ah, bem.

— Como vês... De que terra és tu?

— Sou eslavo.

— Teu patrão é bom?

— Mais ou menos.

— Ainda bem, meu rapaz. Espera, pois, um minuto... Bem vês... Há muito tempo que estás em São Petersburgo?

— Há um ano, pouco falta.

— Gostas daqui?

— Mais ou menos.

— Bem, deves agradecer à Providência meu amigo. Quando se encontram pessoas boas, devem estimar-se. Hoje em dia são cada vez mais raras. Mesmo quem é rico nem sempre é feliz. Não faltam exemplos. É mesmo assim...

O cocheiro pareceu apiedar-se do senhor Goliádkin.

— Bem, se o senhor quiser, eu espero. Ainda é preciso esperar muito tempo?

— Não, eu já não espero mais. Não achas? Bem vês que te falo com toda a franqueza. Já não espero mais.

— Então já não vai de carro?

— Não, rapaz, mas descansa que te dou já uma boa gorjeta. Quanto devo?

— O senhor já sabe o que combinamos. Estive muito tempo à espera. O senhor não quer o meu prejuízo, não é verdade?

— Com certeza... Toma.

O senhor Goliádkin deu seis rublos ao cocheiro e decidiu-se a não perder mais tempo. Partirá sem mais delongas — está resolvido. O cocheiro já está despedido. O melhor é ir-se também embora.

Precipitou-se para fora do pátio, saiu pelo portão, virou à esquerda e, sem voltar a cabeça, pôs-se a correr, agora mais satisfeito. "Talvez que tudo possa ainda arranjar-se — pensou ele. — E terá sido possível evitar uma desgraça." O senhor Goliádkin sentiu-se extremamente aliviado.

"Ah! Se tudo pudesse ainda compor-se...! Mas já não acreditava nisso. Vou... não... talvez fizesse melhor, ou antes, não..."

Hesitando sempre e procurando uma solução, chegou à ponte Siemiônovski e... decidiu-se definitivamente a voltar atrás. "Assim é melhor... isto é, aparecerei como um estranho que se põe simplesmente em observação. Assim, aconteça o que acontecer, não hei de meter-me em nada. E pronto, está tudo acabado!"

Tomada esta decisão, regressa, agora satisfeito com a ideia de que a partir deste momento podia considerar-se alheio a tudo o que acontecesse. Era melhor assim. Não teria responsabilidades e veria tudo o que lhe interessava ver. Era uma ótima ideia.

Tranquilizado, escondeu-se de novo atrás da pilha de madeira e olhou atentamente as janelas.

Não teve de olhar nem de esperar muito tempo. Repentinamente, por detrás de todas as janelas, notou uma estranha agitação. Por entre as cortinas afastadas apareceram pessoas e grupos que se juntavam. Todos procuravam olhar para o pátio. Escondido atrás da pilha de lenha, o senhor Goliádkin, interessado, olhava por sua vez este movimento. Estendia o pescoço para um e outro lado, tendo o cuidado de não sair da sombra projetada pela pilha de lenha.

De repente estremeceu de pavor e quase caiu para trás. Pareceu-lhe — o que não demorou muito a confirmar-se — que toda aquela gente estava simplesmente à procura dele, dele, senhor Goliádkin. O pior é que fugir era impossível, podiam vê-lo...

O senhor Goliádkin, cheio de medo, apertava-se o mais que podia contra a pilha de lenha, mas depois reparou que a sombra o tinha traído e não o cobria já por completo. De boa vontade teria consentido em esconder-se entre os cavacos, em qualquer buraco, fosse onde fosse, contanto que pudesse estar ali sossegadinho. Oh, mas isso não podia ser! Que raiva! Então, resolutamente, olhou ao mesmo tempo para todas as janelas; era preferível assim... Sentiu de repente que algo o queimava como um ferro em brasa. Tinham-no reconhecido, todos sem exceção o tinham reconhecido e acenavam-lhe com a cabeça e com as mãos. Chamavam-no pelo nome. Já outras vidraças rangiam e se abriam também. Vozes diferentes chamavam-no daqui e dali ao mesmo tempo. "O que me espanta é que não saibam castigar a estas meninas, enquanto são pequenas" — murmurou fora de si. Alguém desceu a escada correndo. Era ele — não havia dúvida — ele, fardado, sem chapéu, açodado, correndo, aos pulinhos. Cinicamente, mostrava uma grande alegria por ver, finalmente, o senhor Goliádkin.

— Iákov Pietróvitch — disse o velhaco. — Iákov Pietróvitch, está aí? Olhe que se resfria! Está frio aí, Iákov Pietróvitch. Venha até aqui acima...

— Não, senhor, não é preciso, Iákov Pietróvitch — murmurou humildemente o senhor Goliádkin.

— Impossível... Iákov Pietróvitch, todos perguntam pelo senhor e pedem que suba. Estão à sua espera. "Dê-nos o prazer, disseram eles, de nos trazer Iákov Pietróvitch!"

— Não, Iákov Pietróvitch, compreenda... Eu tenho de ir... Preciso voltar para casa, Iákov Pietróvitch — respondeu o senhor Goliádkin sentindo-se simultaneamente arder de vergonha e gelar de pavor.

— Não, de modo nenhum — murmurou o malandro. — Não pode ser. Venha cá — disse resolutamente, ao mesmo tempo que o ia conduzindo em direção à escada.

O senhor Goliádkin quis resistir. Mas como todos olhavam para ele, sentiu que seria absurdo teimar e caminhou em direção à escada. Caminhou? Ele próprio não sabia para onde ia. Não tinha ainda voltado a si, pálido, despenteado, inquieto e de olhar perturbado. Horror! O salão e todas as outras salas estavam apinhadas de convidados... Tantas senhoras! Toda essa gente se comprimia em redor do senhor Goliádkin, procurava-o, empurrava-o. Notou que queriam obrigá-lo a caminhar em determinada direção. Uma ideia lhe atravessou o espírito: "Não é para o lado da porta?". Entretanto não era para a porta que o empurravam, mas em direção à poltrona confortável de Olsuf Ivânovitch.

De um lado da poltrona estava Klara Olsúfievna, pálida, com ar lânguido e triste, mas ricamente vestida. O que mais impressionou o senhor Goliádkin foram as flores brancas que sobressaíam sobre a negrura dos seus cabelos. Do outro lado da poltrona estava Vladímir Siemônovitch, de preto e com uma condecoração recente na botoeira. Levaram o senhor Goliádkin até junto de Olsuf Ivânovitch. O senhor Goliádkin Júnior, que tomara um ar bondoso que muito sossegara o nosso herói, amparava-o de ambos os lados. Ali estava também Andriéi Filípovitch com o seu ar grave.

"Que significa isto?" — perguntou a si mesmo o senhor Goliádkin. Quando compreendeu que o levavam em direção a Olsuf Ivânovitch, o seu espírito iluminou-se como num relâmpago. Pensou na carta interceptada e, ao chegar, por fim, diante da poltrona de Olsuf Ivânovitch, a sua angústia era indizível.

"Que irão fazer de mim?... O tom da carta era ousado mas sincero e revelava certa nobreza. Direi que..." Mas aquilo que ele mais temia não aconteceu. Olsuf Ivânovitch pareceu acolhê-lo o melhor possível. Não lhe estendeu a mão mas abanou a cabeça grisalha com ar triste e benévolo ao mesmo tempo. Pelo menos foi esta a impressão do senhor Goliádkin. Iria até afirmar que vira brilhar uma lágrima nos olhos baços de Olsuf Ivânovitch. E também nas pestanas de Klara Olsúfievna parecia brilhar uma lágrima. E uma lágrima também nos olhos de Vladímir Siemônovitch. Pensou que a imperturbável dignidade de Andriéi Filípovitch comovera todos até as lágrimas. Ou não estaria ele próprio sendo vítima de uma ilusão, pelo muito que havia chorado? Até mesmo naquele momento lágrimas escaldantes lhe corriam ainda pelas faces geladas... Sentiu-se reconciliado com os homens e com o destino. O amor unia-o não só a Olsuf Ivânovitch e a todos os convidados, mas também ao seu malvado sósia que já não lhe parecia malvado nem sósia, mas um estranho bastante simpático. Por entre os soluços e a comoção que lhe brotava do coração aliviado, quis falar a Olsuf Ivânovitch, mas a sua perturbação não o permitia. Pôde apenas apontar o coração, num gesto que falava por si... Por fim, decerto na intenção de poupar a sensibilidade dum velho de cabelos brancos, Andriéi Filípovitch puxou o senhor Goliádkin para um lado e pareceu deixar-lhe toda a liberdade. Sorrindo e balbuciando não sei que palavras, mas já em paz com os homens e com o destino, o senhor Goliádkin foi abrindo caminho através da massa compacta de convidados. Todos lhe davam passagem, o olhavam com curiosidade estranha e uma simpatia misteriosa e incompreensível. Entrou noutro compartimento. Também ali continuava ele a ser assunto da conversa. Percebeu vagamente que vinha muita gente atrás dele. Seguiam cada um dos seus movimentos, discutiam baixo, acaloradamente, abanavam a cabeça; cochichava-se, falava-se, faziam comentários.

Ao virar a cabeça avistou o senhor Goliádkin Júnior mesmo a seu lado. Pegou-lhe na mão impulsivamente, puxou-o para um canto, pediu-lhe que o socorresse e não o abandonasse neste momento crítico em que ia começar uma vida nova. O senhor Goliádkin número dois disse que sim com a cabeça e apertou com força a mão do senhor Goliádkin número um, cujo coração parecia querer saltar-lhe de comoção dentro do peito. Custava-lhe respirar, parecia que abafava. Todos aqueles olhos em cima dele o oprimiam e esmagavam... De passagem avistou o conselheiro, que usava cabeleira postiça. Este o olhava com ar severo, perscrutador, que destoava da simpatia dos restantes...

O senhor Goliádkin quis dirigir-se a ele, sorrir, explicar-se, mas não pôde. Depois, de súbito, perdeu a noção dos fatos e o sentido das realidades. Logo que voltou a si, deu conta de que se movia no meio dum largo círculo de convidados. De repente chamaram-no do compartimento vizinho: senhor Goliádkin! — Foi um grito súbito que passou de grupo em grupo. Todos os presentes correram em direção à porta do primeiro salão, e quase o empurravam até lá.

O conselheiro da cabeleira postiça e do coração desapiedado estava ao lado do senhor Goliádkin. Pegou-lhe na mão, obrigou-o a sentar-se a seu lado, mas a uma certa distância da poltrona de Olsuf Ivânovitch. Os convidados formaram várias filas e sentaram-se em volta do senhor Goliádkin e de Olsuf Ivânovitch. Calaram-se e puseram-se quietos. O silêncio era solene. Todos olhavam Olsuf Ivânovitch, e pareciam esperar um acontecimento extraordinário. O senhor Goliádkin notou que o seu homônimo e Andriéi Filípovitch se tinham colocado de cada um dos lados da poltrona de Olsuf Ivânovitch, em frente do conselheiro. O silêncio prolongava-se e com ele a expectativa...

"Parece exatamente aquilo que se passa numa família quando um dos seus membros vai partir para uma viagem longínqua... Só falta as pessoas levantarem-se e rezarem..." — pensou o nosso desventurado herói, cujas reflexões foram interrompidas pela súbita agitação de todos os presentes. Contudo, ninguém parecia surpreendido. É ele que chega... que chega" — diziam uns para os outros.

"Quem será?" — perguntou para si o senhor Goliádkin, que estremeceu, sentindo não sei que estranha sensação.

— Chegou o momento — disse o conselheiro, olhando com atenção para Andriéi Filípovitch que, por sua vez, olhou para Olsuf Ivânovitch. Este abanou a cabeça com ar grave e solene.

— Levantemo-nos — disse o conselheiro, e fez sinal ao senhor Goliádkin para que se levantasse também. Todos se levantaram. O conselheiro pegou então na mão do senhor Goliádkin Sênior, enquanto Andriéi Filípovitch pegava na mão do senhor Goliádkin Júnior. Os dois "gêmeos" foram colocados um em frente do outro, no meio da multidão dos convidados, que, reunidos em círculo, não despregavam os olhos deles. O senhor Goliádkin passeou à sua volta um olhar hesitante. Logo lhe apontaram o senhor Goliádkin Júnior, que lhe estendia a mão.

"Querem reconciliar-nos" — pensou ele. Comovido, estendeu a mão ao inimigo. Depois estendeu também a face. O senhor Goliádkin Júnior fez outro tanto. Contudo, o senhor Goliádkin Sênior julgou vislumbrar um sorriso mau nos lábios do outro. Pareceu-lhe ver no olhar, que rapidamente lançou em seu redor, uma intenção malévola, uma expressão que era de mau agouro.

Ele tivera uma pequena contração, antes do seu beijo de Judas. Na cabeça do senhor Goliádkin havia sinos que tocavam... e seus olhos iam se fechando. Julgou ver uma multidão numerosa de Goliádkini absolutamente iguais, que forçavam com ruído a porta da sala. Mas era já demasiado tarde. O beijo sonoro e pérfido ficara a ressoar no ar. Qualquer coisa de inesperado aconteceu então...

A porta do salão abriu-se de par em par e no limiar apareceu um homem. Só de vê-lo o senhor Goliádkin sentiu-se gelar. Seus pés pregaram-se no chão e um grito estrangulou-se em seu peito, sufocado. Mas não tinha ele previsto já tudo isto? Não o tinha pressentido?... O recém-chegado aproximou-se com ar grave e majestoso do senhor Goliádkin... que o conhecia muito bem. Tinha-o visto já muitas vezes... e no próprio dia em que...

O estranho, alto e forte, vestia à paisana, e tinha ao pescoço uma bela cruz; as suíças eram espessas e negras. Só lhe faltava um charuto na boca para a semelhança ser completa.

O seu olhar fez gelar de pavor o senhor Goliádkin. Com ar grave e triunfante, o temível estranho aproximou-se do nosso pobre amigo... Este lhe estendeu a mão. O estranho tomou-a na sua e levou atrás de si o senhor Goliádkin que o olhava com um olhar alucinado...

— É... é Krestian Ivânovitch Rutenspitz, doutor em medicina e cirurgia, um seu velho conhecido, Iákov Pietróvitch — disse-lhe bem ao ouvido uma voz melíflua, a do seu sósia, a voz do homem sem princípios nem vergonha, cujo rosto resplandecia de alegria pérfida e de mau agouro...

Com ar satisfeito, esfregava as mãos, sacudia a cabeça, e dava passinhos por entre os grupos de pessoas. Parecia que de um momento para o outro se ia pôr a dançar... Ei-lo agora que avançava saltitante, tira uma vela das mãos dum criado, caminha para a frente, iluminando o senhor Goliádkin e Krestian Ivânovitch...

O senhor Goliádkin ouviu distintamente precipitarem-se atrás dele todos os convidados que estavam no salão. Sentiu que se comprimiam e se empurravam. Ouvia-os repetir: "Isto não tem importância, não tenha medo, Iákov Pietróvitch, é o seu velho amigo conhecido Krestian Ivânovitch Rutenspitz...".

Por fim chegaram à grande escadaria, brilhantemente iluminada. Também ali estava uma multidão de pessoas. A porta do pátio abriu-se ruidosamente e eis Goliádkin, ali, juntamente com Krestian Ivânovitch. Diante do portão estava um carro atrelado a quatro cavalos que relinchavam de impaciência. O patife do senhor Goliádkin Júnior desceu os degraus em três pulos e abriu ele próprio a portinhola. Com um gesto significativo, Krestian Ivânovitch convidou o senhor Goliádkin a subir. O seu gesto convidativo fora, de resto, supérfluo. Havia tanta gente ansiosa por ajudar o senhor Goliádkin a subir...

Perdido de medo, o senhor Goliádkin deu uma olhadela para trás. Toda a escadaria brilhantemente iluminada estava cheia de gente; por toda parte olhos curiosos se fixavam nele. O próprio Olsuf Ivânovitch presidia à cena do patamar de cima, sentado na sua poltrona confortável, olhando tudo com uma atenção cheia de interesse. Parecia que todos aguardavam qualquer coisa.

A multidão sussurrou de impaciência quando o senhor Goliádkin se voltou.

— Espero não ter feito nada de censurável, nada que possa merecer censura... nas minhas relações oficiais — disse timidamente o senhor Goliádkin.

Ouviram-se exclamações. Todos abanavam a cabeça negativamente. Brotaram lágrimas dos olhos do senhor Goliádkin.

— Bem... eu estou pronto... eu confio a minha sorte inteiramente... eu confio o meu destino a Krestian Ivânovitch...

Um grito de alegria, terrível, ensurdecedor, saiu da boca daqueles que o rodeavam e foi repetido como um eco de mau agouro pela multidão que esperava. Krestian Ivânovitch de um lado, Andriéi Filípovitch do outro, ajudaram então o senhor Goliádkina subir para a sua carruagem. O duplo, covarde como de costume, empurrou-o por detrás.

O desgraçado senhor Goliádkin Sênior olhou pela última vez aquela gente e as coisas em volta e, tremendo como um gato que tivessem mergulhando em água fria — se é lícita tal comparação! — instalou-se no carro. Krestian Ivânovitch subiu atrás dele. A portinhola fechou-se. Ouviu-se o estalar dum chicote: os cavalos puseram-se em movimento... Todos se precipitaram atrás do carro. Os gritos agudos e selvagens dos inimigos corriam atrás do senhor Goliádkin e acompanhavam-no pela estrada. Durante alguns minutos apareceram rostos conhecidos à volta da carruagem que o levava. Mas pouco a pouco o carro avançou... e eles desapareceram.

Quem o seguiu mais tempo foi ainda o pérfido do seu homônimo. Com as mãos nos bolsos das calças da farda, corria alegremente, ora de um lado, ora do outro, do carro. Por último agarrou-se à portinhola, ficou aí suspenso, enfiou a cabeça pela janela e, à maneira de despedida, pôs-se a atirar-lhe beijos. Mas por fim até ele se cansou e acabou por desaparecer também.

O senhor Goliádkin sentia uma dor estranha no coração; o sangue parecia ferver-lhe na cabeça, que estalava. Sentia-se abafar, teria querido desabotoar-se, pôr o peito ao léu, cobri-lo de neve, inundá-lo de água fria. Acabou por perder os sentidos...

Quando voltou a si viu que os cavalos o levavam por uma estrada desconhecida, rodeada de um lado e de outro por florestas sombrias. A paisagem era nua e agreste.

Subitamente, julgou que ia desmaiar de medo. Dois olhos, brilhantes como duas brasas, olhavam-no na penumbra do carro e refletiam uma alegria diabólica e de mau presságio.

Não era Krestian Ivânovitch... Quem seria, então? Era ele? *Ele?* Sim, era de fato Krestian Ivânovitch, não o antigo mas um outro Krestian Ivânovitch que agora lhe parecia terrível.

— Krestian Ivânovitch, eu creio que não fiz mal nenhum — começou ele timidamente, tremendo e procurando, pela sua submissão e humildade, provocar a piedade do terrível Krestian Ivânovitch.

— "O senhor vai ter casa de graça, com luz, aquecimento e tudo que é preciso. É mais do que merece..." Tal foi, severa como uma sentença, a resposta de Krestian Ivânovitch.

O senhor Goliádkin deu um grito e pôs as mãos na cabeça. Ai dele! Já há muito pressentia que, mais tarde ou mais cedo, isto havia de acontecer...

O SENHOR PROKHÁRTCHIN

O senhor Prokhártchin
(1846)

O mais sombrio, o mais humilde canto da residência de Ustínia Fiódorovna era ocupado por Siemion Ivânovitch Prokhártchin. Era um homem já maduro, muito sensato e que não bebia. Modesto funcionário, o seu ordenado mal chegava para as suas necessidades, e Ustínia Fiódorovna considerava que não podia pedir-lhe decentemente mais de cinco rublos por mês. Viam alguns nesta magnanimidade apenas uma consequência de certo cálculo interessado; em todo caso — seria para zombar dos maldizentes? — ela tinha chegado a tratar o senhor Prokhártchin como um favorito mas sem segunda intenção, com a maior honradez. Note-se que Ustínia Fiódorovna, mulher das mais respeitáveis e de forte corpulência, e que dava provas de uma predileção muito acentuada pela carne e pelo café, ao mesmo tempo que um marcado aborrecimento pelos dias de jejum, tinha ainda outros hóspedes. Mas estes pagavam o dobro de Siemion Ivânovitch. Esses seres turbulentos, esses "debochadores de má sorte", tinham-se arruinado no conceito de hospedeira, por troçarem do seu miserável companheiro de pensão. Não fosse a sua pontualidade no pagamento dos aluguéis, nunca ela teria consentido, não digo em hospedá-los, mas até em vê-los.

Siemion Ivânovitch tinha sido promovido a favorito de Ustínia Fiódorovna a partir do dia em que foi conduzido ao cemitério de Vólkovo um certo cadáver que, enquanto vivo, apreciara demasiado as bebidas. Afastado do serviço civil — para não dizer expulso — esta personagem, a despeito do seu olho vazado e da perna que lhe faltava — perdidos, segundo dizia, "num acidente de bravura" — essa personagem nem por isso deixara de ganhar todos os favores que Ustínia Fiódorovna podia conceder e, sem dúvida, teria vivido ainda bastante tempo na qualidade de parasita se não tivesse morrido subitamente como um beberrão incorrigível, em consequência de libações imoderadas. Isto se passava em Piéski, quando Ustínia Fiódorovna tinha apenas três locatários, dos quais, depois da transferência e ampliação do estabelecimento, lhe ficou apenas o senhor Prokhártchin.

Será necessário dizer dos incontáveis defeitos do senhor Prokhártchin ou dos novos comensais? Desde o princípio, as relações entre ele e os outros não pareciam ser das mais excelentes. Deve saber-se que os novos pensionistas de Ustínia Fiódorovna viviam como verdadeiros irmãos. Muitos eram empregados nas mesmas repartições. Todos perdiam regularmente o ordenado no jogo, no primeiro dia de cada mês; todos gostavam de gozar em companhia uns dos outros, das alegrias da existência. Compraziam-se também, por vezes, em conversar familiarmente de assuntos elevados e, se bem que nessas ocasiões as coisas não se passassem sem questiúnculas, depressa se restabelecia a boa harmonia, pois os preconceitos estavam banidos desta república.

Os mais notáveis destes senhores eram Mark Ivânovitch, homem de senso e versado nas letras, e Oplevániev Priepolovienko, homem cheio de brandura e de simplicidade. Havia também Zinóvi Prokófitch, cuja única aspiração era ter acesso na alta sociedade, e o escrivão Okieânov, que estivera a ponto de arrebatar a palma nos favores de Ustínia Fiódorovna. Havia ainda um outro escrivão. Súdvin, o burguês Kontariov e outros. Mas Siemion Ivânovitch, segundo parecia, não contava amigos entre eles.

Ninguém certamente lhe queria mal, visto que desde os primeiros dias cada um lhe tinha feito justiça, achando-o bom e sereno, sem grande trato do mundo, mas com alguns amigos antigos e leais. Tinha sem dúvida os seus defeitos, mas achavam que o único que poderia eventualmente trazer-lhe consequências graves seria apenas a sua completa falta de imaginação.

Além desse defeito, o senhor Prokhártchin não tinha uma aparência de molde a impressionar favoravelmente quem quer que fosse, e é sobre a aparência que de preferência se fixam os trocistas; contudo, este aspecto pouco atraente não lhe tinha acarretado más consequências. Com efeito, Mark Ivânovitch, na sua qualidade de homem sensato, tinha tomado abertamente a defesa de Siemion Ivânovitch e proclamado, num estilo lindamente floreado, que Prokhártchin era um homem amadurecido e sério, para quem já tinha passado havia muito o tempo das elegias. De maneira que, se Siemion Ivânovitch não tinha relações agradáveis com toda aquela gente, era sem dúvida apenas por sua culpa.

A atenção dos outros hóspedes fixara-se primeiro na sua avareza sórdida, que não tardaram a descobrir e a pôr no seu ativo. Por nada deste mundo consentia ele em emprestar o seu bule, ainda que fosse por um instante, o que era tanto menos justificado quanto bebia muito pouco chá, substituindo-o de boa vontade por certa tisana bastante agradável e composta de ervas campestres de que tinha sempre uma provisão abundante. Além disso, o seu gênero de alimentação era muito particular. Jamais concedia a si próprio a totalidade da refeição ordinária de Ustínia Fiódorovna. Como o seu preço global era de cinquenta copeques, Siemion Ivânovitch apenas consumia o valor de vinte e cinco copeques, contentando-se com sopa de couves, um pouco de empada ou um prato de carne, mas, a maior parte das vezes, não comia nem sopa de couves nem carne, contentando-se em comer o seu pão com cebolas, ou queijo branco, ou pepinos salgados, ou qualquer outro alimento de preço baixo, e não se decidia a exceder a metade do preço da refeição, a não ser que estivesse morto de fome.

Aqui confessa o biógrafo que nunca se teria prendido com pormenores na aparência tão insignificantes, como pormenores tão mesquinhos e, digamo-lo, quase ultrajantes para leitores apaixonados pelo estilo elevado, se tais pormenores não constituíssem uma particularidade distintiva, um traço dominante do caráter do nosso herói. Com efeito, o senhor Prokhártchin não estava de modo algum privado de recursos, como se comprazia em afirmar, para que não pudesse comer e satisfazer a sua fome. Se se privava sem a menor vergonha e com todo o desprezo pelas más línguas, era para satisfação da sua louca avareza e também por um excesso de precaução, como depois há de ver-se melhor.

Mas sentiríamos escrúpulo em aborrecer os nossos leitores com a enumeração minuciosa de todas as manias de Siemion Ivânovitch; e não só renunciamos à descrição do seu traje, por muito pitoresco e divertido que tivesse podido parecer-nos, como foi aliás necessário que Ustínia Fiódorovna o tivesse formalmente testemunhado para que nós relatemos isto: que Siemion Ivânovitch não confiava nada à lavadeira, ou pelo menos, tão raramente o fazia que poderia muito bem ignorar-se a existência de qualquer roupa branca no número dos seus bens mobiliários. A dona da casa assim o disse redondamente: que durante vinte anos consecutivos, o muito estimado Siemion Ivânovitch se tivera gosto em acumular a sujeira no canto que lhe era destinado, sem aliás parecer envergonhado disso, e, além de que, durante toda a sua vida na terra, também não tinha feito caso absolutamente nenhum de meias, lenços e outros ornatos vãos, segundo ela pudera ver, com os seus próprios olhos, pelo buraco de um velho biombo; e que muitas vezes lhe acontecera achar-se na situação de não poder cobrir a nudez do seu corpo.

Estes boatos só começaram a espalhar-se após o falecimento de Siemion Ivânovitch, pois enquanto vivo — e era sobretudo daí que provinham as suas desinteligências com os outros pensionistas — ele não podia suportar, a despeito das mais amigáveis relações, que alguém se permitisse vir meter o nariz no seu "canto", sem que primeiro tivesse pedido autorização para isso. Era um homem intratável, concentrado e inacessível aos vãos discursos. Também não admitia conselhos nem brincadeiras, e não ensaiava nada para reduzir ao silêncio quem se lembrava de dar conselhos! "Conselhos, a mim! Criançola, um patife da tua marca faria muito melhor em ocupar-se de si próprio!" Não era altivo, e de boa vontade trataria por tu todas as pessoas; mas não suportava a indiscrição, nem que alguém, sabedor das suas manias, maliciosamente viesse interrogá-lo sobre o conteúdo do seu baú. Este baú, arrumado debaixo da cama, guardava-o ele como à menina dos seus olhos, se bem que todos soubessem muito bem que não guardava ali mais nada senão algumas roupas velhas e esfarrapadas. Mantinha-se firme na sua mania e tinham-no até ouvido anunciar a intenção de procurar um novo cadeado de segredo. No dia em que, impelido pela sua imbecilidade, Zinóvi Prokófitch tinha manifestado a ideia indecente e grotesca, de que sem dúvida Siemion Ivânovitch escondia as suas economias naquele baú, com o pensamento nos herdeiros, toda a assistência ficou aterrada perante as consequências extraordinárias duma saída tão inconveniente.

Primeiro, o senhor Prokhártchin não soube encontrar expressões adequadas para replicar a uma insinuação tão impertinente. Decorreu um longo minuto durante o qual apenas saíram da sua boca palavras desprovidas de qualquer significado. Com muito custo, acabamos por compreender que Siemion Ivânovitch censurava a Zinóvi Prokófitch um ato já antigo, mas com as características da mais sórdida avareza, e logo pôs-se a profetizar ao imprudente o fiasco infalível de todas as suas tentativas para penetrar na alta roda, ao mesmo tempo que uma não menos certa sova da parte de um alfaiate a quem o dito Zinóvi Prokófitch devia algum dinheiro. Quanto ao mais, não era senão um garoto.

— E pretendes tu tornares-te alferes de hussardos! Bem podes perder as esperanças; nunca o serás e, ainda por cima, quando os chefes conhecerem todas as tuas histórias, hão de reduzir-te a escrivão. Entendeste, ordinário?

Parecia que, depois disto, Siemion Ivânovitch tinha ficado mais calmo. Mas decorridas em silêncio cinco horas, começou de novo a pregar um sermão a Zinóvi Prokófitch, perante o espanto da assistência. E a coisa não ficou por aqui. À noite, quando Mark Ivânovitch e o hóspede Priepolovienko organizaram um chá e convidaram o escrivão Okieânov, Siemion Ivânovitch deixou a cama e veio juntar-se a eles, contribuindo com a sua quota-parte de quinze ou vinte copeques. Esta necessidade de chá era evidentemente apenas um pretexto, pois logo se pôs sem-

-cerimônia a desenvolver largamente o tema de que um homem pobre, uma vez que não passa de um homem pobre, não podia pensar em fazer economias. Depois, quando se revelou uma ocasião propícia, o senhor Prokhártchin aproveitou-a para confessar sua própria pobreza. Na antevéspera, tinha até pensado em pedir emprestado um rublo a um certo insolente, mas, agora, era mais que certo que já não o faria para que o tal fedelho não fosse depois gabar-se disso. Quanto a ele, Siemion Ivânovitch, mandava todos os meses cinco rublos à cunhada, sem o que a pobre mulher teria morrido e, contudo, se ela tivesse falecido, havia muito que ele teria podido comprar uma roupa nova. E falou assim demoradamente, evidenciou tão bem as intenções e a questão do homem pobre e da cunhada, e dos cinco rublos, que acabou por fazer uma grande baralhada e teve de calar-se.

Só três dias mais tarde, quando ninguém pensava já em importuná-lo e todos tinham esquecido por completo o caso, é que ele tirou a conclusão de que Zinóvi Prokófitch havia sem falta de quebrar uma perna assim que entrasse nos hussardos, que não teria depois outro recurso senão substituir a perna avariada por uma perna de pau, e que então haviam de ver Zinóvi Prokófitch vir pedir pão a Siemion Ivânovitch, o qual, aliás, sentiria um verdadeiro prazer em repelir sem um olhar as súplicas daquele guri.

Escusado será dizer que tudo isto pareceu muito interessante e curioso aos outros hóspedes. Sem mais reflexões, esta assembleia resolveu fazer uma investida decisiva contra Siemion Ivânovitch. Ora, desde que o senhor Prokhártchin tinha resolvido juntar-se ao grupo, parecia fazer empenho em ficar a par de tudo e multiplicava as perguntas com um fim misterioso, que não se sabia qual fosse, de maneira que os conflitos rebentavam sem dificuldades nem preliminares. Para entrar na matéria, Siemion Ivânovitch descobrira um meio extremamente sutil e já conhecido dos nossos leitores: à hora do chá deixava a cama, aproximava-se do grupo, como pode fazer um homem modesto, inteligente, afável, e lançava os vinte copeques regulamentares ao anunciar a sua intenção de participar na festazinha. Toda aquela bela juventude se entendia por meio de rápidas piscadelas de olho e a conversa começava logo, muito decente e muito séria.

Mas algum folgazão ousado punha-se subitamente a divulgar uma coleção de novidades, a maior parte das vezes tão infundadas como inverossímeis. Por exemplo: que tinha ouvido Sua Excelência confiar a Diemid Vassílievitch, que os empregados casados valiam mais do que os solteiros e que se lhes devia dar a preferência na promoção; porque os homens verdadeiramente judiciosos e sensatos adquirem na prática da vida matrimonial numerosas aptidões. Consequentemente, o orador, desejoso por distinguir-se e ver os seus vencimentos aumentados, propunha-se contrair um legítimo enlace com uma certa Iefrônia Prokófievna. Ou então, o engraçado dizia ter notado muitas vezes em alguns dos seus colegas um tal desconhecimento das praxes mundanas e das boas maneiras, que parecia impossível admiti-los no convívio das senhoras. Para remediar um tão deplorável estado de coisas, tinham resolvido nas altas esferas que se faria um desconto sobre os ordenados, com o fim de organizar uma sala de dança onde se pudessem aprender, quer a elegância de atitudes, quer a nobreza de porte, a cortesia, o respeito pelos mais velhos, a firmeza de caráter, a bondade de coração e o sentimento de gratidão, e outras belas qualidades. Outras vezes sabia-se de súbito que todos os empregados, mesmo os mais antigos, tinham de ser submetidos a um exame para que se pudesse apreciar o seu grau de instrução, do que resultaria desfazerem-se muitas aparências e verem-se bastantes pessoas forçadas a pôr as cartas na mesa. Em suma, diziam-se ali variadíssimas coisas, cada qual mais absurda. Todos simulavam acreditar e, como se estivessem muito interessados, faziam algumas alusões às consequências que poderiam advir de tais medidas para alguns membros do grupo, e parecia que imploravam conselhos sobre a maneira como deveriam conduzir-se naquelas circunstâncias.

É fácil perceber que até um homem menos simples, menos tímido que o senhor Prokhártchin, teria perdido a cabeça com toda esta tagarelice. E todos os indícios deram a entender, realmente, que o mesmo se deu com Siemion Ivânovitch, espírito limitado e pouco aberto a ideias novas. Com toda a certeza, teve de dar voltas e mais voltas à cabeça perante cada uma daquelas novidades sensacionais, de desvendar-lhes a causa e acabar por perder-se nesse dédalo de pensamentos insólitos, antes de ter podido adaptá-los à sua própria compreensão, e este jogo mental acabou por fazer descobrir em Siemion Ivânovitch um certo número de faculdades singulares e completamente insuspeitadas. Circularam boatos a seu respeito, que depois de suficientemente ampliados chegaram até à repartição onde ele trabalhava. O seu efeito foi ainda acentuado por mudanças reveladas na fisionomia do nosso herói, cujo aspecto jamais se tinha alterado durante uma longa sucessão de anos. O seu rosto tornara-se inquieto, o olhar desconfiado e receoso; começou a sobressaltar-se, apurava o ouvido a cada novo conto absurdo, com ansiedade febril. Para cúmulo de tal mudança, não é que se tornou um apaixonado investigador da verdade? Esta mania tomou tais proporções que ele ousou, finalmente, informar-se por si próprio e por duas vezes da exatidão das famosas novidades, junto de Diemid Vassílievitch e, se deixamos em silêncio a continuação de tais diligências de Siemion Ivânovitch, é devido ao simples respeito pela sua memória.

Primeiro concluiu-se disto que ele era uma espécie de misantropo desdenhoso das conveniências sociais; acharam-no extravagante e não se enganaram, pois ficava muitas vezes como que alheado a ponto de esquecer-se de tudo por momentos, permanecendo no mesmo lugar, boquiaberto, com a pena no ar, petrificado, mais parecido com a sombra de um ser inteligente do que com o próprio indivíduo. E aconteceu mais de uma vez que, perante o espetáculo inesperado deste olhar embaciado e esgazeado, um certo colega distraído se pôs a tremer a ponto de deixar cair um borrão no seu relatório e de escrever nela alguma palavra descabida. A inconveniência de tal comportamento fazia afastar todas as pessoas decentes, de tal maneira que acabaram por não ter já quaisquer dúvidas acerca da desordem mental de Siemion Ivânovitch. Um dia espalhou-se pela repartição o boato de que o senhor Prokhártchin havia causado apreensão ao próprio Diemid Vassílievitch, que não tivera outra coisa a fazer senão recuar, quando se tinha encontrado num corredor frente a frente com esta personagem de conduta inquietante. Quando Siemion Ivânovitch soube disto, levantou-se de mansinho, procurou com precaução um caminho por entre as mesas e as cadeiras, pegou no sobretudo e desapareceu durante algum tempo. Teria sido medo? Ou estava motivado por qualquer outra razão? Não o sabemos, mas a verdade é que durante uns dias não foram capazes de encontrá-lo, nem em casa, nem na repartição.

Não vamos tratar de atribuir as ações de Siemion Ivânovitch ao desarranjo do seu espírito. Faremos apenas notar que o nosso herói não era de modo algum um homem de sociedade, e que por ser muito tímido, vivera até então num isolamento quase completo, fazendo-se notar por um caráter tão misterioso como taciturno.

Por isso, durante toda a sua estada em Piéski, tinha permanecido estendido no leito, atrás do biombo, num silêncio absoluto e sem conviver com ninguém. Os seus dois companheiros de hospedagem dessa época, tão misteriosos como ele, levavam exatamente a mesma vida, e este trio tinha passado assim alguns quinze anos jazendo deitado, cada um atrás do seu biombo. Num silêncio augusto, as horas e os dias tinham deslizado felizes e remansosos, e então tudo decorria tão bem que nem Siemion Ivânovitch nem Ustínia Fiódorovna se lembravam já por que acaso se tinham encontrado. "Há talvez dez anos, talvez quinze, talvez vinte e cinco, que ele vive em minha casa", dizia a mulher. Há de, portanto, julgar-se muito natural que o nosso herói tão sério e tão reservado se tinha sentido desagradavelmente perturbado no decurso deste último ano, entre aquela juventude ruidosa.

O desaparecimento de Siemion Ivânovitch provocou uma grande comoção na hospedaria, primeiro porque era o preferido, e depois porque não foram encontrados seus documentos, que ficaram entregues à dona da casa. Durante dois dias Ustínia Fiódorovna derramou torrentes de lágrimas, tal como era seu hábito nos momentos críticos. Durante dois dias inteiros questionou com os outros locatários, queixando-se de terem infligido todos os males possíveis ao seu hóspede, e que ela o perdera por causa dessas zombarias. No terceiro dia obrigou-os a todos a irem procurar o desaparecido e a trazê-lo de volta, custasse o que custasse, vivo ou morto. Pelo fim da tarde viram entrar o primeiro escriturário Súdvin, que declarou estar na pista do fugitivo. Tinha-o visto no mercado de Tolkutchka e noutros locais; seguira-o de muito perto mas não ousara falar-lhe, mesmo quando se encontrara de cara a cara com ele no incêndio da ruela de Krivói. Cerca de meia hora mais tarde chegaram Okieânov e Kontariov, que confirmaram ponto por ponto o relato de Súdvin. Tinham passado muito próximo do fugitivo, a dez passos talvez, mas também não ousaram falar-lhe. Tinham ambos notado que Siemion Ivânovitch estava na companhia de uma espécie de mendigo e bêbado. Chegaram por fim os dois últimos locatários. Quando acabaram de ouvir atentamente tudo o que se referiu, decidiram que Prokhártchin não podia estar longe e não tardaria a voltar. Sabiam, além disso, havia muito tempo, que Prokhártchin se dava com aquele mendigo, homem muito pouco recomendável, bulhento e dissimulado, que o devia ter seduzido por meio de algum ardil. Este homem fizera a sua aparição pela interferência do camarada Riemniov e passara alguns dias na hospedaria. Afirmava que "sofria pela verdade". Anteriormente devia ter sido funcionário na província, e teria sido demitido com os seus colegas depois da passagem de um inspetor. Veio então para São Petersburgo, lançara-se aos pés de Porfíri Grigórievitch pedindo-lhe um lugar em qualquer repartição, e o conseguira. Mas, perseguido pela pouca sorte, tornou a encontrar-se mais uma vez suspenso, em consequência do fechamento da repartição, que vieram a reorganizar mais tarde, mas sem o incluírem no número dos novos empregados... devido à sua incapacidade administrativa e também à sua capacidade para um gênero de trabalho completamente diferente, sem falar do seu "amor pela verdade" e das intrigas dos inimigos. Depois desta narrativa, durante a qual este Zimoviéikin abraçou muitas vezes o seu amigo Riemniov, homem melancólico, de barba hirsuta, cumprimentou baixinho os circunstantes, cada um por sua vez, sem esquecer a criada Avdótia, proclamando-os a todos os seus benfeitores, e confessando-se depois, pelo que lhe dizia respeito, um ser indigno, frouxo, importuno, turbulento e néscio, e pedindo à honrada assembleia que não lhe quisesse mal na sua desgraça.

Uma vez obtida a proteção destes cavalheiros, o senhor Zimoviéikin depressa se tornou alegre, contente, e pôs-se a beijar as mãos de Ustínia Fiódorovna, apesar dos tímidos protestos desta, que modestamente se desculpava da sujidade das referidas extremidades. Prometeu também para essa mesma noite fazer apreciar todos os seus talentos numa dança típica. Mas, mesmo no dia seguinte, a aventura teve um desfecho lamentável, quer porque Zimoviéikin tivesse posto demasiada "ação" na sua dança, quer porque tivesse realmente "desrespeitado e ultrajado" Ustínia Fiódorovna, como afirmava ela, "que conhecia Iároslav Ilhitch e que havia muito tempo teria podido ser esposa de um oficial". Fosse como fosse, Zimoviéikin viu-se obrigado a sair dali. De fato foi-se embora, mas voltou, sujeitou-se de novo a ser expulso vergonhosamente, soube introduzir-se nas boas graças de Siemion Ivânovitch, a quem conseguiu apanhar as melhores calças e reapareceu depois mais uma vez na qualidade de sedutor do nosso herói.

A hospedeira, mal soube que este se achava são e salvo e que a busca dos documentos por consequência se tornava inútil, acalmou-se instantaneamente e foi repousar. Contudo, alguns dos hóspedes concordaram em fazer ao fugitivo uma recepção triunfal. Sem medo de o estragarem, afastaram o biombo da cama e colocaram junto dela o famoso baú. Estenderam a cunhada sobre a cama, isto é, uma boneca feita com a ajuda do xale da hospedeira, da sua toca e da sua capa; de tal maneira preparam aquilo que qualquer pessoa se enganaria facilmente. Uma vez realizada com êxito esta tarefa, esperaram impacientemente a chegada de Siemion Ivânovitch para anunciar-lhe que a cunhada deixara a sua província para vir vê-lo, e que a infeliz mulher não tivera outro remédio senão deitar-se atrás do biombo. Esperaram durante muito tempo...

Mark Ivânovitch teve tempo de jogar e perder o seu salário duma quinzena a favor dos senhores Priepolovienko e Kontariov; Okieânov tantas vezes bateu com as cartas no nariz, à maneira de penitência, que este apêndice lhe ficou todo inchado e rubicundo. Depois de dormir até fartar-se, Avdótia levantou-se para ir buscar lenha e aquecer o fogão. Quanto a Zinóvi Prokófitch, deixou-se encharcar como um pinto, à força de ir constantemente à rua a ver se não chegaria Siemion Ivânovitch; mas nem o nosso herói nem o seu amigo mendigo apareciam. Já cansados, todos acabaram por deitar-se, mas deixando todavia a "cunhada" atrás do biombo.

Só por volta das quatro horas se ouviu ao portão uma algazarra suficientemente formidável, que constituía já uma recompensa digna dos esforços que estes cavalheiros tinham feito para não dormirem. Era ele, ele próprio, Siemion Ivânovitch, o senhor Prokhártchin, mas em que estado! Houve um "Oh!" geral, uma tal comoção que nem sequer se pensou mais na cunhada. O desertor parecia estar desacordado. *Um cocheiro de um velho carro* levou-o aos ombros até ao seu canto, onde o depôs todo enregelado, transido, em andrajos. À dona da casa, que perguntava onde é que o seu hóspede se tinha podido embriagar daquele modo, respondeu o cocheiro:

— Mas ele não está embriagado. Asseguro-lhe que ele não bebeu uma gota do que quer que seja. Isto deve ser uma síncope ou um ataque de apoplexia.

Para maior comodidade, encostaram Siemion Ivânovitch ao fogão, e depois de o examinarem, reconheceram que, com efeito, não havia ali bebedeira mas também não havia apoplexia. Havia indubitavelmente qualquer coisa, mas o quê? Sem poder mover a língua, sacudiam-no estremecimentos, batia as pálpebras e fixava um olhar espantado, ora sobre um, ora sobre outro dos assistentes, que estavam em trajes menores. Interrogaram o cocheiro a fim de saber onde é que ele o tinha encontrado.

— Foram uns rapazes muito folgazões que o entregaram nesse estado. Voltavam de Kolomna.[1] Teriam brigado? Teria ele tido convulsões? Quem sabe? O que posso garantir-lhes é que eram uns rapazes muito folgazões.

Levantaram Siemion Ivânovitch e levaram-no para cima da cama. Quando, ao estender-se, sentiu a cunhada ao lado e o baú aos pés, lançou um grito terrível, quase se pôs de gatinhas e, todo a tremer, esforçou-se por cobrir com as mãos e com o corpo a maior superfície possível do seu bauzinho, ao mesmo tempo que deitava olhares selvagens e assustados sobre os presentes, como se tivesse querido exprimir que preferia a morte à perda da centésima parte que fosse do seu tesouro.

Ficou assim deitado dois ou três dias atrás do biombo, afastado do mundo e de todos os seus ruídos vãos. A partir do dia seguinte, já ninguém pensava nele. No entanto, o mesmo tempo seguia o seu curso e as horas sucediam às horas, os dias aos dias. Uma espécie de torpor delirante invadira a cabeça escaldante e pesada do doente. Mas ele não se movia, não se queixava. Pelo contrário, estava mergulhado num silêncio feroz e contraía-se sobre a cama, tal como uma lebre assustada que se aperta de encontro à terra com a aproximação do caçador. Por momentos, pesava sobre o quarto um silêncio morno e desesperante, sinal de que todos os hóspedes tinham partido, cada um para as suas ocupações, e Siemion Ivânovitch podia completamente à vontade distrair-se da sua tristeza ouvindo os ruídos próximos da cozinha, onde a hospedeira se entregava à lida, ou o ruge-ruge do calçado deformado de Avdótia, que limpava a casa, percorrendo todos os quartos. Assim deslizavam as horas, horas de preguiça e de sonolência, horas monótonas como as gotas de água que se ouviam cair no balde da cozinha. Depois, um por um, ou em grupos, os hóspedes entravam, e Siemion Ivânovitch podia ouvi-los queixaram-se do tempo, pedir a refeição, fazer barulho, fumar, disputarem em tom áspero, reconciliarem-se, jogar cartas e entrechocar as chávenas, preparando o chá. Maquinalmente, o doente fazia um movimento para se levantar e juntar-se a eles, pagando o imposto estabelecido, mas, de súbito, recaía no seu torpor. Sonhava então que havia um momento que se encontrava à mesa, tomando chá e participando da conversa. Pronto a agarrar a ocasião, Zinóvi Prokófitch infiltrava no assunto alguma alusão relativa às cunhadas e às suas relações possíveis com esta espécie de boas pessoas. Chegado a este ponto, Siemion Ivânovitch esforçava-se por desculpar-se e responder; mas saindo simultaneamente de todos os lábios a frase protocolar: "Reparamos já muitas vezes...", cortava-lhe de um golpe todas as suas réplicas e ele nada tinha de melhor a fazer do que sonhar com o primeiro do mês, dia abençoado em que recebia os rublos da Administração. Na escada, desenrolava as notas recebidas e, lançando um olhar furtivo à sua volta, apressava-se a dissimular

---

1 Cidadezinha próxima de Petersburgo.

metade do salário bem ganho no cano de uma das botas. Sempre na escada — e sem de modo algum se dar conta de que realizava estas evoluções na cama — prometia a si mesmo, logo que entrasse em casa, pagar a sua pensão à hospedeira, depois compraria algumas coisas indispensáveis, e fazia notar, a quem isso de direito competisse, que tinham infligido descontos ao seu ordenado, que nada mais lhe ficava para enviar à cunhada. Em seguida, iria lamentá-la como era seu dever, e durante dois dias a fio não falaria senão dela. Ao fim de dez dias havia ainda de insistir na sua miséria para que os companheiros ficassem bem convencidos.

Tomadas todas estas decisões, apercebia-se de que Iefímovitch, aquele homenzinho silencioso e calvo que durante vinte anos vivera a seu lado, sem que nem uma só vez lhe tivesse ouvido qualquer palavra, estava também na escada contando os seus rublos e resmungava abanando a cabeça: "É dinheiro!". E, descendo a escada, concluía tristemente: "Quem não tem dinheiro, não tem pão inteiro!". No patamar acrescentou: "Tenho sete filhos, senhor". Depois, sem escrúpulos de conduzir-se como um fantasma e completamente ao contrário das leis da vida real, o homenzinho calvo elevava-se de súbito de uns centímetros ou mais acima do solo e, com a mão que tremia, traçava no ar uma linha oblíqua descendente e resmungava que o filho mais velho ia para o liceu, e fuzilava o senhor Prokhártchin com um olhar indignado, como se quisesse torná-lo responsável pela existência desses sete filhos; enterrava depois o chapéu até os olhos, dava meia volta à esquerda e desaparecia. Com o que Siemion Ivânovitch ficava muito impressionado e, se bem que absolutamente seguro da sua inocência, começava a admitir que era por culpa sua que havia sete crianças naquela casa infeliz. Amedrontado punha-se a correr, pois lhe parecia que, voltando atrás, o homenzinho calvo procurava agarrá-lo com a intenção expressa de revistá-lo e de apanhar-lhe o dinheiro em nome dos sete filhos, prescindindo de toda a consideração à pobre cunhada de Siemion Ivânovitch. E Prokhártchin corria, corria sempre até perder o fôlego, enquanto ao seu lado corria também uma porção de pessoas com dinheiro que retinia nos bolsos dos coletes. Depois, toda a gente se pôs a correr, ressoaram as trombetas dos bombeiros e, transportando quase ao cimo das vagas humanas, rolou até o lugar daquele incêndio a que tinha assistido na companhia do mendigo. O bêbado, isto é, o senhor Zimoviéikin, esperava-o ali. Veio ao encontro de Siemion Ivânovitch, tomou-o pela mão e conduziu-o até o coração da turba. Como ainda há pouco, agitava-se à volta deles uma multidão encapelada que obstruía o cais do Fontanka entre as duas pontes, assim como todas as ruas e ruelas ao redor. Como havia ainda pouco, também ambos se viam empurrados contra a parede dum enorme depósito de madeira, repleto de curiosos vindo da cidade, do mercado de Tolkutchka, saídos das casas e das tavernas próximas. Revia tudo isto tão nitidamente como se na realidade o presenciasse e, através dos turbilhões da febre e do delírio, estranhas figuras começaram a passar-lhe diante dos olhos. Reconhecia algumas delas. Uma era aquele senhor de aspecto tão imponente, com uns dois metros de altura, pelo menos, e com um bigode de meio metro, que durante todo o incêndio ficara postado atrás das suas costas, cumprimentando-o quando o nosso herói, tomado de uma espécie de transporte frenético, se pusera a bater com os pés como para aplaudir as proezas dos bombeiros que ele via muito bem do seu lugar elevado. Outro era aquele homem novo e tão vigoroso que, à força de braços, o erguera para cima do muro que pretendia saltar com o fim de acudir e salvar qualquer pessoa. Viu em seguida passar o rosto do velhote de cor lívida, vestido com um roupão gasto pelo uso e apertado por qualquer coisa de indefinível, o qual, antes de rebentar o incêndio, a fim de procurar em alguma mercearia biscoitos e tabaco para o seu inquilino, abria agora passagem pelo meio da multidão, dirigindo-se para a casa incendiada onde ardiam a sua mulher, a sua filha, e trinta rublos escondidos debaixo de um colchão de penas. Mas a figura mais nítida foi a daquele pobre mulher com a qual sonhara já muitas vezes durante a sua doença, e que voltava a ver tal como era, com sapatos de cortiça, um pau na mão, toda esfarrapada, e com um saco às costas. Só esta gritava mais alto que os bombeiros e que toda a multidão, brandia a muleta e gesticulava, dizendo que os próprios filhos a tinham posto na rua, e que além disso tinha perdido duas moedas de cinco copeques: "Os filhos... o dinheiro... o dinheiro... os filhos!". Não parava de revolver estas palavras numa algazarra ininteligível, até que todos acabaram por deixá-la só no seu desespero e voltar-lhe as costas. Mas a velha não se acalmava; gritava, ululava, gesticulava, sem prestar a mínima atenção ao incêndio, nem às pessoas, nem à desgraça alheia, nem mesmo às fagulhas e às faíscas que caíam quase por cima dela.

O senhor Prokhártchin chegava a sentir medo, pois via claramente que tudo aquilo não era tão simples e não podia ficar assim. Com efeito, muito perto dali, um camponês, envolto numa peliça esfarrapada, subia para uma pilha de madeira e, com os cabelos e a barba chamuscados, punha-se a amotinar a multidão contra Siemion Ivânovitch. E a chusma continuava a adensar-se e o camponês a vociferar e, petrificado de terror, o senhor Prokhártchin lembrou-se de repente que este camponês não era senão um certo cocheiro de carruagem que, cinco anos antes, ele tinha ignobilmente roubado, quando saltara da carruagem antes de lhe ter pago, para desaparecer depois num pé de vento por uma casa de duas portas. O senhor Prokhártchin quis gritar, falar, mas a sua voz estrangulava-se na garganta. Sentia a pressão do povo furioso que o apertava e abafava como uma serpente. Num esforço sobre-humano, acordava. Mas apenas para se dar conta de que o seu canto estava pegando fogo, assim como o biombo e todo o aposento, e também Ustínia Fiódorovna e os seus hóspedes. A sua cama estava em chamas, e a almofada, o cobertor, o baú e até o precioso colchão de que ele se apoderava para o levar na fuga. Foi assim que penetrou em camisa e descalço no quarto da hospedeira, onde foi agarrado, atado de pés e mãos e levado para detrás do biombo, que ardia muito menos do que a sua pobre cabeça. Tornaram a metê-lo na cama.

Assim o homem dos fantoches arruma no fundo duma caixa o polichinelo que já se agitou bastante, insultando todas as pessoas e vendendo a alma ao diabo. Até a próxima representação, o títere interromperá a sua existência, deitado na caixa em companhia desse mesmo diabo, do negro, de Pierrot, de Colombina e do feliz apaixonado desta última, o comissário. Todos os hóspedes se sentaram em volta do leito de Siemion Ivânovitch e ali ficaram, fazendo convergir sobre eles olhares curiosos. Finalmente recuperou os sentidos e, fosse por pudor, ou por qualquer outra razão, pôs-se a puxar para si o cobertor, com toda a energia, sem dúvida para se esconder de todos aqueles olhares compassivos.

Mark Ivânovitch foi o primeiro a romper o silêncio e, como homem sensato, começou a dizer suavemente que era necessário acalmar-se, que era uma coisa má e vergonhosa estar assim doente, que aquilo só era próprio de crianças, e que devia mas era tratar-se e retomar o trabalho. Terminou mesmo com uma gracinha, dizendo que os ordenados dos empregados doentes ainda não estavam fixados e que, como também lhes não davam adiantamentos, segundo ele, uma tal situação não podia trazer-lhe um proveito apreciável. Em suma, cada um tomava uma parte evidente no sofrimento de Siemion Ivânovitch e o lamentava.

Mas, com a mais incompreensível ingratidão, este se obstinava em permanecer na cama, em calar-se e puxar o cobertor. Contudo, Mark Ivânovitch não se considerou vencido e, dominando-se, pronunciou algumas palavras amáveis, pois devem ter-se certas atenções para com um doente. Mas Siemion Ivânovitch não queria ouvir nada. Com um ar desconfiado, resmungava não se sabe o quê por entre os dentes e, de súbito, pôs-se a rolar para a direita e para a esquerda uns olhos tão furiosos que pareciam querer reduzir a pó a assistência. Um tal comportamento tornava supérfluos todos os cuidados e, sem poder conter-se mais, por ver que aquele homem se obstinava, Mark Ivânovitch, mostrando-se ressentido e encolerizado, declarou redondamente e sem qualquer preâmbulo que já era tempo de ele se levantar, que não tinha jeito nenhum ficar assim deitado sem receios nem cuidados, que ele era tolo, indecente e malcriado por gritar de noite e de dia histórias de incêndios, de cunhadas, de bêbados, de cofres e sabe o diabo que mais ainda; e que, se Siemion Ivânovitch não tinha vontade de dormir, também não tinha o direito de impedi-lo aos outros, e que disso podia ele estar bem certo.

Este discurso produziu o seu efeito. Siemion Ivânovitch voltou-se sem dificuldade para o orador e declarou-lhe, não sem firmeza, apesar de o fazer com voz fraca e enrouquecida:

— Cala-te, mequetrefe. Não és mais do que um charlatão. Tens-te talvez na conta de um príncipe, não?

Mark Ivânovitch ia começar a enfurecer-se, quando se lembrou de que se estava entendendo com um doente; acalmou-se e esforçou-se por envergonhá-lo. Siemion Ivânovitch ripostou mais uma vez, afirmando que não toleraria nenhuma graça a seu respeito, ainda que fosse da parte de um fazedor de versos como Mark Ivânovitch. Seguiu-se um grande silêncio. Até que por fim, emergindo do seu espanto, Mark Ivânovitch declarou em tom firme e não sem eloquências que Siemion Ivânovitch devia saber que se encontrava rodeado de boa convivência e que não podia de modo algum ignorar como as pessoas se conduzem em sociedade. Quando vinha a propósito, Mark Ivânovitch cultivava o gênero oratório e gostava de impô-lo aos seus ouvintes. Pelo contrário, e sem dúvida pela sua longa prática do silêncio, Siemion Ivânovitch tinha o gesto e a palavra breves e, se lhe acontecia embrenhar-se em algum período demasiado longo, uma palavra desencadeava outra, esta outra uma terceira e assim sucessivamente, de maneira que, quando tinha já a boca cheia delas, acabava por lançá-las na mais pitoresca desordem. Eis por que, a despeito de toda a sua circunspecção, lhe acontecia soltar disparates. Respondeu:

— Mentes! Tu não passas de um boêmio. Mas ainda hás de acabar por pegar num saco e ires-te embora a mendigar. És um livre-pensador, um vagabundo. Esta é que é a verdade, meu versejador!

— Siemion Ivânovitch, continuas a divagar.

— O quê? — replicou o doente. — Um tolo divaga, mas o sábio emprega a sua inteligência. Tu não sabes nada de nada, seu vagabundo, seu sabichão que estás aí falando que nem um livro impresso! Um dia hás de pegar fogo e nem tu próprio sentirás que é a tua cabeça que está ardendo. Compreendes o apólogo?

— Está bem!... Mas... isto é... o que é que está dizendo? Que a minha cabeça vai arder?

Aliás, Mark Ivânovitch não acabou. Todos viam bem que Siemion Ivânovitch não recuperara o seu equilíbrio mental e que divagava. Mas a hospedeira não pôde deixar de lembrar-se acidentalmente que havia uma certa moça sem cabelo, que ateara fogo a uma casa da ruela de Krivói ao acender uma vela, e que em consequência disso ardera todo o bazar. Mas um desastre semelhante não aconteceria certamente ali e todos podiam considerar-se em segurança no seu canto...

— Vejamos, Siemion Ivânovitch — exclamou fora de si Zinóvi Prokófitch, interrompendo a hospedeira. — Siemion Ivânovitch, por quem me toma senhor? Não estamos aqui para contar-lhes histórias de cunhadas, ou de exames, ou de dança. É isso que imagina, não é?

— Pois bem, responde-me a isto — replicou o nosso herói, que reuniu as suas últimas forças para se erguer na cama, furioso com estes sinais de interesse. — O que vem a ser um bobo? És tu e também pode ser um cão, mas não hei de dizer disparates só para te dar prazer. Estás ouvindo, moleque? Eu não sou teu criado, meu senhorzinho.

Siemion Ivânovitch quis dizer ainda mais alguma coisa, mas, esgotado de forças, caiu outra vez na cama. Ficaram todos de boca aberta, compreendendo o estado em que se encontrava o seu companheiro e sem saber bem o que haviam de fazer para lhe darem algum auxílio. De repente a porta da cozinha rangeu, entreabriu-se, e viram passar uma cabeça — a daquele bêbado amigo de Prokhártchin, o senhor Zimoviéikin, — uma cabeça que examinou timidamente o local, como era seu costume. Parecia que estavam à espera dele. Todos lhe fizeram sinal para se aproximar. Todo ufano e sem tirar sequer o sobretudo, aproximou-se da cama.

Sem dúvida alguma, Zimoviéikin tinha atravessado momentos difíceis durante aquela noite. O lado direito da face desaparecia debaixo de um penso. O pus derramado pelos olhos umedecia-lhe as pálpebras inchadas, e a parte esquerda do seu gabão, e toda a roupa em frangalhos estava empapada de lama imunda. Debaixo do braço trazia um violino que, evidentemente, ia vender. Não se tinham enganado ao chamá-lo, pois, logo que soube o motivo por que voltava, dirigiu-se a Siemion Ivânovitch com ar de superioridade consciente, como um homem que sabe qual o caminho que deve seguir.

— Então, Sienhka! — exclamou ele — Levanta-te. Vamos, Sienhka, sensato Prokhártchin, rende-te à razão. Se teimas, ponho-te fora da cama: não teimeis, está bem?

A energia rápida deste discurso não deixou de causar admiração nos circunstantes. Mas ficaram ainda mais admirados ao verem que estas palavras e o aspecto do orador impressionavam e assustavam Prokhártchin, a tal ponto que foi a custo que pôde decidir-se a murmurar por entre dentes o anátema indispensável:

— Vai-te embora, infeliz. Não passas de um miserável, de um larápio; estás ouvindo, vagabundo, preguiçoso, ladrão!

— Não, irmão — ripostou Zimoviéikin sem perder uma gota do sangue frio. — Sensato Prokhártchin, tu não estás procedendo como deve ser.

E lançando em volta um olhar satisfeito, prosseguiu:

— Além disso, basta de histórias, não achas? Aconselho-te a obedeceres, se não quiseres que eu te desmascare, que conte tudo, estás ouvindo?

Siemion Ivânovitch pareceu ficar vivamente impressionado ao ouvir estas palavras: estremeceu e pôs-se a passear em volta uns olhos assustados. Encantado com o efeito conseguido, o senhor Zimoviéikin ia continuar, quando Mark Ivânovitch fez passar adiante o seu zelo e, vendo Siemion Ivânovitch um pouco mais sossegado, fez-lhe ponderar que a aplicação de semelhantes concepções era, de momento, não só inútil, mas até prejudicial e absolutamente imoral; que era fazer mal aos outros e dar-lhes o mais funesto exemplo. Todos esperavam o melhor resultado desta homilia, tanto mais que Siemion Ivânovitch, agora completamente calmo, lhe respondia moderadamente. Estabeleceu-se então uma delicada discussão. Com fraternal interesse, todos perguntavam a Siemion Ivânovitch o que era que o tinha assustado de tal maneira. Ele respondeu, mas muito evasivamente; os outros insistiram, ele replicou; cada um dos dois partidos retomou uma vez mais a palavra e depois todos se envolveram na conversa, e esta acabou por tomar um rumo tão estranho e surpreendente que, positivamente, nem sabemos como referi-la. A moderação transformou-se em impaciência; a impaciência em gritos, os gritos em lágrimas e, furioso, Mark Ivânovitch acabou por ir embora, espumando de raiva e declarando que, até então, nunca encontrara homem tão amigo de contrariar. Oplevániev cuspiu, em sinal de desprezo; Okieânov parecia atemorizado; Zinóvi Prokófitch choramingava e Ustínia Fiódorovna derramou uma torrente de lágrimas, gritando que tinham acabado com o seu hóspede, que ele perdera a razão e que ia morrer sem a extrema-unção, que ela era órfã e que todos queriam levá-la à ruína... Em suma, todos puderam convencer-se de que a semente germinara sobre um solo abençoado, que tudo brotara à medida dos seus desejos, e que Siemion Ivânovitch tinha irremediavelmente perdido o juízo. Todos se calaram, pois, se era verdade que tinham conseguido aterrorizar Siemion Ivânovitch, eles próprios se sentiam agora cheios de medo e de compaixão...

— Como! — exclamou Mark Ivânovitch. — Mas de que é que o senhor tem medo? Que mosca lhe mordeu? Quem diabo é que pensa no senhor? Com que direito treme assim? Quem é o senhor, afinal? Um simples zero, menos ainda do que uma casca de laranja! Isto é que o senhor é! Há alguma razão para se assustar? Porque mataram uma mulher na rua, vai imaginar que também o vão matar? Hem? Diga: de que se trata, afinal?

— Tu... tu... tu... és um imbecil — resmungava Siemion Ivânovitch. — Hão de comer-te o nariz... Tu mesmo hás de comê-lo com pão, sem dares por isso sequer...

— Imbecil, eu! Imbecil, eu! — vociferava Mark Ivânovitch sem poder acreditar nos seus ouvidos. — Seja: admitamos que sou imbecil. Mas terei eu exames a fazer? Terei de casar? De aprender a dançar? Irá a terra faltar-me? Que é que há, meu caro, não tem lugar bastante? O sobrado vai desmoronar sobre sua cabeça?

— Sim, sim... Hão de perguntar a tua opinião... Hão de fechá-la pronto.

— Pronto! Pronto!... O que é que hão de fechar? Que história é essa agora?

— Isto não impede que tenham expulsado o bêbado...

— Bom, expulsaram-no, mas é um bêbado, ao passo que eu ou você somos pessoas decentes!

— Decentes, bom. E, contudo, ela continua sempre lá...

— Sempre!... Mas quem é ela?

— Quem há de ser... a repartição!... A chan... cela... ria!!!

— É mais que certo, está doente dos miolos, mas a repartição é uma coisa precisa...

— Precisa; hoje e amanhã é precisa; mas pode ser que depois de amanhã já o não seja. É sempre a mesma história...

— Mas então receberia de uma vez os seus ordenados de um ano inteiro, ouviu, Tomé? Pois você é, como Tomé, a incredulidade em pessoa. E, em consideração pelos seus antigos serviços, seria posto numa outra repartição...

— Os meus ordenados, serei com certeza obrigado a comê-los; os ladrões vão tirá-los de mim, e além disso tenho uma cunhada, ouves? uma cunhada, cabeça de pau!

— Uma cunhada! Ora essa, você é um homem ou não?

— Um homem, sim, eu sou um homem e, por muito sábio que sejas, tu és um imbecil, uma cabeça de alho chocho, isto é o que tu és. Não tenho necessidade de responder às tuas mentiras... Há ocasiões em que se suprime todo o pessoal; foi Diemid Vassílievitch que o disse.

— Ah! Diemid, Diemid... Mas...

— E as pessoas veem-se depois no olho da rua. Que replicar a isto?

— Ora, ora, meu amigo! Ou o senhor está fazendo humorismo ou tem algum parafuso frouxo, muito simplesmente... Conte essa história direito, vá. Nada de falsa vergonha; diga-nos a verdade, amigo, você não está girando bem, não é?

— Louco! — exclamaram todos, torcendo as mãos de desespero. A hospedeira teve de agarrar Mark Ivânovitch pelo meio do corpo, com medo de que ele fizesse Siemion Ivânovitch em pedaços.

— Sienhka de bom coração, Sienhka, tu, o sensato — suplicava Zimoviéikin — tens então uma alma de pagão? Tu, tão simples, tão virtuoso, não me ouves? Ai! Tudo isto vem do teu excesso de virtude; eu, eu não passo de um tolo, de um trapalhão, de um mendigo sujo e, contudo, este excelente homem não me repeliu e trata-me com consideração. Agradeço-lhe, assim como à dona da casa; cumprimento-os até ao chão e, ao fazer isto, cumpro apenas o meu dever, patroazinha.

Então Zimoviéikin cumprimentou com efeito até ao chão, com um gesto não destituído de nobreza. Siemion Ivânovitch quis prosseguir no seu discurso, mas desta vez não lhe deixaram tempo para tal: houve um brado geral de súplicas, de argumentos persuasivos, de consolações, de tal maneira que ele acabou por sentir vergonha e, numa voz fraca, pediu que o deixassem justificar-se:

— Muito bem — disse ele — está entendido: eu sou bom e amável, virtuoso, fiel e dedicado; derramaria o meu sangue até a última gota, ouve bem... para conservar o meu emprego; mas sou pobre e se a... ah!... Cala-te!... Ela, agora, ainda existe mas, depois, de repente, acabou-se... Compreendes? Então, eu, eu terei de ir pelos caminhos, com um saco às costas, entendeste?

— Sienhka! — bramiu Zimoviéikin, dominando o tumulto com a sua voz forte. — Tu não passas de um livre-pensador e eu vou contar tudo. O que és tu, no fim das contas? Uma cabeça oca, um imbecil, um simplório que há de fazer com que o varram do seu lugar, sem mais cerimônias! Que és tu, senão isto?

— Isso mesmo — disse Siemion Ivânovitch.

— Como isso mesmo? E vá alguém meter-se a conversar com ele!...

— Sim, como se há de falar com ele? — perguntou alguém.

— É fácil — concordou Siemion Ivânovitch; — quando uma pessoa está livre, está livre; mas quando se está na cama...

— Como um livre-pensador, como um voltaireano... Sienhka, tu não passas de um livre-pensador, um livre-pensador!

— Basta! — gritou o senhor Prokhártchin, agitando a mão a pedir silêncio. — Mas compreende, compreende de uma vez, idiota: eu sou tímido hoje e tímido amanhã; mas, de repente, um belo dia, perco a minha timidez, solto uma insolência e mando-te passear...

— Mas o que tem ele? — trovejou de novo Mark Ivânovitch, saltando da cadeira onde se sentara para descansar e precipitando-se para a cama, muito perturbado e tremendo de raiva. — Mas o que é que tem? Que espécie de idiota é você? E quando não tiver nem lar, nem fogo para se aquecer? Então o mundo fez-se só para você? Será você um Napoleão, ou o quê? Quem diabo é você? É um Napoleão? É Napoleão? Sim ou não? Mas responda de uma vez, se é ou não, Napoleão.

Mas o senhor Prokhártchin não lhe respondeu. Não que esta ideia de ser um Napoleão o enchesse de confusão, nem que ele receasse assumir uma tal responsabilidade, mas sentia-se incapaz de discutir, de dizer o que quer que fosse de razoável... Seguiu-se uma crise. Uma onda de lágrimas brotou dos seus pobres olhos queimados de febre; ocultou o rosto nas mãos emagrecidas e ossudas, e começou a falar por entre soluços, afirmando e jurando que era tão pobre, tão infeliz, tão simplório, tão tolo, tão ignorante, que deviam ter a bondade de perdoar-lhe, de olhar por ele, de defendê-lo, dar-lhe de comer e de beber, de não o desprezarem... e abandonarem... e sabe Deus quantas coisas mais. Ao mesmo tempo que se lamentava, lançava em volta olhares aterrados, como se tivesse medo que o teto desabasse ou que o chão soçobrasse. Todos o lamentavam, os corações embrandeciam cada vez mais. A própria hospedeira, desfeita em lágrimas, tornou a deitar o doente. Enfim, compenetrado da inutilidade dos seus ataques à memória de Napoleão, Mark Ivânovitch insurgiu-se contra esta pretensão. Segundo dizia, nada se comparava com uma boa chávena de camomila. Quanto a Zinóvi Prokófitch, com o seu excelente coração, soluçava, derramava torrentes de lágrimas e gritava o seu arrependimento por ter assustado Siemion Ivânovitch, contando-lhe todas aquelas histórias estúpidas. Depois, ao considerar que o doente se queixara da sua pobreza e implorara auxílio, abriu uma subscrição, de momento limitada ao pequeno círculo dos hóspedes. Todos suspiravam, lamentavam e choravam a pouca sorte de Siemion Ivânovitch, sem contudo conseguirem compreender aquele terror tão repentino. Pois afinal, por que teria sido aquilo? Ainda se ele tivesse ocupado algum cargo importante ou se tivesse mulher e filhos; se tivesse sido arrastado perante um tribunal... Mas não valia dois caracóis, toda a sua riqueza se resumia num velho baú com o seu cadeado alemão; e permanecera durante vinte anos deitado atrás dum biombo, ignorando tudo do mundo, da vida e das suas dores... E eis que, de repente, por causa de uma brincadeira vã e estúpida, deixava de ter o juízo no seu lugar e apavorava-se com a descoberta de que a vida é dura... Mas não é ela dura para todos? "Se ele se tivesse dado ao trabalho — como disse mais tarde Okieânov — de pensar que a vida é igualmente dura para todos, teria conservado a razão e continuado a viver como todos nós."

Durante todo o dia não se falou de outro assunto senão de Siemion Ivânovitch. Iam vê-lo constantemente; perguntavam-lhe como estava; prodigalizavam-lhe consolações... Mas, ao anoitecer, já não tinha necessidade de consolações, abismado na febre e no delírio. Chegaram ao ponto de ir chamar um médico e todos os hóspedes se empenharam em cuidar dele e velá-lo toda a noite, cada um por sua vez, a fim de estarem prevenidos, em caso de alarme. Eis por que, depois de terem instalado à cabeceira de Siemion Ivânovitch o seu companheiro, o beberrão, estes senhores organizaram uma partida de cartas destinada a mantê-los acordados. Mas como não jogavam a dinheiro, o jogo não lhes despertava nenhum interesse e depressa se aborreceram. Então deixaram o jogo e começaram a discutir até berrar e a dar pancadas na mesa, de tal maneira que cada um acabou por tornar a meter-se no seu quarto, vociferando palavras violentas. Como estavam todos furiosos, já ninguém quis ficar de guarda. Acabaram por adormecer e depressa reinou no aposento um silêncio sepulcral. Além do mais, fazia muito frio. Okieânov foi um dos últimos a adormecer e eis o que ele contou mais tarde:

— Sonho ou realidade, tive a impressão de que, muito perto de mim, dois homens conversavam, aí pelas duas horas da manhã.

Num deles reconheceu Zimoviéikin, o qual acordou o seu amigo Riemniov, e os dois ficaram conversando durante muito tempo. Depois o primeiro afastou-se e ele o ouviu, tentando abrir a porta da cozinha com uma chave. A hospedeira confirmou mais tarde que essa chave estava debaixo do seu travesseiro e que desaparecera nessa noite. Depois Okieânov julgou ouvir vozes atrás do biombo e que acendiam ali uma vela.

Quanto ao resto, não sabia mais nada, pois em seguida adormecera para só acordar com os outros, no momento em que todos haviam saltado da cama, ao ouvirem um grito capaz de acordar um morto. A todos parecia que tinham visto apagar-se uma vela. Ao mesmo tempo que este reboliço, ressoava atrás do biombo o ruído confuso duma luta. Logo que acenderam a luz puderam ver que eram Riemniov e Zimoviéikin que se esmurravam, cobrindo-se mutuamente de censuras e de injúrias. Riemniov gritou então:

— Não fui eu; este é que é o assassino!

— Larga-me! — vociferava o senhor Zimoviéikin. — Eu estou inocene, posso jurar!

Nem um nem outro tinha já figura de gente; mas, nem sequer repararam neles, pois o doente tinha acabado de sair da cama. Só quando separaram os beligerantes, é que encontraram o senhor Prokhártchin estendido debaixo da cama e, segundo parecia, sem dar acordo de si. Tinha arrastado consigo o cobertor e o travesseiro, de maneira que apenas se via sobre o leito um colchão sujo e velhíssimo e, dos lençóis, nem a sombra — aliás nunca os tivera. Retiraram Siemion Ivânovitch da sua posição inferior e voltaram a deitá-lo sobre o colchão, mas perceberam imediatamente que tudo seria inútil e que aquilo dera conta dele: os membros inteiriçavam-se e respirava a custo. Rodearam-no; todo o seu corpo estremecia; viam bem que ele se esforçava por gesticular e falar, mas já não podia mover as mãos nem a língua.

Contudo mexia as pálpebras, como dizem que mexem as cabeças que o carrasco acaba de cortar, quando estão ainda quentes e sangrentas.

Até que por fim os estremecimentos e as convulsões pararam. O senhor Prokhártchin alongou as pernas e foi para o outro mundo responder pelas suas boas e más ações. O que lhe teria acontecido? Teria sido medo? Tivera um pesadelo, como afirmou mais tarde Riemniov? Que se teria passado? Ninguém sabia. A verdade é que, mesmo que o comissário se apresentasse em pessoa na hospedaria para levar Siemion Ivânovitch, devido às suas opiniões voltaireanas, ou que ali entrasse uma mendiga afirmando ser a cunhada; ou até mesmo que viessem dizer-lhe que tinha direito a duzentos rublos de gratificação; ainda que a sua cama tivesse ardido, e a cabeça juntamente com ela, é provável que não tivesse mexido um dedo. Mas enquanto se dissipava o primeiro pasmo e os circunstantes recuperavam pouco a pouco o dom da palavra, e começavam a pôr de pé as suas hipóteses; enquanto Ustínia Fiódorovna revistava febrilmente debaixo do travesseiro, debaixo do colchão e até nas botas do defunto, e se fazia um interrogatório sumário a Riemniov e a Zimoviéikin, o hóspede Okieânov, até então o mais comedido, o mais tímido e o menos ardente, recuperava de repente, com toda a sua presença de espírito, a universalidade dos seus latentes dotes naturais, pegava no chapéu e raspava-se dali para fora. E, no momento em que os horrores da anarquia atingiam o cúmulo naquela casa, até então pacífica, a porta abriu-se e, mais impressionante do que o raio, viram aparecer um senhor de aparência distinta, rosto severo e descontente, seguido de Iároslav Ilhitch e de um acólito, atrás dos quais se conservava, confuso, o próprio Okieânov. O senhor de ar distinto e severo foi direto à cama onde repousava Siemion Ivânovitch, apalpou-o, fez uma careta, levantou os ombros e declarou que já nada havia a fazer, que aquele homem estava morto, lembrando, todavia, que o mesmo acidente acontecera nos últimos dias a um senhor dos mais prestigiados e de alta estatura, e que tivera, como aquele, a ideia de morrer. Então, afastou-se da cama, disse que o tinham importunado inutilmente e saiu.

Iároslav Ilhitch tomou imediatamente o seu lugar e Riemniov e Zimoviéikin estavam confinados a quem de direito. O comissário fez algumas perguntas, apoderou-se muito habilmente do baú que a hospedeira se preparava para abrir, pôs as botas no seu lugar, e fez notar que estavam esburacadas e impróprias para usar; mandou que pusessem o travesseiro no lugar, chamou Okieânov, pediu a chave do baú que foi encontrada, como por acaso, no bolso do beberrão Zimoviéikin, e foi então abrir o receptáculo dos tesouros de Siemion Ivânovitch. Nada lhe faltava: ali estavam duas rodilhas, um par de meias, metade dum lenço, um chapéu velho, vários botões, umas solas gastas e os contrafortes dumas botas; numa palavra: um amontoado de trapos que cheiravam a bafio. Além do cadeado alemão, não havia nada de valor. Interpelado severamente, Okieânov declarou-se pronto a prestar juramento. O travesseiro foi examinado: não oferecia qualquer particularidade além da singular falta de limpeza, mas, sob outros aspectos, era completamente semelhante a qualquer outro. Apoderaram-se então do colchão; começaram a levantá-lo e *detiveram-se para refletir* um instante, quando um objeto caiu pesadamente no chão com um ruído metálico. Apanharam-no, apalparam-no, e reconheceram que estava ali um rolo com uma dezena de rublos.

— Olá! Olá! Olá! — exclamou Iároslav Ilhitch apontando o lugar onde o colchão estava aberto e por onde saíam a crina e o algodão com que estava cheio. Olharam mais de perto e viram que o rasgão tinha sido feito muito recentemente com uma faca de uns trinta e cinco centímetros de comprimento, que descobriram no colchão ao introduzirem a mão, e que não era outra senão a faca da cozinha da hospedeira. Iároslav Ilhitch ainda não tinha acabado de pronunciar um novo "Olá! Olá!", quando caiu um segundo rolo de algumas moedas de valores diferentes. Agarraram imediatamente em tudo. Então, entenderam por bem abrir o colchão e pediram uma tesoura. Um coto de vela que se desfazia em pingos iluminava então um quadro bastante interessante para ser observado. Uns dez hóspedes tinham-se agrupado em volta do leito, com os trajes mais pitorescos, todos desgrenhados, por barbear, com a cara por lavar e com as pálpebras inchadas de sono. Uns estavam muito pálidos, outros escorriam suor; uns tremiam de febre, outros eram sacudidos por arrepios. Completamente aturdida e atemorizada, a hospedeira mantinha-se de braços cruzados, na expectativa da opinião de Iároslav Ilhitch; enquanto do alto do fogão, a criada Avdótia e a gata preferida da patroa, contemplavam com um ar de curiosidade assombrada esta cena limitada pelo biombo desconjuntado. O baú violado revelava o mistério repugnante das suas entranhas; o cobertor e o travesseiro jaziam no piso, debaixo do recheio arrancado do colchão. Enfim, sobre a mesa brilhava um montão de moedas de prata e de cobre. Siemion Ivânovitch conservava a sua calma, tranquilamente estendido na cama, sem parecer pressentir a sua ruína. Na ocasião em que trouxeram a tesoura e em que, ardendo por mostrar o seu zelo, um subordinado de Iároslav Ilhitch puxou um pouco bruscamente pelo colchão para o desembaraçar mais depressa de estar por debaixo do seu proprietário, Siemion Ivânovitch, muito delicadamente, começou a dar lugar, rolando sobre um lado de maneira a voltar as costas aos espectadores; com a segunda sacudidela, voltou-se sobre o ventre, depois rolou ainda e, como faltava uma tábua à cabeceira da cama, viram-no de repente mergulhar com a cabeça para baixo, deixando apenas à vista dois pés ossudos, magros e azulados, muito semelhantes a ramos calcinados. Como naquela noite era aquele o segundo mergulho do senhor Prokhártchin nesta direção, levantou-se uma suspeita e, por sugestão de Zinóvi Prokófitch, alguns dos hóspedes saltaram para cima da cama para verem se não haveria por ali alguma coisa escondida. Mas a pesquisa resultou inútil e, por ordem expressa e lacônica de Iároslav Ilhitch, convidando-os a evacuar imediatamente o lugar das suas investigações, dois dos mais razoáveis pegaram cada um por uma perna aquele inopinado capitalista e o colocaram mais uma vez sobre a cama. Os punhados de crina e de algodão continuavam a voar por todos os lados, formando pilhas sempre crescentes... Tinham extraído do colchão rolos pesados e espessos, quer de rublo e meio, quer de moedas de cinquenta copeques e de outras. A totalidade estava agora bem alinhada, sobre uma mesa, por ordem de valor. Terminadas todas as buscas, nem uma só nota de banco tinham encontrado. Sacudiram então o invólucro do colchão para se assegurarem de que estava bem vazio, depois puseram-se a contar as moedas. À primeira vista qualquer pessoa seria levada a imaginar que não havia ali menos de um milhão. Contudo, se bem que estivesse longe de um milhão, a soma ao todo era ainda considerável: dois mil quatrocentos e noventa e sete rublos e cinquenta copeques. De maneira que, se a subscrição proposta na véspera por Zinóvi Prokófitch se tivesse realizado, haveria algo ali dois mil e quinhentos rublos.

O dinheiro foi empacotado. Selaram o cofre do morto e, como a hospedeira começasse a lamentar-se, explicaram-lhe onde e quando deveria apresentar o certificado que estabelecesse a dívida do seu defunto locatário para com ela. Foi exigida a assinatura daqueles que deviam fazê-la e trocaram-se duas palavras relativamente à famosa cunhada. Mas, de repente, tornou-se claro que esta cunhada não passava de um mito, produto da insuficiente imaginação tantas vezes exprobada ao pobre Prokhártchin, e concordaram em não se preocupar mais com o assunto, por completamente inútil, e porque, além disso, poderia prejudicar o bom nome do senhor Prokhártchin. Passada a primeira comoção, quando se soube o que era o defunto, ficaram todos silenciosos e começaram a trocar olhares desconfiados. Tomando a peito o modo de proceder de Siemion Ivânovitch, alguns sentiram-se profundamente chocados... Uma fortuna daquelas! Como teria aquele homem podido acumular uma soma tão considerável?

Muito senhor de si, Mark Ivânovitch tentou explicar por que é que Siemion Ivânovitch caíra de repente naquela doença de pânico, mas já não o escutavam, Zinóvi Prokófitch tornou-se pensativo. Okieânov bebeu um pouco, os demais agruparam-se junto dos outros e o pequeno Kontariov, que se distinguia por um nariz parecido com o bico dum pardal, mudou-se na mesma noite, depois de ter colado e atado cuidadosamente os seus pacotes, explicando em tom frio aos curiosos que os tempos iam duros e que o aluguel daquela casa era muito caro. Quanto à hospedeira, não parava de chorar, maldizendo aquele Siemion Ivânovitch que não tinha tido escrúpulo de prejudicar uma pobre órfã. E como alguém perguntasse a Mark Ivânovitch por que é que, em seu juízo, o defunto não guardara o dinheiro em qualquer banco, ele respondeu:

— Que quer? Era um pobre de espírito; faltava-lhe imaginação.

— E a senhora, Ustínia Fiódorovna, não era menos simplória — interpôs Okieânov. — Durante vinte anos teve este homem debaixo do seu teto e não teve tempo de... ah! ah! Esta foi boa!

— Oh! O que está o senhor dizendo? — replicou a hospedeira ao que interpelara Mark Ivânovitch, fingindo não ter ouvido as palavras intencionais de Okieânov. — Para que precisa ele do banco? Ele apenas precisava de trazer-me um punhado de moedas e de dizer-me: "Olha, Ustínuchka, aqui está para ti e alimenta-me até ao fim dos meus dias". Juro por todos os santos que o teria sustentado, que teria cuidado dele... Ah! O impostor! Enganou-me bem, a mim, uma pobre órfã!

Voltaram para junto do leito de Siemion Ivânovitch. Estava agora convenientemente deitado, vestido com o seu melhor e, aliás, único terno, e o queixo obstinado escondia-se por detrás da gravata muito mal posta. Tinham-no lavado e penteado, mas não barbeado porque não tinham podido encontrar uma navalha de barba em casa. Tinha havido por certo uma, propriedade de Zinóvi Prokófitch, mas já completamente romba, fora vendida vantajosamente no mercado de Tolkutchka e, a partir desse dia, os hóspedes iam todos fazer a barba na barbearia. Também não houve *tempo de dar um arranjo* à desordem do quarto de Siemion Ivânovitch. O biombo partido estava por terra, revelando a solidão daquele que durante tanto tempo tinha escondido e simbolizando a verdade de que a morte arranca todos os véus, desmascara todos os segredos, descobre todas as intrigas. O recheio do colchão juncava o sobrado, e um poeta não teria deixado de comparar este canto, agora desolado e frio, com o ninho desfeito duma andorinha "diligente". Tudo fora devastado pela tempestade; a mãe e a sua cria morreram, e a caminha quente, tão amorosamente feita de penas e penugem, estava agora toda revolvida...

Aliás, Siemion Ivânovitch tinha antes o ar de um velho egoísta ou de qualquer pardal ladrão. Ali estava, muito tranquilo, como quem tem a consciência em paz, como se não tivesse sido o autor de todas aquelas partidas para enganar as pessoas de bem da maneira mais ignóbil. Já não ouvia o pranto da sua desamparada hospedeira. Muito pelo contrário, tal como um capitalista maldoso, decidido até ao túmulo a não perder o tempo na inatividade, o teriam achado completamente absorvido por cálculos de especulação. O seu rosto exprimia uma meditação profunda e os lábios comprimiam-se num ar de gravidade, de que nunca ninguém o teria julgado capaz enquanto vivo. Parecia ter ganho muito em inteligência e conservava o olho direito meio fechado, como se tivesse querido agarrar à pressa alguma ideia muito importante que não tivera tempo de desembrulhar... Parecia dizer:

— Bem, não achas que já choraste bastante, sua pateta? Trata de ir dormir, ouves? Eu estou morto e já não preciso de nada. Ah! como é bom estar assim deitado... Repito-te que estou morto! Parece impossível, mas sem dúvida alguma, se eu não estivesse morto e me levantasse de repente, julgas que acontecia qualquer coisa?

A DONA DA CASA

A DONA DA CASA
(1847)

CAPÍTULO PRIMEIRO

Embora de má vontade, Ordínov não teve outro remédio senão procurar um novo quarto. A dona da casa em que vivera até então, uma pobre mulher, viúva dum funcionário e já entrada em anos, viu-se obrigada por circunstâncias imprevistas a sair de Petersburgo e ir viver na província com uns parentes e, para cúmulo, tudo se deu repentinamente, antes mesmo de expirar o contrato de aluguel. O rapaz, que tinha direito a estar na casa até ao princípio do mês seguinte, pensava com nostalgia na vida tranquila que levara entre aquelas quatro paredes já suas conhecidas e sentia uma inexplicável contrariedade perante a ideia de ter de deixar aquele quarto que lhe era já familiar. Era pobre, e o quarto, apesar de tudo, era caro demais para os seus recursos. Por isso, no dia seguinte àquele em que a viúva se foi embora, pegou no chapéu com ar decidido e foi dar uma volta pelas ruas de Petersburgo para ver os escritos que estariam colados nas portas indicando que se precisava de um hóspede, olhando sobretudo para as casas mais velhas e piores, nas quais seria mais fácil encontrar alguma família pobre que quisesse alugar um quarto.

Andou muito tempo à procura com toda a atenção, mas pouco a pouco acabou por distrair-se com outras sensações até então nunca experimentadas. Começou a olhar à sua volta... a princípio de um modo superficial, como por distração, sem pensar em nada de particular; depois, com maior interesse e, por último, com franca curiosidade. Aquela multidão que ia e vinha à sua volta, toda essa vida inquieta, contínua e ruidosa da rua; todas as novidades que ali encontrava; aquele ambiente desacostumado... todo aquele azafamado viver cotidiano pelo ganho, tão aborrecido do petersburguês, que leva uma vida ativa sempre a lidar, mas que até ao fim da sua vida só pensa em arranjar maneira de retirar-se para um ninhozinho quente, e remediar-se e contentar-se com ele; todo aquele tagarelar e aquela agitação vazia suscitavam agora em Ordínov, pelo contrário, uma sensação estranhamente calma e repousante. As suas faces pálidas estavam ligeiramente rosadas, nos seus olhos brilhava a esperança de uma nova ilusão, e pôs-se a aspirar o ar fresco quase com avidez. Sentia a alma extraordinariamente leve.

Até então tinha vivido uma vida tranquila, de absoluta solidão. Três anos antes, depois de ter feito os seus exames e de sob alguns aspectos poder considerar-se uma pessoa livre, foi visitar um homenzinho já velho, que apenas conhecia por ouvir falar, e teve de esperar bastante até que o criado se dignou anunciá-lo ao patrão duas vezes. Então Ordínov entrou num grande salão de teto alto, sombrio e triste, um desses imensos e aborrecidos salões que ainda se encontram em algumas casas senhoriais de tempos passados, e achou-se ali diante de um velho de cabelos de prata, com o peito cheio de condecorações, que em tempos fora amigo e colega de seu pai nos serviços públicos, e que depois se tinha encarregado da tutela do filho. O velho entregou-lhe o que ainda restava. A soma não era muito grande; era o remanescente de uma herança que, por haver dívidas, fora sujeita a leilão, e que provinha dos antepassados. Ordínov tomou o pacotinho com indiferença, despediu-se para sempre do velho e saiu de novo para a rua.

Era uma tarde de outono, fria e lúgubre; o jovem ia pensativo e tomado de uma estranha tristeza que até aí não tinha conhecido. Ardiam-lhe os olhos; sentia que tinha febre e que se tinha gripado. Pelo caminho ia fazendo cálculos e pensava que, com aquela quantia, poderia aguentar-se dois ou três meses e, poupando muito, até mesmo quatro. Na primeira e melhor casa que encontrou alugou um quarto pequeno — exatamente em casa daquela pobre viúva dum funcionário que agora o deixava em apuros — e dali a uma hora já estava instalado. Aí levou uma vida de estranho, como se estivesse desligado de todas as pessoas. Por isso, em dois anos, não chegou a arranjar nenhuma amizade.

Isso aconteceu, sem que ele mesmo tivesse percebido; e também nem sequer chegou a suspeitar que, entretanto, pudesse haver outra vida além daquela — uma vida ruidosa, barulhenta, flutuante, em perpétua mudança, que chamava constantemente pelas pessoas, e à qual mais tarde ou mais cedo não era possível fugir. Naturalmente ele sabia que existia essa vida — como poderia ignorá-lo? — mas não a conhecia nem nunca procurara conhecê-la. Tinha vivido isolado desde a infância, e agora que era quase um homem, essa solidão fazia já parte da sua estranha maneira de ser. Devorava-o uma paixão, uma dessas paixões profundas, insaciáveis, que absorvem toda a existência dum homem, e que às criaturas da têmpera de Ordínov não lhes concedem um lugar, por menor que seja, na esfera dessa outra vida. Essa sua paixão era... a ciência. Primeiro absorveu-lhe a juventude e, pouco a pouco, roubou-lhe o sono e a tranquilidade do espírito com o seu ópio estonteante; privou-o dos alimentos sãos e do ar fresco, que nunca chegara a penetrar no seu estreito cubículo. Ordínov, porém, na sua embriaguez, não reconhecia nada disto nem queria sequer confessá-lo. Era jovem e no momento nada mais lhe interessava. Essa paixão transformava-o numa verdadeira criança perante o mundo exterior e incapaz para toda a vida de saber lidar com as pessoas quando viesse a ser preciso procurar entre elas uma posição. A ciência é para alguns um capital que apertam sofregamente nas mãos, mas a paixão de Ordínov, pelo contrário, acabava por ser uma arma dirigida contra ele próprio.

No seu caso era mais uma ânsia inconsciente de aprender, de investigar e entesourar sabedoria na sua alma, do que a obediência a razões e conclusões determinadas... e o mesmo acontecia com tudo aquilo por que se interessava, até com as coisas mais insignificantes. Já em pequeno o haviam tomado por uma criança prodígio, tão diferente se mostrava dos companheiros. Perdera os pais muito cedo e não se recordava deles; mas, devido ao seu temperamento estranho e tímido, teve de suportar muitos ataques e grosserias dos condiscípulos, o que o tornou ainda mais ensimesmado. A sua tendência para a solidão, porém, nunca obedeceu, nem mesmo agora, a qualquer plano ou sistema; longe disso, o que o impelia para ela era o entusiasmo pela invenção, o ardor, a febre do artista. Criou para uso próprio toda uma filosofia das coisas; pouco a pouco, ao longo dos anos, brotou e desenvolveu-se no seu espírito uma nova ideia, a princípio vaga e obscura, mas já maravilhosamente consoladora, que veio a concretizar-se numa nova e reveladora forma que, à medida que se desprendia dele, o fazia sofrer, o torturava, e lhe dilacerava a alma. Mas percebia ainda a sua originalidade, a independência e a precisão dessa ideia, que surgia diante dos seus olhos como uma revelação da verdade e com todas as forças procurava que ela o conduzisse à criação; mas, agora, a princípio, só ele existia, pois a época da elaboração propriamente dita vinha ainda muito longe, talvez longe demais, e talvez fosse de todo irrealizável.

Caminhava agora pelas ruas como um provinciano, alheio ao resto do mundo e que ao ver-se de repente fora do seu estúpido lugarejo, se encontra de chofre numa cidade ruidosa e cheia de movimento. Tudo lhe parecia novo e estranho. Mas ele se tinha tornado tão alheio àquele mundo que agora o rodeava e se agitava à sua volta, que nem lhe ocorria sequer espantar-se com as suas estranhas impressões. Por outras palavras: nem sequer dava conta de quanto estava distanciado de tal mundo; pelo contrário, ia-se apoderando dele uma sensação muito especial de embriagadora alegria, semelhante àquilo que sente um esfomeado quando, após um prolongado e forçado jejum, lhe dão de comer e de beber... embora possa parecer estranho que um acidente tão pequeno no curso exterior duma vida, como é uma mudança de quarto — pudesse tirar um petersburguês do seu "cortiço", mesmo que esse petersburguês fosse o próprio Ordínov. Claro que é preciso ter em conta que ele, durante quase todos aqueles anos, mal tinha posto os pés na rua, e nunca, como hoje, fosse lá pelo que fosse, se tinha sentido tão atraído pelo ambiente exterior.

Cada vez se sentia mais contente de vagabundear pelas ruas. Reparava em tudo e a tudo prestava atenção.

E ao mesmo tempo, fiel à sua maneira de ser, ia também lendo nos quadros que os seus olhos contemplavam, como nas linhas dum livro. Tudo produzia nele uma impressão particular e nenhum pormenor lhe escapava; com olhos pensativos espreitava a fisionomia de quanto o rodeava, escutava o barulho das conversas e a pronúncia popular que, às vezes, lhe feria os ouvidos... tal como se tivesse a pretensão de procurar em tudo que surgia ao seu alcance a exatidão das conclusões a que chegara no silêncio das suas noites. Muitos pormenores que escapavam aos outros, a ele surpreendiam-no e inspiravam-lhe uma ideia nova e, pela primeira vez na sua vida, lamentava ter estado tanto tempo enclausurado numa cela, sepultado vivo. Ali tudo era mais rápido, o pulso batia-lhe com mais força, a inteligência libertava-se da solidão angustiosa, na qual a sua atividade se limitara quase a uma simples reação perante a firme e entusiástica vontade de trabalhar; agora trabalhava por si, depressa mas com tranquilidade, com segurança e ousadia. E acima de tudo, sentia de um modo quase inconsciente a ânsia de penetrar naquele mundo para ele desconhecido, que até então ignorava, ou antes, que até então só tinha pressentido com o seu instinto de artista. Sem querer, o coração começou a bater-lhe mais depressa, com uma espécie de nostalgia sentimental e ardente simpatia. Olhava com curiosidade os homens que passavam a seu lado, mas todos lhe eram estranhos e todos iam preocupados com os seus próprios problemas e ideias... Pouco a pouco, desapareceu toda a despreocupação de Ordínov; a realidade ficou-lhe mais próxima e ele começou a senti-la como um peso que o angustiava; depois acometeu-o uma estranha e involuntária sensação de respeito.

Sentiu-se cansado diante da torrente de novas impressões que o submergia, tal como o doente que se levantou da cama pela primeira vez, cheio de alvoroço, mas que, daí a pouco, entontecido pela luz do dia, ensurdecido e estonteado pelos barulhentos e desconcertantes quadros desta vida tumultuosa e das íntimas impressões, fecha os olhos e deixa-se cair. Ficou triste e pensativo. Começou a temer por si, por toda a sua atividade e até pelo futuro.

Um pensamento novo lhe roubou a tranquilidade: lembrou-se de repente que passara toda a vida sozinho, que não havia uma única pessoa que lhe tivesse afeto e que também ele não amava ninguém. Alguns transeuntes com quem, sob qualquer pretexto, tentou entabular conversa, olhavam-no espantados e de um modo muito particular. Parecia-lhe que o tomavam por um louco, ou pelo menos por um excêntrico... o que, no fim das contas, era verdade. Lembrava-se de que já desde pequeno todos fugiam da sua companhia e se sentiam mal a seu lado, especialmente por causa do seu jeito pensativo e concentrado. Não ignorava a simpatia profunda de que era capaz, mas sabia também que nunca contribuía para que se criasse um sentimento de fraternidade entre ele e os outros, mesmo aqueles com quem simpatizava, pelo que se afastava de todos e até do seu próprio sentimento. Já em pequeno isto constituíra uma tortura, entre os seus companheiros. Agora essa tortura voltava a apoderar-se dele e dizia para si próprio que, na verdade, desde sempre as pessoas lhe fugiam e ninguém jamais se preocupara com a sua solidão.

Continuou a caminhar, mergulhado nesses pensamentos, sem reparar no rumo que tomava, até que finalmente deu consigo num bairro muito afastado da cidade. Numa taverna barata e com pouca gente, pediu alguma coisa para comer e voltou de novo para o meio da rua. De novo começou às voltas, de rua em rua, e de praça em praça, ao longo de muros cinzentos e amarelos. Depois surgiram umas pobres casas acinzentadas, bambeadas, a que se seguiram os edifícios enormes de grandes fábricas, vermelhos, negros de fumo, disformes, com as suas chaminés fumegantes. O ambiente à sua volta parecia morto, de tal modo havia em tudo um ar de abandono, de escuridão, de rigidez e de hostilidade... pelo menos era esta a impressão de Ordínov. Através de uma viela comprida foi dar a uma pequena praça onde se erguia uma igreja.

Distraído como ia, penetrou no templo. As cerimônias tinham já terminado e a igreja estava deserta; somente duas velhas continuavam ainda ajoelhadas junto da porta. O sacristão, um velhote de cabelos brancos, apagava as luzes. Os raios de sol poente, penetrando por uma janelinha aberta na cúpula, projetavam um feixe de luz que atravessava a igreja e ia deter-se junto de um altar lateral, envolvendo-o num fulgor cintilante. O sol descambou e a luz tornou-se mais fraca; mas quanto mais densa era a sombra debaixo das abóbadas, com tanto maior fulgor brilhavam em muitas partes as douradas imagens dos santos, diante das quais ardiam, crepitando, as chamas das velas e das lamparinas de azeite. Ordínov, cheio de uma melancolia que, reprimida até então, surgia subitamente do esquecimento e o inundava por completo, tinha-se encostado à parede no canto mais escondido da igreja, e por um momento permaneceu ali esquecido de si próprio e de tudo quanto o rodeava. De repente chegou-lhe aos ouvidos um surdo rumor de passos, que, em cadência lenta, se iam aproximando, vindos da porta. Endireitou-se, voltou a cabeça e, mal avistou as pessoas que entravam, apoderou-se dele uma inexplicável curiosidade. Era um homem de idade e uma mulher nova. O homem era corpulento, ainda empertigado e forte, mas de uma palidez doentia. A julgar pela sua fisionomia, podíamos tomá-lo por um comerciante vindo de muito longe. Trazia um grande capote negro, forrado de pele, posto negligentemente sobre os ombros — ao que parecia, parte da indumentária domingueira — e debaixo dele um blusão russo, largo, abotoado de cima até embaixo, como nos velhos tempos em que se usava o traje nacional. Em volta do pescoço trazia, atado negligentemente, um lenço vermelho claro. Tinha na mão um gorro de pele. A barba comprida e basta, precocemente encanecida, tombava-lhe sobre o peito, e entre as sobrancelhas espessas e caídas brilhava um olhar ardente, febril, e ao mesmo tempo penetrante e altivo. A mulher, que teria uns vinte anos, era de uma beleza estonteante. Trazia um casaco azul claro, orlado de uma pele cara, e na cabeça um lenço branco de cetim, atado com um nó debaixo do queixo. Tinha os olhos fitos no chão e mostrava um ar altivo e grave, que contrastava com a sua figura, o que tinha qualquer coisa de comovente; e as doces linhas do seu rosto, infantilmente puro e comovido, com o reflexo das luzes pareciam transfigurar-se tristemente. Havia algo de estranho naquele imprevisto casal.

O velho parou debaixo da abóbada central e inclinou-se até o chão, apesar da igreja estar vazia. A sua companheira fez o mesmo. Ele então lhe pegou na mão e conduziu-a perante a grande imagem da Mãe de Deus, a que a igreja era consagrada, e cujas vestes guarnecidas de pedras preciosas e de ricas franjas emitiam deslumbrantes fulgores com o reflexo da luz das numerosas velas. O sacristão, que andava por ali de um lado para o outro, saudou o velho com respeito, e este se limitou a corresponder com um aceno de cabeça. A mulher pôs-se de joelhos junto da imagem da Virgem até tocar no chão com a testa. O velho pegou na ponta do manto que caía da base da imagem e cobria a cabeça com ele. Ouviram-se então na igreja soluços abafados.

Ordínov comoveu-se com a solenidade da cena que perante ele se desenrolava e esperou, impaciente, o fim daquelas devoções. Ao cabo de algum tempo a mulher voltou a erguer a cabeça e de novo a luz lhe deu em cheio no rosto encantador. Ordínov estremeceu e, sem querer, deu um passo para trás. Entretanto, ela havia dado a mão ao velho e, lentamente, saíram da igreja. Nos olhos da mulher havia lágrimas que, ao baixar ela as pálpebras de longas e escuras pestanas, lhe rolavam pelas faces ternas e no entanto pálidas. Nos seus lábios assomava um leve sorriso, que não era suficiente para fazer desaparecer do seu rosto os sinais de uma angústia quase infantil e de um terror quase místico. Cambaleando, segurava-se ao velho, e era evidente que tremia de comoção.

Surpreendido e profundamente tomado de uma doce sensação, que nunca até então experimentara, e que o impelia como uma força, Ordínov seguiu-os a ambos... e alcançou-os sob a arcada do pórtico. O velho lançou-lhe um olhar severo e hostil; ela também o olhou, mas de um modo tão vago e distraído que deixava bem perceber que um único pensamento ocupava naquele momento a sua imaginação. Ordínov pôs-se a segui-los a certa distância, sem que ele próprio soubesse por que o fazia. Entretanto tinha já anoitecido.

O velho e a moça enveredam por uma rua larga, comprida e suja, que ia ter diretamente aos arredores da povoação. Era uma rua com pequenas lojas, hospedarias e estalagens baratas, onde os negociantes de varejo armavam bancas com artigos de todos os gêneros; depois seguiram por uma comprida e estreita viela, que entre muros extensos ia dar a um grande prédio de quatro andares, cujos pátios conduziam a outra rua muito grande e animada. Estavam já perto de casa. De repente o velho voltou-se e mediu com o olhar o rapaz que os seguia tão teimosamente. Ordínov parou como que enfeitiçado: compreendeu num instante o que havia de estranho na sua conduta. O velho tornou a olhá-lo, como se quisesse certificar-se de que o seu olhar não se tinha enganado e, em seguida, ambos, ele e a companheira, desapareceram pela estreita porta do pátio da casa. Ordínov tornou atrás.

A sua disposição de espírito era a pior possível e censurava-se a si próprio: tinha desperdiçado inutilmente um dia inteiro, tinha-se cansado em vão e, como se isto não bastasse, para cúmulo tinha acabado aquele dia já perdido com um disparate com letra grande, ao tomar um encontro vulgar por um acontecimento extraordinário.

Também naquela tarde ficara descontente consigo próprio por se ter tornado tão estranho ao mundo e tão pouco sociável para com os seus semelhantes. E, afinal, tinha sido apenas o instinto que o levara a fugir de tudo quanto na sua vida exterior, e talvez também na sua vida íntima — que igualmente fazia já parte da sua "ideia" — pudesse distraí-lo, influenciá-lo e perturbá-lo. Agora, pelo menos, sentia já saudades e até certos remorsos ao pensar no seu tranquilo refúgio; depois apoderou-se dele uma inexplicável tristeza e pensou, preocupado, na sua vida futura; onde iria arranjar outro quarto e quanto tempo ainda teria de andar a procurá-lo. Mas o que mais o preocupava era que semelhantes bagatelas o pudessem inquietar até aquele extremo. Desanimado e incapaz de coordenar dois pensamentos seguidos, dirigiu-se finalmente — entretanto fizera-se já muito tarde — para a sua antiga morada, e mal se encontrou ali convenceu-se de que pouco faltara para que tivesse passado por ela sem a reconhecer. Admirado da sua distração abanou a cabeça, atribuindo o fato apenas ao cansaço e, ao chegar ao último andar do prédio, nas águas-furtadas, entrou no seu tugúrio. Acendeu a luz, sentou-se e ficou entregue aos seus pensamentos. De súbito, veio-lhe à ideia com toda a nitidez a imagem da mulher que chorava. A impressão que então sentiu foi tão viva, tão profunda e poderosa, e tinham ficado tão amorosamente impressas na sua alma aquelas suaves e ternas feições, e tão fielmente as recordava agora — aquelas feições onde se lia uma comoção e um terror místico, uma humildade infantil e uma fé cheia de abnegação — que seus olhos se enevoaram e, ao mesmo tempo, ondas de fogo correram pelo corpo. Mas a aparição desvaneceu-se. Àquela embriaguez seguiu-se um surdo mal-estar, uma espécie de raiva impotente. Sem se despir, enrolou-se numa manta e atirou-se para cima da cama dura.

Na manhã seguinte Ordínov acordou muito tarde e com o espírito inquieto e deprimido. Teve de fazer um grande esforço para poder pensar nas suas preocupações imediatas.

Já na rua, tomou a direção oposta à do dia anterior, como o único fim de não percorrer os lugares já visitados. Por fim encontrou-se com um pobre alemão chamado Spiess que, juntamente com a filha, que se chamava Tíntchen, dispunha de um quartinho como o que ele procurava. Imediatamente fechou contrato com o alemão que logo retirou o letreiro onde se lia: *Aluga-se*. Achou muito louvável, muito mesmo, o desejo que Ordínov exprimiu de consagrar-se à ciência, pelo que ali ninguém o incomodaria e, por fim, declarou-se encantado por recebê-lo. Ordínov preveniu-o de que à tardinha viria instalar-se na sua nova residência. Resolvido aquele assunto, dispôs-se a voltar ao seu antigo quarto, mas pelo caminho mudou de propósito e tomou outro rumo. Imediatamente a sua disposição melhorou também, embora no seu íntimo não tivesse outro remédio senão rir de si próprio. Na sua impaciência, desta vez o caminho parecia-lhe muito mais comprido, pelo menos muito mais do que ele pensara. Chegou por fim à igreja onde estivera na tarde anterior. Estavam precisamente dizendo a missa. Procurou um local donde pudesse ver todos os fiéis, mas entre estes não se encontravam os que ele procurava. Com as faces em fogo, saiu dali, depois de uma espera demorada e inútil. Procurou com teimosia sufocar um certo sentimento incomodativo e apelou para toda a sua energia a fim de dar aos pensamentos o rumo que desejava. Queria pensar em coisas triviais e, de repente, lembrou-se que eram horas de comer... Como sentia apetite entrou na mesma taverna onde na véspera tinha comido qualquer coisa. Depois saiu dando voltas ao acaso, atravessou ruas desconhecidas mas cheias de trânsito e, em seguida, através de ruas estreitas e desertas, caminhou até chegar a um arrabalde onde já se estendia o campo a que o outono tinha roubado a folhagem. Teria continuado a caminhar, sem dar por isso, se a sensação nova e já de há muito não experimentada, que aqueles lugares nele suscitavam, não o tivesse vindo arrancar à sua meditação.

Era um dia seco e frio como há muitos no mês de outubro, em Petersburgo. Perto dali avistava-se uma cabana e junto dela duas medas de feno. Um cavalinho de aldeia, pequeno e tão magro que quase se podiam contar suas costelas, estava por ali desatrelado, de cabeça baixa e a cauda pendurada, como se estivesse a meditar, junto de uma *tarataika* de duas rodas. Um cão vulgar, que se entretinha roendo um grande osso junto da roda quebrada dum carro, começou a ganir, e um garoto dos seus três anos, vestindo apenas uma camisinha, coçou a cabecinha loura e encaracolada, e ficou a olhar com espanto o solitário recém-chegado. Nas traseiras da cabana havia hortas e campos. Ao longe estendiam-se manchas de bosques e por cima de tudo um céu azul, limpo de nuvens. Do outro lado, porém, algumas nuvens escuras, de frio, moviam-se devagar, como se empurrassem pelo céu acima um bando de imponderáveis aves de rapina, sem que se ouvisse um grito ou um bater de asas. Havia em tudo uma grande tranquilidade e, ao mesmo tempo, uma indefinível tristeza, como se a natureza ansiosamente esperasse algo de secreto e misterioso... Ordínov continuou a caminhar, mas a tristeza que o oprimia era cada vez maior. Regressou, então, à cidade onde agora se ouviam toques de sinos, chamando os fiéis às orações da tarde. Estugou o passo e dali a pouco encontrava-se de novo na igreja que desde a véspera se lhe tornara tão querida.

A jovem desconhecida lá estava.

Viu-a de joelhos, perto da porta de entrada, entre muitos outros fiéis. Ordínov abriu passagem por entre filas de gente de pé, por entre a chusma dos mendigos, de velhotas andrajosas, de doentes e estropiados que esperavam uma esmola à porta da igreja, e ajoelhou-se junto da moça. As suas roupas tocavam nas dela e ele ouvia a sua respiração ofegante e o murmúrio das suas preces. Tal como na véspera, aquele rosto parecia espiritualizado por um sentimento de fé convicta e corriam-lhe lágrimas pelas faces afogueadas, como a quererem lavar algum terrível pecado que lhe manchasse a alma. No local onde ambos estavam ajoelhados reinava completa escuridão, quebrada de quando em quando pelo bruxulear da chama da lamparina da imagem mais próxima, agitada pelo vento que penetrava por uma fenda da estreita janela, e cujo fulgor punha um reflexo trêmulo naquele rosto feminino e gravava cada um dos seus traços na memória do jovem, deslumbrando-o e penetrando dolorosamente no seu coração. Mas ao mesmo tempo essa tortura era acompanhada de um prazer embriagador, de um prazer quase raivoso. Por fim, tal estado de espírito foi superior às suas forças. Não podia resistir-lhe por mais tempo. Uma dor apertava-lhe o peito e sentiu uma súbita e inexplicável nostalgia... um suspiro escapou-lhe dos lábios e inclinou a testa que escaldava sobre os ladrilhos gelados da igreja. No coração, apenas uma dor que parecia querer transformar-se num doce tormento...

Seria difícil dizer se tudo isto se devia à sua sensibilidade exacerbada até ao extremo, ou se a sua súbita irrupção se devia atribuir ao angustioso e enigmático silêncio das longas noites de insônia, como consequência de um estado muitas vezes experimentado, em que um impulso inconsciente, um desejo vago e um esforço imperioso do seu espírito, um esforço sobranceiramente impaciente, lhe enchia o coração de um inexprimível suplício que tinha chegado a um ponto em que, sem dúvida, lhe teria despedaçado, se não tivesse encontrado um alívio naquele mesmo extravasamento. A menos que tivesse simplesmente chegado o momento da explosão, como chega tudo neste mundo, quando deve chegar, segundo a ordem natural das coisas... tal como num dia de verão, de calor sufocante, o céu fica de repente escuro e se desencadeia um temporal de trovões e de relâmpagos para salvar tudo aquilo que o ardor do sol ameaçava fazer secar de calor e sede, e ficar pendurado em brancas gotas de chuva nos ramos verdes das árvores, e pisar a erva e fazer inclinar até o chão os tenros cálices das flores — com o único fim de que, depois, quando o sol voltar a lançar os seus primeiros raios tudo volte a reanimar-se, para, de novo salvo, procurar o sol e elevar triunfalmente até ao céu o seu fresco e delicioso aroma, em sinal de júbilo pela renovação da vida. Este mesmo perturbante prazer vital que toda a natureza parece sentir depois de uma tempestade, como toda folha que ainda brilha úmida da chuva, todo cálice da flor que se tenha vergado sob o peso das gotas e agora de novo se ergue ao sol... esse mesmo sentimento apoderou-se de Ordínov... Simplesmente o moço não podia exprimir o que se passava com ele, tão pouco consciente disso foi naquele momento, se é que chegou a ser.

Por isso nem sequer deu conta de que a cerimônia religiosa estava no fim e apenas saiu do seu êxtase, quando, seguindo a desconhecida, teve de abrir caminho por entre as pessoas. A cada instante se viam obrigados a parar por causa da multidão; mas precisamente por isso, por ter que deter-se e esperar, pela primeira vez pôs ela os olhos nele, voltando depois a olhá-lo com espanto crescente, até que a certa altura os seus olhos claros se cruzaram com os dele, e então, de súbito, fez-se vermelha... como se tivesse compreendido tudo repentinamente e o rosto se lhe tivesse incendiado. No mesmo instante, porém, por entre o aperto da multidão surgiu também a corpulenta figura do velho. Tomou ele a mão da moça e, vendo Ordínov, lançou-lhe um olhar tão hostil, tão maldosamente trocista, que o rapaz sentiu uma estranha e medonha cólera apoderar-se do seu coração. Não tardou a perdê-los de vista na escuridão e, receoso, abriu caminho por entre as pessoas e saiu da igreja sem sequer dar por isso. O vento da tarde bateu-lhe no rosto como uma vergastada de gelo, mas não conseguiu refrescá-lo; tirava-lhe o fôlego, oprimia-lhe o peito, e o coração começou a palpitar-lhe lenta e violentamente, como se quisesse saltar-lhe. Durante muito tempo procurou a desconhecida, mas, por fim, renunciou a encontrá-la, pois não a via em parte alguma, nem na rua nem na travessa. De repente, porém, ocorreu-lhe uma ideia que logo se converteu num desses arrevesados planos que em geral costumam ser mais ou menos disparatados, mas cuja realização em casos destes se consegue quase sempre com êxito... e porque afinal são precisamente estes planos disparatados aqueles que mais depressa procuramos realizar, enquanto os mais sensatos ficam só como projetos.

No outro dia, por volta das oito da manhã, Ordínov dirigiu-se a tal casa, atravessou o portal e viu-se num pequeno pátio, estreito e sujo. O porteiro, que andava por ali varrendo, suspendeu a sua faina, apoiando-se ao pau da vassoura; olhou Ordínov dos pés à cabeça e, por fim, perguntou-lhe o que desejava...

Esse porteiro era um homem ainda jovem, dos seus vinte e cinco anos e, contudo, tinha uns traços envelhecidos, com a cara cheia de rugas, baixo, e com uns sinais que não deixavam dúvidas sobre a sua ascendência tártara.

— Ando a procura de um quarto — respondeu-lhe Ordínov impaciente.

— Que diz o senhor? — perguntou-lhe o porteiro com ar trocista e olhando-o com cara de quem já lhe tinha farejado os bolsos.

— Que quero alugar um quarto.

— Não há nenhum que dê para a rua — respondeu o tártaro com um ar um tanto enigmático.

— E interior, também não?

— Também não — e, dizendo isto, pôs-se de novo a varrer o pátio.

— Não haverá, por acaso, entre os inquilinos do prédio algum que queira alugar-me um quarto? — perguntou Ordínov ao porteiro metendo-lhe na mão uma gratificação.

O tártaro olhou-o, guardou o dinheiro no bolso e voltou a pegar na vassoura... mas depois de um pequeno silêncio, explicou outra vez:

— Não, aqui não há ninguém que queira hóspedes.

O rapaz, porém, já não lhe prestava atenção e dirigia-se para as tábuas meio apodrecidas e oscilantes que, sobre um charco de lama, eram o único caminho que levava às traseiras da casa, a uma escada tão suja como todo o prédio, e cujo último degrau estava metido noutro lodaçal igual ao primeiro. Ao pé da escada, à entrada, vivia um pobre homem que fazia caixões mortuários, por diante de cuja oficina Ordínov passou sem fazer qualquer pergunta, subindo sem detença os degraus gastos e esburacados. Ao chegar ao primeiro andar encontrou, mais às apalpadelas do que com a vista, uma pesada porta que outrora devia ter estado forrada com uma esteira, de que agora apenas restavam alguns farrapos pendentes. Puxou a aldraba e abriu a porta. Não se tinha enganado. Perante ele estava o velho que vira na igreja e que agora o olhava, pasmado.

— Que deseja? — resmungou em voz baixa e dura.

— O senhor não quererá alugar um quarto? — perguntou Ordínov sem saber bem o que dizia nem mesmo o que queria dizer.

Atrás do velho avistara a desconhecida.

O velho nada disse, mas dispunha-se a fechar a porta, dando assim a entender a Ordínov que estava ali a mais.

— Mas, sim, senhor... nós temos um quarto para alugar — disse de repente a moça com voz simpática.

O velho voltou-se para ela.

— Eu só preciso de um cantinho qualquer — disse Ordínov, entrando logo para a sala e dirigindo-se à jovem.

Mas as palavras morreram-lhe nos lábios; qualquer coisa de estranho se desenrolou de repente ante os seus olhos: uma cena muda mas eloquente. O velho ficara tão lívido como se fosse desmaiar e contemplava a jovem com olhos vítreos, imóveis e penetrantes. Também ela a princípio empalideceu; mas logo depois o sangue lhe voltou com violência ao rosto e nos seus olhos brilharam estranhas cintilações. Sem dizer nada, encaminhou Ordínov para o quarto próximo.

O andar compunha-se ao todo de um único aposento, enorme, dividido em três compartimentos por dois tabiques. Da entrada escura e estreita, em que se penetrava quando se saía do patamar, passava-se por uma porta que parecia dar para o quarto de dormir. À direita outra porta dava para o quarto que destinavam ao sublocatário. Era um aposento muito pequeno e apertado, que parecia entalado de encontro às duas janelas baixas. Além disso estava atulhado dos mais variados objetos que imaginar se possa. Tudo ali era pobre e acanhado, mas apesar disso notava-se um certo arranjo. O mobiliário consistia numa mesa tosca, sem pintura, duas cadeiras vulgares e duas camas: uma, junto do biombo, e outra encostada à parede fronteira à porta. No canto do quarto estava uma imagem grande e antiga, com um resplendor dourado, sobre um pedestal, e por cima dela uma lamparina de azeite. Um grande fogão russo, contra a qual se apoiava o tabique, aquecia ao mesmo tempo o quarto e o vestíbulo.

Saltava à vista que aquele andar era demasiado pequeno para três pessoas adultas.

Começaram os três a tratar do aluguel, mas exprimiam-se com tal falta de jeito e incoerência que mal conseguiam entender-se. Ordínov, que estava a dois passos do velho e da jovem, receava que chegassem aos seus ouvidos as pancadas do coração: sentia-se tremer, cheio de uma agitação em que havia laivos de angústia. Finalmente chegaram a acordo e fecharam o contrato. O rapaz manifestou desejo de mudar-se logo e, involuntariamente, olhou para o velho. Este continuava pálido, mas aos seus lábios assomava agora um sorriso tranquilo e pensativo, que desapareceu, contudo, mal o seu olhar se encontrou com o de Ordínov. O velho voltou a franzir as sobrancelhas.

— Tem documentos? — perguntou de repente em voz alta e dura, enquanto abria a porta da escada.

Ordínov disse que sim com a cabeça, um tanto espantado com a pergunta.

— Quem é o senhor? Como se chama?

— Vassíli Ordínov. Não sou empregado. Vivo com absoluta independência — respondeu Ordínov com um à-vontade que roçava pela brusquidão, tal como o velho.

— Eu também — acrescentou aquele. — Chamo-me Iliá Múrin e vivo dos meus rendimentos. Quer mais esclarecimentos? Bem, adeus!

Duas horas mais tarde Ordínov estava já instalado na nova moradia e não menos admirado com o caso do que o senhor Spiess e sua filha Tíntchen que, depois de o esperarem em vão, concluíram que o hóspede desaparecido os tinha querido enganar. Verdadeiramente nem o próprio Ordínov compreendia como sucedera tudo aquilo, — e o que é mais — nem sequer estava muito interessado em compreender.

Capítulo II

O coração batia-lhe com tanta força que diante dos seus olhos bailavam pontos verdes e de quando em quando sentia vertigens. Doía-lhe a cabeça. Mecanicamente, pôs-se a desembrulhar as suas coisas; desatou um embrulho que continha a roupa branca de uso; abriu o caixote dos livros e dos papéis e pôs-se a arrumá-los sobre a mesa. Mas não tardou a abandonar esse trabalho. Fizesse o que fizesse, tinha sempre diante dos olhos a imagem da jovem, que desde o primeiro momento tinha se gravado no seu coração com traços tão nítidos, e que tanta alegria comunicara à sua pobre vida, de tal maneira que, agora, os seus pensamentos pareciam os dum ébrio e tinha o espírito tão transtornado que já nem sabia o que queria. Pegou nos documentos com o fim de apresentá-los ao velho que era agora o seu senhorio... na esperança — claro — de vê-la, a ela, de relance. Mas Múrin limitou-se a entreabrir a porta, pegou nos documentos, olhou-os, abanou a cabeça e disse apenas: "Deus te guarde", voltando a fechá-la imediatamente. Um sentimento desagradável se apossou de Ordínov. Custava-lhe olhar o velho, sem que soubesse por que. Encontrava sempre no seu olhar certo desprezo e maldade. Mas essa impressão incômoda, felizmente não tardou a desvanecer-se. Havia já três dias que habitava naquela casa e parecia-lhe viver no meio de um torvelinho, em comparação com a sua calma existência anterior. Agora nem pensar podia, não, que até se assustava. De repente tudo mudara para ele; experimentava a vaga sensação de que a sua vida se partira em duas metades e que nenhum dos seus pensamentos era aplicável à primeira metade. Só sentia um desejo, só tinha uma ilusão...

Sem saber como interpretar a conduta do velho, voltou para o seu quarto. Junto do fogão onde se fazia a comida trabalhava uma velhota curvada pelos anos. Estava tão suja e esfarrapada que dava repugnância olhar para ela. Tinha, ainda por cima, todo o aspecto de ser muito má. Era a criada. Ordínov, que a ouvia resmungar e via mover-se o seu desdentado maxilar inferior, dirigiu-lhe a palavra mas ela não se dignou responder-lhe. Parecia que se calava só por maldade. Chegou por fim a hora da refeição. A velha tirou a comida do forno — sopa de couve, pastéis e carne de vaca — e levou-a ao outro quarto. Ordínov serviu-se também da mesma comida. Depois da refeição fez-se na casa um silêncio de morte.

Ordínov pegou num livro e foi lendo parágrafo por parágrafo e páginas inteiras, esforçando-se por apreender-lhes o sentido, mas nem ele mesmo poderia dizer se efetivamente sabia o que estava lendo. Não tardou a abandonar o livro e entregou-se de novo à tarefa de pôr em ordem as suas coisas. Mas também pouco tempo esteve ocupado nisto. Impaciente, pegou no gorro e na capa e foi para a rua. Sem reparar na direção que tomava, começou a andar, esforçando-se por coordenar os pensamentos e meditar um pouco na sua nova situação. Mas aquele esforço de vontade acabou por degenerar numa tortura... que ia infligindo a si próprio. Parecia que tinha apanhado um resfriado: tão depressa sentia calafrios como parecia arder em febre e, às vezes, seu coração punha-se a bater com tal força que tinha de encostar-se a uma parede. "Não; é preferível morrer... morrer de uma vez para sempre", murmuravam os seus lábios febris, sem que reparasse sequer no que dizia. Andou assim vagueando pelas ruas durante muito tempo, de um lado para o outro, até que por fim uma forte sensação de frio e umidade lhe fez reparar que chovia a cântaros. Então voltou a si e tornou atrás. Pouco antes de chegar a casa deu de cara com o porteiro que, segundo parecia, o tinha estado observando durante uns momentos com curiosidade, mas que entrou em casa mal notou que o rapaz o tinha visto.

Em duas passadas, Ordínov estava junto dele.

— Bom-dia. Diz-me uma coisa: como te chamas?

— Chamam-me porteiro — respondeu-lhe o tártaro rindo-se.

— Estás aqui há muito tempo, porteiro?

— Vou ver se me lembro...

— O meu senhorio, o senhor Múrin, em cuja casa moro, vive de fato dos rendimentos?

— Se ele o disse, é porque vive...

— Mas, não faz nada?

— O que faz? Olhe, vive... Está doente, reza... e mais nada.

— E aquela moça, é sua mulher?

— Que moça?

— A que vive com ele?

— Se ele o disse, é porque é. Adeus, senhor.

O tártaro puxou para baixo a viseira do gorro e meteu-se no seu cubículo junto da porta da casa.

Ordínov subiu as escadas em direção ao quarto. Foi o velho quem lhe abriu a porta, tremendo; resmungou qualquer coisa para consigo, fechou a porta e voltou a passo lento para junto do fogão, perto do qual parecia passar a maior parte do tempo. Começava a escurecer. Ordínov quis pedir uns fósforos mas os donos da casa tinham a porta do quarto fechada. Chamou a velha que se endireitara um pouco e que, apoiada sobre um cotovelo, olhava o rapaz por cima do fogão, pensando o que poderia ele ter ido pedir junto daquela porta fechada. Sem dizer nada, atirou-lhe uma caixa de fósforos. Quando voltou para o quarto Ordínov tornou a pegar nos livros. Ia caindo pouco a pouco numa estranha disposição e, embora ele próprio não pudesse dizer o que se passava consigo, sentou na cama que, na verdade, o atraía. E pareceu-lhe que ia adormecer. Por várias vezes despertou e compreendeu semiconscientemente que aquilo não era um sonho mas uma apatia mórbida e torturante. Em dado momento ouviu bater à porta da rua e disse para si que deviam ser os donos da casa que voltavam dos ofícios da tarde. Pensou que devia ir ao encontro deles e pedir-lhes alguma coisa. Levantou da cama e foi — ou antes, pareceu-lhe que levantava e que ia — mas logo tropeçou e foi cair em cima de um monte de lenha que a velhota deixara no meio da casa. A partir daquele momento já não deu mais conta do que se passava consigo, e quando depois de muito, muito tempo — como supunha — voltou a abrir os olhos, ficou extraordinariamente admirado ao verificar que continuava no mesmo local, isto é, na cama, completamente vestido, e que uma jovem de sedutora beleza, carinhosamente preocupada, se debruçava sobe ele com uma expressão calma e maternal no rosto. Sentiu-a pôr-lhe um travesseiro debaixo da cabeça, cobri-lo com qualquer coisa quente e pousar a mão suave na sua testa que escaldava. Quis agradecer-lhe, beijar aquela mão, levá-la aos lábios que ardiam; banhá-la de lágrimas e beijá-la, e ficar a beijá-la toda a vida. Quis também dizer-lhe muitas coisas; mas... nem ele mesmo sabia o quê! Oh, quanto teria dado para morrer naquele instante! Mas tinha os braços pesados como chumbo e não podia movê-los. Parecia-lhe que tinha emudecido e que não podia falar, limitando-se por isso a sentir como o sangue lhe corria com violência pelas veias, até ao ponto de parecer-lhe que o levava pelos ares; alguém lhe deu um pouco de água e depois ele voltou a cair em profunda inconsciência.

Na manhã seguinte acordou por volta das oito horas. O sol reluzia em dourados fulgores através dos vidros esverdeados da janela. Uma impressão deliciosa corria por todo o corpo do doente. Estava tranquilo e sereno... Sentia-se extraordinariamente feliz. Tinha a impressão de que estava alguém à sua cabeceira, muito perto do travesseiro. E à medida que ia voltando a si, pensava em ir pelo quarto à procura da sua nova amiga e, pela primeira vez na vida, poder dizer-lhe: "Bom-dia, muito obrigado, meu amor".

— Dormiste tanto tempo! — disse ternamente uma voz feminina.

Ordínov olhos à sua volta; alguém se aproximava da cama e se inclinava sobre ele com um doce e afetuoso sorriso nos lábios. Era a linda dona da casa.

— Estiveste muito mal — prosseguiu — mas agora já estás bom; por que te privas da liberdade, se esta é mais saborosa do que o pão e mais linda do que o sol? Anda, levanta-te, meu filho!

Ordínov pegou-lhe na mão e apertou-lha convulsivamente. Julgava estar ainda sonhando.

— Espera, que te fiz um chá. Queres chá? Bebe, verás como te fará bem. Eu também estive doente e sei o que é isso.

— Sim, dá-me o chá — disse Ordínov com voz sumida mas conseguindo já erguer-se.

Sentia-se ainda muito fraco, como se estivesse moído e um arrepio pelas costas o fez estremecer. Mas parecia-lhe que tinha o coração aquecido pelo sol e cheio de uma clara e festiva alegria. Adivinhava que ia começar para ele uma vida nova e atraente. Por uns instantes julgou que ia dar-lhe uma vertigem.

— Então, chamas-te Vassíli? — perguntou-lhe ela. — Se me não engano... Não foi assim que ontem te chamou o meu senhor?

— Sim, chamo-me Vassíli. E tu, como te chamas? — perguntou-lhe Ordínov, aproximando-se dela, apesar de custar-lhe manter-se em pé.

De repente cambaleou. Ela o segurou pelas mãos e sorriu.

— Eu? Ekatierina — e ficou a olhá-lo com os seus radiosos olhos azuis. Continuavam de mãos dadas.

— Será capaz de me dizer uma coisa? — perguntou-lhe ela, por fim.

— Não sei...

O rapaz sentia a vista escurecendo.

— És tão estranho! Vamos, meu filho, não estejas aborrecido nem triste; vem cá, senta aqui, aqui bate sol... Assim: agora fica bem quietinho. Não venhas atrás de mim! — acrescentou a jovem ao observar que ele parecia querer retê-la. — Eu volto já e ficarei perto de ti o tempo que quiseres.

Voltou realmente, trazendo-lhe o chá e sentou diante do rapaz.

— Anda, bebe... O quê? Ainda te dói a cabeça?

— Não, já não me dói — disse Ordínov — ou antes, não sei bem, talvez me doa... Não, não quero... estou bem assim, estou... Não sei o que sinto! — exclamou com o coração palpitando e procurando as mãos dela. — Deixa-te estar aqui, não te vás embora; dá-me outra vez a tua mão... tenho uma névoa nos olhos... Tu és o meu sol — disse como se arrancasse do coração as palavras uma a uma, mas ao mesmo tempo sentia-se encantado por estar falando com ela. Parecia-lhe que tinha um nó na garganta, até que, finalmente, toda aquela tensão teve um súbito desafogo num soluçar abafado e convulsivo.

— Pobrezinho! Tens vivido até agora entre gente sem coração? Estás só no mundo? Não tens família?

— Não, não tenho ninguém... estou completamente só; mas isso não tem importância! Já estou melhor... já estou... bem...

Julgava delirar. Parecia-lhe que o quarto andava à sua volta.

— Eu também estive muitos anos sem ver ninguém...

E de repente acrescentou, depois de uma pausa e voltando a ficar silenciosa:

— Que é isso? Por que me olhas dessa maneira...?

— Como? Fala...

— Olhas para mim como se os meus olhos te dessem calor... Como quando se ama alguém... Eu te tenho no coração desde que te ouvi as primeiras palavras. Se caíres doente olharei por ti. Mas tu não vais piorar, não é verdade? Vais ficar bom de todo e então viveremos como dois irmãos. Queres? É difícil encontrar um irmão quando Deus não nos deu nenhum...

— Mas, quem és tu? Donde vieste? — murmurou Ordínov com voz sumida.

— Oh! Eu não sou daqui... mas que importância tem isso? Olha: há uma história que talvez conheças, de doze irmãozinhos que viviam num bosque sombrio, e de uma linda menina que um dia se perdeu no bosque, foi ter à casa dos doze irmãozinhos, arranjou-lhes e limpou-lhes a casa e fez tudo isso com muito carinho. Pois bem, quando os doze irmãozinhos voltaram, compreenderam que lhes aparecera uma irmã, foram atrás dela e pediram-lhe que ficasse vivendo com eles. E ela acedeu ao seu pedido e os doze tratavam-na por irmã e nunca a aborreciam e ela repartia a sua amizade por todos. Nunca ouviste esta história?

— Já, já ouvi — respondeu Ordínov em voz baixa.

— Não achas que a vida é bela? Não gostas de viver?

— Oh! sim!... Viver sempre!... Viver muito!... — disse Ordínov como se sonhasse.

— Eu não sei — disse Ekatierina pensativa — mas parece-me que até a morte deve ser boa... Mas a vida... Se é boa! Viver, amar e tratar com carinho as criaturas bondosas... Mas como, estás pálido...

— Sim, sinto tonturas...

— Espera, vou buscar o meu travesseiro e o meu cobertor e faço-te a cama. Depois dormes, sonhas comigo, e ficas bom. A nossa velhota também está doente...

E sem se calar, tratava já de lhe fazer a cama, voltando-se de quando em quando para olhar Ordínov de soslaio.

— Tens tantos livros! — disse, depois de terminada a sua tarefa, abrindo um pouco o baú. Foi buscar o cobertor e, ao voltar, aproximou-se de Ordínov, amparou-o com o braço direito e levou-o até à cama, cujos travesseiros levantou para que ele reclinasse bem a cabeça, cobrindo-o depois com a manta.

— Dizem que os livros corrompem os homens — continuou ela abanando a cabeça, pensativa. — Gostas muito de livros?

— Sim — respondeu Ordínov, não sabendo bem se sonhava ou se estava acordado. E como para certificar-se de que não estava sonhando, procurou a mão de Ekatierina e apertou-a entre as suas.

— O meu senhor também tem muitos, muitos livros! Assim! — e com a mão descreveu um grande volume. — Diz que são livros sagrados. E lê-me sempre alguma coisa deles. Qualquer dia levo-te até eles. Queres que te diga o que é que ele me lê?

— Diz — murmurou Ordínov sem poder tirar os olhos da jovem.

— Gostas de rezar? — perguntou-lhe ela depois de um curto silêncio. — Olha... eu tenho sempre um medo... muito medo...

Não se explicava e, enquanto falava, parecia pensar noutra coisa.

Ordínov levou a mão dela aos lábios.

— Por que me beijas a mão? — disse ela corando ligeiramente. Em seguida começou a rir. — Está bem... Podes beijá-las — e estendeu-lhe ambas as mãos.

Depois tirou uma delas, pô-la na testa escaldante do rapaz e, de repente, fez-lhe uma carícia, alisou-lhe o cabelo, e ficou ainda mais excitada. Por fim ajoelhou-se junto da cama e apoiou a face contra a face do moço; este sentiu o sopro cálido da sua respiração... De súbito, Ordínov sentiu que pelas faces lhe corriam lágrimas de fogo... Era a jovem que chorava. Ordínov quis dizer qualquer coisa, refletir sobre o caso, mas cada vez se sentia mais fraco; nem sequer podia mover-se. Nesse momento alguém bateu à porta e ouviu-se o ruído da tranqueta. Ordínov apercebeu-se vagamente de que o velho, o dono da casa, tinha chegado, e que em seguida Ekatierina se erguia, embora devagar e sem mostras de medo, e se ia embora fazendo antes o sinal da cruz na frente dele. Ordínov permanecia de olhos fechados. De repente, um beijo de fogo queimou-lhe os lábios e sentiu como que uma punhalada no coração. Quis gritar mas perdeu os sentidos.

A partir daquele momento entrou numa estranha disposição, numa vida de sonho que só a febre ou a doença podem originar. Havia momentos em que, num estado de semiconsciência, lhe parecia que o tinham condenado a viver um longo sonho interminável, cheio de estranhos sobressaltos, de lutas e de dores. Com indignação e revolta tentava opor-se a um destino que queria subjugá-lo; mas no ponto cruciante da luta, no transe mais desesperado, percebia que de repente outra força inimiga vinha dominá-lo e o esmagava, sentindo então que de novo perdia os sentidos e que à sua volta se adensavam trevas impenetráveis, parecendo-lhe até ouvir o grito de tortura e desolação que ele próprio lançava ao cair naquele abismo escancarado e profundo. Por outro lado, havia também para ele momentos de uma felicidade excessiva, sufocante, como só raras vezes um homem consegue sentir; momentos em que a energia vital de todo o ser lateja de um modo exagerado e nos sentimos como que arrebatados a uma esfera mais alta, onde todo o passado nos surge com nitidez e se revela com uma total coerência, e que o breve contato com essa luz produz em nós um sentimento de alegria e de triunfo, vibrante e exaltante, e o futuro que desconhecemos se mostra como um sonho desperto, e sem sabermos donde vem, a ilusão inefável, como um orvalho refrescante, cai sobre a nossa alma, e quereríamos gritar de alegria, ao mesmo tempo que sentimos como a carne é frágil e impotente ante essa fúria de impressões; e que se quebra o fio da vida que nos prende ao passado, e uma vida nova surge diante de nós como uma vida depois da ressurreição... Depois perdia de novo a consciência e apoderava-se dele uma espécie de sonolência em que reviviam todas as impressões dos últimos dias e as coisas que vira, semelhantes a quadros manchados, desfilavam ante os olhos da sua alma num rápido cortejo. Depois tornava a esquecer-se de todos os acontecimentos recentes e admirava-se de já não estar na sua antiga casa, com a antiga senhoria. Não conseguia perceber por que razão a boa velhota não ia ao fogão onde ardiam as últimas brasas; parecia-lhe ver ainda na parede do quarto o reflexo trêmulo e vago da luz prestes a extinguir-se, e perguntava a si próprio por que não aquecia ela ao fogo as suas pobres mãos descarnadas, como costumava, antes de fechar a porta do fogão, sempre resmungando, como é hábito dos velhos, dando uma vez ou outra uma olhadinha no seu estranho hóspede, que não lhe parecia muito bom da cabeça, como dizia, por andar sempre às voltas com os livros. Depois lembrava-se de novo que tinha mudado para outra casa, embora sem perceber a razão e apesar de a alma lhe parecer fugir num constante e irreprimível impulso... Mas para onde quereria ela ir? Para onde o quereria levar? Qual fosse a razão daquele suplício e quem teria lançado nas suas veias aquele fogo voraz que parecia pôr-lhe o sangue em brasa... eram coisas que, por mais que fizesse, não conseguia explicar. Frequentemente estendia a mão com avidez para uma sombra, julgava ouvir passos leves no quarto aproximando-se da sua cama, e uma voz doce e suave que murmurava ternas palavras aos seus ouvidos: parecia-lhe sentir na face, como um sopro, a respiração de alguém, e um magnífico sentimento de amor o comovia profundamente até ao mais íntimo de si mesmo, de modo que até lhe estremecia a alma, lágrimas ardentes lhe corriam pelas faces escaldantes e, de repente, um beijo suave e implorativo lhe pousava sobre os lábios; então, era como se uma dor escaldante e sem fim lhe tirasse a vida; era como se a vida e o mundo todo se detivessem, como se tudo morresse à sua volta durante séculos, e sobre tudo caísse uma longa noite milenária...

Era como se voltasse a viver os despreocupados anos de sua infância e parecia-lhe até ver de novo a chácara em que nascera e os prados férteis e as campinas por onde correra já mais crescido, e onde ia cortar flores. Pelo menos ele julgava ver tudo isso. Até que, de súbito, via surgir uma figura cuja presença lhe infundia um terror mais que infantil e lançava na sua alma o primeiro veneno de dor, de amargura e de lágrimas. Era como se aquele estranho velho estivesse de posse de toda a sua vida futura; contudo, apesar de todo o seu medo, não podia tirar os olhos dele e o velho seguia-o por toda parte, saía detrás de todas as árvores e arbustos, fazia-lhe acenos, macaquices, piruetas, mudando de forma em cada uma das suas brincadeiras, até sentar-se, por fim, como a cabeça de um gnomo no pescoço do seu cavalinho, e voltava então a mirá-lo dali, rindo e fazendo caretas. E no colégio estava sentado entre os seus condiscípulos e escondido debaixo do banco. Ou erguia a capa de um livro até à altura de um dedo, e debaixo dela surgiam a olhá-lo aqueles olhos hostis e provocantes. Se adormecia, então o repelente fantasma sentava na beira da sua cama e ficava a noite inteira sussurrando uma história fantástica de que ele não percebia patavina, por mais que apurasse o ouvido, mas que, ainda assim, enchia de pavor o seu coração de criança, causando-lhe uma dor que já não tinha nada de infantil. E o maroto do velho continuava com a sua história, até que uma espécie de desmaio lhe paralisava os sentidos, e por fim perdia a consciência de tudo. E então, de repente, parecia-lhe que despertava e começava de novo uma singular combinação de semilucidez e de sonho; despertava já feito homem e atormentavam-no visões dos episódios recentes da sua vida. Sabia onde se encontrava naquele instante, sabia que estava só no mundo, só entre pessoas estranhas e suspeitas, que — e aqui começava novamente o sonho — deslizavam pelo seu quarto e andavam por todos os cantos, falando por entre dentes e fazendo sinais à velha que estava de novo junto do fogão e se esquentava e esquentava as suas mãos emagrecidas, e piscavam os olhos uns aos outros, apontando para a cama em que ele jazia. Sentia-se transtornado, excitado; queria saber quem eram aquelas pessoas, o que procuravam no seu quarto e por que tinham lá entrado, e só então parecia compreender que tinha ido parar no covil de uns bandidos, onde alguém desconhecido, um poder até então ignorado o tinha sequestrado, sem que antes tivesse procurado saber quem eram os inquilinos ou tivesse olhado mais demoradamente os donos da casa. A incerteza torturava-o e a sua cólera aumentava, e aqui começava de novo na escuridão da noite a história sussurrada, embora o narrador não fosse agora o velho mas uma velhota baixa e estranha que, de cócoras, diante do fogão, ia contando a história à chama trêmula da luz quase a apagar-se, em voz branda, muito branda, e abanando a cabeça de cabelos prateados. Mas logo de novo surgiram diante dele visões pavorosas; a história, sussurrada que mal ouvia e menos ainda percebia, ganhava vulto e rostos, e o rapaz verificava cheio de terror que tudo que se passara na sua vida, até mesmo os seus pensamentos e os seus sonhos e aquilo que tinha lido nos livros, e muitas coisas que já esquecera, tudo isso voltava a ter vida, surgia à sua frente em quadros gigantescos, vinha ao seu encontro, cercava-o e punha-se a dançar; surgiam ante os seus olhos imensos pomares, cidades enormes erguiam-se da terra e voltavam a desmoronar-se; descobriu cemitérios nunca vistos, cujos sepulcros se abriram enviando-lhe os seus mortos... Via surgirem raças e povos inteiros que se engrandeciam e se extinguiam diante dele, e via finalmente todos os seus pensamentos, mal começava a concebê-los, tomarem forma real e palpável, deixando o seu pensamento de ser uma simples representação espiritual e uma coordenação de conceitos, para se tornar numa criação, criação de mundos inteiros, criação de miríades de seres... e ele se via a si próprio arrastado como um átomo de pó, nesse universo infinito, ilimitado, do qual não podia libertar-se nem fugir para nenhum lado. E contemplava tudo isso e via como toda essa vida o esmagava com a sua tremenda tirania, e o avassalava e o perseguia com uma enorme ironia. Sentia-se morrer, convertido em pó e cinza, morrer para sempre, sem perspectiva de ressurreição; e queria fugir, mas em todo o mundo não havia um cantinho sequer onde pudesse esconder-se. Então, tomava-o um desespero indescritível, reunia todas as suas forças com um grito medonho (pelo menos era o que lhe parecia) e... acordava.

Tinha o corpo todo alagado em suor. No quarto reinava um silêncio de morte; a noite ia já muito alta. E, contudo, parecia-lhe ouvir ainda a tal história maravilhosa que não percebia, como se uma voz pausada lhe contasse algo que, pelo visto, ele já conhecia; algo que falava de bosques sombrios e de bandoleiros ousados, de um antigo capitão de bandidos, tal como se falassem do próprio Stienhka Rázin[1], o herói cossaco, e em seguida de alegres boêmios e despreocupados vagabundos e de uma linda jovem, e da mãe Volga.[2] Não era tudo aquilo uma história? Não estava a ouvi-la acordado? Passou uma hora com os olhos abertos, numa imobilidade do-

---

1   Famoso bandido, conhecido na época pela ousadia e destemor.

2   *Mátuchka Volga*, designação corrente entre os barqueiros, os *burláki*.

lorosa, sem mover um único membro. Finalmente tentou levantar-se com muito cuidado, notando com alegria que o verdugo cruel não lhe tinha roubado as forças. A febre, com as suas visões, tinha passado, e agora começava para ele a realidade. Reparou que continuava vestido, tal como durante a sua conversa com Ekatierina, donde concluiu que ela se tinha ido embora. Tomou uma decisão repentina e sentiu em si uma força nova. Ao tocar no frágil tabique deu com a mão numa espécie de apoio ou cabide que ali tinham pregado, decerto com qualquer fim, Agarrou-se a ele e endireitou-se, descobrindo por entre as tábuas ralas do tabique frinchas estreitas pelas quais um riozinho de luz quase imperceptível penetrava no seu quarto. Espreitou por uma dessas frestas e conteve a respiração.

Num canto do outro quarto via-se a cama com uma mesa à frente, coberta com um tapete de Bukara e atulhada de grandes cartapácios encadernados, que pareciam livros de igreja ou qualquer outra espécie de livros sagrados. Noutro canto havia uma velha imagem, igual à do quarto de Ordínov, diante da qual ardia também uma lamparina. Na cama estava deitado Múrin, coberto com uma manta de pele, prostrado, com ar doente e pálido como um morto. Tinha um livro aberto sobre os joelhos. Junto da cama, sentada num banquinho, estava Ekatierina; estava abraçada ao velho e encostada ao seu peito. Olhava-o com uns olhos de criança, atentos e admirados, e parecia seguir com uma incontida e ansiosa curiosidade o curso de sua narrativa. De vez em quando a voz do narrador elevava-se e a vida voltava ao seu rosto lívido; os olhos brilhavam-lhe, franzia as sobrancelhas, os lábios estremeciam-lhe e Ekatierina parecia empalidecer também de medo e inquietação. Depois, qualquer coisa parecida com um sorriso voltava a surgir no rosto do velho e Ekatierina ria-se moderadamente. De súbito brotavam lágrimas dos seus olhos, o velho acariciava-lhe ternamente a cabecinha e ela o cingia com mais força com os seus braços brancos e apertava-se ainda com mais amor contra o seu peito.

A princípio Ordínov pensou que aquilo era também um sonho. Sim, ficou convencido de que assim era. Mas o sangue subiu-lhe à cabeça e as fontes latejaram-lhe dolorosamente, como se as veias lhe fossem rebentar. Arrancou o apoio, levantou-se da cama e, cambaleando e às apalpadelas, devagar, como um sonâmbulo, começou a dar voltas pelo quarto, sem saber o que fazia, impelido por aquele fogo que lhe abrasava o sangue... até chegar à porta do quarto vizinho, onde chamou com todas as suas forças; correram o ferrolho ferrugento, a porta abriu-se e, ruidosa e alvoroçadamente, penetrou na alcova dos donos da casa. Viu como Ekatierina se erguia assustada, e como os olhos do velho, debaixo das sobrancelhas franzidas, emitiam raios coléricos, e como uma ira terrível lhe descompunha o rosto. Viu também como o velho, sem tirar os olhos dele, procurava a pistola que estava pendurada na parede e lhe apontava ao peito com a mão insegura... Depois soou um tiro, seguido de um grito selvagem, quase inumano...

Mal o fumo se dissipou, um espetáculo horroroso se ofereceu aos olhos de Ordínov. Tremendo, inclinou-se para o velho. Múrin jazia por terra, completamente desfigurado, sacudido por convulsões, com a boca espumante e o rosto crispado, no qual apenas se distinguia o branco dos olhos. Ordínov adivinhou que o infeliz sofrera um ataque grave. Ajoelhou-se junto dele, ao lado de Ekatierina, para o socorrer.

CAPÍTULO III

Passaram toda a noite muito agitados à cabeceira do doente. No dia seguinte, embora não estivesse ainda completamente restabelecido da sua enfermidade, Ordínov levantou-se muito cedo e saiu à rua. À entrada tropeçou com o porteiro. Desta vez o tártaro cumprimentou-o logo de longe e olhou-o curiosamente, mas de repente pareceu refletir e pôs-se a manejar a vassoura, embora sem perder de vista Ordínov, que se aproximava pouco a pouco.

— Escuta: não ouviste nada esta noite? — perguntou-lhe Ordínov.

— Ouvi, sim.

— Quem é esse homem?

— Isso deve-o saber quem lhe alugou o quarto na casa dele. Eu não tenho nada com isso.

— Ora bolas! Responde ao que te perguntam! — exclamou Ordínov, cheio de uma excitação doentia como nunca sentira até então.

— Que quer que lhe diga? Eu não tenho culpa nenhuma... A culpa é do senhor... que o assustou... Por baixo vive o homem dos ataúdes, que nunca ouve nada, mas hoje ouviu, e a mulher que é surda dos dois ouvidos também ouviu, e no outro portal, que fica bastante longe, também ouviram... O senhor bem vê! Tenho de ir dar parte à polícia.

— Não te incomodes que eu mesmo vou — disse Ordínov dirigindo-se à porta.

— Eu, no fim das contas... Foi o senhor quem se entendeu com ele... Senhor, senhor, espere aí!

Ordínov voltou-se; o porteiro levou respeitosamente a mão ao gorro.

— Que foi?

— Se o senhor sai, eu vou lá para cima...

— Para quê?

— É melhor que o senhor se vá embora...

— És tolo! — respondeu Ordínov e dispôs-se novamente a sair.

— Espere, senhor, espere.

O porteiro tornou a levar a mão ao barrete e murmurou um pouco envergonhado:

— Senhor, deixe-me que lhe diga: por que há de atormentar um pobre homem? Isso é pecado? Deus ordena que não... O senhor bem sabe!...

— Bem... Vem cá... toma, e diz-me: quem é esse homem?

— Quem é ele?

— Sim...

— Isso digo-lhe eu sem que seja preciso dar-me nada.

Dizendo isto, voltou a pegar na vassoura, deu duas ou três vassouradas, olhou em volta, e em seguida fixou os olhos em Ordínov com ar importante e disse:

— O senhor é doido e quer viver com gente de juízo; mas isso é assunto seu. Já lhe disse o que penso.

Depois o tártaro olhou Ordínov de um modo ainda mais expressivo, como se a indiferença daquele o ofendesse. Voltou a pegar na vassoura. Por fim, como se tivesse dado a tarefa por acabada, aproximou-se de Ordínov com cara de mistério, fez um gesto característico cujo sentido escapou ao rapaz, e murmurou:

— Ele é... Percebe?

— Ele... o quê?

— Maluco...

— Como?

— É como lhe digo. Eu sei muito bem o que estou dizendo! — prosseguiu em tom ainda mais misterioso. — Está doente. Tinha uma barca, assim, sabe? e mais outra, outra e outra; tinha quatro barcas que navegavam no Volga. Eu sou de lá e sei que ele tinha, além disso, uma fábrica que se incendiou e desde então ficou assim!

— Então está transtornado?

— Não, senhor, não! Completamente transtornado não está, é até um tipo muito esperto. Não há nada que ele não saiba, pois tem lido livros sem conta e, além disso, lê a sina... É assim: uma pessoa chega: dois rublos, três rublos, quarenta rublos, conforme... Abre o livro e vai dizendo a cada um tim-tim por tim-tim o que deseja saber. Mas primeiro tem que pôr-lhe o dinheiro em cima da mesa; sem dinheiro nada feito!

E o tártaro riu-se com gosto ao pensar na tática de Múrin.

— Então lê a sina e prediz o futuro?

— Hum, hum! — o porteiro fez que sim com a cabeça, dando-se ares de importância. — E tudo o que ele diz sai certo. Reza muito, passa a vida rezando! Mas isso... já se sabe, é preciso estar com disposição — acrescentou o tártaro com o tal gesto enigmático.

Naquele momento alguém o chamou do outro pátio e ao mesmo tempo apareceu um velhote baixo e meio corcunda, envolto numa pele. Vinha tossindo e parecia resmungar com as suas próprias barbas ralas e grisalhas, e andava devagar, com muito cuidado, como se tivesse medo de cair a cada passo. Parecia um velho que em virtude do peso dos anos, voltara a ser criança.

— O senhorio! O senhorio! — murmurou o tártaro, pressuroso, fazendo um ligeiro aceno a Ordínov e, tirando o barrete, correu solícito ao encontro do velho, cuja cara pareceu a Ordínov ser sua conhecida, lembrando-se dela como se a tivesse visto não havia ainda muito tempo. Contudo, o rapaz concluiu que afinal esse pormenor não interessava, e apressou-se a sair do pátio. Mas, ao retirar-se, ia convencido de que o porteiro era um mentiroso.

"Este tipo esteve a tapear-me! — pensou. — Quem sabe o que haverá no fundo de tudo isto?"

Pensando assim, saiu para a rua. Não tardou que novas impressões viessem distrair-lhe a atenção daqueles aborrecidos pensamentos. Para mais essas impressões não eram de natureza muito agradável. O dia estava cinzento e frio e nevava um pouco. Ordínov sentia-se de novo cheio de arrepios. Parecia que a terra começava a oscilar debaixo dos seus pés. E, de repente, ouviu uma voz conhecida que o cumprimentava afetuosamente:

— Iároslav Ilhitch! — exclamou Ordínov. Diante dele estava um indivíduo de aparência saudável, de faces coradas, que, a julgar pelo seu aspecto, poderia ter trinta anos, magro, com uns olhinhos cinzentos muito vivos, fisionomia aberta num sorriso e vestido... bem, como sempre se vestiu Iároslav Ilhitch. E com este sorriso no rosto estendeu fraternalmente a mão a Ordínov. Havia cerca de um ano que Ordínov o conhecera por acaso, na rua. O que em última análise tinha contribuído para esse conhecimento, além do acaso, foi a predileção especial de Iároslav Ilhitch em travar conhecimento com pessoas célebres, especialmente com literatos, escritores conhecidos ou jovens prometedores. Embora esse tal de Iároslav Ilhitch tivesse uma voz muito calma, sabia contudo, no decurso da conversação, inclusive com os amigos mais íntimos, arranjar um tom de voz sonoro, extraordinariamente enfático e jovial, que tinha na verdade algo de imponente... tal como se por um esforço de vontade se tivesse acostumado a tomar um ar de superioridade, a ponto de não permitir a menor contradição.

— Que fazes aqui por estas bandas? — exclamou Iároslav Ilhitch com a mais viva expressão de cordial alegria perante este encontro inesperado.

— Moro aqui.

— Desde quando? — a voz de Iároslav Ilhitch, ao dizer isso, soou um ou dois tons mais acima, pois estava na verdade surpreendido e esquecera-se por isso do seu tom habitual. — E eu sem saber de nada! Afinal somos vizinhos, homem! Porque eu também moro aqui, isto é, nestas redondezas. Há já um mês que voltei do governo de Riazan... Rapaz, não fazes ideia quanto me alegro por ter-te encontrado! — e Iároslav Ilhitch entregava-se ao seu riso bonacheirão. — Sierguiéiev! — exclamou, voltando-se de repente com voz mais excitada. — Espera-me em casa de Tarássov, hem! Dás uma boa descompostura ao porteiro e diz-lhe que vá já à loja. Dentro de uma hora estarei lá...

E depois de dar este recado a outro indivíduo, pegou alegremente no braço de Ordínov e levou-o até à taverna mais próxima.

— Bem, este assunto está arrumado. Agora falemos das nossas coisas, pois já há muito tempo que não nos víamos. Diz-me em primeiro lugar: como vão os teus trabalhos? — perguntou-lhe quase respeitosamente e em voz mais baixa, como o faria um amigo verdadeiramente interessado pelas coisas do outro.

— Eu... Que hei de dizer, rapaz?... Continuo como dantes! — respondeu Ordínov um tanto distraído, pois precisamente naquele instante já outro pensamento o preocupava.

— Está bem, Vassíli Mikháilovitch, isso é bem próprio de ti! A isso chamo eu consagrar a vida a uma ideia elevada! — e ao dizer isto apertou com força a mão de Ordínov. — Deus te ajude com o teu trabalho! E que alegria eu sinto em ter-te encontrado, rapaz! Tu és um homem diferente dos outros. Quantas vezes me tenho lembrado de ti e perguntado a mim mesmo: "Por onde andará agora e que fará o nosso talentoso e espiritual Vassíli Mikháilovitch?".

Iároslav Ilhitch pediu um pequeno gabinete reservado para ele e para o seu convidado e encomendou uma refeição com vinho e todos os complementos.

— Eu li muito durante todo este tempo — continuou com um sorriso aprazível e em tom modesto. — Em primeiro lugar li o Púchkin todo...

Ordínov olhou-o distraído.

— Sim, realmente não se pode negar, é admirável quando descreve as paixões humanas. Mas, antes de mais nada, permite-me que te exprima a minha gratidão. Ajudaste-me tanto explicando-me a tua maneira de pensar, a tua ideologia, digamos assim...

— Por amor de Deus, homem...

— Não, não... por favor, não digas que não. Gosto de fazer justiça a todos. E sinto-me muito orgulhoso de que, pelo menos esse sentimento... o amor da justiça... não se tenha desvanecido em mim...

— Deixa-me dizer-te que és injusto contigo próprio e que eu ignorava realmente...

— Nada disso, pelo contrário: estou sendo justo — respondeu-lhe Iároslav Ilhitch com desusada veemência. — Que sou eu comparado contigo? Nada, não é verdade?

— Ó homem, peço-te...

— Diz antes que tenho razão.

Seguiu-se um curto silêncio.

— Eu, seguindo os teus conselhos, pus de lado as más companhias, o que equivale a dizer que pus de lado também certos maus costumes — acrescentou Iároslav Ilhitch ao fim de um instante, no mesmo tom. — Nos momentos que o escritório me deixa livre, em geral vou para casa e dedico-me a ler qualquer livro útil... e confesso-te que só desejo uma coisa, Vassíli Mikháilovitch: ser útil à minha pátria até onde o permitirem as minhas forças...

— E já não é pouco, dadas as tuas qualidades.

— Achas?... Só Deus sabe que com essas palavras derramas um bálsamo sobre as minhas feridas, meu bom amigo!

Iároslav Ilhitch estendeu vivamente a mão a Ordínov e estreitou-a na sua em sinal de gratidão.

— Não bebes? — perguntou-lhe, logo que a sua excitação se acalmou um pouco.

— Não posso: ando doente.

— Doente! Que estás dizendo? Não, rapaz... Não pode ser! Já há muito tempo?... Mas, homem, como foi isso?... Queres que eu...? Conta isso direito; quem é o médico que te trata? Se queres eu vou chamar o meu e trago-te num instante. É um médico esplêndido, garanto!

E Iároslav Ilhitch fez menção de pegar o chapéu.

— Não, rapaz, obrigado. Não é preciso. Eu nunca sigo os tratamentos e não simpatizo com os médicos...

— Que ideia é essa, homem? O meu médico é muito bom! — afirmou Iároslav Ilhitch convencido. — Ainda não há muito tempo... Sim, vale a pena contar... Ainda não há muito tempo, quando eu estava na casa dele, chegou um pobre serralheiro e disse: "Dei cabo da minha mão com a ferramenta, trate-me senhor doutor!". Pois bem; Siemion Pafnútitch viu que o desgraçado já estava quase com gangrena e fez os preparativos necessários para lhe amputar a mão. Fê-lo na minha frente. Mas fê-lo com tal... isto é, de um modo tão simpático, que eu, confesso-te... se não fosse a compaixão que no infeliz me inspirava, teria tido um verdadeiro prazer... de índole científica, claro está. Mas diz lá: onde e quando apanhaste essa doença?

— Quando mudei para a minha nova casa... É hoje o primeiro dia em que me levanto.

— Sim, de fato ainda não pareces bom de todo. Não devias ter vindo para a rua tão depressa. Mas então já não vives no mesmo lugar? Por que saíste dali?

— Porque a minha antiga senhoria saiu de Petersburgo.

— Domna Sávichna! Será possível? Uma velhota tão simpática!... Sabes! Eu tinha por ela uma espécie de amor filial!... Havia alguma coisa de patriarcal na sua vida retirada. E, ao olhá-la, parecia-nos ter diante de nós todos os bons tempos passados... Quero dizer que tinha certa... sim, certa poesia... Estás me entendendo, não é? — terminou Iároslav Ilhitch um tanto confuso e, pouco a pouco, fez-se vermelho, de envergonhado, com um rubor que lhe chegava até às orelhas.

— Sim, era uma velhinha muito simpática.

— Mas deixa-me perguntar-te: para onde te mudaste?

— Não é longe daqui, em casa de um tal Kochmárov.

— Ah! Conheço-o! É um bom homem! Somos muito amigos e posso assegurar-te que é na verdade uma boa pessoa!

Via-se claramente que Iároslav Ilhitch sentia grande prazer em falar daquele velho e poder dizer que era seu amigo. Mandou vir outro cálice de licor e acendeu um cigarro.

— E alugaste um andar só para ti?

— Não, vivo com outras pessoas.

— Ah! E quem é o dono da tua casa? Talvez o conheça também.

— Chama-se Múrin e vive dos seus rendimentos. É um homem de idade, muito forte...

— Múrin... Múrin... Espera... Vive na parte de trás, por cima do homem que faz ataúdes?

— É esse mesmo.

— Hum! E estás bem lá?

— Mudei-me ainda há muito pouco tempo!

— Hum! isto é... Ainda não tiveste nada com ele?

— Em que sentido? Que queres dizer concretamente?

— Nada... nada... Estou convencido de que estarás lá muito bem, se estás contente com o teu quarto. Eu não queria dizer nada em contrário. Somente como conheço a tua maneira de ser... Diz-me com franqueza: que te parece o velho?

— Olha, considero-o um doente...

— Sim, na verdade é mesmo e sofre muito... Mas não lhe notaste mais nada? Não notaste nele nada de estranho? Falaste com ele?

— Apenas duas palavras. Parece um homem insociável e não muito bom da cabeça...

— Hum! — disse Iároslav Ilhitch. — É um infeliz! — exclamou por fim, depois de um prolongado silêncio.

— Ele?

— Sim... Um infeliz, e ainda por cima extraordinariamente esquisito e extravagante. Contudo, se não se meter contigo... Perdoa que tenha chamado tua atenção sobre ele; mas é que também a mim me inspira certo interesse...

— A mim também... Gostaria de saber alguma coisa de certo sobre a sua personalidade, visto que, afinal, vivo em casa dele...

— Mas, meu rapaz, eu só sei isto: consta que esse homem outrora foi riquíssimo. Era comerciante, como possivelmente já ouviste dizer. Depois a adversidade caiu sobre ele e ficou na miséria. Durante um temporal afundaram-se no Volga, com toda a carga, muitas das barcas que possuía. Tinha além disso uma grande fábrica cuja direção, se não me engano, confiara a um empregado; a fábrica ardeu e o empregado morreu entre as chamas. Tudo isto representou para ele, como deves calcular, uma perda considerável. Assim, parece que Múrin, em consequência de catástrofe, ficou num tal estado de espírito que temeram pela sua razão. E, efetivamente, em briga com outro comerciante, dono também de muitas barcas, portou-se de modo tão estranho que o incidente só pode explicar-se atribuindo-o a um certo transtorno mental, o que eu estou disposto a admitir. Ouvi muitos outros pormenores que confirmaram esta opinião. Depois ainda lhe aconteceu outra coisa... que na realidade não tem outra explicação se a não atribuirmos à má sorte.

— O que foi, então? — perguntou Ordínov.

— Dizem que o velho, provavelmente num acesso de loucura, matou um jovem comerciante de quem até então fora muito amigo. Porém, depois de consumado o ato voltou a seu juízo, caindo então num tal desespero que quis pôr termo à vida. Pelo menos é o que se conta. Qual foi depois o fim do caso, isso já eu não sei ao certo; contudo consta-me que de então para cá, e já faz muitos anos, não deixou de fazer penitência... Mas... que tens tu, Vassíli Mikháilovitch? A minha narrativa comoveu-te?

— Oh, não! Continua... Dizias tu que ele faz penitência... E não é só ele, decerto...

— Isso não sei. Parece não haver mais ninguém implicado no assunto. Eu só sei...

— O quê? Diz...

— Só sei... enfim, realmente não tenho mais nada a acrescentar... Sei só que se passou com ele alguma vez qualquer coisa de extraordinário, foi simples consequência dos vários golpes com que sucessivamente o feriu o destino.

— Parece muito religioso. Tudo isso será talvez pura hipocrisia...

— Não penso isso, Vassíli Mikháilovitch. Sofreu tanto, coitado! Acredito que seja um homem convicto.

— Mas agora já não está louco, acredito. A mim, pelo menos, não me dá essa impressão.

— Oh, não, não está! Isso posso eu assegurar-te. Sem dúvida nenhuma hoje está na plena posse das suas faculdades. A única coisa que tu próprio observaste, é que é muito religioso e até mesmo beato. Contudo, de maneira geral, como te disse, é um homem sensato. Fala bem, com muita compostura, e é além disso, fica sabendo, um homem de grande imaginação. Mas ainda hoje pode ler-se no seu rosto a atormentada história da sua vida. Esta costuma deixar sempre as suas marcas. Segundo dizem, é um homem invulgar e muito lido.

— Parece que só lê livros de religião...

— Bem, isso é verdade. É um místico.

— Como?

— Um místico. Mas tudo isto fica entre nós. Vou te dizer ainda (mas pedindo também segredo) que durante certo tempo esteve submetido a apertada vigilância. Porque deves saber que esse homem exerce grande influência sobre aqueles que o visitam.

— Até que ponto?

— Até um ponto inverossímil... Ouve: dantes vivia noutro bairro. Tinha certo renome e um dia Alieksandr Ignátievitch... um homem muito rico, distinto e estimado, foi visitá-lo em companhia de um tenente, apenas por mera curiosidade.

Chegaram a casa dele, o nosso homem recebeu-os e pôs-se a examiná-los. Começou, como sempre, por observar com toda a atenção as feições dos visitantes, antes de aceder a escutá-los. Quando o cliente não lhe agrada despede-o logo sem-cerimônia nenhuma, segundo dizem. Começou então perguntando àqueles o que desejavam. Alieksandr Ignátievitch respondeu-lhe que isso ele próprio podia adivinhar graças aos seus dons especiais e ao seu conhecimento dos homens. "Bem; passe agora para este quarto" — disse-lhe o bruxo. Alieksandr Ignátievitch não contou o que no outro quarto ouviu ou aconteceu; mas depois, ao sair de lá, vinha branco como o papel. Contam o mesmo de uma senhora da melhor sociedade de Petersburgo. Também ela saiu branca como o papel e banhada num mar de lágrimas.

— É estranho. E agora já se deixou disso?

— Proibiram-no severamente. Mas há muitos outros episódios para contar. Por exemplo, um jovem alferes, único representante de uma família distinta, teve uma vez o atrevimento de rir-se dele. "De que ris? — disse-lhe o velho, aborrecido. — Daqui a três dias estarás assim." E cruzou as mãos no peito como se costuma fazer aos mortos no caixão...

— Sim? E depois?

— Depois... Custa-me a acreditar, mas dizem que a profecia se cumpriu integralmente.

— Tem qualquer dom, Vassíli Mikháilovitch! — Enquanto te contei esta triste história não fizeste senão sorrir. Eu bem sei que, quanto à cultura tu me ultrapassas. Mas acredita no que te digo. Não se trata de nenhum charlatão. Afinal, nas obras de Púchkin encontrarás algo de semelhante.

— Hum! Não te contradigo, homem... Mas, segundo penso, dizem que não vive só...

— Isso não sei... Ah! Sim. Creio que vive com a filha...

— A filha?

— Sim... ou não. Espera... com a mulher. Julgo que é sua mulher. De positivo sei apenas que se trata de uma mulher. Só a vi uma vez de costas e não me fixei muito.

— Hum! É estranho...

O rapaz ficou pensativo. Iároslav Ilhitch, pelo contrário, mergulhou-se numa agradável meditação. O encontro com Ordínov tinha-o alvoroçado e quase o como-vera. E sentia-se sobretudo contente por ter-lhe podido contar uma história tão interessante. Sentado e de cachimbo na boca, contemplava o amigo. E de repente deu um pulo, assustado.

— Santo Deus! Assim passamos uma hora na conversa a ponto de esquecer-me de tudo! Olha, caro Vassíli Mikháilovitch, agradeço ao destino o nosso encontro. Mas agora te peço desculpa, pois tenho de marchar quanto antes... Dás licença que te vá visitar na tua ilustre casa?

— Ora essa! Se o fizeres terei nisso o maior prazer. Talvez eu te vá também fazer uma visita, se tiver tempo... mas ainda não sei.

— Que dizes tu, rapaz? É verdade? Não calculas a alegria que me davas! Não podes imaginar até que ponto eu me sentiria honrado com a tua visita!

Saíram da taverna. Já na rua saiu-lhes ao encontro Sierguiéiev e anunciou-lhe que não tardaria a passar por ali Wilm[3] Emieliânovitch. Os dois amigos olharam e efetivamente viram no fundo da rua uma parelha de cavalos de um amarelo claro, atrelados a um pequeno mas elegante coche. Iároslav Ilhitch apertou a mão do seu "melhor amigo" exatamente como se quisesse espremê-la, e correu em direção ao carro do dignitário, voltando-se duas vezes no caminho para olhar Ordínov e tornar a despedir-se dele.

Ordínov sentia um tal cansaço em todo o corpo que mal podia ter-se de pé. Foi com grande dificuldade que se arrastou até a casa. À porta, voltou a encontrar--se com o porteiro, que tinha estado observando de longe a despedida de Iároslav Ilhitch e se mostrava agora muito atencioso. Ordínov passou em frente dele sem se lhe dirigir. À entrada deu inesperadamente com um homenzinho atarracado e de cabelos brancos que, cabisbaixo, vinha de visitar Múrin.

— Deus do Céu! Perdoai-me os meus pecados! — murmurou o rapaz desviando-se para o lado com repugnância.

— O senhor desculpe. Fiz-lhe mal?

— Não, senhor; obrigado pela sua atenção... Deus do Céu!

E o homenzinho continuou descendo a escada, resmungando, cuspindo e murmurando orações enquanto ia vendo com muito cuidado onde punha os pés. Era o senhorio do prédio, o mesmo indivíduo com quem o porteiro se tinha mostra-do tão solícito. E então Ordínov lembrou-se de que já tinha visto aquele velhote em casa de Múrin, no próprio dia em que se tinha mudado para ali.

Sentia que os últimos acontecimentos lhe tinham alterado o sistema nervoso e o tinham excitado; sabia também que a sua imaginação e a sua sensibilidade se achavam extremamente exacerbadas e, tendo isto em conta, pôs-se de sobreaviso contra uma possível ilusão dos sentidos. Pouco a pouco ia caindo num estado de completa apatia que o oprimia com a sensação de um peso de chumbo e lhe sufo-cava o peito como se fosse uma carga de toneladas, sob a qual o seu coração sofria uma nostalgia inexprimível. Tinha a alma repleta de lágrimas silenciosas e prestes a transbordar...

Deitou-se de novo na cama que lhe tinham feito e pôs-se outra vez à escuta. Distinguia claramente a respiração de duas pessoas no quarto contíguo; uma ofe-gante, doentia, desigual; a outra suave, imperceptível, às vezes também irregular mas trêmula de agitação interior, como se ali palpitasse um coração com o mesmo desejo, com uma paixão idêntica à sua. De quando em quando distinguia passos suaves, discretos, e o roçar das saias dela, e o movimento dos pés, que despertava no peito do moço uma vaga dor, intensa, e, contudo, agradável. Por fim pareceu-lhe ouvir um leve soluço e depois uma prece ardente. Então teve a certeza de que ela estava ajoelhada aos pés da imagem e erguia as mãos desolada. Mas quem era ela? Por quem rezava? Que paixão sem remédio lhe atormentava o coração? Por que se afligia e sofria e chorava aquelas lágrimas tão ardentes e sem esperança?

Começou a recordar tudo quanto ela lhe dissera, cada uma das palavras que ainda lhe vibravam aos ouvidos como uma música, e a cada lembrança, a cada ex-pressão que ele repetia em pensamento, o seu coração respondia com uma palpita-

---

3   Sic no original russo. Provável abreviatura do prenome alemão Wilhelm.

ção surda e angustiosa... Por um momento pareceu-lhe que via tudo isto em sonhos. Mas no mesmo instante estremeceu até ao mais profundo do seu ser, até ao ponto de pensar que a dor e a nostalgia o iam matar, ao recordar o seu hálito quente, as suas faces suaves, e os seus beijos de fogo. Fechou os olhos e mergulhou-se em pensamentos felizes. Em qualquer parte um relógio deu uma hora. Era tarde. O crepúsculo vespertino caía sobre a cidade.

Subitamente pareceu-lhe que ela se inclinava de novo sobre ele e o olhava com aqueles seus olhos claros, magníficos, que brilhavam úmidos de pranto e de felicidade radiante, tão calmos e puros como o alto céu sem fim numa noite de estio ardente. E o seu rosto exprimiu uma tal serenidade e havia no seu sorriso uma tal mescla de ventura infinita, de piedade e de amor, e apoiava-se ao seu ombro num abandono tão inocente e confiado que o rapaz deixou escapar do peito amargurado um suspiro de felicidade. Era como se ela lhe quisesse dizer alguma coisa, confiar algum segredo. De novo julgou ouvir o eco da sua voz que lhe atravessava o coração. Avidamente aspirou o ar que ela aquecia com a sua respiração próxima, eletrizando-o. Num assomo de nostalgia passou os olhos pelo quarto... Ela estava diante dele, inclinada sobre o seu rosto, tremendo, agitadíssima. Dizia não sei o quê, rezava e tinha as mãos postas. Apertou-a nos seus braços e ela se deixou cair toda trêmula contra o seu peito.

Capítulo IV

— Que tens? Que te aconteceu? — perguntou-lhe Ordínov subitamente desperto, apertando-a nos braços cada vez com mais força e mais ardor. — Que te aconteceu, Ekatierina? Que receias tu, meu amor?

Ela chorava de mansinho e ocultava o rosto em fogo de encontro ao peito do rapaz. Durante muito tempo não pôde falar. Tremia dos pés à cabeça, como depois de um grande susto.

— Não sei, não sei — pôde dizer por fim, com voz que mal se percebia, como se a angústia lhe tivesse paralisado o coração. — Nem sei mesmo como vim até junto de ti... — e cada vez se aproximava mais dele e, levada por um sentimento irreprimível, doentio até, beijava-lhe os ombros, os braços e o peito. Finalmente, como se estivesse desesperada, tapou o rosto com as mãos e caiu de joelhos. Mas logo que Ordínov se pôs de pé, tomado por um indefinível sentimento de opressão, a fez sentar ao seu lado, ficou ruborizada de vergonha, os seus olhos pareciam implorar piedade e o sorriso forçado que se esboçava nos seus lábios deixava adivinhar que mal ousava lutar contra o poder invencível daquelas novas comoções, pois tal propósito teria sido antecipadamente frustrado. De súbito pareceu assustar-se com qualquer coisa e, receosa, afastou Ordínov com um gesto; deixou de o fitar, e de olhos no chão respondeu em voz baixa e angustiosa às perguntas precipitadas do rapaz.

— Decerto tiveste algum pesadelo! Ou te aconteceu qualquer coisa má? meu amor. Foi ele quem te meteu medo?... Tem febre e delira... Talvez no meio da febre tenha proferido qualquer palavra que tu não entendeste bem... Disse alguma barbaridade? Sim?... Ou foi tudo um sonho?

— Não... Eu mal durmo — respondeu-lhe Ekatierina, dominando a custo a sua excitação. — Não consigo adormecer. Mas ele estava calado e só me chamou uma vez. Abeirei-me da sua cama, falei-lhe, falei-lhe... Tinha tanto medo... Mas ele não acordou. Coitado, estava muito doente. De repente tive tanto medo, senti um susto tão grande que me pus a rezar e me lembrei então de vir ter contigo.

— Sossega, Ekatierina; tudo isso é o resultado do susto que te demos ontem...

— Não, não foi por isso que me assustei...

— Então por que foi? Aconteceu-te alguma coisa de ontem para cá?

— Sim, há instantes — e estremeceu, agarrando-se ainda mais a ele, como uma criança assustada. — Olha, não penses que vim ter contigo sem uma razão — disse, interrompendo o choro e apertando-lhe as mãos em sinal de gratidão. — Nem que não houve motivo para não poder suportar por mais tempo a solidão. Mas basta de lágrimas, não chores tu também! Por que hão de fazer-te chorar os sofrimentos duma estranha? Guarda as lágrimas para os dias maus, quando a solidão pesar sobre o teu coração e não tiveres ninguém a teu lado... Diz-me: não tens noiva?

— Não. Antes de conhecer-te não tive nenhuma.

— Antes de me conheceres, a mim? Consideras-me então como tua noiva?

Olhou-o de repente, surpreendida, ia dizer alguma coisa mas ficou calada e baixou os olhos. Seu rosto ruborizou-se e num instante pareceu uma fogueira. O pranto chorado tornou-lhe os olhos brilhantes. Uma pergunta parecia acudir-lhe aos lábios. Com um carinho envergonhado olhou uma ou duas vezes o rapaz e tornou depois a baixar a cabeça.

— Não; eu não posso ser o teu primeiro amor — disse —, não, não — repetiu pensativa, com leves movimentos de cabeça. Pouco a pouco, o sorriso ia-lhe voltando aos lábios. — Não, meu filho — continuou — eu não posso ser tua noiva.

E ficou-se a olhá-lo; mas de repente assomou-lhe ao rosto uma tal expressão de dor, uma tristeza tão desconsolada, e o seu desespero íntimo patenteou-se com uma tal violência que Ordínov experimentou um sentimento inexplicável, doentio, de piedade pelos sofrimentos ignorados da jovem, e olhou-a com a expressão de quem sente uma compaixão que aumenta o seu próprio tormento.

— Presta atenção ao que te vou dizer — disse-lhe ela com uma voz que lhe trespassava o coração e, pegando-lhe nas mãos, beijou-as como para sufocar entre elas as lágrimas que já lhe afluíam aos olhos. — Ouve, meu amigo, e não esqueças nunca o que vou dizer-te: domina o teu coração e procura deixares de me amar como agora me amas. Desse modo conseguirás mais fácil defenderes-te de um mau inimigo e granjeares a amizade de uma irmã. Eu virei ver-te, se quiseres; serei carinhosa contigo e não me arrependerei de ter-te conhecido. Estarei de dia e de noite junto de ti, como quando tiveste febre. Aceita-me como irmã. Não foi em vão que fomos bons um para o outro, e eu, com lágrimas nos olhos, rezei à Virgem por ti. Não encontrarás outra como eu. Procura por toda a terra, vai por todos os cantos... Não, não — acredita-me — não acharás outra noiva que possa amar-te como eu, se é amor que desejas. Oh! Vou te amar com ardor, vou te amar eternamente como agora te amo e vai ser assim porque tens uma alma muito pura, muito clara... transparente! Vou te amar porque eu, mal te vi pela primeira vez, senti logo que tu eras o hóspede da minha casa, hóspede desejado e sonhado, e não foi sem razão que quiseste instalar-te em nossa casa. E vou te amar ainda porque os teus olhos respiram amor quando me olhas e me falam do teu coração. E quando esses olhos dizem alguma coisa eu fico logo sabendo o que esconde dentro de si, e por isso daria então a vida em troca do teu amor, e por ti sacrificaria a minha liberdade, porque é bom ser-se escrava de quem nos deu o coração... Mas a minha vida, que não me pertence, é patrimônio de outro e a minha vontade está já comprometida. Mas aceita-me como irmã e sê tu também para mim um irmão, ajuda-me com todo o teu coração se de novo me ameaçarem perigos. Faz que eu não tenha que envergonhar-me por vir-te ver e passar a noite inteira junto de ti, como agora, entendes? O teu coração ouviu-me também? Compreendeste bem tudo o que acabo de te dizer?

Queria acrescentar mais alguma coisa; olhou-o nos olhos e pôs-lhe uma mão no pescoço, mas parecia que lhe faltavam as forças, pois, soluçando, deixou cair a cabeça sobre o peito do rapaz e o seu sofrimento atraiçoou-a num acesso de choro. O peito arquejava-lhe e o rosto ardia-lhe como uma brasa.

— Minha vida! — exclamou Ordínov com a vista enevoada pela excitação e quase sem fôlego. — Meu amor! — murmurou sem saber o que dizia, sem compreender as palavras nem se compreender a si mesmo, tremendo com medo de dissipar com um sopro todo o encanto, toda aquela embriaguez dos sentidos e, com ela, tudo o que lhe estava sucedendo e que o rodeava e que mais lhe parecia fantasia do que realidade. Estava tão perturbado! — Não sei, não te compreendo; esqueci o que disseste, perdi a razão... Apenas sinto o coração... Minha rainha!

Impressionado como estava, faltou-lhe a voz. Ela se estreitava cada vez com mais ardor de encontro ao seu corpo. Bruscamente ele se levantou cambaleando e, incapaz de dominar-se por mais tempo, como se o excesso de felicidade o privasse de energias, caiu de joelhos diante dela. Um estremecimento semelhante a um soluço escapou-lhe do peito dolorosamente e percorreu-lhe o corpo todo... e em virtude da plenitude daquelas sensações, até então nunca experimentadas, tremia-lhe a voz, que saía do mais fundo do seu ser como o som de uma corda ferida.

— Quem és tu? Quem és tu? Donde vieste? De que céu caíste para mim? Será um sonho tudo isto? Não chego a estar certo de que tu sejas uma realidade. Não me mandes calar; deixa-me falar e dizer-te tudo, tudo!... Há já muito tempo que tinha desejos de falar assim... Quem és tu, alegria da minha alma? Diz-me como encontraste o caminho do meu coração? Conta-me: há já muito tempo que és minha irmã? Onde estiveste até agora? Conta-me tudo, conta, que vida foi a tua antes, onde estiveste e a quem amaste. Conta-me tudo, porque eu quero saber tudo. De que terra és? O céu, lá, é igual ao nosso? Quem tinhas lá a teu lado, quem era o teu amor? Para quem se inclinou primeiro o teu coração? Conheceste a tua mãe, ela acarinhou-te e tratou de ti em pequenina, ou foste criada entre gente estranha? Foste sempre como agora? Fala-me dos teus sonhos e anseios, dos que se realizaram e dos que não chegaram a tornar-se realidade. Conta-me tudo. Quem foi o primeiro a conquistar o teu coração de mulher e a quem o entregaste? Diz-me que preço tenho de dar por ele, o que tenho de dar-te a ti... por... ti. Diz-me, minha alma, meu sol, minha irmãzinha: como posso eu merecer o teu coração?

Faltou-lhe a voz e deixou cair a cabeça no regaço da amiga. Mas, ao levantar a vista para ela, ficou mudo de espanto: Ekatierina estava sentada, pálida como uma morta, imóvel sobre a cama, e olhava fixamente o vazio, com olhos tresloucados, enquanto os lábios lhe tremiam agitados por uma dor muda, inexprimível. Ergueu-se lentamente, deu uns passos e deixou-se cair aos pés da velha imagem... como louca, proferindo palavras ininteligíveis que lhe escapavam do peito com grande dificuldade. Parecia ter perdido a razão. Ordínov levantou-a, deitou-a na cama e ficou inclinado sobre ela, tomado de viva inquietação. Passado um momento ela abriu os olhos, fez um movimento como se quisesse apoiar-se sobre os cotovelos, percorreu o quarto com uns olhos sem expressão, olhou também o rapaz e pegou-lhe na mão. Puxou-o mais para si, moveu os lábios como se fosse dizer-lhe qualquer coisa, mas não chegou a dizer nada. Por fim irrompeu num choro desabalado.

Balbuciou duas palavras, mas os soluços interromperam-na, sufocando-lhe a voz. Quando tornou a levantar a cabeça olhou para Ordínov com tal desespero que ele, sem o perceber, aproximou-se mais para não perder nenhum som que saísse da sua boca. Por fim ouviu-a murmurar claramente:

— Eu sou uma perdida; perderam-me, estou perdida!

Ordínov ergueu bruscamente a cabeça e olhou-a desconcertado. Um pensamento vulgar, odioso, lhe atravessou o espírito. E Ekatierina pôde ver a súbita e dolorosa crispação do seu semblante.

— Sim, perdida! — exclamou. — Seduziu-me um homem sem escrúpulos! Foi ele o meu corruptor! Vendi-lhe a minha alma... Oh! Por que, por que falaste em minha mãe? Por que me fizeste lembrar dela?... Deus te... Deus te perdoe...

E chorava silenciosamente. O coração de Ordínov batia com tal violência que pouco lhe faltou para gritar de dor.

— Ele diz — murmurou ela em tom de mistério e contendo a respiração — ele diz que, quando morrer, virá buscar a minha pobre alma pecadora... Eu lhe pertenço. Vendi-lhe a minha alma... E agora não faz outra coisa senão atormentar-me e ler-me coisas dos seus livros... Ali, olha, tem ali o livro. Ali! Ele diz que eu estou em pecado mortal. Olha, ali está o livro. Ali...

E apontava com terror um grosso volume. Ordínov não tinha reparado que aquele se encontrava ali. Pegou nele maquinalmente. Era um daqueles livros religiosos de outros tempos, ilustrado com magníficas estampas, que o rapaz tivera já ocasião de ver por mais de uma vez. Mas naquele momento sentia-se incapaz de fixar a atenção fosse no que fosse.

Abraçou a jovem e procurou tranquilizá-la.

— Não penses nisso, deixa-o para lá. Afligiram-te e assustaram-te, mas agora estou aqui contigo. Confia em mim, meu bem, minha estrela.

— É que tu ainda não sabes nada. Ainda não sabes! — exclamou ela voltando a apertar-lhe as mãos. — Eu estou perdida para sempre... Vivo sempre cheia de medo! Mas tu não me atormentes, não me faças sofrer! Quando eu vou ter com esse homem — continuou ela — fala-me muitas vezes com palavras que só ele sabe; outras, pega num livro, no maior e põe-se a ler-me nele... dizendo coisas ameaçadoras e terríveis! Eu não sei que livro é esse, nem sequer entendo bem tudo o que ele diz, mas ao ouvi-lo sinto uma angústia tão grande, tão grande... parece-me que não é ele quem fala mas outra pessoa, alguém que não perdoa, e tão inexorável que o coração se me despedaça e sinto uma dor ainda maior do que era antes o meu susto.

— Não voltes para junto dele! Por que vais? — disse Ordínov sem reparar bem no que dizia.

— Por que venho eu ver-te a ti? Se me perguntasses, não sabia que dizer-te... Mas ele está sempre a dizer-me: "Reza, reza, reza". Às vezes, na escuridão da noite, fico rezando horas e horas inteiras. De vez em quando o sono me vence; mas o medo torna a despertar-me logo e então é como se à minha volta se formasse uma vaga tormenta, como se gente má me inflingisse um suplício mortal, sem que eu pudesse chamar pelo socorro de alguém ou alguém me pudesse salvar. Sinto um aperto na alma e quase sinto que todo o corpo se me desfaz em pranto. E então ponho-me outra vez a rezar, a rezar, até que a Virgem, lá do alto, fixe em mim o seu olhar. Por fim levanto-me e vou meio morta para a cama; mas já mais de uma vez tenho acabado por adormecer de joelhos diante da imagem. Então parece-me que ela acorda e me chama... e depois acaricia-me e sossega-me... e sinto um grande alívio. Sim, seja qual for a desgraça que possa cair em cima de mim, a seu lado não tenho medo nenhum. Ele é poderoso! A sua palavra é grande!

— Mas a que desgraça te referes? — perguntou-lhe Ordínov tremendo e com o coração desesperado.

Ekatierina empalideceu. Aos olhos de Ordínov parecia uma condenada que põe a sua última esperança no indulto.

— É que eu... eu sou maldita, sou uma assassina de almas; a minha mãe amaldiçoou-me. Eu a matei!

Ordínov abraçou-a em silêncio. Ela se chegou ainda mais a ele. Ordínov sentia que um estremecimento sacudia o corpo da moça como se quisesse arrancar-lhe a alma do corpo.

— Fui eu que a mandei para debaixo da terra fria — disse ela completamente entregue à recordação e tomada de viva excitação, parecendo contemplar uma vez mais naquele instante um acontecimento que já nada podia anular, o passado irreparável. — Eu queria confessar-te isto já há mais tempo, mas ele me proibiu sempre com pedidos, com ameaças, com censuras e com troças. Outras vezes, porém, é ele quem se põe a me lembrar, como se fosse meu inimigo e meu juiz. Então recordo tudo... como esta noite... como sempre, a cada momento, como se tivesse o passado diante de mim... Ouve-me, ouve-me! É já uma coisa antiga, nem sequer posso precisar quando ocorreu, e contudo tenho-a fresca na minha imaginação como se tivesse acontecido ainda ontem, como um sonho da noite passada que até ao amanhecer me oprimisse o coração. É o medo que faz com que o tempo pareça tão longo! Senta-te, senta-te aqui junto de mim, vou contar-te toda a minha vida... Amaldiçoa-me, pois já o estou... Vou revelar-te toda a minha vida...

Ordínov quis detê-la, impedi-la de falar; mas ela juntou as mãos como se lhe implorasse o favor de escutar as suas confidências, e depois, muito agitada, continuou a sua narrativa. Falava de um modo desconexo e aos arrancos, e a voz denunciava a tempestade que lhe rugia dentro da alma; contudo Ordínov compreendeu muito bem o seu relato, pois a existência dela vinha confundir-se com a sua própria vida, e as dores dela com as suas próprias dores. Julgava ter mais uma vez diante de si o seu inimigo. E esse inimigo ia ganhando corpo a cada uma das palavras da moça, tornava-se cada vez mais tangível e parecia ao rapaz que ele lhe oprimia com força o coração, ao mesmo tempo que troçava insultuosamente da sua cólera. O sangue começava a ferver-lhe como se de repente lhe tivesse aparecido o velho malfazejo dos seus pesadelos (Ordínov estava convencido disso), e o tivesse ali diante em carne e osso.

— Era uma noite como esta — começou Ekatierina — mas ainda mais escura e medonha, e o vento assobiava na nossa floresta como nunca até então eu tinha ouvido... Aquela noite foi o começo da minha perdição... O azinheiro rugiu diante das nossas janelas. Eu não sei, mas um pobre mendigo que costumava bater à nossa porta — era um velhinho já muito velho — dizia que se lembrava de ter visto já aquele azinheiro quando era criança e que nesse tempo era já tão forte como então, quando o furacão lhe arrancou as raízes. Naquele mesma noite — como me recordo ainda! — a tormenta destruiu as barcas que meu pai tinha no rio — vivíamos junto da fábrica — o meu pai, apesar de estar doente, foi logo lá. A minha mãe e eu ficamos sozinhas em casa. Estávamos sentadas na sala e eu dormitava, mas a minha mãe, coitada, estava tão triste que não parava de chorar devagarinho... e eu sabia muito bem por que é que ela chorava. Havia pouco tinha sarado de uma doença mas estava ainda muito pálida e andava sempre a dizer-me que eu devia ir-lhe preparando a mortalha... De repente, por volta da meia-noite, ouço bater à porta. Dou um salto, aflui-me todo o sangue ao coração... A minha mãe dá um grito assustada... Eu não a olho, não sou capaz; mas pego no pequeno lampião e vou eu mesma abrir... Era ele! Senti-me triste, pois ficava sempre triste quando ele vinha a nossa casa, desde que eu era pequenina, desde até onde alcançavam as minhas recordações, desde que tinha o uso da razão. Naquele tempo o cabelo dele ainda não era branco, tinha a barba negra e o olhar ardente como uma brasa. Até então nunca me olhara com bons olhos. Naquela noite perguntou-me: "A tua mãe está em casa?". Eu semicerrei a porta e respondi-lhe: "Sim, mas o papai não está". Ele me respondeu: "Já sei". E de repente olhou-me; pela primeira vez me olhou de frente. Voltei-me a fim de me retirar. Mas ele continuava no mesmo lugar. "Por que não entra?." "Estou pensando", disse ele. Lentamente seguiu-me, mas ao entrar perguntou-me de repente em voz baixa: "Por que me disseste que o teu pai não estava em casa quando te perguntei pela tua mãe?". Eu não lhe respondi. A minha mãe ficou espantada ao vê-lo e fez logo menção de correr ao seu encontro. Mas ele mal lhe concedeu um olhar... Eu vi tudo. Estava encharcado de água e de neve... Nunca chegamos a saber, nem a minha mãe nem eu, donde vinha nem de que vivia... Daquela vez havia nove semanas que não o víamos... Atirou o gorro para cima da mesa. Tirou as luvas, mas não se inclinou perante as imagens nem cumprimentou a dona da casa, e foi logo sentar-se perto do fogo...

Ekatierina pôs a cabeça nas mãos como se alguma coisa a oprimisse e atormentasse, mas não tardou a erguer-se, continuando a sua narrativa.

— Ele se pôs a falar em tártaro com a minha mãe. Eu não percebia nem uma palavra. Até então, sempre que ele ia lá, afastavam-me; mas desta vez a minha mãe não se atreveu a dizer-me o que quer que fosse. O bandido comprava a minha alma; e eu olhava minha mãe como se me orgulhasse disso. Notei que falava de mim. A minha mãe começou a chorar. Eu reparei que ele levava a mão ao punhal que lhe pendia do cinto. Levantei-me e peguei-lhe no cinto para tirar-lhe o punhal. Mas ele rangeu os dentes de raiva e tratou de afastar-me... Bateu-me no peito mas não o larguei. Pensei: "Vou morrer". Minha vista escureceu e estremeci sem soltar um grito. E então, embora estivesse meio desmaiada, pude ver que ele tirava o cinturão, levantava o braço com que me tinha empurrado, tirava da bainha o punhal do Cáucaso e ameaçava-me com ele, dizendo: "Toma, corta-me a mão; vinga-te do que te fiz; eu vou me abaixar diante de ti até tocar no chão". Desviei o punhal. O coração começou a palpitar-me surdamente, mas não olhei para ele. Recordo ainda que sorria; mas não disse nada e apenas olhava para minha mãe, para os seus olhos tristes, e o meu olhar era de raiva, enquanto um sorriso maldoso não me saía dos lábios. E a minha mãe continuava sentada, lívida e silenciosa como uma morta...

Ordínov ouvia cada uma das suas palavras com enorme ansiedade. Mas, aos poucos, a excitação da moça foi abrandando e o seu falar tornou-se mais tranquilo. Estava dominada pelas suas recordações e o seu temor fundia-se num sentimento que passava para além do mar sem fim dos seus sentidos.

— Ele pegou no gorro sem despedir-se. E eu peguei de novo no lampião para acompanhá-lo até à porta, adiante de minha mãe que, embora ainda doente, fizera um esforço para levantar-se da cadeira e acompanhá-lo. Chegamos à porta, abria-a, os cães ladraram; eu fiquei calada. Ele parou, e de súbito tirou o gorro e fez-me com ele uma vênia até ao chão. Ao mesmo tempo vi que metia a mão debaixo da capa e tirava do bolso do peitilho uma caixa pequenina, forrada de marroquim. Abriu a caixa, eu olhei e vi brilhar pérolas autênticas: eram para mim. "Tenho na cidade — disse ele — uma amiga a quem pensava levar estas pérolas de presente; mas não o fiz. Fica tu com elas, minha flor, enfeita com elas a tua beleza ou calca-as aos pés. Faz como quiseres, mas fica com elas." Eu peguei nelas mas não com intenção de as pisar, o que teria sido uma honra demasiado grande. Peguei nelas sem dizer nada. Entrei em casa e coloquei as pérolas na mesa, diante de minha mãe... Fora para isso que as aceitara. Ela permaneceu calada durante muito tempo, estava tão branca como a parede e parecia que não se atrevia a dirigir-me a palavra. "Que quer dizer isto?" — disse por fim. Eu lhe respondi: "O negociante as trouxe para ti, nada mais posso dizer-te". E vi como as lágrimas lhe corriam pelas faces e como sua respiração se tornava difícil. "Não, sonsa, ele não as traria para mim!" Ainda recordo a mágoa com que pronunciou aquelas palavras, com tanta pena como se tivesse o coração a transbordar em lágrimas. E eu a olhei... e estive tentada a lançar-me a seus pés, mas em vez de o fazer disse-lhe o que um mau espírito me inspirou naquele instante: "Bem, se não são para ti, hão de ser para o papai! Vamos entregá-las a ele, quando ele voltar vou dizer que vieram uns comerciantes que se esqueceram aqui da mercadoria". Ao ouvir isto, a minha mãe desatou a chorar, e o seu choro era cheio de amargura... "Será isso o que eu hei de fazer! — exclamou. — Direi ao teu pai que espécie de comerciantes estiveram aqui e que espécie de mercadoria procuravam! Direi tudo àquele de quem és filha, minha malvada! Tu já não és minha filha; tu és uma serpente venenosa! Digo-te eu que sou tua mãe!" Eu não respondi e nem uma só lágrima correu dos meus olhos... Ai! Tinha a alma como morta... Retirei-me para o meu quarto e passei toda a noite ouvindo o temporal e, ao mesmo tempo, continuava sempre atenta ao desfilar dos pensamentos que o temporal fazia nascer em mim.

Passaram cinco dias. Depois, uma tarde, o meu pai voltou mal-humorado e sombrio pois, pelo caminho, a sua doença tinha-se agravado. Observei que trazia um braço numa tipoia e adivinhei logo que o inimigo tinha se atravessado no seu caminho. E fora o inimigo que o deixara naquele estado. E eu sabia também que inimigo tinha sido. Eu sabia tudo!... Nem sequer dirigiu a palavra à minha mãe; não perguntou por mim. Chamou os criados e mandou que não trabalhassem na fábrica e defendessem a casa de visitas estranhas. O coração me dizia que algum acontecimento grave se ia dar em nossa casa. Por isso não nos deitamos. A noite passou devagar. De novo na escuridão se levantou um temporal e a minha alma encheu-se de inquietação. Abri a janela... tinha o rosto em fogo, corriam-me lágrimas dos olhos e o meu coração não podia achar sossego. Parecia ter fogo dentro de mim! De boa vontade teria saído dali, daquele exíguo quarto sufocante e teria ido para longe, para o fim do mundo, onde surgem os relâmpagos e as tormentas e onde nascem as tempestades. O meu coração de menina palpitava e tremia... De repente, era já muito tarde, acordo de um sono leve... ou então um nevoeiro caiu sobre a minha alma e enganou-me. De repente ouço chamarem-me à janela: "Abre!" e vejo um homem empoleirado numa escada de corda. Compreendi logo quem era o tardio visitante. Abri a janela e deixei-o entrar na minha solitária alcova. Era ele! Sem tirar o gorro, sentou-se na arca e respirava apressadamente como se tivesse sido perseguido por um tropel de inimigos. Eu estava em pé e pude reparar que ele estava pálido. "O teu pai está em casa?" perguntou. "Está." "E a tua mãe também?" "Também" — respondi. "Cala-te um momento. Não ouves nada?" "Ouço." "O quê?" "Uma espécie de assobio junto da janela!" "Bem, minha bela, queres agora agarrar o inimigo pelos cabelos? Queres chamar o teu pai e ser causa da minha perdição? Submeto-me à tua vontade: seja como tu quiseres! Tens aqui uma corda: prende-me, se o teu coração te aconselha a que veles pela tua honra de donzela." Eu estava calada. "Que dizes? Fala, minha joia!" "Que queres?", perguntei-lhe eu. "O que quero? Despedir-me do meu antigo amor e consagrar-me daqui para o futuro a um amor novo, jovem... a ti, minha bela!" Pus-me a rir. Eu própria não sei como a sua insolente maneira de falar pôde tocar o meu coração. "Por isso, agora, minha rica, deixa que me desculpe, que ponha à prova a minha coragem e me despeça dos teus pais", disse ele e levantou-se. Eu estava tão trêmula que os dentes me batiam e o coração, no peito, parecia-me um ferro em brasa. Abri a porta. E quando ele transpunha o limiar, apelei para todas as minhas forças e empurrei-o para fora. "Toma as tuas pérolas e não voltes a ter o descaramento de me oferecer presentes!" E atirei-lhe o cofrezinho com as pérolas.

Ekatierina fez uma pausa para tomar fôlego. Tinha mudado de cor, como várias vezes no decurso do seu relato; os olhos azuis tinham-lhe escurecido e brilhavam com um brilho estranho. Depois empalideceu e a sua voz subia e baixava de tom, pela força da dor recalcada.

— Fiquei só — continuou — e era como se um turbilhão se tivesse apoderado de mim. De repente quer-me parecer que me chamam, ouço vozes e gritos, correrias de gente pelo pátio e gritos de: "A fábrica está pegando fogo!". Não esboço sequer um movimento; limito-me a ouvir as pessoas que saem de casa correndo; apenas ficamos ali nós, a minha mãe e eu. Eu sabia que a minha mãe lutava já com a morte, que havia já três dias que agonizava; eu, a sua maldita filha, sabia tudo isso... De súbito, ouço um grito perto do meu quarto, nada mais que um grito, pequeno e fraco, que soou como a vozinha duma criança que, sonhando, grita e depois, tudo voltou a ficar silencioso... Apaguei a luz... senti frio na escuridão e cobri o rosto com as mãos com medo de olhar à minha volta. Depois voltaram a ouvir-se vozes no meu quarto, cada vez mais claras. Da fábrica vinham homens correndo. Fui à janela... e pude ver que traziam o meu pai morto, e ouvi que diziam: "Caiu da escada... da escada caiu na caldeira que estava fervendo... Deve ter sido coisa do demônio!". Atirei-me para cima da cama. Não me movia e esperava; quem ou o quê, nem eu sabia. Foi uma hora terrível, aquela. Não sei quanto tempo permaneci sentada. Só sei que, por fim, tive a impressão de que tudo rodava à minha volta. Sentia na cabeça uma pressão surda e a fumaça fazia-me arder os olhos. E alegrava-me que o meu fim estivesse próximo. De repente alguém me tocou no ombro e me levantou. Eu abri os olhos e vi quanto a escuridão me permitia ver. Era ele... e tinha a roupa rasgada e queimada, ainda fumegante e cheirando a chamusco. "Vim à tua procura, minha linda — disse-me. — Livra-me da perdição, já que nela me fizeste cair. Entreguei-te hoje a minha alma. Mas não devo ser eu só a pedir perdão pelos pecados desta maldita noite; sejamos dois a rezar e a pedir em conjunto." E depois o infame pôs-se a rir. "Vamos, ensina-me por onde se pode sair daqui sem ser visto." Eu lhe peguei na mão e levei-o. Descemos a escada, atravessamos o corredor sem fazer ruído; abri a porta do celeiro — trazia sempre a chave comigo — e apontei a janela. Lá estava o jardim. Então ergueu-me no ar com os seus braços fortes e saltou comigo pela janela. Depois, já no chão, corremos durante muito tempo, de mãos-dadas. Até que por fim avistamos o bosque escuro e denso. Ele parou e escutou. "Perseguem-nos, Kátia! Vêm já atrás de nós, minha bela, mas não havemos de lhes dar as nossas vidas de presente, num momento como este! Dá-me um beijo, querida, e promete-me amor eterno e eterna ventura!" "Por que tens as mãos sujas de sangue?" — perguntei-lhe. "Sujas de sangue, minha pequenina? É que matei os vossos cães. Ladravam alto demais para um hóspede que chega a desoras! Anda, vem!" E de novo retomamos a corrida. Pelo caminho que levava ao bosque encontramos o cavalo de meu pai, que tinha sacudido as rédeas e abandonado a cavalariça: não queria morrer ali queimado! "É Deus que o envia em nossa ajuda! — exclamou ele — Anda, Kátia, sobe!" Eu fiquei calada. "Ou não queres? Pois vê bem, eu não sou o Anticristo nem o espírito do mal; vê como faço o sinal da cruz, olha!" E efetivamente persignou-se. Depois montou a cavalo, pegou em mim no ar e eu me apertei contra o seu corpo, esqueci-me de tudo e parecia-me que tudo aquilo era um sonho; pude ver que tínhamos chegado às margens dum rio largo, muito largo. Ele se apeou, ajudou-me a descer e encaminhou-se para uns juncos onde ocultou o cavalo. À maneira de despedida, deu uma palmada no pescoço do animal. "Adeus, velho amigo! — disse — Anda, procura outro amo que os antigos te abandonaram todos."

Aquilo comoveu-me. Pus os braços em volta do pescoço do cavalo, apertei a face contra a sua fina pele e dei-lhe um beijo. Depois subimos os dois para a barca e pegando ele nos remos não tardamos a deixar a margem do rio, já bastante longe da nossa casa. Depois pousou os remos e ficou olhando a água à sua volta. E enquanto observava o rio, murmurou: "Salve, ó mãe, água sem dono, que alimentas muitos filhos de Deus e és a minha protetora! Guardaste bem os meus haveres e conduziste suavemente as minhas mercadorias?". Eu estava calada e tinha os olhos no chão, pois o rosto ardia-me de vergonha. "Ou preferiste ficar com tudo, tempestuosa e insaciável como és — continuou murmurando — e vais me prometer em troca proteger a minha pérola mais valiosa e embalá-la? Mas, dize qualquer coisa, pequena. Por que estás tão calada? Irradia calor, sê um sol e afugenta as trevas noturnas!" E ao dizer aquilo ria-se. O seu coração abrasava-se junto de mim; demais o percebia eu, mas por pudor não queria dar-me por achada. Tinha vontade de dizer qualquer coisa mas no entanto continuava calada. "Bem, seja como quiseres!", disse ele ao ver o meu arisco silêncio. Disse isto com pena e parecia muito triste. "O amor não se consegue pela força. Valha-me Deus, és muito orgulhosa! Já vejo que me odeias e muito! Valho assim pouco ante os teus olhos azuis, minha pomba?" Eu o escutava e sentia verdadeiramente ódio por ele, ódio que nascia do próprio amor, mas impus silêncio ao meu coração e disse: —

"Se vales ou não vales, como posso sabê-lo? Mas o que sei é que sou uma louca, uma desavergonhada que na escuridão da noite abre a um estranho a porta do seu quarto de donzela, vende a sua alma por um pecado mortal e não sabe dominar o seu louco coração. Isto talvez só o saibam as minhas lágrimas ardentes e também deve saber aquele que, como um criminoso, se mostra ufano do mal que fez e se diverte à custa do coração de uma menina". Assim dizia eu para mim própria mas não me pude conter por mais tempo e rompi a chorar... Ele continuava calado e olhava-me. Eu tremia como uma folha de árvore. "Olha, pequena, ouve-me — disse-me depois de uma pausa e cravando em mim os seus olhos de fogo — eu não falo por falar e é muito sério o que vou dizer. Enquanto quiseres fazer-me feliz serei para ti um amo carinhoso, mas se tu deixares de me querer... nesse caso não penses que vou gastar palavras inúteis. Não digas nada, não te preocupes; basta que me faças um sinal com as tuas pestanas de zibelina ou um gesto com os teus dedinhos para que te deixe livre, e te devolva a tua preciosa liberdade. Mas no mesmo instante — ouve bem, minha orgulhosa — a minha vida acabará e a morte me receberá nos braços!" Ao ouvir aquelas palavras os meus sentidos vibraram...

Possuída de grande agitação, Ekatierina fez uma pausa na sua narrativa. Respirou profundamente e dispôs-se a continuar, mas os seus olhos brilhantes encontraram-se com o olhar febril de Ordínov que lhe bebia as palavras. Ela estremeceu, quis dizer alguma coisa mas seu rosto ficou de novo vermelho e não disse nada... Depois, inconscientemente ergueu as mãos, apertou com elas a cabeça e atirou-se de bruços sobre o travesseiro... Ordínov estava extremamente comovido. Um sentimento torturante, uma agitação de que ele mesmo se não apercebia, mas que não podia suportar, corria como um veneno pelas suas veias, cada vez com maior ímpeto; um impulso violento e, contudo, reprimido; uma paixão ávida, que reclamava ser satisfeita e se tornava intolerável, absorvia todo o seu pensamento e misturava-se a tudo que sentia. Mas ao mesmo tempo, uma tristeza infinita, ilimitada, começou a oprimir-lhe o coração. Por mais de uma vez, durante a narrativa de Ekatierina, esteve a ponto de gritar, implorando silêncio. Queria lançar-se aos seus pés e pedir-lhe com lágrimas que não fizesse reviver os seus anteriores tormentos de amor, o seu primeiro e para ele ainda incompreensível e puro entusiasmo; e ansiava por umas lágrimas que há muito tempo reprimia. Seu coração apertava-se de ansiedade e parecia que lhe queria saltar e recolher em si todo o pranto que a alma já não podia conter. Mal ouvia o que Ekatierina lhe contava, e o sentimento que a pobre criatura despertava nele tornava o seu amor selvagem e desmedido. Naquele instante maldizia a sua paixão, queria sufocá-la, abafá-la, e parecia-lhe que pelas suas veias lhe corria não sangue mas chumbo fervente.

— Ah! Não julgues que te contei já toda a minha desgraça! — suspirou Ekatierina como se tivesse uma súbita resolução. — Não, nada disso! — exclamou com uma voz em que vibrava um sentimento novo e avassalador e em que se lia toda a dor que parecia destroçar-lhe a alma. — Os meus sofrimentos e as minhas dores ainda não começaram! Que me importa a minha mãe, embora no mundo eu não possa achar outra? Que importa que me tenha amaldiçoado num momento de desespero? Que me importa a minha antiga vida tão descuidada, o meu quartinho confortável e a minha liberdade de solteira? E que pode inquietar-me a ideia de me ter vendido ao diabo e de ter condenado a minha alma à perdição, e que por um pouco de felicidade tenha de ser culpada para todo sempre? Ah, não, não me importa nada disso, ainda que nisso esteja a minha perda! O que verdadeiramente me amargura a vida e me destroça o coração é ter-me feito escrava desse homem, é que eu alimente a minha desonra e a minha vergonha, como se fossem um prazer e uma alegria, e que o meu coração se perturbe com a ideia do seu desprezo... Nisto, sim, está a minha verdadeira desgraça: que o meu coração não tenha forças para protestar nem para revoltar-se e nem sequer sinta indignação ante o insulto que lhe fizeram!

As palpitações do coração detiveram-se no peito da pobre moça e um soluçar convulso cortou-lhe a palavra. A respiração saía-lhe ofegante pelos lábios que ardiam; o peito erguia-se e baixava e os olhos brilhavam-lhe em clarões bravios. Estava naquele instante tão sedutora, o seu semblante exprimia uma tal força de sentimentos e de paixão, e cada uma das suas feições, dos seus traços, estremecia com tão arrebatadora beleza, que de novo desapareceu todo o sentimento hostil no espírito de Ordínov. O seu coração levava-o para a jovem, sentia ânsias de apertar-se contra o seu peito trêmulo e, louco de paixão, quereria abandonar-se com ela numa embriaguez inconsciente, nas vagas da mesma tormenta, no mesmo indescritível sofrimento, e morrer abraçado a ela, da mesma morte. Ekatierina encontrou o olhar de Ordínov e sorriu ao compreender que os seus dois corações se consumiam no mesmo fogo. Ordínov já não sabia ao certo o que sentia.

— Tem pena de mim, sê piedosa! — murmurou ele com voz sumida, e inclinou-se para ela, tanto, que a sua respiração se confundia com a de Ekatierina, enquanto os seus olhos estavam mergulhados nos dela. — Tu matas-me! Eu não entendo nada dos teus sofrimentos, tenho a alma transtornada... Que me importa a mim saber por que chora o teu coração? Diz-me o que queres... e eu tudo farei... Mas não me mates, não dês cabo da minha vida!...

Extático, contemplava Ekatierina. Nas faces da jovem as lágrimas tinham esgotado. Ela queria interrompê-lo, pegar-lhe as mãos, dizer-lhe alguma coisa e não encontrava as palavras. Um sorriso estranho desenhou-se lentamente nos seus lábios e pareceu que se esforçava por sorrir.

— Bem, mas ainda não te contei tudo! — disse ela, por fim, com voz balbuciante. — Escuta um pouco mais... pois espero que tu, que tens um coração tão afetuoso, não te negarás a escutar-me. Ouve o que te conta a tua irmã... Ainda não sabes nada dos meus sofrimentos! Vou agora contar-te como passei com ele um ano, mas para quê? Passado um ano foi rio abaixo com os seus amigos, e deixou-me só na aldeia com o seu pai adotivo. Ali ficava eu a morrer de aborrecimento até o seu regresso. Esperei um mês, outro... e, de repente, eis que me encontro na aldeia com um rapaz comerciante, e ao vê-lo lembrei-me então dos bons tempos passados. "Irmãzinha, querida irmãzinha! — disse ele ao reconhecer-me. — Eu sou Alhocha, o teu companheiro de infância. Brincávamos os dois em pequenos. Os nossos pais fizeram-nos noivos quando éramos pequenos... não te lembras? Já te esqueceste? Lembra-te, minha amiga, pois sou da tua aldeia..." "Que dizem lá de mim?" — perguntei-lhe. "Dizem que fugiste de casa, que te desonraste e te entregaste a um bandido, a um corruptor de almas" — respondeu-me Alhocha, sorrindo. "E tu que dizias de mim, Alhocha?" "Vim com a intenção de dizer muitas coisas, — e o coração alvoroçava-lhe — muitas coisas, mas agora que te vi, já esqueci tudo... Deste-me volta à cabeça — disse baixinho. — Bem, fica também com a minha alma, embora venhas a troçar do meu coração e do meu amor, minha beleza! Estou só no mundo, herdei os bens dos meus pais, sou dono de mim mesmo e a minha alma é minha, pois não a vendi a ninguém, como fez uma pessoa que eu bem sei, que afogou a sua consciência. Nem sequer precisas de comprá-la, porque eu te dou de presente, já que, pelo que vejo, não sabe ter mão em si." Eu me pus a rir e mal me disse aquilo uma ou duas vezes... Bem, viveu ali um mês e esqueceu-se de tudo, sem querer saber da sua fazenda. Mandou embora os companheiros e habituou-se a uma vida solitária. Até que por fim tive pena dele e uma manhã disse-lhe: "Espera esta noite que escureça, lá embaixo, no cais, que eu irei lá procurar-te. Estou farta da vida estúpida que aqui passo". Chegou a noite, fiz uma trouxa das minhas coisas e a minha alma começou a sentir tristeza e a lutar com os meus pensamentos. Mas, eis que... inesperadamente entra o meu senhor em casa. "Boa-noite — disse ele. — Vem cá! Está-se levantando uma tempestade no rio, não podemos perder tempo!" Segui-o; chegamos à margem do rio, mas dali a uma certa distância é que se encontravam os nossos. De repente vimos... um barco — em que estava sentado um remador conhecido, que parecia esperar alguém. "Boa-noite, Alhocha, Deus te salve! — disse-lhe o meu senhor. — Que é isso? Ficaste para trás ou queres ainda ir para o teu barco? Leva-nos contigo, sê amável, leva-nos até junto dos nossos! Não tenho aqui a minha lancha e não sei nadar!" "Sobe — disse-lhe Alhocha, e o meu coração tremia ao ouvir a sua voz. — Sentem-se, o ar chega para todos e na minha barca há ainda espaço para vocês!" Subimos para a barca.

A noite estava escura, não havia estrelas, o vento rugia, as águas encrespavam-se mas estávamos já a uma versta de distância da margem. Íamos os três calados. "Tempestade! — disse por fim o meu senhor. — E desta vez vai ser um caso sério! Nunca vi no rio uma noite como esta! E a carga é demais para a barca! Com este temporal não pode aguentar com três pessoas!" "É verdade, tens razão, não pode levar três pessoas. Um de nós está a mais" — disse Alhocha. E na sua voz vibrava uma comoção reprimida. "Bom, e que havemos de fazer, Alhocha? — disse o meu senhor. — Eu te conheci de pequeno, o vinho da amizade bebi com teu pai que Deus haja; reparti com ele o pão e o sal... por isso, diz-me Alhocha, em caso de necessidade, serias capaz de alcançar a outra margem ou poderias morrer afogado?"

"Não — respondeu Alhocha; — não poderia alcançá-la."

"Mas, quem sabe? Talvez tivesses os santos do teu lado e pudesses lá chegar." — "Não, com este temporal não me atrevo, ficaria na água." — "Bom, pois agora ouve tu, Katarínuchka, minha pérola, meu tesouro! — disse, voltando-se para mim. — Recordo-me de uma noite semelhante, mas em que as ondas não estavam encrespadas, e em que as estrelas cintilavam luminosas e a lua brilhava... Responde-me, pois pergunto-te isto sem qualquer intenção: lembras-te dessa noite?" "Sim", disse-lhe eu. "Pois se a não esqueceste hás de recordar também que então um homem corajoso mostrou a uma linda menina a maneira de recuperar a sua liberdade, se algum dia viesse a deixar de o amar... lembras-te?" "Também me lembro disso" — respondi eu, mais morta do que viva. "Ah! Então também o não esqueceste? Pois então olha: três pessoas são uma carga grande demais para este barco. Não terá chegado a nenhum de nós a sua hora? Diz, meu amor, fala, diz uma só palavra, minha pomba!" Nessa outra noite também, eu não disse nada! — murmurou Ekatierina empalidecendo um pouco.

Mas não acabou a sua história.

— Ekatierina! — gritou uma voz forte e rouca.

Ordínov estremeceu. À porta do quarto estava Múrin, inerte, embrulhado na sua peliça; lívido, contemplava a companheira com uns olhos fixos que pareciam de louco. Ekatierina empalideceu e, como que fascinada, fixou também o olhar sobre ele.

— Vem comigo, Ekatierina! — murmurou o doente com voz que mal se ouvia.

E saiu do quarto. Ekatierina continuava com o olhar fixo na porta, como se ele ainda ali estivesse. Mas de repente subiu-lhe o sangue às faces pálidas e, pouco a pouco, levantou da cama. Ordínov não reparou no seu primeiro movimento.

— Até amanhã, meu amor! — disse ela.

E a sua voz soou como um sorriso tranquilo e estranho.

— Até amanhã! Mas não esqueças onde ficamos. Escolhe entre os dois; diz a quem queres e a quem não queres, minha flor!

— E tu vais lembrar? Terás paciência mais esta noite? — perguntou-lhe ela pousando a mão no ombro do amigo e despedindo-se dele com um terno olhar.

— Ekatierina, não fiques com ele, não fiques! Está louco, não vês? — murmurou Ordínov, tremendo por ela.

— Ekatierina! — gritou a voz de Múrin do outro lado do tabique.

— Por que não? Seria capaz de matar-me, não é verdade? — perguntou-lhe Ekatierina, rindo. — Boa-noite, meu amor! — disse depois, apertando ternamente a cabeça do rapaz contra o seu peito, enquanto súbitas lágrimas afluíram aos seus olhos. — Apaga a tua dor, meu amor, que amanhã despertarás para a alegria!

E beijou-o apaixonadamente.

— Ekatierina, Ekatierina — implorou Ordínov e quis ajoelhar-se diante dela para a deter — Ekatierina!

Sorrindo, voltou-se ainda uma vez para ele, fez-lhe um aceno de despedida, e saiu do quarto. Ordínov ouviu-a entrar no de Múrin. Conteve a respiração e pôs-se a escutar, mas não ouviu nenhum ruído. O velho estava calado e talvez até tivesse perdido os sentidos... Ordínov quis ir para junto dela, mas os pés faltaram-lhe, as forças abandonaram-no e voltou a cair sobre a cama extenuado...

CAPÍTULO V

Ao voltar de novo a si, não pode logo precisar se estava amanhecendo ou anoitecendo. O quarto estava completamente às escuras. A lamparina diante da imagem devia ter-se apagado. Ordínov não sabia quanto tempo tinha dormido; sabia apenas que tivera um sonho doentio. Ao acordar esfregou a cara com as mãos sem saber o que fazia, como se quisesse afugentar um pesadelo e as visões noturnas. Mas ao levantar-se, sentiu o corpo moído, e os seus membros, exaustos, negaram-se a obedecer-lhe. Doía-lhe a cabeça, tinha vertigens e corriam-lhe calafrios pelo corpo, alternando com ondas quentes de febre. Com a lucidez do despertar voltou-lhe também a memória, *e sentia o coração apertado e tremia ao evocar*, no espaço de um segundo, toda a noite anterior. Só com essa recordação palpitava-lhe o coração com tanta força e eram tão vivas e rápidas as suas sensações, como se tivesse decorrido apenas um minuto e não uma noite inteira, muitas horas já, desde que Ekatierina saíra do seu lado. Sentia ainda os olhos ardendo das lágrimas que chorara... A menos que não fossem já novas lágrimas que lhe vinham no fundo da alma! E, contudo, aquilo que parecia milagre: no tormento que sentia havia lugar para o prazer e para a doçura, embora, ao mesmo tempo, cada um dos seus nervos lhe afirmasse que não seria possível para outra vez dominar-se daquele modo. Houve instantes em que se sentiu a dois passos da morte e se dispunha já a recebê-la como um hóspede desejável que se aproximava dele revestindo a forma duma mulher; a tal ponto de tensão havia chegado a sua sensibilidade, voltando de novo a alvoroçar-se de um modo tão tumultuoso, ao despertar, a sua paixão e uma tal fascinação, um tal entusiasmo lhe enchia a alma que, a sua vida, elevada a uma altura de vertigem, estava também a ponto de despenhar-se e rolar, para em seguida perecer para sempre... Quase no mesmo momento, como resposta à sua dor e ao vibrar do seu coração, soou uma voz que lhe pareceu conhecida, como essa íntima vibração que a alma humana experimenta nos seus instantes de alvoroço, nos seus momentos de grande felicidade, comovendo toda a sua existência... e essa voz não era outra senão a suave, musical voz de Ekatierina. Muito perto dele, quase à cabeceira da sua cama, soou um canto que a princípio exprimia melancolia e timidez. Mas depois a voz foi-se erguendo e baixando em vibrações melodiosas, como se morresse e, contudo, contasse ainda ternamente o tormento inquietante do desejo reprimido que para sempre se albergara no seu coração triste. Mas a voz não tardou a elevar-se de novo e a correr, ardente e trêmula, provindo de uma paixão que não podia ser abafada por mais tempo, para ir por fim perder-se num mar de encanto, um oceano sem fim de melodias feiticeiras, tão arrebatadoras e venturosas como o primeiro olhar do amor. Ordínov compreendeu também a letra do canto, que era a expressão comovedoramente simples e penetrante de um sentimento puro, tranquilo, por ser consciente e diáfano... e, quanto à forma, de uma estrutura arcaica, como essas baladas que em tempos passados brotavam da boca do povo. Mas Ordínov não reparava no sentido, esquecia-o para ouvir apenas a música, e as palavras amorosas e singelas da velha canção tinham para ele uma letra diferente, outra letra em que palpitava a mesma nostalgia que agitava o seu peito, palavras que eram como a repercussão das comoções mais íntimas e profundas da sua paixão, e, contudo incompreensíveis para ele próprio, e que, ao convidarem-no a amar, lhe davam a entender quanto ela sabia também desses tormentos. O rapaz julgava ouvir os últimos ecos tristes duma vida que se extingue por amor, e depois a alegria exuberante de uma vontade que despedaça as algemas e, livre e leve, se espraia pelo mar sem fim da suprema felicidade; mas em seguida parecia-lhe ouvir a primeira confidência trêmula do amor, por entre lágrimas e rubores, na confissão envergonhada e hesitante de uns lábios de mulher que ainda conservam o aroma do pudor, e depois, ainda aquela voz voltava a erguer-se como o desafio de uma bacante que, ufana e orgulhosa do seu encanto, sem segredos, nua, olha à sua volta com um sorriso faiscante, de pupilas ébrias e oblíquas...

Ordínov não pôde esperar o fim do canto e saltou logo da cama. Logo aquele cessou também.

— Já passou a manhã, meu amigo — disse a voz de Ekatierina do outro lado do tabique —, por isso tenho que dar-te as boas-tardes. Levanta-te, vem ter conosco, traze-nos a alegria; estamos à tua espera, eu e o meu senhor, que somos ambos boas pessoas e estimamos-te. Apaga o ódio com o amor, se é que os nossos corações guardam qualquer ressentimento. Diz-nos uma palavra afetuosa...

Ordínov saiu imediatamente do seu quarto, sem ele próprio se aperceber que se dirigia para o dos vizinhos. A porta abriu-se à sua frente e ele olhou para dentro, contemplou a cena e ficou deslumbrado perante o riso dourado da feiticeira que tinha diante de si. Não ouvia nem via nada, nem ninguém, senão a ela. Naquele momento a radiante figura da jovem era o farol da sua vida e da sua alegria.

— O sol já teve duas vezes a cor vermelha desde que nos separamos — disse ela estendendo-lhes as duas mãos. — Olha pela janela e verás como a terceira está prestes a desaparecer. Eram semelhantes, essas cores, ao rubor duma linda menina — continuou ela a rir. — O primeiro rubor da manhã era como o fogo que uma jovem sente pela primeira vez no seu coração, quando ele lhe começa a palpitar no peito; e o segundo recordava o instante em que a jovem perde a sua timidez e sente que o sangue, como fogo, lhe acode ao rosto... Entra, entra na nossa casa, meu filho! Por que estás aí parado à porta? Encontrarás aqui honras e amizade, e antes de mais nada aceita as boas-vindas do dono da casa.

E, com um sorriso luminoso, acenou com a mão a Ordínov e o fez entrar no quarto. O coração do rapaz confrangia-se. Todo o fogo que no seu íntimo ardia se apagara num instante, mas só por um instante. Transtornado, baixou os olhos para não a ver. Sentia que a sua beleza era tão sedutora que não poderia suportar o seu olhar ardente. Não. Nunca a vira como naquele dia. Pela primeira vez contemplava agora a alegria e o encanto do riso no seu rosto, e as suas pestanas negras brilhavam, mas não como antes, por causa do pranto derramado. A mão dele tremia nas dela. Se tivesse levantado os olhos, teria visto que os olhos de Ekatierina irradiavam um sorriso triunfal e que refletiam claramente comoção e amor apaixonado.

— Levanta-te, velho! — disse ela, por fim, como se de repente e pela primeira vez desse conta da situação. — Saúda o hóspede com palavras de afeto. É nosso hóspede e tão bom como um irmão. Ergue-te, velho orgulhoso, não sejas soberbo, ergue-te, saúda-o, aperta a sua mão e convida-o para a nossa mesa.

Ordínov ergueu os olhos e era como se também pela primeira vez se apercebesse da realidade: esquecera-se totalmente de Múrin e nem sequer pensava que estivesse ali. Os olhos do velho, que pareciam apagados, como se estivesse prestes a morrer, olhavam-no imóveis, e com uma funda sensação de dor. O rapaz lembrou-se do olhar que ele da última vez lhe tinha lançado, por debaixo das espessas e arqueadas sobrancelhas, que estavam agora de novo franzidas em sinal de dor e sofrimento. Uma leve sensação de vertigem se apoderou do rapaz. Olhou à sua volta e foi então que pela primeira vez teve a noção exata do lugar em que se achava. Múrin continuava prostrado na cama, mas estava ainda completamente vestido e dava a impressão de que se tinha levantado naquela manhã e saído à rua. Em volta do pescoço tinha um lenço vermelho e calçava alpercatas. Via-se que a doença já lhe passara, contudo tinha ainda o rosto extremamente pálido e quase amarelado. Ekatierina estava de pé, junto da cama, com as mãos sobre a mesa, e o seu olhar ia de um para o outro; mas o sorriso afetuoso não desaparecia do seu semblante. Parecia que tinha sido ela quem, com um gesto, provocara tudo aquilo.

— Ah, sim! És tu! — disse Múrin, levantando-se lentamente e sentando-se na cama. — Tu és meu hóspede. Estou em dívida para contigo; andei mal, e ontem, sem querer, assustei-te com a pistola. Quem podia adivinhar que também estavas doente! Mas eu julguei... — acrescentou com uma voz abafada que a doença tornava ainda mais rouca. Depois franziu a testa e instintivamente afastou o olhar de Ordínov. — As desgraças costumam vir sem avisar: introduzem-se em nossa casa como um ladrão, e quando damos conta já as temos em cima. A ti também ainda não há muito que te dei com a faca do peito — resmungou, dirigindo-se a Ekatierina. — Eu estou doente, amigo. De quando em quando, dão-me ataques... Bom. Para que mais explicações? Basta o que está dito! Senta-te. Serás meu convidado!

Ordínov continuava a olhá-lo, pouco à vontade.

— Senta-te, homem; senta-te — gritou o velho impaciente. — Não vês que ela quer? Hum!... Quer dizer que, segundo parece, são irmãos? E gostam um do outro como dois tontinhos!

Ordínov sentou-se.

— Olha que irmãzinha arranjaste! — continuou o velho com ar festivo, e ria mostrando os dentes muito brancos e bonitos. — Como vocês se querem, meus filhos! Não vês que irmã tão jeitosa tu tens, homem? Mas, fala, responde! Olha como a ela lhe ardem as faces! Diz que ela é linda, gaba a sua beleza diante de toda a gente! Mostra como o teu coração suspira por ela!

Ordínov franziu as sobrancelhas e olhou para o velho. Este estremeceu sob o olhar dele. No coração de Ordínov nascia uma cólera cega. Com um instinto inteiramente animal, sentia que tinha na sua presença um inimigo mortal. Não compreendia o que se passava em si mesmo. Tinha perdido a faculdade de pensar.

— Não me olhes! — disse por trás dele a voz de Ekatierina.

Ordínov voltou-se.

— Não me olhes, digo-te eu, se é que o mau arrasta ao mal... Tem compaixão dos que te querem bem! — disse Ekatierina, rindo.

E, de súbito, pôs-lhe as mãos nos olhos por detrás... mas depois retrocedeu e cobriu o próprio rosto com elas. Por entre os dedos brilhava o seu chamejante rubor... Depois deixou cair as mãos e esforçou-se por enfrentar, corajosa e sem medo, o olhar dos dois homens. Mas estes olhavam-na em silêncio... Ordínov, com certo amor assombrado, pois sentia pela primeira vez o coração vibrar diante de uma mulher; o velho, pelo contrário, olhava-a com atenta e inquisidora frieza. O seu rosto pálido não deixava transparecer nada; só os lábios estavam exangues e tremiam.

Ekatierina tornou-se também séria, aproximou-se da mesa e começou a afastar os livros, os papéis, o tinteiro e outras coisas que ali havia. A sua respiração era apressada e desigual. De vez em quando continha o fôlego como se sufocasse e lhe oprimisse o coração que palpitava inquieto. Pesadamente, como as ondas do mar sobre a margem, o seu peito erguia-se e baixava. Não olhava para ninguém e as suas pestanas comprimidas e escuras reluziam sedosas sobre as faces suaves...

— Meu amor! — murmurou Ordínov.

Mas logo se dominou, pois sentiu pousar sobre ele o olhar do velho. Como um relâmpago, aquele olhar inflamou-se num instante, ávido, perfurante, hostil, inimigo e cheio de um frio desdém. Ordínov levantou-se, mas um poder invisível parecia ter-lhe acorrentado os pés. Tornou a sentar-se e apalpou as próprias mãos, como se não acreditasse que tudo aquilo não era realidade mas apenas um simples sonho. Parecia-lhe sentir a tortura dum pesadelo, como se tivesse fechado os olhos num doloroso e doentio crepúsculo. Mas — coisa estranha! — não queria despertar.

Ekatierina levantou o pano da mesa, abriu um armário, donde tirou uma rica toalha bordada a seda e ouro, e estendeu-a sobre a mesa; depois tirou um jarro de prata antiga, lavrada, e do qual, segundo o costume antigo, pendiam as taças, também de prata, colocou-o em cima da mesa e tirou três taças: uma para o dono da casa, outra para o hóspede e a terceira para ela. Com olhar grave e quase pensativo pôs os olhos no velho e depois no rapaz.

— Qual é de nós três aquele que não quer bem a outro? — perguntou. — Aquele a quem ninguém queira bem, esse deve querer-me a mim e beber comigo na mesma taça. Mas eu quero a ambos como a pessoas de família; bebamos, pois, pelo amor e pela boa harmonia!

— Bebamos e afoguemos em vinho os pensamentos tristes! — disse o velho com voz diferente. — Serve o vinho, Ekatierina!

— E a ti também? — perguntou Ekatierina a Ordínov, olhando-o de frente.

O jovem estendeu em silêncio a sua taça.

— Esperem! — exclamou de repente o velho erguendo a taça. — Que cada um de nós veja realizado o que deseja no íntimo do seu coração!

Tocaram as taças e beberam.

— Agora, bebamos os dois — disse Ekatierina voltando-se para o velho. — Bebamos, se não me guardas rancor! Brindemos pela felicidade vivida, em honra dos anos passados! Brindemos do fundo do coração, pelo amor feliz! Deixa-me servir-te mais vinho, velho, se o teu coração ainda bate por mim!

— O teu vinho é forte, minha pomba; mas tu mal o provaste! — disse o velho, rindo, e estendeu a sua taça.

— Vou te servir outra vez, mas bebe o vinho até o acabares... Para que hás de viver e atormentar-te sempre com pensamentos tristes? Com isso apenas conseguimos fazer mal ao coração. É a tristeza que origina os pensamentos e por sua vez estes originam-na a ela: uma pessoa feliz, não pensa. Bebe, velho. Afoga os teus pensamentos em vinho!

— Muita amargura deves ter no teu coração, visto que queres acabar assim com ela tão depressa! Oxalá pudesses acabar com toda de uma vez, minha pomba branca! Eu bebo pela tua felicidade, Kátia! Mas, e o senhor... Também tem qualquer desgosto? Se é que me permite a pergunta...

— O que eu tenho é de foro íntimo! — murmurou Ordínov sem tirar os olhos de Ekatierina.

— Ouviste, velho? Eu própria há muito tempo que não me conhecia nem pensava em nada; mas chegou um momento em que reconheci tudo e de tudo me recordei, e então voltei a viver todo o passado com uma avidez insaciável, no fundo da alma.

— É mau sinal quando uma pessoa começa a recordar-se do passado — observou o velho pensativo. — O que já passou é como o vinho que já se bebeu! Que vale a felicidade passada? A roupa velha joga-se fora e não se pensa mais nela...

— Mas então sentimos necessidade de outra nova! — respondeu Ekatierina com um riso um tanto forçado, enquanto duas grossas lágrimas lhe brilhavam entre as pestanas. — Por isto se vê que uma vida não se pode extinguir num momento, e que o coração duma mulher nova suporta muito! Não se aquieta facilmente, sabes tu, velho!? Olha, caiu uma lágrima na tua taça!

— Foi pois a troco de muita felicidade que compraste a tua dor? — perguntou-lhe Ordínov numa voz que tremia de comovida.

— Tu tens muito que vender, amigo — respondeu-lhe o velho — já que falas sem ninguém to pedir.

E riu de maneira enigmática e maldosa, olhando descaradamente para o seu hóspede.

— O preço por que comprei a minha dor — respondeu Ekatierina com uma voz que revelava certo desgosto e aborrecimento — a um parecerá muito, e a outro, pouco. Um sacrifica tudo por ela e nada recebe em troca; outro não dá coisa alguma e o coração segue-o, obediente. Mas repara: não censures ninguém — voltou o rosto para ele e olhou-o com tristeza. — Um é homem e o outro também... Quem poderá dizer por que razão a alma vai atrás de um e não atrás de outro? Enche a tua taça, velho! Bebe à felicidade da tua filha querida, da tua humilde escrava, como noutros tempos, quando pela primeira vez ela te ensinou a amar. Vamos, ergue a tua taça!

— Seja! Mas serve-te tu também!

— Espera, velho! Não bebas ainda, deixa-me antes dizer uma palavra!

Ekatierina apoiou os cotovelos sobre a mesa e contemplou imóvel, com olhos apaixonados e brilhantes, os olhos do velho. Uma audácia especial brilhou de repente naquele olhar. Todos os seus gestos eram seguros, as suas maneiras inesperadas e rápidas. Parecia ter fogo na alma e exalá-lo prodigiosamente. E sua beleza, com a agitação e com o nervosismo, era ainda maior. Ria, e os seus dentes pequenos e iguais brilhavam entre os lábios, como pérolas. A sua respiração era apressada e entrecortada de comoção. As asas finas do seu nariz tremiam. Uma das suas lindas tranças, que lhe davam duas voltas em torno da cabeça, soltara-se e caíra ocultando-lhe a orelha esquerda e parte da face carminada. As fontes brilhavam-lhe, úmidas.

— Diz-me a verdade, velho! Diz-me a verdade, meu bem, antes que a tua razão se escureça! Aqui está a minha branca mão! Há de haver alguma razão para que as pessoas te considerem bruxo. Também estudaste nos livros e conheces a magia negra! Vê agora as linhas da minha mão, bom velho, e lê nelas o meu desgraçado destino! Só te peço que me digas a verdade! Bem, diz-me o que pensas e o que sabes: a tua filhinha será feliz, ou não lhe perdoarás e chamarás a desgraça para o seu caminho, valendo-se dos teus sortilégios? Diz-me: será tranquilo o canto em que farei o meu ninho, ou terei, à maneira das aves migradoras, que andar toda a minha vida à procura de amparo, entre gente estranha, como uma pobre órfã? Diz-me: quem é meu inimigo e me guarda rancor... e quem é meu amigo e só tem no coração amor para me oferecer. Diz-me: o meu jovem e ardente coração terá de permanecer toda a sua vida solitário, até embotar-se com o tempo, ou encontrará, pelo contrário, outro coração igual a ele e que bata de felicidade em uníssono com ele... até uma nova dor? E diz-me, velhinho, com toda a verdade, onde, sob que céu azul ou para além de que mar e de que florestas longínqua vive o meu belo falcão; diz-me onde e se também ele perscruta com olhos penetrantes o horizonte em busca da sua companheira, e se também me espera com ânsia, e se o seu amor também é ardente, ou se já o esqueceu e me engana, ou se me não engana e permanece fiel! E diz-me também por fim isto, que é o mais importante: se está escrito que teremos de passar os dois ainda muito tempo juntos, sentados aqui, neste mísero tugúrio, a lermos livros misteriosos! Ou se terei eu de dizer-te adeus, fazer-te uma grande vênia pela tua hospitalidade, e por me teres dado de comer e de beber, e por me teres contado histórias! Mas tem cuidado: diz-me a verdade, não me mintas! Chegou o momento, tem cuidado contigo!

A sua excitação aumentava a cada novo desejo que exprimia, até que, ao proferir as últimas palavras, a sua voz perdeu o domínio de si própria, como se um torvelinho lhe tivesse destroçado o coração. Os seus olhos relampejaram e os seus lábios pareciam tremer levemente. E, contudo, a sua voz denunciara ao mesmo tempo vibrações irônicas; nas suas palavras parecia ocultar-se constantemente uma ironia e era de dizer que no seu escárnio vibrava um soluço dissimulado pelo riso. Tinha-se inclinado para o velho, por cima da mesa, e olhava-o nos olhos com uma curiosidade inquisidora. Mal ela se calou, Ordínov sentiu que o seu coração começava a palpitar. Olhou-a e esteve prestes a lançar um grito de entusiasmo e a levantar-se da cadeira. Mas reparou num breve olhar do velho e ficou hipnotizado, paralisado no seu lugar; era uma estranha mistura de desprezo, mofa, inquietação hostil e ao mesmo tempo uma curiosidade rancorosa e maligna o que aquele olhar, duro e rápido, deixava transparecer, e perante Ordínov estremecia sempre e sempre, seu coração se enchia de ódio e de raiva impotente.

Pensativo e com uma curiosidade triste, o velho contemplava a sua Ekatierina que o tinha ferido, que tinha trespassado o coração; chegara finalmente a pronunciar aquelas palavras e ele nem sequer tinha pestanejado. Não fazia senão sorrir desde que a jovem se calara.

— Muitas coisas queres tu saber ao mesmo tempo, minha pombinha que criaste asas e queres agora levantar voo! Enche mais uma vez esta taça funda e bebamos primeiro pelo fim da nossa amizade e também pela nossa boa vontade; para que não aconteça malograr-se o meu desejo por causa do mau-olhado de alguém. O diabo tem grande poder! Curto é o caminho que leva até ao pecado!

Ergueu a taça e esvaziou-a. Quanto mais bebia, mais pálido se punha. Os seus olhos, de vermelhos pareciam duas brasas. Era evidente que aquele brilho febril e aquela súbita palidez de morte eram os prenúncios de um novo ataque. Pois aquele vinho era pesado e ardente. Também Ordínov sentia, apesar de ter bebido apenas uma taça, que a vista lhe fugia; o seu sangue, alterado pela febre, já não podia resistir à força daquele vinho que lhe sobre-excitava o coração e lhe perturbava a mente. A sua inquietação aumentava de momento para momento. Tornou a encher a taça daquele vinho espesso e bebeu um trago sem saber bem o que fazia nem como lutar contra a sua agitação; ao mesmo tempo o sangue girava-lhe pelas veias cada vez mais impetuoso... sentia-se como que arrebatado por um sonho de febre e, apesar da sua atenção obstinada, mal podia seguir o que ocorria entre Ekatierina e o velho.

Este deu uma pancada forte com a taça, sobre a mesa.

— Mais vinho, Ekatierina! — exclamou. — Vamos, minha velhaca, dá-me mais vinho até me embebedares! Mesmo que o velho beba, descansa que ainda fica muito para ti! Isso, põe mais, enche a taça, minha joia... assim! Agora bebamos os dois! Por que bebeste tu tão pouco? Ou teria sido eu que não reparei bem?

Ekatierina respondeu qualquer coisa cujo sentido escapou a Ordínov e o velho cortou-lhe a palavra; pegou-lhe na mão como se já não tivesse forças para conter tudo quanto lhe ia no íntimo. Estava pálido, os olhos, umas vezes ficavam nublados, outras voltavam a flamejar num fogo estranho. Tremiam-lhe os lábios descoloridos e, numa voz vacilante e desigual, onde de vez em quando havia vibrações de entusiasmo, disse à companheira:

— Dá-me a tua mãozinha, minha linda! Vou ler-te a sina e dizer-te toda a verdade! Disseste bem, Ekatierina, eu sou realmente um feiticeiro! O teu coração de ouro adivinhou que só eu sou capaz de decifrá-lo e que não ocultarei a verdade a esse ingênuo, a esse cândido coração! Só há uma coisa que tu ignoras; é que nem eu, o bruxo, posso tornar-te ajuizada! A discrição não é adorno para mocinhas e, ainda que uma pessoa lhe diga a verdade, nunca chegam a entendê-la nem a compreender nada! A tua cabecinha... é uma serpente astuta, mesmo quando o coração se afoga em lágrimas! Ela própria abre o seu caminho e sabe deslizar cautelosa por entre os perigos, e conseguir habilmente os seus desejos! É certo que às vezes consegue aquilo que quer servindo-se da razão... e quando não for assim, vai conseguir pela sua beleza ou pelo encanto dos seus olhos negros! A beleza quebranta a vontade e por muito duro que seja um coração... ela o quebra, com a sua força! Ficarás aniquilado pelo sofrimento e pela inquietação! E quando a dor se apodera de um homem... Mas não é os corações fracos que ela procura. A infelicidade, quando chega, instala-se antes nos corações fortes e, silenciosamente, e sem que ninguém dê por isso, vai-lhe extorquindo lágrimas e lágrimas de sangue, o que é um saboroso espetáculo para os maus. Mas a tua dor, minha filha, essa é como uma pegada sobre a areia, que a chuva desvanece, que o sol evapora e o vento apaga. Mas espera, deixa-me continuar, vou ler-te a sina: serás escrava daquele que amares, vais lhe entregar a tua liberdade e a tua vontade, serão entregues como penhores que não hás de recuperar jamais; não saberás esquecer o teu amor no momento oportuno; semearás um pequeno grão e o teu sedutor fará amadurecer a espiga e recolherá todo o cereal! Minha filha, minha cabecinha preciosa: sepultaste uma lágrima tua no meu vinho e hás de sem dúvida sepultar nele ainda mais de cem; disseste lindas palavras, enamoraste-te dele e tu própria chamaste a dor! Mas nunca hás de ter de te lamentar por causa dessa lagrimazinha, dessa gotinha de celestial orvalho, nunca! Há de ser-te devolvida com juros essa pérola de pranto e não falta muito; pela noite grande e triste, quando a dor cruel apunhalar o teu coração... então, sobre o teu seio ardente, essas lágrimas hão de queimar-te como bronze líquido; e hás de verter ainda mais lágrimas até ensanguentares teu níveo peito, e, até que chegue a manhã, nublada e sombria como um amanhecer de chuva, vais dar voltas sobre o leito, derramarás um sangue purpurino das tuas feridas abertas, e nunca mais, mesmo quando o dia já for alto, hão de curar-se essas feridas! Serve-me mais vinho, Ekatierina, mais vinho, minha pomba, pelos bons conselhos que te dou! Mas preciso ainda de dizer-te mais coisas, minha filha!

Baixou a voz, que lhe tremia; poderia dizer-se que um soluço se escapava do seu peito... Serviu-se ele próprio de mais vinho, avidamente; depois tornou a bater com a taça sobre a mesa. E de novo se incendiou o seu olhar turvo.

— Ai! Faz como quiseres! — exclamou. — O que passou, passou! Serve-me mais, mais, enche-me a taça até aos bordos para que o vinho arranque a minha estúpida cabeça de cima destes ombros e a minha alma se afogue nele! Adormece-me bem para aquela noite imensa, para aquela que já não tem manhã, faz com que perca o juízo para sempre! Vinho bebido é como vida vivida! Mas o comerciante perderia as mercadorias se abrisse as mãos em vão! Se as não desse por sua própria vontade e pelo seu valor, também o inimigo derramaria sangue, também havia de correr sangue inocente, e os compradores teriam de acrescentar ao combinado a sua alma perdida! Mais vinho, mais vinho, Ekatierina!

Mas, de repente, a mão que segurava a taça de prata pareceu quedar-se rígida como num espasmo, e não tornou a mover-se. Respirava apressadamente e a cabeça tombou-lhe sobre o peito. Uma vez ainda fixou o olhar imóvel sobre Ordínov, como se quisesse trespassá-lo pela última vez; mas também esse olhar se foi apagando gradualmente, e as pálpebras lhe baixavam como se fossem de chumbo. Uma palidez mortal lhe cobriu o rosto... No entanto os seus lábios ainda se agitaram como se quisessem dizer alguma coisa... De repente uma lágrima grande e ardente brilhou-lhe entre as pestanas e aí ficou suspensa por uns instantes, até que se fundiu e rolou lentamente pela sua face lívida...

Ordínov já não tinha forças para continuar a ver aquilo. Levantou-se, avançou um passo e, cambaleando, aproximou-se de Ekatierina e puxou-a por um braço; mas ela nem sequer o olhou e ficou como se nem o tivesse visto. Parecia ter também enlouquecido, como se um estranho pensamento se tivesse apoderado dela e a cativasse com o seu feitiço, e a tivesse assim, obcecada. Atirou-se de encontro ao peito do velho adormecido, cingiu-lhe o pescoço com os braços níveos e ficou-se a olhá-lo, imóvel, como se não pudesse desviar dele os olhos. Nem sequer deu conta de que Ordínov a tomava por um braço. Somente passado um instante ergueu a cabeça e voltou a olhá-lo, fixando nele um longo e penetrante olhar. Depois estremeceu, como se tivesse despertado; um forçado e assustado sorriso, quase doloroso, brotou do mais íntimo do seu ser, assomando-lhe aos lábios...

— Vai embora, vai logo! — murmurou. — Estás bêbado e és mau! És um mau hóspede para mim!

E de novo se voltou para o velho e outra vez, fascinada, voltou a fixar os olhos sobre o rosto dele.

Parecia vigiar a respiração do adormecido; parecia querer acariciar o sono dele com o seu olhar. Sim, parecia até que queria abafar a respiração, como se não se atrevesse a deixar pulsar o coração. No seu rosto, em todo o seu ser, notava-se um tão grande arrebatamento de amor, que, de repente, Ordínov sentiu um ímpeto de desespero, de raiva e de cólera.

— Ekatierina, Ekatierina! — exclamou, segurando-a violentamente por um braço.

O rosto dela crispou-se de dor; levantou a cabeça e olhou-o; porém, com tal expressão de escárnio, com tão insolente desprezo, que ele ficou pasmado, sem compreender nada do que via. Ela apontou para o velho a adormecido e olhou para Ordínov de tal maneira... como se todo o ódio do seu inimigo lhe tivesse passado para a alma, e ele o sentiu como se alguma coisa se tivesse quebrado dentro de si, com uma dor imensa que o deixava gelado.

— O quê? Julgas que será capaz de matar-me? — disse Ordínov, encolerizado, fora de si.

E como se um demônio lhe tivesse sussurrado qualquer coisa ao ouvido... compreendeu de repente... e o seu coração estremeceu numa risada terrível.

— Logo te comprarei ao teu comerciante, minha bela, se é a minha alma que me pedes! Fica tranquila que não há de matar ninguém...

O sorriso imóvel que não se apagava dos lábios de Ekatierina pareceu-lhe terrível. O escárnio infinito daquele sorriso torturava o coração de Ordínov. Não sabia já o que fazia, procedia maquinalmente. Apoiou-se contra a parede e desprendeu um rico punhal antigo do gancho em que estava pendurado. Uma expressão de assombro deslizou pelo rosto de Ekatierina: mas, ao mesmo tempo, aquela expressão de ódio e desdém assomou aos seus lábios com tal força que Ordínov se esqueceu de tudo. Olhou para a jovem e sentiu uma vertigem... Parecia-lhe que alguém impelia a sua mão, pronta já a cometer um ato indigno e, como louco e levado por um impulso alheio, retirou o punhal da bainha... Ekatierina continuava imóvel, numa tensão ansiosa, seguindo cada um dos movimentos do rapaz...

Ordínov fixou os olhos sobre o velho...

De repente pareceu-lhe que uma das suas pálpebras se erguia lentamente e que, por entre as pestanas, um dos seus olhos o mirava, zombeteiro. Os olhares de ambos encontraram-se, defrontando-se fixamente: durante um minuto, sem um estremecimento, Ordínov susteve o olhar de Múrin... De súbito pareceu-lhe que todo o rosto do velho se abria num sorriso diabólico que ressoava pelo quarto, e que o sangue se gelava no seu corpo, paralisando-o. Uma ideia atroz, tão negra como a noite, passou pelo seu cérebro. Estremeceu, o punhal tombou-lhe das mãos e foi cravar-se sobre o chão. Ekatierina deu um grito como se despertasse de um sonho, de um pesadelo pavoroso e se encontrasse ainda tomada do seu espanto... O velho ergueu-se lentamente e, com o rosto pálido e cheio de rancor, de um pontapé atirou com o punhal para um canto do quarto. Ekatierina estava pálida como uma morta, de pé junto da cama, e não se mexia. Os olhos dela fecharam-se, as suas feições exprimiam uma dor muda, insuportável; cobriu o rosto com as mãos e, aos gritos, lançou-se aos pés do velho.

— Alhocha! Alhocha! — exclamou tomada de um desespero infinito.

O velho cingiu-a com os seus braços rijos e apertou-a com força contra o peito. Mas enquanto tinha assim a cabeça inclinada, todas as suas feições se abriam num riso insolente e descarado, de tal maneira que Ordínov começou a sentir que um horror glacial se apoderava dele. Engano, cálculo, tirania e zeloso domínio sobre aquele pobre e dilacerado coração de uma mulher... foi isto o que o rapaz viu naquele insolente riso.

— Louca! — murmurou, estremecendo de horror e saindo daquele quarto à pressa.

Capítulo VI

Quando na manhã seguinte, ainda pálido e excitado pelos episódios da noite, Ordínov entrava pelas oito da manhã em casa de Iároslav Ilhitch — que fora visitar movido por um impulso que ele mesmo não compreendia — ficou parado entre os umbrais, rígido de assombro, porque dentro da sala estava... Múrin. O velho estava ainda mais pálido do que Ordínov e mal podia aguentar-se de pé, mas, apesar disso e da amabilidade com que Iároslav Ilhitch, que se alegrava muito com a sua visita, não queria sentar-se.

Quando Iároslav Ilhitch viu Ordínov dirigiu-lhe uma saudação que revelava uma alegre surpresa, mas logo a sua alegria cedeu lugar a uma expressão de perplexidade, de modo que parou a meio do caminho, indeciso, sem se resolver a oferecer--lhe uma cadeira. Via-se claramente que não sabia o que havia de dizer nem que fazer, e que ao mesmo tempo compreendia a inconveniência de continuar fumando naquele momento o seu cachimbo turco. Mas, apesar disso — tão grande era a sua perturbação — continuou a puxar fumaças do cachimbo, se bem que não com a calma costumada, mas com aspirações mais frequentes e apressadas. Ordínov lançou um rápido olhar a Múrin e viu no seu rosto algo de semelhante ao sorriso malicioso da noite anterior, o que voltou a provocar a sua ira. Contudo os sinais de hostilidade não tardaram a desaparecer do rosto do bruxo, que tomou uma expressão hermética e de absoluta indiferença.

Lentamente, fez uma profunda reverência ao seu hóspede... Este pequeno incidente teve o bom resultado de obrigar Ordínov a recuperar a sensatez. Olhou atentamente Iároslav Ilhitch com olhos penetrantes, como para inferir do rosto dele a maneira como devia conduzir-se naquela ocasião. E a Ilhitch pareceu que era bem penoso aquele olhar interrogador.

— Mas, por favor, vem cá, aproxima-te, caro Vassíli Mikháilovitch! — exclamou por fim, transtornado. — Agradeço-te muito a honra que me dás com a tua visita... Com a tua presença, honrarás... esta humilde casa.

Iároslav Ilhitch coordenava mal as ideias e as palavras, perdeu o fio do discurso, fez-se rubro até às orelhas, de tão comovido, e também com raiva ao ver que as frases não lhe saíam direitas, e que, por mais que fizesse, já não havia remédio. Arrastou com grande ruído uma cadeira até ao meio da casa.

— Não te vou roubar muito tempo, Iároslav Ilhitch, queria apenas...

— Ó, homem! Que é isso? Tu, roubares-me tempo, a mim... Vassíli Mikháilovitch!... Não, homem; vais tomar uma chávena de chá!... Eh! anda logo, rapaz! E o senhor, é claro, também não recusa uma chávena, não é verdade?

Múrin disse apenas que sim com a cabeça, dando a entender que considerava muito natural o oferecimento.

Iároslav Ilhitch pôs-se a ralhar com o criado pela sua habitual demora em acorrer ao seu chamado, pediu-lhe em tom severo três chávenas de chá, depois do que se sentou na cadeira mais próxima da de Ordínov. Já sentado, abanava a cabeça para um lado e para o outro, como um catavento, olhando alternadamente para os dois visitantes. A sua situação não tinha certamente nada de agradável. Era evidente que queria dizer alguma coisa, alguma coisa de muito delicado, sobretudo para um dos dois; contudo, apesar das voltas que dava à cabeça, as palavras não lhe vinham à boca. Ordínov também não sabia muito bem o que queria dizer e ainda muito menos o que devia pensar.

Houve um momento em que pareceu que ambos iam falar... Entrementes, o taciturno Múrin teve tempo de observá-los atentamente e de tornar a dar ao semblante um ar de tranquilidade...

— Vim participar-te — anunciou Ordínov de repente — que por causa de certo incidente aborrecido me vejo forçado a deixar o meu atual alojamento e...

— Então é verdade? — interrompeu-o Iároslav Ilhitch. — Francamente, caiu-me o coração aos pés quando este senhor me anunciou o teu propósito. Mas...

— Mas, como pode ele comunicar-te uma coisa dessas? — perguntou Ordínov, assombrado e olhando Múrin. Este cofiou a barba e sorriu para consigo.

— Pois é verdade, foi ele quem me disse! — insistiu Iároslav Ilhitch. — A não ser que eu tenha ouvido mal... Em todo caso devo dizer que... palavra de honra!... não houve, em tudo quanto me disse, nem uma sombra de ofensa a ti...

E Iároslav Ilhitch pôs-se vermelho ao dizer isto e só com muita dificuldade conseguiu conter a sua agitação. Múrin que parecia entretanto ter-se divertido bastante com a perturbação de Iároslav Ilhitch e do seu hóspede, julgou chegado o momento de intervir na conversa e deu um passo em frente.

— Por esse motivo, senhor, — começou lentamente, inclinando-se diante de Ordínov à maneira dos camponeses — por esse motivo me atrevi a incomodar o nosso amigo. O caso é este... o senhor sabe... nós, isto é, eu e minha mulher... teríamos muito gosto e não diríamos nada em contrário. Mas... digam o que quiserem... o senhor bem sabe, porque já o viu, como é o nosso quarto. E, sobretudo, temos mais que o suficiente para nós os dois, pelo que estamos sempre a dar graças a Deus para que nos não desampare e nos mantenha sempre nesta situação. Aliás, o senhor mesmo viu tudo isto e não é preciso dizer mais nada.

E Múrin passou a manga pela barba, como um verdadeiro aldeão.

Ordínov sentia uma grande repugnância.

— Sim, é verdade, já eu mesmo disse isso noutra ocasião. Está doente, efetivamente... *ce malheur*...[4] isto é, perdão, queria...

— Sim, sim...

— Sim, é isso, é...

Ordínov e Iároslav Ilhitch fizeram um ao outro mútuas reverências, sem levantar dos seus lugares, e Iároslav Ilhitch, procurando apagar a leve discrepância surgida com um sorriso de desculpa, continuou:

— Aliás, informou-me com muitos pormenores e, ao anunciar-me... eu o acredito, pois o tenho por um homem de palavra — juro! — que a doença dessa... senhora...

Ao chegar a este ponto, o consciencioso Iároslav Ilhitch... talvez para dissipar uma ligeira dúvida que tinha voltado a patentear-se no rosto de Múrin, olhou para este com olhos interrogadores.

— De minha mulher...

O bom Iároslav Ilhitch deu-se por satisfeito com aquela explicação e continuou a falar:

— A sua mulher... já não o é, mas que já o foi... por isso, a sua... bem, *pardon*, não sei... bom. O certo é que está doente e deves lembrar-te disso. Diz que tu a incomodas nas suas ocupações e ele assevera o mesmo... Por que me escondeste um incidente tão importante, Vassíli Mikháilovitch?

— Qual?

— Sim... o do revólver — disse Iároslav Ilhitch por entre dentes e de um modo evasivo, de tal maneira que só uma parte mais que insignificante, um milésimo de censura, se podia deduzir do tom de terna amizade da sua voz de tenor. — Mas — apressou-se a acrescentar — agora que sei tudo... ele me contou completamente todo o episódio... tenho de dizer-te que terias feito muito bem e seria digno de ti se lhe perdoasses o seu ato involuntário. Juro-te que vi lágrimas nos seus olhos quan-

4 Esta infelicidade...

do me contava tudo!

Iároslav Ilhitch tornou a corar um pouco, os olhos brilhavam-lhe e modificou levemente a posição da cadeira e do corpo.

— Eu queria dizer-lhe, cavalheiro, isto é, eu e minha mulher, que nós pedimos a Deus pelo senhor — recomeçou Múrin fitando Ordínov, enquanto Iároslav Ilhitch continuava a lutar por dominar-se e o olhava serenamente — mas o senhor sabe que ela é uma pobre doente, meio tonta, e eu também não ando lá muito bem...

— Mas não vale a pena incomodar-se — atalhou Ordínov com impaciência. — Eu estou disposto a mudar-me imediatamente!

— Não, cavalheiro, nós estamos muito satisfeitos com o senhor!

Múrin voltou a fazer-lhe outra grande vênia.

— Senhor, eu não me refiro a isso. Quero apenas dizer uma coisa... É que ela é meio parenta minha. O senhor tem de me desculpar por eu não me exprimir melhor. Somos pessoas humildes, senhor... mas ela é assim desde pequena. Caprichosa, criada no meio dos bosques, sem outro convívio senão o dos barqueiros e operários da fábrica! E eis que lhe arde a casa, e a mãe morre no incêndio. Mas ela conta tudo isto sabe Deus como... Eu não quero contradizê-la; em Moscou viram-na médicos da maior nomeada, em con... con... conferência, como eles dizem... e nada, senhor... Que não há nada a fazer... Que é incurável. A infeliz não tem no mundo mais ninguém senão eu, por isso vive comigo... isto é, vivemos juntos e juntos rezamos ao Senhor e confiamos na sua onipotência. Mas — repito — diga ela o que disser, não a contrario nunca...

Ordínov empalideceu. Iároslav Ilhitch voltou a olhar para um e para outro alternadamente.

— Mas eu não queria falar disso, senhor, não! — continuou Múrin e abanou a cabeça com ar grave. — Ela, coitada, tem um temperamento arrebatado e é tão terna e mimada que toda se enrosca, e está sempre ansiosa por um namorado... e, com licença dos senhores, está sempre "esfomeada" por um noivo; nisto consiste a sua tara. Por isso eu me ponho a contar-lhe histórias para a distrair e para que não pense nessas coisas... Este é o caso. Mas eu pude ver, senhor, que ela... o senhor perdoe-me por dizer isto assim — desculpou-se Múrin fazendo uma reverência e cofiando de novo a barba com a manga — que ela... se apaixonou pelo senhor e se pôs de conversa e como o senhor, correspondendo os seus requebros, mostrava intenção de aproveitar-se dela...

Iároslav Ilhitch ficou vermelho como uma brasa e olhou Múrin com ar de censura. Ordínov dominou-se a ponto de continuar tranquilamente sentado.

— Não... quero dizer... eu, senhor, não me referia a isso, eu não passo de um humilde aldeão... Nós somos gente simples, sem ilustração. Somos seus servos — fez outra profunda reverência. — E nós, tanto eu como minha mulher, pedimos pelo senhor nas nossas orações! De que nos havemos de queixar, se sempre gozamos de fortuna e de boa saúde... que mais podíamos desejar? Mas, senhor, que hei de eu fazer? Hei de meter a cabeça numa corda? O senhor sabe que isto é uma questão de vida ou de morte; tenha pena de nós... O senhor desculpe a minha maneira de falar, *eu sou um camponês* e o senhor é um senhor... É um rapaz forte e altivo — muito bem! — mas deve saber que ela é uma criança sem nenhuma experiência... É uma pena! Sim, senhor... é uma mulher bonita e carinhosa... e eu sou um pobre velho sempre cheio de achaques... de modo que o demônio pode tentar seja quem for! Eu estou sempre a distraí-la com contos e histórias e consigo realmente entretê-la. E não imagina como pedimos a Deus pelo senhor, como lhe pedimos com todas as veras de nossa alma! E além do mais, que interesse pode o senhor ter por ela? Embora seja bonita, não se pode negar, contudo é uma pobre aldeã, uma camponesa sem educação, boa para um lavrador e nada mais! E o senhor merece melhor do que isso! Creia que rezamos pelo senhor, com todas as forças do nosso coração!

Múrin inclinou-se outra vez numa profundíssima reverência e permaneceu durante muito tempo nessa atitude submissa, sem deixar, entretanto, de passar a manga pela barba. Iároslav Ilhitch não sabia concretamente que atitude havia de adotar.

— É verdade, meu amigo! — começou, apenas para dizer alguma coisa. — Ele já me contou tudo... e, segundo parece, a coisa não tem grande importância. Mas não te ponhas a pensar, caro Vassíli Mikháilovitch, que eu, ora, que eu tenha imaginado qualquer coisa! Mas diz-me: já estás melhor da tua doença? — perguntou-lhe com interesse, pousando nele um olhar implorativo.

— Quanto lhe devo? — perguntou Ordínov de repente, fitando Múrin.

— Como? Nós não somos nenhuns bandidos! O senhor não tem com certeza a intenção de nos ofender! Não, senhor, deveria envergonhar-se... Em que é que nós o ofendemos? Peço-lhe que me diga...

— Mas... meu amigo, isso pouco importa para o caso. Seja como for, é seu inquilino. Assim, não compreende que, pelo contrário, é o senhor quem de certo modo o ofende, negando-se a aceitar uma indenização? — interveio Iároslav Ilhitch, pois considerava seu dever mostrar a Múrin o lado feio do seu procedimento.

— Mas, por favor! Como pôde pensar? Tenha piedade de nós, senhor! Em que o ofendemos? Não fizemos tudo quanto podíamos para lhe sermos agradáveis? Seja bom e perdoe-nos! Somos porventura pagãos ou ladrões de estrada? Nós não nos opomos a que continue a viver na nossa casa e compartilhe da nossa pobre mesa, e que lhe faça bom proveito... Isto está bem, é justo... e não temos nada que dizer em contrário, mesmo nada, nem se fala mais nisso. O que acontece é que o diabo se meteu nisto, que eu estou doente, e ela, coitada, também... Que havemos de fazer? Não temos ninguém que nos sirva, e se não fosse isso, não tínhamos nada que dizer. Mas creia que o estimamos muito, que o estimamos de todo o coração!

Múrin inclinou-se de novo diante de Ordínov, numa profunda reverência. Iároslav Ilhitch estava verdadeiramente comovido e envolveu o amigo com um olhar quase orgulhoso.

— Que dizes a isto? Não te parece um belo gesto? — exclamou com entusiasmo. — O sentimento sagrado de hospitalidade não amortece nunca no coração do povo russo!

Ordínov olhou-o de um modo severo e mediu-o de alto a baixo com uns olhos que exprimiam repugnância.

— Sim, é verdade, senhor, para nós a hospitalidade é uma coisa sagrada! — confirmou Múrin e de novo esfregou a barba com a manga, da esquerda para a direita. — E precisamente por isso me veio agora uma ideia: o senhor estava conosco só a título de hóspede — continuou aproximando-se de Ordínov — e tudo correria bem, senhor... se por exemplo, um dia, isto é uma suposição, um dia mais... claro que não teríamos nada que dizer em contrário. Mas o caso é que o demônio é mau conselheiro, como costuma dizer-se, e a minha mulher não está bem. Sim, senhor, se não fosse isso... quero dizer, se por exemplo eu vivesse sozinho... Oh, então eu mesmo o serviria e faria tudo para lhe agradar! Mas, claro, na situação em que estamos não se pode pensar nisso! Porque, afinal, quem poderíamos nós ter mais gosto em ter na nossa companhia do que o senhor? Senão, veja: não sabe quanto eu daria por vê-lo completamente bom de saúde, e até conheço realmente um remédio... Bem, fique ciente que, para nós, o senhor foi só um hóspede, palavra, um hóspede e nada mais, senhor!...

— Existe efetivamente esse meio? — observou Iároslav Ilhitch. Mas logo a seguir calou-se e virou o rosto para o outro lado.

Ordínov tinha-o ofendido ostensivamente ao olhá-lo com aquele austero espanto.

Iároslav Ilhitch era por natureza um homem muito honrado e muito decente; mas agora, que tinha finalmente compreendido tudo, a sua posição era difícil. Sentia uma vontade enorme de rir-se! Se estivesse sozinho com Ordínov (bons amigos como eram), não teria de reprimir-se e teria dado largas à sua hilaridade. E, em qualquer caso, porque no fundo era um bom rapaz, teria apertado com simpatia a mão de Ordínov, teria afirmado com toda a sinceridade e franqueza que agora sentia por ele um redobrado afeto e que o desculpava etc. A juventude é sempre a juventude. Contudo, diante de Múrin, naturalmente, não podia fazê-lo; e por isso o rapaz se encontrava numa situação tão difícil que nem sabia o que havia de fazer...

— Um meio, isto é, um remédio! — retificou Múrin, cujo rosto, depois daquela indiscreta invocação de Iároslav Ilhitch, denotava grande alvoroço. —Sim, senhor, eu, com as minhas poucas luzes, sim, com a minha curta inteligência de homem de aldeia, só posso dizer uma coisa — continuou, dando um passo. — O senhor terá decerto lido muitos livros; digo mais: o senhor tem muito talento, demasiado talento e eu até seria capaz de afirmar que já o esgotou. Mas como nós costumamos dizer no campo, chega um momento em que a inteligência fica parada no ponto a que chegou, e daí já não passa...

— Basta! Não continue! — atalhou Iároslav Ilhitch em tom severo.

— Vou-me embora! — disse Ordínov. — Muito obrigado por tudo Iároslav Ilhitch, até à vista. Qualquer dia venho outra vez! — apressou-se a prometer-lhe, antecipando-se ao pedido que se lia no rosto de Iároslav Ilhitch. — Adeus!

Ordínov já não ouvia mais nada. E, meio tonto, saiu daquele recinto.

Estava aniquilado e seu pensamento estava paralisado, experimentava apenas a vaga sensação de que se sentia doente, mas, ao mesmo tempo, apoderava-se dele um frio desespero que o fazia esquecer-se de uma dorzinha quase imperceptível que tinha no peito. Pensava na morte; pensava que o melhor seria morrer quanto antes. Os pés negavam-se a sustê-lo e teve de sentar-se no banco dum passeio, sem dar a menor atenção aos transeuntes, a toda aquela gente que, pouco a pouco, começou a reunir-se à sua volta, uns por curiosidade e compaixão, outros ansiosos por saber o que lhe acontecera para poder prestar-lhe auxílio. E, de repente, chegou-lhe aos ouvidos o eco da voz de Múrin, que o enchia de pavor, como se a ouvisse num pesadelo. Então ergueu os olhos: o velho estava ao seu lado. O rosto pálido grave e pensativo. Era um homem totalmente diferente daquele que, em casa de

Iároslav Ilhitch, acabava de divertir-se tão descaradamente à sua custa. Ordínov levantou-se, Múrin agarrou-o por um braço e tirou-o de entre o povo:

— Ainda tens de ir buscar as tuas coisas — disse-lhe, olhando-o de soslaio e soltando-lhe o braço. — Não te aflijas, rapaz! — acrescentou, procurando animá-lo. — És novo, para que te hás de afligir?

Ordínov permanecia calado.

— O senhor está aborrecido comigo? Parece... Mas por quê? Cada qual defende o que lhe pertence!

— Eu não o conheço! — exclamou Ordínov bruscamente — e as suas coisas não me interessam. Ela, ela é que... — exclamou, e as lágrimas correram em borbotões dos seus olhos, rolando-lhe pelas faces, donde o vento se apressava a evaporá-las... Ordínov levou a mão ao rosto como para enxugá-las... Mas os gestos, o olhar, o movimento involuntário dos seus lábios trêmulos e arroxeados... tudo indicava que o seu espírito não era já capaz de discernir e que sobre ele descia a loucura.

— Já te expliquei — disse Múrin, franzindo as sobrancelhas — que ela está meio louca. Como e por que terá perdido o juízo, é coisa que não precisas de saber. Mas, mesmo assim, ela é para mim o que é! Quero-lhe mais do que à vida e não deixarei que ninguém a roube! Compreendeste agora?

Os olhos de Ordínov chamejavam.

— Mas por que — disse — por que me sinto eu como se tivesse perdido a minha vida? Por que me dói tanto o coração? Por que havia eu de ter conhecido Ekatierina?

— Por quê? — repetiu Múrin com um leve sorriso, pondo-se depois grave e pensativo. — Por quê? Isso também eu não sei — murmurou por fim. — Os propósitos da mulher não são nenhum mar insondável, pois podem ser explorados e, apesar disso, é necessário dar-lhes o que querem, quer o reclamem com astúcia, com obstinação ou com maus modos; mas temos que oferecê-lo como se apenas fosse preciso meter a mão no bolso e tirá-lo de lá. É mais que certo, senhor, que ela estava disposta a fugir em sua companhia — continuou pensativo. — Ela desprezava assim este pobre velho, depois de ter-se encontrado com ele em todos os transes em que é possível uma pessoa encontrar-se na vida. É evidente que o senhor lhe agradou logo à primeira vista! O senhor... tal como qualquer outro... Eu não lhe proíbo nada, deixo-lhe fazer em tudo à sua vontade. E se ela me pedisse leite de ave, leite de ave lhe daria, e procuraria por todo o mundo a ave capaz de dar leite, ainda que não existisse. É muita fantasia! Morre pela sua liberdade, mas temos de fazer de conta que não sabemos o que ela quer! E veja como acabou de pensar que em parte alguma poderia estar tão bem como com o velho! Ah, meu rapaz! É ainda muito novo, muito novo! Tem o coração ardente como a mocinha que seca as lágrimas com o braço quando o noivo a deixa. Mas ouça bem, senhor, o que eu lhe digo. O homem de coração sensível não pode estar só. Deem-lhe o que quiserem!... Tudo devolverá espontaneamente, e, se lhe oferecerem meio planeta e lhe disserem: "Pega e reina sobre ele!...", que julga que fará? Vai se esconder, morto de medo. Outro tanto acontece com a liberdade; basta oferecê-la a esse homem de temperamento fraco e verás logo como arranja maneira de prender-se e a devolve. Para os corações débeis, de nada vale a liberdade. Não sabem o que hão de fazer dela. Só lhe digo uma coisa: ainda é muito novo! Mas, bem vistas as coisas, que tenho eu com o senhor? Que fique, ou que se vá! O senhor ou qualquer outro, é a mesma coisa. Desde o primeiro momento soube logo o que iria acontecer. Opor-me, não teria servido de nada. Não devemos nunca contrariar os outros se queremos ser felizes. Mas tudo isto, senhor — continuou Múrin, filosofando à sua maneira — tudo isto é só falar por falar: pois do que se diz ao que se faz vai uma grande distância. Mas, no fim das contas, Deus sabe o que não poderia ter acontecido! Quando uma pessoa está furiosa, lança mão de um punhal, e se apanha a outra desarmada, atira-se com unhas e dentes ao pescoço do inimigo. Mas se é o próprio inimigo que te mete a faca na mão e te oferece o peito nu... serás tu próprio que recuas!

Tinham chegado ao pátio. O tártaro que os vira ao longe tirou o gorro e olhou Ordínov com maliciosa curiosidade.

— Tua mãe está em casa? — perguntou-lhe Múrin secamente.

— Está!

— Diz-lhe então que traga aqui para baixo as coisas deste senhor. E tu também... Vamos, mexe-te!

Subiram as escadas. A velha que servia em casa de Múrin e que — coisa que Ordínov ignorava! — era mãe do porteiro, reuniu à pressa as coisas dele e fez com elas um volumoso embrulho.

— Espere, vou buscar uma coisa que também lhe pertence...

Múrin subiu ao quarto e voltou logo, entregando a Ordínov um cofrezinho ricamente trabalhado a seda e pérolas, o mesmo que Ekatierina tinha colocado debaixo da sua cabeça quando estivera doente.

— Trago-lhe isto da parte dela — disse. — Agora vá com Deus; mas aviso-o de que tenha cuidado —, acrescentou a meia voz e em tom paternal — do contrário poderá suceder-lhe qualquer coisa de desagradável.

Parecia não lhe querer amargurar a despedida. Mas mal Ordínov transpôs a porta da casa e lançou a esta um último olhar, brilhou nos olhos do velho um clarão da mais profunda maldade.

Múrin fechou a porta atrás de si, quase com repugnância.

Duas horas mais tarde Ordínov estava outra vez em casa de Spiess, o alemão. Tíntchen bateu palmas, gritando "Meu Deus!" ao reconhecê-lo. A primeira coisa que fez foi perguntar-lhe pela saúde e, ao saber que estava doente, dispôs-se logo a tratá-lo.

O velho Spiess contou-lhe depois, muito satisfeito, que estava precisamente pensando em fixar o escrito com o dizer *Aluga-se*, pois exatamente naquele dia expirava o prazo de validade do aluguel que pagara. Como é de supor, o velho não perdeu a ocasião para sublinhar o sentido organizador dos alemães, tanto coletiva como individualmente, e de enaltecer ao mesmo tempo a proverbial honradez germânica. Naquele mesmo dia Ordínov adoeceu gravemente e durante três meses não pôde sair da cama.

A sua convalescença foi muito demorada. A vida em casa dos alemães decorria monótona e tranquila. O velho parecia no fundo um bom homem, sem nada de extraordinário, e a linda Tíntchen era, dentro da moral mais estrita, o que de melhor se pode desejar. E contudo Ordínov achava aquela vida tão insípida e sem cor, como se o mundo tivesse já perdido para ele toda a luz e toda a alegria. Caiu numa triste nostalgia e tornou-se irritável; veio a ser vítima das impressões que experimentava e que sentia com uma intensidade doentia, de maneira tal que o seu estado de espírito acabou por parecer-se com a da hipocondria, até que por fim a sua sensibilidade se embotou por completo para as impressões exteriores. Às vezes passava semanas inteiras sem abrir um livro. Não se preocupava sequer com o futuro; o dinheiro escapava-se por entre os dedos e já de antemão se confessava vencido; nem sequer pensava nos dias que haviam de vir. Contudo, de vez em quando voltava a sentir o seu antigo amor pela ciência, aquela febre que dantes o obrigava a criar, e os pensamentos e formas que outrora gerava o seu espírito voltavam a surgir no passado e pareciam-lhe palpáveis...

Mas agora não faziam senão torturá-lo e roubar-lhe as energias. As suas ideias não chegavam a converter-se em atos. O poder criador estava amortecido, e por isso a criação parecia também ter estancado. Era como se todas aquelas ideias brotassem agora como fantasmas no seu espírito, unicamente para escarnecer da impotência do seu criador. Ocorreu-lhe, sem querer, numa hora de consternação, comparar-se com esse aprendiz de feiticeiro que, tendo roubado ao mestre o segredo dos seus prodígios, ordenou à vassoura que lhe levasse água, e depois se afogou nessa água por ter esquecido a fórmula que servia para a fazer parar. Quem sabe se ele teria podido dar ao mundo qualquer ideia grande, original e nova! Talvez estivesse destinado a evidenciar-se na ciência. Pelo menos tinha chegado a pensar nisso, noutro tempo. E uma fé sincera torna-se só por si uma garantia para o futuro. Agora, porém, ria-se daquela sua confiança e... não avançava um passo. Meio ano atrás ainda ele era bem diferente: tinha desenvolvido, com características próprias, o esboço duma obra em que exporia as suas ideias, e nesta obra, apesar de ainda ser tão jovem, tinha posto todas as suas esperanças, até mesmo as de ordem material. Essa obra havia de ser um livro sobre a história da Igreja e, enquanto a escrevia, iam brotando da sua pena, em caudais, palavras de uma profunda e fervorosa convicção. Agora voltava a rever o plano, leu-o, modificou-o, pensou no tema e procurou nos livros mais variados, até que por fim rejeitou aquela ideia... Expulsou-a, sem pensar em substituí-la por qualquer outra. Depois começou lentamente a desabrochar na sua alma um confuso misticismo, uma espécie de crença na predestinação e nos pressentimentos, nos segredos mais profundos do mundo. O infeliz sofreu tormentos indizíveis, até que finalmente se voltou para Deus em busca de auxílio. A criada dos alemães, uma velhota russa muito beata, contava, toda contente, como o seu pacato hóspede rezava na igreja com muito fervor, e como às vezes estava horas inteiras imóvel, de joelhos, a fronte inclinada até o chão...

Ordínov não dissera a ninguém nada do que lhe tinha acontecido. Contudo, às vezes, especialmente à hora do crepúsculo, quando soavam os sinos da igreja chamando para a oração da tarde, esses sons despertavam na sua alma a recordação daqueles instantes... em que pela primeira vez experimentara aquele sentimento novo para ele e que o fazia tremer de joelhos, junto dela, esquecido de tudo o que o rodeava e ouvindo apenas o pulsar do seu coração... e recordava como depois, repentinamente, aquela simples ilusão iluminou num momento a sua vida solitária, enchendo-o de um prazer mágico que lhe arrancava lágrimas... E ao evocar agora tudo aquilo, era como se o arrebatasse uma tempestade, tempestade que se erguia no fundo da sua própria alma, ferida para sempre; depois estremecia e de novo o tormento do amor voltava a arder nele como um fogo que lhe queimasse o peito; então doía-lhe o coração, que parecia lhe querer saltar com a força da paixão; e, com a dor, o seu amor crescia e tornava-se maior e mais profundo. Deixava-se ficar com frequência assim até altas horas, sentado, esquecido de tudo e da sua vida cotidiana, esquecido do resto do mundo; horas e horas só e triste... e apoiava os cotovelos sobre os joelhos e tapava o rosto com as mãos, até que as lágrimas lhe corriam por entre os dedos e, desiludido e cansado, abanava a cabeça enquanto os seus lábios murmuravam baixinho: "Ekatierina! Meu amor! Minha querida! Minha irmãzinha!".

Pouco a pouco, cada vez mais arraigada, foi-se formando nele uma convicção terrível, ou antes, chegou a persegui-lo e a atormentá-lo sem o deixar um só momento, até transformar-se de pura suspeita em coisa verossímil, ao princípio, e por fim em coisa certa, autêntica convicção. Parecia-lhe — e, como dissemos, acabou por acreditar — que Ekatierina não tinha de maneira alguma alterados nem o espírito nem a razão, embora Múrin falasse verdade ao atribuir-lhe uma certa "fraqueza de caráter". Pensava também que algum segredo criminoso a unia ao velho, embora Ekatierina não tivesse nunca chegado a dar conta desse suposto crime, por causa da sua pureza de intenções, acabando assim por cair no poder do ancião. Quem era ela? Não sabia. Mas assediava-o a imagem de uma tirania impiedosa e implacável, exercida pelo velho sobre aquela pobre e frágil criatura, e o coração palpitava-lhe em acessos de indignação impotente. Parecia-lhe que o velho, só porque ela um dia tivera um vislumbre de tudo o que sucedera, lhe tinha censurado perfidamente "o crime", a sua culpa e a sua queda, com o fim de atormentar sem descanso aquele pobre e débil coração, manejando as coisas da maneira que lhe parecia mais conveniente para os seus desígnios e para manter a cegueira dela, e fomentando por outro lado as inclinações do seu inexperiente, ardente e perturbado coração, para deste modo ir-lhe dando asas e levar tão longe aquela alma, noutro tempo livre e indiferente, que ela acabasse um dia por julgar-se incapaz de libertar-se, quer procurando a sua salvação na vida verdadeira, quer revoltando-se contra o seu dominador...

Com o tempo Ordínov tornou-se ainda mais estranho do que antes, sem que por isso se levantasse algum obstáculo por parte dos alemães, o que, para sermos justos, não devemos deixar de dizer. Mas de quando em quando levantava da cama, saía à rua e punha-se a vagabundear sem rumo fixo. Fazia isto quase sempre pelas horas do entardecer, procurando bairros solitários e afastados, onde raras vezes se via alguém. E certa tarde chuvosa de primavera aconteceu-lhe encontrar-se com Iároslav Ilhitch numa dessas ruas afastadas.

Este emagrecera muito; os seus olhos afetuosos tinham perdido o brilho e tudo nele dava a impressão de sentir-se desiludido desta vida. Ia muito à pressa tratar de um assunto que, pelo visto, não admitia demoras, e ia além disso muito molhado e muito sujo, e do nariz, em geral muito limpo, mas agora um tanto arroxeado pelo mau tempo, pendia de um modo inverossímil uma grande gota de chuva. Além disso usava agora suíças, ele que dantes, só usava bigode.

Aquelas suíças e a circunstância de Iároslav Ilhitch, no primeiro momento, ter feito menção de escapar ao encontro com o seu antigo amigo, surpreenderam Ordínov... E — coisa estranha! — até certo ponto foram causa de que sofresse e se apoquentasse o coração daquele rapaz que até ali nunca se importara com a compaixão de quem quer que fosse. O Iároslav Ilhitch de outros tempos era-lhe querido pelo seu ar bondoso, cândido, e — vamos falar francamente — por aquela pontinha de parvoíce que não tinha a menor pretensão de enganar ninguém. Por isso lhe era desagradável mesmo, que um homem simples, de quem gostava precisamente por causa dessa simplicidade, se transformasse de repente num espertalhão. Mas o receio com que no primeiro momento olhara para Ordínov desapareceu mais rapidamente ainda do que este o notara.

Felizmente, apesar daquela mudança, não tinha perdido os seus antigos costumes, pois já se sabe que aquilo que o berço dá a tumba leva; por isso iniciou o diálogo em tom da melhor amizade. Fez notar em primeiro lugar que tinha muito que fazer e depois que havia muito tempo não via Ordínov. Mas, de repente, deu à conversa um rumo diferente e completamente novo. Pôs-se a falar da falta de sinceridade dos homens em geral, da fragilidade dos bens terrenos, assim como da inútil vida deste mundo, que só conhece desilusões... Não tardou também que, em tom exaltado, não trouxesse Púchkin à conversa, e continuou a falar dos seus bons amigos com certo cinismo, depois do que, e à maneira de remate, se permitiu uma ou duas alusões à falsidade dos que se intitulam publicamente nossos amigos, quando na realidade, desde que o mundo é mundo, não existiu um só caso de amizade verdadeira. Em suma: Iároslav Ilhitch tinha-se tornado sagaz.

Ordínov não o contradisse; mas apoderou-se dele uma inexprimível e torturada tristeza; parecia-lhe assistir ao enterro do seu melhor amigo.

— Ah, homem, imagina que já me esquecia de te contar! — interrompeu de repente Iároslav Ilhitch, como se se tivesse recordado de súbito de uma coisa importante. — Tenho uma notícia para te dar! Ainda te lembras daquela casa onde viveste algum tempo?

Ordínov estremeceu e empalideceu.

— Pois imagina que nessa casa acaba de descobrir-se há pouco uma quadrilha de bandidos! Imagina, rapaz: uma quadrilha! Contrabandistas, ladrões, larápios da pior espécie e o diabo sabe que outros malandros da mesma laia! Muitos deles já estão à sombra, mas a outros ainda não lhes puderam lançar mão. Adotaram-se as medidas mais severas. E imagina tu... lembras-te ainda do senhorio do prédio? Sim, daquele homem baixinho e tão beato, que tinha todo o aspecto de um digno e respeitável ancião?

— Sim!

— É para que vejas o que é a humanidade! Pois era esse precisamente o chefe da quadrilha. Que te parece? Hem? Não é de ficarmos com os cabelos em pé?

Iároslav Ilhitch falava com entusiasmo e condenava o mundo inteiro por causa de um só pecador, pois um Iároslav Ilhitch não pode fazer outra coisa senão julgar todos por um só, tal é a sua maneira de ser.

— E os outros?... E Múrin? — exclamou Ordínov respirando a custo.

— Múrin!... Ah, sim! Esse! Não, Múrin era um velhote simpático... Mas, espera! Espera! Acabas de lançar uma nova luz sobre o assunto...

— Como? Também fazia parte da quadrilha?

O coração de Ordínov palpitou com força no seu peito... Morria de ansiedade.

— Não, não... Como é possível que te tivesse ocorrido uma coisa dessas?

Iároslav Ilhitch fixou em Ordínov os seus olhos cinzentos com um olhar imóvel... Sinal de que não estava mais seguro.

— Não é possível que Múrin fosse desses. Três semanas antes tinha saído de Petersburgo com a mulher... de regresso à sua terra... Soube isto pelo porteiro... Aquele tártaro insolente, lembras-te?

Um Romance em Nove Cartas

Um romance em nove cartas (1845-47)

Carta primeira

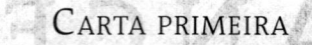

de Piotr Ivânovitch a Ivan Pietróvitch

Meu prezado e querido amigo Ivan Pietróvitch:

Pode dizer-se que há já três dias ando em sua perseguição, meu caro amigo, pois preciso falar-lhe de um assunto urgente, muito urgente mesmo, mas infelizmente não tem sido possível encontrá-lo. Ontem, em casa de Siemion Alieksiéievitch, onde ambos estávamos, a minha mulher pôs-se a gracejar à sua custa, fazendo notar que tanto você como Tatiana Pietróvna mostravam muitíssimo pouco apego ao lar; realmente ainda não fizeram três meses de casado e já é difícil apanhá-los em casa. Todos nós rimos francamente do comentário, movidos, claro está, pela sincera estima que temos por vocês. Mas, pondo agora de parte os gracejos, o que é certo, meu amigo, é que por sua causa me encontro verdadeiramente moído, como se costuma dizer. Siemion Alieksiéievitch pensava que talvez você estivesse no clube da Sociedade Unida, no baile que ali davam. Deixei a minha mulher com a de Siemion Alieksiéievitch e dirigi-me imediatamente para o dito clube. Imagine você a situação em que me encontrava: num baile... só... e sem mulher. Ivan Andriéievitch, com quem dei de cara no vestíbulo, tirou logo — grande malandro! — da circunstância de eu ali estar só, umas conclusões muito estranhas sobre o meu fraco pelos prazeres da dança; sem mais nem menos, pegou-me num braço e arrastou-me à força até à sala de baile, apesar de afirmar que o seu espírito se sentia prisioneiro na Sociedade Unida e que aqueles odores de transpiração e de perfume de reseda o deixavam enjoado. O fato é que não o encontrei ali, nem a você nem a Tatiana Pietróvna, pelo que Ivan Andriéievitch me garantiu — afirmando-o com todas as letras — que o encontraria sem falta no teatro Alieksandr, onde representavam a obra-prima de Griboiédov[1].

Corri até lá mas, de vocês, nem sombra!

Esta manhã pensava em encontrá-lo em casa de Chestogânov... Esperança enganadora! Chestogânov mandou-me para Pieriepálkin... Passos perdidos! Em suma: neste instante sinto-me completamente estafado, o que não o deve admirar, dada a anterior descrição das minhas inúteis caminhadas; já pode fazer uma ideia do que eu corri. Mas o assunto de que se trata não é para ser tratado por carta (está me entendendo?). Seria preferível tratá-lo pessoalmente. Seja como for, necessito imprescindivelmente, e o mais cedo possível, de me encontrar com você, e por isso peço-lhe que tenha a bondade de vir esta tarde com sua mulher tomar chá conosco. A minha mulher ficará encantada com a visita. Com isso ficarão vocês merecedores de minha gratidão até ao fim dos meus dias, como costuma dizer-se. Quanto ao resto, *meu querido amigo... já que estou escrevendo...* continuarei. Vejo-me obrigado

---

1 Diplomata e autor dramático russo (1793-1829). Sua obra-prima foi a peça *A dor de ter talento*.

a recordar-lhe certas coisas, sim, meu querido amigo, vejo-me obrigado a fazer-lhe uma leve censura acerca de certo desabafo, cuja vítima escolhida com extraordinária má intenção — posso considerar-me eu próprio...

... Ó meu diabo encapotado! Ó homem sem consciência! Há coisa de um mês enviaram-me vocês um amigo pessoal, um tal Ievguéni Nikoláievtch, acompanhado de uma afetuosa recomendação da parte de vocês (o que equivale a dizer que para mim é sagrada), com o que fiquei muito contente, visto ter assim oportunidade de arranjar uma nova amizade; acolhi o jovem visitante de braços abertos e, sem dar por isso, fui eu próprio meter-me na boca do lobo. Bem, na verdade, um lobo, para sermos justos, não é. Mas, seja como for, mandando-o ter comigo, prestaram-me um péssimo serviço. Abstenho-me por agora de dar-lhe aqui explicações mais minuciosas...

O tempo urge e, por carta, compreende, nem sempre é fácil dizer certas coisas, pelo que lhe peço encarecidamente, meu caro amigo e colega, que me diga se não haveria maneira em fazer compreender a esse rapaz... Claro está, com toda a discrição... e cortesia... mas de forma inequívoca... e sem ofender demasiado... enfim, pessoalmente e com muito tato... por forma indireta mas significativa... que nesta cidade há muitas outras casas sem ser a minha... É que eu já não posso mais, meu amigo. Minha paciência se esgotou! Estou quase caindo "por terra", como diz o nosso amigo polaco Siemiônovitch! Quando nos virmos, vou lhe contar tudo. Com isto que lhe acabo de dizer, não tive de modo algum a intenção de insinuar que o referido jovem seja abusador, ou que, por exemplo, seja antipático sob qualquer outro ponto de vista. Muito pelo contrário, é, até debaixo de todos os aspectos, um homem muitíssimo simpático. O pior é que... bem, você tem de ter paciência até que nos possamos ver. Mas, se daqui até lá estiver com ele, peço-lhe por tudo, meu amigo, que não deixe de dizer-lhe alguma coisa. Eu também o poderia fazer, mas você já me conhece; não me decido, e quando estou realmente decidido a fazer qualquer coisa, já é tarde. Mas foi você quem o meteu em nossa casa e no-lo recomendou. No entanto ainda esta tarde teremos ocasião de falar de tudo isto com vagar. Por isso, até logo!

SEU, ETC.

P.S. — O meu garoto já há umas semanas que anda adoentado e tem piorado de dia para a dia. São os dentinhos que estão querendo romper. A minha mulher aflige-se muito com isso e está esgotada. Mas não deixe de vir. Vão nos dar ambos um verdadeiro prazer, meu querido amigo.

CARTA II

de Ivan Pietróvitch a Piotr Ivânovitch

Meu muito estimado Piotr Ivânovitch:

Recebi ontem a sua carta, li-a e fiquei muito admirado. Você à minha procura, sabe Deus por onde e em casa de quem, e eu, entretanto, muito tranquilo na minha! Até às dez estive à espera de Ivan Ivânitch Tolokónov, que não chegou a vir. Mal recebi a sua carta chamei a minha mulher... Vestimo-nos ambos, tomamos um *drójki* — não tenho medo das despesas — e por volta das sete e meia estávamos em sua casa. Contudo... você não estava e foi a sua mulher quem nos veio receber. Esperei por si até às onze e meia. Era impossível esperar mais. Trago a minha mulher a casa, pago de novo o *drójki*, e vou diretamente à casa de Pieriepálkin, na esperança de o encontrar lá; mas tenho nova desilusão. Volto para casa, passo a noite em claro e, muito agitado, vou de manhã três vezes a sua casa — às nove, às dez e às onze — por três vezes faço despesa com as idas e vindas, e de novo fico com um nariz de palmo e meio.

A leitura da sua carta surpreendeu-me bastante. Fala-me de Ievguéni Nikoláievitch e pede-me que lhe faça certas recomendações, sem me dizer uma palavra acerca da razão por que deveria fazê-lo. Claro que a discrição é digna de louvor; mas o meu papel é, em última análise, de tanta importância como o seu, embora eu, pelo menos, saiba que não costumo dar à minha mulher documentos importantes para com eles fazer papelotes. Para ser franco, vou lhe dizer que não compreendo com que fim me escreve todas essas coisas. E, sobretudo, já que estamos a falar disto, por que me mistura, a mim, em toda esta confusão? Não tenho prazer nenhum em ver-me metido em camisas de onze varas. Ora, você podia muito bem "cantá-las" sozinho a esse rapaz. Eu, por agora, só consigo ver uma coisa; que preciso de ter uma explicação com você. Contudo, o tempo vai passando. Tenho de reduzir as minhas despesas e não sei o que hei de fazer se você não cumprir certas obrigações que, aliás, prometeu cumprir. Não é possível adiar a viagem e viajar custa dinheiro. Sem contar com o que gasta a minha mulher, que está desejosa que eu lhe compre uma capinha de veludo da última moda. Pelo que se refere a Ievguéni Nikoláievitch, apresso-me a observar-lhe o seguinte: ontem mesmo, sem perder tempo, voltei a pedir informações sobre a pessoa dele, enquanto o esperava por você em casa de Páviel Siemiônitch Pieriepálkin. Donde apurei que este jovem é dono de quinhentas almas no governo de Iaroslav e está além disso destinado a herdar da avó umas terras nas vizinhanças de Moscou, com trezentas almas. Ignoro a quanto ascenderá o seu capital em dinheiro; mas imagino que, sobre isto, você deve estar mais bem informado do que eu. Faça também o favor de me indicar definitivamente o lugar e a hora para o nosso encontro. Diz-me você que Ivan Andriéievitch o tinha informado de que poderia encontrar-nos, a mim e a minha mulher, no teatro Alieksandr. A isto só posso responder-lhe que Ivan Andriéievitch não parece andar muito perto da verdade, e que tanto a ele como ao que ele diz não se deve dar crédito, pois não há ainda três dias enganou a própria avó em cerca de oitocentos rublos.

Muito atento, etc.

P.S. — A minha mulher está no seu estado interessante, anda muito enervada e com propensão, de vez em quando, para a melancolia. E como no teatro costumam às vezes dar tiros em cena ou imitar trovões com diversas máquinas, eu, por este motivo, para não a expor ao perigo de um susto, jamais vou lá. Além disso nunca fui um apaixonado de espetáculos de teatro.

CARTA III

de Piotr Ivânovitch a Ivan Pietróvitch

Meu querido e dileto amigo Ivan Pietróvitch:

Venho pedir-lhe perdão, mil vezes perdão, e justificar-me imediatamente em sua presença, na medida do possível.

Ontem, pouco antes das seis da tarde, precisamente quando estávamos pensando em vocês com sincera simpatia, apareceu-nos em casa uma pessoa da parte do meu tio Stiepan Alieksiéievitch, com a notícia de ter-se agravado o estado da tia. Para não assustar a minha mulher não lhe disse nada e, com o pretexto de ir tratar de um assunto da maior urgência, saí de casa em direção à da doente que estava, realmente, muito mal: pouco depois das cinco havia tido outro ataque, que era já o terceiro no decurso dos dois últimos anos. Karl Fiódoritch, seu médico assistente, disse-nos que era muito possível que ela não passasse daquela noite. Imagine a minha situação, meu querido amigo! Toda a santa noite de pé, correndo de um lado para o outro, sem contar com a natural aflição! Por volta do amanhecer, completamente arrasado, tanto de corpo como de espírito, acabei por atirar-me sobre um divã no quarto do tio, mas não me lembrei de lhe pedir que me chamasse cedo; por isso estive a dormir até ao meio--dia e meia hora. A tia estava melhor. Voltei para casa; a minha mulher, coitada... bem, nem é preciso dizer mais — tinha passado a noite aflita, sem poder conciliar o sono, numa excitação fácil de compreender. Comi qualquer coisa, sosseguei-a e dirigi-me para sua casa. Você não estava. Em vez de encontrá-lo, encontrei Ievguéni Nikoláievi-tch. De regresso a casa, sento-me e ponho-me a escrever esta pequena carta. Não fique aborrecido nem me leve a mal, meu caro amigo! Corte-me a cabeça se quiser, mas não me retire a sua amizade. Soube pela sua mulher que você, esta noite, deve ir à casa de Slaviânov. Lá estarei sem falta. Vou esperá-lo com a maior impaciência.

ENTRETANTO, SOU, AO SEU DISPOR, ETC.

P.S. — Estamos desesperados com o nosso garoto. Karl Fiódoritch receitou--lhe um purgante. O pequeno está com febre, chora, e ontem nem conhecia as pessoas. Hoje, felizmente, já nos conheceu e voltou a dizer "papai" e "mamãe", e a gritar como de costume: "bu... ah". A minha mulher não faz senão chorar.

CARTA IV

de Ivan Pietróvitch a Piotr Ivânovitch

Meu muito estimado Piotr Ivânovitch:

Estou a escrever-lhe em sua casa, no seu quarto, sentado na sua própria se-cretária; mas antes de pegar na pena, estive duas horas e meia à sua espera. Agora dê-me licença, Piotr Ivânovitch, que lhe exponha com toda a franqueza a minha opinião sobre este assunto tão aborrecido.

Deduzi da sua última carta que estavam à sua espera em casa de Slaviânov, e que você devia ter lá chegado logo atrás de mim; pois eu também lá estive e esperei por você nada mais nada menos do que umas boas cinco horas; mas você não apareceu. Ora, eu não posso permitir que me façam de tolo! Nem estou para servir de passatempo aos outros! Que pretende de mim, afinal? Permita-me, meu caro senhor...

Mas continuemos: de manhã, muito cedinho, vou a sua casa, supondo que o encontraria ainda em vale de lençóis, pois não faço o mesmo que certas pessoas insensatas (para não dizer outra coisa), as quais só Deus sabe em que lugares ou entre que espécie de gente vão procurar os amigos, sabendo contudo que podem encontrá-los em casa a qualquer hora previamente combinada. Mas não tive o gosto de o encontrar. Não sei ainda o que me impede de lhe dizer a verdade nua e crua. Assim, limito-me a observar-lhe que você não parece ser um homem de palavra, que não se importa de cumprir ou não o que promete, e que, pelo visto, se esquece de certas atenções. Depois de observar a sua conduta para comigo, vejo-me na necessidade de confessar que muito me espanta a astúcia de que tem dado provas. Pelo que se passa agora não duvido de que já há muito tempo procede você com má intenção. Para provar a exatidão das minhas suposições, a melhor prova que posso apresentar é o fato de ainda na semana passada você se ter apoderado de uma forma quase ilícita daquela carta escrita por seu próprio punho e que me era dirigida, na qual você mesmo — embora de um modo obscuro e arrevezado — mudava ao sabor das suas conveniências as cláusulas de certo acordo de que deve estar muito bem lembrado. Você tinha medo das provas, destruiu-as e, segundo parece, quer fazer-me de palhaço. Eu, porém, não estou disposto a consentir isso, pois até à data presente ninguém jamais fez pouco de mim, muito pelo contrário, todos me consideram bastante. Mas agora já abri os olhos. Você pretende despistar-me, atirar-me poeira aos olhos com as suas insinuações acerca de Ievguéni Nikoláievitch, enquanto eu, depois da sua carta de 7 deste mês, que ainda não consegui compreender, procuro a forma de ter um encontro pessoal; obriga-me a andar de um lado para o outro por lugares onde tem o cuidado de não pôr os pés e, segundo todos os indícios, não procura senão esconder-se de mim.

Julga, meu caro senhor, que não sou capaz de adivinhar as suas intenções? Promete-me este mundo e o outro em troca dos meus serviços, que bem conhece; oferece recomendações a diferentes pessoas, etc., mas faz tudo isso de maneira enigmática, com o propósito de, com aparente justificação, me extorquir do bolso dinheiro emprestado, em quantias consideráveis, e sem nenhuma espécie de garantias, só com o pretexto da amizade, como, para não irmos mais longe, aconteceu na semana passada. Agora porém que já recebeu o dinheiro, anda a esconder-se de mim e não parece lembrar-se nem por momentos do favor que lhe prestei, principalmente ao apresentar-lhe Ievguéni Nikoláievitch. Talvez você esteja a contar com a minha próxima viagem a Simbirsk e viva na ilusão de que não façamos contas antes disso. Mas, se assim for, afirmo-lhe desde já com toda a seriedade — e dou-lhe a minha palavra de honra — que se assim for, repito, estou disposto a continuar ainda durante mais dois meses em Petersburgo, de modo a conseguir o meu fim e encontrá-lo, seja lá onde for. Eu às vezes também sei fazer certas coisas, por muito que isso custe aos outros. Para terminar aviso-o de que se em todo o dia de hoje me não der explicações satisfatórias — primeiro por escrito, e depois cara a cara, pessoalmente — e se na sua carta me não confirmar, como é devido, as cláusulas principais que ambos combinamos, e, por último, se não me explicar os seus pensamentos reservados acerca de Ievguéni Nikoláievitch, nesse caso, ver-me-ei obrigado a adotar medidas que serão com certeza muito desagradáveis para você, mas que para mim serão muito agradáveis.

COM CONSIDERAÇÃO ETC.

CARTA V

Piotr Ivânovitch a Ivan Pietróvitch

11 de novembro.
Meu muito querido amigo Ivan Pietróvitch, da minha maior consideração:
A sua carta causou-me a mais profunda consternação. Então você, que é o meu melhor amigo, embora bastante propenso à injustiça não se envergonha de me escrever nesses termos, a mim, que tanto o estimo... e de me julgar tão levianamente, sem descer bem ao fundo da questão, a ponto de quase me fazer cair doente, em virtude da maneira agreste como me tratou?
Eu, em troca, apresso-me a chegar à fala com você e a dar-lhe explicações que refutem as acusações que me faz.
Você, Ivan Pietróvitch, não me encontrou ontem aqui porque repentina e inesperadamente aconteceu chamaram-me para a cabeceira dum moribundo. Pois fique sabendo que a minha tia, Iefímia Nikoláievna, faleceu ontem às onze da noite. Todos os meus parentes, por unanimidade, me escolheram a mim para tratar de todas as aborrecidas diligências a que a morte nos obriga, de maneira que tive tanto que fazer que me foi completamente impossível encontrar-me hoje com você ou escrever-lhe duas linhas que fossem. Por isso me aflige tanto esse mal-entendido que surgiu entre nós. A minha observação a propósito de Ievguéni Nikoláievitch, que eu fazia em ar de brincadeira e ao correr da pena, você não a interpretou bem e deu-lhe um sentido que me ofende profundamente. Chega até a falar de dinheiro e não oculta os seus receios. Pelo que se refere a estes, estou disposto a aceder a todos os seus desejos e exigências, mas permita-me que lhe lembre agora que essa quantia — os trezentos e cinquenta rublos — recebi-os de sua mão a semana passada com determinadas condições que ficaram bem especificadas, e não a título de empréstimo. Neste último caso não teria deixado de dar-lhe uma letra ou um vale. Não quero ir ao ponto de discutir as restantes barbaridades que insinua na sua carta. Vejo que tudo isso se deve a uma interpretação errônea da sua parte, atestando a sua habitual precipitação em julgar as pessoas, a sua fogosidade e o seu espalhafato, desprovidos de qualquer circunspecção. Estou certo, porém, que o seu sentido da justiça e a honradez do seu caráter não o deixarão persistir muito tempo nessa desconfiança e que há de ser você o primeiro a estender-me a mão em sinal de reconciliação. Enganou-se, Ivan Pietróvitch, enganou-se redondamente.
Contudo, apesar disso, embora a sua carta me tivesse ferido profundamente, teria sido eu o primeiro a ir a sua casa apresentar-lhe as minhas desculpas se, infe-

lizmente, não tivesse tido tanto que fazer — e hoje ainda tenho mais do que ontem — que me sinto morto de cansaço e mal posso ter-me de pé. Para cúmulo da desgraça, também a minha mulher teve de meter-se na cama. E receio que se trata de qualquer doença séria. Quanto ao garoto, graças a Deus vai melhor. Mas por agora vou terminar... tenho uma montanha de assuntos para despachar!

SUBSCREVO-ME, SEU MELHOR AMIGO ETC.

CARTA VI

de Ivan Pietróvitch a Piotr Ivânovitch

14 de novembro.
Meu caro senhor:

Esperei durante três dias, que fiz o possível por empregar de maneira útil... Recordando a máxima: "a cortesia e a dignidade são as primeiras qualidades que devem ornamentar um homem", e embora o senhor não tenha respondido à minha última carta de 10 deste mês com uma só palavra ou ação, não tenho querido dar-lhe pressa, a fim de por um lado lhe dar tempo de cumprir os seus deveres de cristão para com sua tia e, por outro, para eu próprio ter tempo para certas reflexões e cálculos sobre o assunto que sabemos. Agora, porém, já não hesito em falar-lhe de um modo definitivo e categórico.

Confesso-lhe francamente que ao ler as suas duas primeiras cartas fiquei sinceramente convencido de que o senhor realmente não tinha compreendido o que eu queria; foi também esta a principal razão por que eu desejava tanto vê-lo e falar-lhe, e não quis confiar o assunto ao papel, pondo-me assim de sobreaviso contra a possibilidade de incorrer em ambiguidades, tratando-o por escrito. Como sabe, eu não sou homem que tenho recebido uma educação especializada e também não tive oportunidade de assimilar maneiras finas, mas, em compensação, é-me estranha a oca fatuidade, pois uma experiência bem amarga ensinou-me até que ponto o aspecto exterior das pessoas pode enganar, assim como também não é raro que entre as flores se oculte uma serpente venenosa. Mas o senhor compreendeu-me; só não me respondeu na forma conveniente, porque tendo em atenção a falsidade do seu caráter, estava desde o princípio disposto a faltar à sua palavra de honra e a acabar assim com a amizade que nos unia.

A prova disso é a maneira vergonhosa como se conduziu, maneira essa de agir que me prejudica lesando os meus interesses... coisa que nunca esperei do senhor e em que, até ao presente, me recusaria a acreditar, pois encoberta como tem estado, desde o princípio, na rede das suas boas maneiras, do seu fino trato, da sua experiência, eu, sem me preocupar com o proveito que poderia tirar das minhas relações com a sua pessoa, supus ter encontrado em si um amigo sincero, um verdadeiro camarada, o que me dava grande satisfação. Mas agora não tive outro remédio senão reconhecer que neste mundo há infelizmente homens que, sob aparências falazes e brilhantes, ocultam veneno no coração e passam o tempo a fazer intrigas contra os outros e a preparar-lhes armadilhas astutas e terríveis e, que por este motivo costumam pintar o branco de negro, não utilizando sequer a sua habilidade literária para proveito e edificação dos amigos e da pátria, mas unicamente para enganar e iludir os que têm a pouca sorte de fazer negócios ou combinações com eles. A sua deslealdade para comigo ressalta com toda a claridade do seguinte:

Em primeiro lugar, ao descrever-lhe eu na minha carta, meu caro senhor, de um modo claro e preciso, a situação em que me encontrava, assim como ao perguntar-lhe, na primeira que lhe escrevi, o que queria dizer com aquelas reticências e palavras indiretas a propósito de Ievguéni Nikoláievitch, o senhor respondeu-me por alto e passando por cima do que era primacial e, depois de me ter aborrecido e de me ter lançado a dúvida no espírito, acabou por fazer-se dessentido. Isto é, depois de me ter trazido para a arena, procedimento que não é possível classificar com um epíteto decente — escreve-me queixando-se de mim próprio nesse tom lastimoso. Que nome quer o senhor que se dê a isto? E como o tempo era para mim precioso e o senhor me fazia dar a volta à cidade à sua procura, ainda com a máscara de amigo, tem depois o descaramento de escrever-me cartas em que propositadamente evitava mencionar o assunto principal, entretendo-se em compensação exclusivamente com coisas secundárias; fala-me da sua vida particular, da sua mulher, por quem, em qualquer caso, tenho a maior consideração, e participa-me que o médico receitou um purgante ao seu garoto, que tem os dentes a romper. Fala-me de tudo isto nas suas cartas com uma insistência que eu considero francamente ofensiva. Acho perfeitamente natural que qualquer pai se preocupe com os sofrimentos do filho; mas, por que se há de pôr a falar disso quando se trata de qualquer coisa de muito diferente e de maior importância? Fui-me calando e suportando... Deus sabe com quanto custo! Agora, porém, que já passou o tempo preciso para o senhor estar livre das obrigações que o falecimento da sua tia fez recair sobre os seus ombros, vejo-me na obrigação de proceder de um modo definitivo, e vou, sem perda de tempo, pôr as coisas a claro. Por outro lado, o senhor, com as suas falsas indicações de lugares onde poderia encontrá-lo, mas onde nem sequer sonhava pôr os pés, quis com certeza obrigar-me a fazer papel de idiota ou de fantoche, coisas para que eu não tenho a mínima propensão. Além disso, depois de me ter convidado a visitá-lo e de me ter feito esperá-lo inutilmente em sua casa, vem agora dizer que o chamaram para a cabeceira da sua tia doente, que tivera um ataque às cinco em ponto, com o que o senhor, aparentemente muito contrariado, explicava o contratempo. Contudo, durante três dias, tive felizmente oportunidade de ser informado de que no dia 7, durante a noite, pouco antes da vinte e quatro horas, a sua tia tivera uma apoplexia. Donde concluo que o senhor nem sequer tem escrúpulos de abusar da santidade do parentesco quando se trata de enganar o próximo. Finalmente, na sua última carta comunica-me a morte da referida tia, a qual segundo me disse, faleceu precisamente à hora em que eu, seguindo as suas indicações para a dita entrevista, devia encontrar-me em sua casa, onde de fato estava. Neste ponto os seus escandalosos cálculos e invenções superam tudo que se possa imaginar, pois, segundo soube casualmente de uma fonte de toda a confiança, sua tia faleceu aproximadamente vinte e quatro horas depois da hora a que o senhor tão pouco piedosamente a "fez" morrer, ou seja às onze da noite de 11 de novembro e não de 10. Não quero ir mais longe agora e expor-lhe todas as restantes provas da sua falsidade. Mas para qualquer juiz imparcial um único pormenor será suficiente: que o senhor nas suas cartas me chame seu sincero amigo e me lisonjeie sem qualquer disfarce, com o único fim, a meu ver, de me iludir e de me fazer esquecer de tomar certas precauções.

Chego assim, ao seu maior embuste e deslealdade, que se cifram nestes pontos: o silêncio contínuo que tem mantido nos últimos tempos sobre quanto se refere aos nossos interesses; e a subtração reprovável dessa carta em que o senhor — de um modo indireto e que eu não pude ainda compreender — tinha exposto o nosso mútuo contrato com todas as suas cláusulas; e o fato de me ter extorquido, com uma violência que passou das marcas, esses 350 rublos, sem me dar um recibo ou qualquer outro documento comprovativo, valendo-se apenas da minha qualidade de amigo — isto é uma maneira de dizer — e, finalmente, a sua maneira escandalosa de caluniar o nosso comum amigo Ievguéni Nikoláievitch.

Agora já não tenho dúvidas nenhumas acerca do que o senhor pretendia com a referida calúnia e que não era senão que, ao dito amigo — perdoe a expressão — se não podia arrancar nem o couro nem o cabelo, o que equivale a dizer que não podia tirar dele nenhum proveito, e que ele não era peixe nem carne, o que o senhor menciona claramente como um crime na sua carta de 6 deste mês. Ora, eu conheço Ievguéni Nikoláievitch e parece-me que é um jovem modesto, de bons costumes, e é esta a razão por que é simpático a todas as pessoas, por que goza de geral estima e tem perante si a perspectiva de chegar a ser alguém. Também sei que o senhor, durante duas semanas, não passou uma noite sem jogar com ele pelo menos vários notas de rublo, talvez até mais de cem, guardando no bolso talvez mais de um cento dessas notas, com o que desfalcou miseravelmente Ievguéni Nikoláievitch. Agora, porém, parece ter esquecido tudo e, em vez de me agradecer pelo que lhe tenho suportado, fica-me com o meu rico dinheiro para sempre, pedindo-me ao mesmo tempo que seja seu amigo e, procurando "levar-me" com a perspectiva das muitas vantagens que isso me trará, obriga-me assim a dar-lhe uma quantia considerável. Bem, depois de ter tirado dinheiro de maneira tão indigna, a mim e a Ievguéni Nikoláievitch, esquece-se de me agradecer como devia e chega ao ponto de caluniar aquele que eu próprio, por minha recomendação, introduzi em sua casa. Contudo o senhor continua até hoje, segundo as informações dos seus amigos, a ser "unha com carne" com Ievguéni Nikoláievitch e chega até ao exagero de o beijar diante de todos e de o apresentar em toda a parte como o seu melhor amigo, embora, segundo suponho, não haja ninguém tão estúpido que não adivinhe logo o que o senhor pretende com essas fantochadas e o que na verdade valem todas essas demonstrações de amizade. Eu, pelo menos, digo francamente que tais demonstrações são enganadoras e falsas, e constituem um ultraje a todas as regras da decência e aos direitos das pessoas, um insulto a Deus e uma prova de maldade. Exemplo e confirmação do que digo sou eu próprio, ou melhor, o que me aconteceu com o senhor. Quando o ofendi eu, fosse no que fosse, ou fui injusto para com sua pessoa, para que se atreva a tratar-me tão mal?

Dou por terminada a minha carta. O que tinha a dizer-lhe está dito. Acrescentarei apenas uma coisa: se o senhor, logo que receber esta carta, não me entregar *imediatamente a quantia exata* que lhe adiantei, ou seja os 350 rublos, abonando-me além disso os juros correspondentes, conforme o prometido, saberei encontrar maneira de o obrigar a fazê-lo, ainda que seja exigindo-lhe publicamente através dos tribunais, pois tenho a lei a meu favor; e, para terminar, permita-me que lhe diga que estou de posse de certos documentos que são outras tantas provas que, logo que deixem de estar na mão deste seu humilde criado, vão deixá-lo de rastros aos olhos do mundo.

SEU ETC.

CARTA VII

de Piotr Ivânovitch A Ivan Pietróvitch

15 de novembro.
Ivan Pietróvitch:
  Depois de ter recebido a sua grosseira e inqualificável missiva, a primeira coisa que me ocorreu foi rasgá-la como curiosidade. Além do mais, estes mal-entendidos e desavenças fazem-me sofrer. Para falar com franqueza, não tinha intenção de lhe responder. Mas a necessidade obriga-me a fazê-lo e também o desejo de lhe participar que não me seria desagradável vê-lo ainda nesta sua casa, o mesmo digo em nome de minha mulher, que ainda não está completamente bem e não pode suportar o cheiro das botas engraxadas. Juntamente devolvo a sua esposa, com os melhores agradecimentos, um livro, o *Dom Quixote*, que ainda conservava em meu poder. Quanto às suas galochas, que segundo parece esqueceu em nossa casa quando da sua última visita, devo comunicar-lhe muito contristado que, apesar de todos os nossos esforços, não nos foi possível encontrá-las. Continuamos contudo à procura delas. Se não conseguirmos encontrá-las, vou lhe comprar umas novas.
  Tenho a honra etc. ...

VIII

  A 16 de novembro Piotr Ivânovitch recebeu pelo correio duas cartas. Abriu a primeira e encontrou dentro do sobrescrito uma folha de papel rosa pálido, muito bem dobrada. A letra era de sua mulher. Era dirigida a Ievguéni Nikoláievitch e tinha a data de 2 de novembro. Dentro desse sobrescrito não havia mais nada. Piotr Ivânovitch leu:
  "Querido Ievguéni: Ontem foi-me completamente impossível. O meu marido não saiu de casa toda a tarde. Mas vem amanhã às onze em ponto, sem falta. Às onze e meia o meu marido tem de partir para Tsárskoie, donde não voltará até à uma. Passei toda a noite muito desassossegada. Obrigada pelas notícias que me mandas. Que montanha de papel! É verdade que foi ela quem escreveu tudo isso? O estilo, convenhamos, não é mau de todo. Mais uma vez, obrigada; vejo que gostas de mim. Não fiques aborrecido com o que se deu ontem e vem amanhã sem falta. — A."
  Piotr Ivânovitch abre a outra carta:

"Piotr Ivânovitch: Nunca mais voltarei a transpor os umbrais da sua casa; foi inútil o trabalho de escrever esta carta. Na próxima semana vou para Simbirsk, mas você permanece aqui; com um amigo incomparável e que lhe é muito querido: Ievguéni Nikoláievitch. Desejo que se divirta. Quanto aos tamancos, não se preocupe."

IX

A 17 de novembro, recebe também Ivan Pietróvitch duas cartas pelo correio. Abre a primeira e tira do sobrescrito uma folha de papel pequena e escrita à pressa, com a letra de sua mulher. É dirigida a Ievguéni Nikoláievitch e está datada de 4 de agosto. Além da carta, o sobrescrito nada mais contém. Ivan Pietróvitch lê:

"Adeus, adeus, Ievguéni Nikoláievitch! Que Deus lhe pague mais esta prova de bondade! Que seja muito feliz; a sorte que a mim me coube na vida é triste, espantosa! Foi vontade sua. Se minha tia não existisse, eu não me teria apegado tanto a você. Não se ria de nós ambos. Casamo-nos amanhã. A titia está muito contente por eu ter encontrado um homem bom que se case comigo, mesmo sem dote. Foi hoje a primeira vez que olhei para ele com atenção. Creio que é bom rapaz. Não tenho tempo para nada, para nada, adeus, adeus, meu querido! Lembre-se muito de mim, porque eu... eu não o esquecerei nunca. Adeus! Assino esta última minha carta como a primeira... lembra-se?

TATIANA"

A outra carta dizia o seguinte:

"Ivan Pietróvitch: amanhã você receberá umas galochas novas. Não estou acostumado a tirar coisas alheias dos bolsos dos outros, nem também está no meu feitio isso de andar a apanhar trapos na rua.

Ievguéni Nikoláievitch sai dentro de dias para Simbirsk, a pedido do avô, para quem tem de tratar ali uns negócios, e pediu-me que lhe arranje um companheiro de viagem. Quererá você ir com ele?"

POLZUNKOV

POLZUNKOV
(1848)

Pus-me a olhar aquele homem com mais atenção. Até no seu aspecto exterior tinha algo de particular que fazia com que, mesmo sem querermos, por mais preocupados que estivéssemos, nos puséssemos a olhá-lo atentamente, até que, depois, acabávamos sempre por sermos acometidos de uma irreprimível vontade de rir. Foi precisamente o que sucedeu comigo. Aquele rapaz tinha uns olhos tão inquietos, ou, para melhor dizer, ele próprio era tão sensível ao magnetismo dos olhares que lhe dirigiam, que no momento em que uma pessoa se pusesse a olhá-lo adivinhava logo que ela ia converter-se em seu observador e procurar desvendar o segredo dos seus olhos.

Pela sua constante mobilidade e pela forma como continuamente se voltavam para um e para outro lado, lembravam um catavento. Coisa estranha! A julgar pela aparência, dava impressão que estava sempre com medo que se rissem dele e, no entanto, era precisamente com isso que ele ganhava a vida: era o bobo de toda a gente e adaptava-se sempre a tudo, fosse qual fosse a classe de pessoas entre as quais se encontrasse, tanto no sentido físico como moral. Os bobos voluntários não nos inspiram dó. Contudo, observei imediatamente que aquele ser estranho, aquele homem ridículo, não nascera para palhaço. A sua inquietação, a sua constante e doentia angústia, motivada pela consciência do ridículo, depunham a seu favor. Parecia-me que era maior o empenho que tinha em agradar a quem lhe pagava, do que verdadeiramente obter compensações materiais. Consentia da melhor vontade que se rissem dele indiscretamente mas, ao mesmo tempo — eu, pelo menos, seria capaz de jurar — sofria, e o seu coração sangrava só de pensar que os espectadores pudessem ser tão grosseiros e cruéis que se rissem não só das suas palhaçadas mas dele próprio como homem. Estou convencido de que nessas ocasiões compreendia claramente a estupidez da sua situação, embora nenhum protesto lhe saísse da boca. Estou convencido, como já disse, que nele tudo provinha da bondade do coração e não de qualquer preocupação material, como por exemplo do receio de que o despedissem e se visse de um instante para o outro sem um copeque. Porque aquele homem andava sempre pedindo dinheiro emprestado; isto é, valia-se dessa fórmula para pedir esmola, e quando tinha já feito bastantes palhaçadas e divertido o público, tomava essas esmolas como ganho seu. Recebia assim bastante dinheiro! E que maneira tinha ele de recebê-lo! Nunca me havia passado pela cabeça que num espaço de corpo tão exíguo, como era o rosto enrugado e anguloso daquele homem, pudessem caber ao mesmo tempo tantos trejeitos diferentes, tantas expressões inesperadas e características, e tantos esgares que iam ao ponto de refletir por vezes a mais penosa das angústias.

Naquela cara podia observar-se tudo: vergonha, descaramento, cólera, o abatimento do fracasso, súplicas de perdão, a consciência do próprio valor e, ao mesmo tempo, a plena consciência da própria insignificância... Tudo isto passava em relâmpagos por aquele semblante.

Havia já mais de seis anos que vivia daquele modo, neste mundo de Deus, e ainda não conseguira aprender a conter-se no momento mais importante da "facada". Não quero dizer com isto que fosse insensível ou procedesse de uma forma grosseira. Tinha o coração demasiado inquieto, demasiado ardente para isso. Na minha maneira de ver, era até o homem mais decente e honrado deste mundo, apenas com um ponto fraco: é que ao primeiro sinal, sem intenção alguma e de boa-fé, era capaz de cometer uma grosseria só para agradar ao próximo. Numa palavra: como homem não valia nada. E o mais curioso é que andava vestido como os demais, nem melhor nem pior: limpo, e até com um certo aprumo e pretensão. Este esforço para a compostura exterior e sobretudo íntima; a preocupação consigo próprio, a par da humilhação contínua da sua personalidade, tudo isso formava o mais clamoroso contraste e inspirava compaixão e troça, tudo ao mesmo tempo. Se no fundo do seu coração estivesse convencido de que aqueles que se riem são os melhores homens que há no mundo — coisa que, apesar das suas experiências, se esforçava por acreditar — e de que se riam das suas facécias e não da sua pessoa, havia de ser com prazer que tiraria o fraque e que o teria vestido do avesso, e teria ido por essas ruas a divertir os outros, proporcionando a si próprio o prazer de distrair os seus benfeitores.

Mas não conseguia de maneira nenhuma chegar ao equilíbrio. Basta pensar noutra faceta da sua maneira de ser: este tipo original tinha gestos altivos e até magníficos quando nenhum perigo o espreitava. Bastava ver e ouvir como ele sabia retorquir com aprumo, e até com um certo heroísmo, a qualquer dos ouvintes que o tivesse ofendido para além de certos limites. Mas isto raras vezes acontecia.

Em suma: era um mártir, na perfeita acepção da palavra, mas o mais inútil e, por isso mesmo, o mais ridículo dos mártires.

Estava eu a observá-lo, quando entre os hóspedes se travou uma grande discussão. De repente, vi o nosso homem subir a uma cadeira e pôr-se a gritar a plenos pulmões, reclamando o direito de falar sozinho.

— Preste atenção — disse-me o dono da casa ao ouvido. — Às vezes diz coisas muito curiosas... Não quer ouvir?

Eu disse que sim com a cabeça e misturei-me com os outros ouvintes. O espetáculo de um homem bem vestido, empoleirado numa cadeira, a falar aos gritos, provocou uma expectativa geral.

Muitos que não conheciam aquele tipo estranho olhavam-se perplexos, enquanto outros se riam a bom rir.

— Eu conheço Fiedossiéi Nikolaitch! Eu conheço Fiedossiéi Nikolaitch melhor do que ninguém! — gritava ele de cima da sua alta tribuna. — Cavalheiros, deixem-me falar! Vou-lhes contar coisas de Fiedossiéi Nikolaitch! Acreditem-me, é uma história simplesmente admirável!

— Conte, Óssip Mikháilitch, conte!

— Conte!

— Então escutem todos...

— Escutem! Escutem!

— Vou começar. Contudo, aviso-vos, meus senhores, é uma história muito estranha...

— Está bem, está bem...

— E ao mesmo tempo uma história muito ridícula!

— Ótimo, excelente! Vamos a ela!

— É um episódio da vida do seu mais humilde...

— Então para que nos disse que é uma história cômica?

— E até um tanto trágica!

— Ah!

— Numa palavra: a história que lhes vai proporcionar o ensejo de me ouvirem, meus senhores... a história devido à qual me encontrava entre uma assistência tão seleta...

— Bom, deixe-se de piadas, sim?

— Vamos lá à história...

— Sim, vamos à história... acaba de uma vez com o preâmbulo... Vamos à história que nos vai custar dinheiro outra vez... — acrescentou em voz baixa um rapaz que meteu a mão no bolso e, em vez do lenço, como por casualidade, tirou o porta-moedas.

— A história... O que eu queria era ver muitos dos senhores no meu lugar. Foi por causa de toda esta história que eu não casei.

— O quê? Você, casar? Então Polzunkov queria casar? Deus do Céu!

— Quanto não daria eu para conhecer a senhora de Polzunkov! — gritou um rapaz de cabelo ruivo e encaracolado que se aproximou do orador.

— Bem, meus senhores, vamos à primeira parte da minha história: vai fazer agora seis anos certos, na primavera, no dia trinta e um de março... não esqueçam esta data, senhores... era a véspera...

— Do primeiro de abril! — exclamou o rapazinho do cabelo encaracolado.

— És muito esperto. Bem. Assentemos pois que era a véspera. Em N..., capital do distrito, adensavam-se já as sombras e a lua dispunha-se a surgir lentamente na abóboda celeste etc. ..., quando de repente, eis que... na hora derradeira do crepúsculo vespertino, eu saio devagarinho e discretamente do meu humilde tugúrio, depois de me ter despedido da minha avó que estava já completamente "gagá". Os senhores perdoem-me que eu use esta expressão moderna, que ainda há pouco ouvi de Nikolai Nikolaitch. Mas a verdade é que a minha avó, coitada, estava realmente "gagá": cega, surda, muda e meio biruta... Creio que pior não poderia ser. Confesso-lhes que eu tremia dos pés à cabeça, sem saber o que tinha: o meu coração dava pulinhos como um gato que sente uma mão ossuda a agarrá-lo pelo gasganete.

— Dá-me licença, senhor Polzunkov?

— Que deseja?

— Que conte as coisas com mais simplicidade, sem se pôr a enfeitá-las...

— Às suas ordens — respondeu Óssip Mikháilitch, um tanto aborrecido com a interrupção. — Bem, como ia dizendo, saí e dirigi-me à casa de Fiedossiéi Nikolaitch... à sua bem adquirida casa... Ele não era, como sabem, nem meu colaborador nem meu colega, mas um chefe rigoroso e exigente. Fiz-me anunciar e imediatamente me levaram ao seu gabinete. Ainda me parece estar a vê-lo diante de mim: a sala estava quase, quase completamente às escuras, pois ainda não tinham trazido as luzes. Ponho-me à espera e, de repente, entra Fiedossiéi Nikolaitch. De modo que nos encontramos os dois sozinhos na penumbra.

— Que se passou então entre vocês? — perguntou um oficial.

— Oh, homem! Que está imaginando? — exclamou Polzunkov e virou-se depois com o rosto contraído numa careta para o rapaz do cabelo encaracolado. — Bem, o que eu lhes digo, meus senhores, é que aquela situação era de fato estranha. Quer dizer, verdadeiramente estranha não era. Era uma daquelas situações a que se chama uma situação concreta, prática... Eu me limitei a tirar do bolso um maço de papéis, isto é, de documentos oficiais...

— Papéis?

— E ele por sua vez também tirou do bolso do colete outro maço de papéis e depois trocamos os nossos maços...

— Era capaz de apostar que cheiravam a graxa — interrompeu um cavalheiro bem vestido, de cabelo muito frisado.

— A graxa? — replicou logo Polzunkov. — Ah!

> Não obstante era eu bem liberal,
> como tantos que outrora conheci!

Se alguma vez algum dos senhores for mandado para a província, verá então que não é fácil uma pessoa aquecer-se à chama da pátria, como não... Mas o poeta disse: "Até a fumaça da pátria me é agradável e querida!". A nossa pátria é a nossa mãe, nossa mãe, meus senhores, nossa mãe carnal; nós somos as suas crias e mamamos nela!...

Houve uma gargalhada geral.

— Mas acreditem, meus senhores: a mim ninguém jamais me engraxou as mãos com dinheiro — acrescentou Polzunkov, olhando receoso todo o auditório.

Uma nova gargalhada acolheu as suas palavras.

— É a verdade pura!

Calou-se de repente e pôs-se a olhar para todos com uma expressão singular. Talvez — quem o poderia dizer? — talvez naquele instante pensasse que era mais honrado e honesto que muitos daqueles pretensiosos senhores que constituíam o seu auditório... E até se extinguir aquele assomo de hilaridade geral conservou a sua expressão séria e pensativa.

— Bem — continuou Polzunkov logo que o auditório serenou — ainda que eu nunca tenha deixado que me engraxassem as mãos, naquela ocasião guardei no meu bolso o proveito do meu suborno... Isto é, tinha nas mãos documentos que... numa palavra, se me tivessem dado na cabeça enviá-los a certas pessoas, Fiedossiéi Nikolaitch teria passado um mau bocado...

— De forma que ele os comprou de você, não foi?

— Isso mesmo.

— E quanto lhe deu por eles?

— Deu-me a mesma importância por que outros hoje em dia venderiam a consciência... se alguém a quisesse comprar... Quando guardei o dinheiro no bolso foi como se me despejassem um jarro de água fervente pela cabeça. Para falar com franqueza, meus senhores, nem posso dizer o que sentia, pois estava mais morto do que vivo, mal podia mexer os lábios e tinha os joelhos a tremer: sentia-me culpado, muito culpado; terrivelmente culpado mesmo, meus senhores; a consciência acusava-me e estava quase a pedir perdão a Fiedossiéi Nikolaitch...

— E então ele lhe perdoou?

— Eu não cheguei a pedir! Limito-me a expor-lhes qual era então o meu estado de espírito; eu tenho, bem... eu tenho um temperamento impulsivo. Ele me olhou direto nos olhos: "Não tem temor de Deus, Óssip Mikháilitch?". Bem... que havia eu de fazer? Estendi as mãos; olhei de revés: "Por que não havia eu de temer a Deus, Fiedosséi Nikolaitch?". Disse isto apenas por conveniência, mas estive quase a cair redondamente no chão. "Você, que há tanto tempo é amigo da nossa família, que tem sido para nós quase um filho... e Deus sabe o que o futuro nos reservará ainda, Óssip Mikháilitch! E vem agora a ameaçar-me de me ir denunciar!... Como poderei eu, daqui para o futuro, confiar seja em quem for, Óssip Mikháilitch?" Ah, senhores, como o bom do homem me falou à consciência! "Diga-me: como hei de eu confiar nos homens, Óssip Mikháilitch?", pergunto a mim próprio. "Que hei de pensar deles?" Só lhes digo que tinha a garganta seca e que a voz me tremia; já me sentia prestes a mudar de resolução e peguei no chapéu... "Onde vai, Óssip Mikháilitch? Será na realidade capaz de, na véspera dum tal dia... será verdadeiramente capaz de me pôr assim a perder? Que mal lhe fiz eu?" "Fiedosséi Nikolaitch!" — respondi — "Fiedosséi Nikolaitch!" Resumindo, meus senhores: cedi, derretendo-me como um torrão de açúcar. E aquele maço de notas que guardava no bolso parecia gritar: "Malvado! Ladrão!". E era como se no bolso me pesassem cem arrobas quando, afinal, talvez nem chegassem a pesar cem gramas. "Já vejo que se arrependeu" — disse Fiedosséi Nikolaitch — "Olhe, já sabe que amanhã é o dia do Santo do meu nome... Bem, não chore. Basta. Pecaste e te arrependeste. Vamos! Talvez eu consiga fazer-te voltar ao bom caminho! Oxalá os meus deuses familiares — recordo-me tão bem de ele me ter dito isto, o maroto! — te protejam e te guardem..." Meteu o braço dele no meu e levou-me à presença das pessoas de sua família. Senti frio na espinha; pus-me a tremer. "Com que olhos me olhariam aqueles?" — pensava eu. Porque os senhores devem ter em consideração que... como direi? que ainda ficava por esclarecer um assunto muito delicado...

— Referente à senhora de Polzunkov?

— Maria Fiedossiévna tinha muita razão em dizer que em sua casa todos me consideravam como um filho. Já há meio ano que assim era, ou seja, quando ainda vivia Mikhail Maksímitch Dvigáilov, aquele fidalgo reformado. Este morreu de repente e como tinha deixado passar o tempo sem fazer testamento, daí resultou que por mais esforços que se fizessem não encontraram nada do que lhe pertencia.

— Ah!

— Não levem isto a mal, meus senhores. Desculpem-me, eu tinha prometido não brincar com este assunto, e a graça que fiz, de fato não presta; mas isso não quer dizer nada, pois bem pior foi ainda a situação em que eu fiquei, por assim dizer apenas com um zero em perspectiva, pois o tal fidalgo reformado, embora nunca tivesse posto os pés em casa... vivia como um príncipe, talvez porque no seu tempo tinha tido "mão leve" e podia muito bem ter-me considerado seu filho... natural.

— Ah!

— O caso era exatamente assim, meus senhores! Pois bem: em casa de Fiedosséi Nikolaitch, por essa razão, todos me mostravam cara feia. Reparei logo, imediatamente, e embora isso não me chocasse, sempre me retraiu um pouco. Quando de repente por desgraça minha — quem sabe se para meu bem — aconteceu chegar àquela terra um oficial de cavalaria... Bem, é fácil de ver que as suas obrigações não eram pesadas; cavalaria ligeira... e, assim, se não se tivesse tornado tão amigo de Fiedossiéi Nikolaitch, a sua posição ficaria firme como uma bala na parede. Eu, o amigo da casa há tantos anos, fui preterido... e para que os senhores vejam o disparate: que fiquei ressentido. Visto que de certo modo era filho da casa etc. e tal... quanto tempo tinha eu ainda que esperar? Então ele se pôs a contestar, isto é, pôs-se a contar-me um poema em doze cantos, que uma pessoa, só de ouvir, sentia a boca doce e até lambia os beiços. Mas se alguém lhe perguntasse o que queria dizer tudo aquilo, ele então, o espertalhão, escapava-se como uma enguia, não havia nada que o detivesse e saltava suavemente por cima de todos os obstáculos. Em resumo: só lhes digo que tinha um talento, um destes talentos que fazia inveja a muitos: a sua inspiração era verdadeiramente fenomenal. Pelo sim, pelo não, vai imaginando o que mais te agradar. Pois os senhores bem podem imaginar o que eu pensaria. Sigo o fio das suas cantigas, deixo-me de graças e ponho-me a suspirar e a gemer: "Ah, oh!". Digo que me dói o coração de tanto amor, verto lágrimas e abro o peito às confidências. Que imbecis nós somos, às vezes! O velhote não tinha consultado os livros da paróquia e não sabia que eu já passava dos trinta anos! Bom! Não me deixaria apanhar! Contudo as coisas não me estavam correndo bem; à minha volta risos e troças... e deu-me uma fúria que quase me sufocava. Saí dali com a resolução de não voltar a pôr mais os pés naquela casa... e de... fazer a denúncia. Reconheço que não devia ter feito isso, que foi uma falta de delicadeza da minha parte denunciar um amigo; mas temos de convir que havia razão de sobra para isso, razões de peso, e que se tratava de um assunto de importância capital. Mil e quinhentos, foi quanto me deram quando troquei as notas!

— Ah! Lá temos nós a graxa!

— Sim, meus senhores, era dinheiro de suborno, dado por um comerciante! E não foi na verdade nenhum pecado! Mas vou continuar... Como decerto se lembram, ficamos no ponto em que me arrastou meio morto e, portanto, meio vivo, à sala onde serviam o chá. Todos pareciam ofendidos, ou melhor, perturbados. Numa palavra: abatidos, completamente abatidos, deixando ver nos rostos uma gravidade, uma tristeza nos olhos, algo de paternal, de familiar... É que o filho pródigo tinha regressado ao lar! Bem; sentamo-nos à mesa para tomar o chá; a mim fervia-me um samovar no peito, enquanto os pés estavam frios como a neve. Tremia e rezava! Maria Fomínichna, a sua senhora e conselheira áulica — agora é a senhora conselheira leitora — começou então a falar comigo, tratando-me por tu. "Por que estás tão magro, meu filho?" — perguntou-me. "É que estou muito resfriado, Maria Fomínichna" — respondi-lhe eu. E o fio da minha voz tremia. Em seguida, sem mais nem menos, começou a embrulhar as coisas de tal maneira que parecia depois que uma víbora me mordera na consciência. "Quiseste atraiçoar o pão e o sal do nosso parentesco; as lágrimas de sangue que tenho chorado deviam agora queimar-te o coração!" Era assim que ela falava; contra a sua própria consciência o dizia! Que mulher tão astuta! Sentou-me à mesa e serviu o chá. "Bem — pensava eu — se estivesses na praça porias no chinelo todas as vendedoras de hortaliça!" Para cúmulo da desgraça apareceu também ali a filha, Maria Fiedossiévna, com toda a sua inocência, um pouco pálida e com os olhos úmidos de pranto... Então fiquei aniquilado, completamente aniquilado! Mais tarde tive ocasião de saber que aquelas lagrimazinhas tinha-as ela chorado pelo oficial de cavalaria, o qual fugira em segredo, pois já era tempo de bater em retirada... embora nenhuma ordem o obrigasse a fazer isso? Calar e aguentar! Contudo, eu, ao contemplá-la, fiquei, como disse, completamente aniquilado; peguei no chapéu, na intenção de desaparecer dali o mais rápida e secretamente possível... mas houve quem me tirasse o chapéu e me fechasse a porta. Todos sorriram e olharam uns para os outros enquanto eu, perplexo, pronunciava não sei que palavras falando do Deus do amor; ela, a pombinha, foi sentar-se ao piano e em tom melancólico pôs-se a tocar a *romanza* dum hussardo que se apoiava no sabre. Santo Deus!... "Ah! vamos esquecer tudo, tudo e vem aos meus braços!", exclamou de repente Fiedossiéi Nikolaitch. Eu, no estado em que estava, me precipitei de encontro ao seu colete. "Meu benfeitor, meu pai natural!" — exclamava eu, vertendo lágrimas ardentes. Santo Deus! As consequências foram terríveis! Chorava ele, chorava a mulher, chorava Máchenhka... e até uma ruivinha que ali estava se pôs também a chorar. De repente, de todos os lados começaram a sair exclamações — Deus tinha abençoado o seu lar! — e também eles choravam... quantas lágrimas, quantos perdões, quanta alegria! Tinha regressado alguém que andara perdido, choravam por mim como por um soldado que volta são e salvo ao torrão natal! Ofereciam-me doces, brincavam de prendas e de cabra-cega. "Oh, como me dói." — "O quê?" — "O coração." — "E por quê?"

A pombinha fez-se vermelha. O velho e eu bebemos depois um ponche... até que por fim nos separamos e eu saí todo encharcado em melaço...

Voltei para casa da minha avó. Tinha a cabeça atordoada, todo o caminho até casa fui rindo sozinho e, já em casa, andei durante duas horas passeando de um lado para o outro; acordei a velha e disse-lhe como me sentia feliz. "Ele te deu dinheiro, o patife?" "Deu, avozinha, deu. A sorte entrou-nos em casa; abrace-me avó!" "Bem, então agora arranja casamento, que já vai sendo tempo de casares" — disse-me a velha. — "O céu ouviu as minhas preces."

Depois fui acordar Sofron. "Sofron, vem descalçar-me as botas! Sofrochka, já podes dar-me os parabéns, já podes abraçar-me! Vou casar, meu amigo, vou casar, amanhã bem podes tomar um pileque, pois casa-se o teu patrão!"

Ai, como eram falsos os raios de sol que brilhavam no meu coração! Ia para me deitar mas levantei-me e pus-me a pensar e a repensar, e de súbito lembrei-me: amanhã é o primeiro de abril, um dia luminoso e alegre; que aconteceria... Sim?... Embora lhes custe a acreditar o fato é que saltei da cama, acendi a luz e sentei à secretária. Estava completamente fora de mim, pois já tinha esquecido de tudo... Passava-se comigo o que acontece com quem se entrega ao jogo de alma e coração. Com toda a minha lucidez precipitei-me para a infelicidade. É sempre assim. Está na nossa massa do sangue. Pedem-nos um pouco e damos logo tudo o que temos. Dão-nos uma bofetada, e nós, muito contentes, oferecemos as costas. Acenam-nos com uma côdea de pão e nós, como os cães, vamos logo atrás deles meneando a cauda... e ainda por cima lhes beijamos a mão! Oh, senhores, se ao menos agora... Os senhores riem-se e cochicham uns com os outros, pelo que vejo! Daqui a pouco, quando eu *lhes tiver contado todos os meus* segredos, hão de rir-se de mim e enxotam-me; mas, apesar disso, quero contar-lhes tudo, tudo sem esconder nada. E, afinal, quem me obriga a isso? Quem assim ordena? Alguém que está por detrás de mim e que em voz baixa me diz: "Conta, conta". E eu me ponho a contar e abro-vos o coração como se fossem meus irmãos legítimos ou meus amigos íntimos... Ora, aí está!

As gargalhadas, que já se tinham ouvido aqui e ali, subiram de tom e acabaram por afogar a voz do narrador que estava indiscutivelmente num momento de inspiração, e que ao ver aquilo fez uma pausa, passeou os olhos durante uns minutos pela assistência e, de repente, como que sacudido por um vendaval, desatou a rir como se se apercebesse do cômico da situação... continuando depois a sua narrativa:

— Não dormi naquela noite, meus senhores; passei-a quase toda rabiscando no papel; tinham-me pregado uma bela peça! Ah, senhores! Quando me lembro disto, sinto uma fúria...! Passei a noite acordado e de manhã tinha olhos de sono. Tudo aquilo me tinha excitado. Na manhã seguinte, quando acordei, não tinha dormido mais do que duas horas; vesti-me, lavei-me, penteei o cabelo e pus-lhe brilhantina; vesti o fraque novo e fui direitinho à festa de Fiedossiéi Nikolaitch. Levava o papelzinho que escrevera metido no chapéu. Ele me acolheu de braços abertos e até quis apertar-me outra vez contra o seu colete paternal. Mas eu adotei uma atitude reservada e recuei um passo: "Não, Fiedossiéi Nikolaitch. Faça o favor de ler este bilhete", disse-lhe eu estendendo-lhe o papelzinho. Nele se dizia como um tal Óssip Mikháilitch, por estas e por outras razões, se despedia dele... e assinava com todos os meus nomes e apelidos. Santos Deus, do que eu me havia de ter lembrado! Realmente não podia ter tido melhor ideia!... Como era primeiro de abril, resolvi pregar uma peça e arranjar uma cara como se ainda me sentisse ofendido, e durante a noite anterior tivesse meditado e concluído que não precisava dele nem da filha para nada; o dinheiro em questão, guardara-o no bolso; portanto, sobre esse assunto que não se preocupasse mais, e eu ali estava a fazer as minhas despedidas.

"Deus queira que eu não tenha um dia de voltar a servir sob as ordens dum chefe como Fiedossiéi Nikolaitch! Procuraria outro emprego e então daria andamento à denúncia. Fiz-me engraçado até este ponto para lhe pregar um susto (e na verdade tinha razões de sobra para assustar-se com tudo aquilo). Desde a véspera era seu amigo para a vida e para a morte, pensava eu — de maneira que posso permitir-me uma brincadeira de família e inquietar um pouco o coração paternal de Fiedossiéi Nikolaitch..." Pegou logo no papel, desdobrou-o e eu vi como o seu rosto mudava. "O que significa isto, Óssip Mikháilitch?" "Hoje é o primeiro de abril! Que o passe com muita saúde, Fiedossiéi Nikolaitch!" respondi eu como um idiota, ou melhor, como um guri que se escondesse atrás da poltrona da avó e de repente, para assustá-la, se pusesse a gritar-lhe ao ouvido com todas as forças: "Quiquiriqui!". Sim, senhor... Até sinto vergonha, meus senhores, de contar-lhes isto! Não, prefiro não continuar...

— Qual o quê! Continue, continue!

— Conte tudo! Tem de contar tudo ponto por ponto! Continue! — gritaram de todos os lados da sala.

— Bem, meus senhores: pois aquilo me deixou apavorado, senti vontade de chorar e comecei a censurar a mim próprio: "Quiseste fazer-te engraçado e eis o que arranjaste com as tuas chalaças. Pregaste-lhes um susto e em troca tratam-te tão bem que tu próprio te envergonhas e assustas com o que fizeste. Como pude eu, sem o merecer, ocupar nos seus corações um tal lugar?" "Oh, meu filho — disse-me a mulher — pregaste-me um tal susto que ainda me tremem os joelhos e mal posso suster-me de pé." Como louco corri para Máchenhka e perguntei-lhe o que ia ser de nós. "Olha como o teu noivo já tem outra cara! Embora eu tenha agido mal, meu filho, deves perdoar-me, a mim, que sou uma velha. Meu raciocínio era que, visto que ontem te fizemos voltar tarde para casa, talvez tenhas pensado e penses ainda que te bajulamos exageradamente. Sê boazinha, Máchenhka, não o trates mal; Óssip Mikháilitch não é nenhum estranho e eu sou tua mãe, não é preciso dizer mais nada! Graças a Deus não tens vinte anos, mas quarenta e cinco já feitos!"

Bem. O que pensam os senhores? Pois pouco faltou para eu me lançar aos seus pés! Todos voltaram a chorar de alegria e se abraçavam e diziam graças. Também Fiedossiéi Nikolaitch tinha imaginado uma peta para o primeiro de abril. Dizia que a Fênix lhe tinha trazido uma carta no seu bico refulgente... E todos riram muito... Nada senhores, que tenho vergonha de contar... Mas agora irei direto ao fim da minha história. Passou-se um dia e outro, uma semana inteira, eu estava noivo. Tinham-se encomendado as alianças, marcado o dia de boda, e se o noivado ainda se mantinha em segredo, era porque esperávamos que chegasse o inspetor. Aguardava-o com muita impaciência, pois opunha-se à minha felicidade. "Se pudesse tornar a agarrá-lo pelo pescoço..." pensava eu. Mas Fiedossiéi Nikolaitch, sempre brincando, sempre brincando, mas o certo é que ia deixando cair sobre mim todo o peso do trabalho: fazer contas e mais contas, encerrar os balanços dos livros e muitas outras coisas. Reinava por toda a parte a mais espantosa das desordens; estava tudo atrasado, cheio de falhas e de erros. "Bem — pensava eu — faz isso pelo teu sogro." Ele andava adoentado e cada vez se sentia pior. Eu também estava fino como um palito. Passava as noites trabalhando e às vezes tinha a sensação de que acabaria por rebentar; mantinha-me porém disposto a levar até o fim a minha tarefa. De repente mandaram-me um recado dizendo que fosse o mais depressa possível, pois Fiedossiéi Nikolaitch estava nas últimas. Pelo caminho, correndo, dava voltas ao miolo pensando no que iria acontecer. Fui encontrar Fiedossiéi Nikolaitch sentado, com a cabeça envolta em compressas de vinagre, suspirando e gemendo; "Ai, ai! Meu filho — disse-me ele — vou morrer. A quem hei de confiar os meus?" A mulher e os filhos soluçavam. Máchenhka estava desfeita em lágrimas e eu me pus também a chorar. "Não, Deus não há de ser tão injusto que obrigue a minha família a pagar os meus pecados!", dizia ele... Depois ordenou a todos que saíssem do quarto e fechassem a porta, e que nos deixassem sós. "Quero pedir-te uma coisa." "Diga." "Socorre-me, meu amigo, senão nem na sepultura hei de ter sossego. Preciso de dinheiro!" "Para quê?"

Eu empalidecera ao balbuciar estas duas palavras.

— Tenho que repor na caixa dinheiro que tirei; quando se trata do bem dos outros não sou capaz de fazer economias. Não me censures. Sei que me caluniaram... Fiquei com os cabelos brancos dos sofrimentos que vi à minha volta. Estamos à espera do inspetor e em casa de Matviéiev faltam na caixa sete mil rublos de que eu sou o único responsável. É a mim que hão de pedi-los, pois de Matviéiev nada há a esperar! Já lhe pedi tanto!

"Meu Deus! — disse para comigo. — Que homem este!"

— No dote da minha filha — continuou ele — não quero tocar. É dinheiro sagrado. Tenho um pouco, é verdade, mas está na mão de pessoas de quem nada posso esperar.

Caí de joelhos diante dele, arrasado.

— Meu benfeitor — exclamei — ofendi-te e fiz-te cair doente. Essas línguas venenosas assanharam-se contra ti; vou devolver-te o dinheiro, o dinheiro que me deste. — Ele fixou em mim os olhos, agradecido, e pelas suas faces correram lágrimas.

— Não esperava outra coisa de ti, meu filho; levanta-te. Já te tinha perdoado devido às súplicas de minha filha, mas agora perdoo-te de todo o meu coração. Curaste-me dos meus males! Abençoado sejas para sempre!

Bem, senhores, depois de receber a sua benção saí correndo para casa e voltei logo com a soma prometida.

— Aqui está o dinheiro, meu amigo; apenas gastei cinquenta rublos!

— Não tem importância — disse ele —; não há necessidade de levar a exatidão a esse ponto e o tempo voa. Escreve só um valezinho, dizendo que, por conta do ordenado, solicitas um adiantamento de cinquenta rublos e põe a data atrasada...

Pois bem, que pensam os senhores? Pois escrevi o vale!

— Bem. Afinal, em que ficou tudo isso?

— Depois passou-se o seguinte, meus senhores: no outro dia de manhã, muito cedo, entregaram-me um embrulhinho fechado e selado. Sabem o que vinha lá dentro? A minha demissão! Anda, trabalha e desunha-te, que aí tens o pagamento!

— Mas isso parece impossível!

— Isso mesmo era o que eu clamava, meus senhores. "Como será possível?" pensava. "Teria chegado o inspetor?" Meu coração parecia adivinhar. Tal como estava, corri à casa de Fiedossiéi Nikolaitch.

— Que significa isto? — perguntei-lhe. — Esta demissão?

— Que demissão? Não entendo o que queres dizer!

— Uma demissão de serviço! Porventura pedi eu que me exonerassem?

— Claro que pediste; no primeiro de abril pediste a tua demissão, Óssip Mikháilitch. Os meus olhos e os meus ouvidos não costumam enganar-me! Por que vens agora fazer essa pergunta?

— Oh, meu Deus!

— É verdade, meu amigo; eu também lamento muito que deixe o serviço tão depressa. Quem é novo deve trabalhar. Mas você parece ter qualquer coisa na cabeça... Quanto ao certificado de bons serviços, com isso não se preocupe, disso encarrego-me eu. Você se portou sempre muito bem!

— Mas aquilo não era senão uma brincadeira, Fiedossiéi Nikolaitch; aquilo que escrevi era uma partida, estávamos em família...

— Uma brincadeira? Com essas coisas não se brinca, meu rapaz! Por uma brincadeirinha dessa ordem uma pessoa pode ir parar na Sibéria. Bem, fique com Deus que eu não tenho tempo para conversas. O inspetor já veio e em primeiro lugar estão as coisas do serviço. Se quiser, pode jogar dominó, mas o que deve fazer é trabalhar. Eu lhe redigirei um certificado como deve ser. Quanto ao resto — e isto é o que eu lhe queria dizer — fique sabendo que eu comprei a casa de Matviéiev para onde nos vamos mudar por estes dias; de modo que já não nos tornaremos a ver por aqui.

Pus-me a correr até minha casa.

— Estamos perdidos, avozinha, perdidos!

A velhota, coitada, chorava! Naquele instante vieram entregar-me, da parte de Fiedossiéi Nikolaitch, uma gaiola com um estorninho e uma carta da qual se lia: "1º de abril", e nada mais. Bem, meus senhores, acharam graça da minha história?

— Sim, e depois?

— Depois? Um dia encontrei-me na rua com Fiedossiéi Nikolaitch e tive desejos de dizer-lhe na cara que ele era um patife.

— E então?

— Então... as palavras não me vieram à boca!

CORAÇÃO FRÁGIL

Coração frágil
(1848)

Naquele quarto andar, quase junto do telhado, viviam dois funcionários ainda novos: Arkádi Ivânovitch Niefiediévitch e Vássia Chumkov.

Antes de mais, devo explicar ao leitor o motivo por que de um dos heróis da minha história digo todos os nomes e sobrenomes, ao passo que do outro cito apenas o nome de batismo e um só sobrenome, o que, de outro modo, poderia julgar-se incorreto ou demasiado familiar[1]. Também seria natural que eu explicasse com exatidão a idade, hierarquia e profissão das pessoas em questão. Como, porém, a maior parte dos escritores começam por uma introdução desse gênero, preferi iniciar logo a minha história pela ação... só para não incorrer na falta de gosto de que os outros padecem, ou como hão de afirmar alguns, por um prurido de originalidade e fantasia.

De modo que dou por terminada aqui a minha introdução e vou imediatamente ao assunto.

Às seis da tarde, na véspera de Ano-Novo, Chumkov voltou para casa. Arkádi Ivânovitch, que estava dormindo, acordou e olhou o amigo de soslaio. Notou que ele trazia o melhor terno e uma camisa irrepreensivelmente branca. Isto, como é natural, deixou-o admirado. Que teria ele em mira? Donde vinha? E a este fato juntava-se ainda a circunstância de naquele dia não ter comido em casa.

Chumkov acendeu a luz e Arkádi adivinhou logo que o amigo queria acordá-lo com um ruído que parecesse não ser propositado. E assim aconteceu, efetivamente: Vássia tossiu duas vezes, deu vários passos para um lado e para outro, e deixou cair no chão o cachimbo, como por acaso, ao dar com ele na esquina do fogão. Arkádi Ivânovitch não pôde conter o riso.

— Acaba logo com isso, seu mosca-morta! — disse.

— O quê? Tudo não estás dormindo, Arkacha?

— Olha, não tenho certeza, mas parece-me que não.

— Ah, Arkacha! Boas-tardes, colega! Se soubesses o que tenho para te dizer!

— Claro que não sei! Mas aproxima-te!

Vássia aproximou-se, como se já estivesse à espera daquele convite e não suspeitasse das intenções de Arkádi Ivânovitch. Este agarrou-lhe a mão, obrigou-o habilmente a dar meia-volta até fazê-lo cair sobre a cama de barriga para o ar e começou a apertar-lhe o pescoço, o que parecia divertir imenso o bom de Arkádi Ivânovitch, que estava sempre bem disposto.

— Vencido! — exclamou. — Vencido!

— Arkacha, Arkacha! Que estás fazendo, homem! Larga-me, larga-me pela tua saúde! Não vês que me amarrotas o terno?

— Deixa amarrotar. Por que vestiste hoje o terno novo? Assim aprenderás a ser mais cauteloso e para outra vez já não hás de vir meter-te na boca do lobo. Mas conta logo essa história: onde estiveste, onde comeste?

---

1 Em russo é incorreção tratar uma pessoa só pelo prenome.

— Arkacha, por amor de Deus, larga-me, homem!

— Onde comeste?

— Pois era isso mesmo o que eu ia te dizer!

— Então diz logo!

— Está bem, mas primeiro, larga-me!

— Não, não vou te largar enquanto não me contares tudo!

— Arkacha, Arkacha! Não vês que assim é impossível, completamente impossível? — gemeu o pobre Vássia, lutando em vão para soltar-se dos braços fortes do amigo... — Há coisas que...

— Que coisas?

— Coisas que se uma pessoa começa a contar em semelhante situação, perdem toda a seriedade. É-me completamente impossível... Seria ridículo e... a coisa não tem nada de ridículo, pelo contrário, é tudo quanto há de mais sério!

— Lá vem ele com a seriedade! Que andarás tramando? Olha, conta-me antes coisas para rir... Deixa-te de coisas sérias; não me contes nada sério que não estou para te ouvir. És meu amigo ou não? Diz se és meu amigo!

— Arkacha, por amor de Deus, não posso mais!

— E eu não estou para te dar ouvidos!

— Olha Arkacha — começou Vássia, que estava atravessado no meio da cama e se esforçava por todos os meios para dar relevo às suas palavras. — Arkacha... Eu, por mim, te dizia... O pior é que...

— Está bem. Desembucha, então!

— Arkacha! Fica sabendo que tenho noiva e que me vou casar!

Arkádi Ivânovitch, em silêncio, tomou Vássia nos braços como se fosse um garoto (embora Vássia não fosse pequeno demais, era fraco), e pôs-se a passeá-lo assim, suspenso dos seus braços, de um lado para o outro, exatamente como quem embala um menino de peito.

— Pois vou acabar com a tua alegria, meu nenê!

Mas ao reparar que Vássia descansava nos seus braços imóvel e sem dizer nada, caiu em si e compreendeu que talvez se tivesse excedido na sua brincadeira; por isso deixou-o em pé no meio do quarto e deu-lhe um tapinha na face.

— Vássia, estás zangado?

— Ouve, Arkacha...

— Feliz Ano-Novo?

— Olha, Arkacha, não estou zangado... Mas... por que serás tu tão maluco? Quantas vezes já te disse que não acho graça nenhuma nessas coisas?

— Bem, não te zangues!

— Eu nunca me zango com ninguém! Mas bem vês que me ofendeste!

— Ofendi-te? Em quê, homem?

— Vim ter contigo, como meu amigo que és, com a alma a transbordar de alegria, ansioso por abrir-te o meu coração e comunicar-te a minha felicidade...

— Sim, mas de que felicidade falas tu? Por que não principiaste logo por me dizer isso?

— Bem, fica sabendo que vou casar! — respondeu Vássia de mau humor, pois sentia-se na verdade magoado.

— O quê? Tu, casar? Isso é verdade? — gritou Arkacha a plenos pulmões. — Não, não!... Como é possível? Vejam só... chorando! Vássia, meu amigo, ouve-me! Diz-me... isso é verdade?

E Arkádi Ivânovitch tornou a abraçar o amigo.

— Bem, talvez agora compreendas o que se passa comigo! — disse Vássia. — Tu me estimas e és um bom amigo, eu sei. Chego a ti cheio de alegria e entusiasmo, e tu atiras com toda essa alegria e esse entusiasmo para cima da cama, sem sombra de dignidade... Ora, deves compreender, Arkacha — continuou Vássia rindo — que numa posição tão cômica, na qual eu, de certo modo, nem sequer era senhor de mim próprio... Não queria ridicularizar assuntos do coração... Só faltou perguntares-me o nome dela! Mas juro-te que antes teria deixado que me matassem do que pronunciar o seu nome em tal circunstância!

— Vássia, mas por que não começaste tu por me dizer isso? Teria acabado logo com a brincadeira! — exclamou Arkádi Ivânovitch sinceramente penalizado.

— Bem. Deixemos isso. Eu dizia unicamente... Tu sabes o meu jeito. O que me contrariava era não poder dar a notícia como queria. Pensava em dar-te uma grande alegria, participar tudo de maneira delicada e solene, contar-te todos os pormenores... Para falar a verdade, Arkacha, tenho-te tanta amizade que me parece que, se não fosses tu, não casava e talvez nem pudesse continuar a viver neste mundo.

Arkádi Ivânovitch, que era extremamente sensível, chorava e ria enquanto ouvia o amigo. A este acontecia o mesmo. Abraçavam-se e tornavam a abraçar-se, esquecidos de tudo o mais.

— Conta como foi isso, diz, como foi? Conta tudo, Vássia! Desculpa, meu caro, desculpa-me; estou comovido e transtornado como se me tivesse caído um raio em cima, juro-te! Mas não, homem! Tudo isso é simplesmente uma invenção tua! Aposto que estás inventando! — exclamou Arkádi Ivânovitch olhando o amigo com desconfiança; contudo, ao ver no seu rosto a clara confirmação do seu firme propósito de casar em breve, atirou-se para cima da cama e pôs-se a dar cambalhotas de alegria com tanto entusiasmo que as paredes do quarto até tremiam.

— Vássia, vem cá! — exclamou pondo-se finalmente de pé.

— Olha, meu amigo: verdadeiramente, não sei... como nem por onde começar! Olhavam um para o outro muito comovidos.

— Quem é ela, Vássia?

— Tem o sobrenome Artiômieva! — exclamou Vássia, trêmulo de felicidade.

— Então é sério mesmo?!

— Sério. Já teria contado muitas coisas a respeito dela, mas tu nunca acreditas em nada. Por isso preferi calar-me. Oh, Arkacha, se soubesses quanto me custou ter segredos para ti!... Mas tinha medo de falar! Pensava que isto tudo podia vir ainda a acabar e eu estava tão apaixonado, Arkacha! Oh meu Deus, meu Deus! Ela estava noiva — continuou, tornando logo a parar devido à comoção. — Havia já um ano que ela estava comprometida e eis que transferem o noivo não sei para onde; bem, eu o conhecia... Um como há muitos, valha-nos Deus! Não voltou mais a dar notícias e para ela isso foi como se tivesse morrido. Esperava, esperava, sem *saber o que havia de pensar*... De repente, há quatro semanas, ele voltou... mas casado e sem dar explicação. Não foi isto uma maldade? Uma traição? Não havia ninguém que se atrevesse a defendê-lo. A pobrezinha não fazia senão chorar, e eu então apaixonei-me por ela... Bom... apaixonado por ela, a bem dizer já eu estava há muito tempo, sempre o estive! Consolava-a e tornava cada vez mais frequentes as minhas visitas. Nem eu mesmo sei como isto foi. Ela, por seu lado, acabou também por se dedicar a mim; na semana passada não pude conter-me por mais tempo, as lágrimas saltaram-me dos olhos, rompi em soluços e disse-lhe tudo, tudo: que a amava... numa palavra, tudo!... "Eu também o amo, Vassíli Pietróvitch! — disse ela — mas não passo de uma moça, não me engane... Eu até já tenho medo de me dedicar seja a quem for." Bem, meu amigo, foi assim... Ficamos noivos. Comecei depois a pensar como havia de dizê-lo à mãe dela. Lisanhka dizia que era um assunto delicado e que eu devia esperar um pouco; ela não se atrevia a fazê-lo. "A mamãe — dizia — não há de querer que eu me case tão depressa", e chorava. Não insisti. Hoje, porém, fui e contei tudo à velhota. Lisa lançou-se a seus pés e eu também. E ela... ela nos abençoou. Arkacha, Arkacha meu amigo! Vamos viver todos juntos! Não digas que não. Nada deste mundo me faria separar-me de ti!

— Vássia, estou ouvindo o que me contas e ainda não acredito que seja a verdade. Por Deus te juro que me custa a crer. Parece-me... Diz-me: como vais casar? Como é possível que eu tenha estado cego todo este tempo? Eu também vou confessar uma coisa, Vássia: também eu pensava em casar, mas, casando-te tu, é a mesma coisa... também eu serei feliz!

— Ah, se soubesses como estou contente! — disse Vássia comovido e pôs-se a dar voltas no quarto para um lado e para o outro. — E tu também estás, não é verdade? Somos pobres mas havemos de ser felizes... e isto não é nenhuma loucura. A nossa felicidade não é fictícia como a dos livros, somos felizes de verdade!

— Vássia, escuta uma coisa!

— O que é? — perguntou Vássia parando diante de Arkádi Ivânovitch.

— Lembrei-me de uma coisa... Tenho medo de te dizer... Desculpa, mas tira-me as dúvidas. De que pensas tu viver? Eu, bem vês, não caibo em mim de contente com a perspectiva do teu casamento: quase morro de alegria mas... insisto na pergunta: de que vais viver?

— Ah meu Deus, como tu és, Arkacha! — exclamou Vássia, que parou, olhando o amigo com profundo espanto. — De que tu te foste lembrar! A própria mãe não pensou nisso nem dois minutos, quando eu lhe falei. Pergunta-lhes a elas de que viveram até aqui! Quinhentos rublos por ano para três pessoas! É quanto lhes dá ao todo a pensão com que têm de manter-se! Disso, vivem, ela, a mãe e um irmãozinho, a quem ainda por cima têm de pagar a escola!... É assim que as pessoas vivem! Nós, tu e eu, somos verdadeiros capitalistas, pois eu, quando as coisas me correm bem, já tenho tirado por ano os meus bons setecentos rublos!

— Olha, Vássia, perdoa-me! Era pensando em vocês que eu dizia isto... Mas que história é essa de setecentos rublos? Queres dizer trezentos...

— Trezentos?... E Iulian Mostakóvitch? Esqueceste dele?

— Iulian Mostakóvitch! Isso não vem ao caso. Não são trezentos rublos de ordenado certo, dinheiro com que se possa contar. Claro que Iulian Mostakóvitch é excelente pessoa: eu sinto por ele o maior respeito, compreendo que chegasse onde chegou e tenho-lhe amizade porque ele te ajuda e pagou-te um trabalho pelo qual, se fosse outro, não te teria dado nada. Apenas se limitaria a encarregar dele qualquer funcionário... Contudo, diz-me, Vássia... Ouve-me, Vássia, pois não é disparate nenhum: sei que não há em todo Petersburgo quem tenha uma letra como a tua e estou disposto a ver tudo pelo melhor — concluiu Niefiediévitch com certo entusiasmo — mas, e se de repente — Deus queira que não! — ele se aborrecesse contigo, rescindisse o contrato e chamasse outra pessoa? Sabe alguém o que pode acontecer nesta vida? Neste caso não poderias contar com Iulian Mostakóvitch...

— Olha, Arkacha, se vamos pensar nisso, também nos poderia cair agora o teto em cima...

— Bem, bem. Não é que eu deseje...

— Mas ouve uma coisa: por que havia ele de me despedir? Não, escuta. Eu procuro fazer-lhe os trabalhos com pontualidade e o melhor que posso, e ele é tão bom para mim, Arkacha... Olha, ainda hoje me deu cinquenta rublos!

— Deveras. Vássia? Uma gratificação?

— Foi do seu próprio bolso. Disse-me: "Olha, rapaz, há cinco meses que não recebes nada. Se precisas de alguma coisa, diz, pois eu estou muito contente contigo. E não quero que trabalhes para mim de graça!". Disse-me assim mesmo. Eu até chorei, Arkacha.

— Olha, Vássia, já acabaste a nova cópia?

— Não... ainda não.

— Vássienhka, meu filho, então em que tens gasto o tempo?

— Em primeiro lugar, não há pressa, Arkádi; ainda tenho dois dias inteiros para a terminar.

— Mas já a começaste, ao menos?

— Com os diabos, homem! Olhas-me de um modo que até me fazes medo! Que tem de especial que ainda não tivesse começado? Tu, com os teus terrores, até tiras a coragem às pessoas! Ah... ah... ah! Acredita, homem, que tem isso de especial? Acabo-a num abrir e fechar de olhos, num instante...

— Mas... e se não a acabas? — exclamou Arkádi encolhendo os ombros. — Precisamente nesta altura em que ele te gratificou! E ainda mais, agora, que pensas casar!... Oh... oh... oh!

— Isso não tem nada que ver com o caso! — exclamou Chumkov quase desesperado. — Vou começar imediatamente, é já... Verás que daí não acontecerá nada de grave!

— O que me admira, Vassiútka, é como pudeste esquecer-te disso!

— Ai, Arkacha! Eu podia lá ter paciência para estar sentado! Era tal a minha perturbação que mal podia trabalhar na repartição... Ah! Mas hei de passar esta noite escrevendo e amanhã à noite faço o mesmo, e depois de amanhã também, e verás como depois acabo tudo!

— Falta-te muito?

— Não me distraias, pelo amor de Deus, não me distraias. Para com isso!

Arkádi Ivânovitch foi em ponta de pés, devagarinho, até à cama e estendeu-se: daí a pouco quis logo levantar de novo mas disse para si próprio que não devia distrair o amigo e continuou quieto.

Pelo visto, a notícia do casamento tinha-o perturbado a ponto de roubar-lhe o sossego. Olhava para Chumkov que, por sua vez, o olhava também, sorria e o ameaçava com o dedo. Chumkov franziu as sobrancelhas como se nelas estivessem as suas forças e o ambicionado êxito do seu trabalho e depois tornou a fixar os olhos sobre o papel. Parecia que também ele não podia dominar a sua comoção; mudava constantemente de pena, mexia-se na cadeira e parava de repente de escrever, para recomeçar logo em seguida; a mão tremia-lhe e recusava visivelmente obedecer-lhe.

— Arkacha! Também lhe falei de ti! — exclamou de súbito, como se isto lhe tivesse lembrado de repente.

— Ah, sim? — disse Arkacha. — Estava mesmo para te perguntar!

— Bem, logo te contarei o resto. Olha, já comecei a falar e não o queria fazer antes de ter copiado pelo menos quatro folhas! É que de repente me lembrei que tinha isso para te dizer. Mas está visto. Não me apetece nada escrever agora. Não faço senão pensar em vocês...

E Vássia sorria.

Houve um silêncio.

— Uf! Esta caneta não presta! — exclamou Chumkov, mal-humorado, atirou-a para cima da mesa e pegou noutra.

— Vássia! Ouve só isto...

— Bem. Mas é a última vez...

— Ainda tens muito que escrever?

— Ah, meu amigo!

Vássia franziu a testa como se não houvesse no mundo pergunta mais terrível do que aquela.

— Olha, lembro-me de uma coisa...

— Diz!

— Não... Continua antes a escrever!

— Não, diz logo!

— Já são sete horas, Vássia!

Ao dizer isto Niefiediévitch sorriu ironicamente e olhou para Vássia, a medo, pois não sabia como ele iria acolher a sua ideia.

— Bom. Que vem a ser? Fala de uma vez, homem! — disse Vássia e parecia verdadeiramente desejoso de deixar de escrever. Olhava Arkádi nos olhos e estava muito pálido.

— Sabes uma coisa?

— Acaba de uma vez, pelo amor de Deus!

— Então, ouve: estás muito excitado e não podes trabalhar agora. Por isso... espera... espera... eu vou ver, vou ver como isso vai — disse Niefiediévitch, saltando da cama, de um pulo, de forma a não dar tempo a qualquer resposta de Vássia. — Antes de mais nada é necessário que sossegues e recuperes a calma, não achas?

— Arkacha, Arkacha! — exclamou Vássia dando um salto da cadeira. — Eu hei de passar aqui a noite toda escrevendo; juro-te que o farei!

— Está bem, está bem. Mas amanhã não poderás ficar em pé, de tanto sono...

— Não... Não hei de adormecer, de maneira nenhuma...

— Isso não tem importância. Naturalmente, aí pelas cinco, adormeces, mas eu te chamo às oito! Amanhã é dia feriado e por isso podes ficar amarrado à cadeira a escrever todo o dia. Mas... ainda te falta assim tanto, Vássia?

— Sim. Olha!

— Oh, filho, nem por isso!

— Não, ainda é bastante! — disse Vássia, erguendo para Niefiediévitch uns olhos tímidos, interrogativos, como se da resolução deste dependesse tudo, terminar ou não a cópia.

— Quanto?

— Dois cadernos!

— Creio que não te será difícil acabá-los. Hás de acabá-los com certeza!

— Arkacha!

— Olha, Vássia! Agora, no Ano-Novo, todas as pessoas se reúnem com a família e só nós... não temos lar e estamos órfãos. Ah, Vássienhka! — Niefiediévitch abraçou Vássia e apertou-o contra o peito.

— Tens razão, Arkádi!

— Olha, Vassiútka, vou dizer-te uma coisa! Escuta, Vassiútka, meu filho!

Arkádi tinha a boca muito aberta, como se o entusiasmo não o deixasse falar. Vássia, que tinha ainda as mãos nos ombros fortes de Arkádi, olhou-o com os olhos também muito abertos, como se quisesse dizer-lhe qualquer coisa e hesitasse...

— Mas o que ias dizer? — perguntou-me por fim.

— Por que não me apresentas a ela esta noite?

— Sim, Arkádi, iremos até lá. Tomaremos chá com elas. Mas sabes uma coisa? Não ficamos lá até à meia-noite, voltamos para casa antes que comece o Ano-Novo — exclamou Vássia com sincero entusiasmo.

— De acordo: duas horinhas, nem mais nem menos!

— E depois... adeus, até que eu acabe o meu trabalho!

— Vassiútka!

— Arkádi!

Em três minutos Arkádi vestiu o seu melhor terno. Vássia não fez mais do que passar a escova pelo seu, pois atirara-se ao trabalho com uma tal pressa que nem sequer tirara o casaco.

Num instante estavam na rua, cada qual mais feliz. O caminho que tinham de seguir ia pelo lado de Petersburgo até Kolomna. Arkádi Ivânovitch caminhava a passos largos e firmes; pelo seu modo de andar podia ver-se quanto o alegrava a felicidade do amigo. Vássia dava passinhos miúdos, mas sem quebra de dignidade. Pelo contrário, nunca ele causara em Arkádi tão boa impressão. Enquanto caminhavam sentia uma grande estima por ele, e um defeito físico de Vássia, que o leitor ignorou até aqui (ele era um pouco aleijado), e que sempre inspirara a Arkádi Ivânovitch uma profunda compaixão, contribuía para que fosse agora maior e mais viva a sua simpatia pelo amigo. Arkádi Ivânovitch sentia vontade de chorar, mas continha-se.

— Mas, onde vamos nós, Vássia? Por aqui chegamos mais depressa! — exclamou ao ver que Vássia queria meter pelo Próspekt Vosniessiénski.

— Vem por aqui, Arkacha, por aqui!...

— Garanto-te que por este lado é mais perto, Vássia!

— Olha, Arkacha... é que — disse Vássia em voz baixa e em tom de mistério — é que... quero levar uma lembrança a Lisanhka...

— Bem, isto é outro caso...

— Olha, Arkacha... aqui na esquina está a loja de *madame* Leroux... É uma loja *magnífica!*

— O que é que lhe vais oferecer?

— Um chapéu, Arkacha. Esta manhã vi um muito bonito na vitrine; perguntei que tipo era aquele e disseram-me que era um chapéu à Manon Lescaut. Tem fitas cor de cereja e, se não for muito caro... E ainda que o seja, Arkacha...

— Amigo Vássia, tu pões todos os poetas num chinelo! Vamos lá...

Assim fizeram e em dois minutos estavam na loja. Atendeu-os uma francesa já de idade, de olhos negros e cabelos ondulados, que mal pôs os olhos nos clientes pareceu ficar tão contente e feliz como eles, talvez até mais contente! Vássia, de tão entusiasmado, sentia-se tentado a beijar a velha senhora Leroux.

— Arkacha! — disse para o amigo enquanto passeava o olhar por todos os adornos e preciosidades que se exibiam sobre balcões de madeira, na grande mesa da loja. — Que maravilha! Olha, que te parece? Não gostas deste mimo? Este, homem! — E Vássia indicou ao amigo um chapeuzinho muito engraçado, não aquele que queria comprar, pois já de longe este lhe tinha chamado a atenção. Contemplava-o com uma tal ansiedade que parecia temer que pudessem roubá-lo, ou que o próprio chapéu tivesse asas e se pusesse a voar enquanto estendia a mão para pegá-lo.

— Não, este — disse Arkádi Ivânovitch apontando para outro chapéu. — Este, para meu gosto, ainda é mais bonito!

— Bem, Arkacha! Essa escolha depõe a teu favor: já sabes que eu me inclino perante o teu bom gosto — observou Vássia que, evidentemente, só por amizade concordava com a escolha do amigo. — Não há dúvida de que este chapéu é encantador; mas no entanto olha para este!

— De qual gostas mais?

— Estás olhando para ele...

— É aquele? — perguntou Arkádi com certa hesitação. Contudo, Vássia, que não podia conter-se por mais tempo, tirou o chapeuzinho do suporte donde parecia querer escapar-se, como se, após uma longa espera em que se lhe tinham inteiriçado as fitas, os entrançados e as rendas, se alegrasse por ter encontrado finalmente um comprador; e naquele instante um grito de entusiasmo se escapou do peito de Arkádi Ivânovitch. A própria *Madame* Leroux, que durante todo aquele tempo guardara silêncio enquanto eles escolhiam, brindou então Vássia com um sorriso benévolo e esse sorriso parecia dizer: "Sim, senhor. Acertou. É digno da felicidade que o espera".

— Está provado que mesmo sozinho foi capaz de seduzir! — exclamou Vássia que dirigia toda a sua ternura para o chapeuzinho encantador. — E eu que quase nem o via, a este maroto!

E deu-lhe um beijo, isto é, atirou um beijo no ar, pois nem sequer se atrevia a roçar com o hálito aquela joia.

— Assim se esconde o verdadeiro mérito — acrescentou Arkádi Ivânovitch, entusiasmado, para dar uma nota humorística à situação, graças àquela frase que de manhã tinha lido num jornal. — Eh, Vássia! Que dizes a isto?

— Viva, Arkacha! Hoje estás para brincar, como dizem as senhoras... Não é verdade, *Madame* Leroux?

— Como?

— Não acha que eu tenho razão, minha cara senhora? — *Madame* Leroux sorriu com benevolência para Arkádi Ivânovitch.

— Não imagina como neste momento a idolatro... Deixe-me abraçá-la...

E Vássia depôs um beijo em cada uma das faces da modista.

O sentimento da dignidade própria exigia que esta não se desse por achada naquele instante de semelhante ousadia. Com um sentido inato de compostura e natural aprumo, *Madame* Leroux compreendeu o entusiasmo de Vássia, desculpou o atrevimento e soube ter mão na situação. Além disso era impossível alguém zangar-se a sério com Vássia!

— *Madame* Leroux, qual é o preço?

— Cinco rublos — respondeu ela com um sorriso.

— E este, *Madame* Leroux? — perguntou Arkádi Ivânovitch apontando para o que tinha escolhido.

— Esse são oito rublos.

— Agora vai ter paciência, *Madame* Leroux. A senhora vai ter a bondade de dizer qual é o mais bonito dos dois, o mais elegante e o que escolheria para si.

— Este é mais caro; mas esse que escolheu... *Il est plus coquet.*[2]

— Pois então levamos este.

Madame Leroux embrulhou o chapéu numa folha de papel de seda muito fino e prendeu-o com um alfinetinho. E o papel com o chapeuzinho lá dentro parecia ainda mais leve do que sem ele. Vássia pegou no embrulho e quase sem se atrever a respirar, despediu-se de *Madame* Leroux; balbuciou ainda umas palavras de cortesia e saiu da loja.

— Sou um idiota, Arkacha, um doido varrido! — exclamou Vássia a rir; mas o riso logo ficou quase imperceptível e Vássia afastava-se angustiosamente de todos os que passavam, como se temesse que estes quisessem tirar-lhe o querido chapéu e não pudessem fugir a tal tentação.

— Escuta uma coisa, Arkacha! — disse passados uns instantes e havia na sua voz vibrações que revelavam a sua imensa felicidade. — Arkádi, se soubesses como sou feliz, tão feliz!

— Deveras, Vássienhka? E eu também!

— Não, Arkacha, não. A amizade que me dedicas é enorme, eu bem sei. Mas tu não podes sentir nem a décima parte do que eu sinto neste momento. O meu coração transborda de felicidade! Arkacha! Eu não mereço tanta ventura! Sou o primeiro a reconhecer. Que fiz eu para merecer tanto bem, — exclamou com uma voz que vibravam soluços reprimidos — que boas ações pratiquei eu, diz-me lá? Lembra-te de quanto desgraçados há neste mundo, quantas lágrimas, quantas penas, quantos dias sem sol! E eu, em compensação... Eu tenho o amor de uma mulher como esta... Tu hás de vê-la e hás de conhecer o seu nobre coração. Sou duma classe modesta, mas tenho uma situação e um ordenado certo. Vim a este mundo com um defeito: sou aleijado. Mas apesar disso ela quer-me. E que afetuoso e delicado foi para mim Iulian Mostakóvitch! Raras vezes fala comigo, mas hoje... "Olha, Vássia — disse-me (tão certo como chamar-me Vássia) — hoje, como é dia de festa, vais dar um passeio, não é verdade?" E sorria. "Não, senhor — apressei-me a responder-lhe — porque tenho que fazer!" Mas logo caí em mim e disse: "Contudo, talvez procure distrair-me um pouco, Excelência..." Disse-lhe assim, tal e qual. Então ele meteu a mão no bolso, deu-me esse dinheiro e ainda me disse umas palavras amáveis... Eu estava quase a chorar; ele também dava mostras de comoção e, pondo-me a mão no ombro, disse-me: "Que continues a

<hr>

2 É mais gracioso.

ser sempre como até agora, Vássia...". Vássia calou-se por um instante.

— E não é só isto — prosseguiu Vássia. — Eu nunca te disse, Arkádi... Arkádi! Mas é a verdade pura: se não fosse a tua amizade, eu não seria já deste mundo... Não, não, eu não seria já deste mundo. Não, é o que te digo, Arkacha! Deixa-me apertar-te a mão, vamos, quero exprimir-te a minha gratidão!... — Vássia teve de calar-se.

Arkádi Ivânovitch ia lançar-se nos braços do amigo, mas naquele momento iam atravessando a rua e, de repente, ouviram por detrás a voz cortante dum cocheiro: "Cuidado!". E ambos, comovidos e assustados, correram a toda a pressa para alcançar o passeio. Arkádi Ivânovitch ficou satisfeito por se ter dado aquele incidente. Aquele excesso de gratidão, por parte de Vássia, explicava-se como um desabafo de momento. Era-lhe doloroso, porque pensava que, até então, nunca havia prestado nenhum favor ao amigo. Até sentia vergonha de ouvir as frases de gratidão de Vássia! Mas ainda tinha a vida toda à sua frente... e Arkádi Ivânovitch respirou profundamente, propondo-se dali para o futuro...

Já tinham desistido de esperar por eles! A prova é que já estavam tomando o chá! E, para dizer a verdade, às vezes os velhos têm palpites que os novos não têm. Lisanhka tinha afirmado com toda a convicção que o noivo já não viria naquele noite: "*Mámienhka! O coração diz-me que ele não vem!*".

A mãe, pelo contrário, acreditava que vinha; o coração adivinha-lhe com razão que Vássia não poderia ter sossego e não teria outro remédio senão vir vê-las, tanto mais que por ser véspera de Ano-Novo não tinha de ir para o emprego. Por isso, ao abrir a porta e ao vê-lo, Lisanhka não acreditava nos seus olhos; fez-se muito vermelha e o coração começou a palpitar-lhe tão depressa como o dum passarinho preso. Sim, fez-se rubra como uma cereja, com que, aliás, já se parecia.

— Meu Deus, mas que surpresa! — um ah! de júbilo lhe chegou aos lábios. — Isto não se faz, seu mentiroso! — exclamou atirando-se para os braços de Vássia.

Mas podem imaginar agora o seu espanto e a sua confusão ao descobrir por detrás de Vássia, procurando esconder-se, muito intimidado, Arkádi Ivânovitch, que não estava habituado a lidar com senhoras e era terrivelmente desajeitado. Daquela vez já não havia remédio... mas para outra não tornariam a apanhá-lo! Imaginem-no, à entrada, com as suas galochas, a capa e um gorro até às orelhas, e no pescoço um horroroso cachecol amarelo, que ainda por cima lhe tapava parte da nuca e era difícil de desatar. Ora, ele tinha que desatá-lo para poder deixar, em quem o visse, uma boa impressão. E aquele maroto de Vássia, aquele insuportável Vássia, tão carinhoso e bom, mas que agora se revelava cruel, pois começou a dizer em voz alta:

— Olha, Lisanhka, apresento-te Arkádi Ivânovitch! Queres saber quem é? É o meu melhor amigo, Lisanhka, dá-lhe um abraço e um beijo; não hesites em beijá-lo, pois logo que o conheças um pouco, não te fartarás nunca de o beijar...

Que havia de fazer o pobre Arkádi Ivânovitch? O coitado continuava de pé e procurava desatar aquele malvado nó! Nada! Aqueles entusiasmos de Vássia tornavam-se às vezes tão importunos! Claro que nisso só manifestava o seu bom coração... mas, ainda assim, aquilo sempre custava...

Por fim entraram ambos na sala... A mãe gostou muito de conhecer Arkádi Ivânovitch; já tinha ouvido falar tanto dele, tinha... mas não terminou a frase. Um ah! alvoroçado ressoou na sala e cortou-lhe a palavra. Santo Deus! É que Lisanhka estava de pé e olhava o chapeuzinho que Vássia tirara do papel e, com as mãos juntas, numa atitude ingênua, ria a mais não poder... Seria possível que *Madame* Leroux não tivesse nenhum chapéu mais bonito do que aquele?

Ah! Como poderia haver algum mais bonito? Falo a sério. A mim choca-me profundamente a ingratidão daquela noiva! Mas ainda acabariam por concordar as duas que não podia haver nada mais bonito que aquele encantador chapéu... Não havia pois razões para eu estar preocupado... Pronto, já estavam agora todos de acordo comigo; tinha sido um engano e nada mais! Estou por isso disposto a perdoar-lhe. Os leitores desculpem-me que eu lhes fale tanto do chapéu, que era de tule do mais fino e transparente, com umas largas fitas cor de cereja e enfeitado de renda. E por debaixo do tule e do entrançado saíam, na parte de trás, duas fitas que iam cair sobre o pescoço... Era necessário apreciá-lo um pouco pelo lado de trás! Olhem-no, por favor! Parece que não querem olhar para ele... Vejam-no por detrás. Vejam como duas lágrimas semelhantes a duas pérolas correm das negras e compridas pestanas, tremulam ali um momento e vêm cair sobre o tule, fino como o ar, sobre esse tule de que está feita esta maravilha artística de *Madame* Leroux... Mas eu fico aborrecido porque essas duas lágrimas não dizem bem com o chapeuzinho... Não! Um tal chapéu precisa de ser aceito a sangue-frio, pois só assim pode ser devidamente apreciado!

Sentaram. Vássia sentou ao lado de Lisanhka e a mãe junto de Arkádi Ivânovitch. Começaram a falar e Arkádi Ivânovitch recuperou todo o seu aprumo. É com prazer que lhe faço justiça. Na verdade não podia esperar-se outra coisa dele. Depois de uma meia dúzia de palavras sobre Vássia, muito habilmente pôs-se a contar coisas de Iulian Mostakóvitch, o protetor do amigo. E exprimia-se com tanta habilidade e acerto que durante uma hora não parou de falar. Era digna de ver-se a descrição com que Arkádi Ivânovitch fazia brilhar as qualidades de Iulian Mostakóvitch, mais ou menos diretamente relacionadas com Vássia. Por tudo isso a velha senhora mostrou-se entusiasmada, verdadeiramente entusiasmada com ele; e disse-o até a Vássia. De propósito, chamou-o de lado para lhe dizer que o amigo era um rapaz muito gentil e muito simpático e, o que era mais importante, bastante sensato e correto. Vássia, ao ouvi-la, quis rir de alegria. Pensava em como aquele tão sensato Arkacha, ainda uma hora antes o tinha obrigado a tombar em cima da cama! Depois a mãe fez sinal a Vássia para que passasse, sem os outros darem por isso, à sala contígua. E ali fez uma traiçãozinha a Lisanhka, pois mostrou a Vássia o presente que a noiva lhe queria dar pelo Ano-Novo. Era uma carteira com um desenho primoroso, bordado a ouro, que tinha num dos lados um veado a correr com um ar tão natural e tão vivo que se não podia exigir mais, e do outro o retrato dum general famoso, também muito parecido. O contentamento de Vássia era indescritível.

Entretanto, na outra sala, também não tinham perdido o tempo. Lisanhka tinha-se aproximado de Arkádi Ivânovitch, estendera-lhe a mão e agradecera-lhe... E Arkádi Ivânovitch compreendeu logo que se tratava de Vássia. Lisanhka estava profundamente comovida. Tinha sabido que Arkádi era um bom amigo do seu noivo, que o estimava muito e olhava por ele e constantemente lhe dava bons conselhos, pelo que só tinha a agradecer-lhe, esperando que Arkádi Ivânovitch também lhe dispensasse, a ela, a sua amizade, ainda que fosse só metade da que tinha por Vássia. Perguntou-lhe se este era cuidadoso com a saúde. Falou-lhe do seu temperamento exaltado e da sua falta de sentido de orientação prática e de conhecimento das pessoas. Acrescentou que ela havia de fazer o possível por acostumar-se ao seu feitio e por defendê-lo de tudo e exprimiu por fim a esperança de que Arkádi Ivânovitch não os abandonaria e que havia de ficar morando com eles.

— Viveremos os três juntos e seremos como um só — exclamou ela com ingênuo entusiasmo.

Mas o tempo passava e resolveram terminar a visita. Como é natural, elas procuraram reter os visitantes; Vássia fez-lhes ver de maneira rápida mas decisiva que não podiam demorar-se mais e Arkádi Ivânovitch confirmou as palavras do amigo. Naturalmente perguntaram-lhes a razão. E ficaram destarte informadas de que Vássia estava fazendo um trabalho para Iulian Mostakóvitch: um trabalho tão importante, tão difícil e urgente que tinha de estar pronto dali a dois dias e estava ainda muito atrasado. A sogra suspirou ao ouvir isto, mas Lisanhka assustou-se e quis que Vássia saísse logo. Nem por isso o último beijo que trocaram perdeu o seu valor, pois se foi mais rápido e apressado, teve também maior calor e mais paixão. Finalmente separaram-se e os dois amigos dirigiram-se para casa.

Logo que se encontraram na rua começaram a trocar impressões. E veio a concluir-se que Arkádi Ivânovitch se tinha enamorado perdidamente de Lisanhka. E quem podia compreendê-lo melhor que o feliz Vássia? Arkádi Ivânovitch confessou tudo ao amigo, sem rodeios. Vássia riu-se e alegrou-se com o fato e afirmou que dali para o futuro seriam ainda mais amigos do que até então.

— Oh, ainda bem que me compreendes, Vássia — disse Arkádi Ivânovitch. — É isso mesmo! Eu lhe quero a ela como te quero a ti, ela será para mim como já é para ti, um anjo da guarda, e a felicidade de vocês chegará até mim e aquecerá também o meu coração! Ela será também a dona da minha casa; porei nas suas mãos a minha felicidade, ela velará por mim e por ti. Sim, sou teu amigo... e também o serei dela. Hão de estar os dois sempre a meu lado, e será como se tu, em vez de seres uma só pessoa, daqui para o futuro fosses três...

Arkádi calou-se, dominado pelo excesso dos seus sentimentos. As suas palavras tinham comovido Vássia até ao mais fundo do seu coração. Nunca pensara ouvir tais coisas da boca de Arkádi. Este não costumava exprimir-se daquele modo, nem gostava de salamaleques, mas era evidente que naquela ocasião tinha manifestado os sentimentos mais apaixonados!

— Hei de olhar por ambos, e de acarinhá-los — continuou. — Em primeiro lugar, serei o padrinho de todos os teus filhos, de todos sem qualquer exceção, e além disso, Vássia, é preciso pensar também no futuro. Temos de alugar um andar e comprar móveis, de maneira que cada um de nós tenha o seu quarto. Amanhã mesmo, Vássia, irei pelas ruas ver as casas com escritos. Três... não, dois quartos; dois chegam. Reconheço agora, Vássia, que foi um disparate aquilo que disse esta tarde, que o dinheiro não chegava. Não chega o quê! Mal a vi, compreendi que tinha de chegar. Ela merece tudo! Oh, agora é que vamos os dois trabalhar! Agora, Vássia, é necessário ter coragem e alugarmos um quarto de vinte e cinco rublos! É preciso que seja um bom quarto, amigo. Uma boa casa faz o homem alegre e sugere-lhe bons pensamentos. E além disso Lisanhka será a nossa "caixa", não havemos de gastar nem um copeque em coisas inúteis! Achas que torno a pôr os pés numa taverna? Por quem me tomas, Vássia? Por nada deste mundo voltarei a fazer isso! Pelo contrário, havemos de trabalhar os dois o mais possível, e verás como nos aumentam o ordenado e nos dão gratificações. Agora é que vamos trabalhar, Vássia!

Vamos devorar o expediente como leões! Imagina que... — sentia-se tão feliz que até lhe fugia a voz — de repente, nos vinham parar ao bolso vinte e cinco ou trinta rublos... Ótimo! Já poderíamos comprar-lhe chapéus, um xale e meias novas! Mas para mim teria ela que providenciar outro cachecol porque, repara como este já está velho: amarelo e roto... E logo hoje é que tive a triste ideia de o pôr! E tu, Vássia, também és de morte, pois foste mesmo apresentar-me no momento exato em que procurava desembaraçar-me dele... Mas deixemos isso! Olha, eu tratarei do dinheiro! Além disso tenho de dar-lhes um presente, exigem-no a minha honra e o meu amor-próprio! A minha gratificação deste ano deve chegar para isso. Achas que pagarão logo? Não te preocupes, Vássia; eu vou comprar-vos colheres de prata e facas das boas... Não, não é necessário que sejam de prata; o que é preciso é que sejam boas. E também tenho de comprar uma casaca, uma casaca para mim, pois quero ser o vosso padrinho de casamento. E tu também meu amigo, hei de olhar por ti dia e noite, hei de estar sempre no teu encalço; vamos, acaba o trabalho, meu irmão, acaba de uma vez! E depois, à tardinha, sairemos a dar uma volta e seremos felizes... E em casa, havemos de jogar cartas! Passaremos os serões juntos... Hás de ver como se vai passar bem o tempo... Que pena eu não te poder ajudar! Quem me dera poder fazer-te a cópia toda! Por que não havemos nós de ter a letra igual?

— É verdade — respondeu Vássia. — É verdade. Não tenho tempo a perder. Creio que já devem ser onze horas. Vamos ao trabalho!

E Vássia, que todo aquele tempo tinha escutado o amigo, sorridente, procurando manifestar-lhe todo o seu afeto, ele que, numa palavra, escutara Arkádi com toda a sua alma, de repente calou-se, ficou inquieto e quase saiu a correr. Pelo visto, algum pensamento desagradável viera de súbito por cobro à sua desenfreada fantasia.

Também Arkádi Ivânovitch começou a dar mostras de inquietação; Vássia mal respondia às suas perguntas e, por outro lado, proferia palavras incoerentes.

— Que te aconteceu, Vássia? — perguntou-lhe por fim Arkádi, ao ver que aquele estugava o passo de tal maneira que ele mal podia acompanhá-lo. — Estás assim tão aborrecido?

— Deixa-me. Perdemos tempo demais conversando! — respondeu Vássia mal-humorado.

— Vássia, não te preocupes — interrompeu-o Arkádi. — Eu sei muito bem que, de outras vezes, tens copiado muito mais folhas em menos tempo... Não te aflijas, homem! Tu tens muito jeito... Em último caso, podes fazer uma letra menos apurada; não é necessário que tudo que escrevas saia como letra de forma. Vais ver! Mas se te apoquentas agora ficas nervoso e o trabalho não te sairá bem!

Vássia não deu resposta ou murmurou qualquer coisa por entre dentes, e ambos continuaram correndo em direção à casa.

Vássia pôs-se imediatamente a trabalhar. Arkádi Ivânovitch estava muito sossegado; despiu-se calmamente e deitou-se, sem perder Vássia de vista... De repente ficou assustado... "Mas o que terá ele? — pensou ao ver o rosto pálido do amigo, com aqueles olhos brilhantes. — Aquela agitação que transparece em todos os seus movimentos... A mão que lhe treme... Mau, mau... talvez fosse bom aconselhá-lo a que *se deitasse e dormisse um pouco*; talvez assim lhe passasse a excitação..."

Vássia, que tinha terminado naquele instante uma página, ergueu os olhos e o olhar foi encontrar-se com o do amigo. Mas logo baixou o olhar e tornou a pegar na pena.

— Olha, Vássia, não seria melhor que te deitasses um pouco? Parece que estás com febre...

Vássia, mal-humorado, olhou quase com ódio para Arkádi e não lhe respondeu.

— Vássia, o que tens tu?

Vássia parecia meditar.

— Não te parece que eu devia tomar uma chávena de chá, Arkacha? — perguntou-lhe de repente.

— Como? Por quê?

— É que o chá dá forças. Dormir, não quero, e não dormirei! Mas o chá espertava-me e poderei vencer melhor o cansaço.

— Ótimo, Vássia, ótima ideia! Acho muito bem; estava já para te dizer. O que me admira é não ter lembrado disso mais cedo. Mas... sabes uma coisa? Como Mavra não estará disposta a levantar-se...

— Isso é que é o pior!

— Por que, homem? Que tem isso? — exclamou Arkádi Ivânovitch saltando da cama descalço. — Vou eu mesmo preparar o samovar...

Arkádi Ivânovitch foi à cozinha e trouxe o samovar, enquanto Vássia continuava rabiscando. Depois Arkádi Ivânovitch vestiu-se e foi à padaria para que Vássia tivesse alguma coisa que comer durante a noite. Um quarto de hora depois o samovar estava em cima da mesa. Os dois amigos tomaram o chá juntos, mas em silêncio. Vássia continuava absorto.

— Ah, ouve uma coisa que eu te queria dizer! — disse por fim voltando a si. — Amanhã temos de ir dar as boas-festas.

— Não é absolutamente necessário.

— Sim, é preciso, e eu vou — disse Vássia.

— Não, olha, eu te substituo em tudo. Para que hás de ir tu? Amanhã deves é trabalhar! Esta noite escreverás até às cinco e depois vais para a cama e dormes, senão tua cara há de estar deplorável amanhã! Acordo-te às oito em ponto.

— Mas... não parecerá mal que tu me substituas e assines por mim em todas as coisas? — perguntou Vássia já meio disposto a aceitar a proposta do amigo.

— Mas por quê? Há muita gente que faz isso!

— Tenho medo de que...

— De quê?

— Com os outros não me importo, mas com Iulian Mostakóvitch... É o meu protetor, Arkacha, e se percebe que outra pessoa...

— Percebe o quê! Bobagem, Vássienhka! Não é possível que ele perceba... Sabes bem que eu sei fazer o teu nome de modo que ninguém distingue se foste tu que o escreveste ou não. E logo ele é que havia de reparar! Valha-te Deus!

Vássia não respondeu e apressou-se a esvaziar a chávena. Depois meneou a cabeça em ar de dúvida.

— Vássia, meu filho! Ai, quando isto terminar! Mas, Vássia, o que se passa? Olha, rapaz, tu estás me dando cuidado! Eu não me deito, Vássia; não durmo. Mostra-me o que te falta ainda copiar...

Vássia olhou para Arkádi Ivânovitch de uma tal forma que este sentiu uma alfinetada no coração e não disse nada.

— Vássia! O que tens tu? O que tens? Por que me olhas dessa maneira?

— É que, Arkádi, olha: amanhã, já sabes, tenho de ir cumprimentar Iulian Mostakóvitch.

— Pois claro que vais, por que não? — disse Arkádi olhando para o amigo numa expectativa angustiosa.

— Olha, Vássia: escreve mais depressa e não receies que eu te aconselhe o que quer que seja para teu mal, pois nunca o faria. Quantas vezes o próprio Iulian Mostakóvitch não tem dito que o que mais aprecia na tua letra é a ligeireza com que a traças. Só Skoropliétchin é que gosta que a letra pareça pintada e sirva de modelo para os filhos copiarem em casa... Assim poupa dinheiro, pois escusa de comprar um manual de caligrafia. Mas Iulian Mostakóvitch só exige uma coisa: rapidez, rapidez, rapidez! Mas não sei o que tens, Vássia, não sei que te faça... Tenho receio... A tua agitação desconcerta-me!

— Mas eu não tenho nada! — exclamou Vássia e reclinou-se esgotado na cadeira.

Arkádi assustou-se.

— Queres um pouco de água, Vássia? Vássia!

— Não te aflijas, deixa-me — disse Vássia apertando a mão do amigo. — Não tenho nada. Sinto-me apenas um pouco triste, Arkádi, embora não possa precisar a razão da minha tristeza. Olha, falemos de outra coisa, não pensemos nisto...

— Sossega, pelo amor de Deus, Vássia, sossega. Depois acabas isso, homem! E se não acabares... paciência! Que havemos de fazer, no fim das contas? Não é para salvar um homem da morte! Parece que praticas um crime se não fizeres isso...

— Arkádi — disse Vássia ao amigo, olhando-o de um modo tão expressivo que aquele ficou apavorado, pois nunca o tinha visto tão comovido. — Se eu fosse sozinho, como até aqui... Mas não! Não é isto o que eu queria dizer! Tu és um bom amigo e eu nunca tive segredos para ti... Mas... para que hei de afligir-te?... Olha, Arkádi, a sorte dá muito a uns e pouco a outros. É o que acontece comigo. Se a ti, por exemplo, te exigissem gratidão e reconhecimento... e tu não pudesses...

— Vássia, dou-te a minha palavra de honra que não estou entendendo!

— Eu nunca fui ingrato — continuou Vássia como se falasse consigo próprio. — Mas quando não consigo exprimir o que sinto é como se... como se pudessem julgar que eu sou efetivamente um ingrato, e isso dá cabo de mim!

— Mas que tolice é essa que estás dizendo, rapaz! A gratidão resume-se para ti em acabares o trabalho a tempo? Pensa bem no que estás dizendo, Vássia! É só por aí que se poderá avaliar a tua gratidão?

Vássia permaneceu calado e olhou para o amigo com olhos de espanto, como se aquela objeção inesperada o tornasse incapaz de pensar. Chegou até a sorrir, mas voltou imediatamente a ficar sério. Arkádi interpretou aquele sorriso como o fim de todos os seus temores e sentiu-se de novo contente.

— Bem, Arkacha, deita-te! — disse Vássia. — Faz só com que eu não adormeça, pois isso seria uma desgraça... Vou recomeçar o trabalho... Arkacha!

— Que é?

— Nada, era só...

Vássia tornou a pegar na pena e Arkacha deitou-se. Nem um nem outro tinha feito qualquer alusão à visita daquela tarde. Talvez se sentissem ambos um tanto culpados por terem desperdiçado tempo. Não tardou muito que Arkádi Ivânovitch adormecesse... embora ainda preocupado com o estado de Vássia. Com grande espanto seu, eram oito da manhã quando acordou. Vássia também acabara por adormecer na sua cadeira, sem largar a pena, pálido e exausto. A luz tinha-se apagado. Mavra trabalhava na cozinha preparando o samovar.

— Vássia... Vássia! — exclamou Arkádi. — Quando adormeceste?

Vássia abriu os olhos e deu um pulo da cadeira.

— Ah! — exclamou. — Adormeci!

Olhou logo para os papéis mas não lhes tinha acontecido nada, tudo estava em ordem: nenhum borrão, nem qualquer mancha de cera que poderia ter caído da vela.

— Penso que devo ter adormecido às seis! — disse Vássia. — Faz tanto frio de noite! Vamos tomar o chá e depois vou pôr-me de novo...

— Sentes-te mais calmo?

— Sim, agora estou bem!

— Então feliz Ano-Novo, Vássia!

— Felicidades, meu caro; que o novo ano te dê tudo o que desejas!

Abraçaram-se. Os lábios de Vássia tremiam e nos seus olhos havia lágrimas. Arkádi Ivânovitch calou-se; sentia-se muito triste. Beberam ambos o chá à pressa.

— Arkádi... decidi ir eu próprio cumprimentar Iulian Mostakóvitch!

— Ele não daria por nada...

— Se não fizesse assim, não ficava com a consciência tranquila, meu amigo!

— Ora, estás aí trabalhando para ele e a consciência ainda te acusa... Deixa-te disso, Vássia!... Bem. Eu também vou sair...

— Onde vais? — perguntou Vássia.

— Vou à casa da família Artiômieva desejar-lhe felicidades em meu e em teu nome.

— Excelente ideia! Será a maneira de eu ficar aqui em casa a trabalhar aproveitando o tempo. Espera um momento que eu vou escrever uma carta.

— Escreve o que quiseres, que tens muito tempo. Eu ainda me vou lavar, fazer a barba e escovar. Vássia, meu irmão, vamos ambos ser muito felizes! Dá cá um abraço, Vássia!

— Estás bem certo disso?

— É aqui que mora o senhor Chumkov, que é funcionário? — disse naquele momento uma voz infantil, à porta da escada.

— É aqui mesmo, sim — respondeu Mavra mandando entrar o pequeno.

— Quem é, quem é? — exclamou Vássia dando um salto na cadeira e correndo para a entrada. — Ah, Piétienhka, és tu?

— Bom-dia! Venho apresentar-lhe os meus votos de felicidades para o Ano-Novo, Vassíli Pietróvitch! — disse um garoto muito vivo, aí dos seus dez anos, de cabelo preto e ondulado. — A minha irmã encarregou-me de apresentar-lhe também votos em seu nome, assim como a mamãe; e a minha irmã disse-me ainda que lhe desse um beijinho...

Vássia levantou o garoto ao ar e deu-lhe um grande e afetuoso beijo nos lábios, que eram iguais aos de Lisanhka.

— Dá-lhe tu outro beijo, Arkádi — disse, dirigindo-se ao amigo e entregando-lhe Piétia.

E, sem pôr os pés no chão, Piétia passou para os braços fortes de Arkádi Ivânovitch.

— Queres chá, pequeno?

— Muito obrigado, já tomei. Hoje levantamo-nos muito cedo. A minha mãe e a minha irmã foram à primeira missa. A minha irmã levou duas horas a lavar-me, pentear-me, vestir-me e coser as calças que eu rasguei ontem à tarde quando andava a brincar com Sacha na rua; estávamos fazendo bolas de neve e jogando-as e, de repente...

— Catrapuz! Não foi?

— Isso mesmo! E depois, durante todo esse tempo que eu disse, a minha irmã esteve em volta de mim até me deixar num brinco, e depois deu-me um beijo e disse: "Presta atenção: agora vais à casa de Vássia dar-lhe as boas festas e saber se passou bem a noite e se... se..." Ela me disse para lhe perguntar não sei o quê... Ah, já me lembro! Se tinha acabado aquele trabalho de que ontem falou, e além disso... tenho tomado nota — disse o pequeno tirando um papelzinho do bolso. — Aqui está: se estava agora mais tranquilo.

— Vou acabá-lo! Vou acabá-lo! Diz-lhe que vou acabá-lo!

— Bem, e... ainda há outra coisa... Ah, mas esqueci-me! A mana tinha-me dado uma carta e uma lembrança para você mas... esqueci-me...

— Valha-nos Deus! E onde as deixaste, rapaz? Ah, estão aí? Ouve, meu filho, ouve o que a tua irmã diz. Que boa e carinhosa ela é! Ontem, a tua mãe mostrou-me uma carteira que ela me queria dar; infelizmente não pôde acabá-la a tempo e, em seu lugar, manda-me um cachinho dos seus cabelos negros, sem com isso querer dizer que desista da carteira. Olha, Arkacha, olha!

E Vássia, comovidíssimo, mostrava a Arkádi um cachinho preto que beijou apaixonadamente, acabando por guardá-lo no bolso da frente, junto do coração.

— Vássia! Hei de comprar-te um medalhão para pores o cachinho! — disse-lhe Arkádi Ivânovitch.

— Hoje vamos comer vitela assada e amanhã miolos de vitela. E a mamãe vai-nos fazer uma torta... E não tornaremos a comer sopa de aveia — disse o rapaz pondo ponto final no relato.

— Que garoto esperto! — disse Arkádi Ivânovitch. — Vássia, vais ser o mais feliz dos mortais!

O pequeno tomou chá, deram-lhe um bilhete e beijos sem conta, e ele se foi embora alegre e radiante como chegara.

— Aí está, meu amigo — disse Arkádi Ivânovitch louco de alegria. — Como vês, tudo corre às mil maravilhas! Não tens que te afligir nem te queixar. De hoje em diante acabaram-se os desgostos, Vássia. Dentro de duas horas estarei de volta; primeiro irei ver a família Artiômieva e depois Iulian Mostakóvitch.

— Adeus, Arkacha... Ah, se eu pudesse! Não, vai-te embora, vai! — disse Vássia. Fica assente que eu não vou à casa de Iulian Mostakóvitch, não é?

— Claro! Adeus!

— Espera, homem, espera aí! Escuta: diz-lhes o que te vier à ideia... Dá-lhes um beijo por mim. Depois contas-me tudo, sim? Tudo!

— Com certeza. Agora quero que voltes a ser o mesmo que dantes; ontem parecias fora de ti e não conseguias sobrepor-te a tantas impressões. Mas agora já te refizeste... Bem, Vássia, fica com Deus! Até logo...

Os dois amigos separaram-se finalmente. Arkádi Ivânovitch esteve toda a manhã pensativo, sem lhe sair da ideia o amigo. Conhecia o seu temperamento fraco e impressionável. Pelo visto a felicidade tinha-o transtornado; sim, era isso, a felicidade.

"Não me tinha enganado! — disse Arkádi para consigo. — Deus do céu, que susto eu tive ontem à noite! De qualquer coisa faz uma tragédia! Que exagerado ele é! Na verdade precisa que olhem por ele. Sim, tenho de olhar por ele!"

Arkádi passou por casa de Iulian Mostakóvitch às onze horas e na mesinha da entrada juntou o seu nome modesto à interminável lista de presunçosas personagens que, numa folha de papel, toda ela já garatujada, ali tinham escrito já os seus. Mas qual não foi o seu espanto ao ver que, mesmo atrás do seu nome, estava a assinatura de Vássia Chumkov... "Que significa isto?" — pensou assustado. E Arkádi Ivânovitch, que momentos antes acalentara tantas ilusões, saiu dali completamente desalentado. Que desgraça os ameaçaria? Que queria dizer aquilo? Que iria acontecer?

Chegou a Kolomna cheio de ideias lúgubres e a princípio esteve muito pensativo. Só depois de falar com Lisanhka voltou a si e vieram-lhe lágrimas aos olhos; estava verdadeiramente inquieto por causa de Vássia. Voltou o mais depressa possível para casa. Precisamente junto do Nievá, deu de cara com Chumkov. Este caminhava também tão depressa que melhor se diria que corria do que caminhava.

— Onde vais? — gritou-lhe Arkádi Ivânovitch.

Vássia parou, como um criminoso apanhado com a boca na botija.

— Eu... eu saí só para dar uma volta...

— Não te pudeste conter e queres ir a Kolomna? Ah, Vássia, Vássia! E por que teimaste em ir à casa de Iulian Mostakóvitch?

Vássia não respondeu, limitando-se a fazer um gesto, e disse em seguida:

— Arkádi! Não sei o que tenho! Eu...

— Bem, Vássia, eu sei muito bem o que tu tens. Mas sossega. Ontem estiveste todo o dia muito inquieto e excitado. Não admira nada! Todos te estimam e vivemos para ti; o teu trabalho está adiantado, não tardará que esteja pronto; verás que em breve está pronto, mas tu começas a pensar bobagens, a empreender não sei o quê...

— Não, não é isso, não é...

— Lembra-te, Vássia, lembra-te como ficaste quando foste promovido; nem estavas bem em ti! Com a alegria e a gratidão começaste a trabalhar de uma tal maneira que depois, durante uma semana, não pudeste fazer mais nada... É o mesmo que está acontecendo agora...

— Está bem Arkádi... Mas agora é outra coisa muito diferente, totalmente diferente...

— Diferente, como? Claro... Agora as coisas não são tão rápidas, mas, apesar disso, tu te afliges...

— Não, não... simplesmente... Continuemos.

— E se desistisses de ir lá agora e voltasses comigo para casa?

— Não, meu amigo, com esta cara não posso ir lá... Já pensei nisso. Mas não era capaz de estar em casa sem ti. Agora que vens comigo, recomeçarei... a escrever! Vamos para casa!

Puseram-se a andar e durante uns momentos caminharam em silêncio. Vássia ia agora de novo muito depressa.

— Ainda não me perguntaste por elas... — observou Arkádi Ivânovitch.

— Ah, é verdade, Arkacha! Como estão?

— Vássia, outra vez não te reconheço.

— Não te preocupes; deixa lá isso! Conta-me tudo, Arkacha! — disse Vássia com voz suplicante, como se quisesse na verdade evitar qualquer nova explicação.

Arkádi Ivânovitch lançou um profundo suspiro; não sabia como lidar com Vássia.

As notícias de casa da noiva voltaram a pôr Vássia muito animado. Começou a falar delas com entusiasmo.

Os dois amigos tomaram juntos a refeição do meio-dia. A mãe de Lisanhka enchera de bolos os bolsos de Arkádi Ivânovitch e os dois amigos tagarelaram muito contentes enquanto comiam. Depois de comer, Vássia manifestou a sua intenção de deitar-se um pouco para poder trabalhar à noite. E assim fez. Naquela manhã, um amigo convidara Arkádi para lanchar e ele não podia deixar de ir. Por isso os dois amigos separaram-se. Arkádi prometeu vir o mais cedo possível, talvez pelas oito.

Aquelas três horas de separação pareceram-lhe três anos. Até que finalmente Arkádi voltou para junto de Vássia. Ao entrar em casa reparou que não havia luz. Vássia tinha saído. Perguntou por ele a Mavra. Esta lhe disse que Vássia tinha estado toda a tarde a escrever; depois pusera-se a passear no quarto de um lado para o outro, e por fim, havia perto de uma hora, tinha saído... prevenindo-a de que regressaria dali a uma meia hora; e que se por acaso Arkádi Ivânovitch chegasse antes, lhe dissesse — terminou Mavra — "que ele tinha saído para desenferrujar as pernas", coisa que lhe tinha repetido umas três ou quatro vezes.

"Com certeza está em casa da família Artiômieva", pensou Arkádi Ivânovitch abanando a cabeça.

Dali a pouco deu um pulo da cadeira: uma nova esperança lhe havia surgido.

"Talvez já tivesse acabado a cópia — pensou. — Com certeza que foi isso. Não pôde conter-se e foi até lá. Mas não... Nesse caso teria esperado por mim. Vamos ver como isto está!"

Acendeu a luz e aproximou-se da secretária de Vássia; o trabalho estava realmente muito adiantado e parecia estar quase a chegar ao fim. Arkádi Ivânovitch ia aproximar-se mais, quando, nesse instante, Vássia entrou.

— Ah! Estás aqui? — exclamou estremecendo.

Arkádi Ivânovitch não disse nada. Tinha receio de fazer perguntas a Vássia. Este baixou os olhos e começou a pôr os papéis em ordem, silenciosamente. Por último, os olhos dos dois amigos encontraram-se. O olhar de Vássia era tímido e suplicante. Arkádi, ao vê-lo, recuou assustado.

— Vássia, meu caro, que te aconteceu? Que tens? — exclamou aproximando-se dele e apertou-o nos braços. — Explica-me que tristeza é essa que não percebo, pobre amigo! Que te aconteceu, homem? Conta-me tudo, com toda a franqueza... Não é possível que...

Vássia apoiou-se mais contra o peito do amigo. Não podia falar. Faltavam-lhe as forças.

— Bem, Vássia, está bem! Se não terminares o trabalho, que hás de fazer? Eu não consigo compreender o que se passa contigo, o que tens e por que te afliges desse modo. Olha, eu, por ti, não me importo de fazer seja o que for... Ah, meu Deus, meu Deus! — suspirou, passeando pelo quarto e pegando em tudo o que encontrava à mão, como se procurasse um remédio para salvar Vássia. — Amanhã irei em teu nome falar com Iulian Mostakóvitch e pedir-lhe que te conceda mais um dia de prazo. Contar-lhe-ei tudo, se é essa razão por que estás assim aflito.

— Deus te livre disso! — exclamou Vássia pondo-se branco como a cal da parede. Mal se podia ter de pé.

— Vássia, Vássia!

Vássia voltou a si. Os lábios tremiam-lhe; procurava falar mas apenas pôde apertar a mão de Arkádi em silêncio. E a mão dele estava gelada. Arkádi contemplava-o numa expectativa lancinante. Vássia tornou a olhar para ele.

— Vássia! Que tens? Estás-me cortando o coração, meu amigo!

Torrentes de pranto corriam dos olhos de Vássia; apertou-se contra o peito do amigo.

— Enganei-te, Arkádi! — soluçou alto. — Preguei-te uma mentira.

— Como, Vássia? Que queres dizer com isso? — perguntou-lhe Arkádi fora de si, cheio de ansiedade e de medo.

— Sim...

E Vássia, com um gesto desesperado, tirou de uma gaveta seis grossos cadernos que pareciam exatamente iguais ao que estava copiando, e pô-los em cima da mesa.

— Que é isto?

— Aqui tens tudo o que eu devia ter pronto depois de amanhã. E apenas fiz a quarta parte... Não me perguntes como foi isto, meu amigo. Não sei o que me aconteceu. Sinto-me como quem desperta de um sonho. Perdi três semanas completas. Todo o tempo era pouco para ela... O coração só me puxava lá... A incerteza atormentava-me... e eu não podia, não podia trabalhar. Nem sequer me lembrava do trabalho! Só agora, quando começava a ser verdadeiramente feliz, é que despertei!

— Vássia! — começou Arkádi Ivânovitch resolutamente. — Vássia, não tenhas receio, eu hei de salvar-te. Compreendo tudo. Isto não é nenhuma brincadeira. É preciso que eu te salve. Espera: amanhã de manhã irei falar com Iulian Mostakóvitch. Não abanes a cabeça, homem; ouve o que te digo. Vou contar-lhe tudo o que se passou, se me dás licença... Vou explicar-lhe... Não me há de faltar a coragem. Explicarei a situação e o que tu sofres.

— Mas tu não percebes que isso seria a minha perdição? — respondeu Vássia inteiriçado de medo.

Arkádi Ivânovitch fez-se pálido, mas dominou-se e começou a sorrir.

— Mas que tem isso de extraordinário, Vássia, que tem isso de estranho? Noto que ainda te afligi mais. Compreendo muito bem o que se passa contigo. Há já cinco anos que vivemos juntos e tu és pouco resistente, mesmo muito pouco. A própria Lisavieta Mikháilovna já o notou. E além disso és um desajuizado, o que não está certo. De um momento para o outro, vais de águas abaixo, homem. Ora, eu sei muito bem o que tu querias. Querias que Iulian Mostakóvitch ficasse louco de alegria por tu ires casar... e que desse um baile em tua honra... É isso mesmo! Não precisas de franzir a testa. Olha, só com esta observação já estás ofendido. Não podes negar que isto é assim; bem sei o que tu querias... Que não houvesse um só desditoso no mundo porque tu és feliz e te vais casar. Tens de concordar que não ficarias contrariado, se a mim, que sou o teu melhor amigo, me viesse parar às mãos um capital de cem mil rublos e todos os inimigos se reconciliassem, se abraçassem no meio da rua cheios de alegria e, se possível, viessem aqui visitar-te. Não julgues, meu caro, que isto é fantasia, pois é a pura verdade. Há já muito tempo que te conheço. Porque te sentes feliz, querias que todos se sentissem também felizes. Custa-te sentires-te feliz sozinho. Por isso, com todas as veras da tua alma, gostarias de te mostrares digno da tua felicidade e realizar, para tranquilidade da tua consciência, qualquer boa ação. Bem; avalio como te deve afligir que, precisamente naquilo em que poderias mostrar as tuas aptidões, nisso, de repente, falhasse a tua gratidão, como tu dizes. Sofres só de pensar que Iulian Mostakóvitch possa ficar aborrecido ao ver que tu, neste caso, não correspondeste às esperanças que ele em ti depositara. Doloroso é para ti pensar que poderias chegar a ouvir censuras da sua boca, daquele a quem chamas o teu protetor... e principalmente nesta altura em que o teu coração transborda de alegria e não sabes a quem hás de agradecer... Não é assim, meu filho, não é verdade o que estou dizendo?

Com voz trêmula, Arkádi Ivânovitch pôs fim às suas palavras e respirou profundamente.

Vássia, cheio de afeto, olhou para o amigo. Nos lábios apareceu-lhe um sorriso. Na expectativa de uma esperança, todo o rosto se lhe iluminou.

— Bem, ouve o que vou dizer — começou de novo Arkádi Ivânovitch, também esperançado. — Não há necessidade de que Iulian Mostakóvitch perca o fraco que tem por ti, não é verdade? É isso que te preocupa, não é? Ora, se assim é — disse Arkádi saltando da cadeira — eu me sacrifico e amanhã vou falar com Iulian Mostakóvitch... Não digas que não! Vássia, tu fazes do teu atraso um crime! Mas ele, Iulian Mostakóvitch, que é generoso e magnânimo, não pensa da mesma maneira. Ele, meu caro Vássia, há de escutar-nos e salvar-nos. E então? Sentes-te mais sossegado?

Com lágrimas nos olhos Vássia apertou a mão do amigo.

— Está bem, Arkádi — disse. — O que está feito, está feito. Não acabei o meu trabalho, pronto! Que hei de eu fazer? Não há necessidade de que tu te incomodes, eu próprio irei falar com ele e conto-lhe tudo. Já estou mais sereno, já estou tranquilo. Tu, não, tu não deves ir... Ouve, faz-me a vontade...

— Vássia, meu querido! — exclamou Arkádi Ivânovitch satisfeito. — As minhas palavras impressionaram-te. Estou muito contente por ver que já reconsideraste e estás disposto a ter mais juízo! Aconteça o que acontecer, estarei sempre a teu lado, não esqueças. Já vejo que não queres que eu vá falar com Iulian Mostakóvitch... Está bem; não irei, deixarei isso a teu cargo. Mas, olha, amanhã deves ir lá. Ou antes, não, não vás, fica antes aqui a escrever, estás ouvindo? Mas irei lá eu e procurarei informar-me discretamente do que se passa com esse trabalho, se é urgente ou não, se tens de fato de terminá-lo no prazo que te disse e o que acontecerá se o não terminares até então. E depois venho para casa e conto-te tudo, está certo? Já temos assim um motivo de esperança, pois imagina que, por exemplo, a cópia não é urgente! Que bom! E talvez até Iulian Mostakóvitch se tenha esquecido dela, e neste caso estamos salvos, Vássia!

Vássia abanou a cabeça, pensativo! Não tirava os olhos do rosto do amigo.

— Bem. Sinto-me tão fraco e estou tão cansado! — disse suspirando. — Não quero pensar mais nisto. Falemos de outra coisa. Olha, agora vou só terminar a folha que estou fazendo... até ao ponto final e mais nada. Ouve, Arkacha, já há muito tempo que ando para te fazer esta pergunta: como é que me conheces tão bem?

Dos seus olhos caíram lágrimas sobre a mão de Arkádi.

— Se soubesses, Vássia, a amizade que te tenho, não me fazias essa pergunta.

— Tens razão, Arkádi; mas eu não consigo perceber bem por que motivo és assim tão meu amigo. Quero que saibas, Arkádi, que esse teu afeto me pesa verdadeiramente. Quantas vezes, quando me deito, começo a pensar em ti — porque penso sempre em ti antes de adormecer e o coração pulsa-me então com tanta força, tanta força... Por tu seres tão meu amigo e eu não ter maneira de te mostrar a minha gratidão...

— Olha como tu és, Vássia! Como te comoves! — disse Arkádi, com o coração dolorido só de recordar a cena do dia anterior em plena rua.

— Bem, queres que eu esteja sossegado e eu nunca o estive mais do que agora. Sabes uma coisa? Olha, queria dizer-te, mas receio ofender-te; tu ficas sentido com as mínimas coisas e depois me pões a culpa e... eu fico receoso... Olha, como neste mesmo instante eu estou tremendo, sem saber por quê... Mas escuta o que te quero dizer. Julgo que até esta altura me conheci mal, é isso. E até ontem também não tinha aprendido a conhecer os outros. Eu, meu amigo, não sei dar às coisas o devido valor. Tinha o coração endurecido. Ainda não pude neste mundo fazer bem a ninguém... e não podia, mesmo, fazê-lo... Até a minha figura é uma desgraça! Em compensação, a mim, todos me fizeram sempre bem, a começar por ti, julgas que não percebo? O que acontece é que sempre me calei, sim, sempre me calei!

— Vássia, não continues!

— Por que, Arkacha? Que mal há nisso? — interrompeu-o Vássia, a quem o pranto mal deixava falar. — Ontem mesmo te contei o que se passou com Iulian Mostakóvitch. Sabes como ele em geral é de poucas falas e às vezes até rude. Tu mesmo já lhe tens suportado muitas observações e, contudo, ainda ontem se pôs a gracejar comigo e deu provas de um coração bondoso que ele esconde de todos os outros...

— E que tem isso, Vássia? Isso só mostra que és digno dessa honra...

— Oh, Arkacha! Com quanto prazer eu teria acabado este trabalho! Não o fazendo, dei cabo da minha vida. O coração bem me dizia. Não, não é por causa disso — interrompeu Vássia ao notar que Arkádi dirigia o olhar para a rima de papel que estava sobre a mesa — isso não tem importância, não é mais que papel escrito. Isso está arrumado. Hoje, Arkacha, fui à casa delas... mas não entrei. Não fui capaz! Parei à porta. Ela estava tocando piano; ouvia-se de fora. E vê tu, Arkádi — acrescentou com voz que quase se não ouvia — não me atrevi a entrar...

— Mas... que tens tu, Vássia? Estás com tão mau aspecto...

— Não é nada. Não me sinto muito bem; sinto as pernas fracas, talvez por não ter dormido toda a noite. Parece que tenho uma névoa diante dos olhos. E aqui, aqui...

Apontou para o coração e, ao mesmo tempo, caiu sem sentidos.

Quando viu que ele voltava a si, Arkádi dispôs-se a tomar medidas rigorosas. Quis obrigá-lo a deitar-se à força. Mas por mais que fizesse para o persuadir, Vássia resistiu. Corava, juntava as mãos e teimava em continuar escrevendo e em terminar aquela folha. E para não o irritar ainda mais e em vão, Arkádi não teve outro remédio senão aceder, deixando-o entregue à papelada.

— Olha — disse Vássia sentando-se no seu lugar — tenho uma ideia, uma esperança. Não lhe levo tudo amanhã, levo só uma parte e vou dizer que me esqueci do resto ou que o perdi... Mas não, não sou capaz de mentir. Prefiro contar-lhe tudo. Direi a verdade: que não pude terminar o trabalho. Falarei do meu noivado: ele também casou há pouco tempo e há de compreender-me. Vou lhe contar tudo com simplicidade e respeitosamente... As minhas lágrimas hão de comovê-lo...

— Acho bom, sim... Vai ter com ele e explica-lhe tudo... Mas as lágrimas não são precisas para nada. Para que hás de chorar? Ouve, Vássia: sabes que há pouco me pregaste um grande susto?

— Bem, está então decidido que vou. Mas agora deixa-me escrever Arkacha, deixa-me escrever! Eu não incomodo ninguém, deixa-me escrever em paz!

Arkádi estendeu-se na cama. Mas não se sentia sossegado a respeito de Vássia. Este era capaz de tudo. Mas para que havia de pedir desculpa? Não era aí que estava o problema. O fato era que não tinha cumprido o seu dever, sentia-se culpado e a consciência acusava-o. Mas ainda: sentia-se inferiorizado e indigno da ventura que o bafejara, procurava um pretexto, e abalado desde a véspera pela forma súbita como se tinham desenrolado os acontecimentos, não havia maneira de recuperar a serenidade. "Sim, era isso" — dizia para consigo Arkádi Ivânovitch. Por tudo isso urgia salvá-lo, reconciliando-o consigo próprio. E Arkádi, depois de meditar no assunto durante muito tempo, acabou por resolver ir o mais depressa possível, logo no dia seguinte de manhã, ter com Iulian Mostakóvitch e contar-lhe tudo.

Vássia continuava sentado a escrever. Arkádi Ivânovitch, preocupadíssimo, meteu-se na cama disposto a continuar pensando no caso, mas em breve adormeceu e só acordou com os primeiros alvores do novo dia.

— O quê? Ainda estás aí? — exclamou ao ver que Vássia continuava sentado a escrever.

Arkádi correu para ele, agarrou-o à força e arrastou-o para a cama. Vássia sorria tranquilamente e seus olhos fechavam-se de cansaço. Mal podia falar.

— Eu ia agora mesmo deitar-me — disse. — Olha, Arkádi, parece-me que ainda conseguirei acabá-lo. Estou escrevendo cada vez mais depressa. Não posso é estar mais tempo sentado... Já não aguento... Chama-me às oito sem falta...

Já não podia mais e caiu num sono que parecia de morte.

— Mavra —, disse Arkádi Ivânovitch baixinho, dirigindo-se à criada que entrava naquele instante com o chá — ele me pediu que o chamasse daqui a uma hora, mas não pode ser. De maneira nenhuma! É preciso que durma pelo menos dez horas seguidas, entendes?

— Sim, senhor.

— Não arranjes o almoço nem raches lenha e, sobretudo, não faças barulho. Se perguntar por mim dizes que eu fui para a repartição, estás ouvindo?

— Sim, senhor. E ele que fique dormindo, descansado. Eu gosto que os meus patrões durmam bem. Mas quanto à tal taça partida por causa da qual o senhor me deu bronca, não fui eu mas a gata que a quebrou como lhe hei de mostrar...

— Chiu! Caluda!

Arkádi Ivânovitch obrigou Mavra a ir para a cozinha, pediu-lhe a chave e fechou-a lá. Em seguida foi para a repartição. Pelo caminho ia pensando como é que havia de fazer-se anunciar a Iulian Mostakóvitch e se não seria melhor não mexer no caso. Uma vez na repartição perguntou, hesitante, se Sua Excelência estava; disseram-lhe que não e que era muito provável que não viesse durante todo o dia. No primeiro instante Arkádi Ivânovitch pensou ir procurá-lo em casa, mas desistiu a tempo, reconsiderando que, se Iulian Mostakóvitch não tinha ido à repartição, é porque o retinha em casa qualquer assunto urgente. Assim, desistiu da sua primeira ideia. As horas pareceram-lhe então interminavelmente longas. Antes de sair procurou informar-se da cópia de que Chumkov tinha sido encarregado. Mas ninguém soube dizer-lhe nada sobre o assunto. Só lhe disseram que Iulian Mostakóvitch costumava confiar-lhe trabalhos particulares, sem que ninguém pudesse precisar do que se tratava. Por fim soaram as três horas e Arkádi Ivânovitch dirigiu-se a toda a pressa para casa. Na escada do ministério, um escriturário estava conversando e dizia que Vassíli Pietróvitch Chumkov tinha estado ali por volta da uma e tinha perguntado por Arkádi e também por Iulian Mostakóvitch. Ao ouvir isto, Arkádi tomou um *drójki* e, aflitíssimo, mandou seguir para casa.

Foi encontrar Chumkov a dar voltas, pelo quarto, muito agitado. Quando viu Arkádi Ivânovitch recompôs-se imediatamente e procurou dissimular a sua perturbação. Sentou-se em silêncio pôs-se a escrever. Pelo visto, queria evitar as perguntas do amigo. Era como se a presença dele o contrariasse e estivesse decidido a, dali para o futuro, não lhe dar a conhecer as suas intenções. Arkádi compreendeu isto e sentiu o coração apertado. Sentou-se na cama e abriu um livro — o único que possuía — mas não tirava os olhos de Vássia. Este mantinha um obstinado silêncio e continuava a escrever sem levantar a vista. Passaram assim algumas horas e o sofrimento de Arkádi foi aumentando durante esse tempo. Por fim, por volta das onze da noite, Vássia levantou a cabeça e pôs-se a olhar para Arkádi em silêncio, com olhos inexpressivos e parados. Passaram três minutos. "Vássia!" — exclamou por fim Arkádi. Mas Vássia não respondeu. "Vássia!" — insistiu ele e, de um salto, levantou-se da cama. "Vássia, que tens, que sentes?" — exclamou, aproximando-se dele. Vássia ergueu a cabeça e voltou a olhá-lo com os mesmos olhos estúpidos e imóveis. "Deu-lhe algum desmaio", pensou Arkádi sentindo um calafrio correr-lhe o corpo. Foi buscar o jarro da água e borrifou a cabeça de Vássia, umedeceu-lhe as fontes, esfregou-lhe as mãos e daí a pouco Vássia voltou a si. "Vássia, Vássia!" — chamava Arkádi debulhado em pranto, sem poder conter-se — "Vássia, não acabes com a tua vida, tem cautela com a tua saúde, Vássia!" Depois calou-se e segurou-o nos braços. O rosto do amigo tinha uma expressão estranha; esfregava a testa e agarrava a cabeça como se tivesse medo de que ela se despedaçasse.

— Não sei o que tenho — disse por fim —; parece-me... Mas não te aflijas, Arkádi, fica tranquilo, não há novidade — acrescentou olhando-o com olhos tristes. — Tudo corre bem, tudo!

— Ainda... procuras sossegar-me! — exclamou Arkádi com o coração aflito.

— Vássia — acrescentou — deita-te, dorme um pouco, anda! Não te atormentes em vão. Mais vale deixares isso para logo.

— Está bem, está bem! — repetia Vássia — Vou-me deitar. Para te dizer a verdade tinha pensado acabá-lo, mas agora acho melhor... sim...

E Arkádi meteu-o na cama.

— Olha aqui, Vássia — disse-lhe com energia — é necessário pôr termo a isto. Diz-me o que estás planejando.

— Ah! — exclamou Vássia esboçando um gesto de desalento e voltando a cabeça para o outro lado.

— Então, Vássia, vamos resolver isto de uma vez por todas; eu não quero ser cúmplice na tua perda. Por isso, não posso ficar calado por mais tempo. Não te deixo dormir enquanto não tomares uma resolução definitiva.

— Como quiseres, como quiseres! — repetiu Vássia enigmaticamente.

"Resolveu calar-se", pensou Arkádi Ivânovitch.

— Ouve-me, Vássia — disse —, pensa no que eu te disse: eu posso salvar-te; amanhã decidirei a tua sorte, entendes? Pregaste-me um susto tão grande, que até já falo como tu! Que disparate falar na sorte! A coisa não é assim tão importante! O que tu receias é perder a amizade e a simpatia que Iulian Mostakóvitch mostra por ti... Mas hás de ver como a não perdes... Eu...

Arkádi Ivânovitch ia prosseguir, mas interrompeu-se porque Vássia levantou--se, acenou com as duas mãos e, sem dizer nada, beijou o amigo.

— Está bem! — disse com voz fraca. — Está bem! Não se fala mais nisto.

E voltou de novo o rosto para a parede.

"Meu Deus — pensou Arkádi. — Meu Deus! Que terá ele? Perdeu o juízo por completo! Que estará meditando? Está dando cabo de si próprio!"

Arkádi olhou-o desolado.

"Se adoecesse — pensou Arkádi — talvez ainda fosse o melhor. Com a doença diminuiriam todas as suas preocupações e o assunto resolvia-se por si. Mas que estou pensando? Deus me perdoe!"

Entretanto Vássia parecia ter adormecido. Arkádi Ivânovitch ficou contente com este bom prenúncio e decidiu não se afastar toda a noite da cabeceira do amigo. Mas Vássia parecia muito inquieto, não fazia senão revolver-se na cama de um lado para o outro e de vez em quando abria os olhos. Por fim cedeu ao cansaço e acabou por cair num sono profundo. Deviam ser duas da manhã quando Arkádi Ivânovitch adormeceu também com o cotovelo apoiado na mesa.

Teve um sonho tranquilo, mas estranho. Pareceu-lhe que acordava mas que Vássia estava ainda na cama a dormir. Mas — coisas esquisitas! na cama estava só a figura de Vássia, o qual tinha enganado Arkádi, levantando-se e sentando-se à mesa a escrever. Arkádi sentiu uma dor, ficou profundamente triste e não tinha outro remédio senão verificar que Vássia o enganava. Queria agarrá-lo, chamá-lo e obrigá--lo a voltar para a cama. Mas Vássia deu um grito e Arkádi viu então que tinha nos braços um cadáver. Um suor frio correu-lhe pela testa; o coração batia-lhe com violência. Acordou e abriu os olhos. Vássia estava de fato sentado à mesa... escrevendo.

Arkádi não podia acreditar no que os seus olhos viam e olhou para a cama: mas não, Vássia não estava lá. Arkádi deu um salto, ainda debaixo da impressão do sonho. Mas Vássia não se mexeu. Continuava a escrever. Apavorado, Arkádi deu logo conta de que Vássia arrastava pelo papel a pena sem tinta, virava as folhas em branco, umas após as outras, como se estivesse de fato produzindo alguma coisa.

"Não, agora não se trata de nenhum desmaio", pensou Arkádi Ivânovitch que tremia dos pés à cabeça.

— Vássia, Vássia! Responde-me! — gritou, sacudindo-o por um ombro. Mas Vássia continuava calado, rabiscando sobre o papel com a caneta seca.

— Até que enfim, até que enfim a pena escreve tão depressa como eu quero! — disse e olhou para Arkádi.

Arkádi pegou-lhe na mão e tirou-lhe a pena.

Um queixume saiu do peito de Vássia. Deixou cair os braços, olhou outra vez para Arkádi, pôs as mãos na cabeça com uma expressão triste e angustiada, como se quisesse arrancar um anel pesado, férreo, que a estivesse apertando e, depois, devagarinho, como se tivesse caído em profunda meditação, deixou tombar a cabeça sobre o peito.

— Vássia! Vássia! — exclamou Arkádi Ivânovitch desesperado. — Vássia!

Passados uns momentos, Vássia pôs os olhos nele, os seus grandes olhos azuis onde brilhavam lágrimas, e o seu rosto lívido exprimia uma tortura sem fim... Murmurou não se sabe o quê...

— Que disseste? Que disseste? — repetia Arkádi debruçado sobre ele.

— Por quê só eu? Por quê só eu? — murmurava Vássia. — Que fiz eu?

— Vássia! Que tens? De quem é que tens medo, Vássia? Fala, homem! — gritou Arkádi juntando as mãos com desespero.

— Por que me vão mandar para as fileiras? — e olhava o amigo com olhos interrogativos. — Por que me vão mandar para o degredo? Que mal fiz eu?

Arkádi estremeceu de espanto, não queria, não podia acreditar. Estava absolutamente aniquilado.

Um instante depois refez-se. "Isto vai já passar-lhe" — disse, pálido, com os lábios roxos e trêmulos, e depois vestiu-se. Pensava ir imediatamente chamar um médico. Mas deteve-se ao ouvir um grito de Vássia. Arkádi aproximou-se dele e abraçou-o, inquieto, como uma mãe abraça um filho.

— Arkádi, Arkádi, não digas isto a ninguém, ouves? Que ninguém sofra por minha causa...

— Mas, que tens? Que sentes? Volta a ti, Vássia, volta a ti.

Vássia suspirou e lágrimas silenciosas correram-lhe pelas faces.

— Por que estão querendo matá-la? Que culpa tem ela disto? — murmurou desolado e aflito. Só eu sou culpado; a culpa é toda minha.

Calou-se por um instante.

— Adeus, minha adorada noiva! Adeus, meu amor! — murmurou abanando a sua pobre cabeça.

Arkádi estremeceu e dispôs-se a ir à pressa chamar um médico.

— Vamos, são horas! — exclamou Vássia, que tinha reparado nos gestos de Arkádi. — Vamos até lá, meu amigo, vamos até lá. Estou pronto! Tu irás comigo!

Calou-se e olhou para Arkádi com expressão de abatimento e ao mesmo tempo de desconfiança.

— Vássia, não venhas atrás de mim, pelo amor de Deus! Espera aqui que eu volto já, já — disse Arkádi também fora de si.

Pegou no chapéu para ir chamar o médico. Vássia tornou a sentar-se, obediente e sossegado; apenas nos seus olhos se lia uma decisão desesperada. Arkádi voltou atrás, tirou de cima da mesa a faca de papel, olhou mais uma vez o seu infeliz amigo e saiu de casa.

Eram oito da manhã. A luz do dia tinha já dissipado as sombras, no quarto.

Não encontrou ninguém nas ruas. Andou uma hora correndo de um lado para o outro. Todos os médicos por quem perguntava aos porteiros tinham já saído para as suas visitas aos hospitais ou aos doentes particulares. Só encontrou um em casa. Este fez muitas e minuciosas perguntas ao criado quando ele lhe anunciou que Arkádi estava ali; donde era, porque razão o chamava, de que classe social parecia ser esse cliente tão madrugador... para acabar por dizer que não podia atendê-lo, pois tinha muito que fazer e não podia sair de casa, além de que doentes daquela espécie — mandou ele dizer a Arkádi — deviam ser levados para um hospital.

Depois disto, Arkádi, que não esperava semelhante resultado, mandou "passear" todos os médicos do mundo e voltou para casa cheio de apreensões a respeito do amigo. Quando chegou, encontrou Mavra a esfregar o chão, como se nada tivesse acontecido, e dispondo-se depois a partir lenha para acender o fogão. Correu ao quarto. Vássia não estava.

"Onde teria ele ido?... Onde?... Onde se terá lembrado de ir, o infeliz?" perguntou a si mesmo Arkádi, tomado de um pânico terrível...

Fez perguntas a Mavra, mas esta de nada sabia; não tinha visto nem ouvido Vássia.

"Deus tenha misericórdia de nós!", murmurou Arkádi.

E correu a Kolomna. Era ali com certeza que Vássia devia estar.

Eram já dez horas quando lá chegou. Mas nem Lisanhka nem a mãe sabiam nada de Vássia. Arkádi, perturbadíssimo, não saía do seu espanto e não cessava de perguntar onde estaria Vássia. A velhota, sem se poder ter em pé, deixou-se cair num divã. Lisanhka, toda trêmula, começou a perguntar a Arkádi o que tinha sucedido. Mas... que havia ele de lhes dizer? Procurava a maneira de sair dali o mais depressa possível; disse-lhes qualquer coisa em que não acreditaram; saiu correndo, terrivelmente inquieto, à procura de Vássia. Dirigiu-se à repartição com o fim de dar ali parte do sucedido e pedir que se tomassem quanto antes as providências necessárias.

Pelo caminho lembrou-se de que Vássia talvez tivesse ido falar com Iulian Mostakóvitch. Sim, o mais natural era que tivesse ido! Já antes de ir a Kolomna Arkádi tinha pensado naquela possibilidade. Ao passar diante da casa de Sua Excelência, esteve prestes a entrar; mas disse ao cocheiro que passasse à frente. Queria ir primeiro à repartição certificar-se se Vássia se encontrava lá, e só no caso de não o encontrar aí é que iria à casa de Sua Excelência, quando mais não fosse para comunicar-lhe a notícia. Alguém teria de fazê-lo.

Mal chegou perto do gabinete de Sua Excelência vieram logo ter com ele alguns colegas novos da mesma categoria e perguntaram-lhe o que acontecera a Vássia. E todos comentavam o fato de Vássia ter perdido o juízo e de se ter convencido que o iam deportar por negligência de serviço. Arkádi Ivânovitch respondeu àquela enxurrada de perguntas, ou antes, não respondeu a ninguém como devia ser e apressou-se a entrar para os compartimentos internos. No corredor veio a saber que Vássia se achava no gabinete de Iulian Mostakóvitch, onde também estava a maior parte dos funcionários superiores. Diante da porta, parou. Um dos empregados perguntou-lhe o que desejava. Mas ele, sem reconhecer quem o interpelava, pronunciou o nome de Vássia e penetrou no gabinete. Cá fora chegara-lhe aos ouvidos a voz de Iulian Mostakóvitch.

— Que deseja o senhor? — voltaram-lhe a perguntar-lhe.

Arkádi Ivânovitch envergonhou-se e estava já disposto a voltar atrás, quando através da porta aberta avistou seu amigo Vássia. Então, sem mais hesitações, entrou na sala. Reinava ali a maior confusão e alvoroço. Iulian Mostakóvitch dava mostras de grande comoção. À sua volta estavam em grupos todos os funcionários superiores, que conversavam uns com os outros e pareciam perplexos. Um pouco à parte, estava Vássia. Ao vê-lo, Arkádi sentiu-se desfalecer. Vássia estava lívido, com a cabeça erguida, as mãos hirtas coladas às costuras das calças como se fosse um recruta que acabasse de assentar praça e estivesse na presença de seus chefes. Não tirava os olhos de Iulian Mostakóvitch. Imediatamente todos deram conta da presença de Arkádi e como alguns dos presentes sabiam que era amigo e companheiro de quarto de Vássia, comunicaram logo isso a Sua Excelência e apresentaram-lhe Arkádi. Este queria responder às perguntas que lhe faziam; mas, ao olhar para Iulian Mostakóvitch e ao notar a expressão de tristeza e piedade do seu rosto, desatou a chorar como uma criança pequena. Mais ainda: apertou a mão de Sua Excelência, apertou-a contra os olhos e salpicou de lágrimas, de tal maneira que Sua Excelência teve de retirar a sua. Fez um gesto e disse apenas:

— Bem, meu rapaz, vejo que tens bom coração.

Arkádi soluçava e dirigia a todos os presentes olhares suplicantes. Era como se todos fossem irmãos do seu pobre Vássia e compartilhassem intensamente do seu próprio desgosto.

— Como... teria acontecido isto? — perguntou-lhe Iulian Mostakóvitch. — Por que teria perdido o juízo?

— Por gra-ti-dão! — foi a única coisa que Arkádi Ivânovitch pôde responder.

Aquela resposta deixou todos boquiabertos; pareceu-lhes absurda.

Como era possível que alguém perdesse o juízo por gratidão? Arkádi procurou explicar-se o melhor que podia.

— Meu Deus, mas que pena! — exclamou Iulian Mostakóvitch. — E pensar que o trabalho de que o encarreguei não era de urgência nenhuma! Deu cabo de si por um nada, o infeliz!

E Iulian Mostakóvitch voltou a dirigir-se a Arkádi pedindo-lhe que lhe desse mais pormenores sobre o sucedido.

— Ele disse — declarou — que não contássemos nada a *ela*... Quem é *ela*? É a noiva?

Arkádi explicou-lhe tudo. Entretanto Vássia esforçava-se por vir a si. Num supremo esforço parecia querer recordar alguma coisa da máxima importância, que naquele momento — pensava — seria sem dúvida muito oportuna. Com olhares interrogadores e ao mesmo tempo aflitos, olhava à sua volta com a ilusão de que talvez os outros se lembrassem daquilo que ele tinha esquecido. Fixou os olhos em Arkádi... e, de súbito, neles se viu brilhar a luz duma esperança. Deu um passo em frente, depois mais três, e por fim juntou as pernas com rigidez como fazem os soldados quando algum oficial os chama. Todos esperavam com grande ansiedade o desenlace daquela cena.

— Tenho um defeito físico, Excelência. Sou fraco e baixinho, e não sirvo para o exército — disse por fim com voz entrecortada. Todos os que se encontravam na sala sentiram um aperto no coração. Iulian Mostakóvitch estava comovido, não obstante ser um homem de temperamento forte.

— Levem-no daqui — disse, e fez um gesto expressivo.

— Ai, a minha cabeça! — exclamou Vássia a meia voz.

Deu meia volta à esquerda e saiu dali. Todos os colegas saíram atrás dele. Arkádi fez outro tanto. Tiveram contudo de esperar pelo carro que devia conduzir

Vássia ao hospital. Por isso, procuraram retê-lo na sala de entrada. Ele ficou ali sentado e parecia mergulhado em profundas meditações. Cumprimentava com a cabeça todos os conhecidos, como a despedir-se deles. E de instante a instante olhava para a porta como se esperasse que lhe dissessem: "É agora!". À sua volta formara-se um círculo apertado, todos falavam e abanavam a cabeça. Muitos estavam admirados com o que acabavam de ouvir; uns comentavam o caso acaloradamente, outros exprimiam a sua compaixão por Vássia e elogiavam as suas qualidades de homem modesto e sossegado, que dava tão grandes esperanças. Falavam da sua aplicação e da sua ânsia de saber e de estudar.

— Tinha alcançado uma situação à custa do seu próprio esforço — observou um.

Falavam, comovidos, da dedicação de Vássia a Sua Excelência. Alguns não conseguiam compreender como Vássia poderia ter pensado e acreditado (a ponto de enlouquecer por causa disso), que por não ter terminado o trabalho iam mandá-lo para o desterro. Recordavam que até há pouco tempo ele era um mísero servente, e que só a Iulian Mostakóvitch, que confiara na sua habilidade e na sua boa vontade e rara modéstia, devia a sua posição atual. Era esta a opinião geral. Quem parecia mais comovido era um companheiro de trabalho de Vássia, um pobre homem atarracado, dos seus trinta anos. Estava branco como o papel, tremia-lhe todo o corpo e sorria de modo estranho, talvez porque todas as cenas, mesmo as tristes, divertem de certo modo os espectadores e quase os alegram. Aquele indivíduo andava para cá e para lá, à volta da barreira que se formara à roda de Chumkov, e como era baixo punha-se em pontas de pés e puxava pelos botões do casaco a todos com quem tinha familiaridade, e assegurava-lhes que sabia muito bem a que se devia tudo aquilo e que se tratava de um caso fácil de compreender, embora grave, do qual se não devia falar levianamente. Empinava-se e dizia coisas aos ouvidos dos outros, fazia fortes acenos de cabeça e tornava a dar mais uns passos. Por último deu-se o remate da cena. Surgiu um médico, acompanhado de um enfermeiro. Dirigiram-se a Vássia e disseram-lhe que devia segui-los. Vássia deu um salto da cadeira, lançou olhares perscrutadores sobre os presentes, e depois acompanhou o médico. De repente, porém, pareceu procurar alguém com os olhos.

— Vássia, Vássia! — exclamou Arkádi Ivânovitch por entre soluços.

Vássia parou e Arkádi aproximou-se dele. Abraçaram-se ambos pela última vez e não havia quem os separasse. Era uma cena triste. Que fatalidade lhes arrancava as lágrimas dos olhos? Por que choravam os dois? Em que consistia a desgraça? Por que não se entendiam já?

— Toma, guarda isto? — disse Chumkov e pôs na mão de Arkádi um papelzinho. Guarda-o bem.

Vássia não pôde continuar falando. Chamavam-no. Desceu a escada a correr e despediu-se de todos com um movimento de cabeça. Tinha o desespero estampado no rosto. Mandaram-no subir para um carro fechado. Os cavalos arrancaram e levaram-no. Arkádi desembrulhou o papelzinho; dentro dele encontrou um anel dos cabelos pretos de Lisa.

Que teria sentido Vássia ao separar-se dele? Dos olhos de Arkádi corriam lágrimas ardentes.

— Pobre Lisa!

Depois do serviço Arkádi dirigiu-se a Kolomna. Não se pode descrever o que se passou ali. Mesmo Piétia, o pequeno Piétia que ainda não podia compreender o que se passara com Vássia, se retirou para um canto, cobriu o rosto com as mãozinhas e rompeu em soluços que pareciam fazer saltar o seu coraçãozinho de criança. Era já noite quando Arkádi voltou para casa. Ao passar pelo Nievá parou um momento e lançou um demorado olhar sobre o rio, e sobre o horizonte enevoado, tingido de vermelho pelos últimos raios do purpúreo e sangrento sol da tarde.

Caía a noite sobre a cidade e toda a imensa capa de neve do rio refulgia, ferida pelos últimos raios de sol em miríades de cintilações. A temperatura era de vinte graus. Um vapor espesso acumulava-se em torno dos numerosos cavalos que corriam e da gente que apressava o passo. Não vibrava no ar o menor ruído e, como gigantes, erguiam-se, de um lado e doutro do rio até ao céu azulado, as colunas de fumo das casas; torciam-se e adensavam-se umas sobre as outras enquanto continuavam a erguer-se, como se novos edifícios e palácios se amontoassem sobre os antigos e formassem uma nova cidade sobre as nuvens... como se todo o mundo, com todos os seus habitantes, os fortes e fracos, com os tugúrios dos pobres e os palácios dos ricos e poderosos da Terra, estivesse a diluir-se naquela hora vespertina, num sonho fantástico que se erguia do chão até ao céu azul-escuro, para ali se dissipar e extinguir-se em nada...

Um sentimento estranho se apoderou do desventurado amigo do pobre Vássia.

Estremeceu de súbito, impelido por um sentimento poderoso e até então para ele desconhecido; uma golfada quente de sangue penetrou-lhe no coração. Compreendeu de repente o sentido de tudo o que acontecera, compreendeu por que é que Vássia não tinha podido resistir à felicidade e perdera a razão. Tremiam-lhe os lábios, brilhavam-lhe os olhos, empalidecia perante aquela novidade que se lhe revelava.

A partir desse momento Arkádi tornou-se sombrio e taciturno e perdeu toda a jovialidade de outrora. A casa ficou-lhe insuportável e mudou-se para outra. Dois anos mais tarde veio a encontrar Lisanhka, por acaso, numa igreja. Tinha-se casado; acompanhava-a uma ama com um filho nos braços. Cumprimentaram-se e durante muito tempo evitaram falar no passado. Lisa disse-lhe que era muito feliz, embora continuasse tão pobre ou mais ainda do que antes; mas que o marido era muito bom e que a estimava muito...

Mas, de repente calou-se no meio das palavras, os olhos se encheram de lágrimas, afastou-se e baixou a cabeça sobre o genuflexório com o propósito de ocultar a sua dor.

O LADRÃO HONRADO

(DAS MEMÓRIAS
DE UM DESCONHECIDO)

O LADRÃO HONRADO
(DAS MEMÓRIAS DE UM DESCONHECIDO)
(1848)

Certa manhã, quando me dispunha a ir para a repartição, Agrafiena, a minha cozinheira, e ao mesmo tempo lavadeira e governanta, entrou no meu quarto e, com grande surpresa minha, pôs-se a falar comigo.

Até então aquela velhinha tinha sido sempre tão calada que, tirando as costumadas perguntas do dia: que prato havia de preparar-me para o almoço etc., quando muito talvez me tivesse dirigido apenas uma palavra no espaço de um ano. Pelo menos eu não lhe tinha ouvido nenhuma.

— Olhe, menino, venho falar-lhe para lhe dizer que devia alugar o quarto pequeno — começou ela apressadamente.

— Qual quarto pequeno?

— Aquele que está junto da cozinha, claro, pois se não há outro...

— Mas por quê?

— Por quê? Porque há quem queira alugá-lo. Aí está o porquê.

— Mas quem é que quer alugá-lo?

— Quem é que quer alugá-lo? Ora, um inquilino. Quem havia de ser?

— Mas nesse quarto nem cabe uma cama. É pequeno demais. Quem é que pode viver ali?

— Mas para que é preciso que viva? Basta que tenha um canto para dormir, que para viver chega-lhe o parapeito da janela!

— Mas que parapeito e que janela?

— Pois está bem à vista aquilo que eu quero dizer. Como se o senhor não soubesse! No vestíbulo! Ali pode sentar-se, coser, fazer o que quiser. E até pode sentar-se numa cadeira. Sim, porque há uma cadeira e uma mesa, não falta nada.

— Mas quem vem a ser esse tal "ele"?

— Um homem de bem e de confiança. Eu lhe farei a comida e, pelo quarto e pela alimentação, cobrarei três rublos de prata por mês...

Ao fim de muitos esforços acabei por adivinhar que devia ter sido algum velhote que pedira a Agrafiena que o tomasse como hóspede. E quando alguma coisa se metia na cabeça daquela mulher, não tinha outro remédio senão aceitá-lo imediatamente, pois já sabia por experiência que se o não fizesse ela não me deixaria mais em paz. Quando as coisas não corriam à vontade ficava pensativa e acabava por dar mostras de uma melancolia profunda. Esse estado de espírito costumava durar-lhe pelo menos duas ou três semanas, e durante todo esse tempo era certo e sabido que os cozinhados lhe saíam insípidos, que não lavava a roupa e nem sequer limpava a casa; em resumo, tratava de aborrecer as pessoas. Havia muito tempo que eu já tinha percebido que a velhota não era capaz de adotar por si só uma resolução e muito menos de conceber uma ideia original. Mas quando punha qualquer coisa no bestunto, qualquer coisa parecida com uma resolução, bastava dizer-lhe que não ou contradizê-la, para que ela ficasse logo moralmente aniquilada durante algum tempo.

Ora, como então, por nada deste mundo, eu desejava perder a minha tranquilidade, apressei-me em consentir na sua proposta.

— Mas ele tem ao menos algum documento, carteira de identidade ou alguma coisa do gênero?

— É claro que tem! Além disso sabe-se muito bem de quem se trata. É um homem sério, conhecido. Prometeu pagar-me três rublos.

Foi assim que na manhã seguinte o novo inquilino se apresentou no meu pequeno quarto de solteiro, o que, para dizer a verdade, não me aborreceu mesmo nada e, pelo contrário, no íntimo fiquei até bem satisfeito. Porque eu vivo só, como um emigrado. Pode dizer-se que não tenho um amigo e raras vezes saio de casa. É certo que já estava acostumado à minha solidão; mas dez, quinze ou quem sabe quantos anos mais de semelhantes solidão, em companhia apenas de uma Agrafiena como esta, num quarto de solteiro... era na verdade uma perspectiva muito pouco atraente. Nestas circunstâncias, um companheiro pacato aprecia-se até como uma graça dos Céus.

Agrafiena não tinha mentido: o meu inquilino era uma criatura digna. Dos documentos constava que tinha cumprido o serviço militar, o que aliás eu teria percebido imediatamente só de ver o seu aspecto marcial. É uma coisa que salta logo à vista. De maneira que o meu inquilino, Astáfi Ivânitch, no gênero era do melhor. O aluguel foi imediatamente ajustado. Astáfi Ivânitch começou a contar-nos histórias e episódios da sua vida de soldado. No meio do tédio cada vez maior da minha vida, um narrador como aquele era um verdadeiro tesouro. Uma das suas histórias chegou mesmo a deixar em mim uma impressão tão duradoura que, por isso mesmo, quero reproduzi-la aqui, explicando ao mesmo tempo as circunstâncias em que a ouvi.

Um dia, eu estava sozinho em casa. Tanto Astáfi como Agrafiena tinham saído. De repente percebi que alguém entrava no vestíbulo. Devia ser uma pessoa estranha. Saí do meu quarto para ver de quem se tratava e fui encontrar ali um desconhecido, um homem de baixa estatura, e que, apesar de estarmos já no outono, não trazia nenhum agasalho.

— O que desejas?

— Queria ver o funcionário Alieksándrov. Não mora aqui?

— Não; não mora aqui ninguém com esse nome, meu caro; *adieu*.

— Mas o porteiro disse-me que ele morava aqui — murmurou o visitante recuando com prudência até à porta.

No dia seguinte, precisamente no momento em que Astáfi Ivânitch me provava uma jaqueta que fazia para mim, alguém tornou a entrar no vestíbulo. Entreabri a porta. Nesse instante o visitante da véspera, mesmo nas minhas barbas, tirou o meu sobretudo de peles do cabide, pô-lo no braço e saiu. Agrafiena, pasmada, abriu uns olhos e uma boca de todo tamanho, mas não fez o mínimo esforço para defender o meu agasalho. Astáfi Ivânitch, esse sim, saiu a correr atrás do ladrão; mas, passados dez minutos, voltava desolado e com as mãos vazias. O ladrão desaparecera como se a terra o tivesse engolido.

— Apre! Felizmente que ao menos não levou a capa. Senão tê-lo-ia deixado completamente depenado, aquele meliante.

Astáfi Ivânitch estava tão perturbado, que eu, admirado da sua reação, não tardei em esquecer completamente o sucedido. O meu hóspede é que não conseguia compreender como é que aquilo podia ter acontecido. Largava o trabalho a todos os momentos e começava de novo a contar o episódio, a maneira como as coisas se tinham passado: o local em que ele estava; como aquilo acontecera a uma distância de dois passos, na sua própria cara, e como não lhe tinha sido possível deitar a mão ao gatuno. Passado um instante voltou ao trabalho, mas não tardou muito que o largasse de novo. Daí a pouco, já ele descia a escada a toda a pressa para contar o acontecimento ao porteiro, como todos os pormenores, e lançar-lhe a culpa do caso. Depois tornou a subir e pôs-se a recriminar Agrafiena; finalmente quando retomou o trabalho, continuou ainda a resmungar com os seus botões acerca do sucedido, insistindo em que ele estava ali e não noutro lugar, e como nas suas próprias barbas, apenas a dois passos de distância, aquele tipo tinha levado o sobretudo etc. etc.

Nesse mesmo dia à tarde, para ver se me distraía do meu aborrecimento, convidei-o para uma chávena de chá, pois sabia que ele havia outra vez de pôr-se a falar do roubo, o que, à custa de ser tão repetido e da profunda comoção que ele punha no relato, conseguia divertir-me de maneira extraordinária.

— Ora esta, o que havia de nos acontecer, Astáfi Ivânitch!

— É de pôr uma pessoa maluca. Eu, que não sou o prejudicado, até fervo de raiva. Vejam lá se ele levou o meu capote... Não há coisa pior neste mundo do que um ladrão! Quantas vezes esses malandros não roubam a um desgraçado uma miséria qualquer que ele conseguiu arranjar à custa de esforços e de trabalhos honestos, lhe levam todas as suas economias, lhe roubam o tempo que gastaram! Arre! É melhor nem pensar nisso. Mas, o senhor não tem pena de ter perdido aquilo que era seu?

— Sim, por certo, Astáfi Ivânitch; preferia mesmo tê-lo visto pegando fogo; agora que um gatuno desapareça assim, muito belamente, com o que me pertence, é claro que não acho graça nenhuma...

— É claro, ninguém gosta de ser espoliado. Um ladrão não é um homem como os outros... Mas quer saber uma coisa, senhor, que eu uma vez conheci um ladrão, que, apesar de tudo, era uma pessoa honrada?

— Qual honrada! Pode existir algum ladrão que seja honrado, Astáfi Ivânitch?

— É assim mesmo como lhe digo! Mas como é que um ladrão pode ser honrado? É claro que não há ladrões honrados. O que eu quero dizer simplesmente é que esse indivíduo era um homem honrado, apesar de ter roubado. Até fazia dó.

— Ora vamos lá a ver como era isso, Astáfi Ivânitch.

— O senhor já vai ver. Isso foi há dois anos. Nessa altura, havia quase um que eu estava desempregado. Mas já antes, quando ainda estava colocado, tivera ocasião de conhecer um indivíduo que se tinha transviado. Conhecemo-nos numa taverna. Ele era um bêbado, um vagabundo, um vadio; tinha sido empregado mas fora despedido por causa da sua má cabeça. Que tipo mais brincalhão! Só Deus sabe do que *ele andava vestido! Às vezes nem camisa trazia por debaixo da capa; todo o dinheiro que lhe caía nas unhas, ia largá-lo na taverna. No entanto, apesar disto tudo, não era de briga, lá isso não, até pelo contrário: muito pacífico, amável e bonacheirão; nunca pedia nada a ninguém e envergonhava-se por tudo e por nada; a única coisa que ele tinha de mau era aquela paixão pela pinga, e, se bem que não o pedisse, sempre lhe dávamos qualquer coisa para beber. Pois bem; desde que nos conhecemos, o tipo deu em apegar-se a mim, de tal maneira que não conseguia ver-me livre dele. A mim, afinal de contas, isso me era indiferente. Que homem aquele! Tal qual um cão, sempre atrás de uma pessoa! Fosse eu para onde fosse, lá ia atrás de mim. E isto logo desde a primeira vez que nos vimos. Que homem tão palerma! Começou por: "Deixe-me dormir em sua casa, esta noite". Bem, consenti; tinha os documentos em dia e não apresentava mau aspecto. No dia seguinte... que o deixasse passar outra vez a noite em minha casa; ao terceiro apareceu-me mesmo de dia, sentou-se a meu lado, junto da janela, e ali ficou também para dormir. "Bem — pensava eu — vais ficar com esta carga nas costas. Portanto, toca a dar-lhe de comer e de beber e a preparar-lhe também uma tarimba. Agora, tu que não tens nada de rico, vais ter de sustentar ainda mais este." Já antes de se apegar a mim daquela maneira se tinha colado também a outro, a um funcionário. Embriagavam-se juntos, o empregado chegava a pôr-se num estado vergonhoso e acabou por morrer na miséria. Chamava-se Emiélia Ilhitch, esse miserável. Eu não fazia outra coisa senão dar voltas ao miolo para sacudi-lo de cima de mim. Custava-me muito pô-lo à margem; estava tão arruinado e decaído que faria compaixão a qualquer pessoa. "É tão calado, tão manso, nunca faz uma pergunta, senta-se e põe-se a olhar para nós nos olhos, como um cão! É preciso ver bem até que ponto a bebida pode perder uma pessoa!" Eu pensava com os meus botões: "O que tenho a fazer é dizer-lhe muito simplesmente: 'anda, dá o fora. Emieliânuchka! Não perdeste nada por aqui; erraste a porta; dentro em breve nem eu próprio terei um osso para roer, quanto mais de sobra para ti.' Estou sentado e penso no que irá ele dizer, quando eu lhe falar assim. Imagino como vai pôr-se a olhar para mim durante muito tempo, e como se deixará ficar sentado sem perceber logo às primeiras nem uma palavra sequer, até que por fim, quando tiver percebido, vai se levantar do parapeito da janela e apanhará a trouxa...". Ainda me parece estar vendo aquele bocado de pano de quadrados vermelhos, que só Deus sabe o que teria, todo cheio de buracos, e que ele nunca largava. "E puxará então a capa para tomar um aspecto mais decente e para que se lhe não veja a roupa toda rasgada... (que ele era muito sensível). Depois há de abrir a porta e, com as lágrimas nos olhos, sairá então. Mas eu não posso consentir que esse pobre homem se afunde assim tão completamente..." Meu coração não consentia. Por outro lado pensava: "Mas o que vai ser de ti, dentro de dias?". "Deixa estar Emieliânuchka — dizia para comigo mesmo —; em minha casa não podes tu refocilar por muito tempo; não tarda que eu tenha de sair daqui e então já não me encontrarás." Bem, estavam as coisas neste pé quando Alieksandr Filimônovitch, meu defunto patrão — que Deus o tenha em sua glória! — me disse uma vez: "Olha, Astáfi, eu estou na verdade muito satisfeito contigo e, quando regressarmos à fazenda, tornarei a dar-te trabalho e não te esquecerei". Eu estava empregado em casa dele como porteiro; era um bom patrão mas, por infelicidade, morreu logo naquele ano. E portanto eu não tive outro remédio senão procurar outro abrigo. Peguei nas minhas coisas e nas minhas economias, procurei a casa duma velhota que conhecia e aluguei-lhe um quarto — um cubículo — pois era a única coisa de que ela dispunha. Essa velhota servira não sei onde como ama e nessa altura recebia uma pequena mensalidade; vivia absolutamente sozinha. "Pois bem — pensava eu — adeus, meu caro Emieliânuchka, que já não me tornas a ver." Pois sabe o que aconteceu? Ao cair da tarde volto para casa, depois de ter visitado um velho amigo, e sabe quem é que vou encontrar? Ao bom do Emiélia, muito bem sentado em cima do meu baú e com a trouxa toda esfarrapada ao lado, à minha espera. Até tinha conseguido que a velha lhe emprestasse a Bíblia e estava a lê-la, muito tranquilo, mas com o livro de pernas para o ar! Tinha dado com a minha nova morada, aquele patife! Deixei cair os braços: "Pronto — disse para comigo — já não há nada a fazer, não tenho outro remédio senão aguentar esta estopada. Mas por que não corri eu com ele há mais tempo?". De maneira que me limitei a perguntar-lhe: "Trouxeste os teus documentos, Emiélia?". E depois sentei-me e pus-me a pensar nas muitas contrariedades que aquele vagabundo podia trazer-me. "E além disso, tem que cear comigo" — dizia eu. — "Pela manhã, um naco de pão com duas cebolinhas, para ficar mais saboroso; depois, à hora do almoço, outro pedaço de pão duro e mais cebolas; e à noite, cebolas com *kvas* e também pão, se o pedir. De vez em quando uma sopa de couves até apanharmos uma indigestão. Ora, a comida! Eu não como muito, e os bêbados, como se sabe, não comem nada. Agora quanto à bebida é que é o pior..." Foi precisamente nesta altura que me passou de repente pela cabeça uma ideia que me fez grande impressão: "Afinal, se ele se for embora, acaba-se a minha alegria!". Desde esse instante propus-me seriamente tornar-me seu pai e protetor. "Vou livrá-lo daquele vício — pensava eu — hei de fazer com que perca o gosto da bebida. Espera aí homem. Bem, Emiélia, podes ficar, mas ouve o que te digo: de hoje em diante tens de te portar bem!" E acrescentava cá para comigo: "Mas, pouco a pouco, a bem, hei de acostumar-te ao trabalho; entretanto sempre te deixo alguns momentos de folga e depois então verei para que serves, Emiélia". Porque é natural que todos os homens tenham predisposição para o trabalho. E foi assim que, a partir daquele dia, comecei a observá-lo em silêncio. Mas ai! Aquele Emieliânuchka era um caso completamente perdido! Comecei a censurá-lo com boas palavras: "Porque mais isto e mais aquilo. Ouve lá, meu rapaz: não te parece que devias fazer mais caso da tua própria pessoa? Já basta de bebedeira! Não vês que estás feito num farrapo? A tua capa, diga-se a verdade, está mesmo num crivo. Não podes continuar assim; já é tempo e mais que tempo de te emendares!". O meu amigo Emieliânuchka está ali sentadinho, e de cabeça baixa. "O que diz o senhor?" Tinha chegado a tal ponto que até já atropelava as palavras de tal maneira que não conseguia articular nem uma como devia ser. Se lhe falavam em alhos, acabava por responder de bugalhos. Pois, como ia dizendo, Emiélia ouvia-me, ouvia-me durante muito tempo e finalmente lançava um suspiro.

— Por que suspiras, Emiélia Ilhitch? — perguntava-lhe eu.

— Por na... da, Astáfi Ivânitch; não se preocupe. Sabe uma coisa? Hoje, em plena rua, duas velhas se atracaram. Uma delas, sem querer, derrubou um cesto de cogumelos da outra.

— Ah, sim? E então o que é que tem isso de especial?

— Então a outra, de propósito, entornou o cesto de cerejas da primeira e achatou-lhas todas com os pés!

— Ora vejam lá! E o que aconteceu depois?

— Não sei, Astáfi Ivânitch; eu só vi isto...

— Só isso! Ah, Emiélia Emieliânuchka, começo a achar que os teus miolos também estão bêbados!

— Um homem perdeu umas notas, na esquina da Gorókovaia para a Sadóvaia. Um tipo qualquer encontrou-as e disse: "Eu encontrei isto". Mas um outro, que as tinha visto também, respondeu: "Não, quem as achou fui eu". "Mas fui eu quem as viu primeiro!" E começaram a questionar, Astáfi Ivânitch. Entretanto apareceu um polícia que pegou no dinheiro, foi devolvê-lo àquele que o tinha perdido, e aos tais ameaçou-os de levá-los ao Comissariado.

— Muito bem. E que mais? Achas nisso alguma coisa de interessante, Emieliânuchka?

— Ah!... eu... nada! Mas as pessoas riram-se, Astáfi Ivânitch.

— Ai, Emieliânuchka! As pessoas! Vendeste a tua alma por uma moeda de cobre. Sabes o que eu te digo, Emiélia Ilhitch?

— O que é Astáfi Ivânitch?

— Que vás procurar trabalho, pela centésima vez to digo. Procura uma ocupação, tem piedade de mim!

— Mas como é que eu hei de procurar um emprego, se não sei qual é que devo aceitar, e se, por outro lado, ninguém me quer admitir, Astáfi Ivânitch!

— Por que é que te despediram da repartição, Emiélia? Anda, confessa, seu pau-d'água!

— Astáfi Ivânitch, Vássia, o criado foi hoje chamado ao Comissariado!

— Mas por quê, Emieliânuchka?

— Ah, isso não sei, Astáfi Ivânitch. Tinha de ser assim, tinham pedido a sua prisão...

"Oh — pensei eu — estamos perdidos os dois, Emieliânuchka! É Deus que nos castiga pelos nossos pecados!" Mas diga-me uma coisa, senhor; que havia uma pessoa de fazer com um tipo daqueles nas costas? Era um grande espertalhão! Ouvia tudo o que eu dizia mas quando a coisa o aborrecia ou percebia que eu não estava lá muito bem disposto, pegava na capa e sumia... Passava o dia às voltas pelas ruas, para voltar a casa tão abastecido como uma pipa. Quem é que lhe dava de beber, onde é que ele ia arranjar dinheiro para o vício... Só Deus sabe, que eu por mim nunca soube!

— É isso mesmo — dizia-lhe eu. — Em breve há de chegar o dia em que a tua cabeça deixe de funcionar. Já bebeste bastante neste mundo, bastante! Mas ficas avisado que, de hoje em diante, se entrares em casa bêbado, hás de ir curtir a bebedeira na escada. Fica sabendo que não te abro a porta!

Depois dessa ameaça, ainda Emiélia ficou dois dias em minha casa; mas ao terceiro tinha desaparecido. Esperei, esperei... Nada, não aparecia! Garanto-lhe, senhor, que não conseguia tirá-lo do meu pensamento, que tinha pena dele, Deus é testemunha de que, apesar de tudo, eu tinha pena dele. Onde teria ido parar o pobre homem? Meu Deus, agora, sim, podia dar-se por perdido;

Mais uma noite chegou e ele sem vir... Na manhã seguinte vou até à escada e que vejo eu? Pois tinha passado a noite ali... Tinha a cabeça sobre um degrau e estava estendido ao comprido, enregelado de frio!

— Que fazes aqui, Emiélia? Meu Deus, ao que tu chegaste!

— O senhor tratou-me mal; disse-me que eu tinha de dormir na escada. Por isso não me atrevi a chamar, Astáfi Ivânitch, e deitei-me aqui para dormir...

Eu senti então raiva e compaixão ao mesmo tempo!

— Ai, Emeliá, se tu tivesses ânimo para fazer outra coisa que não fosse limpar a escada com o corpo!

— Que outra coisa, Astáfi Ivânitch?

— Ah, seu devasso, se ao menos — eu estava mesmo furibundo — se ao menos quisesses aprender para alfaiate! Olha para a capa que trazes! Como se ainda não bastasse estar já feita num farrapo, ainda te pões a limpar o pó da escada com ela! Se ao menos pegasses numa agulha e cosesses esses buracos, como manda a decência! Anda seu beberrão!

E sabe o senhor o que ele fez? Pois foi e pegou numa agulha. Eu tinha-lhe falado com certa energia, e ele, pelo visto, estava disposto a emendar-se. Tirou a capa e pôs-se a enfiar uma agulha. Eu olhava para ele, e é claro, já se sabia, aqueles olhos inflamados e com uma orla vermelha, as mãos a tremerem... não ajudam! Ele bem se esforça mas o fio não entra; torna a umedecer a ponta da linha e a torcê-la, e... Pois sim! Até que por fim o homem desistiu e pôs-se a olhar para mim.

— Bem, Emiélia: queres fazer um favor? Deus te perdoe, se puder. Entra, se queres, mas não tornes a dar-me este aborrecimento de passares a noite na escada...

— Mas que hei de eu fazer, Astáfi Ivânitch, se sei muito bem que estou sempre bêbado e que não sirvo para nada... e que só o senhor, o meu ben... ben... benfeitor, se interessa por mim?

E em seguida os seus lábios azuis começaram a tremer e pela sua face pálida rolou uma lágrima. Ainda essa lagrimazinha não lhe tinha chegado à barba malcuidada, onde ficou a tremer, quando, de repente, dos seus olhos brotou então uma torrente de pranto... Pois senhor, até parecia que me estavam a cortar o coração com uma faca! "Apre, que sensível tu és, homem! Não sabia disso! Se eu o soubesse, se eu o tivesse adivinhado!..." "Não — disse comigo mesmo — já não estou para me preocupar mais contigo; faz o que quiseres, até te tornares num farrapo."

E ainda haveria muito mais para dizer, se bem que a coisa em si mesma é tão vazia, tão insignificante e tão reles que nem vale a pena referi-la. O senhor, por exemplo, não daria por ela, mas eu, em compensação, daria muito se o tivesse, porque assim já não teria sofrido nada disto. Eu tinha um esplêndido par de calças de montar, de riscas azuis, umas calças maravilhosas que me tinha mandado fazer um proprietário que não quis levá-las, alegando que eu as tinha feito muito estreitas.

"Eis aqui um rico presente! Pode ser que na Tolkutchka[1] me deem por ele, pelo menos cinco rublos, ou então, faço delas duas calças para os senhores de Petersburgo e ainda me deve sobrar um pedaço para fazer um colete para mim. Para um pobre como eu, tudo serve!"

---

[1] Praça pública, em Moscou e em outras cidades russas, onde existia uma feira de venda, compra e troca de objetos usados.

Por esta altura passava o meu Emieliânuchka uns tempos tristes e difíceis. Acontecia-lhe de ter de estar dois e até três dias sem beber. Nem uma só gota de vodca lhe chegava aos lábios e estava como um homem que tivesse levado uma paulada na cabeça, segurando-a com as duas mãos, de tal maneira que fazia mesmo pena. "Anda, meu caro — dizia eu para comigo — quando já não tiveres dinheiro para o vício, tu próprio hás de regressar ao bom caminho; já te avisei muitas vezes, pode ser que agora entres nos eixos." As coisas estavam neste ponto quando chegaram as festas do Natal. Vou à missa do galo, volto a casa, e que vejo? O bêbedo do Emieliânuchka sentado no parapeito da janela e balançando-se para cá e para lá.

"Olá! — penso eu. — Outra vez, hem? Grande velhaco!" Não sei por que, mas o certo é que me dirigi imediatamente para o baú. As famosas calças tinham desaparecido. Procuro, revolvo tudo, nada. Tinham voado! Senti então um aperto no coração. Fui ter com a velha e comecei a acusá-la, pois nem sequer me veio à cabeça que pudesse ter sido Emiélia, se bem que tivesse estado fora de casa todos aqueles dias e tivesse regressado embriagado...

— Valha-te Deus, homem; para que queria eu as tuas calças? Iria eu vesti-las? — dizia a velha. — Também a mim me desapareceu uma jaqueta...

— Esteve alguém aqui? — perguntei.

— Não veio ninguém e eu não saí de casa durante todo o dia. Quem esteve aqui foi Emiélia Ilhitch, que depois saiu e voltou, e que agora está ali todo refestelado... Ora, pergunte-lhe também a ele!

— Emiélia, por acaso, por qualquer motivo, pegaste nas minhas calças, as que eu tinha feito para aquele senhor?

— Eu?! Eu não, Astáfi Ivânitch — respondeu ele. — Eu... eu não mexi nelas.

Que aborrecimento! Pus-me outra vez a procurar, a procurar... Nada! Emeliá continuava sentado na janela, a bambolear-se. Acabei também por sentar-me diante dele, em cima do baú, e pus-me a olhá-lo de revés. "Olá!", pensei eu, e imediatamente o coração me deu um baque e o sangue me subiu à cabeça. De súbito Emiélia pousou sobre mim os seus olhos.

— Não — disse ele muito depressa — eu não peguei as calças... Talvez o senhor suponha isso, porque... porque... mas não, eu não lhes toquei.

— Mas então onde estão elas, Emiélia Ilhitch?

— Não sei — replicou — eu não as vi.

— Muito bem, Emiélia Ilhitch; então é porque desapareceram sozinhas...

— Talvez, Astáfi Ivânitch. Não sei nada disso.

Levantei-me, dirigi-me para ele, que continuava à janela, acendi a luz e pus-me a trabalhar. Estava reformando o colete do empregado que vivia no andar de cima. Mas por dentro de mim continuava a ruminar. Parece-me que não me teria custado tanto se toda a roupa se me tivesse queimado no fogão. E a Emiélia não passava despercebida a minha perturbação. Quando um homem faz qualquer coisa de mau pressente a desgraça da mesma maneira que as aves pressentem a tempestade.

— Astáfi Ivânitch — começou Emiélia com uma voz que tremia — é hoje que se casa o Marechal Antip Prokhóritch com a viúva do cocheiro que morreu outro dia.

Mas eu lhe lancei uma olhadela, uma só... que ele compreendeu perfeitamente. Então, levantou-se de súbito, dirigiu-se para a cama e começou a remexer na roupa. Eu fiquei muito quieto, mas ele, entretanto, continuou busca que busca, sempre a falar: "Aqui não há nada, nadinha; onde teriam ido parar o diabo das calças?". Continuo na expectativa e que vejo então? Que Emiélia se mete debaixo da cama. Já não podia conter-me:

— Que vem a ser isso, Emiélia Ilhitch? — pergunto-lhe eu. — Que estás fazendo aí?

— Estou verificando se elas estarão caídas aqui por debaixo, Astáfi Ivânitch.

— Deixe-se disso, senhor! — de furioso que estava até o tratava por senhor. — Vale a pena porventura que o senhor se atire no chão dessa maneira por causa de um pobre homem como eu?

— Ah, Astáfi Ivânitch, isso não tem importância! O que é certo é que as calças em alguma parte hão de estar, a questão é saber procurá-las.

— Hum! — disse eu. — Conta-me uma coisa, Emiélia Ilhitch...

— Diga, Astáfi Ivânitch...

— Não se teria dado muito simplesmente o caso de que tu me tivesses roubado, como um ladrão e velhaco, em sinal de agradecimento, por ter repartido contigo o meu pão?

Enquanto eu dizia isto procurava ele enternecer-me, arrastando-se de joelhos à minha frente, sobre o chão.

— Não, Astáfi Ivânitch...

E assim se deixou ficar durante muito tempo debaixo da cama, agachado, até que por último se tornou a pôr de pé. Olhei para ele e vi que estava branco como a cal. Foi sentar-se junto da janela e assim esteve a meu lado, coisa de dez minutos.

Mas depois levantou-se outra vez e dirigiu-se a mim tão cheio de medo como o próprio pecado:

— Não, Astáfi Ivânitch — disse ele — eu não tive o atrevimento de levar as suas calças.

Enquanto dizia isto o corpo tremia-lhe todo, a voz tremelicava-lhe também e batia com a mão no peito, de tal maneira que eu próprio senti uma angústia e me pus direito e rígido, tal como se tivesse ficado colado ao parapeito da janela.

— Pois bem, Emiélia Ilhitch — disse-lhe — seja como quiser; desculpe-me se fui injusto, se o acusei sem razão. Deixemos as calças em paz. Afinal de contas não nos fazem falta para vivermos. Graças a Deus ainda tenho mãos para trabalhar. Não é por isso que me vou pôr a roubar, nem tampouco irei pedir esmola a outro pobre...

Emiélia continuava pregado ali, escuta o que eu digo e, por fim... senta-se. E assim ficou sentado durante toda a noite, sem se mexer do seu lugar; eu me fui a deitar... e deixei-o ali sentado. No dia seguinte de manhã, quando me levantei, vi-o deitado no chão, enrodilhado na sua capa. Sentia-se humilhado e por isso não quis deitar-se na cama.

Por essa altura eu já lhe tinha perdido a amizade e posso até dizer que o odiava. Era a mesma coisa que se um filho meu me tivesse roubado, dando-me um terrível desgosto. "Ai, Emiélia, Emiélia" — pensava eu. Sabe o senhor o que aconteceu? *Pois Emeliá passou duas semanas seguidas bebendo sem interrupção.* Até parecia um doido de tão bêbado que andava. Saía de casa todas as manhãs e quando voltava, à noite, vinha cheio de álcool como um alambique! E nem sequer lhe ouvi uma só palavra naquelas duas semanas! Parecia mesmo que queria acabar consigo próprio! Por fim, quando já tinha gasto o dinheiro todo, as suas saídas acabaram e voltou a sentar-se junto da janela. Posso garantir que esteve por três vezes sentado e em silêncio, durante vinte e quatro horas. E de repente começa a chorar. Está sentado junto de mim, senhor, e chora... E de que maneira! Como um chafariz, e além disso parecia que nem dava conta de que estava a chorar. A mim é uma coisa que me custa, ver um homem chorar, sobretudo quando se trata de um homem já velho como Emiélia, que chora por causa da sua pobreza e da sua dor.

— Que tens, Emiélia?

Ele estremeceu. Pela primeira vez, depois daquele dia, eu voltava a dirigir-lhe a palavra.

— Por amor de Deus, Emiélia, mas por que estás sentado aí, dessa maneira? Pareces uma coruja...

Fazia-me verdadeiramente dó, aquele desgraçado.

— Astáfi Ivânitch... eu queria arranjar trabalho.

— E que gênero de trabalho, Emiélia Ilhitch?

— Qualquer gênero. Talvez volte a empregar-me onde já estive... Já fui procurar Fiódor Ivânitch e supliquei-lhe... Não está certo que eu seja um encargo para o senhor, Astáfi Ivânitch. Quando encontrar trabalho hei de devolver-lhe tudo o que gastou comigo, Astáfi Ivânitch, vou recompensá-lo de todas as suas atenções...

— Basta, Emiélia, basta! Foi uma tristeza, isso é verdade, mas o que passou, passou. O mundo não vai acabar por causa disso!

— Não, Astáfi Ivânitch, pode ser que o senhor pense que... Mas eu não tive o atrevimento de tirar-lhe as suas calças...

— Bom, pode ser que seja como dizes, Emieliânuchka!

— Não, Astáfi Ivânitch, compreendo muito bem que não devo continuar aqui. Perdoe-me, Astáfi Ivânitch...

— Deus seja contigo — disse-lhe. — Mas quem é que te ofendeu, Emiélia Ilhitch, quem é que te põe fora desta casa? Eu pelo menos não sou.

— Não, senhor; mas eu compreendo que não está certo que continue a viver na sua casa, Astáfi Ivânitch... É preferível que eu me vá...

— Para onde vais tu, Emiélia Ilhitch? Tem juízo, homem. Para onde hás de ir?

— Fique com Deus, Astáfi Ivânitch, não tente reter-me — e pôs-se de novo a chorar. — Vou-me embora, Astáfi Ivânitch, vou agora mesmo. O senhor já não é para mim o mesmo que era antes...

— Ora essa! Tu é que és um tipo sem miolos, que juraste muito simplesmente acabar contigo, Emiélia Ilhitch.

— Não, Astáfi Ivânitch; agora o senhor fecha sempre o baú; bem o vejo e isso dá-me vontade de chorar... Não, deixe-me ir, Astáfi Ivânitch, e desculpe-me se em alguma coisa o ofendi...

Não quer acreditar, senhor? Pois foi-se embora... a valer! Ainda o esperei durante o dia e pensava: "Bem, à noite há de voltar...". Mas não veio! No dia seguinte... também não, e no outro... nada! Eu estava cheio de inquietação, não podia comer nem beber, nem dormir. Por aquela é que eu não esperava! Ao quarto dia fui até à taverna à sua procura e a todos perguntei por ele: "Nada! Emieliânuchka tinha desaparecido! Endoideceu — pensei eu — ou talvez esteja por aí estendido, sabe Deus onde, perdido de bêbado". Voltei para casa mais morto do que vivo. No dia seguinte saí de novo à sua procura e recriminava-me a mim próprio por ter consentido que um mentecapto fizesse o que lhe deu na veneta. Até que no quinto dia, mal tinha amanhecido quando bateram à porta. Era Emiélia que voltava! Muito pálido, com o cabelo todo sujo, tal como se tivesse dormido no meio da rua, e magro como um palito! Tirou a capa, sentou-se na minha frente, em cima do baú, e pôs-se a olhar para mim. Eu fico todo contente por tornar a vê-lo, mas logo a seguir volta a me cutucar aquela antiga suspeita, e com mais força do que nunca. Pois ainda que seja pecado, antes queria que ele tivesse rebentado no olho da rua do que voltar a vê-lo naquele estado. No entanto ele ali estava. E sempre custa ver um semelhante em tal estado. Passava-lhe a mão pelas costas tentando consolá-lo!

— Vamos, Emieliânuchka — disse-lhe eu — vê se arranjas outra casa, já estás outra vez aqui. Se não tivesses vindo hoje teria ido procurar-te por todas as tavernas. Comeste alguma coisa?

— Sim, Astáfi Ivânitch.

— Mas deves ter comido muito mal. Olha, meu caro, ainda nos sobrou um pouco de caldo de couves, de ontem à noite; não penses que aqui em casa fizemos jejum, que até houve carne. Também há cebolas e pão. Trata mas é de comer, come que é para criares forças!

Dei-lhe de comer e percebi então que devia haver já alguns três dias que o infeliz não levava nada à boca... Tal era a fome que ele tinha.

— Estou muito satisfeito por te ver, homem! Espera aí que vou buscar-te um litro de aguardente para esqueceres os teus desgostos! Vamos fazer de conta que nada se passou entre nós; prometo não guardar ressentimento, Emieliânuchka!

Fui buscar a aguardente.

— Muito bem, Emiélia Ilhitch; um brinde por este dia de festa. Queres? À tua saúde!

Estendeu a mão com avidez, ia já a pegar no copo, mas vacilou por um momento; depois conseguiu segurá-lo e ia levá-lo à boca. A mão tremia-lhe tanto que a aguardente se entornava. Mas...que vejo? Ele coloca outra vez o copo no seu lugar, sem o provar!

— O que tens, Emieliânuchka?

— Nada. É que eu... Astáfi Ivânitch...

— O quê! Já não bebes?

— Não, eu... Astáfi Ivânitch... nunca mais hei de beber... Astáfi Ivânitch...

— Deixaste a bebida para sempre, Emieliânuchka, ou foi só por hoje?

Não respondeu. Daí a um pedaço apoiou a cabeça nas duas mãos.

— Estarás doente, Emiélia?

— Sim, sinto-me muito mal, Astáfi Ivânitch.

Levei-o para a cama. Era verdade que estava doente. A testa escaldava-lhe e a febre fazia tremer o corpo. Passei aquele dia todo à sua cabeceira. À noite o seu estado piorou. Adicionei ao *kvas* um pouco de manteiga e de cebola, e umas migalhas de pão.

— Toma a sopa — disse-lhe eu — e vais ver como ficas melhor...

A cabeça tremia-lhe.

— Não — respondeu ele — hoje não como nada, Astáfi Ivânitch.

A velha também estava preocupada com ele; fez-lhe chá... Mas tudo foi inútil; ele não melhorou. Bem, a coisa está ficando preta! Ao terceiro dia pela manhã fui buscar o médico. Ali, na mesma casa, morava um médico conhecido, chamado Kostoprávov. Eu já o conhecia de quando tinha estado com os senhores de Bossomiáguin, que uma vez o chamaram por minha causa. Quando ele chegou observou-o e disse: "Para isto não valia a pena chamarem-me. Deem-lhe uns pós..." Eu não me tinha lembrado disso, pois pensava que o médico é que devia receitá-los. E assim se chegou ao quinto dia da sua doença.

Ele estava na cama, na minha frente, e eu sentado perto da janela, trabalhando. A velha acendia o fogão. Ninguém falava. Tinha o meu coração tão amargurado como se estivesse para morrer-me um filho querido. Sentia que Emiélia me mirava. Já desde manhã reparava que ele fazia esforços para me dizer alguma coisa mas que não tinha coragem. Quando olhei para ele notei que os seus olhos estavam muito tristes. Porém, quando viu que eu olhava para ele, desviou os olhos para outro lado.

— Astáfi Ivânitch!

— Que é, Emieliânuchka?

— Suponhamos que a minha capa se vendia na Tolkutchka, quanto dariam por ela, Astáfi Ivânitch?

— O quê, quanto dariam? Pode ser que dessem aí uns três rublozinhos, Emieliânuchka.

"Sim, vais ver o que te dão — pensava eu para comigo. — Experimenta e vais ver que não te dão nada por ela. Até se haviam de rir, dessa ideia de quereres vender um semelhante farrapo." Mas a ele dizia-lhe outra coisa, pois bem sabia quem ele era e conhecia o seu excelente caráter.

— Eu acho também que dariam uns três rublos pela capa, Astáfi Ivânitch, porque é de fazenda, Astáfi Ivânitch.

— Não sei, Emiélia Ilhitch — disse-lhe eu. — Se a levares lá alguma vez podes começar por pedir três rublos.

Emiélia ficou um momento em silêncio.

— Astáfi Ivânitch!

— O que é, Emieliânuchka?

— Venda a capa quando eu morrer, não me enterre com ela. Para mim, depois, já não me serviria de nada, e em compensação para o senhor ainda pode valer alguma coisa.

Aquelas palavras fizeram-me tanta impressão que nem consegui dizer nada. A única coisa que eu percebia muito bem era que a morte começava a aproximar-se de Emieliânuchka. Ficamos de novo em silêncio. E assim se passou uma hora. Eu, inquieto, olhava-o de soslaio; ele não tirava os olhos de mim, mas quando os nossos olhares se cruzavam desviava ele o seu.

— Não queres beber um golinho de água, Emiélia Ilhitch?

— Quero sim, Astáfi Ivânitch.

Dei-lhe de beber e ele bebeu com sofreguidão.

— Obrigado, Astáfi Ivânitch — disse ele.

— Queres mais alguma coisa, Emieliânuchka?

— Não, Astáfi Ivânitch, não preciso de nada; só queria...

— O quê?

— Isso...

— O quê, Emieliânuchka?

— As calças... Fui eu quem as roubei, Astáfi Ivânitch.

"Bem — disse eu para comigo — Deus te perdoará, infeliz; fica em paz..." Mas perdi o ânimo. As lágrimas corriam-me pela faces numa torrente e tive de me afastar.

— Astáfi Ivânitch!

Voltei-me e percebi que Emiélia ainda queria dizer-me mais qualquer coisa, que tentava soerguer-se com todas as suas forças e mexer os lábios... De súbito pôs-se muito vermelho e ficou a olhar para mim... A seguir pôs-se pálido, lívido, deitou a cabeça para trás, lançou ainda um profundo soluço... e entregou a alma a Deus.

A MULHER ALHEIA E O HOMEM DEBAIXO DA CAMA

A MULHER ALHEIA
E O HOMEM DEBAIXO DA CAMA
(1848)

CAPÍTULO PRIMEIRO

— Queira desculpar, cavalheiro, me dê licença que lhe faça uma pergunta...

O transeunte estremeceu e, assustado, olhou para o indivíduo embrulhado numa peliça que assim o interpelava sem mais nem menos, em plena rua, àquela hora (seriam umas oito da noite). Já se sabe que todo petersburguês se assusta quando um desconhecido o interpela no meio da rua, ainda que o faça de maneira cortês, tal como o da minha história.

De maneira que o transeunte estremeceu e assustou-se um tanto.

— Desculpe incomodá-lo — continuou o indivíduo da peliça — mas eu... eu, realmente, não sei... Espero que me desculpe... Como o senhor pode ver, eu não estou no meu perfeito juízo...

Nessa altura é que o jovem da *biekiecha* — um casaco pastoril — se apercebeu de que o outro indivíduo, efetivamente, não parecia estar lá muito bom da cabeça. A sua testa enrugada estava muito pálida, a voz insegura, e os seus pensamentos estavam sem dúvida todos baralhados, pois as palavras saíam-lhe da boca com dificuldade e via-se muito bem o esforço enorme que fazia para se dirigir com um pedido a uma pessoa que, a julgar pelo seu aspecto, devia encontrar-se muito abaixo dele na escala social. Acrescente-se a isto que o tal pedido era já de si bastante embaraçoso e, para mais, vindo de um cavalheiro como aquele, que vestia uma peliça magnífica, ostentava um fraque verde-escuro irrepreensível e condecorações imponentes — o que era evidentemente uma coisa estranha. O senhor da peliça dava perfeitamente conta de tudo isso e daí o perturbar-se de tal maneira que não lhe foi possível dominar os sentimentos; mas depois, refreando como pôde a sua comoção, dispôs-se a pôr termo àquela situação incômoda que ele mesmo provocara.

— Queira desculpar, eu não sabia muito bem o que fazia. Mas o senhor não me conhece... Eu... Desculpe tê-lo feito parar...

Tirou o chapéu, deu-lhe umas voltas no ar e afastou-se rapidamente.

— Cavalheiro, estou ao seu dispor...

Mas o sujeito da peliça tinha desaparecido já no escuro e o jovem não teve outro remédio senão deixá-lo seguir o seu caminho.

"Que tipo esquisito!", pensou o da *biekiecha*.

Quando começava já a esquecer o próprio espanto que lhe causara o acontecimento, foram os seus próprios cuidados que vieram de novo preocupá-lo e pôs-se assim a passear pela rua, para cima e para baixo, sem perder de vista um certo prédio de muitos andares. A névoa tombou sobre a cidade e o jovem ficou muito contente, pois, com a névoa, ninguém estaria percebendo o seu vaivém senão um espectador ocasional, um cocheiro de *drójki* que inutilmente esperava um freguês.

— Queira desculpar!

O jovem voltou-se bruscamente e, com assombro, encontrou-se de novo com o mesmo cavalheiro de momentos antes.

— Desculpe que eu volte a... — começou aquele de novo — mas o senhor... com certeza que é homem de bem. O senhor não repare em mim... quero dizer, como pessoa, ou seja em sentido social... Mas não era isso o que eu queria dizer-lhe. Mas... seja humano... O senhor está em frente de um homem que se vê na contingência de se lhe dirigir com um pedido vexatório...

— Se for coisa que esteja na minha mão... Pode dizer-me do que se trata?

— O senhor é capaz de pensar que eu vou pedir-lhe dinheiro...

O misterioso indivíduo franziu a boca num sorriso, empalideceu e irrompeu num riso histérico.

— Eu, cavalheiro...

— Não. Queira desculpar, mas já vejo que estou a aborrecê-lo. É que eu não me posso tolerar a mim próprio! Considero-me como um homem que não percebe as coisas, como um tolo, se quiser; mas não pense o senhor...

— Mas diga sem mais rodeios, diga! — interrompeu-o o jovem em tom animador, embora fazendo já alguns gestos impacientes com a cabeça.

— Ah! Então, o senhor, um rapazelho, está a chamar-me à ordem, tal qual como se eu fosse também um rapazola estouvado. Meu Deus! Com certeza que devo ter perdido o juízo! Diga-me: que pensa de mim, de me ver assim a esta hora, neste estado de humilhação? Quer me dizer sinceramente?

O jovem olhou-o um pouco confuso mas não disse nada.

— Permita-me que lhe pergunte com toda a franqueza: não viu passar por aqui uma senhora? É este o pedido que lhe queria fazer! — disse resolutamente o indivíduo da peliça.

— Uma senhora?

— Exatamente, uma senhora.

— Mas... passaram por aqui tantas!

— Ah! Sim! — interrompeu-o o enigmático sujeito com um amargo sorriso. — Eu sou distraído e meio desaparafusado; não era isso o que eu queria dizer. Eu... o que eu queria perguntar-lhe era se não tinha visto uma senhora com uma pele de raposa, um capuz de veludo preto e um véu também preto... Não a viu?

— Não vi nenhuma senhora com esses sinais... não vi passar nenhuma.

Por seu lado o jovem queria também perguntar qualquer coisa; porém, o homem da peliça já tinha voltado a eclipsar-se e o seu paciente interlocutor apenas pôde divisar ao longe a sua silhueta.

"Que vá para o diabo!", disse por fim.

Visivelmente mal-humorado, cingiu mais ao pescoço o cachecol e tornou ao seu interrompido passeio para cima e para baixo, sem esquecer as suas medidas de precaução nem perder de vista a porta do referido prédio de muitos andares. Estava furioso.

"Por que não virá? — pensava. — Daqui a pouco são oito!"

Nesse momento bateram oito horas no relógio da torre mais próxima.

"Daqui a pouco... É que já são precisamente oito!"

— Queira desculpar...

— Oh, perdão... Mas é que o senhor apareceu tão de repente que me assustou — disse o jovem desculpando-se; mas dessa vez a sua voz soou já quase irritada.

— Aqui estou eu outra vez... Naturalmente há de parecer-lhe estranho...

— Tenha a bondade de explicar-se sem mais rodeios. Até agora ainda não consegui inteirar-me completamente do que deseja...

— Ah, o senhor tem pressa? Pois então vou contar-lhe tudo francamente, sem empregar palavras supérfluas. Que vou eu fazer? As circunstâncias juntam às vezes homens que, no que respeita à sua condição, nada têm de comum entre si... Mas vejo que o senhor se impacienta... É assim, como lhe digo... Aliás nem sequer sei como hei de exprimir-me. Em resumo: eu ando à procura de uma senhora... Como vê, decidi-me a contar-lhe tudo. Tenho de certificar-me irrevogavelmente, ou, se prefere, comprovar onde é que teria ido essa senhora. Quem ela é... acho que é coisa que o não interessa, senhor.

— Bem... continue, continue!

— Continue?... O senhor fala num tom... Isto é, queira desculpar; pode ser que o tenha ofendido quanto o tratei por rapazelho; mas garanto-lhe que não... Em suma: se o senhor quisesse fazer-me um grande favor... Nada, vou dizer-lhe: essa senhora... Nada mais posso dizer-lhe senão que pertence a uma distinta família, com a qual também me dou... E como eu estou nesta situação, que não tenho ninguém neste mundo...

— Bom; e que mais?

— Ponha-se no meu lugar, rapaz! (Ah! Torno a pedir-lhe desculpas; outra vez me escapou essa história de rapazelho! Além disso, os minutos são preciosos... Imagine que essa senhora... É capaz de me dizer quem mora nesse prédio?

— Ora! Ali... mora muita gente!

— Sim, tem razão — disse rapidamente o homem da peliça, sorrindo, como tentando salvar a situação. — Vejo que me exprimi com pouca precisão. Mas por que me fala o senhor nesse tom? É certo que eu, reconheço-o, não me expressei como era necessário; de maneira que o senhor, se fosse um homem de bem, devia achar que já chegava de humilhação... Digo-lhe mais que se trata de uma senhora de posição média, quero dizer, que é mulher de *poucos fundos*... Desculpe, estou transtornado... Estou a falar-lhe como se se tratasse de literatura... Chegou-se agora a acordo sobre que as novelas de Paul de Kock têm pouco fundo, e daí, o mal que elas têm... Bem, mas...

O rapaz olhou compassivamente o senhor da peliça, que estava todo encolhido e o mirava com um sorriso estúpido, ao mesmo tempo que, a cada momento, sem motivo aparente, levava as duas mãos à gola da *biekiecha* do seu interlocutor.

— O senhor perguntou-me quem mora ali, não foi? — inquiriu o jovem, voltando atrás.

— Exatamente, mas o senhor já me disse: ali mora muita gente.

— Sim, isso é verdade, mas por acaso conheço uma pessoa das que ali moram e que se chama Sófia Ostáfievna — respondeu o jovem em voz baixa e animada de uma certa simpatia.

— Ah! sim! Bem vejo que, com certeza, sabe mais alguma coisa, meu rapaz!

— Garanto-lhe que não, que não sei nada. Apenas isso que lhe disse... e que, a julgar pelo seu aspecto tão perturbado...

— Eu... *acabo de saber* pela criada que ela visita esta casa... Mas o senhor enganou-se nos seus cálculos, quero dizer, que ela não vem aqui visitar Sófia Ostáfievna... Nem sequer a conhece!

— Não? Queira desculpar então.

— Bem se vê que nada disto lhe interessa, rapaz — observou a estranha criatura com amarga ironia.

— Olhe — começou o jovem, mas depois interrompeu-se por uns momentos. — Ignoro a causa do seu atual estado de espírito; mas diga-me francamente: o que lhe acontece é que há uma mulher que o engana, não é verdade?

E o jovem sorriu com expressão animadora.

— Assim, pelo menos, já nos poderemos entender — acrescentou, sorrindo, e todo o seu semblante aparentou a generosa intenção de fazer-lhe uma reverência.

— O senhor me arrasa! Mas veja... Confesso-lhe sinceramente e... adivinhou exatamente do que se trata... Mas a quem é que isso não viria logo à ideia?... A sua compaixão comove-me profundamente. Há de reconhecer que os jovens... Aliás, se bem que eu já nada tenha de um jovem, o costume, como sabe, entre a juventude, entre a rapaziada, cá entre nós, já se sabe que o senhor não ignora...

— Oh, eu compreendo, compreendo! Mas afinal, em que posso ser-lhe útil?

— Já vai ver. Talvez estivesse de acordo em que uma visita a Sófia Ostáfievna... Além disso nem sequer sei ao certo onde teria ido essa senhora: sei apenas que se encontra nesta casa. E é claro, quando o vi aqui a passear para baixo e para cima, como eu fazia o mesmo pelo outro passeio, disse com os meus botões... Fique sabendo que eu estava à espera dessa senhora... Consta-me que está ali... Eu desejava ter um encontro com ela e explicar-lhe, expor-lhe com toda a tranquilidade que não é muito decente que, numa palavra, que é escandaloso... Não sei se me faço entender...

— Hum! Muito bem...

— Não faço isto por mim. Não imagine uma coisa dessas... Oh, não! Essa mulher é-me completamente estranha. O marido está lá, na ponte Vosniessiénski; de boa vontade teria vindo ele próprio, mas não pôde decidir-se... Ainda não quer acreditar, como todos os maridos... — neste ponto o cavalheiro da peliça fez um esforço para sorrir. — Eu sou apenas amigo dele. E é claro, o senhor há de reconhecer que eu, um homem que goza da consideração de todas as pessoas, por assim dizer, não podia ser de maneira nenhum aquilo que o senhor sem dúvida estava inclinado a acreditar... É claro como água!

— Perfeitamente. Bem, e que mais?

— Pois, como já tive a honra de dizer-lhe, estou aqui por delegação; encarregaram-me disto, compreende? Coitado! Mas eu calculo que a essa mulher astuta — ela tem sempre um livro de Paul de Kock debaixo do travesseiro — estou convencido de que não lhe há de ser difícil escapulir-se de casa sem que ninguém dê por isso. Para falar com sinceridade, apenas sei pela criada que ela costuma vir a esta casa, e aqui me tem o senhor feito idiota, pois assim que ouvi aquilo corri logo a postar-me aqui defronte. Quero apanhá-los com a boca na botija, custe o que custar! Havia já muito tempo que eu tinha um pressentimento! Por isso queria perguntar... O senhor andava na rua para cá e para lá... Não sei como eu...

— Muito bem; em resumo: que deseja saber?

— Sim... eu... eu... Eu, infelizmente, não tenho o prazer de conhecê-lo e, francamente, nem sequer me atrevo a manifestar tal curiosidade... Por exemplo, quero dizer... quem... e o quê... e por quê... Mas seja como for com certeza que o senhor consentirá que eu...

E o homem da peliça, trêmulo, pegou na mão do rapaz e a apertou com força e sinceridade impulsiva.

— Muito prazer, muito prazer! Devia ter feito isto logo no princípio — prosseguia excitado — mas às vezes uma pessoa está tão transtornada que se esquece de tudo!

O homem estava tão perturbado que não podia parar quieto nem um momento; olhava sem cessar para a direita e para a esquerda; ora se mantinha sobre um pé, ora sobre o outro, quase que escarvava o chão, de impaciente, e mexia constantemente quer num botão quer numa ponta da *biekiecha* do rapaz.

— Pois eu — continuou — desejava dirigir-me ao senhor em termos da maior amizade. Queira desculpar-me a liberdade com que me exprimo — para lhe pedir... se não lhe seria possível passear antes por aquela rua, do outro lado da casa, compreende? E eu faria o mesmo; mas aqui, diante da porta, para que ela não possa escapar-se sem ser vista, percebe? Porque tenho realmente medo de que ela possa esgueirar-se sem que eu a veja. Isso, é preciso evitá-lo a todo o custo. E o senhor, logo que a veja, corra a chamar-me imediatamente. Faz-me um sinal e segura-a... Mas que estou eu dizendo? Não estou em mim! Só agora é que compreendo toda a estupidez e improcedência da minha proposta!

— Mas por quê? Peço-lhe...

— Não, não, queira desculpar-me! Eu estou meio doido, eu... eu não estou em estado de raciocinar com clareza. Nunca me aconteceu uma coisa destas. Estou como se tivesse ouvido a minha sentença de morte! Vou até confessar-lhe, porque eu sou absolutamente franco e leal para com o senhor, rapaz... Sim, ao princípio até o tomei pelo amante.

— Muito bem; para falar com franqueza, o que o senhor quer saber é o que eu faço aqui, não é verdade?

— Oh, meu caro senhor, que está dizendo! Deus me livre de pensar uma coisa dessas! Mas... mas vê o senhor algum inconveniente em dar-me a sua palavra de honra de que não é um amante?

— Nenhum; dou-lhe a minha palavra de honra de que o sou, mas não da sua mulher. Nesse caso não estaria eu aqui de plantão no meio da rua, mas estaria com ela, na sua própria casa. Está claro, não acha?

— Da minha mulher? Quem é que lhe disse isso, meu rapaz? Eu sou solteiro e vivo só, como já lhe disse. Eu... bom, eu também sou um amante.

— O senhor disse que o marido... está à espera lá adiante, na ponte!

— De fato, de fato... Quando eu lhe disse isso... Mas ouça, meu rapaz, há ainda outros... enredos e trapalhadas! Há de reconhecer, meu frangote, que uma certa irreflexão, sobretudo visto que temos ambos o mesmo caráter... Isto é, quero dizer...

— De que se trata?

— Bom, quero que fique informado, de maneira terminante, que eu não sou o marido...

— Muito bem; já disse isso. E agora que eu já o tranquilizei, peço-lhe que me *deixe em paz*; e *para que isso* se lhe torne mais fácil, desde já prometo chamá-lo imediatamente. Mas agora faça-me o favor de se ir embora e de me deixar o campo livre. Porque eu também estou à espera de uma mulher!

— Oh, desculpe, desculpe, meu rapaz, que eu já saio daqui! Essa apaixonada impaciência do seu coração me inspira simpatia! Compreendo-o, meu rapaz! Oh, como eu o compreendo bem, agora!

— Está bem, está bem...

— Até breve! Mas desculpe-me, meu rapaz, se ainda insisto... Já não sei como devo exprimir-me... Mas dê-me outra vez a sua palavra de honra de que não é o amante.

— Juro-lhe!

— Apenas só mais uma pequena pergunta, a última: sabe qual é o apelido do marido da sua... vamos, da mulher por quem se interessa?

— Claro que sei; mas não é o seu. E finalmente, cavalheiro, pode deixar-me em paz?

— Mas diga-me: como conseguiu saber o meu nome?

— Olhe, vou dar-lhe um conselho. Faça o favor de se retirar. Está perdendo tempo e, nesse ínterim, ela pode sair do prédio quantas vezes quiser que o senhor não dá por isso... Que mais deseja ainda? A mulher que o senhor procura traz uma pele de raposa e um capuz na cabeça, enquanto a que eu espero traz um casaco de quadros e um chapeuzinho de veludo azul-claro. Deseja saber mais alguma coisa?

— Um chapeuzinho de veludo azul-claro? Pois a que eu espero está precisamente com um casaco de quadros e um chapeuzinho de veludo azul-claro! — exclamou fora de si o incomodativo indivíduo, que parecia criar raízes no chão, em frente do rapaz.

— Ó diabo! Mas, meu caro senhor, é pura casualidade... dessas que acontecem na vida! A mulher que eu espero não costuma vir a esta casa.

— Mas onde se encontra agora... aquela que o senhor espera?

— Tem alguma coisa com isso?

— É a única coisa que me interessa, com toda a franqueza!

— Ó diabo! O senhor, pelo que vejo, não tem moral! Pois bem, senhor cornudo: vou lhe dizer! A mulher que eu espero tem conhecimento neste prédio, no terceiro andar. Agora, diga-me: que mais deseja saber? Agora só falta que me pergunte o nome dela.

— Meu Deus! Eu também tenho conhecimento no terceiro andar dessa casa. O general...

— Que general?

— Sim, é isso: um general. E se desejar posso também dizer-lhe o nome dele... É o General Polóvits. Isto é tudo! Quer dizer, não, não é — acrescentou, dominando-se rapidamente (por dentro, no entanto, praguejava como um carroceiro: "Ah, diabo! Se viesse um raio que te partisse!").

— Não é essa?

— Não, senhor.

De repente ficaram ambos calados e estacaram, aparvalhados, um em frente do outro.

— Por que me olha tão fixamente? — exclamou de súbito o jovem sacudindo-se do seu espanto, mal-humorado.

O homem da pelica deu mostras de inquietação.

— Eu... eu francamente confesso-lhe que...

— Não, me dê licença, falemos razoavelmente. O assunto interessa aos dois. Diga-me uma coisa: que relações tem o senhor ali?

— Refere-se às minhas amizades?

— Claro, às suas amizades...

— Olhe, veja, veja! Já percebi tudo nos seus olhos, já vi que acertei!

— Deixemos isso. Mas não, ora bolas! O senhor é cego? Não vê que eu estou aqui em carne e osso e portanto não posso estar com ela? E agora, enfim, diga lá o que tem para dizer; que, aliás, a mim é-me completamente indiferente que o senhor fale ou fique calado.

E o jovem, ao dar por concluído o assunto, deu meia-volta, desenhou um gesto no ar e chegou mesmo a dar uma sapatada no chão.

— Mas... Peço-lhe, eu estou disposto a contar-lhe tudo como a um homem de bem. A princípio minha mulher visitava os Polóvits (fique sabendo que ainda é parenta deles, e eu, evidentemente, não desconfiava de nada, isto é, toda e qualquer suspeita estava bem longe do meu espírito. Mas ontem encontrei-me na rua com Sua Excelência e com grande assombro fui inteirado de que havia já três semanas que tinha mudado de casa, e que minha mulher (mas que disse eu! Não se trata da minha mulher mas sim da mulher de outro... já lhe disse que o marido dela está ali à espera, na ponte Vosniessiénski). Pois bem: essa senhora disse que tinha ido visitar os seus parentes... aqui, precisamente neste prédio... A criada, por seu lado, informou-me que Sua Excelência tinha alugado um andar a um tal Bobínitzin, um garoto...

— Ó diabo! Lá vem o senhor outra vez com a mesma cantiga...

— Cavalheiro, é que eu estou fora de mim, estou assombrado!

— Vá para o diabo que o carregue! Quero lá saber que esteja fora de si ou apenas assombrado! Ah! Agora já começo a perceber alguma coisa! Ali... ora veja!

— Aonde? Aonde?... Basta que pronuncie o nome de "Ivan Andriéievitch" para que eu acuda imediatamente...

— Está bem... Ó diabo, ó diabo! Até este momento não fazia a menor ideia! Ivan Andriéievitch!

— Aqui estou — gritou o homem no mesmo instante, voltando atrás num pé de vento, numa ansiedade assustada e comovida. — O que é? O que há? Onde?

— Não... Chamei-o unicamente para... Queria apenas saber como se chama essa senhora...

— Glaf...

— Glafira?

— Não; não é precisamente Glafira... Queira desculpar, mas não posso revelar o nome dela.

E o digno cavalheiro, ao dizer isto, pôs-se branco como a cal.

— Está bem. De acordo em que não se chama Glafira... Eu já sabia que ela não se chamava Glafira; a outra também não tem esse nome... Mas, afinal, quem é que ela foi visitar nessa casa?

— Em que casa?

— Onde há de ser? Nessa aí em frente, irra!

O rapaz, na verdade, de tão furioso não podia parar sossegado.

— Ah! Vê? Donde é que sabe que ela se chama Glafira?

— Mas que tom esse em que está falando!

— Com mil diabos! Costumo empregar para falar o tom que me parece mais conveniente... Mas quer ou não dizer por uma vez quem é ela? Será a sua mulher, por acaso?

— Não... quero dizer, eu sou solteiro, como já lhe disse... O que não me parece lá muito certo é que ao conversar com um homem infeliz... com um homem que... não quero dizer que seja digno de toda a estima... mas que, pelo menos, é um homem bem-educado... o senhor a todo o momento esteja sempre com essas palavras na boca: "Ó diabo!" "Ó diabo!". Porque, ao senhor, não se lhe ouve nada que não seja diabo, demônio, e outras coisas do gênero...

— Muito bem; pois vá para o diabo! Estou no mesmo... Mas fique sabendo que...

— O senhor está cego pela cólera e por isso eu me calo. Mas, meu Deus! Que é aquilo?

— Onde?

Ouviram-se rumores e risos; duas mulheres, elegantemente vestidas, saíam do tal prédio naquele momento. Os dois homens lançaram-se com rapidez no seu encalço.

— Não! Já pode ver!

— Que quer o senhor dizer?

— Que não é ela.

— Como! Enganaram-se, os senhores? — perguntou uma delas, chamado um *drójki*.

— Onde vamos, minhas senhoras?

— A rua Prokov. Sobe, Ânuchka, que eu te levo.

— Está bem, eu vou aqui. Vamos, cocheiro, depressa!

O *drójki* partiu.

— Donde teriam elas saído?

— Valha-me Deus! Isso é que... Mas não seria melhor segui-las?

— Para onde?

— Até casa de Bobínitzin, onde havia de ser?

— Não. Isso não está bem.

— Por que não?

— Eu iria de boa vontade; mas ela havia de dizer outra coisa... E poderia fazer troça de mim. Diria que tinha vindo aqui de propósito para me fazer uma surpresa e depois ainda começava com censuras.

— E saber que ela deve ter estado ali! Olhe, eu não sei nada, mas... por que não fazemos a prova? Escute: vá lá acima, à casa do general.

— Mas se ele já não mora aqui!

— Não faz mal. O senhor não está entendendo... Ela esteve em casa dele e o senhor veio vê-lo também... compreende? O senhor finge não saber que ele mudou de residência e diz que ia lá só para ir buscar a sua mulher etc. etc.

— E depois?

— Depois verá quem deseja: a Bobínitzin, diabo!

— Bem; mas que tem o senhor com tudo isto, afinal?

— O quê? Ai, já estamos outra vez na mesma? Ó homem! O senhor não tem vergonha?

— Mas por que é que se põe dessa maneira? O senhor deseja saber sem dúvida alguma...

— O que é que eu desejo saber? Vá para o diabo que o carregue! Não quero saber da sua vida para nada. Irei eu sozinho e o senhor caminhe e ponha-se a vigiar a saída, mas depressa, corra, homem!

— Ó criatura, o senhor inflama-se por qualquer coisa — exclamou o homem da peliça, à beira do desespero.

— Ora essa! Que tem de particular que eu me inflame? — perguntou o rapaz por entre dentes, empurrando com grande furor o cavalheiro da peliça. — Afinal quem vem a ser o senhor? — resmungou colérico.

— Mas, senhor, permita-me...

— Diga de uma vez quem é, seu toleirão! Como é que se chama?

— Não sei... não sei como me chamo, rapazinho. Para que é que precisa de saber o meu nome? Não posso lhe dizer. Vou acompanhá-lo com muito gosto... Vamos, não quero ficar atrás, estou disposto a tudo... Somente, digo-lhe a verdade, estou acostumado a uma linguagem mais correta. Uma pessoa nunca deve perder a linha. Mas se o senhor por qualquer razão perdeu a serenidade (e eu julgo saber qual o motivo), nem por isso deve esquecer as conveniências... O senhor ainda é muito novo, meu rapaz!

— Bom; e a mim que me importa que o senhor já seja velho? Se é assim, vá-se mas é embora; que faz dando voltas por aqui?

— Mas que história vem a ser essa de eu já ser velho? Não sou assim tão velho, meu rapaz! Bem, já me excedi e esqueci da minha posição... Mas fique sabendo que eu não ando por aqui dando voltas!

— Bem se vê que não! Bom, vá-se embora, com mil diabos!

— Não; assentemos em que eu o acompanho. O senhor não pode me impedir, estamos os dois interessados no caso; eu o acompanho...

— Mas fale baixo, homem! Cale-se!

Entraram no prédio e subiram as escadas até ao terceiro andar. No patamar havia pouca luz.

— Espere. Tem fósforos?

— Fósforos?

— O senhor não fuma?

— Ah, sim! Tenho, tenho...

O homem da peliça rebuscava afanosamente todos os bolsos.

— Ó diabo! Mas isto é um... Parece-me que é esta a porta.

— É essa... essa... essa... essa!

— Essa, essa, essa! Vamos, grite ainda mais alto! Mas o senhor não pode estar calado?... Psiu!

— Não estou acostumado a estas embrulhadas, preciso fazer um esforço sobre mim mesmo... O senhor é um malcriado, um insolente!

Acendeu-se um fósforo.

— Vê? Aqui está a chapa de metal. Aqui está: Bobínitzin. Está vendo? Bobínitzin.

— Bem vejo! Bem vejo!

— Então, cale-se. De... va... ga... rinho... O quê? Apagou-se?

— Apagou-se.

— Chamamos?

— Sim — concordou resolutamente o homem da peliça.

— Bem, então chame o senhor.

— Ó, homem, mas por que hei de ser eu? Comece o senhor, chame o senhor primeiro.

— Covarde!

— O senhor também não é nenhum valentão!

— Chame o senhor!

— Digo-lhe a verdade: quase me arrependo de lhe ter confiado este segredo. O senhor...

— Eu, o quê?

— O senhor aproveitou-se da minha perturbação, percebeu que eu...

— Para o diabo que o carregue! Eu o acho simplesmente ridículo, o que já é bastante.

— Mas... por que está o senhor aqui?

— E o senhor, por que está neste lugar?

— Isto é que é moralidade! — acrescentou quase involuntariamente o homem da peliça.

— O que é que o senhor disse a respeito da moralidade? Será que o senhor tem alguma, porventura?

— Olhe, o que está fazendo é precisamente uma imoralidade.

— Que imoralidade?

— Sim, senhor. Em minha opinião, todo marido ofendido é... um medíocre!

— Ah! Então vem a ser o marido? Mas o senhor não dizia que o marido estava ali à espera, na ponte? Se é assim por que é que se excita dessa maneira? Por que se mete onde não foi chamado?

— Sabe quem é que o senhor me parece? O amante!

— Se vai por esse caminho, não tenho outro remédio senão confessar-lhe que, no meu conceito, o senhor é um banana. Ou, por outras palavras, quer saber o quê?

— De tal maneira que, segundo crê, sou eu o marido — acrescentou o homem da peliça, como se lhe tivessem jogado uma caneca de água fervente e retrocedendo involuntariamente alguns passos.

— Silêncio! Caluda! Não ouve?

— É ela?

— Não.

— Mas que escuro está aqui!

Na escada fez-se um silêncio sepulcral. Sentiu-se um ruído no andar de Bo-bínitzin.

— Por que havemos nós de nos ofender? — murmurou o homem da peliça.

— Ó diabo! O senhor foi o primeiro a dar-se por ofendido!

— Mas é preciso ver a maneira como o senhor me tratou!

— Cale-se!

— E é preciso ver que reconheça que ainda é muito novo!

— Cala-se ou não?

— Um momento; estou completamente de acordo com o senhor, o marido que se encontra em semelhante situação é um palerma...

— Oh, homem, cale-se de uma vez!

— Mas para que continuar com essa fúria contra o pobre do marido?

— É ela?

Mas nesse mesmo instante o ruído cessou.

— É ela?

— É. Mas por que se exalta tanto? Se é estranho ao assunto, que lhe importa isso?

— Ah, meu rapaz, meu rapaz! — balbuciou o senhor da peliça com uma voz tão insegura que mais parecia um soluço. — Eu... bem vê, no estado de perturbação em que... O senhor encontrou-me numa situação demasiado humilhante; agora é noite; amanhã, se bem que depois de tudo isto não voltaremos com certeza a encontrarmo-nos, e não quero dizer que tenha o mínimo receio de encontrá-lo... que, aliás, não se trata de mim mas do meu amigo, daquele tal que está à espera na ponte de Vosniessiénski. Pode acreditar no que lhe digo. Como lhe disse, trata-se da mulher dele e não da minha. Coitado! Ga... garanto-lhe! Conheço-o muito bem. Deixe-me contar-lhe tudo. Sou amigo dele, como está vendo, pois... se o não fosse, como poderia eu tomar tanto interesse pela sua infelicidade? Disse-lhe muitas vezes: "Para que casaste tu, homem? Não eras um homem digno, uma pessoa com a sua posição, que ocupa um lugar de importância? Por que havias de sujeitar tudo isto aos caprichos duma *coquette*? Não achas que tenho razão?". Mas nada... "Vou casar — dizia ele — porque desejo desfrutar os prazeres da família..." Pois toma lá os prazeres agora! Noutro tempo também ele pregou peças aos maridos; agora chegou a vez de ele mesmo saborear o petisco. Há de desculpar-me estas manifestações a que a necessidade me obriga... É um infeliz... agora tem ele que esgotar o cálice...

Neste momento a voz começou a fugir ao homem da peliça e o jovem ouviu algo de semelhante a um soluço, tal como se o seu interlocutor se tivesse posto a chorar seriamente.

— Para o diabo que o carregue! Pelo visto ainda há idiotas neste mundo! Mas não quer por uma vez dizer-me quem é?

E o rapaz cerrou os dentes de furor.

— Não, não. Há de concordar que isso não estaria certo... Eu procedo com dignidade e sinceridade... Mas o senhor, sempre tornou a empregar um tal tom de voz!

— Bem. Desculpe; mas qual é o seu sobrenome?

— Para que quer saber?

— Ah!

— É-me completamente impossível dizê-lo ao senhor...

— Conhece o senhor Chábrin? — perguntou-lhe o rapaz à queima-roupa.

— Chábrin?

— Sim, Chábrin. Ah! — aqui, o da *biekiecha* permitiu-se imitar um pouco o mais velho. — Sabe de quem se trata?

— Não, não sei que Chábrin vem a ser esse! — exclamou o da peliça com uns olhos que lhe saíam dolorosamente das órbitas. — Não conheço absolutamente nenhum Chábrin. O amigo de que lhe falei é uma pessoa decente; conheci-o por casualidade. E quanto às suas incorreções só posso explicá-las tendo em conta a sua excitação, que lhe tira a faculdade de discernimento...

— Esse tipo é um velhaco e não uma pessoa decente. Um lorpa, um larápio que roubou uma boa quantia de dinheiro. Não há de tardar que tenha de haver-se com a Justiça!

— Desculpe, — disse o homem da peliça, que tinha empalidecido — o senhor não o conhece; pela maneira como fala vê-se bem que não o conhece, nem de vista.

— É verdade que pessoalmente não o conheço; mas em compensação conheço perfeitamente o seu caráter, baseando-me em fontes fidedignas.

— Ó criatura, de que fontes está o senhor falando? Eu, bem vê, sou tão distraído...

— Esse tipo é um burro! Um palerma de primeira categoria! Um tipo abanado que nem sabe guardar a mulher, isso mesmo! Já pode ver que o conhece.

— Desculpe-me, rapaz, mas a sua teimosia cega-o...

— Ah!

— Ah!

Voltou a ouvir-se barulho no andar de Bobínitzin. A porta abriu-se e soaram vozes.

— Ah! Não é ela, não; não é ela! Conheço a sua voz! Agora já sei tudo! Acredite que não é ela! — afirmou o homem da peliça com veemência, ao mesmo tempo que a cara se lhe tornava lívida.

— Cale-se, homem!

O rapaz encolheu-se num canto para não ser visto.

— Meu caro senhor, tenho muita pressa; não é ela e folgo muito com isso.

— Pois bem, então vá-se embora, anda, mexa-se, homem.

— Mas por que é que quer ficar aqui?

— E por que é que o senhor não se vai embora?

Nesse instante a porta abriu-se e o homem da peliça apressou-se a desaparecer pelas escadas abaixo.

Roçando quase por ele, passaram um cavalheiro e uma dama; o jovem julgou que o coração lhe ia saltar pela boca afora... Apenas reconheceu uma clara e conhecida vozinha de mulher e a seguir uma voz mais forte de homem, que lhe era desconhecida.

— Isto não tem nada de especial; tomarei um trenó — disse a voz forte.

— Ah, está bem, está bem assim.

— Ficará logo à nossa espera, diante da porta. É um momento.

E depois o homem desapareceu, enquanto a senhora ficava só.

— Glafira! Então são essas as tuas juras! — exclamou o rapaz de *biekiecha*, puxando a senhora por um pulso.

— Ah! Mas quem é? És tu, Tvorógov? Meu Deus! Que fazes aqui?

— Quem era esse homem?

— É o meu marido! Desaparece imediatamente, pelo amor de Deus, não tarda que ele *esteja* aqui! De Polovítsin! Vai-te já daqui, peço-te por tudo; tira-te da minha frente, homem!

— Mas há já três semanas que Polovítsin se mudou daqui. Sei tudo!

— Ah!

E ao dizer isto a mulher saiu a correr pelas escadas abaixo com toda a rapidez que lhe era possível. Mas o rapaz deteve-a mais uma vez.

— Quem é que te disse isso? — perguntou ela.

— O teu marido, Ivan Andriéievitch, que não está longe daqui, que se encontra na sua própria presença, minha senhora...

Efetivamente, Ivan Andriéievitch, que tal era o nome do homem da peliça, estava na escada, diante de sua mulher.

— Ah! Mas és tu? — exclamou o marido.

— Ah! *C'est vous?* — exclamou por sua vez Glarifa Pietrovna lançando-se para ele com sincera alegria. — Meu Deus! As coisas que me acontecem! Estive em casa da família Polovítsin; já podes imaginar... já sabes que vive na ponte Ismaílov; lembras-te do que te disse? Pois bem, tomei ali um trenó. No caminho os cavalos espantaram-se, fizeram o trenó em estilhas e atiraram comigo sobre a neve, a uns cem passos daqui. Levaram o cocheiro ao Comissariado; eu, naturalmente, fiquei como doida. De maneira que nesse momento chegou o senhor Tvorógov...

— O quê?

O senhor Tvorógov assemelha-se mais ao assombro personificado do que ao senhor Tvorógov.

— O senhor conheceu-me logo e teve a amabilidade de me acompanhar. Mas já que estás aqui, posso voltar contigo para casa. Mas permita-me, senhor Tvorógov, que lhe exprima a minha mais profunda gratidão.

E ao dizer isto a dama estendeu a mão ao senhor Tvorógov, cada vez mais atônito, e apertou-lhe a dele tão fortemente que por um pouco não lhe arrancava um grito.

— O senhor Ivan Ilhitch Tvorógov, meu amigo — disse, apresentando-o ao marido. — Tive o prazer de conhecê-lo no último baile que deram os Skorlúpov... Julgo que já te falei dele... Não te recordas, querido?

— Ah! Acho que já me lembro, minha filha! Recordo perfeitamente! — afirmou com energia o senhor da peliça, ao qual tinham acabado de chamar querido. — Muito prazer! Muito prazer!

E apertou com sincera alegria a mão do senhor Tvorógov.

— Com quem está o senhor falando? Que significa isto? — perguntou de repente a voz forte.

E diante do grupo surgiu inopinadamente um homem altíssimo cuja presença fez calar os outros, e que se pôs a examinar com a maior atenção o senhor da peliça.

— Ah! *Voilà Monsieur* Bobínitzin! — exclamou a dama em tom familiar. — Donde vem o senhor, dá licença que pergunte? Isto é que se chama um encontro! Ora imagine! Acabo de ser arremessada de um trenó pelos cavalos... Mas aqui está o meu marido! Jean, deixa que te apresente a *Monsieur* Bobínitzin, que tive o gosto de conhecer no baile dos Kárpovi...

— Ah! Muito prazer! Muito prazer!... Vou buscar já um coche, minha querida!

— Está bem, Jean, vai buscá-lo. Mas estou tremendo e tenho os nervos desafinados por causa do susto! Não me sinto bem... Esta noite, no baile de máscaras — sussurrou ao ouvido de Tvorógov. — Adeus, adeus, senhor Bobínitzin. Voltaremos a vermo-nos amanhã no baile dos Kárpovi?

— Não, *pardon*, não tenciono ir lá; onde eu hei de ir amanhã... se não for agora mesmo... — resmungou indistintamente por entre os dentes o senhor Bobínitzin, sem que se pudesse ter ouvido o final da frase.

Fez uma espécie de reverência, subiu para o seu trenó e afastou-se.

Nesse momento apareceu uma segunda carruagem. A dama subiu, mas o cavalheiro da peliça titubeou antes de subir também. Parecia que não se encontrava em condições de fazer qualquer movimento, e com uns olhos de louco, observava descaradamente o rapaz da *biekiecha*, que apenas correspondia ao seu descaramento com um sorriso que não tinha nada de espiritual.

— Não sei...

— Encantado por tê-lo conhecido — acrescentou o jovem com uma leve inclinação, como se fosse tombar para a frente, e depois deixou entrever algo parecido com susto ou temor.

— Muito prazer, muito prazer!

— Parece-me que o senhor perdeu uma galocha...

— Ah! É verdade. Muito obrigado, muito obrigado! É que eu gosto muito de usar galochas de borracha!

— Mas segundo dizem, com galochas de borracha os pés suam muito. Minha querida, eu volto já; tenho de acabar uma conversa que tínhamos começado. Na verdade é certo aquilo que teve a amabilidade de me fazer notar: os pés suam! Desculpe, mas eu...

— Oh! Que deseja!

— Tive muito gosto, muito mesmo, em tê-lo conhecido...

O homem da peliça sentou-se no trenó coberto, junto de sua mulher, e os cavalos partiram.

O jovem continuou ainda por muito tempo imóvel no seu lugar, olhando espantado para a carruagem, até que a perdeu de vista.

Capítulo II

Na noite seguinte celebrava-se não sei que espetáculo na Ópera Italiana. Tinha já começado o primeiro ato quando Ivan Andriéievitch entrou na sala como uma bomba. Jamais alguém lhe tinha notado tal paixão nem observado tão intenso apreço pela música como agora. Pelo menos corria a fama de que Ivan Andriéievitch por nada deste mundo poderia privar-se de uma horazinha de sono na Ópera Italiana; e que até costumavam afirmar que ele próprio tinha dito que o sono, ali, tinha uma doçura e um sabor especiais, pois que a prima-dona — assim se exprimira por mais de uma vez, entre os amigos — que cantara a ária do sono, o fazia com a mesma suavidade com que mia uma gatinha branca.

Mas havia já muito tempo que costumava exprimir-se assim, coisa de meio ano, ao passo que agora... Ah! Agora, Ivan Andriéievitch não podia fechar os olhos em sua casa, nem sequer à noite. Mas deixemos isso. Segundo dizíamos, ele tinha entrado como uma bomba na sala que regorgitava de público. O arrumador, assustado, deu um pulo e em seguida, com visível receio olhou o bolso dianteiro do fraque do recém-chegado, como se temesse ver sair dali alguma faca. Convém notar que por essa ocasião o público estava então dividido em dois grupos formados pelos partidários respectivos de cada uma das prima-donas. Uns chamavam-se os... *sitas*; outro os... *nistas*.

Mas os dois grupos amavam a música com tal paixão que os arrumadores tinham grande receio de que se desse uma ruptura do amor ao belo que encarnavam as duas prima-donas. Eis aí por que o arrumador, ao observar um entusiasmo tão juvenil num homem já de cabelos brancos — verdadeiramente ainda não estava completamente branco, mas de qualquer maneira era um cinquentão, de aspecto e de idade aparentemente sensatos — murmurasse involuntariamente as palavras de Hamlet, príncipe da Dinamarca:

> Quando os velhos atacam com tanta ferocidade,
> O que não farão os novos?

Sim, quando os velhos se conduziam daquela maneira, o que não havia a esperar dos novos? E essa era a razão por que, conforme já disse, o arrumador olhava com receio o bolso dianteiro do fraque de Ivan Andriéievitch, antecipadamente disposto a ver sair dali um punhal. Mas aquele bolso continha unicamente uma carteira e nada mais.

Apenas chegou à sala, Ivan Andriéievitch passou num ápice revista a todos os camarotes da segunda fila e... horror! O coração deu-lhe um baque. Ela estava ali! O general Polovítsin ocupava um camarote com a esposa e a sogra. No mesmo camarote encontrava-se também o ajudante do general, um homem extraordinariamente atencioso e amável, e ainda outro cavalheiro à paisana.

Ivan Andriéievitch aguçou a vista o mais que lhe era possível, mas oh! dor e tristeza! O tal indivíduo à paisana, que não conhecia, escondia-se por detrás das costas do ajudante e era assim completamente irreconhecível.

Ela estava ali e tinha dito categoricamente que não iria!

Era precisamente essa ambiguidade que Glafira manifestava a todos os momentos, que aniquilava o pobre Ivan Andriéievitch. E o tal rapaz à paisana punha-o num estado de completo desespero. Como que ferido de morte, caiu sobre a cadeira.

"Que significa isso?" — pareciam perguntar aos demais.

No entanto a coisa era muito simples...

O lugar em que Ivan Andriéievitch, no seu desespero, se tinha deixado cair ficava precisamente por baixo do que ocupava o General Polovítsin e sua família, a mulher e os senhores mencionados, de maneira que, para cúmulo de infelicidade, nem sequer podia ver o que ali sucedia. É portanto compreensível que o sangue lhe fervesse, tal como a água na chaleira. De todo o primeiro ato mal ouviu uma nota. Dizem que o melhor que a música tem é adaptar-se bem a todos os estados de espírito: ao que está alegre parece alegre, ao que está triste, pelo contrário, parece triste... Que mais pode desejar-se? Nos ouvidos de Ivan Andriéievitch começava a bramir uma tormenta. Para maior desdita, adiante, atrás e junto dele, soavam vozes tão antipáticas que ao infeliz até lhe parecia que ia lhe estalar o coração. Finalmente o primeiro ato terminou. Mas foi precisamente no exato momento em que o pano caía, que uma coisa extraordinária aconteceu ao nosso herói, de tal maneira que até a pena parece recusar-se a descrevê-la.

Sucede às vezes que um programa caído do parapeito de algum dos camarotes de cima comece a descer pelo ar lentamente. O espetáculo sobre o palco não é lá muito interessante, e o público, aborrecido e indiferente, consegue assim um motivo para espairecer e distrair-se. Cheias de interesse, as pessoas seguem então os revoluteios ziguezagueantes do suave e leve papelzinho, fazendo por adivinhar qual será o término da sua viagem, a pobre cabeça ameaçada que nem de longe suspeita a fatalidade que se aproxima. É também muito divertido observar o modo como a referida cabeça dá imediatamente um pulo e olha espantada à sua volta... e depois o interessado, no primeiro momento, infalivelmente fica surpreendido e perturbado. Também me dão sempre muito cuidado os binóculos que as senhoras tão imprudentemente pousam no parapeito do camarote; não consigo tirar do pensamento que infalivelmente irão cair de um momento para o outro sobre alguma cabeça completamente desprevenida.

Mas a Ivan Andriéievitch veio a acontecer uma coisa que até aqui não aconteceu jamais a ninguém, ou que pelo menos não encontrou quem a descrevesse. Nenhum programa de espetáculo veio cair em cima do seu desprevenido toutiço, bastante despojado já do ornamento capilar. Confesso que se me torna muito penoso reproduzir o incidente com toda a fidelidade, pois é muito pouco agradável dizer que sobre a digna e despida cabeça do inquieto e excitadíssimo Ivan Andriéievitch veio a cair exatamente uma coisa tão imoral como é uma enjoativa carta de amor. Pelo menos o pobre Ivan Andriéievitch, cuja cabeça de maneira nenhuma esperava semelhante surpresa, deu um salto tão grande, tal como se sobre a sua digna cabeça tivesse caído de repente um rato vivo ou qualquer outro bicho repugnante.

Que a carta era de amor, saltava logo à vista. Em primeiro lugar estava escrita num papel macio, indiscretamente perfumado, e além disso era tão pequena que uma senhora podia escondê-la na sua luva. Provavelmente teria caído quando, discreta e rapidamente, queriam entregá-la ao destinatário, escondida num programa de mão. Talvez a causa da sua queda tivesse sido um movimento não premeditado do ajudante do general, que fez com que a missiva se desprendesse do programa antes que o seu remetente o tivesse podido notar e ocultar. Fosse como fosse, o tal rapaz vestido à paisana apenas tinha recebido o programa, com o qual, naturalmente, não sabia o que havia de fazer. Era na verdade uma situação pouco airosa; mas temos de concordar que muito mais desagradável era aquela em que se encontrava Ivan Andriéievitch.

Prédestiné! murmurou, enquanto por todos os poros transpirava um suor frio e apertava convulsivamente a carta na mão, como se alguém pudesse vir arrebatar-lhe aquele tesouro.

"Predestinado!" "Quem procede mal tem sempre castigo!" — pensou. "Mas não, isso não é verdade! Que falta cometi eu ao arriscar a minha vida?", continuou, pensativo.

E a uma ideia seguia-se logo outra. Mas quem poderia enumerar todas as ideias que se cuzavam por um cérebro tão agitado como aquele?

Ivan Andriéievitch ficou então imóvel no seu lugar, tal como efetivamente fosse aquilo que parecia ser: nem um morto, nem um vivo. Convenceu-se de que todo o público estava a par da sua ridícula infelicidade, se bem que, precisamente naquele momento, o pano acabasse de cair por entre uma salva de palmas e a prima-dona começasse a provocar uma verdadeira tempestade de entusiasmo.

— Cantou lindamente — observou com timidez para o vizinho da esquerda, um almofadinha.

Esse tal almofadinha, que se encontrava no cúmulo do êxtase, aplaudia freneticamente e dava também pateada, tudo para exprimir o seu entusiasmo; lançou a Ivan Andriéievitch um olhar distraído; depois, pondo as mãos em concha à volta da boca, lançou aos quatro ventos, num grito estentório, o nome da cantora. Ivan Andriéievitch, que nunca tinha presenciado um tal alvoroço, sentia-se encantado.

"Não, não percebeu nada!", disse para si mesmo, tranquilizado, e alheou-se. Mas um senhor gordo, por trás dele, tinha-se posto já em pé e, voltando-lhe as costas, passava revista às filas de camarotes, de binóculo em punho.

"Muito bem!", pensou Ivan Andriéievitch. Os espectadores das filas da frente também não deviam ter visto nada.

Timidamente, mas animado de uma alegre esperança, atreveu-se a dar uma olhadela aos lugares da plateia, onde estava também o seu; mas teve imediatamente um estremecimento de desgosto, pois o que ali viu, de maneira nenhuma poderia agradar-lhe: nessa fila, uma formosa dama, recostada no seu lugar, apertava nervosamene o lenço sobre a boca e ria a mais não poder.

"Oh, as mulheres, as mulheres!", suspirou e resmungou Ivan Andriéievitch.

E esgueirou-se rapidamente para a porta, procurando não distribuir demasiadas pisadelas pelo público.

Talvez o leitor possa perguntar como é que Ivan Andriéievitch chegou à conclusão de que a referida carta de amor procedia daquele camarote da segunda fila. Convém saber-se que, por cima dessa segunda fila, havia ainda uma terceira e depois uma galeria — cinco filas ao todo. Por que teria aquela carta caído precisamente daquele camarote da segunda fila e não lá mais de cima, da galeria, por exemplo, onde também havia senhoras? É que a paixão é exclusiva e os ciúmes... a paixão mais exclusiva deste mundo.

Ivan Andriéievitch precipitou-se para porta; e assim que lá chegou parou junto da luz mais próxima do *foyer*[1], rasgou o sobrescrito da carta e leu:

Esta noite, depois do espetáculo, na Rua G***, em casa de K***, no terceiro andar, entrada pela rua. Espero-te lá *sans faute*.[2]

A letra da carta era-lhe desconhecida; mas havia um pormenor que não lhe deixava dúvidas: naquela carta havia uma entrevista marcada. Por isso, o seu primeiro pensamento foi este: "Prevenir, intervir, evitar o mal enquanto é tempo".

E por um momento pensou também: "Incriminar os culpados, ali mesmo no teatro, imediatamente". Mas como fazê-lo? Ivan Andriéievitch apressou-se a subir ao segundo andar; felizmente reconsiderou a tempo e, já à porta do camarote, resolveu voltar atrás. No entanto não estava absolutamente decidido, não sabia o que havia de fazer nem aonde dirigir-se. Na sua indecisão encaminhou-se para o outro lado e olhou pela porta aberta do camarote fronteiro. Efetivamente, em cada um dos cinco camarotes que caíam em linha perpendicular sobre o lugar em que ele se encontrava, havia senhoras e cavalheiros. A missiva amorosa podia muito bem ter caído de qualquer desses cinco camarotes, tanto mais que Ivan Andriéievitch estava conven-

---

1 Salão de reunião.
2 Sem falta.

cido de que os seus ocupantes estavam todos conjurados contra ele. Mas a despeito de todas as evidentes probabilidades, ficou aferrado à sua primeira opinião. Passou todo o segundo ato a passear pelos corredores, sem encontrar vivalma. Chegou até a dirigir-se à bilheteria para informar-se dos nomes das pessoas que tinham ocupado aqueles cinco camarotes... Infelizmente encontrou-a fechada. Por fim soaram aplausos, ovações, bravos e os nomes dos artistas. Estava terminado o espetáculo. Mas Ivan Andriéievitch tinha já o seu projeto. Pegou na peliça e encaminhou-se a toda pressa para a Rua C***, para pescar, para apanhar os culpados em fragrante delito e, acima de tudo, para proceder com mais energia do que no dia anterior.

Não tardou que desse com a casa, e estava precisamente a ponto de entrar, quando, de repente, roçando-lhe quase pelo braço entrou no prédio um homem envergando um paletó de corte elegante, o qual subiu num ápice a escada em direção ao terceiro andar. Se bem que não lhe tivesse visto o rosto, pareceu a Ivan Andriéievitch que se tratava do rapaz da noite anterior. O coração estremeceu-lhe. O rapaz levava já dois lances do avanço... Como detê-lo? Como alcançá-lo? De súbito ouviu abrir-se uma porta... e certamente sem chave, como se já estivessem à espera daquele que chegava. Ivan Andriéievitch alcançou essa porta precisamente no momento em que por detrás dela desaparecia o jovem e sem que todavia a tivessem fechado do lado de dentro. Intentou refletir um pouco, demorar-se a considerar a gravidade do passo que ia dar, raciocinar acerca de mais isto e mais aquilo, antes de tomar uma resolução definitiva. Quis o destino que nesse instante uma grande carruagem parasse à porta do prédio. A porta abriu-se ruidosamente e a seguir ouviram-se as passadas incertas de alguém que, entre tosses e pigarreios, começava a subir as escadas devagar. Ivan Andriéievitch não tinha previsto esse episódio; empurrou a porta e entrou no andar com toda a solenidade do marido enganado que se sente em pleno direito de violar a casa alheia. Apareceu primeiro uma criada e logo depois um criado; mas nenhum dos dois pôde deter o intruso. Como uma bomba, Ivan Andriéievitch penetrou no quarto mais próximo, atravessou duas salas quase às escuras e entrou de repente num quarto onde estava uma senhora nova e bonita que ficou a olhá-lo, atônita e assustada. Porém, nesse momento e antes que Ivan Andriéievitch pudesse dar conta do que se passava, ouviram-se passos pesados no quarto contíguo, que se aproximaram da porta. Eram os mesmos passos que Ivan Andriéievitch tinha sentido atrás de si quando subia as escadas.

— Meu Deus! O meu marido! — exclamou a senhora horrorizada, mais pálida do que o seu penteador, e juntando as mãos desesperada.

Ivan Andriéievitch compreendeu que se tinha metido num beco sem saída, que tinha cometido uma verdadeira loucura que agora já não era possível remediar. A porta abria-se já, e o marido, de andar pesado, entrava no quarto... Ivan Andriéievitch não sabia o que havia de fazer. Também não podia explicar o que é que o impedia de sair ao encontro do desconhecido e explicar-lhe o seu erro com toda a franqueza, pedir-lhe desculpa da sua inconveniência e finalmente... retirar-se. Evidentemente que não coberto de louros nem aureolado de heroísmo... mas pelo menos de uma maneira decente e franca.

Mas não. Ivan Andriéievitch acabou por conduzir-se como um colegial que não sabe o que é a reflexão e como se se julgasse um segundo Don Juan.

A primeira coisa que fez foi esconder-se por detrás das cortinas do leito; mas, passados dois segundos, deixou-se cair de joelhos, de tão assustado que estava, e sem se deter a pensar, de gatinhas, escorregou para debaixo da cama do casal desconhecido. O medo tinha paralisado nele toda a faculdade de pensar... pois só assim pode explicar-se que Ivan Andriéievitch, que era também um marido enganado, ou que em tal conta se julgava, praticasse agora o que julgava tão mal no próximo. Quem sabe se ele, com a sua presença, não queria proporcionar a outro as mesmas torturas que o tinham supliciado a ele? Fosse como fosse, o certo é que se meteu debaixo da cama e ali se encontrou sem compreender como tinha lá chegado. Mas o mais assombroso para ele era que a mulher o tivesse deixado fazer aquilo, sem tentar opor-se. Nem sequer tinha soltado um grito ao ver surgir de súbito diante de si aquele homenzinho já meio velho, que em seguida foi esconder-se debaixo da sua cama, sem ter pedido licença a ninguém. É de supor que a pobre, com o susto, tivesse perdido o uso da palavra.

Entretanto, pouco a pouco, bocejando e lamuriando, o pesado marido entrou no quarto. Com lentidão senil chegou junto da esposa, deu-lhe as boas-noites e depois deixou-se cair pesadamente numa funda poltrona, nem mais nem menos como se viesse sobrecarregado debaixo de uma carga de lenha. A seguir foi acometido de um teimoso ataque de tosse.

Ivan Andriéievitch que de tigre feroz se tinha tornado um manso cordeirinho, e tremia e se encolhia como um ratinho na presença dum gato, mal se atrevia a respirar, não obstante saber por experiência própria que nem todos os maridos enganados mordem. Porém, nem sequer lhe ocorreu pensá-lo, quer por deficiência da sua faculdade reflexiva, quer por qualquer outra razão. Cautelosamente, tateando devagarinho, atreveu-se a orientar-se debaixo da cama a fim de colocar os membros numa posição mais cômoda. Qual não foi porém o seu assombro, o seu terror, a sua estupefação, quando, ao estender a mão de mansinho, tropeçou com um vulto que se movia e lhe prendia a mão!

Debaixo da cama estava outro homem!

— Quem está aí? — perguntou Ivan Andriéievitch num fio de voz e a tremer.

— Não lhe importa o meu nome! — respondeu o outro muito baixo, mas com perceptível ironia. — Esteja quieto e cale o bico, já que caiu na armadilha.

— Mas que maneira de falar!

— Silêncio!

E o homem que estava a mais... pois um debaixo da cama já era bastante... apertou com tal força a mão de Ivan Andriéievitch que ele esteve a ponto de dar um grito de dor.

— Cavalheiro! Cavalheiro!

— Silêncio!

— Mas não me esmague a mão, senão grito!

— Bem, então ande, grite se se atreve!

Ivan Andriéievitch pôs-se vermelho de vergonha. O desconhecido parecia não saber o que era a piedade. Talvez se tivesse já exposto de outras vezes à perseguição do destino e estivesse acostumado a ver-se naqueles apertos. Mas Ivan Andriéievitch era um novato nestas peripécias e julgou que se aproximava o fim dos seus dias. O sangue escaldava-lhe na cabeça. Que fazer? Nada mais do que deixar-se ficar estendido tal como estava, de boca para baixo. E calou-se.

— Minha querida, eu estive — começou o velho marido — minha adorada, eu estive em casa de Páviel Ivânitch. Começamos a jogar *préférence*, mas olha: coj... coj... — insistiu a tosse — coj... coj, coj. Ai, minhas costas! Ai, meu Deus... coj... coj!

E o velho continuou a tossir interminavelmente.

— As costas — continuou por fim com voz fraca, enxugando as lágrimas — começaram a doer-me com esta força por causa das malditas hemorroidas... não podia estar nem de pé nem sentado... Nem sentado! coj... coj... coj!

Parecia que a esse novo ataque de tosse estava destinada uma vida muito mais longa do que ao velho que o sofria. Logo que a tosse abrandava um pouco, o velhote resmungava meia dúzia de palavras incompreensíveis, que outro acesso de tosse não tardava a apagar.

— Cavalheiro, por favor, chegue-se um pouco para lá — murmurava entretanto Ivan Andriéievitch.

— Como quer o senhor que eu me afaste se mal caibo aqui?

— Mas, seja como for, há de reconhecer que eu não posso ficar tanto tempo de boca para baixo. É a primeira vez que tal me acontece!

— E a mim também é a primeira vez que me sucede encontrar-me em tão desagradável vizinhança.

— Mas, de qualquer maneira, rapaz... devo dizer-lhe...

— Silêncio!

— Silêncio? Permita-me que lhe diga que a sua maneira de se exprimir, seu moleque, é um tanto descortês, para não dizer outra coisa... Se não me engano, é ainda muito novo; eu sou mais velho do que o senhor.

— Faça favor de calar-se!

— Cavalheiro! Está excedendo as medidas, não sabe com quem está falando...

— Com um tipo que está metido debaixo de uma cama alheia...

— Mas eu me encontro nestas circunstâncias por obra do acaso... Ao passo que o senhor, se não me engano, está aqui devido à sua falta de moral.

— Pois engana-se redondamente!

— Rapazinho, eu sou mais velho, já lhe disse...

— Senhor! Faça favor de não se esquecer que estamos debaixo de uma cama estranha. E peço-lhe que não me fure os olhos com a mão!

— Eu não vejo nada, aqui!

— Por que é que engordou tanto?

— Meu Deus! Nunca até à data me vi numa situação tão humilhante!

— Lá isso é verdade; mais humilde que esta, creio que não há outra.

— Por favor, cavalheiro, por favor! Eu não sei concretamente quem é o senhor, nem tampouco como aconteceu tudo isto; sei apenas que me encontro aqui por engano... Eu não sou aquilo que o senhor pensa...

— Eu nada pensaria a seu respeito, se o senhor não me saísse sempre ao encontro... Mas faça o favor de se calar de uma vez!

— Cavalheiro, se não se chega um pouco para lá, vou ter uma apoplexia. O senhor será o responsável pela minha morte! Garanto-lhe... Eu sou um homem honrado, um... pai de família. Não posso conformar-me com uma coisa destas.

— Foi o senhor que espontaneamente veio colocar-se nela. Bom, vá lá, já tem um pouco mais de lugar. Mas não torne a abrir a boca!

— Oh, já vejo que é um rapaz simpático! Confesso que tinha pensado mal do senhor... — começou Ivan Andriéievitch num assomo de gratidão, ao mesmo tempo que procurava colocar o corpo intumescido numa posição mais cômoda. — Lamento muito as suas aflições; mas que havemos de fazer? Compreendo que possa pensar mal de mim. Permita-me que ao menos pela minha reputação possa ficar ilibado no seu conceito... Permita-me que lhe explique quem sou e como é que me enganei, contra minha vontade! Torno a afirmar-lhe, eu não me encontro aqui pela razão que supõe... Tenho um medo terrível de...

— Mas, finalmente, não desejará fazer o favor de se calar? Não compreende ao que se expõe, se o ouvem? Cuidado, que ele vai parar de tossir.

Efetivamente, a tosse do velhote tinha acalmado e ele se dispunha de novo a falar.

— Sabes, meu amorzinho — pigarreou o velho penosamente e depois com voz lamentosa continuou: — Sabes, meu amorzinho... coj... coj... Ai, que maçada! Fiedossiéi Ivânovitch disse-me: "Você devia experimentar" — coj... coj — "Tomar chá de mil-em-rama". Ouviste o que eu disse, minha querida?

— Ouvi, homem!

— Bem. Pois foi o que ele me disse: "Você devia era tomar chá de mil-em-rama". Eu lhe respondi: "Mas eu já pus sanguessugas". E ele me respondeu: "Não, Alieksandr Diemiânovitch; o chá de mil-em-rama é muito melhor; em primeiro lugar é um ótimo purgante, acredite..." coj... coj... E tu o que é que achas? Parece-te que seria melhor o chá de mil-em-rama? coj... coj... ai... coj!

— Acho que não perdias nada em provar esse remédio — opinou a jovem esposa.

— Está bem, hei de tomá-lo! Mas ele me disse: "Pode ser que você esteja tuberculoso". Coj... coj! Não, o que eu tenho é mas é gota e um pouco de catarro gástrico... coj... coj... Mas ele insistiu: "E talvez também tuberculose". De maneira que... coj... coj! O que te parece, meu amor, achas que estarei realmente tuberculoso?

— Como podes pensar um momento sequer em tal coisa, Alieksandr Diemiânovitch? Isso é uma tolice!

— Mas foi o que ele disse. Tuberculoso! Mas por que não te despes e não te deitas, meu amorzinho? Coj... coj... O que eu tenho hoje é uma gripe.

— Uf! — queixou-se Ivan Andriéievitch, na sua postura forçada debaixo da cama. — Por amor de Deus, homem, afaste-se um pouco!

— Não pode estar um momento quieto?

— O senhor está de implicância comigo. Pelo visto jurou que havia de me ofender! Naturalmente é o senhor o amante dessa mulher!

— Cala-se ou não?

— Não senhor, não me calo! Não consinto que mande aqui! Não há dúvida, o senhor é que é o amante. Se nos descobrem, eu não tenho culpas no caso... Estou completamente fora...

— Mas cale o bico, criatura! — atalhou o rapaz encolerizado. — Fique sabendo que hei de dizer que o senhor é que me atraiçoou, que podia ser meu pai e que está arruinado. Assim, pelo menos, já não hão de supor que eu é que sou o amante dessa senhora.

— Meu Deus! Parece ter jurado que havia de fazer-me perder a cabeça. Julga que a paciência não tem limites?

— Cale-se, senão eu o ensino a calar-se de outra maneira! O senhor é a minha desgraça! Mas não quer dizer-me como é que veio parar aqui? Se o senhor não tivesse aparecido, teria passado aqui a noite sossegadamente até amanhã, estendido à minha vontade, e depois aproveitava a oportunidade para safar-me...

— Mas eu não posso estar aqui estendido até amanhã! Eu sou um homem razoável. Tenho conhecimentos, tenho quem me proteja... Mas, diga-me: acha que é capaz de adormecer?

— Quem?

— Quem há de ser? O velho.

— Claro que há de adormecer. Nem toda a gente é como o senhor. Há os que tresnoitam até na sua própria casa...

— Cavalheiro! Cavalheiro! — exclamou Ivan Andriéievitch transido de espanto. — Fique sabendo que eu também costumo dormir na minha casa; esta é a primeira vez... Meu Deus! Já vejo que não me conhece! Como se chama o senhor? Diga-me sem rodeios, peço-lhe, suplico-lhe em nome da afeição mais desinteressada... Como se chama?

— Tome cuidado! Ou... ou usarei de meios violentos!

— Mas, deixe, deixe que eu lhe explique, rapaz, toda esta triste história...

— Não quero ouvir nada, nem quero saber nada do senhor! Deixe-me em paz. Cale-se, ou então...

— Mas é que não posso...

Debaixo da cama travou-se uma luta breve; mas por isso mesmo mais rija, até que Ivan Andriéievitch acabou por se calar.

— Meu amor, não te parece que anda por aqui o gato?

— O gato? Como... por que dizes isso?

Sem dúvida que a jovem não sabia o que havia de dizer, pois a avaliar pela sua voz sobressaltada e insegura, ainda não tinha recuperado a presença de espírito.

— De qual gato estás falando?

— Ora, do nosso Vasska, mulher. Há já duas semanas, ia eu entrando no escritório e fui dar com ele ali, todo enroscado numa cadeira; quando me viu pôs-se a rosnar como agora. Perguntei-lhe: "Que tens, Vasska?". Mas ele continuou a rosnar. Então eu lhe disse para comigo: "Meu Deus! Quem sabe se ele não estará anunciando a minha morte?".

— Livra, de que coisas tu falas hoje! Não tens emenda...

— Bem, bem, não te aborreças, minha querida. Já vejo que te custa pensar que eu possa morrer; mas não te aborreças. Disse isso unicamente por dizer. Mas, para falar verdade, podias despir-te e meter-te na cama... Eu ainda fico aqui um pouquinho, sentado na poltrona... coj... coj...

— Por favor, não... Depois...

— Bem, bem, não te aborreças, não te aborreças... Mas para te dizer a verdade, ia jurar que andam por aqui ratos...

— Que ideia! Tão depressa te parecem gatos como ratos! Não sei o que tens hoje!

— Bem... bem... coj... coj... Nada, coj... coj... Serias muito boazinha se... coj...

— Está vendo? Fala tão alto que ele já o ouviu! — murmurou o rapaz para o seu vizinho enquanto o velho tossia.

— Se soubesse em que é que estou pensando! O nariz já me escorre sangue!

— Pois deixe escorrer, mas cale-se! Tenha paciência até que ele se vá!

— Oh rapaz, mas ponha-se no meu lugar. Nem sequer sei quem tenho aqui ao meu lado!

— Sua posição seria menos incômoda se o soubesse? Pois a mim não me interessa absolutamente nada saber como é que o senhor se chama... Mas a propósito: qual é o seu nome? Diga o senhor primeiro!

— Não. Para que precisa saber? Vou lhe explicar unicamente em virtude de que casualidade absurda...

— Caluda, que já deixou de tossir...

— Acredita, minha querida, afirmo-te que ouvi distintamente cochichar aqui perto!

— Ai, homem, não, isso não é possível! Talvez o algodão te tenha saído do ouvido!

— Ah, a propósito. Olha... aqui... por cima de nós... coj... coj... No andar de cima, aqui, coj...

— Por cima de nós?! — murmurou o jovem. — Ó diabo! E eu que julgava que este era o último andar do prédio! Agora é que sei que é o segundo...

— Rapaz, cavalheiro! — interveio Ivan Andriéievitch como se alguém lhe tivesse dado uma bofetada. — Que é que está dizendo? Pelo amor de Deus! Que interesse tem isso para o senhor? Também eu achava que este era o terceiro e último andar! Mas valha-me Deus! Afinal ainda há outro andar?

— Não; afirmo-te, querida, com certeza que há aqui alguém — disse o velho que estava agora melhor da tosse.

— Silêncio! Ouviu o que ele disse? — murmurou o rapaz cujas mãos apertavam as de Ivan Andriéievitch como tenazes de ferro.

— O senhor esmaga-me os dedos! Isso é um abuso. Largue-me!

— Silêncio!

Produziu-se nova luta, seguida de um novo silêncio.

— Olha, quando eu vinha subindo encontrei-me com uma senhora toda jeitosa — continuou o velhote. — Ainda não te havia dito?

— Toda jeitosa? Ah, sim? Conta-me isso direitinho — pediu a jovem consorte.

— Não há mais nada... encontrei-me com uma senhora muito bonita na escada... Ainda não te havia dito? Então é porque me esqueci... Ando com a memória tão fraca... eu devia era tomar erva-de-são-joão... Coj!

— O quê?

— Devia tomar chá de erva-de-são-joão. Dizem que faz muito bem... coj... coj... Sim, dizem que faz muito bem...

— O senhor é que o fez interromper! — murmurou o rapaz furioso.

— Estavas dizendo que esta noite tinhas encontrado na escada uma senhora muito bonita — continuou a mulher.

— O quê?

— Que tinhas encontrado uma senhora muito bonita.

— Que senhora?

— Tu é que deves saber!

— O quê? Eu? Ah, sim, é verdade!

— Até que enfim! Maldita múmia! — murmurou o rapaz lá debaixo da cama e de boa vontade teria dado um soco nas costas do desmemoriado velhote para que ele se lembrasse.

— Meu Deus! Estou tremendo de medo! Meu Deus, meu Deus! Está acontecendo hoje o mesmo que ontem à noite, tal qual a mesma coisa!

— Silêncio!

— Ah! Ah! Que grande velhaca! Com uns olhos que brilhavam por debaixo de um chapeuzinho azul-claro...

— Um chapeuzinho azul-claro! Ó diabo!

— É ela! Tem um chapeuzinho azul-claro! Meu Deus, meu Deus! — lamentou-se Ivan Andriéievitch em desespero.

— Muito bem; mas afinal quem é *ela*? — perguntou o rapaz em voz sossegada, mas apertando ansiosamente as mãos.

— Silêncio! — interrompeu-o desta vez Ivan Andriéievitch — Que ele está falando!

— Ó diabo... diabo!

— Mas afinal, qualquer mulher pode ter um chapéu azul-claro! — murmurou Ivan Andriéievitch em tom hesitante.

— E por sinal que parece uma boa transviada — prosseguiu o velhote. — coj... coj! Vem aqui muitas vezes, sem dúvida para se encontrar com algum amante... Anda sempre fazendo requebros... e mudando de amante...

— Uf, que conversa aborrecida — interrompeu a mulher. — Não sei como isso te pode interessar.

— Bem, bem! Não te enfades! — apressou-se o velho a pedir-lhe — Eu... eu... Coj! Se te aborreces não torno a falar-te nisto. Esta noite estás de mau humor...

— Mas... onde se veio meter? — perguntou de repente o rapaz, debaixo da cama, num tom sussurrante e excitado.

— Vê? Vê? Agora já começa a interessar-se, mas antes não queria que eu lho contasse?

— Ah, sim... antes, não. E é-me completamente indiferente! Mas fique calado! Ao diabo que a carregue, toda essa história; é de fazer perder a cabeça!

— Olhe, meu rapaz, não se aborreça. Eu não sei o que digo! Eu... eu queria apenas dizer que o senhor se interessava sem motivo por este episódio... Mas qual é o seu nome? Não o conheço, segundo vejo, mas desejava saber concretamente quem é. Meu Deus! Já nem sei o que digo!

— Acabe com isso, criatura! — disse o rapaz, mas em tom de quem está pensando noutra coisa.

— Hei de contar-lhe tudo desde o princípio até ao fim. Talvez imagine que não quero contar, que lhe guardo rancor, não é verdade? Aqui tem a minha mão! Simplesmente, acho-me agora numa situação um tanto humilde, aí é que está. Mas comece o senhor por responder-me: como é que veio parar aqui? Por que razão, com que objetivo penetrou o senhor nesta casa? Pela parte que me diz respeito, não estou zangado, juro-lhe; não lhe guardo rancor, aqui tem a minha mão. Não sei se estará um pouco suja, pois este lugar não brilha pelo asseio. Mas isso que importa? O que importa é o sentimento.

— Vá para o diabo com a sua mão! Muitas graças nós devíamos mas era dar por podermos estar aqui entendidos de barriga para baixo, e ainda o senhor se põe com cerimônias!

— Desculpe que lhe diga, mas o senhor trata-me precisamente como se fosse um farrapo! — objetou Ivan Andriéievitch num assomo de desespero, com uma voz como só se emprega para implorar. — Trate-me com um pouco mais de cortesia... Está ouvindo?... apenas com um pouquinho mais de cortesia, que eu lhe conto tudo. Verá como ficamos amigos; até estou com vontade de o levar a jantar em minha casa. Mas declaro-lhe com toda a sinceridade que não é possível continuarmos nesta situação por mais tempo. O senhor está em erro, o senhor não sabe...

— Mas quando é que a teria encontrado? — murmurou o rapaz por entre os dentes, com viva comoção. — Talvez ela tivesse estado à minha espera... Não... não tenho outro remédio senão sair daqui custe o que custar.

— Ela? Quem vem a ser *ela*, rapaz? A quem se refere? Pensa que no andar de cima...? Meu Deus, meu Deus! Que fiz eu para merecer um tal castigo?

Ivan Andriéievitch tentou voltar-se de cara para cima mas não conseguiu, o que aumentou ainda mais a sua desdita.

— Que interessa ao senhor saber quem é ela? Com seiscentos mil demônios! Eu vou me retirar daqui!

— O que está dizendo, rapaz? E eu? Tenho de ficar aqui, não? — murmurou Ivan Andriéievitch aterrado.

E fincou as mãos nas abas do fraque do companheiro.

— Que tenho eu com o senhor! Fique sozinho. Ou então direi que o senhor é meu tio, um tio arruinado, que gastou até ao último copeque toda a sua fortuna, para que esse velhorro não se lembre de pensar que sou eu o amante da mulher.

— Ó rapaz, mas isso é completamente impossível. Nem pensar em semelhante coisa! Quem é que acreditaria que eu sou seu tio? Nem uma criança de peito acreditava nessa — murmurou Ivan Andriéievitch como quem faz uma jura.

— Então não fale tanto, ao menos, e esteja sossegadinho. Pode passar a noite aqui tranquilamente e logo que amanheça estudará a melhor maneira de se escapar. Fique descansado que ninguém há de dar pela sua presença; uma vez que se escape um, não vai ocorrer a ninguém que possa haver ainda outro homem metido debaixo da cama... Uma dezena que fosse, poderiam estar aqui completamente tranquilos. Volte-se de costas...

— Não me aperte, rapaz! E se me dá a tosse? É preciso pensar em tudo!

— Psiu!

— Olha, meu amor, parece-me que no andar de cima vai começar o espetáculo — observou o velho com voz de sono, pois naquele meio tempo quase tinha adormecido.

— No andar de cima?

— Olhe, rapaz: vou ver se me escapo também!

— Bom!

— Ó, rapaz, pelo amor de Deus! Afirmo-lhe que vou sair daqui.

— *Pois eu fico. A mim tanto me faz.* Sabe o que acabei de crer e com bastante fundamento? É que aqui não há outro marido enganado senão o senhor... Compreende?

— Meu Deus, que cinismo! Mas julga isso, de verdade? Mas por que insiste que eu seja casado? Já lhe disse que sou solteiro...

— Como? É solteiro? O senhor? Bem se vê...

— Sim, senhor; e também podia muito bem ser um amante... O que é que o senhor sabe de mim?

— Olha, olha, um amante! Ah... ah!

— Cavalheiro, cavalheiro! Escute, vou contar-lhe tudo! Escute a minha confissão... a confissão dum desesperado... Eu não tenho nada a ver com esta história, pois repito-lhe que sou solteiro... tão solteiro como o senhor. Trata-se neste caso de um amigo meu, de um camarada da infância... Mas eu sou um amante... Bem... Um dia ele disse: "Sou um desgraçado; desconfio da minha mulher". "Mas, meu caro, em que te fundamentas para desconfiares dela?"... Não quis escutar-me... Os ciúmes são ridículos, os ciúmes são um vício!... Porém ele acrescentou: "Não, sou um desgraçado... Tenho de beber este cálice de amargura... desconfio da minha mulher...". "Tu eras meu amigo desde a infância — disse-lhe eu. — Juntos colhemos flores nos campos e ao mesmo tempo gozamos as primeiras alegrias da vida..." Meu Deus, já não sei o que estou dizendo! Ó rapaz, você não faz outra coisa senão rir! Daqui a pouco me põe doido!

— Doido já o senhor é!

— Esta é boa! Eu já desconfiava que o senhor havia de dizer-me uma coisa dessas; ainda antes de eu ter aberto a boca já meu coração adivinhava. Mas faça favor de não se rir assim, rapaz. Também eu ria, dantes, também eu me portava assim. Ah... mas em compensação, agora... agora vou virar em doido, com certeza!

— Olha, meu amor, não estava alguém a falar? — perguntou o velhote com lentidão preguiçosa. — Ora eras tu, minha mulherzinha?

— Oh *mon Dieu!* — queixou-se a pobre mulher.

— Psiu! — ouviu-se debaixo da cama.

— Deve ser por cima de nós, no terceiro andar — observou a mulher transida de medo.

Debaixo da cama produziam-se ruídos acusadores, cada vez mais perceptíveis.

— Sim! Parece-me que deve ser — disse também o velho pensativo. — Aqui por cima... Parece-me que já te disse quando entrei... coj... coj... encontrei-me com um jovem de bigodinho...

— De bigodinho! Meu Deus! Isso quer dizer com certeza que se tratava do senhor — murmurou Ivan Andriéievitch.

— Oh, diabo, trata-se de um homem! Mas se eu estou aqui debaixo da cama, ao seu lado, como poderia ele ter-se encontrado comigo? Não me apalpe tanto a cara!

— Meu Deus, sinto-me desfalecer!

Nesse momento ouviu-se também um grande barulho no andar de cima.

— Que se passará ali? — perguntou o rapaz.

— Eu estou trêmulo, tenho os cabelos em pé, ajude-me!

— Psiu!

— É verdade, minha filha, agora ouço perfeitamente; estão fazendo lá em cima uma algazarra dos diabos. E precisamente no quarto de dormir. Não achas que devíamos enviar um recado a essa gente, para que nos deixem dormir?

— Ah, não faltava mais nada!

— Bem, bem, não se manda recado nenhum. Por que está hoje de tão mau humor?

— Oh, *mon Dieu!* Hoje nunca mais adormeces!

— Lisa, tu não gostas de mim.

— Ó homem, mas que coisas tu dizes! Como é que eu não havia de gostar de ti? Simplesmente... Se soubesses como estou cansada hoje!

— Bem... bem... Eu já me vou embora!

— Ai, não homem... Não te vás embora! — exclamou de repente angustiada. — Olha, sim, o melhor... Sim, vai-te embora, vai!

— Mas o que tens tu, minha querida? Tão depressa dizes que me vá como queres que fique... coj... coj... Em casa dos Panafídini... A menina... coj... coj... ganhou uma boneca de Nuremberg!

— Agora começas a falar de bonecas!

— Coj... coj... Uma boneca lindíssima... Coj... coj...

— Já está a despedir-se! — murmurou o rapaz para o seu companheiro de desdita. — Agora ele se vai embora e nós já poderemos sair! Alegre-se, criatura!

— Deus queira, e que se vá depressa!

— Isto foi uma boa lição para o senhor...

— Rapaz! Por que me fala de lição? Lição de quê? Parece-me que... Não, o senhor ainda é muito novo para dar lições a mim!

— E no entanto posso dá-las... Escute!

— Meu Deus, que vou espirrar!

— Chiu! Não se atreva a uma coisa dessas!

— Mas que hei de eu fazer? Aqui cheira a ratos e entrou-me pó pelo nariz! Não posso conter-me! Por favor, tire-me o lenço do bolso da jaqueta, que não posso mexer-me... Meu Deus, meu Deus, que teria eu feito para merecer este castigo!

— Aqui tem o lenço! Quanto à sua pergunta, vou dizer-lhe o que é que o senhor fez para ser castigado desta maneira! O senhor é ciumento. Não sei lá por que suspeitas, anda a bater as ruas da cidade penetrando nas casas alheias, importunando as pessoas, provocando escândalos...

— Rapaz! Apesar de tudo eu ainda não provoquei nenhum escândalo!

— Cale a boca!

— Você não tem autoridade para me pregar sermões. Eu sou mais decente do que você!

— Repito-lhe que se cale!

— Vejam só!...

— O senhor está armando um escândalo e assustando uma formosa mulher que não sabe o que há de fazer da vida, de tão assustada, e que talvez acabe por cair doente devido à comoção; está dando motivos de inquietação a um honrado ancião que já tem bastante que fazer com os seus achaques; a um pobre velho que acima de tudo precisa de descanso... E tudo isto por quê? Muito simplesmente porque se lhe meteu na cabeça uma mania que o faz percorrer as ruas e assaltar as casas. Não compreende a ideia que forçosamente temos de formar do senhor, devido à sua própria maneira de se conduzir? Compreende ou não compreende?

— Está bem, rapaz. Compreendo. Mas ainda que seja assim, não tem o direito...

— Cale-se! Por que fala de direitos? O senhor não vê como isto pode acabar tragicamente? Não compreende que esse velho, que ama a mulher acima de todas as coisas, ficará simplesmente doido quando o vir sair debaixo da cama da esposa? O senhor não pode ser a causa de uma tragédia! Porque, quando o virem sair, a arrastar-se todo aquele que o vir há de fartar-se de rir! Eu nem sei o que daria para o ver sair, às claras. Deve ser de morrer de riso!

— E você? Com certeza que em semelhante transe, ao sair de debaixo de uma cama, também ficaria ridículo. Acredite que também eu daria qualquer coisa para o ver!

— O senhor?

— Sim, rapaz, porque você deve ter estampada na cara a sua própria falta de moral.

— Lá vem o senhor outra vez com a história da imoralidade! Sabe lá as razões por que eu estou aqui? Entrei nesta casa por engano, pois o meu intuito era ir para o andar de cima. Sabe Deus por que me teriam deixado entrar aqui! Provavelmente ela estava à espera de outro... Claro que esse outro não era o senhor. Quando ouvi os seus passos e vi que a senhora ficava tão assustada, escondi-me apressadamente debaixo da cama. Além disso aqui estava muito escuro. Aliás, a minha presença neste lugar não pode de modo algum justificar a sua. O senhor não passa de um velho grotesco e ciumento. Sabe por que é que eu não me vou embora? Talvez ache que eu tenha medo! Pois engana-se redondamente; já há muito que eu me teria ido se não fosse ter pena do senhor. Morreria se eu o abandonasse. Havia de ficar feito parvo diante deles se o obrigassem a sair lá para fora e ficaria maluco para todo o sempre.

— Por que havia eu de ficar feito parvo? Por que me aplica essa comparação? Não podia arranjar outra? Por que não poderia eu recuperar o juízo? Pois fique sabendo que havia mais de acontecer o contrário...

— Quieto! Não ouve como o cão ladra? Tudo por causa do seu maldito palavreado! Até o cãozinho acordou! Esse miserável animal vai ser a nossa perdição!

Efetivamente, o cãozinho da senhora, que até então não se tinha mexido na sua almofada, no canto onde dormia, acordou de repente, rosnou durante algum tempo e, finalmente, precipitou-se com latidos agudos para debaixo da cama.

— Meu Deus, o cão! — murmurou Ivan Andriéievitch meio morto de susto.

— Este é que nos vai descobrir! Agora é que se vai saber tudo! Que mal fiz eu, meu Deus, para merecer este castigo?

— E tudo, evidentemente, por causa da sua covardia!

— Ami, Ami!, vem cá — exclamou de repente a jovem levantando-se muito assustada.

— *Ici, ici, viens ici!*[3]

Mas o cãozinho, em vez de fazer caso dos chamamentos da dona, foi e arremeteu contra Ivan Andriéievitch.

— Que se passa, meu amor? Por que está Amichka dessa maneira? — perguntou o velhote. — Haverá ratos debaixo da cama ou andará o gato por aí? Eu bem te

---

3 Aqui, aqui, vem cá.

dizia que ouvia barulho... E já sabes que o nosso Vasska está constipado...

— Esteja quieto, homem! — murmurou o rapaz. — Não se mexa! Pode ser que o cão se vá embora!

— Cavalheiro, cavalheiro! Largue-me a mão! Por que me aperta desse modo!

— Esteja quieto!

— Juro-lhe que o cão está me mordendo o nariz! Quer que eu fique sem nariz?

Seguiu-se uma pequena luta na qual Ivan Andriéievitch conseguiu por fim retirar a mão. O cão ladrava furiosamente; mas de repente soltou uma rosnadela e depois calou-se.

— Ah! — exclamou a mulher.

— Que está fazendo? — disse o rapaz furioso. — Vai descobrir-nos! Por que prendeu o cão? Ó diabo! Olhe que o mata! Ouça o que eu lhe digo, largue-o imediatamente. Não ouve? Seu estúpido, não faz ideia nenhuma dos sentimentos duma mulher! É capaz de nos enviar os dois ao patíbulo se fizer o mais pequeno dano ao seu cãozinho!

Mas Ivan Andriéievitch até estava surdo, de tão assustado; não ouvia nada. Tinha conseguido prender o cão pelo pescoço, e levado por um exagerado instinto de conservação, tinha-o agarrado com tanta força que o pobrezinho apenas podia lançar de quando em quando uma rosnadelazinha antes de exalar o último suspiro.

— Estamos perdidos! — murmurou o rapaz.

— Amichka! Amichka! — exclamou a senhora. — *Mon Dieu!* Que teriam feito ao meu Ami? Amichka, Amichka! *Ici!* Oh, que malandros! Que bárbaros! Meu Deus, eu vou ficar doente!

— Mas que passa, meu amor? — exclamou o velho que ia já a meio do sono. — Que tens, minha filha? Amichka, aqui, aqui! Amichka, Amichka, Amichka! — gritou o velho com impaciência dando estalos com a língua e batendo palmas; mas tudo foi inútil. Amichka não aparecia.

— Mas por onde andará ele? Vamos, Amichka! *Ici!* Não vens? Seria possível que o gato o tivesse comido? Seja como for, não deixa de ser acertado que eu castigue um pouco o Vasska, pois já há um mês que não apanha. O que achas? Meu Deus! O que aconteceu, meu amor? Estás tão pálida! Água, socorro! Socorro!

E o velho, como louco, precipitou-se para a porta.

— Assassinos! Ladrões! — exclamou a senhora deixando-se cair sobre a *chaise-longue.*

— Mas quem são eles? Onde estão? — perguntou o velho à porta.

— Há aqui uns homens... Uns homens desconhecidos... Aqui, debaixo da minha cama! Oh *mon Dieu!* Amichka! Amichka! Que te fizeram? Meu pobrezinho!

— Deus de misericórdia! De que homens falas tu? Amichka! Mas não... vamos a ver... Criados! Venham cá... Quem anda aí? — exclamou o velho completamente transtornado pela comoção, pegando na luz e inclinando-se para olhar para debaixo da cama.

— Quem está aí? Socorro! Criados!

Ivan Andriéievitch estava mais morto do que vivo, junto do cadáver de Amichka. O rapaz, porém, seguia atentamente todos os movimentos do velho. Rapidamente, observou que se dispunha a agachar-se, e enquanto ele procurava o intruso do outro lado da cama, aproveitou a ocasião para sair dali num abrir e fechar de olhos.

— *Mon Dieu!* — murmurou a senhora ao ver diante de si um rapaz tão galante. — Quem é o senhor? Eu pensava...

— O outro ficou debaixo da cama — disse o rapaz em voz baixa e rápida. — Ele é quem é o culpado da morte de Amichka!

— Ah! — exclamou a senhora, horrorizada.

Mas o rapaz, de um pulo, retirou-se do quarto.

— Ah! Quem está aí? Vejo uma bota! E uma perna! — resmungou o velho, que tateava com um pé o corpo de Ivan Andriéievitch.

— Assassino! Esse é que é o assassino! Oh, Ami! Oh, Ami! — gemia a senhora.

— Saia daí! Saia daí! — gritou o velho batendo com os pés no tapete. — Quem é você? Que procura aqui? Meu Deus! Quem é este homem?

— Por amor de Deus, por todos os santos! Por misericórdia! — implorou Ivan Andriéievitch, que se arrastou de gatinhas, ajoelhando-se depois, estendendo as mãos suplicantes e continuando a arrastar-se. — Por amor de Deus, Excelência, não chame ninguém! Não é preciso! O senhor... o senhor não pode ordenar que me ponham assim no olho da rua! Eu não sou pessoa com quem se proceda assim, dessa maneira! Eu sou um cavalheiro! Trata-se de um engano, Excelência; enganei-me, e é tudo. Vou explicar-lhe tudo, Excelência, tudo, tudo, tudo! — continuou Ivan Andriéievitch por entre soluços que lhe cortavam a voz. — Quem tem a culpa disto tudo é a minha mulher; quer dizer, a minha mulher, não, mas uma mulher alheia... pois saiba V. Excelência que eu não sou casado, mas somente... O marido é um companheiro de escola, um meu amigo de infância...

— Vá para o diabo com o seu amigo de infância! — gritou o velho batendo encolerizado com o pé no chão. — Você é um ladrão, um criminoso, um assassino! Entrou aqui unicamente para roubar! Nem sequer existe esse seu amigo de infância!

— Não, senhor... Juro-lhe que não sou nenhum ladrão, Excelência. Eu sou realmente amigo dele desde a infância. Eu... incorri simplesmente num erro: enganei-me na porta...

— Bem se vê...

— Não, Excelência! Eu não sou o que o senhor pensa! Engana-se! Asseguro-lhe que se encontra em grave erro, Excelência. Olhe bem para a minha cara e verá assim claramente que eu não sou um ladrão. Minha senhora, minha senhora! — implorava Ivan Andriéievitch, dirigindo-se com gestos suplicantes à mulher do velho. — A senhora, a senhora, como mulher sensível vai me compreender melhor... Eu... Fui em quem matou Amichka... Mas estou inocente... Juro-lhe por Deus! Quem tem a culpa de tudo isto é a mi... quero dizer, a minha mulher, não, mas uma estranha. Eu... eu sou um infeliz; eu esgotei o cálice...

— Que me importa a mim que o tenha esgotado? Que com certeza não foi apenas um cálice, a julgar pelo seu aspecto! Mas não quer explicar-me como veio parar aqui? — exclamou o velho tremendo de comoção, se bem que dissesse afinal lá para consigo que aquele indivíduo não parecia realmente um ladrão vulgar. — Responda ao que lhe pergunto: como... é que veio parar... aqui? Então não é um ladrão?

— Não, Excelência, não sou um ladrão! Eu... sou apenas um desastrado... que se enganou na porta! Em nome de Cristo que não sou um ladrão! Tudo isto foi por causa dos meus ciúmes! Vou contar-lhe tudo, Excelência, tudo e com toda a franqueza; como se fosse meu pai, contarei tudo; como a meu pai, já que pela idade V.Exa. podia muito bem sê-lo...

— O quê? O que diz? Eu, seu pai?

— Excelência, Excelência! Pode ser que o tenha ofendido! Se assim foi, peço-lhe perdão, Excelência. Com certeza que, com uma mulher tão jovem, na sua idade, deve ser muito agradável... Excelência, creia-me, ver um casal assim... na flor da sua idade... Não chame os criados; pelo amor de Deus não chame os criados; eu conheço muito bem essa gentalha, haviam de rir-se de todos nós... Acredite que os conheço muito bem... Quero dizer, com isto não pretendo dar a entender que conte criados entre os meus amigos, conheço-os porque os tenho ao meu serviço, tal como V. Exa., e a cada passo se estão rindo na minha cara, esses velhacos. Excelência, julgo que não me enganei, vê-se bem que tenho a honra de estar falando com um príncipe.

— Qual príncipe, eu sou um simples cidadão. E peço-lhe que se deixe de títulos e não pretenda iludir-me com bajulações, que não consegue nada com isso. O que eu quero é que me diga como é que chegou aqui! Portanto tenha a bondade de explicar-se.

— Com muito gosto. Isto é, não. Excelência... V. Excelência desculpe-me, eu o julgava um príncipe. Tinha imaginado... V. Excelência perdoe, estava em erro. Mas é que tem uma tal semelhança como o príncipe Korotokútchev, ao qual tive a honra de ser apresentado em casa do meu amigo, o general Pruiev... Repare V.Exa., eu estou relacionado com príncipes; conto com um príncipe autêntico entre as minhas amizades; V.Exa. não pode portanto tomar-me por aquilo que me toma. Não sou nenhum bandido, nenhum ladrão. Excelência, não chame os criados! Por amor de Deus, tenha compaixão de mim! Reconsidere: se chama os criados, que intrigas não irão eles levantar!

— Mas como é que veio parar aqui? — exclamou a senhora. — E, sobretudo, quem é você?

— Sim, isso... Quem é você? — repetiu o velho. — E eu, minha querida, convencido de que era Vasska que andava debaixo da cama! E em vez do gato quem lá andava era este tipo... Ah, bandido! Quem é você? Fale, criatura, diga de uma vez!

E o velho voltou a bater o pé, impaciente.

— Não posso, Excelência! A minha história é uma história ridícula, Excelência! Vou contá-la toda a V. Excelência, explicarei tudo... Bem, quero dizer com isto... Não chame gente estranha, Excelência. Seja magnânimo, tenha piedade de mim. Acredite que não quer dizer nada o fato de eu me ter metido debaixo da cama... Nem por isso perdi a minha dignidade. É a história mais ordinária do mundo, minha senhora — insistiu o pobre Ivan Andriéievitch dirigindo-se à jovem com um gesto implorativo. — A senhora, Excelência, vai rir-se quando a ouvir. Neste momento, minha senhora, tem diante de si... um marido ciumento. Como V. Excelências veem eu próprio me humilho e faço-o espontânea e voluntariamente. Declaro também que fui eu o culpado da morte de Amichka. Mas... Meu Deus, já não sei o que estou dizendo!

— Mas como é que veio parar aqui?

— A coberto da obscuridade, Excelência, quando me aproveitava da obscuridade... Perdão! Oh, perdão, de joelhos imploro o seu perdão! Eu sou simplesmente *um marido ofendido!* Não vá imaginar, Excelência, que eu seja um amante. Não sou nenhum amante, afirmo-o! V. Exa. tem uma mulher muito virtuosa, se me é lícito exprimir-me assim... É pura e inocente, creia-me...

— O quê? O quê? Que descaramento vem a ser esse? — exclamou o velho com a cara toda vermelha, voltando novamente a bater o pé sobre o chão. — Você está maluco ou bebeu demais? Como se atreve a falar da minha mulher?

— Criminoso, assassino, que matou o meu Ami! — exclamou a jovem indignada. E pôs-se a chorar pela perda de Amichka. — E ainda por cima se atreve a insultar-me!

— Excelência... minha senhora... Excelência! Foi um engano! — protestou Ivan Andriéievitch quase fora de si. — Pense de mim o que quiser, considere-me mesmo um louco, pelo amor de Deus; sim senhora, como um louco pode considerar-me, se quiser... Juro pela minha honra que isso me agradaria muito! De boa vontade estenderia a minha mão a V. Excelência, mas não me atrevo... Eu estava ali sozinho... eu sou o tio... isto é, quero dizer que não devo ser tomado por nenhum amante... Santo Deus! Lá estou eu outra vez a atrapalhar-me! Eu não tive intenção de ofender Vossa Excelência! — exclamou Ivan Andriéievitch dirigindo-se à jovem. — A senhora é uma mulher e deve saber o que é o amor... esse terno sentimento... Mas que estou eu dizendo? Nada, que já estou outra vez a fazer confusões. Apenas desejava dizer-lhes que sou um velho; isto é, um velho, não; mas sim um homem maduro... um ancião na flor da idade. Com isto tudo apenas quero dizer que de maneira nenhuma poderia ser seu amante, minha senhora, porque um amante costuma ter sempre uns certos ares de *Mister* Richardson[4] ou Don Juan... Mas, meu Deus, o que estou a dizer! Pelo menos há de compreender, minha senhora, que sou um homem culto, que estou em dia com a literatura. Vossa Excelência ri-se! Pois folgo muito, muitíssimo, por lhe ter podido arrancar um sorriso! Oh, como estou contente por vê-la rir!

— *Mon Dieu!* Que homem tão ridículo! — exclamou a senhora, que mordia os lábios para não rir claramente.

— Tens razão — concordou o velho, rindo também, visivelmente satisfeito por ver rir sua mulher. — Olha, meu amor, eu julgo que não, realmente não deve ser um ladrão. Mas como viria ele ter aqui?

— Bem sei, compreendo... é uma coisa estranha, mais do que estranha! Parece verdadeiramente uma coisa de romance! Como? Assim: é meia-noite na cidade... quando, de repente... um homem estranho debaixo da cama, no quarto de dormir. Uma coisa estranha, espantosa, não? Uma coisa à Rinaldo Rinaldini,[5] não é verdade? Mas o caso não fica por aí, ainda não disse tudo, Excelência. Mas vou contar-lhe tudo... E a Vossa Excelência, minha senhora, vou dar outro cãozinho em troca daquele que perdeu. Um cãozinho muito bonito; tal qual como o outro. Com o mesmo pelinho sedoso e as mesmas patinhas curtas, de tal maneira que não possa dar dois passos seguidos sem enredar-se na própria pelagem e rolar depois pelo chão. E que apenas coma torrõezinhos de açúcar. Hei de dar-lhe um assim... minha senhora... Irei procurá-lo sem falta.

— Ah, ah, ah! — ria a senhora a bom rir, à custa do pobre Ivan Andriéievitch. *Mon Dieu! Mon Dieu!* Que ridículo!

— É verdade! Ah, ah, ah! Coj... coj... coj... Que desastradão, todo sujo de pó! Coj... coj... coj!

---

4 Escritor inglês, autor de novelas sentimentais com intenção moralizadora.

5 Herói do romance do mesmo nome, do escritor alemão C. A. Vulpius (1702-1827). Fora traduzido para o russo em 1802 e gozou de grande popularidade.

— Excelência, Excelência! Neste momento me sinto completamente feliz! Era capaz de suplicar-lhe agora que me estendesse a sua mão, simplesmente não me atrevo, minha senhora; compreendo que incorri num grande erro, que me enganei redondamente; mas agora já abri os olhos, agora acredito que também a minha mulher é pura e inocente e que desconfiava dela sem razão.

— A sua mulher? Mas você... tem mulher? — exclamou a senhora sem poder conter o riso por mais tempo.

— O quê? Mas é casado? Será possível? Essa é que nunca me passaria pela cabeça. Ah, ah, ah! Coj... coj... coj!

— Excelência, Excelência! A minha mulher é quem tem a culpa de tudo; quero dizer, não, pelo contrário, o culpado sou eu por ter suspeitado dela... Eu sabia que aqui, neste prédio, devia dar-se uma entrevista... no terceiro andar... no andar de cima. Por acaso a carta em que se marcava a entrevista caiu nas minhas mãos. Mas enganei-me; julguei que já tinha chegado ao andar da entrevista e meti-me debaixo da cama, sem ter tido tempo de pensar no que fazia.

— Ah, ah, ah! Coj... coj... coj!

— Ah, ah, ah!

— Ah, ah, ah — e Ivan Andriéievitch acabou também por rir. — Oh, como sou feliz! Como é bom estarmos todos contentes e em tão boa harmonia! E minha mulher... Oh, agora já não tenho dúvida nenhuma... completamente inocente! Estou convencido disso! Não é verdade que deve ser assim, minha senhora?

— Ah, ah, ah! Coj... coj... coj! Ouve, querida, sabes quem é ela? — perguntou o velho no meio do riso e da tosse, à mulher.

— Quem é? Ah, ah, ah! Quem te parece que seja?

— Coj... coj... coj! Pois é essa tal criaturinha que coqueteia com toda a gente! É ela, não há dúvida! Ia apostar em como é essa mulher!

— Excelência, tenho a certeza de que se está referindo a outra... Estou absolutamente persuadido...

— Mas, sendo assim, por que perde você um tempo tão precioso? — interrompeu-o a senhora, deixando de rir. — Apresse-se homem! Corra, suba, que talvez possa apanhá-los ainda!

— V. Excelência tem razão! Vou lá agora mesmo! Mas sei de antemão que não hei de encontrar ninguém. Não pode ser a minha mulher; estou firmemente convencido... A minha mulher está na sua casinha! Sou eu o único culpado! Isto é, a culpa disto tudo tem-na os meus ciúmes... Não acha V. Excelência? Ou pensa que poderei encontrá-los lá em cima?

— Ah, ah, ah!

— Eh, eh, eh! Coj... coj... coj...

— Bom, vá-se embora, vá-se embora!

— E se voltar a passar diante da nossa porta, entre e conte-nos tudo — exclamou a mulher com vivacidade. — Ou melhor ainda, venha visitar-nos amanhã em companhia de sua esposa, gostava de conhecê-la.

— Então, adeus, minha senhora, muito obrigado! Dou-lhe a minha palavra que virei com ela. Folgo muito por tê-la conhecido! E sinto-me muitíssimo contente por que todo este enredo tenha tido um desenlace tão rápido e satisfatório!

— Bem, e não se esqueça do cãozinho.

— Nunca, minha senhora! Também hei de trazê-lo sem falta! — prometeu Ivan Andriéievitch já à porta. — Branco como uma bola de neve, pequenino e com uma pelagem de seda! Adeus, minha senhora! Muitíssimo prazer em tê-la conhecido! Acredite que tive um verdadeiro prazer!

E fazendo uma reverência, Ivan Andriéievitch desapareceu.

— Eh, eh, senhor! Espere um momento, chegue aqui num instantinho! Coj... coj... coj! — exclamou de súbito a voz rouca do velho.

Ivan Andriéievitch voltou-se.

— Não encontro Vasska em parte nenhuma, o nosso gato... Pode dizer-me se por acaso não estava também debaixo da cama?

— Não, não estava, Excelência. Aproveito a oportunidade para reafirmar a V. Exa. que tive um grande prazer em conhecê-lo. Considero como uma honra...

— Agora o pobre-diabo anda sempre a espirrar e a miar. Tem que viver apanhando sempre!

— Muito bem, Excelência, não há nada como os castigos para educar os animais.

— O quê?

— Eu dizia simplesmente, Excelência, que os castigos estão muito indicados para a educação dos animais, para torná-los obedientes.

— Ah, sim? Bem, bem isso mesmo era o que eu queria dizer ao senhor. Muito obrigado... Coj... coj!

Quando Ivan Andriéievitch se viu na rua, permaneceu durante muito tempo imóvel, sem sair do lugar, como ameaçado de um ataque de apoplexia. Depois, lentamente, tirou o chapéu, enxugou o suor frio que lhe escorria pela testa, distendeu o corpo, reconsiderou ainda um pouco e por fim encaminhou-se devagar para casa.

Foi enorme a sua surpresa ao saber que havia muito tempo que Glafira Pietróvna tinha voltado do teatro, acometida de uma dor de dentes fortíssima, pelo que tinha mandado chamar o médico e trazer sanguessugas, e que, metida na cama, aguardava impaciente a chegada do marido.

Ivan Andriéievitch começou por dar uma palmadinha na testa, pediu logo água e uma escova para limpar-se a si e à roupa; feitas essas coisas, resolveu-se a entrar no quarto da mulher.

— Ó homem, poderás dizer-me onde passas as noites? Mas que aspecto o teu! Por onde andaste? Nunca vi uma coisa destas! Enquanto a mulher está na cama, à beira da morte, o marido anda de calças pardas, sem que ninguém lhe possa pôr a vista em cima. Onde estiveste, homem? Talvez tivesses andado a espiar-me, para ver se me apanhavas em alguma entrevista, que eu teria dado não sei a quem... Não há dúvida! Não tardará que sejas objeto da curiosidade de todos... Todos hão de apontar-te com o dedo!

— Meu amor! — balbuciou Ivan Andriéievitch, nesse instante acometido de tal emoção que teve de puxar do lenço, pois sentia-se sem forças para falar, sem palavras, nem sequer ideias...

Mas quem poderia descrever o seu espanto, o seu horrível susto, quando, do bolso traseiro do fraque, ao tirar o lenço, viu cair o cadáver de Amichka! Não tinha reparado que no instante de suprema aflição por que tinha passado, debaixo daquela cama, ao ver-se obrigado a sair do seu esconderijo, tinha ali guardado o cadáver da sua vítima, talvez movido pelo instinto de conservação, com o fim de ocultar as provas do seu delito e de iludir assim o sofrimento.

— Que é isso? — gritou a mulher assustada. — Um cãozinho morto! Meu Deus! Onde arranjaste isso? O que te aconteceu? Donde vens tu, homem? Diz logo!...

— Meu amor! — balbuciou Ivan Andriéievitch — Meu amor!

Mas preferimos deixar aqui o nosso herói a acrescentar qualquer coisa da nossa lavra que não tenha relação com a aventura referida. É possível que algum dia venha ainda a contar todos estes infelizes acontecimentos... Mas, por hoje, o leitor não tem outro remédio senão concordar comigo numa coisa: que os ciúmes constituem uma paixão imperdoável, pior ainda, são uma autêntica desgraça...

UMA ÁRVORE DE NATAL E UM CASAMENTO

UMA ÁRVORE DE NATAL E UM CASAMENTO
(1848)

Aqui há dias assisti a um casamento... Mas não... Antes disso tenho de contar-lhes umas coisas a propósito de uma festa de Natal. Uma festa de casamento é, já de si, uma linda festa, e então daquela gostei muitíssimo... Mas o outro acontecimento impressionou-me ainda mais. Ao assistir àquelas bodas, tive forçosamente de me recordar da festa de Natal. Vou contar-lhes o que se passou então...

Há uns cinco anos recebi certo dia, entre o Natal e o Ano-Novo, um convite para um baile infantil que ia realizar-se em casa de uma família da minha amizade. O dono da casa era uma pessoa influente, que estava muito bem relacionada; tinha um grande círculo de amigos, desempenhava papel de relevo na sociedade e costumava urdir tramas de toda a espécie; de modo que era fácil supor que aquela festa de crianças era apenas pretexto para que a gente crescida, especialmente os papais, pudessem reunir-se "inocentemente" em maior número que de costume, e a aproveitar a ocasião para falarem, como por acaso, de toda espécie de acontecimentos e coisas notáveis. Mas como a mim tais coisas e tais acontecimentos não interessavam absolutamente nada, e como tinha poucos conhecimentos entre as pessoas que ali se encontravam, passei todo o serão entregue a mim mesmo, sem que ninguém me incomodasse. O mesmo aconteceu com outro convidado que, segundo me pareceu, não era pessoa conhecida nem pelo nome nem pela posição social, e à semelhança do que acontecia comigo, somente por puro acaso se encontrava naquele baile de crianças... o qual imediatamente chamou a minha atenção. O seu aspecto exterior impressionava favoravelmente: era alto, magro, tinha um ar sério e estava bem-vestido. Via-se logo que não gostava de distrações nem de conversas frívolas. Ao instalar-se num cantinho tranquilo, o seu rosto, cujas negras sobrancelhas se franziram, tomou uma expressão dura, quase sombria. Saltava aos olhos que, exceção do dono da casa, não conhecia nenhum dos presentes. E também não era difícil adivinhar que aquela festazinha o aborrecia muitíssimo, embora tivesse mantido até ao fim o ar dum homem feliz que passa o tempo agradavelmente.

Vim a saber mais tarde que vivia na província e se encontrava de passagem em Petersbugo, onde no dia seguinte se decidiria um complicado pleito do qual dependia todo o seu futuro. Tinha-se apresentado ao dono da casa com uma carta de recomendação, e este, muito cortesmente, convidara-o para o serão; mas segundo parecia não contava absolutamente nada que desse aos donos da casa motivo para se ocuparem dele, por pouco que fosse. E como ali não se jogavam cartas e ninguém lhe oferecia um cigarro, nem se dignava dirigir-lhe a palavra — decerto só pelo andar da carruagem conheciam logo quem ia dentro — o nosso homem viu-se obrigado, para entreter as mãos, a ficar a noite inteira acariciando as suíças. Tinha realmente umas belas suíças, mas, ainda assim ocupava-se demasiado delas, pois quase nos fazia acreditar que primeiro tinham nascido elas e depois é que lhe tinham juntado o homem, só de propósito para acariciá-las.

Além daquele cavalheiro, o qual não se preocupava absolutamente nada com a festa dos cinco pequenos e gorduchos filhos do dono da casa, houve ainda outro indivíduo que também me chamou a atenção. Este, porém, tinha um aspecto totalmente diferente: via-se logo que se tratava de uma grande personagem!

Chamava-se Iulian Mostakóvitch. Logo ao primeiro olhar se percebia que era um convidado de honra e que se achava perante o dono da casa aproximadamente na mesma posição que, relativamente a este último, ocupava o provinciano desconhecido. O dono da casa e a esposa desfaziam-se em amabilidades para com ele, pode mesmo dizer-se que lhe faziam uma espécie de corte, apresentando-lhe todos os convidados sem apresentarem ele próprio a ninguém. Segundo observei, o dono da casa tinha até nos olhos uma lagrimazinha de comoção, quando Iulian Mostakóvitch, elogiando a festa, lhe garantiu que raras vezes tinha passado umas horas tão agradáveis. Eu, geralmente, costumo sentir um mal-estar estranho na presença de pessoas assim tão importantes; por isso, depois de observar durante algum tempo o que faziam os garotos, fui até um pequeno *boudoir*, onde por acaso não havia ninguém, e ali me instalei entre os vasos de plantas da dona da casa, que ocupavam o aposento quase por completo.

Os meninos eram todos muitíssimo atraentes, deliciosos de ingenuidade e frescura, e por mais que as mães e as criadas lhes recomendassem que se portassem como gente grande, não faziam caso e mostravam-se crianças como eram. Haviam despojado a árvore de Natal de todos os seus enfeites e já tinham também destroçado metade dos brinquedos, antes ainda de saberem a quem se destinavam. Um garotinho de olhos tão negros como os cabelos despertou a minha atenção de modo especial: mostrava-se interessado em disparar contra mim um tiro com uma pequena pistola de madeira que lhe havia cabido em sorte. Mas quem atraía mais a atenção dos convidados era a sua irmãzinha. Teria talvez uns onze anos, era delicada e pálida, e tinha uns grandes olhos pensativos. Os outros garotos deviam tê-la magoado com qualquer palavra, pois veio refugiar-se no local onde eu me instalara, sentou-se num canto e pôs-se a brincar com a boneca. Os convidados indicavam uns aos outros com muito respeito o pai da pequena, que era um rico comerciante, e não faltou quem observasse em voz baixa que ele pusera já de lado para o seu dote uns trezentos mil rublos em bom metal sonante. Por acaso olhei para o grupo que mantinha esta conversa e dei com os olhos em Iulian Mostakóvitch, que, com as mãos cruzadas atrás das costas e a cabeça um pouco de lado, parecia escutar com muito cuidado interesse o insípido diálogo. Ao mesmo tempo admirei a habilidade do dono da casa ao distribuir as prendas aos pequeninos. À garota dos trezentos mil rublos coubera a boneca mais bonita e mais cara. O valor das outras prendas ia diminuindo gradualmente, segundo a categoria dos pais dos pequenos. Ao último garoto, um pequenino de uns dez anos, magricela, ruivo e com sardas, apenas coube um livro de histórias instrutivas que tratavam da grandeza do mundo natural, das lágrimas de comoção e de outras coisas no gênero: um livrinho árido, sem qualquer estampa ou desenho.

Era o filho duma pobre viúva que dava aulas aos filhos do dono da casa e a quem tratavam por aia. O tal rapazinho era uma criança tímida, envergonhada. Vestia uma camisinha escura de tecido barato. Depois de receber o livro andou durante um certo tempo rondando à volta dos brinquedos das outras crianças, e era evidente que tinha uma vontade enorme de brincar com elas, mas não se atrevia. Compreendia já muito bem as diferenças de posição social. Eu olhava com agrado as brincadeiras dos meninos e observava a grande independência de que davam provas. Chocava-me ver que aquele pequeno de quem falei se sentisse tão atraído pelos ricos brinquedos dos outros, sobretudo por um teatrinho de fantoches em que provavelmente desejaria participar, a ponto de servir-se de lisonja. Sorriu e procurou tornar-se simpático aos outros; deu a sua maçã a uma garota gorducha que tinha já o bolso atulhados de guloseimas, e foi até ao extremo deixar-se cavalgar por um dos pequenos, tudo para poder entrar na brincadeira do teatro. Mas nesse instante apareceu um adulto que era uma espécie de vigilante e expulsou-o dali, empurrando-o e puxando-o por um braço. O garoto soube conter as lágrimas. Depois apareceu também a aia sua mãe e disse-lhe que não aborrecesse os outros meninos. Então o garoto veio para onde estava a pequena. Ela o acolheu carinhosamente e puseram-se os dois a vestir a boneca, muito entretidos.

Havia meia hora já que eu ali estava sentado entre as flores e quase chegara a adormecer embalado inconscientemente pelo tagarelar infantil do pequeno ruivo e da futura beldade com trezentos mil rublos de dote quando, de repente, surgiu no compartimento Iulian Mostakóvitch. Aproveitara a ocasião em que se levantara uma grande disputa entre os garotos da sala para desaparecer dali sem dar nas vistas. Minutos antes tinha-o eu visto ao lado do rico comerciante, pai da garota, em animado colóquio e por uma ou outra palavra solta que apanhei no ar adivinhei que discutiam as vantagens dum emprego qualquer em relação a outro. Agora estava pensativo, de pé, junto dos vasos, sem reparar em mim, e parecia meditar em qualquer coisa.

"Trezentos... Trezentos... — murmurava. — Onze... doze... treze... dezesseis... Cinco anos! Suponhamos a quatro por cento... Doze vezes cinco... sessenta. Bom; ponhamos ao todo, ao fim de cinco anos... Quatrocentos. É isso... Mas aquele malandro não se há de contentar com quatro por cento. Quererá pelo menos oito, ou até mesmo dez. Façamos de conta... quinhentos mil... Hum! Meio milhão de rublos. Assim já é melhor... Bom... e depois os impostos... Hum!"

A sua resolução era firme. Sua aparência se desanuviara e dispunha-se já a sair da sala, quando reparou na garota que estava num canto com a boneca, junto do menino pobre. Estacou. Não reparou em mim, escondido como estava atrás da folhagem. Pareceu-me muito excitado. Seria difícil, contudo, precisar se a sua comoção era devida às contas que acabara de fazer ou a qualquer outro fato, pois esfregou as mãos sorridente e parecia não poder estar quieto. A sua agitação foi aumentando cada vez mais, ao olhar novamente para a rica herdeira. Quis dar um passo em frente, mas voltou a parar e olhou com cuidado à sua volta. Então, aproximou-se da garota em pontas de pés, devagarinho e sem fazer ruído, como alguém que sabe que vai praticar uma ação feia. Como ela estava atrás do garoto, ele se inclinou e deu-lhe um beijo na cabecinha. A pequena, assustada, deu um grito, pois não tinha dado pela sua presença.

— Que estás fazendo aqui, minha filha? — perguntou-lhe baixinho e depois de olhar em redor deu-lhe uma palmadinha na face.

— Estamos brincando...

— Ah! Estás brincando com este? — e Iulian Mostakóvitch deu uma olhadela ao garoto. — Olha, rapaz; estavas melhor na sala — disse-lhe ele.

O garoto não respondeu e ficou olhando para ele. Iulian Mostakóvitch voltou a olhar rapidamente em volta e inclinou-se de novo para a pequena.

— Que é isto, minha menina? É uma boneca? — perguntou-lhe.

— Sim, é uma bonequinha... — respondeu a garota contrafeita e franzindo levemente as sobrancelhas.

— Uma boneca... Mas tu sabes, minha filha, de que são feitas as bonecas?

— Não... — respondeu a pequena num murmúrio e tornou a baixar a cabeça.

— Pois fica sabendo: fazem-nas de trapos velhos, minha joia. Mas tu estavas melhor na sala com os outros meninos. — E Iulian Mostakóvitch, ao dizer isto voltou a olhar com severidade para o rapazinho. Este e a pequena franziram a testa e encostaram-se mais um ao outro. Pelo visto não queriam separar-se.

— Sabes para que te deram esta boneca? — tornou a perguntar Iulian Mostakóvitch com uma voz cada vez mais meiga.

— Não.

— É para que sejas boazinha e carinhosa.

Ao dizer isto Iulian Mostakóvitch voltou a olhar para a porta e perguntou à garota com uma voz que mal se ouvia e cheia de impaciência e comoção:

— Tu também gostarás de mim se eu visitar os teus pais?

Ao dizer isto, Iulian Mostakóvitch quis dar outro beijo na menina mas o garoto, ao ver que a sua amiguinha estava quase a chorar, abraçou-a, cheio de súbita aflição e, por pena e carinho, pôs-se a chorar alto juntamente com ela. Iulian Mostakóvitch ficou furioso.

— Fora daqui! Fora daqui! — disse muito zangado para o garoto. — Vai para a sala! Vai para junto dos outros meninos!

— Não, não, não! Não quero que ele se vá embora! Por que é que ele se há de ir embora? Vá o senhor! — gritou a pequena. — Ele fica aqui! Deixe-o estar! — acrescentou quase chorando.

Naquele instante ouviram-se vozes junto da porta e Iulian Mostakóvitch ergueu o busto imponente. Mas o rapazinho assutou-se ainda mais do que Iulian Mostakóvitch; largou a garota e correu sem ser visto, cosido às paredes, até à sala de jantar. Iulian Mostakóvitch dirigiu-se também para ali, como se nada tivesse passado. Tinha o rosto congestionado e, como se viu ao passar por um espelho, ele próprio ficou admirado com o seu aspecto. Talvez se sentisse contrariado por se ter excitado tanto e falado de forma tão desabrida. Pelo visto, os seus cálculos tinham-no absorvido e entusiasmado de tal maneira que, apesar de toda a sua dignidade e astúcia, procedeu como um garoto; e depois, sem se deter a meditar, começou logo a atacar o seu objetivo. Eu o segui até ao outro compartimento... e foi um espetáculo verdadeiramente estranho aquele que presenciei. Vi nada menos que Iulian Mostakóvitch, o digno e respeitável Iulian Mostakóvitch, batendo no pequeno que fugia cada vez mais diante dele e, cheio de medo, não sabia onde se havia de meter.

— Vamos, fora daqui! — Que fazes aqui, patife! Anda, daqui para fora! Vieste roubar fruta, não foi? Decerto roubaste alguma, hem? Pois, ou dás o fora, ou vais ver como elas te mordem!

O rapaz, intimidado, resolveu-se por fim a adotar uma medida desesperada de salvação: meteu-se debaixo da mesa. Ao ver aquilo o seu perseguidor ficou ainda mais furioso. Louco de raiva puxou o grande pano de cambraia que cobria a mesa, com a intenção de obrigar o garoto a sair dali. Mas este ficou muito quietinho, apavorado, e não se mexeu. Devo dizer que Iulian Mostakóvitch era bastante corpulento. Era o que se diz um homem gordo, de bochechas coradas, já com um pouco de barriga, rechonchudo e de pernas gordas... em suma: um sujeito vigoroso e completamente redondo, desde a ponta dos pés até à cabeça. Gotas de suor corriam-lhe já pela testa; respirava arquejante e quase num estertor. O sangue, por se ter baixado, subia-lhe vermelho e quente até à cabeça. Estava furibundo, tão grande era a sua cólera ou — quem sabe? — os seus ciúmes. Eu desatei a rir alto. Iulian Mostakóvitch voltou-se para mim num relâmpago, e não obstante a sua alta posição social, a sua influência e a sua idade, ficou atrapalhadíssimo. Naquele instante entrou na sala o dono da casa. O garoto saiu debaixo da mesa e limpou o pó dos joelhos e dos cotovelos. Iulian Mostakóvitch recuperou a serenidade, compôs o casaco que estava suspenso de um dos lados, e assoou-se.

O dono da casa olhou-nos, aos três, surpreendido; mas como homem inteligente que toma a vida a sério, soube aproveitar a ocasião para falar a sós com o seu convidado.

— Ah! Olhe: é este o pequeno que lhe recomendei... — começou, apontando o rapazinho.

— Ah! — respondeu Iulian Mostakóvitch, que não conseguira ainda recompor-se completamente.

— É o filho da preceptora — continuou o dono da casa e em tom compungido. — É uma pobre mulher, viúva dum honesto funcionário. Não haveria qualquer maneira, Iulian Mostakóvitch...?

— Ah! Tinha-me esquecido! Não, não! — interrompeu ele, cortante. — Não me leve a mal, meu caro Filip Alieksiéievitch; mas é completamente impossível. Já me informei, mas atualmente não há nenhuma vaga, e ainda que houvesse, tem à frente dele dez candidatos com mais direito... Sinto muito, creia, mas...

— Que pena! — disse o dono da casa pensativo. — É um rapazinho muito ajuizado e muito bom...

— Pois a mim, pelo que pude ver, parece-me um grande maroto — observou Iulian Mostakóvitch com um sorriso forçado. — Anda! Que queres aqui! Vai brincar com os teus companheiros! — disse para o garoto olhando-o intencionalmente.

Depois, pelo visto, não pôde resistir à tentação de me lançar, também a mim, um olhar terrível. Mas eu, em vez de me intimidar, ri-me abertamente na sua cara. Iulian Mostakóvitch virou-se logo para o outro lado e perguntou ao dono da casa quem era aquele rapaz tão estranho. Puseram-se ambos a cochichar e saíram da sala. Eu pude ainda ver pela fresta da porta entreaberta como Iulian Mostakóvitch, que escutava o dono da casa com muita atenção, abanava a cabeça, admirado e receoso.

Depois de me ter rido quanto quis, também eu voltei para o salão. Ali estava agora a importante personagem, rodeada de pais e mães de família e dos donos da casa, fala em tom muito animado com uma senhora que acabavam de apresentar-lhe. A senhora pegava na mão da garota que Iulian Mostakóvitch beijara dez minutos antes. O homem elogiava a pequena, pondo-a nas maiores alturas; exaltava a sua beleza, a sua graça, a sua boa educação, e a mãe ouvia-o quase com lágrimas nos olhos. Nos lábios do pai havia um sorriso. O dono da casa compartilhava complacentemente da alegria geral. Os outros convidados também davam mostras de boa disposição e tinham obrigado os pequenos a interromperem as brincadeiras para que os não incomodassem com a sua tagarelice. O ambiente era de grande animação. Pude então ouvir como a mãe da garota, profundamente comovida, com frases de rebuscada cortesia, pedia a Iulian Mostakóvitch que lhe desse a honra de os visitar, e ouvi também como Iulian Mostakóvitch, sinceramente encantado, prometia corresponder sem falta ao amável convite, e como os convidados ao dispersarem-se em várias direções, como manda a etiqueta, se desfaziam em elogios pondo nos píncaros da lua o rico comerciante, a mulher e a filha, e principalmente Iulian Mostakóvitch.

— Este senhor é casado? — perguntei eu em voz alta a um meu amigo que se encontrava ao lado de Iulian Mostakóvitch.

Este lançou-me um olhar colérico que refletia bem os seus sentimentos.

— Não — respondeu o meu amigo, visivelmente contrariado pela intempestiva pergunta, que eu, já de propósito, lhe fizera em voz alta.

*

Há dias tive de passar pela igreja de... A multidão que se apinhava no átrio e a elegância dos trajes despertaram-me a atenção. As pessoas falavam de um casamento. Era um dia de outono, enevoado, e começava a cair neve. Entrei na igreja, confundido entre o povo, e olhei para ver quem era o noivo. Era um sujeito baixo e forte, com barriga e muitas condecorações no peito. Andava muito ocupado de um lado para o outro, dando ordens, e parecia muito excitado. Por fim ouviu-se na porta um grande rebuliço: acabava de chegar a noiva. Abri caminho por entre a multidão e pude ver uma extraordinária beldade, para a qual ainda há pouco despontara a primavera. Mas vinha pálida e triste. Os seus olhos erravam distraídos. Pareceu-me até que lágrimas já choradas tinham avermelhado esses olhos. A severa beleza dos seus traços dava à sua figura uma certa dignidade, e dessa melancolia, resplandecia a alma inocente e imaculada da infância, e lia-se nela algo de inexplicavelmente inexperiente, inconsciente, infantil, que sem palavras parecia implorar piedade.

Dizia-se que a noiva devia ter quando muito dezesseis anos. Olhei o noivo com mais atenção e de súbito reconheci nele o próprio Iulian Mostakóvitch, que havia cinco anos não tinha tornado a ver. E olhei também para a noiva. Santo Deus! Abri caminho por entre o povo, em direção à saída, com o desejo de me ver fora dali o mais depressa possível. Entre a assistência dizia-se que a noiva era muito rica, que possuía em metal sonante meio milhão de rublos, mais um rendimento de não sei quanto...

"As contas saíram-lhe certas" — pensei eu, e saí para a rua.

NOITES BRANCAS

deBen

Noites brancas
(1848)

Primeira noite

Era uma noite prodigiosa, uma dessas noites que talvez só vejamos quando somos novos, querido leitor. Estava um céu tão fundo e tão claro que ao olhá-lo uma pessoa era forçosamente levada a perguntar se seria possível que debaixo de um céu daqueles pudessem viver criaturas más e tenebrosas. Questão esta que, para dizer a verdade, só é costume levantar-se quando somos novos, mesmo muito novos, querido leitor. Prouvera a Deus que pudésseis reviver com frequência essa idade na vossa alma! Enquanto ia pensando assim em várias pessoas, é claro que acabava por recordar-me involuntariamente do panegírico que a mim próprio eu tinha tecido, nesses tempos.

Já desde a manhã que se tinha apoderado de mim uma estranha disposição de espírito. Vinha-me a impressão de que vivia tão sozinho, de que havia ainda de chegar a ver-me abandonado por toda a gente, que todos haviam de vir a afastar-se de mim. Naturalmente todos têm agora o direito de perguntar-me: "Bem, vejamos: quem vêm a ser esses todos?". Mas eu já há oito anos que vivo em Petersburgo e, apesar disso, nunca me pareceu que tivesse arranjado um só amigo. E para que queria eu os amigos? Eu sou amigo de toda a cidade de Petersburgo. Mas precisamente por isso é que me parece que todos me abandonam e que toda a cidade se dispõe a partir com a chegada do verão. Chego quase a ficar preocupado com o fato de ficar sozinho, e já há três dias que ando muito triste, a dar voltas pela cidade, sem conseguir compreender o que se passa no meu íntimo. Na Niévski, no Jardim de Verão, no cais[1], já não era possível descobrir nenhuma das caras que costumava encontrar diariamente à mesma hora, nos mesmos lugares. Evidentemente que os outros não me conheciam; mas eu ... eu os conheço. Conheço-os muito bem; tenho estudado as suas fisionomias e fico contente quando os vejo contentes, e aflijo-me quando os vejo preocupados. Sim, posso dizer que uma vez cheguei quase a fazer uma amizade: foi com um homem já de idade, com o qual costumava encontrar-me todos os dias, à mesma hora, no Fontanka. Tinha uma cara muito séria e pensativa, e movia constantemente os maxilares, como se ruminasse qualquer coisa; abanava um pouco o braço esquerdo e trazia sempre na mão direita uma grande bengala de nós, encimada por um castão de ouro. Também tinha reparado em mim com interesse. Estou certo de que, quando ele não me encontrava à hora já sabida, no local costumado, no Fontanka, devia sentir uma certa contrariedade. Por isso pouco faltou para que nos cumprimentássemos quando nos víamos, ainda mais tendo em conta que ambos éramos pessoas de bom aspecto. Ainda não há muito que, como aconteceu termos estado dois dias sem nos vermos, quando no terceiro nos encontramos, ficamos quase a ponto de levar a mão ao chapéu, mas felizmente refletimos a tempo, deixamos cair as mãos e passamos um em frente do outro com visíveis sinais de mútua satisfação.

---

1   Os três mais belos passeios de São Petersburgo.

Também conheço os edifícios. Quando passo diante deles, quase posso dizer que cada um dos prédios mal me vê põe-se logo a correr, avança dois passos à frente, me olha por todas as suas janelas e me diz: "Bom dia, aqui estou! Como tem passado? Eu felizmente estou bem, mas para o mês de maio vão acrescentar-me outro andar". Ou então: "Bom dia! Como está? Sabe uma coisa? Amanhã vão rebocar-me a fachada". Ou, finalmente: "Olhe, houve fogo e estive quase a ficar todo queimado... Se soubesse o susto que eu tive!". E outras coisas do gênero. É claro que tenho os meus favoritos entre eles e até alguns bons amigos. Um deles vai ser revisto por um arquiteto neste verão; vai reconstruí-lo e ficará como novo. Terei sem falta de passar por ali todos os dias para que o meu amigo não me pareça depois um desconhecido, Deus o livre de uma coisa dessas! E nunca esqueci a história das minhas relações com aquela casinha pequenina, de um cor-de-rosa claro, de que eu gostava tanto. Era uma casinha encantadora; olhava-me sempre com muito afeto, e estava tão orgulhosa da sua beleza entre as vizinhas vulgares, que o meu coração alegrava-se quando passava diante dela. Ms eis que, na semana passada, quando entrei na rua e olhei para a minha amiguinha... ouço um clamor lastimoso: "Olha o que me fizeram! Pintaram-me de amarelo! Que bárbaros! Que perversos! Não respeitaram nada! Nem as colunas, nem as cornifas!". De fato, a minha amiguinha estava amarela como um canário. E de tão aborrecido que fiquei com aquilo, estive prestes a apanhar uma icterícia, e ainda agora não me sinto completamente refeito, nem também me sinto com coragem para tornar a olhar para a minha pobre amiguinha, que uns desalmados puseram da cor do Celeste Império.

Por tudo isto... agora já poderá compreender o meu querido leitor, até que ponto eu conheço esta cidade de Petersburgo.

***

Disse já como durante três dias fui torturado por uma estranha inquietação, até que finalmente consegui descobrir a sua causa. Não me sentia bem na rua (não via este, nem tampouco, aquele, nem aqueloutro, nem estoutro... "Por onde diabo andarão eles?"), e também não me sentia bem em casa. Quase que nem a mim próprio me reconhecia. Gastei sem proveito duas tardes investigando o que seria que me faltava entre as quatro paredes da minha casa. Por que me sentiria eu tão mal em casa? Olhava com um olhar perscrutador as paredes verdes denegridas pelo fumo e fixava a vista no teto onde prosperavam as teias de aranhas protegidas de Matriona; passava revista a todo o mobiliário, principalmente às cadeiras e, mentalmente, perguntava a mim próprio se não estaria ali a razão do meu mal-estar (aliás também hoje não existe já em minha casa uma cadeira igual às desse tempo, e eu próprio, também, já não sou o mesmo). Sim, até me deu na cabeça para chamar Matriona e, em tom paternal, fazer-lhe uma censura por causa das teias de aranha e do desleixo em que trazia todas as coisas; mas ela se limitou a olhar para mim muito espantada e saiu sem dizer uma palavra.; de maneira que as teias de aranha continuam incólumes, dependuradas do teto.

Mas esta manhã, finalmente, descobri a causa de tudo. Ah! Então todos se vão embora para veranear e me deixam aqui sozinho! Era isto e mais nada: eles se tinham raspado. Desculpem a expressão, mas naquele momento não me veio à cabeça nenhuma outra mais elegante. Na verdade todos os habitantes de Petersburgo tinham já deixado a cidade, ou estavam prontos a deixá-la de um dia ou de um momento para o outro. Pelo menos para mim, todo homem de certa idade, de aspecto respeitável, que eu via subir para um *drójki*, tomava-o logo por um honesto pai de família que, depois de ultimar as suas ocupações cotidianas, abandonava a cidade para passar o resto do dia entre os seus. Todos os transeuntes tinham já um aspecto completamente diferente, um aspecto que parecia dizer: "Nós ainda aqui estamos, apenas por acaso, pois dentro de algumas horas já estaremos bem longe, no campo". Às vezes abria-se uma janela em cujas vidraças tamborilavam primeiro uns dedinhos brancos e compridos, e logo a seguir aparecia a linda cabecinha duma bela moça que chamava a florista; então eu imaginava que também aquelas flores se encontravam ali por casualidade, e que moça as comprava, mas não para recrear-se junto daquele ramo em que deviam existir duas corolas abertas, que seriam como uma amostra de primavera no quarto abafadiço, mas que, pelo contrário, logo em seguida iria abandonar a cidade levando consigo aquelas flores. Mas isto ainda não é tudo; é que eu ia fazendo tais progressos na minha nova profissão de investigador que não tardei em poder dizer com toda certeza, só pelo aspecto exterior, que lugar de veraneio tinha escolhido cada pessoa. Os moradores das elegantes isbás, ou das vilas próximas de Peterhof[2], caracterizavam-se pela sua elegância requintada, tanto no andar como em todos os seus gestos, até pelos seus trajes e chapéus de verão, e possuíam carruagens esplêndidas nas quais vinham à cidade. Os habitantes de Pargalovo[3] e arredores impunham-se pela sua discreta compostura, e os da ilha de Krestóvski[4] pela sua jovialidade imperturbável. Quando acontecia encontrar-me com uma comprida procissão de moços de fretes que, com o lenço na mão, caminhavam molengões junto das carroças atulhadas, nas quais se balouçavam montanhas de mesas, de camas, de cadeiras, de divãs turcos e sem ser turcos, coroadas às vezes no cocuruto pela cozinheira, de cara assustada, a qual, quando se sentia mais sossegada, vigiava com olhos de lince todo aquele magnífico aparato, para que nenhuma coisa caísse e ficasse pelo caminho; e também quando via vir pelo Nievá ou pelo Fontanka um par de lanchas carregadas de utensílios domésticos, navegando rumo às ilhas ou pela corrente acima, até à Tchórnaia Rietchka[5] — tanto as lanchas como os seus condutores se multiplicavam aos meus olhos, às dezenas e às centenas — parecia-me que todas as pessoas se levantavam e saíam em caravanas da cidade, e que Petersburgo se transformava num deserto, de tal maneira que eu sentia uma exaltação enorme e considerava-me ofendido; e, naturalmente, acabava por ficar de mau humor, pois era eu o único de todos os habitantes de Petersburgo que não tinha possibilidade nem tampouco razão nenhuma para ir veranear. Por isso estava disposto a subir para uma carroça qualquer, ou a acompanhar todo o indivíduo que entrava para um *drójki*; simplesmente nenhum deles se dignava convidar-me. Era

---

2   Localidade próxima do centro de Petersburgo, para onde as pessoas ricas iam a passeio ou em vilegiatura.

3   Aldeia a uns 15 km de Petersburgo, na estrada da Finlândia.

4   Uma das ilhas do delta do Nievá, que serviam de passeio aos petersburgueses.

5   i.e., Ribeira Negra, na parte continental de Petersburgo.

como se de um momento para o outro todos se tivessem esquecido de mim, como se, no fundo, eu fosse completamente estranho para todos.

Dava frequentes e grandes passeios pelas ruas, de maneira que, segundo o meu costume, chegava a esquecer dos lugares por onde andava. Até que um dia me aconteceu ir ter aos limites da cidade. Nesse momento fiquei muito satisfeito, atravessei para o outro lado da barreira[6] e continuei caminhando por entre os campos e pelas terras de cultura, sem sentir o menor cansaço, e até pelo contrário, como se me tivesse libertado de um grande peso. Todos os que passavam por mim me olhavam afetuosamente, o que era afinal uma espécie de saudação; parecia que todos estavam satisfeitos por qualquer coisa. E também eu fiquei muito contente, tanto como nunca estive na minha vida.

Tal qual como se me tivesse visto de repente na Itália... Tal era o poderoso influxo que a natureza exercia sobre mim, doentio habitante da cidade, que se sente abafar entre as paredes dos prédios!

Há qualquer coisa de indizivelmente patético na natureza do nosso Petersburgo, quando nele desperta a primavera; quando de repente ostenta todo o seu sortilégio e exibe todas as graças que o céu lhe empresta; quando se cobre de tenra erva nova e se enfeita de flores garridas e de delicadas florinhas. Então faz-me sempre lembrar a menina triste para a qual olhamos cheios de pena, às vezes com piedosa simpatia, e na qual às vezes também nem sequer reparamos, mas que um dia, de repente, quando menos se espera, como por artes mágicas se torna de um momento para o outro tão bonita que ficamos desconcertados e aturdidos e, ao vê-la, perguntamos admirados: "Que poder teria lançado esta luz nos olhos tristes e sonhadores desta mocinha? Quem fez subir o sangue às suas faces pálidas e murchas, quem fez com que o seu rosto suave mostre agora uma tal paixão? Por que se levanta o seu peito? Quem foi que, assim tão de repente, trouxe força e vida e beleza ao rosto da pobre menina, cujo sorriso suave brilha agora e se transforma num riso ardente?". E olhamos à nossa volta, procuramos alguém e começamos a perguntar e a adivinhar... Mas esse momento é passageiro e talvez no dia seguinte voltemos a encontrar o mesmo lânguido e sonhador olhar anterior, a ver de novo pálido rosto e a mesma indolência e vulgaridade de movimentos, e até talvez alguma coisa de novo, uma espécie de desgosto, como sinal de pena e de aborrecimento por aquele breve instante de alegre animação... E então sentimos pesar de que tenha brilhado diante dos nossos olhos com uma luz tão falsa e enganadora... tristeza por não termos chegado sequer a tomar-lhe o gosto...

E sem dúvida que essa noite foi para mim ainda mais bela do que o dia. Regressei já tarde à cidade e davam dez horas quando me aproximava de casa. O meu caminho levava à direção do canal, onde a essa hora não costumava haver ninguém. Vivo, só eu, naquele bairro tranquilo e remoto. Ia caminhando, e ao mesmo tempo cantava, pois quando me sinto feliz não tenho outro remédio senão cantar uma cantiga qualquer, como todo homem feliz que não tem amigos nem conhecidos, nem pessoa alguma com quem compartilhar os seus momentos de alegria. Mas eis senão quando me aconteceu nessa noite ser envolvido numa surpreendente aventura.

Não muito longe de mim acabava de descobrir uma figura de mulher; esta-

---

6 ... que cercava a cidade.

va de pé e apoiava os cotovelos no parapeito da muralha, e parecia absorvida na contemplação das águas turvas do canal. Trazia um chapeuzinho amarelo muito bonito e uma pequena e graciosa capa preta. "É uma jovem, e morena, por certo", pensei eu. Parece não ter sentido os meus passos, pois não fez movimento algum quando eu passei por ela devagarinho, contendo a respiração e com o coração palpitante. "Que coisa estranha! — disse para comigo. — Deve estar completamente absorvida nos seus pensamentos!" E de súbito estremeci e fiquei pregado no chão: até os meus ouvidos chegavam soluços apagados. Se não era engano meu, a moça chorava... Passado um pequeno instante tornei a ouvir outro soluço e depois outros. Meu Deus! O meu coração teve um pressentimento. Por muito tímido que eu seja com as mulheres, naquele caso... é que as circunstâncias eram tão singulares! Em suma: tomei uma decisão, aproximei-me dela e... e teria sem dúvida começado por saudá-la — "Minha senhora!" — se não me tivesse lembrado que essa expressão se encontra pelo menos mil vezes em todas essas novelas russas em que se descreve o ambiente da boa sociedade. Mas contive-me. Enquanto procurava uma fórmula de saudação apropriada, a moça tornou a si, e quando me viu baixou os olhos e afastou-se discretamente. Eu comecei a segui-la, o que ela pareceu notar; depois abandonou o cais, atravessou a rua e dirigiu-se ao outro passeio. Então já não me atrevi a segui-la. O meu coração batia como o de uma ave presa. Mas naquele momento o acaso veio em meu auxílio.

No referido passeio surgiu de repente um homem junto da desconhecida... um homem de idade madura, mas com uma apresentação que não correspondia à sua idade. Cambaleava e, de vez em quando, apoiava-se às paredes. A moça continuou a andar, de olhos baixos, sem olhar para lado nenhum, com essa ligeireza própria de todas as jovens que não desejam que ninguém se aproxime e se ofereça para acompanhá-las à casa. Também aquele cambaleante cavalheiro não teria coseguido alcançá-la se não tivesse recorrido, com certa malícia, a qualquer coisa que não podia prever-se: sem dizer-lhe uma palavra e sem lhe chamar a atenção, começou a segui-la. Ela ia ligeira como o vento, mas o sujeito aproximou-se rapidamente e alcançou-a; a moça deu um grito e... eu dei graças a Deus pela bengala que levava. Num instante atravessei para o outro passeio; o sujeito compreendeu logo as minhas intenções e reconsiderou; não dise nada, retrocedeu, e quando ia já a uma distância que não nos permitia ouvi-lo, começou a protestar energicamente contra o meu procedimento. Mas nós quase já nem percebíamos as suas palavras.

— Ampare-se ao meu braço — disse eu para a desconhecida. — Assim já ele não se atreverá a aborrecê-la.

Em silêncio pôs a sua mãozinha que tremia ainda de susto e comoção sobre o meu braço. Oh, abençoado cavalheiro! Lancei um rápido olhar à minha desconhecida; era encantadora e morena, conforme logo de longe me tinha querido parecer. Nas suas pestanas pretas brilhavam ainda lágrimas... de medo ou de desgosto, pelo mesmo motivo que a fazia chorar há pouco sobre o cais, quem sabe lá! Mas já os seus lábios tentavam sorrir. Também ela olhou para mim de soslaio; fez-se corada ao ver que eu tinha reparado nesse seu gesto e baixou os olhos.

— Diga-me: por que fugiu de mim com essa pressa? Se eu a tivesse acompanhado, nada daquilo lhe teria acontecido.

— Mas se eu não o conhecia! E pensava que você também...

— Ah! Mas agora também ainda não me conhece!

— Já estou conhecendo mais ou menos. Mas... por que treme?

— Oh! Já vejo que percebeu tudo num instante — disse eu, pois julguei poder deduzir da sua observação que, além de bela, era inteligente. — Então conhece as pessoas logo ao primeiro olhar! Escute: é verdade que eu sou tímido com as mulheres, e não nego que fiquei pelo menos tão perturbado como você, quando há pouco esse cavalheiro lhe provocou um susto... E também agora sinto qualquer coisa parecida com o medo; toda esta noite me parece um sonho, a mim, que nunca cheguei a pensar que pudesse algum dia ver-me nesta situação, falando com uma moça bonita.

— Nunca? Isso é verdade?

— Palavra! E se o braço me treme neste momento. isso se deve unicamente ao fato de que nunca ele sentiu o contato de uma mãozinha tão encantadora como a sua. Eu já não tenho o hábito de lidar com senhoras, o que não quer dizer que alguma vez o tenha tido. Não; eu tenho vivido sempre só, isolado... Nem sequer sei como hei de falar com as mulheres. Por exemplo, não sei se já lhe disse qualquer tolice. Se a disse, peço-lhe que me diga com toda a franqueza, que eu não levo a mal.

— Não, não, nada disso, pelo contrário. E uma vez que me pediu que fosse sincera, digo-lhe francamente que me agrada muito essa sua timidez para com as mulheres. E se quiser saber mais, vou lhe dizer ainda que o acho muito simpático e que só o mandarei sair do meu lado quando chegar a casa.

— É tão encantadora que vou perder a minha timidez — exclamei eu entusiasmado. — Mas então, adeus, probabilidades!

— Probabilidades? Que significa isso? Não, isso aí já não me agrada!

— Desculpe! Foi uma palavra que... me escapou contra a minha vontade. Mas como é que não é capaz de supor que num momento como este eu não tenha podido sentir o desejo...

— De agradar-me?

— Claro! Mas... por amor de Deus, seja generosa! Lembre-se da minha maneira de ser. Já tenho vinte e seis anos... e quase que não tenho convivido com ninguém. Como poderia eu, de repente e sem preparação alguma, sustentar um diálogo segundo todas as regras da arte? Mas há de compreender-me melhor se eu lhe disser tudo francamente, se lhe abrir o meu coração. Eu não posso calar-me quando o meu coração grita... Acredite, eu não conheço nenhuma mulher, nenhuma! Geralmente não encontro quem goste de mim. Mas sonho todos os dias que alguma vez, em algum lugar, hei de encontrar e hei de conhecer alguém... Ai, se soubesse quantas vezes me tenho apaixonado, só em imaginação!

— Mas como é isso possível? E de quem?

— De nenhuma mulher, concretamente, apenas de um ideal que aparece nos meus sonhos. Eu, em sonhos, imagino novelas completas. Oh, ainda não me conhece! Mas que estou eu dizendo! É claro que na minha vida já falei com duas ou três mulheres, mas que mulheres! Estalajadeiras, não é preciso dizer mais nada... Mas olhe, vou contar-lhe qualquer coisa para a distrair. Já por várias vezes tenho estado tentado, na rua, a aproximar-me de alguma jovem e pôr-me a falar com ela sem mais nem menos. É claro que se ela fosse sozinha, agiria respeitosamente mas também ansioso e arrebatado de paixão, e então lhe diria como me sinto só no mundo e ia pedir que não me afastasse do seu lado, pois assim eu perderia a oportunidade de falar com uma mulher. Pensava até dizer-lhe que seria um dever para uma mulher não repudiar as súplicas de um homem tão infeliz como eu. E que afinal aquilo que tenho a pedir-lhe se reduz a que me permita duas palavras fraternas, e a que me dedique um pouco de compaixão e não me afaste do seu lado logo no primeiro momento, e que acredite na minha palavra, e que tenha a paciência de ouvir o que tenho para lhe dizer... e se levar tudo para a brincadeira, tanto faz! Mas que me conceda pelo menos alguma esperança e me diga duas palavras, quando nada para trazer um pouco de alegria ao meu espírito, ainda que nunca mais nos tornemos a ver... Você acha isto engraçado? Bem, afinal eu apenas dizia isto por...

— Não se aborreça comigo. Dou risada porque você é o inimigo de si mesmo. Se tentar, verá como consegue logo o que deseja, ainda que seja em plena rua; e quanto mais simplesmente melhor. Não há mulher nenhuma, a menos que se trate de uma perversa ou de uma tonta, ou que esteja mal disposta nesse momento por qualquer razão, que seja capaz de afastá-lo sem escutar essas palavras que acaba de dizer... Sobretudo se o pedir assim, tão modestamente... Mas não, estou falando tolices! É claro que o tomaria por um doido. Falava segundo os meus sentimentos. Mas eu sei realmente lidar um pouquinho com os homens.

— Oh, muito obrigado! — exclamei eu. — Nem sabe o favor que me fez com essas palavras!

— Pronto, pronto! Mas agora me diga por que é que percebeu que eu sou uma mulher com a qual, bem, a qual considera digna... de sua atenção e da sua amizade... numa palavra: que não sou nenhuma estalajadeira, como dizia há pouco. O que o levou a aproximar-se de mim?

— O que foi? O que foi? Você ia sozinha, aquele sujeito foi atrevido, e além disso é noite; há de reconhecer que era um dever...

— Não, não; eu me refiro ao momento anterior a esse, quando eu ia no outro passeio, ainda no cais. Não tentou aí aproximar-se de mim?

— Ali, no outro passeio? Nem sei o que hei de responder-lhe... Tenho receio... Sim, repare, eu estava hoje tão contente... calcule que sempre a caminhar e a cantar, acabei por me encontrar fora dos limites da cidade; nunca me tinha sentido tão feliz. A senhora, pelo contrário... Mas talvez me tivesse apenas parecido... (desculpe, se a faço lembrar), mas pareceu-me que você chorava... e eu... eu não podia ver uma coisa dessas... Oprimia-me o coração... Meu Deus! Não seria possível eu ajudá-la? Não poderia eu compartilhar os seus sofrimentos? Era pecado que eu sentisse piedade, como um irmão? Desculpe, se falei em piedade... Afinal, dá no mesmo... Pode ofendê-la o fato de que eu involuntariamente sentisse o impulso de aproximar-me e de falar-lhe?

— Está bem, não diga mais nada, já compreendo — interrompeu-me a moça olhando confusa para o chão; e eu senti que a sua mão tremia. — Eu é que tenho a culpa de ter começado. Mas estou satisfeita por não ter me enganado a seu respeito... Bem, estou quase chegando a casa; é já naquela travessa, daqui a dois passos... E por isso despeço-me de você. Adeus e muito obrigada!

— Mas então nunca mais nos tornaremos a ver? Vamos dar assim por terminado o nosso conhecimento?

— Veja como nós somos — disse ela a rir; — a princípio apenas queria dizer-

-me duas palavras, e agora... Enfim, não digo nada de definitivo... Pode ser que nos tornemos ainda a ver!

— Amanhã estarei aqui outra vez — apressei-me a dizer-lhe — Desculpe-me se estou já a tornar-me exigente.

— Sim, lá isso é verdade, não é nada paciente. Quase que está exigindo...

— Escute uma coisa! Escute! — interrompi-a. — Deixe-me dizer-lhe uma coisa... Veja bem, é que tem de ser; amanhã tenho de voltar aqui. Sou um sonhador, mal conheço a vida real, e um momento como este é tão difícil de conseguir para mim, que me seria absolutamente impossível não estar continuamente a evocá-lo nos meus sonhos. Esta noite vou passá-la toda inteira a sonhar com você. Esta noite? Toda a semana, todo o ano! Não tenho outro remédio senão vir postar-me aqui amanhã, neste mesmo local em que agora estamos, à mesma hora e serei feliz recordando o nosso encontro desta noite. Já gosto deste lugar. Como este tenho já outros dois ou três em Petersburgo, que me são queridos. Às vezes até tenho chorado, como a senhora também há pouco chorou, quando uma recordação me assalta de repente... Talvez que a senhora esta noite chorasse também ali, no cais, simplesmente por isso, por ter recordado qualquer coisa... Desculpe-me, tornei a falar na mesma coisa. Talvez um dia tivesse sido muito feliz naquele lugar...

— Bem — exclamou então a moça — eu também estarei aqui amanhã, aí pelas dez. Já vejo que não posso dissuadi-lo... Mas o senhor ainda não sabe do que se trata... É que eu não tenho outro remédio senão vir aqui. Não vá imaginar que por interesse ou razões particulares estou a marcar-lhe uma entrevista. É que não tenho outro remédio senão estar aqui a essa hora, fique sabendo... Mas... bem, vou ser absolutamente sincera: não me importo que o senhor venha também. Em primeiro lugar, talvez até me custasse ver-me só, como hoje; mas isso não interessa. Não; em resumo: terei muita satisfação em tornar a vê-lo, para... trocar com você duas palavras. Mas... não queria que pensasse mal de mim. Não vá imaginar que estou querendo ter um encontro com você... Não faria uma coisa dessas ainda que... Mas é este o meu segredo. Ah! E fique sabendo que há de ser com uma condição...

— Uma condição? Diga, fale! Aceito-a desde já; estou disposto a tudo — exclamei com sincero entusiasmo. — Respondo por mim... Serei obediente e respeitador... Já sabe como eu sou...

— Precisamente por isso, porque já o conheço, é que lhe peço que venha amanhã — disse a moça a rir. — Já o conheço a fundo. Mas, como lhe dizia, venha, mas com uma condição: há de ser amável e fazer o que eu lhe pedir, não é verdade? Escute, estou falando com toda a franqueza, não me faça a corte... Isso não seria possível, de maneira nenhuma. Em troca estou pronta a ser sua amiga a partir deste momento; aqui tem a minha mão... E mais nada, peço-lhe.

— Juro-lhe! — exclamei e apertei a mão que ela me estendia.

— Bem, não é preciso jurar. Eu sei muito bem que o senhor é tão inflamável como a pólvora. Não me leve a mal falar-lhe assim. Mas se soubesse... Não conheci um só homem ao qual pudesse dirigir a palavra ou pedir um conselho. É claro que, geralmente, uma mulher não procura os conselhos de um homem no meio da rua; mas você é uma exceção. Compreendo-o já tão bem como se o conhecesse há vinte anos. Não é verdade que o senhor não é nenhum incorreto e que sabe cumprir a sua palavra?

— Você verá... Não sei é como hei de passar as vinte e quatro horas que faltam até amanhã. Como hei de sobreviver a esta noite?

— Deixe-se dormir a sono solto. Agora, boa noite... E não se esqueça da confiança que depositei em sua pessoa. Mas era tão belo o que disse há pouco! E além disso você tem razão, uma mulher não pode aperceber-se de todos os seus sentimentos, mesmo que se tratasse só de uma compaixão fraterna. Olhe: você disse isso tão bem, que nesse momento me veio a ideia de fazê-lo depositário de toda a minha confiança...

— Sim, mas para quê?

— Amanhã lhe direi. Até lá guardo segredo. É melhor assim; quando souber tudo até há de parecer-lhe uma coisa de romance. Pode ser que lhe conte amanhã; mas também pode ser que não. Antes disso quero ainda falar-lhe de outra coisa; temos de nos conhecer melhor, primeiro...

— Oh! Pela minha parte estou disposto a contar-lhe já amanhã toda a minha vida. Tudo isto para mim faz-me pensar que me está acontecendo qualquer coisa de maravilhoso... Onde estou eu, meu Deus? Mas diga-me: não está arrependida de não me ter repelido quando eu me aproximei? Foram apenas dois minutos, mas tornou-me feliz para sempre. Feliz, sim, é assim mesmo! Quem sabe, é possível até que tenha feito que eu me reconciliasse comigo próprio e dissipasse todas as minhas dúvidas! Talvez eu tenha certos momentos... Ah, não, amanhã vou lhe contar tudo, então há de compreender tudo o que...

— Bem, está combinado! Será você o primeiro a falar.

— Combinado!

— Então, até amanhã!

— Até amanhã!

Separamo-nos. Eu passei toda a noite a andar daqui para ali; não podia decidir-me a voltar para casa. Era tão feliz! Só pensava no nosso próximo encontro.

SEGUNDA NOITE

— Muito bem, são e salvo! — disse-me ela, à maneira de saudação e, sorrindo, apertou-me as duas mãos.

— Já há duas horas que estou aqui. Não sabe o dia que passei...

— Imagino, imagino... Mas vamos ao que interessa. Por que você acha que eu vim? Em primeiro lugar, não vim para dizermos tolices, como ontem à noite. Não, ouça-me, devemos ser mais ajuizados. Pensei muito a sério sobre o caso.

— Mas por que havemos de ser mais ajuizados? Eu, pelo meu lado, estou disposto a isso; simplesmente, parece-me que nunca em toda a minha vida me lembrei de nada tão acertado como ontem à noite...

— Sério? Mas escute: em primeiro lugar peço-lhe que não me aperte a mão dessa maneira; e depois participo-lhe que pensei muito a seu respeito.

— Deveras? Como? E qual foi o resultado?

— O resultado? Acabei por chegar à conclusão de que devíamos voltar os dois ao princípio; pois afinal — disse cá para comigo — eu não o conheço, e você, ontem, *tratou-me como a uma garota*; sim, como se eu fosse uma criança. Donde se conclui que a causa de tudo isto foi eu ter tão bom coração; e acabei pregando a mim mesma um belo sermão, como acontece quase sempre, quando examinamos o nosso procedimento. E por isso, para reparar todos os erros, propus-me informar-me o mais minuciosamente possível sobre tudo o que respeita à sua pessoa. Mas como eu não conheço ninguém que possa fornecer-me quaisquer dados sobre a sua vida, há de ser você mesmo quem me há de contar tudo, mas tudo, e com todos os pormenores. Bem, vejamos: que espécie de homem é você? Vamos, comece, fale, conte-me a sua história.

— História! — exclamei eu assustado — Minha história? Mas quem lhe disse que eu tenho uma história? Eu não tenho história nenhuma...

— Não tem outro remédio senão tê-la... Como podia viver neste mundo sem ter uma história? — respondeu ela a rir.

— Pois, creia-me, eu não tenho história nenhuma! Porque tenho vivido para mim próprio, como costuma dizer-se, só, completamente só, sempre só, completamente só. Sabe o que significa "só"? Pois é isso mesmo...

— Mas como é possível? Só! Então tem passado a vida sem ver ninguém?

— Bem, sem ver ninguém, propriamente... Claro que tenho visto. Mas apesar disso estive sempre sozinho.

— Bem, renuncio a compreendê-lo. Nunca falou com ninguém?

— Falar, verdadeiramente falar, não.

— Mas que espécie de homem é você? Não quererá dizer-me? Não, não, espere, serei eu própria quem vai lhe dizer; você, com certeza, tal como eu, deve ter tido uma avó. A minha é cega e não consente por nada deste mundo que eu me afaste um momento do seu lado; de maneira que já me esqueci quase de falar. Haverá já dois anos fiz-lhe ver que ela não podia impedir que eu lhe pregasse uma partida; que fez ela então? Pegou na aba da minha saia e pregou-a com um alfinete à da sua... e assim passamos agora as duas todo o santo dia, agarradas uma à outra. Ela faz meia, apesar de não ver; e eu tenho de ficar sentada a seu lado, a coser ou a ler um livro... Oh! Às vezes ponho-me a pensar e parece-me estranho que viva assim, já há dois anos, pegada a ela desta maneira...

— Meu Deus, isso deve ser terrível! Mas eu não tenho nenhuma avó...

— Então não percebo por que é que há de estar sempre metido em casa.

— Ouça, quer saber quem eu sou?

— Evidentemente!

— Sério?

— Sim, a sério.

— Pois bem, eu sou um ... tipo.

— O quê? Um tipo? Que espécie de tipo? — perguntou a jovem surpreendida e pôs-se a rir com tanta vontade como se não se risse já há mais de um ano. — Agora é que percebi: é bem divertido conversar com o senhor. Espere, está ali um banco, sentemo-nos. Por aqui não passa ninguém e portanto não podem ver-nos. Bem, comece a sua história. Porque nessa de que não tem história é que eu não acredito. É claro que tem; o que acontece é que não a quer contar. Mas, antes de mais nada, diga-me: o que vem a ser um tipo?

— Um tipo? Um tipo... é um indivíduo original. Uma espécie de misantropo cômico — disse-lhe eu e não pude deixar de rir-me também. — Simplesmente há... como hei de dizer? Há caracteres. Uma coisa: sabe o que é um sonhador?

— Um sonhador? Claro que sei. Eu própria sou uma sonhadora. Às vezes, quando estou sentada junto da minha avó... quantas coisas não penso eu! Quando começo a sonhar, os sonhos vão-se desenrolando por si próprios e já tenho chegado a sonhar que estou casada com um príncipe chinês... Às vezes, faz muito bem, isto de... sonhar. Se bem que, afinal, quem sabe! Sobretudo quando temos outras coisas em que pensar... — concluiu a moça, pensativa, e desta vez com um ar muito sério.

— Ótimo! Se já alguma vez se casou com um príncipe chinês, então forçosamente há de compreender-me. Escute... Mas peço licença: ainda não sei como se chama.

— Ora até que enfim. Sim senhor, realmente lembrou-se muito cedo de me perguntar...

— Meu Deus! Não tinha lembrado disso, sentia-me tão feliz!

— Pois chamo-me... Nástienhka.

— Nástienhka. Só Nástienhka?

— Só. Acha que é pouco, criatura insaciável?

— Muito pouco! Oh, não, de maneira nenhuma! Pelo contrário, já é muito, mesmo muito, minha amiga, que desde a primeira noite se tenha tornado logo para mim Nástienhka simplesmente.

— Também penso o mesmo. Bem: e então, que mais tem para me dizer?

— Pois escute, Nástienhka, que vai ouvir uma história muito engraçada.

Sentei-me a seu lado, fiz uma cara de gravidade pedante e comecei, como se estivesse a ler uma conferência.

— Há aqui em Petersburgo certos recantos verdadeiramente estranhos, que a Nástienhka talvez não conheça. Pode-se dizer que nunca neles bate o sol que brilha para todos os petersburgueses, mas sim outro sol diferente, que foi criado só para eles, e que, parece que brilha ali também de uma maneira diferente, com um fulgor que não existe em parte alguma deste mundo. Nesses cantos de que falo, Nástienhka, parece que se agita outra vida, uma vida que não se assemelha de maneira alguma àquela que nos rodeia, como só poderia existir em um reino distante de muitos milhares de léguas, porém jamais aqui entre nós e nestes nossos tempos tão graves, gravíssimos. Mas, precisamente, essa vida é apenas uma mistura de algo de puramente fantástico, de um ideal fervoroso e, ao mesmo tempo, apesar disso — e infelizmente, querida Nástienhka — de uma obscura rotina e de habitual monotonia, para não chamar-lhe vulgar, vulgar até ao desespero.

— Ufa! Mas que introdução essa! O que virá a seguir?

— Pois virá, Nástienhka... parece-me que nunca me cansaria de lhe chamar Nástienhka... Virá a afirmação de que nesses recantos vivem homens estranhos... seres desses a que as pessoas chamam sonhadores. Um sonhador — para explicar-me mais concretamente — não é um homem, fique sabendo, mas uma criatura de sexo neutro. Geralmente o sonhador costuma viver fora do mundo, num canto retirado, como se se escondesse da luz do dia, e, uma vez instalado no seu esconderijo, vive e cresce nele tal como o caracol na sua concha, ou pelo menos pode dizer-se que é parecido com esse animalejo singular, que é ambas as coisas, o animal e sua própria morada, e ao qual chamamos tartaruga. Mas que imagina? Por que será que ele ama tanto as quatro paredes, invariavelmente pintadas de verde claro, desbotadas, vergonhosamente sujas e denegridas pelo fumo? Por que é que esse homem grotesco, quando algum dos seus raros amigos vai visitá-lo — além disso costuma acontecer que até estes deixem em breve de visitá-lo — se mostra tão atarantado e inibido? É que ele tem todo o aspecto de alguém que cometeu um crime num lugar ermo, que fabrica moeda falsa ou faz poemas para enviá-los a alguma revista, acompanhados de uma carta em que participa que assassinou o autor dos versos, e que, por ter sido seu amigo, se considera no dever de publicar as obras do defunto. Por que, não quererá me dizer, Nástienhka, por que é que durante essas visitas a conversa nunca é muito prolongada, e por que é que dos lábios do amigo caído do céu, que noutras ocasiões, está continuamente gracejando à custa do belo sexo ou de outros temas amenos, nesse momento em que vai visitar o sonhador, não pronuncia nem uma só palavra graciosa? Por que será que este novo amigo se há de sentir, nessa sua primeira visita — em geral nunca passam da primeira — um tanto inibido, e por que será também que, apesar de toda a sua inventiva — supondo que ele possui esse dom — apenas fala por monossílabos, perante a cara desesperada do outro que, num esforço sobre-humano, infelizmente vão, tenta animar o diálogo e pôr em evidência que ele também sabe encaminhar uma conversa e falar do belo sexo, procurando assim atenuar, pelo menos por meio da sua solicitude e boa vontade, a decepção do hóspede que um dia teve a triste ideia de ir cair onde ninguém o tinha chamado? E por que é que o visitante pega tão facilmente no chapéu e se despede com brevidade, com a desculpa de que se lembrou de repente de uma coisa importante que não pode esperar? E por que se liberta tão rapidamente a sua mão de pressão calorosa da mão do outro que, com a maior tristeza na alma, procura ainda reparar aquilo que é já irreparável? Por que será que o amigo que se retira, ainda mal fechou a porta atrás de si, desata logo a rir, e por que jura ele a si mesmo não tornar nunca mais a visitar aquele extravagante, ainda que no fundo não seja má pessoa? E por que não poderia a sua fantasia, durante a visita, negar-lhe o pequeno prazer de comparar a expressão da cara daquele tipo invulgar, com o focinho de um gatinho que, caído entre as mãos de garotos mal-educados, que o atraíram com falsos carinhos, sofre os seus maus tratos e por fim acaba por ir refugiar-se debaixo de uma cadeira num canto escuro, para depois, ali, lamber e relamber a pele, lavar o maltratado focinho com as patas dianteiras e alisá-lo, pôr-se depois a considerar com olhos tristes a natureza das coisas e da vida, e até as migalhas de pão que uma criada compadecida lhe atira das sobras da mesa farta...

— Escute, — interrompeu-me Nástienhka, que durante todo este tempo não tinha deixado de escutar-me com uns olhos muito grandes e a boca entreaberta — escute: não percebo nada de tudo isso, nem tampouco consigo explicar por que é que me faz essas perguntas tão esquisitas. A única coisa que compreendo é que você deve ter-se encontrado em situações semelhantes, sem dúvida alguma.

— Evidentemente — respondi eu muito sério.

— Bem, então se tudo isso é verdade, continue — disse Nástienhka. — Agora quero saber como acaba a história.

— Deseja saber o que é que o nosso herói — ou para melhor dizer, eu, visto que eu, isto é, a minha modesta pessoa, sou o herói da história — o que é que eu faço no meu canto, não é isso? Deseja saber por que razão a inesperada visita do tal amigo me deixa assim transtornado e me faz ruborizar como um endurecido pecador, quando a porta se abre; por que não sei receber o hóspede e desempenho tão desajeitadamente o meu papel de dono da casa...

— Claro, naturalmente desejo saber isso tudo. Mas ouça: você conta tudo isso lindamente, mas não lhe seria possível contá-lo de maneira menos bela? Porque você fala como se estivesse a ler num livro aberto à sua frente.

— Nástienhka — respondi eu num tom importante e severo, enquanto fazia todos os esforços para não rir — querida Nástienhka: eu sei muito bem que conto as coisas de maneira demasiado bela, mas desculpe-me, pois não sei contá-las de outra maneira. Agora, querida Nástienhka, pareço-me com aquele gênio do rei Salomão, que esteve mil anos fechado numa pequena caixa selada com sete selos, e afinal conseguiu romper todos. Querida Nástienhka, agora que nós dois voltamos a nos encontrar depois de uma tão grande separação — porque eu já a conheço desde há muito tempo querida Nástienhka, pois já há muito que ando à procura de alguém... o que é a prova de que eu a procurava e de que o destino tinha escrito que nos havíamos de encontrar precisamente neste local — agora abriram-se mil torneiras na minha cabeça e tenho que vazar o meu coração numa torrente de palavras, se não quiser que elas me afoguem. Por isso lhe peço que não me interrompa, Nástienhka, e me escute paciente e submissamente, pois se não for assim, não continuo...

— Não, não, não. Isso não! Conte, que eu já não torno a abrir a boca!

— Bem, vou continuar. Querida Nástienhka, todos os dias há uma hora, para mim, que aprecio extraordinariamente. Essa hora é aquela em que as lojas, as oficinas e os ministérios se fecham e todas as pessoas se dirigem para suas casas para preparar a refeição do meio-dia, estender-se uns momentos e descansar um pouco, hora em que, durante o caminho, as pessoas se põem a fazer projetos para a tarde e para a noite, e para todo o tempo livre que ainda lhes resta. Nessa hora costuma também o nosso herói (consinta, Nástienhka, que eu fale de mim na terceira pessoa, pois, na primeira, poderia parecer imodéstia), nessa hora, digo, costuma o nosso herói, que também tem o seu trabalho regular, acompanhar os outros durante um pedaço do caminho. Então, um estranho sentimento de bem-estar transparece no seu rosto pálido e um pouco murcho. Com olhos comovidos olha as nuvens vespertinas que deslizam pelo cálido céu petersburguês. Não, não lhe minto ao dizer que ele as vê; na realidade não as vê, porque ele não vê absolutamente nada, mas olha, e olha tudo de um modo inconsciente, como se estivesse cansado ou como se tivesse ao mesmo tempo o pensamento ocupado com outra coisa diferente, longínqua, especial, de tal maneira que não tarda em ter para tudo quanto o rodeia mais do que um ligeiro olhar, e isto ainda quando um acaso consegue distrair a sua atenção. Sente-se quase feliz, pois deu já por terminada a sua tarefa até o dia seguinte; alegre como um colegial que se levanta dos bancos da escola e pode de novo entregar-se às suas brincadeiras e distrações favoritas. Se a Nástienhka pudesse observá-lo escondida, havia de ver como essa alegria começava logo a atuar beneficamente sobre os seus nervos alterados e sobre a sua fantasia, de uma excitabilidade doentia. Julga que ele pensa em comer? Ou na tarde que tem ainda à sua frente? O que será que o preocupa tanto? Será aquele cavaleiro que, com tanta cortesia, e sem dúvida de maneira tão pitoresca, saúda a dama que passa junto dele naquela carruagem magnífica? Não, Nástienhka; que lhe importam todas essas insignificâncias? Agora ele é rico da sua própria vida, da sua vida íntima; tornou-se rico de um momento para o outro, *e o último raio do sol poente não brilhou em vão*, tão cheio de calor vital, ao despertar no seu coração ardente uma multidão de impressões. Agora mal atenta no caminho, cujas particularidades mais pequenas ainda há um momento observava com tão grande interesse. É que a deusa fantasia já o envolveu na sua dourada rede que encheu de visões estonteantes, de uma vida gratuita e prodigiosa: e talvez (quem pode sabê-lo?), talvez o elevasse já, nas suas mãos caprichosas, desde o passeio duro de granito, pelo qual vai caminhando em direção a casa, até o sétimo céu, aquele que fica mais longe deste mundo. Se nesse momento pretendesse, sem mais nem menos, falar com ele e perguntar-lhe onde se encontra nesse preciso instante, por que rua vai a caminhar... ele não poderia responder nem a uma coisa nem a outra e, possivelmente, corando de vergonha, ia lhe responder qualquer coisa, a primeira que lhe viesse à cabeça. Por isso mesmo também ele estaca de repente e se põe a olhar à sua volta, assustado, só porque uma velhota o fez parar no meio do passeio e lhe perguntou por uma rua, que não sabe onde fica. Com uma feição aborrecida e contrariada, continua sempre a caminhar, sem reparar que mais de um transeunte se ri ao vê-lo e que mais de um o segue com o olhar, e que uma senhora que o evitou aflitivamente, de repente se põe a rir como uma menina, tão grotescas se lhe afiguram a cara e o sorriso aéreo, o gesticular das mãos do sonhador. Mas eis que já a mesma fantasia arrebatou nas suas asas travessas a velha, os transeuntes curiosos e os moços rústicos que buscam o descanso da tarde, ali, no Fontanka — suponhamos que o nosso herói se encontre neste momento junto do cais do canal — tudo isso foi apanhado na rede caprichosa da fantasia, tal como a teia de aranha aprisiona as moscas. Com este despojo recém-conquistado entra o extravagante em sua casa, senta-se à mesa e come, e depois de terminada a refeição ainda não voltou completamente a si; até que a infalível Matriona, mal-humorada e taciturna, lhe vem trazer o cachimbo; até esse momento, como disse, ainda não caiu completamente em si, e então repara com assombro que já comeu, sem ter sequer dado por isso. É já escuro no seu quarto e ele tem a alma triste e vazia. À sua volta desvaneceu-se todo um império de sonhos: secretamente, sem ruído, sem deixar provas, como só um sonho pode desvanecer-se, e ele nem sequer poderia contar aquilo que viu. Mas um obscuro sentimento que começa a agitar-se no seu coração, pouco a pouco lhe vai infundindo um novo anseio, afagando, sedutor, a sua fantasia e, sem querer, aí volta à sua frente uma nova cavalgada de visões. Reina o silêncio no pequeno quarto; a solidão e o ócio acariciam a sua imaginação que, suavemente, começa a esquentar-se; produz-se nela um leve movimento, uma espécie de fervura imperceptível semelhante à da água na máquina de café da velha Matriona que anda por ali perto na sua lida, na cozinha, fazendo placidamente o café; demora tanto e só agora começou a ferver... De súbito, ainda antes de ter chegado à terceira página, das mãos do nosso sonhador tomba o livro que maquinalmente, apenas por hábito, tinha tirado da prateleira. A força da sua imaginação voltou a reanimar-se e, como por encanto, eis que surge em seu redor um novo mundo, uma nova vida encantadora. Um novo sonho... uma nova felicidade. Novo, requintado e doce veneno... Oh, que lhe interessa a ele esta vida real! Segundo a sua limitada maneira de ver, nós, os outros, Nástienhka!, levamos uma vida lenta, monótona e vazia. Segundo ele pensa, estamos todos descontentes com a nossa sorte e atormentados, pela existência... E de fato é verdade: há de reparar como entre nós, os que não somos sonhadores, ao primeiro olhar tudo parece frio, árido e hostil, como se tudo fosse mau e inimigo... "Coitados!", pensa o meu sonhador. E não é nada de estranho ele pensar assim. A Nástienhka não pode ver essas visões mágicas que surgem à sua frente, tão sedutoras, tão magníficas, tão sem limites, como que nascidas do próprio nada, visões em cujo primeiro plano aparece sempre, nem seria preciso dizer, o nosso sonhador com o seu eu tão querido. Não pode ver que aventuras, que série inesperada de coisas lhe acontecem. A Nástienhka pergunta: "Mas com que sonha o senhor?". Para que perguntar? Sonho simplesmente com tudo, com tudo... Com o destino de um poeta que a princípio não é reconhecido e mais tarde vem a despertar um interesse universal; na sua amizade com E. T. A. Hoffman, com a noite de São Bartolomeu[7], com Diana Vernon[8], com uma ação heroica na tomada da cidade de Kazan[9] pelo czar Ivan Vassílievitch[10], com uma estrela do tablado, com uma bailarina, com João Huss[11] antes do Concílio, com a ressurreição dos mortos em *Roberto, o Diabo* [12] (conhece essa partitura? cheira a cemitério), com Minna[13] e seus comparsas com a batalha de Berezina[14], com a recitação de uma poesia em casa da condessa V. D., com Dalton, com Cleópatra e *i suoi amanti*, com uma casinha de Kolomna[15], com um cantinho muito petersburguês onde pudesse ter sentadinha a seu lado uma mulherzinha muito amada que, com a boquinha e os olhos muito abertos, o escutasse nos serões do inverno... tal qual como a Nástienhka me está escutando agora, minha pombinha... Não, Nástienhka, que lhe importa a ele, ao nosso apaixonado preguiçoso, que lhe importa esta vida terrestre que a nós tanto nos encanta? Para ele é uma pobre, uma mísera vida que merece compaixão, e nem sequer supõe que também alguma vez há de chegar para ele a hora em que daria com gosto todas as suas fantasias por um só dia dessa vida, e até mesmo, não por um dia alegre, ou por uma felicidade, pois nem sequer há de poder escolher nessa hora de pesar, de arrependimento, e de autêntica dor. Mas por enquanto não chegou ainda esse dia terrível... e ele nada deseja porque paira acima de todos os desejos, porque já os tem todos, porque já está repleto e é o próprio artista da sua vida, e pode a todo instante modelá-la à sua vontade. E surge tão fácil, tão naturalmente, esse fantástico mundo de fábula, como se tudo não fosse senão uma invenção do cérebro. Na verdade somos frequentemente tentados a acreditar que toda essa vida não é uma criação da sensibilidade nem um caprichoso jogo insubstancial ou uma invenção enganadora, mas uma autêntica realidade, uma coisa que existe realmente, algo de real e de palpável. Pois diga-me Nástienhka: por que será que nos instantes dessa vida irreal chegamos a conter a respiração? Por quê? Qual o motivo por que, como por efeito de um sortilégio inexplicável, o nosso pulso bate mais depressa, as lágrimas afluem aos nossos olhos, as faces do sonhador ficam afogueadas e todo o seu ser parece dilatar-se num prazer arrebatador? Por que existem para ele noites inteiras que pas-

---

7   Matança de hugenotes em Paris, na noite de 23 para 24 de agosto de 1572, por instigação de Catarina de Médicis e dos Guises, com o consentimento de Carlos IX, rei da França. Houve então cerca de vinte e cinco mil mortos.

8   Personagem de Walter Scott em *Rob Roy*.

9   Importante cidade a meio caminho entre Moscou e os Urais, próxima do Volga.

10   Ivan IV, conhecido também por Ivan, o Terrível.

11   Reformador religioso tcheco (1369-1415). Adotou as ideias de Wicleff, foi excomungado por Alexandre V e queimado vivo por sentença do Concílio de Constança. Suas cinzas foram atiradas ao Reno.

12   Ópera histórico-legendária, em cinco atos, com música de Meyerbeer e libreto de Scribe e Dalavigne, estreada em Paris, em 1831.

13   Personagem de Walter Scott em *Minna e Brenda*.

14   Rio da Rússia Branca, afluente do Dnieper. Em 1812, ao atravessá-lo, em retirada, as tropas de Napopleão sofreram grande desastre.

15   *A casinha de Kolomna*, poema de Púchkin.

sa mergulhado numa profunda alegria, numa felicidade, sem pensar em dormir nem por um momento? E quando a manhã volta a brilhar com róseos matizes nos vidros das janelas e os primeiros alvores do dia penetram com a sua luz indecisa e vaga no aposento, e o nosso sonhador, rendido e esgotado, se estende no leito e fica adormecido — por que terá ele então a impressão de que vai morrer de pura felicidade, com todo o seu espírito quase doentiamente comovido, e por cima de tudo isto, com uma dor penosa e doce no coração? Sim, Nástienhka; é assim que nós nos iludimos e, como estranhos, julgamos involuntariamente que uma paixão verdadeira, física, comove a nossa alma. Involuntariamente acreditamos que nos nossos sonhos incorpóreos há qualquer coisa de vivo e palpável. Mas que ilusão! Suponhamos, por exemplo, que no peito do sonhador despertou o amor com toda a sua dor inesgotável... Basta que olhemos para ele para ficarmos convencidos da realidade do seu sentimento. Ao vê-lo assim, querida Nástienhka, poderá acreditar que ele nem sequer conhece aquela que ama nesses seus sonhos encantados? Viu-a ele alguma vez que não fosse nas obcecantes visões da sua fantasia? E fez ele outra coisa que não fosse... sonhar com essa paixão? Não é verdade que ela tem sempre continuado, ao longo dos anos da sua vida, levada pela mão... formando os dois um parzinho... e sem preocupar-se com unir a sua vida à do seu rival? Não é verdade que, quando ele se despediu, já tarde, ela se deixou tombar chorando contra o seu peito, sem reparar na tormenta desencadeada debaixo do céu inclemente, sem se aperceber do vendaval que secava as lágrimas sobre as suas faces? Teria sido então tudo isto um simples sonhar acordado... e também o jardim solitário e abandonado, com os carreirinhos cobertos de erva, em que ambos passearam tantas vezes de mãos dadas, erguendo ilusões, e em que se desejaram e se amaram *tão triste e docemente*, segundo a frase da velha canção? E também essa antiga e arruinada mansão senhorial em que ela viveu tanto tempo só e triste, com aquele marido velho e austero que, eternamente calado e carrancudo apoquentava como um espectro os dois amantes que escondiam o seu amor como crianças tímidas? Como sofriam, como temiam, que puro e inocente era esse amor, e como — nem é preciso dizê-lo — como eram maus os outros homens, Nástienhka! E, meu Deus, não tornou ele a vê-la realmente, passado algum tempo, longe da pátria, debaixo de um céu estranho do Sul, num palácio — tinha que ser num palácio — numa cidade eterna e maravilhosa, num salão de baile e ao som de uma música embriagadora? Não teriam eles então estado os dois encostados à janela emoldurada de mirtos e de rosas, e ela, tirando a máscara, não disse ao seu ouvido: "Sou livre!", e ele não a estreitou depois nos seus braços, doido de felicidade, e não se cingiram realmente os seus corpos, e por um instante esqueceram todas as suas dores e o tormento da separação, a casa sombria, o velho conde, o jardim abandonado na pátria longínqua, e o banco em que trocaram os últimos beijos apaixonados, para finalmente se desprenderem os seus braços? Oh, sim! Não há mais remédio senão concordar, Nástienhka, que é uma coisa bem natural que uma pessoa se excite e se faça vermelha, e fique perturbada como um colegial apanhado numa travessura, como se tivesse acabado de guardar uma maçã roubada numa chácara alheia, quando de repente se abre a porta de casa e surge entre os umbrais um garoto sadio, um moço sempre alegre e jovial que nos saúda alegremente, como se nada tivesse acontecido. "Meu caro, acabo de chegar de Pávlovsk"[16]. Meu Deus! Tinha morrido o velho conde e ela estava livre! Sentimo-nos alagados numa felicidade inconcebível. Era esta a notícia que nos traziam de Pávlovsk.

Fiz uma pausa, pois o meu apaixonado solilóquio estava chegando ao fim. Devo dizer ainda que eu tinha uma vontade enorme de irromper numa gargalhada forte, estrepitosa, de deixar sair de dentro de mim qualquer coisa que vinha envolta em risos, pois sentia que efetivamente no meu íntimo começava a bulir e a apertar-me a garganta um diabinho malicioso que me fazia cócegas no queixo e nas pálpebras...

Naturalmente eu esperava que Nástienhka, que me olhava com uns olhos imensos de mulher compreensiva, se pusesse a rir de um modo infantil, irreprimível, e lamentava já ter ido tão longe nas minhas confidências e ter-lhe contado coisas que já há tanto trazia no meu íntimo, e que por isso podia expô-las como se as fosse lendo em algum livro aberto. Durante anos inteiros tinha-me preparado para julgar a mim próprio como um réu e para ditar a minha própria sentença; e agora, realmente, não conseguira conter-me e tinha pronunciado a sentença, se bem que, para falar francamente, sem cair na ilusão de que pudesse ser compreendido. Mas, com grande assombro da minha parte, ela ficou calada por um momento e depois apertou suavemente a minha mão e perguntou-me num tom de estranha e terna simpatia:

— Mas, na verdade, tem passado assim toda a sua vida?

— Toda a minha vida, Nástienhka — respondi — desde que vivo neste mundo, e creio que há de ser assim até o fim.

— Não, isso não; não é possível que seja assim — protestou ela com inquietação visível — e também não é assim. Então também podia ser possível que eu viesse a passar toda a minha vida ao lado da minha avó. Escute: sabe que não é nada agradável levar sempre essa vida?

— Bem sei, Nástienhka, se sei! — exclamei eu sem poder ocultar os meus sentimentos. — E agora sei, melhor do que antes, que perdi inutilmente os melhores anos da minha vida. Sim, bem sei, e este conhecimento dói-me agora mais do que nunca, uma vez que Deus me enviou você, meu anjo bom, para me dizer e demonstrar isso. Agora que estou sentado a seu lado e que falo com você, infunde-me um extraordinário desalento pensar no que há de vir, pois na vida que tenho ainda à minha frente... apenas vejo solidão, e de novo essa vida ociosa, inútil e aborrecida. E que hei de eu sonhar então que seja mais belo do que a vida, depois de ter realmente gozado aqui, ao seu lado, instantes tão felizes? Oh, bendita seja, minha amiga encantadora, por não me ter afastado logo às primeiras palavras! É graças a isso que eu posso dizer que, pelo menos, ainda tive duas noites felizes na minha vida!

— Ah, não, não! — exclamou Nástienhka com os olhos brilhantes de lágrimas. — Não, isso não pode ser. Não nos podemos separar assim. O que são duas noites?

— Ah, Nástienhka, Nástienhka! Sabe que consegui reconciliar-me comigo mesmo para muito tempo? Sabe que daqui para diante já não hei de ter pensamentos tão negros como em muitos momentos anteriores? Sabe que talvez eu já não torne a preocupar-me por ter incorrido num pecado e num delito, se é que uma vida dessas é pecado e delito? E não julgue que exagero de qualquer maneira, Nás-

---

16 Pequena cidade, lugar de vilegiatura, 25 km ao sul de Petersburgo, célebre, na época, pelos seus concertos musicais.

tienhka; não pense isso, pelo amor de Deus! Há momentos em que sinto tal tristeza, tal espanto... Nesses momentos chega a parecer-me e até começo a acreditar, que já não poderei iniciar nenhuma vida nova, pois já por mais de uma vez tive a impressão de que perdia todo o sentimento e toda a sensibilidade para tudo quanto é realidade e vida verdadeira; porque eu me amaldiçoei a mim mesmo; porque às minhas noites fantásticas se seguem momentos de prostração que são terríveis. E para além de tudo isto acabamos por sentir que as massas humanas se agitam à nossa volta em ruidoso tropel, ouvimos e vemos como vivem as criaturas: o que se chama viver, viver de verdade e acordado, e chegamos a verificar que a nossa vida não obedece à nossa vontade, que a nossa vida não se deixa moldar como um sonho, que eternamente se renova e fica eternamente jovem, e nela nenhuma hora é igual à que se segue, enquanto a horrível fantasia, essa nossa força de imaginação, acaba por ficar desconsolada e suscetível, e monótona até a vulgaridade, escrava da sombra, do puro pensamento, escrava das primeiras nuvenzinhas que de repente cobrem o sol e oprimem numa dor amarga o nosso coração que tanto ama esse mesmo sol. E até na própria dor, que fantasia! Sentimos que, por fim, essa mesma fantasia que parece inesgotável, há de esgotar-se na sua eterna tensão, pois nos vamos tornando mais viris e amadurecidos, e superamos os nossos antigos ideais, que se desvanecem e se reduzem a palavras e a pó. E se depois não houver outra vida, temos de nos pôr a reunir os restos desse entulho para com eles voltarmos a refazê-la. E contudo a nossa alma reclama e anseia por alguma coisa completamente diferente. E em vão o sonhador remexe nos seus antigos sonhos, como se ainda procurasse no rescaldo uma centelha, uma só, por pequena que fosse, sobre a qual pudesse soprar, e com a nova chama assim ateada aquecer depois o coração enregelado e voltar a despertar nele o que dantes lhe era tão querido, o que comovia a nossa alma e nos arrebatava o sangue, aquilo que fazia subir as lágrimas aos nossos olhos e que era uma ilusão tão bela. Nástienhka, sabe até onde é que eu cheguei? Sabe que até me vejo na obrigação de celebrar o jubileu das minhas sensações, o aniversário daquilo que um dia foi maravilhoso e que no entanto nunca existiu, pois esses aniversários comemoram todos os mesmos sonhos vãos e loucos? Sabe que apesar disso tenho de o fazer, porque a esses sonhos loucos nem sequer se seguem já outros que os substituam e afugentem. Pois os sonhos precisam também de ser substituídos... Sozinhos, de per-si, nunca terminam e sobrevivem a si mesmos, sabe? Agora procuro de preferência os locais em que um dia fui feliz, feliz à minha maneira, e tento pela imaginação imprimir ao presente a forma do passado que não volta, ou então evocar esse próprio passado; e então, como uma sombra, ponho-me muitas vezes a dar voltas sem objetivo pelas ruelas de Petersburgo. Lembro-me neste momento, por exemplo, de que faz agora um ano, ia eu por este passeio, a esta mesma hora, tão só e triste como hoje. E recordo que os meus pensamentos de então eram tão tristes como os de agora, e se bem que o passado não seja melhor, parece-nos sempre que o foi, como se tivéssemos então vivido mais placidamente e não tivéssemos sentido ao de cima da alma essa vaga melancolia que agora nos persegue; que não sentíamos esses remorsos de consciência que nos atormentam de um modo tão doloroso e persistente, e não nos deixam um momento de repouso, nem de dia, nem de noite. E uma pessoa abana a cabeça e murmura: "Como os anos passam depressa!". E pergunta ainda: "Que fizeste durante esse tempo? Chegaste realmente a viver ou não?". "Olha, dizemos nós para nós mesmos, repara que frio faz neste mundo. Basta que passem mais uns anos para que chegue a espantosa solidão, a trêmula velhice que traz consigo a tristeza e a dor. O teu mundo fantástico há de perder então as suas cores, murcharão e morrerão os teus sonhos, e como as folhas amarelas que tombam das árvores, também eles cairão de ti..." Ó Nástienhka! Que tristeza então vermo-nos sozinhos, completamente sozinhos, e não termos de que nos lamentarmos... nem isso, ao menos! Pois tudo aquilo que perdemos nada era, nada mais do que um zero, um simples zero: apenas uma ilusão.

— Mas por amor de Deus, acabe, não me aflija mais — exclamou Nástienhka enxugando uma lagrimazinha que lhe corria pelo rosto. — Agora tudo isso passou. Agora nunca mais estaremos sós, pois, aconteça o que acontecer, havemos de ser sempre amigos. Escute: eu sou uma pessoa inculta: não estudei muito, embora a minha avó me tenha arranjado professores; mas acredite, eu o compreendo muito, muito bem, pois tudo isso que me contou também eu o sentia quanto estava sentada perto de minha avó. É claro que nunca poderia contá-lo assim tão bem, porque não tenho estudos — acrescentou baixinho, pois o meu patético arrazoado tinha-lhe infundido um certo respeito — mas estou muito contente por ter merecido essas confidências. Agora já o conheço, conheço-o a fundo. E sabe o que lhe digo? Que lhe vou contar também a minha história, desde o princípio até o fim, e depois há de dar-me um conselho. Você é um homem inteligente, já sei; mas há de prometer-me que, depois de me ter escutado, dará uma opinião sincera.

— Ah, Nástienhka! — respondi-lhe. — Eu nunca dei conselhos a ninguém e também não possuo essa inteligência a que se referiu; mas agora vejo bem que se tivéssemos vivido sempre assim, havia realmente de chegar a tê-la, e que poderíamos dar um ao outro grandes conselhos de prudência. Pois bem, encantadora Nástienhka: de que conselho precisa? Diga sem rodeios. Eu estou agora tão contente, tão alegre, sinto-me tão feliz que provavelmente não seria preciso puxar-me pela língua, como costuma dizer-se.

— Não, não! — exclamou Nástienhka com precipitação. — Eu preciso de um conselho prudente, um conselho saído do coração. um conselho sinceramente amigo e que me seja dado, repare, como se você tivesse gostado de mim durante toda a vida...

— Bem, Nástienhka, combinado! — exclamei eu. — Mas acredite que se eu gostasse de você já há vinte anos, não gostaria mais fervorosamente do que neste momento.

— Dê-me a sua mão! — disse Nástienhka.

— Aqui a tem!

— Bem, então muita atenção, que lhe vou contar a minha história.

HISTÓRIA DE NÁSTIENHKA

— Metade da minha história você já conhece, quero dizer, já sabe qu eu tenho uma avó...

— Se a outra metade não é mais comprida do que a primeira... — objetei eu sorrindo.

— Fique em silêncio e escute-me. Antes de mais nada, uma condição: não há de interromper-me, pois, do contrário, acabaria por atrapalhar-me. Portanto, atenção. Eu tenho uma avó. Vivo com ela desde criança, pois fiquei órfã de pai e mãe quando era ainda pequena. Julgo que a minha avó foi rica noutros tempos, porque está sempre a falar dos belos dias que se foram. Foi ela quem me ensinou o francês, embora depois me tivesse arranjado um professor. Aos quinze anos — agora tenho dezessete — deixei de estudar. Foi por essa época que fiz aquela diabrura. Não poderia dizer-lhe concretamente que diabrura foi: basta que lhe diga que não foi nenhuma coisa do outro mundo. Mas ainda assim o resultado foi que a minha avó me chamou uma certa manhã e disse-me que, como não podia vigiar-me por causa de sua cegueira, tinha decidido, e assim o fez, pegar num alfinete e prender as minhas saias às suas, participando-me que havíamos de passar assim a vida as duas se eu não me emendasse. A princípio não encontrei qualquer possibilidade de libertar-me; a única coisa que fiz foi trabalhar, ler e estudar; isto tudo sempre agarrada às fraldas da vovó. Uma vez recorri a uma artimanha e disse a Fiokla que se sentasse no meu lugar. A tal Fiokla é a nossa criada e é surda, coitada. Foi assim que ela tomou o meu lugar quando a avozinha estava já adormecida na sua poltrona. Eu aproveitei e saí correndo em busca de uma amiga que tinha na vizinhança. Mas a coisa não nos saiu bem. A vovó acordou antes que eu tivesse regressado, e perguntou não sei que, julgando que eu estava ao seu lado, como sempre, pois, como disse, ela é cega. Mas Fiokla, que a viu falar, não pôde perceber o que ela dizia por causa da surdez; e foi assim que a infeliz, depois de ter meditado muito sobre o que havia de fazer, tirou o alfinete e, correndo, veio buscar-me...

Nástienhka desatou a rir. Eu, naturalmente, imitei-a. Mas depois tornou logo a ficar séria.

— Olhe, não dê risada da minha avó. Eu, se faço isso, é por causa do cômico da situação. Que havemos de fazer-lhe? A vovó, coitada, é assim... Mas fique sabendo que, apesar de tudo, gosto dela. Pois bem: quando voltei para casa esperava-me um bom carão; tive de ir sentar-me imediatamente junto dela, as minhas roupas foram outra vez presas às suas, e depois... meu Deus! Não podia mexer-me! Ah! Esqueci de dizer que nós, ou melhor, que a minha avó é proprietária de uma casinha, uma casinha de madeira apenas com três janelas na fachada, muito engraçada e tão velha como a sua dona. Mas tem um quarto no andar de cima e a vovó arranjou um inquilino para lá.

— Então também tinham um hóspede? — perguntei eu como por acaso.

— Tínhamos — respondeu Nástienhka — e por sinal que sabia ficar calado, muito melhor do que você. Além disso ele mal sabia mexer a língua. Era um velhinho miúdo, surdo, encarquilhado, tonto, cego e paralítico, de maneira que não podia continuar por muito tempo neste mundo e por isso resolveu morrer. Depois o quarto ficou livre e tivemos de procurar um novo inquilino, pois a renda do quarto e a pensão da vovó são os nossos únicos recursos. O novo inquilino era um rapazinho, que não era de Petersburgo. Como nem sequer tentou discutir o preço do quarto, a vovó alugou-lhe; mas mal ele se tinha retirado, perguntou-me: "Nástienhka, o inquilino é velho ou novo?". Eu não quis mentir-lhe e disse-lhe: "Muito novo, muito novo, não é, avozinha, mas também não é velho".

"E que aspecto tem? É pessoa distinta?", perguntou-me ela ainda. Eu, mais uma vez não quis mentir-lhe. "Sim, avozinha — disse-lhe—tem um aspecto muito distinto." Mas a minha avó suspirou:

— Ah, minha filha! Isto é uma prova a que Deus nos vai sujeitar. Digo-te isto, minha filha, para que não olhes para ele muitas vezes. Os tempos estão de uma tal maneira! Um inquilino pobre e, entretanto, com um aspecto distinto! Antes era tudo muito diferente.

A vovó estava sempre intrometendo os tempos passados na conversa. Nesses tempo ela era mais nova, o sol brilhava mais e aquecia melhor, e a nata não azedava tão depressa... Tudo era melhor no seu tempo. Eu, enquanto ela dizia estas coisas, permanecia sentada e calada; mas dizia cá para comigo: "Que intenção teria tido a avozinha quando me perguntou se o inquilino é novo e distinto?". Mas isso foi um pensamento fugaz, e depois pus-me outra vez a contar as malhas e continuei a fazer meia, como se nada tivesse acontecido. Mas uma manhã... eis que de repente entra o nosso inquilino na sala onde nós estávamos, para nos perguntar pelo tapete que lhe tínhamos prometido para o seu quarto. As palavras começam a enrolar-se. A avozinha fala pelos cotovelos e depois vai e diz-me: "Nástienhka, vai ao meu quarto e traz o ábaco". Eu me pus imediatamente de pé, o sangue subiu-me ao rosto, não sei por quê, ao mesmo tempo esqueci-me completamente de que estava presa às suas roupas e, em vez de tirar o alfinete às escondidas, para que o inquilino não visse, dei um puxão tão forte que acabei indo rolar atrás da cadeira da minha avó. Mas, ao ver que o inquilino tinha percebido tudo, pus-me ainda mais corada e fiquei ali especada; de súbito rompi a chorar... De tal maneira me envergonhava de ter rolado pelo chão. Mas, a vovó então me disse: "Que estás fazendo aí? Por que não vais buscar aquilo que te disse? Anda, vai." Mas eu redobrava o meu choro. Então o inquilino compreendeu que eu estava envergonhada por ele ter assistido à cena, despediu-se rapidamente e foi-se embora. A partir dessa tarde, mal sentia qualquer ruído lá fora, o meu coração dava logo um pulo. "Será o inquilino que nos vem visitar?", pensava eu e em seguida ia e desprendia o alfinete devagarinho, para que a vovó não desse por isso. Mas afinal nunca era ele... Ele não vinha. E assim passaram duas semanas. Até que um dia nos mandou dizer por Fiokla que tinha muitos e bons livros, e se a vovó queria que eu lhe lesse alguns para distraí-la. A vovó, agradecida, aceitou o oferecimento, limitando-se a perguntar-lhe se na verdade eram livros decentes, "pois se são imorais — disse — não poderás lê-los de maneira nenhuma, Nástienhka, porque tiravas deles um mau proveito".

— Então o que é que eu devo ler, avozinha? — perguntei-lhe — O que dizem os livros maus?

— Coisas más, minha filha. É neles que se descreve a maneira como os jovens libertinos seduzem as meninas honestas; como, com a promessa de casamento, as tiram de casa de seus pais e depois as abandonam, e como as desventuradas acabam sempre mal. Eu — disse a minha avó — li muitos desses livros e todos eles — acrescentou — descrevem tudo tão ao natural, que uma pessoa até passa a noite sem dar por isso. E por isso, Nástienhka — concluiu — cuidado com os livros desse gênero. Que livros nos mandou ele?:

— Romances de Walter Scott, avozinha — disse eu.

— Ah! Romances de Walter Scott. Mas tem muito cuidado, pode esconder-se neles algo de suspeito. Quem sabe se ele não pôs entre essas páginas alguma cartinha de amor!

— Não, avozinha, aqui não há nenhuma.

— Vê bem por todos os lados, até na capa; às vezes escondem aí as cartas.

— Não, avozinha — disse-lhe eu — também não há nada na capa.

— Bem; mas não te esqueças que toda a cautela é pouca — respondeu-me ela.

E assim começámos a ler Walter Scott, e em coisa de um mês tínhamos já dado conta de quase metade dos livros. A seguir ele enviou-nos outros, entre os quais vinham as obras de Púchkin, de maneira que eu já não podia estar sem ler e por causa dos livros esqueci-me completamente que podia casar-me com um príncipe chinês. Estavam as coisas neste pé quando por acaso me encontrei um dia com o nosso inquilino na escada. A avozinha tinha-me mandado buscar qualquer coisa. Ele passou e eu me fiz muito corada... e ele também enrubesceu, depois sorriu e cumprimentou-me perguntando-me pela saúde da avó. A seguir perguntou-me se eu já tinha lido os livros. E eu lhe respondi:

— Já, já.

— É mesmo? E de qual é que gostou mais?

Respondi-lhe:

— Aqueles de que mais gostei, foram *Ivanhoé* e as obras de Púchkin.

E com isto, por aquela vez, demos por terminada a nossa conversa. Ao fim de uma semana tornei a encontrá-lo outra vez na escada. Mas nesse dia a avó não me tinha mandado buscar nada, era eu quem precisava de qualquer coisa. Deviam ser duas da tarde eu sabia que era essa a hora a que o nosso inquilino costumava vir a casa.

— Boa tarde! — disse-me ele.

— Boa tarde! — respondi-lhe eu.

— Não se aborrece de estar assim todo o dia sentada perto da sua avó? — perguntou-me.

Ao ouvir aquela pergunta, não sei por quê... o que é certo é que tornei a fazer-me corada, envergonhei-me e fiquei um tanto ofendida com as suas palavras... talvez porque já não fosse ele o primeiro que me fazia aquela pergunta. Estive quase tentada a retirar-me sem responder, mas faltaram-me as forças.

— Você é uma boa menina — disse ele. — Desculpe-me que lhe fale desta maneira, mas garanto-lhe que gostaria de lhe proporcionar uns momentos mais agradáveis do que lhe proporciona a sua avó. Não tem amigas com quem se dê? – Respondi-lhe que não tinha nenhuma, pois Máchenhka, a minha única amiga, tinha ido para Pskov. —Gostaria de vir um dia comigo ao teatro? — perguntou-me ele.

— Ao teatro? — perguntei eu por minha vez. — E minha avó?

— Espere! — disse ele. — Não precisa lhe dizer nada... Pode vir sem ela saber...

— Não — disse-lhe eu; — não quero enganar a vovó. Adeus, passe muito bem!

Ele se limitou a cumprimentar-me, sem me dizer uma palavra. Nessa tarde, logo que acabou de comer, veio visitar-nos. Sentou-se, pôs-se a falar com a vovó e perguntou-lhe se nunca saía de casa, se não tinha amizades... e, de repente, disse:

— Comprei um camarote para a ópera, para esta noite: cantam *O barbeiro de Sevilha*; mas os amigos com quem eu tinha combinado ir esta noite, já não podem, surgiu-lhes inesperadamente um contratempo. Por isso tenho de ir sozinho!

— *O barbeiro de Sevilha*!—exclamou a vovó. — É o mesmo *Barbeiro* que cantavam noutros tempos?

— Sim, minha senhora — respondeu ele. — O mesmo.

E ao dizer isto olhou para mim. Mas eu já tinha percebido tudo, corei, e o coração palpitava-me de ansiedade.

— Então conheço-o! — exclamou a avó. — Como é que não havia de conhecê-lo? Se cantei a parte de Rosina, sobre os palcos, quando era nova!

— Então não gostava de tornar a ouvi-lo esta noite na Ópera? — perguntou-lhe ele. — assim já não se perdia o bilhete...

— Bem, por mim, vou — exclamou a minha avó. — Por que não havíamos de ir? E também Nástienhka nunca foi a um teatro!

Que alegria, meu Deus! Vestimo-nos e marchamos para a Ópera! A vovó está cega e já é muito velhota, mas pelo menos queria ouvir a música e, além disso, aceitou o convite principalmente por minha causa, para que eu me divertisse, pois a não ser por aquele processo, nunca teríamos ido à Ópera. Qual a impressão que me teria feito *O barbeiro de Sevilha*... nem é preciso que lhe diga, pois já deve calcular.

Ele esteve sempre a olhar para mim naquela noite com um ar muito afetuoso, e eu compreendi então que aquilo que ele me tinha dito na escada tinha sido apenas para me experimentar para ver se eu era capaz de ir com ele ao teatro sozinha. E então fiquei muito satisfeita por lhe ter respondido daquela maneira. Quando me deitei, nessa noite, estava tão orgulhosa e tão alegre, e o coração pulsava-me com tanta força que tive até um pouco de febre e estive sempre a sonhar com o tal *Barbeiro*.

Eu pensava, naturalmente, que dali em diante o nosso inquilino iria tornar mais frequente as suas visitas... mas enganei-me Quase nunca mais nos visitou. Apenas o fazia uma vez por mês e somente para nos convidar a ir com ele ao teatro. Ainda fomos mais duas vezes com ele, mas... a mim, aquilo não me agradava. Eu percebia que apenas lhe inspirava compaixão, e nada mais, por causa de estar assim constantemente presa às roupas da minha avó. E quanto mais aquilo se prolongava, mais me aborrecia; não podia estar sentada, nem ler, nem trabalhar, por mais que me esforçasse. Às vezes ria-me e fazia qualquer coisa que eu sabia perfeitamente que ia desgostar a vovó. Mas depois ficava quase a chorar, quando não chorava mesmo a valer. Finalmente acabei por cair quase doente. A temporada da Ópera estava acabando e o nosso inquilino deixou por completo de nos visitar. Mas quando nos encontrávamos — na escada, evidentemente — cumprimentava-me muito sério e silencioso e passava junto de mim como se não me quisesse falar, e quando ele já estava lá em cima há muito tempo, ainda eu estava na escada, corada como uma cereja, pois o sangue subia-me às faces assim que punha os olhos nele.

A minha história está prestes a acabar. Fez precisamente um ano em maio que o nosso inquilino voltou a visitar-nos, depois de uma larga ausência, e disse à minha avó que tinha arrumado já os assuntos que precisava de tratar aqui e que por isso se via obrigado a ir viver durante um ano em Moscou. Quando o ouvi dizer aquilo empalideci e deixei-me cair sobre uma cadeira... Julguei que ia morrer.

Que hei de fazer? Perguntava e tornava a perguntar a mim mesma, torturava a cabeça, afligia-me, até que por fim tomei uma resolução. "Amanhã ele vai-se embora", disse, e decidi-me naquela mesma noite, enquanto minha avó dormia, a preparar também as minhas coisas. Dito e feito. Fiz um embrulho com os meus vestidos e a roupa branca de que precisava e, com o embrulho na mão, mais morta do que viva, subi as escadas até o andar do nosso inquilino. Creio que devia ter levado quase uma hora a subir aquela escada. Quando abriu a porta do quarto, deu um pulo e olhou para mim. como se eu fosse um fantasma. Mas isso foi coisa de um momento. Depois foi logo buscar um copo d'água, que me entregou e me fez beber, pois eu mal podia ficar de pé. O coração batia-me tão forte que até me doía a cabeça e parecia que já nem compreendia nada. Mas quando voltei a mim, a única coisa que fiz foi pôr o embrulho em cima da cama dele, sentar-me ao lado, tapar a cara com as mãos e romper numa torrente de lágrimas. Creio que ele percebeu tudo imediatamente, pois sentou-se junto de mim, ficou muito pálido e deteve-se a olhar-me com tanta tristeza que se me partia o coração.

— Escute — começou — escute, Nástienhka, eu não posso. Eu sou pobre! De momento não posso contar com coisa nenhuma, nem sequer com uma colocação. De que iríamos nós viver se nos casássemos?

Falamos durante muito tempo. Por fim, eu perdi completamente o domínio sobre mim própria e disse que não podia continuar a viver com a vovó, que queria ir-me embora e não estava disposta a consentir que me prendessem pelas saias; que se ele quisesse estava disposta a acompanhá-lo a Moscou, pois já não podia viver sem ele! Vergonha, amor e orgulho... tudo isto eu sentia ao mesmo tempo; e como que atacada de convulsões, deixei-me cair sobre a cama. Tinha tanto medo de um desaire! Ele ficou um momento calado, depois levantou-se, aproximou-se de mim e puxou-me por uma mão.

— Ouve, minha querida, minha boa Nástienhka — disse-me, e a voz dele era trêmula de choro — ouve-me: juro-te que se algum dia me encontrar em situação que possa casar-me, serás tu a minha eleita, aquela que espero me há de fazer feliz. Juro-te que não poderia ser outra senão tu. Mas ouve ainda uma coisa: eu, agora, tenho de partir para Moscou, onde devo ficar um ano. Espero arranjar uma colocação durante este tempo. Se quando eu voltar tu ainda gostares de mim, juro-te que havemos de ser felizes os dois. Mas agora é impossível, estou na maior pobreza e não tenho o direito de prometer-te nada. Mas se daqui a um ano também ainda não estiver na situação de o fazer, esperaremos um pouco mais até que por fim havemos de conseguir o que desejamos...Claro que se até lá não tiveres dado a outro a tua preferência, pois eu não te obrigo com nenhuma palavra, não posso nem devo fazê-lo.

Assim me falou ele e no dia seguinte partiu. Mas antes de se ir embora, ainda nos tornamos a falar e combinamos não dizer nada a minha avó. Foi ele quem assim o quis. É aqui que... acaba a minha história. Desde essa data até agora já passou precisamente um ano. Ele voltou, já há três dias e...

— E quê? — perguntei-lhe eu inquieto.

— Até agora ainda não veio visitar-nos! — terminou Nástienhka esforçando-se por se dominar. — Nem uma palavra, nem uma carta!

Deteve-se, permaneceu um momento silenciosa, baixou a cabeça cobrindo o rosto com as mãos, e rompeu num pranto tão desconsolado que me partia o coração.

Nunca tinha esperado este desfecho.

— Nástienhka! — exclamei, pondo na minha voz a maior bondade e a mais profunda simpatia. — Nástienhka! Pelo amor de Deus, não chore assim! Quem lhe deu essas notícias? Pode ser que ele nem sequer esteja aqui...

— Está aqui, está — confirmou ela com insistência. — Naquela noite, antes da sua partida, combinamos uma coisa... Quando tivemos aquela explicação que acabei de lhe contar, viemos aqui a este lugar, e andamos passeando por aqui. Eram dez horas e estivemos sentados neste mesmo banco. Eu então já não chorava, pois sentia um prazer tão grande em escutá-lo... Ele me afirmava que havia de vir visitar-nos quando voltasse, e que se eu não me opusesse, então diríamos tudo à minha avó. Mas agora, já voltou, sei muito bem, e no entanto não veio ver-nos, não veio!

E começou outra vez a chorar.

—Valha-me Deus! Não sei o que hei de fazer por você! —exclamei e, na minha inquietação, levantei-me do banco, — Diga-me, Nástienhka, não seria possível ir eu procurá-lo e falar-lhe?

— Você, ir procurá-lo — perguntou ela erguendo os olhos de repente.

— Bem, não era bem isso o que eu queria dizer, evidentemente! Mas escute... por que não lhe escreve uma carta?

— Não, isso não pode ser, não me fica bem! — respondeu ela rapidamente, baixando a cabecinha, sem olhar para mim.

— Mas por que não, afinal? Por que é que não pode ser? — continuei, pois o meu plano começava a agradar-me. — A questão está na carta que lhe iria escrever! Há cartas e cartas... Ai, Nástienhka, tenha pena de mim, apesar de tudo! Eu não quero aconselhá-la mal! Acredite que não tem nada de especial que faça isso! Também foi a Nástienhka, afinal, quem deu o primeiro passo... Por que não quer agora?

— Não, não, isso não está certo. Seria quase colocar-me à frente dos seus olhos...

— Ah, que menina esta! — interrompi-a eu sem ocultar o meu sorriso. — E afinal está no seu direito de fazê-lo, desde que ele lhe deu a sua palavra. Além disso ele — segundo que deduzo daquilo que me contou — também é uma boa pessoa — prossegui eu envolvendo-me cada vez mais na lógica das minhas deduções e conclusões. — Como se conduziu ele com você naquela altura? Não é verdade que se comprometeu com aquela promessa? Ele disse-lhe que só se casaria quando estivesse em condição de o fazer, e quanto a você, em compensação, deixou-a em completa liberdade; por isso, se quiser, pode desligar-se dele em qualquer momento... Portanto é a Nástienhka quem deve dar agora o primeiro passo, visto que ele lhe deixou em tudo o direito de prioridade... Precisamente como se se tratasse agora de desligar-se da palavra dada ou de outra coisa qualquer...

— Diga-me: no meu caso, como é que escreveria?

— Escreveria o quê?

— Essa carta...

— Eu... Muito simplesmente... Começava... "Meu prezado amigo..."

— Não há outra solução senão começar assim?

— Não. Mas que tem a objetar a isto? Imagino...

— Não, não, está muito bem, continue!

— Bem. "Meu prezado amigo: desculpe se..." Mas não, essas desculpas são supérfluas. Aqui os fatos bastam para explicar tudo. Por isso diríamos simplesmente: "Venho escrever-lhe e pedir-lhe que me desculpe a minha impaciência, mas fui tão feliz durante um ano, quando vivia na ilusão de que... onde hei de eu ir procurar agora a paciência necessária para suportar um dia só que seja de incerteza? Agora que já voltou e não se dignou vir visitar-me, vejo-me na necessidade de pensar que, com o tempo, devia ter mudado de maneira de pensar. Nesse caso esta carta apenas lhe dirá que não me queixo nem lhe faço qualquer censura. Como havia eu de censurar-lhe alguma coisa, se não é culpa sua que eu não tenha podido prender o seu coração por mais tempo? É este o meu destino... Você é um homem fino e inteligente, e estou certa de que estas minhas toscas linhas não hão de fazê-lo rir nem lhe causarão aborrecimento. Mas no entanto não se esqueça de que é uma pobre moça que lhe escreve, que se encontra completamente só e não tem uma pessoa a quem possa contar as suas penas e pedir um conselho, e que também nunca aprendeu a dominar o seu coração. Mas não se aborreça comigo, se é que incorri na torpeza de, por um instante, abrigar dúvidas na minha alma. Sei muito bem que você não seria capaz de ofender, nem sequer pelo pensamento, aquela que tanto lhe quis e que apesar de tudo ainda..."

— Isso, é isso mesmo! Era isso mesmo o que eu tinha pensado! — exclamou Nástienhka, e os seus olhos brilharam de alegria. — Oh, você dissipou todas as minhas dúvidas! Foi Deus quem enviou você! Muito obrigada, muito obrigada!

— Muito obrigada? Por quê? Por Deus ter me enviado em seu auxílio? — perguntei-lhe e, extasiado, contemplei o seu rosto que refulgia de prazer.

— Sim, por isso mesmo!

— Ah! Nástienhka! Verdadeiramente devemos estar agradecidos a várias pessoas, só pelo fato de viverem conosco ou de viverem tão sozinhas. Eu, por exemplo, estou-lhe muito grato por tê-la encontrado e poder pensar em você daqui para diante.

— Bem, bem, não diga mais nada! Mas agora... Você ainda não sabe tudo. É o seguinte: dessa vez tínhamos combinado que, logo que ele estivesse de volta, me faria saber por alguém nosso conhecido, pessoas boas e simples, que não sabem nada das nossas relações; mas que no caso de não me poder escrever, pois muitas vezes não se pode dizer numa carta tudo o que se deseja, no próprio dia da sua chegada, às dez da noite em ponto, viria a este mesmo lugar, onde nos devíamos encontrar. Eu sei muito bem ele está em Petersburgo já há três dias e, até agora, ainda não recebi duas letras suas nem também me veio ver. De dia é-me impossível sair de casa sem que a minha avó dê conta. Por isso... Oh, se tivesse a bondade de se encarregar de levar a minha carta a essas pessoas de que acabo de lhe falar! Elas a farão chegar às mãos dele. E se tivesse resposta trazia-me aqui às dez da noite... Sim?

— Mas... e a carta? E a carta? Primeiro é preciso escrever a carta! Senão, é preciso deixar tudo para amanhã.

— A carta... — Nástienhka, confusa, olhou para o chão. — A carta... sim, mas...

Deteve-se e não prosseguiu; afastou de mim o seu rostinho que brilhava como uma rosa vermelha, e de súbito senti na minha mão um... um envelope, e naturalmente com uma carta acabada de escrever. E ao mesmo tempo... esse pormenor despertou em mim uma recordação... Aos meus ouvidos de repente uma encantadora e graciosa melodia e...

— Ro... si... na! — cantei eu.

— Oh, Ro... si... na! — cantamos os dois, e ela esteve quase a deixar-se cair de felicidade nos meus braços enquanto ia ficando cada vez mais corada e sorria por entre as lágrimas que, como gotas de orvalho, brilhavam nas suas pestanas.

— Pronto, pronto! Agora vamos despedir-nos! — disse rapidamente. — Aí fica a carta; e pode ver o endereço onde deve entregá-la; está no sobrescrito. Adeus, até breve! Até amanhã!

Apertou-me as duas mãos com muita força, saudou-me também com a cabeça e desapareceu como uma sombra na ruela estreita. Eu fiquei durante muito tempo sem me mexer, no mesmo lugar, seguindo-a com a vista.

— Até breve! Até amanhã! Até amanhã! — repetia eu maquinalmente, depois de ela já ter desaparecido.

TERCEIRA NOITE

Hoje, estava um dia triste, chuvoso, cinzento, turvo e sombrio...

Tal qual como a velhice que me aguarda. E agora assaltam o meu pensamento estranhas e fugidias impressões, surgem-me problemas confusos... e eu não tenho forças nem disposição para resolvê-los. E afinal isso não é da minha conta!

Hoje não nos vimos. Quando ontem nos despedimos apareciam já no céu nuvens escuras e começava a levantar-se uma névoa. Eu insisti: "Amanhã vamos ter um dia nublado". Ela não respondeu. Que havia de dizer? Para ela esse dia era claro e diáfano e nenhuma nuvem podia ensombrar sua felicidade.

— Se chove não nos podemos ver — disse por fim — porque nesse caso não venho à rua.

Eu pensava que ela, hoje, não teria chegado a dar pela chuva; mas não apareceu.

Ontem vimo-nos pela terceira vez... Foi a nossa última noite clara...

Na verdade, é digno de reparo aquilo que a alegria e a felicidade podem fazer de um homem. Como o amor exalta o nosso coração! É como se ele, todo inteiro, se derramasse dentro de outro coração e desejássemos que toda a gente se sentisse feliz e sorrisse, à nossa volta! Como é contagiosa essa alegria! Ontem havia nas suas palavras tanta ternura e no seu coração tanta bondade para mim! Como ela estava atenciosa, expansiva, afetuosa e amável! Como me animava o espírito e me serenava o coração! Oh, de tanta felicidade que sentia até estava lisonjeadora! E eu ... eu tomava tudo aquilo por ouro de lei e pensava que ela ...

Meu Deus, como foi possível que nem sequer tenha pensado nisso? Como podia eu estar tão cego, sabendo como sabia que tudo aquilo pertencia a outro, e quando devia ter dito a mim mesmo que toda aquela sua ternura e carinho ... sim, todo o carinho que ela me demonstrava ... mais não eram do que a expressão da sua alegria perante o encontro próximo com ele, e o seu desejo de fazer-me compartilhar a sua alegria, ou simplesmente de desabafá-la comigo? Mas ele nunca mais aparecia e nós os dois esperávamos em vão; e ela, ao ver que ele não vinha, começou a ficar triste, preocupada e taciturna. Os seus movimentos e as suas palavras já não tinham a mesma ligeireza alada de há pouco, nem também respirava já o mesmo abandono confiante. Mas então, coisa estranha! Redobrou a sua atenção e afetuosidade para comigo, e me pareceu então que tudo aquilo que ela desejava para si e que a trazia num desassossego, ainda que por acaso nunca viesse a consegui-lo, desejaria involuntariamente oferecer a mim. E, tremendo pela sua felicidade, cheia de angústia e de nostalgia, compreendia finalmente que eu também amava, que eu a amava a ela, e então a sua alma sentiu piedade do meu pobre amor. Porque quando somos infelizes ficamos mais aptos a compreender o sofrimento alheio; a nossa sensibilidade, assim não se degrada, mas, pelo contrário, adensa-se e acumula-se...

Saí ao seu encontro cheio de ansiedade, pois só com muito custo me foi possível esperar pela hora da entrevista. Mas não podia imaginar o que me aguardava nesse instante, nem tampouco previa a maneira tão invulgar como tudo isto ia terminar. Ela estava radiante de júbilo, aguardando a resposta do outro. E a resposta era ele próprio quem deveria trazê-la... ele que, sem dúvida, se daria pressa em acudir à sua chamada... Ela estava firmemente convencida disso. Havia já uma hora que ela esperava ali, quando eu cheguei. A princípio, tudo quanto eu dizia dava-lhe vontade de rir. Quis continuar a falar, mas, de repente... calei-me.

— Sabe por que estou eu tão contente? — perguntou-me ela — e me sinto tão satisfeita por o ver? Por que estou tão carinhosa para com você?

— Diga — perguntei eu, e o meu coração batia...

— Pois eu lhe tenho toda esta amizade porque você não se apaixonou por mim. Outro, no seu lugar, teria começado por me importunar e aborrecer, teria suspirado e fingido que estava doente. Mas você foi tão franco e tão simples!

E apertou-me a mão com tanta força que por pouco eu não gritava. E riu-se outra vez.

— Meu Deus! Como você é meu amigo! — continuou depois de uma pausa cheia de seriedade. — Acredito verdadeiramente que foi Deus quem o enviou. Que teria sido de mim se não o tivesse ao meu lado? Tem sido tão bom para mim! Se eu me casar havemos de continuar assim, amigos... como dois irmãos. Hei de gostar de você quase tanto como dele...

Custaram-me estas palavras e, naquele mesmo instante, senti um desgosto imenso; mas a seguir, qualquer coisa semelhante a um sorriso se esboçou na minha alma.

— Está muito desassossegada —disse-lhe — pois, no fundo, tem medo que ele não venha.

— Mas que ideia! Se não estivesse tão contente, é muito provável que me fizesse chorar com essa sua descrença e com as suas censuras. Além disso não tem feito outra coisa senão insistir numa hipótese que pode trazer-me muitas contrariedades. Mas isso fica para depois; por agora confesso-lhe que adivinhou. Eu estou verdadeiramente... fora de mim! Eu sou toda ansiedade e percebo tudo e tudo ouço como através de uma nuvem... Mas basta... não falemos mais de sentimentos...

E eis que de súbito ouvimos uns passos e vimos sair da obscuridade um transeunte que se encaminhava para nós. Estremecemos, e pouco faltou para que ela não desse um grito. Eu retirei o meu braço, no qual ela apoiava a sua mãozinha e dei meia volta para escapar-me sem ser visto. Mas tínhamo-nos enganado: era um estranho, que seguiu tranquilamente o seu caminho.

— De que tem medo? Por que retirou o braço? — perguntou-me ela amparando-se novamente em mim. — Isso não tem nada de especial! Havemos de ir ter com ele, de braço dado. Quero que ele veja que nos estimamos.

— Oh, como nós nos queremos! — exclamei eu.

"Oh Nástienhka, Nástienhka — pensei em silêncio. — O que disseste com essas palavras! Com um carinho desses, Nástienhka, até o coração pode gelar... e encher-se de uma tristeza mortal... A tua mão está fria, Nástienhka, enquanto a minha arde como lume. Como és cega, Nástienhka! Oh, uma criatura feliz, às vezes pode tornar-se insuportável! Mas eu, para ti, nunca podia ser mau..."

Finalmente o meu coração estava tão cheio que, quisesse ou não quisesse, não tive outro remédio senão começar a falar:

— Nástienhka! — exclamei. — Sabe como passei o dia de hoje?

— Não... Como foi? Conte-me imediatamente! Por que é que ainda não me disse?

— Pois olhe, Nástienhka, esta tarde, depois de ter cumprido tudo quanto me mandou, de ter entregue a carta àquelas pessoas, voltei para casa e fui dormir...

— E então foi só isso o que fez durante o resto do dia? — perguntou-me ela a rir.

— Sim, pouco mais — respondi eu, dominando-me rapidamente, pois sentia que as lágrimas queriam saltar-me aos olhos com toda a força. — Acordei uma hora antes daquela que estava combinada para o nosso encontro; mas a mim parecia-me que não tinha dormido nada. Não sei o que se passava comigo. E quando vinha para aqui parecia-me que o fazia apenas para lhe vir contar. Era como se o tempo tivesse parado, como se daí para diante apenas uma única sensação, um único sentimento, viessem a dominar-me por completo, como se um só momento houvesse de preencher toda a eternidade, e como se em mim a vida tivesse estancado... Quando acordei lembrei-me de umas frases musicais, que eu talvez tivesse ouvido alguma vez, já há muito tempo, mas que depois tivesse esquecido. E parecia-me que minha vida tinha abandonado a minha alma havia muito e que agora só...

— Ah! Meu Deus! — interrompeu-me Nástienhka. — Que quer dizer com isso tudo? Não estou entendendo.

— Ah! Nástienhka! Procurava explicar-lhe de qualquer maneira essa estranha sensação — disse eu com voz triste, mas na qual se encerrava uma esperança, embora muito longínqua.

— Está bem, muito bem, mas não continue! — exclamou ela com rapidez...

Num instante tinha percebido tudo, a velhaca!

Pôs-se muito falante e alegre, e até vulgar. Agarrou-se ao meu braço, ria, falava, esforçava-se por que eu também risse, e qualquer palavra minha mais comovida arrancava-lhe logo uma grande e sonora gargalhada... Comecei a sentir-me um tanto aborrecido e ela então se pôs a coquetear comigo.

— Sabe de uma coisa? — disse — Confesso-lhe que estou um tanto desapontada por você não se ter apaixonado por mim. Por aí se vê que as mulheres nunca podem acreditar nos homens! No fim de contas não tem outro remédio senão reconhecer, meu inconquistável senhor, que sou uma mulher inocente e sincera. Eu digo-lhe tudo, tudo, qualquer que seja a maluqueira que me venha à cabeça.

— O quê? Escute! Onze horas! — disse eu quando se ouviu ao longe a primeira badalada vagarosa do relógio da torre.

Ela calou-se, o seu riso desvaneceu-se e pôs-se a contar as badaladas.

— É verdade, já são onze horas — disse finalmente com uma voz um tanto insegura e perplexa.

Depois lamentei tê-la interrompido e deixei-a contar as badaladas do relógio. E recriminei-me a mim próprio da má intenção que me tinha impelido. Senti-o por ela. E não sabia como havia de reparar a minha falta. Procurei consolá-la e arranjar razões que justificassem a ausência do outro. Citei vários exemplos, formulei conclusões; e, na verdade, nunca ninguém se deve ter deixado convencer com mais facilidade do que ela, naquele momento, como qualquer de nós teria igualmente acolhido, em semelhantes circunstâncias, uma palavra de consolo, e teria mesmo agradecido a mais insignificante justificação.

— Sim, e, além disso — continuei, defendendo o outro cada vez com maior resolução e, ao mesmo tempo, muito impressionado pela claridade dos meus próprios argumentos — ele não podia vir hoje. A Nástienhka contagiou-me a sua inquietação e o seu desassossego, a tal ponto que me esqueci do tempo... Mas lembre-se que ele talvez só agora tenha recebido a sua carta. Suponhamos que, por qualquer motivo, se vê impossibilitado de vir pessoalmente e tem de escrever-lhe... Assim, só amanhã é que poderá receber a carta dele. Eu irei até lá amanhã muito cedo e digo-lhe o que se passa. E podemos ainda supor muitas outras coisas, igualmente prováveis: suponhamos, por exemplo, que, quando a carta chegou, ele não estava em casa e que, por isso, ainda não a leu. Tudo é possível!

— Bem, isso é verdade! — concordava logo Nástienhka. — Não me tinha lembrado disso, claro que tudo é possível! — confirmava com voz condescendente e cheia de conformidade, mas na qual, no entanto, como uma leve e desagradável dissonância, transluzia um pensamento diferente.

— Então vamos fazer uma coisa: amanhã muito cedo você vai à casa dessas pessoas conhecidas e, se elas tiverem qualquer coisa para mim, vem logo dizer-me. Sabe onde eu moro? — E indicou-me a sua morada.

Depois, de um momento para o outro, pôs-se outra vez muito carinhosa para comigo e, ao mesmo tempo, parecia tomada de uma certa timidez... Na aparência, pode-se dizer que me escutava com muita atenção... Mas quando eu lhe fiz uma pergunta ficou calada e afastou os olhos dos meus, perturbada. Eu me inclinei um pouco para frente para poder ver-lhe o rosto e, na verdade, ela estava chorando.

— Mas o que é isso? Você está parecendo um nenê! Uma garotinha sem pingo de juízo! Vamos... Para que essas lágrimas?

Ela tentou sorrir e dominar-se; mas o rosto estremecia-lhe e o seu peito agitava-se cada vez mais.

— Estava pensando em você — disse ela após um silêncio. — É tão bondoso... Seria preciso que o meu coração fosse de pedra para que eu não sentisse isto. Sabe o que pensei? Pus-me a compará-los, aos dois. Por que é que ele não há de ser... você? Por que não será ele como você? Ele vale muito menos e no entanto eu gosto mais dele do que de você.

Eu não respondi. Mas ela parecia esperar que eu fizesse qualquer observação.

— É possível que eu não o compreenda e que não o conheça muito bem. Mas sabe uma coisa? Acho que tenho um certo medo dele. Estava sempre tão sério e tão... como se estivesse também sempre cheio de orgulho. Provavelmente tudo isso seria só na aparência, porque no seu coração deve haver mais ternura do que no meu... E também sei como ele me olhava quando... me apresentei no seu quarto com o embrulho da minha roupa... E no entanto é assim, é como se ele estivesse muito acima de mim, sim, como se não fôssemos os dois da mesma condição, como se pertencêssemos a classes sociais diferentes!

— Não, Nástienhka, tudo isso significa apenas que você o quer mais do que a ninguém neste mundo e até muito mais do que a si mesmo.

— Bem, pode ser que seja assim — respondeu Nástienhka ingenuamente. — Mas sabe a ideia que me veio agora mesmo? Que daqui em diante já não falo mais nele mas de coisas comuns... Já há muito que o tinha pensado. Explique-me: por que não havemos todos de ser como irmãos uns para os outros? Por que motivo, quando nos encontramos diante de outra pessoa, mesmo que ela seja a melhor do mundo, havemos sempre de esconder e de calar qualquer coisa? Por que não havemos nós todos de dizer com absoluta sinceridade aquilo que trazemos no coração, quando sabemos muito bem que as nossas palavras não seriam em vão? Parecemos todos mais frios e taciturnos do que somos na verdade; é caso de dizer que as pessoas têm medo de se comprometer expondo com franqueza os seus sentimentos...

— Ah! Nástienhka! Você tem muita razão; mas isso deve-se a várias causas — respondi eu, ao mesmo tempo em que me fechava melhor na minha concha e guardava para mim os meus mais íntimos sentimentos.

— Não, não! — contradisse ela com profunda convicção. — Você, por exemplo... não é como os outros... Eu... desculpe-me, não sei como explicar-me, mas parece-me que... por exemplo, neste momento... Sim, parece-me que precisamente neste momento está fazendo um sacrifício por mim — disse ela quase balbuciando e olhando-me de fugida. — Desculpe lhe falar assim. Sou uma jovem simples; mal conheço ainda a vida e, verdadeiramente, muitas vezes nem sei me explicar bem — acrescentou com uma voz em que vibrava um sentimento oculto, enquanto se esforçava por sorrir. — Mas quero dizer-lhe que lhe estou muito grata, que sei muito bem e que sinto... Desejo que Deus lhe dê todas as felicidades! Quanto àquilo que me contou acerca dos seus sonhos, parece-me que não é verdade; isso não tem nenhuma relação com a sua pessoa... Você tem de ser bom e, acima de tudo... pelo que me disse, vejo bem que é um homem diferente. Mas é claro que se alguma vez se apaixonar... queira Deus que seja muito feliz! E para essa a quem você vier a amar, nem é preciso desejar mais nada, pois, em sua companhia, por força que há de ser feliz. E digo isso porque sou mulher, pode acreditar em mim...

Calou-se e trocamos um amistoso aperto de mãos. Eu também estava muito comovido para poder falar. Ficamos ambos calados.

— Sim, já não virá hoje — disse ela por fim, levantando a cabeça. — Já é muito tarde.

— Virá amanhã — disse eu num tom de voz firme e convencido.

— Sim — disse ela muito satisfeita — agora vejo muito bem que hoje era demasiado cedo e pode ser que amanhã também não venha. Bem, então até breve, até amanhã! Se chover, pode ser que eu não saia. Mas depois de amanhã... depois de amanhã hei de vir sem falta, e você... venha também sem falta. Quero vê-lo para lhe contar tudo.

Quando nos despedimos estendeu-me a mão e disse-me, pousando os seus olhos sobre os meus, num olhar franco:

— Daqui para diante nunca mais nos tornaremos a separar, não é verdade?

— Oh, Nástienhka, Nástienhka! Se soubesses como estou só neste mundo!

No outro dia, quando bateram as nove da noite, já não pude ficar nem um momento mais no meu quarto; vesti-me e saí para a rua, apesar da chuva. Fui até o lugar onde nos costumávamos encontrar e sentei-me no banco. Passado pouco tempo levantei-me e fui até a rua em que ela morava; mas depois enchi-me de vergonha e, a dois passos da sua casa, retrocedi sem levantar sequer os olhos para as janelas. Cheguei a casa num estado de espírito como nunca tinha experimentado. Que sombrio, que úmido e que aborrecido tudo! "Se fizesse bom tempo — dizia para comigo — havia de passar a noite toda vagabundeando por essas ruas... É preciso esperar até amanhã, amanhã ela vai contar-me tudo."

No entanto acabei por confessar a mim próprio que ele não tinha respondido à sua carta; pelo menos, hoje, não respondeu. Mas isso é perfeitamente natural. Para que havia ele de escrever-lhe? Há de vir mas é vê-la pessoalmente...

Quarta noite

Meu Deus! Como acabou tudo isto!

Às nove da noite estava no local combinado. Vi-a logo de longe; estava de pé, tal como na primeira vez em que a vi no cais; apoiava-se à balaustrada e não sentiu que eu me aproximava.

— Nástienhka! — exclamei sem poder dominar a minha comoção.

Ela estremeceu, voltou-se e olhou para mim.

— O quê! — disse — Tão depressa!

Eu olhei para ela sem compreender.

— Deixe ver! Dê-me a carta! Trouxe-a?

E estendeu a mão para a balaustrada.

— Não, não trago carta nenhuma — eu respondi devagar. — Mas ele não veio?

Ela empalideceu intensamente e ficou a olhar para mim. Tinha perdido todas as esperanças.

— Que Deus o proteja! — exclamou finalmente com voz vacilante e lábios trêmulos. — Que Deus o proteja, visto que me abandona!

Baixou os olhos... Depois tentou erguê-los para me olhar, mas não pôde. Durante um momento permaneceu assim, até que conseguiu dominar a sua perturbação; depois voltou-se de repente, apoiou os cotovelos na amurada e começou a chorar.

— Acalme-se! Sossegue! — eu disse procurando consolá-la; mas diante daquela dor não tive coragem para prosseguir... Que podia eu dizer-lhe?

— Não tente consolar-me — exclamou ela chorando —, não me fale dele; não me diga que ainda há de vir e que não é verdade que ele me tenha abandonado de maneira tão cruel e desumana. E por quê? Por quê? Havia alguma coisa de mau na minha carta, nessa pobre carta?

Os soluços abafaram de novo a sua voz. Achei que meu coração ia estalar de dó.

— Oh, que crueldade! — insistia ela. — Nem uma linha, nem uma palavra! Se ao menos tivesse respondido, se ao menos tivesse escrito, ainda que fosse só para me dizer que já não me queria! Mas assim... Nem uma linha, nem uma palavra em todos estes dias! Como lhe foi fácil magoar-me, a mim, pobre moça desamparada, cujo único pecado consiste em amá-lo! Oh, como tenho sofrido nestes três dias! Meu Deus! Deus do Céu! Lembrar-me eu de que me aproximei dele pela primeira vez, sem que ele me tivesse chamado nem me tivesse pedido, que me rebaixei diante dele e chorei e até lhe pedi um pouco, só um pouco de amizade! E agora, isto... Não, fique sabendo — encarou de novo comigo e os seus olhos negros cintilavam — que isto não é possível! Isto não pode ficar assim! Talvez ele não tivesse recebido a minha carta! Talvez a estas horas nada saiba ainda a este respeito. De outra maneira não se compreende, julgue por si próprio, fale por amor de Deus, explique-me... Eu não posso compreender... como é que um homem é capaz de se conduzir com tanta vilania como ele se conduziu comigo. Não ter respondido nem sequer uma palavra à minha carta! O homem mais vil deste mundo teria sido mais compreensivo! A não ser... a não ser que lhe tenham dito mal de mim! — encarou de repente comigo. – Não acha? O que lhe parece?

— Olhe, Nástienhka, amanhã irei eu próprio vê-lo em seu nome.

— Isso!

— Vou lhe perguntar simplesmente o que se passa e lhe contar tudo.

— Sim, e que mais havemos de fazer?

— A Nástienhka vai escrever-lhe outra carta. Não diga que não! Hei de obrigá-lo a apreciar o seu procedimento, explicarei tudo, e se ele...

— Não, meu bom amigo, não! — atalhou ela. — Deixemos isso. Ele não tornará a ouvir uma palavra minha. Eu já não o conheço, já não gosto dele, hei de fazer por... es... que... cer...

Não continuou.

— Acalme-se, acalme-se! Sente-se aqui neste banco, Nástienhka — disse-lhe eu e levei-a até o banco, um pouco mais adiante.

— Já estou sossegada. Pronto. Acabou-se. Saberei conter as minhas lágrimas! Acha que vou me matar por causa disto, ou adoecer?

O meu coração parecia estalar. Quis falar mas não pude.

— Escute — continuou ela pegando-me na mão — você não seria capaz de se portar desta maneira, não é mesmo? Não seria capaz de responder com uma gargalhada trocista a uma pobre moça que se tivesse dirigido a você por não saber dominar o seu fraco e ingênuo coração, não é verdade? Com certeza que havia de saber apreciá-la melhor. Você teria dito que ela estava sozinha no mundo, que não conhecia nada da vida e não sabia apreciar-se a si própria e defender-se do amor que lhe tinha, e que não tinha culpa de nada... que ela não tinha feito nada de mau... Oh, meu Deus, oh, meu Deus!

— Nástienhka — exclamei eu, incapaz de dominar a minha comoção por mais tempo. — Nástienhka, você me martiriza! Dilacera o meu coração, Nástienhka, me mata! Eu já não posso calar-me por mais tempo! Eu tenho de falar, preciso de lhe dizer o que já não me cabe no coração!

Enquanto dizia isto levantei-me do banco. Ela me pegou na mão e olhou para mim assombrada.

— O que tem? — perguntou-me por fim.

— Deixe que eu lhe diga tudo, Nástienhka! — implorei-lhe com decisão. — Nástienhka, não tenha medo daquilo que eu lhe vou dizer, pois é um disparate, um impossível e uma tolice. Já sei que nunca há de realizar-se; mas não posso calar-me por mais tempo! Peço-lhe, por tudo aquilo que agora sofre, suplico-lhe, imploro-lhe que me perdoe desde já!

—Mas então o que é? De que se trata? — tinha deixado de chorar e fitava-me com muita atenção. Os seus olhos admirados demonstravam uma curiosidade singular. De que se trata?

— É impossível, Nástienhka, bem sei, mas eu... eu a amo, Nástienhka! Esta é a verdade! Pronto, já lhe disse tudo! Agora já sabe se daqui em diante pode continuar a falar-me como tem feito até aqui e também se deve ouvir o que ainda tenho para lhe dizer...

— Bem... Mas que tem isso? Tem alguma coisa de extraordinário? Eu já sabia que você me amava; sempre me quis parecer que... me... sim, que me tinha alguma afeição! Ai, meu Deus...

— A princípio, sim, era só isso, Nástienhka; mas agora! Agora eu estou na mesma disposição de espírito que a Nástienhka, quando se foi apresentar no quarto dele com o embrulhinho das suas roupas. Não, eu estou ainda em piores condições do que a Nástienhka, pois ele, então, não amava outra mulher... Enquanto a Nástienhka ama outro homem...

— Que quer dizer com isso? Eu... eu não o compreendo. Mas diga: por quê? Ou melhor: para que tudo isso e assim tão de repente? Meu Deus! Que tolices eu digo! Mas você...

Nástienhka estava perturbadíssima, suas faces se ruborizaram e fixou a vista sobre o chão.

— Que hei de eu fazer, Nástienhka, que hei de eu fazer? Sou culpado, cometi um abuso. Oh, não! Nástienhka, eu sou inocente. Sinto, percebo claramente que o coração me diz que estou no meu direito, que, com isto, não posso ofendê-la nem magoá-la. Eu era seu amigo; bem, pois agora continuarei a ser ainda seu amigo... Não cometi nenhuma traição nem me portei deslealmente. Repara, Nástienhka, estou chorando. Que importa? Isso não prejudica ninguém. Hão de secar por si mesmas, estas lágrimas.

— Mas, sente-se, sente-se — e quis obrigar-me a sentar-me. — Ai, meu Deus!

— Não, Nástienhka, não me sento! Agora já não posso continuar aqui por mais tempo e você nunca mais há de tornar a ver-me; vou lhe dizer tudo e depois vou me embora. Nunca poderá saber até que ponto eu lhe quero. Mas eu devia ter sabido guardar segredo e não afligi-la neste momento, falando-lhe assim de mim com tanto egoísmo. Não! Mas eu... não fui capaz de me conter! Você começou a falar dele, portanto a Nástienhka é quem tem a culpa, a culpa de tudo; mas eu sou inocente. Apesar de tudo não pode afastar-me do seu lado, assim, sem mais nem menos...

— Mas eu não o afasto! — afirmou Nástienhka, fazendo o possível por dominar a sua perturbação.

— Não? É verdade que não? E eu que estava para ir já embora... Seja como for, tenho de ir; mas antes quero dizer-lhe tudo, pois há pouco, enquanto a Nástienhka falava e chorava, e estava à minha frente com a sua dor, e tudo isso porque... Bem porque... Digo-lhe, Nástienhka, pelo desdém a que a votavam, se soubesse quanto amor eu sentia por você no meu coração, quanto amor! E custava-me tanto não poder valer-lhe com todo esse amor, o meu coração parecia que ia saltar e... e... não pude calar-me mais; precisava falar, Nástienhka, tinha de ser!

— Está bem! Fale, fale calmamente! — disse Nástienhka de súbito, com uma comoção inexplicável. — Talvez estranhe que eu lhe diga isto, mas... sim, fale! Mais tarde lhe explicarei, lhe contarei tudo!

— Só inspiro compaixão a você, Nástienhka; o que sente é apenas piedade por mim. Mas o que está feito, está feito. Depois de termos falado já não podemos retirar as palavras. Não é verdade? Bem, agora já sabe tudo. Este é o nosso ponto de partida. Até que extremo chegamos, já o sabe, se é que me está escutando. Quando a Nástienhka se sentou aqui e se pôs a chorar, eu disse para comigo... Ah, por favor, deixe-me dizer-lhe o que pensei! Disse para comigo que a Nástienhka... seja lá pelo que for... Bem, numa palavra: que fosse lá pelo que fosse, a Nástienhka tinha deixado de gostar dele. Depois... isto pensei ontem, Nástienhka, e antes de ontem, que você não tinha outro remédio senão gostar de mim. A Nástienhka dizia, sim, foi a própria a dizer que já tinha um pouco de amizade por mim. Bem... e que mais? Sim, isto é quase tudo o que eu tinha para dizer-lhe. Só me falta dizer-lhe o que será isso, do seu amor por mim. Mais nada! Por isso ouça-me com toda a atenção, minha amiga... pois com certeza que pelo menos minha amiga não deixou de ser... Evidentemente que eu não passo de um homem ingênuo, pobre e insignificante; mas isso agora não interessa... Não sei o que me acontece, que acabo sempre por me pôr a falar de outras coisas; mas isso é por causa da minha comoção, Nástienhka... Eu estou disposto a amá-la tanto, tanto que, ainda que a Nástienhka continue a amar esse homem que eu nem sequer conheço, havia de verificar que o meu amor não lhe traria nenhum inconveniente. Havia de sentir somente, e isto a todos os momentos, que junto de você palpitava um coração agradecido, oh, sim, muito agradecido, fervoroso, e que por você... oh, Nástienhka, Nástienhka! A que me reduziu você!

— Mas não chore, não quero que chore! — disse Nástienhka levantando-se rapidamente do banco. — Vamo-nos embora, venha, não chore, não chore mais! — e enxugou-me as faces com o seu lencinho. — Venha, vou dizer-lhe uma coisa... Se ele já não quer saber de mim e já me esqueceu... mesmo que eu continue a gostar dele... não posso ocultá-lo a você, nem quero enganá-lo... Ouça e responda-me depois. Se eu, por exemplo, chegasse a amá-lo a você, isto é, se eu... Oh, meu amigo, meu querido amigo! Quando penso como deve tê-lo magoado e feito sofrer, quando o elogiava precisamente por me não ter feito a corte! Oh, meu Deus! Como é que eu não fui capaz de prever uma coisa destas? Como eu pude ser tão tola, como...? Mas está bem; estou decidida e vou dizer-lhe tudo...

— Não, Nástienhka: sabe de uma coisa? Vou deixá-la, é o melhor, Vejo muito bem que só estou a atormentá-la. Agora começa a sentir remorsos por se ter divertido à minha custa; mas eu não quero que a Nástienhka, ainda por cima da sua dor... Sou eu quem tem a culpa de tudo, Nástienhka; por isso... adeus!

— Não, não se vá embora, escute-me primeiro: não pode esperar um momento?

— Esperar? Esperar para quê?

— Escute: eu gosto dele, mas este amor deve acabar, há de acabar... Por certo que há de acabar; já começa a extinguir-se, bem o sinto... Quem sabe, talvez tenha acabado completamente hoje, pois eu o odeio por ele ter troçado de mim, enquanto você ficava ao meu lado chorando comigo... e com certeza que nunca me teria deixado aqui à espera, como ele fez, pois você gosta de mim a valer, enquanto ele nunca me amou... e, além disso, porque eu... afinal, também gosto de você... Sim, amo-o! Tanto quanto você a mim. Já lhe disse, já o ouviu... Gosto de você porque você é melhor do que ele, porque é mais amável do que ele, porque... porque ele...

A comoção embargou-lhe a voz, apoiou a cabeça no meu ombro, inclinou-se até tocar no meu peito e depois começou num pranto doloroso. Eu tentava consolá-la, acariciava-a, fazia por tranquilizá-la, mas ela não podia conter-se; apertava-me a mão e balbuciava por entre soluços:

— Espere, espere um pouco. Está passando... Já vou deixando de... Só quero dizer-lhe uma coisa... Não pense que estas lágrimas... me vêm só devido à minha fraqueza; tenha um pouquinho de paciência até que se extingam...

Finalmente deixou de chorar. Levantou-se, enxugou os últimos vestígios do pranto, e pusemo-nos ambos a caminhar. Eu queria falar, mas ela me pedia constantemente que eu lhe concedesse algum tempo para pensar. E assim íamos os dois em silêncio... Até que, por fim, já mais sossegada, começou:

— Vou contar-lhe tudo — disse com voz débil e insegura, mas na qual vibrava depois um sentimento íntimo que atingiu de tal modo o meu coração, que este se pôs a tremer com uma espécie de dor agradável. — Não pense que eu seja uma inconstante ou uma louca, nem que tão depressa possa esquecer e ser infiel... Gostei dele durante um ano e juro-lhe por Deus que nunca, nem sequer em pensamento, lhe fui infiel. Mas ele mostrou que não sabia apreciar-me; não fez outra coisa senão manifestar descaso por mim... Deus lhe perdoe! Mas ele me fez sofrer... Eu... eu já não gosto dele, pois só posso amar o que é belo e o que é grande, o que é parecido comigo e me parece bem; sou assim e ele não é digno de mim... Que Deus o proteja! Mas isto, afinal, ainda é melhor do que se acontecesse que apenas mais tarde eu tivesse vindo a perceber o seu verdadeiro caráter... Por isso... está tudo acabado! E quem sabe, meu amigo —, continuou apertando-me a mão — quem sabe se todo esse amor não foi senão uma ilusão ou uma pura imaginação, e se teve origem na minha educação, naquela vida tão monótona que tenho levado, sempre presa às saias da minha avó? Talvez eu estivesse predestinada a gostar de outro, de outro que tivesse tido mais piedade de mim e... e... Bem, deixemos isto, não falemos mais nisto — interrompeu-se Nástienhka, quase sem voz e sem alento, devido à intensidade da sua comoção. — Eu apenas queria dizer-lhe... Eu queria dizer-lhe que, se você, apesar de eu o amar a ele... De o amar não, de o ter amado... Se apesar disso... Quero dizer, se sente e acredita... que o seu amor é tão grande que pode afugentar do meu coração... Se você tem tanta pena de mim e não quer agora deixar-me entregue ao meu destino, sem consolação nem esperança; se for capaz de amar-me sempre assim, como agora me ama... então, eu lhe juro... que a minha gratidão... que o meu amor há de ser digno do seu... Quer aceitar a minha mão?

— Nástienhka! — julgo que as lágrimas e os soluços abafavam a minha voz. — Nástienhka! Oh, Nástienhka!

— Pronto, pronto! Já chega por agora! — disse ela rapidamente, visivelmente apressada e dominando-se com esforço. — Já dissemos tudo, não é verdade? E você sente-se agora feliz e eu também, por isso não é preciso dizermos mais nada. Espere... Olhe, tenha piedade de mim... Fale-me de outra coisa, peço-lhe por tudo!

— Sim, Nástienhka, já chega; agora sou feliz... Tem razão, Nástienhka; falemos de outra coisa, pronto, pronto! Sim! Do que quiser...

E como já não sabíamos o que havíamos de dizer, ríamos e chorávamos e proferíamos palavras sem sentido. Em breve tínhamos atingido a calçada e pusemo-nos a passear por ali, para cima e para baixo; tão depressa atravessávamos a rua e ficávamos parados, como retrocedíamos e nos dirigíamos para o cais; parecíamos duas crianças...

— Eu vivo só, Nástienhka — disse-lhe eu dado momento. — Mas... Bem, eu, a Nástienhka já o sabe, sou pobre, ganho apenas mil e duzentos rublos por ano, mais isso pouco importa...

— Claro que não, e a vovó tem a sua pensão; por isso, não precisamos do seu ganho. Mas temos de levar a vovó conosco.

— Pois com certeza.. E a minha Matriona...

— Ah, sim! E nós também temos Fiokla!

— Matriona é uma boa mulher, que só tem um defeito: é não ter nem uma ponta de imaginação, uma ponta sequer, Nástienhka; só percebe aquilo que apren-de por experiência. Mas isto também não é um obstáculo...

— Claro que não! Podem as duas viver juntas muito bem. Mas venha visitar--nos amanhã.

— O quê? Ir a sua casa? Bem, pelo meu lado...

— Podia alugar o andar de cima. Já lhe disse que temos um andarzinho que, agora precisamente, está por alugar. A última inquilina foi uma senhora de idade, uma aristocrata, que deixou o quarto e anda em viagem pelo estrangeiro, e parece--me que a vovó, agora, quer antes um inquilino jovem. Outro dia perguntei-lhe: "Mas por que tem esse interesse em que ele seja moço?" E ela me respondeu: "Porque sem-pre é melhor, estamos mais seguras e eu já sou velha. Não imagines que eu tenho a intenção de te casar com ele". Mas eu sei muito bem que é esse o seu intento...

— Ah, Nástienhka!

E desatamos os dois a rir.

— Bem, já chega de tagarelices. Mas diga-me: onde vive agora? Já me esquecia de lhe perguntar.

— Ali perto... da ponte, em casa de um tal Barânikov.

— É uma casa grande, não é verdade?

— É, é...

— Ah, já sei qual é! É uma casa muito bonita. Mas fique sabendo: tem de mudar-se e vir morar conosco...

— É já amanhã, Nástienhka, é amanhã mesmo. Ainda devo uma pequena par-te do aluguel da outra casa, mas não faz mal... Tenho de ir já buscar o meu ordenado...

— Mais uma coisa: eu também posso dar lições para aumentar os nossos ren-dimentos; aprendo primeiro e depois poderei ensinar...

— Naturalmente, é uma ótima ideia... E a mim, não tarda que aumentem o ordenado... Nástienhka!

— Então, a partir de amanhã poderemos considerá-lo nosso vizinho?

— Sim, e depois havemos de ir à Ópera para ouvirmos *O barbeiro de Sevilha*, pois não tardam em representá-lo.

— Isto mesmo, vamos à Ópera! — disse Nástienhka rindo. — Espere, isso não, é melhor esperar que levem outra coisa...

— Bem, então não vamos ouvir isso. Claro que é preferível, tinha-me esque-cido desse pormenor...

E tagarelávamos e caminhávamos; aquilo era uma espécie de embriaguez... Parecia-nos que íamos envolvidos numa névoa e que não sabíamos o que nos tinha acontecido. Tão depressa parávamos e ficávamos muito tempo a falar, sem passarmos para outra laje, como retomávamos o passo e continuávamos a andar, muito longe, sabe Deus até onde, sem dar por isso, sempre a rir e a chorar ao mesmo tempo. Tão depressa Nástienhka começava a dizer que queria voltar já para casa e, como eu não me atrevia a retê-la, nos púnhamos logo a caminho, para acabarmos por reparar, ao fim de um quarto de hora, de repente, que estávamos de novo no nosso banco do cais — como suspirava muito fundo e uma lágrima rolava pela sua face... e eu então a olhava, assustado e perplexo... Até que ela tornava a pegar-me na mão e recomeçávamos a falar e a caminhar...

— Mas agora sim, já é tempo e mais que tempo que eu volte para casa. Já deve ser tardíssimo! — disse por fim Nástienhka resolutamente. — É preciso não sermos tão crianças!

— Está bem, Nástienhka, mas fique sabendo que esta noite também não poderei dormir. E por isso, nem vou para casa.

— Também eu não devo dormir nada esta noite. Mas podia ficar ao pé de mim mais algum tempo...

— Com certeza que fico!

— Mas agora não damos mais voltas, não?

— Não, agora, não!

— Palavra de honra? Mas alguma vez tenho de voltar para casa! Bem, palavra de honra, vai ser agora, mesmo! — disse ela rindo.

— Bem, então vamos lá!

— Vamos!

— Olhe para o céu, Nástienhka, olhe para cima! Amanhã vamos ter um dia lindo... Como o céu está azul e olhe para aquela lua! Aquela nuvenzinha pardacenta vai escondê-la dentro de um momento... Veja, veja! Não, afinal passou roçando-a só de leve! Repare, repare!

Mas Nástienhka não via as nuvens nem o céu.

Tinha-se quedado, de pé, rígida, junto de mim, e depois apertou-se com força contra o meu corpo. Tomada de uma enorme perturbação, cada vez com mais força, como se procurasse um amparo, e a sua mão tremia dentro da minha. Olhei para ela e ela apertou-se ainda mais de encontro a mim.

Naquele momento passava perto de nós um homem moço... o qual nos olhou fixamente, hesitou, deteve-se por um instante e depois afastou-se um ou dois passos. O meu coração deu um salto...

— Nástienhka, quem é aquele homem? — perguntei-lhe em voz baixa.

— É ele! — murmurou ela, e segurou-se ao meu braço, a tremer.

— Nástienhka! Nástienhka! És tu? — chamou de repente uma voz por detrás de nós e, em seguida, o rapaz de há pouco aproximou-se.

Meu Deus! Como ela vibrou ao ouvir aquela voz! Como estremeceu! Como se desprendeu do meu braço e correu ao seu encontro... Eu estava parado e olhava para o rapaz que, parado também, olhava... Mas, mal ela lhe tinha estendido a mão, e apenas tinha acabado de se lançar nos seus braços, largou-o e, antes que eu tivesse dado conta, já estava de novo junto de mim, cingia com os dois braços o meu pescoço e depunha sobre os meus lábios um beijo ardente. Depois, sem dizer uma palavra, correu de novo para ele, pegou-lhe nas mãos e levou-o.

Fiquei ainda ali por muito tempo a olhar para eles... que não tardaram em desaparecer da minha vista.

A MANHÃ

As minhas noites acabam com uma manhã. Amanheceu um dia hostil; chovia, e as gotas de chuva soavam como uma espécie de lamúria monótona na minha janela; dentro de casa estava escuro, como acontece nos dias de chuva e, lá fora, tudo era sombrio. A mim doía-me a cabeça, tinha tonturas e sentia que me corria pelos membros a febre de um resfriado.

— Menino, está aqui uma carta; foi o correio que a trouxe — disse Matriona.

— Uma carta? De quem?

— Não sei, abra-a e veja, menino; lá dentro deve dizer de quem é...

Abri o sobrescrito; a carta era dela e dizia assim:

Oh, perdoe-me! — escrevia-me Nástienhka. — Peço-lhe de joelhos que não se aborreça comigo. Enganei-o e enganei a mim própria. Foi um sonho, uma ilusão... Quando penso em você, sofro desesperadamente. Perdoe-me, oh, sim, perdoe-me!

Não me acuse, pois o que eu sentia por você continuo ainda a sentir; disse-lhe que o amava e continuo a amá-lo, juro; e sinto por você qualquer coisa que é mais do que amor. Meu Deus, se fosse possível amar os dois ao mesmo tempo! Oh, se você e ele não fossem mais do que um e mesmo homem!

Deus vê-me e sabe que eu estaria disposta a tudo, por você. Eu sei que sofre neste momento e que está triste. Ofendi-o e o fiz sofrer, mas já sabe... Quando se ama, não dura muito o aborrecimento. E você gosta de mim!

Eu lhe estou muito grata pelo seu amor. E a sua recordação há de acompanhar-me toda a vida como um doce sonho que não pode olvidar-se ao despertar. Não, nunca poderei esquecer como me mostrou tão fraternalmente a sua alma e, na sua bondade, aceitou como seu o meu coração ferido e lacerado, para cuidar dele com ternura e com amor e para restituir-lhe a saúde... Se me perdoar, a sua recordação há de transformar-se num sentimento de eterna gratidão e não se extinguirá nunca na minha alma. E hei de ter sempre esta recordação como uma coisa sagrada, jamais o esquecerei, pois tenho um coração leal. Ontem, o que fez o meu coração foi apenas regressar às mãos daquele que já dantes era o seu dono.

Havemos de nos tornar a ver, você há de vir a nossa casa, não nos abandonará, e há de ser eternamente nosso amigo e nosso irmão... E quando vier visitar-nos, vai me dar a sua mão... Não é verdade? Quando me tiver perdoado, já nada lhe há de custar estender-me a sua mão, não é assim? E o seu amor por mim será o mesmo, não é?

Sim; continue a querer-me, não me abandone, pois agora amo-o tanto que quero ser digna do seu amor, quero merecê-lo... meu querido amigo! Casaremos na próxima semana. Ele voltou cheio de amor por mim e disse que nunca me esqueceu... Não se aborreça por eu lhe falar dele. Quero ir com ele visitar você, e tenho a certeza que ele há de despertar-lhe simpatia. Não é verdade?

Perdoe-me, não me esqueça e não deixe de querer à sua

Nástienhka.

Li e reli aquela carta muitas vezes, e os meus olhos encheram-se de lágrimas; até que por fim deixei-a cair e escondi o rosto entre as mãos.

— Menino, ainda não viu? — disse daí a pouco a voz de Matriona.

— O quê, velha[17]?

— As teias de aranha. Já as tirei! Agora já pode casar-se, se quiser, ou trazer convidados, se isso lhe agrada, que pela minha parte...

Eu olhei para ela. É uma mulher forte, nova ainda, mas não sei por quê, pareceu-me vê-la de repente com os olhos sumidos, cheia de rugas na testa, velha e achacada, à minha frente... Também não sei por quê, mas pareceu-me que igualmente o meu quarto estava tão velho quanto ela. Vi empalidecerem as cores das paredes, descobri novas teias de aranha em todos os cantos. Não sei por quê, quando relanceei a vista através da janela, pareceu-me que o prédio fronteiro, que o estuque das pilastras estava todo gretado, que as cornijas se fendiam e enegreciam, e que as janelas estavam cheias de manchas e de sujeira.

Talvez que a culpa de tudo isto a tivesse aquele raio de sol que de súbito surgiu por entre as nuvens, para logo depois voltar a esconder-se por detrás de outra ainda mais escura, anunciadora de chuva, de tal maneira que todas as coisas se tornaram ainda mais escuras e mais sombrias... Ou seria que os meus olhos divisaram o meu futuro e nele viram algo de árido e de triste, algo semelhante a mim mesmo, ao que eu sou agora, àquilo que serei dentro de quinze anos, neste mesmo quarto, igualmente só, com a mesma Matriona, que em todo esse tempo nem por isso há de ter-se tornado mais sensata...

Agora não perdoar a ofensa, Nástienhka; turvar a tua clara e pura felicidade com nuvens escuras, fazer-te censuras para que o teu coração se atormente e sofra, e palpite dolorosamente, quando não deve fazer mais senão exultar de júbilo, ou tocar sequer uma só das suaves flores que hás de pôr nos teus cabelos negros, quando te casares com ele... Oh, não, Nástienhka; isso não o farei eu nunca, nunca! Que a tua vida seja ditosa e tão diáfana e agradável como o teu sorriso, e bendita sejas pelo instante de felicidade que deste a outro coração solitário e agradecido!

Meu Deus! Um momento de felicidade! Sim! Não será isso bastante para preencher uma vida?

---

17 Sic no original russo: *Chtó, stáruka?*

NIÉTOTCHKA
NIEZVÂNOVA

Niétotchka niezvânova
(1849)

Capítulo primeiro

Não conheci o meu pai. Morreu quando eu tinha apenas dois anos, e a minha mãe voltou logo a casar-se com outro homem. Estas segundas núpcias foram para ela motivo de muitos sofrimentos, se bem que se tivesse casado por amor. O meu padrasto era músico. Tinha uma vida bem estranha, e era além disso o homem mais invulgar que até hoje conheci. Exerceu uma grande influência sobre mim e a impressão que me deixou foi tão forte que nunca mais, enquanto eu viver, sairá da minha memória. Mas para que esta narrativa fique compreensível, vou começar por contar a sua vida, que vim a conhecer devido a tudo quanto ouvi da boca de B***, célebre virtuose de violino, que na sua mocidade foi amigo do meu padrasto.

Meu pai adotivo chama-se Iefímov. Nasceu nos domínios de um opulento proprietário rural e era filho de um pobre músico que, depois de ter percorrido muitas terras, ali tinha ido parar e havia entrado para a orquestra desse proprietário. Este levava uma vida nababesca e apreciava muito a música. Contavam que, embora nunca tivesse saído das suas propriedades, levando a sua indolência ao extremo de nem sequer ter visitado Moscou, fez uma vez uma viagem não sei a que terra do estrangeiro só para ouvir três concertos que tinha visto anunciados nos jornais. Mantinha uma grande orquestra nos seus domínios e gastava quase todos os rendimentos no pagamento e na manutenção dos músicos. Foi nessa orquestra que o meu padrasto ingressou como clarinetista. Aos vinte e três anos travou amizade com um homem muito estranho. Naquele mesmo distrito vivia um rico fidalgo, um conde, que sustentando à sua custa um teatro, acabou por arruinar-se. Esse tal conde tinha despedido o diretor da sua orquestra, um italiano, devido à sua péssima conduta. Com efeito, tratava-se de uma pessoa sem dignidade. Quando perdeu o lugar, começou a frequentar as tabernas, a embebedar-se, e ainda por cima a pedir dinheiro emprestado. Como é natural, depois já ninguém quis dar-lhe colocação. Pois foi com este homem que o meu pai adotivo veio a travar uma estreita amizade. Amizade de natureza bem singular, pois ninguém podia dizer que o mais novo ficasse prejudicado com aquele convívio, e o próprio senhor rural, que a princípio lhe tinha proibido falar com o italiano, acabou por autorizar aquela amizade tão estranha. Entretanto o italiano morreu de repente. Os camponeses foram encontrá-lo estendido uma manhã numa vala, ao lado de uma cerca. Fizeram-se as digilências necessárias e averiguou-se que tinha morrido de um ataque de coração. Todas as coisas que lhe pertenciam se encontravam na posse do meu padrasto, o qual se deu pressa em exibir documentos que demonstravam o seu pleno direito a ficar com elas; possuía inclusive um escrito do punho e com a letra do falecido, no qual ele nomeava Iefímov como seu herdeiro, no caso de vir a morrer antes dele.

Compunha-se a herança de um fraque preto que o defunto tinha cuidadosamente guardado, na esperança de tornar a vesti-lo alguma vez, e de um violino que não tinha nada de particular.

Ninguém se apresentou a disputar a herança ao clarinetista. Mas logo a seguir, passado algum tempo, um músico que fazia de primeiro violino na orquestra do conde, apareceu um dia nos domínios do proprietário com uma carta do seu amo. Nessa carta o conde pedia ao senhor rural que procurasse convencer Iefímov, o clarinetista da sua orquestra, a que lhe vendesse o violino do defunto italiano. Se fosse preciso, oferecia por ele três mil rublos, e acrescentava que já tinha pedido a Iegor Iefímov, por mais de uma vez que o fosse visitar, com o fim de combinar pessoalmente a venda do violino, mas sem nada conseguir. Terminava o conde a sua carta dizendo que oferecia pelo violino o que ele realmente valia, pelo que, à terceira negativa de Iefímov em vender-lhe, julgava ver a suspeita ofensiva de que ele quisesse explorar a ingenuidade do clarinete. Por isso apelava agora para a intervenção do amo.

Este mandou chamar Iefímov.

— Por que não queres vender o violino? — perguntou-lhe. — Não precisas dele. Oferecem-te por ele três mil rublos , que é exatamente o seu valor, e enganas-te que há alguém que te dê mais. O conde não quer prejudicar-te.

Iefímov respondeu que ele, por sua vontade, não iria ter com o conde; se a isso o obrigassem acataria no entanto a ordem do seu amo. Mas desde já declarava que não venderia o violino ao conde, e que se dele o despojassem seria também porque o seu amo em tal consentiria.

É claro que com essa resposta ofendeu o proprietário. Este costumava gabar-se de tratar bem os seus músicos, pois todos eles eram verdadeiros artistas, e a sua orquestra, por isto, era não só muito melhor do que a do conde mas até superior à de uma capital.

— Bom; está bem — respondeu o proprietário; — vou escrever ao conde a dizer-lhe que não queres vender o violino simplesmente porque não te apetece... e nada mais! Pois estás no teu direito de vendê-lo ou de não vendê-lo, segundo te apraza, entendes? Mas agora diz-me uma coisa, homem: que pensas tu fazer com o violino? Tu tocas clarinete e por infelicidade, apenas medianamente. Vende-me o violino a mim. Dou-te três mil rublos por ele. (Se alguém soubesse o instrumento de que se tratava!)

Iefímov sorria.

— Não, senhor, não lhe vendo o violino — disse. — Agora, se empregar a violência...

— Sim; uma vez que não há outro recurso, apelarei para a força! — exclamou o proprietário indignado... pois que a cena decorria em presença do músico enviado pelo conde e, a avaliar por aquelas respostas, podia fazer-se uma ideia desfavorável da situação dos músicos do proprietário. — Pronto, vai-te daqui mal-agradecido! Some-te da minha vista! Que seria de ti sem mim, com esse clarinete que nem sequer sabes tocar bem? Em minha casa comes até te fartar, andas bem vestido e ganhas um ordenado; vives numa grande casa, desempenhas o papel de artista, e parece que não reparas em nada disso. Tira-te da minha frente, não me irrites com a tua presença!

O proprietário costumava despedir dessa maneira aqueles que incorriam na sua cólera, pois tinha medo de si próprio, do seu caráter violento. Com um *artista*, como chamava aos seus músicos, não queria levar demasiado longe a sua severidade.

A venda não chegou pois a efetuar-se; e parecia que a coisa tinha ficado por ali, quando, de repente, aproximadamente um mês depois do episódio referido, o primeiro violinista do conde descobriu algo de inaudito: debaixo da sua própria responsabilidade, publicou uma notícia dizendo que Iefímov era culpado da morte do italiano, ao qual tinha assassinado para apoderar-se da herança. Além disso acusava-o ainda de, por meio da violência e da astúcia, ter arrancado ao falecido aquele escrito em que o nomeava seu herdeiro, o que poderia provar com testemunhas. Nem os pedidos do proprietário, que intercedeu por Iefímov, nem os pedidos do conde puderam dissuadi-lo do seu propósito. Fizeram-lhe ver que nada se podia objetar contra a autópsia médica do cadáver e que estava a proceder contra a própria consciência, quem sabe se movida por um desejo pessoal de vingança, pelo fato de o italiano não ter deixado a ele aquele valioso instrumento. O músico insistiu nas suas acusações, chegando a jurar que estava na razão e que o suposto ataque cardíaco não tinha sobrevindo ao defunto por causa da embriaguez, mas sim como consequência de uma intoxicação, pelo que exigia que se exumasse novamente o cadáver.

À primeira vista, as suas imputações poderiam ser tomadas a sério. Como era natural, deu-se a seguir início à instrução do respectivo processo. As diligências judiciais, seguidas com ansiedade por todo o distrito, tiveram rápido andamento e terminaram comprovando que a denúncia era falsa. O músico do conde foi condenado a uma justa pena, sem fazerem mais caso de que, apesar de tudo, continuava ainda a afirmar a verdade das suas acusações. Finalmente acabou por confessar que não possuía provas positivas do que afirmara; que era tudo invenção sua; que se tinha deixado levar pelas suas suspeitas, que tinham acabado por se converterem em convicções, e devido ao que, ainda então continuava persuadido — mesmo depois de a Justiça ter demonstrado a indubitável inocência de Iefímov — de que fora este o único causador da morte do italiano diretor da orquestra, e que se ele não o tinha envenenado, fosse lá como fosse, devia tê-lo despachado para o outro mundo. E afinal não chegou a cumprir a pena, pois adoeceu repentinamente com uma inflamação cerebral, enlouqueceu e foi recolhido a um manicômio.

Durante todo este tempo o proprietário velou por Iefímov como um pai teria cuidado de seu filho. Apesar de nunca sair das suas propriedades, nessa ocasião foi por mais de uma vez à cidade para visitar o infeliz na prisão e consolá-lo; deu-lhe dinheiro, e como tivesse sabido que Iefímov fumava, levou-lhe cigarros dos melhores; quando finalmente o meu padrasto foi posto em liberdade, organizou uma grande festa para toda a sua orquestra. Considerava que a denúncia apresentada contra Iefímov era alguma coisa que afetava toda a orquestra, pois ligava muita importância à boa conduta dos seus músicos, talvez até mais do que às suas faculdades artísticas.

Tinha passado um ano sobre esses acontecimentos quando um dia começou a correr pela chácara a notícia de que tinha chegado à capital do distrito um francês, célebre virtuose do violino. Ao ouvir aquilo o proprietário convidou logo o artista para sua casa, o qual aceitou o convite; estava já tudo preparado para o receberem e convidada a melhor sociedade daqueles arredores, quando se deu um fato surpreendente.

Uma manhã foram anunciar ao senhor que Iefímov não se encontrava em parte alguma. Procuraram, rebuscaram, enviaram pessoas a vários lados... nada, tinha desaparecido sem deixar rastro.

A orquestra encontrava-se assim numa situação desesperada. Que fazer, sem o clarinetista? Mas, ao terceiro dia, recebeu o senhor uma carta do francês na qual, este, com altivez insultante, se desligava da sua promessa, acrescentando que tinha muito má impressão desses senhores que mantinham uma orquestra e que era muito deprimente ver um grande artista ao serviço de um homem que não sabia apreciar o seu valor. Como exemplo do que dizia, bastava citar a Iefímov, o artista genial e o melhor violinista de todos quantos existiam na Rússia.

O proprietário leu a carta com espanto crescente. O quê? Aquele Iefímov, pelo qual ele tão paternalmente velara, ao qual dispensara tantas atenções, esse mesmo Iefímov tinha-se atrevido a caluniá-lo de maneira tão indigna e vergonhosa, e, pior ainda, no conceito de um artista célebre, que ele tinha tanto empenho que formasse uma boa opinião da sua orquestra? Mas além disso a carta continha ainda outro enigma: chamava o francês a Iefímov o artista mais genial e o melhor violinista de quantos ouvira na Rússia, e das suas palavras finais depreendia-se que não queriam reconhecer o talento de Iefímov, obrigando-o a tocar um instrumento diferente daquele que devia. Tudo isto surpreendeu o senhor de tal maneira que resolveu ir à cidade para falar pessoalmente com o francês. Mas antes de pôr-se a caminho recebeu uma carta do conde, na qual este o convidava a visitá-lo e lhe participava que tanto o artista francês como Iefímov estavam em sua casa, e que o francês já tinha contado a história. Ele, o conde, tinha-se indignado tanto quando soube da calúnia de Iefímov, que por enquanto o retinha em sua casa, tornando-se além disso necessária ali a presença do senhor, pois que também a ele próprio afetavam as calúnias de Iefímov. Em suma: que era preciso deslindar o caso, e quanto antes, melhor.

O proprietário foi imediatamente à casa do conde, apresentou-se ao francês e explicou-lhe o assunto. Disse que nunca suspeitara de que Iefímov tivesse tanto talento; para ele não passava de um clarinete mediano... e que a primeira notícia que tivera de que ele sabia também tocar violino, era a que lhe tinha chegado com a sua carta. Acrescentava, além disso, que Iefímov era um homem livre e que podia ter deixado a sua casa sempre que o tivesse desejado, visto que assim o tratavam tão mal. O francês ficou estupefato. Chamaram Iefímov. Mas este parecia outro na maneira de conduzir-se; apresentou-se com modos arrogantes, respondeu zombeteiramente às perguntas que lhe fizeram e teve o descaramento de afirmar que tudo quanto o francês dissera era a pura verdade. Semelhante insolência indignou o conde de tal maneira que disse na própria cara do meu padrasto que ele era um velhaco e um embusteiro e que merecia que o castigassem sem piedade.

— Não se dê a incômodos, senhor conde — replicou o meu padrasto troçando. — Graças a Sua Excelência já eu tive os meus para escapar às consequências de um processo criminal. Sei perfeitamente a instâncias de quem é que obrou Alieksiéi Nikíforitch, seu ex-músico, ao apresentar a sua denúncia contra mim.

Aquilo era demasiado para o conde. Encheu-se de cólera perante uma acusação tão insolente. E um agente da Polícia, que se encontrava no salão e que tinha chegado havia pouco para conferenciar com o conde, concordou depois que o insultante descaro de Iefímov era uma malvada calúnia, pelo que, cortesmente, pedia licença para detê-lo imediatamente ali mesmo, em casa do magnata. Também o francês exprimiu o seu sentimento e declarou que nunca julgara possível tamanha ingratidão. Ao ouvir aquilo o meu pai adotivo ficou cego de raiva e disse que preferia a própria prisão e todos os cárceres do mundo àquela vida que até então sofrera, pois tivera de ganhar o pão como músico na orquestra do senhor, sem nunca na sua pobreza ter tido oportunidade de libertar-se mais cedo. Levaram-no do salão. Encerraram-no num aposento afastado e anunciaram-lhe que no dia seguinte iriam conduzi-lo à cidade.

Aí pela meia-noite abriu-se a porta do compartimento em que tinham encerrado Iefímov. Era o seu amo que o procurava. Vestia uma camisa de noite, calçava chinelas e trazia uma lâmpada na mão. Pelo visto não conseguira adormecer, às voltas na cama, até que por último, para afugentar pensamentos angustiosos, e apesar da hora já avançada, resolvera levantar-se. Iefímov não estava dormindo e olhou com espanto o noturno visitante. Este pousou a lâmpada sobre a mesa e, muito comovido, sentou-se numa cadeira em frente dele.

— Iegor — disse-lhe — porque te portaste comigo desta maneira?

Iefímov não respondeu. O senhor repetiu a pergunta, na qual transparecia um invulgar e profundo sentimento de desgosto.

— Só Deus o sabe! — respondeu finalmente o meu padrasto, voltando logo o rosto para o outro lado. — Deve ter andado o diabo em tudo isto. Nem eu próprio sei quem me leva a fazer o que faço. Bem, não posso continuar na sua casa, não posso... O diabo anda a tentar-me!

— Iegor — insistiu o senhor — volta para minha casa! Esquecerei tudo, perdoarei tudo. Olha, serás o primeiro dos meus músicos, vou te gratificar muito melhor...

— Não, não, senhor; não diga mais nada... Eu já não lhe pertenço! Já lhe disse que o diabo anda a tentar-me. Se ficasse na sua casa, seria capaz de incendiá-la. Sinto às vezes impulsos desses... e em certas ocasiões sofro tanto que preferia nunca ter vindo a este mundo. Agora já não posso responder por mim, por isso deixe-me em paz, senhor! Tudo isto começou desde a data em que travei amizade com aquele diabo...

— A quem te referes? — perguntou o senhor.

— Àquele homem que encontraram estendido como um cão ao pé da cerca e do qual ninguém queria ouvir falar... Ao italiano!

— Iegóruchka, foi ele quem te ensinou a tocar violino?

— Foi. Infelizmente aprendi com ele muitas coisas. Mais valia que nunca o tivesse conhecido!

— Mas ele tocava o violino assim tão bem, Iegóruchka?

— Não, tocava mal, mas ensinava muito bem. Eu aprendi sozinho, ele não fez mais do que dirigir-me... e oxalá antes as mãos me tivessem caído do que tivesse aprendido esta arte! Agora nem eu próprio sei o que quero. Faça o senhor a prova. Pergunte-me: "Iegorka, mas o que desejas tu? Pede-me tudo o que quiseres, que eu te darei tudo quanto queiras...". Tão certo como eu estar aqui diante do senhor, que eu não saberia responder-lhe, pois nem eu próprio sei o que desejo. Não, senhor, deixe-me. Hei de fazer com que me expulsem daqui, irrevogavelmente... para bem longe, e então acabou-se!

— Iegor — insistiu o senhor depois de uma pausa — não te abandonarei nesta crise. Se não queres ficar comigo, vai-te. És livre, não posso obrigar-te... Mas não te hei de deixar ir assim, sem mais nem menos. Iegor, toca-me alguma coisa no teu violino; dá-me esse prazer, Iegor. Peço-te, toca... Peço-te por tudo! Repara que eu não estou a ordenar-te mais sim a pedir-te; toca alguma coisa, Iegóruchka; toca para mim a mesma coisa que tocaste para o francês! Dá-me esse gosto, homem. Tu és teimoso... pois bem, eu também sou. Já vês, Iegóruchka, que eu também tenho a cabeça dura. Compreendo-te muito bem, sinto perfeitamente o que tu sentes. Não viverei mais se não tocares por tua própria vontade aquilo que tocaste para o francês!

— Bem, vou fazer-lhe a vontade — disse Iefímov. — Tinha jurado não tocar nunca mais para ninguém e muito menos para o senhor; mas o meu coração dispensa-me desse juramento. Vou tocar para o senhor; mas ouça bem: faço-o pela primeira e última vez, ainda que para isso me oferecesse mil rublos.

Pegou no violino e começou a tocar variações sobre temas de canções russas. B*** disse-me que jamais tinha ouvido tocar com tal paixão e de maneira tão prodigiosa como o meu padrasto tocava aquelas variações, nas quais revelava as suas primeiras e melhores faculdades. Ao senhor, que não podia ouvir com indiferença qualquer música, ainda que não fosse como aquela, corriam-lhe as lágrimas pelas faces. Quando o meu padrasto terminou, puxou da bolsa, tirou trezentos rublos, deu-lhe e disse:

— Podes ir-te, Iegor. Ponho-te em liberdade e encarrego-me de resolver a questão do insulto que nos infligiste, ao conde e a mim. Mas antes disso ouve-me: não tornes a aparecer-me. O mundo é grande e, se alguma vez nos tornássemos a encontrar, creio que seria doloroso para ambos. Por isso... fica com Deus, homem!... Mas espera, quero dar-te ainda um conselho, só um: não bebas e estuda, estuda sem descanso. Não te embriagues demasiado. Digo-te isto como um pai te diria. Por isso, repito-te, lembra-te sempre do que te digo: estuda e não toques no copo, pois no momento em que o tiveres à mão e beberes um trago para afugentar a tristeza (e não hão de ser poucas as que te esperam na vida!), podes dar-te por perdido: bem sabes que é uma armadilha e, tal como o italiano, acabarás por tombar numa vala. Agora, adeus, filho... Mas vem cá... abraça-me, rapaz.

Abraçaram-se e depois o meu padrasto recuperou a sua liberdade.

Mas assim que se viu livre dirigiu-se logo à capital do distrito e ali se pôs a gastar alegremente os seus trezentos rublos, convivendo com gente reles, pelo que dentro em pouco se viu na necessidade de entrar para uma orquestra de cômicos ambulantes, como primeiro e talvez o único violino. Isto não estava certamente de acordo com os seus primitivos desígnios, que eram os de dirigir-se o mais brevemente possível a Petersburgo para ingressar ali numa boa orquestra, assegurar assim a vida e ter depois tempo livre para dedicar ao objetivo único de aperfeiçoar a sua educação artística. Não ficou muito tempo naquela orquestra, porque logo depois teve uma briga com o empresário, rescindiu o contrato e deixou a companhia. Chegou então para ele uma época em que acabou por cair em tal desânimo que se resolveu a realizar um ato de desespero, o qual não humilhou pouco o seu orgulho. Escreveu ao senhor rural, seu antigo amo, descrevendo-lhe a sua situação e pedindo-lhe dinheiro numa carta que nem por isso deixava de ir ainda escrita com certa altivez. Mas não obteve resposta. Perante isto escreveu segunda carta mas, desta vez, num tom de humilhante lisonja, chamando ao senhor seu protetor e verdadeiro conhecer da arte; terminava implorando o seu auxílio. Finalmente recebeu resposta a essa segunda carta. O senhor enviava-lhe cem rublos, acompanhados de duas linhas da mão e letra do seu secretário, dizendo-lhe que nunca mais se tinha lembrado dele. Quando recebeu aquele dinheiro, a intenção do meu padrasto foi dirigir-se imediatamente a Petersburgo; mas, depois de pagar as suas dívidas, viu-se com uma quantia tão exígua que não era possível pensar já na viagem projetada. Ficou portanto na província, ingressou noutra orquestra, onde não tardou também a inimizar-se com os companheiros; entretanto lutava com a adversidade, na ilusão de poder mudar-se para São Petersburgo. Passaram-se seis anos completos, até que um dia se apoderou dele uma espécie de pânico. Viu com desespero como aquela vida miserável e fatigante tinha destruído a sua arte. E por isso, uma manhã abandonou a orquestra, pegou no violino e lançou-se pelas estradas a caminho de Petersburgo, onde chegou num estado lamentável. Uma vez aí alugou uma água-furtada pobríssima. Foi aí que pela primeira vez veio a encontrar-se com B***, que por essa altura acabava de chegar da Alemanha e começava também a tentar a sua carreira. Não tardou que os dois se tornassem íntimos amigos. B*** ainda hoje recorda esses tempos com profunda comoção. Eram ambos jovens, ambos alimentavam as mesmas ilusões e perseguiam o mesmo objetivo. No entanto B*** era mais novo do que o meu padrasto e pouco sabia ainda das misérias e das dores da boêmia artística, além do que era alemão e procurava atingir os seus fins de maneira sistemática e persistente, com uma apreciação objetiva das suas próprias faculdades e tendo exatamente calculado de antemão o lugar até onde poderia chegar. O seu novo amigo, pelo contrário, já com trinta anos, tinha conhecido as dificuldades da miséria, perdido a resistência e a paciência, e sacrificado as suas melhores energias trabalhando durante sete anos, para ganhar o pão de cada dia, em teatros da província e orquestras particulares. A única coisa que durante esse tempo lhe deu forças para aguentar aquela vida foi a constante e persistente ideia de vir um dia a ver-se livre de dificuldades, amealhar algum dinheiro e fixar-se em Petersburgo. Mas esse pensamento era vago, obscuro, um íntimo *sentir-se predestinado para qualquer coisa*; aliás, com o tempo, acabou também por perder toda esta sua clarividência. Quando finalmente se viu em Petersburgo, tudo isso se tornou algo de inconsciente; em breve perdeu o hábito de pensar e imaginar aquela viagem, de maneira que nem ele próprio sabia já concretamente o que procurava. O seu entusiasmo era convulsivo, espasmódico e ao mesmo tempo acompanhado de uma biliosa amargura; muitas vezes chegava a apresentar aspectos de verdadeira loucura, como se com esse entusiasmo quisesse enganar-se a si próprio ou fazer-se acreditar que as suas primeiras energias e o seu primeiro fervor permaneciam ainda intactos. B***, mais fleumático e dotado de maior preparação científica, sentia-se profundamente impressionado com aquele entusiasmo. Ficava maravilhado e chegava a vislumbrar no meu padrasto um futuro gênio universal. Estava absolutamente convencido de que esse havia de ser o futuro do seu amigo. Mas não tardou que abrisse os olhos e percebesse com quem lidava. Viu e compreendeu que aquele fogoso entusiasmo, aquele ardor e aquela impaciência não eram mais do que desespero inconsciente pela recordação do tempo perdido, durante o qual não tinha podido desenvolver as suas faculdades; chegou a compreender que, em última análise, o talento que ele possuíra nunca devia ter sido muito grande, nem mesmo nos primeiros anos da sua vocação, e chegou à conclusão de que em tudo aquilo havia muito de presunção, de inútil amor-próprio, um orgulho inato e uma fantasia incansável que tomava como tema exclusivo a própria genialidade.

— Mas, apesar de tudo — dizia B*** — nem por isso deixava de admirar a estranha personalidade do meu camarada. Sob os meus olhos travava-se a toda hora aquela batalha, a luta desesperada e febril de uma vontade, uma luta titânica contra uma íntima inércia. O infeliz tinha gasto sete anos preocupado com o único pensamento da sua futura glória e, mergulhado nos seus sonhos, nem sequer tinha reparado como, com o tempo, ia esquecendo cada vez mais os próprios princípios da arte, como ia perdendo a técnica. Mas, na sua louca fantasia, construía a todos os instantes os mais grandiosos projetos. Não só desejava ser um gênio de primeira grandeza, o maior de todos os violinistas do mundo, pois nessa conta se tinha, com toda a seriedade, mas também ainda se propunha, além disso, ser compositor, se bem que não tivesse nem a mais leve noção de contraponto. Mas o que mais me admirava — prosseguia B*** — era que aquele homem, que tão pouco conhecia a teoria da arte, tivesse dela uma compreensão instintiva, clara e profunda. Compreendia e sentia a arte tanto a fundo, que depois de tudo não era nada de extraordinário que se enganasse ao avaliar os próprios méritos e se julgasse não um crítico musical de sensibilidade apuradíssima, mas um artista criador e até um gênio. Às vezes, na sua maneira rude e simples de falar, apesar de, como disse, não possuir noção alguma da teoria ou ciência musical, acontecia-lhe dizer verdades tão profundas que eu ficava atônito, punha-me a olhar para ele sem compreender como é que podia adivinhar aquilo, tanto mais que nunca lia um livro nem estudava. Eu lhe devo muito — confessava B*** espontaneamente — pois os seus conselhos serviram-me muito para o aperfeiçoamento da minha arte. Naquilo que a mim me respeitava — prosseguia B*** — estava eu tranquilo quanto ao futuro. Também eu amava apaixonadamente a minha arte, se bem que soubesse desde o princípio o que tinha a esperar de mim próprio, ou seja, que jamais havia de ser mais do que uma espécie de artífice no campo da música. Mas sinto-me ufano por não ter dissipado como um louco os dons que a Natureza me concedeu, e, pelo contrário, por tê-los antes multiplicado. E quando agora a pureza da minha execução e o aperfeiçoamento da minha técnica chamam a atenção, posso dizer que apenas os devo ao meu estudo perseverante e incansável, ao pleno conhecimento, quero dizer, à apreciação objetiva das minhas faculdades, à minha renúncia espontânea e ao meu constante combate à vaidade e à preguiça, satisfazendo-me com as minhas próprias possibilidades.

B*** ainda tentou influir no espírito do amigo, depois de ter começado a disciplinar-se a si próprio; mas os seus bons conselhos apenas serviam para aborrecê-lo. A consequência disso foi até um afastamento que se foi tornando cada vez maior. Não tardou que B*** reparasse que o amigo se entregava cada vez com maior frequência a uma estranha apatia, permanecendo durante muito tempo como que abstraído e entediado; que dia a dia se tornavam mais raros os seus transportes entusiásticos e, pelo contrário, cada vez mais frequentes as suas crises de inconsolável desalento. Por fim, parecia que Iefímov até do violino se tinha esquecido, pois passava semanas e semanas sem lhe pegar. A partir desse momento começou a resvalar pela ladeira... e em breve se tornou uma presa de todos os vícios. Acontecia precisamente aquilo contra o que o tinha prevenido o seu antigo senhor; tornou-se um bêbado e B*** observava-o com espanto. De nada serviam conselhos nem censuras. Pouco a pouco Iefímov foi caindo no maior cinismo, e pelo menos aparentemente perdendo também todo sentimento de dignidade. Por exemplo: não tinha nem sombra de vergonha de viver à custa de B***, e como se isto ainda fosse pouco, procedia como se tivesse todo o direito de o fazer. Entretanto B*** também não andava muito folgado de dinheiro. Pôs-se à procura de trabalho: dava lições, tocava em casa de comerciantes alemães e de empregados modestos quando estes davam pequenas recepções em suas casas; não ganhava assim grande coisa, mas no entanto o que tirava ainda era suficiente para levar uma vida mediana. Porém Iefímov parecia que nem sequer dava conta da difícil situação do amigo. Não tinha a menor consideração por ele, falava-lhe secamente e às vezes até passava dias inteiros sem lhe dar uma palavra. Uma vez B***, com muito cuidado e com as melhores maneiras, confessou-lhe que não estava lá muito certo que ele descuidasse tanto a prática do violino, pois acabaria por perder a técnica. Iefímov ficou todo aborrecido ao ouvir aquelas palavras e respondeu que tinha tomado a decisão de nunca mais pegar no violino... tal como se esperasse que o outro depois lhe implorasse de joelhos. Noutra ocasião pediu-lhe B*** que o acompanhasse a tocar num daqueles bailes onde ele ia; tratava-se de uma festa onde era preciso mais de um violino. Esse convite deixou Iefímov verdadeiramente furioso. Indignado, declarou que não era nenhum músico ambulante e que não podia consentir em entregar-se àquelas reles ocupações a que B*** se entregava, rebaixando a nobre arte da música até o ponto de pôr-se a tocar para que pudessem dançar uns simples burgueses, que não sabiam apreciar a sua execução nem o seu talento. B*** não lhe respondeu; mas logo que ele partiu para o seu trabalho, Iefímov, durante a sua ausência, pôs-se a pensar sobre o incidente e chegou à conclusão de que B*** apenas quisera dar-lhe a entender, com aquilo, que ele estava vivendo à sua custa e que devia fazer também qualquer coisa para ganhar algum dinheiro. Quando o amigo voltou, Iefímov começou logo a dirigir-lhe censuras pela sua maneira vulgar de conduzir-se, acabando por participar-lhe que não ficaria nem mais um minuto na sua casa. Desapareceu, de fato, e B*** não mais o viu durante dois dias; mas ao terceiro apresentou-se novamente, como se nada tivesse acontecido e, tranquilamente, continuou a fazer a mesma vida que antes.

Apenas a antiga amizade e a força do hábito, e acima de tudo isso a compaixão que a B*** inspirava aquele homem falhado, o impediram de pôr um fim àquela vida fastidiosa, desligando-se definitivamente do seu companheiro de quarto. Mas por fim sempre tiveram de separar-se. B*** teve sorte: tinha conseguido a proteção de um alto dignitário e a sua notoriedade, que crescera rapidamente, valeu-lhe um lugar na orquestra da Ópera Imperial, onde alcançou um grande e justificado êxito. No momento em que se despediu de Iefímov, deu-lhe algum dinheiro, aconselhando-o uma vez mais a voltar ao bom caminho. Mas também dessa vez não foi ouvido. B*** considerava a sua amizade com Iefímov como um dos maiores acontecimento da sua vida e um dos que nele tinham feito maior impressão. É que os dois ansiavam por alcançar o mesmo objetivo. Por isso, como não haveriam de se sentir ligados um ao outro?

Em um era bem natural que isso sucedesse, e, quanto ao outro, talvez fossem as próprias extravagâncias e os grosseiros e perniciosos defeitos de Iefímov que faziam precisamente com que ele mais se lhe pegasse. B*** compreendia isso perfeitamente. Calava-se, mas pressentia qual seria o fim do amigo. À despedida, abraçaram-se ambos e as lágrimas lhes umedeceram os olhos. E Iefímov, lavado em pranto e com voz mal segura, disse-lhe que era um homem perdido, que já há muito tempo o sabia, mas que só agora compreendia toda a grandeza da sua desdita.

— Eu não tenho talento! — exclamou, pálido como um cadáver. B*** estava profundamente comovido.

— Iegor Pietróvitch — disse-lhe ele — que é que estás dizendo? Com esse desespero, vais mas é direto para a cova; vê se arranjas um pouco de coragem e de persistência. Agora, num momento de desânimo, dizes que não tens talento. Mas isso não é verdade. Tu tens talento, garanto-o eu! Decerto que tens! Sei muito bem como sentes e compreendes a arte. A prova disso é a tua própria vida. Já me contaste toda e por aí se vê que, já antes disto, este mesmo desespero te assaltou algumas vezes. Nesse tempo, o teu primeiro mestre, aquele homem invulgar de que tantas vezes me falaste, despertou a tua paixão pela arte e adivinhou o teu talento. Pois agora, fica sabendo, continuas ainda a sentir a arte com a mesma intensidade do que antes. Nesse tempo nem tu próprio percebias o que se passava contigo. Não te foi possível continuar com o teu amo; decidiste separar-te dele, correr mundo em busca de outra coisa, que não sabias ao certo o que seria. Infelizmente o teu mestre morreu cedo demais. Deixou-te com esse vago anseio, e, sobretudo, não te explicou o seu segredo. Tu compreendeste que por aquele caminho não ias dar a nenhum lado; precisavas de outro mais largo; sentias-te predestinado para alcançá-lo, mas simplesmente não sabias como consegui-lo e na tua nostalgia e no teu tormento, todas as coisas que te rodeavam se tornaram para ti odiosas e hostis. Não foi em vão que sofreste esses seis anos de miséria; durante esse tempo estudaste, pensaste, conheceste a ti próprio e pudeste avaliar as tuas forças. Agora já conheces a arte e também a tua vocação. Meu amigo, escuta o que te digo: a única coisa que te falta é paciência e coragem. Tens à tua frente um futuro mais brilhante do que o meu; tu és cem vezes mais artista do que eu; mas foi pena que Deus não te tivesse dado sequer a décima parte da minha persistência! Estuda e não bebas, como já noutro tempo te aconselhou o teu generoso patrão e, acima de tudo... começa de novo, começa pelo alfabeto, por assim dizer. De que sofres tu agora? De miséria? De fome? Pois a fome e a miséria servem para formar o espírito dos artistas. Isso são males próprios dos começos e, pode-se mesmo dizer, deles inseparáveis. Por agora ninguém te conhece, e nem mesmo querem conhecer-te, é assim o mundo. Mas tudo há de ser bem diferente quando se descobrir que tens realmente talento. Então hão de cair sobre ti a inveja, a vulgaridade e, sobretudo, a estupidez, coisas essas que te hão de ser mais difíceis de suportar do que a própria pobreza. Todo talento precisa de simpatia e deseja ser compreendido. Mas hás de ver o que são as pessoas que te rodeiam logo que tenhas alcançado qualquer coisa que se pareça com o êxito. Hão de rebaixar, desdenhar, ou nem sequer apreciarão aquilo que a ti te custou tanto trabalho, privações, fome e noites de insônia. Esses amigos futuros nada farão para te animar nem consolar. Nem mesmo hão de proclamar aquilo que em ti houver de bom e de original, mas até pelo contrário, com alegria maligna hão de pôr em evidência os teus defeitos, assinalar precisamente o que em ti houver de mau e os teus pontos fracos e, debaixo da aparência da imparcialidade, da indiferença e até o desprezo pela tua pessoa, vão se alegrar com os teus defeitos, tal como se se tratasse de celebrar uma festa... Mas tu és orgulhoso e pões o teu orgulho à vista, muitas vezes de maneira intempestiva, o que poderá sem dúvida vir a provocar ressentimentos em algum imbecil, e então, ai de ti, meu amigo! Serias um contra muitos... e com as suas alfinetadas acabariam por te matar. Eu próprio começo já a saber o que isso é! Mas toma consciência de ti por uma vez! Não estás em tal miséria que não tenhas ao menos para viver; não descures o estudo, e "serra madeira", como eu serrei também muitas vezes em casa de burgueses e de empregados, enquanto eles bailavam. Mas tu és um impaciente — impaciência em ti é uma doença — não és um pessoa modesta, prometes a ti mesmo demasiado, pensas em excesso e não dás ao teu cérebro um minuto de repouso. Tens muito palavreado; mas quando pegas no arco do violino, logo te falta a vontade. Tens muito amor-próprio mas não tens coragem. Por isso te digo que deves tornar-te mais brioso, tem paciência e estuda, e mesmo que não tenhas confiança em ti próprio, continua a trabalhar. Tu és ardoroso, possuis algo de fundamental. Talvez consigas o teu objetivo, mas se o não alcançares, confia ao menos no acaso. Seja como for, nem por isso hás de sair perdendo, pois em compensação, ainda os ganhos seriam maiores.

Iefímov escutou o seu antigo camarada, profundamente comovido. Enquanto ele falava até a cor pouco a pouco foi voltando ao seu pálido rosto e os olhos lhe brilhavam com fulgores de ilusão e de esperança. Mas não tardou que aquele entusiasmo se transformasse num sentimento de fatuidade e na sua arrogância costumada; quando B*** estava quase a chegar ao fim das suas exortações, Iefímov ouvia-o já distraído e impaciente. Apesar disso, no fim apertou-lhe a mão com força, agradeceu-lhe e... depois, como sempre lhe acontecia nas suas transições do mais fundo desalento e desencanto de si próprio para a maior arrogância, quando não até à mais descarada impertinência, respondeu-lhe petulantemente que não se preocupasse com ele, pois bem sabia como havia de arranjar-se para preparar o seu futuro. Esperava em breve arranjar protetores e, então, daria concertos e, de um momento para o outro, alcançaria dinheiro e glória. B*** encolheu os ombros, não lhe respondeu nada e ambos se despediram com a intenção de não ser a separação muito demorada. Iefímov gastou em pouco tempo o dinheiro que o amigo lhe deu e não tardou a procurá-lo para lhe pedir mais.

Ainda fez o mesmo por três ou quatro vezes, até à décima vez; é claro que, por fim, a paciência de B*** esgotou-se e um dia mandou-lhe dizer que não estava em casa. Foi a partir daí que o perdeu de vista...

Decorreram dois anos. De repente, um dia, quando voltava de um ensaio para casa, encontrou-se B*** numa ruela, diante de uma taberna do mais reles aspecto, com um indivíduo embriagado, mal vestido, que logo o chamou pelo seu nome. Era Iefímov. Estava muito mudado e tinha o cabelo todo emaranhado. Podia notar-se logo à primeira vista que a vida dissoluta tinha deixado marcas indeléveis sobre aquelas feições. Apesar de tudo B*** sentiu uma verdadeira alegria por tê-lo encontrado e acompanhou-o até à taberna. Ali, num cubículo abafado e cheio de fumo, pôde B*** apreciar melhor o estado do seu velho amigo. Reparou que estava vestido de farrapos, que tinha as botas completamente estragadas, e que o peitilho da camisa, já rota, estava manchado de vinho. O cabelo começava a cair-lhe e também tinha muitos já brancos.

— O que fazes agora?: Onde moras? — perguntou-lhe B***.

Iefímov olhou-o um tanto confuso e intimidado e começou a falar-lhe em palavras balbuciadas e tão incoerentes que B*** chegou quase a pensar que ele talvez não estivesse em seu perfeito juízo. Por fim Iefímov acabou por confessar-lhe que não era capaz de falar enquanto não bebesse primeiro um copo de aguardente, mas que logo se dava o caso de que já não lhe fiavam naquela tasca.

Ao mesmo tempo em que disse isto fez-se muito ruborizado mas tratou de disfarçar com certa desenvoltura, sem no entanto o conseguir, do que resultou uma atitude forçada que ainda tornava mais triste o seu aspecto, e que despertou em B*** uma piedade sincera. Verificava agora que na realidade se tinham confirmado todos os seus receios.

Pediu aguardente. O semblante de Iefímov tomou uma expressão de gratidão e comoveu-se tanto que, de lágrimas nos olhos, esteve quase para beijar as mãos do amigo. Depois, enquanto comia qualquer coisa, soube B*** com a maior surpresa que durante o tempo que estiveram sem se ver aquele infeliz se tinha casado. E o seu espanto foi ainda maior quando ele o informou a seguir, de que a mulher era quem tinha a culpa de toda a sua desdita e miséria, e que o casamento tinha acabado com todas as suas faculdades artísticas.

— Mas como foi isso? — perguntou-lhe B***.

— É como te digo, meu amigo. Há já dois anos que eu não pego no violino — respondeu Iefímov. — Essa mulher é uma criatura vulgar e estúpida, uma autêntica ignorante. Não fazemos outra coisa senão brigar e andar sempre em discussão.

— Mas se era assim, por que te casaste com ela?

— Porque não tinha pedaço de pão para meter na boca, quando a conheci... e ela tinha então uns mil rublos... foi por isso que casei com ela. Mas é doida por mim. Agarrou-se a mim e não me larga. De maneira que gastei o dinheiro em vodca e perdi também... a minha arte. Está tudo perdido!

B*** teve a impressão de que Iefímov queria de certa maneira justificar-se e que, verdadeiramente, parecia ter pressa de fazer aquelas confidências, como se quisesse antecipar-se a qualquer observação ou pergunta.

— Está tudo perdido! — insistiu.

E contou mais ao amigo que nos últimos tempos tinha acabado por perder no jogo o que ainda lhes restava, de maneira que agora... bem, B*** era um dos primeiros violinistas de Petersburgo; mas contudo, a ele, a Iefímov, nem sequer poderia chegar-lhe aos calcanhares, assim ele quisesse tocar...

— Está bem; mas diz-me... como te arranjas agora? — perguntou B***, que não percebia muito bem do que se tratava no final das contas. — Então por que não procuras meio de ganhar algum dinheiro?

— Ah... não vale a pena! — acrescentou Iefímov com um gesto desdenhoso. — Quem é que aprecia hoje a verdadeira arte? Tu próprio, percebes alguma coisa dela? Bem pouco, para não dizer nada. Tocar umas valsinhas para que o público arraste os pés... é tudo o que vocês sabem fazer! Mas daí não passam! Artistas verdadeiros nem sequer os conhecem de vista, quanto mais de ouvido. E para que despertá-los? Qual nada!... Que fiquem como estão!

Ao dizer isto Iefímov tornou a fazer outro gesto de desprezo... mas cambaleou, pois já tinha bebido muito. Depois convidou B*** a ir a sua casa. B*** começou por recusar, mas acabou por perguntar-lhe o endereço e prometeu ir vê-lo no dia seguinte. Iefímov, que naquele momento estava bem alimentado e bebera também, olhava com ares de chacota o seu antigo camarada e parecia sentir um prazer enorme aborrecendo-o de qualquer modo. Ao se despedirem segurou rapidamente no rico sobretudo de peles do amigo, e segurou-o com jeito de pessoa de categoria inferior que deseja ser amável para um superior ajudando-o a vestir-se. E quando atravessavam o compartimento da frente, a taberna propriamente dita, deteve-se e apresentou B*** ao taberneiro e aos fregueses, como o primeiro violinista da capital. Em suma: portou-se de maneira indigna.

Apesar disso B*** não deixou de ir visitá-lo no dia seguinte de manhã, na água-furtada onde nós vivíamos na maior miséria. Tinha eu então quatro anos e havia dois que a minha mãe estava casada com Iefímov. Ah, minha pobre mãe! Modesta preceptora, mas em compensação dotada de excelente educação e muito bonita, tinha-se casado em primeiras núpcias com um homem já de certa idade, para fugir à miséria. Mas apenas esteve casada com ele três anos incompletos. O meu pai morreu de repente. E quando se repartiram os bens que ele deixou, pelos herdeiros, a minha mãe ficou comigo e com uma pequena quantia que lhe coube nas partilhas. Tornar a encontrar um lugar de preceptora ia ser quase impossível, visto que tinha uma menina ainda pequenina. Foi por essa altura que, casualmente, veio a conhecer Iefímov, e se apaixonou realmente por ele. Também ela era uma exaltada, uma sonhadora fantasiosa. Também ela o considerava um gênio e tinha fé nas suas palavras presunçosas, quando ele se punha a falar do seu futuro brilhante. A sua fantasia sentia-se lisonjeada perante a ideia da sorte invejável que ia caber-lhe, de ser a protetora e a companheira de um artista genial; e casou-se com ele. Mas logo no primeiro mês de casada se desvaneceram todas as suas esperanças e ilusões, e se viu frente a frente com a triste realidade. Iefímov, que talvez tivesse casado com ela somente por causa dos mil rublos, ainda mal o dinheiro não tinha acabado cruzou os braços e começou a dizer a todos — e parecia até que isso lhe dava prazer — que, com o casamento, tinha perdido os seus dotes artísticos; que não podia trabalhar naquela trapeira, debaixo dos olhares de uma família esfomeada; que nessas condições ninguém poderia sentir-se inspirado nem sonhar com melodias; e que, afinal, talvez desde o princípio da sua vida estivesse predestinado para toda aquela infelicidade. Segundo parece, até ele próprio acabou por acreditar firmemente nas suas lamentações e, provavelmente, alegrar-se por ter encontrado aquele novo processo de justificar-se. Era evidente que havia já muito tempo que aquele homem desventurado, aquele homem falhado, a despeito das suas qualidades artísticas, andava à procura de um pretexto exterior ao qual pudesse atribuir todas as suas desditas e fiascos. Naturalmente não podia conformar-se com a ideia de que já de há muito estivesse perdido para a arte. Lutava desesperadamente contra essa ideia inquietante, como quem luta contra um pesadelo e, quando por fim a realidade começou a aparecer-lhe diante dos olhos, chegava a achar que ia perder o juízo, tal era o seu horror. Como podia ele renunciar àquilo que fora durante tanto tempo a finalidade única da sua vida? Até o último momento acreditou, ou pelo menos a si próprio queria fazer ver que, apesar de tudo, ainda não estava nada perdido. No entanto tinha os seus momentos de dúvida e era então que se entregava à bebida para afugentar o sofrimento. Talvez nem ele próprio soubesse, naquele tempo, como a mulher lhe era indispensável. Era a sua justificação viva; chegou a criar a ideia obsessiva de que tudo poderia arranjar-se de novo se a mulher morresse, visto que ela era a culpada de tudo.

A minha pobre mãe, entretanto, nada percebia. Sonhadora inveterada, nem sequer se atrevia a dar um passo no caminho da realidade. Tornou-se impertinente, desabrida, maldosa, passava a vida brigando com o marido que parecia comprazer--se verdadeiramente em atormentá-la e dizia-lhe a todo instante que ele devia trabalhar para não esquecer a sua arte. Mas a cegueira e a ideia fixa do meu padrasto e sobretudo a sua tensão nervosa tornavam-no insensível e quase desumanamente cruel para com ela. Punha-se muitas vezes a dizer-lhe, por entre risadas, que nunca mais havia de pegar no violino, sem pensar um momento sequer na sua terrível falta de consideração ao atirar palavras daquelas ao rosto da sua própria mulher. A minha mãe, que apesar de tudo manteve por ele até a morte uma ternura apaixonada, não estava acostumada a uma vida daquelas. Começou a ficar adoentada, por último, adoeceu de fato e, não encontrando nenhum meio de alívio, era contínuo e probante o seu sofrimento.

Como se tudo isto não bastasse, tinha ainda que prover a manutenção de todos nós. Resolveu meter-se a cozinhar e a servir comida para fora; mas o marido, às furtadelas, tirava-lhe o dinheiro todo e também acontecia muitas vezes que os clientes que iam buscar comida tinham de regressar com os tachos vazios. Quando B*** nos veio visitar, já a minha mãe tinha deixado esse negócio; ocupava-se então em tingir e em lavar roupa. Assim íamos nós arrastando a vida na nossa trapeira.

B*** ficou muito admirado com a nossa miséria.

— Escuta, meu pobre amigo: para que ficas aí falando de arte? — disse ele voltando-se para o meu padrasto. — É graças a tua mulher que vocês se sustentam; mas tu, que fazes tu?

— Eu? Nada! — respondeu o meu padrasto.

B*** não conhecia nem metade da infelicidade da minha mãe.

O marido, quando voltava para casa bêbado, costumava trazer consigo um bando de amigalhaços e... o que ali não acontecia, santo Deus!

B*** falou durante muito tempo com o seu antigo camarada. Declarou-lhe francamente que, se ele não se emendasse, não estava disposto a ajudá-lo, e que também não lhe dava dinheiro, já que seria todo para gastar em vodca. Terminou pedindo-lhe que tocasse qualquer coisa no violino para poder avaliar o que poderia fazer em seu favor. Enquanto o meu padrasto foi buscar o violino, B*** em segredo, quis dar algum dinheiro a minha mãe, mas ela não o aceitou. Era a primeira vez que lhe ofereciam uma esmola! Então B*** deu-me as moedas a mim e a pobre mulher desatou a chorar. O meu padrasto tirou o violino do estojo, pôs-se a experimentá-lo, mas daí a pouco declarou que para poder tocar precisava beber primeiro. Trouxeram vodca. Ele bebeu e pôs-se a passear pela sala, para lá e para cá.

— Em homenagem à nossa antiga amizade vou tocar-te uma composição da minha própria autoria — disse ele para B*** e tirou da cômoda um caderno volumoso e poeirento. — Tudo isto eu escrevi — disse, apontando o caderno. — Tu vais ver... Isto, meu amigo, é muito diferente dessas composições para bailaricos!

B*** permaneceu em silêncio por muito tempo; depois tirou do bolso uns papéis de música que trazia consigo e pediu ao meu padrasto que tocasse qualquer coisa dali.

Iefímov ofendeu-se ao ver que ele não ligava importância às suas composições; no entanto acedeu ao pedido do amigo, provavelmente com receio de perder a simpatia e os favores do seu antigo camarada.

Tocou. B*** reconheceu que, desde o tempo em que tinham deixado de se ver, tinha ele aprendido muito e com certeza que devia ter trabalhado, apesar de, nas suas fanfarronadas, dizer que nunca mais tinha pegado no violino desde que se casara. Ah, se vissem a alegria da minha pobre mãe naquele momento! Olhava embevecida para o marido e voltava a sentir-se vaidosa por causa dele! O bom de B*** estava também muito satisfeito e disse que estava disposto a ajudá-lo com a sua melhor boa vontade. Por esse tempo já ele estava muito bem relacionado e, de fato, fez tudo o que estava na sua mão pelo seu pobre companheiro de estudo, depois de lhe ter exigido que desse a sua palavra de que dali para diante havia de ter uma boa conduta. Começou por comprar-lhe roupa decente e depois apresentou-o a duas pessoas importantes, das quais dependia o ingresso de Iefímov na orquestra em que queria colocar-se. Iefímov mostrou-se muito favoravelmente disposto a aceitar essa colocação, talvez porque até ali a coisa não passava de palavras. Pelo menos acolheu a proposta do amigo com mostras da maior alegria. Contou-me depois B*** que chegara a sentir-se comprometido perante as lisonjas e os protestos de admiração com que o meu padrasto se esforçou por exprimir-lhe a sua gratidão, provavelmente com a intenção de assegurar desse modo a proteção do camarada.

Compreendeu finalmente que todos queriam encaminhá-lo pela boa senda e até deixou de beber. E por fim deram-lhe realmente um lugar na orquestra de um teatro. Saiu vencedor da prova, pois, num mês, graças à sua aplicação e boa vontade, voltar a recordar tudo aquilo que em ano e meio de folgança tinha esquecido. Prometeu continuar sempre tal como então, cumprir fiel e pontualmente os seus deveres e tornar-se mais digno.

No entanto, nem por isso as condições da nossa vida melhoraram. Pois, do seu ordenado mensal, o meu padrasto não só não entregava a minha mãe nem um único copeque, como até o gastava todo embriagando-se e convidando os seus novos amigos que formavam já uma autêntica legião. Eram na sua maior parte empregados do teatro, coristas e comparsas; quer dizer, indivíduos entre os quais ele podia sobressair. No entanto, ao mesmo tempo, fazia todo o possível por evitar o convívio com todas as pessoas de mais talento. Àqueles, naturalmente, podia ele impor-se e infundir-lhes uma admiração especial, o que desde o princípio conseguiu imediatamente dizendo-lhes e contagiando-os da sua convicção de que ele era um grande artista, um gênio ignorado ao qual a mulher tinha condenado à ruína, e que o diretor da orquestra onde trabalhava não tinha nem a mais leve ideia do que fosse a música. Troçava de todos os solistas da orquestra, assim como da seleção das obras que executavam e dos compositores de ópera. Começou por fim, a expor toda uma nova teoria sobre a arte musical. Numa palavra: tornou-se antipático a todos os componentes da orquestra, brigou com todos e não tardou muito, também com o próprio diretor, conduziu-se grosseiramente com os superiores, arranjou fama de homem turbulento e intriguista, e ao mesmo tempo de inútil, e levou as coisas a tal extremo que se tornou insuportável para todos. E na verdade era bem estranho que um homem tão insignificante, um músico tão deficiente, tivesse aquelas enormes pretensões e falasse com tal jactância.

Afinal acabou também por vir a ter uma disputa com B***. Inventou uma intriga odiosa, uma calúnia vil acerca do seu protetor, e a pôs em circulação como verdadeira. Esteve apenas meio ano na orquestra, pois acabaram por despedi-lo devido à sua negligência e maneira tão reprovável de conduzir-se quando estava embriagado. Mas nem assim conseguiram livrar-se dele. Não tardou que o vissem aparecer por ali coberto de andrajos, pois a roupa melhor já a tinha vendido ou empenhado, e foi apresentar-se naquela figura aos seus antigos companheiros de orquestra, sem querer saber se eles o acolheriam bem ou mal, e pôs-se a contar-lhe enredos, a disparatar, a lamentar a sua vida e a convidá-los a todos para irem a sua casa e verem a fera que ele tinha por mulher. Naturalmente havia quem se divertisse a puxar-lhe pela língua, dando-lhe mais copos a beber e regozijando-se com as tolices que dizia. Porque ele sabia falar com certa inventiva, com sarcasmo, intercalava nas suas histórias ironias mordazes e amostras de cinismo que achavam aplauso certo entre muitos dos que o ouviam. Acabaram por tomá-lo por um bobo meio maluco, que era divertido ouvir disparatar nas horas de lazer. Também os seus ex-camaradas costumavam provocá-lo pondo-se a falar, na sua presença, de algum novo grande virtuose do violino que devia andar a dar concertos pela Rússia e o qual era também esperado em Petersburgo. Logo que ouvia aquilo, Iefímov mudava de cara, ficava desalentado, perguntava qual era o nome do artista, como é que ele tocava e se tinha muito talento, mostrando perfeitamente a inveja que o desconhecido artista lhe provocava com a sua fama. Parece que foi por essa altura que começou a manifestar-se a sua loucura sistemática, a sua megalomania; aquela ideia fixa de ser o primeiro violinista, pelo menos de Petersburgo, embora perseguido pela má sorte, e que só em virtude de certas intrigas não chegava a ser conhecido como devia e estava portanto condenado a morrer na obscuridade. Por último até se envaidecia com esta ideia, pois há sempre também quem chegue a gozar com a suposição de ser perseguido e incompreendido, a gozar com as próprias lamentações ou com a adoração silenciosa do seu orgulho e da sua não reconhecida grandeza. Iefímov conhecia todos os virtuoses petersburgueses e podia até contá-los pelos dedos, mas nenhum deles, na sua opinião, era digno sequer de lavar-lhe os pés. Os seus colegas e outros entendidos também na música, incluindo até muitos profanos que estavam a par da sua mania de grandeza, procuravam trazer precisamente à conversa o tema dos novos gênios para dar-lhe a oportunidade de criticar antecipadamente os seus supostos rivais. Depois divertiam-se com o seu mau humor, com as suas maldosas insinuações e, sobretudo, com as suas manhosas observações ao censurar a execução técnica dos outros. A maior parte das vezes não o compreendiam, no entanto estavam convencidos de que não havia mais ninguém que, como ele, soubesse fazer tão bem e com tanta verossimilhança a caricatura dos grandes músicos contemporâneos, nem também quem melhor do que ele fosse capaz de pô-los na rua da amargura. Além disso até os próprios artistas de que ele fazia uma tão desapiedada chacota o temiam um pouco, pois não só conheciam a sua palavra mordaz como também reconheciam a exatidão dos seus ataques e opiniões.

De certo modo estavam já todos acostumados a vê-lo pelos corredores e por detrás dos bastidores dos teatros. Os porteiros deixavam-no entrar sem qualquer dificuldade, como se se tratasse de uma personagem imprescindível. De maneira que acabou por tornar-se no teatro uma espécie de Tersites[1] musical. Isto durou ainda uns dois ou três anos. Até que por fim também neste último papel acabou por

---

1   Personagem da *Ilíada*, demagogo e detrator dos caudilhos do exército grego, tipo da covardia insolente.

tornar-se antipático. Puseram-no no olho da rua e nos dois últimos anos da sua vida foi como se já estivesse morto para aquela gente, pois nunca mais quiseram vê-lo. No entanto B*** ainda o encontrou umas duas ou três vezes, mas o meu padrasto estava já tão transtornado mentalmente que até inspirava mais compaixão do que repugnância. B*** chamou-o, mas Iefímov sentiu-se ofendido com isso, puxou o chapéu amolgado para cima dos olhos e passou de largo. Passado algum tempo, num dia de festa, de manhã, foram anunciar a B*** que o seu antigo colega Iefímov desejava felicitá-lo. B*** veio recebê-lo.

Iefímov, perdido de bêbado, estava no vestíbulo; ao ver o amigo, fez-lhe uma grande vênia, chegando quase a tocar no chão, murmurou qualquer coisa por entre dentes e negou-se redondamente a aproximar-se mais. O significado da sua atitude era pouco mais ou menos este: "Como poderemos nós, os sem talento, cultivar o convívio de celebridades tão grandes e notáveis como Vossa Excelência? Para nós outros, os humildes, chega um lugar de criado quando vimos apresentar as nossas felicitações; fazemos a nossa vênia e desaparecemos logo". Em suma: foi uma atitude feia, estúpida e repugnantemente baixa. Desde essa manhã, durante muito tempo, nunca mais B*** tornou a vê-lo, até que ... até que sobreveio a catástrofe que havia de pôr fim àquela vida triste, asfixiante, desolada e enferma. Essa catástrofe foi não só o acontecimento mais dramático da minha infância mas com certeza também da minha vida inteira.

Antes de passar a descrevê-lo, devo descrever a minha infância e explicar o significado que para mim teve esse homem, esse homem que tão dolorosa impressão deixou na minha alma de menina e que foi a causa da morte da minha pobre mãe.

Capítulo II

As recordações da minha infância datam apenas dos dez anos. Não sei como explicar o fato de que tudo quanto até então experimentara não tenha deixado em mim uma impressão nítida, que eu pudesse agora evocar. Mas aproximadamente a partir dos meus nove anos e meio, posso recordar quase dia a dia o meu passado; é toda uma vasta série de reminiscências, tal como se se tratasse de coisas passadas ainda ontem... Recordo-me de alguns acontecimentos anteriores a este tempo, mas apenas como se tudo se tivesse passado em sonhos. Assim, recordo-me, por exemplo, da lâmpada que ardia continuamente num canto obscuro da nossa casa, diante de uma imagem antiga, e de como uma vez, na rua, me meti por debaixo das patas dos cavalos de um esquadrão de cavalaria, o que me custou três meses de cama; e também de como durante aquela doença, uma noite, enquanto estava deitada ao lado de minha mãe, pois dormia na cama dela, acordei de repente com um pesadelo e, finalmente, do medo com que fiquei, a partir daí, do silêncio e da escuridão da noite, e dos ratos que vagueavam e corriam pelos cantos. Passava as noites todas tremendo de medo, cobria a cabeça com os lençóis, mas, apesar de tudo, não me atrevia a acordar a minha mãe, donde eu concluía depois que era ainda maior o medo que ela me inspirava do que aquele que tinha dos ratos e da escuridão.

Mas a partir do momento em que a minha consciência despertou, desenvolvi-me rapidamente, de tal maneira que todos ficavam admirados, e muitos acontecimentos infantis bem depressa ficaram compreensíveis para mim, de um modo quase inquietante. Tudo se revelou, tudo se tornou inteligível num prazo brevíssimo. E esse tempo em que eu comecei a fazer uso da razão e que, ao contrário dos anos anteriores, recordo com uma clareza espantosa, deixou em mim uma triste e profunda impressão. Impressão que se repetiu depois todos os dias e que cada vez se foi tornando mais intensa, e que finalmente emprestou uma tonalidade obscura, peculiar, a todo o tempo que vivi na companhia dos meus pais e a toda a minha infância.

Parece-me agora que, nesse tempo, despertara eu de um profundo sonho (se bem que, ao tempo em que isto aconteceu, nem por isso tive um grande abalo).

Verifiquei um dia que vivia numa grande sala de teto baixo. Tudo estava sujo e o ambiente era muito úmido. As paredes desbotadas eram de um verde encardido, e num canto via-se um enorme fogão russo. Pelas janelas divisava-se a rua ou, para melhor dizer, via-se o telhado da casa fronteira, pois as tais janelas eram largas mas baixas, quase não passavam de umas frestas horizontais abertas na parede. Os poiais dessas janelas estavam tão altos que eu tinha de encarrapitar-me em cima de uma cadeira e de um banquinho para conseguir subir, mesmo assim com muita dificuldade, ao meu lugar favorito, e isto quando não havia em casa alguém que me proibisse. Da nossa trapeira podia ver-se quase a metade da cidade, pois vivíamos num prédio grande, muito grande, de seis andares. Todo o nosso mobiliário consistia nas relíquias de um velho e derreado sofá de couro, todo cheio de pó e a deixar sair a crina por todos os lados; de uma mesa tosca e não aparelhada, de duas cadeiras e uma cama na qual dormia a minha mãe; um pequeno armário num canto, uma cômoda que estava sempre descambada, e um biombo feito de tiras de papel.

Lembro-me de uma vez, já à tardinha: estava toda a casa revolvida, no chão havia uma barafunda de escovas e de trapos, uma garrafa partida e não sei já quantas coisas mais. Recordo-me de que a minha mãe estava muito aflita e que chorava, não sei por que motivo. A um canto estava o meu pai, feito num farrapo, como de costume. Respondia-lhe qualquer coisa com um pequeno sorriso trocista, o que tinha por efeito pôr a minha mãe ainda mais exaltada, e depois, pelo ar, tornaram a voar pratos e escovas. Eu me pus a chorar e a gritar e coloquei-me entre eles. Estava terrivelmente assustada e, num desespero, lancei-me de encontro a meu pai para protegê-lo com o meu corpo. Só Deus sabe por que é que se me teria afigurado que a cólera de minha mãe era infundada e que o pai estava inocente. Eu desejava interceder por ele, o que equivalia a arrostar com o castigo de que ele fosse merecedor. Eu tinha um medo atroz de minha mãe e achava que todos os outros tinham também. Minha mãe olhou-me, então, assombrada; depois pegou-me pela mão e levou-me para trás do biombo. Magoou-me a mão — doeu muito — mas ainda maior foi o susto do que a dor, e nem sequer me atrevi a queixar-me. No entanto lembro-me ainda de que, por causa disso, a minha mãe fez amargas censuras a meu pai, acusando-me a mim. (Vou chamá-lo meu pai, se bem que fosse padrasto, pois só muito mais tarde vim a saber que não nos unia qualquer parentesco). Toda aquela cena devia ter durado ao todo umas duas horas e eu, tremendo e excitada, esforçava-me por adivinhar em que acabaria tudo aquilo. Por fim a briga terminou e a minha mãe saiu para ir tratar de qualquer coisa. Então o meu pai chamou-me, deu-me um beijo e alisou-me os cabelos, sentou-me nos seus joelhos, e eu me encostei no seu peito, com muita força. Foi esse o primeiro carinho paternal que experimentei e talvez por isso me recorde agora tão bem de tudo quanto aconteceu nessa ocasião. Compreendi também que, pelo fato de ter tomado aquela defesa, tinha ganho aquela prova de carinho de meu pai e então pela primeira vez me ocorreu o pensamento de que a minha mãe o fazia sofrer muito. A partir desse dia nunca mais pude expulsar tal ideia, que cada vez passou a excitar-me e a revoltar-me ainda mais.

Desde então despertou em mim um carinho sem limites pelo meu pai, mas era um carinho estranho e pouco próprio de uma criança. Poderia quase dizer-se que era mais um sentimento de compaixão maternal, se não fosse cômica tal designação... aplicada a uma meninazinha! Parecia-me sempre que o meu pai era digno de lástima e que era vítima de uma perseguição injusta, de uma grande tirania; enfim, via nele um mártir, de tal modo que me teria sido impossível não amá-lo com uma paixão tão exaltada que tocava as raias da loucura, não me desvelar por consolá-lo, nem prodigalizar-lhe os meus carinhos, não me esgotar em tomar cuidado nele e fazer-lhe todo o bem que me era possível. Ainda hoje não compreendo claramente por que é que me teria metido na cabeça que ele era um mártir e um homem sumamente desventurado. Quem teria infundido em mim aquela ideia? Como poderia eu, uma criança, compreender o que quer que fosse acerca dos seus insucessos e desilusões pessoais? E o que é certo é que os compreendia, embora os imaginasse à minha maneira. Mas, insisto, apesar de tudo não consigo explicar como é que eu pude chegar a formar uma tal ideia. Talvez fosse devido à severidade com que minha mãe me tratava, que eu me tivesse dedicado de tal modo a meu pai, como se ele fosse a única criatura no mundo que, em minha opinião, era objeto de um tratamento tão injusto como aquele que me davam a mim, vendo nele, portanto, um companheiro de infortúnios.

Já falei do meu primeiro despertar do sonho da infância, da minha primeira iniciação na vida consciente. A partir desse momento o meu coração ficou ferido, principiou o meu desenvolvimento, que se realizou com uma rapidez excessivamente apressada e enervante.

Já então não podia dar-me por satisfeita com as simples experiências anteriores. Começava a refletir, a meditar e observar; mas essas observações tomavam em mim um aspecto tão anormalmente precoce que a minha inteligência acabou por interpretar tudo segundo as suas próprias imagens e conceitos, de maneira que em breve acabei por achar-me em um mundo que apenas existia só para mim. Tudo quanto me rodeava se foi tornando cada vez mais parecido com aquelas histórias que o meu pai costumava contar-me e que eu, naturalmente, tomava como puras verdades. Foi assim que cheguei a conceber as mais estranhas ideias. Compreendi perfeitamente — se bem que não pudesse explicar como — que a minha família era muitíssimo invulgar e que os meus pais não se pareciam absolutamente nada com as outras pessoas que eu nesse tempo conhecia. Por que é que os outros se riam e por que reparava eu depois que no tugúrio em que vivíamos ninguém se ria, nem ninguém tinha nunca uma alegria? Que poder me obrigava, a mim, uma garota de nove anos, a observar com tanta atenção tudo quanto me rodeava e a reparar em *todas as palavras que ouvia* das pessoas com quem me encontrava na escada ou na rua, quando, à tarde, agasalhada com o velho xale de minha mãe, ia à venda próxima comprar alguns copeques de açúcar, de chá ou de pão? Compreendia, sem saber como, que no nosso tugúrio reinava a tristeza, uma inexplicável e insuportável tristeza. Dava voltas ao juízo para adivinhar qual seria a causa disso e não sei quem é que me ajudou a interpretar à minha maneira aquele enigma; acusava a minha mãe de tudo, olhava-a como uma inimiga mortal do meu pai, mas, repito... nem eu própria sei explicar como é que consegui chegar a conceber tal ideia. E quanto mais me agarrava a meu pai mais obrigada me sentia a aborrecer a minha mãe. Ainda hoje me aflijo ao recordar isto. Mas aconteceu uma coisa que contribuiu ainda mais para aumentar o meu amor por meu pai.

Uma vez, seriam umas dez horas da noite, a minha mãe enviou-me à venda a buscar borras. O meu pai não estava em casa. No regresso tropecei e caí no meio da rua, entornando tudo quanto trazia na tigela. A primeira coisa de que me lembrei foi de como a minha mãe iria ficar zangada quando soubesse. De repente senti uma dor horrível no braço esquerdo e ao mesmo tempo percebi que não me podia levantar. Já havia gente parada à minha volta. Uma velhinha tentou levantar-me, mas um rapaz que por acaso passou por ali naquele momento aproximou-se e bateu-me com uma chave na cabeça. Por fim consegui pôr-me de pé, apanhei os cacos da tigela e pus-me a andar, coxeando, quase impossibilitada de dar um passo. De súbito descobri o meu pai. Estava no meio do povo, diante de uma linda casa fronteira à nossa. Pertencia aquela casa a não sei que família importante, e estava nessa noite esplendidamente iluminada. Diante do portão havia muitas carruagens paradas e lá dentro ouvia-se tocar uma orquestra. Puxei o meu pai por uma ponta do casaco, mostrei-lhe a tigela partida e disse-lhe que não me atrevia a voltar para casa. Estava convencida de que ele havia de proteger-me. Mas por que estava eu assim tão convencida e quem me tinha dito ou de onde tinha eu deduzido que ele gostava mais de mim que a minha mãe? Eis aqui qualquer coisa que não poderia explicar. Por que me dirigi eu a ele sem uma ponta de receio, ao passo que, só por medo, não me atrevia a voltar para casa onde me esperava minha mãe? Ele me pegou na mão, consolou-me e depois disse-me que me ia mostrar uma coisa muito linda; levantou-me ao ar e susteve-me nos braços. Eu não podia ver nada por causa da dor que sentia, pois o meu pai tinha-me pegado precisamente pelo braço machucado, que me doía terrivelmente, mas apesar disso não soltei um gemido, só para não assustá-lo. Ele me perguntou várias vezes se eu via alguma coisa. Esforcei-me como pude para responder-lhe afirmativamente e disse-lhe que via umas cortinas vermelhas por detrás das janelas. Quando ele ia atravessar comigo para o outro passeio, para regressarmos a casa, desatei logo a chorar... não sei por quê... abracei-me ao seu pescoço e supliquei-lhe que voltasse depressa para casa. Recordo que no entanto a sua ternura me oprimia e que me custava suportar que um dos dois — o meu pai — visto que tinha o dever de gostar de ambos — fosse bom e carinhoso para comigo, enquanto o outro, minha mãe, me infundia tanto respeito e temor.

Afinal a minha mãe nem por isso ficou muito zangada e limitou-se a dizer que eu devia ir logo para a cama. Lembro-me de que a dor do meu braço se tornou cada vez mais forte e que comecei a sentir febre; mas apesar de tudo sentia-me feliz e estava muito contente porque, afinal, tudo tinha acabado bem; passei a noite inteira a sonhar que estava em frente da tal casa importante e dos lindos cortinados vermelhos.

Quando acordei no dia seguinte, o meu primeiro pensamento, a primeira preocupação foi a casa das cortinas vermelhas. Mal o meu pai tinha acabado de sair trepei logo ao parapeito da janela para admirar o palácio fronteiro. Verdadeiramente, aquela casa já antes tinha excitado a minha curiosidade infantil. Quantas vezes, logo que escurecia e se acendiam as luzes da rua, não me lembrava eu de ir contemplar essa casa cujas cortinas encarnadas começavam a brilhar com uma luz quase sangrenta, por detrás das grandes vidraças de cristal. Diante do portão costumavam estar sempre paradas luxuosas carruagens e também paravam muitas vezes por ali cavaleiros montados em altivos e airosos cavalos, e tudo isto cativava a minha atenção maravilhada; as vozes e os chamamentos dos cocheiros e dos criados, todo aquele vaivém em frente da casa, as lanternas coloridas das carruagens e as senhoras tão elegantes e bem vestidas que para elas entravam, tudo isso tomou na minha fantasia infantil as proporções de algo fabulosamente extraordinário e grandioso. E depois do meu encontro com o meu pai, diante do palácio, este perante os meus olhos, cresceu ainda mais em prestígio e sortilégio. Na minha imaginação acordada surgiram visões e pressentimentos invulgares. E afinal não é nada de extraordinário que entre umas criaturas tão estranhas como eram os meus pais, eu acabasse por tornar-me uma menina estranha e de exaltada fantasia. Porém, o que a mim mais me impressionava era o contraste que havia entre os caracteres dos meus pais. Admirava-me, por exemplo, que a minha mãe lidasse durante todo o dia pela nossa mísera casa e que, por isso, a todo momento dirigisse censuras a meu pai, lançando--lhe em rosto que era ela quem tinha de trabalhar e de nos sustentar a todos... e, sem querer, perguntava a mim mesma por que não a ajudaria o meu pai e por que vivia entre nós como um estranho. De algumas palavras soltas de minha mãe eu tirei uma explicação. Fiquei sabendo, com grande espanto, que o meu pai era um artista (logo essa palavra me impressionou), um homem que possuía um grande talento. Em seguida a minha imaginação esforçou-se por arranjar um significado para essa nova palavra, dizendo que um artista devia ser qualquer coisa de especial, um homem absolutamente excepcional, diferente dos outros homens. Talvez a conduta do meu pai tivesse contribuído em parte para que eu formasse essa ideia do que fosse um artista, se é que anteriormente não teria eu ouvido qualquer coisa, pormenor esse de que já não me lembro. Foi quase incompreensível para mim o significado das palvras que o meu pai proferiu uma vez diante de mim, num tom estranho:

"Então viria um dia em que já não seria pobre mas sim um ricaço e, quando a mãe morresse, então, havia de renascer para outra vida."

Lembro-me de que fiquei muito assustado quando lhe ouvi dizer aquilo. Tão grandes foram o meu espanto e o meu medo que não pude ficar mais tempo no quarto e fui para o patamar da escada fria, onde me pus a chorar, e ali fiquei chorando, de coração apertado, de cotovelos no parapeito da janela e com a cara escondida entre as mãos. Mas depois, de tanto pensar continuamente sobre o significado daquelas palavras e de me ir acostumando pouco a pouco à espantosa ilusão do meu pai... a minha própria fantasia veio em meu auxílio. Pelo menos não me foi possível suportar por muito tempo o tormento da incerteza, e por isso tive de acabar por chegar a qualquer conclusão. E então, não sei como, acabei por acreditar realmente *que o meu pai, assim que a minha mãe morresse*, abandonaria aquele aborrecido tugúrio e ia me levar com ele para outro lugar. Mas para onde? Eis o que, até o último momento, nunca pude imaginar claramente. Lembro-me apenas de que tudo quanto pudesse embelezar esse lugar para onde os dois havíamos de ir (de que nós os dois havíamos de ir para lá, é que eu não tinha dúvidas), tudo quanto me era possível imaginar de belo e radioso e magnífico, tudo isso o empregava eu em adornar os meus sonhos de futuro. Acreditava que em breve nos tornaríamos ricos e, então, já não teria nunca mais de ir à loja comprar as coisas que a minha mãe me mandava, o que me custava sempre muito, porque os garotos da vizinhança, logo que me apanhavam na rua, metiam-se comigo... e eu tinha muito medo deles, sobretudo quando me mandavam buscar leite ou ovos, pois sabia de antemão que entornaria o leite ou deixava cair os ovos no chão e que, depois, ao chegar a casa, apanhava uma sova. E punha-me a imaginar as roupas esplêndidas que o meu pai usaria depois e que iríamos morar em uma casa magnífica... e era então que me vinha sempre à memória o palácio das cortinas vermelhas e o encontro com o meu pai, diante do portão; e contribuía para ajudar ainda mais a minha fantasia aquele pormenor de ter desejado me mostrar qualquer coisa. Nem é preciso dizer que nos meus sonhos de futuro era naquela casa que nós nos instalávamos para depois viver ali uma vida completamente feliz. A partir da época em que todos os dias, especialmente à tarde, cheia de interesse e curiosidade comecei a contemplar aquele palácio encantado, punha-me a pensar naquela fila de carruagens da tal noite e nos convidados e nos suntuosos aposentos que até então nunca tinha visto. E depois imaginava que voltava a ouvir os suaves acordes da música, que se ouviam já em surdina, observava os contornos das figuras que se agitavam sobre as cortinas e esforçava-me por adivinhar o que se passaria ali, por detrás daquelas janelas... parecia-me que ali é que devia ser o Paraíso e que a vida, ali, devia correr numa eterna alegria. Comecei a odiar a nossa água-furtada e os nossos trapos. E como uma vez a minha mãe me ralhou e mandou sair da janela, pensei logo que ela tinha ciúmes e não queria que eu olhasse para aquela casa e nem sequer pensasse nela, que lhe pesava a nossa felicidade e que desejava até adiá-la, pelo menos enquanto ela vivesse. E toda aquela tarde olhei para a minha mãe com desconfiança.

Como podia a minha alma enraivecer-se daquela maneira contra a pobre e desditosa criatura que era minha mãe? Até hoje não compreendi todo o suplício da sua vida, e agora não posso, sem sentir uma punhalada terrível no coração, recordar o seu martírio. Também então, nessa época obscura da minha infância vulgar, durante o meu desenvolvimento anormalmente rápido, me acontecia às vezes a alma se confranger de dor e de mágoa... e a inquietação, a tristeza e a dúvida oprimiam-me o espírito. Também então me acontecia sentir a consciência revoltada e percebia muito bem que era injusta para com minha mãe. Mas parecia que tínhamos medo e que fugíamos uma da outra. E não me lembro de nem sequer uma só vez ter tido um gesto de carinho para ela. Agora, até as recordações mais insignificantes me comovem e martirizam o coração.

Uma vez, lembro-me muito bem — provavelmente o que vou contar não tem importância nenhuma, será quase uma ingenuidade, mas é que pormenores destes são os que agora mais me afligem e aqueles que ficaram mais bem gravados na minha memória — uma vez em que o meu pai não estava em casa, a minha mãe mandou-me à loja buscar açúcar e chá. Mas antes pensou primeiro durante muito tempo, sem se decidir a mandar-me e pôs-se a contar em voz baixa os torrões de açúcar... um balanço de mendigo, para ver o que ainda tinha. Contando e recontando, assim esteve durante uma meia hora, se não me engano, sem chegar a um resultado nas suas contas. Acrescente-se a isto que, muitas vezes, talvez por causa do desgosto, caía num estado de meditação profunda. Tal como se ainda neste momento ela estivesse diante dos meus olhos, recordo que falava consigo própria, baixinho, ao mesmo tempo em que ia contando as moedas uma por uma e como se cada palavra que pronunciava fosse uma espécie de mágico esconjuro. Tinha as faces e os lábios descorados, as mãos tremiam-lhe constantemente e, quando se sentava e se punha a meditar, estava sempre a mexer a cabeça.

— Não, não é preciso — disse por fim, lançando-me uma olhadela. — O melhor é ir-me deitar e dormir. Queres vir dormir também, Niétotchka?

Eu não disse nada. Então ela me levantou um pouco o queixo, olhou-me com tanto carinho e doçura, e o seu rosto triste iluminou-se com um sorriso tão brando e maternal que o meu coração se confrangeu e começou a bater com muita força. Além disso tinha-me chamado Niétotchka, o que era sinal de ternura. Esse diminutivo do meu nome era invenção dela, foi assim que transformou o meu verdadeiro nome de Anna. Quando me chamava Niétotchka já eu sabia que ia falar-me com meiguice. Aquilo comoveu-me; de boa vontade a teria abraçado e me teria encostado ao seu peito para chorarmos as duas juntas. A pobrezinha esteve assim, a acariciar-me a cabeça, durante muito tempo... Talvez por fim até já de uma maneira mecânica, sem dar-se conta de que estava a acariciar-me, murmurava: "Niétotchka, Anieta, minha filha!". As lágrimas queriam correr-me pelas faces mas contive-me convulsivamente e consegui dominar-me. Como se vê, de certo modo opunha-me até à sua própria ternura, não deixando transparecer nem o menor sentimento, ainda que por dentro estivesse a sofrer. Não, aquela minha insensibilidade não podia ser natural. Não teria sido com certeza a sua seriedade que me teria disposto daquela maneira contra minha mãe. Mas eu sei de onde vinha aquilo: vinha do extraordinário carinho que eu tinha pelo meu pai, que chegava a ser-me prejudicial por ser tão exclusivo. Às vezes, quando à noite, no meu canto, despertava no catre debaixo do leve cobertor, acabava sempre por encher-me de medo. Meio adormecida, recordava como havia pouco tempo ainda, quando era mais pequena, dormia na mesma cama que a minha mãe e, quando acordava, aí pela meia-noite, não tinha medo; aconchegava-me mais contra ela, fechava os olhos e tornava depois a adormecer. Sentia que, quisesse ou não, não tinha outro remédio senão amá-la, do fundo da minha alma. Daí a alguns anos cheguei à conclusão que muitas crianças são às vezes de uma insensibilidade espantosa, e que se alguém lhes mostra carinho costumam dedicar-se exclusivamente a essa pessoa e, é claro, não se importam depois com mais ninguém. Era o que se dava comigo.

Às vezes reinava na nossa trapeira, durante semanas e semanas, um silêncio de morte. Os meus pais pareciam cansados de brigar, eu fazia entre eles a minha vida habitual, sempre calada, sempre a pensar, a devanear, desejando e esforçando-me sempre nessas minhas meditações por adivinhar algo que para mim era um enigma. Da observação dos dois, de meu pai e de minha mãe, eu percebia perfeitamente o que eles eram um para o outro; compreendia a sua eterna e surda hostilidade, explicava toda a dor e essa impressão deprimente da estranha vida que se desenrolava na nossa água-furtada... Compreendia tudo isso, evidentemente, sem acertar com as causas nem adivinhar todo o seu alcance, e compreendia-o até onde, então, me era possível compreendê-lo. Durante os grandes e sossegados serões de inverno, costumava ficar durante horas a contemplá-los, no meu canto, sem que eles disso se apercebessem; seguia todos os seus movimentos, estudava fisicamente o rosto do meu pai e esforçava-me tenazmente por adivinhar em que estaria ele pensando, em que ocuparia o seu espírito. Depois era a minha mãe que absorvia a minha atenção e que me inquietava. A minha mãe passeava no quarto incansavelmente de um lado para o outro, durante horas seguidas e, às vezes, até alta noite, quando não podia dormir — sofria muito de insónias — e ia sempre falando sozinha, como se não estivesse ninguém no quarto, e tão depressa cruzava os braços como os abria, ou juntava as mãos como se estivesse num desespero ou sentisse um sofrimento indizível. Às vezes escorriam-lhe lágrimas pelas faces, umas lágrimas que talvez nem ela mesma já sentisse, pois parecia que, de quando em quando, soçobrava numa completa inconsciência. Além das suas preocupações inquietavam-na ainda graves padecimentos físicos; simplesmente ela não lhes ligava importância.

A solidão e o silêncio que eu não me atrevia a romper, começavam a tornar--se cada vez mais pesados. Havia já um ano que a minha consciência despertara e, durante esse tempo, não tinha feito outra coisa senão pensar, meditar, sonhar e atormentar-me em segredo com anseios ignorados e confusos que de repente me acometiam. Parecia-me que andava perdida numa selva. Foi o meu pai quem primeiro deu por isso. Chamou-me e perguntou-me por que eu tinha aquele ar tão estranho. Já não sei o que lhe teria respondido; lembro-me apenas de que ele ficou muito pensativo e que por último me disse que ia trazer-me uma cartilha para me ensinar a ler. Eu esperava com impaciência aquele livro extraordinário e toda essa noite me perdi em sonhos fantásticos, pois é claro que não tinha a menor ideia do que seria uma cartilha. No dia seguinte, finalmente, o meu pai começou, realmente, a ensinar-me pela cartilha. Compreendi logo do que se tratava e, dentro em pouco, aprendi a ler sem dificuldade, pois sabia que isso lhe agradava muito. Foi esse o tempo mais feliz da minha vida passada. Quando o meu pai me elogiava, me acariciava os cabelos e me beijava, de tão contente eu até chorava. Por isso não tardou que ele também começasse a gostar de mim. Daí a pouco eu já me atrevia a falar com ele e, à noite, ficávamos horas e horas a tagarelar sem nos cansarmos, se bem que eu muitas vezes não compreendesse nem uma só palavra de tudo quanto ele me dizia. Mas sempre tinha um certo medo dele, e temia acima de tudo que ele pudesse pensar que eu me aborrecia de ouvi-lo e, por isso, esforçava-me o mais possível por fazê-lo acreditar que entendia tudo. Por fim acabou até por tornar-se um hábito seu, esse de ficar todo o serão sentado junto de mim a conversar comigo. Assim que o sol se punha vinha logo para casa e começávamos com a cartilha. Mandava--me sentar num banquinho, à sua frente, e depois de me dar a lição lia-me sempre um trecho de qualquer livro. Geralmente eu não compreendia grande coisa dessas leituras, mas ria muito, pois achava que isso lhe agradava. E na verdade conseguia distraí-lo e o meu sorriso parecia dar-lhe alegria. Uma vez, depois da lição, contou--me uma história. Era a primeira que ouvia na minha vida. Eu, no meu lugar, parecia que estava enfeitiçada; suspensa do enredo, parecia-me, enquanto o escutava, que passeava pelo Paraíso e, quando ele terminou a narrativa, de tão entusiasmada nem sabia o que havia de fazer. E não era que o conto me tivesse agradado muito... não, não era isso, mas sim porque ali o impossível se tinha tornado rapidamente possível, pois eu acreditava na realidade de tudo quanto tinha acabado de ouvir. É claro que depois soltei imediatamente as rédeas da minha fantasia e, num abrir e fechar de olhos, dei por realidades todos os meus fantásticos sonhos. Foi assim que logo a seguir comecei a ver a casa das cortinas vermelhas, mas as personagens do conto eram — não sei por que motivo — o meu pai, apesar de ser ele quem contou a história; a minha mãe, que se opunha a que nós fôssemos nem eu sei para onde; depois... ou melhor, em primeiro lugar até, antes de todos, eu própria, com todos os meus fantásticos, loucos e completamente impossíveis sonhos de futuro; com tudo isso armava-se tal confusão na minha cabeça que não tardava em produzir-se um caos indecifrável, e durante algum tempo aí ficava eu diante dos meus pais, privada de todo sentimento de ternura e, perante as coisas, incapaz de discernir entre a realidade e a fantasia transportada sabe Deus até que mundos.

Nesse tempo eu andava ansiosa por falar com o meu pai a respeito do que estaria para acontecer, de tudo aquilo por que ele próprio esperava e sobre o lugar para onde ele pensava conduzir-me, quando finalmente abandonássemos a nossa trapeira. Pela minha estava firmemente convencida de que tudo aquilo não tardaria em tornar-se realidade, simplesmente, não sabia de que maneira, e precisamente por isso me afligia tanto que não fazia outra coisa senão dar voltas à cabeça. Às vezes — sobretudo à noite — parecia-me que de um momento para o outro o meu pai ia fazer-me um sinal disfarçadamente e mandar-me sair de casa e que, então, eu pegava em segredo na minha cartilha, para que a minha mãe não desse por isso e, naquele quadro sem moldura, que desde há muito tempo estava pendurado na parede e que eu tinha decidido levar comigo... Depois do que sairíamos ambos a correr, sempre em segredo e nunca mais voltávamos a ver a minha mãe. E aconteceu que, num dia em que ela não estava em casa, mas em que estava o meu pai, e por sinal de muito bom humor — estava sempre de bom humor quando bebia — como que levada por um pressentimento acerquei-me dele e comecei a falar em mil e uma coisas, mas com o sentido de fazer derivar depois a conversa para o meu tema favorito. Finalmente consegui que ele risse, divertido com a minha conversa e, depois, de repente... lancei-me contra o seu peito e estreitei-o com muita força, embora o meu coração palpitasse de receio, como se fosse dizer-lhe algo de misterioso e de terrível; comecei então a fazer-lhe perguntas tumultuosas, incoerentes, balbuciantes: para onde é que nós íamos, e que coisas teríamos de levar conosco, onde íamos viver, se não seria naquele palácio das cortinas vermelhas?

— De que palácio estás falando? Que cortinas vêm a ser essas? Que quer dizer isso tudo, que estás aí a fantasiar, minha maluquinha?

Fiquei assustada e procurei explicar-lhe, morta de medo, que nós os dois, quando a minha mãe morresse, não continuaríamos a viver naquela trapeira, mas que ele, depois, havia de me levar para bem longe dali, não sabia para onde, mas para um lugar onde iríamos viver ricos e felizes. E por fim afirmei-lhe até que tudo aquilo ele mesmo tinha me prometido. Eu estava efetivamente convencida de que ele já em outra ocasião tinha me falado sobre aquilo, pelo menos era o que naquele momento se me afigurava.

— A tua mãe? Morta? Quando ela morrer? — repetia, olhando-me assombrado, ao mesmo tempo em que enrugava as espessas e embranquecidas sobrancelhas, e mudava levemente de expressão. — Mas que maluquices vêm a ser essas, minha bobinha?

E depois ralhou comigo, ralhou-me muito, disse que eu era uma tola que não percebia nada... e não sei que mais... Estava muito comovido.

Não compreendi nem uma palavra das suas censuras, e o que ainda menos percebi foi por que teria ele ficado tão aborrecido por eu ter apanhado no ar aquelas palavras que, levada pela cólera e pela miséria, tinha proferido contra minha mãe, e que as tivesse conservado na minha memória, que as soubesse de cor e tivesse meditado sobre elas. Mas, de qualquer forma, e por muito grande que fosse a sua excitação, aquele episódio deu-lhe muito que pensar. Eu, no entanto, não podia compreender por que razão mostrava ele tal aborrecimento e sentia nascer na minha alma uma amargura e opressão que iam aumentando cada vez mais, até que, finalmente, as lágrimas me saltaram. Pensei então que tudo quanto nos esperava na nossa bela vida do futuro, era de tal importância que eu, ai de mim, não devia falar nisso, nem sequer pensá-lo! Mas percebia também, embora não muito claramente, que, com aquilo, tinha ofendido a minha mãe. E então fui acometida de um grande medo e de um grande espanto, e depois vieram certas dúvidas que se insinuarem na minha alma e me fizeram estremecer toda por dentro.

Quando o meu pai reparou que eu chorava e me afligia, tentou consolar-me, enxugou-me as lágrimas com a manga e disse-me que não chorasse mais. Estivemos assim uns momentos em silêncio. Ele tinha um ar grave e parecia meditar; depois começou novamente a falar; mas, por mais esforços que eu fizesse para compreender o que ele dizia, achava tudo muito confuso. De algumas palavras soltas deduzi que procurava explicar-me quem era, que era um grande artista mas que ninguém o compreendia, em suma, que possuía um grande talento. Lembro-me muito bem de que a seguir me perguntou se eu tinha entendido tudo quanto ele dissera e, quando eu, naturalmente, lhe respondi que sim, ele repetiu a pergunta: "Então, tenho talento?". Eu confirmei: "Tem sim senhor!". Ao ouvir isto sorriu levemente, talvez porque a ele próprio parecesse ridículo o fato de se pôr a falar de uma coisa tão séria com uma garota. O nosso diálogo acabou por ser interrompido por Karl Fiódoritch que surgia inesperadamente. Meu pai, apontando-o, disse:

— Olha, aí tens Karl Fiódoritch que, em compensação, não tem cinco copeques de talento!

Eu não pude conter o riso, pois não sei por quê, achei muita graça naquela piada e logo fiquei outra vez muito contente.

Era o tal Karl Fiódoritch um indivíduo muito curioso. Eu, nessa época, conhecia e via tão pouca gente, que me recordo dele perfeitamente. Sim, vejo-o tão bem como se estivesse ainda diante dos meus olhos. O seu sobrenome era Mayer; era alemão e tinha vindo viver na Rússia com um único objetivo: ingressar no bailado imperial de Petersburgo. Mas infelizmente era tão mau bailarino que nem sequer no coro do fundo de cenário queriam admiti-lo, e apenas o empregavam como figurante. Nessa qualidade desempenhava papéis insignificantes, como o de acólito de Fortimbras[2] ou de um dos cavaleiros de Verona, os quais, em número de vinte, e todos ao mesmo tempo puxam as suas espadas de cartão e entoam em uníssono: "Daremos a vida pelo rei!".

Mas nem por isso o nosso homem deixava de entusiasmar-se pelos seus pa-

---

2 Personagem de uma novela de cavalaria da Idade Média.

péis, e talvez não existisse no mundo um artista mais apaixonado pela sua arte do que Karl Fiódoritch. A sua maior infelicidade e o maior desgosto da sua vida era que o não admitissem como componente do corpo de baile. Pois, para ele, a dança era a arte por excelência e tinha tanta devoção por essa sua arte como o meu pai pelo violino. Ele e o meu pai tinham estado colocados no mesmo teatro e ali se tinham feito amigos e, desde então, tornara-se visitante assíduo do seu antigo colega da orquestra e o único que se lhe mantinha fiel. Viam-se ambos com muita frequência e lamentavam-se mutuamente da má sorte e de que ninguém os compreendesse. O alemão era um homem extremamente sentimental e carinhoso e tinha pelo meu pai um afeto fervoroso e desinteressado. Julgo que o meu pai, em troca, não tinha por ele simpatia nenhuma, limitando-se a suportar a sua companhia, à falta de outra melhor. Infelizmente, o meu pai, com o seu critério parcial, não podia aceitar que a dança fosse uma arte, o que magoava profundamente o alemão, a ponto que chegava a chorar. Como o meu pai conhecia o fraco do amigo, divertia-se à sua custa falando desdenhosamente da arte do bailado, o que punha verdadeiramente fora de si o pobre Karl Fiódoritch, que depois se desunhava procurando demonstrar as excelências da dança.

Desse tal Karl Fiódoritch e da sua amizade com o meu padrasto, contou-me B*** mais tarde muitas coisas: B*** chamava sempre ao entusiástico bailarino, *o gafanhoto de Nuremberg*. Entre muitas outras coisas, recordo muito bem os seus colóquios, quando ambos, já depois de terem bebido, se punham a lamentar-se da sua triste sorte de gênios desconhecidos. Eu contemplava em silêncio aqueles dois homens estranhos e apiedava-me deles; quando se punham a chorar, também a mim, sem saber por quê, me saltavam logo as lágrimas dos olhos. Tudo isto acontecia sempre na ausência da minha mãe, porque o alemão tinha muito medo dela e, quando vinha visitar-nos, esperava sempre primeiro na escada que alguém saísse do quarto para lhe perguntar se ela estava em casa e, quando isso sucedia, retirava-se logo descendo os degraus a dois e dois. Trazia sempre consigo poesias alemãs e entusiasmava-se a lê-las e a declamá-las com grandes gestos, enquanto ao mesmo tempo nos ia traduzindo cada frase com grande dificuldade, num russo muito imperfeito, mas de que nós conseguíamos pelo menos perceber o sentido.

Aquilo divertia o meu pai e eu, às vezes, até chorava de tanto rir. Uma vez os dois descobriram um livro russo que os entusiasmava de maneira indescritível, a tal ponto que, todas as vezes que se encontravam, se punham novamente a lê-lo. Lembro-me de que era um drama em verso, de não sei que escritor russo de fama temporária. As primeiras estrofes me ficaram de tal modo gravadas na memória que, passados muitos anos, reconheci imediatamente aquele livro quando uma vez veio a cair-me debaixo dos olhos. Consistia o argumento na tragédia de um grande artista chamado Kapok, que em determinada altura exclamava: "Ninguém me compreende!". E depois, logo a seguir, dizia: "Sim, na verdade eles compreendem-me!". Ou então: "Não tenho nem uma amostra de talento!". Era qualquer coisa no gênero, o tal drama. Como é de calcular, tinha um epílogo sumamente trágico. Não é preciso dizer que aquele dramalhão não tinha absolutamente mérito nenhum. Mas acontecia que, naqueles dois leitores que achavam em si próprios grandes semelhanças com o protagonista, provocava uma impressão ao mesmo tempo ingênua e trágica. Lembro-me ainda de que Karl Fiódoritch se entusiasmava às vezes a tal ponto que se levantava de um pulo do seu lugar, ia para o outro lado do quarto, e exortava-nos, com os olhos cheios de lágrimas e implorando justiça, ao meu pai e a mim, a quem ele chamava *madmuassel*[3], naquele próprio momento, de árbitros inapeláveis entre ele, o seu destino, e o público. E a seguir punha-se a dançar, e a cada passo de dança gritava, dizendo que declarássemos imediatamente se ele era ou não um artista, e se na verdade poderia dizer-se com justiça que não possuía talento. O meu pai então piscava-me o olho disfarçadamente e dava-me a entender que ia pregar uma partida ao pobre homem. Eu ficava louca de vontade de rir, mas o meu pai, escondido, ameaçava-me com o dedo, e eu então me esforçava o mais que podia para conter o riso. E ainda hoje, só com a lembrança de tais cenas, não posso deixar de rir. Vejo tão claramente diante de mim o pobre Karl Fiódoritch! Era muito baixinho, magro como um palito e tinha o cabelo já grisalho, o nariz curvo e vermelho, e sempre enfeitado com restos de tabaco. Tinha as pernas encurvadas de maneira especial e, apesar disto tudo, mostrava-se muito ufano do seu aspecto e usava umas calças estreitíssimas. Logo que o homem terminava as suas cabriolas, estendia os braços e sorria — na atitude que os bailarinos adotam no palco. O meu pai deixava passar um bom momento, como se não lhe fosse possível dar logo uma opinião, e obrigava assim o desconhecido bailarino a ficar naquela difícil atitude, até que por fim uma das pernas começava a fraquejar-lhe, apesar de todos os seus esforços para não perder o equilíbrio. Finalmente o meu pai compadecia-se: olhava para mim com uma cara muito séria, como se me consultasse: "Que havemos de lhe dizer?". E o bailarino fixava também sobre mim os seus olhos intensamente implorativos.

— Não, Karl Fiódoritch, bem se vê que é trabalho perdido; não chegas lá! — dizia por fim o meu pai num tom de quem parecia que lhe custava muito a dizer uma verdade tão amarga.

Então, do peito de Karl Fiódoritch soltava-se um verdadeiro gemido; porém, recobrava ânimo num momento, com grandes gestos pedia novamente a nossa atenção, afirmando-nos que ainda daquela vez não tinha dançado segundo as boas regras e por isso tornava a pedir-nos que servíssemos de juízes definitivos. E ia outra vez para o outro lado e punha-se a fazer piruetas, com tal entusiasmo que até dava cabeçadas no teto da casa... Mas suportava a dor como um espartano e acabava por voltar à tal atitude difícil, àquela dos braços estendidos e do sorriso... e, de mãos trêmulas, ficava esperando o nosso veredito. Mas o meu pai era implacável e repetia com a maior seriedade:

— Não, Karl Fiódoritch; é uma fatalidade mas não chegas lá!

Então, geralmente, eu já não podia mais dominar-me, soltava uma gargalhada e o meu pai fazia outro tanto. Karl Fiódoritch, que tinha acabado por perceber a zombaria, ficava vermelho de raiva e, com lágrimas nos olhos e com um desgosto sincero, apesar de ridículo — o que mais tarde me apoquentava, provocando-me uma piedade sincera por aquele desventurado — dizia para o meu pai:

— Tu não és meu amigo!

Pegava no chapéu e ia-se embora, jurando por tudo quanto havia de mais sagrado que nunca mais tornaria a pôr os pés em nossa casa.

---

3 Corruptela de *mademoiselle*.

Mas as sombras daquelas zangas não costumavam durar muito. Passados dois dias já o homem estava de volta, punham-se os dois a ler outra vez aquele dramalhão e a derramar as infalíveis lágrimas de costume e, de novo, quando acabavam, Karl Fiódoritch nos tornava a pedir que servíssemos de árbitros decisivos entre ele, o público e o destino, mas que o fizéssemos a sério, como devia ser entre amigos verdadeiros, e que nos deixássemos de brincadeiras.

Um dia a minha mãe mandou-me à loja buscar qualquer coisa e, quando voltava para casa e trazia muito fechada na minha mão a moedinha de prata que lá me tinham dado de troco, encontrei-me com o meu pai na escada. Quando o vi comecei logo a rir, pois não podia ocultar a alegria que me vinha sempre que o via. Ele se inclinou para mim para me dar um beijo e reparou então na moedinha de prata que eu levava na mão... Esqueci-me de dizer que eu conhecia tão bem as expressões do seu rosto que me bastava olhá-lo para adivinhar logo os seus desejos. Se o via triste e aborrecido, até me apetecia morrer. As ocasiões em que se mostrava mais abatido era quando não tinha dinheiro para beber um trago, pois a bebida tinha-se tornado para ele uma verdadeira necessidade. Quando dessa vez o encontrei na escada, pareceu-me que devia ter-lhe acontecido qualquer coisa de extraordinário. Virava os olhos turvos com tal inquietação que me parece que a princípio nem sequer reparou em mim. Mas quando pôs os olhos no dinheiro que eu levava na mão e, em seguida, estendeu a mão como se fosse para tirar-me a moeda, mas no mesmo instante a retirou. Não havia dúvida de que travava uma luta consigo mesmo. Finalmente pareceu-me que tinha conseguido dominar-se e, então, disse-me que saísse dali, que fosse imediatamente para casa, ao mesmo tempo que desceu com rapidez dois ou três degraus... De repente deteve-se e chamou-me. Mas estava indeciso:

— Niétotchka — disse-me com precipitação —, dá-me esse dinheiro que eu depois te darei outra vez! O quê? Não me queres dar? Não o dás ao teu papai? Bem se vê que não gostas de mim!

Eu já tinha pensado em dar-lhe o dinheiro. Mas no primeiro momento, a ideia de que a minha mãe ia ficar zangada, o meu receio e, acima de tudo, a instintiva vergonha dele e de mim mesma, fizeram-me hesitar e levaram-me a negar-lhe o dinheiro. Ele compreendeu tudo isso e disse-me rudemente:

— Está bem, deixa, não é preciso!

— Não, não, papai, tome lá. Digo que eu perdi ou que me roubaram os rapazes da vizinhança.

— Bem, bem, já vejo que és uma garota esperta — disse ele. E sorriu com os lábios trêmulos, sem ocultar a sua alegria, ao sentir a moeda na mão. — Além disso também és uma boa pequena, um anjinho. Dá-me a tua mãozinha, quero beijá-la.

E tomou-me a mão, que eu apressei a retirar. Apoderou-se de mim uma certa compaixão por ele, e a minha vergonha aumentava cada vez mais e mais. Não pude conter-me e, morta de medo, corri escadas acima, sem tornar a olhar para o meu pai, que ficou pregado no lugar onde estava. Quando entrei em casa, as faces escaldavam-me e o coração batia de medo, com uma sensação lancinante que até aí ignorava. Mas, sem uma ponta de hesitação, disse à minha mãe que tinha perdido o dinheiro, que ele se tinha afundado na neve e que, apesar de o ter procurado muito bem, não o tinha podido encontrar. Eu estava à espera, pelo menos, de alguns tabefes, no entanto ela não me tocou. A princípio ficou completamente fora de si, pois por essa altura estávamos na mais completa miséria. Deu-me alguns gritos, mas depois caiu em si e já não me ralhou mais; disse-me apenas que eu era uma desajeitada e uma cabeça no ar e que parecia não ter um pingo de amizade por ela, visto que não tinha nenhum cuidado com o dinheiro que tanto lhe custava a ganhar.

Aquelas palavras magoaram-me muito mais do que me teriam magoado as pancadas. A minha mãe começava já a conhecer-me; não lhe tinha passado despercebida a minha sensibilidade, que com frequência tomava aspectos quase mórbidos e, por isso, acreditava que, com aquelas censuras amargas, em vez do procedimento que até aí tinha empregado, podia castigar-me muito melhor e fazer com que eu me tornasse mais sensata.

Nessa tarde, à hora em que o meu pai costumava voltar para casa, fui esperá-lo no patamar da escada. Qualquer coisa que eu não sabia ao certo o que era e me atormentava dolorosamente a consciência, sobreexcitava também os meus sentimentos. O meu pai chegou finalmente e eu fiquei muito contente quando o vi, como se a sua presença fosse para mim a promessa de algum alívio. Vinha contente, mas quando olhou para mim o seu rosto tomou uma expressão ansiosa. Olhou receoso para a nossa porta e levou-me para o canto mais escondido; tornou ainda a dar uma tímida espreitadela para a parte do nosso quarto; tirou do bolso um bombom que tinha comprado e, com um fio de voz, mas em tom de admoestação, pôs-se a dizer que nunca mais voltasse a tirar dinheiro à minha mãe e que também não devia dizer-lhe que lhe tinha dado; que isso não estava certo, que era uma vergonha e, sobretudo, que não estava certo. Se daquela vez ele o tinha feito, era porque aquele dinheiro lhe fazia muitíssima falta, mas em breve havia de devolver-me e, então, já poderia dizer que o tinha encontrado; mas tirar o dinheiro da minha mãe era uma coisa feia, e que eu, para o futuro, não devia nem sequer pensar em tal coisa e que, se eu tomasse sentido e obedecesse às suas palavras, aquele não seria o último bombom que me comprava. Para acabar, chegou inclusive a dizer que a minha mãe era digna de dó, que a pobrezinha estava muito doente e que era ela a única a trabalhar para nós e a manter-nos. Eu o ouvia transida de medo; tremia-me o corpo e as lágrimas, irreprimíveis, saltavam-me dos olhos. Era tal a minha comoção que não consegui dizer uma palavra nem mexer-me do meu lugar. Por fim o meu pai entrou em casa, não sem que antes não tornasse a ordenar-me que não chorasse nem dissesse nada do que se tinha passado à minha mãe, recomendando-me isto acima de tudo. Também ele, pelo que pude observar, estava muito perturbado. Toda aquela noite eu passei como se estivesse sob a influência de um enfeitiçamento, e pela primeira vez não me atrevi a olhar para o meu pai nem a sentar-me ao seu lado. E ele via-se também que fugia propositadamente do meu olhar. A minha mãe ia e vinha pelo quarto, como costumava fazer, na sua preocupação. Sentia-se naquele dia pior do que o costume e até já tinha tido ameaças de um ataque. Em resumo: por causa de todas aquelas minhas torturas íntimas, acabei por ficar com febre nessa noite. Atormentaram-me pesadelos confusos e doentios... até que por fim, já sem poder-me conter, desatei a chorar. O choro despertou a minha mãe, que me chamou baixinho e me perguntou o que eu tinha. Não lhe respondi e pus-me ainda a chorar com mais desolação do que anteriormente. Então a minha mãe acendeu a luz e procurou tranquilizar-me; julgou que eu teria acordado assustada por efeito de algum pesadelo.

— Mas que tonta que tu és — disse ela. — Sempre que sonhas acabas por chorar. Mas não te assustes, minha filha! Não tenhas medo!

Beijou-me e disse-me que fosse dormir na cama dela. Mas eu não quis ir, porque não me atrevia a abraçá-la nem a deitar-me perto dela. Estava muito desassossegada. Desejaria contar-lhe tudo. E ia já para fazê-lo, quando de súbito me recordei das palavras proibitivas do meu pai, e me calei.

— Minha pobre filha, Niétotchka! — ouvi minha mãe dizer baixinho, enquanto me cobria com o seu velho xale, pois tinha percebido que eu estava cheia de arrepios.

—Hás de vir a ter tão pouca saúde como eu — e olhou-me com tal tristeza que eu não pude suportar o seu olhar, fechei os olhos com muita força e voltei-me para o outro lado. Já não me lembro de nada mais, porque em seguida adormeci; apesar disso, meio adormecida, pude ainda ouvir vagamente as palavras com que a minha mãe se esforçava por me tranquilizar e acalentar-me o sono. Nunca eu tinha suportado tão grande suplício. O meu coração batia de tal maneira que até parecia me doer.

No dia seguinte, acordei já mais animada. Voltei a falar com o meu pai, mas não toquei em nada do sucedido, calculava que isso não lhe agradaria. E não me enganava; também ele tinha vontade de falar, pois parecia que tinha sentido também todo o penoso aspecto daquela tensão que entre nós se estabelecera, pelo menos mostrava uma cara muito séria quando os nossos olhares se cruzavam. Depois apoderou-se dele uma alegria invulgar, um alvoroço quase infantil ao ver-me outra vez contente e carinhosa. A minha mãe não tardou a sair, como de costume e, então, ele não pôde conter-se mais. Começou a beijar-me de tal maneira que eu cheguei até a sentir uma espécie de arrepio e ria e chorava ao mesmo tempo. Finalmente disse que, em sinal de agradecimento por eu ter sido tão boa e tão obediente, ia mostrar-me uma coisa muito bonita, que eu ficaria muito contente quando visse. Ao dizer isto, desabotoou o jaquetão e tirou uma pequena chave que trazia ao pescoço, pendurada em um cordãozinho preto; olhou-me com grande solenidade, como se esperasse ver nos meus olhos toda a alegria que, a seu ver, eu devia experimentar; abriu o nosso baú e tirou dele uma caixa preta e muito comprida, que até então eu nunca tinha visto. Pegou na caixa com certa hesitação... Era curioso como ele tinha mudado assim, tão depressa! O sorriso tinha desaparecido do seu rosto e, em vez dele, tinha agora uma expressão verdadeiramente solene. Abriu com muito cuidado aquela caixa misteriosa e tirou dela um objeto de forma muito estranha. Pegou nele também com muito cuidado e quase com devoção, explicou-me que era o seu violino, o seu instrumento de músico. Pôs-se então a falar-me em voz baixa e solene... e assim esteve falando durante muito tempo sem que eu entendesse nada. Apenas me ficavam nos ouvidos aquelas frases já conhecidas, de que ele era um artista, que tinha muito talento, que ainda um dia havia de tocar naquele violino e, por fim, que nós estávamos destinados a ser ainda muito ricos e felizes. As lágrimas escorriam-lhe dos olhos e deslizavam-lhe pelas faces. Eu estava profundamente comovida. Por último beijou o violino e obrigou-me a beijá-lo também. Quando percebeu que eu tinha vontade de observá-lo melhor, levou-me para junto da cama da minha mãe depôs o violino sobre as minhas mãos; mas reparei que ele tremia com medo que eu pudesse quebrá-lo ou estragá-lo. Peguei no violino e toquei nas cordas, que vibraram num trêmulo levíssimo.

— Isto é que vem a ser a música? — perguntei eu erguendo os olhos para ele.

— Isso mesmo, isto é que é a música! — repetiu ele esfregando as mãos alegremente. — És uma menina muito boazinha e muito esperta!

Mas, apesar daqueles elogios e de toda a sua alegria, eu não deixava de reparar que ele estava desassossegado por causa do violino e, então, comecei também a ficar assustada... e entreguei-lhe o instrumento. Ele tornou a guardá-lo na caixa com o mesmo cuidado com que o tirara; fechou-a e tornou a guardá-la no baú, mas prometeu-me, ao mesmo tempo que me acariciava os cabelos, que tornaria a mostrar-me sempre que eu me portasse tão bem e fosse tão obediente como tinha sido daquela vez. Foi assim que o violino veio afugentar a nossa tristeza comum. Naquela tarde, quando saiu, ainda me tornou a dizer em segredo que não me esquecesse do que no dia anterior me tinha recomendado no patamar da escada.

Assim nasceu na nossa trapeira e, pouco a pouco, foi crescendo o meu amor... ou, para dizer melhor, a minha paixão, pois não conheço palavra mais exata para designar um sentimento tão avassalador como aquele me inspirava o meu pai e que, para mim mesma, era um tormento... e que chegou a adquirir as proporções de um sentimento morbidamente degenerado. Eu não tinha senão um prazer: pensar nele a toda hora, sonhar com ele; nem outra vontade, nem outro desejo senão fazer tudo o que estivesse ao meu alcance para proporcionar-lhe uma alegria, por pequena que fosse. Quantas vezes não o esperava eu no cimo da escada, tremendo e tiritando de frio, só para ouvir as suas passadas um momento antes de vê-lo chegar e vê-lo antes de mais ninguém! Se ele me fazia algum mimo, se tinha para comigo um gesto de ternura, ficava louca de alegria. E, no entanto, por mais de uma vez cheguei a sofrer quase fisicamente quando pensava na minha dura insensibilidade para com minha mãe, Havia momentos em que desejava morrer de dor e de piedade quando a olhava. Naquelas brigas constantes dos meus pais, eu não podia manter-me indiferente nem assistir a elas imparcialmente, pois via-me obrigada a escolher entre eles e a decidir-me por um dos dois. E pus-me ao lado daquele homem meio tresloucado, somente porque a meus olhos parecia digno de compaixão, humilhado, e porque desde o princípio tinha feito em mim uma impressão inesquecível e dado asas à minha fantasia. Mas, afinal de contas, quem poderia dizer ao certo por que é que eu me pus do seu lado? Talvez eu me tivesse sentido atraída por ele precisamente pela sua invulgaridade, invulgar até no seu aspecto exterior, e porque não era tão grave e seco como a minha mãe, porque era quase um louco, porque tinha todo o aspecto de um saltimbanco e, finalmente, porque tinha menos medo dele e até menos respeito do que tinha por minha mãe. De certa maneira, era mais parecido comigo. E, pouco a pouco, foi-se arraigando em mim o sentimento de que eu afinal lhe era superior, de que insensivelmente o ia tornando meu, de que lhe era imprescindível, sim, às vezes, coqueteava com ele. Realmente, aquele meu estranho apego a meu padrasto tinha qualquer coisa de romance... Mas esse romance não havia de ser muito duradouro: não tardou que eu perdesse os meus pais. As suas vidas tiveram um fim trágico, que deixou uma grave e dolorosa marca nas minhas recordações. Como é que tudo isso aconteceu é o que vou contar a seguir.

CAPÍTULO III

Por essa altura, uma notícia chegou que veio comover profundamente toda a cidade de Petersburgo: espalhou-se o boato da vinda próxima do famoso S...z. Armou-se entre todos os apaixonados da música e entre aqueles que tinham quaisquer interesses relacionados com ela, uma grande celeuma. Cantores, atores, poetas, pintores, todos os aficionados da música e até mesmo os que nunca o tinham sido e com modesto orgulho confessavam até não conhecerem nem uma nota sequer, andavam agora numa verdadeira batalha em busca de bilhetes para aquele concerto. O salão mal podia conter a décima parte dos entusiastas que possuíam ou tinham podido arranjar os vinte e cinco rublos do preço da entrada. Mas a celebridade europeia do tal S...z, a sua laureada velhice e, além disso, a imarcescível juventude do seu talento, assim como a circunstância de nos últimos tempos não se ter dignado tocar senão raras vezes, juntamente com a certeza de que era aquele o último concerto que dava na Europa, porque depois abandonaria definitivamente o violino, excitavam a admiração e a curiosidade do público.

Disse já como a chegada de qualquer virtuose do violino, por muito modesta que fosse a sua celebridade, provocava no meu padrasto a mais desagradável impressão. Era sempre dos primeiros a ir escutar os artistas estrangeiros para poder julgar o mais cedo possível a importância da sua arte. Por mais de uma vez caiu doente só por ter escutado elogios a algum novo astro, e apenas se sentia consolado, quando, por fim, achava algum defeito para apontar à execução do apreciado artista, o que se apressava logo a divulgar onde quer que fosse, como a sua "modesta opinião", com ironia mordaz. Acreditava aquele louco que em todo o mundo apenas havia um gênio, um artista único, e que esse artista, naturalmente, era ele. Pois bem: o primeiro rumor e depois a certeza de que aquele gênio mundial, S...z ia dar um concerto em Petersburgo provocou-lhe verdadeira comoção. Além disso devo fazer notar que havia já dez anos que em Petersburgo não se tinha ouvido um verdadeiro talento musical, e muito menos um gênio como S...z. Por isso o meu padrasto não podia ter ainda uma ideia precisa sobre o que fosse a execução de um artista europeu de primeira categoria.

Contaram-me que apenas se ouviram as primeiras notícias, ainda duvidosas, já ele andava por entre os bastidores. Ficara muitíssimo excitado e fora logo, inquieto, procurar informações a respeito de S...z e do seu projetado concerto. Como havia já muito tempo que não o viam por ali, a sua aparição repentina provocou uma certa impressão. Houve quem quisesse irritá-lo e lhe dissesse em tom autoritário:

— É verdade, caro Iegor Pietróvitch: agora já não vai ouvir música de corpo de baile, mas uma música que não te deixará viver em paz para o resto dos teus dias.

Dizem que o meu padrasto ficou pálido ao ouvir aquela piada; mas respondeu com muita fleuma, ainda que com um sorriso forçado:

— Aguardemos. Às vezes, de longe, um camelo chega a parecer uma montanha. Esse S...z apenas esteve em Paris e, se bem que os franceses tivessem posto o seu nome nas alturas... bem sabe como são esses franceses!

Todos os circunstantes puseram-se a rir. O infeliz ressentiu-se mas dominou-se, e apenas acrescentou que ele, por seu lado, não queria dizer nada, mas que em breve se veria; que, por agora, o que era preciso era esperar até que aparecesse em público aquele tão encarecido prodígio, para o que já não faltava muito.

Contou-me B*** que nesse mesmo dia, pouco antes do escurecer, se encontrou na rua com o príncipe H***, um mero diletante no que respeita à execução artística mas, como homem, um crítico incomparável. Seguiam os dois o mesmo caminho e enquanto caminhavam iam falando, naturalmente, do virtuose que já tinha chegado, quando, de repente, B*** avistou o meu pai, que estava parado diante da vitrine de uma loja de instrumentos de música, a ler com muita atenção um programa de teatro que anunciava em grandes letras o concerto do famoso virtuose do violino, S...z.

— Vê aquele homem que está ali parado diante daquela vitrine? — perguntou B*** rapidamente ao príncipe.

— Quem é? — perguntou por sua vez o interpelado.

— Já deve ter ouvido falar dele. É um tal Iefímov, de que tanto lhe tenho falado, e ao qual, devido à sua influência, arranjamos uma vez uma colocação.

— Ah, sim já me lembro — disse o príncipe. — Tem-me falado dele. Dizem que é um homem interessante. Gostava de o ouvir tocar.

— Não vale a pena — disse B*** laconicamente. — E além disso é uma coisa constrangedora. Não sei o que se passaria com o senhor, mas a mim faz-me sempre uma impressão dolorosa. A sua vida é... uma tragédia espantosa. Um inferno. Eu tenho por ele uma profunda simpatia, e por mais desfeitas que me faça, nunca deixo de ter pena dele. Disse o senhor que ele deve ser interessante, e realmente é; simplesmente a impressão que deixa às pessoas é penosa e muito triste. Começa por ser um maníaco e, além disso, é um louco que tem três crimes a pesar-lhe sobre a consciência — além da sua, arruinou ainda mais duas vidas: a da mulher e a da filha. Como o conheço muito bem, sei perfeitamente que morreria no momento em que chegasse a tomar consciência do seu crime. Mas precisamente, o mais terrível é que já há oito anos que quase o reconhece e durante todo esse tempo tem lutado com a sua consciência para o não reconhecer plenamente.

— Dizem que está na miséria. É verdade? — perguntou o príncipe.

— É; mas a miséria é para ele quase uma felicidade, pois a seus olhos, é uma justificação. Assim, enquanto for pobre, poderá afirmar a todas as pessoas que a miséria é que é a causa da sua ruína, porque se fosse rico e tivesse tempo de sobra, estaria livre de preocupações e poderia demonstrar a todos o grande artista que é. Casou-se na ilusão de que os mil rublos que a mulher trazia para o casal o ajudariam a alcançar o seu objetivo. Procedeu como um louco, como um poeta, foi assim aliás que sempre procedeu. Sabe o que afirma há oito anos e ainda hoje não se cansa de repetir? Que a culpada de todo o seu insucesso é a mulher, que ela é um estorvo para ele. E ele não faz nada, nem sequer pensa em trabalhar... Mas tirem-lhe a mulher... o que seria dele neste mundo? Faz alguns anos que não toca violino... e quer saber por quê? Porque sempre que pega no arco se vê obrigado a confessar a si próprio que é uma nulidade, uma respeitável nulidade e não um artista. Ao passo que, não pegando no violino, pode continuar a ter ilusões. É um sonhador. Acredita que um dia, por artes mágicas, há de converter-se no homem mais célebre do universo. O seu lema é: *Aut Caesar, aut nihil*, como se fosse possível isso de ser um César, rapidamente e de um modo simples. Toda a sua ambição, todas as suas aspirações se resumem... na glória. Mas quando esse sentimento se transforma no primeiro e único estímulo de um artista, este deixa de o ser, pois sacrificou aquilo que deve ser o seu objetivo principal, ou seja, o amor à arte por si mesma e não por qualquer outra razão. E, se não, aí tem o senhor o exemplo de S...z; quando empunha o arco, já não há mais nada no mundo para ele senão a música. Depois disto, o principal para ele deve ser o dinheiro e, em terceiro lugar, julgo eu, vem depois a fama. Mas quase nem chegou a tratar disso... Sabe com que é que esse infeliz se preocupa? — concluiu B***, apontando Iefímov com a cabeça. — Pois o que agora ocupa o seu pensamento é a coisa mais mesquinha, absurda e até lamentável e ridícula que se pode imaginar, ou seja, tirar as dúvidas sobre se ele, Iefímov, é maior do que S...z, ou S...z maior do que ele... nada mais nada menos, pois está convencido de que é o maior artista de todo o mundo. Procure convencê-lo de que não é um artista e garanto-lhe que cai redondo no chão... Para ele ia ser muito difícil renunciar a uma ideia fixa, à qual sacrificou toda a sua vida, e que no fundo sempre foi séria e profunda, pois a princípio era sem dúvida um dos eleitos.

— Então seria interessante levá-lo a ouvir S...z — observou o príncipe.

— Sim, devia ser — disse B*** pensativo. — Decerto que encontraria também uma maneira de justificar-se. A sua fantasia é mais forte do que a realidade; por isso, sem dúvida que lhe seria fácil encontrar alguma nova explicação.

— Acha que sim? — perguntou o príncipe.

Assim falando, aproximaram-se do meu pai. Este, quando os viu, quis escapar-se para que não reparassem nele; mas B*** deteve-o e começou a falar com ele. Perguntou-lhe se pensava ir ao concerto de S...z, o célebre artista. Iefímov respondeu-lhe com indiferença que ainda não sabia se iria ou não, pois tinha coisas de mais importância com que se ocupar do que o tal concerto e todos os virtuoses da "estranja", mas ia ver, pois ainda não tinha nada decidido, se por acaso poderia dispor de algum momento — e por que não? — talvez a "doença" se lhe pegasse também.

Lançou ao príncipe e a B*** um olhar rápido e algo inquietante, acompanhado de um leve sorriso desconfiado, e despediu-se deles a pretexto de que tinha muito que fazer.

Mas eu sabia já, desde o dia anterior, a preocupação em que meu pai estava. Não sabia ao certo o que o atormentava; mas evidentemente que, observando-o da maneira que eu o observava, não me tinha passado despercebido que nos últimos tempos trazia um peso sobre o coração. Até a minha mãe pareceu também notar. Nessa ocasião ela estava muito doente, mal podia mexer os pés e quase que não era capaz de dar um passo. O meu pai chegava muito cedo a casa e tornava depois a sair. De manhã aparecia com três ou quatro convidados, amigalhaços seus de outro tempo, coisa que muito me admirava, pois, tirando Karl Fiódoritch, quase não víamos mais ninguém. Todos os outros tinham já deixado de visitar-nos havia muito tempo, precisamente desde a época em que o meu pai perdera o seu lugar na orquestra. Finalmente apareceu também Karl Fiódoritch, ansioso e apressado, com um programa do concerto. Eu os ouvia falar e escutava-os com a maior atenção; fazia-me tanta pena tudo aquilo que, de certa maneira, chegava a sentir-me culpada de toda aquela agitação e perturbação que lia no rosto do meu pai. Queria saber a todo custo de que é que eles falavam; foi então que pela primeira vez chegou aos meus ouvidos o nome de S...z. De outras frases do diálogo deduzi que era preciso desembolsar pelo menos quinze rublos se se queria ouvir o célebre músico. Lembro-me também de como o meu pai, de repente, perdeu a paciência, fez com a mão no ar um gesto de despeito, à maneira de troça, e disse que sabia já de cor e salteado como eram esses prodígios estrangeiros, esses gênios presunçosos de faculdades fabulosas, e que também conhecia S...z. Eram todos judeus que vinham à caça do dinheiro russo, o que lhes era muito fácil, pois os russos, na sua ingenuidade, admiravam todos os desatinos, sobretudo aqueles que os franceses, com seu chauvinismo, punham nas alturas, sem saberem apreciar o verdadeiro talento. Nessa altura eu já sabia o que significava isso de ter talento. Os amigalhaços do meu pai riram-se a bom rir, e depois foram-se embora, enquanto o meu pai ficava muito preocupado. Eu adivinhava que, fosse lá pelo que fosse, ele tinha aversão por S...z e, por isso, para o consolar e afugentar o seu mau humor, fui, aproximei-me da mesa, peguei no programa, tentei soletrar o texto e li alto o nome de S...z. Depois comecei a rir, olhei para o meu pai, que estava sentado e dava mostras de grande preocupação, e disse-lhe:

— Puf! Este é capaz de ser outro como Karl Fiódoritch, que também não "chega lá".

O meu pai estremeceu como se eu lhe tivesse pregado um susto, tirou-me o programa, deu um grito, bateu com os pés no chão, pegou no chapéu e dispôs-se a sair; mas depois voltou-se e já no patamar, chamou-me. Acudi ao seu chamamento e ele me beijou, disse-me que eu era uma boa menina, que não queria aborrecê-lo, e que esperava de mim um grande favor; mas não me disse em que poderia consistir esse grande favor. Além disso, afligia-me ouvi-lo; sentia, ao olhar para ele, que a sua afetuosidade não tinha nada de sincera... e isso me comovia. Comecei a atormentar-me por sua culpa.

No dia seguinte, à hora da refeição — isto é, na véspera do concerto — o meu pai parecia que estava aniquilado. Era completamente outro e não tirava os olhos da minha mãe. Por fim — e isso admirou-me um tanto — foi e dirigiu-lhe a palavra. (Sim, isso deixou-me verdadeiramente assombrada, pois ele quase nunca lhe falava.) E depois da refeição começou a fazer todo o possível por distrair-me; ora com um, ora com outro pretexto, chamava-me de vez em quando ao patamar e, depois de olhar para um e outro lado, como se temesse que pudesse vir alguém, punha-se a acariciar-me e a dar-me beijos, a dizer-me que eu era muito boa e muito obediente; e que eu gostava muito do meu pai e que, portanto, sem dúvida nenhuma faria tudo quanto ele me mandasse. Tudo isto me pôs num tal estado de tensão que, por último, já quase me era intolerável. Até que por fim, quando me chamou pela décima vez ao patamar, é que o caso ficou claro. Com um rosto desassossegado e atormentado, olhando constantemente com grande inquietação para todos os lados, perguntou-me se eu sabia onde é que a minha mãe guardava os vinte e cinco rublos que no dia anterior tinha trazido para casa. Eu fiquei petrificada de medo ao ouvir aquela pergunta. Mas nesse momento ouviram-se ruídos na escada, o meu pai sobressaltou-se, deixou-me e foi-se embora. Só voltou ao entardecer. Com visíveis sinais de agitação, de preocupação e de abatimento, sentou-se em silêncio na sua cadeira e o seu olhar vagueava pelo quarto à minha procura, pousando em mim com alegria. Então tornou a apoderar-se de mim um medo estranho e comecei deliberadamente a desviar o olhar.

Logo que anoiteceu, a minha mãe me chamou e deu-me umas moedinhas de cobre para que fosse à venda buscar chá e açúcar. Em nossa casa raramente se tomava chá. Minha mãe apenas de permitia esse luxo — atendendo à nossa miséria, para nós isso era realmente um luxo — quando se sentia doente e com febre. Eu peguei no dinheiro e, mal cheguei ao patamar, saí correndo com quantas forças tinha, com medo que viessem atrás de mim. Não me enganava o coração: o meu pai, na escada, chamava-me e eu tive de entrar outra vez no prédio.

— Niétotchka — balbuciou com voz insegura. — Minha filha! Olha, dá-me esse dinheiro que eu amanhã te trago outra vez.

— Paizinho, paizinho! — exclamei implorante e toda trêmula, lançando-me de joelhos a seus pés para comovê-lo. — Paizinho! Não lhe posso dar! A mamãe está doente... Precisa de chá... Não posso tirar esse dinheiro da mamãe; não posso, acredite. Numa outra vez, qualquer outro dia eu faço, mas agora, não!

— O quê? Não me queres dar? Não queres? — murmurou ele furioso. — Então não me dás? Pois então fica para aí, fica com a tua mãe, que eu já não quero saber de vocês, vou-me embora e não te levo comigo! Ouves, sua má, o que eu te digo? Estás ouvindo?

— Paizinho! — exclamei assustada. — Tome lá o dinheiro, pegue! Mas o que há de ser de mim agora? — balbuciei, agarrando-me a uma ponta da sua jaqueta. — A mãezinha vai chorar, com certeza; está muito doentinha e ralha comigo...

Creio que ele não esperava tanta resistência da minha parte; no entanto aceitou o dinheiro; depois... como se tivesse medo de não poder resistir aos meus gemidos e às minhas lágrimas, deixou-me rapidamente e saiu para a rua. Eu subi as escadas; mas quando cheguei à porta do nosso quarto, faltaram-me as forças. Não me atrevia a entrar, não podia entrar; todo o meu ser se achava comovido e agitado. Escondi o rosto entre as mãos e, vacilante, dirigi-me para a janela, tal como fizera daquela vez em que ouvi meu pai dizer que desejava que a minha mãe morresse bem depressa. E ali fiquei com os cotovelos apoiados ao parapeito, perplexa e aturdida, mas ao mesmo tempo de ouvido atento a qualquer ruído que viesse da escada. Finalmente percebi que alguém subia a toda pressa. Era ele: conhecia-lhe os passos.

— Que fazes aqui? — perguntou em voz baixa quando me viu. Atirei-me contra o seu peito.

— Aqui tens! — exclamou ele com rudeza, metendo-me o dinheiro na mão. — Toma o dinheiro, guarda-o! Mas fica sabendo que a partir deste momento deixo de ser teu pai. Gostas mais da tua mãe do que de mim! Pois então fica com a tua mãe! Nunca mais te quero ver! — deu-me um empurrão e tornou a descer as escadas rapidamente.

— Papai! Papai! Paizinho! Farei tudo o que me disser! — exclamei por entre soluços. — Gosto mais de você do que da minha mãe! Tome o dinheiro, tome-o, paizinho!

Mas ele já não me ouvia; compreendi então que já tinha desaparecido...

Toda a noite me senti muito mal e tremia com os arrepios da febre. Lembro-me de que a minha mãe me chamou para o seu lado; mas eu não estava em meu perfeito juízo, não ouvia nem via nada. Aquilo acabou com uma crise: pus-me a chorar e a gritar... A minha pobre mãe estava muito assustada e não sabia o que havia de fazer. Levou-me para a sua cama e eu me abracei ao seu pescoço e assim me deixei ficar, até que, pouco a pouco, adormeci; mas até durante o sono estremecia a cada instante ou assustava-me com qualquer coisa. Assim se passou aquela noite.

Na manhã seguinte acordei muito tarde, quando a minha mãe já tinha saído. O meu pai e um desconhecido estavam sentados no quarto e conversavam em voz muito baixa. Eu esperava impaciente que o desconhecido fosse embora; e logo que finalmente ficamos sós, eu e meu pai, corri para ele e, numa voz fraca e por entre lágrimas, pedi-lhe que me perdoasse.

— Queres voltar a ser boazinha como antes? — perguntou-me ele muito sério.

— Quero, sim, papai, quero — balbuciei. — Vou-lhe dizer onde é que a mamãe guarda o dinheiro. Tem-no numa caixa, na sua mala; pelo menos era ali que ela ontem o tinha.

— Ontem? Onde? — exclamou dando um pulo. — Onde é que dizes?

— Mas a malinha está fechada, papai — apressei-me a dizer. — É preciso esperar até que a mamãe me mande trocar o dinheiro, pois os cobres que eu vi já se acabaram...

— Preciso de quinze rublos, Niétotchka! Ouves? Só quinze rublos, mais nada! Arranja-me para esta noite: amanhã já te devolvo. Vou já buscar-te bombons e nozes... e até hei de comprar-te uma boneca... e amanhã outra... e todos os dias te trago guloseimas se fores uma menina obediente.

— Isso não, papai, não é preciso que me traga nada disso! Eu não quero doces, não os como; dou todos a você — disse eu enquanto as lágrimas ameaçavam sufocar-me, pois o meu coração estava apertado e parecia querer estalar.

Compreendia naquele momento que ele não tinha compaixão de mim, que nem sequer tinha amizade por mim, pois não via como eu lhe queria a ele e era até capaz de imaginar que eu lhe obedecia interessada nas guloseimas. Nesse momento, com os meus dez anos, eu compreendia direitinho e sentia-o profundamente, compreendia já que essa descoberta deixaria em mim uma marca indelével, que dali por diante já não poderia querer-lhe, que para sempre tinha perdido o meu pai de antes. Mas ele estava esperançado em obter o dinheiro por meu intermédio. Vejo agora que, por ele, eu estava disposta a tudo e que não recuaria diante de nada deste mundo. Mas só Deus sabe o que este *tudo* significava então para mim. Eu sabia o que aquele dinheiro representava para a minha pobre mãe; sabia que ela podia cair doente de comoção e de inquietação se se visse sem ele e escutava no meu íntimo a voz do remorso. Ele, pelo contrário, não via nada disto; continuava a tomar-me por uma garotinha de três anos, quando, por esse tempo, era já uma adolescente capaz de refletir. A sua alegria não tinha limites; beijava-me pedia-me que não chorasse, prometia levar-me ainda nesse mesmo dia para longe de minha mãe, provavelmente para lisonjear a minha fantasia, que incansavelmente seguia por esse caminho. Por fim tirou do bolso um programa do concerto e depois disse-me, lamentando-se que aquele homem que ia ver nessa noite era seu inimigo, seu inimigo mortal; mas que nem os seus inimigos todos juntos poderiam nada contra ele. Parecia mesmo uma criança, ao falar assim, dos seus inimigos. Porém, quando reparou que eu já não sorria como de costume, ao ouvi-lo, mas que o escutava muito séria e calada, pegou no chapéu e saiu, dizendo que tinha ainda de tratar de um assunto de urgência; mas, quando ia saindo, tornou a beijar-me e dirigiu-me um sorriso inseguro, como se não tivesse muita confiança em mim e para afastar a possibilidade de que eu voltasse com a palavra atrás.

Disse já que ele parecia um louco; e foi assim que o vi, na véspera do concerto. Precisava do dinheiro para comprar um bilhete, tal como se adivinhasse que aquele concerto havia de decidir para sempre a sua sorte. Por causa dele perdeu de tal maneira o juízo que, na noite anterior, até aqueles míseros cobres me quisera tirar, como se eles fossem suficientes para adquirir o bilhete tão desejado. E a sua estranha disposição tornou-se ainda mais notória quando, como de costume, nos pusemos à mesa a comer, já bastante tarde. Não podia estar quieto nem um momento e não comia nada, levantando-se e tornando a sentar-se a cada instante, muito pensativo. Ora pegava no chapéu, como se se dispusesse a partir, ora caía em estranhas meditações; tão depressa resmungava qualquer coisa por entre dentes como divagava a vista à sua volta, procurando-me com os olhos, para fazer-me sinais de grande impaciência, por não ter na sua mão o dinheiro, e como se estivesse aborrecido comigo por o não ter ainda tirado da minha mãe. Até esta acabou por reparar nos meus estranhos modos desse dia e olhou para mim assombrada. Mas eu me sentia culpada como um réu de um crime de morte. Depois da refeição, fui para o meu canto e, tremendo de febre, estive contando os segundos até que chegasse o momento em que a minha mãe costumava enviar-me à loja por alguma ninharia. Nunca na minha vida passei momentos tão angustiosos: pareciam-se eternos e permaneceram para sempre gravados na minha memória. Há momentos — poderia avaliá-los em minutos — em que aprendemos muito mais do que em anos inteiros. Eu sabia que estava a ponto de praticar algo de mau e de feio; ele próprio tinha vindo afirmar os meus bons sentimentos, ao conduzir-me pela primeira vez ao mal, para depois, talvez assustado e, em todo caso arrependido, dizer-me que eu tinha procedido muito mal no ato que praticara. Não percebia ele como é difícil enganar uma criatura ávida por aprender a formar a sua personalidade e que já sentiu e pensou muitas coisas de bem e de mal? Compreendo sem dúvida que foi uma necessidade extrema a que o levou uma vez mais a lançar-me no caminho do vício, sacrificando assim a minha pobre e inocente infância... O que o induziu a ousar de novo ferir com aquele golpe a minha consciência. E enquanto estava acocorada no meu canto comecei a pensar naquilo; por que teria ele querido oferecer-me uma recompensa por uma coisa que eu estava disposta a fazer espontaneamente? Impressões novas, impulsos novos e até então ignorados, novas perguntas se formulavam em tropel no meu interior e me infligiam um terrível suplício. Depois, de repente, lembrei-me da minha mãe. Imaginei o seu desespero quando se visse despojada daquele dinheiro que, com tanto custo, tinha ganho. Daí a pouco a minha mãe suspendeu o trabalho, que era sempre superior às suas forças, e chamou-me. Tirou o dinheiro da cômoda e, quando me entregou, disse-me:

— Vai lá, Niétotchka! Mas, pelo amor de Deus, vê se tomas cuidado para não te darem moedas falsas, como outro dia, e não percas o dinheiro!

Dirigi a meu pai uns olhos implorativos; mas ele me fez um sinal, sorriu e esfregou as mãos de impaciência. Tinham dado seis horas e o concerto começava às oito. Também ele devia ter sofrido muito durante essas horas.

Eu fiquei parada no patamar, à sua espera. Mas ele estava tão alterado e impaciente que esqueceu todas as precauções e saiu correndo atrás de mim, a toda pressa. Dei-lhe o dinheiro; a escada estava às escuras e eu não pude ver-lhe a cara; mas senti, sim, percebi que lhe tremia todo o corpo quando pegava nas moedas.

Quedei-me, pasmada, sem arredar um pé. Ainda eu estava mal refeita daquela impressão, logo ele me ordenou que subisse para lhe ir buscar o chapéu. Não queria tornar a subir.

— Papai! Não entra também? — perguntei-lhe com voz fraca, agarrando-me ainda à minha última esperança: a sua ajuda.

— Não. Vai tu sozinha... Mas... espera! — exclamou, reconsiderando rapidamente. — Espera; vou buscar-te os doces... Mas vai primeiro a casa e traz-me o chapéu.

Parecia-me que uma mão gelada me apertava o coração. Subi as escadas. Quando entrei no quarto, transtornada, olhei à minha volta e, se nesse momento tivesse dito que me tinham roubado o dinheiro, a minha mãe teria acreditado. Num ataque de desespero, que repentinamente se apoderou de mim, numa convulsão, atirei-me sobre a cama de minha mãe e escondi o rosto entre as mãos. Passado um momento senti que a porta rangia suavemente e que o meu pai entrava no quarto. Vinha buscar o chapéu.

— Onde está o dinheiro? — perguntou-me de repente minha mãe, que adivinhava agora, como que à luz de um relâmpago, que alguma coisa de anormal se tinha passado. — Onde está o dinheiro? Diz, anda! — e afastando-me da cama, puxou-me para o meio do quarto.

Eu permanecia calada, de olhos fixos no chão; quase não percebia o que se passava nem o que me diziam.

— Onde está o dinheiro? — gritou e depois fixou-se no meu pai, que pegava no chapéu. — Onde está o dinheiro? — repetiu. — Ah, já sei, deu-te! Bandido! Verdugo! Queres também desencaminhar-me a criança? Mas não! Não te hás de ir assim!

E correu para a porta, fechou-a e guardou a chave no bolso.

— Fala! Confessa! — disse, encarando comigo, com uma voz sufocada pela comoção. — Diz-me tudo! Fala, menina, fala! Se não, já sei o que te hei de fazer!

Pegou-me na mão e quase que me feriu para me obrigar a confessar. Estava completamente fora de si e não dava conta do que fazia. Mas eu tinha jurado a mim mesma não falar, não dizer uma só palavra referente ao meu pai. Se bem que, pela última vez, lhe tivesse dirigido um tímido olhar... Um olhar seu, uma só palavra, qualquer coisa que eu esperava dele e que implorava em silêncio... e teria sido feliz, apesar de todas as dores e de todos os suplícios... Porém... Santo Deus! Com um gesto insensível, ameaçador, impôs-me silêncio, como se naquele momento houvesse qualquer coisa capaz de me intimidar ainda... Formou-se em mim um nó na garganta, faltou-me o ar, fraquejaram-me as pernas... e perdi os sentidos... Repetiu-se a crise da véspera.

Tomei acordo quando, daí a pouco, bateram à porta. A minha mãe foi abrir e viu um homem de libré, que entrou no quarto titubeando, olhando para tudo com olhos espantados e perguntando depois por Iefímov, o músico. O meu pai apresentou-se e o criado entregou-lhe um sobrescrito fechado, explicando-lhe que vinha da parte do senhor B***, que naquele momento se encontrava em casa do príncipe H***. O sobrescrito continha um bilhete para o concerto do famoso S...z.

A presença daquele criado de luxuosa libré, enviado do príncipe H***, em casa do pobre músico, fez, no primeiro momento, uma grande impressão na minha mãe. Já disse que a pobre mulher continuava a estimar o marido. Até depois de oito anos de desencantos, de sofrimentos e de desgostos, o seu coração não tinha mudado; sim, apesar de tudo ainda o amava. Talvez a pobrezinha achasse que ia mudar de vida. A sombra de uma esperança era o suficiente para fazê-la vibrar. Quem sabe se ele, na sua teimosia, lhe tinha contagiado a sua inquebrantável fé! Aquela fé do marido parecia exercer sobre ela um certo influxo... assim, não é de estranhar que perante aquela gentileza do príncipe se pusesse a imaginar mil coisas boas para o seu futuro. Em seguida mostrou-se disposta a perdoar-lhe, a esquecer todos os dissabores da sua vida comum, inclusive aquela última ação indigna — a de não ter escrúpulos de querer perverter a sua única filha — a tudo estava disposta, arrastada pela torrente das suas renascidas ilusões; a considerar aquela ação vergonhosa como uma falta leve e sem consequências, como uma fraqueza que poderia desculpar-se, atendendo à sua vida infeliz e à sua situação desesperada. Por isso perdoava-lhe tudo e sentia nesse instante uma piedade infinita por aquele homem desmoralizado.

O meu pai pareceu ter ficado muito comovido. Também ele estava surpreendido com a gentileza de B*** e do príncipe. Encarou em seguida a minha mãe, disse-lhe qualquer coisa ao ouvido e ela saiu. Voltou daí a dois minutos trazendo o dinheiro trocado, e o meu pai deu um rublo de prata ao criado, que o aceitou, retirando-se depois com uma grande reverência. A minha mãe tornou a sair, daí a pouco voltou com uma tábua e começou a passar a melhor camisa do meu pai. Foi ela própria que lhe apertou ao pescoço a gravata de batista branca, que guardava já desde tempos imemoráveis, juntamente com um fraque muito surrado que o meu pai tinha mandado fazer ainda antes de ter entrado para a orquestra. Logo que terminou os seus preparativos, o meu pai pegou no chapéu, mas antes de sair pediu ainda um copo d'água. Estava pálido e sentou-se completamente esgotado numa cadeira. Tive de lhe trazer a água... Seria o caso de que outra vez um sentimento hostil se tivesse já insinuado no coração da minha mãe e se tivesse esfriado o seu primeiro entusiasmo?

Por fim, o meu pai saiu. Eu tornei a encolher-me no meu canto, e ali, durante muito tempo, contemplei a minha mãe em silêncio. Era a primeira vez que a via tão agitada, tremiam-lhe os lábios, tinha as faces afogueadas, e de quando em quanto notava-lhe pequenos estremecimentos nervosos. Até que por fim a sua dor se expandiu em soluços comprimidos e desolados.

— Sim, sou eu, eu é que tenho a culpa de tudo — lamentava-se. — E agora, que há de ser dela quando eu morrer?

De repente ficou parada no meio do quarto, como que ferida por aquele pensamento.

— Niétotchka! Minha filha! Minha pobre filha! Pobrezinha, desgraçada! — disse, tomando-me as mãos e abraçando-me convulsivamente. — Quem há de tomar conta de ti quando eu já não puder fazê-lo? Minha pequenina, minha pequenina! Oh, tu não podes compreender-me! Mas olha: tu hás de lembrar-te sempre do que agora te digo, não é verdade, Niétotchka?

— Sim, mamãezinha, sim! — exclamei eu, juntando as mãos, como se lhe dirigisse uma súplica.

Manteve-me assim, muito apertada, durante muito tempo, como se a assustasse a ideia de ter de separar-se mim. O meu coração despedaçava-se.

— Mãezinha, mãezinha! — balbuciei eu sem poder continuar, pois os soluços já me estrangulavam a garganta — Por que... por que é que não gostas do papai?

E as lágrimas, até aí reprimidas, correram-me pelas faces.

A minha mãe soltou um suspiro. E de novo, torturada por novos sofrimentos, se pôs a passear pelo quarto dizendo:

— Pobrezinha, pobrezinha! E eu, que nem sequer tinha percebido que já está mais crescida! Já entende, já sabe tudo, meu Deus! Que exemplo para ela, o desta casa!

E torcia as mãos com desespero.

Depois aproximou-se de mim e pôs-se a beijar-me carinhosamente; beijou-me as mãos, sobre as quais caíam as suas lágrimas, e pedia e suplicava, na sua desolação... Nunca eu tinha visto tanto sofrimento, nem ninguém tão transtornado pela dor... Por fim, esgotada, acabou por ficar meio amodorrada. Talvez tivesse ficado assim uma hora completa. Até que se levantou, cansada, visivelmente extenuada e me disse que me fosse deitar.

Fui para o meu cantinho, deitei-me e tapei a cabeça com o lençol; mas não podia dormir. Atormentava-me a recordação dos meus pais. Esperava impacientemente o regresso do meu pai. Mas sentia horror ao pensar nele. Aproximadamente meia hora depois, a minha mãe pegou na luz e acercou-se devagarinho da minha cama para ver se eu dormia. Apressei-me a fechar os olhos e fingi que dormia para não a inquietar. Quando ficou convencida de que eu já estava dormindo, dirigiu-se para o amário, abriu-o e encheu um copo de vinho. Bebeu-o e depois foi para a cama. A luz ficou acesa em cima da mesa e a porta do quarto aberta, como era costume quando o meu pai saía de noite.

Eu estava amodorrada; mas não conseguia pegar no sono. Mal tinha adormecido quando tornei a despertar, sobressaltada por terríveis pesadelos. Cada vez era maior a opressão que eu sentia. Queria gritar mas a voz não me saía da garganta. Por fim — já noite alta—a porta abriu-se. Não sei bem, nem posso dizer o tempo que teria decorrido; mas quando de novo abri os olhos, vi o meu pai. Parecia-me muito pálido. Estava sentado na cadeira, junto da porta, e mergulhado nos seus pensamentos. Reinava no quarto um silêncio de morte.

Durante muito tempo contemplei-o, mas ele não se mexia do lugar. Continuava imóvel, sentado, a cabeça dobrada sobre o peito e as mãos rígidas sobre os joelhos. Por duas ou três vezes estive quase tentada a chamá-lo, mas não fui capaz. De súbito, saiu da sua meditação, ergueu os olhos e levantou-se da cadeira. Ficou um instante parado no meio do quarto... como se se sentisse indeciso sobre o que havia de fazer. A seguir dirigiu-se à cama da minha mãe, pôs-se à escuta e, quando se convenceu de que ela dormia, encaminhou-se para a arca onde guardava o violino.

Levantou a tampa, tirou a caixa preta do instrumento e colocou-a sobre a mesa; depois tornou a olhar à sua volta; tinha o olhar turvo e inseguro como eu nunca vira.

Pegou no violino; mas em seguida tornou a pô-lo no seu lugar, foi até a porta e fechou-a. Reparou depois que o armário tinha ficado aberto, caminhou até lá, devagarinho e, vendo o copo e a garrafa de vinho, encheu-o e bebeu. Depois, pela terceira vez, se dirigiu para o violino e de novo se aproximou da cama da minha mãe. Transida de medo, esperava o que estaria para se passar.

Ele esteve durante um certo tempo, demasiado a meus olhos, à escuta. Depois, de súbito, destapou o rosto de minha mãe e apalpou-a com a mão. Eu estremeci. Ele tornou a inclinar-se para ela, curvando-se muito, até roçá-la quase com a fronte; mas quando nesta última vez se endireitou, trazia um sorriso sobre o rosto intensamente pálido. Muito devagarinho e com um gesto protetor, voltou a tapar a que dormia, com o lençol, cobrindo-a da cabeça até os pés; mas eu, sem saber por quê, pus-me a tremer, tomada de um vago susto. Começava a ter medo daquele sono profundo de minha mãe e, com um pressentimento violento, contemplava pasmada a linha imóvel da mortalha que, num contorno anguloso, caía sobre a massa daquele corpo... De repente, com a rapidez do relâmpago, um pensamento terrível me passou pela cabeça.

Quando o meu pai terminou todos aqueles preparativos, voltou ao armário, bebeu o resto do vinho que havia na garrafa, e aproximou-se da mesa com o corpo todo preso de violentos estremecimentos. Pegou de novo no violino. Eu já o tinha visto e sabia que era um instrumento musical; porém, naquele momento, esperava dele algo de espantoso, de terrível e de estranho... e ao ouvir as suas primeiras vibrações, estremeci. O meu pai começou a tocar. Mas os sons brotavam de uma maneira estranha e desconexa e, além disso, ele se detinha a cada instante, como se procurasse lembrar-se de qualquer coisa... até que por fim, com o rosto desfigurado, abandonou o arco e volveu os olhos para a cama, de maneira muito particular. Parecia que qualquer coisa ali o inquietava. Voltou outra vez até junto do leito... Eu seguia cada um dos seus movimentos, não tirava os olhos dele, apesar de sentir-me paralisada de terror.

De súbito, apressadamente, começou a procurar qualquer coisa... e outra vez o mesmo pressentimento pavoroso me passou pela mente. Perguntei a mim mesma por que é que ela não teria acordado quando ele lhe tocou na face. Vi que ele se punha a revolver todas as roupas que tínhamos; pegou no xale de minha mãe, na sua velha blusa, na sua camisa de dormir, e até nas minhas roupinhas, que eu tinha deixado nas costas de uma cadeira, e cobriu com tudo isso o corpo da adormecida, de tal maneira que ela acabou por ficar invisível debaixo daquele montão de roupa. A minha mãe continuava sem se mexer.

Estava profundamente adormecida.

Pareceu-me que ele respirava mais à vontade depois de ter feito aquilo. Agora já nada o estorvava nem inquietava; tirou a luz do lugar em que estava e colocou-a um pouco mais adiante; e virou-se para a porta, para deixar de ver a cama. Depois pegou no violino e, num arrebatamento de desespero, feriu as cordas com o arco... Começara a música.

Mas aquilo não era música... Recordo-me perfeitamente daquela noite; recordo-me de tudo quanto nela vi e ouvi; e sobretudo daquilo que me deixou uma impressão tão profunda. Não, aquilo não era música como a que, mais tarde, vim a ter oportunidade de ouvir. Não eram as notas de um violino, aquelas, mas era como se pela primeira vez, no nosso obscuro covil, ressoasse altitronante, uma voz terrível. Talvez que as minhas impressões fossem falsas, mórbidas e sobreexcitadas, ou que aquilo por que eu tinha passado e visto predispusesse já a minha sensibilidade desse modo para ter aquelas desoladas e dolorosas sensações... Fosse como fosse! Mas eu estava firmemente convencida de que o que eu ouvia eram os lamentos, os gritos e os soluços de um homem. Naquelas notas exprimia-se o mais profundo desespero, e quando por último chegaram ao seu espantoso final, em que se dava tudo quanto se pode dar na expressão da dor soluçante, do suplício de corações dilacerados e de anseios de impossíveis venturas, fundindo-se tudo isso, logo depois, em uma só expressão... já não me foi possível conter-me por mais tempo... toda eu tremia, as lágrimas saltavam dos meus olhos em torrentes e, lançando um grito desolado, precipitei-me para o meu pai e abracei-o com todas as minhas forças. Ele deu um grito e largou o violino...

Durante um momento pareceu estonteado. Depois os seus olhos começaram a correr e a saltar por todos os lado, como se procurasse alguma coisa... até que, imediatamente, voltou a pegar no violino e deu-me com ele uma pancada na cabeça que... se fosse um pouco mais forte me teria deixado ali estendida.

— Papai! — exclamei eu. — Paizinho!

Ele tremia, voltou-se e, cambaleando, avançou dois passos:

— Ah! Ainda estás aqui? Então ainda não se acabou tudo! Ainda existes tu! — exclamou, levantando-me furiosamente pelos ombros.

— Paizinho! — exclamei eu, enquanto ele me mantinha suspensa. — Não, não, não me meta medo! Não me meta medo!

O meu choro pareceu impressioná-lo. Tornou a pousar-me no chão com muito cuidado, olhou-me durante uns momentos, com uns olhos estúpidos, como se não me conhecesse... e começou, pouco a pouco, a lembrar-se de algo que tinha esquecido. De repente, foi como se qualquer coisa o revolvesse por dentro, como se de súbito o tivesse assaltado um pressentimento terrível... Dos seus olhos turvos brotou uma torrente de lágrimas e tornou a inclinar-se para mim e a olhar-me no rosto com fixidez e com muita atenção.

— Paizinho! — eu implorei cheia de medo. — Não olhe para mim, assim, paizinho! Paizinho! Vamo-nos embora! Venha já! Venha, corra!

— Sim, corramos, corramos! Já é tempo! Vamo-nos embora daqui, Niétotchka! Já! Já!

E mostrou-se tão apressado como se de repente se tivesse lembrado que tinha alguma coisa para fazer. Preocupado, olhou em redor... apanhou rapidamente um lenço de minha mãe que estava caído no chão e guardou-o; reparou depois num lenço de cabeça, apanhou-o também e guardou-o, como se se dispusesse a empreender uma grande viagem e quisesse prevenir-se com tudo quanto supunha que lhe poderia fazer falta.

Eu me vesti também rapidamente e, tal como ele, pus-me a reunir também tudo o que julgava necessário para a viagem.

— Já tens tudo? Já tens tudo? — perguntou-me ele cheio de pressa. — Já está tudo pronto? Anda, despacha-te, depressa!

Fiz a minha trouxa o mais rapidamente que pude, ele me pôs um lenço na cabeça, e estávamos já quase prontos para sair, quando me lembrei de levar também comigo a imagem da parede. O meu pai aprovou a minha ideia. Parecia agora muito tranquilo; falava em voz baixa e instava comigo para que eu me apressasse. Pegamos os dois numa cadeira, pusemo-la sobre um banco... e depois de termos trepado com muito cuidado sobre aquela geringonça que oscilava, conseguimos chegar ao quadro. Podíamos dar já por terminados os nossos preparativos de viagem. O meu pai pegou-me na mão e íamos já a sair... quando ele parou outra vez. Esfregou a testa durante muito tempo, como se se esforçasse por recordar-se de alguma coisa de que se tivesse esquecido. Finalmente lembrou-se; procurou o molho de chaves debaixo do travesseiro da minha mãe, abriu a cômoda e começou apressadamente a revolver tudo. Até que por fim veio ter comigo trazendo algum dinheiro que tinha encontrado no cofrezinho.

— Toma, toma, guarda-o! — disse-me em voz baixa. — Não o percas nem te esqueças dele, não te esqueças!

Pôs-me primeiro o dinheiro na mão, mas depois tirou e guardou-me no peito. Recordo que estremeci ao sentir sobre o corpo o contato daquelas moedas, e foi como se, pela primeira vez, eu tivesse descoberto o que era o dinheiro. Já nos dispúnhamos de novo a partir, quando ele tornou mais uma vez a parar.

— Niétotchka! — era evidente que tinha de fazer grandes esforços para concentrar as suas ideias. — Minha filha... Há uma coisa que estou esquecendo... Mas não sei o que é. O que será? Não me lembro... Mas, sim... É isso! Já sei... Vem cá, Niétotchka.

Levou-me ao canto onde estava a imagem e disse-me que me ajoelhasse.

— Reza, minha filha, reza! Será melhor para ti!... Sim, verdadeiramente há de ser melhor! — murmurou ele ao meu ouvido, apontando para a imagem e olhando ao mesmo tempo para mim de modo estranho. — Reza, Niétotchka, reza, reza! — disse-me ainda numa voz invulgarmente suplicante e deprecativa.

Eu me ajoelhei e, cheia de espanto e desespero, bati com a testa no chão e permaneci um minuto como que desmaiada. Nervosamente, reuni todas as minhas ideias, concentrei todo o pensamento na minha prece; mas o medo dominava-me por completo. Já não queria ir com o meu pai e até pelo contrário, desejava ficar ali. Até que finalmente dei largas, com impulsiva violência, àquilo que me abatia e torturava.

— Papai! — exclamei por entre catadupas de lágrimas. — E a mamãe? O que vai ser da mamãe? Onde está a minha mãe?

As lágrimas sufocaram-me a voz e não pude continuar. Também ele olhou para mim, por entre lágrimas. Depois levou-me até junto da cama, desviou as peças de roupa ali amontoadas e levantou o lençol. Meu Deus! Estava morta, hirta, gelada. O seu rosto mostrava já a azulínea palidez cadavérica. Então lancei-me sobre ela, como se tivesse perdido o juízo, e abracei-me fortemente contra o seu cadáver. O meu pai mandou-me pôr de joelhos.

— Inclina-te diante dela, minha filha! Despede-te dela...

Inclinei-me profundamente. Ele fez o mesmo. Estava terrivelmente pálido; os lábios tremiam-lhe e parecia que mastigava qualquer coisa.

— Não fui eu, Niétotchka, não fui eu! — disse-me com voz trêmula, apontando para o cadáver. — Estás ouvindo? Não fui eu, eu não tenho culpa de nada. Lembra-te disto, Niétotchka!

— Papai! — exclamei eu assustada. — Vamos embora! Já é tempo!

— Sim, já é tempo! Já há muito tempo que devíamos ter ido! — disse-me ele muito à pressa, pegando-me numa mão e levando-me para fora do quarto. — Bem, já estamos cá fora! Graças a Deus que tudo tem o seu fim!

Descemos a escada. O porteiro, apesar de meio adormecido, abriu-nos a porta, olhando-nos com certo receio e como se tivesse vontade de nos perguntar porque é que o meu pai ia com tanta pressa que eu mal podia acompanhá-lo. Caminhamos até o fim da rua e fomos ter ao cais do canal. Durante a noite tinha nevado, as ruas estavam brancas e ainda continuavam a cair uns flocos muito finos. Estava frio; eu me sentia gelada até os ossos, corria nas pegadas do meu pai, agarrando-me às abas do seu fraque. Ele levava o violino debaixo do braço e parava a cada momento para tornar a pôr o estojo no seu lugar, pois escorregava-lhe constantemente.

Andamos assim aproximadamente um quarto de hora. O meu pai deixou depois o passeio para seguir pelo caminho em declive que descia até o canal e sentou-se no último marco. A dois passos de nós havia um atalho. À nossa volta não se via viva alma. Meu Deus! Lembro-me como se fosse agora, do terrível pensamento que então me passou pela ideia! Ia enfim realizar-se aquilo com que eu sonhava havia já um ano; tínhamos abandonado o nosso mísero tugúrio. Mas era isto aquilo por que eu tanto tinha ansiado, sonhado e esperado, aquilo que a minha fantasia de mocinha construíra quando procurava imaginar a felicidade do que tanto desejara? Mas o que mais depressa veio torturar-me foi a recordação de minha mãe. "Por que a tínhamos abandonado?" — perguntei a mim mesma. — Por que a tínhamos deixado assim tão sozinha?" Lembro-me de que, naquele momento, era isso o que mais me preocupava e inquietava.

— Paizinho! — comecei, incapaz de suportar por mais tempo a minha preocupação dolorosa. — Paizinho!

— Que é? — perguntou-me ele em tom desabrido.

— Por que deixamos a mamãe, paizinho? Por que a abandonamos? — insistia eu por entre lágrimas. — Papai, voltemos para casa! Vamos chamar alguém para ficar ao lado dela!

— Está bem, está bem — exclamou ele subitamente, levantando-se do marco, como se lhe tivesse ocorrido alguma ideia nova que lhe desfizesse todas as suas dúvidas. — Sim, Niétotchka, isto assim não está bem; devemos voltar para junto da tua mãe. A pobrezinha, ali, deve ter muito frio! Vai tu, Niétotchka; vai lá que a luz ficou acesa! Não tenhas medo; manda vir alguém para junto dela e depois vem então outra vez ter comigo. Vai sozinha que eu espero aqui por ti... Eu não saio daqui.

Obedeci-lhe; mas ia já sobre o passeio, quando, de repente, tive um pressentimento... Olho à minha volta... e eis que... vejo que ele sai correndo, que passa para o outro lado e continua depois correndo. Tinha-me abandonado a mim também! Acabava de me abandonar naquele momento! Pus-me a gritar com todas as minhas forças e corri no seu encalço, transida de medo. Eu corria, desabalada, mas ele cada vez estugava mais o passo... e continuou correndo, cada vez mais veloz, até que finalmente o perdi de vista. Apenas pude apanhar o seu chapéu, que lhe tinha caído durante a correria. Levantei-o do chão e continuei correndo. Faltava-me a respiração e fraquejavam-me as pernas. Tinha a impressão de que me estava acontecendo qualquer coisa de espantoso; parecia-me que aquilo tudo era um pesadelo e às vezes até sentia o mesmo que nos sonhos, quando sonhava que alguém corria atrás de mim e que eu fugia; mas os meus pés começavam a negar-se a me obedecer e os perseguidores já me alcançavam... e, de repente, eu própria me precipitava num abismo. O coração estalava-me de dor; sofria tanto, o meu coração chamava-o aos gritos e queria saltar quando pensava que o meu pai ia assim correndo sem capa, sem chapéu fugindo precipitadamente de mim, de mim, da sua filha querida... Eu não desejava mais nada senão poder alcançá-lo, estreitá-lo uma vez mais com muita força nos meus braços, dar-lhe muitos beijos e dizer-lhe que não tivesse tanto medo de mim, para afirmar-lhe o meu carinho, para tranquilizá-lo, dizer-lhe que não continuaria a segui-lo se ele não quisesse que eu o seguisse, e que voltaria para a minha mãe. Vi como ele se esgueirou pela embocadura de uma rua. Quando cheguei também à esquina e ia a seguir por aquela rua, tornei a vê-lo, mas já muito longe, sempre correndo... Então as forças fugiram-me e rompi a chorar e a gritar. Lembro-me de que, enquanto ia assim correndo, deparei com dois homens que tinham ficado parados no meio da rua e que olhavam para nós os dois, assombrados!

— Papai! Papai! — exclamei pela última vez. Mas de repente resvalei pelo passeio e fui cair precisamente diante do portão de uma casa. Sentia o sangue a escorrer-me pelo rosto. Um momento depois perdia os sentidos.

....

Despertei sobre uma cama fofa e quente e vi à minha volta rostos afetuosos e amáveis que pareciam alegrar-se com o meu despertar. Vi uma velhinha com a armação dos óculos encavalitada sobre o nariz; um senhor importante que me olhava, muito condoído, e uma senhora de maravilhosa formosura, e finalmente um outro senhor já velho e de cabelos brancos, que me segurava a mão pelo pulso, enquanto olhava para o relógio. Eu despertava para uma nova vida. Um daqueles homens com quem me tinha encontrado quando corria atrás do meu pai era o príncipe H*** e eu tinha caído precisamente diante do portão da sua casa. Logo que, depois de muitas diligências, veio a saber quem eu era, o príncipe que tinha enviado a meu pai aquele bilhete para o concerto e que agora estava muito preocupado com o estranho acontecimento, decidiu recolher-me em sua casa e educar-me juntamente com os seus filhos. As investigações feitas acerca do meu pai permitiram averiguar que o tinham apanhado em certo lugar, já fora da cidade, no qual, num ataque de loucura furiosa, se tinha defendido com tenacidade. Internaram-no depois no pavilhão de loucos de um hospital, no qual veio a morrer passados dois dias.

Morreu dessa maneira porque tal morte tinha que ser a consequência natural da sua vida. Era fatal que tinha de morrer assim, quando tudo aquilo que até então o tinha sustido acabava de cair por terra, de uma vez para sempre, desvanecendo-se como um fantasma, como um sonho, como uma criação incorpórea e vã da sua imaginação. Morreu quando viu desfazer-se a sua última ilusão, ao ver tombar diante dos seus olhos, de um só golpe, toda a obra da sua fantasia, e ao adquirir de repente a clara intuição da inanidade de tudo quanto até ali o tinha iludido e lhe servira de fim último na vida. Deslumbrou-o a verdade com a sua luz insuportável e o que era somente erro apareceu-lhe então como mentira. Naquela noite pôde apreciar a arte de um verdadeiro gênio, que o tocou diretamente na alma e que ao mesmo tempo o condenou para todo o sempre. Com a última vibração das cordas do violino do *grande S...z, todo o mistério da arte e do gênio* lhe foi revelado, o gênio eternamente jovem, poderoso e autêntico, ofuscou-o com a sua verdade. Tal como se tudo aquilo que durante toda a sua vida o atormentara com secretos e impenetráveis suplícios, tudo quanto até ali, apenas como um espectro, o assustara, torturando-o nos seus sonhos de um modo vago e quase insensível; aquilo que só de quando em quando aflorava à sua consciência, de onde ele o afugentava com terror e diante do que se entrincheirava, defendendo-se por detrás da mentira de toda a sua vida e de tudo quanto os seus pressentimentos lhe anunciavam, mas que ele até então se tinha obstinado em não ver... tal como se tudo isso se lhe tivesse mostrado de repente brilhante e transparente, manifestando-se claramente diante dos seus olhos, que, até ali, tão teimosamente tinham recusado reconhecer a luz como luz e as trevas como trevas. Mas os seus olhos não puderam suportar o fulgor da verdade; pela primeira vez eles viam, agora bem claro, o que tinha sido, o que era e o que o aguardava, tudo isso o deslumbrou e lhe abrasou o pensamento. Apareceu-lhe com a rapidez do relâmpago e, como um raio, o incendiou. Acontecera pois aquilo que toda a sua vida receara e esperara, cheio de sofrimento e de terror. A espada do verdugo, que toda a sua vida tinha estado suspensa por sobre a sua cabeça, e que, com uma tortura indizível, parecia esperar que caísse sobre ele... tinha caído agora, finalmente! E o golpe tinha sido mortal! Ainda tentara escapar à sua sentença; mas já não encontrou refúgio, pois as suas últimas ilusões e os seus argumentos derradeiros tinham-se desvanecido. Aquela que durante anos tinha sido um fardo para ele, que, segundo ele julgava, não o deixava viver e, depois, de cuja morte ele, com uma fé cega, esperava renascer, como que por milagre, ressuscitar, por assim dizer... Essa, estava já debaixo da terra. Agora estava ele completamente só; nenhum peso carregava já sobre os seus ombros, nada o prendia. Agora, finalmente, era livre! Desejou então, tomado de um desespero convulsivo, submeter-se à sua própria apreciação; desejou julgar-se a si mesmo como árbitro imparcial, com severidade e com justiça implacáveis... Mas o seu arco, sem força, foi incapaz de dar forma à sua íntima vontade musical... E no momento em que se viu obrigado a reconhecê-lo, a loucura apoderou-se dele, a loucura que o rondava havia já dez anos.

Capítulo IV

A minha convalescença fazia progressos lentos; mas ainda depois de ter abandonado a cama, durante muito tempo tive os sentidos como que paralisados e não conseguia atinar com o que me havia sucedido. Tinha momentos nos quais me parecia, e só Deus sabe como eu desejava que assim fosse, que tudo isso não fora mais do que um sonho. À noite, quando adormecia, tinha a impressão de que, quando acordasse, de repente, iria ver de novo a nossa miserável trapeira e iria ali encontrar os meus pais... Porém, pouco a pouco acabei por compreender melhor a minha nova situação e perceber que me achava agora completamente só no mundo e que vivia entre estranhos. Foi então que, pela primeira vez, senti que era uma órfã.

Cheia de curiosidade, comecei a fixar-me em todas as coisas novas que me rodeavam. A princípio parecia-me tudo tão estranho e fabuloso, eu ficava tão perturbada, tanto que as novas caras e o novo gênero de vida, os aposentos daquela velha mansão principesca, que ainda hoje tenho tão perfeitamente gravados na retina... de tetos altos, magníficos, mas também sinistros e obscuros — ainda hoje, não sei por quê, me inspira um medo enorme a ideia de ter de atravessar um grande salão. Ainda não estava completamente restabelecida da minha doença e, por isso, as minhas impressões eram ainda tão melancólicas, como aliás não podiam deixar de ser, se tivermos em conta o meu estado de espírito e a solene escuridão daquele palácio. Acrescente-se a isto que no meu coração de mocinha iam crescendo cada vez mais uma grande tristeza e uma grande nostalgia, cuja causa para mim própria era desconhecida. Às vezes ficava durante muito tempo profundamente admirada diante de um quadro, de um espelho ou de uma chaminé de artístico lavor, ou de uma estátua que parecia mesmo ter-se escondido no seu nicho profundo para, dali, me poder observar melhor ou pregar-me algum susto... Ficava parada e depois acabava por já não saber explicar a mim própria por que estava eu ali, o que é que eu desejava, em que pensava e, por fim, quando despertava da minha contemplação tomava-me sempre uma certa angústia e perturbação e o coração começava a bater-me com muita força.

De todas as pessoas que, tirando o velho médico, tive oportunidade de ver de quando em quando, durante a minha doença, foi um senhor já de idade que mais me impressionou. Estava sempre sério; mas ao mesmo tempo era tão bondoso e olhava-me às vezes com tão profunda e sincera compaixão! Não tardou que o seu rosto se tornasse para mim o mais simpático de todos. De boa vontade lhe teria dirigido a palavra, mas não sabia como havia de começar; parecia sempre cansado, falava pouco, geralmente apenas dizia duas ou três palavras e o sorriso nunca aparecia nos seus lábios. Era o príncipe H***, aquele que tinha me recolhido na rua e levado para sua casa. Quando eu estava já em vias de restabelecimento, as suas visitas tornaram-se mais raras. E quando pela última vez, segundo disse, me veio ver, trouxe-me bolos e um livro com estampas, beijou-me, abençoou-me e pediu-me que não estivesse triste. E enquanto assim me animava, deu-me a notícia de que não faltava já muito para que eu tivesse uma amiguinha com quem poderia distrair-me, uma menina da minha idade, a sua filha Kátia que naquela altura se encontrava em Moscou. A seguir falou com uma francesa, já de idade, a preceptora de seus filhos e com a aia que me assistia; apontou para mim e retirou-se. Depois desse dia só voltei a vê-lo passadas três semanas.

O príncipe tinha em sua casa uma vida muito solitária. A metade mais espaçosa do palácio era ocupada pela princesa, que frequentemente passava semanas e semanas sem ver o marido uma única vez. Com o tempo reparei que os criados e, em geral, todos quantos viviam naquela casa raramente falavam do príncipe, como se ele não vivesse no palávio. Todos o estimavam e lhe tinham até amizade; no entanto pareciam considerá-lo um bicho raro. E creio que ele o sabia, que dava a impressão de ser um tanto diferente dos outros mortais e, por isso, procurava fazer com que o vissem o menos possível...

Mais adiante hei de voltar a insistir sobre este pormenor e direi muitas outras coisas acerca do príncipe.

Uma manhã vestiram-me roupa nova; puseram-me um vestido de lã preta com um galão branco, em sinal de luto... um vestido que eu contemplei com triste admiração; pentearam-me com muito esmero e depois levaram-me dali, daquele quarto de cima, aos aposentos da princesa, situados no andar de baixo. Fiquei verdadeiramente assombrada quando ali entrei; jamais tinha visto tal magnificência, um luxo tão grande como aquele que me rodeava. Mas esta impressão durou apenas um momento, pois logo a seguir empalideci ao ouvir a voz da princesa que me mandava aproximar. Já quando estavam a vestir-me eu tinha tido o pressentimento de que algo de doloroso estava para me acontecer, se bem que nem eu própria pudesse explicar por que me viera esse pressentimento. Em geral era sempre com um estranho receio que eu me aproximava das pessoas que compunham o mundo da minha nova vida, e esse receio estendia-se sem exceção a tudo quanto de novo me ia acontecendo.

A princesa mostrou-se muito afetuosa para comigo e beijou-me. Então eu, já menos coibida, comecei a mirá-la. Era a mesma linda senhora que tinha visto à cabeceira da minha cama, no dia em que fui recolhida, no momento em que recuperava os sentidos. Beijei-lhe a mão; mas eu estava tão nervosa que não pude responder nem a uma só das suas perguntas... Não tinha ainda serenidade para tanto. Ela me fez sentar a seu lado, sobre um banco baixinho. Julgo que já de antemão o tinham ali posto para mim. Segundo todas as aparências, o que a princesa desejava era cativar-me, conseguir que eu me afeiçoasse a ela e fazer para mim as vezes de mãe. Eu, pelo contrário, não podia compreender que gozasse já da sua estima e com a minha conduta, também não ganhei nada na sua opinião. Ordenou que me dessem um lindo álbum de estampas e convidou-me a admirá-las. Ela escrevia uma carta; mas de vez em quando interrompia a sua ocupação para fazer-me várias perguntas às quais eu não sabia responder acertadamente... pois estava perturbada, balbuciante, esquecia-me a meio das frases e depois já não sabia recomeçar. Numa palavra: apesar de ter vivido até ali uma vida verdadeiramente extraordinária, na qual o principal papel tinha ficado a cargo do Destino, ao unir, pode dizer-se que misticamente, as vidas dos meus pais, e se bem que no meu passado houvesse muito de interessante e de inexplicável, e até de fantástico, parecia eu que, naquele instante... ficava verdadeiramente cômica no meio de toda aquela melodramática situação em que me encontrava: como uma mocinha qualquer, tímida ou intimidada, e até mesmo um pouco bobinha. Principalmente isto desagradou muito à princesa, e creio que não tardou a fartar-se da minha presença, do que tive toda a culpa.

Aí pelas três horas chegaram os primeiros convidados — era o dia de recepção da princesa —- e de novo se pôs muito afetuosa e amável para comigo. Às perguntas que as visitas faziam, ela respondia por mim: "Oh, sim, é um caso muito interessante!". E depois contava-lhes toda a minha história em francês. Enquanto ela falava, todos olhavam para mim, moviam a cabeça e lançavam exclamações de dó. Um rapaz novo assestou sobre mim as suas lunetas e contemplou-me à sua vontade; um senhor de idade, muito perfumado, quis por força beijar-me, e enquanto tudo isto se passava, eu estava ali sentadinha no meu tamborete, tão depressa pálida como afogueada, de olhos baixos, sem ousar mexer-me e com todo o corpo tremendo. O meu coração palpitava surdamente e parecia querer saltar-me do peito. Eu me abismava na recordação da minha vida anterior, da nossa mísera água-furtada; pensava no meu pai, nos nossos compridos e silenciosos serões; na minha mãe; e quando pensei nela os olhos encheram-se imediatamente de lágrimas e formou-se um nó na garganta. Aí, com que vontade teria ido dali em busca da solidão!

Logo que a última visita saiu, o rosto da princesa tornou de novo a ficar muito sério. Não me olhava já com o mesmo afeto de há pouco; falava-me secamente, fixando em mim os seus penetrantes olhos negros, que de vez em quando me miravam durante quase um quarto de hora, enquanto os seus lábios finos, franzidos, me infundiam um incógnito temor.

À noite levaram-me outra vez para o meu quarto, lá em cima. Enquanto dormia, tive febre; despertei à meia-noite, apoquentada por pesadelos; chorei e senti-me muito infeliz. Mas no dia seguinte começou de novo o mesmo jogo; quero dizer que fui levada outra vez à presença da princesa. Até que por fim esta se aborreceu de contar a minha história às visitas e estas de fazer espaventos de compaixão e de dó. Afinal de contas eu era uma menina como as outras, sem nada de candura, como sei que a princesa, falando de mim, acabou por dizer a uma senhora de idade que lhe tinha perguntado se não estava já cansada de prestar-me atenção. Nessa noite levaram-me mais uma vez para o meu quarto e não tornei a ver a princesa. Eu tinha desempenhado o papel que me competia.

Mas era-me permitido percorrer toda a casa e estar onde me apetecesse. Realmente, eu não podia estar quieta; atormentava-me uma inquietação profunda, doentia, que talvez derivasse da nostalgia do meu perdido lar e de um anseio indeterminado. Ficava muito contente sempre que podia escapar-me e ir dar voltas e mais voltas pelas grandes salas do andar de baixo. Ainda hoje me lembro da vontade que sentia de ir falar com os criados; mas tinha medo que me respondessem mal; por isso preferia calar-me e ficar sozinha. O meu divertimento favorito consistia em esconder-me em qualquer canto onde pudesse mais facilmente passar despercebida... atrás de alguma cadeira ou de outro móvel que pudesse esconder-me toda, e aí afundar-me então de novo nas minhas evocações, pôr-me a pensar e a repensar em tudo quanto me tinha sucedido. Mas, coisa estranha! Os últimos dias em que vivi ainda com os meus pais, aqueles terríveis dias derradeiros da nossa existência em comum, tinha-os eu esquecido, ou pelo menos, por então, não davam sinal de vida dentro de mim. Claro que ainda sabia tudo... recordava aquela noite, o violino e o meu pai; sabia como lhe tinha arranjado o dinheiro; mas não podia compreender nem explicar nada de tudo isso... Agora oprimia-me ainda mais o coração a recordação daqueles momentos em que o meu pai me fizera pôr de joelhos diante da minha mãe já morta... Quando me lembrava disto estremecia toda com um arrepio. Tremia e vinham-me ímpetos de gritar. A respiração tornava-se difícil por causa da opressão que sentia no peito, e o coração batia-me tão fortemente que, finalmente, assustada, apressava-me a deixar o meu canto e a subir de novo pela escada, a correr.

Tomara eu que me deixassem assim, sempre sozinha! Mas não se pense que isso era muito fácil. Eu era constantemente alvo de uma dolorosa e conscienciosa atenção, pois o príncipe tinha ordenado que me deixassem em completa liberdade, mas que, ao mesmo tempo, não me perdessem de vista nem um só momento. E muito me chocava que de quando em quando se apresentasse no meu quarto alguma das criadas ou das diferentes pessoas que viviam naquela casa, e depois se retirasse sem dizer uma palavra. Aquela vigilância assombrava-me e, em parte, provocava-me uma angústia. Não compreendia por que seria aquilo. Por isso acabei por concluir que me vigiavam com alguma intenção e só Deus sabia o que iriam *depois* fazer de mim. Por esse motivo pensei — ainda me lembro disto — em examinar toda a casa com o fim de ver se descobria um esconderijo onde, em caso de necessidade, pudesse refugiar-me.

Aconteceu assim que um dia me desorientei e, de maneira completamente imprevista, vim a dar comigo na escada do palácio. Era toda de mármore branco, com os degraus cobertos de tapetes e enfeitada com vasos e flores. Em cada patamar estavam dois homenzarrões sentados, com trajes sarapintados de várias cores, com luvas e gravatas de brancura deslumbrante. Contemplei-os com o maior espanto, e apesar de ter pensado tanto nisso, não cheguei a compreender por que é que eles estavam ali sentados, por que não diziam nada e se limitavam a olhar um para o outro.

Com o tempo acabei por encontrar maior prazer nas minhas correrias solitárias por aquele palácio principesco. Mas havia ainda outra coisa que me fazia constantemente desejar abandonar os aposentos do andar de cima. É que ali vivia uma idosa tia do príncipe, uma solteirona que raramente saía do palácio e também raramente deixava os seus aposentos. Aquela velha era a pessoa mais importante do palácio e eu tinha muito medo dela. Nas relações com ela, guardavam todos uma etiqueta soleníssima, e até a orgulhosa princesa tinha de ir visitá-la pessoalmente duas vezes por semana e em dias fixados. Geralmente ia de tarde, e entre ambas entabulava-se então um diálogo seco, entrecortado de frequentes e graves silêncios, durante os quais a velha mastigava uma oração e passava por entre os dedos as contas do rosário. Estas visitas duravam o que a tia considerava conveniente, até que se levantava e dava na princesa um beijo leve, fazendo-lhe assim compreender que por esse dia a visita estava terminada. De começo, a princesa visitava a anciã todos os dias; mas depois, por indicação desta, tinha-se introduzido esta inovação que representava um alívio, pois a princesa nos outros cinco dias da semana já não tinha de apresentar-se ali pessoalmente, limitando-se a mandar todos os dias de manhã um criado a informar-se da saúde da sua parenta.

A idosa senhora levava uma autêntica vida de monja. De fato, aos trinta e cinco anos tinha entrado para um convento, onde permanecera dezessete, mas sem chegar nunca a tomar o véu. Transcorrido esse tempo deixou o claustro e veio para Moscou viver com uma irmã, a condessa viúva de L***, cuja saúde piorava cada vez mais, e reconciliar-se também com uma irmã mais velha, igualmente solteira, a princesa de H***, com a qual estivera de relações cortadas durante uns vinte anos. Dizia-se contudo que as três irmãs se davam muito mal, que tinham estado inúmeras vezes a ponto de se separarem, o que não faziam, porque no fundo não podiam passar umas sem as outras, pois eram esses mesmos desgostos que lhes distraíam o aborrecimento e afugentavam assim as tristes horas da velhice. Porém, apesar dessa vida tão pouco atraente e da solene tranquilidade que reinava no seu palácio de Moscou, toda a boa sociedade moscovita se considerava obrigada a visitar as três velhas. Viam nelas as guardiãs de todas as tradições aristocráticas e de todas as leis do antigo bom-tom. A condessa devia ter sido uma grande dama pois, pelo menos ainda depois da sua morte, as pessoas conservavam dela uma boa recordação. Todos os petersburgueses que iam a Moscou não deixavam de fazer-lhe a sua visita. Aqueles que fossem recebidos na sua casa achavam logo bom acolhimento em todas as outras. Por morte da condessa as irmãs solteiras separaram-se; a mais velha ficou em Moscou e ali recebeu a parte que lhe correspondia na herança da falecida, que não tinha filhos, e a mais nova, a ex-monja, veio para Petersburgo viver com seu sobrinho, o príncipe H***. Os dois filhos deste, Kátia e Alieksandr, tiveram de ficar uma temporada em Moscou com a tia, depois da morte da condessa, para lhe servirem de distração e consolo na sua solidão.

A princesa, que amava os filhos com loucura, não se opôs a isso e teve de renunciar a eles por todo o tempo que durou o luto. Esqueci-me de dizer todos naquela casa guardavam ainda luto quando eu ali entrei, se bem que esse período estivesse quase a chegar ao fim.

A velha solteirona vestia-se sempre de negro e as suas roupas eram de lã vulgar. Usava ainda uma gorjeira branca, pregueada e engomada, o que lhe dava o aspecto de uma freira. Nunca largava o rosário e assistia regularmente na igreja, e com toda a solenidade, aos ofícios matutinos; jejuava quase todos os dias; recebia a visita de altos dignitários eclesiásticos e de outras personalidades respeitáveis, e lia livros de votos. Em resumo: tinha uma vida verdadeiramente monástica. Por isso reinava sempre nos aposentos do andar superior um silêncio quase inquietante; nem sequer rangia uma porta; a velha tinha um ouvido tão apurado como uma menina de quinze anos, e se ouvia qualquer coisa chamava imediatamente para inquirir do motivo do menor ruído. Por isso ali todos falavam em voz baixa e andavam nas pontas dos pés, e até a pobre francesa, que também já era uma senhora de idade, teve de renunciar ao seu calçado favorito... aos sapatos de salto alto, pois os saltos estavam proibidos.

Estava eu já há duas semanas no palácio, quando um dia a solteirona perguntou por mim, informou-se sobre a minha pessoa perguntando quem eu era, o que fazia, por que estava ali e outros pormenores. A sua curiosidade foi imediatamente satisfeita com o maior zelo. Apresentou-se logo um segundo emissário nos aposentos da francesa para perguntar-lhe qual o motivo por que a princesa ainda não me tinha apresentado. E por causa disto armou-se um grande alvoroço: lavaram-me a cabeça e as mãos e pentearam-me; ensinaram-me as vênias que tinha de fazer, a maneira como devia beijar-lhe a mão, o modo afetuoso como devia olhar para ela e o entusiasmo com que devia exprimir-me... Em suma: quebrou-se de repente a rotina da minha vida. Depois foi preciso enviar também um emissário à princesa, para perguntar-lhe se desejava ver a orfãzinha. A resposta, primeiro foi negativa; porém, ao fim de uma hora, mandou a informação de que no dia seguinte, depois da oração da manhã, podiam levar-me aos seus aposentos. Eu não consegui dormir nessa noite e depois disseram-me que até tinha delirado em voz alta, dizendo e repetindo que ia vê-la e pedindo-lhe perdão. Finalmente fui conduzida à sua presença. Encontrei-me diante de uma senhora miudinha, fraca, sentada numa cadeira de braços de espaldar monumental. Inclinou levemente a cabeça e assestou a luneta para melhor me observar. Lembro-me muito bem de que não me achou nada simpática. Notou que eu estava muito mal-educada, que não sabia beijar a mão nem dobrar o joelho. Fez-me perguntas às quais eu não soube responder e, depois, quando me perguntou pelos meus pais, rompi a chorar, o que foi extremamente desagradável para a senhora, se bem que apesar de tudo procurasse consolar-me e me tivesse dito que devia ter confiança em Deus. Depois perguntou quanto tempo havia já que eu não ia à igreja e, como eu não percebesse o que ela queria dizer — pois, então, eu não fazia ainda a menor ideia destas coisas — mostrou o seu descontentamento pela minha má educação. Mandou chamar a princesa e tomou com ela uma grave deliberação: que no próximo domingo me levariam sem falta à igreja. Até esse dia ela iria pedindo a Deus por mim. Depois disto ordenou que me levassem da sua presença, pois lhe tinha deixado uma péssima impressão. O que não era nada de extraordinário, nem poderia mesmo ter sido de outra maneira. Mas o seu aborrecimento não foi apenas momentâneo. Nesse mesmo dia declarou que eu era uma criança travessa, que se ouvia por toda a casa o barulho que eu fazia, se bem que tivesse estado todo o tempo sentadinha na minha cadeira. Claro que tudo isso eram apenas fantasias da velha. Mas, por infelicidade, aquela observação foi confirmada no dia seguinte, pois por acaso deixei cair uma xícara que ficou em pedaços no chão. Isso aborreceu a francesa e toda a criadagem, e imediatamente me conduziram para o quarto mais afastado, fazendo um grande espanto com gestos dos braços e da cabeça.

Não me lembro como veio a terminar esse incidente. Mas o que é certo é que havia ainda essa razão para que eu preferisse deambular pelos aposentos do andar de baixo, onde sabia muito bem que não aborrecia ninguém.

Um dia eu estava sentada numa daquelas salas, completamente só, com o rosto entre as mãos, a cabeça baixa e imóvel. Não sei há quanto tempo estaria eu nessa posição. Pensava, pensava em vão, pois a minha inteligência ainda mal formada não era suficiente para subjugar a minha melancolia e cada vez sentia maior opressão dentro de mim e era maior o meu desgosto. Eis senão quando, de súbito, ouço uma voz discreta que me dizia:

— Mas o que tu tens, minha pobrezinha?

Levantei os olhos: era o príncipe. O seu rosto bondoso deixava transparecer uma profunda compaixão, um sincero dó. Eu o olhei com tal expressão de desventura e de tristeza que se lhe umedeceram os seus grandes olhos azuis.

— Pobre orfãzinha! — disse ele em voz baixa, acariciando-me os cabelos.

— Não! Órfã, não! Não! — exclamei, balbuciando e lançando um gemido, pois dentro de mim tudo se revoltou, foi como se eu quisesse assim, com esse grito, escapar-me de algo invisível que ameaçava aprisionar-me. Levantei-me da cadeira, peguei-lhe na mão e beijei-lhe, de tal maneira que as minhas lágrimas a salpicaram, e repeti com voz implorativa: — Não! Órfã, não! Não!

— Minha filha! O que tu tens, minha pequena? De que precisas, Niétotchka?

— Onde está a minha mãe? E a minha mãe? — exclamei, desatando a chorar, incapaz de dominar por mais tempo o meu desgosto... e caí de joelhos diante do príncipe, quase desfalecida. —- Onde está a minha mãe? Diga-me, senhor, onde está a minha mãe?

— Desculpa, minha filha... Fiz-te recordá-la... Meu Deus! O que eu fiz? Vem cá, vem para perto de mim, Niétotchka, vem cá!

Pegou-me na mão e levou-me dali. Estava visivelmente comovido. Levou-me a uma sala onde eu nunca tinha estado.

Era o oratório do palácio. Lá fora escurecia. À luz da lâmpada cintilavam as auréolas douradas e as joias das imagens. No meio de todo aquele brilho e daquele ouro, as caras dos santos pareciam escuras e opacas. Ali nada fazia lembrar as outras dependências do palácio; era tão diferente de tudo quanto eu tinha visto antes, tão misterioso e imponente, que eu estava perturbada e silenciosa e o medo tinha-se apoderado da minha alma. Nem era necessário tanto para que os meus nervos ficassem numa excitação verdadeiramente doentia.

O príncipe fez-me ajoelhar diante de uma imagem da Virgem, e ele ficou de pé, ao meu lado.

— Reza, minha filha, reza! Ou antes, rezemos juntos, os dois! — disse com uma voz branda e vacilante.

Mas eu não podia rezar; estava inquieta e assustada demais... Vinham-me aos lábios as palavras do meu pai, naquela última noite, junto do cadáver da minha mãe, e deu-me então um novo ataque de nervos. Tive de voltar outra vez para a cama e nesse segundo período da minha doença estive a dois passos da morte.

Uma manhã chegou aos meus ouvidos um nome desconhecido: S...z. Foi uma das aias quem pronunciou este nome junto da minha cama. Estremeci; as recordações assaltaram-me e nem sei quantas horas estive pensando, sonhando e atormentando-me com os delírios da febre. Devia ser já muito tarde quando despertei; o quarto estava às escuras. A lamparina da noite já se tinha apagado e a aia que estivera me velando já se tinha retirado. De repente comecei a ouvir uma música ao longe. De vez em quando as notas sumiam-se, para logo daí a pouco voltarem a ouvir-se, cada vez mais claras e distintas, como se se aproximassem de mim. Não sei que sentimento se apoderou da minha alma, nem que intenção surgiu então na minha cabeça febricitante. Levantei-me, saltei da cama — não sei como tive forças para isso — vesti à pressa o meu vestidinho de luto e, tateando, deixei o quarto. Nem na segunda nem na terceira sala encontrei ninguém. Até que finalmente cheguei ao corredor. Ali, a música ouvia-se melhor. Ao centro do corredor ficava a escada; era por aqui que eu me escapava sempre para os grandes salões do andar de baixo. A escada estava esplendidamente iluminada; lá em baixo ouviam-se passos. Escondi-me num canto para que não me vissem e desci pelo grande corredor. A música ressoava no salão contíguo; era dali que vinha também um rumor de vozes, como se estivessem ali reunidas mil pessoas. A enorme porta que conduzia do corredor ao salão estava coberta por reposteiros duplos de veludo púrpura. Levantei o primeiro reposteiro que caía sobre o corredor e coloquei-me entre os outros. O coração batia-me tão forte que mal me podia ter de pé. Mas ao fim de dois minutos tinha já dominado a minha agitação, a ponto de atrever-me a levantar um pouco a ponta do outro reposteiro, que caía sobre a parte de dentro do salão... Meu Deus! Aquele salão tão grande e tão sombrio, que eu quase não me atrevia a visitar de dia, brilhava agora com o fulgor de mil círios. Era um mar de luz que avançava sobre mim, de tal maneira que os meus olhos, habituados à obscuridade, ficaram a princípio dolorosamente deslumbrados. Uma onda de perfume soprou-me sobre o rosto, como uma brisa cálida e fragrante. Agitava-se ali um sem-número de pessoas, todas com um ar de alegria, de contentamento e felicidade. As senhoras ostentavam penteados lindos e resplandecentes, e por todos os lados eu via brilhar olhos radiantes de prazer. Quedei-me enfeitiçada. Mas parecia-me que já antes, não sabia onde, em algum lugar, eu tinha visto aquilo tudo... como num sonho... À minha memória voltou então a lembrança das horas do entardecer, na nossa trapeira, com a sua alta janela sobre a rua lá em baixo, com os seus revérberos refulgentes, e as janelas da casa fronteira com as suas cortinas vermelhas, os seus coches diante do portão, o relinchar e o escavar dos magníficos cavalos, as vozes e o ir e vir de gente pela rua, as sombras das pessoas por detrás das janelas, recortando-se sobre o fundo vermelho das cortinas sedosas e, como pano de fundo disto tudo, uma música vaga e longínqua... "Então era este o

Paraíso" — pensei. — "O Paraíso para onde eu queria fugir com o meu pobre pai!..."
Então isso não era um sonho? Sim, já nos meus sonhos eu tinha visto tudo quanto
agora contemplava... A minha fantasia voava com as asas bem abertas, com um ardor talvez duplicado pela minha doença... e lágrimas de felicidade escorregavam-
-me pelas faces. Com a vista procurei o meu pai entre a multidão: "Deve estar aqui,
com certeza", pensava, e o coração palpitava-me com tal intensidade e tamanha
angústia que me faltava o ar... A música parou mas logo imediatamente se armou
uma grande celeuma e uma espécie de murmúrio percorreu todo o salão. Curiosa
e inquieta, contemplava todos os rostos que dali conseguia ver e esforçava-me
por reconhecê-los. De súbito, uma nova onda de agitação percorreu todo o salão. Distingui então sobre um estrado um ancião alto e magro. O seu pálido rosto
sorria; inclinou-se com certa gravidade e saudou para um e outro lado. Tinha na
mão um violino. Seguiu-se um profundo silêncio, como se todos tivessem contido a respiração; todos olhavam para o ancião e pareciam esperar alguma coisa. O
velho pegou no violino, levantou o braço e feriu as cordas com o arco. A música
começou e para mim foi como se me apertassem o coração. Com uma sensação de
indizível angústia e contendo a respiração, escutava aquelas vibrações; nos meus
ouvidos soava algo de conhecido, como se já o tivesse ouvido alguma vez, e tive
então o pressentimento, a expectativa de algo terrível, de algo tremendo que iria
acontecer dentro do meu coração. Soava agora mais agudo o violino e as notas
sucediam-se, mais rápidas e gráceis. De repente, ouviu-se um gemido humano,
uma coisa que parecia um soluço lastimoso, uma inútil súplica de alguém, mas
os assistentes permaneceram silenciosos enquanto aqueles lamentos perpassa-
vam por sobre as suas cabeças... Depois as notas tornaram a gemer para finalmente se calarem, como se tivessem sido tomadas de um desespero. Cada vez mais,
com maior certeza, no meu coração se revelava qualquer coisa... Simplesmente,
não queria acreditar... Cerrava os dentes para não romper em queixumes de dor e
agarrava-me à cortina para não tombar no chão... Fechei os olhos e tornei a abri-
-los, logo em seguida, pois não podia acreditar que tudo aquilo não fosse mais
do que um sonho, do qual havia de despertar num momento de horror já meu
conhecido, e tornei a ver aquela noite e a ouvir aquelas mesmas notas... Abri de
novo os olhos para certificar-me... e voltei a fixar o rosto de todas aquelas pessoas, uma a uma... Não; eram outras pessoas, outras caras. E no entanto parecia-me
que todos esperavam o mesmo que eu, alguma coisa, e que tal como eu, também
estavam atormentados pela nostalgia e sentiam impulsos de gritar de desespero, ao ouvir aquela música. Mas as trêmulas invocações e súplicas daquelas notas
tornaram-se ainda mais dilacerantes, mais desesperadas e contínuas... até que de
súbito ressoou um alarido terrível, louco, e então eu quase que desmaiei... Não
havia dúvida, aqueles era o mesmo grito! Reconheci-o, já o tinha ouvido tal como
naquela noite, quando me trespassou a alma: "O meu pai! O meu pai!" — passou-
-me pela imaginação, como um relâmpago. — "O meu pai está aqui, é ele, chama-
-me, é o seu violino!" Um gemido saiu daquela multidão e uma vozearia atroadora
ressoou pelo salão. Então um choro ruidoso, desesperado, brotou do meu peito.
Não pude suportar mais, corri a cortina e precipitei-me no salão.

     — Paizinho! Paizinho! És tu? Onde estás? — gritei como uma louca.

     Não consigo explicar como é que cheguei junto dele; deixaram-me avançar, abriram-me o caminho e, com um grito doloroso, lancei-me nos seus braços... Julgava abraçar o meu pai... De súbito senti que umas mãos grandes e fracas pegavam em mim e me levantavam ao ar, que uns olhos negros me miravam e pareciam abrasar-me com o seu fogo. Fiquei num espanto: "Não! Este não é o meu pai! Este é o seu assassino!", pensei. Depois caí numa terrível excitação, num desespero louco... e de repente percebi que acima de mim soava uma gargalhada e que essa gargalhada se repetia por todo o salão como um aplauso único, ensurdecedor... E perdi os sentidos.

Capítulo V

Foi esse o segundo e último período da minha doença.

Quando de novo voltei a mim, vi à minha frente o rosto de uma menina mais ou menos da minha idade, e involuntariamente estendi os braços para ela. Só de olhar aquela menina da minha idade a minha alma se encheu logo de uma espécie de felicidade, como de um doce pressentimento. O seu rosto era de uma beleza ideal, de uma formosura verdadeiramente arrebatadora, radiosa... Dessa espécie de formosura que nos faz deter imediatamente, como que trespassados por uma agradável perturbação, como que assustados perante o seu feitiço, ao mesmo tempo que nos sentimos agradecidos pela sua presença, por haver-se mostrado aos nossos olhos e passado pelo nosso caminho. Era Kátia, a filha da princesa, que regressara de Moscou durante a minha doença. Sorriu ao ver o meu gesto instintivo e, diante daquele sorriso, os meus nervos enfraquecidos estremeceram num doce enlevo.

Daí a pouco a princesa chamou pelo pai, que, perto dali, falava com o médico.

— Bem, graças a Deus! Até que enfim! — exclamou o príncipe pegando-me na mão, enquanto o seu rosto deixava transparecer uma sincera alegria. — Ainda bem, ainda bem, é uma felicidade! — continuava ele a dizer com aquele seu modo de falar, rápido mas suave. — Olha, esta menina que vês aqui é Kátia, a minha filha. Agora vão ser as duas umas boas amiguinhas... e tu vais ter uma companheira para brincares. Mas tens de te pôr boa muito depressa! Mazinha, que nos deste tantos sustos!

Na verdade, a minha convalescença fez rápidos progressos. Daí a dois dias já podia levantar-me. Kátia vinha todas as manhãs à minha cama, sempre com um sorriso ou com um riso que nunca saía dos seus lábios. Eu esperava a sua vinda como quem espera a felicidade. Como gostaria de beijá-la! Mas a travessa princesinha demorava-se apenas um instante ao meu lado, pois não podia estar muito tempo quieta. A sua vida era um contínuo andar para trás e para frente, correr, saltar, rir e fazer um enorme barulho que se ouvia em toda a casa... Por isso explicou-me logo no primeiro dia que se aborrecia muito de estar ali sentada perto de mim, e que, portanto, apenas havia de vir visitar-me uma ou outra vez e isso apenas porque tinha pena de mim. De maneira que tinha de ser assim, já que deixar de vir completamente, não podia ser. Mas quando eu estivesse boa, então — prometia ela — eu havia de ver como nos divertiríamos as duas. Por isso todas as manhãs a sua primeira saudação era esta:

— Então? Já estás boa?

Mas como eu estava cada vez mais magra e mais pálida, e ao meu rosto triste o sorriso chegava sempre acompanhado de uma vacilante angústia e como que a medo, a princesa, aborrecida, franzia o sobrolho, movia a cabecinha e batia no chão com o seu pezinho impaciente:

— Mas ontem disseste que hoje tinhas de estar boa! Que vem a ser isso? Não te dão de comer?

— Sim, um bocadinho — respondi eu timidamente, pois já lhe tinha medo.

Eu desejava apenas uma coisa: ser-lhe simpática; e por isso tinha medo de desagradar-lhe com alguma palavra ou algum gesto. A sua visita encantava-me cada vez mais. Enquanto ela estava sentada junto de mim, não tirava os olhos dela, e quando ia embora parecia-me que continuava ainda a vê-la nos mesmos lugares em que ela tinha estado, de pé ou sentada. Sim, até à noite a via nos meus sonhos. E quando acordava, se não a via à cabeceira, punha-me a imaginar conversas com ela, que era sua amiga, que tagarelávamos, jogávamos e chorava com ela quando nos ralhavam ou queriam castigar-nos por alguma diabrura. Em suma: pensava nela e via-a nos meus sonhos como se estivesse enamorada dela. Eu ansiava por ficar rapidamente boa e crescer depressa, como ela queria. Algumas vezes, quando ela, como um vendaval, entrava no meu quarto de manhã e eu voltava a escutar a sua pergunta impaciente:

— Então? Já estás boa? Mas valha-me Deus, estás mas é cada dia mais magra! — eu então me afligia como se fosse culpada. Mas também seria difícil encontrar qualquer coisa de mais sério do que o espanto de Kátia ao verificar que eu não ficava boa de um dia para o outro, o que chegou a aborrecê-la seriamente.

— Bem, então... queres que te traga hoje empadas? — disse-me ela um dia. — Come empadas e vais ver como ficas gorda!

— Então, está bem, traz-me — respondi eu muito contente por poder assim vê-la duas vezes.

Depois de me perguntar se eu já estava boa, a princesinha costumava sentar-se diante de mim e ficava depois a olhar-me, muito séria, com os seus olhos negros. E sempre que me dizia ou me perguntava qualquer coisa, olhava-me primeiro de alto a baixo, com a mais ingênua admiração. Mas a nossa conversa nunca durava muito. Eu tinha medo de Kátia, dos seus ditos repentinos, mas ao mesmo tempo morria por falar com ela.

— Por que estás tão calada? — perguntava-me Kátia quando ficávamos muito tempo a olharmo-nos sem dizer nada.

— Que é que teu pai está fazendo? — perguntava-lhe eu por ter encontrado esse recurso que me permitia sempre iniciar qualquer conversa.

— O meu pai? Nada. Está bom. Hoje bebi duas xícaras de chá e não uma só. E tu, quantas?

— Uma.

Novo silêncio.

— Hoje, o Falstaff ia-me mordendo.

— Esse Falstaff é algum cão?

— É. Ainda não o viste?

— Ainda não.

Eu não sabia o que havia de dizer mais e a princesa tornava a olhar para mim, espantada.

— Diz qualquer coisa. Não gostas de falar comigo?

— Oh, muito! Por que não vens mais vezes?

— Sim, já me disseram isso: que viesse ver-te, que isso te daria alegria. Mas procura ver se te levantas o mais depressa possível. Hoje tenho de te trazer empadinhas... Mas por que ficas sempre calada?

— Porque sou assim.

— Pensas muito?

— Penso.

— Pois a mim estão sempre a dizer-me que eu falo muito e penso pouco. Por acaso, falar será alguma coisa má?

— Não. Eu gosto muito de te ouvir.

— Bem, hei de perguntar isto a *Madame* Léotard, que sabe tudo. Mas diz-me lá: em que pensas tu?

— Penso em ti — eu lhe disse depois de um breve silêncio.

— E isso te distrai?

— Sim.

— Então gostas muito de mim?

— Muito.

— Pois eu, apesar disso, não gosto de ti. Estás tão magricela! Espera... Vou buscar empadinhas... Até já!

E a princesinha dava-me um beijo no ar e desaparecia como por encanto.

Depois de comer, na verdade, trazia-me as empadas. Entrava correndo, traquina como um diabrete, rindo e gritando de contente por trazer-me para eu comer aquilo que me tinham proibido.

— Come, come mais, come muitas! Estas são as minhas empadinhas, que eu deixei de comer por tua causa. Bem, adeus!

E desaparecia logo.

Uma vez, logo depois da refeição, entrou no meu quarto como um pé-de--vento. Tinha os cabelos negros revolvidos como se tivesse passado por eles um vendaval; os olhos rebrilhantes e as faces reluzentes e escarlates; devia ter corrido e saltado muito, depois das suas lições.

— Sabes brincar de volante? — perguntou-me ela, ansiosa, transbordando de entusiasmo e toda apressada.

— Não — eu lhe respondi muito triste por não poder dizer-lhe que sim.

— Ah! Como estás? Bem; pois então trata de ficar boa que eu depois te ensino. Vim só por causa disto. Estava a jogar com *Madame* Léotard. Adeus, estão à minha espera!

Finalmente pude deixar a cama, se bem que continuasse ainda fraca e sem forças. O meu primeiro pensamento foi nunca mais me separar de Kátia. Havia nela qualquer coisa que exercia sobre mim uma atração irresistível. Nunca me fartava de olhar para ela, com o que Kátia parecia admirar-se muito. A força que me impelia para ela era tão forte e eu me entregava tão apaixonadamente a esse impulso, que ela, naturalmente, acabou por notá-lo e a princípio isso pareceu-lhe qualquer coisa de extraordinário. Lembro-me ainda de que, certa vez, quando brincávamos as duas juntas, não pude conter-me e abracei-me a ela com a intenção de dar-lhe muitos beijos. Mas ela furtou-se ao meu abraço, segurou-me as mãos, franziu o sobrolho como se eu a tivesse ofendido e perguntou-me:

— Que é isso? Por que me beijas?

Ao ouvir aquilo, eu estremeci, consciente da minha culpa, e não disse nada. A princesa encolheu os ombros em sinal de que não percebia nada de tudo aquilo (esse encolher de ombros tornara-se já um hábito seu), e depois, muito séria, apertou fortemente os seus lábios finos, interrompeu a brincadeira e sentou-se sobre o divã, onde ficou muito tempo observando-me... enquanto, segundo parece, ia pensando sobre algo de profundo e de grave, tal como se se tratasse de resolver um problema de que subitamente se tivesse recordado. Em todos os seus casos duvidosos fazia o mesmo. Mas eu não podia acostumar-me àquelas rígidas demonstrações do seu caráter.

A princípio lançava as culpas sobre mim mesma e pensava que realmente eu devia ser uma criatura muito estranha. Mas, ainda que assim fosse, havia uma pergunta que me atormentava com uma incerteza cruel: por que não havia eu de conquistar a amizade de Kátia e de conseguir a sua simpatia, de uma vez para sempre? O meu insucesso nas nossas relações causava-me uma dor quase física e sentia vontade de chorar a cada palavra leviana de Kátia ou a cada um dos seus olhares desconfiados. Não somente o meu sofrimento aumentava de dia para dia, mas até de hora para hora, porque, com Kátia, as coisas se passavam todas muito depressa. Logo passados dois dias eu percebi que ela não podia suportar-me, sim, que até me tinha ódio. Na alma daquela mocinha tudo acontecia de modo rápido e brusco... podia-se até dizer brutal e, talvez com razão, se, por outro lado, em todas essas manifestações relampejantes de um caráter franco e ingenuamente aberto, não houvesse também uma certa graça inata e distinta. Começou o seu afastamento por lhe ter surgido uma dúvida, que depois deu lugar ao desprezo e, segundo penso, só pela razão de que eu não sabia nenhuma brincadeira. A princesa gostava de alvoroço, de correrias; era vigorosa, viva, hábil, enquanto eu era... precisamente o contrário. Ressentia-me ainda da doença, era calada e pensativa, e as brincadeiras infantis não me divertiam. Numa palavra: faltavam-me todas as qualidades que poderiam agradar a Kátia. Além disso eu não podia suportar que alguém estivesse aborrecido comigo: punha-me logo triste, perdia a vontade para tudo e já não tinha coragem para reparar o meu erro e tentar desfazer a má impressão que causara. Em resumo: acabava por tornar-me completamente antipática. Era isto que Kátia não podia compreender. A princípio parecia sobretudo surpreendida; depois contemplava-me à sua maneira, com uma admiração silenciosa, como acontecia algumas vezes depois de se ter cansado em vão durante uma hora a querer ensinar-me, por exemplo, a jogar o arco, que eu teimava em não aprender. E quando após isso eu ficava triste e as lágrimas assomavam aos meus olhos, ela, depois de ter pensado muito sobre mim, sem poder chegar a uma conclusão decisiva, nem pelos seus pensamentos nem com a sua contemplação, optava simplesmente por virar-me as costas e pôr-se a brincar sozinha, sem ligar para mim, e, sobretudo, sem falar comigo... e isto não por esse dia unicamente, mas por vários dias seguidos. Essa conduta da princesinha feriu-me a tal ponto que eu já não podia suportar o seu desprezo. A minha nova solidão tornou-se ainda mais pesado do que na água-furtada e comecei a ficar triste e melancólica; e de novo voltaram à minha imaginação os pensamentos lúgubres.

Madame Léotard, que nos vigiava, acabou por reparar na mudança que se tinha dado no nosso convívio. E como o meu abatimento a tinha chocado, dirigiu-se à princesa e sem mais rodeios repreendeu-a por não querer ser minha amiga. A princesinha franziu o sobrolho, encolheu os ombros e declarou-lhe terminantemente que não podia entender-se comigo; que eu não sabia jogos nenhuns e que estava sempre meditabunda, pensando só Deus sabia em quê; por isso preferia esperar que chegasse o irmão, que não tardaria em regressar de Moscou, para brincar então com ele, pois tinha um temperamento muito mais alegre.

Mas *Madame* Léotard não ficou satisfeita com aquela resposta; censurou-a por me deixar sozinha, por não levar em conta que eu ainda estava adoentada e que, por isso, não podia mostrar-me de tão boa disposição como ela; o que afinal era até melhor, pois a sua conduta era insuportável, de tão estabanada, porque tinha quebrado isto e estragado aquilo, e ainda há dois dias até o *bull-dog*, para castigo, a quisera comer. Numa palavra: *Madame* Léotard falou-lhe claramente e para remate da sua repreensão ordenou-lhe que viesse buscar-me e procurasse fazer imediatamente as pazes comigo.

Kátia ouviu com a maior atenção, como se verdadeiramente lhe dissessem qualquer coisa de novo, e pareceu compreender que naquelas palavras havia qualquer coisa de justo e de acertado. Deixou o arco com que andava a brincar por toda a casa, aproximou-se de mim e, ao ver-me tão séria, fez-me esta pergunta na qual eu nem queria acreditar:

— Queres brincar?

— Não — respondi-lhe rapidamente, mas um tanto temerosa do rosto franzido de *Madame* Léotard.

— Então, o que é que tu queres?

— Estar aqui sentada, porque me canso de correr. Não te aborreças comigo, Kátia, porque eu gosto muito de ti.

— Está bem, então brinco eu sozinha — disse devagarinho, refletindo, e como se ela mesma se admirasse de que as coisas corressem de maneira que ela já não podia ser considerada culpada. — Bem, *adieu*. Não estou zangada contigo — e estendeu-me a sua mãozinha. — Por que não trocamos um beijo? — acrescentou, depois de ter pensado um pouco, talvez lembrando-se do incidente anterior e ao mesmo tempo para agradar-me e acabar assim mais depressa com a nossa desavença.

— Como quiseres — respondi com uma tímida esperança.

Ela aproximou-se então de mim muito séria, sem um sorriso, e me beijou. E, certa de ter cumprido o que lhe fora ordenado, e até mais, só para dar prazer a uma pobre menina, afastou-se então de mim, toda alegre e satisfeita. Não tardou que eu a ouvisse outra vez traquinando por todas as salas, enchendo-as com as suas risadas, até que por fim se cansou e, arquejante, atirou-se sobre um divã para descansar um pouco e recuperar as forças. Mas durante todo esse tempo esteve sempre a olhar para mim com receio, pois eu devia com certeza parecer-lhe um animal raro. Parecia que tinha vontade de me falar, de perguntar-me qualquer coisa sobre a minha pessoa, qualquer coisa que lhe passava pelo pensamento; mas não sei por quê, ainda dessa vez se conteve e absteve-se de perguntas.

Kátia recebia geralmente as suas lições na parte da manhã. *Madame* Léotard apenas lhe ensinava francês. A lição consistia em repetir de cor a gramática e em ler as fábulas de La Fontaine. Ensinavam-na dessa maneira porque era muito difícil conseguir que ela suportasse duas horas de lição. E para isso tinham sido precisos os pedidos do pai e as ordens da mãe. Mas agora a mocinha cumpria conscientemente a sua promessa.

Era muito viva, compreendia tudo com presteza e memorizava facilmente. No entanto tinha uma maneira singular de estudar; quando, por exemplo, não compreendia qualquer coisa, punha-se imediatamente a pensar sobre ela, a dar-lhe voltas na cabeça, preferia perder o juízo do que pedir a alguém que lhe explicasse aquilo que ela, com todos os seus cinco sentidos postos sobre a questão, não conseguia perceber... Para ela isso seria uma vergonha. Acontecia-lhe até torturar-se um dia inteiro com um problema e aborrecer-se depois consigo própria quando não podia resolvê-lo sem auxílio alheio, e só em último lugar, quando já estava esgotada de tanto pensar, é que ia procurar a preceptora e lhe pedia então que lhe explicasse aquilo que não tinha podido compreender. E procedia assim com tudo. Tinha meditado muito sobre as coisas, mas à primeira vista ninguém seria capaz de o supor. E no entanto às vezes tinha ingenuidades terríveis; em certas ocasiões fazia perguntas inacreditavelmente tolas para uma menina de sua idade, e outras vezes revelavam as suas respostas uma agudíssima sagacidade, acompanhada da inteligência mais ampla e sutil.

Quando eu, passado algum tempo, me encontrava já em condições de estudar, *Madame* Léotard um dia submeteu-me a um pequeno exame e depois de verificar que já sabia ler, mas que por outro lado escrevia muito mal, declarou que não havia tempo a perder e que era preciso que eu começasse imediatamente o estudo do francês.

É claro que nada tive a objetar e no dia seguinte à tarde sentamo-nos ambas, Kátia e eu, na secretária do gabinete de *Madame* Léotard. Infelizmente nesse dia Kátia estava tão distraída e tão lenta na compreensão que *Madame* Léotard quase nem a reconhecia. Eu, pelo contrário, aprendi logo de uma só vez o alfabeto francês, pois apenas tinha um desejo: o de agradar à nossa professora. *Madame* Léotard censurou Kátia durante toda a tarde, e quanto a lição terminou, aborreceu-se tanto que lhe ralhou asperamente.

— Ponha os olhos aqui — disse ela apontando para mim. — É uma pequena ainda adoentada que se põe a estudar pela primeira vez e aprende numa hora dez vezes mais do que a menina. Veja se se envergonha!

— O que é que ela sabe mais do que eu? — perguntou Kátia muito admirada. — Se ela ainda agora vai no alfabeto!

— Quantas horas demorou a menina para aprendê-lo?

— Três.

— Pois ela levou apenas uma hora. De maneira que compreende as coisas três vezes mais depressa do que a menina e há de alcançá-la num instante, não lhe parece?

Kátia refletiu durante um momento e de repente corou intensamente. Era rubor, vergonha... o que de melhor nela existe, quer se tratasse de um malogro, de aborrecimento por alguma ofensa ou de qualquer coisa mal feita pela qual lhe tivessem ralhado. Dessa vez pouco faltou para que desatasse a chorar; mas ficou calada e olhou-me com um tal olhar que parecia queimar-me. Então eu adivinhei o que ela sentia... A pobre pequena era extraordinariamente orgulhosa e ambiciosa!

Quando *Madame* Léotard se retirou, procurei entabular conversa com Kátia, com o fim de afastar-lhe o aborrecimento e de lhe fazer ver que as palavras da francesa não me interessavam; mas Kátia continuou calada e fingiu que não me tinha ouvido.

Uma hora depois apresentou-se no meu quarto, onde eu estava com um livro na mão, mas sem ler, pois não fazia outra coisa senão pensar em Kátia, atormentada e assustada com a ideia de que ela nunca mais quisesse voltar a falar-me.

Ela me olhou com severidade, sentou-se como sempre em cima do divã e ficou a observar-me durante meia hora. Eu não pude conter-me. Levantei a cabeça e olhei-a interrogativamente.

— Sabes dançar? — perguntou-me ela de repente.

— Não.

— Pois eu sei.

Silêncio.

— E tocar piano?

— Também não.

— Pois eu sei. E é muito difícil de aprender.

Eu não disse nada.

— *Madame* Léotard disse que tu és mais inteligente do que eu.

— Disse isso para te arreliar — observei.

— E o papai também o diz para me arreliar?

— Isso não sei — respondi.

Novo silêncio. Depois, a princesinha, impaciente, bateu com o pé no chão.

— Serás capaz de fazer troça de mim por eu não aprender tão depressa como tu? — exclamou, incapaz de ocultar o seu ressentimento.

— Ah, isso não, que ideia!

E, de um salto, levantei-me e corri para ela para abraçá-la.

— Não tem vergonha de pensar essas coisas e de fazer essas perguntas? — exclamou de súbito a voz de *Madame* Léotard, que já há um momento nos observava da sala contígua e tinha ouvido a nossa conversa. — Envergonhe-se, menina! Invejar esta pobre pequena e pretender deslumbrá-la, dizendo-lhe que sabe dançar e tocar piano! Que feio que isso é, minha filha! Vou contar tudo ao príncipe.

A princesa fez-se vermelha.

— Isso não é nada bonito, isso é que não! Fez-lhe perguntas ofensivas, de propósito. Os pais dela eram pobres e não tinham dinheiro para pagar-lhe uma professora; aprendeu tudo sozinha porque é inteligente. A menina devia gostar dela e tratá-la muito bem. E em vez disso põe-se a ralhar-lhe e a dizer-lhe coisas que a magoam. Devia envergonhar-se! Envergonhar-se! Ela é uma orfãzinha! Não tem ninguém que olhe por ela neste mundo. Só lhe faltava que a menina se pusesse a humilhá-la, recordando-lhe que é uma princesa e ela não. Bem, até logo. Medite no que acabei de lhe dizer e faça o possível por emendar-se.

A princesa meditou no assunto precisamente durante dois dias. Durante esses dois dias ninguém a ouviu rir nem correr. À noite eu podia ouvir como até em sonhos ela disputava com Madame Léotard. Sim, até parecia ter emagrecido durante esses dois dias, pelo menos o seu rosto delicado estava agora mais pálido. Ao terceiro dia encontramo-nos casualmente lá em baixo, nas salas grandes. A princesa voltava de junto de sua mãe e, quando me viu, parou e sentou-se numa cadeira. Eu me quedei, em expectativa.

— Niétotchka, por que me ralharam por tua causa? — perguntou-me ela de repente.

— Oh, não foi por minha causa, Kátienhka! — apressei-me a emendar, como se quisesse desculpar-me.

— *Madame* Léotard disse que eu te ofendi...

— Não, não me ofendeste, Kátienhka.

A princesinha encolheu os ombros, sinal de que não percebia.

— Por que andas sempre a chorar? — perguntou-me depois de um breve silêncio.

— Se tu não queres, não tornarei a chorar — eu disse e as lágrimas vieram-me aos olhos.

Ela tornou a encolher os ombros.

— Antes também choravas assim?

Não lhe respondi.

— Por que vieste viver conosco? — tornou a perguntar-me de repente, depois de um curto silêncio.

Olhei-a, assombrada, e senti como que uma punhalada no coração.

— Porque fiquei órfã — eu disse finalmente, depois de refazer-me da minha perturbação.

— Antes vivias com os teus pais?

— Sim.

— Bem... e eles não gostavam de ti?

— Gostavam — respondi com dificuldade.

— Mas eram pobres?

— Sim.

— Muito pobres?

— Sim.

— E não estudaste nada enquanto viveste com eles?

— Só aprendi a ler.

— Não tinhas brinquedos?

— Não.

— Quantas divisões tinha a tua casa?

— Só uma.

— Só uma?

— Sim.

— E tinhas criados?

— Não, nenhum.

— Mas então quem é que te servia?

— Era eu mesma que ia aos recados.

As perguntas da princesa afligiam-me cada vez mais. As recordações afluíam à minha memória, a minha solidão e o espanto da princesinha... tudo isso feria e dilacerava o meu coração que sangrava. Tremia de febril excitação e o pranto ameaçava suforcar-me.

— Então deves estar muito contente por viver conosco, não?

Eu fiquei calada.

— Tinhas vestidos bonitos?

— Não.

— Feios?

— Sim.

— Eu vi as tuas roupas, já me mostraram.

— Então por que me perguntas? — eu exclamei tomada de um novo sentimento, que até aí me era desconhecido. — Por que me perguntas isso? — continuei, e o sangue subiu-me ao rosto, de indignação. — Por que fazes troça de mim?

A princesinha corou também e levantou-se; mas logo depois dominou-se.

— Não... eu não faço troça de ti — disse. — Queria apenas saber se os teus pais eram pobres.

— Mas por que me perguntas pelos meus pais? — exclamei e as lágrimas, nascidas na minha alma dolorida, correram-me pelo rosto. — Por que me perguntas por eles? Eles te fizeram algum mal, Kátia?

Kátia estava de pé, confusa, diante da sua cadeira, sem saber o que havia de responder. Nisto, o príncipe entrou no quarto.

— O que tu tens, Niétotchka? — ele me perguntou ao reparar nas minhas lágrimas. — O que te aconteceu? Por que choras? — tornou a perguntar-me e reparou então em Kátia, que estava vermelha como uma romã. — De que estavam falando? Por que se zangaram? Niétotchka, por que tu choras?

Eu não pude responder-lhe; mas peguei na mão do príncipe e beijei-a, salpicando de lágrimas.

— Kátia, diz-me a verdade: o que aconteceu?

Kátia não sabia mentir.

— Fui eu que lhe disse que tinha visto a roupa ordinária que ela trazia quando os pais eram vivos.

— Ah, foi isso? E quem te mostrou essa roupa? Quem teve o descaramento de te mostrar?

— Ninguém. Fui eu que vi — respondeu Kátia com voz firme.

— Bem, já te conheço e sei que não és capaz de acusar ninguém. E que mais se passou?

— Então ela se pôs a chorar e disse: "Por que fazes troça dos meus pais?".

Ela não tinha dito aquilo, mas certamente devia ter sido essa a sua intenção, assim ela própria o tinha percebido e assim eu também o tinha percebido, desde a sua primeira pergunta.

— Pois bem: vais já pedir-lhe perdão.

A princesinha empalideceu, não disse nada nem se mexeu.

— Vamos — insistiu o príncipe.

— Não quero — disse Kátia por fim, em voz baixa, mas com expressão resoluta.

— Kátia!

— Não; não peço e não peço! — gritou ela com olhos chamejantes e batendo no chão com os pezinhos. — Não quero, papai; não quero pedir-lhe perdão! Eu não a quero, não quero viver com ela. Eu não tenho culpa de que ela esteja sempre chorando. Não peço e não peço!

— Vem cá — disse o príncipe pegando-lhe na mão para conduzi-la ao seu quarto. — Niétotchka, vai lá para cima — acrescentou, dirigindo-se a mim.

Eu tentei retê-lo, interceder por Kátia; mas o príncipe repetiu a sua ordem em tom severo, e eu fui para as dependências do andar de cima, assustada e cheia de medo. Quando entrei no meu quarto, deixei-me cair sobre o divã e meti a cabeça entre as mãos. Pus-me a contar os minutos. Esperava a chegada de Kátia com impaciência febril; estava disposta a lançar-me a seus pés. Por fim a princesinha apareceu; passou junto de mim sem me dizer uma palavra e foi sentar-se no canto mais afastado. Tinha os olhos avermelhados e as faces inchadas de chorar. Ao ver aquilo toda a minha firmeza me abandonou. Fiquei a olhá-la aflitivamente, paralisada pela angústia.

Lançava toda a culpa sobre mim mesma; esforçava-me por demonstrar a mim própria que era eu a única culpada. Mil vezes senti vontade de me aproximar de Kátia, e outras tantas me faltou coragem para fazê-lo, pois ignorava como é que ela me acolheria.

Decorreram dois dias nesta situação. Na tarde do segundo dia, Kátia recuperou a sua boa disposição, pediu até o seu arco, se bem que não tardasse em abandoná-lo e ir sentar-se num canto sozinha e mal-humorada. Porém, antes de deitar-se, dirigiu-se de repente para mim, deu mesmo dois passos para aproximar-se; os lábios tremiam-lhe como se fosse para falar; mas depois deteve-se, deu meia volta e retirou-se. Depois desse dia, outro se passou, até que, finalmente, *Madame* Léotard, muito admirada, submeteu a princesinha a um interrogatório perguntando-lhe se ela estava doente ou o que se tinha passado entre nós para que estivesse tão murcha. Kátia respondeu-lhe evasivamente qualquer coisa que eu não pude ouvir bem; mas quando *Madame* Léotard se retirou, fez-se muito corada e rompeu a chorar. Saiu do quarto correndo, para que eu não pudesse ver as suas lágrimas. Mas alguma vez aquilo havia de ter fim e veio a tê-lo no terceiro dia do nosso amuo. Depois do almoço, Kátia veio ao meu quarto e aproximou-se de mim com timidez:

— O papai mandou-me pedir-te perdão — disse. — Perdoas-me?

Eu lhe peguei rapidamente nas mãos e, ansiosa, exclamei:

— Perdoo! Perdoo!

— O papai mandou-me dar-te um beijo. E tu também me dás um?

A minha resposta foi cobrir-lhe as mãos de beijos. Quando ela levantou os olhos para me olhar, pude ver uma expressão invulgar no seu rosto. Tremiam-lhe os lábios e o queixo e havia lágrimas nos seus olhos; mas ela dominou rapidamente a sua comoção e até sorriu levemente.

— Vou dizer ao papai que já te dei um beijo e te pedi perdão — disse ela em voz baixa, como se falasse consigo mesma. — Já há três dias que não o vejo. Disse-me que não lhe aparecesse enquanto não tivesse feito o que ele me mandou — acrescentou, depois de refletir um momento.

E, num passo vacilante e de rosto pensativo, encaminhou-se para junto do pai, como se não estivesse muito segura do seu bom acolhimento.

Uma hora depois eu já ouvia outra vez nas salas do andar de cima o rebuliço de costume, os risos e as correrias de Kátia e os latidos de Falstaff, um barulho como de qualquer coisa que caísse e se fizesse em pedaços, de livros que tombassem de uma mesa, e o arco rodando; numa palavra: Kátia tinha-se reconciliado com o pai. O meu coração pulsava de alegria.

No entanto não veio ver-me e percebia claramente que ela evitava falar comigo. Mas, apesar de tudo, eu tinha o privilégio de excitar a sua curiosidade. Agora, cada vez com mais frequência, se sentava na minha frente para me perscrutar à vontade. E as suas observações eram cada vez mais ingênuas. Aquela menina animada e voluntariosa, de que todos naquela casa tratavam com mil cuidados, como se fosse uma joia de alto preço, não podia compreender como é que eu já por mais de uma vez e contra a sua vontade me tinha atravessado no seu caminho. Felizmente tinha um coraçãozinho bom e generoso, que por si só, sem outro guia senão o instinto, acabava sempre por achar o que era justo. Quem tinha maior ascendência sobre ela era o pai, a quem idolatrava. A mãe gostava dela até à loucura, mas ao mesmo tempo era muito severa; dela tinha herdado Kátia o egoísmo, o orgulho e a firmeza de caráter; mas tinha também de suportar todas as suas más disposições, que às vezes degeneravam em tirania moral. Simplesmente... suportava-as. A princesa tinha umas ideias muito especiais sobre a educação e por isso a educação de Kátia era uma amálgama de mimo ilimitado e de severidade implacável. O que um dia lhe permitiam, proibiam-no depois de repente e muitas vezes sem fundamento. De maneira que a todos os momentos contradiziam o sentimento da justiça no espírito da pequena... Mas sobre isto falarei mais adiante. Por agora quero apenas fazer notar que ela regulava a sua conduta pela de seus pais. Para com o pai conduzia-se tal como era na realidade; entregava-se a ele sem restrições, com toda a sinceridade; nada ficava no seu caráter de oculto ou de reservado. Com a mãe, em compensação, procedia de um modo completamente oposto; reservada, receosa e obediente sem reclamar. Mas esta obediência não era sincera; acatava as ordens da mãe sem convicção, como se obedecesse, por assim dizer, a uma convenção. Mais adiante hei de insistir sobre este ponto e procurar explicá-lo com mais clareza. No entanto direi desde já, em honra da minha Kátia, que ela acabou finalmente por compreender a mãe e, depois, quando lhe obedecia, fazia-o já com conhecimento absoluto do ilimitado amor maternal que a princesa lhe tinha e que era suscetível de aumentar até chegar aos extremos de uma exaltação doentia... mas que a princesa lhe oferecia com prudente generosidade. Por infelicidade, isto, mais tarde, de nada havia de servir à sua arrebatada cabecinha!

Mas ainda não disse o que se passava então comigo.

Um sentimento novo, para mim inexplicável, me excitava de uma maneira desacostumada, e não exagero se disser que sofria sob o influxo deste novo sentimento, como debaixo de um autêntico sofrimento. Em suma... seja-me permitida a expressão: é que eu estava enamorada da minha Kátia. Sim, aquilo era amor, amor com lágrimas e arroubos, amor apaixonado. O que é que nela me atraía? De onde vinha aquele amor? Começou com o primeiro olhar que fixei em Kátia, quando todo o meu ser se sentiu de súbito docemente ferido perante a sua beleza. Nela tudo era belo; nenhuma das suas más qualidades fazia verdadeiramente parte da sua natureza inata... sim, eram todas postiças e todas andavam sempre em guerra com o seu instinto. Tudo nela dava a entender a sua boa disposição natural, que somente de quando em quando podia tomar uma forma falsa; mas nela, a começar por essa luta interior, tudo se manifestava numa alegre confiança, tudo prometia beleza no futuro. Todos se alegravam quando a viam, todos gostavam dela e todos a animavam. Quando nos levavam a passear — geralmente aí pelas três horas da tarde — quantas pessoas daquelas com quem nos cruzávamos na rua a olhavam e ficavam embasbacadas, e não eram poucas as vezes em que ouvíamos atrás de nós uma exclamação de admiração. Tinha nascido para ser feliz, devia ter nascido para isso, era essa a impressão que dava a todos que a viam. É possível que a minha sensibilidade estética tivesse despertado então do seu profundo sono quando a vi pela primeira vez, e que, ao olhá-la, a sua formosura me tivesse revelado o sentimento do gelo; provavelmente seria esta a causa do meu amor.

O maior defeito da princesinha ou, para melhor dizer, o traço fundamental do seu caráter, que tinha tendência para imprimir-se fortemente na sua maneira de ser, era o orgulho. Esse orgulho estendia-se até pormenores insignificantes, frequentemente tocava as raias do amor-próprio e degenerava numa soberbia inconsciente; de maneira que, por exemplo, quando a contrariavam, fosse da maneira que fosse, nem de longe ficava aborrecida, pois começava logo por ficar simplesmente surpreendida. Não compreendia que as coisas pudessem ser de maneira diferente da que ela queria. No entanto, apesar disso tudo o sentimento da justiça acabava por triunfar sempre no seu coração. Mas quando se convencia de que realmente tinha procedido mal, submetia-se sem custo e com firme resolução à vontade dos seus educadores. O fato de que, no seu convívio comigo, nem sempre fosse absolutamente fiel a si própria, explica-se a meu ver por essa invencível tendência que de vez em quando alterava a retidão e a unidade de todo o seu caráter. Não podia ser de outra maneira; era demasiado apaixonada nos seus sentimentos e, por isso, eram sempre os choques com a realidade que pouco a pouco lhe iam abrindo os olhos e dirigindo-a pelo bom caminho. Tudo quanto começava e fazia chegava sempre a uma feliz conclusão, simplesmente, às vezes, essa conclusão comprava-a ela ao preço de contínuos desvios e de erros constantes.

Em breve Kátia me deu por suficientemente observada e daí por diante resolveu-se a deixar-me em paz. Começou a proceder em tudo como se eu não existisse. Não trocava comigo nenhuma palavra supérflua, nem sequer as necessárias. Eu não tomava parte nas suas brincadeiras, e isto não porque me tivesse afastado com violência, mas arranjou as coisas habilmente de maneira que parecesse que era eu quem não queria brincar com ela. Continuávamos a ter aulas juntas; e quando me apontavam como modelo em que ela devia inspirar-se, pela minha atenção e compreensão mais rápida, nem sequer me dava a honra de sentir-se ferida no seu amor próprio por esses elogios, apesar de o ter tão fundamente arraigado que até o nosso *bull-dog*, "Sir John Falstaff", era capaz de ofendê-la. Esse tal Falstaff era um canzarrão frio e fleumático, mas mau como um tigre e, quando o irritavam, chegava até o extremo de não obedecer aos seus donos. Além disso tinha ainda esta peculiaridade: não gostava de pessoa nenhuma daquela casa; mas o seu maior inimigo era sem dúvida alguma a princesa velha, a tia do príncipe... Mas deixemos isto mais para diante. À vaidosa Kátia meteu-se um dia na cabeça que havia de vencer o seu amigo Falstaff. Não podia suportar que existisse alguém, nem sequer um animal, que não acatasse a sua autoridade, que não se submetesse a ela, sim, que não gostasse dela. Por isso resolveu-se a atacar o cão. Queria dominá-lo. Porque havia Falstaff de gozar daquele privilégio? Mas o inflexível *bull-dog* não estava disposto a prestar-lhe vassalagem.

Foi depois do almoço; estávamos as duas sentadas no grande salão, enquanto Falstaff, estendido sobre o soalho, a meio da casa, gozava a sua sesta. De repente a princesinha lembrou-se de que ele precisava de uma boa ensinadela. Deixou as suas brincadeiras e começou a aproximar-se de Falstaff com muito cuidado, nas pontas dos pés, dirigindo-lhe as mais ternas palavras e fazendo-lhe rapapés. Mas o cão já de longe lhe mostrava a terrível dentuça. A princesinha deteve-se. O seu desejo era apenas o de aproximar-se de Falstaff e acariciá-lo — atrevimento que ele jamais tinha consentido a alguém, exceto à princesa mãe — e de obrigá-lo a segui-la. Era uma empresa difícil, que acarretava um perigo sério, pois Falstaff não vacilaria em morder-lhe uma mão ou até em mordê-la toda. Era forte como um urso, e eu, do meu lugar, seguia inquieta e angustiada todos os gestos de Kátia. Sabia como era difícil fazê-la renunciar a um capricho que se tivesse metido na sua cabeça, e que os mordiscos com que Falstaff começava já a ameaçá-la não poderiam constituir argumento suficiente para dissuadi-la. Apenas compreendeu que não devia aproximar-se do cão diretamente e, depois de uma breve hesitação, mudou de tática, envolvendo-o em círculos cada vez mais apertados. Mas quando a terceira volta se aproximava já de sua meta, da qual, Falstaff não estava disposto a deixá-la passar, contendo-a ali como à máxima distância que lhe pemitia, o cão voltou a mostrar-lhe as presas. A princesinha, aborrecida, bateu os pés no chão, voltou-lhe as costas e acabou por ir sentar-se no sofá para refletir.

Ao fim de alguns minutos tinha descoberto outro ardil: saiu do salão e voltou com um fornecimento completo de pastéis de massa folhada, de tortas e de empadas; em suma: mudou de armas. Mas também estas não impressionaram o cão, talvez porque já estivesse farto. Nem sequer se dignou olhar para os pastéis que ela lhe atirava; e como a princesinha se aproximasse de novo do limite proibido, o cão tornou a protestar, desta vez de maneira mais enérgica, pois levantou a cabeça, mostrou os dentes, rosnou e fez um movimento como se fosse para dar um salto. A princesinha pôs-se vermelha de cólera, deixou as guloseimas e voltou para o seu lugar.

Estava muito excitada. Não fazia senão bater continuamente com os pezinhos sobre o tapete, as faces brilhavam-lhe de coradas e aos seus olhos assomavam lágrimas de despeito. Então, por acaso, de repente o seu olhar encontrou-se com o meu... e o sangue subiu-lhe ao rosto. Levantou-se de um salto e num passo resoluto dirigiu-se para o terrível *bull-dog*.

Talvez que Falstaff, nesse momento, tivesse ficado paralisado pela surpresa. Deixou que o inimigo transpusesse a fronteira e só quando ele estava à distância de dois passos, é que acolheu a temerária com uma rosnadela. Eu morria de medo. Mas ela estava tão resoluta como eu nunca a tinha visto; os olhos cintilavam na certeza do triunfo. Nessa ocasião teria podido servir de modelo para um artista. Impávida, resistiu ao olhar ameaçador do feroz animal e também não conseguiu intimidá-la a sua dentuça, não menos inquietante. O *bull-dog* levantou a cabeça. O seu peito largo exalou um bufido ameaçador e parecia que ia dilacerá-la naquele instante. Mas a princesinha, sobranceira, colocou a sua mãozinha sobre o lombo do animal e acariciou-o por três vezes. Falstaff permaneceu quieto e indeciso por um instante. Era aquele o momento mais terrível; em seguida o animal levantou-se pesadamente, espreguiçou-se e abandonou o salão com lentidão fleumática, pensando provavelmente que não valia a pena brigar com crianças. A princesinha, vitoriosa, foi-se pôr mesmo sobre o lugar conquistado, e lançou-me então um olhar radioso, todo cheio da embriaguez do seu triunfo. Eu estava branca como a cal. Ela reparou nisto e desatou a rir. Mas de repente também pela carinha dela se espalhou uma palidez mortal. Mal tive tempo de chegar junto do sofá, sobre o qual ela se deixou cair meio desfalecida.

O amor que eu sentia por ela não tinha limites. Desde esse dia em que por sua causa sofri tamanha aflição, só com muito custo pude dominar-me. Consumia-me de tristeza, sentia mil vezes o impulso de me atirar contra o seu peito; mas uma timidez inexplicável me mantinha imóvel e enfeitiçada no meu lugar. Recordo no entanto que procurava deliberadamente fugir de me encontrar com ela, para que não notasse a minha perturbação; mas quando ela por acaso entrava no meu quarto, onde eu me refugiava, depois eu sentia tremores e o coração batia-me tão forte que parecia apoderar-se de mim uma vertigem. Creio que nada disto passou despercebido a Kátia, e que ao notá-lo, segundo me pareceu, durante dois dias seguidos andou muito perturbada. Mas não tardou a acostumar-se a isto. Assim decorreu um mês, durante o qual fui eu a única a sofrer. Os meus sentimentos, se é que assim me posso exprimir, possuem uma certa e inexplicável extensibilidade; a minha natureza é extremamente paciente, de maneira que só em último caso pode produzir-se uma verdadeira explosão dos meus sentimentos. Convém dizer que Kátia e eu, durante todo esse tempo, mal tínhamos trocado meia dúzia de palavras. Mas pouco a pouco, por certos indícios, acabei por compreender que a conduta que ela adotara para comigo não deveria atribuí-la nem à indiferença, nem à inimizade, e que era apenas um afastamento premeditado da sua parte, tal como se tivesse prometido a si mesma manter-se sempre a uma certa distância. Mas eu já nem de noite dormia e, durante o dia, até mesmo diante de *Madame* Léotard não conseguia ocultar a minha perturbação. O meu amor por Kátia estava se tornando estranho, e ia até o ponto de me apoderar secretamente do seu lenço e, de outra vez, da fita de sua cabeça, para, à noite, enchê-los de lágrimas e de beijos. A princípio a sua indiferença custava-me tanto que me sentia verdadeiramente ofendida; mas depois tudo se alterou em mim e eu nem sequer dei conta dos meus sentimentos. Aconteceu assim que todas as minhas antigas impressões pouco a pouco foram substituídas pelas novas, e que a recordação da minha triste vida anterior foi perdendo com o tempo a sua intensidade doentia, pois forçoso era que cedesse perante a nova realidade.

Mas lembro-me ainda de quantas vezes eu despertava durante a noite, me levantava devagarinho e, em pontas de pés, deslizava até a cama da princesinha. E ali ficava horas e horas contemplando a adormecida à luz tênue da lamparina noturna. Muitas vezes chegava mesmo a sentar-me na sua cama, inclinava-me sobre o seu rosto e aspirava a sua cálida e regular respiração, como se fosse uma brisa suave e embaladora. Devagarinho, tremendo de receio, costumava depor beijos sobre as suas mãozinhas, os seus ombros, as suas faces, e até sobre os seus pezinhos, quando acontecia ficarem descobertos por se ter desprendido o cobertor. Em breve me pareceu notar — eu a observava continuamente, se bem que às furtadelas — que de dia para dia se ia tornando mais ajuizada, e que o seu caráter perdia a sua firmeza anterior; acontecia que se passavam dias inteiros sem que ninguém a ouvisse traquinar; mas logo a seguir fazia um barulho tão grande como nunca se tinha ouvido. Tornou-se irritável e presunçosa; mudava frequentemente de cor e,

comigo, deixava-se levar a extrémos de exagerada crueldade; tão depressa se negava a comer ao mesmo tempo que eu e a sentar-se junto de mim, como se eu lhe
inspirasse uma invencível antipatia, como ia para os aposentos da mãe e ali passava
o dia quase todo, apesar de saber do desejo que eu tinha de vê-la ao meu lado; ou
então vinha e sentava-se na minha frente e ficava a contemplar-me muito tempo,
de tal maneira que eu, tomada de uma perturbação mortal, não sabia o que havia
de fazer, punha-me de mil cores e nem sequer me atrevia a sair do quarto. Por duas
vezes Kátia se queixou de febre, embora até então nunca tivesse estado doente. Depois, de repente, uma manhã deu-se nela uma mudança invulgar e significativa;
obedecendo às ordens imperiosas da princesa, foi para os aposentos da mãe, que
por um pouco ia desmaiando de susto ao ouvi-la queixar-se de que estava resfriada.
Devo fazer notar que a princesa estava muito descontente comigo, e que atribuía
todas as mudanças que se davam em Kátia à minha influência perniciosa ou, para
empregar as suas próprias palavras, à influência do meu severo caráter. Já há muito
que tinha vontade de nos separar; mas considerou mais prudente adiar a separação,
pois calculava que para isso teria de enfrentar a tenaz oposição do príncipe. Este, se
bem que desejasse fazer-lhe todas as vontades, empenhava-se algumas vezes por
fazer valer a sua com uma teimosia egoísta. E a princesa conhecia bem o marido.

Aquela mudança da princesa provocou em mim tal impressão que passei
uma semana num estado de espírito lastimoso. Sofria por causa do amor que lhe
tinha e quebrava a cabeça em busca do motivo pelo qual eu pudesse inspirar-lhe
semelhante aversão.

A tristeza dilacerava-me a alma e o sentimento da injustiça e um amargo ressentimento começavam a apoderar-se do meu coração ferido. Surgiu então também em mim o orgulho e, quando me juntava a Kátia para sair a passeio, olhava-a
de um modo tão indiferente, tão séria e de maneira tão diversa da anterior, que era
visível a impressão que isso lhe fazia. É claro que esta minha mudança apenas se
manifestava uma vez por outra, em acessos inesperados, mas então o meu coração
voltava a sofrer; e esta dor ia crescendo cada vez mais, e dia a dia eu ia ficando mais
fraca e tristonha. As coisas estavam neste pé, quando, uma manhã, com grande e
alegre espanto da minha parte, a princesinha tornou a visitar as dependências lá de
cima. A primeira coisa que fez foi atirar-se, sorridente, para os braços de *Madame*
Léotard, e declarar-lhe, sempre a sorrir, que tinha decidido vir viver outra vez conosco; depois, cumprimentou-me com uma inclinação de cabeça; mas em seguida
desviou os olhos e pediu licença para não ter aula naquele dia. Toda a tarde ficou
brincando por ali. Eu nunca a tinha visto tão animada e satisfeita. Mas, ao escurecer,
pôs-se taciturna, pensativa e de novo uma sombra de tristeza voltou a obscurecer
o seu rosto encantador. Quando a mãe apareceu à noite nos nossos aposentos para
perguntar como estava a filha, pude ver como Kátia procurava com todas as suas
forças mostrar-se alegre e risonha. Mas depois, quando ficamos sozinhas, começou
a chorar. Eu estava transtornada. Quando a princesinha reparou que eu a observava,
saiu da sala. Tudo isso indicava que uma nova crise a ameaçava. A princesa chamou
o médico; ordenou que *Madame* Léotard a informasse diariamente de tudo o que se
ia passando e disse-lhe que prestasse toda a atenção à vigilância de Kátia. Mas só eu
adivinhava o verdadeiro motivo daquela transformação. O meu coração começou a
palpitar de esperança.

Na verdade o nosso pequeno romance aproximava-se do fim. No terceiro dia, depois que tinha voltado a viver conosco, reparei que toda a tarde me esteve mirando com uns olhos muito risonhos, demorando-se sobre mim muito tempo... Por duas ou três vezes se encontrou o nosso olhar e de cada uma delas nos fizemos muito vermelhas e baixamos os olhos envergonhados. Até que a princesinha começou a rir e saiu do quarto. Às três horas vieram buscar-nos para o passeio de costume. E logo Kátia se chegou para mim.

— Tens os cordões dos sapatos desamarrados — disse-me ela. — Deixa ver que eu amarro.

Quis baixar-me para atá-las eu própria e fiz-me muito corada ao ver que finalmente Kátia me dirigia a palavra; mas ela insistiu:

— Deixa que eu amarro! — exclamou com risonha impaciência, deitando-se aos meus pés e tornando a fazer-me o laço do sapato.

Eu contive a respiração; não sabia o que havia de fazer e, no meio da minha perturbação, sentia um doce bem estar. Quando acabou de me atar os cordões, endireitou-se e olhou-me desde os pés até a cabeça.

— Também tens o lenço mal posto — disse, palpando-o com as mãos. — Vou apertá-lo bem.

Não fiz oposição. Ela desatou o laço do meu lenço e tornou a colocar a seu gosto.

— É que podias apanhar uma bronquite — disse-me com um sorriso trocista, e os seus olhos negros e úmidos dirigiram-me um olhar travesso.

Eu estava completamente fora de mim; não sabia o que se passava comigo nem o que se passava com Kátia. Felizmente que o nosso passeio não foi muito longo, pois de outra maneira não teria podido conter-me e a teria coberto de beijos em plena rua. Mas quando subíamos as escadas do palácio aproveitei a oportunidade para lhe dar às escondidas um beijo sobre um ombro. Ela deu por isso, estremeceu, mas não disse nada. Nessa noite, vestiram-na com os requintes dos dias de festa e levaram-na às dependências do andar de baixo. A princesa dava recepção. Mas nessa noite produziu-se naquela casa um enorme alvoroço.

Kátia teve um ataque de nervos. A princesa estava transtornada de espanto. O médico chegou e não soube o que havia de fazer. Atribuíram a causa à doença anterior de Kátia e à sua idade; mas eu pensava uma coisa muito diferente sobre o caso. No dia seguinte de manhã Kátia apareceu como de costume, rosada, contente, transbordante de saúde; mas tão inquieta e caprichosa que nem parecia a mesma.

Em primeiro lugar, durante toda a manhã não quis obedecer à *Madame* Léotard. Depois, declarou que desejava ir visitar a tia-avó. E, efetivamente, dessa vez a princesa permitiu-lhe que fizesse essa visita, que por sinal ia contra os hábitos da solteirona, que não podia tolerar a sua pequena sobrinha. Tinha sempre algum defeito para apontar e geralmente não queria vê-la; mas, desta vez, sabe-se lá por que razão, concordou em recebê-la. A princípio tudo correu bem; durante uma hora reinou ali uma paz perfeita, pois tinha ocorrido à espertalhona da princesinha pedir perdão à velha de todas as suas diabruras, de todas as algazarras e rebuliços que armava. E a avozinha, profundamente comovida, acedeu e perdoou-lhe. Mas isto era ainda pouco para a pequena. E lembrou-se também de confessar à anciã todas as diabruras que ainda não tinha cometido e que não passavam de simples projetos.

Adotou a atitude de uma penitente arrependida e confessou as suas imaginárias culpas à velha devota, que, a princípio, estava encantada de ouvi-la, pois aquela vitória sobre Kátia lisonjeava o seu amor-próprio, tanto mais que a garota era o ídolo de todo o palácio, a preferida de todos, e perante os seus caprichos até a própria princesa era impotente.

Entre outras coisas confessou-lhe Kátia que tinha tido a intenção de pregar um cartão de visita no seu vestido, de esconder Falstaff debaixo de sua cama, de quebrar-lhe as lunetas, de tirar dali todos os livros piedosos e pôr em seu lugar os romances franceses que a mãe costumava ler; de espalhar buscapés pelo seu quarto, de meter-lhe uma barata num bolso, etc., etc., passando sempre no seu relato de um pecado a outro cada vez maior. A tia-avó pôs-se lívida e hirta, e depois amarela de raiva... até que por fim Kátia, sem poder conter-se mais, pôs-se a rir loucamente e saiu do quarto como um pé-de-vento. A velha mandou imediatamente chamar a princesa e contou-lhe tudo, carregando as cores, é claro; esta pediu-lhe que perdoasse a travessura de Kátia e não a obrigasse a castigá-la pois que ela andava adoentada. Mas a velha negou-se a escutar as suas súplicas e declarou que no dia seguinte sairia de casa, ameaça que não retirou senão quando a princesa lhe deu a sua palavra de honra de marcar o castigo para quando Kátia estivesse restabelecida e que, então, havia de proceder com todo o rigor que ela desejava.

Kátia ouviu imediatamente uma severa reprimenda e teve de ficar lá em baixo, nos aposentos da mãe. Mas a espertalhona não esteve ali muito tempo.

Quando eu desci, daí a pouco, fui encontrá-la já na escada. Tinha aberto a porta e chamado Falstaff. Compreendi logo que projetava uma vingança terrível. E vão já ver do que se tratava.

Entre todos os inimigos que a princesa tinha no palácio, o maior era Falstaff. Este não era carinhoso com ninguém nem gostava de pessoa nenhuma; era arrogante, orgulhoso até a insolência. Como disse, não gostava de ninguém; exigia o devido respeito de todas as pessoas, o qual todos lhe mostravam mantendo-se à maior distância possível dele, pois ao respeito misturava-se também uma boa dose de receio. Mas um dia encontrou-se com a princesa velha e, como por encanto, mudou de maneira de ser... E então fizeram-lhe uma grande injustiça: proibiram-lhe formalmente o acesso às dependências de cima.

No primeiro momento Falstaff não cabia em si de indignação por aquela ofensa e deixou-se ficar durante uma semana inteira arranhando a porta que no extremo da escada lhe impedia a passagem. Não tardou porém a compreender quem e por que motivo tinham dado aquela ordem contra ele e, quando no domingo seguinte a princesa saía do quarto para ir à igreja, Falstaff atirou-se contra ela lançando um uivo furioso. Foi somente pelo acaso de naquela ocasião se encontrarem ali alguns criados, que a princesa ficou a dever o fato de ter escapado à terrível vingança do animal ressentido. Falstaff foi corrido de maneira ignominiosa e a partir daquele dia adotaram o costume de o fecharem no quarto mais afastado sempre que a princesa saía dos seus aposentos. Deram-se instruções severas a todos os criados. Mas apesar disso o rancoroso animal encontrou meio de transpor por duas ou três vezes a zona proibida. Assim que chegava ao alto da escada atravessava como um relâmpago todas as salas em direção ao quarto da princesa velha. Nessas ocasiões nem os criados podiam detê-lo. Felizmente a princesa tinha a porta do quarto sempre fechada e Falstaff tinha de limitar-se a ficar ali algum tempo uivando de maneira horrorosa até que os criados chegavam e o afugentavam. Mas a velha que, enquanto ouvia aqueles uivos se punha a gritar como se o cão a estivesse a comer viva, acabava sempre por ficar doente por causa do susto e da angústia que sofria. Já por várias vezes tinha enviado o seu ultimato à princesa, a propósito das incursões de Falstaff, e de uma delas chegou até o extremo — provavelmente num instante de irreflexão — de dizer que, ou saía o cão daquela casa ou saía ela; mas a princesa não se resolveu a separar-se de Falstaff.

A princesa não constumava criar grande amizade por ninguém; mas Falstaff, depois dos filhos, açambarcava todo o seu afeto. Havia já uns seis anos que o príncipe tinha voltado certo dia da caça trazendo consigo um cachorrinho, um animalzinho sujo e doente, com um aspecto verdadeiramente lastimável, mas que nem por isso deixava de ser um *bull-dog* de raça pura. O príncipe tinha-lhe salvo a vida. É certo que o cão conduzia-se da maneira mais desabrida e, por isso, a pedido da princesa, foi relegado para o pátio dos fundos da casa, onde o prenderam com uma corrente. O príncipe nada teve que objetar. Mas dois anos depois, quando a família passava a primavera numa casa de campo que possuía nas margens do Nievá, aconteceu que o pequeno Alieksandr, o irmão mais novo de Kátia, a que chamavam Sacha, caiu ao rio. A princesa viu o desastre, começou a gritar e preparava-se para atirar-se à água, do que só com muito trabalho a impediram. De contrário, teria morrido afogada. Mas a correnteza arrastava consigo a criança, cujas roupas eram já a única coisa que se via flutuando à superfície da água. A toda pressa tentaram lançar uma lancha; mas ainda assim teria sido um verdadeiro milagre salvar o pequenino. Eis senão quando o nosso grande *bull-dog*, dando uns saltos enormes, avança até à margem do rio e se atira à água, começa a nadar vigorosamente em direção ao pequeno que se afogava, prende-o nos dentes fortes e volta triunfantemente para a margem. A princesa jogou-se aos pés, abraçou-se ao cão sujo e molhado e começou a beijá-lo loucamente. Mas Falstaff[4] que, diga-se de passagem por aquele tempo ainda atendia pelo prosaico e até plebeu nome de Friks, era inimigo declarado de toda a ternura e correspondeu aos afagos da princesa, mordendo-a num ombro, no lugar que mais facilmente a sua fúria pôde atingir. A princesa conservou até o fim da vida a cicatriz da mordedura; mas a sua gratidão para com o animal que lhe tinha salvo o filho não conhecia limites. Por isso Falstaff foi conduzido às dependências da principesca família, foi lavado, cuidado, e até lhe puseram uma coleira de prata lavrada. Daí em diante Falstaff acostumou-se a penetrar no toucador da princesa, onde se deitava sobre uma magnífica pele de urso, e tantos progressos fez com ele a amizade da senhora que ela chegou a poder acariciá-lo sem que ele a mordesse. Quando a princesa soube que o seu favorito se chamava Friks, ficou aborrecida com essa evidente falta de gosto, e imediatamente todos tiveram de quebrar a cabeça para ajudá-la a encontrar um nome mais apropriado, se possível fosse clássico, verdadeiramente castiço. Em Heitor[5] e Cérbero[6] nem pensar, pois eram muito frequentes; tinha de ser um nome bem invulgar, como aquele que afinal vieram a pôr

---

4   Nome pelo qual era conhecido John Falstaff, famoso capitão e diplomata inglês. Companheiro de orgias de Henrique IV, foi imortalizado por Shakespeare em *Henrique IV* e *As alegres comadres de Windsor*, como o tipo da libertinagem e do cinismo.

5   O mais valente dos chefes troianos, filho de Príamo e esposo de Andrômaca. Na *Ilíada*, mata Pátroclo e é morto por Aquiles.

6   Na mitologia grega, cão de três cabeças, que guardava a porta do Inferno.

no favorito da princesa. Depois de muito pensar, o príncipe acabou por encontrar um que convinha à desmedida voracidade daquele cão: Falstaff. Todos o acolheram com entusiasmo e ficou eleito esse. Falstaff portou-se dali em diante muito melhor. Como inglês de puro sangue, era naturalmente taciturno e sisudo; não atacava ninguém de repente, mas exigia que respeitassem o seu tapete da pele de urso e o tratassem com o devido respeito. No entanto, de quando em quando, Falstaff sentia uma espécie de *spleen* e recordava-se com amargura de que a sua irreconciliável inimiga, a que tinha querido arrebatar-lhe os seus direitos soberanos, continuava impune. Então esgueirava-se secretamente até o alto da escada e, como encontrava sempre fechada a porta do patamar, postava-se ali perto, escondendo-se o melhor possível em algum canto onde fosse menos provável de ser descoberto, e ali ficava esperando fleumaticamente que algum criado se esquecesse de fechar a porta. Às vezes, na sua obsessão de vingança, ficava ali inutilmente à espera três dias seguidos, no seu esconderijo, pois toda a criadagem tinha ordens severas para que a porta nunca ficasse aberta. Assim, teve que refrear o seu desejo de vingança durante dois meses, que era o tempo que tinha decorrido desde a última vez que havia subido ao patamar.

— Falstaff! Falstaff! — exclamou a princesa abrindo a porta no alto da escada e atraindo o *bull-dog* com uma voz muito carinhosa.

Nesse instante o cão já tinha pressentido que a porta da escada estava aberta e dispunha-se portanto a atravessar o seu Rubicão[7]. Mas o convite que a princesa lhe fazia parecia-lhe tão incompreensível que a princípio nem queria dar crédito aos seus ouvidos. Era esperto como um gato e, fingindo não ter reparado na oportunidade que lhe oferecia o fato de a porta estar aberta, foi até a janela, colocou as patas dianteiras sobre o parapeito e pôs-se a olhar o prédio vizinho... Numa palavra: conduziu-se como a mais inocente criatura deste mundo, como um transeunte indiferente que se detém um momento a admirar a arquitetura de um belo edifício. Mas o seu coração pulsava já numa doce esperança. Que grandes não teriam sido o seu espanto e a sua alegria, como não teria ele ficado transtornado ao ver aberta de par em par aquela porta e, ao ouvir que o chamavam, rogavam e incitavam a invadir a zona proibida, e que podia em seguida saciar o seu justo desejo de vingança! Começou a uivar de alvoroço, mostrou os dentes e passou diante de nós como um furacão, de tal maneira que até fazia medo vê-lo, de tão embriagado que ia pelo triunfo.

Corria com tal fúria que derrubou imediatamente um criado que, lá em cima, lhe saiu ao encontro, fazendo-o estatelar-se de costas no meio do chão e, conforme às correspondentes leis naturais, deu ele também uma volta redonda sobre si mesmo. Falstaff voava como um projétil de canhão. *Madame* Léotard rangia os dentes de espanto. Mas Falstaff alcançou imediatamente a porta fechada, levantou as patas dianteiras e começou a uivar de tal maneira que fazia arrepiar as pessoas. Como resposta ouviu-se então um grito medonho da velha princesa. Mas logo, de todos os lados, acorreu a legião dos inimigos, todos os de casa, apareciam lá em cima e a coisa veio a acabar quando Falstaff, o terrível Falstaff, atado pelas quatro patas, tornado

---

7   Pequeno rio entre a Itália e a Gália Cisalpina, atravessado por César a despeito da proibição do Senado. Por isso, "atravessar o Rubicão" passou a significar tomar uma decisão arrojada, opondo-se a uma proibição.

inofensivo, com a cabeça metida num cesto e bem atado com uma sólida corda, foi reconduzido aos aposentos inferiores, tal como um guerreiro vencido que é retirado do campo da batalha.

Em seguida mandaram um recado à princesa.

Porém, dessa vez, a princesa já não estava disposta a perdoar. Mas a quem devia ela castigar? Como era natural, adivinhou logo quem era a culpada... O seu olhar pousou em Kátia... que continuava ali, pálida e consciente da sua culpa. A pobrezinha não tinha pensado nas consequências da sua travessura. Mas caíram também suspeitas sobre os criados inocentes e por isso Kátia estava quase pronta a confessar toda a verdade.

— Foste tu que fizeste isto? — perguntou a princesa com severidade.

Eu vi que Kátia se punha pálida como uma morta... e então adiantei um passo e disse com voz resoluta:

— Não, fui eu que soltei o Falstaff... Por descuido... — acrescentei, pois toda a coragem me faltou quando a princesa pôs sobre mim o seu olhar ameaçador.

— *Madame* Léotard, é a senhora quem lhe vai dar o castigo! E quero que lhe sirva de lição! — disse a princesa e depois retirou-se.

Eu olhei para Kátia; estava como que alheia , pasma; os braços pendiam-lhe, frouxos, e o rosto, pálido, olhava para o chão.

O único castigo que empregavam na educação dos filhos do príncipe consistia em fechá-los num quarto escuro. Ficar duas horas fechada num quarto escuro... afinal, não é grande coisa. Mas quando metiam ali a criança à força, contra sua vontade, e lhe diziam que ia ficar fechada, o castigo tornava-se já mais pesado. Geralmente conservavam as crianças ali umas duas horas. A mim, atendendo à enormidade do meu delito, fecharam-me por quatro horas. Eu julguei que ia morrer de prazer ao entrar na minha prisão. Pensava em Kátia. Sabia que eu tinha triunfado. Mas em vez de me deixarem ali por quatro horas, fiquei até às quatro da manhã. E isto aconteceu devido ao seguinte:

Duas horas depois de eu ter sido fechada, *Madame* Léotard recebeu a notícia de que tinha chegado a filha, que vivia em Moscou, a qual estava doente e desejava falar com ela. Partiu imediatamente para vê-la e, como era natural, não se lembrou mais de mim. A moça que estava encarregada de nós duas, supôs que *Madame* Léotard, antes de partir, devia já ter-me libertado; não tardou também que Kátia recebesse ordem para ir ter com a mãe e ficou com ela até às onze. Quando subiu ao andar de cima ficou muito admirada por não me ver deitada. Nástia ajudou-a a deitar-se, mas a princesinha tinha as suas razões para não perguntar por mim. Deitou-se e ficou à minha espera, pois apesar de saber que eu tinha sido fechada apenas por quatro horas, supunha que a criada não tardaria a aparecer comigo de um momento para o outro. Mas Nástia tinha-se esquecido completamente de mim, tanto mais que eu costumava despir-me sempre sozinha. De tudo isso resultou que eu acabei por passar a noite na minha prisão.

Seriam quatro horas da madrugada, quando, de repente, fui acordada por um grande barulho. Eu me tinha estendido no chão e acabado por adormecer. No primeiro momento dei um grito, assustada, mas depois ouvi a voz de Kátia que era a que se ouvia melhor, sobressaindo entre as de *Madame* Léotard, de Nástia e da porteira. Finalmente abriram a porta e *Madame* Léotard aproximou-se, beijou-me e abraçou-me e, chorando, apertou-me contra o peito, pedindo-me que lhe perdoasse por se ter esquecido de mim. Eu lancei-lhe os braços em volta do pescoço e comecei a chorar. Tiritava de frio e doía-me o corpo todo de ter dormido no chão. Procurei Kátia com a vista; mas ela havia corrido para o quarto e, quando eu lá cheguei, já estava metida na cama e dormia ou fingia dormir. Ao princípio da noite tinha esperado por mim, mas depois acabou por adormecer, contra sua vontade; mas às quatro horas acordou, de repente. E então pôs todos em alvoroço: primeiro a *Madame* Léotard, que já tinha regressado; depois a Nástia e, por fim, a todas as criadas... e com todo esse batalhão veio em seguida libertar-me.

No dia seguinte todos lá em casa ficaram a par da minha aventura. A própria princesa chegou a dizer que tinham usado comigo de excessiva severidade. E então vi também pela primeira vez o príncipe verdadeiramente pesaroso. Aí pelas dez horas da manhã veio ver-nos, aparentando visíveis sinais de comoção.

— *Madame* — disse, encarando a francesa, — pode dizer-me que método é esse que adotou? Como pode proceder dessa maneira com uma pobre criança? Esse sistema de castigar é uma barbaridade, uma autêntica barbaridade. É simplesmente digno dos citas! Fechar assim num quarto escuro, durante toda a noite, uma pobre pequena, fraca e, além do mais, tão simples e humilde, tão inofensiva... A isso chama-se fazer o possível por inutilizar as pessoas! Não sabe tudo quanto ela sofreu? Não; essa sua conduta é simplesmente desumana, é o que lhe digo, *Madame*. Como é possível empregar tal castigo? Quem é que se lembrou disso pela primeira vez?

A pobre *Madame* Léotard, lavada em lágrimas, começou a explicar ao príncipe o sucedido. Disse-lhe que a sua filha tinha chegado de Moscou e que tinha sido essa a causa de ela se ter esquecido de mim, acrescentando que o castigo, em si, era uma coisa útil e que Jean Jacques Rousseau o tinha preconizado.

— Jean Jacques Rousseau, *Madame*! Que tenho eu a ver com Jean Jacques? Olhem que autoridade! Isto, para não dizer que Rousseau não tinha o direito de falar de educação, pois abandonou os seus próprios filhos, *Madame*; Jean Jacques Rousseau era um homem imoral, *Madame*!

— Jean Jacques Rousseau! Jean Jacques Rousseau um homem imoral? Príncipe! Príncipe! Que está dizendo?

E *Madame* Léotard pôs-se vermelha de indignação.

No fundo era uma excelente mulher e raramente se zangava; mas quando alguém começava a meter-se com os seus favoritos, a ofender, por pouco que fosse, as clássicas sombras de Corneille ou de Racine, ou a dizer algo de ofensivo para Voltaire ou para Jean Jacques Rousseau, considerando este último um homem sem moral... era o fim do mundo! Começava logo a chorar e a tremer de indignação.

— O senhor se esquece, *mon prince*! — exclamou fora de si, com uma voz insegura, devido ao seu estado de comoção.

O príncipe retomou então a sua serenidade, pediu desculpa, aproximou-se de mim e, beijando-me com ternura, abençoou-me e foi-se embora.

— *Pauvre prince*! — suspirou *Madame* Léotard, já mais calma. Depois sentamo-nos as duas à mesa para a aula.

Mas a princesinha estava muito distraída. Antes de descermos para a sala de jantar, dirigiu-se a mim, com o rosto muito afogueado; e depois ficou parada olhando-me, sorridente, tomou-me pelos ombros e, rapidamente, como se estivesse envergonhada com qualquer coisa, disse:

— Quer dizer que ontem à noite estiveste tanto tempo fechada por minha causa? Pois esta tarde, depois do jantar, hás de vir brincar comigo no salão!

Nesse momento chegou alguém e a princesinha afastou-se de mim com a rapidez do relâmpago.

Depois do jantar, à tarde, fomos ambas de mãos dadas para o salão. A princesa estava muito excitada e respirava apressadamente. Eu, pelo contrário, estava muito contente e sentia-me mais feliz do que nunca.

— Queres jogar bola? — perguntou-me ela. — Então vem aqui!

Levou-me para um canto da sala; mas, em vez de se afastar de mim e de atirar-me a bola, de longe, estacou a três passos do local em que eu me encontrava, ficou muito corada, cobriu o rosto com as mãos e atirou-se para cima do sofá. Eu fiz menção de aproximar-me, mas ela pensou que eu queria ir embora.

— Não te vás, Niétotchka, fica comigo! — disse-me rapidamente.

Depois atirou-se contra mim e muito afogueada e com lágrimas nos olhos, apertou-me contra o seu peito. Tinha as faces úmidas e os lábios vermelhos como cerejas... e as madeixas do cabelo revoltas. Começou a beijar-me completamente fora de si; cobria-me o rosto de beijos, os olhos, os lábios, o pescoço, as mãos, e ao mesmo tempo chorava como se estivesse numa crise de nervos; eu me apertava contra ela e abraçávamo-nos as duas, contentes e felizes, como duas boas amigas ou ... como um parzinho de amantes que se tornasse a ver após uma longa separação. O coração de Kátia batia tão forte que eu sentia as suas pulsações!

Ouviu-se uma voz na sala do lado. Era a princesa que chamava Kátia.

— Adeus, Niétotchka, até logo à noite! Vai lá para cima e espera por mim!

Beijou-me devagarinho ainda uma vez, quase em silêncio, mas com ardor, e depois saiu do salão correndo. Eu fui lá para cima, ansiosa, transtornada, entontecida, como que esgotada. Atirei-me sobre o divã, afundei a cara entre as almofadas e derramei lágrimas de pura alegria. O coração palpitava com tanta violência como se quisesse saltar-me do peito. Não sei como passei aquelas horas até chegar a noite. Finalmente bateram onze e fui para a cama. Só à meia-noite é que a princesinha voltou; sorriu-me de longe mas não disse nada. Nástia despiu-a e parecia que ela demorava aquela operação de propósito.

— Mais depressa, Nástia, mais depressa! — pedia Kátia.

— Mas o que tem a menina? Seria de ter subido as escadas correndo que o seu coraçãozinho bate dessa maneira? — perguntou-lhe Nástia.

— Ah, meu Deus, Nástia! Mas que mole que tu és! Mais depressa! — e a princesinha, impaciente, bateu com o pezinho no chão.

— Mas que menina! — disse Nástia e beijou o pezinho da princesa, que acabava de descalçar.

Por fim Nástia acabou de despir a princesa; esta meteu-se na cama e a criada retirou-se. Logo a seguir Kátia saltou da sua cama e veio para a minha. Eu a acolhi com um grito de alegria.

— Vem antes para aqui, vem tu para a minha cama! — dizia.

E daí a um minuto já estávamos as duas na sua cama, abraçávamo-nos com força e apertávamo-nos uma contra a outra. A princesinha quase me sufocava com os seus beijos.

— Eu sei que tu me beijavas quando julgavas que eu estava dormindo! — murmurou, fazendo-se muito corada.

Eu comecei a chorar.

— Niétotchka! — murmurou Kátia corando também. — Minha querida, se soubesses há quanto tempo eu gosto de ti!

— É mesmo? Há quanto tempo?

— Desde aquele dia em que o papai me mandou pedir-te perdão, quando começaste a defender o teu... Niétotchka... Minha orfãzinha! — disse ela prolongando as sílabas e voltando a cobrir-me de beijos. Ao mesmo tempo chorava.

— Ah, Kátia!

— O que é? O que é?

— Por que demoraste tanto tempo... tanto tempo? — E não acabei a frase.

Estávamos abraçadas, convulsivamente, e durante três minutos não pronunciamos uma palavra.

— Ouve: que pensavas tu de mim? — perguntou-me a princesinha.

— Oh, muitas coisas, Kátia! Não fazia outra coisa senão pensar em ti, de noite e de dia!

— E dizias o meu nome quando sonhavas, porque eu bem ouvia...

— Sério?

— E também choravas!

— Então... Já vês! Por que tu és tão orgulhosa?

— Eu era uma tola, Niétotchka! Às vezes tenho umas venetas que não posso dominar! Não sei por quê, tinha certa aversão de você.

— Mas por quê?

— Porque sou má. A princípio antipatizava contigo porque eras melhor do que eu. Depois porque o papai gostava mais de ti do que de mim! O papai é muito bom, não é verdade, Niétotchka?

— Se é! — exclamei com entusiasmo.

— Sim, é muito bom — repetiu Kátia, muito séria. — Mas que hei de fazer? Ele é sempre assim... Bem, mas quando tive de pedir-te perdão, até chorei e tornei a sentir raiva de ti...

— Pronto, olha que já estás quase a chorar.

— Cala-te, bobinha, tu também não estás a chorar a todos os momentos? — exclamou Kátia, tapando-me a boca. — Olha, eu me esforçava por conquistar a tua amizade, mas depois, de repente, vinha um ódio, um ódio tremendo, horrível!

— Mas por quê?

— Porque sim. Não sei explicar por quê! Mas depois me convenci de que tu não podias viver sem mim e então disse: "Pois vais ver como eu te vou fazer sofrer!".

— Ah, Kátia!

— Minha querida! — exclamou ela beijando-me as mãos. — E então jurei que por nada deste mundo havia de te falar! E sabes por que é que eu fui fazer festas ao Falstaff?

— É verdade, que arrojo o teu!

— Se soubesses o medo que eu tive! — disse ela estremecendo. — Mas sabes por que é que eu fiz isso?

— Por quê?

— Porque tu estavas presente. Eu via que tu olhavas para mim... Ah! Então tudo o mais se me tornou indiferente! Pus-me a provocar o cão! É verdade que ficaste assustada? Que tremeste por mim?

— Oh, de uma maneira terrível!

— Bem sei. Mas que alegria eu senti quando vi que Falstaff abandonava o campo de batalha! Meu Deus, e que medo eu tive quando o vi ir-se embora! Que medo! Ufa!

E a princesinha tornou a estremecer e irrompeu num riso nervoso. De súbito, levantou a sua carinha afogueada e ficou me contemplando com muita atenção, durante muito tempo. Como dois diamantes, brilhavam duas lágrimas nas suas pestanas.

— Mas o que é que haverá em ti para que eu te tenha tomado esta amizade tão grande... És pálida, tens o cabelo louro, és uma pateta que passa a vida chorando e tens os olhos azuis... Minha orfãzinha!

E Kátia tornou a apertar-me nos seus braços para cobrir-me novamente de beijos. Algumas lágrimas suas caíram sobre as minhas faces. Estava muito comovida.

— E no entanto como eu gostava de ti! Estava sempre pensando em ti! Não, não, não te digo! Era tão egoísta! De que seria que eu tinha medo, por que me envergonharia na tua presença? Mas agora, olha como estamos as duas, assim, tão bem!

— Kátia! Se soubesses como fico comovida só de te ouvir! —exclamei, desvanecida de felicidade. — Parece que o coração me quer saltar!

— Bem... Pois continua a ouvir, Niétotchka! Mas antes, diz-me: quem te pôs esse nome de Niétotchka?

— Foi a minha mãe.

— Por que não me falas dela?

— Sim, hei de contar-te tudo, tudo! — prometi, entusiasmada.

— Mas onde tu puseste aqueles dois lencinhos meus, os de renda? E a fita do meu cabelo, onde a escondeste? Ah, não tens vergonha? Eu sei tudo!

Pôs-se a rir e fez-se muito corada.

— Não, eu dizia cá para comigo: "Anda, sofre, que eu quero ver-te sofrer um pouco". Mas muitas vezes pensava: "Pois se eu já não gosto dela, não posso suportá-la!". E tu sempre tão mansa como um cordeirinho! E o medo que eu tinha de que tu me julgasses uma tola! Tu és inteligente, Niétotchka, muito inteligente! Não é verdade?

— Ora! Deixa-te dessas coisas, Kátia. Do que tu te havias de lembrar!

— És sim, és inteligente. — continuou Kátia em tom convicto e com muita seriedade. — Eu sei muito bem. Mas escuta: uma noite acordei gostando muito de ti, muito. Toda a noite não tinha feito outra coisa senão sonhar contigo! E pensava: "Vou mudar-me para os aposentos da mamãe e fico lá. Não quero gostar dela, não quero!". Mas, quando nessa noite me deitei ali, pensei: "Se ela viesse agora, como ontem à noite...". Mas nem sequer te vi em sonhos. E o que me custou ter de fingir que dormia, muito sossegada! Ai, como nós fomos tolinhas, Niétotchka!

— Mas por que tu não querias gostar de mim?

— Oh, isso é que eu também queria saber! Por que afinal eu gostei de ti desde o primeiro momento! Sempre gostei de ti. Só depois, mais tarde... é que te criei aversão. Às vezes sentia vontade de te matar com beijos e com pancada. Assim, minha tonta!

E deu-me um safanãozinho.

— Mas lembras-te de como te amarrei o cordão do sapato?

— Se lembro!

— Gostaste? Eu olhei para ti e pensei: "Que simpática que ela é, apesar de tudo! Pronto, vou lhe amarrar o laço do sapatinho... O que ela irá pensar disto?". E enquanto o fazia sentia um prazer tão grande! A minha vontade, nesse momento, foi comer-te com beijos... Afinal não te beijei... Mas se visses como logo depois tudo isso me pareceu ridículo, tão ridículo! E toda essa tarde, durante o passeio, tive medo de não me poder conter e de desatar a rir. Não podia olhar para ti, tão cômico me parecia tudo aquilo. Mas se soubesses como gostei que tivesses sido tu a ir para o calabouço! — o meu irmão e eu chamamos calabouço ao quarto escuro. — Tiveste medo?

— Muito!

— Mas olha, eu não estava contente só porque tivesses sido tu a ficar culpada diante da mamãe, mas também porque tivesses ido para o calabouço por minha causa! Pensava: "Agora ela está lá e chora, com certeza... Ah, Como eu gosto dela! Os beijos que hei de lhe dar amanhã!". E não senti a mínima compaixão por ti, juro-te, apesar de ter chorado também umas lagrimazinhas...

— Pois eu, fica sabendo, não chorei; apesar de tudo estava muito contente.

— O quê? Não choraste? Sua má! — exclamou a princesinha e, com os seus lábios macios, sugou-me a pele como uma ventosa.

— Kátia, Kátia! Meu Deus, minha adorada!

— Pois então faz de mim o que quiseres. Anda, bate-me! Vamos, dá-me um safanão! Anda, minha querida, aqui me tens.

— Louquinha!

— E que mais?

— Tontinha!

— E que mais?

— Beija-me!

E beijávamo-nos e chorávamos e ríamos ao mesmo tempo e os nossos lábios estavam inchados de beijar.

— Olha, Niétotchka, de hoje em diante hás de dormir sempre comigo. Gostas de beijos? Pois então havemos de nos beijar muito. E também não quero que estejas triste. Por que estás sempre tão triste? Diz-me, por quê?

— Sim, hei de dizer-te tudo. Mas agora já não estou triste, pelo contrário, estou até muito contente!

— Não, espera; vais ver como daqui a pouco tempo hás de ter as faces tão coradas como as minhas. Ai, quem me dera já que seja dia! Queres ir já dormir, Niétotchka?

— Não.

— Bem, então continuamos a conversar.

E ficamos ainda a falar durante umas boas duas horas. Sabe Deus o que nós dissemos! Kátia começou por declarar-me todos os seus projetos de futuro e confessou-me que gostava do pai mais do que de ninguém, talvez até mais do que de mim. Depois concordamos as duas em que *Madame* Léotard era uma boa senhora e pouco severa. A seguir combinamos o que havíamos de fazer no dia seguinte e no outro, e além disso traçamos ainda o plano da nossa vida pelo menos para uns vinte anos. Para o futuro imediato fez Kátia o seguinte plano: um dia era ela quem mandava o que eu tinha de fazer, no outro, era eu quem dava ordens, e competia então a ela obedecer sem replicar, e assim sucessivamente, mandando e obedecendo alternadamente; além disso, faríamos também o possível por nos zangarmos um pouco, só de fingimento, para termos depois o gosto de fazer as pazes. Enfim, preparávamo-nos para sermos infinitamente felizes. Até que por fim nos sentimos cansadas de tanto conversar. Meus olhos já fechavam de sono. Kátia pôs-se a rir, fez troça de mim, chamando-me dorminhoca, mas... passados dois minutos, ainda antes de mim, ela já estava dormindo!

No dia seguinte, acordamos as duas ao mesmo tempo, beijamo-nos rapidamente, pois já se ouviam passos e, se eu me demoro um pouco mais em meter-me na minha cama, éramos surpreendidas por Nástia, que vinha para o dormitório.

Todo esse dia estivemos como que inebriadas de alvoroço. Passávamos correndo de um quarto para o outro e escondíamo-nos quase todo o tempo das outras pessoas, pois, mais do que tudo, temíamos os olhares dos outros. Finalmente comecei a contar a Kátia a história da minha vida. Kátia ficou sinceramente comovida.

— Mas que má que tu és! Por que não me contaste logo tudo, desde o princípio? Como eu teria gostado de ti! Mas diz-me: os rapazes da rua batiam em ti de maneira que te magoassem?

— Sim, eu tinha tanto medo deles!

— Que maus! Olha, Niétotchka, um dia reparei como um rapaz batia em outro na rua. Vais ver. Amanhã, sem que ninguém dê por isso, vou buscar a chibata de Falstaff, e quando nos encontrarmos com algum desses malandrinhos, verás como bato neles!

E os seus olhos chamejavam de cólera.

Sempre que alguém entrava no quarto ficávamos assustadas. Que medo nós tínhamos que nos surpreendessem quando nos beijávamos, pois naquele dia beijamo-nos pelo menos umas cem vezes! Assim se passaram os dois primeiros dias. Eu quase tinha medo de morrer de puro gozo. O sentimento da minha felicidade era tão forte que me cortava a respiração. Mas a nossa felicidade não podia durar muito.

Madame Léotard, que por ordem da princesa não perdia Kátia de vista, observou-nos durante esses três dias com assombro crescente e durante esse tempo reparou em algumas coisas que lhe deram muito que pensar. Ao terceiro dia, avistou-se com a princesa e informou-a pormenorizadamente de tudo quanto em nós lhe tinha chamado a atenção: que andávamos as duas como que alheadas, que havia três dias não nos separávamos nem um só momento, que nos beijávamos a todos os instantes, chorávamos, ríamos e estávamos constantemente numa tagarelice, coisa que até então nunca ela tinha visto e não sabia a que atribuir aquilo, mas que lhe parecia que a princesinha andava num estado quase doentio, e por isso pensava se não seria preferível que não andássemos tão juntas.

— Já há algum tempo que isso me preocupa — respondeu a princesa. — Bem me queria parecer que dessa órfã tão estranha não podiam esperar-se senão aborrecimentos. O que me contaram dela, da sua vida anterior... é de pôr os cabelos em pé, é simplesmente terrível! Pelo visto já exerceu a sua influência sobre Kátia. A senhora diz que Kátia está muito amiga dela?

— Sim, parece-me que gosta dela com verdadeira loucura.

A princesa corou de raiva. Andava já então muito ciosa da amizade que a filha tinha por mim.

— Isso me parece uma coisa anormal — disse. — Antes andavam sempre separadas e confesso-lhe que isso me agradava. Se bem que se trata de uma garota ainda pequena, não me sinto sossegada, compreende? Ela deve ter herdado muitas coisas da mãe, costumes e até inclinações. Não sei o que o príncipe teria achado nela. Já lhe tenho falado muitas vezes da conveniência de metê-la num internato.

Madame Léotard tentou então me defender, mas a princesa já tinha tomado a sua resolução. Mandou chamar Kátia e, quando ela chegou à sua presença, comunicou-lhe que até o próximo domingo, isto é, durante toda uma semana, não me veria mais.

Soube disso nesse mesmo dia à noite, e então apoderou-se de mim um grande pesar. Pensava em Kátia e receava que a nossa separação viesse a custar-lhe a vida. Eu estava transtornada e era tão grande o meu desespero que, durante a noite, adoeci. No dia seguinte de manhã, o príncipe veio ver-me e disse-me em voz baixa, assim que ficamos sós, que estivesse sossegada e esperasse a sua nova visita. Mas infelizmente foram em vão todos os seus esforços para dissuadir a princesa de sua determinação. A minha tristeza ia sempre aumentando e a dor que eu sentia era tão dilacerante que quase tinha medo de sufocar.

Na terceira manhã, Nástia trouxe-me um bilhetinho de Kátia:

> Quero-te até a loucura. Estou ao lado da mamãe e só penso na maneira de me escapar. Juro-te que hei de escapar-me, custe o que custar; por isso não chores. Escreve-me e diz-me que gostas de mim. Em sonhos, estou abraçada a ti durante toda a noite e sofro muito. Niétotchka, mando-te esses bolinhos. *Adieu*.

Respondi-lhe pela mesma portadora. Durante todo esse dia li e reli as palavras de Kátia, sem deixar de chorar. *Madame* Léotard atormentava-me com a sua ternura. À noite soube que tinha ido procurar o príncipe e que lhe afirmara que eu ia com certeza cair doente mais uma vez, se não me deixassem ver Kátia, e lamentou-se de ter inspirado aquela desconfiança à princesa. Eu perguntei a Nástia o que fazia Kátia. Respondeu-me que Kátia não chorava mas que estava muito pálida.

Na manhã seguinte Nástia veio dizer-me ao ouvido:

— Vá ao gabinete do príncipe. Mas desça pela escada da direita.

Todo o meu ser estremeceu num alegre alvoroço. Louca de esperança, desci lá embaixo e chamei à porta do gabinete. Não estava ninguém. De repente sinto que me abraçam com força por detrás e que Kátia me beija apaixonadamente. Risos, lágrimas... Num instante soltou-se dos meus braços, correu para o recinto onde estava o pai e encostou-se a ele como um pequeno esquilo, pendurando-se nos seus ombros; mas não pôde aguentar-se assim, deu um salto e deixou-se cair sobre o divã. Aquilo fez com que o príncipe ficasse tão nervoso que teve de sentar-se. Kátia ria e chorava ao mesmo tempo.

— Papai, como tu és bom, papai!

— Louquinha! Como vocês são as duas! Mas o que se passa? De onde vem toda essa amizade?

— Ah, papai! Não nos perguntes nada sobre isso, porque disso tu não percebes nada!

E já estávamos de novo abraçadas.

Eu olhava para Kátia com tristeza; tinha emagrecido naqueles três dias. As boas cores da sua carinha tinham sido substituídas por uma suave palidez. Pus-me a chorar de desgosto.

Nástia bateu levemente na porta... sinal de que princesa tinha dado pela ausência de Kátia. A minha amiguinha, ao ouvir aquilo, tornou-se pálida como uma morta.

— Já chega, minhas meninas! Tornamos a encontrar-nos aqui todos os dias. Despeçam-se por hoje e vão com Deus — disse o príncipe.

Estava visivelmente comovido pois era testemunha da nossa dor; mas as coisas não podiam ser de outra maneira.

Nessa mesma noite receberam no palácio a notícia de que o pequeno Sacha se encontrava muito mal. A princesa decidiu partir imediatamente no dia seguinte de manhã para Moscou. Tudo se deu tão rapidamente que eu apenas percebi o que se passava cinco minutos antes da princesa iniciar a sua viagem. Foi ao príncipe que nós tivemos de agradecer o fato de nos ter sido possível despedirmo-nos, pois a princesa nem disso queria ouvir falar. A princesinha parecia muito abatida. Eu corri como uma louca e atirei-me contra o seu peito. A carruagem que havia de levá-la estava já à porta.Kátia olhou para mim e, de repente, desmaiou. Eu a cobri de beijos. A princesa ficou muito assustada e deu-lhe sais a cheirar. Por fim Kátia abriu os olhos e o seu primeiro movimento foi para me abraçar.

— Adeus, Niétotchka! — exclamou e tentou sorrir; mas apenas conseguiu esboçar uma careta indescritível. — Não te aflijas por minha causa; isto não é nada; já estou boa e dentro de um mês já me terás aqui outra vez. E então nunca mais havemos de nos separar.

— Pronto, Kátia! — disse-lhe a princesa, muito tranquila. — Vamos!

Mas a princesinha ainda se voltou para mim e uma vez mais me estreitou nos seus braços.

— Minha vida! — murmurou ainda. — Até breve!

Beijamo-nos pela última vez e a princesinha afastou-se de mim... por muito, por muitíssimo tempo. Oito anos correram, antes que nos tornássemos a ver.

***

Foi deliberadamente que contei com tanta minúcia este episódio da minha infância. A história das nossas duas vidas está inseparavelmente ligada. O seu romance... é também o meu romance. Estava escrito que eu havia de conhecê-la, e ela, de conhecer-me a mim. E além disso não podia resistir ao prazer de afundar-me cada vez mais na recordação da minha infância. Agora a minha narrativa vai começar a caminhar mais depressa. A minha vida caiu então numa grande calma e só quando fiz dezesseis anos é que me pareceu despertar de novo para uma vida real...

Mas antes devo dizer ainda algumas palavras acerca dos primeiros tempos que se seguiram à partida da família do príncipe.

Fiquei com *Madame* Léotard.

Decorreram assim duas semanas. Depois chegou de Moscou um emissário do príncipe trazendo-nos a notícia de que ele e a família adiavam por prazo indefinido o seu regresso a Petersburgo. E como *Madame* Léotard, por motivos particulares, não podia ir para Moscou, já não tinha o que fazer em casa do príncipe. No entanto continuou ligada à família, passou a viver com a primogênita da princesa.

Até agora ainda não tive ocasião de falar de Alieksandra Mikháilovna... pela simples razão de que, até então, apenas a tinha visto uma só vez. Era filha do primeiro matrimônio da princesa. A origem e a família da princesa eram um tanto confusas. O seu primeiro marido era apenas administrador de uma propriedade. Quando se casou pela segunda vez, não sabia o que havia de fazer daquela filha. Com um partido brilhante para ela, não podia contar. O dote era modesto; mas, finalmente, quatro anos antes de eu ter entrado para o palácio, conseguiram encontrar-lhe um marido rico, que ocupava elevada posição. Alieksandra Mikháilovna viu-se elevada a um novo círculo social e introduzida num mundo desconhecido. A princesa costumava visitar a filha, quando muito umas duas vezes por ano. Em compensação, o príncipe, seu pai adotivo, ia vê-la todas as semanas e levava consigo Kátia. Nos últimos tempos a princesa não via com bons olhos que Kátia fosse visitar a irmã e, por isso, o pai levava-a muitas vezes em segredo. Kátia adorava a irmã, apesar de serem ambas de temperamento muito diferente.

Alieksandra Mikháilovna tinha nessa altura vinte e dois anos; era calma, terna e muito carinhosa. Parecia que uma dor secreta, oculta, iluminava as suas belas feições. E no entanto eu tinha a impressão de que a gravidade e a tristeza não se coadunavam bem com o seu belo e afetuoso semblante; pois a uma criança não fica bem a tristeza. Não podíamos olhar para ela sem sentirmos logo uma grande simpatia. Era de uma palidez quase translúcida e parecia propensa à tuberculose. Levava uma vida muito recolhida, não gostava de receber nem de fazer muitas visitas. Não tinha filhos. Lembro-me de que uma vez esteve em nossa casa para falar com *Madame* Léotard e que nessa ocasião se aproximou de mim e deu-me um beijo muito sentido. Acompanhava-a um senhor magro, já de idade. Quando me viu, os seus olhos encheram-se de lágrimas. Era B***, o virtuose de violino... Alieksandra Mikháilovna passou-me um braço pela cintura e perguntou-me se eu queria ir viver com ela, como se fosse sua filha. Eu olhei para ela no rosto e reconheci nela a irmã da minha Kátia; abracei-a com uma dor vaga no coração e tornei a sentir como era grande a minha solidão... Era como se me tivessem tornado a dizer: "És uma órfã!". Depois Alieksandra Mikháilovna entregou-me uma carta do príncipe, que eu li reprimindo os soluços. Escrevia-me com muita bondade e carinho, o príncipe, pedindo para mim a bênção de Deus e desejando que na larga vida que tinha à minha frente, eu fosse muito feliz. Terminava pedindo-me que quisesse também à sua outra filha. Kátia escrevia-me também umas linhas e dizia-me que, agora, não se separava nem por um momento de junto de sua mãe.

Antes de terminar esse dia, tive portanto de me mudar para outra casa, para viver entre outras pessoas, depois de me ter visto obrigada a desprender o coração de tudo quanto já me tinha tornado querido e familiar. Cansada, rendida, entrei naquele que ia ser o meu novo lar. O meu coração sangrava...

E eis aqui como vai começar um novo capítulo da minha vida.

CAPÍTULO VI

A minha nova vida corria tão plácida e tranquila como se eu estivesse entre eremitas... Passei ali mais de oito anos e não me lembro de que durante todo esse tempo, tirando uns tantos *diners* obrigatórios, se tivesse reunido alguma vez muita gente naquela casa, ou que tivessem vindo parentes ou amigos para visitar-nos. Com exceção de duas ou três pessoas que vinham de quando em quando — por exemplo, B***, o artista que era grande amigo do príncipe H*** e também da sua filha adotiva, Alieksandra Mikháilovna, e os senhores que por questões de negócio procuravam o seu marido — pode dizer-se que ninguém nos visitava. O marido de Alieksandra Mikháilovna estava sempre ocupado com assuntos do seu emprego, dispondo de bem pouco tempo livre, que repartia por igual entre a família e os deveres sociais. Relações de alta categoria, que de maneira alguma podia desleixar, obrigavam-no com frequência a lembrar-se da sociedade. Todos conheciam a sua ambição desmedida, mas ao mesmo tempo gozava também da reputação de homem honrado e sério e, sobretudo, conforme já disse, desempenhava um alto cargo e, segundo parece, a sorte e o êxito favoreciam-no e todas as pessoas simpatizavam com ele. Todos lhe dedicavam uma estima muito particular que, por certo, não era extensiva a sua esposa. Alieksandra Mikháilovna vivia numa solidão completa, se bem que parecesse que essa solidão lhe era agradável e que até se sentia feliz por isso. O seu caráter plácido parecia feito para aquela vida tranquila.

A mim dedicou-me amizade profunda; queria-me como se eu fosse sua filha, e eu que não tinha ainda acabado de enxugar as lágrimas que chorava por causa da minha separação de Kátia... eu, com o coração dolorido, lancei-me nos seus braços meigos, maternais, como num porto de salvação. E desde o primeiro dia até hoje, nunca deixei de amá-la ardentemente, sem que algum dia tenha enfraquecido o meu fervor. Ela era para mim a mãe, a irmã e a amiga; era tudo para mim e cuidava e velava pela minha juventude. Acrescente-se a isto que eu não tardei a adivinhar e a pressentir que o seu destino não era tão feliz como à primeira vista poderia pensar-se, a avaliar pela sua vida exterior, sossegada e tranquila, pela sua liberdade aparente e por aquele bondoso e sereno sorriso que tantas vezes iluminava o seu afável semblante. Longe disso, eu ia descobrindo quase diariamente, à medida que ia me desenvolvendo, qualquer coisa de novo na vida da minha protetora, algo que, numa tortura latente, veio a adivinhar o meu coração e com essa triste descoberta aumentou o meu amor por ela e o meu apego à sua pessoa.

Tinha um feitio tímido e brando. Ao contemplar as suas feições puras e diáfanas, que pareciam emanar tranquilidade, ninguém teria julgado possível que no seu límpido coração pudesse alojar-se uma inquietude. Era inconcebível que houvesse alguém, fosse quem fosse, a quem ela não pudesse amar; a piedade habitava perene no seu coração, sobrepondo-se mesmo à repugnância ou ao medo... e, apesar disso, não tinha conseguido senão pouquíssimos amigos e até interiormente vivia também numa solidão completa... Era apaixonada por temperamento e sensível a todas as impressões, mas ao mesmo tempo parecia que tinha medo da sua própria sensibilidade e que estava sempre em guarda para que o seu coração não a traísse... ainda que fosse só em sonhos. Acabei por estranhar que, às vezes, nos momentos mais tranquilos lhe assomassem de repente lágrimas aos olhos, como se uma recordação tivesse surgido na sua alma, a recordação de qualquer coisa que atormentasse dolorosamente a sua consciência e estivesse sempre à espreita para aparecer de repente nos momentos felizes e, como um inimigo, afugentar a felicidade. E quanto mais tranquila, feliz e contente parecia, mais se afigurava que a dor se aproximava e mais fatalmente lhe surgiam de repente as lágrimas, como se lhe tivesse dado um ataque. Não me lembro nem de um só mês tranquilo durante aqueles oito anos. O marido parecia que a amava muito, e ela... que o idolatrava. Mas, para quem os observasse, logo a partir do primeiro instante havia de parecer que existia entre eles qualquer coisa de inexprimível. Devia existir ali de permeio algum segredo — algum segredo do passado — pelo menos foi isso o que eu pensei, desde o primeiro instante.

O marido, desde a primeira vez que o vi, deixou-me a impressão de um homem de gênio. Essa foi a impressão que ele me deixou quando eu era ainda uma garota e depois nunca mais pude modificá-la. O seu aspecto era de um homem magro, de elevada estatura, e parecia querer ocultar o seu olhar por detrás dos grandes e verdes cristais dos seus óculos. Era seco, pouco comunicativo e, até no trato íntimo com a mulher, nunca lhe ocorria um tema de conversa adequado. Era evidente que achava incomodativa a presença dos estranhos. Não tinha o menor afeto por mim. Eu, quando nos reuníamos à noite no salão de Alieksandra Mikháilovna para tomar o chá, sentia-me sempre muito mal disposta na sua presença. De soslaio, observava Alieksandra Mikháilovna, reparava na sua tristeza, media cada uma das suas palavras e estudava cada um dos seus gestos. E ela empalidecia ao ver que o marido se portava com brusquidão ou com indiferença, ou então, punha-se de repente muito corada, como se de alguma palavra sua tivesse deduzido uma alusão ou uma censura qualquer. Eu compreendia que a sua vida, ao lado dele, era dura e, apesar disso, pelo menos a julgar pelos indícios exteriores, não podia viver sem ele nem um instante. Impressionaram-me as atenções que tinha para com ele; não perdia nenhuma das suas palavras nem dos seus gestos. Parecia que, com todas as suas forças, queria prestar-lhe justiça e compreendia que, apesar de tudo, não era capaz. Sim, era quase como se lhe mendigasse uma aprovação; um leve sorriso dele, uma meia palavra afetuosa... e ei-la feliz como uma garota nos primeiros tempos de um amor ainda tímido e sem esperança. Procedia com o marido com a mesma cautela com que se procede com um doente grave. Mas a mim parecia que ele a olhava por cima do ombro, com uma compaixão humilhante e dolorosa. Mal ele se despedia com um aperto de mão e se retirava para o seu gabinete, parecia que se dava nela uma metamofose. Os seus movimentos, a sua conversa, tudo nela se tornava depois mais livre, mais alegre e mais seguro. Somente se notava nela uma certa perturbação muito tempo depois de ter falado com o marido. Começava então a recordar cada uma das suas palavras, como para examiná-las de novo. Perguntava-me com muita frequência se não seria ela que teria ouvido mal: "É verdade que Piotr Alieksándrovitch disse isto ou aquilo?", como se procurasse um outro sentido àquilo que ele dissera. Passada uma hora voltava então a ser ela própria, como se se tivesse convencido de que ele estava muito satisfeito com ela e que as suas inquietações não tinham fundamento. Então, de súbito, punha-se contente e alegre, começava a beijar-me e a rir-se comigo, ou sentava-se ao piano e punha-se a tocar a primeira coisa que lhe ocorria. Tocava muitas vezes e era capaz de ficar improvisando durante muito tempo. Depois, de repente, deixava de tocar e eu a via então lavada em lágrimas. Mas assim que reparava na minha comoção, apressava-se a assegurar-me em voz baixa, como se tivesse medo que nos pudessem ouvir, que aquilo não era nada, verdadeiramente nada, que aquelas lágrimas corriam por si, sozinhas, sem nenhum fundamento,que não queriam dizer nada, pois até, pelo contrário, estava muito contente e satisfeita e, portanto, eu não tinha motivos para me comover. Quando o marido estava presente, acontecia que ela, de súbito, inquietava-se por ele e começava a perguntar-lhe onde é que tinha estado, por que tinha ido ali, para quando tinha encomendado os cavalos, se estava mal disposto ou de boa saúde, se passava bem, o que tinha dito, etc., etc. Não se atrevia a tocar nos assuntos do seu serviço. Quando ele, por acaso, a aconselhava ou lhe pedia qualquer coisa, ela o escutava submissa e parecia ouvi-lo como uma escrava ouve o seu senhor. Ficava completamente desvanecida quando ele elogiava qualquer coisa sua, como, por exemplo, um livro, um objeto de arte ou qualquer dos seus trabalhos. A seguir, ficava toda orgulhosa e começava a pavonear-se. E a sua felicidade era incomensurável quando alguma vez — o que sucedia de longe em longe e ainda como por descuido — ele mostrava um pouco de ternura por nós. Então seu rosto se iluminava, irradiando uma verdadeira felicidade, e nesses momentos, talvez ela se entregasse até demais à sua própria alegria, na maneira de se conduzir com o marido. Algumas vezes, chegava a pedir, sem que ele lhe tivesse dado oportunidade para isso — se bem que, para dizer a verdade, sempre com hesitação e timidez — que fosse ouvi-la tocar alguma composição que o livreiro de música lhe tinha enviado, ou que lhe desse a sua opinião sobre algum livro, ou até que a deixasse ler-lhe algumas páginas, quando estas a tinham impressionado. Geralmente o marido acedia com benevolência a esses pedidos e sorria-lhe com um ar de superioridade como se sorri a uma criança quando lhe consentimos alguma brincadeira invulgar, para não privá-la demasiadamente cedo da sua ingenuidade. Não sei por que é que aquele sorriso, aquela altiva condescendência, aquela desigualdade entre eles me revoltava tanto. Sei apenas que me calava, que me continha e me limitava a observá-la com curiosidade infantil, se bem que já preocupada com ideias precocemente sérias. Às vezes eu notava que, de repente, ele parecia lembrar-se de qualquer coisa; era como se caísse em si, como se contra sua vontade se recordasse de qualquer coisa grave, terrível, inevitável e, então, num instante, desaparecia do seu rosto aquele sorriso de superioridade e os seus olhos pousavam tão cheios de piedade na sua mulher, que esta ficava como que paralisada e em mim nascia uma dor materialmente física, por causa da própria compaixão que eu sentia; se aquilo se passasse comigo, creio que teria sofrido uma tortura mortal. Num momento desaparecia também toda a alegria do rosto de Alieksandra Mikháilovna. Se estava tocando piano, interrompia a música, se lia um livro, quebrava-lhe a voz. Empalidecia, estremecia convulsivamente e calava-se. Seguia-se um silêncio penoso e opressivo que às vezes durava muito tempo. Até que por fim o marido tentava romper esse silêncio. Levantava-se, como que para dominar o seu aborrecimento e a sua excitação e, depois de dar uns passos pela sala, sombriamente taciturno, apertava a mão da mulher, respirava com força, pronunciava com custo uma ou duas palavrinhas para tranquilizá-la e ia-se embora; Alieksandra Mikháilovna começava então a chorar e apoderava-se dela uma tristeza torturante. Frequentemente ele lhe punha a bênção antes de sair e fazia-lhe o sinal da cruz, como se faz a uma criança pequena, à noite, quando se vai deitar, e ela recebia essa bênção arrasada num pranto de gratidão e com silencioso respeito. Mas houve duas noites (apenas duas ou três, durante esses oito anos) que eu nunca poderei esquecer... De repente produziu-se em Alieksandra Mikháilovna uma transformação completa. No seu rosto, antes tão plácido, refletiram-se de um dia para o outro, em vez da habitual submissão e humildade perante o marido, a cólera e a rebeldia. A tempestade ia-se preparando lentamente. O marido tornou-se mais taciturno, mais severo, e o seu semblante ficou ainda mais sombrio. Até que finalmente o coração da pobre mulher deixou de poder suportar mais. Com uma voz balbuciante de comoção começou um dia a falar-lhe, primeiro em frases curtas, incoerentes, cheias de sentido e de amargas reticências, até que de súbito, como se já não pudesse reprimir-se por mais tempo, desatou a chorar e, depois, irrompeu num assomo de cólera, com censuras, com queixas e com provocações desespera-das, como se estivesse com um ataque grave. Era digna de ver-se a paciência com que o marido suportou tudo aquilo, com que compaixão procurou serená-la e como chegou a beijar-lhe a mão, até que finalmente também a ele se soltaram as lágrimas; e então parecia que a ela, de repente, a consciência lhe relembrava qualquer coisa e a acusava. As lágrimas do marido fizeram-na tremer e, possuída de um novo deses-pero, jogou-se aos seus pés e por entre lágrimas e soluços implorou o seu perdão, que ele apressou a dar-lhe. Mas durante muito tempo ainda a sua consciência este-ve desassossegada e continuou sempre a pedir-lhe perdão, sem deixar de chorar. Depois de todos esses arrebatamentos, no mês seguinte, ela viveu ainda mais tími-da, mais cheia de angústia perante o marido. Eu não tinha percebido absolutamente nada de todas aquelas queixas e censuras; além disso mandavam-me sempre sair da sala, com algum pretexto; no entanto, nem assim conseguiram ocultar-me tudo completamente. Eu observava e via, e o que não via, adivinhava; e assim, desde o princípio suspeitei logo que, evidentemente, ali havia um segredo; que aqueles sú-bitos desabafos de um coração lacerado não eram crises nervosas vulgares; que não era sem uma razão que o marido estava sempre tão sombrio e mostrava sentir aquela ambígua compaixão pela sua pobre mulher doente; que também a timidez desta e a sua inquietação, e até aquele amor humilde e estranho que mal se atrevia a manifestar-se, deviam ter um motivo especial, e que a sua própria solidão, aquela vida tão retraída e quase claustral que ela levava, assim como o seu súbito rubor e a não menos súbita palidez em presença do marido, que sempre me chocavam e sem-pre me davam que pensar, deviam obedecer a razões particulares.

Mas cenas como as que acabo de me referir eram raras, muito raras, e como a nossa vida, a não ser por isso, decorria numa monotonia completa, e eu tinha tanto apego a Alieksandra Mikháilovna como se desde sempre a tivesse conhecido, e, por outro lado, estava a desenvolver-me rapidamente, novas coisas se me iam revelando — se bem que ainda não tivesse consciência disso, eram novidades que me distraíam das minhas observações — acabei por acostumar-me completamente àquela vida e às singularidades das pessoas que me rodeavam. É claro que, se me punha a pensar nisso, dizia para mim mesma que, sem dúvida, também não era possível outra coisa; pois em última análise, o fato de pensar naquilo não me conduzia a qualquer resultado. Acrescente-se a isto que eu gostava dela com verdadeira loucura e, involuntariamente, tratava de não irritar as suas feridas com a minha curiosidade; custava-me demais a sua dor para que o fizesse. Mas talvez ela me compreendesse melhor do que eu me compreendia, e quantas vezes ela não me deu agradecimentos tácitos pela minha amizade e pela minha dedicação! Quantas vezes, ao ver como eu me preocupava com ela, me sorria por entre lágrimas ou se punha a gracejar acerca dos seus frequentes choros, ou a contar-me que era muito feliz e estava muito contente; como todos eram bons para ela e como todos gostavam dela; que Piotr Alieksándrovitch sofria muito por causa dela e esforçava-se para poupar-lhe os desgostos, e que ela, por isso, era muito feliz, muito feliz! E estreitava-me entre os seus braços com um profundo sentimento e o rosto iluminava-se de uma paixão ardente; de maneira que, a mim, se assim se pode dizer, partia-me o coração de pura simpatia.

Jamais esquecerei o seu rosto. Tinha umas feições regulares e sua magreza e palidez pareciam servir unicamente para realçar o encanto da sua beleza grave. O seu cabelo negro, abundante, que segundo a moda de então penteava liso, colado às fontes, projetava sombras fundas sobre o oval das faces, o que tornava ainda mais encantador o estranho contraste dos seus olhos azuis, de uma transparência infantil que irradiava ternura, amor e bondade, e nos quais às vezes transluzia tanta tristeza e desamparo. Eram uns olhos que pareciam ter medo de todas as sensações, recear toda comoção sincera, quer se tratasse de uma alegria passageira ou de uma tristeza suave. Mas nas horas felizes de placidez, o seu olhar refletia, aquele seu olhar que penetrava tão fundo no nosso coração, com tanta claridade e calor, tanta pureza serena; ou então miravam-nos esses olhos com tanta ternura e de um modo tão doce, refletia-se neles tanta simpatia por tudo quanto é nobre e bom, merecedor do afeto e da piedade que tínhamos de nos entregar a ela com toda a nossa alma, que se lhe submetia sem restrições e se esforçava por conquistar a sua e apropriar-se daquela claridade e daquela paz e tranquilidade que dela emanavam. Também às vezes levantamos os olhos para o céu azul e sentimos a possibilidade de ficarmos assim, na sua doce contemplação horas inteiras, e a nossa alma se torna mais livre e mais serena, tal como se nela se refletisse, como numa água tranquila, a ampla e enorme cúpula celeste. Mas quando — o que acontecia frequentemente — o entusiasmo lhe fazia subir a cor ao rosto e o peito lhe arfava com a força da comoção, então os seus olhos lançavam centelhas de um escuro fogo, como se a sua alma, que guardava zelosamente a chama pura do belo que lhe inspirava aquele entusiasmo, tivesse assomado inteira nas estrelas das suas pupilas. Nessas ocasiões parecia penetrada pelo Espírito Santo. E naquela súbita elevação da sua alma, desde a tranquilidade e placidez de espírito ao mais ardente entusiasmo e a uma pura e severa espiritualidade, havia tanto de fé ingênua e pueril, que um artista teria dado metade da vida por ter visto o rosto daquela mulher nesses momentos e ter podido fixar sobre uma tela o seu entusiasmo.

E logo, desde os primeiros dias da minha presença em sua casa, pude observar como ela se alegrava com a minha companhia, no meio de sua solidão. Nesse tempo apenas tinha um filho que nascera havia um ano. Mas a mim tratou-me sempre como filha e nunca fez nenhuma distinção entre mim e os seus próprios filhos. E como se preocupava com a minha educação! *Madame* Léotard chegava até muitas vezes a rir-se do seu zelo excessivo. E na verdade começamos com tanto fervor, quisemos abarcar tantas coisas que não tardamos que nos desorientássemos. Ela queria obrigar-me a aprender tantas coisas de uma só vez que, por isso, estava sempre incitando-me com uma carinhosa impaciência; mas eu, ou melhor, a minha cultura não podia tirar daquilo grande utilidade. A princípio ela se afligia com a minha incapacidade; mas depois resolveu antes rir-se e então tornamos a começar de novo, desde o princípio; no entanto, logo desde o primeiro fracasso Alieksandra Mikháilovna se declarou ousadamente contra o antiquado sistema de *Madame* Léotard. Rindo, discutiram ambas sobre os seus métodos respectivos; mas a minha nova professora pronunciou-se categoricamente contra aquele sistema arcaico e afirmou que após alguns ensaios não tardaríamos em encontrar o bom caminho; que a nada conduziria o entulharem-me a cabeça com regras, e que todo o êxito dependeria exclusivamente de reconhecerem e de desenvolverem as minhas aptidões naturais, procurando estimular a minha boa vontade. Ela estava com razão, pois o seu método triunfou de maneira brilhante. Em primeiro lugar, acabamos entre nós com os papéis de professora e de aluna. Estudávamos como duas boas amigas e acontecia muitas vezes que era eu quem ensinava Alieksandra Mikháilovna, sem perceber que isso era afinal um estratagema didático da parte dela. E também não poucas vezes discutíamos as duas e, com um zelo ardente, tratava de explicar-lhe as coisas conforme eu as entendia, até que Alieksandra Mikháilovna, mansa e discretamente, me obrigava a retificar as minhas opiniões. As questões acabavam geralmente por fazerem nascer a luz no meu espírito e logo depois eu compreendia a sua habilidade e descobria que ela — o que ocorria com bastante frequência — tinha consagrado horas inteiras em meu proveito. Então lançava-me nos seus braços e apertava-a fortemente entre os meus. Mais tarde passei a fazer isso a todo momento. A minha sensibilidade surpreendia-a e comovia-a tanto que costumava ficar durante muito tempo a contemplar-me, maravilhada. Começou a perguntar-me pela minha vida anterior e, depois de ouvir-me, demonstrava ainda maior ternura e seriedade para comigo; seriedade, sim, porque eu, com a minha triste infância, não só lhe inspirava compaixão mas até um certo apreço. Depois das minhas confidências, costumávamos ficar as duas conversando e eu procurava explicar-lhe os acontecimentos da minha vida, de tal maneira que me parecia que voltava a experimentá-los e tirava muito proveito deles. *Madame* Léotard achava esses diálogos demasiado sérios para a minha idade e, ao ver as minhas lágrimas involuntárias, costumava afirmar que eram completamente despropositadas. Mas eu pensava de maneira muito diferente sobre o caso, visto que depois daquelas lições me sentia sempre muito livre e ligeira e alegre de coração, tal como se na minha vida não existisse nada de obscuro e de triste. Estava também muito grata para com Alieksandra Mikháilovna por me ter dado ocasião de estimá-la cada vez mais. É claro que Madame Léotard não dava conta de que, desse modo, tudo no meu interior se ia pacificando e ordenando paulatinamente, e encontrando a sua harmonia tudo aquilo que anteriormente, resoluta e precocemente tempestuoso se erguera na minha alma, tudo aquilo perante o que o meu coração dilacerado na sua dor amarga se sentia tão desorientado que se tinha visto obrigado a deter-se, pois apenas sofria, sem contudo poder atinar com a causa e com a origem das suas feridas.

Começávamos as duas o dia reunindo-nos no quarto do menino, o seu único filho, que despertávamos, vestíamos, lavávamos e fazíamos tomar a primeira refeição e que entretínhamos com brincadeiras, procurando ao mesmo tempo ensiná-lo a falar. Logo que já tínhamos acabado de tratar dele, iniciávamos nosso estudo. Este abrangia tudo, não se limitava verdadeiramente a nada de concreto. Líamos, comunicando mutuamente as nossas impressões e os nossos pensamentos durante a leitura; depois, quando nos cansávamos disso, entrávamos na música e parecia que nem dávamos pelo tempo. As tardes passávamos geralmente muito animadas. Às vezes, vinha visitar-nos B***, o amigo de Alieksandra Mikháilovna, e *Madame* Léotard também nos acompanhava. Frequentemente durante a conversa surgia uma discussão sobre a arte e a vida (que nós apenas conhecíamos de ouvido), ou então sobre a realidade e o ideal, o passado e o futuro; e soava a meia-noite e, às vezes até mais, e nem dávamos por isso. Eu escutava com a maior atenção, entusiasmava-me com o que eles diziam, ria ou ficava impressionada; e foi também nesses serões que pouco a pouco fiquei conhecendo mais pormenorizadamente tudo o que dizia respeito ao meu pai adotivo e à minha primeira infância.

A esse tempo eu era já quase uma mulherzinha. Deram-me um professor; mas sem a ajuda de Alieksandra Mikháilovna pouco teria eu adiantado. Com o meu professor de Geografia talvez não tivesse conseguido mais nada senão ficar cega de tanto procurar cidades e rios no mapa. Em compensação, com Alieksandra Mikháilovna eu empreendia verdadeiras viagens à volta do mundo, durante as quais atravessávamos países fantásticos, víamos mil maravilhas; e assim passamos muitas horas fantasiando, e, com aquele entusiasmo, a nossa aplicação era tão grande que não nos chegavam todos os livros que ela tinha lido e nos víamos obrigadas a comprar mais. Bem depressa me encontrei em condições de dar lições ao meu professor de geografia, se bem que ele, a verdade seja dita, conservou até o fim a superioridade em indicar com a exatidão mais precisa a situação das mais insignificantes povoações no mapa, no que respeita a graus de longitude e de latitude, assim como o número de habitantes em milhares, centenas e dezenas. Também ao professor de história se pagavam pontualmente as horas de aula; mas era quando ele saía que, verdadeiramente, Alieksandra Mikháilovna e eu começávamos a aprender história, puxávamos dos nossos livros e nos púnhamos a ler... e assim ficávamos até altas horas da noite. Nunca senti maior entusiasmo do que durante essas leituras. Exaltávamo-nos as duas de tal maneira que até parecia que éramos nós próprias os heróis que praticavam todas aquelas façanhas. É certo que líamos mais nas entrelinhas do que no texto; aliás Alieksandra Mikháilovna tinha uma arte magistral para narrar ou explicar os acontecimentos; de tal maneira que rememorava completamente o passado como se se tratasse de coisas atuais. Concordo que deve até parecer cômico que nos entusiasmássemos a esse ponto e nos deixássemos ficar lendo, lendo até à meia-noite, eu, uma meninota, e ela, uma mulher casada, com o coração ferido e que achava a vida tão pesada. Mas o que é certo é que era assim mesmo. Eu sabia que a meu lado ela ficava consolada e esquecia as suas penas. Tanto quanto abrangem as minhas recordações, já então me ocorriam pensamentos estranhos quando a contemplava em silêncio e ainda antes de saber qualquer coisa sobre a sua vida eu já tinha adivinhado muitas.

Fiz os treze anos. Alieksandra Mikháilovna ia cada vez pior de saúde. Tinha-se tornado irritável e estava constantemente abismada numa desolada tristeza. O marido passava agora, geralmente, mais tempo a seu lado, se bem que se mostrasse tão taciturno e sombrio como antes. Então comecei a interessar-me mais vivamente por ela. Tinha saído já da idade infantil; a minha imaginação enveredava por formas mais concretas, por novas impressões, observações e suposições, e o mistério que tão gravemente pesava sobre aquela família começou a atormentar-me com mais força. Havia momentos em que me parecia que tinha já adivinhado completamente o enigma. Mas logo a seguir acabavam por apoderar-se mim certa indiferença e apatia, e até certa raiva e esquecia aquele interesse, pois não chegava a encontrar uma resposta para aquela pergunta única. Às vezes — e cada vez com mais frequência — eu sentia a estranha necessidade de ficar sozinha a pensar, pensar continuamente. Passava-se agora comigo precisamente a mesma coisa do que no tempo em que vivia com os meus pais e em que — ainda antes de conhecer o meu pai adotivo — passava o ano todo a meditar e a contemplar o mundo do meu canto, de tal maneira que acabava por ficar sozinha, com os fantasmas engendrados pela minha própria fantasia. A única diferença era que agora existiam em mim novos impulsos inconscientes e maior impaciência, uma nostalgia mais aguda, uma ânsia mais poderosa de movimento, de agitação; de maneira que não podia já, como então, concentrar a minha atenção e a minha ansiedade em um só objeto. E também Alieksandra Mikháilovna começou por essa altura a afastar-se de mim. Com a idade que tinha então, eu não podia continuar a ser amiga dela. Eu já não era nenhuma criança, perguntava muitas coisas e às vezes olhava-a de uma maneira que a fazia baixar a vista. Havia ocorrências singulares. Eu não podia suportar as suas lágrimas e frequentemente, quando ela fixava em mim os seus olhos, encontrava os meus arrasados de pranto. Então eu me lançava nos seus braços e estreitava-a nos meus, apaixonadamente. Que poderia ela responder-me? Eu compreendia que era um fardo para ela. Mas às vezes — e eram esses uns momentos bem tristes — era ela quem me abraçava de repente, tomada de um íntimo desespero, como se procurasse a minha simpatia, como se não pudesse já suportar por mais tempo a sua solidão, como se eu já tivesse compreendido completamente e sofresse juntamente com ela. Porém, apesar de tudo, subsistia entre nós um segredo que ambas sentíamos; e assim, fui eu que nesses momentos comecei a afastar-me dela. Tornou-se difícil permanecer em sua companhia. Além disso, tirando a música, quase nada nos unia já. E até isso o médico a proibiu. Livros? Essa era precisamente a zona de maior perigo. Já não sabia o que havia de escolher nem como partilhar isso comigo. Nem sequer uma só vez passávamos da primeira página; cada palavra parecia ter um significado especial; cada frase indiferente podia assumir o sentido de um enigma. Conversas entre as duas, como antes, com absoluta franqueza, agora, nem pensar nisso!

Precisamente por esse tempo, o destino, de uma maneira súbita e inesperada, deu outro rumo à minha vida. A minha atenção, os meus sentimentos, o meu coração, o meu cérebro, tudo isso se voltou de repente e, com todas as energias exaltadas até o entusiasmo, para uma atividade diferente e que até então me era completamente desconhecida; e eu então ia penetrando, quase sem dar por isso, em um novo mundo; nem tinha tempo de olhar para trás, para explorar os horizontes e reconsiderar; pode ser que isso fosse a minha perdição, o que eu própria claramente sentia; mas a tentação era mais poderosa do que o medo, e eu caminhei sempre em frente, para o objetivo, de olhos fechados. E durante muito tempo tive de afastar-me dessa realidade que já se me tinha tornado pesada, e para a qual tão avidamente como em vão, procurava um fim. Vou explicar do que se tratava.

Das três portas da sala de jantar, uma levava aos grandes salões de recepção; outra ao meu quarto e ao das crianças, e a terceira, à biblioteca. Mas à biblioteca ia dar também outra porta, apenas separada do meu quarto por um gabinete de trabalho no qual se encontrava frequentemente o ajudante de Piotr Alieksándrovitch. Este empregado exercia também as funções de secretário e de certo modo era a sua mão direita. Era ele quem tinha a chave da biblioteca e das estantes. Um dia, depois do almoço, ele não estava em casa e eu fui encontrar essas chaves caídas no tapete desse dito gabinete. Senti curiosidade, guardei as chaves e experimentei a porta com uma delas. Consegui abrir e entrei na biblioteca. Era um salão grande e claro, no qual se viam oito grandes armários cheios de livros, encostados às paredes. A maioria, ou pelo menos uma grande parte, tinha cabido como herança a Piotr Alieksándrovitch. Os outros tinham sido reunidos pouco a pouco, pois Alieksandra Mikháilovna comprava-os constantemente. Até então, a mim apenas me tinham dado a ler livros escolhidos com muito cuidado, de tal maneira que não me foi difícil suspeitar que muitas coisas não queriam me deixar ler, e que muitas coisas portanto ainda constituíam um mistério para mim. Isso me despertou uma curiosidade invencível e, com alternativas de temor e alvoroço, e com um sentimento mais particular de que eu não dava conta, abri o primeiro armário e peguei no primeiro livro que achei à mão. Nesse armário havia apenas romances. Guardei o livro, fechei o armário, levei-o e, tomada de estranhas sensações, com o coração ora palpitando ora parecendo que ia parar, dirigi-me para o meu quarto, como se tivesse pressentido que em virtude do ato que acabava de realizar, iria operar-se uma grande transformação na minha vida. Assim que me vi em porto seguro, no meu quarto, com a porta fechada, abri imediatamente o livro. Mas não me atrevi logo a lê-lo, assaltada de outra preocupação: devia primeiro assegurar de uma vez para sempre a entrada na biblioteca e de maneira que ninguém pudesse dar por isso, para assim poder ir ali em todos os momentos tirar o livro que desejasse e levá-lo para o meu quarto. Decidi por isso renunciar provisoriamente ao prazer de ler aquele livro; em vez disso tornei a colocá-lo no seu lugar, na biblioteca, mas conservando as chaves em meu poder. Guardei-as e escondi-as: foi esta a única má ação que cometi em toda a minha vida. Em seguida fiquei aguardando as consequências, que não foram graves; o secretário, depois de procurar inutilmente as chaves durante uma tarde, no outro dia mandou chamar o serralheiro, e este, remexendo num enorme molho de chaves que trazia consigo, não tardou em encontrar outras que serviam para o fim que se desejava. Com isto o assunto ficou arrumado e ninguém chegou a saber que as antigas se tinham perdido. Mas apesar de tudo procedi com prudência e deixei passar uma semana antes de entrar na biblioteca, e só o fiz quando me convenci de que ninguém suspeitava de mim. De princípio escolhia sempre a hora em que o secretário não estava em casa, e então ia até lá, atravessando o seu gabinete de trabalho; mas depois passei a dirigir-me diretamente da sala de jantar para a biblioteca, pois, se bem que o secretário tivesse as chaves da mesma no bolso, os livros inspiravam-lhe tão pouco interesse que nunca transpunha aqueles umbrais.

Comecei a ler com autêntica voracidade e tudo quanto lia exercia sobre mim como que um feitiço. Todas as minhas novas necessidades, todos os vagos desejos da minha adolescência, que de um modo tão inquieto e rebelde tinham surgido na minha alma, prematuramente despertos pela minha precocidade, tudo isso encontrava agora um derivativo por onde canalizar-se, como se tivesse achado o seu verdadeiro caminho. O meu coração e os meus sentidos ficaram imediatamente tão encantados, e a minha fantasia desenvolveu-se tão desmedidamente que me esqueci de tudo quanto até aí me rodeava, como se se tratasse de algo remoto, perdido na distância. Era como se o próprio destino me tivesse colocado no limiar da nova vida — para a qual eu tendia com uma ânsia tão tumultuosa e sobre a qual meditava de dia e de noite como sobre um enigma — antes de introduzir-me nela, e me mantivesse ali ainda um instante para conduzir-me a um posto de vigia de onde eu pudesse vislumbrar o futuro num mágico panorama e mostrá-lo numa perspectiva brilhante e sedutora. Eu estava certamente predestinada a conhecer desde logo todo esse porvir, lendo-o primeiro nos livros, experimentando-o em sonhos, nas ilusões e na apaixonada nostalgia, na saborosa comoção do meu jovem espírito. Lia, sem qualquer seleção, todos os livros que me vinham parar às mãos; mas o Destino velava por mim: tudo quanto experimentara e sentira até então tinha sido tão puro, tão forte, que as páginas isoladas, maliciosas e sujas que pudesse ter encontrado, não conseguiam fazer em mim a menor impressão. O meu saudável instinto infantil, a minha pouca idade e todo o meu passado me defendiam e parecia-me apenas que via de repente, com plena consciência, a uma luz clara, toda a minha passada existência. Na verdade, cada página que lia suscitava depois em mim uma recordação, tal como se eu tivesse vivido tudo aquilo ou algo semelhante, alguma vez, tão conhecidas me eram já aquelas paixões, todo aquele viver, com os seus quadros fantásticos! E como poderia ter sido de outra maneira, como podia eu, com aquilo, não esquecer a realidade até ficar estranha, quando em cada livro via encarnadas diante dos meus olhos as leis do próprio destino, do próprio espírito, que dominam a vida do homem, mas como que emanadas, todas elas, de uma lei superior da vida humana, que ao mesmo tempo contém a salvação e a redenção da Humanidade? Eu andava precisamente pressentindo e tratando de investigar essa lei suprema com todas as minhas forças, com todos os ímpetos que uma espécie de instinto de conservação despertara em mim. Era como se alguém me tivesse já chamado a atenção e por isso esta se dirigisse com toda a segurança para esse objetivo como se na minha alma se revelasse uma clarividência e dia a dia fosse aumentando e afirmando-se nela uma nostalgia própria, ainda que também ao mesmo tempo a minha ânsia desse porvir e dessa vida — sobre a qual eu lia diariamente e que diariamente também, com essa força só própria da arte, e com todos os encantos da poesia, me impressionava e atraía — se tornasse cada vez mais poderosa. Mas, como disse já, a minha fantasia também dominava a minha impaciência e, para dizer a verdade, eu era apenas ousada nos meus sonhos, porque na realidade sentia um medo instintivo perante o futuro. E por essa razão, tal como se tivesse feito um pacto secreto comigo própria, inconscientemente tinha imposto a mim mesma a obrigação de contentar-me por então em gozar essa vida com a fantasia, na qual eu podia atuar como senhora e sem limites, na qual tudo era felicidade e alegria, enquanto a desgraça, ainda que ali existisse, apenas desempenhava um papel passivo, qualquer coisa como um papel transitório que somente para efeitos de contraste se tornava necessário, para que nas minhas novelas, sonhadas com tanto entusiasmo, tudo acabasse finalmente bem e pudesse conduzir a um feliz desenlace.

E essa vida, essa vida exclusivamente de imaginação, essa vida ferozmente separada de tudo quanto me rodeava, conseguiu prolongar-se durante três anos completos.

Aquela vida era o meu segredo e ao fim desses três anos, ainda eu própria não sabia se devia temer ou não que de súbito se revelasse. O que eu experimentara durante esses três anos tocava-me demasiado de perto: tinha crescido excessivamente próximo de mim. Eu própria me projetava em todos esses sonhos com demasiada claridade para que olhos alheios, fossem de quem fossem, com um olhar imprudente não viessem alterar e assustar a minha alma. Acrescente-se ainda que todos lá em casa levávamos uma vida tão solitária, tão afastada de toda a sociedade, tão monasticamente tranquila que, sem querer, em cada um de nós tinha de desenvolver-se uma vida interior, uma concentração sobre si próprios. E era isso o que se dava também comigo. Durante esses três anos não observei à minha volta a menor transformação; tanto antes, como depois, prevalecia uma uniformidade incolor, que hoje, a mim mesma o confesso, se não me tivesse enchido da minha vida secreta, teria destroçado por completo a minha alma, e sabe Deus como eu me teria libertado daquele triste círculo, lançando-me quem sabe por que saída. *Madame* Léotard envelhecia a olhos vistos e retraía-se quase por completo nos seus aposentos; as crianças eram ainda muito pequenas, com elas não se podia contar; B*** era um homem demasiado igual a si próprio, e o marido de Alieksandra Mikháilovna, demasiado sério, longínquo e hermético. Entre ele e a mulher continuava a interpor-se a mesma relação enigmática que a mim me perturbava sempre, como um mistério inquietante e tenebroso, e dia a dia aumentava o meu ansioso desvelo por Alieksandra Mikháilovna. A sua vida, tão incolor e tão triste, começava a murchar. O seu estado piorava de dia para dia. Tinha-se apoderado da sua alma uma espécie de desespero; algo incorpóreo, de que não podia dar-se conta, parecia gravitar sobre ela, paralisando-a, e ela suportava em silêncio o seu peso como se se tratasse de uma cruz inevitável que estivesse condenada a carregar todo o tempo que durasse a sua breve existência. E, na verdade, a mim parecia-me que o coração lhe ia parando pouco a pouco, naquele surdo suplício; até o seu pensamento tinha tomado já uma direção diferente, tornando-se mais sombrio, melancólico e desolado. Surpreendeu-me sobretudo uma descoberta: parecia-me que ela, à medida que eu me ia tornando maior, se afastava cada vez mais de mim, até ao ponto de que a sua reserva para comigo acabou por tomar a forma de uma certa irritabilidade, que exteriorizava sob a forma de aborrecimento. Havia momentos em que eu tinha a impressão de que tinha deixado de estimar-me e de que eu representava um fardo para ela. Por esse motivo comecei também a afastar-me dela e quanto isso aconteceu não tardei em contagiar-me da sua reserva. Do que resultou que todas as coisas que experimentei durante aqueles três anos e tudo o que ia amadurecendo no meu interior permaneceram como um segredo meu. E, como já não tínhamos confiança uma na outra, nunca pude abrir-lhe francamente o meu coração, apesar de querer-lhe cada vez mais. Não me é possível pensar agora, sem chorar, em toda a afeição que ela por mim mostrava e quanto de todo o seu coração se resumia em mim, com todos os seus tesouros de afeto, e como se manteve sempre fiel ao seu voto de fazer para mim as vezes de mãe. É certo que os seus próprios sofrimentos a afastavam às vezes de mim por uma temporada e acho até que por então eu me esquecia, já que eu não fazia nada para que ela me recordasse. A este tempo eu tinha feito os meus dezesseis anos, sem que ela notasse o meu desenvolvimento. Mas nas suas horas de lucidez, quando olhava conscientemente à sua volta, parecia que se assustava de repente, e então mandava-me chamar, tirava-me do meu quarto, onde eu costumava passar o tempo, e fazia-me depois um nunca acabar de perguntas, como se quisesse examinar-me e pôr-me à prova, e nessas ocasiões obrigava-me a ficar a seu lado todo o dia. Esforçava-se por adivinhar todos os meus desejos, todas as minhas comoções, e era então visível como a preocupava a idade em que eu já ia entrando. E assim como olhava pelo meu presente, preocupava-se também com o meu futuro, e com um afeto imenso procurava assegurar-me o seu auxílio em todas as circunstâncias. Simplesmente, na nossa intimidade tínhamo-nos tornado estranhas uma para a outra, e por isso ela não percebia que às vezes se conduzia com excessiva ingenuidade, e que eu penetrava profundamente nas suas intenções. Assim, por exemplo, como uma vez ela tivesse reparado nos meus livros — eu tinha então dezesseis anos — perguntou-me de repente o que estava lendo e, quando viu que eram historietas do gênero de histórias para crianças, ficou assustada. Eu adivinhei depois a razão do seu susto e observei-a com atenção. Durante duas semanas portou-se de maneira como se fosse preparar-me, examinar-me e certificar-se, antes de mais, do meu grau de maturidade mental. Até que finalmente se decidiu e sobre a nossa mesa apareceu um dia *Ivanhoé*, de Walter Scott, romance que eu já tinha lido pelo menos umas três vezes. A princípio ela espiava com grande ansiedade a espécie de impressões que em mim suscitaria aquela leitura; então não tardou a desaparecer entre nós aquela tensão anterior e ambas nos enchemos outra vez de entusiasmo; eu me sentia contente, mesmo muito contente por não ter de afastar-me do seu lado. Quando terminamos a leitura do romance, ela estava encantada comigo. Todas as observações que eu fiz durante a leitura, cada palavra minha, cada ideia que lancei, tomou-as todas por muito pertinentes. Segundo a sua opinião, eu estava até excessivamente adiantada. Surpreendida e satisfeita, tornou a encarregar-se, com muita alegria, de dirigir o meu desenvolvimento; já não queria separar-se de mim; mas isso não estava no seu poder. Não tardou que a sorte se interpusesse entre nós, separando-nos e impedindo a nossa mútua aproximação. Para isso bastou apenas a primeira ameaça séria da sua doença; o desgosto triunfou na sua alma e de novo tornou a aparecer aquele alheamento, outra vez se interpôs entre nós aquele segredo, a desconfiança voltou a separar-nos e pode ser que tivesse sido tanto uma inibição da sua parte como da minha aquilo que veio interpor-se entre nós duas.

No entanto, apesar disso, havia certos momentos mais poderosos do que tudo. Leituras cativantes, uma palavra afetuosa, a sugestão da música... e esquecíamo-nos de tudo e começávamos a falar, com frequência mais do que era preciso, para logo depois nos sentirmos mutuamente coibidas. Era então como se de repente déssemos conta de nós próprias e nos olhássemos espantadas de nós mesmas, com uma curiosidade cômica e até com receio. Cada uma de nós tinha marcado certos limites para além dos quais não podia aproximar-se da outra; ainda que o tivéssemos desejado, não teríamos ousado atravessar essas fronteiras.

Uma tarde, pouco antes de escurecer, eu estava no salão de Alieksandra Mikháilovna, muito absorvida na leitura de um livro. Ela estava sentada ao piano e improvisava sobre motivos de música italiana. E como depois tivesse começado a executar a melodia de uma ária conhecida, eu, imediatamente, sob o estímulo daquela música que me cativava, comecei a cantarolar em voz baixa. Aquela música arrebatava-me e então levantei-me de um pulo e aproximei-me do piano. Alieksandra Mikháilovna pareceu adivinhar o meu desejo e passou ao acompanhamento, seguindo amavelmente todos os tons da minha voz. Parecia espantada com o fato de eu possuir aquela voz. Até então nunca tinha cantado diante dela e nem eu própria sabia que tinha voz. E eis que, agora, de repente, parecíamos ambas possuídas de uma inspiração interior. Eu levantava cada vez mais a voz, despertava em mim uma energia até então ignorada, uma paixão que fazia crescer a alvoroçada admiração de Alieksandra Mikháilovna, e que eu percebia em cada nota do seu acompanhamento. E eu acabei aquela ária de tal maneira, estava tão inspirada, tão compenetrada da letra, que ela, tomada de um enorme entusiasmo, me pegou nas mãos e olhou-me com olhos radiantes:

— Anieta! Mas tu tens uma voz maravilhosa! — exclamou encantada. — Meu Deus! E eu que nunca tinha dado por isso!

— Pois se até eu própria não sabia! — afirmei-lhe, comovida de alegria.

— Ah, Deus te abençoe, Deus te abençoe, minha filha, minha pequenina, meu tesouro! Dá graças a Deus pelo dom que te concedeu! Quem sabe... ah, meu Deus, meu Deus...

Estava tão cheia de assombro, tão fora de si pela força da sua alegria, que não sabia o que havia de dizer-me nem como demonstrar-me o seu carinho. Foi esse um dos tais momentos de sinceridade, de amizade e de compreensão, que havia já algum tempo não se produziam entre nós. Uma hora depois organizou-se uma espécie de festa lá em casa. Ela mandou imediatamente chamar B*** e enquanto ele não chegava, começamos com outra canção que eu sabia. Dessa vez tremia de receio. Tinha medo de desfazer, com o meu fracasso, a primeira impressão que tinha deixado. Mas logo depois a minha voz tornou a dar-me ânimo e a infundir-me segurança. Cantava, e eu própria me admirava da potência da minha voz. Aquele segundo ensaio acabou com as minhas dúvidas. Alieksandra Mikháilovna nem sabia o que havia de fazer de tão contente que estava; mandou chamar as crianças e até a ama, e, por fim... a tanto chegara o seu entusiasmo que foi buscar o marido, obrigou-o a sair do escritório para trazê-lo até onde nós estávamos, liberdade essa que, em qualquer outra ocasião, nem em pensamentos teria ousado. Piotr Alieksándrovitch escutou com benevolência aquela novidade, felicitou-me e foi o primeiro a dizer que era preciso mandarem educar-me a voz. Alieksandra ficou tão agradecida, tão contente como se Deus lhe tivesse concedido uma grande graça, e quis até beijar as mãos do marido.

Finalmente chegou B*** A sua alegria foi enorme. Gostava muito de mim e recordava-se do meu pai adotivo e do passado, e depois de me ter ouvido cantar duas ou três canções, com uma cara séria e preocupada, e até com os seus ademanes de solenidade misteriosa, declarou que eu tinha sem dúvida uma bela voz e talvez até também talento musical, e que portanto forçoso era que me mandassem educar a voz; mas... E pôs-se a refletir; tanto ele como Alieksandra Mikháilovna pareciam dizer que era perigoso gabar-me tanto logo de princípio, e eu reparei que eles se entenderam entre si, de tal maneira que a conspiração que tramaram contra mim resultou muito branda e ingênua. Eu me ri comigo mesma durante toda a noite, pois quando cantei outra vez, pude ver como eles se esforçavam por parecer indiferentes e faziam até ressaltar com uma evidente intenção as minha falhas, e como se punham a falar alto. Mas não puderam conservar por muito tempo o domínio sobre si próprios e foi B*** o primeiro a ser infiel, rendendo-se à sua alegria íntima. Eu não supunha que ele me quisesse tanto.

Toda essa noite reinou entre nós a alegria, e a nossa conversa animada respirava uma afetuosidade desacostumada. B*** contou-nos a história de alguns artistas, de uma maneira muuito feliz, e, como artista que era, ao falar-nos da arte dos maestros célebres fê-lo com um entusiasmo que chegou a tocar as raias da veneração e da reverência.

Falou-se também do meu padrasto e depois a conversa caiu sobre a minha pessoa, e ele começou a relembrar de novo a minha infância; passou depois a falar do príncipe e da família, dos quais tão poucas notícias eu tivera desde a nossa separação. Até Alieksandra Mikháilovna sabia muito pouco deles; quem estava mais bem informado era B***, que tinha estado em Moscou algumas vezes. Mas quando chegou a esse ponto, a conversa tomou um rumo um tanto misterioso e enigmático, e houve dois ou três pormenores que diziam respeito ao príncipe e que eu não cheguei a perceber. Alieksanda Mikháilovna pediu notícias de Kátia; mas B*** não pôde dizer nada de particular e pareceu até que fugia deliberadamente de falar nela. Isto me deixou atônita. Eu não me tinha esquecido nem um momento de Kátia, mas pelo contrário, o amor que lhe votava tinha-se até enraizado cada vez mais na minha alma; e nunca pensei que nela pudesse ter-se operado algum dia uma mudança. Não tinha deixado de meditar naqueles anos todos em que íamos vivendo separadas, nem na diferença da nossa educação e nos nossos caracteres. Jamais havia ela saído do meu pensamento, onde eu continuava sempre a vê-la menina como a conhecera, e na minha imaginação continuava junto de mim, caminhávamos as duas sempre de mãos dadas. Como eu costumava identificar-me sempre com a heroína de todos os romances que lia, reservava também para a minha amiguinha, a princesinha, um papel junto de mim, duplicando assim as proporções do livro, cuja segunda parte era eu exclusivamente quem elaborava, valendo-me para isso do auxílio dos meus autores favoritos, aos quais, evidentemente, saqueava sem nenhuma piedade.

Nessa mesma noite ficou combinado em conselho de família qual professor havia de educar-me a voz. B*** recomendou o melhor de todos. De maneira que no dia seguinte apresentou-se em nossa casa o famoso maestro italiano D..., o qual me experimentou a voz e se exprimiu quase nos mesmos termos que B***, mas acrescentando que me seria muito conveniente estudar em sua casa, juntamente com as suas outras discípulas, pois a emulação e o bom exemplo eram estimulantes excelentes, etc., etc. Alieksandra Mikháilovna mostrou-se de acordo e, assim, a partir desse dia, comecei a ir regularmente três vezes por semana, de manhã, às oito horas, ao Conservatório, acompanhada de uma criada.

Mas agora devo me referir a um estranho acontecimento que produziu em mim uma grande e duradoura impressão, e em consequência do qual, como por efeito de uma brusca ruptura, entrei em outra época da minha vida. Eu ainda não tinha completado os dezessete anos, quando de súbito, se apoderou da minha alma uma incompreensível apatia; uma inércia especial, insuportável, melancólica, que eu própria não compreendia, começou a dominar-me. Todas as minhas ansiedades, todo o meu esforço e toda a minha vontade se embotaram, e até a minha fantasia se aquietava, como se se tivesse esgotado. Uma indiferença fria tinha substituído em mim o antigo fervor ardente e impaciente. Até o meu talento, que enchia de admiração todas as pessoas que me queriam, deixou de inspirar-me qualquer interesse, e eu, insensível, também o desprezava. Nada me interessava e até por Alieksandra Mikháilovna apenas sentia outra vez aquela fria indiferença anterior, apesar de todas as censuras que no meu íntimo a mim mesma eu fazia. Somente uns acessos de tristeza sem causa, ou de lágrimas súbitas, vinham interromper aquela apatia singular. E tinha ânsias de solidão... Então, nessa altura da minha vida aconteceu algo estranho que comoveu a minha alma até as suas maiores profundidades e transformou aquela paz em uma autêntica tempestade. Magoaram e feriram o meu coração. E isso acontece desta maneira:

Capítulo VII

Entrei um dia na biblioteca (nunca o esquecerei) e peguei no último romance de Walter Scott, que ainda não tinha lido. Ainda me lembro de que nesse dia me atormentava uma tristeza sem motivo, uma espécie de pressentimento. Sentia vontade de chorar. Na sala brilhava ainda o ouro claro dos últimos raios oblíquos do sol poente, que entravam em caudais pela alta janela e iam morrer sobre as tábuas reluzentes do soalho. Tudo estava em silêncio. Também não havia ninguém nos aposentos próximos. Piotr Alieksándrovitch não estava em casa e Alieksandra Mikháilovna encontrava-se doente, de cama. Eu comecei a chorar e, enquanto folheava a segunda parte do romance, tentava adivinhar por uma ou outra frase solta, que lia de quando em quando, o sentido do texto. Era quase a mesma coisa que se passa quando abrimos um livro ao acaso e lemos a primeira frase que se nos depara, como se fosse a sentença de um oráculo. Há momentos em que se nos aguçam morbidamente todas as potências espirituais e anímicas, e imediatamente levantam como que uma clara labareda na consciência e, nesse instante, a alma inquieta que sofria já com um pressentimento, e até com o antegozo do futuro, chega a sentir-se penetrada por um desvario profético. E queremos viver, viver assim, e o coração que arde na mais ardente e cega esperança, desejaria abranger todo o futuro, de uma só vez... o futuro, com toda a sua misteriosa incógnita e também com as suas tormentas e tempestades, pois tudo isto é também vida verdadeira. Era isso precisamente o que eu sentia.

Lembro-me de que fechei o livro para abri-lo outra vez ao acaso e, com o pensamento no futuro, ler alguma frase como se fosse a sentença de um oráculo. Mas quando o abri, e ia começar a passar as folhas, verifiquei que de entre elas saía uma folha de papel de carta escrito e dobrado em duas dobras tão apertadas, como se estivesse já há anos metida naquele livro, onde a teriam deixado por esquecimento. Cheia de curiosidade, pus-me a examinar o meu achado. Era uma carta, mas sem endereço e assinada unicamente com duas iniciais: S. D. A minha curiosidade foi aumentando, desdobrei o papel cujas folhas estavam quase coladas uma à outra, e de tão comprimidas, até tinham deixado o sinal das suas dimensões nas páginas do volume. O papel estava já muito gasto nas dobras e percebia-se que tinham lido muitas vezes aquela carta. A tinta tinha empalidecido... havia com certeza muito tempo que fora escrita, muito tempo. Em seguida saltaram-me à vista palavras soltas e o meu coração começou a palpitar, numa ansiedade enorme. Confusa, pus-me a mirar aquela carta por todos os lados, como se quisesse adiar a sua leitura. Aconteceu por acaso que a olhei mais de perto e que a aproximei da luz; conheciam-se claros vestígios de lágrimas sobre ela, e estas, em algumas partes, tinham apagado palavras completas. De quem seriam aquelas lágrimas? E, por fim, com o coração suspenso, li a primeira meia página e... fiquei a ponto de lançar um grito. Tornei a colocar o livro no seu lugar, fechei o armário, escondi a carta entre a minha roupa, corri para o meu quarto e, uma vez ali, fechei a porta e recomecei a leitura. O meu coração batia tão fortemente que as letras me bailavam diante dos olhos, e demorei muito tempo a perceber o que lia. Aquela carta era uma revelação para mim, a descoberta daquele segredo... Um relâmpago atravessou a minha imaginação, pois adivinhei imediatamente a quem é que ela era dirigida. Bem sabia eu que cometia uma falta ao ler aquelas linhas, mas as circunstâncias podiam mais do que eu. A carta era dirigida a Alieksandra Mikháilovna.

Ei-la, aqui: vou reproduzi-la fielmente, palavra por palavra. Só vagamente compreendi o que ela dizia e depois, durante muito tempo ainda, refleti sobre o enigma e torturei o cérebro para resolvê-lo. Nesse momento acabou a minha vida interior. O meu coração ficou perturbado para muito tempo, talvez para sempre, pois aquela carta teve grandes consequências. O pressentimento que eu tivera, ao querer consultar o oráculo sobre o meu futuro, não me tinha enganado.

Aquela carta era uma última carta, uma derradeira e terrível despedida. Enquanto a lia, o meu coração se contraía tão dolorosamente como se eu própria naquele instante perdesse tudo, como se os meus sonhos e as minhas ilusões me deixassem para sempre e nada mais restasse já à minha frente senão uma vida inútil e supérflua.

Quem seria o autor daquela carta? Aquela carta encerrava tantas alusões, tantas provas, que não era possível enganarmo-nos e, sem dúvida, continha também tantos enigmas que era impossível não nos perdermos em conjeturas. Mas posso dizer que não me enganei; ademais, o próprio estilo da carta dizia já numa eloquência gritante, e confirmavam-no também outros pormenores, todo o caráter daquelas relações, nas quais dois corações se tinham despedaçado. O autor da carta exprimia os seus sentimentos e as suas ideias, com toda a sinceridade. Mas eis aqui a carta... que transcrevo literalmente:

"Dizes que não me hás de esquecer...! E eu acredito em ti e daqui para diante toda a minha vida há de resumir-se em tuas palavras. Temos de nos separar; a nossa hora já soou. Há muito tempo que eu o sabia, minha triste e plácida formosura, mas até agora ainda não o tinha compreendido. Durante todo esse tempo que foi nosso, desde que começaste a amar-me, nem um momento só o meu coração deixou de sofrer e de tremer por este nosso amor e — és capaz de acreditar? — que, agora, a minha dor já não é tão grande. Havia já muito tempo que eu sabia que isto tinha de terminar assim e que esta era a sorte que nos estava reservada. É o Destino. E escuta, deixa-me dizer-te, Alieksandra: nós dois não éramos da mesma condição; foi uma coisa que eu sempre senti! Não te merecia, e eu, apenas eu, devia sofrer o castigo pela felicidade que tinha gozado! Diz-me: que era eu, comparado contigo, antes de conhecer-te?Meu Deus! Passaram já dois anos e ainda não estou em mim; até agora ainda não compreendi como tu pudeste me amar! Não consigo explicar como pudemos ir tão longe, nem como é que isto começou. Lembras-te ainda daquilo que eu era, comparado contigo? Era eu digno de ti, que mérito tinha eu, em que é que eu me distinguia? Antes de conhecer-te era um homem rude e ingênuo, e tinha um aspecto triste e severo. Não desejava outra vida, não a procurava, nem sentia vontade de procurá-la. Tudo em mim estava envilecido e eu não encontrava nada mais importante do que o meu trabalho de todos os dias. Tinha apenas uma preocupação... O dia de amanhã! E ainda a respeito desse amanhã me conduzia eu de um modo bem diferente. Antes, sim, em outros tempos, uma vez eu tinha sonhado com algo semelhante e, como um louco, erguido castelos no ar. Mas desde então tinha já passado muito tempo e tinha acabado por adaptar-me à minha vida; levava uma existência solitária, concentrada, tranquila, e nem sequer sentia o frio que me esfriava o coração. E assim o meu espírito ia se embotando. Eu sabia que para mim nunca havia de nascer um novo sol, assim o acreditava e assim tinha de ser. Quando tu cruzaste o meu caminho, ignorava que podia atrever-me a levantar os olhos para ti. Eu estava diante de ti como um escravo. Na tua presença o meu coração não estremecia, não sentia nenhuma saudade de ti nem criava ilusão alguma; estava absolutamente tranquilo. A minha alma não te conhecia, se bem que também ela se encontrasse com gosto junto da sua bela irmã. Sei-o, sentia-o assim, vagamente. Podia senti-lo porque até na última partícula de pó se reflete a luz divina do sol, que o aquece e acaricia, tal como à flor mais fresca, diante da qual se inclina com humildade.

"Mas como eu sabia tudo, hás de lembrar-te que, depois de cada noite, depois da cada uma daquelas palavras que comoviam a minha alma até às maiores profundidades, eu ficava como que deslumbrado e transtornado, tudo em mim era confusão e — acreditarás? — estava tão assombrado, a minha fé era tão pouca que eu não te percebia. Nunca te falei disto. Tu não sabias de nada; eu não era assim quando tu me conheceste. Se eu tivesse podido, se eu me tivesse atrevido a falar, haveria já muito tempo que te teria confessado. Mas calava-me. Agora, sim, vou contar-te tudo, pois quero que saibas a quem perdes, de que espécie de homem te separas. Sabes como eu comecei a compreender-te? A paixão apoderou-se de mim como um fogo; como um tóxico, espalhou-se pelo meu sangue; transtornou todas as minhas ideias e sentimentos; eu me sentia como que embriagado, movia-me como por entre uma névoa, e ao teu amor puro, compassivo, não respondia como teu igual nem como alguém que tivesse sido digno do teu puro amor, mas de um modo louco, cruel. Eu não te conhecia. Respondia-te como a uma mulher que se rebaixasse aos meus olhos para pôr-se ao meu nível, e não como a uma mulher que queria levantar-me até à sua altura. Sabes o que eu pensava de ti, o que significava isso de rebaixares-te até mim? Não, não quero ofender-te, dizendo isso; apenas te direi uma coisa: tiveste uma desilusão enorme comigo. Nunca, nunca eu poderia erguer-me à tua altura! Eu apenas podia te contemplar inacessível, encerrar a tua essência espiritual no meu ilimitado amor. Mas a minha paixão não era amor. Do amor eu tinha medo: não me atrevia a amar-te. O amor... pressupõe comunidade, igualdade e eu não era digno de ti... Nem sei o que se passava comigo! Oh!Como exprimir-me de maneira que tu possas compreender-me? Eu, a princípio, não acreditava... Lembras-te como, logo que se acalmou a minha primeira comoção e se dissiparam as nuvens dos meus olhos, e me ficou só um sentimento puro e sem mácula — essa foi a minha impressão de assombro, de perturbação e de medo — lembras-te como, soluçando, me lancei de repente aos teus pés? E lembras-te também como tu, assustada e atônita, me perguntaste o que tinha? Fiquei calado, não fui capaz de te responder, mas a minha alma despedaçou-se. A felicidade oprimia-me como uma carga insuportável e os meus soluços diziam: "Por que aconteceu isto? Que fiz eu para merecê-lo? Por que esta felicidade? Irmã, minha irmã!". Oh, e quantas vezes — e tu reparavas — quantas vezes não beijei eu os teus vestidos às escondidas, pois sabia que não era digno de ti... e me faltava o alento e o coração me palpitava devagar e com força, como se fosse parar, parar para sempre. Quando te pegava na mão, empalidecia e tremia; tu perturbavas-me com a tua pureza. Não, não consigo exprimir tudo isso que enchia a minha alma e que com tanta veemência desejaria transbordar dela em palavras.Sabes que muitas vezes ficava difícil suportar a tua ternura calma e compassiva, que era um tormento para mim? Quando me beijaste (foi uma única vez e nunca o esquecerei), os meus olhos nublaram-se e a minha alma como que mergulhou numa névoa escura. Por que não havia eu de ter morrido a teus pés, nesse momento? Ouve: é esta a primeira vez que eu te trato por *tu*, apesar de já há muito tempo me teres pedido que o fizesse. Compreendes o que quero dizer? Quero dizer-te tudo e vou dizer-te isto: tu tens por mim um grande amor; tu gostas de mim como a irmã do irmão; tu me amas como obra tua, pois foste tu quem fez viver o meu coração; tu despertaste a minha alma, enchendo-a de doces ilusões; mas eu não podia, não me atrevia... Eu nunca te chamei irmã, porque não podia ser teu irmão, porque não éramos iguais, porque tu tinhas-te enganado comigo!

"Mas olha, estou falando unicamente de mim; até mesmo agora, neste momento de dor, apenas penso em mim, apesar de saber que tu sofres por minha causa. Oh, não sofras por mim, minha amiga querida! Tudo isto se veio a saber e... tanto barulho para nada! Repudiaram-te a ti, em vez de ser a mim, há de ser a ti que hão de castigar com o seu desprezo e as suas troças, porque eu já estava bem baixo aos olhos de todos! Oh, e como foi grande a minha culpa em não ser digno de ti! Se aos olhos das pessoas eu tivesse outra condição, títulos ou valor pessoal, se eu lhes merecesse maior apreço... então, poderiam te perdoar. Mas eu não sou nada e nada valho; sou um homem ridículo e não há nada tão vil como o ridículo! Mas... quem são esses os que murmuram? Precisamente por isso, só porque eles murmuram, eu perdi todo o valor... então, eu era fraco. Queres que te diga qual é hoje a minha disposição de espírito? Pois olha, dou risada da minha sombra e creio que as pessoas têm razão quando dizem que eu me odeio a mim próprio e me acho ridículo aos meus próprios olhos. Sim, odeio até a minha cara, a minha figura, todos os meus costumes, todos os meus gestos torpes; sempre tive ódio por mim mesmo. Oh, perdoa o meu rude desespero! Mas tu própria me ensinaste a dizer-te tudo. Empurrei-te para a desgraça; por minha causa chegaste a ser alvo das troças e dos risos dos outros... porque eu não era digno de ti.

"E este é o único pensamento que me aflige; atormenta-me o cérebro sem cessar, trespassa-me e destrói-me o coração. E parece-me que tu nunca amaste o homem que eu era, mas um outro que só tu vias em mim; enganaste-te comigo. É isso o que agora me tortura, o que há de torturar-me até a minha morte, se é que... não hei de ainda enlouquecer.

"Mas tenho que despedir-me agora de ti, despedir-me! Agora que já sabes tudo, que começam a ouvir-se os seus gritos e os seus juízos severos (já os ouvi); agora, que me sinto pequeno e rebaixado a meus próprios olhos e que me envergonho de mim mesmo, e até de ti me envergonho, pela tua escolha; e agora que eu me amaldiçoei já a mim próprio... agora devo desaparecer para o bem da tua tranquilidade. É preciso que seja assim e não tornarás jamais a ver-me. Assim deve ser, assim está marcado pela sorte. Muito me deu ela, ainda que fosse por engano, e agora repara o seu erro, tirando-me tudo. Cruzaram-se os nossos caminhos, conhecemo-nos e agora novamente nos separamos até que voltemos a nos encontrar. Onde e quando será? Oh, diz-me, meu amor, onde nos voltaremos a ver, onde poderei encontrar-te, como poderei reconhecer-te... e se então me compreenderás? Tenho a alma tão cheia de ti! Oh! Por que nos acontece isto? Por que temos de nos separar? Explica-me... Eu não o compreendo, não o poderei compreender nunca. Explica-me tu como é possível partir uma vida em duas metades, como é possível arrancarem-nos o coração do peito e, no entanto, não morrer. Quando penso que nunca mais hei de tornar a ver-te, nunca mais!

"Meu Deus, e que burburinho armaram! Como receio agora por ti! Há uma hora *falei com o teu marido*; nenhum de nós dois é digno dele, se bem que em nada o tenhamos ofendido. Ele sabe tudo: vê-nos tal e como nós somos, e compreende tudo; já há muito tempo que o percebeu. E agora saiu em tua defesa como um herói. Ele te protegerá contra os murmúrios dos outros e há de amparar-te; tem por ti um amor e uma estima sem limites; há de ser o teu salvador agora que eu desapareço... Eu até senti vontade de lhe beijar as mãos... Ele me disse que era preciso que eu partisse imediatamente. E já está decidido! Diz que por tua causa rompeu com toda essa gente rica, mas eles estão todos conjurados contra ti. Acusam-no de excessivamente fraco e presunçoso. Meu Deus! O que não hão de dizer de ti! Mas se eles soubessem! Não podem, não são capazes de compreender a verdade. Perdoa-lhes, minha pobrezinha, perdoa-lhes como eu lhes perdoo. A mim fizeram-me perder mais do que a ti!

"Não sei... Não sei o que te escrevo. Que te disse eu ontem, quando nos despedimos? Já esqueci tudo. Eu não estava em mim... Tu começaste a chorar... Perdoa-me essas lágrimas! Sou tão fraco, tão tímido!

"Queria ainda dizer-te mais uma coisa... oh, beijar-te uma vez mais as mãos salpicadas dessas lágrimas que ontem apagaram as minhas letras no painel! Lançar-me uma vez mais a teus pés. Se eles soubessem como é puro e bom o teu sentimento! Mas estão cegos; têm os corações duros e soberbos; não veem nem verão nunca. Por que lhes falta aquilo com que se vê! Nunca hão de acreditar que tu estás inocente, ainda que todos o jurassem. E eles serão capazes de atirar-te pedras! Que não será a primeira? Oh, não hão de deter-se e hão de lançar mil pedras sobre ti! Sim, eles farão isso porque sabem a maneira de fazê-lo. Reúnem-se todos e dizem que são inocentes porque o são! Oh, se eles soubessem o que fazem! Se fosse possível dizer-lhes tudo, sem rodeios, para que eles pudessem ouvir, ver, compreender e convencerem-se! Mas não, não, são tão maus... Eu falo a linguagem do desespero... até pode ser que calunie. E talvez te contagie do receio que sinto por ti! Não, não tenhas medo deles, minha vida! Hão de aprender a conhecer-te; pelo menos há já um que te compreende: o teu marido! Por isso, não desesperes.

S.D."

Era tão grande a minha comoção que estive muito tempo sem perceber o que se passava comigo, a realidade tinha vindo surpreender-me repentinamente, de maneira inesperada, no meio da alegre vida de sonhos que eu levava havia três anos. Cheia de espanto cheguei à compreensão de que tinha nas minhas mãos um grande segredo e que esse segredo havia de ser, enquanto eu vivesse, uma pressão para mim... Como? Eis aqui o que por então ignorava. Sentia que naquele momento tinha começado para mim uma nova vida. Agora, sem o desejar, era eu uma coparticipante demasiado próxima na vida e nas relações daquelas criaturas que compunham ainda todo o meu mundo circundante, e receava por mim mesma. Como me tinha intrometido em sua vida, eu, a quem ninguém tinha chamado, eu, que era uma estranha para eles? Que poderia eu oferecer-lhes? Como poderia alguma vez romper aquelas cadeias que, de maneira tão súbita, me ligavam a um segredo? Seria por acaso o meu novo papel tão doloroso para eles como para mim? Eu podia não me calar ou não aceitar esse papel, ou fechar para sempre no meu coração o que sabia. Mas o que é me esperava? O que eu devia fazer? E, afinal, concretamente, o que é que eu sabia? Dentro de mim formulavam-se mil perguntas ainda vagas e obscuras e oprimiam-me o coração de maneira intolerável. Eu estava como que louca.

Depois, lembro-me bem, surgiram outros momentos que me trouxeram sensações novas, estranhas, que eu nunca tinha experimentado até então. Era como se qualquer coisa se fundisse no meu peito, como se aquela antiga nostalgia se afastasse de mim, e o meu coração, lentamente, se fosse enchendo de qualquer coisa, de que eu não sabia se me havia de entristecer ou alegrar. A minha disposição de espírito, nesses momentos, era comparável à daquele que abandona para sempre a sua casa e a sua vida anterior, tranquila e despreocupada, para empreender uma caminhada larga e desconhecida, e que pela última vez relanceia a vista à sua volta e em pensamento se despede de tudo, com o coração penetrado de uma amarga tristeza, com o pressentimento sombrio de tudo quanto no futuro ignora e que talvez seja triste e hostil. Finalmente desatei a chorar e esse choro espasmódico aliviou-me. Sentia necessidade de ver alguém, de ouvir esse alguém e de abraçá-lo com muita força. Agora já não podia, não queria estar só: corri em busca de Alieksandra Mikháilovna e passei toda a noite em sua companhhia. Estávamos as duas sós. Pedi-lhe que não fosse para o piano e, apesar dos seus pedidos, neguei-me a cantar. Sentia-me abatida e não podia concentrar o pensamento. Acho que choramos as duas. Pelo menos creio que me lembro de que ela se assustou quando me viu naquele estado de espírito e me dirigiu algumas palavras com o fim de me tranquilizar e de acalmar a minha agitação. Observou-me, inquieta, afirmou-me que eu não estava bem e que devia ter mais cuidado comigo. Despedi-me dela com tristeza e aborrecida comigo mesma. Estava como que inconsciente e quando me meti na cama, tinha febre.

Demorei vários dias para me recompor, para despertar daquele estado e poder examinar mais claramente a minha situação. Por esse tempo levávamos uma vida completamente solitária, pois Piotr Alieksándrovitch precisou ir a Moscou para tratar de um assunto particular e demorou-se ali três semanas. Mas, apesar de ter sido tão breve o tempo que estiveram separados, foi enorme o desgosto de Alieksandra Mikháilovna por estar longe do marido. Às vezes parecia mais tranquila, mas, apesar disso, fechava-se no seu quarto, de onde concluí que a minha presença a molestava. Mas também eu sentia ânsias de solidão. O meu pensamento trabalhava numa tensão verdadeiramente espasmódica e, no entanto, não conseguia sair da névoa que me envolvia. Depois, durante muito tempo tornei a recair numa meditação torturante que não podia afugentar e que se apoderava de mim como um sonho. E então parecia-me que alguém se ria de mim, e essa preocupação alterava e envenenava todos os meus pensamentos. Não podia apagar as visões torturantes que a todos os momentos me surgiam pela frente e que não me deixavam um minuto de repouso. Eu assistia a um grande e cruel martírio, e via a vítima que, tranquila, serena, sem uma queixa e sem razão, assim era sacrificada. Parecia-me que aquele a quem ela se oferecia em holocausto a desprezava e se ria dela. Parecia-me ver um pecador que imputava pecados a um justo e o meu coração despedaçava-se. Mas ao mesmo tempo desejava sacudir com toda as energias aquela suspeita; amaldiçoava essa suspeita e aborrecia-me a mim própria pelo fato de as minhas convicções não serem outras convicções, mas apenas simples conjeturas, e pelo fato de não poder encontrar-lhes um fundamento. Depois voltei a relembrar aquelas frases, aquelas últimas e veementes palavras da terrível despedida. Imaginava essa despedida daqueles que... eram de condição desigual; esforçava-me por descobrir todo o torturante sentido daquela palavra: "Não sou teu igual". E comovia-me terrivelmente aquele último adeus desesperado: "Sou ridículo e eu próprio me envergonho da tua escolha". Que queria dizer aquilo? Que espécie de seres eram aqueles? Que aspirações tinham, que tormentos sofriam? Que tinham eles perdido? Dominei-me e tornei a ler com a maior atenção aquela carta que encerrava tanto desespero e cujo sentido era para mim tão estranho incompreensível. Mas a carta tombou-me das mãos e uma comoção alvoroçada se apoderou da minha alma... Tudo aquilo havia de encontrar um dia a sua solução, mas, ou não via por então o seu desenlace, ou tinha medo de vê-lo!

Estava quase doente, quando um dia parou diante do portão da casa a carruagem de Piotr Alieksándrovitch. Tinha regressado de Moscou. Alieksandra Mikháilovna, muito contente, apressou-se a sair ao encontro de seu marido; porém, eu fiquei como que paralisada. No entanto me lembro de que eu mesma me surpreendi, com espanto, da minha súbita comoção. Não pude conter-me e corri para o meu quarto. Não compreendo o que me teria assustado dessa maneira; mas o fato de sentir aquele susto infundiu-me ainda mais medo. Daí a um quarto de hora chamaram-me e entregaram-me uma carta do príncipe. Vi depois no salão um desconhecido que tinha chegado de Moscou em companhia do príncipe e, de palavras soltas da sua conversa que apanhei no ar, pude inferir que ele vinha passar uma temporada conosco. Era o procurador do príncipe que tinha vindo de Petersburgo por motivo de algum assunto importante da família daquele que até então tinha estado a cargo de Piotr Alieksándrovitch. Foi ele também quem me entregou a carta do príncipe, dizendo-me que igualmente a princesa desejara escrever-me e que até o último momento insistiu em assegurar-me que me escreveria; mas que finalmente acabara por deixá-lo partir com as mãos vazias, suplicando-lhe que me dissesse o seguinte: que, na verdade, nada tinha para escrever-me; que já tinha rasgado uma carta de cinco folhas mas que se tinha convencido de que, por escrito, não se podia dizer nada, e que, finalmente, em breve teríamos oportunidade de falar demoradamente, pois não nos tardaríamos a ver. À minha pergunta impaciente sobre quando seria o nosso encontro, respondeu-me o desconhecido que o príncipe e toda a sua família tinham a intenção de regressar em breve a Petersburgo, o que certamente não deixariam de fazer. O meu alvoroço quando ouvi aquilo foi tão grande que não sabia o que fazer nem o que dizer; subi rapidamente para o meu quarto, fechei-me à chave, e pus-me a chorar enquanto abria a carta do príncipe. Prometia que em breve nos tornaríamos todos a ver e, profundamente comovido, felicitava-me pelos meus progressos: terminava dando-me a sua bênção e prometendo velar pelo meu futuro. Eu não deixei de chorar enquanto lia aquela carta; e as minhas lágrimas eram acompanhadas de um sofrimento tão insuportável que, lembro-me, cheguei a inquietar-me por mim própria. Não sabia o que se passava comigo.

Decorreram assim dois dias. No quarto situado entre o meu e a biblioteca, onde antes trabalhava o secretário e ajudante de Piotr Alieksándrovitch, trabalhava agora à tarde e muitas vezes também depois do jantar, até à meia-noite, aquele recém-chegado. Muitas vezes ele e Piotr Alieksándrovitch reuniam-se no gabinete, fechavam-se e trabalhavam juntos. Uma tarde, Alieksandra Mikháilovna pediu que fosse ter com o marido, que estava no seu escritório, e lhe perguntasse se queria tomar o chá conosco. Não estava ninguém no escritório; mas, supondo que ele não tardaria a voltar, fiquei ali à espera. Numa parede via-se o retrato dele. Recordo ainda como estremeci quando olhei aquele retrato, que depois tornei a contemplar com uma comoção para mim mesma incompreensível. Estava muito alto e o crepúsculo vespertino não deixava já vê-lo com clareza; para vê-lo melhor aproximei uma cadeira e subi nela. Queria descobrir, nem eu sabia o quê: era como se esperasse encontrar uma resposta às minhas perguntas; e ainda me lembro de que o que mais me chocou naquele retrato foram os olhos. Ao mesmo tempo pensei que nunca tinha reparado nos olhos daquele homem, pois trazia-os sempre escondidos por detrás das lentes.

Já em pequena não me tinha sido possível suportar o seu olhar, e isso por efeito de um preconceito inexplicável e estranho, mas que ao mesmo tempo achava justificado. De repente, pareceu-me que os olhos do retrato se afastavam, confundidos, com o fim de escaparem ao meu inquisidor e perscrutador olhar, que o evitavam tenazmente, e que, naqueles olhos, se abrigavam a falsidade e a mentira; pareceu-me ter adivinhado tudo e uma alegria, que eu própria não conseguia explicar, correspondia em mim àquela intuição. De súbito pareceu-me que havia alguém no gabinete. Olhei à minha volta: diante de mim estava Piotr Alieksándrovitch, que me fixava atentamente. De repente, ele corou. Eu me fiz também muito vermelha e, de um salto, desci da cadeira.

— Que faz aqui? — perguntou-me com severidade. — Por que está aqui?

Eu não sabia o que havia de responder. Recompus-me e, como Deus quis, transmiti-lhe o convite da esposa. Não sei o que ele me respondeu nem tampouco como saí do quarto; mas quando regressei para junto de Alieksandra Mikháilovna, já me tinha esquecido completamente da resposta que ela esperava, e disse-lhe ao acaso que sim, que ele tomaria o chá conosco.

— Mas o que tu tens, Niétotchka? — perguntou-me ela. — Estás vermelha como uma romã. Olha para o espelho e verás... O que tu tens, minha filha?

— Não sei, talvez fosse de ter vindo muito depressa... — eu lhe disse.

— O que te disse, Piotr Alieksándrovitch? — interrompeu-me ela, um tanto confusa.

Eu não lhe respondi. Naquele momento, ouviram-se passos; era ele que chegava e eu me escapuli. Durante duas horas estive aguardando, tomada de grande tristeza. Finalmente, Alieksandra Mikháilovna chamou-me. Parecia taciturna e preocupada. Quando eu entrei, deitou-me um olhar rápido e inquiridor e fechou os olhos. Julguei ter notado uma certa perturbação no seu rosto. Não tardei a perceber que estava de mau humor: falava pouco, evitava olhar-me diretamente e, como resposta às perguntas preocupadas de B***, queixou-se de dor de cabeça. Piotr Alieksándrovitch, em compensação, estava mais falante do que de costume; mas apenas falava com B***.

Alieksandra Mikháilovna, distraída, foi sentar-se ao piano.

— Cante-nos alguma coisa — pediu B***, dirigindo-se a mim.

— Sim, Anieta, canta a tua nova canção — disse Alieksandra Mikháilovna rapidamente, como se escolhesse com alegria aquele pretexto.

Olhei para ela e pareceu-me vê-la tomada de uma grande ansiedade.

Mas não pude dominar-me. Em vez de aproximar-me do piano para cantar pelo menos qualquer coisa, perturbei-me, fiquei indecisa e, no meio da minha perturbação, não fui capaz de arranjar um pretexto, até que por fim me mostrei aborrecida e me neguei firmemente a fazer-lhes a vontade.

— Mas por que não queres cantar? — perguntou-me Alieksandra Mikháilovna, que ficou a olhar para mim, e o mesmo fez o marido durante uma fração de segundo.

Aqueles dois olhares restituíram-me o domínio de mim mesma. Levantei-me na maior perturbação, a qual tentava em vão dissimular, e tremendo pela força de uma comoção que vinha a ser uma amálgama de cólera e de impaciência, tornei a repetir com mais veemência que não queria, que não podia cantar... que estava doente. Quando disse isto, olhei para todos francamente. Mas só Deus sabe quanto eu teria dado para ter podido fechar-me no meu quarto naquele momento e esconder-me das vistas de todos.

B*** ficou surpreendido e Alieksandra Mikháilovna, visivelmente preocupada, embora não tivesse dito nada. Piotr Alieksándrovitch levantou-se rapidamente do seu lugar, disse que se tinha esquecido de qualquer coisa de importância e, como se fosse muito contrariado por causa disso, saiu precipitadamente da sala, avisando previamente que talvesse voltasse mais tarde, mas que, se entretanto não voltasse, se despedia já de B***, ao qual apertou a mão.

— Pode dizer-me o que se passa? — perguntou-me B***. — Na verdade, parece que está doente.

— De fato não me sinto bem, não me sinto bem — respondi-lhe com impaciência.

— Agora estás pálida, e no entanto ainda há pouco estavas tão corada! — disse Alieksandra Mikháilovna, mas calou-se logo em seguida.

— Ora, isto não é nada! — eu disse para tranquilizá-la e dirigi-me para ela. Olhei-a francamente, no rosto. A pobre não pôde resistir ao meu olhar; baixou o seu como uma culpada e um leve rubor subiu até as suas faces pálidas. Eu lhe peguei nas mãos e beijei-as. Ela me olhou — bem o senti — com uma tímida alegria.

— Desculpe que eu me porte hoje como uma garota desobediente — disse-lhe com a maior brandura — mas na verdade não me sinto bem. Por isso peço-lhes que tenham paciência e consintam que eu me retire para o meu quarto.

— Todos nós somos crianças — respondeu ela com um tímido sorriso. — Eu também sou uma criança, e pior, muito pior do que tu — murmurou ela ao meu ouvido. — Então boa noite e desejo-te as melhoras. Mas, por amor de Deus, não fiques aborrecida comigo!

— Aborrecida com a senhora? Por quê? — perguntei-lhe surpreendida por aquela ingênua confissão.

— Por quê? — repetiu ela, tomada de súbita perturbação, como se se tivesse assustado consigo própria. — Por quê? É para que vejas como eu sou, Niétotchka! O que é que eu te queria dizer... Boa noite! És mais viva do que eu... E eu sou pior do que uma criança.

— Bem... Está bem!

Eu estava comovida e não sabia o que havia de responder. Tornei a beijá-la e retirei-me.

Fiquei aborrecida comigo própria, pois compreendia que era muito imprudente e que não sabia conduzir-me. Aquilo era qualquer coisa que me envergonhava até o ponto de fazer-me chorar e dormi nessa noite com um grande peso sobre o coração. No dia seguinte, quando acordei, o meu primeiro pensamento foi que tudo aquilo da noite anterior... nada mais tinha sido do que um pesadelo; que tudo se reduzia a uma alucinação mútua, devido à qual tínhamos atribuído àquelas futilidades a importância de acontecimentos transcendentes; e que muito simplesmente nos tínhamos precipitado, devido precisamente à nossa inexperiência da vida e ao fato de não estarmos acostumadas a receber impressões vindas do exterior. Eu compreendia que aquela carta é que tinha a culpa de tudo, pois me tinha inquietado excessivamente, inflamando a minha fantasia, obrigando-a a sair da sua costumada órbita, e, portanto, o melhor que eu tinha a fazer era não voltar, dali por diante, a lembrar-me dela. Depois de ter conseguido aliviar o meu desgosto com a ajuda desses raciocínios, convencida de que seria muito fácil levar a cabo tal resolução e não tornar a pensar na carta, fiquei tranquila e até alegre e encaminhei-me para a aula de canto. O ar da manhã acabou por desanuviar-me o pensamento. Aqueles passeios matinais até a casa do professor constituíam para mim um verdadeiro alívio e agradavam-me muito. Era tão bom caminhar pela cidade que começava já a animar-se, principiando, como um relógio, a sua tarefa diária! Geralmente passávamos pelas ruas centrais que eram evidentemente as mais concorridas e a mim agradava aquele começo da minha carreira artística, inclusive aquele contraste entre os pormenores cotidianos, os pequenos cuidados, que apesar de tudo são de uma importância fundamental, e a arte que me esperava a dois passos daquela vida, no terceiro andar de um prédio gigantesco, habitado desde cima até abaixo por criaturas para as quais a arte nada significava. Eu, com o meu papel de música debaixo do braço, por entre aquela gente atarefada e fatigada — acompanhada pela velha Natália que, embora nem suspeitasse, sempre me fazia preocupar com o enigma daquilo que poderia ser o seu pensamento — e, por fim, o meu professor — meio italiano e meio francês, um homem verdadeiramente estranho, em algumas ocasiões um entusiasta inflamado, mas noutras um pedante e quase sempre, e em primeiro lugar, um vaidoso — tudo isso me distraía e me trazia motivos de riso ou de reflexão. Deve levar-se ainda em conta que eu, por muito indecisa que estivesse, amava já a minha arte com apaixonada ilusão. Levantava castelos no ar, pintava para mim mesma o mais lisonjeiro futuro e não eram raras as vezes que voltava para casa... com a cabeça em fogo. Em resumo: nesses momentos, eu era quase feliz.

Eram os mesmos sentimentos que me animavam quando voltava para casa, aí pelas dez horas. Todas as minhas preocupações tinham desaparecido e, segundo me lembro ainda, estava na melhor das disposições, cheia de toda a espécie de ilusões quanto ao futuro. Mas, de repente, quando subia as escadas estremeci como se me tivesse queimado. Acaba de ouvir lá em cima a voz de Piotr Alieksándrovitch, que descia a escada naquele instante. O sentimento de desgosto que me tomou foi tão forte, que a recordação da noite anterior se apoderou de mim, dessa vez com tal força e de maneira tão súbita, que não tive coragem para dissimular. Fiz-lhe um breve cumprimento; mas o meu rosto denotava de modo tão claro os meus sentimentos, que ele se deteve a olhar para mim. Eu corei e subi mais depressa. Ele resmungou qualquer coisa e continuou o seu caminho.

Pus-me a chorar de raiva, mas não podia compreender bem do que se tratava. Durante todo o dia estive transtornada, sem saber o que havia de fazer para acabar de pôr termo a todo aquele suplício moral e libertar-me dele de uma vez para sempre.

Mil vezes tomei a decisão de ser mais discreta dali em diante e mil vezes a angústia tornou a apoderar-se de mim. Sentia que odiava aquele homem e ao mesmo tempo sentia-me desesperada comigo mesma. Caí doente de tantas comoções e perdi o domínio sobre o meu próprio espírito. Por fim, acabei por odiá-los a todos e passava os dias inteiros no meu quarto. Nem sequer ia ver Alieksandra Mikháilovna. Foi ela quem veio procurar-me. E quando me olhou no rosto, quase que deu um grito. Estava tão pálida, quando me vi no espelho, que até fiquei assustada com o meu aspecto. Alieksandra Mikháilovna demorou-se uns momentos junto de mim, como se procurasse fazer companhia a uma criança doente.

No entanto a sua abnegação e o seu carinho puseram-me tão triste e a sua ternura para comigo tornou-se tão intolerável, e angustiava-me tanto a sua presença, que lhe pedi que me deixasse sozinha. Ela se retirou muito preocupada com o meu estado. Finalmente desatei a chorar e tive uma verdadeira crise de lágrimas. Depois senti-me mais aliviada...

Mais aliviada porque tinha decidido ir vê-la. Queria ajoelhar-me a seus pés, dar-lhe a carta que tinha perdido e confessar-lhe tudo; todos os tormentos que tinha sofrido, todas as minhas dúvidas e com todo o amor ilimitado que por ela sentia, abraçar-me a ela, dizer-lhe que era sua filha, sua amiga; abrir-lhe completamente o meu coração para que pudesse olhá-lo e ver o amor tão fervoroso que eu tinha por ela e como era inquebrantável a confiança que nela depositava. Meu Deus! Eu sabia, compreendia que era eu a última pessoa a quem ela poderia abrir o coração; mas precisamente por isso parecia-me, por não ter outro recurso, que as minhas palavras ainda deviam ter algum valor... Adivinhava, compreendia a sua dor, se bem que de maneira vaga e confusa, e o meu coração batia de indignação ao pensar que ela pudesse ruborizar-se diante de mim, diante da minha apreciação...

— Ó minha pobrezinha, minha pobrezinha, terás sido tão pecadora como supões?

Era isto o que eu queria dizer-lhe, diante dela. O sentimento da justiça arrebatava-me; eu nem era senhora de mim mesma. Não sei se teria sido capaz de dizer-lhe tudo... Mas vim a cair em mim, depois de um acontecimento casual que nos salvou a ambas da perdição, compelindo-me a dar quase o primeiro passo. O desgosto apoderou-se de mim. Eu não teria podido, apesar disso, ressuscitar o seu coração para uma nova esperança? Não. A única coisa que teria feito, teria sido desejar que ela morresse na ocasião.

Mas aconteceu o seguinte: quando me dirigia para o seu quarto, atravessando a penúltima sala que o antecedia, entrei de repente por outra porta, nessa sala. Piotr Alieksándrovitch, sem me ter visto, deu também alguns passos em direção ao quarto da esposa. Eu me detive, como que paralisada. De maneira nenhuma desejaria tê-lo visto naquele momento. Quis retroceder; mas, de repente, a curiosidade deixou-me ali estacada, sem movimento.

Piotr Alieksándrovitch atravessou a sala, deteve-se um instante diante do espelho, alisou os cabelos com as mãos e, de repente, cheia de um assombro indescritível, ouvi-o trautear uma música alegre. Como um relâmpago, pela minha imaginação passou uma recordação vaga e remota dos meus anos da infância. Mas, graças a essa evocação, tornou-se mais compreensível a estranha sensação que então experimentei. Exponho aqui essa recordação.

Ainda nos primeiros anos da minha permanência naquela casa, surpreendeu-me muito uma vez certa observação casual que, até agora, no momento presente, não se me apresentou claramente à consciência, mas que então me fez compreender bem a causa da minha inexplicável aversão àquele homem. Já disse que, nesse tempo, a sua presença me provocava sempre uma grande contrariedade. Também me referi à impressão que em mim fazia o seu caráter severo e sombrio, o seu rosto muitas vezes triste, verdadeiramente lúgubre; e como me eram difíceis de suportar aqueles momentos que passávamos juntos tomando o chá com Alieksandra Mikháilovna, e também... que sentimento tão doloroso se apoderava do meu coração quando — o que apenas sucedeu duas ou três vezes — fui testemunha daquelas cenas deprimentes, para mim então ainda completamente incompreensíveis.

Foi no mesmo quarto e quando nos dirigíamos ambos para os aposentos de Alieksandra Mikháilovna. Tomava-me um medo infantil quando me encontrava sozinha com ele, escondia-me num canto, angustiada, e pedia a Deus que ele não reparasse em mim. Exatamente como agora, também ele se deteve diante do espelho, e eu estremeci, assaltada por uma impressão desconhecida, muito pouco infantil. Pareceu-me que ele mudava de cara de um momento para o outro. Pelo menos antes, quando assomou ao espelho, eu tinha visto um sorriso nos lábios, um sorriso tal como nunca lhe tinha visto, pois ele nunca se ria na presença de Alieksandra Mikháilovna. E depois, subitamente, ainda mal não tinha lançado os olhos ao espelho, mudava por completo de cara; o sorriso desaparecia como por efeito de uma ordem e dava lugar a uma expressão de indizível amargura que fosse violentamente imposta à sua alma; um sentimento que, segundo parecia, não existia poder humano capaz de escondê-lo, por muito grande que fosse o intento de disfarçá-lo; e que uma dor convulsiva lhe contraía a boca, lhe franzia a testa e as sobrancelhas. O seu olhar severo escondeu-se por detrás dos óculos; numa palavra: o seu rosto, como se obedecesse a uma ordem, tornou-se num instante a cara de outro homem. Lembro-me de que eu, uma pobre criança, que não precisava de tanto para me assustar, comecei a tremer de medo, de medo de compreender, de penetrar em tudo e de ver o que via, e desde esse momento, aquela impressão desagradável, deprimente, ficou para sempre gravada no meu coração. Depois de se ter olhado daquela maneira no espelho, baixou a cabeça e tomou um ar de cansaço — aquele com que costumava apresentar-se diante de Alieksandra Mikháilovna — e encaminhou-se devagar para o seu toucador. Foi esta a recordação que agora, de repente, passou como um relâmpago pela minha memória.

Também agora, como então, ele julgava encontrar-se sozinho naquela sala, e também parou diante do mesmo espelho. Então, como agora, ali estava eu sem que ele me visse, animada de um sentimento hostil, desagradável. Mas quando o ouvi cantarolar aquela cançoneta — uma cançoneta nos lábios daquele de quem havia tudo a esperar menos aquilo — e ao ficar meio paralisada de espanto, quando no mesmo instante, atravessou o meu pensamento, como um relâmpago, a sua semelhança com aquele outro instante da minha infância... não posso exprimir a sensação que, de repente, como um punhal, me trespassou a alma. Todos os meus nervos se crisparam e, como resposta àquela infeliz cançoneta, soltei uma gargalhada tal que o pobre cantador se afastou do espelho, de um pulo, deu um grito e, pálido como um cadáver, como um malfeitor surpreendido em flagrante delito, ficou a olhar para mim, transtornado de assombro, de surpresa e de raiva. O seu olhar irritou-me doentiamente e respondi-lhe com outra gargalhada nervosa, interminável... Depois passei junto dele sem deixar de me rir, e rindo sempre entrei no quarto de Alieksandra Mikháilovna. Eu sabia que ele estava por detrás do reposteiro; que talvez estivesse indeciso entre entrar ou retirar-se; que a cólera e o rancor o deixavam aturdido, preso ao lugar em que se encontrava... e, com uma impaciência estranhamente irritada, obsessiva, esperava, para ver pelo que havia de decidir-se. Alguém teria apostado que ele não entrava, e teria ganho a aposta. Levou meia hora até se decidir. Alieksandra Mikháilovna ficou durante muito tempo a olhar para mim, assombrada; e foi em vão que perguntou pela causa da minha agitação. Mas eu não podia responder-lhe, faltava-me respiração. Por fim, pensou que eu acabava de ter um ataque de nervos e ficou olhando para mim, inquieta. Quando me encontrei um pouco mais refeita, peguei-lhe nas mãos e cobri--as de beijos. Então acabei por recuperar a serenidade e disse para comigo mesma que a teria morto se não se tivesse dado aquele meu encontro casual com o marido. Olhei para ela como teria olhado para uma ressuscitada.

Piotr Alieksándrovitch entrou no aposento.

Lancei-lhe um breve olhar. Parecia que nada tinha acontecido, quero dizer, estava tão sombrio e concentrado em si mesmo como de costume. Apenas me senti chocada ao ver que estava pálido e que tinha franzidas as comissuras dos lábios, de onde concluí que só com muito esforço dominava a sua comoção. Saudou friamente Alieksandra Mikháilovna e, em silêncio, sentou-se no seu lugar. A sua mão tremia um pouco quando segurou na xícara de chá. Eu esperava um assomo de cólera e um vago sobressalto se apoderou de mim. Desejaria retirar-me imediatamente, mas não podia decidir-me a abandonar Alieksandra Mikháilovna, que tinha mudado de aspecto ao ver entrar o marido. Também ela tinha o pressentimento que nada de bom a esperava. E finalmente acabou por acontecer o que eu esperava com tanta ansiedade.

No meio do mais profundo silêncio levantei os olhos e o meu olhar foi encontrar-se com os cristais das lentes de Piotr Alieksándrovitch, precisamente fixos em mim. Aquilo era tão chocante, por ser tão fora do costume, que eu estremeci, estive a ponte de deixar escapar uma exclamação e fechei os olhos. Alieksandra Mikháilovna reparou no meu terror.

— O que tem? Por que ficou tão vermelha? — perguntou-me Piotr Alieksándrovitch com secura e até grosseria.

Fiquei calada. O meu coração batia com tanta força que não teria podido articular uma palavra.

— Por que ficou tão vermelha? Por que enrubesce constantemente? — perguntou ele dirigindo-se a Alieksandra Mikháilovna, enquanto me olhava de soslaio.

O mal-estar cortou-me a respiração. Olhei para Alieksandra Mikháilovna com olhos implorativos. Ela me compreendeu. Às suas faces pálidas subiu um leve rubor.

— Anieta — disse-me, com uma voz tão firme como eu de maneira alguma podia ter esperado dela — vai para o teu quarto que eu já vou lá, daqui a um momento; passaremos juntas o serão...

— Acabo de fazer-lhe uma pergunta. Não me teria ouvido, por acaso?:— interrompeu Piotr Alieksándrovitch, levantando a voz, como se não tivesse ouvido o que dizia a mulher. — Por que fica tão corada quando me vê? Responda-me.

— Porque tu fazes enrubescer a ela e até a mim — respondeu por mim Alieksandra Mikháilovna, balbuciando, muito excitada.

Eu olhei para ela, surpreendida. Já desde o princípio a energia da sua réplica me fora completamente incompreensível.

— Eu faço com que tu cores? — perguntou Piotr Alieksándrovitch extraordinariamente assombrado, na aparência, e enfatizando muito aquele *eu*. — Quer dizer que ficas vermelha por minha causa? Mas será que dou motivo para que tu cores? Qual dos dois te parece que deve corar: tu ou eu? Diz.

Aquela pergunta era tão clara, inclusive para mim e formulou-a num odioso e mordaz tom de chacota que eu lancei um grito de horror e precipitei-me para junto de Alieksandra Mikháilovna. Surpresa, dor, censura e repugnância era o que transparecia no seu rosto lívido. Eu dirigi um olhar de súplica a Piotr Alieksándrovitch, e para comovê-lo mais, juntei as minhas mãos. Pelo que parece, ele próprio estava um tanto assustado; mas ainda não lhe tinha passado a cólera que o tinha feito proferir aquelas palavras. A minha súplica muda pareceu desconcertá-lo, de certo modo. O meu gesto devia ter-lhe dado a entender que sabia já bastante daquilo que entre eles devia ter sido um segredo, e que tinha compreendido muito bem o sentido das suas palavras.

— Anieta, anda, vai para o teu quarto — repetiu Alieksandra Mikháilovna numa voz fraca mas firme, e levantou-se do seu lugar. — Tenho de falar de um assunto urgente com Piotr Alieksándrovitch...

Estava aparentemente tranquila; mas aquela tranquilidade sobressaltava-me mais do que se a tivesse visto agitada. Eu continuava de pé, como se não tivesse ouvido o que ela tinha dito, e não me mexia dali. Parecia-me que ela não tinha compreendido bem a minha exclamação nem o meu gesto.

— Aí tens a tua obra! — disse Piotr Alieksándrovitch apontando para a mulher.

Meu Deus! Eu nunca tinha presenciado desespero semelhante àquele que via agora desenhado naquele rosto angustiado de espanto e meio morto. Ele me pegou pelo pulso e me levou até à porta. Quando ia saindo, tornei a olhá-la ainda uma vez. Alieksandra Mikháilovna estava de pé, junto da chaminé, com os cotovelos apoiados sobre o mármore e a cabeça nervosamente apertada entre as mãos. A atitude do seu corpo exprimia uma tortura insuportável. Eu peguei na mão de Piotr Alieksándrovitch e apertei-a suplicante.

— Pelo amor de Deus! Pelo amor de Deus! — disse-lhe num murmúrio. — Tenha pena dela.

— Não tenha medo de nada, não se aflija — disse-me e olhou-me de maneira muito particular. — Não é nada. É apenas uma crise. Vá, vá logo!

Já no meu quarto, lancei-me sobre o sofá e cobri o rosto com as mãos. Três horas permaneci nessa atitude e durante esse tempo padeci torturas infernais. Por fim, já não podia mais e mandei perguntar se podia ir ver Alieksandra Mikháilovna. Foi *Madame* Léotard quem me trouxe a resposta. Piotr Alieksándrovitch mandava-me dizer que a crise já tinha passado, que não havia perigo algum, mas que ela precisava descansar. Mas, apesar disso, nessa noite fiquei acordada até às três da manhã, dando voltas pelo quarto. O meu pensamento não parava de trabalhar. Encontrava-me numa situação que me parecia mais enigmática do que nunca; mas, até certo ponto, sentia-me mais tranquila... talvez por sentir-me a mais inocente de todos. Com um grande desejo de que amanhecesse depressa, meti-me finalmente na cama.

No dia seguinte, com um desgosto bem compreensível, observei uma frieza inexplicável em Alieksandra Mikháilovna. A princípio julguei que ela devia ter o seu nobre e puro coração magoado, depois daquela cena com o marido e da qual eu tinha sido testemunha. Eu sabia que aquela criatura se achava em estado de corar diante de mim e até de pedir-me perdão por ter-me magoado com aquela cena infeliz. Mas não tardou que eu lhe notasse uma espécie de preocupação concreta, um mal-estar que parecia ter apenas uma causa única determinada e que se evidenciava sob vários aspectos: tão depressa respondia às minhas palavras de um modo seco e frio, como me dirigia frases de duplo sentido; depois voltou a mostrar-se muito carinhosa para comigo, como se se arrependesse daquela rigidez e frialdade, que o seu coração não podia sentir por muito tempo contra mim e, com as suas palavras afetuosas e suaves, procurava apagar aquela má impressão dando a entender que aquela mudança lhe era muito penosa. Finalmente eu lhe perguntei com toda a franqueza se ela tinha qualquer coisa para me dizer. A minha pergunta inesperada desconcertou-a um pouco; mas imediatamente olhou à sua volta, depois olhou para mim com os seus grandes olhos tranquilos e, com um terno sorriso nos lábios, disse-me:

— Nada, Niétotchka. Simplesmente, como me fizeste essa pergunta assim, tão de repente, fiquei inibida. Mas isso foi unicamente por me teres falado de repente... eu te garanto. Mas agora me escuta e diz-me a verdade, minha filha: tu não terias também, ao me fazeres essa pergunta tão repentina, alguma coisa no teu íntimo, alguma coisa que esteja te perturbando?

— Não — respondi, fitando-a de olhos bem claros.

— Bem, está bem! Se tu soubesses como te agradeço essa bela e franca... Não é que eu tivesse imaginado qualquer coisa de mau... Isso, nunca! Não perdoaria a mim mesma esses pensamentos. Mas olha: quando eu te recebi como filha, eras uma criança, e agora tens já dezessete anos. Tu bem o sabes. Eu estou doente; sou como uma criança que requer cuidados constantes. Eu nunca poderia fazer para ti completamente as vezes de uma mãe, por maior que fosse a ternura que houvesse no meu coração. O fato de que agora ande preocupada por esse motivo não é culpa tua, mas apenas minha. Por isso desculpa a minha pergunta e perdoa-me se eu não cumpri devidamente a minha obrigação, a promessa que fiz a ti e ao teu pai adotivo, quando te recebi nesta casa. Isto me aflige muito e sempre me afligiu, minha filha.

Eu a abracei e pus-me a chorar.

— Oh, muito obrigada, muito obrigada por tudo! — exclamei, salpicando-lhe as mãos de lágrimas. — Não me fale assim, não me dilacere o coração. Para mim, foi mais do que uma mãe. Deus a abençoe por tudo quanto fez por mim! À senhora e ao príncipe, pela bondade que tiveram para comigo, uma pobre criatura abandonada!

— Pronto, Niétotchka, pronto! Abraça-me com muita força, assim, junto ao teu coração! Mas olha, não sei por quê, parece-me que é esta a última vez que tu me abraças.

— Não, não! — exclamei, soluçando alto como uma criança. — Não, isso não pode ser! Ainda há de ser feliz, apesar de tudo... Ainda tem uma longa vida à sua frente. Acredite que nós todos havemos ainda de ser muito felizes.

— Muito obrigada pela tua amizade, Niétotchka! Poucos são os que me querem, todos me abandonaram!

— Mas quem é que a abandonou? Quem foi?

— Houve tempo em que eu não estava tão só, Niétotchka, tu não sabes. Todos me abandonaram, afastaram-se desta casa como se tivesse acontecido algo de extraordinário. E eu tenho continuado à sua espera, esperei-os toda a minha vida...

Agora, que Deus lhes perdoe. Olha, Niétotchka, como o outrono vai já adiantado! Em breve iremos ter neve, e quando caírem os primeiros flocos, cairei eu também! Mas não quero queixar-me! Adeus a todos!

Tinha o rosto alongado e transparente; nas suas faces ardiam rosetas vermelhas; tremiam-lhe os lábios, que pareciam consumidos por um fogo interior.

Sentou-se ao piano e tocou algumas notas. Nesse momento uma corda soltou-se e ouviu-se um longo, trêmulo e dolorido som...

— Ouviste, Niétotchka, ouviste? — perguntou, numa voz apagada e apontando para o piano. — Esta corda estava tensa demais; por isso não pôde mais e soltou-se. Ouves este som, como se extingue, dolente?

Falava a custo. O seu rosto refletia uma dor vaga, espiritual, e tinha os olhos cheios de lágrimas.

— Pronto, Niétotchka, pronto! Vai buscar os meninos!

Levei-lhe as crianças. A presença delas pareceu serená-la e dar-lhe um pouco mais de ânimo. Mas, passada uma hora, tiveram de deixá-la.

— Se eu morrer, ficas tu com eles, Anieta, não é verdade? — disse num fio de voz, como se tivesse medo de que a ouvissem.

— Tenha piedade de mim — disse e sorriu. — Achas que eu falei isso a sério? Às vezes digo certas coisas... Sou como uma criança a quem é preciso desculpar muita coisa.

Quando disse isto, olhou-me com uma grande timidez, como se tivesse medo de deixar escapar qualquer coisa que teria no coração. Eu esperava.

— Olha, não o assustes — disse-me, por fim, baixando os olhos, com um claro rubor no rosto, e em voz tão baixa que mal se ouvia.

— A quem? — perguntei-lhe, assombrada.

— Ao meu marido. Seria o fim de tudo, se lhe fosses contar isto.

— Como? Por quê? — repeti a minha pergunta com assombro sempre crescente.

— Mas pode ser que não lhe contes. Por que te interessaria este assunto! — respondeu ela, e visivelmente procurou penetrar no meu espírito, ao mesmo tempo que se refletia um sorriso bondoso nos seus lábios, e cada vez o seu rosto se tornava mais corado. — Mas deixemo-nos de brincadeiras!

O meu coração apertou-se dolorosamente.

— Mas isto, sim, olha: quando eu morrer hás de gostar deles, não é verdade? — acrescentou seriamente e voltou a mostrar um semblante misterioso. — Como se fossem teus filhos... Sim? Vê bem, eu te tratei sempre como filha e como tal te quis também.

— Sim, sim — respondi sem saber o que dizia, desfeita em lágrimas e sufocada de comoção.

Um beijo ardente me queimou a mão... que eu não consegui retirar a tempo. O espanto paralisou-me a fala.

"Mas o que se passa? Em que pensa ela? O que se teria passado ontem?", pensei.

Depois, Alieksandra Mikháilovna queixou-se de que se sentia cansada.

— Já desde há muito tempo que eu me sinto doente, mas não queria assustar vocês — disse. — Os dois gostam de mim, não é verdade? Até logo, Niétotchka, e agora me deixa; mas logo à noite volta sem falta, sim?

Prometi e senti um alívio quando me retirei. Não me teria sido possível resistir por mais tempo.

"Pobrezinha, pobrezinha! Que suspeita a impele para o túmulo? — soluçava eu. — Que novo desgosto dilacera o teu coração, desgosto de que tu nem sequer te atreves a falar? Meu Deus! Essa dor que já desde há muito eu tinha percebido nela; essa vida tão triste, esse seu amor tão humilde, que não pede nada. E como se isto ainda fosse pouco, agora, neste momento em que está já com um pé à beira do sepulcro, quando o seu coração cansado, que se sente culpado e não ousa murmurar nem queixar-se... ainda sobre ela cai uma nova dor, à qual há de sucumbir, sem resistência!"

Nessa tarde, ao pôr do sol, aproveitei a ausência de Ovrov (aquele administrador do príncipe que tinha vindo de Moscou), entrei na biblioteca, abri um armário e procurei um livro para ir lê-lo a Alieksandra Mikháilovna. Queria distraí-la dos seus tristes pensamentos e animar-lhe o espírito com qualquer coisa engraçada, alegre... Procurei durante muito tempo. Entretanto anoiteceu e com a obscuridade aumentou o meu sofrimento. Veio parar às minhas mãos aquele mesmo livro onde achei a tal carta, achado cujas consequências sofria... cujos segredos vieram destroçar a minha vida, e do qual desde as distâncias do passado soprava um vento tão frio, tão desconhecido e misterioso e de um modo tão ameaçador...

"Que vai ser de nós? — pensei. — O cantinho onde estávamos tão abrigadas, tão livres e tão a nosso gosto... vai ficar deserto.O puro e claro espírito que protegeu a minha infância abandona-me. O que me espera depois?"

Assim estava eu, pensativa, meditando sobre tudo isso, refletindo sobre todo o passado, que tão querido era para o meu coração, e permanecia imóvel como se sentisse já qualquer coisa de iminente, de desconhecido e misterioso... Lembro-me tão bem desses momentos como se os estivesse vivendo agora. De tal maneira ficaram gravados na minha imaginação.

Tinha nas mãos a carta e o livro aberto; as minhas faces estavam úmidas de lágrimas. De súbito, estremeci: junto de mim vibrava uma voz conhecida. Naquele mesmo momento senti que me arrancava a carta das mãos. Dei um grito e voltei-me. À minha frente estava Piotr Alieksándrovitch. Segurou-me por um pulso e não me deixou mover do meu lugar; com a mão direita aproximava a carta da luz e esforçava-se por decifrar as primeiras linhas... Eu teria preferido morrer a deixar-lhe a carta. O seu sorriso triunfante deu-me a entender que tinha conseguido ler o princípio. Eu ia perder os sentidos...

Mas um momento depois, sem dar conta do que fazia, precipitei-me sobre ele e arranquei-lhe a carta da mão. Isso aconteceu de maneira tão inesperada, que não posso perceber como é que pude apoderar-me da carta. Mas quando compreendi que ele queria tirá-la de novo, guardei-a rapidamente debaixo da minha blusa e retrocedi uns passos.

Olhamo-nos os dois em silêncio, por um instante. Eu tremia; ele... pálido, de lábios lívidos... foi o primeiro a quebrar esse silêncio.

— Bem! — disse com uma voz que a comoção tornava fraca. — Espero que não dê ocasião a que eu tenha de empregar a força; por isso, por sua livre vontade, dê-me essa carta.

Foi então que eu saí do meu espanto. Perante aquela prepotência, a vergonha e a indignação apoderaram-se do meu espírito. Lágrimas ardentes tombaram dos meus olhos. Tremia, devido à força da comoção, e durante um momento não me achei na situação de articular uma palavra.

— Ouviu? — exclamou ele, e adiantou um passo em minha direção.

— Deixe-me, deixe-me! — exclamei eu, retrocedendo. — O que está fazendo é uma coisa indigna, vil. O senhor enlouqueceu! Deixe-me sair.

— O quê? O que vem a ser isso? Como se atreve a falar-me dessa maneira? Depois de tudo quanto... Entregue-me essa carta, ouviu?

Avançou mais um passo; mas viu nos meus olhos uma tão fria determinação que se deteve, indeciso, refletindo...

— Bem — disse finalmente com aspereza, ainda que dominando-se a custo. — Uma coisa e depois a outra... Mas primeiro...

Relanceou os olhos pela sala.

— Quem... é que a deixou entrar na biblioteca? Por que está aberto este armário?

— Não espere que eu responda a essas perguntas — disse-lhe. — Não posso falar com o senhor sobre esse assunto. Deixe-me sair.

Encaminhei-me para a porta.

— Um momento! — disse ele e pegou-me numa mão. — Não há de sair assim!

Eu retirei em silêncio a minha mão e dirigi-me outra vez para a porta.

— Como quiser. Mas eu não posso consentir que receba cartas de amantes, na minha casa...

Eu dei um grito e fixei sobre ele um olhar terrível...

— E por isso...

— Não continue! — exclamei. — Como pode o senhor dizer...? Como pode dizer uma coisa dessas? Meu Deus, meu Deus!

— Como?! O quê?! Ainda por cima me ameaça?!

Eu olhei para ele num desespero, aniquilada. A luta entre nós dois tinha chegado ao último grau de animosidade. Mas eu não podia compreender. Suplicava-lhe com os olhos que não levasse as coisas até mais longe. Estava disposta a perdoar-lhe todas as ofensas, contanto que ele não continuasse. Ele me lançou um olhar penetrante e pareceu refletir.

— Não me faça desesperar! — murmurei, assustada.

— Não; é preciso acabar com isso — disse ele por fim, como se tivesse recuperado o juízo. — Devo confessar-lhe que hesitei um momento perante essa ideia — acrescentou, com um estranho sorriso. — Mas, infelizmente, o caso é bem claro. Ainda pude ler o princípio da carta. É uma carta de amor! Não o pode negar. É escusado. E se hesitei um momento foi apenas por me ter visto na necessidade de juntar às suas outras boas qualidades a capacidade de mentir, e por isso repito-lhe...

A sua maldade ia crescendo à medida que ele ia falando. Estava pálido; os lábios tremiam-lhe e franziam-se e custava-lhe muito articular as palavras. A sala achava-se já completamente às escuras. Eu estava ali indefesa, perante um homem que era capaz de infligir os piores suplícios à sua esposa. E, na verdade, todas as aparências depunham contra mim. Eu estava envergonhada, completamente transtornada; não podia compreender a fúria daquele homem. Sem lhe responder, fora de mim, saí de repente daquela sala e apenas recuperei a serenidade quando me vi à porta do quarto de Alieksandra Mikháilovna. Nesse momento ouvi os seus passos, e ia refugiar-me no quarto, quando, de repente, me quedei imóvel, como se me tivessem dado uma pancada na cabeça.

"Como estará ela? — pensei. — Aquela carta! Não, prefiro tudo, a ter de dar esse golpe ao seu coração..."

E ia voltar atrás. Mas era tarde demais: ele estava a meu lado.

— Onde vai? Venha... Mas aqui, não, aqui, não — e puxei-o pela mão. — Tenha pena dela! Voltemos para a biblioteca ou para onde quiser. Senão, acaba com ela.

— Você é que acaba com ela! — respondeu ele e retrocedeu.

Todas as minhas esperanças pareciam perdidas. Compreendi que ele queria contar tudo quanto tinha acontecido a Alieksandra Mikháilovna.

— Pelo amor de Deus! — exclamei, e retive-o com todas as minhas forças.

Exatamente nesse instante, o cortinado levantou-se, e à nossa frente surgiu Alieksandra Mikháilovna. Quedou-se, surpreendida, a olhar para nós. E fez-se ainda mais pálida. Via-se que lhe custava muito manter-se de pé. Devia ter feito um grande esforço para chegar até ali, atraída pelas nossas vozes.

— Que é isso? De que falavam, aqui? — perguntou, num espanto enorme.

Houve um silêncio e ela se tornou pálida como uma morta. Eu me lancei contra ela, abracei-a e levei-a para o seu quarto. Piotr Alieksándrovitch seguiu-nos. Eu estreitava o meu rosto contra o peito de Alieksandra Mikháilovna e abraçava-me a ela cada vez com mais força, transida de ansiedade.

— Que se passa? Que se passa entre os dois? — perguntou ela de novo.

— Pergunta a ela. Não a defendias tanto ainda ontem? — disse Piotr Alieksándrovitch deixando-se cair pesadamente numa poltrona.

Eu me apertava cada vez com mais força contra o peito de Alieksandra Mikháilovna.

— Mas, meu Deus, que quer dizer isto? — exclamou ela numa grande angústia e tomada de um grande espanto. — Estás tremendo e lavada em lágrimas. Diz-me, Anieta, o que se passa entre os dois?-

— Não, dá-me licença que eu seja o primeiro a falar — disse Piotr Alieksándrovitch, aproximando-se de nós. Pegou-me pela mão e afastou-me violentamente da esposa. — Fique aí, de pé — disse, apontando para o meio da sala. — Vou julgá-la diante daquela que tem feito para você as vezes de uma mãe. E tu, Alieksandra Mikháilovna, faz-me o favor de te acalmares e de te sentares. Tenho muita pena de não poder evitar-te esta aborrecida revelação, mas não há outro remédio...

— Meu Deus! De que se trata? — murmurou Alieksandra Mikháilovna.

E com olhos angustiados, olhou-nos, primeiro a mim e depois ao marido. Eu juntei as mãos, na expectativa daquele instante fatal. Não esperava piedade dele.

— Numa palavra — continuou Piotr Alieksándrovitch — quero que faças de juiz nesta questão. Tu, não sei por quê, sempre... e pode ser que se trate de uma das tuas fantasias, ainda ontem mesmo, pesaste e disseste... não sei bem como hei de me exprimir. Envergonho-me dessas suposições... Bem, tu sempre a tens defendido, puseste-te ao seu lado contra mim e acusaste-me de ser injustamente severo; chegaste até a insinuar que tal severidade, injusta, obedecia ao influxo de outro sentimento... Tu... sim, não compreendo como não me é possível dominar a minha excitação, porque me envergonho ao pensar nas tuas alusões, porque não posso me *exprimir francamente contigo na sua presença...*Em suma, tu...

— Oh, não vais dizer uma coisa dessas! Não terás o arrojo de o dizer! — exclamou Alieksandra Mikháilovna, corando de pudor. — Não, evitarás essa vergonha.

Fui eu, eu apenas quem pensou isso. Mas já se acabaram todas as minhas suspeitas. Perdoa-me, perdoa-me! Estou doente, deves desculpar-me! Não lhe digas nada a ela, não! Anieta, vai-te embora daqui. Ele está gracejando, sou eu quem tem culpa de tudo. Oh, mas que brincadeira tão dolorosa!

— Vou dizer-lhe em duas palavras. Tu tinhas ciúmes dela — declarou sem piedade Piotr Alieksándrovitch em resposta às súplicas de sua esposa.

Alieksandra Mikháilovna deu um grito e segurou-se à cadeira, quase sem forças para ter-se de pé.

— Que Deus te perdoe! — murmurou finalmente, com uma voz fraca. — Perdoa-me tu, Niétotchka; sou eu a culpada de tudo! Eu estava doente, eu...

— Isso é uma crueldade, uma vileza, uma maldade — eu gritei, fora de mim, pois então percebia já tudo, tudo, e em primeiro lugar, porque é que ele se empenhava em julgar-me diante da mulher. — Isso apenas merece desprezo... O senhor...

— Anieta! — exclamou Alieksandra Mikháilovna dirigindo-se a mim, assustada.

— Comédia, comédia e nada mais! — exclamou Piotr Alieksándrovitch, dirigindo-se a nós, tomado de uma indescritível comoção. — Comédia, repito! — e não deixava de olhar para a mulher com um sorriso trocista. — E a única que nesta comédia acaba por ficar enganada... és apenas tu. Ela julga que nós — articulou, quase sem respiração e apontando para mim — temos estas explicações e que somos tão tolos que consentimos que nos ofendam e havemos de nos fazer corados até à raiz dos cabelos quando nos falam de coisas semelhantes. Peço-te que me desculpes, talvez eu me exprima com demasiada rudeza e sinceridade, e até talvez de um modo excessivamente tosco; mas... isto tinha de se dar. Minha tolinha, continuas ainda convencida da honesta conduta desta... rapariga?

— Meu Deus! O que tens tu? Esqueces-te de ti próprio — murmurou Alieksandra Mikháilovna quase gelada de espanto.

— Por favor, não empregues frases ribombantes — interrompeu Piotr Alieksándrovitch em tom depreciativo. — Essa linguagem, para mim, não serve. O assunto é muito simples e vulgar, pois fica sabendo que...

Mas eu não o deixei continuar. Peguei-lhe numa mão e afastei-o. Um momento mais e... tudo estaria perdido.

— Não fale da carta — disse-lhe eu, ao ouvido. — Ela não resistiria a esse golpe. Uma censura que me fizesse a mim seria o mesmo que fazê-la a ela. Ela não pode condenar-me, porque eu sei tudo... compreende? Tudo!

Ele me olhou com olhos penetrantes e curiosos e... meu rosto ficou afogueado.

— Sei tudo, tudo — repeti.

Ele parecia ainda hesitar. Aos seus lábios assomava uma pergunta. Eu me adiantei:

— De tudo quando aconteceu — eu disse em voz alta, dirigindo-me a Alieksandra Mikháilovna, que nos contemplava, tímida e assombrada — sou eu a única culpada. Há já quatro anos que eu ando a enganá-la. Apoderei-me da chave da biblioteca e desde já quatro anos que leio livros às escondidas. Piotr Alieksándrovitch surpreendeu-me hoje ali com um livro que não devia encontrar-se nas minhas mãos. Por interesse por mim, exagerou as coisas diante da senhora... Mas renuncio a defender-me — acrescentei, ao observar nos seus lábios um sorriso trocista. — eu é que tenho a culpa de tudo. A tentação foi mais forte do que eu, e depois de lhe ter cedido, tive vergonha de lhe confessar... foi só isto, quase só isto, o que se passou entre nós dois.

— Oh... que descaramento! — murmurou junto de mim Piotr Alieksándrovitch.

Alieksandra Mikháilovna escutava-me com atenção inquieta. No seu rosto refletia-se a desconfiança. Olhou para nós alternadamente, primeiro para mim, depois para o marido. Eu mal me atrevia a respirar. Ela curvou a cabeça sobre o peito e cobriu os olhos com a mão, decerto para meditar em cada uma das minhas palavras. Finalmente levantou a cabeça e olhou para mim com um ar inquiridor.

— Niétotchka, minha filha, eu sei que tu não és capaz de mentir — disse. — Foi só isso o que aconteceu?

— Só — respondi.

— Só? — repetiu ela encarando o marido.

— Sim, só isso — respondeu este fazendo um grande esforço. — Só isso!

Eu respirei.

— Dás-me a tua palavra, Niétotchka?

— Sim — respondi, sem pestanejar.

Mas não pude conter-me e deitei um olhar a Piotr Alieksándrovitch. Este sorriu quando me ouviu dar a minha palavra. Eu me fiz escarlate e a minha perturbação não passou despercebida a Alieksandra Mikháilovna. Uma dor dilacerante se refletiu no seu rosto.

— Basta — disse tristemente. — Acredito em vocês. Como não havia de acreditar?

— Eu penso que aquela confissão é o suficiente — observou Piotr Alieksándrovitch. — Ouviste bem o que ela disse? Que pensas tu daquilo?

Alieksandra Mikháilovna calou-se. A situação tornava-se cada vez mais insuportável.

— Amanhã, sem falta, irei verificar todos os livros — continuou Piotr Alieksándrovitch. — ainda não sei de quais se tratava, mas...

— Que livro estavas lendo? — perguntou Alieksandra Mikháilovna.

— Qual era? Responda — disse ele, dirigindo-se a mim. — Deve saber explicá-lo melhor do que ninguém — acrescentou num tom de motejo reprimido.

Eu perdi a serenidade e não fui capaz de articular uma palavra. Alieksandra Mikháilovna corou e baixou os olhos. Seguiu-se um grande silêncio. Piotr Alieksándrovitch, mal-humorado, passeava pelo quarto.

— Não sei o que se passou entre vocês — começou finalmente Alieksandra Mikháilovna, pronunciando as palavras com hesitação—mas se verdadeiramente tudo se resumiu a isso — esforçava-se por dar a cada palavra um sentido especial, ao mesmo tempo que evitava olhar para o marido, cujo olhar imperturbável aumentava cada vez mais a sua confusão — se tudo se resume a isso, então não sei por que havemos de nos atormentar tanto e chegarmos até a altura de nos pormos a dois passos do desespero, por causa dessa insignificância. A culpada de tudo sou eu, apenas eu, e lamento-o muitíssimo. Tomei a meu cuidado a sua educação e sou eu quem deve arcar com a responsabilidade. Por isso é ela quem tem de perdoar o meu descuido. Não me atrevo a condená-la. Mas por que havemos de nos excitar tanto?

O perigo já passou. Olha para ela, homem. A sua conduta imprudente teve algumas consequências para ela? Como se eu não conhecesse a minha filha, a minha querida filha! Porventura não sei que ela tem um coração nobre e puro e que naquela cabecinha — continuou, puxando-me para si e acariciando-me — se esconde uma inteligência pura e diáfana? Deixemos isto, meus filhos. Não falemos mais nisto. Provavelmente há qualquer outra coisa no fundo da nossa tristeza, talvez uma sombra passageira se tivesse estendido sobre nós e nada mais. Mas nós, com a nossa amizade e em boa harmonia, devemos dissipar esta nossa má compreensão. Talvez haja muito de recalcado entre nós, e de tudo isso sou eu a culpada. A mim, a princípio, só Deus sabe que suspeitas me ocorreram, mas das quais apenas o meu cérebro doente é o responsável... E... e se lhes deixei entrever qualquer coisa, perdoem-me ambos, porque... porque, afinal, não seria um grande pecado o meu ao pensar...

Corou e olhou timidamente para o marido, esperando com inquietação uma palavra sua. O marido, enquanto ela falava, tinha nos lábios um sorriso trocista. De repente, interrompeu o seu passeio pelo quarto e foi postar-se diante dela, com as mãos atrás das costas. Contemplou a sua comoção e ficou satisfeito com ela. Alieksandra Mikháilovna perturbou-se quando sentiu fixo em seu rosto o olhar imperturbável do marido. Ele continuava tranquilo, como se esperasse qualquer coisa. Por fim interrompeu aquele sorriso enervante, silencioso e reprimido.

— Que pena que me fazes, pobre criatura! — disse finalmente com gravidade e amargura, depois de deixar de sorrir. — Estás fazendo um papel que não te assenta bem. Afinal, o que é que tu queres? Desejas tornar-me objeto de novas suspeitas ou, para melhor dizer, renovar as suspeitas antigas, que mal consegues ocultar ainda nas tuas palavras? O que tu queres dizer é que não há motivo para nos aborrecermos com ela, que ela continua a ser pura e boa, mesmo depois da leitura de livros imorais, cuja imoralidade... atrevo-me a dizê-lo por minha conta... parece ter começado já a dar os seus frutos; e finalmente, que tu estás de acordo com ela, não é assim? E depois... depois de teres dito isso, queres agora afirmar, dar a entender uma coisa diversa. Pensas que o meu aborrecimento e a minha animosidade derivam de um certo sentimento diferente. Ainda ontem à noite querias dar a entender... Por favor, não me interrompas, quero dizer tudo com absoluta franqueza... Insinuavas ontem à noite que alguns homens (segundo a tua opinião, se bem me lembro, tais homens eram geralmente homens maduros, sérios, expeditos e enérgicos e não sei quantas coisas mais, que tu, num assomo de generosidade, lhes atribuías), que em alguns homens, repito, o amor (e só Deus sabe com que intenções o dizias) não pode manifestar-se senão de uma forma rude, violenta, ofensiva, unido com frequência à desconfiança e à aversão. Aliás, não me lembro precisamente se te exprimiste com as mesmas palavras... Por favor, não me interrompas; eu conheço muito bem a tua filha adotiva; ela já pode ouvir tudo, tudo, pela centésima vez... Tudo! Tu estás muito enganada! Mas não compreendo para que hás de insistir nessa afirmação de que eu sou um homem desse gênero... Por que hás de tu querer lançar essa pecha, precisamente sobre mim! Sim, na minha idade já não fica bem a inclinação para as meninotas e, finalmente, minha amiga, eu sei qual é o meu dever e como tu querias desculpar-me generosamente; insisto naquilo que disse: que um delito é sempre um delito, uma culpa, uma ação suja e desonesta, por muito alto que tu queiras colocar o sentimento pecaminoso. Mas já chega! Não falemos mais disto! E que eu não ouça falar mais destas coisas vergonhosas!

Alieksandra Mikháilovna chorava.

— Oxalá eu tenha verdadeiramente merecido ouvir-te dizer tudo isso! — exclamou, ao mesmo tempo que me abraçava por entre soluços. — Oxalá as minhas suspeitas tenham sido tão sem razão para que tenhas podido assim, tão cruelmente troçar delas! Mas tu, minha filha, para que hás de ser obrigada a ouvir estes insultos? E eu sem poder valer-te! Eu tenho de me calar! Meu Deus... Não... Não posso me calar, não podes exigir-me tanto! Não posso suportá-lo... A tua conduta é verdadeiramente absurda!

— Não se aflija e tranquilize-se! — disse lhe eu num fio de voz, tentando acalmar a sua agitação, pois temia que ela, com as suas censuras, o fizesse exorbitar.

— Que mulher cega! — exclamou ele com energia. — Mas será o caso de que não saibas, de que não vejas?

Deteve-se um momento.

— Afaste-se dela! — ordenou e desprendeu a minha mão das de Alieksandra Mikháilovna. — Não consinto que você toque na minha mulher! O seu contato mancha! A sua presença é um insulto para ela! Mas... Por que razão hei de calar-me, quando o que é preciso é dizer tudo? — exclamou, batendo com os pés no chão. — Vou dizer-lhe tudo, tudo. Ignoro o que a menina sabe, e não sei com que pretendia ameaçar-me, nem tampouco desejo sabê-lo. Por isso, ouça-me — continuou, dirigindo-se a Alieksandra Mikháilovna.

— Cale-se! — exclamei e quase me atirei sobre ele. — Cale-se! Não diga nem uma palavra!

— Não, tenho de falar!...

— Cale-se! Em nome de...

— Em nome de quê, menina — replicou ele pegando-me na palavra rapidamente e, durante um segundo, fitou-me nos olhos, de maneira inquiridora. — Em nome de quem? Ouça o que vou dizer-lhe: eu lhe apanhei uma carta do seu amante! E tu, agora, já ficas sabendo o que se passa na nossa casa. Agora ouviste já o que se passa junto de ti! Era isto o que tu não tinhas visto, aquilo em que não tinhas reparado.

Eu mal podia ter-me de pé. Alieksandra Mikháilovna ficou pálida como um cadáver.

— Isso não é possível — balbuciou, com uma voz quase imperceptível.

— Eu vi essa carta com os meus próprios olhos, tive-a nas minhas mãos e li as suas primeiras linhas; não pode tratar-se de uma alucinação. Era uma carta de amor. Ela me tirou e agora está em seu poder. A coisa não pode ser mais clara, é perfeitamente palpável! E, se apesar disto, ainda duvidas, não tens mais do que olhar para ela, e depois verás como se dissiparão todas as tuas dúvidas.

— Niétotchka! — exclamou Alieksandra Mikháilovna de repente. — Não, não, não fales nem digas nada! Não sei do que se trata, o que, como... Meu Deus, meu Deus!

Cobriu o rosto com as mãos e pôs-se a chorar.

— Não! Isso não é possível! — tornou a exclamar. — Estão enganados. Isso... isso... eu sei o que isso quer dizer! — disse lentamente, ao mesmo tempo que fixava os olhos no marido. — Tu... eu... não podia... não, tu não me enganarás, não podes enganar-me! Conta-me tudo, diz-me tudo! Ele está enganado, não é verdade? Está, não está? Viu outra coisa e julgou ver... não é verdade? Não é verdade? Por que não me dizes tudo, Anieta, minha filha, minha querida filha?

— Responda, responda imediatamente! — gritou Piotr Alieksándrovitch. — Responda. É verdade ou não que eu vi a carta nas suas mãos?

— Sim — respondi, precipitadamente, devido à intensidade da minha comoção.

— Essa carta era do seu amante?

— Era.

— Com o qual continua ainda em relações?

— Sim, sim, sim! — eu disse fora de mim, confirmando tudo o que ele perguntava, cegamente, apenas como fim de pôr termo àquele suplício.

— Ouviste? E agora, o que tens a dizer? Acredita em mim, com todo o teu bom coração, tão confiado — acrescentou, pegando na mão de sua esposa — e reconhece o teu erro, mantido pela tua mórbida fantasia. Agora, já podes ver quem é... esta menina... Eu apenas queria reduzir *ab absurdum* as tuas suspeitas. Tudo isso eu já tinha notado há muito tempo, e folgo de ter podido finalmente desmascará-la na tua presença. Era-me difícil vê-la ao teu lado, nos teus braços, sentada conosco à mesma mesa, sim, em nossa casa! E revoltava-me a tua cegueira. Por isso e apenas por isso eu lhe prestava atenção e a observava; e aconteceu que tu reparaste nessa minha atenção, e então, sabe Deus que suspeitas criaste e que edifício construíste sobre essas bases, na tua imaginação. Mas agora já tudo está claro, todas as dúvidas estão desfeitas, e amanhã mesmo, menina, você deixará esta casa! — terminou, encarando-me.

— Alto! — disse Alieksandra Mikháilovna e levantou-se. — Eu não acredito em toda esta cena. Não me olhes com essa cólera, nem te rias. É a ti mesmo que eu faço juiz; apenas quero expor a minha opinião. Anieta, minha filha, vem cá; dá-me a tua mão, assim... Ninguém está livre de culpas, todos nós somos pecadores — disse com uma voz trêmula de pranto e ao mesmo tempo olhou humildemente para o marido. — Quem pode repudiar a mão de alguém? Dá-me a tua mão, Anieta, minha filha! Eu não sou mais digna nem melhor do que tu! Tu não podes ofender-me com a tua presença, pois também eu, também eu sou pecadora!

— Mulher! — exclamou Piotr Alieksándrovitch. — Que dizes tu? Não te esqueças...

— Não me esqueço de nada.Não me interrompas. Deixa-me falar até o fim. Tu viste uma cartas nas suas mãos e até chegaste a ler qualquer coisa; tu dizes... e ela... confessou que essa carta era do seu amante. Mas quererá isso dizer que ela se tenha envilecido? Isso te dá o direito de a tratares dessa maneira, na minha presença, de ofendê-la assim, diante da tua mulher? Terias por acaso pesado tudo bem, na tua consciência? Estará isso tudo absolutamente certo?

— Ah! Queres ver que agora ainda vou ter de lhe pedir perdão! É isso o que desejas? — exclamou Piotr Alieksándrovitch furioso. — Até me fazes perder a paciência, com esse arrazoado! E tu saberás também de quem falas, o quê e a quem defendes? Mas já vais saber... Tudo...

— E não vês o mais importante, porque estás cego pela cólera e pelo orgulho. Não vês o que defendo, nem de quem falo. Eu não defendo o vício. Mas tu também pensavas (e me darás razão quando refletires), tu pensavas que ela era inocente e ignorante como uma menina. Repito-te que não defendo o vício. Apresso-me a justificar-me, se assim o desejas. Sim, se ela fosse uma mulher casada, se fosse mãe e tivesse esquecido os seus deveres... então te daria razão... Já vês que me justifico. Por isso não te esqueças disto nem me faças nenhuma censura. Mas, e se ela recebeu esta carta sem suspeitar nada de mau? E se, na sua inexperiência, apenas se terá deixado levar por um sentimento grande e por não ter ninguém junto dela que a detivesse? E se fosse eu a principal culpada, por não ter velado pelo seu coração? E se tu, com a tua crua suspeita, tivesses ferido os seus puros sentimentos virginais? E se tivesses manchado a sua imaginação, com as tuas cínicas palavras e observações sobre a carta? Se tu quisesses ver que neste rosto cheio de virginal pudor, apenas transparecem a pureza e a inocência e o inquieto rubor de uma donzela... o pudor que agora lhe reconheço e que já antes lhe reconheci quando, ainda há pouco, como que transviada no meio da sua dor, ela não sabia o que dizia e, na angústia do seu coração, a todas as tuas perguntas desumanas, respondia: "Sim, sim, sim!" Isso foi desumano e cruel da tua parte; nem te reconheço; isso não te perdoarei nunca, nunca!

— Oh, tenha pena de mim, tenha pena de mim! — exclamei e apertei-a com força nos meus braços. — Ouça-me, acredite em mim, não me repudie!

E, tomada da mais profunda comoção, postei-me de joelhos diante dela.

— E se — continuou ela, mal podendo respirar — e se eu, agora, não estivesse ao seu lado, se tu, com as tuas palavras, a tivesses assustado e a pobrezinha se julgasse realmente culpada; se tivesse perturbado a sua consciência, a sua alma, e destruído a paz do seu coração? Meu Deus! E querias expulsá-la de casa! Mas tu não sabes com quem lidas? Pois fica sabendo que se a expulsasses de casa, nos expulsarias às nós duas... a mim também. Ouves bem o que eu digo?

Os seus olhos cintilavam e o peito tremia-lhe com força; a sua excitação doentia crescia até a sua última crise.

— Sim, na verdade, já te ouvi bastante — exclamou Piotr Alieksándrovitch. — E basta! Não ignoro que existem amores platônicos... e sei disto por mim próprio, estás ouvindo? Sei à minha custa! Mas não me conformo em viver com esse vício dourado, debaixo do meu teto. Não o compreendo e, por conseguinte... fora com ele! Se a senhora se sente culpada, se tem consciência de alguma culpa — não me compete a mim recordar-lhe, senhora — se a si lhe ocorresse a ideia de abandonar a minha casa... apenas me cumpre dizer-lhe, recordar-lhe que a senhora se esqueceu, de maneira lamentável, de levar a efeito a sua decisão no momento oportuno, na hora precisa, já há anos antes de... se já esqueceu a data, eu posso avivar-lhe a memória...

Eu olhei para Aliekcsandra Mikháilovna. Ela se apoiou convulsivamente em mim, sentindo-se desfalecer de dor, de olhos semicerrados, presa de um sofrimento desumano. Um pouco mais... e teria sucumbido.

— Oh, por amor de Deus, tenha piedade, ao menos uma vez! Não diga a última palavra — exclamei fora de mim e lancei-me aos pés de Piotr Alieksándrovitch, sem pensar no que fazia; mas era tarde demais. Apenas um grito leve se ouviu como resposta às minhas palavras e a pobrezinha caiu sem sentidos.

— O senhor matou-a! — eu disse. — Peça socorro, salve-a! Eu espero pelo senhor no seu escritório. Preciso falar-lhe para lhe dizer tudo...

— Dizer tudo? O quê?

— Depois!

O desmaio de Aliekcsandra Mikháilovna durou duas horas. Toda a casa ficou num alvoroço. O médico abanava a cabeça, duvidoso. Às duas horas me dirigi ao gabite de Piotr Alieksándrovitch. Este acaba de regressar do quarto da mulher. Pôs-

-se a passear pela sala, mordeu os lábios quase até fazer sangrar e parecia pálido e preocupado. Nunca o tinha visto daquela maneira.

— O que é que você tinha para me dizer? — perguntou-me ele secamente.

— Disse que...

— Aqui está a carta que me tirou. Reconhece-a?

— Sim.

— Pois pode ficar com ela.

Pegou na carta e aproximou-a da luz. Eu o observava com toda a atenção. Passado pouco tempo, voltou a folha com força e pôs-se à procura da assinatura. Pude ver como o sangue lhe subia ao rosto.

— O que é isto? — perguntou-me, surpreendido.

Um pouco mais serena, não demorei a responder.

— Há três anos encontrei essa carta dentro de um livro. Compreendi que a tinham deixado ali por esquecimento, li-a e... fiquei a par de tudo. Guardei-a, por não saber a quem havia de entregá-la. Ao senhor eu não podia entregá-la. E por quê? Ao senhor não devia ser desconhecido o conteúdo desta carta, pois encerra toda a triste história... Mas o que eu agora não compreendo é que objetivo poderia ter tido a sua ocultação. Apesar de tudo não compreendo ainda perfeitamente a sua alma obscura. O senhor queria conservar a sua superioridade... e conseguiu. Mas, para quê? Para triunfar sobre um fantasma, para mandar no coração de uma doente, para demonstrar-lhe que se tinha enganado e que o senhor, pelo contrário, estava inocente perante ela. E conseguiu, pois essa suspeita... tornou-se a obsessão de um espírito que se apaga, talvez a última queixa de um coração abatido pela injustiça dos juízos alheios, com os quais o senhor estava de acordo. Que havia de mau em que o senhor gostasse de mim? Era isto o que ela dizia, o que ela queria demonstrar-lhe. Mas o seu orgulho e o seu egoísmo cioso foram implacáveis. Adeus, já não são precisas mais explicações. Mas tenha cuidado; agora eu já o conheço e compreendo bem as suas intenções, não esqueça!

Retirei-me para o meu quarto... quase inconsciente. Quando cheguei à porta, Ovrov, o ajudante de Piotr Alieksándrovitch, deteve-me.

— Tenho de lhe falar — disse-me, com uma reverência cortês.

Eu o olhei e naquele momento não compreendi o que ele dizia.

— Depois, desculpe-me, mas por agora não me sinto bem — disse-lhe finalmente e passei de largo.

— Então, até amanhã — disse ele, e fez-me outra reverência, acompanhada de um sorriso ambíguo.

Mas talvez isso tivesse sido o que me pareceu. Foi como uma visão, que passou, ligeira, diante dos meus olhos...

O PEQUENO HERÓI

O PEQUENO HERÓI
(1857)

Nesse tempo, eu ainda não tinha onze anos. Em julho me mandaram para uma chácara nas imediações de Moscou, onde vivia certo parente, chamado T... ov. Nessa ocasião, encontravam-se reunidos na sua casa uns cinquenta convidados ou talvez mais — não posso precisar quantos seriam, pois não me preocupei em contá-los. A festa atingiu o apogeu e cada qual divertia-se à sua maneira. Parecia que aquela festa nunca mais acabaria; que o dono da casa jurara a si próprio malbaratar o mais depressa possível a colossal fortuna, o que conseguiu daí a pouco tempo, pois hoje, na verdade, já perdeu a última polegada de terra das suas herdades.

A todos os momentos chegavam novos convidados. Moscou ficava tão próximo dali, que se via daquele ponto a cidade. Os convidados que se cansavam cediam o posto a recém-chegados, para que a festa se prolongasse indefinidamente. Divertimentos de toda espécie sucediam-se sem cessar, sem que se pudesse prever o último da série. Sucediam-se excursões a cavalo pelos arredores e grandes passeios pela margem do rio ou pela floresta: merendas e comezainas ao ar livre faziam parte da ordem do dia e, nas noites bonitas, ceávamos no extenso terraço da mansão senhorial, profusamente enfeitado com flores exóticas. A sua fragrante plenitude florida, juntamente com a iluminação brilhante do local, fazia com que as senhoras, todas jovens e lindas, parecessem ainda mais bonitas, quando sentadas à mesa, com o rosto cheio das cores frescas trazidas das excursões do dia, animadas, de olhos brilhantes e alegres, e quando se punham a tagarelar, graciosas e discretas, com uns e com outros, e quando, entre gracejos, deixavam vibrar as suas risadas argentinas. Dançava-se, tocava-se e cantava-se. Quando o tempo não estava bom, fazíamos quadros vivos, fazíamos jogos de sociedade, nos quais havia muito por onde escolher e, é claro, também representávamos peças teatrais. Realizávamos muitas vezes conferências, relatos dos acontecimentos mais importantes, anedotas etc., etc.

Dentre os convidados sobressaíam alguns com características pessoais e reconhecidos como heróis da festa. Não faltavam ali as invejas e as intrigas, nem as costumadas pequenas calúnias, sem as quais a humanidade não pode viver e milhares de indivíduos morreriam de aborrecimento, dada a pequenez da sua imaginação, tal como as moscas sucumbem no outono. Mas como eu, nesse tempo, contava apenas onze anos, ainda não compreendia aquela gente, e como, além disso, trazia o pensamento em coisas muito diferentes, na minha memória apenas fixava uma ou outra palavra solta das coisas que por aqui e por ali escutara. Mais tarde recordei um pouco daquilo que então vagamente ouvira, e não conseguira compreender. Além disso, nas minhas retinas infantis apenas podia gravar-se, de um modo duradouro, o brilhante aspecto exterior daquele espetáculo. E toda aquela animação festiva, a jovialidade despreocupada, aquela vida alegre e radiosa, tudo o que até então eu nunca vira nem ouvira, gravou em mim uma tal impressão, que durante os primeiros dias, vivi completamente aturdido, e a minha cabeça jovem chegou a sentir vertigens.

De fato, era ainda um rapazinho, apenas um rapazinho, e todas aquelas lindas senhoras que me acariciavam não impressionavam grandemente a minha idade. Mas... coisa estranha! Apesar dos meus onze anos, às vezes apoderava-se de mim uma estranha sensação, que eu próprio, naquele tempo, não podia explicar; era como se qualquer coisa roçasse pelo meu coração com muita suavidade e ternura, algo de desconhecido e nem sequer imaginado, a fazer com que, depois, meu coração começasse a arder e a palpitar como ao efeito de um grande susto, a ponto de, muitas vezes, impelir de repente o sangue escaldante às minhas faces. Havia momentos de vergonha para mim — era mesmo assim, envergonhar-me — ante os vários privilégios infantis postos ao meu desfrute; envergonhava-me, repito, e quase os interpretava como ofensa pessoal. Às vezes me sentia possuído de qualquer coisa assim como espanto, e esgueirava-me para qualquer canto onde ninguém pudesse ver-me, com o objetivo de retomar alento e recordar-me de algo que, segundo eu pensava, estivera perto de mim e imediatamente, e de um modo inesperado, escapara da minha memória, sem deixar o menor vestígio... e sem o que, eu julgava, não poderia viver, embora entendesse conveniente não falar sobre isso.

Finalmente parecia-me estar escondendo qualquer coisa das pessoas, algo a cujo respeito, por nada deste mundo teria dito uma palavra a ninguém, pois eu, então um rapazinho, sentia perante as pessoas tamanha vergonha que quase me fazia chorar. Mas, no meio do barulho em meu redor, bem depressa comecei a sentir certa solidão. Na verdade havia ali outros meninos, mas, ou eram maiores ou menores do que eu, e além disso não gostava de brincar com eles. Tenho a certeza de que não me aconteceria nada de particular, se não tivesse adotado naquela sociedade uma posição excepcional como o fiz. Para os olhos de todas aquelas senhoras encantadoras, eu não passava daquele pequeno e incaracterístico rapazinho por elas acariciado, e com o qual se julgavam no direito de brincar como com uma boneca. Sobretudo uma delas, uma jovem loura e sedutora, com a mais bela e abundante cabeleira já vista na minha vida, parecia apostar de propósito em não me deixar sossegado um só momento. Enquanto a mim me impacientavam e me revoltavam os risos que provocava entre os convidados com os seus gracejos, a ela, pelo contrário e com toda a certeza, pareciam diverti-la o mais possível. Conduzia-se às vezes como uma autêntica colegial; no entanto era encantadora e na sua beleza havia qualquer coisa saltando à vista e perturbando-nos completamente. É claro; não se parecia nada com essas atrevidas lourinhas que afinal são tão meigas e rosadas como ratinhos brancos ou tão aduladoras como criadinhas. Não era muito alta e sim um tanto roliça; mas o seu rosto mostrava umas feições suaves e finas, de encantadora distinção. Aquele rosto possuía eletricidade, de tal maneira que podia iluminar-se às vezes como um relâmpago, e, sobretudo, a sua dona era toda fogo, como costuma dizer-se: viva, impulsiva, ardente. Os grandes olhos vivos, podia dizer-se, lançavam centelhas, como pedras preciosas. Jamais trocaria uns olhos azuis e radiantes como aqueles, pelos negros olhos das mulheres do Sul, fossem ainda mais negros do que o mais negro olhar andaluz, pois a minha lourinha estava para mim, verdadeiramente, tal como aquela sua irmã de olhos negros para um célebre poeta que a cantara em belíssimas estrofes, dizendo e jurando sobre a sua disposição de dar a vida sempre que lhe fosse permitido tocar, mesmo só com a ponta dum dedo, na mantilha da sua dama. Acrescentarei ainda que a minha bela era a mais alegre de todas as belas, e ao mesmo tempo a mais estouvada, buliçosa e alvoroçada criaturinha, e tudo isto apesar de casada havia cinco anos. O riso não se apagava quase nunca nos seus lábios, nos lábios tão frescos e jovens como as macias pétalas duma rosa, quando começa a abrir o cálice fragrante ao contato dos raios de sol matinal, e quando este sorveu já as reluzentes e frias gotas de orvalho.

Recordo-me de que, no segundo dia da minha estada ali, se realizou uma representação teatral. O salão estava apinhado de gente; nem um só lugar livre, e como eu por acaso me atrasasse um pouco, tive de presenciar a peça de pé. Mas a divertida comediazinha posta em cena agradou-me tanto que, insensivelmente, fui deslizando para a frente, e, passado pouco tempo, encontrei-me nas primeiras filas. Aí me detive, apoiando-me ao encosto da cadeira duma senhora, a qual não era outra senão a minha linda loura. Mas devo acrescentar, nessa altura ainda não nos conhecíamos. E eis que, de repente... não sei como aquilo se deu... pus-me a contemplar os seus ombros, de beleza extraordinária, tão suaves e brancos como espuma de leite, embora então me fosse completamente indiferente olhar para os mais formosos ombros femininos ou para o chapeuzinho com fitas cor de fogo que cobria os cabelinhos cinzentos duma respeitável senhora da primeira fila. Ao lado da beldade loura sentava-se uma solteirona, uma dessas mulheres, como depois tive ocasião de observar, desejosas de estar o mais próximo possível das senhoras mais novas e bonitas, escolhendo geralmente aquelas não acostumadas a fazer medo aos rapazes. Mas falo a esse respeito, apenas de passagem; se me refiro a isto é apenas porque aquela velha solteirona acabou por reparar no meu olhar admirativo, inclinou-se em seguida para a sua formosa vizinha e, com um sorriso malicioso, murmurou qualquer coisa ao seu ouvido. Imediatamente esta olhou para mim e os seus olhos chamejantes fitaram-me na escuridão, de tal maneira que eu, distraído, estremeci, intimidado. Ela se pôs a rir.

— Gostas da peça? — perguntou-me, fitando-me com uma expressão zombeteira e piscando os olhos.

— Gosto, gosto — respondi e continuei a contemplá-la com certa admiração, que de novo pareceu agradar-lhe.

— Por que estás aí, de pé? Deves estar cansado. Os lugares estão todos ocupados?

— Sim, minha senhora, estão todos ocupados, não há uma cadeira livre — disse, mais preocupado agora com o desejo de encontrar onde me sentar do que com os cintilantes olhares da bela senhora, e muito contente também por aparecer finalmente uma boa alma capaz de ter piedade de mim. — Já olhei para ver se havia alguma cadeira livre mas não há nenhuma.

— Então vem para cá! — disse-me com decisão, tal como fazia sempre com tudo, com a rapidez do relâmpago, assim as coisas lhe viessem à cabeça. — Vem para junto de mim, vamos, senta-te no meu colo.

— No seu colo? — repeti quase maravilhado, sem saber o que fazer.

Como disse, começavam a envergonhar-me e a ofender-me os meus privilégios de criança. E aquela senhora loura era a mais solícita de todas. Além disso, eu, então um rapaz algo tímido e envergonhado, começava a sentir certo medo especial das mulheres, e por isso aquele convite deixou-me na maior perplexidade.

— Sim, homem, sim, no meu colo! Por que não queres sentar-te nos meus *joelhos?* — E pôs-se a rir, pois ria-se sempre com muita vontade, não se sabe bem por quê... Talvez por causa de alguma lembrança ou também de satisfação ao ver a confusão em que me deixara.

Corei muito e, perturbadíssimo, olhei às furtadelas em redor, como se procurasse uma oportunidade para escapar. Ela se aproximou, pegou-me na mão, puxou-me com força e, de repente, de um modo completamente inesperado e com grande espanto da minha parte, apertou-me a mão entre os seus dedos ardentes, como torniquete. Aquele apertão doeu-me muito e tive de empregar todas as minhas forças para não gritar. Portanto, não é de estranhar fizesse eu uma cara muito esquisita. Por outro lado, não só estava cheio de assombro e de medo, mas simplesmente de repugnância, graças a que, por minha experiência própria, acabava de descobrir: como uma senhora tão linda podia ser tão má e tratar daquela maneira um pequeno que não lhe fizera mal nenhum, e, ainda por cima, diante de tanta gente? Talvez minha cara de desgosto refletisse todas as comoções da minha alma, pois a maldosa loura ria-se gostosamente e continuava a apertar-me os dedos, como se os quisesse partir. Era de se dizer que experimentava estranho prazer em realizar qualquer loucura e atormentar um pobre rapazinho até levá-lo ao ponto do desespero. Eu, na verdade, estava quase a atingir o desespero. Em primeiro lugar sentia-me morrer de vergonha, pois todos os convidados mais próximos assestavam sobre nós o olhar, uns surpreendidos e encantados, outros, trocistas, pois não tardaram a perceber a linda lourinha a fazer-me alguma das suas. E além disso tinha vontade de deixar escapar um gemido, pois a bela parecia pôr todo o seu orgulho em apertar-me os dedos, com todas as forças, precisamente porque eu não gritava. No entanto eu resistia como um pequeno espartano e calava. Temia assustar o público com os meus gritos e chamar a atenção geral; nem sequer podia suspeitar o resto. No meu desespero comecei a sustentar uma luta renhida com aquela dama, a fim de libertar os meus dedos da sua mão, mas a cruel criatura tinha muito mais força. Finalmente não pude suportar a dor por mais tempo e soltei um grito... E era precisamente isso que ela esperava. Num abrir e fechar de olhos, largou a minha mão e pôs-se tão quietinha, como se nada tivesse passado, como a pessoa mais inocente deste mundo e não soubesse nada acerca da maldade alheia; numa palavra: procedeu como um autêntico colegial, que, mal o professor voltou as costas, logo começa a fazer travessuras, mais não seja a dar uma cotovelada nas costelas de outro rapazinho mais fraco, ou a fazer outra qualquer diabrura, para, a seguir, num abrir e fechar de olhos, colocar-se cheio de compostura e ajuizado, afundar-se no seu banco e baixar os olhos, com ar de santinho ou começar a ler com redobrada atenção no seu livro, deixando assim o mestre, que acudira logo ao ouvir barulho e nele fixara os olhos de gavião, com um nariz de palmo e meio.

Mas, por felicidade minha, naquele momento veio chamar a atenção de todos a arte histriônica do nosso anfitrião... que desempenhava na peça o papel de protagonista. Ressoaram aplausos tempestuosos e eu me apressei a aproveitar aquela ocasião para fugir; abri caminho por entre as filas de pessoas e corri para o canto oposto, donde, meio escondido atrás de uma coluna, cheio de medo, me pus a olhar para o lugar ocupado pelo meu lindo verdugo. Durante muito tempo ela olhou, a ver se me encontrava, mas não conseguiu localizar o meu esconderijo. Ria-se com vontade, chegando a apertar o lenço sobre a boca. Pelo visto custava-lhe bastante tivesse a nossa briga acabado tão depressa, e talvez começasse a imaginar uma nova maroteira.

Foi assim o começo do nosso conhecimento e, desde aquela tarde, nunca mais fiquei sossegado a seu respeito. Perseguia-me sem cessar e sem piedade. Tornou-se para mim autêntico pesadelo. O ridículo das troças de que me fazia vítima consistia principalmente em fingir-se louca de amor por mim... e em confessá-lo, sem o menor recato, diante de toda a gente. Naturalmente, para mim, à época um simples rapazinho envergonhado, aquela brincadeira era tudo quanto de mais terrível se possa imaginar, e causava-me desespero capaz de me fazer chorar; por duas ou três vezes ela me colocou em situações tão aborrecidas e desairosas que estive a pique de me atirar aos socos contra aquela minha teimosa adoradora. Mas a minha ingênua perturbação, o meu desespero e a minha raiva apenas pareciam ser outros tantos acicates a incitarem-na a continuar me perseguindo. Não tinha nem uma ponta de piedade por mim; eu já nem sabia onde me havia de esconder para lhe escapar; e, para cúmulo da desdita, as risadas que sabia arrancar aos outros com as suas troças excitavam-na ainda mais, fazendo-a quase atingir um verdadeiro descaramento. E devo reconhecer também — isto penso eu hoje, porque, nesse tempo, ainda não era capaz de formar uma opinião — que ela se permitia demasiadas liberdades com uma criança, como eu era então.

Ela era assim por temperamento, e isto não quer dizer que fosse má; era também uma autêntica criança mimada. Segundo soube depois, quem mais a mimava era o marido, um senhor gorducho, com uma cara muito fresca, com muito dinheiro e poucas ocupações, conforme era possível avaliar pelo gênero da sua vida. Tinha constantemente qualquer coisa a fazer e nunca se demorava duas horas no mesmo lugar; ia todos os dias à sua chácara de Moscou e em alguns dias, até duas vezes, e sempre, como dizia, por causa dos negócios. Seria difícil encontrar algo mais alegre e divertido do que a sua cara e a sua atitude — cômicas e sérias ao mesmo tempo. Amava loucamente a mulher: pode-se dizer que a adorava como a uma deusa.

Ele, escusado mencionar, nada lhe negava e nunca esquecia as coisas do seu agrado. Ela contava grande número de amigas e de amigos. Não havia ninguém para quem ela não fosse simpática e, além disso, não era muito exigente na escolha das amizades, embora, no fundo, se mostrasse muito mais séria do que poderia deduzir-se dos pormenores ora referidos. Mas de todas as suas amigas, a única por quem ela verdadeiramente tinha afeto era uma senhora, sua parente afastada, também presente na chácara, como convidada. Existia entre ambas amizade verdadeiramente íntima, dessas amizades invulgarmente ternas e finamente espirituais, cuja existência costuma fluir do encontro de dois caracteres às vezes totalmente diferentes, muitas vezes até opostos, mas dos quais um é mais grave e profundo do que o outro; aquele, em compensação, se subordina a este com uma aguda compreensão da própria dignidade e com abnegado carinho, reconhecendo a sua superioridade e conservando a sua amizade no coração, como um tesouro de alto valor. Produz-se então essa convivência mútua, terna e interiormente variada, na qual um põe bondade e condescendência, e o outro amor e respeito pelo que lhe é superior... um respeito, para dizer a verdade, assinalado por um traço de receio, um receio de perder, de qualquer maneira, aos olhos daquele por quem temos tamanha estima, e que ao mesmo tempo nos inspira o desejo de penetrarmos ainda mais no seu coração, graças ao valor das nossas ações. As duas amigas eram da mesma idade mas, entre elas, notava-se uma diferença quase incomensurável, logo pressentida no seu aspecto exterior. *Madame* M... era também muito bela, mas a sua beleza tinha qualquer coisa de especial. Logo à primeira vista esse matiz encantador fazia com que ela se distinguisse naquele conjunto de mulheres formosas; e esse algo, difícil de definir, exercia uma irresistível força de atração sobre as pessoas, ou, para melhor dizer, despertava em todos quantos a viam um sentimento bom e puro, impelindo-os para ela com uma secreta e poderosa simpatia. Há rostos assim. Junto dela sentíamo-nos melhores, mais livres e expansivos; e no entanto o olhar dos seus grandes olhos tristes, revelando energia e espírito, era tímido e inquieto, como se procurasse continuamente fugir de qualquer coisa de hostil e ameaçadoramente terrível, e esse temor estranho infundia às vezes uma tristeza dolorida por sobre as suas plácidas feições, a nos trazer à lembrança os rostos sacrossantos das *madonnas* italianas, e quase a prostrar-nos tristes também, como se, à sua semelhança, sofrêssemos igualmente qualquer desgosto. Que ela os tinha, adivinhava-se com toda facilidade. No seu rosto pálido e alongado, apesar da delicada beleza das suas feições puras e regulares, e da angustiosa gravidade duma dor indefinida e oculta, transparecia ainda o primitivo rosto infantil, o rosto dos anos inesquecíveis e felizes, de uma felicidade talvez inconsciente. E a isto juntava-se ainda aquele sorriso sereno e um tanto esquivo, indefinido, e tudo inspirava tão inexplicável simpatia por aquela mulher, que todos sentiam no fundo do coração uma doce e íntima inquietação por causa dela, uma inquietação manifestada mesmo à distância, acompanhando-nos sempre, através do tempo e do espaço. Talvez fosse demasiado reservada e taciturna, apesar de ser difícil encontrar outra pessoa dotada de maior atenção e amabilidade, sempre que alguém se sentisse necessitado de afeição. Há mulheres que passam pela vida fazendo o ofício de irmãs de caridade. Junto delas não é preciso esconder nem calar nada, pelo menos de tudo aquilo quanto em nossas almas existe de doente e magoado. O sofredor pode aproximar-se delas, confiado, sem receio de incomodá-las, pois raramente existirá alguém desconhecendo quanto amor infinitamente paciente, quanta piedade e quanta capacidade de perdão pode encontrar-se no coração de certas mulheres. Nesses corações guardam-se tesouros delicadíssimos de consolação e de esperança, apesar de eles próprios se acharem também, às vezes, lacerados... corações que sofrem e que amam mais do que os outros, e, no entanto, escondem cuidadosamente as suas chagas dos olhos curiosos, pois o amor profundo cala-se e esconde-se. A essas mulheres não as assustam nem a profundidade nem a gravidade das feridas; quem se lhes aproxima com a sua dor, já é digno delas. Nasceram para ajudar os outros. *Madame* M... era alta, airosa e esbelta, mas um pouco magra. Os movimentos um tanto desgraciosos, lentos e suaves e não isentos de certa dignidade, como animados de ligeireza infantil. Também os gestos deixavam transparecer uma espécie de abandono que no entanto não pedia proteção a ninguém nem reclamava amparo.

Disse antes que as maliciosas observações da teimosa loura me provocavam vergonha, dor e raiva, fazendo sangrar o meu coração. Mas havia além disso outro motivo, e bem estranho e estúpido, que eu escondia sigilosamente de todos, tremendo como o avaro pelo seu tesouro, e só com o pensamento, ainda que eu estivesse sozinho com a cabeça perturbada em algum canto escuro, onde o olhar trocista do meu verdugo não pudesse alcançar-me, e me sentisse a salvo de todos os olhares, só com o pensamento, repito, do objeto daquele motivo, o meu coração paralisava-se de pura comoção, de vergonha e de medo. Numa palavra: estava enamorado de *Madame* M... E no entanto não devo pensar que acabo de dizer uma grande tolice, uma vez que de maneira nenhuma isso me passava pela cabeça? Mas... por que razão, de todas as caras que via, só aquela era capaz de me impressionar assim? Por que é que os meus olhos a seguiam sempre, onde quer que ela estivesse? Por que sentia eu aquele agrado em contemplá-la, apesar de meus sentimentos não se encontrarem então ainda aptos para descobrir as mulheres e aproximar-me delas? Acontecia isso sobretudo à noite, quando todos os convidados se juntavam no salão, e eu, em algum canto, só e escondido, me punha a olhar sem objetivo para todos os lados... onde os meus olhos quisessem ir ter, se bem que eu tivesse outra missão especial de que incumbi-los. A não ser a minha perseguidora, raramente alguém me dirigia uma palavra, de maneira que nesses serões acabava sempre por me aborrecer mortalmente. Para me distrair ocupava-me em observar a todos os presentes, e apurava o ouvido quando falavam de coisas que eu de todo não compreendia. Aconteceu assim, naturalmente, que os tristes olhos e o sorriso plácido de *Madame* M... vieram cativar-me atenção, sem que pudesse depois iludir o singular, vago e imponderável feitiço que exerciam sobre mim. Acontecia-me frequentemente ficar até horas mortas na sua contemplação, sem poder afastar dela os olhos. Cada gesto seu, cada movimento, cada palavra sua ficavam-me gravados na memória, e espiava a menor alteração na sua voz, não aguda, mas de timbre profundo, obscuro, um tanto velado, e — coisa estranha — dessas minhas observações e dessas singulares e doces impressões, despertou-se em mim uma curiosidade completamente inexplicável. Era como se adivinhasse nela um segredo, para o qual não tinha outro remédio senão encontrar depressa uma chave.

O que depois mais me apoquentava era a situação na sua presença. Todas aquelas troças e gracejos me rebaixavam aos seus olhos e constituíam para mim uma das mais terríveis ofensas. E quando alguma vez *Madame* M..., involuntariamente, fazia coro com o riso geral que eu inspirava, o meu desespero atingia então o cúmulo, o sofrimento e a vergonha punham-me fora de mim, escapava-me das mãos da minha perseguidora com o furor do possesso... e corria lá para cima, para o segundo andar da casa, onde acabava por ficar o resto da noite sem me atrever logo a descer ao salão. Além disso, nesse tempo eu não sabia ainda perceber a índole da minha vergonha nem da minha excitação; todo o processo se desenrolava por completo no inconsciente. Ainda não tivera oportunidade de falar duas palavras seguidas com *Madame* M... e por nada deste mundo me atreveria a entabular com ela uma conversa. Uma noite, porém, depois de um dia bastante aborrecido, durante o passeio deixei-me ficar para trás, e como estava terrivelmente cansado, voltei para casa, atravessando o jardim. Escolhi o caminho mais breve, uma alameda retirada e, de súbito, descubro num banco *Madame* M... Estava sentada ali, completamente só, como se estivesse procurando aquela solidão; estava reclinada, a cabeça baixa, e os seus dedos revoluteavam mecanicamente um lenço que segurava na mão. Tão absorta nos seus pensamentos nem sentiu que me aproximava.

Quando reparou em mim, levantou-se rapidamente do banco, voltou a cabeça para o lado, e pude ainda ver que ela levava o lenço aos olhos para enxugar os vestígios das lágrimas. Devia ter chorado. Mas depois fingiu que nada acontecera; *sorriu-me a acompanhou-me* até a casa. Já me esqueci daquilo sobre que teríamos falado; durante o caminho ela apenas procurou afastar-me de si, com vários pretextos: ora me pedia lhe cortasse uma flor, ora me perguntava quem passava a cavalo pela avenida próxima. Mas, enquanto me afastava dela, levava rapidamente o lenço aos olhos, pois as lágrimas, rebeldes, não queriam parar, e pelo contrário, continuavam a brotar-lhe do coração dolorido e torturado, até assomarem aos pobres olhos. Compreendi muito bem que a minha companhia lhe era incomodativa, uma vez que assim procurava afastar-me. Ela percebia também que, a mim, nada me havia passado despercebido, e no entanto não podia dominar-se... o que aumentava a minha piedade por ela. Aborrecia-me comigo próprio até ao desespero, amaldiçoava a minha infelicidade e a minha estupidez, que não me permitiam encontrar pretexto para me retirar sem lhe dar a entender que, apesar de tudo, percebia o seu desgosto. Por isso caminhava a seu lado, contrariado e aborrecido, de coração apertado, e, apesar de todos os meus esforços, não encontrava palavra para animar nossa monossilábica conversação.

Esse encontro causou-me tão profunda impressão que passei todo o serão a olhar para *Madame* M..., às furtadelas. Mas, a despeito das minhas precauções, os nossos olhos chegaram ainda a encontrar-se umas duas ou três vezes, e à segunda, ela se pôs a rir. Essa a única vez que eu a vi rir naquele dia, em toda a reunião. A melancolia não se apagara no seu rosto e estava até mais pálida do que antes. Ficou sempre a palestrar com uma senhora de idade, que se tornara simpática para todos pela sua bisbilhotice e mexericos constantes, inspirando-lhes certo receio, e por isto, todas as pessoas se viam obrigadas a se mostrar amáveis e atentas para com ela, mesmo contra a vontade...

Aí pelas dez horas apareceu repentinamente o marido de *Madame* M... Reparei como ela estremeceu perante aquela aparição inesperada e como o rosto pálido ainda mais empalidecera até um extremo verdadeiramente inquietante. Aquilo foi uma coisa tão estranha que também os outros repararam: pelo menos, perto de mim entabulou-se um comentário em voz baixa, do qual se depreendia que a pobre *Madame* M... levava uma vida muito pouco invejável. O marido era, como todos sabiam, ciumento como um mouro, não pelo amor que lhe tivesse, antes por amor-próprio. Porque aquele homem, em primeiro lugar era... um europeu, e além disso um contagiado das exaltadas ideias modernas, que muito apreciava. Quanto ao aspecto exterior, era moreno, alto e robusto, com uma barbicha cortada à europeia e uma cara fresca e redonda, com uns dentes brancos como açúcar, e que, enfim oferecia todo o aspecto dum perfeito cavalheiro. Era tido por um homem "inteligente". É este o epíteto que em certos meios se dá a um tipo especial de homens que prosperam à custa dos outros, que nada fazem nem desejam fazê-lo, e que, devido à perene vida de divertimento e vadiagem, acabam por trazer no corpo, em vez de um coração, um pedaço de toucinho como costumam dizer-se. Mas é precisamente a esses tipos que nós ouvimos constantemente dizer que se nada fazem é por causa de certas circunstâncias complicadas e adversas, que deram cabo deles, sendo por isso uma coisa bem triste, o fato de eles não fazerem nada. É este o seu estribilho, *le mot d´ordre*[1] que por todos os lados vão impingindo esses gozadores... com o que conseguem aborrecer-nos imediatamente, para não dizer outra coisa, tal como toda hipocrisia ostensiva ou todas as palavras insignificativas e vãs. Além disso, alguns desses vermes que dizem não encontrar que fazer — sobretudo quando não pro-

---

1 Palavra de ordem.

curam a valer — parecem ter a pretensão de convencer todas as pessoas de que em lugar do coração têm, não um pedaço de toucinho, mas qualquer coisa de muito profundo. Em que consiste essa coisa, concretamente e em resumo, nem o melhor cirurgião o poderia dizer... Não o poderia dizer, entenda-se bem, apenas por delicadeza. É a vida que esses cavalheiros do ócio fazem, a razão de que todas as suas faculdades se reduzam à ironia barata, à crítica míope e a afirmações de uma presunção desmedida. Mas como não têm mais nada que fazer senão por a descoberto as faltas e os erros do próximo, e como são dotados de bondade e urbanidade — tal como as ostras — não lhes é difícil, nessas circunstâncias, viver entre as pessoas, com muita precaução e cautela, do que se gabam até à saciedade. Estão por exemplo convencidos de que todas as pessoas devem prestar-lhes homenagens e por isso olham o mundo como domínio seu. Apenas veem néscios em todos os que os rodeiam e estão muito convencidos de que podem espremer-lhes o sangue até a última gota, enquanto ele correr, como se faz a uma laranja ou a uma esponja. De certa maneira, julgam-se os senhores do mundo e imaginam haver sido convencionado que toda esta louvável ordem de coisas se deve apenas ao fato de eles serem personagens tão inteligentes e importantes. Na sua vaidade sem limites jamais reconhecem os próprios erros, mas pelo contrário, sempre, em todas as ocasiões e em todos os sentidos, se consideram criaturas perfeitas. Assemelham-se a esse tipo de homens que têm por antepassados a Tartufo e a Falstaff[2], a esses espertalhões que tantas vezes conseguem enganar os outros, que eles próprios chegam a acreditar que tudo quanto dizem, fazem ou deixem de fazer tem a sua razão de ser; quer dizer, é ótimo que eles vivam da maneira como o fazem e enganem os outros; tantas vezes se ouviram a si mesmos lamentarem-se da sua honradez e generosidade, que acabaram por acreditar nisso, e os seus ludíbrios são testemunhos da mais sincera honestidade. Autocríticos e autoconhecedores de si próprios, isso nunca eles desejaram ser. São demasiado rudes para se darem ao trabalho de pensarem muito. Acima de todas as coisas e acontecimentos colocam sempre o seu próprio eu valioso, o Moloch ao qual tudo sacrificam, o seu magnífico eu. Toda a natureza, o mundo inteiro, não é para eles mais do que um grande e belo espelho, que parece criado de propósito só para que um pequeno deus possa admirar-se continuamente nele, e sem que tenha de refletir nada nem mais ninguém, a não ser a própria pessoa. Portanto, não é de estranhar que em tais circunstâncias vejam sempre os fenômenos deste mundo um tanto deturpados, e nunca como realmente são. Têm sempre a propósito de tudo uma frase feita, e sem dúvida — o que, seja dito de passagem, os faz parecer muito inteligentes — sempre moderníssima. Sim, pode afirmar-se que são principalmente eles que se encarregam de divulgar as frases, cujo êxito sabem farejar a tempo. Sim, farejar... É esta a única qualidade que possuem, pois realmente pode dizer-se que têm o olfato apurado, pelo menos o suficiente para farejar antes dos demais essas frasezinhas modernas, e para se apoderarem delas a tempo, de tal maneira que depois acaba por parecer que foram eles os seus criadores. Proveem-se especialmente daquelas que exprimam o seu grande amor pela humanidade e representam, segundo parece, a única, verdadeira e racional amizade entre os homens, e

---

2   Personagens imortalizados por Molière, na comédia do mesmo título, e por Shakespeare em *Henrique IV e As alegres comadres de Windsor*, como protótipos do homem hipócrita, falso, e do libertino e cínico.

além disso arremetem sem consideração alguma contra os antiquados românticos, condenando neles tudo quanto é belo e elevado, sem compreenderem que o menor sentimento dos tais românticos vale mais do que toda a sua existência de moluscos. Com o espírito embotado não são capazes de reconhecer a verdade sob uma forma ainda mal amadurecida, diferente daquela que é evidente, quando ainda em fase de transição, e assim eliminam tudo quanto se encontra ainda em gérmen e busca ainda a sua forma e, por isso mesmo, não atingiu ainda a perfeição. Esses homens impantes e bem alimentados levaram geralmente vida alegre, de perpétua euforia. Os outros fizeram tudo; eles nada fizeram nem sabem, evidentemente, como é difícil levar qualquer coisa até o fim. Mas ai daquele que, com um pouco de atrevimento, toque ao de leve nos seus infalíveis sentimentos! Não lhe perdoarão nem o esquecerão, nunca mais! Vingam-se, e com prazer. Em resumo: um tipo destes não passa de gigantesco balão inchado até mais não poder, cheio de sentenças, de estribilhos da moda e de provérbios.

Quanto ao resto, o senhor M... era homem notável, e possuía certa qualidade que, em todo caso, o caracterizava de maneira especial, bom narrador, formava-se sempre um círculo à sua volta. Nessa noite mostrava-se particularmente animado: assenhoreou-se da conversa, a palavra fácil, quase espiritual, de bom humor, e conseguiu que todos o escutassem e dele não tirassem os olhos. *Madame* M..., em compensação, esteve todo o tempo em silêncio e via-se bem que sofria; parecia tão triste que eu temia, a todo momento, ver brilhar de novo as lágrimas nos seus olhos. Tudo isto, como disse, provocava-me profunda impressão. Estava perturbado e admirado, e estranha curiosidade apoderou-se de mim. Passei toda a noite a sonhar com o senhor M..., e posso dizer que até então raramente sofrera pesadelos tão dolorosos e emocionantes.

No dia seguinte vieram chamar-me muito cedo para ir ao salão, onde se ensaiavam os quadros vivos dos quais eu devia também participar. Os referidos quadros vivos, juntamente com uma representação teatral e um grande baile, tudo para a mesma noite, constituíam os festejos em comemoração ao aniversário da caçula do nosso pródigo anfitrião. Tínhamos apenas à nossa frente uns cinco dias. Para essa festa haviam sido convidadas umas cem pessoas de Moscou e da família dos proprietários vizinhos, de maneira que era preciso fazer grandes preparativos, os quais, como era natural, aumentavam o burburinho. Os ensaios, ou melhor, a prova dos trajes realizou-se com grande atraso, porque o conhecido artista R..., amigo e hóspede do nosso anfitrião, que por puro prazer se oferecera para montar os quadros, quis por força ir a Moscou comprar o que faltava. Por isso urgia andar depressa. Eu fora escolhido para atuar num quadro vivo, com *Madame* M... O quadro representava uma cena da Idade Média, e chamava-se "A Castelã e seu Pajem".

Estava terrivelmente nervoso quando me reuni à *Madame* M... nos ensaios. *Desnecessário dizer* que me convencera de que ela iria adivinhar imediatamente nos meus olhos todos os pensamentos, dúvidas e presunções que na noite anterior se tinham cruzado pela minha imaginação. E além disso oprimia-me certo sentimento de culpabilidade para com ela, por tê-la surpreendido na sua dor e reparado nas suas lágrimas. Quem sabe se não estaria aborrecida comigo? Mas, graças a Deus, tudo correu otimamente e sem qualquer percalço desagradável: aconteceu, simplesmente, que ela nem sequer reparou em mim. Evidentemente conservava o pensamento noutro lado, não parecia ver-me, nem preocupar-se com os ensaios. Dava a impressão de se achar absorvida por alguma preocupação grande e dolorosa. Quando terminaram os ensaios, escapei-me rapidamente e vesti-me. Dez minutos depois, dirigi-me ao terraço que dava para o jardim. No mesmo instante, saindo de outra porta, ali surgiu também *Madame* M... e encontramo-nos os dois na presença do seu enfatuado senhor e marido, chegando do jardim, onde fora acompanhar um grupo de lindas jovens. Aquele encontro com a mulher apanhou-o de surpresa. *Madame* M... fez-se imediatamente muito corada e no seu aspecto, violentamente perturbado, transparecia certo desgosto. O marido, muito despreocupado, trauteando uma ária e alisando a linda barba, com uma cara muito séria, franziu um pouco as sobrancelhas quando viu a mulher e pôs-se a fitá-la com um olhar nitidamente inquisitorial.

— Vais para o jardim? — perguntou-lhe, ao reparar que trazia a sombrinha e um livro.

— Não, vou ao bosque — disse ela, corando levemente.

— Sozinha?

— Não, com ele — e apontou para mim. — Saio todas as manhãs sozinha, a dar um passeio — acrescentou, como quem dá uma explicação, mas numa voz um tanto insegura, fingindo indiferença, mas vibrando tanto quanto na ocasião em que mentimos pela primeira vez na vida, conscientemente.

— Hum!... Acabo precisamente de acompanhar ali um grupo. Vão reunir-se todos no roseiral, para se despedirem de N... Vai deixar-nos, como suponho deves saber... Aconteceu-lhe qualquer infelicidade em Odessa... A prima (a tal prima era a loura que me perseguia) está num tal estado que ri e chora ao mesmo tempo, de maneira que, por ela, nada se pode saber ao certo. E disse-me que tu, não sei por que motivo, estavas aborrecida com N..., e por isso não irias lá. Suponho que isto não tem fundamento...

— Uma brincadeira das suas — disse *Madame* M..., e começou a descer os degraus do terraço.

— Então é este o teu *cavalier servant* de todos os dias? — perguntou ele ainda, como por acaso, com um franzir de lábios zombeteiro, e fixando em mim o monóculo.

— Sim, senhor, o seu pajem! — exclamei eu, furioso por causa daquele olhar e daquela zombaria, e depois desatei a rir na sua cara e saltei de uma só vez três degraus.

— Bem, pois então muito prazer — resmungou o senhor M..., e continuou o seu caminho.

Eu, naturalmente, aproximara-me de *Madame* M... quando esta apontara para mim, procedi como se estivéssemos combinados há uma hora, e concordei naquilo de que todas as manhãs, desde há um mês, íamos juntos ao bosque. Não podia compreender a razão por que aquele encontro a deixara tão perturbada e o que tencionava quando se resolveu a cometer aquela pequena mentira. Por que não teria dito simplesmente que ia sozinha? Eu não sabia o que pensar de tudo aquilo. Mas, pouco a pouco, apesar da minha insegurança e dos meus receios, comecei a olhar para ela às furtadelas, com ingênua curiosidade; mas, como havia ainda pouco, nos ensaios, ela não reparou um instante sequer nem nos meus olhares nem na minha interrogação silenciosa. Simplesmente, aquela preocupação torturante continuava a refletir-se ainda com mais clareza e profundidade nas suas feições agitadas e transparecia em todos os seus movimentos, sobretudo na rapidez do andar. Devia estar com pressa, pois acelerou o passo e olhava com inquietação para todas as alamedas e clareiras do bosque, e também para o lado do jardim. Da mesma maneira comecei a experimentar certa ansiedade. Nisto, sentimos tropel de cavalos atrás de nós. Era uma grande cavalgada de senhoras e de homens, de cavaleiros em seu corcéis, acompanhando o tal N..., que nos deixava de maneira tão inesperada.

Entre as amazonas divisei a minha loura, da qual o Senhor M... nos falara, dizendo que rira e chorara ao mesmo tempo. Segundo o hábito, ria-se agora com tanta vontade, como uma garota, e mostrava-se tão alegre e prazenteira como nunca. Montava um magnífico cavalo branco. Quando o grupo nos alcançou, N... tirou o chapéu, mas não segurou as rédeas da montada nem disse palavra a *Madame* M... Logo todos desapareceram numa volta do caminho. Lancei uma olhadela a *Madame* M... e quase soltei um grito de espanto: empalidecera como um cadáver e não se mexia; dos seus olhos tombavam grandes lágrimas. Os nossos olhares encontraram-se; *Madame* M... corou, desviou a vista por um momento, e percebi-lhe no rosto o sofrimento e a inquietação, apesar de ela fazer um esforço enorme para se recompor. Era agora para ela, ainda mais dispensável e incomodativo do que no dia anterior; não tinha dúvidas sobre isso. Mas como havia de me afastar, com que pretexto deixá-la?

De súbito, *Madame* M..., como se tivesse lido no meu pensamento, abriu o livro que trazia consigo, e enquanto o sangue lhe subia de novo às faces, disse, esforçando-se visivelmente para não me olhar, como se até então não tivesse reparado nisso:

— Ah! Este é o segundo volume! Enganei-me! Podes ir buscar-me o primeiro, por favor?

Não havia dúvida. Já desempenhara o meu papel e despediam-me com a maior sem-cerimônia.

Por isso deitei a correr com o livro e não voltei. O primeiro volume ficou assim intato nessa manhã, em cima da mesa.

A partir desse dia sofri tal transformação que quase me tornei estranho para mim próprio; meu coração palpitava numa angústia contínua. Tinha o maior cuidado em não me encontrar em parte nenhuma com *Madame* M... Em compensação comecei a contemplar com uma curiosidade quase selvagem o seu feliz marido e senhor, como se nele pretendesse descobrir algo de particular. Ainda hoje não compreendo por que sentiria então aquela curiosidade ridícula; lembro-me de que tudo a quanto me aconteceu nessa manhã me causou um assombro muito especial. E, no entanto, aquilo não fora senão o princípio dum dia em que iriam acontecer-me outras coisas muito diferentes e de muito maior importância.

Nesse dia, contra o costume, almoçamos muito mais cedo. Ao princípio da tarde, devíamos fazer uma excursão a uma aldeia próxima para assistirmos a uma autêntica festa rústica que ali ia realizar-se, e por isto se adiantou a hora da nossa refeição. Há três dias andava eu muito contente com a ideia dessa festa, na qual só Deus sabia o que me esperava. Tomamos o café no terraço. Segui prudentemente as outras pessoas até à saída da sala de jantar e escondi-me atrás de umas cadeiras. Foi a minha curiosidade que me inspirou esse ardil, e tão grande ela era que, para satisfazê-la, me expus ao perigo de que *Madame* M... pudesse surpreender-me. Mas o acaso dispôs as coisas de outra maneira: fui cair nas proximidades da minha loura perseguidora. Nesse dia acontecera-lhe qualquer coisa de maravilhoso e quase inverossímil: estava mais bela do que nunca. Como e por que teria sido aquilo ... não sei dizer; mas com as mulheres costumam acontecer frequentemente esses prodígios. Encontrava-se entre nós um novo hóspede, um rapaz alto, louro, vindo de Moscou precisamente para preencher o vazio deixado entre nós por N..., ao partir nessa manhã, e corria o boato de que estava mortalmente apaixonado pela nossa loura beldade. Mas o novo hóspede há muito que, a respeito dela, se encontrava na mesma situação que Benito em relação a Beatriz, na obra de Shakespeare, *Muito barulho por nada*. Em resumo: a nossa beldade obteve nesse dia um grande êxito. As suas brincadeiras e lembranças eram tão encantadoras, tão alegremente ingênuas, tão perdoavelmente indiscretas; além disso estava tão convencida, com tão graciosa gravidade, do aplauso geral, que durante todo o tempo os convidados não fizeram outra coisa senão admirá-la. À sua volta formou-se um tríplice círculo de ouvintes, surpreendidos, maravilhados e encantados, pois nunca lhes parecera tão sedutora. Cada palavra sua era acolhida como algo de prodigioso e repetida com admiração; cada um dos seus ditos zombeteiros. Era como se ninguém a tivesse julgado capaz de tanto gosto, habilidade e inteligência. As suas costumadas loucuras infantis, às vezes quase degeneradas em disparates, relegavam-na a segundo plano e faziam com que apenas uma ou outra pessoa reparasse nas suas melhores qualidades... ou aqueles que as observavam, no meio de tantas puerilidades, as atribuíssem a pura casualidade; por isso o seu triunfo repentino foi acolhido com murmúrio geral de admiração.

Além disso, para esse êxito contribuiu também uma circunstância especial, um tanto maliciosa, se levarmos em conta o papel que nela desempenhou o marido de *Madame* M... O tal rapaz propusera-se — e devo informar que com o apoio de todos, ou pelo menos, daquela dourada juventude — a mexer com o senhor M..., e só com ele, de maneira realmente impiedosa, e isto por diversas razões, indubitavelmente de muita importância, aos seus olhos. A lourinha descarregava contra ele um verdadeiro fogo salpicado de alusões, de motejos indiretos e sarcasmos da pior espécie, tão cerrados, francos e pesados, que ninguém podia pensar em devolvê-los à sua amável atiradora, sarcasmos perante os quais a vítima se achava quase indefesa, que nunca erravam o alvo e que acabaram por fazer-lhe perder a cabeça e pô-la num estado da mais violenta cólera e no mais cômico desespero.

Ao certo, não sei, mas creio poder afirmar que aquele duelo não era obra do acaso, mas ela o começara com determinada intenção. Na verdade, aquele desesperado desafio começara antes, quando estávamos ainda à mesa. Chamo-lhe desesperado porque o senhor M... não era pessoa para depor as armas com facilidade. Apelando para toda a sua presença de espírito, precisava de afinar toda a sua perspicácia e habilidade, verdadeiramente quase inexistentes, para não dar um tropeção e ver-se obrigado a abandonar o campo, coberto de desprezo e de vergonha. A luta desenrolou-se entre o riso quase ininterrupto de todos os presentes. Os ventos corriam agora pouco propícios para o senhor M..., naquele segundo dia, e o êxito colhido à sua chegada estava no fim. Conforme eu e outras pessoas notamos, *Madame* M... por mais de uma vez quase interrompeu as palavras da sua indiscreta amiga. Mas esta parecia empenhada em enfiar um barrete de bobo no seu invejoso marido, ou pelo menos fazê-lo desempenhar um papel ridículo; queria convencer os outros de que ele era pelo menos um Barba-Azul, a julgar por aquilo de que ainda me lembro e pelo que também, por acaso, vim a desempenhar naquela farsa.

Tudo se passou de maneira súbita e inesperada e de que mal me recordo. Estava de pé, ouvindo o que um e outro diziam, sem suspeitar nada de mau, e até me esquecera das minhas precauções, quando, de repente, fui envolvido na refrega, pois a lourinha acabava de apontar-me como inimigo mortal e natural adversário do senhor M..., enamorado pretendente de sua esposa, apaixonado até à loucura. A terrível criatura deu a sua palavra de honra de que aquilo que dizia era a pura verdade, e afirmou em voz alta e solene que podia apresentar provas irrefutáveis, por exemplo, que nessa mesma manhã tinha visto no bosque...

Não pode terminar a frase: eu me apressei a interrompê-la num momento, para mim, decisivo. Ela soube rodear tão astutamente a questão, a sua esgrima era tão genial, e tinha tão bem aparelhado o remate cômico, e além disso imitava tudo de maneira tão engraçada, que uma estrepitosa salva de palmas acolheu aquela última chacota. E embora tenha adivinhado então que não era eu quem fazia o papel mais ridículo, acabei por sentir uma tal agitação, perturbação e receio, que, com lágrimas nos olhos, com toda dor e pânico do desespero e da vergonha, meti-me rápido por entre as cadeiras, até que fiquei a meio do círculo das pessoas e, com a voz abafada pelas lágrimas, gritei para a minha inimiga:

— Será possível que não tenha vergonha... de dizer... assim, em voz alta... e diante de tantas senhoras... semelhantes mentiras? A senhora porta-se como uma criatura estouvada... e, ainda por cima, diante de homens! Tem alguma coisa para responder a isto? A senhora já é uma pessoa adulta e... além disso, é uma senhora casada...

Aplauso atroador interrompeu as minhas censuras infantis. O discurso fez furor. Mas não se riam dos meus gestos, nem das lágrimas que havia nos meus olhos, mas sim e principalmente por eu surgir assim, quase como defensor do senhor M..., e era isso o que provocava uma hilaridade irresistível. Mas naquela altura fiquei petrificado e quase perdi os sentidos, tão grande era a minha repugnância por aquela gente... Pus-me a tremer, cobri o rosto com as mãos e deitei a correr, fugindo dali; à porta, dei um encontrão num criado que transportava um serviço de chá numa bandeja, e, como um vendaval, subi as escadas até me precipitar no meu quarto. Tirei a chave que estava do lado de fora e fechei-me. Aquilo me salvou, pois, em minha perseguição precipitava-se nos meus calcanhares uma verdadeira caterva; meio minuto depois investia contra a minha porta todo um bando impetuoso, formado por todas as senhoras da casa. Ouvia-as rir e palrar, numa confusão de mil vozes atropeladas, umas mais rápidas do que outras; pareciam um bando de andorinhas, trinando ao mesmo tempo. Todas, todas sem exceção, me suplicavam e intimavam a abrir a porta, nem que fosse só por um momento; afirmavam que não me fariam mal, apenas queriam comer-me com beijos, como diziam. Que ameaça poderia ter sido mais terrível, para mim? Morrendo de vergonha, apertei o rosto contra a almofada e por nada deste mundo abriria a porta nem responderia uma sílaba. Elas ficaram durante muito tempo fazendo um grande barulho e implorando, do outro lado da porta; mas eu me mantive insensível e surdo, como um rapazinho de onze anos é capaz de proceder.

Que havia de fazer? Tudo fora descoberto, tudo aquilo que eu tão zelosamente trazia oculto e escondido de todos os olhares... ia ficar para sempre coberto de vergonha e de opróbrio. É certo que, na realidade, não seria capaz de dizer o que, afinal, eu mantinha assim tão angustiosamente oculto; mas a descoberta dessa qualquer coisa oculta fazia-me, no entanto, tremer como as folhas duma arvore. Também, naquela ocasião, não sabia exatamente se a tal coisa oculta era boa ou má, gloriosa ou depreciativa. Mas o certo é que agora compreendia num minuto, para meu tormento e suplício, que tudo aquilo era burlesco e vergonhoso. Ao mesmo tempo a minha intuição dizia-me que semelhante ideia era falsa, antinatural e grosseira; mas o certo é que aquele golpe esgotava-me, aniquilava-me; a faculdade de pensar, ou melhor, de conhecimento, ficara em mim quase paralisada, e parecia, de certo modo, emaranhada e convulsionada. Era-me impossível revoltar-me contra esse raciocínio. Não podia sequer examiná-lo a fundo, estava assim como um entontecido e apenas me sentia magoado de maneira desumana e vergonhosa. Chorava lágrimas de impotência e ao mesmo tempo via-me excitado; no meu peito fervia uma raiva impotente e não tardei a sentir um ódio que nunca antes sentira, pois era a primeira vez que experimentava uma dor séria e uma verdadeira irritação. Rude golpe me atingira, menino inconsciente, as fibras do primeiro sentimento, ainda ignorado e em germe; fora posto a nu o primeiro sentimento de pudor juvenil, terno e esquivo, profanando-o e zombando da minha primeira e talvez mais séria impressão estética. Mas podia ser que aqueles que se riam não soubessem até o que faziam e fossem incapazes de imaginar os meus sofrimentos. A tudo isto juntava-se também uma circunstância especial, que eu próprio não consigo ainda explicar perfeitamente, ou, para melhor dizer, que até agora não me atrevi ainda a explorar. No meio da minha dor e do meu desespero, deixei-me ficar estendido sobre a cama, ocultando o rosto sob as almofadas. Corriam calafrios por todo o meu corpo e sentia febre. Apoquentavam-me dois problemas: que teria visto aquela loura, no bosque, entre mim e *Madame* M...; que teria ela podido ver? Segundo: como, de que maneira, com que olhos me atreveria eu, dali em diante, a olhar para a face de *Madame* M... sem morrer, nesse mesmo instante, de vergonha e desespero?

Um extraordinário alvoroço no vestíbulo veio despertar-me daquela semi-inconsciência em que me achava. Levantei-me e assomei à janela. O pátio estava cheio de carruagens, de cavalos, de serviçais de estrebaria e de cocheiros; era de dizer que todos os convidados nos iam deixar. Dois cavaleiros tinham já montado e os outros entravam para os coches. Lembrei-me então da projetada excursão à aldeia próxima e certa inquietação se apoderou de mim; comecei a procurar com a vista a minha pequena égua, mas não consegui descobri-la... era indubitável, pois, que se tinham esquecido de mim. Não pude conter-me e desci rapidamente as escadas, sem pensar nas consequências nem em coisa alguma...

Lá embaixo esperava-me uma notícia terrível: não havia, disponível para mim, um só cavalo ou lugar nos coches. Estavam todos tomados e eu tive de renunciar ao prazer da excursão.

Ferido por novo desgosto, fiquei parado junto da escada, contemplando tristemente a grande fila de carruagens, as amazonas e os cavaleiros, cujos corcéis piafavam, impacientes.

Esperavam apenas por um dos cavaleiros que se atrasara um pouco. Ao fundo da escada havia um cavalo aparelhado, que molhava de espuma o lugar onde se encontrava, batia com as patas no chão e ao menor ruído empinava-se, mostrando assim a sua ansiedade por começar a caminhada. Dois palafreneiros seguravam-no pelas rédeas, ao mesmo tempo que procuravam manter-se a maior distância possível do alcance das suas patas, coisa imitada pelos outros também.

Havia na verdade uma razão, e por certo muito desagradável, para que eu não fizesse parte da cavalgada. Sem falar de que tinham chegado novos hóspedes, os quais ocuparam todos os lugares disponíveis nas carruagens, quis a infelicidade que adoecessem dois cavalos, um dos quais era o meu. Mas não era eu o único a quem sucedia tal contratempo: também já não havia cavalo livre para o novo hóspede, aquele rapaz pálido a quem já me referi. E por isso o nosso anfitrião fora obrigado a oferecer a esse hóspede um potro branco ainda mal adestrado, fazendo-lhe no entanto reparar, para descanso da sua consciência, que era impossível montar aquele animal, e que por isso até já pensara vendê-lo, por causa da braveza; simplesmente, ainda não encontrara comprador. Mas, apesar de advertência, o rapaz afirmou-lhe sentir-se completamente seguro na sela, e além disso possuía absoluta disposição de cavalgar qualquer montada, contanto que pudesse participar da excursão. Quando ouviu isto, o anfitrião calou-se... mas observei que aos seus lábio assomava um sorriso ambíguo, velhaco. Postava-se agora junto da escada, esperando aquele cavaleiro que se sentia tão seguro sobre a sela; simulava esperar também o seu cavalo, esfregava as mãos e olhava continuamente para a porta. Os dois palafreneiros, segurando o potro pelas rédeas, aparentavam esconder os mesmos pensamentos que o seu amo, mostrando-se muito orgulhosos porque tantos espectadores os contemplassem como domadores de um animal selvagem capaz de, num momento, só com um coice matar um homem, mas parecia-me ver nos seus olhos o mesmo sorriso trocista que havia nos do amo, e olhavam também continuamente para a porta por onde devia aparecer o ousado cavaleiro. Além disso, também o animalzinho se conduzia como se estivesse de cumplicidade com o dono e com os palafreneiros; estava ali muito orgulhoso, e, por vezes, muito sossegado, com a cabeça levantada, como se percebesse algumas dezenas de olhares a se fixarem sobre ele, e como se precisamente se orgulhasse da sua má reputação, à semelhança de tantos embusteiros que incorrigivelmente se gabam das suas proezas. E parecia até que o animal provocava o temerário, para ver se ele tinha a ousadia de privá-lo da sua liberdade.

Finalmente, o temerário apareceu. Sentia muito ter feito esperar a assistência, e enquanto enfiava as luvas à pressa, subiu os degraus da escada de montar, e dispunha-se a fazê-lo, quando, já com a mão estendida sobre a sela, um relincho selvagem o deixou desconcertado, acompanhado de um clamor de prevenção de toda a assistência. O rapaz retrocedeu um passo e olhou espantado para a montada, cujo corpo tremia todo; resfolegava, furiosa, e voltava os olhos raiados de sangue para todos os lados, levantando as patas dianteiras, como se se dispusesse a arremeter de um momento para o outro e fugir dali em pulos descomunais, deixando embasbacados os dois palafreneiros. O rapaz contemplou o animal com certa desconfiança; depois corou levemente e ficou hesitante; levantou a vista, olhou à sua volta e reparou no terror das senhoras...

— Belo animal — disse, como se falasse consigo próprio — e penso que deve mesmo dar gosto montá-lo; mas... querem saber uma coisa? É que não serei eu quem há de fazê-lo — terminou, dirigindo-se ao dono da casa, com um sorrisinho sereno e jovial, que ficava muito bem ao seu rosto bondoso e inteligente.

— Apesar disso eu continuo a tê-lo por um cavaleiro modelo; palavra... — respondeu aquele, visivelmente satisfeito e, involuntariamente agradecido, apertou a mão do hóspede, por este ter reconhecido logo ao primeiro olhar a espécie de animal de que se tratava, e acrescentou, orgulhoso: — Pode acreditar que eu, que fui hussardo durante vinte e três anos, graças a este cavalheiro tive o gosto de tombar por terra umas três vezes, isto é, tantas quantas foram as que montei este... inútil objeto... Tankred, meu caro, nós não somos dignos de ti. Quem conseguir montar-te tem de ser um segundo Iliá Múromiets[3], que neste momento deve estar muito sossegadinho na sua aldeia de Karáchov[4], que nós não conhecemos, à espera de que te nasçam os dentes. Vamos, rapazes, levem-no! Já estamos fartos de o ver! Foi tempo perdido, trazê-lo até aqui! — exclamou, dirigindo-se aos palafreneiros, e tornou a esfregar as mãos, muito satisfeito consigo próprio.

Devo dizer que Tankred não tinha qualquer utilidade para o seu dono, era em vão que gastavam com ele a ração. Além disso, quando comprou aquele animal, o velho hussardo comprometera a sua fama de conhecedor de cavalos, pois aquele potro, que à parte a bela estampa, não tinha valor algum, custara-lhe quantia fabulosa... Contudo, estava muito contente com ele, que tão bem justificava a sua péssima reputação e granjeava pelo menos certa notoriedade, conquanto da pior espécie.

— Mas, o quê?! Não vai à excursão? — exclamou a loura, que, pelo visto, tinha empenho em fazer-se acompanhar dessa vez pelo seu *cavalier servant*. — É verdade que não se atreve?

— Não, pelo menos desta vez não! — respondeu o rapaz a rir-se.

— Diz isso a sério?

— Penso que a senhora tem um grande desejo de ver-me quebrar a cabeça!

— Pois bem, então monte o senhor no meu cavalo, sem receio, é manso como um cordeirinho. Não nos demoremos... Está selado e pronto. Vou experimentar o seu potro. Não é possível que Tankred seja tão mal educado.

Dito e feito. A lourinha saltou da sua sela, e antes de acabar a frase, já estava por terra, à nossa frente.

— Oh, não conhece o meu Tankred, para imaginar que ele iria deixar-se montar por uma senhora! Além do mais, também não posso consentir que a senhora quebre a cabeça... seria lamentável — respondeu o nosso anfitrião com a sua afetada galanteria habitual, unida a certa severidade, e até mesmo rudeza impertinente, e que ele julgava ser a característica do velho soldado, do bom rapaz destinado a agradar às senhoras, segundo pensava. Era esta uma das suas manias, que todos já conheciam.

— Vamos, homem, e tu, meu guinchão... não te atreves? Tinhas tanta vontade de vir conosco! — exclamou de súbito a loura, encarando-me e apontando para Tankred. Era evidente que ela não me fazia aquela proposta a sério, mas que falava assim para não tornar a montar de novo o cavalo, sem mais nem menos, depois de assim se ter apeado dele em vão, e além disso para me *castigar* pela ousadia de aparecer na sua frente. — Com certeza que tu não és como... bem! Não é preci-

---

3 Herói do folclore russo. Um dos principais heróis das rapsódias russas da Idade Média.

4 Aldeia russa onde Iliá Múromiets praticava suas proezas.

so mencionar nomes... Não és como um herói que todos conhecemos, e deves ter vergonha de mostrar pouca valentia, sobretudo diante de tanta gente, meu lindo pajem! — acrescentou, deitando um rápido olhar a *Madame* M..., cuja carruagem estacionava junto da escada.

Meu coração estava cheio de ódio e de desejos de vingança desde que ela se aproximara de nós com a intenção de trocar sua montada por Tankred... Mas como podia eu exprimir esses sentimentos, perante aquele inesperado convite? A minha vista turvou-se quando reparei no olhar que ela dirigia a *Madame* M... Como um relâmpago, passou-me pela imaginação a ideia... Sim, num segundo, em uma fração de segundo já a ideia se transformara em vontade... O seu olhar fez sobre mim o efeito de uma fagulha sobre um monte de pólvora... se é que o vaso já não estava transbordando e que aquela última gota, de um só golpe, me fez tornar a ser o que era e tudo se alvoroçou em mim, fazendo que apenas com uma só proeza procurasse aniquilar a todos os meus inimigos e vingar-me deles diante de todos os presentes, mostrando-lhes que espécie de herói era eu. Mas talvez alguém me tivesse revelado naquele instante, graças a qualquer prodígio ou a algum truque de magia, uma amostra da Idade Média, e eu, na minha ardente fantasia, vislumbrasse torneios, cavaleiros andantes, escudeiros, formosas e nobres damas, lanças quebrando-se pelos ares, e ouvisse o entrechocar das armas, gritos e ovações da multidão e, no meio de tudo isso, o bater de medo de um coração assustado, que para o bravo que luta na palestra soa mais doce do que todos os clarins da vitória... Não; não sei realmente se nesse instante foi esse delírio que me transtornou a cabeça, ou se, como penso, nessa ocasião não pensei nem senti outra coisa senão que chegara a minha última hora. Meu coração deixou de palpitar e depois recuei um pouco, desci de um pulo a escada e fui colocar-me junto do potro.

— Ah! então julga que eu tenho medo? — exclamei, atrevido e orgulhoso, tomado de uma comoção que me perturbava os sentidos e fazia afluir o sangue ao rosto. — Pois então vai ver...

E antes que alguém tivesse podido segurar-me, já eu tinha posto a mão sobre as crinas de Tankred e um pé sobre o estribo. Tankred empinou-se, agitou a cabeça com selvageria, soltou-se num ímpeto brusco das mãos dos palafreneiros e afastou-se rapidamente do pátio... Um grito de horror escapou da boca de todos os espectadores.

Só Deus sabe como, no meio daquela doida correria, fui capaz de atinar com o outro estribo, e também não compreendo como não larguei as rédeas. Tankred voou comigo pela cancela, voltou à direita e, com o pescoço estendido e levantado, às cegas, ao longo da sebe. Ouvi nesse momento, atrás de mim, o clamor de cinquenta vozes; e a gritaria despertou-me tanta alegria e tanto orgulho, que nunca mais pude esquecer-me desse insensato momento da minha infância. O sangue subia-me à cabeça e atordoava-me, sufocando a minha angústia. Não tinha consciência de mim próprio. Além disso, tudo aquilo, tanto quanto me lembro, encerrava realmente qualquer coisa de cavalheiresco.

As minhas cavalarias começaram e acabaram dentro de um escasso minuto... pois, de outro modo, o cavaleiro não teria sofrido pouco. E ainda assim, devo a minha salvação ao milagre. Sabia montar, é verdade, mas a minha antiga e pequena égua assemelhava-se mais a um cordeirinho. É escusado dizer que Tankred me teria feito saltar da sela se tivesse tido tempo para isso. Quando chegou ao fim da cerca do pátio, assustou-se com uma grande pedra atravessada no caminho; empinou-se e deu uma reviravolta tão tremenda, que ainda agora é para mim um enigma o fato de eu não ter rolado da sela, com uma bola, por um espaço de três braças, para depois, finalmente, ficar por ali despedaçado, nem tampouco compreendo como o próprio Tankred não partiu simplesmente a espinha naquele rodopio tão repentino. Dirigiu-se então com violência para a cerca, recuando rudemente; moveu a cabeça com um ímpeto selvagem, levantou as patas dianteiras e, dando pinotes e corvetas, parecia nada mais desejar senão sacudir-me da sela, como se eu fosse um tigre que lhe tivesse saltado sobre o lombo e cravasse na sua carne as presas e as garras. Um momento mais... e eu voaria pelos ares... No entanto, vários cavaleiros já acudiam em meu auxílio. Dois deles fecharam lhe o caminho e os outros dois aproximaram tanto dele as suas montadas que quase me esmagavam as pernas. Seguraram fortemente as rédeas de Tankred. Daí a pouco estávamos de novo junto da escada.

Desceram-me da sela, pálido e com o corpo todo a tremer. Tankred quedou-se, imóvel, de ilhargas frementes, o focinho palpitante e sanguinolento, e a respiração ofegante, e, além disso, todos os seus nervos tremiam de raiva e de revolta contra a insolência impune de uma criança que lhe infligira tamanha afronta. À minha volta continuavam a ouvir-se vozes de angústia e de assombro, e ao mesmo tempo de admiração.

Naquele momento meu olhar encontrou-se com o de *Madame* M... Ela estava pálida e comovida, e — nunca esquecerei esse momento, fiz-me tão vermelho como o carmim. Não sei o que se passou comigo, mas, perturbado e intimidado por uma impressão nova, fixei, envergonhado, a vista sobre o chão. Todos, porém, repararam naquele meu olhar, colheram-no, roubaram-no também. Os olhares se voltaram depois para *Madame* M..., e quando esta se viu assim, de repente, objeto da curiosidade geral, sobressaltou-se igualmente e ficou vermelha como uma menina, talvez por causa de uma sensação que, contra sua vontade, a surpreendia, apesar de se sentir absolutamente inocente. E no meio do seu sobressalto, esforçou-se por sorrir... O que não lhe serviu para ocultar o seu rubor...

Para um observador imparcial tudo isto havia de parecer naturalmente muito ridículo; mas veio provocar-me uma nova crise muito ingênua e inesperada, de timidez perante as risadas gerais, pois via o episódio debaixo de um aspecto invulgar. A loura, que me incitara a realizar aquele ato temerário, e até então fora sempre a minha irreconciliável inimiga, atirou-se de súbito contra mim, cingiu-me com ambos os braços e cobriu-me de beijos. Não queria acreditar fosse eu capaz de aceitar o seu desafio e pudesse apanhar a luva jogada por ela, ao mesmo tempo que deitara um pequeno olhar para *Madame* M... E quando me viu sair dali em cima de Tankred, por pouco não ia desmaiando, de tão assustada e arrependida. Mas agora quando tudo já tinha passado, observando, como os outros, o meu olhar para *Madame* M..., reparando ao mesmo tempo na minha comoção e no meu rubor súbitos — agora que podia dar ao incidente um significado romântico, com outro sentido — agora, acometia-a um tal entusiasmo pela minha proeza cavalheiresca, que corria para mim e estreitava-me nos seus braços, comovida, orgulhosa e entusiasmada. Um momento depois voltou-se com rapidez, encarou os outros espectadores à nossa volta, e com uma cara extremamente séria, deixando transparecer um grande e ingênuo orgulho, com duas lágrimas cristalinas a desprenderem-se das pestanas e com uma voz tão séria como eu nunca lhe ouvira, exclamou:

— *Mais, c'est très serieux, messieurs, ne riez pas!*[5]

E apontou para mim, sem reparar que todos pareciam enfeitiçados na sua frente a somente a ela contemplavam. Aquela sua rápida e inesperada tirada de afabilidade e aquelas lágrimas sinceras nuns olhos constantemente risonhos... tudo aquilo se afigurou aos presentes como inesperado prodígio e por isso eles a fitavam de alto a baixo, quase paralisados pelo sortilégio da sua ternura apaixonada, do seu olhar e da sua voz. Ninguém tirava os olhos dela, tão bela se apresentava na sua comoção e no seu entusiasmo. Até o nosso velho anfitrião se pôs tão vermelho como uma tulipa. E segundo afirmaram mais tarde, teria dito e confessado que, para vergonha sua, estivera enamorado do seu lindo hóspede pelo menos durante um minuto. Agora, eu era um autêntico cavaleiro antigo, um autêntico herói...

Muitos aplaudiram.

— É para que vejam o que é a nova geração — observou o dono da casa.

— Agora deve vir conosco, não tem outro remédio — apressou-se a loura a exclamar. — Temos de arranjar-lhe um lugar. Ou então, monte comigo no meu cavalo, e venha ao meu colo... Ah, não, não! Isso não está certo! — interrompeu-se rindo, sem poder conter a gargalhada, ao lembrar-se do nosso primeiro encontro. Mas enquanto ria, acariciava-me ternamente a mão, visivelmente desejosa, de boa-fé, de ganhar a minha amizade e de fazer-me esquecer a ofensa.

— É verdade, não há outro remédio! — exclamaram ao mesmo tempo outras vozes. — Ele o merece bem!

Tudo se arranjou num abrir e fechar de olhos. Aquela mesma solteirona que me fizera conhecer a sua linda amiguinha, em seguida viu-se assediada por todos os rapazes: pediam-lhe para não ir, para ceder-me o seu lugar e deixar-se ficar em casa. Embora isto lhe fosse desagradável, a pobre criatura não teve outro remédio senão ceder a esses rogos, e, com um sorriso contrafeito, apeou-se da carruagem, conquanto no íntimo se mordesse de raiva. A sua protetora, minha antiga inimiga e grande amiga de agora, quando passou ao seu lado, sorrindo como uma garota, confessou-se cheia de inveja e mais: de boa vontade trocaria com ela, pois o céu insinuava ameaçar chuva e não tardaria que todos nós voltássemos encharcados.

De fato, a sua profecia realizou-se. Uma hora depois fomos surpreendidos por um aguaceiro e tivemos de nos recolher em casa duns lavradores, onde nos vimos obrigados a esperar várias horas. Aí pelas dez, pudemos então começar o regresso, com um ar úmido e fresco. Um pouco antes, *Madame* M... aproximou-se e perguntou-me por que tinha eu ido para aquele passeio apenas com aquela blusa tão leve, de marinheiro. Respondi-lhe não ter tido tempo de por a capa. Então ela pegou um alfinete, fechou-me o decote até em cima e tirou um lenço de seda que usava e pô-lo no meu pescoço. Estava tão solícita e fez aquilo tudo tão depressa que nem me deu tempo de agradecer-lhe.

Quando chegamos a casa, procurei-a e encontrei-a finalmente numa salinha, em conversa com a loura e com aquele rapaz amável que comprometera nesse dia a sua reputação de bom cavaleiro, quando não se atreveu a montar Tankred. Aproximei-me dela, agradeci-lhe e entreguei-lhe o lencinho. Depois tive vergonha

---

5 Isto é uma coisa muito séria, meus senhores, não se riam!

de tudo quando acontecera nessa tarde e desejei fugir dali correndo, subir até ao meu quarto, para, aí, com toda a tranquilidade e calma, refletir sobre qualquer coisa que naquele momento nem eu próprio sabia definir e formar uma ideia clara a esse respeito. De tal maneira me encontrava cheio de novas impressões. Quando lhe entregava o lenço, tornei logo, é claro, a corar até às orelhas.

— Aposto qualquer coisa como ele gostaria de conservá-lo como recordação — obsevou o jovem, sorrindo. — Dá para ver em seus olhos o desgosto por ter de se desfazer dele.

— Claro, claro! — atalhou a loura. — Não veem como ele está, o fedelho! — disse ela ainda, aparentemente muito aborrecida e movendo displicentemente a cabeça; calou-se imediatamente, no entanto, diante do olhar sério de *Madame* M... a pedir-lhe que não insistisse nas suas troças comigo.

Em seguida, retirei-me.

— Mas onde vais tu com essa pressa? Isso não é maneira de te despedires! — e ao dizer isto veio ter comigo ao quarto próximo e pegou-me afetuosamente nas mãos. — Se tinhas tanto empenho em conservar aquele lenço, não devias entregá-lo. Podias ter dito que o perdeste ou esqueceste em qualquer parte, e pronto. Não achas? Que tonto!

Deu-me um piparote com os dedos e começou a rir outra vez, ao reparar no meu rubor.

— Bem... Mas agora já somos bons amigos, não é verdade? Terminou a nossa briga, não é assim? Sim. Sim ou não?

Comecei também a rir e, sem dizer palavra, apertei-lhe a mão.

— Então agora está tudo bem! Mas por que estás tão pálido e tremendo? Será resfriado?

— Sim, e por isso não me sinto muito bem.

— Coitadinho! Isso é efeito da comoção! Sabes uma coisa? Vai já para a cama, e não desças lá embaixo para jantar, e depois de dormires um bom sono, verás como isso tudo passa. Anda, vamos!

Levou-me até lá em cima e tudo lhe parecia pouco para me demonstrar a sua amizade. Enquanto me deixava só, para me despir, foi lá embaixo, à cozinha, e trouxe uma chávena de chá quente para que eu o bebesse, já na cama. Depois arranjou-me outro cobertor quente e aconchegou-me com muita ternura. As suas atenções tão carinhosas admiravam-me e comoviam-me muito... embora os meus nervos, já excitados por tantas peripécias, ficassem ainda mais sensíveis com a febre. De repente estendi os braços e abracei-a, como à melhor e mais querida amiguinha, e então precipitaram-se na minha memória todas as impressões daquela tarde, apoderando-se do meu coração cansado. Estava quase a chorar e apertei-me com força contra o seu peito. Ela adivinhou os meus pensamentos e os meus sentimentos e creio que chegou até a comover-se.

— És um bom rapazinho — disse-me baixinho ao ouvido, olhando-me com uns olhos tranquilos — por isso não deves conservar ódio contra mim. É verdade que já não estás zangado comigo?

Enfim, a partir desse dia, passou a ligar-nos a mais fiel e terna amizade.

Era manhã quando, no dia seguinte, acordei muito cedo e o sol já enchia o meu quarto com a sua luz dourada. São e alegre, saltei da cama sem sentir o menor indício de resfriado, e, até pelo contrário, experimentava agora uma alegria imensa, inexplicável. Lembrei-me dos acontecimentos do dia e da noite anteriores, e nem sei quando teria dado para que aparecesse ali naquele instante a minha nova amiga, a nossa beldade loura, e me apertasse de novo nos braços. Entretanto, era muito cedo e todos dormiam ainda. Vesti-me depressa, desci ao jardim e encaminhei-me depois para o bosque. Segui a direção em que o arvoredo era mais denso, mais resinosa a fragrância das árvores e onde os raios do sol apenas conseguiam penetrar de revés e quase às furtadelas, por entre a folhagem espessa. A manhã era maravilhosa.

Continuei a andar, internando-me cada vez mais no bosque, até finalmente encontrar o outro extremo, sobre a falda duma colina próxima do rio. Moscou fica apenas a duzentos passos da orla do bosque, quando se desce pela vertente da lomba. Na outra margem do rio, andavam a ceifar feno. Parei e, de longe, apreciei aquela faina campestre. Reparei como, a cada movimento dos ceifeiros, rebrilhavam ao sol grandes filas de foices aguçadas, logo desaparecendo como cobras reluzentes que tornassem a enfiar-se pela terra, para se esconderem, e como a erva cortada ia caindo do mesmo lado em espessas e vistosas gabelas, e ali quedavam na terra formando grandes faixas muito direitas. Não me lembro quanto tempo fiquei ali, embevecido. De repente, caí de novo em mim; vindos do bosque, em direção à guarita, situada entre o caminho e a casa senhorial, chegavam aos meus ouvidos relinchos de cavalo e ecos dum impaciente piafar. Não podia dizer se o cavaleiro acabava de soltar as rédeas ao cavalo, ou se pelo contrário este relinchava já há muito tempo e escarvava o chão, o que, embebido naquela minha contemplação da ceifa, nem sequer percebera. Cheio de curiosidade, voltei para o bosque, e a poucos passos ouvi vozes rápidas mas em tom baixo, naquele silêncio. Aproximei-me mais, afastei os ramos dos últimos arbustos e — recuei assustado — pois, entre a ramagem acabava de ver brilhar um vestido branco. Uma voz suave de mulher feriu os meus ouvidos e fez palpitar o meu coração. Era a voz de *Madame* M... Bem próximo dela, um cavaleiro lhe falava, montado no seu cavalo, e, com grande espanto da minha parte, verifiquei tratar-se daquele rapaz que uns dias antes nos deixara e partira acompanhado de todas as senhoras e também do Senhor M... Não correra a notícia de que ele fora para qualquer sítio bem longe dali, no sul da Rússia? Portanto, era natural o meu espanto ao vê-lo ali outra vez, àquela hora e sozinho, com *Madame* M..., no bosque!

Ela aparentava ter chorado e estar muito excitada, mas nunca eu a vira tão linda. O rapaz segurava-lhe uma das mãos e, inclinando-se, levou-a aos lábios. Eu acabava de surpreendê-los no momento da despedida. Deviam estar com pressa. Por fim tirou uma carta do bolso, entregou-a a *Madame* M..., inclinou-se na sua sela, cingiu-lhe a cintura com um braço e deu-lhe um beijo, demorado e ardente. Um momento depois fez vibrar o chicote e afastou-se dali, a galope. Ela ficou ainda por uns instantes seguindo-o com a vista; depois voltou-se e, lentamente, caminhou em direção à chácara. Passados alguns instantes, pareceu voltar de novo a si, como despertada de um sonho; afastou rapidamente os ramos dos arbustos junto da guarita, e começou a caminhar, já no interior do bosque.

Eu a segui, surpreso e perturbado pelo que acabava de ver. Meu coração pulsava fortemente, como se tivesse sofrido um grande susto. Não havia dúvida de que estava como que alheado e entontecido; meus pensamentos dispersavam-se sem que eu conseguisse detê-los, mas lembro-me bem de que me sentia profundamente triste. De vez em quando via brilhar o seu vestido branco por entre a verdura. Segui-a sem vontade, de maneira quase mecânica e apenas abrigava um pensamento: não a perder de vista e evitar aparecer aos seus olhos. Por fim ela passou através de um caminho, do bosque para o jardim. Esperei um momento e depois saí também do bosque. No mesmo instante descobri sobre a greda amarela do carreiro um envelope fechado, que reconheci ao primeiro olhar: era o mesmo dado por N... a *Madame* M... dez minutos antes.

Apanhei-o e mirei-o por todos os lados: era um envelope branco, sem endereço, sem nada escrito, não muito grande, mas muito grosso e volumoso, como se contivesse pelo menos três folhas de papel carta.

Que teria aquele envelope? Talvez guardasse todo o segredo! Talvez naquela carta encerrada lá dentro, N... explicasse pormenorizadamente a *Madame* M... tudo quanto não se atrevera a dizer-lhe minutos antes, na sua breve entrevista. Pelo visto, nem sequer tinha chegado a apear-se do cavalo... Ou não tivera tempo para mais, ou receou talvez não poder manter-se fiel à sua palavra, prolongando a despedida. Quem saberia?!

Parei, tornei a pôr a carta no chão, em lugar bem visível, e escondi-me atrás de uma árvore, de onde poderia vê-la muito bem. *Madame* M..., eu pensava, não tardaria a dar pela sua falta e voltaria para procurá-la, pelo mesmo caminho, até o bosque. No entanto, não pude esperar muito tempo: tornei a apanhar a carta do chão, guardei-a no bolso e corri atrás da senhora. Ela já chegara ao jardim e ia agora pela grande alameda que conduzia diretamente à chácara, caminhando com passo rápido, mas com a cabeça baixa. Eu não sabia como proceder. Alcançá-la e entregar-lhe a carta? Isso equivaleria a dar-lhe a entender que eu presenciara tudo, que sabia tudo. Depois disso, como teria coragem de voltar a olhar para ela? Continuava pois à espera que ela saísse do seu êxtase, se lembrasse da carta e sentisse a sua perda. Nesse caso, ia deixá-la cair discretamente no chão para que ela a encontrasse depois. Mas não; ela, pelo visto, já não se lembrava da carta. Já estava a dois passos da chácara e do terraço, já a tinham visto.

Nessa manhã, contra o costume, todos tinham madrugado, pois na noite anterior, após aquela malograda excursão, combinaram um piquenique, do qual eu ainda não tivera conhecimento. Por isso já estavam preparados para a partida e se aglomeravam no terraço. Esperei durante dez longos minutos, para que não me vissem chegar do jardim com *Madame* M... Dei uma volta e alcancei a casa por outro lado. Ela passeava agora pelo terraço, inquieta, pálida e excitada, e em tudo dava claramente a entender grandes esforços para não revelar a sua agitação e sua angústia. Apesar disso, os seus olhos, assim como o desalentado vaivém deixavam transparecer tanta dor e tanto sofrimento, que, evidentemente, havia de chocar quem a observasse. Depois desceu a escada e deu uns passos pelo caminho do jardim. Seus olhos procuravam afanosamente e até sem cautela nem discrição alguma, na greda e no pavimento do terraço. Não havia dúvida: dera, finalmente, pelo desaparecimento da carta e receava que ela tivesse caído nas proximidades da casa; sim, devia estar convencida disso.

Alguém disse, e depois os outros repetiram-no também, que ela parecia pálida e nervosa. Seguiram-se perguntas sobre a sua saúde e conselhos aborrecidos. Devia acalmar-se, divertir-se, rir, mostrar-se mais alegre. De quando em quando olhava para o marido, postado na outra extremidade do terraço, conversando com duas senhoras, e então voltava a estremecer e a apoderar-se dela o mesmo grande desânimo daquela tarde em que o marido aparecera repentinamente. Eu estava ali no terraço, de pé, com a carta no bolso, segurando-a convulsivamente, e pedia ao Destino que ela reparasse finalmente em mim. Desejaria tranquilizá-la, consolá-la, mesmo com um olhar apenas, e se possível murmurar-lhe duas palavras ao ouvido. Mas quando por acaso ela veio a fixar-se em mim, estremeci e baixei os olhos.

Presenciava a sua tortura e não me enganava na minha suposição. Ainda hoje estou tão pouco a par desse segredo como então, e dele sei apenas os aspectos até aqui relatados. Talvez as suas relações com N... não fossem da índole que à primeira vista pode parecer. Talvez aquele beijo fosse um último beijo de despedida, uma recompensa devida por um sacrifício feito por ele em favor da sua tranquilidade e da sua honra. Ele a deixava. Partia, sabe-se lá para onde, para muito longe, talvez por toda a vida, para não tornar a vê-la. E, por fim, aquela carta que eu segurava convulsivamente... Quem saberia o seu conteúdo? Quem poderia fazer qualquer juízo sobre aquele assunto? Evidentemente, a súbita revelação do seu segredo teria sido para ela um golpe terrível, fatal. Ainda vejo diante dos meus olhos o seu vaivém pelo terraço. O seu sofrimento devia ser horrível! Sentir, saber, estar convencida e esperar como quem espera a sua execução, que dali a um quarto de hora, ou, quem sabe, talvez dentro de um minuto, não mais, seria alvo da curiosidade pública... pois, de um momento para o outro, alguém podia encontrar a carta. Não tinha endereço; qualquer pessoa podia abri-la e então... que aconteceria, então? Que suplício poderia parecer-lhe mais terrível do que aquele que a esperava? Ia e vinha por entre os seus futuros juízes. Dentro de um minuto, todas aquelas caras risonhas e afáveis se tornariam severas e de aspecto implacável. Troça, indignação e frio desdém haviam de ler-se nelas... e, além disso, uma sombra eterna e sem esperança ia se abater sobre sua vida... Na verdade, então eu não percebia isto tão claramente como agora. Podia apenas pressenti-lo e sentir compaixão, uma piedade profunda, indizível, por aquela angústia, nem sequer compreendida perfeitamente. Mas, fosse qual fosse o seu segredo... naquela hora de aflição, da qual fui testemunha e que jamais esquecerei, já ela expiara bastante, se é que tinha qualquer coisa a expiar.

De repente ouviu-se alegre convocação incitando-nos a partir. Respondeu-lhe uma estridente vozearia e, entre risos e gracejos, todos se levantaram. Daí a poucos minutos já não havia ninguém no terraço. *Madame* M... negou-se a tomar parte na excursão e acabou por confessar que não se sentia muito bem. Felizmente todos se apressavam a partir e ninguém pensou em tornar a importuná-la com perguntas e conselhos: já ninguém tinha tempo a perder. Apenas ficaram em casa alguns convidados. O marido aproximou-se dela e disse-lhe qualquer coisa; ela lhe respondeu que a sua indisposição passaria depressa, que não se preocupasse; que não queria deitar-se, preferia dar uma volta pelo jardim, sozinha... ou comigo... Quando disse isto, olhou para mim. Eu corei de alegria: era aquela a melhor oportunidade a se me oferecer. Um momento depois lá íamos os dois.

Ela seguia o mesmo caminho por onde voltara e parecia esquadrinhar involuntariamente cada alameda, cada recanto do jardim, cada vereda; caminhava sem levantar os olhos do chão, sem fazer caso de mim... É mesmo possível que se tenha esquecido da minha companhia.

Quando chegamos à orla do bosque, onde eu encontrara a carta e onde terminava o caminho de greda, deteve-se de súbito, cansada, e disse com uma voz que me despedaçava a alma, tão triste e sem esperança ela me soou, que não se sentia bem e queria regressar. Mas ainda mal chegáramos de novo ao jardim, quando outra vez se deteve e ficou com o olhar perdido no vácuo. Um sorriso triste e doloroso lhe crispou os lábios e, como se estivesse esgotada, disposta a tudo quanto pudesse cair sobre ela, encaminhou-se novamente em silêncio para o bosque, sem dirigir-me uma palavra e sem mesmo reparar na minha presença...

De boa vontade romperia aquele silêncio, mas não sabia como começar.

Dirigimo-nos, ou melhor, encaminhei-a para o local onde ela estivera uma hora antes e onde eu ouvira o escarvar do cavalo. Perto dali, junto de um olmo já muito velho, havia uma grande pedra cavada em forma de banco e em volta da qual cresciam o musgo, o jasmim silvestre e a hera. (Ocorria no bosque um grande número daquelas *surpresas*, como por exemplo, bancos, grutas, pequenas pontes, etc.) Ela se sentou no banco e ficou a olhar, com o pensamento ausente, a paisagem encantadora estendida à nossa frente. Ao fim de algum tempo abriu um livro e tudo indicava que começaria a ler; mas na realidade permanecia inerte e não voltava a folha nem lia; nem sequer tinha consciência dos seus atos. Seriam onze horas da manhã. O sol ia alto, a meio do céu diáfano, infinitamente alto e azul, e parecia consumir-se no seu próprio fogo. Os ceifeiros estavam já bem longe e mal os víamos do nosso lugar. A seu lado, ininterruptamente, continuavam a segui-los as faixas do feno ceifado, e quando a aragem as levantava, com um sopro leve, desprendia-se delas a fragrância do feno fresco. E à nossa volta ouviam-se, incansáveis, os gorjeios daqueles que não semeiam nem ceifam e são tão livres como o ar em que voam. Toda a Natureza respirava grande felicidade!

Olhei timidamente para a pobre mulher, — a única que parecia morta no meio da toda aquela alegre vida; das pálpebras caíam-lhe agora lágrimas, que a dor lhe fizera assomar aos olhos. Estava na minha mão o dar alegria àquela pobre alma triste e torná-la feliz, mas não sabia como começar e torturava horrivelmente a minha imaginação. Por mais de mil vezes estive a ponto de aproximar-me e de entregar-lhe o envelope, mas, em todas elas, começava logo a subir-me o sangue à face.

De repente ocorreu-me uma ideia feliz: encontrava um meio e tudo estava salvo.

— Vou buscar-lhe umas flores, quer? — perguntei-lhe com uma voz tão contente que ela levantou os olhos para mim.

— Está bem — disse ela finalmente com uma voz cansada, sorrindo de maneira quase imperceptível e absorvendo-se de novo na leitura.

— Porque, senão, vão ceifar aqui também a erva e não deixarão nem uma flor — exclamei eu alegremente, e afastei-me dali, brincando.

Não tardou e eu reuni uma quantidade de flores, embora fosse apenas um ramalhete de simples e modestas flores silvestres, que talvez nem fossem dignas de serem colocadas numa jarra, numa sala. E no entanto, com que alegria não pulsou o meu coração enquanto procurava as flores e as reunia num ramalhete! A minha colheita era constituída por rosas bravas e jasmins silvestres. Depois, corri a um trigal próximo. Ali, eu sabia da existência de papoulas. Cortei algumas e apanhei também espigas de um amarelo dourado, escolhendo as mais bonitas. Ao fim do caminho encontrei um autêntico viveiro de malmequeres, de maneira que, com tudo isso, o meu ramalhete ficou bem vistoso. Depois, mais além, já no campo, encontrei campainhas azuis e cravos silvestres, e embaixo, na margem do rio, rosas de água, amarelas. Por fim, já de regresso, quando me aproximava um pouco do bosque, no desejo de cortar uns ramos de carvalho prateado para fazer com eles uma espécie de coroa que circundasse o meu ramo, encontrei ainda amores-perfeitos bravos e, perto deles, escondidas entre a relva, violetas perfumadas, úmidas de orvalho, que chamaram a minha atenção com a sua fragrância. O meu ramalhete estava pronto. Rodeei os caules com umas grandes e delgadas fibras de erva, e no meio das flores, com muito cuidado, coloquei a carta de maneira a facilitar a sua visão, por muito pouca atenção que dessem ao ramalhete.

E então levei-o a *Madame* M...

Durante o caminho a carta pareceu-me demasiadamente à vista entre as flores, e por isso cobri-a um pouco com ervas. Quando me aproximei da senhora introduzi a carta um pouco mais no meio do ramo, e quando já estava mesmo a dois passos dela, meti-a tão profundamente no seio das flores que, então, já não se via absolutamente nada. De novo o sangue tornou a subir-me ao rosto, e o meu desejo era escondê-lo entre as mãos e deitar em seguida a correr; porém ela olhou tão distraidamente para as minhas flores como se tivesse esquecido o meu propósito de colhê-las para sua alegria. Levantou a mão mecanicamente, pegou, quase sem olhar, no meu presente, sem lhe prestar atenção, pô-lo em cima do banco... e tornou a fixar os olhos sobre o livro, absorta nos seus pensamentos. Veio-me o desejo de chorar de aflição ao ver o fracasso do meu plano. "Contanto que não deite o ramo fora... — pensei. — Que não se esqueça dele." Depois estendi-me sobre a relva, perto do banco, coloquei a mão direita debaixo da cabeça e fechei os olhos, como se me dispusesse a dormir. Todavia, em segredo, não a perdia de vista nem um instante.

Passou bastante tempo, talvez uns dez minutos; o seu rosto parecia-me cada vez mais pálido... De súbito, o acaso veio em meu auxílio.

Um grande besouro, de um dourado escuro, apareceu por ali, trazido na aragem. Primeiro revoluteou, zumbindo, por sobre a minha cabeça; depois começou a zunir em volta de *Madame* M... Ela o enxotou com a mão por mais de uma vez. O besouro não desaparecia. Então pegou no meu ramalhete e brandiu-o no ar, para afugentar o inseto. Nesse mesmo instante a carta desprendeu-se de entre as flores e foi cair precisamente em cima do livro aberto. Eu estremeci. Ela olhava, assombrada, ora para a carta, ora para as flores, e indicava não querer acreditar na realidade. De repente, fez-se muito corada, levantou rapidamente os olhos e me fitou. Eu já os tinha fechado de novo e fingia dormir a sono solto. Por nada deste mundo teria coragem de olhá-la francamente no rosto. O coração pulsava-me violentamente e ao mesmo tempo ameaçava parar. Esforçava-me por conter a respiração. Não sei quanto tempo teria permanecido assim; talvez dois ou três minutos. Por fim, atrevi-me a abrir os olhos, muito devagarinho. Sentada, lia a carta, as faces ruborizadas e os olhos brilhantes, úmidos de lágrimas; no rosto agora iluminado, cujas feições aparentavam vibrar de alegre comoção, compreendia que aquela carta a fazia feliz e afugentava a sua dor, como a uma nuvem escura. Um sentimento docemente doloroso penetrou no meu coração e começou a ficar difícil continuar fingindo.

Jamais esquecerei esse momento!

De repente ouvi chamar e perto de nós soaram vozes:

— *Madame* M...! Natalie! Natalie!

Ela não respondeu. Levantou-se rápida, aproximou-se e inclinou-se sobre mim. Senti que contemplava o meu rosto. As minhas pálpebras queriam estremecer; contraí-me convulsivamente e não fiz o menor movimento. Procurei dar à minha respiração o ritmo tranquilo e uniforme; temia, entretanto, que o coração saltasse, tão violentas eram as suas pulsações. De súbito senti lágrimas e um beijo ardente na minha mão estendia sobre o peito. E depois, outro beijo ainda sobre a mão.

— Natalie! Natalie! Onde estás? — repetiu-se o chamamento de há pouco.

— Já vou! — respondeu *Madame* M... com a voz suave, sumida e alterada pelo pranto, e tão baixinho. Só eu pude ouvi-la.

Então o meu coração parou, atraiçoou-me, pois fez subir todo o sangue às minhas faces. Em seguida outro beijo rápido me queimou os lábios. Abri os olhos soltando um leve grito de espanto; mas nesse momento qualquer coisa de sedosa suavidade me tombou sobre eles. — o tal lenço que *Madame* M... me pusera ao pescoço, na tarde de outro passeio — como se viesse protegê-los contra o sol. Um momento depois ela partia. Eu apenas pude escutar o rumor apressado de passos distantes. Achava-me agora sozinho...

Tirei o lenço de sobre o rosto e beijei-o, morto de felicidade. Pensei enlouquecer! Permaneci ainda por muito tempo estendido sobre a relva, apoiado sobre os cotovelos e olhando distraidamente, sem fazer um movimento; a colina, os campos e os prados, o rio a deslizar por entre eles, traçando grandes curvas, e lá adiante, até onde a vista podia alcançá-lo, serpenteava por entre novas veredas e por entre granjas e aldeias, cujas casinhas se erguiam nas lonjuras diáfanas, como pontinhos verdes; contemplando os bosques azulados e mal delineados, pois pareciam envoltos numa névoa, a se estender pelo horizonte; e um estranho e doce silêncio, emanado da solene tranquilidade da paisagem, ia serenando pouco a pouco, com infinita suavidade, o meu alterado coração. Toda a minha alma começou a sentir estranha, vaga e deliciosa nostalgia, como se estivesse vendo qualquer coisa nunca vista, como se, de repente, nela tivesse despertado o desejo. Receoso e ao mesmo tempo cheio de alegria, o meu coração começou a adivinhar algo de misterioso e a tremer em ansiedade. Então o meu peito se dilatou e eu o senti doer como se alguém estivesse a perfurá-lo e lágrimas, lágrimas de felicidade tombaram-me dos olhos cobri o rosto com as mãos, e tremendo como o caule duma erva, entreguei-me sem defesa ao primeiro conhecimento e às revelações do coração, ao primeiro relancear de olhos, confuso ainda, sobre a minha natureza masculina. Nesse momento que acabou a minha infância...

....

Quando, duas horas depois, regressei à casa, *Madame* M... já não se encontrava entre os convidados. Partira com o marido para Moscou, onde, segundo diziam, notícia inesperada os chamara. Desde então nunca mais tornei a vê-la.

O SONHO
DO TIO

O SONHO DO TIO
(1859)

Capítulo primeiro

Não há dúvida de que a senhora mais importante de Mordássov é Maria Alieksándrovna Moskaliova... Disso não há dúvida nenhuma! Conduz-se como se nada nem ninguém lhe importasse e, pelo contrário, todos dependessem dela. É claro que, precisamente por isso, ninguém na aldeia a pode ver e muitos a odeiam do fundo do coração. Mas em compensação todos a temem... o que é precisamente aquilo que ela deseja e necessita. Necessidade esta que, a meu ver, constitui uma prova de altos dotes políticos. Como será possível que, sendo Maria Alieksándrovna uma mulher que morre por mexericos e que já não pode dormir na noite em que nenhum boato novo chega aos seus ouvidos, como será possível, pergunto, que saiba conduzir-se de maneira que ninguém, ao vê-la, nem de longe pode pensar que essa grande senhora, de tão imponente aspecto, seja a maior intriguista do mundo, ou, pelo menos, de Mordássov? Pelo contrário, estão todos convencidos de que basta simplesmente a sua presença para que cessem todos os falatórios, se ruborizem os mexeriqueiros, se ponham a tremer como crianças diante do professor e se torne impossível falar de qualquer coisa que não gire à volta de temas elevados. A referida senhora sabe, por exemplo, pormenores tão importantes e tão escandalosos acerca de mais de uma pessoa respeitável de Mordássov, que, se alguma vez os contasse, demonstrando além disso, a sua verdade, como só ela sabe fazer, certamente vai se repetir em Mordássov o terremoto de Lisboa. Mas quanto a isso não há preocupações, porque ela é muito discreta a respeito dessas coisas, e apenas as conta, no máximo e em caso extremo, às suas amigas. A maior parte das vezes limita-se a meter medo aos interessados, dando-lhes a entender que está a par de tudo e mantendo-os numa angústia constante, em vez de liquidá-los de uma só vez. Isto é astúcia, a isto é que se chama tática. Oh, sim! Maria Alieksándrovna distingue-se de todos nós pelo seu irrepreensível *comme il faut*,[1] que a todos serve de modelo. Neste aspecto, não tem rival em Mordássov. Sabe, por exemplo, destruir, aniquilar a sua inimiga com uma só palavra: mas faz isso como se nem notasse ter dito a palavra fatal.

Note-se que essa característica é peculiar às pessoas mais distintas. Em resumo: no que respeita a questões de tato, poderia dar lições até a Pinel.[2] Tinha muitas relações. Muitas das pessoas que visitavam Mordássov iam vê-la e ficavam encantadas com o seu bom acolhimento, e muito tempo depois ainda continuavam a cartear-se com ela. Um dos seus visitantes teve uma vez a feliz ideia de imortalizar a boa recordação que Maria Alieksándrovna lhe deixara, num pequeno poema que ela mostrava com orgulho a todos os que a visitavam. Um literato transumante dedicara-lhe também uma pequena novela, lida um dia em sua casa, numa das suas recepções, causando a todos a mais lisonjeira impressão. Um sábio alemão de Carls-

---

1 Como deve ser, dignidade.
2 Notável médico alienista francês.

ruhe, que veio honrar-nos com a sua visita, apenas com o fim de estudar certa variedade de vermes cornúpetos, que apenas se dão no nosso distrito, e a cuja descrição dedicou imediatamente quatro tomos *in-quarto*,[3] ficou tão encantado com o bom acolhimento e com a amabilidade de Maria Alieksándrovna, que continua ainda a escrever-lhe de Carlsruhe cartas extremamente respeitosas, a que ela, naturalmente, não deixa de responder. Sim, Maria Alieksándrovna já foi até comparada, de certo modo, com Napoleão... primeiro. Claro que só por troça e pelos seus inimigos, e mais para hidrolisá-la do que por amor à verdade. Mas, para não falar nisto... e embora eu reconheça a extravagância de tal comparação, atrevo-me no entanto a fazer uma pergunta absolutamente inocente: por que é que (sabem dizer?), por que é que o grande Napoleão teria sentido vertigens quando atingiu as posições mais elevadas? Os partidários da antiga dinastia atribuem esse fato à circunstância de Napoleão não ser nenhum rebento de família imperial, nem sequer nobre de velha linhagem, e, portanto, nada mais natural que as alturas lhe provocassem vertigens, e que ele se transtornasse só ao pensar na sua humilde origem e na posição modestíssima que na realidade lhe correspondia. Mas, prescindindo de explicação tão engenhosa, que tão vivamente recorda o esplendor da velha corte francesa, tomarei a liberdade de fazer esta pergunta: por que motivo nunca eu vi que, em ocasião alguma, Maria Alieksándrovna fosse acometida de vertigens e por que será que sempre e apesar de todos os desgostos, continua a ser a senhora mais importante de Mordássov? Há casos, por exemplo, em que toda gente diz: "Bem, vamos lá a ver como é que Maria Alieksándrovna sai deste apuro!". Pois vejam: o apuro surgiu, apresentou-se, passou de largo... e não aconteceu nada. Tudo ficou como estava, senão muito melhor! Por exemplo, não deve haver aqui quem não se lembre de como seu marido, Afanássi Matviéievitch, veio a perder, por inépcia ou por estupidez, o emprego que tinha, tão vantajoso, pois, com as suas respostas provocou a cólera dum inspetor que tinham enviado para apanhá-lo com a boca na botija. Nessa ocasião todos acreditaram que Maria Alieksándrovna compreendeu que, com o marido, já não havia nada a fazer... e tais artes teve que não perdeu nem uma ponta da sua influência na boa sociedade e por isso a sua casa continua a ser até à data a casa mais importante de Mordássov. A esposa do nosso governador, Anna Nikoláievna Antípova, inimiga figadal de Maria Alieksándrovna — embora, a julgar pelas aparências, seja a sua melhor amiga — esteve dessa vez a ponto de cantar vitória; mas como todas as pessoas verificaram que Maria Alieksándrovna conservava a serenidade, os mordassovianos acabaram finalmente por compreender que a sua dignidade tinha raízes mais fundas do que tinham suposto.

Embora nos tenhamos já referido a Afanássi Matviéievitch, quero, apesar disso, dizer acerca dele algumas palavras. Devo fazer notar, antes de mais, que o seu aspecto exterior não pode ser mais respeitável e que tem até uns modos distintos... simplesmente, tem o mau hábito de perder a cabeça nos momentos difíceis e de se pôr a olhar para as pessoas com olhos de carneiro mal morto. É um homem imponente e de aspecto digno, especialmente quando assiste a um banquete de aniversário, onde se apresenta com uma faixa branca. O pior é que uma pessoa apenas mantém essa impressão a seu respeito, até ao momento em que ele abre a boca e

---

3 Diz-se do formato dos livros impressos em folhas dobradas duas vezes; livro nesse formato.

solta a primeira palavra. Depois — os senhores, desculpem, mas é a verdade pura — uma pessoa acaba por ter vontade de tapar os ouvidos.

Não é de maneira nenhuma digno de Maria Alieksándrovna. É esta a opinião geral. Foi apenas graças ao talento de sua esposa que conseguiu chegar a tão elevada posição. A meu ver, a colocação que desde o princípio estaria mais indicada para ele teria sido na horta, para desempenhar, e de certeza que o desempenharia na perfeição, o ofício de espantalho. Aí, e unicamente aí, poderia ser de uma verdadeira e indiscutível utilidade para a pátria. E foi por isso precisamente que Maria Alieksándrovna procedeu muito acertadamente ao enviar Afanássi Matviéievitch, logo a seguir à referida ocorrência da sua demissão, para uma chácara que possuía a três verstas da povoação, onde é também senhora de cento e vinte almas, o que, diga-se de passagem, constitui todo o seu patrimônio e toda a sua fonte de rendimentos, donde tira com que prover a todos os seus gastos, que, aliás, não são poucos, pois tanto agora como dantes vive com grande fausto. Assim já poderão compreender que, se até esse momento ela manteve o marido a seu lado, foi apenas em virtude do vantajoso cargo que ocupava, do bom ordenado que recebia... além dos emolumentos. Mas assim que ordenado e emolumentos se acabaram, ela desfez-se dele como de um móvel completamente inútil e supérfluo. E por isso toda gente elogiou o lúcido critério de Maria Alieksándrovna, assim como a sua decisão e energia. Afanássi Matviéievitch vive agora aí, no campo, como o peixe na água. Há pouco tempo fui visitá-lo e passei uns momentos deliciosos na sua companhia. Entretém-se a pôr várias gravatas brancas, engraxa ele mesmo as botas... não porque não tenha criados, mas por puro prazer, pelo gosto que tem em vê-las reluzir como um espelho. Bebe chá três vezes por dia, toma banho com muito agrado, e está plenamente satisfeito consigo e com a sua vida. Ainda se lembram dessa aborrecida história que correu por aí, haverá coisa de ano e meio, a propósito de Zinaída Afanássievna, filha única de Maria Alieksándrovna e de Afanássi Matviéievitch? Essa tal Zinaída é indiscutivelmente formosa entre as formosas, e teve uma boa educação; mas... já fez vinte e três anos e ainda está por casar. Entre as diversas razões que tem apresentado para explicar tão estranha circunstância, figuram os confusos boatos que tem circulado a respeito das estranhas relações de Zina com um certo professorzinho da escola distrital, boatos que, apesar de tudo, ainda não se extinguiram... e são agora mais insistentes do que nunca. Pois continua ainda a falar-se de uma certa cartinha de amor que Zina escreveu uma vez e que andou logo de mão em mão em Mordássov. Apesar de que, no fim de contas, quem pode afirmar ter visto com os seus próprios olhos a tal carta ou bilhete? — que não devia ser grande. Ao passar de mão em mão, em qual ficou definitivamente? Todos ouviram falar da cartinha, mas ninguém chegou a vê-la. Eu, pelo menos, nunca encontrei ninguém que tivesse chegado a vê-la. Se dirigirdes a mais leve alusão sobre este assunto a Maria Alieksándrovna, será tempo perdido, pois não vos compreenderá. Mas suponhamos, apesar de tudo, que Zina tivesse de fato escrito essa carta — eu creio plenamente que ela a escreveu. Não seria merecedora do mais alto apreço a diplomacia de Maria Alieksándrovna? Com que habilidade e acerto soube ela cortar as asas a esse boato aborrecido e escandaloso! Dos seus lábios não saiu nem uma palavra, nem uma alusão. E agora já nem sequer presta atenção a essa calúnia odiosa. No entanto só Deus sabe o que ela terá feito para conservar imaculada a honra de sua filha única. E, por outro lado, não é perfeitamente compreensível que Zina continue solteira? Que pretendentes podem apresentar-se a uma jovem nas circunstâncias de Zina, que apenas poderá dignar-se oferecer a sua mão a um príncipe herdeiro? Já se viu alguma vez neste mundo uma beleza comparável à sua? Claro que ela tem vaidade, talvez até demasiada vaidade, do seu palminho de cara. Dizem que Mosliakov bebe os ares por ela, mas não se deve supor sequer que ela o queria. Quem vem a ser este Mosliakov? Ora... um rapaz bonitinho, um senhorito que possui cento e cinquenta almas, não tem dívidas e é de Petersburgo. Mas em compensação... não tem nem uma ponta de juízo. É um desorientado, um tagarela, cheio de ideias avançadas. E, no fim de contas, que vêm a ser cento e cinquenta almas... e sobretudo, com essas ideias avançadas... Não, já o tenho dito, nem pensar nesse casório!

Tudo o que o meu honrado leitor leu até este momento, escrevi-o eu há já cinco longos meses, e, verdade seja dita, por puro entusiasmo. Não esconderei que tenho um fraco por Maria Alieksándrovna. Tinha até a intenção de compor uma espécie de panegírico dessa grande mulher, talvez em forma de carta humorística para um amigo, no estilo daquelas famosas epístolas que, naqueles antigos e áureos tempos que, graças a Deus, se foram para não voltar, se publicavam na *Abelha do Norte* e noutras revistas do gênero. Mas como não tenho nenhum amigo, e além disso sou de meu natural tímido em questões de literatura, guardei o manuscrito na gaveta da minha secretária, como um ensaio literário e a título de recordação de uns momentos de aprazível entretenimento em horas de ócio e boa disposição. Entretanto passaram-se cinco meses, até que por fim se deu um dia na nossa querida cidade um grande acontecimento. Uma manhã, muito cedinho, ouviu-se o rodar duma carruagem pelas ruas da povoação; vinha nela o príncipe K..., e parou ao pé da casa de Maria Alieksándrovna.

As consequências dessa visita foram incalculáveis. O príncipe permaneceu apenas três dias em Mordássov; mas esses três dias ficaram para sempre gravados na memória de todos. Sim, e de certa maneira posso até dizer que o príncipe fez perder a cabeça a toda a cidade. A narração desse acontecimento há de vir a constituir no futuro a página mais notável dos anais de Mordássov. Elaborar literariamente essa página e submetê-la depois à apreciação do estimado leitor é o que, agora, depois de algumas hesitações, me proponho.

Compreende a minha narrativa a história pormenorizada e história da exaltação, glorificação e solene decadência de Maria Alieksándrovna e da sua casa de Mordássov, tema digno e sedutor para um literato. Naturalmente vou começar por explicar por que motivo é que a vinda do príncipe à cidade e a sua visita a Maria Alieksándrovna constituíram um tão importante acontecimento; mas, para isso, tenho de descrever mais minuciosamente a figura do príncipe e é isso o que vou fazer. Além disso é absolutamente indispensável conhecer a vida do príncipe para se possam depois explicar muitas coisas no decurso do nosso relato. Assim, deixo-me de mais preâmbulos e vou começar.

Capítulo II

Devo informar, antes de mais, que o príncipe K..., no que respeita às suas ideias, não era aquilo que se pode chamar um velho. E no entanto dava a impressão, a quem o visse, de que estava a cair aos pedaços; devia ter sido um grande boêmio e tinha o aspecto de estar muito gasto. Em Mordássov contavam coisas extraordinárias e às vezes com a sua nota de extravagantes. Uma vez chegaram mesmo a dizer que o velho magnata estava meio amalucado. Mas o que a todos parecia mais estranho era que, sendo ele um proprietário tão opulento, que possuía quatro mil almas, aparentado com muitos dignitários conhecidos, pelo que podia ter desempenhado um papel magnífico no nosso governo, vivesse completamente afastado do mundo, na sua esplêndida chácara. Muitas pessoas respeitáveis que o conheceram havia uns seis ou sete anos, quando permanecera uma temporada na cidade, afirmavam todas unanimemente que nesse tempo o nosso herói não podia suportar a solidão e tinha então uma conduta completamente oposta à dum eremita.

Mas, seja como for, eu tive oportunidade de colher, da fonte mais fidedigna, os seguintes dados acerca da sua vida.

Uma vez, na sua juventude, que, diga-se de passagem, ia já bastante longe, fez o príncipe a sua aparição na sociedade, de um modo brilhantíssimo, andou na pândega, teve amantes. Fez viagens ao estrangeiro, cantou *romanzas*, disse pilhérias e não se distinguiu nunca pelos seus brilhantes dotes de inteligência. Nem é preciso dizer que, com umas e com outras, gastou o nosso homem todo o seu capital, de tal maneira que, ao chegar a velho, veio a encontrar-se sem um copeque. Não faltou então quem o aconselhasse a voltar para as suas propriedades, que já estavam para ser postas à venda, e o nosso homem veio para Mordássov, onde ficou seis meses completos antes de continuar a visita aos seus domínios. A vida de província foi-lhe muito agradável e a consequência disto foi que nesse meio ano acabou de gastar-se tudo quanto lhe restava, pois o príncipe não se resignava a prescindir do jogo nem de aventuras galantes... embora desta vez isso acontecesse com damas provincianas. Acrescente-se a tudo isto que era um homem bonacheirão, embora não isento, evidentemente, de alguns costumes principescos muito agradáveis, mas que os mordassovianos consideravam como características exclusivas dos mais fátuos magnatas, e por isso, em vez de lhes causar repugnância, provocavam-lhes a melhor impressão. Sobretudo as senhoras estavam encantadas com o seu querido hóspede e conservam dele mais de uma interessante recordação. Diziam, entre outras coisas, que o príncipe gastava agora metade dum dia a vestir-se e a reconstruir a sua figura composta de peças desmontáveis. Ninguém conseguia explicar onde poderia ele ter perdido todas as peças do corpo que lhe faltavam. Usava peruca, barba e bigode postiços; e até a mosca à Mazarino, debaixo do lábio inferior, era falsa. Usava o cabelo literalmente colado à cabeça, pelo por pelo, e todo ele brilhava de um negro retinto. Perfumava-se e empoava-se todos os dias. Diziam até que alisava as rugas do rosto por meio de certas molas minúsculas que trazia escondidas no cabelo. Diziam também que usava espartilho porque partira duas costelas ao atirar-se desastradamente de uma janela... durante uma aventura de amor na Itália. Coxeava do pé esquerdo. E havia quem afirmasse que esse mesmo pé esquerdo não era seu, pois o perdera em Paris, por ocasião de um enredo amoroso, e que mandara fazer, para suprir a sua falta, outro de madeira ou de cortiça. Mas, na verdade, se fossemos a dar ouvidos a todos esses boatos... O certo é que usava um olho de vidro, o direito, evidentemente que muito caro e de fatura sumamente artística. A dentadura decerto era também postiça. Todos os dias se lavava com as mais variadas águas de toucador e se perfumava e besuntava de brilhantina até ficar empastado. E isto apesar de todos se lembrarem, por outro lado, que já por esse tempo o príncipe estava muito velho e era de uma loquacidade pavorosa. Como podem calcular, o futuro lhe aparecia com as mais negras cores. Todos sabiam que estava completamente arruinado. Aconteceu nessa altura que uma parenta sua, uma velha pré-histórica que passava a vida em Paris e da qual em rigor não se podia esperar... passou desta para melhor, depois de, aproximadamente um mês antes, ter enterrado o seu herdeiro. De maneira que o príncipe se viu assim de um dia para o outro, e do modo mais inesperado, herdeiro universal da velha. Couberam-lhe destarte, para ele sozinho, quatro mil almas e umas propriedades magníficas, a sessenta verstas da nossa povoação. Sem perda de tempo, o nosso herói foi a Petersburgo para regularizar aí as suas coisas. À despedida foi homenageado pelas senhoras da localidade com um esplêndido jantar, para o qual se quotizaram todas, fazendo a respectiva recolha de donativos. Contam que o príncipe esteve nesse dia de uma amabilidade encantadora, gracejou e riu à vontade e contou as mais extraordinárias anedotas. Por fim prometeu às suas amigas instalar-se o mais cedo possível em Dunákovo — era esse o nome da sua propriedade — e onde — empenhou sua palavra de honra — haveria continuamente festas, piqueniques, bailes e noites italianas com fogos de artifício e balõezinhos de cores. As senhoras da localidade, depois da sua partida, levaram um ano inteiro a falar das festas prometidas e esperando, impacientes, o seu velho amigo. Mas em breve tiveram de contentar-se com fazer umas simples excursões a Dunákovo, onde podia ver-se o velho casarão senhorial e o grande parque, no qual havia sebes de acácias apoiadas em leões e outros animais, figuras artificiais de gigantescos cavadores, lagos artificiais nos quais balançavam barcos com turcos de madeira, que tocavam flautas pastoris, latadas, pavilhões, *monplaisirs* e outras ridicularias do gênero.

Finalmente o príncipe voltou. Para assombro e decepção de todos, nem uma só vez apareceu na cidade, indo logo estabelecer-se nas sua terras e aí começou a levar uma vida de anacoreta. A seguir espalharam-se estranhos rumores referentes à sua pessoa, e pode dizer-se que, a partir dessa época, se tornou obscura e fantástica a história do príncipe. Contavam, por exemplo, que em Petersburgo as coisas não lhe tinham corrido muito bem, que alguns dos seus parentes e herdeiros presuntivos, fundamentando-se na sua franqueza mental, tinham falado em nomear um tutor, receando provavelmente que tornasse a gastar os seus bens. E havia até quem afirmasse que os tais parentes quiseram metê-lo num manicômio, mas que um deles, pessoa respeitável, intercedera por ele, fazendo-lhes ver que o pobre príncipe, mesmo sem isso, estava meio morto, e que, portanto, não tardaria a morrer espontaneamente... com o que, sem necessidade de manicômio, entrariam na posse da herança. Mas torno a perguntar: não é verdade que há pessoas mexeriqueiras neste mundo? E sobretudo em Mordássov? Esses rumores a respeito das intenções dos seus parentes deviam ter infundido tal pânico no espírito do príncipe, que mudou completamente de maneira de ser e começou a fazer de repente essa vida de cenobita. Algumas pessoas da nossa localidade foram visitá-lo e felicitá-lo a Dunákovo. Mas, ou não foram recebidas, ou lhes dispensaram um acolhimento muito estranho. Dizem que o príncipe, ou já não conhecia, ou não queria conhecer nenhum dos antigos amigos.

Também o nosso governador um belo dia se resolveu a ir até lá. E voltou trazendo a notícia de que, em sua opinião, o príncipe se encontrava efetivamente um pouquinho irresponsável, e depois, sempre que lhe falavam da sua viagem a Dunákovo, a nossa primeira autoridade ficava de mau humor. As senhoras exprimiam francamente o seu desgosto perante tal notícia, até que, por fim, um dia chegou aos seus ouvidos um boato de importância transcendente. Uma tal Stiepanida Matviéievna, mulheraça gorda e já entrada em anos, que ninguém conhecia e cujo parentesco com ele se ignorava se apoderara da vontade do príncipe, com o qual viera de Petersburgo e em cuja casa andava agora, de cá para lá, com vestidos de algodão e um molho de chaves na mão. O príncipe lhe obedecia em tudo como uma criança e não se podia dar ali um passo sem autorização dela. Ela própria o servia e lhe ralhava, o lavava e trazia debaixo do olho, e lhe cantava cantigas para adormecer como a um menino de peito. Finalmente, afugentava as visitas, sobretudo os seus parentes, os quais, muito compreensivelmente, de quando em quando apareciam em Dunákovo com o fim de fazerem várias investigações. Em Mordássov deram muito que falar essas relações estranhas, sobretudo entre as senhoras. Acrescentavam ainda os bem informados que Stiepanida Matviéievna administrava como muito bem lhe parecia, sem oposição de espécie nenhuma, os bens do príncipe, que despedia, sem consultas, os trabalhadores dos campos, os criados, os administradores e os guardas e que embolsava todos os rendimentos. Fazia isso tudo tão bem feito que os servos estavam contentíssimos com a sua sorte.

Quanto ao príncipe, passava a vida quase exclusivamente no seu quarto de vestir, sem se preocupar com outra coisa senão provar perucas e fraques, dedicando o resto do tempo a fazer companhia a Stiepanida Matviéievna. Com esta jogava cartas, fazia *patience* e dava de quando em quando um passeiozinho montado numa sossegada égua inglesa, ocasiões em que Stiepanida Matviéievna o acompanhava infalivelmente num carro... por causa do que pudesse acontecer. É claro que o príncipe montava unicamente por vaidade, pois mal se podia ter na sela. Às vezes viam-no também sair a pé, envolvido num elegante paletó, com um chapéu de palha, de abas largas, ostentando uma gravatinha cor-de-rosa e provido de um monóculo, uma cestinha para apanhar cogumelos e um raminho de flores na mão esquerda. A maior parte das vezes ia acompanhado de Stiepanida Matviéievna e levavam dois criados de libré, seguidos de um coche (pois ninguém sabe o que pode acontecer). Quando encontravam algum trabalhador e este os cumprimentava, afastando-se para o lado, com profunda e respeitosa reverência: "Bom dia, príncipe, paizinho; bom dia, alegria nossa e sol da nossa vida", logo o príncipe assestava sobre ele o monóculo e lhe respondia afetuosamente com um benévolo movimento de cabeça: *Bonjour, bon ami, bonjour!*

Estes e outros boatos corriam em Mordássov de boca em boca. Parecia completamente impossível esquecerem o príncipe. Se bem que é preciso levar em conta o fato de ele estar tão próximo. Qual não seria, pois, o espanto geral, quando uma manhã se espalhou a notícia de que o príncipe, aquele anacoreta, aquele tipo estranho, chegara em pessoa a Mordássov e se apeara à porta de Maria Alieksándrovna, entrando-lhe em casa. Todos se movimentaram, aguardando uma explicação do acontecimento, perguntando uns aos outros o que significava aquilo. Algumas senhoras queriam dirigir-se imediatamente a casa de Maria Alieksándrovna, pois a chegada do príncipe parecia-lhes algo de extraordinário. Escreviam bilhetinhos umas às outras, faziam visitinhas, mandavam suas criadas e criados à cata de notícias. O que mais chamava a atenção era tivesse o príncipe vindo visitar precisamente a Maria Alieksándrovna. E quem mais se intrigava era Anna Nikoláievna Antípova, visto que o príncipe ainda era seu parente, embora fosse preciso, para encontrar tal parentesco, percorrer toda a árvore genealógica, por entre uma legião de tias, avós e sogras. Compreendo agora que, para responder devidamente a tais perguntas será necessário entrarmos em casa da própria Maria Alieksándrovna, onde pedimos ao respeitável leitor que nos siga. É um pouco cedo, pois talvez ainda não tenham soado dez horas; mas estou certo de que ela não irá dar-nos com a porta no nariz, a nós que somos os seus melhores amigos e que, até pelo contrário, nos receberá com todo agrado.

Capítulo III

Assentemos em que são dez horas da manhã. Estamos em casa de Maria Alieksándrovna, nesse compartimento que a dona da casa chama, nas ocasiões solenes, o seu salão. Neste mesmo sentido, Maria Alieksándrovna tem também um *boudoir*. O assoalho do salão está rebrilhante e das paredes pendem lindas tapeçarias. Predomina o vermelho no mobiliário. Numa das paredes vê-se uma chaminé e por cima desta um espelho; diante do espelho um relógio de mesa, de bronze, com um cupido, um atestado de mau gosto. Entre as janelas, pendurados, dois espelhos sem gazes. À frente destes, umas mesinhas com os seus respectivos relógios. Na parede do fundo sobressai um magnífico piano que os seus pais compraram para Zina, porque aprecia a música. No outro extremo da sala vê-se uma grande mesa, coberta com toalhas de uma brancura deslumbrante, sobre a qual ferve um samovar de prata, junto de um gracioso serviço de chá. Serve-o Nastássia Pietrovna Ziáblova, que, como parenta afastada de Maria Alieksándrovna, vive em sua companhia. Duas palavras a seu respeito: Nastássia Pietrovna Ziáblova é viúva, terá seus trinta anos bem vividos, moreninha, com um tom de pele muito fresco e olhos pretos muito vivos. Não é o que se pode dizer feia. Temperamento alegre, ri muito e com muita vontade; é bastante esperta; é claro que adora mexericos, mas sabe muito bem aproximar-se do fogo sem se queimar. É mãe de dois filhos que estudam não sei em que colégio. De boa vontade casaria novamente. Seu primeiro marido foi um militar no serviço ativo. Enfim, conduz-se com bastante aprumo.

Maria Alieksándrovna, a protagonista, senta-se junto da chaminé, muito bem disposta e com um vestido verde claro que lhe fica muito bem. Está contentíssima com a visita do príncipe, neste momento ocupado com o arranjo pessoal e não se pode ver. De tão contente nem sequer procura dissimular seu alvoroço. Diante dela um rapaz contando qualquer coisa com muita animação. Deve ter uns vinte cinco anos. Em seus olhos pode-se ver o desejo de agradar à sua interlocutora. Boas maneiras, mas entusiasma-se com demasiada facilidade e, além disso, esforça-se por parecer gracioso e satírico. Irrepreensivelmente vestido, é louro e nada feio. Mas já falamos bastante dele; não é outro senão o Senhor Mosliakov, um rapaz de muitas esperanças. Maria Alieksándrovna pensa que este jovem deve ter a cabeça um pouco oca; apesar disto, desfaz-se em atenções para com ele. É um pretendente à mão de sua filha Zina, da qual, segundo ele próprio diz, está loucamente apaixonado. Volta-se a cada instante para olhá-la, tentando fazê-la rir com suas piadas. Mas Zina mostra-se indiferente e não lhe demonstra quase nenhuma importância. Neste momento a moça senta-se ao piano. Os dedos finos folheiam um almanaque. É uma destas criaturas que provocam sempre uma admiração entusiástica, diria eu, quando se apresentam num baile ou numa festa de sociedade. É indescritivelmente graciosa; alta, esbelta, um magnífico cabelo preto, olhos maravilhosos, quase negros, de um desenho admirável; os ombros, os braços e colo... duma deusa antiga; um pezinho minúsculo e um andar de rainha. Hoje está um pouco pálida, mas os lábios sedosos, de um rosa desmaiado e de contornos maravilhosos, e entre os quais brilham os dentinhos brancos, como um fio de pérolas, fazem sonhar com eles três noites seguidas a quem os viu uma vez. Parece séria e até severa. É de dizer que o Senhor Mosliakov teme um pouco o seu olhar atento; pelo menos não parece muito seguro de si quando se atreve a levantar os olhos para ela. Os seus movimentos são de uma indolência altiva. Traja um vestido simples, de musselina branca. O branco assenta-lhe muito bem. E além disso, que é que não lhe fica bem? Num dos dedos finos brilha um anel de cabelo entrançado que... a avaliar pela cor, não é da mãe. Mosliakov nunca se atreveu a perguntar-lhe de quem é esse cabelo. Esta manhã Zina mostra-se muito melancólica, e até mesmo triste, como se a afligissem certas inquietações. Em compensação, Maria Alieksándrovna dá mostras de uma loquacidade inesgotável, embora de vez em quando dirija para a filha um olhar estranho, quase de receio... e ainda o faz de soslaio, como se tivesse medo.

— Estou tão satisfeita, tão satisfeita, Páviel Alieksándrovitch — observa — que tenho vontade de chamar pela janela os que passam na rua! Isto para não falar na agradável surpresa que nos deu, tanto a Zina como a mim, ao apresentar-se em nossa casa duas semanas antes do prometido. E o que ainda mais me alegra é que tenha trazido consigo o príncipe, nosso querido príncipe. Já sabe a amizade que sinto por esse velhinho encantador. Mas não, não, não é possível que me compreenda! O senhor é novo e nunca poderá compreender os sentimentos das pessoas da minha idade, por mais que eu fosse capaz de descrevê-los. O senhor nem sequer sabe o que ele foi para mim noutro tempo, haveria uns seis anos... E tu sabes, Zina? Ah, não! Tinha-me esquecido, estavas em casa da tia, passando uma temporada... Talvez não me acredite, Páviel Alieksándrovitch, mas fui para ele uma conselheira, uma irmã, uma mãe. Obedecia-me como uma criança. Havia qualquer coisa de ingênuo, de terno e sublime no nosso convívio, nem sei como exprimi-lo! Por isso sei perfeitamente por que motivo, agora, levado pela gratidão, ele se recordou precisamente da minha casa e não de nenhuma outra, *ce pauvre prince!* Mal sabe o senhor, Páviel Alieksándrovitch, que talvez possa dizer que lhe salvou a vida ao ter a ideia de trazê-lo para minha casa? Oh, e com que desgosto tenho pensado nele durante estes seis anos tão longos! Acreditará em mim se lhe disser que até sonhava com ele? Dizem que essa horrível mulher o traz enfeitiçado e que se propôs acabar com o pobrezinho. Mas, graças a Deus, das garras dessa bruxa já o senhor o tirou! Agora devemos aproveitar a ocasião e fazer o possível para salvá-lo definitivamente. Mas diga-nos, explique-nos finalmente de que meios se serviu para conseguir esse milagre! Descreva-me com todos os pormenores como o encontrou. Porque antes, quando os senhores chegaram, eu apenas dei atenção ao principal, quando afinal é nos pormenores que está a explicação de tudo. Sou doida por pormenores; até nas coisas mais importantes, aquilo em que fixo logo minha atenção é nos pormenores... e... enquanto ele acaba de preparar-se...

— Não posso fazer mais nada senão repetir-lhe o que já disse, Maria Alieksándrovna — e Mosliakov dispôs-se imediatamente a repetir a sua história... e poderia repeti-la ainda outras vezes, sem se envergonhar, pois o seu maior prazer consistia em escutar-se a si mesmo. — Passei a noite toda de vigia e claro está que não preguei olho em toda a santa noite... Pode calcular a pressa que eu tinha — acrescentou, inclinando-se um pouco para o lado de Zina. — Numa palavra: eu levantava a voz pedindo cavalos e fazendo um grande barulho em todas as postas; se uma pessoa descrevesse isto e o publicasse, resultaria um poema de gosto ultramoderno, mas disse-o apenas por dizer. Às seis em ponto da manhã cheguei eu à última posta, Iguíchevo, tiritando de frio... Nem queria parar para me aquecer... Gritei pedindo muda de cavalos. Provavelmente, com os meus gritos, devo ter dado um susto muito razoável à empregada da posta e ao filho que tinha ao colo, um susto de tal ordem que com certeza o leite lhe deve ter secado... Uma aurora maravilhosa, dessas em que a geada se tinge de vermelho e prata. Mas nem reparava em nada e lancei-me outra vez a galope, como uma seta. Os cavalos seguintes custaram-me verdadeira batalha: para os obter, tive que tomá-los a um assistente de Pedagogia, com o qual por pouco não travo um duelo. Aí disseram-me que, um quarto de hora antes, partira com cavalos seus certo príncipe que ali pernoitara. Mal ouvi aquilo, parti como se tivesse acabado de sair da prisão. Creio ter lido imagem semelhante numa elegia moderna. Ao chegar exatamente a nove verstas de distância da povoação, onde começa o caminho para a colônia de Svetessórek, passeio a vista em redor e deparo um espetáculo extraordinário. No caminho jaz caída de lado uma carruagem monumental; ao seu lado, como pasmados, o cocheiro e dois criados, e do carro que, como disse, está tombado sobre um lado, saem gemidos de partir a alma. A princípio a minha intenção foi seguir para a frente sem parar, pois disse para comigo: "O carro está apenas de lado, por isso, eles que se arranjem!". Mas o amor ao próximo que, como diz Heine, nos fez meter o nariz em tudo, acabou por triunfar em mim. Mando parar. Eu, o meu Siemion e o cocheiro — um autêntico russo — apressamo-nos a prestar auxílio aos caídos e depois nós todos, seis no total, unindo as nossas forças, conseguimos por de pé o carro que, para dizer a verdade, não tem pés. Houve também dois camponeses que nos ajudaram com uns paus... Iam para a cidade e dei-lhes uma pequena gorjeta. Então disse para comigo: "Este deve ser com certeza o velho príncipe de que me falaram no posto de mudas." Olho bem para ele... e graças a Deus, era realmente o meu príncipe. O Príncipe Gavrila! Calcule a minha surpresa! Fui e chamei-o: *"Prince! Tio!"*. Mas, como era natural, não me reconheceu ao primeiro olhar... ou melhor, reconheceu-me imediatamente... creio que ao segundo olhar... Mas, para dizer a verdade, aqui, *inter nos*, julgo que apesar de tudo ele não sabe ao certo quem sou, e parece-me que me toma por outro e não por parente. Deve haver já perto de sete anos que eu o vi pela última vez em Petersburgo. Nesse tempo, como pode calcular, eu era ainda quase uma criança. No entanto lembro-me muito bem dele. Causou-me grande impressão. Em compensação, ele... como é que havia de se lembrar de mim! Pois imagine, está encantado, abraça-me... mas o corpo treme-lhe todo de medo, e chora, oh, se chora! Vi-o com os meus próprios olhos!

Pusemo-nos a falar disto e mais daquilo... até que por fim consegui convencê-lo a que subisse comigo para o meu coche e... me acompanhasse até Mordássov... mesmo que fosse apenas por um dia, para que se distraísse e descansasse um pouco. Concordou sem objeções... Disse-me que se dirigia, quando lhe ocorreu o acidente, ao mosteiro de Svetessórek, com o fim de ver o Padre Missail, ao qual estima muitíssimo e não menos venera; que Stiepanida Matviéievna — quem, entre nós, os seus parentes, não ouviu falar da tal Stiepanida Matviéievna? A mim, não haverá ainda um ano que ela me expulsou às vassouradas de Dunákovo — que a sua Stiepanida Matviéievna, repito, tinha recebido uma carta de Moscou, dizendo-lhe que, ou o pai ou a filha, estavam nas últimas, ao certo não sei qual, nem também me interessa absolutamente nada; pode ser que estivessem os dois, o pai e a filha, dando o último suspiro... e até um certo sobrinho dela que faz de fanfarrão, na sua taberna... Mas, para abreviar, Stiepanida Matviéievna estava tão comovida que se decidiu, haverá coisa de dez dias, a deixar o seu príncipe e a pôr-se a caminho de Moscou, a fim de embelezar essa cidade com sua presença. O príncipe, entretanto, ficou dois dias muito sossegadinho em sua casa, a provar perucas umas atrás das outras, a brilhantinar o cabelo, a pintar o bigode, a fazer *patience* e jogando talvez também a *préférence* sozinho, apenas para matar o tempo. Até que, finalmente, não pode continuar sem a sua Stiepanida Matviéievna. Então ordenou que lhe preparassem a carruagem a fim de dirigir-se ao mosteiro de Svetessórek. Um dos criados, que, mesmo quando Stiepanida Matviéievna não está presente, tem medo dela, tentou ainda fazer qualquer objeção ao príncipe, mas este manteve-se firme no seu propósito. Ontem, depois do jantar, pôs-se a caminho, pernoitou em Iguíchevo, continuou a sua viagem quando o dia clareou, para daí a pouco ir cair, a dois passos da morte, com toda a sua bagagem, exatamente onde começa na estrada o caminho que leva ao mosteiro. Então, eis que surjo eu e o convenço a vir comigo fazer uma visita à nossa comum amiga, a muito estimada Maria Alieksándrovna... Ele diz ainda que a senhora é a mais encantadora de todas as mulheres que conheceu na vida... E aqui nos tem, embora o príncipe se demore nos seus preparos, ajudado pelo criado, que teve o especial cuidado de trazer consigo, e ao qual sempre, em todos os casos e em todos os transes, cuida de não esquecer, pois preferia morrer a apresentar-se diante de senhoras sem certos preparativos ou, para melhor dizer... acrescentamentos... E é esta a história toda... muito agradável, não é verdade?

— O senhor é sempre muito engraçado! Não achas, Zina? — exclamou encantada Maria Alieksándrovna assim que o rapaz acabou de contar sua história. — Tem tanto jeito para contar! Mas ouça, *Monsieur* Paul... uma pergunta: é capaz de me explicar minuciosamente o seu parentesco com o príncipe? Chama-o tio, não é verdade?

— Palavra de honra que não sei ao certo, Maria Alieksándrovna, que grau de parentesco me liga a ele; creio que é o sétimo grau, pouco mais ou menos... Mas não Réaumur, hem?! Mas com este caso de parentesco não tenho nada a ver... Estou completamente inocente! Palavra de honra! A culpa quem a deve ter é minha tia Aglaia Mikháilovna. A qual, diga-se de passagem, passa a vida a contar o número dos parentes. Foi ela também quem, haverá um ano, me induziu a fazer essa viagem até Dunákovo, em que me acompanharia com muito gosto. Em resumo: o fato é que eu, muito simplesmente, o chamo tio, e que ele assim se dá por chamado. E, no fim das contas, é isto que interessa. E portanto... é este o nosso parentesco, pelo menos até à data...

— Muito bem. Pois continuo convencido de que só Deus lhe pode ter inspirado a ideia de trazê-lo consigo para nossa casa. Só o pensar no que poderia acontecer ao pobrezinho se fosse parar a outra casa que não a nossa, me faz tremer! Haviam de fazê-lo em pedaços, sugado até à medula dos ossos, literalmente devorado! Iam se lançar sobre ele como sobre uma mina, como sobre um filão de ouro... Iam expoliá-lo até mais não poder! Não pode imaginar, Páviel Alieksándrovitch, que gente tão baixa, má e avarenta há nesta terra...

— Mas, Deus meu, à casa de quem, a não ser à sua, é que ele o poderia ter levado? Nem fale nisso, pelo amor de Deus, Maria Alieksándrovna — exclamou Nastássia Pietrovna, a viúva, que deitava nas chávenas o chá. — À de Anna Nikoláievna, talvez?

— Mas... como é possível que ele continue invisível? É estranho — disse Maria Alieksándrovna levantando-se, impaciente.

— Refere-se a meu tio? Oh, penso que ele deve ainda demorar umas cinco horas a preparar-se! Embora também pudesse suceder... pois o pobre anda muito esquecido... não se lembra de que está em sua casa... É um homem tão extravagante! Não se esqueça disto, Maria Alieksándrovna!

— Não diga tolices!

— Não são tolices, Maria Alieksándrovna, o que lhe digo é a verdade pura. Ele não é um homem, mas um boneco articulado! A senhora, há seis anos não o vê, ao passo que eu o vi ainda não faz uma hora. Está quase um cadáver! É apenas a sombra de uma pessoa; seria possível dizer, muito simplesmente, que se esqueceram de dar-lhe sepultura! Tem olhos postiços, pernas de cortiça, todo montado sobre molas, e até para falar tem de servir-se delas!

— Meu Deus, que língua terrível a sua, como estou vendo! — exclamou Maria Alieksándrovna tomando uma expressão séria. — Não tem vergonha... como jovem e como parente... de falar assim de um senhor tão respeitável? Nem quero falar da sua imensa bondade! — e a sua voz tomou uma entoação de comoção sincera. — É preciso não esquecer também que o príncipe é um vestígio, uma ruína, um despojo da nossa aristocracia. Meu amigo, *mon ami!* Parece-me bem que as suas tolices são o fruto dessas ideias modernas de que fala constantemente! Mas, santo Deus! Não tenho dúvida alguma em professar as suas novas ideias. Sei perfeitamente que, no fundo, essas ideias são nobres e honradas! Sinto que há nelas até qualquer coisa de sublime. Mas tudo isso, digamos, não me impede de ver o lado prático das coisas. Já conheço o mundo, vi muita coisa e, além disso, sou mãe, ao passo que o senhor é ainda muito novo. O príncipe é velho e, por isso, aos nossos olhos deve parecer um pouco ridículo. Lembro-me de que, da última vez que falamos, manifestou o senhor a intenção de emancipar os seus servos, acrescentando que é preciso fazer alguma coisa pela sociedade, mas tudo isso se deve à leitura de Shakespeare, que lhe transtornou a cabeça. Mas acredite, meu amigo, de Shakespeare para cá, o mundo deu muitas voltas, e se esse Shakespeare se erguesse do túmulo não perceberia patavina da nossa vida moderna, apesar de todo o seu talento. Se nos nossos dias há ainda alguma coisa nobre e elevada, é unicamente na alta sociedade que se encontra. Um príncipe, mesmo que viva numa choça vai se conduzir como num palácio e ninguém lhe pode tirar a natureza de príncipe. Aí tem o marido de Natália

Dimítrievna, que mandou fazer um palácio e, apesar disso, não é nem será nunca outra coisa senão o marido de Natália Dimítrievna! E a própria Natália Dimítrievna é e será sempre... a antiga Natália Dimítrievna e nada mais! O senhor é também, em parte, um representante da alta sociedade, já que dela descende. E também eu não me tenho por estranha nesse meio... mas não procede bem quem renega a sua origem. Quanto ao mais, há de ir vendo tudo com o tempo, e muito melhor do que eu, *mon cher* Paul, e acabará por mandar passear o tal Shakespeare. Mas já perdi o fio da meada, *mon cher* Paul,, deixemos Shakespeare em paz, que eu vou lá em cima ver o que aconteceu ao príncipe. Talvez precise de qualquer coisa e, os meus criados...

Maria Alieksándrovna saiu da sala com certa pressa, pois pensava nos criados.

— Maria Alieksándrovna sempre está muito contente porque o príncipe não tenha ido parar a casa de Anna Nikoláievna! Pois, realmente, não teve essa senhora o descaramento de dizer a toda a gente que é parenta dele! Agora, a pobre, é até capaz de sofrer uma síncope de raiva! — observou Nastássia Pietrovna; mas quando reparou que não lhe respondiam, olhou à sua volta. Um olhar deitado a Zina e a Páviel Alieksándrovitch foi o bastante para ela ver em que pé estava a coisa e apressou-se imediatamente a sair do quarto, como se tivesse esquecido qualquer coisa relacionada com o chá. Além disso, logo a seguir, como compensação, pôs-se a escutar atrás da porta.

Páviel Alieksándrovitch encarou em seguida com Zina. Estava terrivelmente comovido e a voz tremia-lhe.

— Está zangada comigo, Zinaída Afanássievna? — perguntou com uma expressão tímida e implorativa.

— Zangada com você? Por que? — perguntou Zina levemente corada e erguendo para ele os lindos olhos.

— Por ter aparecido antes do combinado! Mas não podia suportar mais, Zinaída Afanássievna, não podia esperar ainda mais duas semanas... Até sonhava com você! E apressei-me a vir para conhecer finalmente a sentença do destino! Mas enruga a testa, parece contrariada... Será que também desta vez não possa saber nada de definitivo?

De fato, Zina franzira o sobrolho.

— A sua chegada não me causou a menor surpresa — respondeu a moça, baixando os olhos, mas com voz firme e grave, deixando transparecer claramente o seu aborrecimento. — Já o esperava e como a iminência do acontecimento se me tornava bastante desagradável, pois... quanto antes, melhor! O senhor reclama ou suplica-me uma resposta. Como quiser... Ora não posso fazer mais nada senão repetir-lhe o que já de outras vezes lhe disse, pois a minha resposta continua a ser a mesma: espere, é o que lhe torno a dizer. Ainda não tomei uma decisão definitiva, por isso não posso afirmar-lhe que serei sua mulher. Não deve querer obrigar-me a fazer uma promessa deste gênero, Páviel Alieksándrovitch. Mas acrescentarei, para sua tranquilidade, que isto também não significa que eu o repudie definitivamente. E olhe: se ainda lhe deixo uma esperança, faço-o unicamente porque vejo a sua impaciência e a sua inquietação, e em atenção a elas. Repito-lhe: quero continuar completamente livre e, se no fim lhe responder com uma negativa, não deverá acusar-me nem censurar-me por tê-lo feito alimentar falsas esperanças. E é tudo!

— Mas... que vem a ser isso? — exclamou Mosliakov com voz pesarosa. — Não é uma esperança? Será que não posso construir uma ilusão com as sua palavras, Zinaída Afanássievna?

— Reflita sobre quanto acabo de dizer-lhe e depois conclua o que quiser. Pode fazê-lo, se assim o deseja. Mas não posso acrescentar mais nada ao que já disse. Não o afasto definitivamente: limito-me a dizer-lhe que espere. Só lhe peço não se esqueça de uma coisa: que fico com absoluta liberdade de dizer-lhe não, definitivamente, quando quiser. E, nesse caso, de duas uma, Páviel Alieksándrovitch: se se apresentar aqui antes do prazo combinado, com o intento de conseguir qualquer coisa de um modo indireto, talvez com a esperança de que alguém, minha mãe, por exemplo, possa influir sobre mim, desde já lhe digo que se engana redondamente. Se assim fosse podia desde já contar com uma negativa. Está ouvindo? Mas enfim... Deixemos isto por agora e não me faça lembrar do assunto nem por uma simples alusão.

Tudo isto foi dito por Zinaída num tom seco, categórico e sem a menor hesitação, como se o tivesse aprendido de cor. *Monsieur* Paul compreendeu que fora burlado. Nesse momento entrou na sala Maria Alieksándrovna. Logo atrás dela vinha a Senhora Ziáblova.

— Creio que está quase a aparecer, Zina! Nastássia Pietrovna, prepara o chá!

A senhora não parecia menos excitada.

— Anna Nikoláievna mandou pedir notícias. Aníutka, a criada dela, já veio farejar à cozinha. Que grande desgosto não vai ela ter! — exclamou Nastássia Pietrovna Ziáblova, e apressou-se a preparar o samovar.

— Que me importa tudo isso! — exclamou Maria Alieksándrovna encolhendo os ombros — Como se eu me preocupasse alguma coisa com o que possa pensar Anna Nikoláievna! O de que ela pode ter a certeza é que nunca eu mandaria a minha criada bisbilhotar na sua cozinha! E espanta-me, choca-me sinceramente que tu, Nastássia Pietrovna, me tenhas por inimiga dessa pobre mulher, e não só tu como toda gente. Olhe, Páviel Alieksándrovitch, julgue o senhor, visto que nos conhece às duas... Pois bem: é capaz de me dizer por que é que eu havia de ser inimiga de Anna Nikoláievna? Talvez por causa da posição social? A mim, essas coisas são-me indiferentes. Que a dela seja mais elevada? Seria eu a primeira a felicitá-la por isso. E enfim... tudo isso é uma injustiça. Estou sempre a defendê-la, considero um dever meu protegê-la! Todos a caluniam. Mas por que hão de encarniçar-se todos contra ela? Por que é nova e se enfeita muito? Bem, e daí? É preferível que ela dê para isso do que para coisas que não se podem dizer... como acontece com Natália Dimítrievna. E que tem de especial que Anna Nikoláievna nunca pare em casa e ande sempre de um lado para o outro? Meu Deus! Pois se a pobre criatura não teve educação, nem pôde instruir-se e, portanto, naturalmente para ela é insuportável abrir um livro e fixar a atenção durante dois minutos sobre a mesma coisa! Que coqueteia e faz *flirt* com todos os homens que passam por sua casa? Mas então por que é que estão sempre a fazer-lhe ver que é muito graciosa, quando a única coisa que ela tem é ser branca e mais nada? Bem. Mas por que é que andam sempre a dizer-lhe que dança admiravelmente? A infeliz usa uns chapeuzinhos horríveis e penteia-se de uma maneira ainda mais horrível... Mas que culpa tem ela de que Deus não lhe tenha dado melhor gosto e em compensação a tenha feito tão ingênua? Diga-lhe o senhor que fica muito bonita com um cartucho de doces no cabelo... que ela o põe logo em seguida. Que é uma bisbilhoteira? Olhem que coisa extraordinária! Como se aqui não fossem todos uns mexeriqueiros! Que Suchílov, o das barbas floridas, a visita todas as manhãs e todas as tardes, e vai ver também que todas as noites? Mas o que há de a pobre criatura fazer, se o marido está jogando até às cinco da manhã com os amigos? E além disso, pode ser que, no fim de contas, todos esses falatórios não passem de puras calúnias. Já lhe disse que hei de sair sempre, sempre em sua defesa. Ah, meu Deus! Aí está o príncipe! Sim, é ele, é ele! Podia reconhecê-lo entre mil! Até que enfim o torno a ver, *mon prince*! — exclamou Maria Alieksándrovna e apressou-se a ir ao seu encontro.

Capítulo IV

A um primeiro e distraído olhar, ninguém tomaria o príncipe por um homem de idade, muito menos por um velho. Só depois de o observar mais de perto e atentamente é que se repara que o infeliz é um cadáver montado sobre molas. Deitaram mão de todos os artifícios para disfarçar de adolescente essa múmia. A peruca, de uma naturalidade assombrosa; as suíças, o bigode e a mosca reluzem com um negror magnífico e cobrem-lhe metade do rosto. A outra metade usa-a artisticamente empoada e não deixa ver a menor ruga. Onde as deixou ele? Eis o mistério. Veste-se à última moda, parece um autêntico manequim; traz uma espécie de casaco à americana ou coisa do gênero, que, juro-o, não sei bem o que seja, mas deve ser com certeza qualquer coisa de ultramoderno, inventada exclusivamente para visitas matinais. Luvas, gravata, colete, roupa interior — tudo é novo e flamante e denota bom gosto. Coxeia um pouco, mas faz isso com tanta graça que, pode se dizer, o faz porque a moda assim ordena. Num dos olhos traz o monóculo, precisamente no olho de vidro. Envolve-o uma nuvem de perfume. Quando fala, arrasta extraordinariamente as palavras... talvez por fraqueza senil, ou talvez por causa da dentadura postiça, embora o possa fazer também para causar maior impressão em quem o escuta. Algumas sílabas, adoça-as de modo enjoativo e pronuncia os *ais* quase como *eis*. A palavra *iá*, por exemplo, pronuncia-a como *ii-á*, com mais doçura ainda talvez. Deixa transparecer em todo seu aspecto uma certa indolência que deve ter aprendido ao longo da sua vida galante. Aliás, se conserva ainda alguma coisa dessa vida galante de outrora deve ser sem ele próprio saber, qualquer coisa como uma antiga e esfumada recordação, como um passado há muito desvanecido, e ao qual, por infelicidade, todos os cosméticos, corpetes, perucas e perfumes deste mundo não poderiam ressuscitar. E portanto é preferível assentarmos desde já em que a pobre criatura perdera já há muito tempo, se não o juízo, pelo menos a memória, pois o pobre esquecia-se no mesmo instante daquilo que acabava de dizer, e estava constantemente a fazer confusões, a dizer e a desdizer mentiras. Para se poder manter uma conversa com ele era necessária alguma prática. Mas Maria Alieksándrovna deixou-se levar pelo seu entusiasmo e assim, à chegada do príncipe, deu mostras de uma euforia indescritível.

— Não há dúvida, é o mesmo, não mudou absolutamente nada durante este *tempo!* — exclamou *segurando* as mãos do hóspede e conduzindo-o para uma confortável poltrona. — Sente-se, sente-se, príncipe. Seis anos, seis anos sem nos vermos durante todo este tempo, e nem uma simples carta, nem sequer duas letras. Oh, isso não foi nada bonito, príncipe! Se visse como eu estava zangada com o senhor, *mon cher prince!* Mas... o chá, o chá! Ai, meu Deus! Nastássia Pietrovna, o chá!

— De fato, de fato... *Mea culpa!* — tartamudeou o príncipe (tínhamo-nos esquecido de dizer que o príncipe gaguejava também um pouco, embora o fizesse para seguir a moda). — *Mea culpa!* Mas crei...a, apesar de tudo, que o ano passado tinha a intenção de vi...i...isitá-la inadi...ii...avelmente! — continuou, passando os olhos pela sala. — Mas tiraram-me isso da cabeça... Como grassava aqui o cólera...

— Qual, príncipe! Quem lhe disse isso? Aqui nunca houve cólera! — retificou Maria Alieksándrovna.

— O que havia aqui era uma epizootia, tio — interveio Mosliakov, que desejava chamar a atenção do príncipe. Maria Alieksándrovna conteve-o com um olhar severo.

— Bem, seria uma epizo...otia ou qualquer coisa do gênero... O certo é que desisti. Mas, e o seu marido, Maria Alieksándrovna? Continua no seu cargo de admi...nis...trador do Estado?

— Ah, não, não! — disse Maria Alieksándrovna balbuciando. — Já não tem a administração...

— Sou capaz de apostar que o tio está enganado e confundindo com Anna Nikoláievna Antípova — exclamou o gracioso Mosliakov, mas calou-se imediatamente, ao ver o efeito que suas palavras provocaram em Maria Alieksándrovna.

— Ah, sim... Anna Nikoláievna! Esqueço-me sempre do seu nome! Sim... Antípova; é isso, Antípova — confirmou o príncipe.

— Não, não, príncipe, está enganado — disse Maria Alieksándrovna com um sorriso amargo. — Eu não sou Anna Nikoláievna e, confesso-lho francamente, nunca teria esperado do senhor que me confundisse com outra. Estou assombrada, príncipe. Eu sou a sua única amiga, eu sou Maria Alieksándrovna Moskaliova. Não se lembra de mim?

— Maria A...lieksándrovna! Claro! Mas eu pensava precisamente que a senhora era... Como se diz? Ah, sim! Anna Vassíli...evna. *C'est delicieux!* De maneira que não é em casa dela que eu estou... Mas eu supunha, meu filho, que tu me levavas a casa de Anna Matvié...ievna! *C'est charmant!* Que, afinal... não é raro sucederem-me estas coisas... É muito frequente que eu não chegue até onde tenciono... Mas, enfim, eu estou sempre bem disposto, sem...pre bem disposto, aconteça o que acontecer. Então a senhora não é Nastássia Vassílievna? É curioso!

— Eu sou Maria Alieksándrovna, príncipe, Maria Alieksándrovna. Oh, tenho muito que lhe perdoar, príncipe! Pensar que se esqueceu da sua melhor amiga!

— Está bem... a minha melhor amiga! *Pardon, pardon!* — gaguejou o príncipe e fixou o olhar sobre Zina.

— Esta é a minha filha Zina. O senhor não a conhecia, príncipe. Quando nos visitou, da outra vez, ela não estava aqui, sabe? Haverá uns seis anos...

— Com que então é a sua filha... *Charmante, charmante!* — murmurou o príncipe e tornou a contemplar a moça com curiosidade — *Mais quelle beauté!* — acrescentou, visivelmente surpreendido.

— Príncipe, faça o favor de servir-se — disse Maria Alieksándrovna e chamou a atenção do príncipe para o rapaz cossaco que lhe apresentava a bandeja de chá.

O príncipe pegou numa chávena e ficou a olhar para o rapaz, de bochechas muito coradas.

— Ah! Este é o seu filho? — perguntou. — Que rapaz jeitoso! E... e... natural-mente... deve ser um rapazinho muito ajuizado, não é verdade?

— Ah, príncipe! — apressou-se a interrompê-lo Maria Alieksándrovna. — Se soubesse as notícias terríveis que chegaram aos nossos ouvidos, acerca da sua pessoa! Acredite que me assustaram seriamente... Não se magoou? Tenha cuidado, essas coisas não devem desprezar-se...

— Ia-me atirando para o outro mundo, para a sepultura, aquele cocheiro! — exclamou o príncipe com desusada animação. — Pensei que aquilo era o fim do mundo ou qualquer coisa do gênero. Assustei-me tanto... que... Deus me perdoe, nem sabia se estava de cabeça para cima ou para baixo... Não, não esperava uma coisa daquelas de maneira ne...nhuma! Confio-me a ti, meu filho, trata tu disso e investiga o caso a fundo. Estou convencido de que esse vadio jurara matar-me.

— Está bem, tio — respondeu Páviel Alieksándrovitch. — Eu me encarregarei de estudar o caso. Mas ouça, tio, não seria melhor perdoar-lhe, atendendo à solenidade do dia?

— Por nada deste mundo lhe perdoarei! Estou absolutamente convencido de que tinha a intenção de me eliminar! Ele e Laurênti também, esse que ficou lá em casa. Calcule que esse rapaz tem a cabeça cheia de certas ideias no...vas! Tomou-me uma grande aversão. Para dizer tudo: é um comunista, no verdadeiro sentido da palavra! Tenho até medo de encontrá-lo!

— Ah, acaba de dizer uma grande verdade, príncipe! — exclamou Maria Alieksándrovna. — Não pode imaginar o que eu sofro por causa destes malandros! Calcule que despedi dois dos meus criados, mas os novos que vieram substituí-los saíram-me tão estúpidos que ralho com eles desde a manhã até à noite. O príncipe não pode fazer ideia de como são imbecis!

— Bem, bem, mas eu... sempre lhe digo... Eu acho muito bem que os criados sejam, até certo po...onto, imbecis — observou o príncipe, que, como todos os velhos, se punha muito presumido quando o escutavam respeitosamente. — De certa maneira isso fica bem a um criado... a sua digni...dade está mesmo no fato de ser fiel e estúpido. Pelo menos em alguns casos. Isso dá-lhes mais gravi...dade, põe neles uma maior solenidade na cara, imprime-lhes, digamos, certa nota de boa educação, porque eu, a primeira coisa que exijo de todos é boa educação. Para isso, o meu Tieriênti... lembras-te de Tieriênti? Bastou-me pousar-lhe a vista em cima para dizer logo: "Porteiro. Tu serás o meu porteiro". É fe...no...menalmente estúpido. Mas que imponência, que pomposidade! Que papada a sua, tão fresca e corada! E de gravata branca, e sobretudo com a farda de gala! Causa uma impressão extraordinária! Criei amizade a ele. Quando olho para ele fico extasiado. Tem um ar tão importante, como se estivesse defendendo alguma tese. Digo mesmo, parece Kant, o filósofo alemão ou, para melhor dizer, parece um peru inchado e cevado: é um criado absolutamente *comme il faut*...

Maria Alieksándrovna riu-se com entusiasmo e até bateu palmas. Páviel Alieksándrovitch secundou-a, de bom grado; achava o tio muito divertido. E Nastássia Pietrovna também se riu. E até a própria Zina.

— Mas que humor, que alegria, que espírito o príncipe tem! — exclamou Maria Alieksándrovna. — Que invulgar dom o seu de reparar nos pormenores mais insignificantes! E desaparece de repente da sociedade e isola-se durante seis anos, entre as suas quatro paredes! Com um talento desses! Mas o senhor até podia escrever livros, príncipe! Havia de deixar na sombra a Fonvízin,[4] a Griboiédov e a Gógol!

— Sim, sim! — disse o príncipe desvanecido. — Eu poderia deixá-los... Olhe, eu, dantes, tinha muito talento. Cheguei até a compor um *vau...de...vi..lle*. E não há dúvida de que pus nele algumas canções de...li...ci...o...sas! É o que lhe digo... Simplesmente, não chegou a representar-se...

— Como seria agradável que nos lesse esse *vaudeville*! E calhava agora tão bem, Zina! Porque, sabe uma coisa, príncipe? Temos em projeto uma representação de amadores... que se destina a um fim patriótico, em benefício dos feridos... Por isso, o seu *vaudeville*... Já pode ver como nos calhava mesmo bem!

— Sem dúvida! Pela minha parte... estou disposto a voltar a escrevê-lo... Simplesmente, como lhe digo, já me esqueceu completamente... Apenas me lembro de que tinha duas ou três piadas que — o príncipe beijou com graça as pontas dos dedos. — E sobretudo no estrangeiro fiz au...tên...tico fu...ror... Ainda me recordo de *Lord* Byron. Éramos amigos íntimos. No Congresso de Viena dançou a *krakoviak* de maneira encantadora.

— *Lord* Byron? Mas o que está dizendo, tio?

— Sim, senhor, *Lord* Byron. Embora possa acontecer que não fosse *Lord* Byron mas outro lorde qualquer. É isso mesmo! Não era *Lord* Byron, não, senhor! Era um po...laco. Agora já me lembro bem. Era um polaco muito extravagante; fazia-se passar por conde; mas depois veio a saber-se que não passava de cozinheiro. Simplesmente, dançava a *krakoviak* de um modo en...can...ta...dor e por fim acabou quebrando uma perna. Eu até lhe fiz uns versos

O nosso ad...mi...rá...vel po...laco
Dança a *krakoviak* num calcanhar...

E que mais... que mais? Esqueci-me... infelizmente... do que se seguia...

Mas quando quebrou a perna,
Logo o baile se acabou...

— Sim, devia ser isso, tio! — exclamou Mosliakov, cujo entusiasmo aumentava.

— A mim também me parece que devia ser assim — respondeu o tio — ou, pelo menos, qual...quer coisa parecida. Embora talvez fosse de outra maneira; do que não tenho dúvida é que me saíram muito bem esses versos... mas... esqueceram-me algumas coisas. Isto é devido às minhas múltiplas ocupações...

— Deve ser, príncipe; mas diga-nos: o que fez durante todo este tempo em que viveu na solidão? — perguntou, interessada, Maria Alieksándrovna. — Tenho pensado tanto no senhor, *mon cher prince*, que ardo de impaciência por saber qualquer coisa com mais minúcia...

— Que tenho feito? Olhe, muitas e variadas coisas. Por exemplo: tenho descansado... Mas às vezes dá-me para imaginar uma quantidade de coisas...

— Tem uma grande imaginação, o tio?

---

4 Denis Fonvízin (1742-1792). Dramaturgo russo, criador da comédia nacional russa. Aleksandr Griboiédov (1795-1829). Dramaturgo, compositor e diplomata russo. Nikolai Gógol (1809-1852). Contista, romancista e dramaturgo russo.

— Sim, meu filho, muito grande. Às vezes imagino as coisas com tanta nitidez que até eu próprio me ad...mi...ro. Quando eu estava em Kádniev... *à-propos*... Não eras tu o vice-governador de Kádniev?

— Eu, tio? Não, nunca! Mas que lembrança! — exclamou Páviel Alieksándrovitch.

— Pois imagina, rapaz, que te tenho tomado sempre pelo vice-governador e que dizia cá para comigo: mas como é possível que tenha mudado de cara? Porque aquele a que me refiro tinha uma cara de homem di...gno e es...perto. Um homem muito esperto, que estava sempre fazendo versos a propósito de tudo. De perfil, fazia lembrar um pouco o ás de paus.

— Não, príncipe — interveio Maria Alieksándrovna — afirmo-lhe que, se continua a fazer essa vida, é um homem perdido. Viver cinco anos enclausurado, sem ver nem ouvir nada do que se passa pelo mundo... É um homem perdido, príncipe! Pergunte a todos aqueles que se interessem pelo senhor e vai ver como todos dizem que é um homem acabado.

— Será possível? — exclamou o príncipe assombrado.

— Afirmo-lhe, príncipe! Acredite que lhe falo como amiga, como irmã. Falo-lhe desta maneira porque lhe tenho amizade, porque a recordação do passado, para mim, é sagrada. E que lucraria eu em lisonjeá-lo? Não, príncipe, acredite-me: deve mudar totalmente o seu modo de vida... Do contrário, adoece, enfraquece e morre...

— Meu Deus? Mas estarei eu para morrer assim tão depressa? — perguntou o príncipe, assustado. — Olhe, a senhora tem razão, estou sofrendo terrivelmente com as minhas he...mor...roidas, sobretudo de algum tempo a esta parte... E quando me dão esses ataques, vêm-me às vezes com uns sintomas as...som...brosos... Hei de descrever-lhos pormenorizadamente... Em primeiro lugar...

— Tio, é melhor deixar isso para outra ocasião! — interveio rapidamente Páviel Alieksándrovitch — porque agora... não acha que já é tempo de nos irmos embora?

— Bem! Então deixemos isto para outra ocasião! Pode ser que não seja in...te... res...sante! Tenho pensado muito sobre isso... Mas, seja como for, é uma doença inte- res...sante. Tem diferentes fases... Meu filho, lembra-me disto esta noite, que quero descrever-te pormenorizadamente um caso...

— Mas ouça, príncipe: devia tentar curar-se no estrangeiro — voltou a interrompê-lo Maria Alieksándrovna.

— No estrangeiro? Ah, sim! Não tenho outro re...médio senão fazer uma viagem ao es...tran...geiro! Lembro-me de que, quando tinha vinte anos, fiz uma viagem ao estrangeiro e diverti-me lá à grande. Estive quase a casar com uma francesinha, *une viscomtesse*. Eu estava muito apai...xonado por ela e queria consagrar-lhe toda a minha vi...da. Mas, como lhe disse, não me casei com ela, pois um ou...tro a roubou de mim. E, coisa estranha! Bastou que eu me afastasse dela durante duas horas para que o outro me suplantasse, o tal barão alemão. O desgraçado foi depois parar ao manicômio por uma temporada.

— Mas, *cher prince*, eu apenas disse que o senhor devia cuidar da sua saúde... Como no estrangeiro há médicos tão bons... e, além disso, que significa uma simples mudança de país? O senhor deve decididamente abandonar o seu Dunákovo, pelo menos por algum tempo!

— Per-fei-ta-mente! Já há muito tempo que estou decidido a fazê-lo, e repare: tenho a intenção de submeter-me a um tratamento hi...dropático.

— Hidropático?

— Sim, senhor, hidropático! Já em outra ocasião segui um tratamento hidropático. Estive num balneário. Por sinal que também se encontrava aí uma senhora de Moscou, cujo nome me esqueceu; mas lembro-me de que era uma senhora muito poética, que teria uns setenta anos. Acompanhava-a uma filha sua, de uns cinquenta, viúva e com gota-serena num olho. A filha dizia também quase tudo em ver...so. Depois sofreu um acidente; matou uma das servas que lhe servia de criada e compareceu perante a Jus...tiça. Bem, como estava dizendo, elas lembraram-se de que eu devia experimentar uma cura de águas. Nessa altura, eu não tinha nada de maior. Mas elas insistiram: "Trate-se, trate-se". Até que, finalmente, por cor...te...sia, comecei também a beber á...água. Disse para comigo: "Pode ser que melhores!". E toca a beber, e bebi tanto ou tão pouco que meti no bucho uma cas...cata de água,, e é para que veja como a hidropatia é uma ótima coisa, a mim fez-me muito bem, de tal maneira que se por fim não tivesse caído doente, agora, palavra de honra, estaria perfeitamente bem de saúde...

— A conclusão não pode ser mais justa, tio. Diga-me: estudou lógica alguma vez?

— Mas que pergunta, Santo Deus! — exclamou Maria Alieksándrovna sem poder conter-se.

— Claro que estudei, filho, claro. Simplesmente, há já algum tempo que... E também estudei fi...lo...sofia na Alemanha, onde segui um curso; simplesmente, como isso já foi há muito tempo, já me esqueci... Mas, como dizia... meteu-me tanto medo com essa doença, que estou muito assustado. Eu já venho.

— Mas aonde vais, príncipe? — exclamou Maria Alieksándrovna, assombrada.

— Venho já... eu já volto... Vou só tomar nota dum pensamento novo... *Au revoir!*

— Olá! O que lhe parece isto? — observou Páviel Alieksándrovitch torcendo-se de riso.

Maria Alieksándrovna acabou por perder a paciência.

— Não compreendo, não posso compreender por que é que ri — exclamou com veemência. — Rir assim de uma pessoa velha e respeitável, de um parente, e zombar de cada uma das suas palavras! E tudo isso apenas porque é bom... Eu coro por sua causa, Páviel Alieksándrovitch. Mas não vai me dizer o que é que lhe acha de tão ridículo? Eu, para dizer a verdade, não lhe acho nada.

— Mas... e isso de ele não conhecer ninguém e dizer tantos disparates?

— Isso é apenas uma consequência da vida horrorosa que tem levado, desses cinco anos de prisão debaixo da tirania dessa mulher infernal. Devia ter pena dele, em vez de fazer chacota! Sobretudo as suas últimas palavras, como costuma dizer-se, bradam aos céus! Ele não me conheceu, nem ao menos a mim. O senhor é testemunha. Repito-lhe que brada aos céus! Devemos fazer o possível por salvá-lo. Eu procurei convencê-lo a fazer essa viagem ao estrangeiro, apenas com a ideia de arrancá-lo das garras dessa bruxa.

— Sabe o que lhe digo? É que devíamos casá-lo, Maria Alieksándrovna — exclamou Páviel Alieksándrovitch.

— Outra vez! O senhor é insuportável, *Monsieur* Mosliakov!

— Nada disso, Maria Alieksándrovna, nada disso. Desta vez falo a sério. Por que é que não acha bem casá-lo? Não é assim uma ideia tão disparatada. *C'est une idée comme une autre.* É capaz de me dizer em que é que o casamento o poderia prejudicar? Pelo contrário, na situação em que se encontra, é o único meio de salvá-lo. Segundo a lei, ainda pode casar. Em primeiro lugar, ia se ver livre dessa malvada bruxa — desculpe a expressão. — E em segundo — e isto é o principal — suponhamos que ele casava com uma jovem solteira, ou melhor ainda, com uma viúva, uma viúva bonita, boa, inteligente e carinhosa, e sobretudo pobre, que tratasse dele como uma filha e soubesse agradecer-lhe por ele a ter feito sua esposa. Que mais poderia ele desejar do que ter a seu lado uma criatura boa e carinhosa, que estivesse sempre junto dele, em vez dessa... megera? É claro que tinha de ser bonita, porque o meu tio jamais gostou das feias. Reparou como ele não tirava os olhos de Zinaída Afanássievna?

— Mas onde havia ele de encontrar uma noiva dessas? — perguntou Nastássia Pietrovna Ziáblova, que o escutava com muita atenção.

— É a própria quem está fazendo a pergunta. Por que não havia a senhora de ser essa noiva? Ora, diga-me: por que não havia a senhora de casar-se com um príncipe? Em primeiro lugar, a senhora, de feia não tem nada... e, além disso, é viúva... Em terceiro lugar, é nobre, e em quarto, também é pobre (porque de rica nada tem) e em quinto e último lugar, porque é uma mulher discreta e, por conseguinte, saberá estimá-lo, manejá-lo como lhe parecer e fazê-lo expulsar do seu lado essa mulher que o domina. Podia levá-lo ao estrangeiro, regalá-lo com doces e guloseimas, como a uma criança, e assim procederia até ao momento em que ele tivesse de deixar este mundo, o que pode acontecer dentro de um ano, ou quem sabe se daqui a dois meses e meio. E então estaria feita princesa, rica, viúva, e poderia depois casar-se com um marquês ou com um intendente-geral. *C'est joli, n'est-ce pas?*

— Oh, isso não há dúvida, mais não fosse por gratidão, havia de gostar dele, se ele casasse comigo! — exclamou a senhora Ziáblova — e os seus olhos pretos e expressivos cintilaram. — Simplesmente, tudo isso não passa de... um gracejo.

— Um gracejo? Mas por que havia de ser um gracejo? Dou-lhe licença para me cortar um dedo se ainda hoje mesmo não ficam os dois comprometidos. Não há coisa mais fácil do que convencer o tio a fazer aquilo que os outros querem. Diz sempre a tudo: "Sim, está bem". A senhora já deve ter reparado. Por isso, vamos casá-lo sem que ele mesmo saiba o que faz. Podemos enganá-lo sem escrúpulos, uma vez que o fazemos para seu bem... Se a senhora quisesse ir arranjar-se um pouco, Nastássia Pietrovna...

O entusiasmo de Mosliakov degenerou em delírio. E à senhora Ziáblova, de toda a sua discrição... crescia-lhe água na boca.

— Ah, não era preciso o senhor dizer-me que estou vestida de maneira impossível! — acrescentou. — Há muito tempo me esqueci de mim própria e renunciei a todas as esperanças... É verdade que eu pareço... uma cozinheira?

Durante todo este diálogo, Maria Alieksándrovna permaneceu calada e imóvel na sua cadeira, com fisionomia particularmente grave. Não me engano se disser que a estranha proposta de Páviel Alieksándrovitch lhe causou à primeira impressão certo pânico e que, por instantes, a deixou sem saber o que pensar... Por último acabou por se refazer do choque.

— Tudo isso é admirável, mas não deve passar de brincadeira e fantasia, brincadeira que, neste caso, não pode ser mais inoportuna — exclamou, dirigindo-se a Mosliakov.

— Mas, querida Maria Alieksándrovna, por que há de ser uma fantasia e, além disso, inoportuna?

— Por muitas razões, a começar pela de que o senhor está em minha casa, e o príncipe é meu hóspede, e eu não estou disposta a consentir que ninguém deixe de guardar-lhe em minha casa a consideração que lhe é devida. E por isso apenas posso tomar as sua palavras, Páviel Alieksándrovitch, como uma brincadeira. Mas, graças a Deus, aqui está o príncipe.

— Sim, aqui estou eu outra vez! — exclamou o príncipe entrando na sala. — É ex...traordinário, *cher ami*, a quantidade de pensamentos no...vos que me ocorreram hoje! Em compensação, há ocasiões em que, embora pareça impossível, não me ocorre ne...nhum. Tenho dias em que não me ocorre ne...nhum.

— Provavelmente, tio, isso é uma consequência do acidente do coche. O tombo sacudiu-lhe os nervos e...

— Sim, meu filho; eu também o atribuo a isso, e até me parece que a queda possa ter efeitos cura...tivos. Por isso estou disposto a perdoar a Fieofil. Para te dizer a verdade, não acredito que tivesse atentado contra a minha vida. E tu, que pensas? Além disso, ainda há pouco lhe mandei dar o castigo de lhe raparem a bar...ba.

— Raparem-lhe a barba, tio? Mas se ele tem uma barba tão grande como o reino da Prússia!

— Como o reino da Prússia. Muito bem! Creio que acertasse na tua compara... ção. Simplesmente trata-se de uma barba postiça. E reparem, que casualidade! Acabam de mandar-me um prospecto anunciando que receberam uma nova remessa de barbas do estrangeiro, com muitas barbas para cocheiros e senhores, assim como suíças, bigodes, moscas etc., e tudo de excelente tra...balho e a pre...ço muito razoável. Então eu me lembrei: "Ora vamos a ver como te ficam as barbas postiças". E encomendei uma barba para cocheiro, pois umas barbas dão sempre um aspecto mais solene. Mas aconteceu que, entretanto, cresceu a Fieofil uma barba natural quase com o dobro do tamanho. Fiquei sem saber o que fazer. Obrigá-lo a tirar a barba natural ou devolver a postiça e deixá-lo com a sua? Depois de pensar muito, optei pela postiça.

— Pensando talvez que a arte está acima da Natureza... não é verdade, tio?

— Precisamente. E como o infeliz sofreu quando lhe raparam as barbas! Até parecia que, com as barbas, perdera também a sua brilhante carreira... Mas não te parece que já é tempo de nos pormos a caminho?

— Quando quiser, tio!

— Suponho, príncipe, que não irá a outro lugar senão à casa do Governador — exclamou Maria Alieksándrovna, excitada. — O senhor, agora, pertence-me a mim, príncipe; é nosso para todo o dia. É claro que nada lhe direi a respeito da boa sociedade desta terra... Talvez queira visitar também Anna Nikoláievna, e... para que ter ilusões?! Além disso tenho a certeza de que, com o tempo, o senhor há de abrir os olhos. Mas não se esqueça de que eu sou a sua hospedeira, a sua irmã, a sua mãe, a sua servidora, e acredite, príncipe: eu temo pelo senhor; o senhor não conhece essa gente, não, não a conhece; no entanto, pelo menos...

— Tenha confiança em mim, Maria Alieksándrovna. Cumprirei o que lhe prometi — disse Mosliakov.

— Ah, sim, eu já o conheço! Confiar no senhor! Príncipe, espero-o ao meio--dia. Aviso-o de que jantamos cedo. Que pena o meu marido estar na chácara! Como ele havia de gostar de vê-lo! Se soubesse o respeito, a amizade que ele sente pelo senhor!

— Seu marido? Mas a senhora também tem marido? — perguntou o príncipe.

— Ah, meu Deus! Mas que fraca memória tem o senhor, príncipe! Já se esqueceu de nós! Mas, a sério, não se recorda do meu marido... Afanássi Matviéievitch? Agora está em suas propriedades; viu-o aqui mais de mil vezes. Seriamente que não se recorda da Afanássi Matviéievitch, príncipe?

— Afanássi Matviéievitch! Diz a senhora que está em suas propriedades. *Mais c'est delicieux!* Então também tem marido! Que casualidade tão no...tável! Isto até parece coisa de *vau...deville:* "Mal o marido saiu, logo...", já não sei como é que continuava. Embora, fosse como fosse, o certo era que a mulher saía também.... Sim, senhor, muito engraçado...

— "Mal o marido saiu, logo a mulher saiu também", tio — acrescentou Mosliakov.

— Isso mesmo. É isso. Obrigado, rapaz; é isso... "Saiu também"... *Charmant, charmant!* Assim forma um verso completo. Tu acertas sempre, rapaz! Bem, e, de toda a maneira, eu ainda me lembrava de que a mulher fazia qualquer coisa. *Charmant, charmant!* Sim, apenas me esquecera desse pormenor... Está bem! Já podemos ir embora. *Au revoir, madame; adieu, ma charmante demoiselle!* — acrescentou o príncipe, fazendo uma reverência a Zina e beijando depois, muito satisfeito, as pontas dos dedos.

— Até à hora do jantar, príncipe! Não se esqueça de estar aqui para o jantar — gritou-lhe ainda Maria Alieksándrovna.

Capítulo V

— Nastássia Pietrovna, podia dar um pulinho até à cozinha, e ver como aquilo vai? — disse Maria Alieksándrovna, depois de despedir o príncipe. — até me faz doer o coração pensar que esse estúpido Nikita é capaz de estragar a comida! Tenho certeza de que está caindo de bêbado...

Nastássia Pietrovna obedeceu. Quando saiu da sala, deu uma olhada receosa em Maria Alieksándrovna e pôde observar que esta se encontrava num estado de agitação invulgar. Por isso, em vez de ir ver o que fazia o estúpido Nikita, Nastássia Pietrovna atravessou o salão, percorreu rapidamente o corredor em direção ao seu quarto, e daí passou a uma saleta escura, na qual se guardavam alguns baús, dois vestidos velhos dependurados na parede e uma trouxa de roupa suja. Nas pontas dos pés, dirigiu-se para uma porta que estava fechada, conteve a respiração, agachou-se e pôs-se a espreitar pelo buraco da fechadura. Era essa uma das três portas da sala em que nesse momento se encontravam Zina e sua mãe.

Maria Alieksándrovna tem Nastássia Pietrovna na conta de mulher impetuosa mas, em última análise, atarantada. É certo que já por mais de uma vez achou de pensar que a tal Nastássia Pietrovna é muito capaz de pôr-se a escutar por detrás das portas. Mas neste momento Maria Alieksándrovna está tão preocupada com os seus problemas e tão comovida, que não se preocupou com tomar precauções. Está sentada na sua poltrona fofa e olha para a filha com uma expressão séria. Zina sente sobre si esse olhar e começa a entristecer.

— Zina!

A interpelada volta lentamente o rosto pálido para a mãe e ergue os olhos negros e sonhadores.

— Zina, queria falar-te de um assunto importante...

Zina acaba de voltar-se completamente para sua mãe, junta as mãos, apoia-se no piano e fica na expectativa. No rosto refletem-se aborrecimento e zombaria, embora procure dissimular.

— Zina, diz-me com franqueza, que impressão te deixou hoje Mosliakov?

— Já sabes há muito tempo a opinião que tenho dele — responde Zina de má vontade.

— Sim, *mon enfant*, mas a mim parece-me que a sua... corte começa a aborrecer-te.

— Diz que está apaixonado por mim; por isso é preciso perdoar-lhe a insistência.

— É estranho, dantes não eras tão benévola... para com ele. Pelo contrário, sempre que eu falava nisso, ficavas contra ele...

— Também é estranho que tu, dantes, saísses sempre em sua defesa e sejas agora a primeira a atacá-lo.

— Sim, tens razão, não o nego, Zina. Dantes agradava-me ver-te casada com ele. Custava-me ver-te sempre tão triste, tão pesarosa... tira-me o sono. Estou convencida de que apenas uma mudança radical na tua vida pode salvar-te. E esta mudança não poderia ser outra senão... o casamento. Não somos ricos, e não podemos portanto permitir-nos o luxo de uma viagem ao estrangeiro. Os tolos desta terra espantam-se de que tenhas já vinte e três anos e continues solteira, e, por causa disso, põem mil boatos a correr. Mas hei de dar a tua mão a algum conselheiro da localidade ou a Ivan Ivânovitch, o nosso administrador? Há aqui, porventura, um homem digno de ser teu marido? Mosliakov é um imbecil, bem sei; mas é preferível aos outros. É de boa família, tem parentes influentes, possui cento e cinquenta almas... o que sempre é melhor do que não ter nada certo e expor-se aos riscos da sorte. Já podes ver por que pensei nele. Mas juro-te, nunca me inspirou grande simpatia. Tenho certeza de que o Senhor Todo-Poderoso me susteve. E agora que Deus te depara qualquer coisa de melhor... Oh! Ainda bem que não lhe deste o sim! Sim, suponho que não te comprometeste hoje com ele...

— Para que toda essa dissimulação, se podes dizer o que desejas, em poucas palavras? — exclamou Zina, irritada.

— Dissimulação, Zina, dissimulação? É possível que apliques essa palavra a tua mãe? Tudo quanto digo é útil. Já faz algum tempo não acreditas no que te digo. Olhas-me como inimiga e não como mãe.

— Basta, mãezinha! Não vamos agora discutir por causa de uma palavra! Será possível que não nos entendamos? Julguei que tínhamos tempo de sobra para nos conhecermos.

— Ofendes-me, minha filhinha! Não achas que eu estou pronta para todos os sacrifícios, contanto que assegure o teu futuro?

Zina olhou para a mãe com olhos de enfado e de troça.

— Pensas talvez casar-me com esse príncipe para assegurar meu futuro? — perguntou-lhe com um sorriso estranho.

— Não disse nada disso, filha; mas já que trouxeste o assunto à baila, não te esconderei que poderias considerar-te verdadeiramente feliz, se casasses com o príncipe.

— Pois a mim parece-me isso simplesmente uma loucura — exclamou Zina com veemência. — Uma autêntica loucura. E parece-me também, mãezinha, que dás mostras de possuir demasiada imaginação, que és, em toda a acepção da palavra, uma verdadeira poetisa. Já há quem assim te chame. Estás sempre com projetos às voltas. Projetos de que não desistes nem pela sua impossibilidade nem pelo seu caráter despropositado. Ainda há pouco, quando o príncipe estava aqui sentado, eu supunha o que tu tramavas. E quando Mosliakov dizia aqueles disparates e punha em relevo a necessidade de salvar o príncipe, eu lia no teu rosto os teus pensamentos. Sou capaz de apostar como nesse momento pensavas naquilo que agora acabas de propor-me. Simplesmente, como sucede que eu acabei por ganhar antipatia pelos planos que fazes a respeito da minha modesta pessoa, e que servem unicamente para me afligir, peço-te não me tornes a falar mais de nenhum projeto, estás ouvindo, mãezinha? Nem mais uma palavra acerca disso, agradeço-te que assim o faças — acrescentou, e até lhe faltava a respiração, de tão excitada.

— És uma criança, Zina; uma criança irritável e doente — respondeu Maria Alieksándrovna com voz comovida, na qual parecia tremerem lágrimas. — Falas-me mal educadamente, ofendes-me. Nenhuma mãe suportaria o que todos os dias suporto de ti. Mas estás excitada, doente, sofres, e sou tua mãe, e acima de tudo, cristã. Devo sofrer e perdoar. Mas, uma palavra, Zina: se eu tivesse pensado verdadeiramente nesse casamento... por que havia ele de parecer-te uma loucura? Parece-me que nunca Mosliakov disse nada de tão ajuizado como isso... de que o príncipe devia casar, embora, evidentemente, que não com essa desmazelada da Nastássia. Nisso, é claro, não foi ele nada esperto.

— Escuta, mamãe, diz-me francamente: fazes todas essas perguntas apenas por curiosidade ou com alguma intenção?

— Eu, minha filha me limito a perguntar-te: por que te parece isso uma loucura?

— Ah, é verdadeiramente horrível que desejem essa sorte para uma pessoa! — exclamou Zina, indignada, e batendo levemente no chão com o pé, impaciente. — Bem, pois vou dizer-te por que. Não falando já com todas as outras tolices... isso de explorar a caduquice dum velho, enganá-lo e casar esse pobre palerma, apenas com o fim de apanhar-lhe o dinheiro, para estar depois todos os dias a desejar-lhe a morte a todos os instantes, parece-me não só um absurdo como uma tal malvadez, que de maneira nenhuma poderia felicitar-te por te ter ocorrido semelhante ideia, mamãe.

Houve um minuto de silêncio.

— Zina! Já te esqueceste do que aconteceu há dois anos?

Zina encolheu os ombros.

— *Mamacha!* — exclamou depois com voz severa. — Tu prometeste solenemente nunca mais me falar nisso.

— E não menos solenemente te peço agora, minha filha, que me deixes faltar à promessa, que até hoje não quebrei nunca, nem uma só vez. Já é tempo de falarmos as duas com absoluta franqueza. Estes dois anos de silêncio tem sido terríveis. Não podemos continuar assim... Estou disposta a pedir-te de joelhos; deixa-me desabafar ao menos uma vez. Olha, Zina, é de joelhos que a tua mãe pede! E dou-te solenemente a minha palavra de honra... a palavra de uma mãe desventurada, que adora a sua filha, de que nunca mais, de modo algum e em caso nenhum, mesmo que se tratasse da salvação da minha vida, voltarei a falar-te destas coisas. Será esta a última vez que o faço... Mas desta vez não tenho outro remédio senão fazê-lo.

Maria Alieksándrovna esperava um êxito total destas palavras.

— Fala! — disse Zina, que tinha empalidecido visivelmente.

— Obrigada, Zina. Há dois anos que um jovem professor veio dar lições a teu falecido irmão...

— Mas para que é preciso essa introdução tão solene, mamãe? Para que toda essa eloquência, todos esses pormenores, que não são precisos para nada, que apenas servem para afligir uma pessoa e que as duas conhecemos de sobra? — atalhou Zina, colérica e como que repugnada.

— É porque eu, a tua mãe, sinto-me obrigada a justificar-me perante ti, minha filha. Além disso quero mostrar-te o caso de um ponto de vista completamente diferente desse outro, tão falso, do qual costumas apreciá-lo. E em último lugar, para que compreendas as conclusões que desejo tirar daí. Não acredites, minha filha, que eu quero brincar com o teu coração; não, Zina; tu deves ver em mim uma verdadeira mãe, que sempre hei de ser para ti, e quem sabe se, arrasada em pranto, não te arrojarás um dia aos meus pés, aos pés da "mulher cruel". Conforme acabas de chamar-me, implorando essa reconciliação que tão teimosamente, até ao dia de hoje, me tens negado. Por isso queria dizer-te tudo, Zina; fazer-te a história de tudo, desde o princípio. Senão, prefiro não dizer nada.

— Fala! — repetiu-lhe Zina.

— Está bem, Zina. Continuarei então... Pois, como ia dizendo... esse professor da escola do distrito, que era ainda quase um adolescente, produziu em ti uma impressão que me era completamente incompreensível. Eu confiava demasiado no teu talento, no teu nobre orgulho e, sobretudo, na sua insignificância — é preciso dizer tudo — para poder suspeitar que entre vocês existia qualquer coisa. E eis que, de repente, me apareces um dia, muito decidida, dizendo que pensavas em casar com ele! Zina, isso foi o mesmo que dar-me uma punhalada no coração! Soltei um grito e perdi os sentidos. Mas... deves lembrar-te disso, com certeza. Pensando depois no caso, entendi que devia pôr em jogo todo o meu poder, que tu qualificaste então de tirania. Mas repara, minha filha: como pensar que poderia ser teu marido, o marido de Zinaída Moskaliova, um rapazinho, filho dum *pope*, que apenas conta com doze rublos de ordenado, autor de uns versos lamentáveis, que por pura piedade lhe publicam na *Biblioteca da Ilustração*, e que apenas sabe falar desse malvado Shakespeare! Isso era simplesmente impossível. Perdoa, Zina, mas só de recordá-lo fico fora de mim. De maneira que fui e afastei-o de ti. Mas a ti não houve poder no mundo que te contivesse. Teu pai não fazia senão pestanejar e fazer trejeitos, e nem sequer entendeu o que lhe disse. Mas teimaste em não prescindir do teu menino, viam-te com ele, às escondidas, e, o que era pior, começaste a cartear-te com ele. Pela cidade não tardaram a espalhar-se boatos. Toda a gente começava com piadas. Todos estavam contentes, todos faziam comentários e, de repente, todas as minhas profecias se cumpriram. Ralhaste com o rapazinho e ele portou-se como uma criatura indigna... como um canalha, que não merecia o nome de homem. Ameaçou tornar públicas as tuas cartas. Essa ameaça provocou-te tal indignação que não te pudeste conter e o esbofeteaste. Sim, minha filha, até esse pormenor conheço. Sei tudo, tudo, tudo. O infeliz mostrou nesse mesmo dia uma tua carta a esse patife de Sancin e, passada uma hora, já a carta estava nas mãos de Natália Dimítrievna, a minha mortal inimiga. Nessa mesma noite, esse louco, arrependido, tentou suicidar-se, tomando veneno. Em resumo: era de esperar um escândalo horrível. Essa enxovalhada da Nastássia, apareceu-me então muito assustada com a tremenda notícia de que a carta se encontrava havia uma hora em poder de Natália Dimítrievna; uma hora mais e ninguém desconheceria na terra a tua desonra. Fiz um esforço sobre mim mesma para não desmaiar... Mas que golpes tão dolorosos, Zina, os que descarregaste sobre meu coração! Essa insolente e descarada Nastássia teve o atrevimento de pedir pela carta duzentos rublos a pronto pagamento, prometendo, em troca, devolvê-la. E aí vou eu sozinha, correndo de chinelas sobre a neve, para ir empenhar ao judeu Bumstein o meu adereço, recordação de minha mãe, que Deus tenha em sua glória... Às duas horas já a carta está em meu poder. Nastássia tinha-a roubado, quebrando a caixinha onde a guardavam. A prova estava destruída, a tua honra salva. Mas que angústias me fizeste passar nesses dias, Zina! No dia seguinte pude ver, pela primeira vez na minha vida, que tinha o cabelo salpicado de branco, Zina. Já sabes agora o conceito que deves fazer desse rapaz. Hás de reconhecer, talvez com um sorriso amargo, que teria sido uma loucura unir o teu destino ao dele. Mas desde então, minha filha, nunca mais deixaste de sofrer; não podes esquecê-lo; ou, para melhor dizer, não é a ele que tu não podes esquecer — pois sempre foi indigno de ti — mas ao fantasma da tua felicidade de um dia. Esse desgraçado está hoje às portas da morte, dizem que está tuberculoso; mas tu, que és boa como um anjo, não queres casar-te enquanto ele for vivo, para não ferir o seu coração, pois o infeliz atormenta-se com ciúmes, embora eu esteja convencida de que nunca te quis com um amor profundo e nobre. Consta-me que desde que soube que Mosliakov te corteja, anda por aí bisbilhotando, espiando e fazendo perguntas a toda gente. Tu perdoas-lhe, minha filha, adivinho-o, e só Deus sabe as lágrimas tão amargas com que tenho regado os travesseiros do meu leito...

— Deixa-te disso, mamãe! — interrompeu-a Zina, numa expressão de sofrimento insuportável. — Isso dos travesseiros do teu leito era muito preciso, não é verdade? — acrescentou ironicamente. — Mas não serás capaz de falar com simplicidade, sem adotar esse tom declamatório?

— Tu não me acreditas, Zina. Não me olhes com esses olhos tão hostis, minha filha! Nestes dois anos tenho tido sempre os meus úmidos de pranto, embora te oculte as minhas lágrimas, e juro-te que durante este tempo sofri uma grande transformação. Há muito que me apercebi dos teus sentimentos e confesso-te que foi agora que pude medir pela primeira vez toda a grandeza da tua dor. Mereço eu censuras, minha filha, por ter considerado esse amor como uma pieguice romântica que te meteu na cabeça esse malvado Shakespeare, esse estúpido que está sempre a meter o nariz onde não é chamado? Que mãe de família me teria condenado pelo medo e pelas precauções que o receio me fez tomar, ou pela severidade da minha opinião? Mas agora, agora que tenho assistido ao espetáculo da tua dor durante dois anos seguidos, compreendo e sei apreciar devidamente os teus pensamentos. Acredita-me pode ser que eu te compreenda melhor agora, do que tu te compreendes a ti própria. Estou convencida de que não amas esse rapazinho mas sim os teus sonhos dourados, as tuas ilusões perdidas, o teu ideal sublime. Também eu amei um dia e talvez mais apaixonadamente do que tu. Também tenho sofrido. Também acariciei o meu ideal. E haverá alguém que possa condenar-me por isso? E, principalmente, poderá condenar-me por considerar o teu casamento com o príncipe o melhor que tu, na tua atual situação, podes e deves fazer?

Zina escutou assombrada este longo discurso, pois sabia que a mãe não adotaria este tom sem um motivo. Mas a última e inesperada conclusão acabou de pô-la fora de si.

— Pelo que vejo, pensaste a sério casar-me com o príncipe! — exclamou, assombrada, e olhou cheia de medo para a mãe. — Então não se trata apenas de sonhos, projetos, mas... de uma decisão? Quer dizer que adivinhei! E... em que sentido esse casamento me salvaria e por que razão é necessário? E... que tem isso a ver com tudo que disseste? Com toda essa história? Afirmo-te que não te compreendo, mamãe!

— Pois muito me espanta que não possas compreender-me, *mon ange* — exclamou Maria Alieksándrovna que, por sua vez, se ia exaltando. — Numa palavra, trata-se disto: é que assim poderias introduzir-te noutra sociedade, noutro mundo. Deixar para sempre esta terra repelente e para ti cheia de recordações odiosas, na qual não tens nem uma amiga nem um amigo, onde és caluniada e onde todas as alcoviteiras te têm aversão por causa da tua beleza. Ainda esta primavera poderias viajar pela Itália, pela Suíça, pela Espanha, Zina, a Espanha onde existem a Alhambra e o Guadalquivir, e não este miserável riacho que corre por aqui, e que tem com certeza um nome pouco decente...

— Mas com licença, mamãe, estás falando como se eu já estivesse casada, ou, pelo menos, como se o príncipe tivesse pedido a minha mão.

— Deixa-me, minha adorada, que sei muito bem o que estou dizendo. O primeiro ponto já discutimos, agora entremos no segundo. Compreendo muito bem, querida, a repugnância com que poderias ceder a tua mão a Mosliakov...

— Não preciso dessa tua observação para saber que nunca, jamais casaria com ele — atalhou Zina com veemência e seus olhos lançaram chispas.

— E se soubesses como compreendo a tua aversão! É horrível, minha filha, jurar amor a um homem que não se ama. É mais do que terrível ser de quem não apreciamos. Mas ele reclama o teu amor; casaria contigo, só por ti: leio nos olhos com que olha para ti, quando tu não o estás vendo. E depois, uma mulher tem de expiar os seus erros... O que eu tive de sofrer nos meus vinte cinco anos de casada! O teu pai é que foi o causador da minha infelicidade. Posso dizer que sugou toda a minha juventude! Quantas vezes não me viste tu chorar.

— O papai está muito tranquilo nas suas terras; peço-te que o deixes em paz — disse Zina.

— Sim, já sei, tu o defendes sempre. Ah, Zina, se visses como o coração me queria saltar quando... por pura conveniência, queria ver-te casada com Mosliakov! Em compensação, com o príncipe seria outra coisa. É claro que não poderás amá-lo... Disso nem vale a pena falar... Nem ele tampouco tem a pretensão de que tu o ames...

— Meu Deus, que absurdo! Mas digo-te que estás completamente enganada, que partes de um princípio falso. Hás de compreender que eu não quererei sacrificar-me, sem saber ao menos com que fim. Não quero casar com ninguém, quero continuar solteira. Há dois anos me assedias, positivamente, só por eu não querer casar. Mas hás de acabar por te cansares. De mim não conseguirás nada nesse sentido. Não quero casar e basta. Não casarei.

— Mas, meu amor, não tomes uma atitude dessas, Zina, pelo amor de Deus, antes de me ouvires. Jesus, como és teimosa! Consente que te explique o caso segundo o meu ponto de vista, e verás como me hás de dar razão. Pode ser que afinal não lhe reste nem sequer uma ano de vida, ou lhe restem dois, no máximo, e penso que mais vale ser viúva do que ficar solteira; isso para não falar em que, depois da sua morte... te verias feita princesa, rica, livre e independente. Tu, minha filha, talvez olhes com desdém todos estes cálculos... cálculos que se baseiam na sua morte próxima. Mas eu sou tua mãe e haveria alguma mãe que se atrevesse a censurar-me pelas minhas previsões? E em último lugar, diz-me, meu anjo, minha boa filha: tens assim uma tal piedade por esse rapaz, que serias capaz de permanecer solteira, enquanto for vivo? Penso que se... Mas pensa bem, minha filha. Toma em consideração que, se casares com o príncipe, ressuscitas o pobre espiritualmente, proporcionas-lhe uma grande alegria. Desde que tenha um átomo de juízo, esse rapaz deverá compreender que não pode ter ciúmes dum príncipe, seria ridículo. Será obrigado a reconhecer que casas por conveniência e, por conseguinte, forçada. E compreenderá, finalmente, que no dia em que o príncipe morrer, podes casar de novo... se quiseres...

— Em resumo, eis o que tudo isso significa: "Casa com o príncipe, apanha-lhe o dinheiro, espera que morra e depois casa com o teu noivo". Como sabes dispor bem as coisas! Procuras seduzir-me com essa proposta... Bem te compreendo, mamãe. Oh, se te compreendo! Nunca podes deixar de fazer intervir sentimentos nobres, mesmo na circunstância mais vergonhosa. Por que não disseste simplesmente: "Olha, Zina, é uma vergonha, mas é vantajoso para ti e deves aceitar"? Dessa maneira, pelo menos, terias procedido com sinceridade.

— Mas, minha filha, por que teimas em encarar as coisas desse ponto de vista? Do ponto de vista da astúcia e da cobiça que me atribuis? Então os meus planos parecem-te algo de escandaloso, um logro premeditado?: Mas, em nome de todos os santos do céu, quererás dizer-me onde está aqui a vergonha, onde está o logro? Vai ao espelho e olha-te: és tão bonita que mereces um império. E serias tu, tu, sendo assim tão bela, quem iria sacrificar a um velho os melhores anos da tua vida, iluminar com os fulgores dum astro maravilhoso o ocaso da sua existência, e abraçar-te, como a hera, à sua velhice; mas não como essa velhaca que o enfeitiçou e lhe está sugando a seiva que lhe resta. Por acaso seu dinheiro ou seu título valem verdadeiramente mais do que tu? Onde estão o logro e a vergonha? Não sabes o que dizes, Zina.

— Evidentemente valem mais do que eu, pois queres que eu case com ele a todo custo. O ludíbrio é sempre ludíbrio, sejam quais forem os seus fins.

— Pelo contrário, minha filha, pelo contrário. Um ludíbrio como esse pode justificar-se até num ponto de vista elevadíssimo, num ponto de vista cristão, minha filha. Tu própria me disseste um dia, num acesso de loucura, que desejavas ser irmã de caridade. O teu coração, nessa altura, estava magoado, mas agora está empedernido. Disseste — bem sei — que já não podias gostar de mais ninguém. Mas se já não crês no amor, volta os teus sentimentos para outro objeto mais elevado; faz isso sinceramente, como uma filha, põe toda a tua fé na santidade da tua missão... e verás como o Senhor te abençoa. Também esse velho tem sofrido, também é infeliz, *também sofre* perseguição. Há muitos anos o conheço e sempre me inspirou estranha simpatia, algo como um amor, como se o coração me deixasse adivinhar alguma coisa. Sê para ele uma amiga, uma filha... até o seu brinquedo... para dizer tudo. Mas aquece-lhe o coração, faz isso pelo amor de Deus e pela virtude. Não penses que é ridículo. Já não é senão a metade de um homem... é certo, mas tem piedade dele, pois para isso és cristã. Domina-te a ti própria; que, ações como essa, só dominando-te, poderás realizar. Parece-nos difícil tratar feridas nos hospitais, aspirar o mau cheiro dos lazaretos. Pois há anjos de Deus que fazem tudo isso e, ainda por cima, dão graças a Deus por lhes ter dado essa vocação. Acredita, isto seria um bálsamo para o teu coração ferido... uma ocupação para a tua vida, um ato sublime, e verias como as tuas feridas cicatrizavam. Onde estão o egoísmo e a vergonha? Mas não acreditas no que te digo. Talvez penses que me engano ao falar de deveres e de grandes ações. Não podes compreender que eu, pobre mulher frívola e mundana, tenha coração, sentimentos e moral. Bem, pois não me acredites, ofende a tua mãe: mas confessa, pelo menos, que as suas palavras são razoáveis. Se quiseres, supõe que não sou eu quem fala, mas outra pessoa qualquer. Fecha os olhos, volta-me as costas e imagina que é outra a voz que ouves... Enganas-te, se pensares que, aqui, o que se procura é apanhar dinheiro como num ato de compra e venda. Nada disso, minha filha. Mas em todo caso, prescinde do dinheiro, renuncia a ele e dá-o todo aos pobres. Serve-te dele para que lhe seja útil, a esse infeliz rapaz, no seu leito de morte.

— Não aceitaria nenhuma ajuda — disse Zina em voz baixa, como se falasse consigo mesma.

— Ele, não, mas a mãe era capaz de aceitar — acrescentou triunfantemente Maria Alieksándrovna. — A mãe aceitaria às escondidas. Vendeste os brincos que a tia te ofereceu para o socorrer, haverá meio ano. Estou a par de tudo. Sei também que a velha lava roupa para fora, para que o seu pobre filho não morra de fome.

— Bem depressa não precisará mais fazer isso!

— Já sei a que te referes — atalhou imediatamente Maria Alieksándrovna, tomada de verdadeiro entusiasmo, pois lhe ocorrera uma ideia genial. — Já vais perceber aquilo que eu quero dizer. Dizem que esse infeliz está tuberculoso e não tardará a morrer. Mas quem sabe lá? Há dois dias mandei perguntar a Kalist Stanislávitch pelo verdadeiro estado do rapaz; já vês como me interesso por ele, pois tenho coração, Zina. Kalist Stanislávitch mandou-me dizer que a doença é de algum cuidado, sim, mas que o médico está convencido de que não pode ser tuberculose e sim... uma doença do peito, de certa gravidade. Tu própria podes ir perguntar-lhe se isto é ou não verdade. E o próprio Kalist Stanislávitch me afirmou estar o médico convencido de que, se o rapaz pudesse levar outro gênero de vida, sobretudo mudar de ares e de impressões, seria muito fácil curar-se. Disse-me que na Espanha — já antes ouvi falar disso e li obras que falam disso — há uma ilha, creio que se chama Madeira — seja como for, tem o nome dum vinho — na qual os doentes do peito se curam, e até os que estão verdadeiramente tuberculosos. Muitos vão para esse lugar apenas com o fim de se curarem nesse clima benigno. Claro que, na maioria são príncipes, e também comerciantes, enfim, gente rica. Só por si essa Alhambra, com as suas murtas e os seus limoeiros, e esses espanhóis montados em mulas... Tudo isso deve provocar uma grande impressão num espírito poético! Acreditas verdadeiramente que ele não aceitaria o teu dinheiro, a tua proteção, para uma viagem destas? Pois se ele te inspira tanta compaixão, engana-o! Um engano é perdoável, quando se trata de salvar com ele a vida do próximo. Dá-lhe esperanças, promete amá-lo, diz-lhe que depois de viúva serás sua mulher. Podes dizer-lhe tudo isso de maneira delicada e nobre. A tua mãe não poderia aconselhar-te nada de mau, Zina. Farias isto para salvar a sua vida, e para este fim tudo é lícito! Essa esperança vai lhe infundir uma nova vida, vai levá-lo a cuidar mais da sua saúde, a tomar remédios e a seguir as prescrições do médico. Procurará a cura para poder gozar da prometida felicidade. E, se ficar bom, claro que nem por isso vais casar com ele; mas, adiantará qualquer coisa o fato de ter recuperado a saúde. Seja como for, fica devendo a ti a salvação. Em última análise, ele também é digno de piedade. Talvez tenha conseguido melhor situação e, se for verdadeiramente digno de ti, não haverá inconveniente em que, com o tempo, venhas a casar com ele. Se ficar completamente bom, poderás arranjar-lhe uma posição, na alta sociedade, ajudá-lo a construir um futuro. E então esse casamento seria mais perdoável do que agora, pois, presentemente, seria completamente impossível. Que vos esperaria se teimásseis em casar à força? Evidentemente o desprezo geral, a pobreza, a algazarra das crianças da escola metida nos ouvidos — porque isto faz parte da sua profissão — leituras de Shakespeare em comum, passar toda a santa vida em Mordássov e, como remate, a sua morte inevitável, prematura. Ao passo que, de outra maneira, digo-te que podes oferecer-lhe a possibilidade de ressuscitar, de certo modo, de entre os mortos, para passar a viver uma vida útil. Perdoando-lhe... obrigando-o a idolatrar-te. Aflige-o a sua vergonhosa tentativa de vingança. Mas se agora lhe mostrares a perspectiva duma vida nova e lhe deres o teu perdão, vais ver como o reanimas com essa esperança e o reconcilias consigo próprio. Pode entrar para o serviço do Estado e alcançar até títulos e honras. E, supondo que não fique bom, pelo menos morrerá feliz, reconciliado contigo também, à sombra das murtas e dos limoeiros, debaixo de um céu exótico. Oh, Zina! Tudo isso está nas tuas mãos! Tudo isso poderás alcançá-lo... desde que cases com o príncipe!

Maria Alieksándrovna deu por terminado o seu discurso. Seguiu-se um longo silêncio. Uma agitação indescritível apoderara-se de Zina.

Não tentemos explicar os sentimentos de Zina que, por outro lado, também não conseguimos adivinhar. Parecia que Maria Alieksándrovna acertara o verdadeiro caminho para chegar ao coração de sua filha. Sem saber o que se passava no íntimo de Zina, a princípio fez todo o possível para adivinhá-lo, até que, finalmente, deu com o verdadeiro caminho. Feriu sem consideração alguma as fibras mais sensíveis desse coração e, naturalmente, não pôde, segundo o seu costume, prescindir de invocar nobres sentimentos, apesar de saber de antemão que, com isso, não enganaria a filha.

"Mas, para que serve isto tudo? — pensou Maria Alieksándrovna. — Ela não me acreditará. Ainda bem que lhe dei um motivo para refletir. Se eu pudesse dar-lhe a entender, de um modo discreto, aquilo que não posso dizer-lhe francamente..."

Com esses pensamentos tendia ela para o seu fim e conseguiu-o. Zina acabou por escutá-la com grande atenção: tinha as faces afogueadas e respirava agitada.

— Olha, *mamacha* — disse-lhe por fim, resoluta, embora a palidez mortal do seu rosto mostrasse claramente o que aquela resolução lhe custava. — Olha, *mamacha*...

Nesse momento crítico as palavras de Zina foram cortadas por um ruído no vestíbulo e por uma voz aguda e desagradável perguntando por Maria Alieksándrovna. Esta, assustada, deu um estremeção.

— Ah, meu Deus! — exclamou. — É o diabo que me manda essa importuna! Mas se ainda há duas semanas eu quase a pus na rua! Que se há de fazer, meu

Deus! Não, não tenho outro remédio senão recebê-la! Com certeza traz novidades, do contrário não se atreveria a apresentar-se em minha casa. Deve tratar-se de qualquer coisa muito importante, Zina. Não tenho outro remédio senão inteirar-me. Não devo deixar escapar nada. Mas de maneira nenhuma, minha amiga! Como lhe agradeço a sua visita! — exclamou afetuosamente saindo a receber a coronela, que entrava. — Como estou contente por se ter lembrado de mim, minha querida Sófia Pietrovna! Que surpresa agradável.

Zina saiu da sala.

Capítulo VI

Em questões de inteligência, Sófia Pietrovna Karpúkhina, mulher dum coronel, apenas podia comparar-se a uma gralha. Fisicamente mais parecia com um pardal. Pequenina, uns cinquenta anos, olhos agudos e penetrantes, cara toda coberta de borbulhas e de sardas amareladas. O corpo diminuto e mirrado, sobre duas perninhas de pardal, finas e firmes, estava embrulhado num vestido de seda escuro, que fazia um ruído constante, pois a dona não podia sossegar um momento. Essa coronela era uma mexeriqueira das piores e vingativa. O fato de ser coronela de tal modo a transtornara que acabou por perder o juízo. Estava quase sempre em pé de guerra com seu marido, o coronel, e não poucas vezes o infeliz saía dessas rixas com o rosto feito um mapa, por causa dos arranhões da cara-metade. Além de tudo isto, tinha a boa senhora o costume de quebrar o jejum, todas as manhãs, com quatro copinhos de vodca, ração repetida à noite e, finalmente, sentia um ódio quase de louco por Anna Nikoláievna Antípova, que havia uma semana a expulsara de casa, e por Natália Dimítrievna Karpúkhina, participante do fato.

— Vim apenas por um momento, *mon ange* — começou, com voz estridente. — Não tenciono sequer sentar-me. Queria apenas comunicar-lhe a grande novidade da terra. Todos andam meio loucos, e tudo por causa desse infeliz príncipe. As nossas comadres, *vous comprenez*, perseguem-no, a deitar-lhe o anzol: disputam-no, arrancam-no das mãos umas das outras, puxam por ele, oferecem-lhe champanhe... Talvez não acredite... Não, realmente é inacreditável. Mas como teve coragem de o deixar escapar? Sabe onde ele se encontra neste momento? Em casa de Natália Dimítrievna.

— De Natália Dimítrievna! — exclamou Maria Alieksándrovna tendo um estremecimento que a fez saltar da poltrona. — Mas se ele saiu apenas para ir fazer uma visita ao governador, ou quando muito, também a Anna Nikoláievna, mas apenas por um momentinho!

— Um momentinho! Sim, sim! Agora há de ver-se doida para lhe deitar outra vez a mão! De fato ele foi ver o governador, mas não o encontrou em casa e daí foi visitar Anna Nikoláievna, à qual deu a palavra de que jantará com ela esta tarde; mas Natália, que estava lá, apressou-se logo a convidá-lo para almoçar! E é lá que ele se acha neste momento!

— Mas como?! E Mosliakov que me prometera...

— Mosliakov! Um grande velhaco esse Mosliakov! Ela se arranja! Esse também bateu asas! Dê graças a Deus por ele não ter ido à casa de apostas jogar todo o dinheiro, como o ano passado. E o príncipe também tomará parte no jogo e acabará depenado! E que mexeriqueira a tal Natália! Anda dizendo a todos, em alto gritos, que você queria apoderar-se do príncipe, com esta e mais aquela intenção... *Vous comprenez?* E foi o que ela disse a ele mesmo. O pobre príncipe, é claro, nada percebe: está ali sentadinho como um cão que acaba de sair da água e diz a tudo que sim. Estamos vendo quão manhosa é essa Natacha! Apresentou imediatamente ao príncipe a sua Sonhka... Imagine, uma garota de quinze anos, ainda de saias curtas! De vestido pelos joelhos, não é preciso dizer mais nada! E mandou chamar também Machka, a órfã, que não se fez de rogada para se apresentar também com a saia por cima dos joelhos... Vi com as minhas lunetas... Puseram-lhes na cabeça um gorrinho vermelho com umas plumas... não sei o que aquilo queria dizer... E assim, meio nuas como estavam, puseram-se a dançar a *kasatchok* para o príncipe! Já sabe qual é o fraco do príncipe e não é preciso dizer-lhe que... ele até se babava... "Que formas — dizia — que formas!" e olhava-as de cima abaixo com as lunetas... e elas, todas presumidas. As duas, muito excitadas, escarranchavam as pernas de uma maneira que nem quero dizer-lhe... Uma bonita dança! Já houve tempo em que eu também dancei, com um xale nos ombros, quando saí da pensão de meninas de *Madame* Jarnies... e causei uma impressão verdadeiramente aristocrática. Até senadores me aplaudiram. Ali só se educavam filhas de príncipes e de condes. Mas isso que dançaram hoje estas pequenas era simplesmente o cancã. Eu morria de vergonha. É como lhe digo, morria! Numa palavra, não pude olhar para aquilo nem mais um minuto!

— Também esteve em casa de Natália Dimítrievna? Mas se...

— Sim, bem sei que há uma semana que ela me desconsiderou. Não nego. Mas, *ma chère*, eu queria ver esse príncipe, ainda que só pela frincha da porta; por isso decidi apresentar-me em sua casa. Se não fosse assim, onde é que podia vê-lo? Teria eu posto ali os pés, se não fosse por causa desse endemoninhado príncipe? Repare nisto: ofereceram chocolate a todos menos a mim. E ela, durante todo esse tempo, nem sequer se dignou dirigir-me a palavra. Fez isso intencionalmente... aquela linguaruda. Há de pagar! Mas, *adieu, mon ange*, que estou com muita, muita pressa... Ainda tenho de ir ver Akulina Pantílovna para lhe contar... Bem, pode dizer adeus ao príncipe. Nunca mais lhe porá a vista em cima! Ainda mais com aquela falta de memória... e com as artimanhas que saberá urdir Anna Nikoláievna para o não deixar fugir! Ali todos têm medo que você... *Vous comprenez?* Claro que por causa de Zina.

— *Quelle horreur!*

— Pode acreditar no que lhe digo! Na terra não se fala de outra coisa! Não há dúvida de que Anna Nikoláievna o vai reter para o sentar à mesa, e depois, está claro, ficará com ele para sempre. Ela faz tudo isso para fazê-la sofrer, *mon ange*. Por uma abertura da cerca dei uma olhada no pátio. Se visse que barulho, que azáfama! Na cozinha não pararam um momento de meter coisas no forno e de trinchar animais... Não lhe digo mais nada, até mandaram buscar champanhe! Não se deixe ficar, minha amiga, apareça, quando ele vier à sua casa, deite-lhe o anzol e não o deixe fugir. Ele dera-lhe a palavra, primeiro do que a mais ninguém! É seu hóspede e não de Anna Nikoláievna! E pode ter a certeza de que essa ordinária, essa matreira faz isto unicamente para nos dar uma decepção. Aquela parva, lá por ser mulher do administrador, não me chega nem aos calcanhares! Porque se ela é administradora, eu sou coronela! Eu fui educada na pensão aristocrática de *Madame* Jarnies... *Mais adieu, mon ange!* O meu trenó está à espera, senão, ficaria a fazer-lhe companhia...

E o jornal ambulante desapareceu. Maria Alieksándrovna tremia, de nervosa. O conselho que a alcoviteira acabava de dar-lhe não podia ser mais simples e mais prático. Não tinha tempo a perder. Tratava-se apenas de resolver previamente a maior dificuldade. Maria Alieksándrovna dirigiu-se como um furacão para o aposento da filha.

Zina passeava pelo quarto, de braços cruzados, cabisbaixa, pálida e nervosa, olhos de quem chorou. O olhar que deitou à mãe denotava decisão. Reprimiu imediatamente as lágrimas e nos lábios assomou-lhe um sorriso sarcástico.

— Mamãe, — disse, antes que a mãe começasse a falar — gastaste comigo palavras demasiadas. Mas não conseguiste atirar-me poeira aos olhos. Já não sou uma garota. Querer fazer-me ver que eu, neste caso, faria o papel de uma irmã de caridade, para o qual não sinto a menor vocação, e pretender justificar uma ação vil com um fim nobre... isso é jesuitismo puro, e a mim não me podes enganar. Sim, a mim não me enganas com as tuas manhas, é preciso que não o esqueças.

— Mas, *mon ange!* — exclamou Maria Alieksándrovna com certa angústia.

— Ouve-me até ao fim, mamãe — continuou Zina. — Apesar de saber muito bem que tudo isso não é mais do que jesuitismo e de estar plenamente convencida da indiscutível baixeza dessa manobra... apesar de tudo isso, aceito em todos os pontos a tua proposta, estás ouvindo? — em todos os seus pontos, e digo-te que estou absolutamente de acordo em casar com o príncipe e até em secundar-te em todos os teus esforços para levá-lo ao altar. Perguntarás por que faço isto... Mas isso é comigo. A ti deve bastar-te que eu esteja decidida... Sim, estou decidida a tudo; calçarei nele as botas, servirei de enfermeira, dançarei para o distrair, como expiação da minha baixeza! Farei tudo, tudo, contanto que não dê ocasião a que se arrependa de ter casado comigo. Está bem, mas peço-te que me fales com toda a franqueza e me digas como é que esperas fazer com que ele repare em mim. Quando começaste a falar-me deste assunto em termos tão categóricos — eu já te conheço — era porque tinhas algum plano. Sê sincera pelo menos uma vez na vida! Essa sinceridade é a única condição que ponho. Não posso comprometer-me a fazer nada antes de saber aquilo que pensas fazer.

A inesperada resolução da filha provocou tal comoção em Maria Alieksándrovna que ficou por um momento sem poder falar diante dela, contemplando-a com os olhos muito abertos. O espanto roubara-lhe quase a faculdade de pensar. Acostumara-se à ideia de que deveria travar uma luta com aquele aborrecido romantismo da filha, cujo austero sentido da dignidade sempre lhe fizera medo, e verificava agora de repente que Zina estava completamente de acordo com ela e decidida a tudo, embora contradizendo as suas próprias convicções! Mas ainda bem, uma vez que as coisas estavam neste pé, a sua empresa ia ficar extraordinariamente sólida... e os olhos de Maria Alieksándrovna brilharam de entusiasmo.

— Minha Zínotchka! — exclamou entusiasmada. — Zínotchka! Agora sim, reconheço-te como filha!

Não pôde dizer mais nada, dirigiu-se para a filha para abraçá-la.

— Ai, meu Deus! Não te pedi que me abraçasses! — exclamou Zina com uma repugnância nervosa. — Não preciso das tuas ternuras repentinas. Peço-te apenas que respondas à pergunta que te fiz e nada mais!

— Mas, Zina, minha filha, não sabes como gosto de ti! Adoro-te e, em compensação, repudias-me! A mim, que faço tudo pela tua felicidade.

— Bem, não te zangues, mamãe! É que eu estou um pouco nervosa! — disse à mãe para a tranquilizar.

— Mas eu não estou zangada, meu anjo, não estou zangada — afirmou Maria Alieksándrovna que ia retomando o seu entusiasmo. — Compreendo que deves estar um tanto nervosa! Olha, minha filha, queres que fale com toda a sinceridade? Pois bem, serei sincera contigo, completamente sincera, acredita! Sim, a única coisa que é preciso, agora, é que acredites em mim! Mas afirmo-te, Zínotchka, que aquilo que se chama um plano, com todos os seus pormenores bem combinados, ainda não o tenho, e além disso, é completamente impossível tê-lo. És bastante esperta, meu anjo, para compreenderes por que não o posso ter. Vejo até algumas dificuldades prévias... Precisamente, essa bisbilhoteira acaba de atordoar-me os ouvidos... Ai, meu Deus, não posso perder tempo! Olha, minha filha, falo-te com o coração nas mãos e juro-te que tudo se há de arranjar! — afirmou no seu entusiasmo. — Esta minha convicção não é de caráter fantástico, como disseste há pouco, meu anjo! Pelo contrário, tem uma base real, apoia-se nos fatos... Fundamenta-se na falta de memória do príncipe... Porque ele é de tal gênero... É um canhamaço de onde podemos tirar tudo o que quisermos! O principal é que ninguém se nos venha atravessar no caminho! Mas como é que se atrevem, esses imbecis — e Maria Alieksándrovna deu uma palmada na mesa com altivez e os olhos soltaram faíscas. — Eu lhes digo! Mas o mais importante é meter já mãos à obra... Se tudo correr bem, ainda hoje pode ficar resolvido o ponto principal!

— Está bem, mamãe, mas escuta: uma confissão sincera! Sabes por que é que me preocupa o teu plano? Porque não confio em mim própria. Disse-te que estou decidida a essa ação má; mas se os pormenores do teu plano fossem demasiado repugnantes, demasiado feios, desde já te participo que desdigo tudo que disse e que deixo de te apoiar. Bem sei que isto seria outro ato mau: comprometer-se uma pessoa a praticar uma vileza e depois assustar-se da lama em que está metida até ao pescoço... Mas, que hei de fazer? É assim e, pronto...

— Mas, Zínotchka, onde está esse ato mau a que te referes? *Mon ange!* — atreveu-se a mãe a objetar-lhe timidamente. — Trata-se de um casamento vantajoso e a uma coisa destas não há moça que resista! Só há um ponto de vista donde isto pode ser encarado, e assim tudo se afigura muito decente...

— Ah, mamãe, peço-te pelo amor de Deus, não brinques comigo às escondidas! Já te disse que estou disposta a tudo, tudo! Que queres de mim? Não tenhas medo que eu trate as coisas pelo seu verdadeiro nome... Talvez seja a única coisa que me tranquiliza — e um amargo sorriso lhe assomou os lábios.

— Está bem, está bem, meu anjo; é perfeitamente possível não estar de acordo quanto ao modo de pensar e no entanto estimarmo-nos mutuamente. Simplesmente... se os pormenores te inquietam e receias sejam demasiado sujos, não te preocupes e deixa tudo por minha conta; garanto-te que nem a mais pequena gota de lodo há de salpicar-te. Então eu ia pôr-te em foco perante os olhos de toda gente? Deixa-me trabalhar e verás como tudo se arranja, da maneira mais decente... Sim, o mais importante neste assunto é... absolutamente decente e até elegante, não dar ocasião ao menor escândalo e, mesmo que provocasse algum escandalozinho inevitável e insignificante... aliás... nessa altura já nós teremos galgado o alto da montanha! Mas não ficaremos aqui! Que gritem até esganiçar-se... Terão de contentar-se com roer as unhas de inveja. Isto para não dizer que essa gente não merece sequer que nos preocupemos com ela. Não te aborreças, Zínotchka, mas espanta-me que tu... orgulhosa como és, tenhas esses receios!

— Ai, mamãe! Eu não tenho nem uma ponta de medo! Mas não queres compreender-me! — acrescentou Zina excitada.

— Bem, bem, meu anjo, não te aborreças! O que eu queria dizer é que essa gente comete vilezas todos os dias que Deus dá, ao passo que tu, em todo caso, cometerias apenas uma na tua vida... Mas que ideia! Tola que eu sou! Que estou dizendo? Quem fala de vileza? Onde está a vileza, ou o que há aqui de sujo, como dizes? Nada disso, muito pelo contrário, minha filha, é uma ação muito nobre aquela que vais realizar. Repito-te, minha filha: tudo depende unicamente do ponto de vista em que nos colocamos...

— Ah, mamãe, deixa-te de raciocínios — atalhou Zina, colérica e batendo com o pé no chão.

— Está bem, querida, não falarei mais desta maneira! É que não percebi...

Fez-se um breve silêncio. Maria Alieksándrovna sentia que a filha estava inquieta e procurava o seu olhar como o cãozinho que praticou alguma tolice olha para a dona.

— Não consigo perceber por onde vais começar — disse Zina vencendo a repugnância. — Estou convencida de que te vais meter numa embrulhada. Desprezo a opinião dessas pessoas, mas, para ti, mamãe, vai ser uma vergonha.

— Oh, se é só disso que tens medo, meu anjo... não te preocupes! Suplico-te, imploro-te! Contanto que nos entendamos as duas... por mim não te preocupes, minha filha! Se soubesse quantas vezes tenho ido buscar lã sem nunca ter ficado tosquiada! Não é esta a primeira complicação em que me meto! Por isso, permite ao menos que eu faça uma tentativa! Seja como for, o principal é vermo-nos o mais depressa possível a sós com o príncipe! Isso é a primeira coisa a fazer! Disso depende tudo o mais! Mas o coração já me adivinha como tudo vai acabar! Vão se virar contra nós com sete pedras na mão, mas... que nos importa isso? Saberei metê-los na ordem. A única pessoa de que tenho medo é de Mosliakov...

— De Mosliakov? — perguntou Zina com desprezo.

— Sim, minha filha, de Mosliakov! Ter medo dele, medo de verdade, não tenho, Zina! Afirmo-te que hei de arranjar as coisas de tal maneira que ele não há de ter outro remédio senão ajudar-nos. Ainda não me conheces, Zínotchka! Não sabes do que sou capaz! Ah, Zínotchka meu anjo! Mas o príncipe chegou, esta ideia passou-me logo pela cabeça! A inspiração veio-me nesse mesmo instante. E, afinal, diz-me uma coisa: quem teria podido imaginar que ele viria precisamente hospedar-se em nossa casa? Ocasião semelhante não tornaria a repetir-se, nem em mil anos! Zínotchka, meu anjo, não tem nada de desonroso que te cases com um velho; desonra seria casares com um homem que te fosse antipático e ao qual não pudesses suportar e do qual tivesses que ser mulher a valer. Neste caso não se pode falar bem de matrimônio, mas simplesmente de contrato doméstico. Contrato com o qual ele,, e apenas ele, sai ganhando... Porque é preciso apreciar a sorte do tio! Ai, Zínotchka, nem sabes como estás bonita, hoje! Estás até mais do que bonita, estás maravilhosa! Se eu fosse homem seria capaz de oferecer-te um império para que gostasses de mim! São todos tão estúpidos! Como é possível não beijar esta mão — e de fato, Maria Alieksándrovna beijou apaixonadamente a mão de sua filha. — És carne da minha carne e sangue do meu sangue! Deveremos obrigar esse tolo a casar contigo, e se preciso for, vamos casá-lo à força! E depois, Zínotchka, como é que vamos viver? Suponho que, depois, quando fores feliz, não irás expulsar de tua casa a tua mãe! É verdade que entre nós tem havido uns pequenos aborrecimentos; mas, apesar de tudo, nunca tiveste quem te quisesse tanto como eu...

— Mamãe, se de fato tens qualquer coisa pensada, talvez o melhor seja... começares o mais cedo possível. Aqui, só fazes perder tempo! — disse Zina constrangida.

— É verdade, é verdade, Zínotchka; já é tempo de me ir! Oh, tenho estado aqui a tagarelar! E entretanto elas vão fazendo todo o possível para nos roubarem o príncipe. Vou já num pulo! O que devemos fazer é tomar já um carro, procurar Mosliakov e depois... Arranco-o dali à força, senão, está tudo perdido! Adeus, Zínotchka, até logo, querida; não percas a coragem, não duvides, não fiques triste, sobretudo não fiques triste! Tudo há de correr bem, tudo se arranjará às mil maravilhas! O principal é o ponto de vista do qual encaramos as coisas... Então vais ser rica?!

Maria Alieksándrovna abençoou a filha, correu para o seu quarto, parou uns minutos diante do espelho e, passado um instante, ia na sua carruagem, sempre a postos para uma pressa, cambaleando pelas ruas de Mordássov. Porque Maria Alieksándrovna vivia *en grand*...

"Não, não hão de ser vocês quem levam a melhor! — pensava, já na carruagem. — Zina está de acordo comigo e isso é meio caminho andado! Era agora que eu me ia deixar vencer! Que disparate! Aquela Zina! Até que enfim cedeu. Talvez tenha influído outra razão na tua cabecinha, minha linda! Mas o certo é que eu não podia ter-lhe apresentado um futuro mais risonho! O recurso foi infalível! À parte isso tudo, é preciso reparar como está hoje tão bonita! Se eu tivesse aquele rosto, faria andar metade da Europa de cabeça à roda! Bem, tenhamos paciência... Quando for princesa e começar a conhecer certas coisas, esse demônio de Shakespeare lhe sairá da cabeça. Porque, afinal, que tem a pobrezinha visto até agora? Mordássov e o tal mestre-escola! Hum... Que princesa vai ser! Gosto tanto que seja assim orgulhosa! Como é altiva! Quando olha para uma pessoa parece uma rainha... Como será possível que não saiba aquilo que vale?! Agora parece que começa a perceber! E além disso, eu estarei sempre ao seu lado! Hei de fazer com que esteja sempre de acordo comigo em tudo, e se convença de que, sem mim, nada poderá conseguir. Também serei princesa e em Petersburgo hão de ficar sabendo quem sou! Adeus, terrinha miserável! O príncipe morre, o mestre-escola há de desaparecer também e então casarei a minha filha com um príncipe reinante! Apenas uma coisa me inquieta: não terei confiado demasiado nela? Não me teria mostrado demasiado sincera, demasiado sentimental? De fato isto me assusta... quase tenho medo da minha filha!"

E Maria Alieksándrovna quedou-se pensativa.

Zina, assim que ficou só, continuou a dar voltas para lá e para cá, no seu quarto, de braços cruzados e pensativa. Refletia sobre muitas coisas. E, quase inconscientemente, murmurava para consigo: "Já era tempo, já era tempo e mais que tempo!". Que significava esta exclamação? Por mais de uma vez brilharam lágrimas nas suas compridas e sedosas pestanas. Nem de longe pensava em disfarçar o seu estado de espírito. As preocupações de sua mãe eram desnecessárias. Em vão tentava esta penetrar no pensamento de sua filha: Zina resolvera definitivamente auxiliá-la e arrostar com toda as consequências.

"Ora toma! — pensava Nastássia Pietrovna Ziáblova ao retirar-se do escuro quarto de vestir, quando a coronela se foi embora. — E eu que alimentava tantas ilusões a respeito do príncipe e até pensara em por um véu para lhe agradar! Que tola fui em pensar que ia casar comigo! Anda... aí tens o véu cor-de-rosa! Esta Maria Alieksándrovna! Então sou uma desmazelada e deixei-me subornar por duzentos rublos! Não faltava mais nada senão que eu te servisse de graça! Eu ganhei aquele; fiquei com ele atendendo aos gastos que podia custar-me a façanha... Podia ter acontecido que eu própria me achasse nas circunstâncias de me ver obrigada a molhar as mãos a alguém... Que tens que saber se fui eu que forcei a fechadura ou se tive que pedir a outra pessoa? Enquanto eu trabalhava para ti estavas muito descansada! O que queres é depenar este pássaro! Pois deixa estar, minha filha, que te darei o pássaro! Hei de mostrar-vos, às duas, se sou uma porca ou não! Deixem estar que hão de ficar sabendo quem é Nastássia Pietrovna e aprender a não abusar da sua modéstia!"

Capítulo VII

Maria Alieksándrovna abandonou-se por completo à sua inspiração. Elaborara um grande e audacioso plano. Casar a filha com um Creso, príncipe e ainda por cima velho, e isso sem que ninguém soubesse, a coberto da fraqueza mental e desamparo do seu hóspede, poderia dizer-se até de certa maneira, à socapa... era verdadeiramente qualquer coisa, não só de ousado mas até de airoso. Evidentemente tal plano era de uma conveniência sedutora; mas, se falhasse, a sua autora ficaria coberta de um opróbrio eterno e indelével. "Já de outras vezes tenho escapado de perigos", dissera a Zina, e com razão. Como não havia de considerar-se uma heroína!

Sem dúvida, tudo isso poderia comparar-se a um assalto em plena rua, entretanto Maria Alieksándrovna não prestava grande atenção ao fato. Tinha, a este propósito, um lema de exatidão maravilhosa: "O que está feito, feito está", lema simples e instrutivo, mas que a fantasia adornava com tais atrativos que só de pensar nisso Maria Alieksándrovna sentia arrepios e um formigueiro pelo corpo todo. Encontrava-se num estado de grande excitação que a fazia quase estremecer. Mulher dotada de inspiração e de indiscutível espírito criador, elaborara um plano estratégico, ainda nos primeiros balbucios, mas concebido *en grand* e via na sua imaginação, nas suas linhas gerais. Era necessário esperar pelos mais diferentes e imprevistos episódios. Maria Alieksándrovna tinha fé em si própria; não a preocupava o medo de falhar, pelo contrário. Desejava meter mãos à obra o mais depressa possível, atirar-se à liça quanto antes. O pensamento dos obstáculos com que devia lutar e dos possíveis contratempos fazia com que se apossasse dela uma impaciência, uma nobre impaciência. Expliquemo-nos mais claramente: o maior perigo que Maria Alieksándrovna temia e pressentia era representado pelos seus estimados conterrâneos, os mordassovianos e, sobretudo, pela boa sociedade das senhoras mordassovianas, cujo ódio irreconciliável conhecia por experiência. Sabia, por exemplo, com certeza absoluta, que na cidade toda a gente adivinhara as suas intenções, apesar de não ter dito a ninguém uma só palavra dos seus projetos matrimoniais. Graças às suas tristes e múltiplas experiências, sabia que nunca possuíra um segredo, por mais bem guardado, que, passadas duas horas, não fosse do conhecimento das comadres que iam à rua e às lojas. É claro que, de momento, Maria Alieksándrovna não se preocupava com os perigos; mas os seus cálculos nunca falhavam. Também desta vez não a enganavam. Havia, porém, uma coisa que ainda ignorava, um fato consumado, a saber:

Ao meio-dia, passadas precisamente três horas da chegada do príncipe a Mordássov, já pela terra se haviam espalhado uns estranhos rumores, cuja procedência ninguém podia explicar, mas que depressa se divulgaram. Afirmavam todos que Maria Alieksándrovna combinara com o príncipe o casamento com a filha, que Mosliakov fora posto à margem, e já podia dar-se tudo por feito, selado e assinado. Donde haviam partido esses rumores? Porventura os mordassovianos conheciam tão bem Maria Alieksándrovna para atinar assim tão depressa com os seus mais íntimos pensamentos e sonhos? Mas nem a contradição que existia entre esses boatos e o costumado processo dessas coisas (pois um casamento não pode combinar-se numa hora mas precisa de muitas oportunidades), nem a invenção evidente dos mesmos (pois ninguém podia assegurar donde provinham), era capaz de roubar a fé que neles depositavam os mordassovianos. Por isso continuaram a espalhar-se tenazmente e a encontrar cada vez maior crédito. O mais espantoso é que começaram a difundir-se ainda antes de Maria Alieksándrovna ter entabulado com a filha o diálogo que transcrevemos. E por aqui já se pode ver como as pessoas da província tem o ouvido bem apurado. Os provincianos são instintivamente inclinados para o maravilhoso, e isso se baseia num estudo íntimo e esmerado do próximo, feito durante muitos anos, aguilhoados pelo interesse. Nas províncias todos vivem como numa redoma. Não há possibilidade de ocultar-lhes seja o que for, a esses respeitáveis provincianos. Todos conhecem o próximo a fundo e sabem das pessoas muitas coisas que elas próprias ignoram. O provinciano, em minha opinião, não é psicólogo e perspicaz por natureza. Lê nos pensamentos alheios. Por isso, por mais de uma vez me tenho assombrado sinceramente por encontrar com tanta frequência nas províncias tantos tolos, em vez de psicólogos e leitores do pensamento. Mas isto é uma observação feita de passagem e supérflua.

Seja como for, o certo é que o tal boato produziu um efeito estrondoso. O casamento com o príncipe pareceu a todos tão vantajoso, tão brilhante, que ninguém reparou na estranheza de tal união. E neste momento devo fazer outra observação: Zina era talvez ainda mais odiada na terra do que a mãe. Por que? Não é possível dizer. Talvez alguma culpa houvesse nesse ódio pela beleza da jovem, ao que pudesse juntar-se o fato de Maria Alieksándrovna ser, apesar de tudo, uma pessoa da *nossa geração*. Pode ser que, se tivesse abandonado a terra, ainda acabassem por lhe sentir a falta. Entretinha as pessoas com as suas constantes embrulhadas. Talvez, sem ela, tivessem morrido de tédio. Zina, pelo contrário, conduzia-se como se vivesse nas nuvens e não na povoação de Mordássov. Não condizia bem com aquela gente, não era do mesmo nível nem tratava os seus conterrâneos de igual para igual, mas dava antes mostras, talvez sem se aperceber, de um orgulho insuportável. E era "essa Zina", da qual tinham chegado a dizer-se "coisas escandalosas", aquela soberba e presunçosa "senhorita" que ia agora elevar-se à categoria de milionária e de princesa e dar entrada na alta sociedade! Depois, quando enviuvasse, passados os três anos da praxe, casaria em segundas núpcias com um duque, quem sabe se com um general ou um governador. Ora, precisamente, o governador do distrito era viúvo e tinha um fraco pelo belo sexo. Então seria ela a dama mais importante de todo o distrito, o que, só de pensar, fazia crispar os nervos a todos, e por isso nenhuma outra notícia podia provocar em Mordássov um descontentamento tão grande como a deste consórcio entre Zina e o príncipe. Levantou-se imediatamente uma tempestade de indignação. Os habitantes da terra disseram em uníssono que aquilo era um pecado e uma vileza. Que o velho não regulava bem da cabeça, que o tinham enganado e iludido, e, tudo isso, aproveitando-se da sua falta de juízo. Alguns chegavam mesmo a dizer que era preciso salvar o pobre velho daquelas garras ávidas de sangue; que aquilo era um verdadeiro ato de espoliação e, finalmente, que tinha Zina mais do que as outras? Não havia na terra outras moças igualmente dignas de casarem com o príncipe?

Maria Alieksándrovna imaginava todos esses mexericos que não pudera ouvir. O fato de imaginá-los bastava; sabia de certeza que todos estavam dispostos a apelar para os meios possíveis e impossíveis a fim de impedir a realização dos seus planos. Todos queriam roubar-lhe o príncipe, de maneira que se via obrigada a lutar para o reaver. E ainda que pudesse voltar a deitar-lhe o anzol, não podia mantê-lo manietado em sua casa. E, além disso, quem lhe garantia que ainda hoje mesmo, talvez dentro de dois segundos, não irromperia pelos seus salões todo o batalhão de senhoras mordassovianas alegando um pretexto tão forte que ela não teria outro remédio senão recebê-las? Se lhes fechava a porta, espreitariam pelas janelas: o que talvez pareça impossível, mas que no entanto acontecera já em Mordássov algumas vezes. Em resumo: não havia um momento, nem um segundo a perder, tanto mais que ainda nada fizera e nem sequer iniciara sua tarefa. De repente ocorreu-lhe uma ideia que se apoderou rapidamente da sua mente astuta. Não nos esqueceremos de referi-la no momento oportuno, mas, de momento, diremos apenas que a nossa heroína ia nesse instante na sua carruagem, aos tombos pelas ruas de Mordássov, cheia de cólera e de entusiasmo, decidida a uma luta legal, caso fosse preciso travá-la, para apoderar-se do príncipe. Ignorava ainda concretamente como procederia e por onde começar; mas, em compensação, sabia muito bem, com absoluta segurança, que era mais fácil Mordássov vir abaixo do que ela deixar de realizar o seu plano até ao mínimo pormenor.

Deu o primeiro passo com mais êxito do que seria de esperar. Encontrou o príncipe na rua, agarrou-o e levou-o para jantar em sua casa. Se me perguntassem agora como é que, apesar de todos os manejos dos seus inimigos, conseguiu Maria Alieksándrovna levar a sua a melhor e deixar Anna Dimítrievna com uma cara de palmo e meio, esperando em vão pelo príncipe, ia me ver obrigado, de certo modo, a responder que tal pergunta me parece uma ofensa contra Maria Alieksándrovna. Então não havia ela de sobrepor-se a Anna Nikoláievna Antípova? A nossa heroína puxou muito simplesmente pelo príncipe, que se encontrava diante da casa da sua amiga, e, sem consideração alguma, nem sequer pelas objeções de Mosliakov, receoso dum escândalo, meteu o velhote no seu coche. Maria Alieksándrovna distinguia-se precisamente das suas inimigas pelo fato de, chegado um momento crítico, não se demorar a pedir a opinião de ninguém nem recuar perante um possível escândalo, pois guiava-se fielmente pela máxima de que os fins justificam os meios. É verdade que o príncipe também não opôs uma resistência séria, esquecendo-se imediatamente, conforme era seu costume, do incidente, e dando mostras de estar muito constante. À mesa, conversou pelos cotovelos, de muito bom humor; disse até pequenos gracejos e contou anedotas sem graça nenhuma, passando de umas para as outras sem dar por isso. Bebera três copos de champanhe em casa de Natália Dimítrievna. E aqui tornou a beber, pois Maria Alieksándrovna enchia-lhe o copo a todo momento, até que o infeliz acabou por perder o resto de lucidez que ainda conservava. O jantar estava irrepreensível. O "desavergonhado" de Nikita não o estragara. E a dona da casa animou-o com a sua encantadora amabilidade. Mas, por infelicidade, os outros comensais eram tão aborrecidos quanto ela animada. Zina, de certo modo, guardava um silêncio solene. Mosliakov, aparentemente, não estava de bom humor, mal bebia e comia. Parecia refletir e, coisa rara nele, Maria Alieksándrovna sentia uma grande inquietação. Nastássia Pietrovna Ziáblova estava com uma cara muito carrancuda e fazia às furtadelas uns estranhos sinais para Mosliakov, mas dos quais ele não se apercebia. Não se mostrasse a dona da casa tão amável e espirituosa, o jantar teria parecido verdadeiramente um banquete fúnebre.

E, com tudo isto, Maria Alieksándrovna era presa de uma agitação indescritível. Bastava a cara séria de Zina e os seus olhos de quem chorou, para a inquietarem indescritivelmente. Importava vencer agora uma grande dificuldade; era preciso apressar-se, não havia minuto a perder... e aquele malvado Mosliakov, ali sentado com tanta fleuma, sem se mover, como um vadio que não tem nada a fazer e não deixa que se faça. Com ele pela frente nada se podia tentar. Maria Alieksándrovna levantou da mesa, muito desassossegada e até com algum receio. Mas qual não foi o seu assombro, o seu alvoroçado espanto, se me permitem a expressão, quando Mosliakov, levantando também, se aproximou dela e, de maneira completamente inesperada, comunicou-lhe que, embora lhe custasse muito, não tinha outro remédio senão retirar-se.

— Mas por que? — perguntou-lhe Maria Alieksándrovna muito perturbada.

— Ora veja, Maria Alieksándrovna — balbuciou Mosliakov um pouco sobressaltado e confuso — aconteceu-me uma coisa estranha. Nem sei como explicar-lhe... Aconselhe-me, por amor de Deus!

— Mas de que se trata?

— Ora ouça: encontrei hoje na rua o meu padrinho Boródniev... já sabe a quem me refiro, aquele que é comerciante... O pobre velho está muito zangado comigo; fez-me acusações e diz que eu me tornei muito orgulhoso. Esta é a terceira vez que venho a Mordássov e ainda não fui a casa dele. Bem, mas hoje, quando o encontrei, agarrou-me e disse-me: "Espero-te lá em casa para o chá. Não deixes de vir." *Agora são quatro em ponto* e o meu padrinho, que é um homem antigo, costuma tomar o chá logo depois da sesta, aí por volta das cinco. Que havia eu de fazer? As coisas são como são, mas, de qualquer modo... Maria Alieksándrovna, não pense mal de mim. O pobre homem livrou o meu falecido pai de apuros quando perdeu aquele dinheiro no jogo. E esse foi até o motivo por que ele foi meu padrinho. Se o meu casamento com Zinaída Afanássievna vier a realizar-se, conto apenas com cento e cinquenta almas. Ao passo que ele possui um capital de um milhão de rublos e há quem o suponha ainda maior. E não tem filhos. De maneira que, se uma pessoa souber agradar-lhe, pode ser que a faça sua herdeira. E, coitado, como já tem uns setenta anos bem puxados... Portanto, já pode ver!

— Ah, meu Deus! Pois se é assim, que espera? Para que essas hesitações? — exclamou Maria Alieksándrovna com uma alegria quase despudorada. — Vá, corra, criatura! Com essas coisas não se brinca! Claro... por isso estava o senhor preocupado! Vá, *mon ami,* corra já! Esta manhã devia-lhe ter feito uma visita para dar-lhe a entender como a sua amizade o lisonjeia e como o aprecia. Ah, estes rapazes, estes rapazes!

— Mas, Maria Alieksándrovna, foi a senhora mesma quem me fez observações pouco favoráveis a respeito dessa amizade! Ainda não há muito tempo dizia que o tal meu padrinho é um pacóvio, com uma barbaça enorme, e que trata de igual para igual os taberneiros e outras pessoas ordinárias!

— Ah, *mon ami!* Evidentemente posso enganar-me, às vezes; não sou infalível. Já não me lembro bem do que lhe disse; talvez eu estivesse numa disposição de espírito que... E, depois, nessa altura ainda o senhor não se interessava pela Zínotchka... Isso, naturalmente, era egoísmo da minha parte; mas agora tenho de encarar a coisa de outro ponto de vista. Que mãe se atreveria a censurar-me? Vá ver o seu padrinho imediatamente, não perca um instante. E também deve passar o serão em sua companhia. Mas ouça: fale-lhe também de mim... Diga-lhe que sinto por ele uma grande estima e, sobretudo, que o sei apreciar; mas saiba dizê-lo de maneira que não soe falso! Ai, meu Deus! Como não me lembrei eu disto antes! Eu própria o teria feito apressar-se!

— Salvou-me, Maria Alieksándrovna! — Mosliakov estava encantado. — Daqui para diante, palavra de honra, farei tudo quanto me disser. E acredite que até receava falar nisto! Bem, então, até logo, vou lá. Faça favor de apresentar as minhas despedidas a Zinaída Afanássievna. Mas diga-lhe que depois voltarei.

— Deus o abençoe, *mon ami!* E não se esqueça de lhe dar lembranças minhas! Não há dúvida de que é um bom velhote. Há muito mudei de opinião a seu respeito... E além disso sempre me encantou esse seu aspecto de russo à antiga, de autêntico russo... *Au revoir, mon ami, au revoir!*

"A coisa está correndo bem. Os deuses são-me propícios", pensou consigo, louca de alegria.

Páviel Alieksándrovitch Mosliakov dirigiu-se à sala de entrada para apanhar o seu casaco de peles e, de repente, viu surgir na sua frente, como se acabasse de sair debaixo do chão. Nastássia Pietrovna Ziáblova, a qual, evidentemente, estava à sua espera.

— Aonde vai? — perguntou-lhe segurando-o por um braço.

— À casa de Boródniev, Nastássia Pietrovna. É o meu padrinho... aquele que me livrou de apuros... Um velho rico que, na certa, me deixará qualquer coisa no seu testamento e ao qual, portanto, devo agradar.

Mosliakov estava de ótimo humor.

— A casa de Boródniev? Ah, sim?! Então pode renunciar à sua noiva! — disse-lhe secamente Nastássia Pietrovna.

— Como renunciar?

— É o que lhe digo. Julga que já a pode chamar sua? Pois então abra os olhos, criatura, que querem casá-la com o príncipe. Ouvi com estes ouvidos.

— Com o príncipe?! Por favor, Nastássia Pietrovna...

— Deixe-se de favores! Quer ter a certeza do que lhe digo? Pois então largue o casaco e venha comigo...

Mosliakov, meio atordoado, largou o casaco e seguiu a Ziáblova na ponta dos pés, a qual o conduziu ao quarto escuro onde naquela manhã estivera à espreita.

— Mas, por favor, Nastássia Pietrovna, eu não percebo nada disto!

— Já vai entender tudo, depois de ver e ouvir um pouco. A comédia deve estar começando.

— Que comédia?

— Chiu! Não fala tão alto! A comédia reduz-se simplesmente a que o estão fazendo de bobo, criatura! Esta manhã, quando o senhor saiu com o príncipe, Maria Alieksándrovna pregou um sermão à filha, durante uma hora, procurando convencê-la a casar com o príncipe, e pôs em jogo tais estratagemas que a mim até se me revolvia o estômago só de ouvi-la. Ouvi tudo daqui. Zina acabou por ceder. E se ouvisse as coisas que diziam as duas de você! Chamaram-lhe imbecil, disseram que não valia nada, e Zina declarou peremptoriamente que por nada deste mundo casaria com você... Mas, console-se, meu amigo, que de mim também disseram das boas. Não me chamaram imbecil, isso não... E eu, que pensara por um veuzinho cor-de-rosa! Mas escute, escute!

— Mas se isso é verdade, seria a falsidade mais infame do mundo — murmurou Mosliakov, o qual olhava para Nastássia Pietrovna com uma cara apatetada.

— Faça o que eu lhe digo e vai ter ocasião de ouvir outras lindezas.

— Mas por onde é que eu posso escutar?

— Por aqui, há uma fresta.

— Mas, Nastássia Pietrovna, eu... eu não sou capaz de pôr-me a escutar ninguém...

— Deixe-se disso! Não esteja com esses preconceitos! Já que veio até aqui... Ponha o ouvido à escuta!

— Mas...

— Se de fato não se sente capaz disso, então vá com Deus. Eu, se o faço, é apenas para seu bem... e ainda se faz de rogado! Porque, a mim, é-me indiferente... Eu não penso ficar mais tempo aqui, nem sequer esperarei até o fim da tarde!

Mosliakov encheu-se de coragem, agachou-se e pôs-se a escutar junto da fresta. O coração pulsava-lhe com força e as frontes latejavam-lhe. Quase nem dava conta do que fazia.

Capítulo VIII

— Então, gostou de estar em casa com Natália Dimítrievna? — perguntou-lhe *Maria Alieksándrovna que*, com uns olhos cheios de curiosidade, passava revista ao campo de batalha iminente e queria começar a conversa por um tema o mais inocente possível.

Depois do jantar conduziram o príncipe ao mesmo salão em que nessa manhã o recebera a dona da casa. Todas as recepções solenes se realizavam em casa de Maria Alieksándrovna, nesse *salon,* do qual se mostrava muito orgulhosa. Com seis taças de champanhe no bucho, o canhamaço do príncipe mal podia ter-se de pé. Mas em compensação falava sem descanso. Maria Alieksándrovna compreendeu que aquela vivacidade não podia durar muito e que o velho não tardaria a adormecer. Era preciso agarrar a ocasião pelos cabelos. Verificava com alegria como o lúbrico velhote não tirava os olhos de Zina, e o seu coração de mãe palpitava, alvoroçado.

— Muito... bem! É muito... bonita! — respondeu o príncipe — É uma mulher única, essa Natália Dimítrievna, uma mulher incompa...rá...vel!

Para Maria Alieksándrovna, preocupada agora com os seus grandes planos, esse elogio feito à sua inimiga foi como uma punhalada em pleno coração.

— Que está dizendo, príncipe! — e os seus olhos fuzilavam. — Nem sei o que lhe diga dessa sua opinião a respeito de Natália Dimítrievna ser uma mulher incomparável! O senhor diz isso porque não conhece a sociedade daqui! Isso não é senão uma exibição das próprias virtudes, dos próprios sentimentos nobres, uma comédia, uma opereta com dourados e purpurina. Penetre nos bastidores desse palco e encontrará um inferno, um autêntico ninho de víboras, no qual seria devorado até os ossos.

— Que me diz? Será possível? — exclamou o príncipe surpreendido. — Estou espan...tado!

— Juro-lhe que é verdade. Ah, *mon prince!* Olha, Zina, vou contar ao príncipe o caso tão ridículo e vergonhoso que se deu com essa Natália a semana passada, lembras-te? Sim, príncipe, é essa mesma Natália Dimítrievna com quem o senhor se mostra tão encantado. Oh, querido príncipe, juro-lhe que não gosto de intrigas! Mas não tenho outro remédio senão deixá-lo a par do que nos aconteceu com ela, ainda que apenas para distraí-lo e para que possa ver, como através de um vidro cristalino, que espécie de gente é a que vive nesta terra. Já vai ver. Haverá umas duas semanas que a tal Natália Dimítrievna veio visitar-me. Oferecemos-lhe café, mas, já não me lembro por que motivo tive de sair do salão por um momento. Recordo-me muito bem de que o açucareiro estava completamente cheio de torrões de açúcar. Pois bem: quando voltei, vim encontrá-lo apenas com três torrõezinhos no fundo, quase vazio. Desde já lhe digo que no salão não havia mais ninguém senão ela. Que tal lhe parece isto? E olhe que é uma rica proprietária. É claro que isto que acabo de lhe contar é apenas uma coisa ridícula e não tem a menor importância; mas por isto já o senhor pode ver o que é a gente fina desta terra.

— Mas, será possí...ivel? — o príncipe estava sinceramente assombrado — Que avareza monstruosa! Então ficou com todos os torrões?

— É para que veja como ela é de fato uma mulher in...compa...rável. que tal lhe parece este lamentável episódio? Penso que teria morrido de repente se algum dia me viesse à cabeça uma ideia tão vergonhosa.

— Claro... Claro... Mas, apesar de tudo, sabe o que lhe digo? É que ela é uma *belle femme!*

— Quem? Natália Dimítrievna? Mas, por amor de Deus, príncipe: se ela é muito simplesmente um estafermo! Ah, *mon prince, mon prince!* Como pode dizer uma coisa dessas? Pensava que tinha melhor gosto!

— Bom, pode ser que seja um esta...fer...mo. Mas, apesar de tudo, é elegante... E aquela moça que dançava, também era muito bem feita...

— Refere-se à Sônia? Mas ela ainda é uma criança, príncipe! Não deves ter mais do que uns catorze nos!

— Ah, sim?! Pois olhe, é tão engraçada e está tão encorpada... É uma criaturinha muito graciosa! E a outra que dançava com ela... também é muito jei...tosa...

— Ah! Essa é uma órfã, príncipe. Costuma mandá-la vir muitas vezes para casa dela.

— Então é órfã? De fato... não estava muito asseada; se ao menos tivesse lavado as mãos... Mas, apesar de tudo, é como lhe digo, era muitíssimo graciosa!

Enquanto falava, o príncipe ia olhando para Zina cada vez com mais atenção, e cada vez mais deslumbrado, através dos óculos.

— *Mais quelle charmante personne!* — murmurou em voz baixa, estalando quase a língua de gozo.

— Zina, por que não tocas qualquer coisa no piano? Ou então canta-nos alguma canção. Se soubesse como ela canta bem, príncipe! Pode afirmar-se que é uma artista, uma artista consumada! E se o príncipe soubesse — continuou Maria Aliek-sándrovna a meia voz, enquanto Zina se dirigia para o piano com um andar tão sereno e leve que acabou por conquistar o príncipe. — Se soubesse como ela é tão boa filha! Como gosta de mim, que dócil é para a sua mãe! Tem uns sentimentos, um coração...

— Ah, sim! Sentimentos! Olhe, vou-lhes dizer a verdade... Conheci apenas uma mulher na minha vida com a qual poderia compará-la — interrompeu-a o príncipe, literalmente babado. — Foi a Condessa Nainzki, que Deus tenha em sua glória, pois morreu haverá uns trinta anos. Era uma mulher maravi...lhosa, de uma formosura indescri...tí...vel, que acabou por casar com o cozinheiro...

— Com o cozinheiro, príncipe?

— Sim, com o cozinheiro... um fran...cês, no estrangeiro... Comprou-lhe aí um título de con...de! Ele tinha um ti...po interes...sante, era muito cul...to e tinha um bigodi...nho...

— Mas como... como é que eles se davam, príncipe?

— Ah, muito bem! Mas não tardaram a separar-se. Ele lhe gastou o dinheiro todo e depois deixou-a. Brigaram precisamente por causa de um mo...lho...

— Mamãe, que queres que toque? — perguntou Zina.

— Ah, é melhor cantares qualquer coisa, Zínotchka! Vai ver como canta, príncipe! Gosta de música?

— Oh, sim... *charmant, charmant!* Sou doido por música. Conheci Beet...ho...ven no estrangeiro!

— Beethoven? Ouve, Zina, o príncipe foi amigo de Beethoven! — repetiu Maria Alieksándrovna entusiasmada.

— Ah, príncipe! Mas a sério que foi amigo de Beethoven?

— De verdade... Gostávamos muito um do outro... Ele estava sempre com o nariz metido na caixa de rapé. Era um tipo cômico!

— Quem, Beethoven?

— Sim, Beethoven! Embora possa acontecer que não seja a ele que eu me refiro mas a algum outro alemão...zeco! Porque ali há muitos alemães... Sim, pode ser que eu esteja fazendo con...fu...são...

— Bem, mas que hei de eu cantar, mamãe? — perguntou Zina.

— Ah, Zina! Canta essa *romanza* que tu sabes, essa que tem um ar tão cavalheiresco e medieval! Ah, príncipe! O entusiasmo que sinto por tudo quanto é cavalheiresco! Aqueles burgos, aqueles castelos! Toda essa vida da Idade Média! Esses trovadores, esses arautos, esses torneios... Eu te acompanho, Zina! Sente-se aqui, príncipe, aproxime-se mais um bocadinho! Ah, esses castelos!

— Ah, sim, a mim também me entusiasmam esses castelos! — murmurou o príncipe encantado, enquanto cravava o seu único olho no rosto da jovem. — Mas, *mon Dieu*, essa *romanza*! Eu conheço essa *ro...man...za*! Ouvi-a já há muito tempo... Faz-me lembrar tantas coisas! Ah, *mon Dieu*!

Não tentarei descrever o que o príncipe sentiu quando Zina começou a cantar. A moça cantou uma antiga balada francesa que então estivera na moda. Zina tinha uma voz magnífica. O seu timbre de contralto, puro e sonoro, penetrava o coração de quem o ouvia. O seu rosto maravilhoso, com aqueles olhos magníficos, os finos e suaves dedos com que mudava as folhas da partitura, os cabelos negros e brilhantes, apanhados numa grossa poupa; o colo firme que se levantava e baixava alternadamente; toda a sua figura, de pé, diante dele, cheia de altivez, de beleza e nobreza... Tudo acabou por dar definitivamente volta ao miolo do pobre velhote. Comia-a com os olhos, arquejava comoção. O seu velho coração, aquecido pela champanhe, a música e essas recordações que todos temos, palpitava cada vez mais depressa e com mais força... como há muito não lhe palpitava. De boa vontade se teria lançado aos pés de Zina e desatado a chorar quando terminou o seu canto.

— Oh, *ma charmante enfant!* — exclamou beijando-lhe a mão. — *Vous me ravissez!*[5] Agora, só agora é que eu percebo... Mas... mas... oh, *ma charmante enfant!*

E quase lhe faltava a voz.

Maria Alieksándrovna sentia que o momento tinha chegado.

— Mas, por que se enterra o senhor ainda em vida, príncipe? — disse-lhe solenemente. — Com tanto sentimento, com tanta energia vital e com tanta riqueza de alma, por que se sepulta o senhor em vida e passa os dias na solidão? Como pode viver assim, afastado das pessoas, dos amigos? Isso é imperdoável! Volte a si, príncipe! Abra os olhos para a vida! Acorde no coração as recordações do passado, pense na sua dourada juventude, nos alegres e despreocupados dias da sua mocidade! Sacuda essa modorra, ressuscite! Volte de novo a viver em sociedade, entre os homens! Viaje pelo estrangeiro, percorra a Itália, a Espanha! Sobretudo a Espanha, príncipe! Precisa de alguém que o guie, um coração que o ame, que compartilhe os seus sentimentos, que olhe pelo senhor? Para que servem os amigos? O senhor tem-nos e bastaria fazer-lhes um sinal para acudirem em tropel. Eu seria a primeira a deixar tudo e a acorrer imediatamente à sua chamada! Não esqueci a nossa amizade, príncipe. Era capaz de deixar o meu marido para o seguir... e, se fosse mais nova, se reunisse a beleza e a bondade da minha filha, então me ofereceria voluntariamente para ser sua companheira de viagem, sua amiga e até sua esposa, se o senhor assim o desejasse.

— Tenho a certeza de que a senhora, no seu tempo, foi também uma *charmante personne* — disse o príncipe e assoou-se. Tinha olhos úmidos.

---

5 Encanta-me!

— Nós revivemos nos nossos filhos, príncipe! — acrescentou Maria Alieksándrovna numa entoação grave. — Eu tenho a meu lado também um anjo da guarda! É a minha filha... a amiga do meu coração, com a qual partilho todos os meus pensamentos, príncipe. A minha filha tem repudiado todos os seus pretendentes apenas para não sair do meu lado!

— Então ela também viria com a senhora, se me acompanhasse ao es...tran... gei...ro? Nesse caso farei sem fal...ta uma viagem ao es...tran...gei...ro. Sim, sem falta! E se pudesse prometer-me... Mas é uma criatura encantadora, de...li...cio...sa! Oh, *ma charmante enfant* — e o príncipe tornou a beijar-lhe a mão. A pobre criatura queria até deitar-se a seus pés.

— Mas, príncipe, o senhor disse que se pudesse ter a esperança — exclamou Maria Alieksándrovna, que sabia aproveitar as ocasiões. — O senhor sempre tem coisas, príncipe! Mas será possível que não se julgue ainda digno da estima de uma mulher? Não é a juventude que faz a beleza. Não se esqueça que é, por assim dizer, uma relíquia da aristocracia! É o representante dos mais delicados e cavalheirescos sentimentos e... maneiras! Não se apaixonou Maria pelo velho Mazepa?[6] Sei também, por ter lido, que Lauzun, esse encantador marquesinho da corte de Luís... já não me lembro de qual Luís... quando já velho, o que se pode dizer mesmo velho, fez andar à roda a cabeça duma das mais famosas beldades da corte... E quem é que lhe disse que o senhor é velho? Quem lhe meteu isso na cabeça? Mas, por acaso, homens como o senhor podem envelhecer alguma vez? Velho, o senhor, com toda essa riqueza de sentimentos, de ideias, de bom humor, de espírito, de energia vital e maneiras elegantes! Bastava que se apresentasse em qualquer parte do estrangeiro, numas termas, se assim o desejasse, em companhia de uma moça, de uma linda mulher, como por exemplo, a minha Zina — pode não ser ela, apresento-a apenas como exemplo — e ia ver a sensação que fazia! O senhor é um membro da aristocracia e ela uma beldade entre as beldades! Leva-a aos salões de braço dado, solenemente. Aí, ela canta entre a mais brilhante sociedade, e o senhor, por seu lado, dedica-se a fazer observações espirituosas, para se distrair... E vai ver como todos então se juntarão para ver um par tão interessante! Toda a Europa se ocupará do senhor, virão notícias sobre vós nos jornais, que encherão colunas e colunas! Oh, *mon prince!* E ainda diz: "Se pudesse ter a esperança"...

— Co...lunas? Ah, sim! Nos jornais — murmurou o príncipe que não tinha compreendido metade daquela arenga e estava cada vez mais agitado. — Minha filha, se não está can...sa...da, pode repetir a *ro man...za* que acaba de can...tar?

— Mas, príncipe! Ela sabe outras *romanzas* ainda mais bonitas... Lembra-se daquela cançoneta, *L'Hirondelle?* Com certeza a deve ter ouvido!

— Claro que me lembro... ou, para melhor dizer, esqueci-me... Não, não, que torne a can...tar a mesma *roman...za* de há pouco! Nada de *L'Hirondelle!* A mesma, a mes...ma de há pou...co! — insistiu o príncipe como uma criança caprichosa.

Zina voltou a cantar a *romanza*. E quando acabou, o pobre príncipe não pode conter-se e deitou-se de joelhos a seus pés. Até chorava, o desgraçado.

— Oh, *ma belle châtelaine!*[7] — e a voz tremia-lhe de velhice e comoção. — Oh, *ma belle châtelaine!* Oh, pequenina! Quantas coisas me recordas com essa *roman...*

---

6   Ivan Mazepa (1639-1709). Hetmane (chefe) dos cossacos da Ucrânia. Aliado de Carlos XII contra Pedro, o Grande, envenenou-se depois da batalha de Poltava.

7   Minha bela castelã!

za! Quantas coisas de outros tempos! Sempre acreditei que dantes tudo seria melhor do que depois... Eu cantava a duo... com a viscondessa... esta mesma *romanza*... mas agora, já não sei...

Tudo isto disse o príncipe como sufocado e fazendo pausas. A língua entaramelava-se. Algumas das suas palavras mal se percebiam. Mas via-se claramente que estava profundamente comovido... e Maria Alieksándrovna, reparando nisso, apressou-se a deitar ainda mais lenha no fogo.

— *Mon prince!* Será que se apaixonou pela minha Zina? — exclamou. Compreendia que o instante era decisivo.

A resposta do príncipe correspondeu às suas esperanças mais audaciosas.

— Sim, apaixonado até ao delírio! — exclamou o velho animando-se repentinamente e continuando de joelhos diante da jovem, tremendo de pura comoção. — Era capaz de dar a vida por ela! Se eu pudesse esperar... Mas levan...te-me que estou um pouco fra...co. Eu... se quisesse... poderia atrever-me a ofere...cer-lhe o meu cora... ção... passaria... passaria toda a vida a cantar-me *ro...manzas* e eu não me cansaria de o...lhá-la!

— Ah, *mon prince, mon prince!* Isso é pedir-me a sua mão! O senhor quer roubar-me a minha Zina, o meu anjo, a minha filha querida! Então terá que arrancá-la dos meus braços, porque... por sua livre vontade não te larga a tua mãe, Zina!

Maria Alieksándrovna correu em direção à filha e abraçou-a, apesar de calcular que Zina podia repeli-la com violência, pois a sua atitude era exagerada. Zina sofria em todas as fibras da sua alma e aquela comédia ia lhe ficando insuportável. Mas calava-se e isto era tudo quanto a mãe necessitava para conseguir seus projetos.

— A nove pretendentes já ela deu o não, e tudo para não se separar da sua mãezinha! — continuou Maria Alieksándrovna. — Mas desta vez o coração adivinha-me que vou perdê-la! Eu já tinha percebido como o príncipe olhava para a minha Zina! O senhor venceu-a com a sua aristocracia, príncipe, com a sua distinção invulgar! Oh, o coração diz-me que o senhor nos veio separar!

— A...do...ro-a! — exclamou o príncipe que tremia de maneira estranha.

— Serás capaz de deixar a tua mãe? — exclamou Maria Alieksándrovna e voltou a atirar-se ao pescoço de sua filha.

Zina apressou-se a acabar com aquele transe tão custoso. Estendeu ao príncipe, em silêncio, a sua admirável mão, e fez até um esforço para sorrir. O príncipe apoderou-se com um ímpeto selvagem daquela mãozinha e cobriu-a de beijos ardentes.

— Agora começo a viver! — exclamou arrebatado de entusiasmo.

— Zina! — exclamou solenemente Maria Alieksándrovna. — Põe os olhos neste cavalheiro! É o homem mais respeitável e nobre de todos que conheço! É um cavaleiro da Idade Média! Mas para que dizer-lhe isto, se ela já o sabe, se ela o sabe por desdita minha... Oh, por que teria o senhor entrado nesta casa! Mas... enfim... que se há de fazer? Deponho nas suas mãos o meu tesouro precioso, o meu anjo de guarda! Proteja-a, príncipe! É uma mãe que lhe pede, e que mãe não compreenderia a minha dor?

— Basta, mamãe! — admoestou-a Zina.

— Vai colocá-la a salvo de todas as ofensas, príncipe! A sua espada saberá castigar o insolente que ousasse ofender a minha filha!

— Não continues, mamãe, ou...

— Sim, hei de castigá-lo — murmurou o príncipe. — Oh, é agora que eu vou começar a viver! Desejo que a boda se celebre i...me...dia...mente... dentro de um momento! Vou... mandar já alguém a Dunákovo buscar uns brilhantes... para pô-los a seus pés!

— Que paixão! Que amor! Que nobreza de sentimentos! — exclamou Maria Alieksándrovna. — E teve o senhor coragem, príncipe, de sepultar-se naquele lugarejo e afastar-se de todos! Não me cansarei de censurá-lo, príncipe! Até parece que endoideço quando penso nessa coisa diabólica...

— Mas que havia eu de fa...zer, se ti...nha tanto medo? — balbuciou o príncipe quase a chorar e com uma voz tremente. — Se me queriam encerrar num mani...cô... mio! Foi por isso que eu me meti a...li!

— Num manicômio? Oh, que crueldade! Sempre há gente muito má neste mundo! Que patifes! Sim, ouvi qualquer coisa sobre isso, *mon prince!* Mas quem estava doido eram eles! E afinal por que?

— A causa, até eu próprio a desconheço! — acrescentou o velho, que se sentou, esgotado. — Eu... sabe... estive num baile... e contei ali uma a...ne...dota...zinha que, segundo parece... não lhes agradou! E foi esse o pretexto de que eles se serviram!

— Só por isso, príncipe?

— Não. É que eu também joguei car...tas com o príncipe Piotr Die...mié...tich e tinha ficado sem um seis. Eu tinha dois re...is e três damas, ou, melhor, três damas e dois re...is... Não, um rei... E depois é que vinham as da...mas!

— E isso que tem? Oh, que Humanidade tão infame! Mas o senhor está chorando, príncipe! Deixe essas lágrimas que agora já nada tem a temer! Eu estarei ao seu lado, príncipe! Eu não me separarei de Zina e veremos se essa gentinha se atreve a dizer uma palavra! O seu casamento, príncipe, ainda mais que surpreendê-la vai aborrecê-la! Não terão outro remédio senão reconhecer que o senhor ainda é capaz... Isto é, não terão outro remédio senão pensar que uma beleza como está ninguém a vai por nas mãos dum louco. Agora já o senhor pode levantar a cabeça, bem alto, e olhar de frente esses desavergonhados...

— Isso, isso, hei de olhá-los na cara — e seus olhos iam se fechando.

"Quem sabe lá se o pobre já está atordoado e eu estou aqui a perder tempo com todo este palavreado!", pensou Maria Alieksándrovna.

— Príncipe, o senhor está excitado, bem vejo. Devia descansar um pouco — disse-lhe ela com uma voz persuasiva, enquanto se inclinava sobre ele maternalmente.

— Sim, sim, de boa vontade me deitaria — disse o príncipe.

— De fato! Descanse um pouquinho! Espere, eu própria vou ensinar-lhe o caminho... Se for preciso, vou levá-lo até a cama... Mas por que olha tão fixamente para esse retrato, príncipe? É o da minha mãe! Um anjo, é que ela era, e não uma mulher! Oh, por que não estará ela ainda entre nós? Era uma santa, coitadinha!

— Uma san...ta? *C'est joli...* Eu também tive mãe... *Une princesse...* Olhe, era uma mulher ex...traor...di..nária... Mas não era isso o que eu queria dizer-lhe... Estou um pouco can...sa...do! *Adieu ma charmante enfant!* Terei muito gosto... Hoje... Amanhã... Bem, tanto faz. *Au revoir, au revoir!* — quis fazer um gesto de despedida mas escorregou e por pouco que não se estatelava.

— Cuidado, príncipe! Segure-se ao meu braço! — indicou-lhe Maria Alieksándrovna.

— *Charmant! Charmant!* — murmurou o príncipe ao sair. — Agora é que eu começo a viver!

Zina ficou só. Parecia-lhe que tinha um peso enorme sobre os ombros. Sentia náuseas. Desprezava-se a si própria. As faces escaldavam-lhe. Com as mãos convulsivamente enclavinhadas... e os dentes cerrados, continuou ali, cabisbaixa e imóvel. Lágrimas de vergonha corriam dos seus olhos... Nesse momento a porta abriu-se violentamente e Mosliakov entrou na sala.

Capítulo IX

Tinha ouvido tudo!

Pálido de cólera e de comoção, irrompeu no salão, porque, aquilo não se podia chamar entrar. Zina olhou para ele assombrada.

— Agora já sei quem é a senhora! — exclamou ele sufocado. — Agora, finalmente, já a conheço!

— Quem eu sou? — repetiu Zina, que olhava para ele como para um louco, sem compreender as suas palavras... Mas de repente compreendeu-as e os seus olhos relampejaram de cólera.

— Como se atreve a falar dessa maneira? — e dirigiu-se para ele.

— Ouvi tudo! — repetiu Mosliakov com solenidade mas recuando sem querer diante das moça.

— Que quer dizer com isso? Então esteve escutando à porta?

— Sim, estive escutando! Decidi-me a essa ação baixa; mas assim pude ficar sabendo que... Nem sei como hei de explicar-me... Não sei como dizer-lhe... o conceito que agora me merece — respondeu ele perdendo por momentos a coragem e a firmeza do olhar.

— E mesmo que tenha ouvido tudo? De que pode o senhor acusar-me? E, sobretudo, que direito tem de me fazer censuras? Que direito tem de empregar para comigo uma linguagem tão baixa?

— Eu? Que direito tenho? É a senhora quem pergunta? Vai casar-se com o príncipe e acha que não tenho direito? Tenho aquele que me concedeu ao dar-me o sim... Simplesmente!

— Eu? Quando?

— Sabe muito bem quando foi!

— Ainda esta manhã tive a franqueza de dizer-lhe com toda a clareza, dada a sua insistência, que não podia prometer-lhe nada de concreto.

— Mas... seja como for... A senhora não me disse que... Também não me repeliu definitivamente! Reservava-me para as faltas! Estava a lisonjear-me!

No pálido rosto de Zina refletiu-se um sentimento de mágoa, como provocado por uma dor aguda, lancinante; mas dominou-se.

— Se eu não o despedi completamente — respondeu devagar e claramente, embora deixasse transparecer na sua voz um leve tremor — foi apenas por compaixão. O senhor mesmo me pedira que não o desenganasse já, que adiasse um pouco a resposta, que o tratasse com mais benevolência e "depois — disse o senhor — quando estiver convencida de que sou um homem honrado, pode ser que já não me repudie!". Foram estas as próprias palavras que o senhor me disse quando principiou a cortejar-me. Não pode negar. E agora atreve-se a dizer que eu estive a lisonjeá-lo... Mas deve ter reparado no meu aborrecimento quando o vi aparecer duas semanas antes do combinado, e há de reconhecer que eu não procurei ocultar-lhe esse desgosto, e que, pelo contrário, manifestei-o claramente. Com certeza reparou nisso, pois me perguntou se eu estava aborrecida com o senhor por ter antecipado a sua chegada. Pense que, com certeza, ninguém deseja lisonjear outra pessoa quando não esconde o seu aborrecimento perante o interessado. O senhor teve o atrevimento de me dizer que eu o tinha de reserva para as faltas. A isso respondo-lhe eu dizendo-lhe pouco mais ou menos o que pensava sobre o senhor: "Embora não seja um homem muito inteligente, contudo pode ser bom e, portanto, talvez possa casar com ele". Mas agora que, felizmente, pude convencer-me a tempo de que o senhor não só é um estouvado, mas também um estouvado mal intencionado, não posso fazer outra coisa senão despedir-me do senhor, desejando-lhe que passe muito bem. Vá com Deus!

Zina voltou-lhe as costas e saiu lentamente do salão.

Mosliakov compreendeu que desta vez perdera tudo e ficou fora de si.

— Ah, então sou um estouvado! — exclamou. — Então sou um estouvado! Está bem! Fique com Deus! Mas antes de me ir embora hei de pôr a gente desta terra a par de tudo e contarei a todos como a sua mãe soube enganar o príncipe, embebedando-o primeiro. Hei de contar tudo a toda gente! Há de ficar sabendo quem é Mosliakov!

Zina estremeceu e ia deter-se para responder-lhe como merecia, mas reconsiderou a tempo, limitando-se a encolher os ombros e fechar a porta atrás de si.

Quase ao mesmo tempo apareceu à porta Maria Alieksándrovna. Tinha ouvido a última exclamação de Mosliakov, adivinhou num instante tudo quanto acontecera e ficou assustada. Mosliakov ainda não saíra, estava ainda a dois passos do príncipe. Mosliakov podia divulgar a notícia pela terra, mas, para bom êxito dos seus planos, o seu segredo tornava-se indispensável, mesmo que fosse por pouco tempo! Maria Alieksándrovna deitou as suas contas. Bastou-lhe refletir durante um segundo sobre a situação para descobrir a maneira de amansar Mosliakov.

— Mas, que lhe aconteceu, *mon ami?* — perguntou-lhe aproximando-se dele e estendendo-lhe afetuosamente a mão.

— Como? Como se atreve a dizer *mon ami?* — exclamou Mosliakov furioso. — Chamar-me *mon ami* depois da partida que me pregou! Proíbo-lhe isso terminantemente, minha senhora! Julga que vai enganar-me outra vez?

— Sinto muito, muitíssimo, encontrá-lo nessa disposição de espírito, Páviel Alieksándrovitch. Que tom é esse, criatura? O senhor não se incomoda muito em escolher as expressões que devem empregar-se quando se fala com uma senhora!

— Com uma senhora... Será tudo o que quiser... menos uma senhora! — tornou a exclamar Mosliakov encolerizado.

Não sabemos o que ele queria dizer com isso. Mas era, sem dúvida, qualquer coisa de aniquilador.

Maria Alieksándrovna olhou para ele com olhos piedosos.

— Sente-se! — disse-lhe depois com uma voz triste, e indicou-lhe a mesma cadeira pouco antes ocupada pelo príncipe.

— Ouça, Maria Alieksándrovna, fique sabendo que essa já não pega! — Mosliakov estava completamente fora de si. — Olha para mim como se em vez de ser a senhora a culpada, fosse eu! Mas repito-lhe que isso não pega! Que emprego com a senhora umas maneiras... Mas não vê que tudo isso acaba com a paciência duma pessoa? Não acha?

— Meu amigo — respondeu-lhe Maria Alieksándrovna — permita-me que continue a chamar-lhe assim, pois não tem melhor amizade do que a minha. O senhor sofre... e por isso não me surpreende que fale nesse tom! Estou decidida a dizer-lhe tudo, a abrir-lhe o meu coração de par em par, tanto mais que, para lhe dizer a verdade, me sinto um pouco culpada diante do senhor! Por isso lhe digo que se sente e conversemos.

Maria Alieksándrovna falava com uma voz dolente, suave, e todo o seu rosto deixava transparecer dor. Mosliakov sentou-se em frente dela.

— Estava junto da porta? — prosseguiu no mesmo tom suave e dirigiu-lhe um olhar carregado de censuras.

— Sim, estive escutando! E ainda bem! Se não o fizesse ainda agora estaria iludido! Assim, ao menos, pude ficar sabendo tudo quanto tramava contra mim — respondeu sem pejo. A sua própria cólera o irritava e incitava cada vez mais.

— E o senhor, tão correto, foi capaz de decidir-se a cometer uma ação dessas! Valha-nos Deus!

Mosliakov teve um sobressalto.

— Mas, Maria Alieksándrovna! Isto é inaudito! Faça o favor de reparar naquilo a que a senhora, tão correta e com tantos princípios, teve a coragem de se decidir, antes de condenar os outros!

— Permita-me ainda uma perguntas — interrompeu-o ela sem reparar na sua veemência. — Quem o induziu a espiar-nos, quem lhe ensinou a maneira de o fazer, quem dentro desta casa espia os nossos passos? É isto a primeira coisa que devo saber!

— Desculpe-me... mas não posso lhe dizer.

— Não faz mal. Eu me encarreguei de descobrir. Já lhe disse. *cher Paul*, que de certo modo me sinto culpável perante o senhor. Se apreciar bem as coisas, há de reconhecer que a minha culpa, se é que realmente se me pode imputar alguma, reduz-se unicamente a ter desejado o seu bem.

— O meu bem? Oh, basta, basta. Afirmo-lhe, minha senhora, que agora já não me engana! Não sou nenhuma criança!

E deu meia volta na cadeira, com tal violência que ela rangeu em todas as suas junturas.

— Peço-lhe, meu amigo, que faça o possível por acalmar-se. Escute-me com atenção e verá como vai ficar de acordo comigo! Começo por dizer-lhe que era minha intenção contar-lhe tudo... Pensava pô-lo a par do caso, até aos mais íntimos pormenores, e teria assim ficado sabendo tudo sem necessidade de rebaixar-se a espiar atrás das portas. E se nada lhe disse antes, foi apenas porque tudo estava ainda muito no ar e podia falhar de um momento para o outro. Já vê que não posso ser mais franca para com o senhor. Além disso, não tem nada que deitar culpas sobre a minha filha. Zina ama-o até à loucura e deu-me muito trabalho tirar-lhe isso da cabeça e fazer com que acedesse a casar com o príncipe.

— Ainda há um momento tive oportunidade de receber a prova clara da verdade desse amor que toca as raias da loucura! — observou Mosliakov com ironia.

— Sim. Mas como é que falou com ela? Como um verdadeiro enamorado? E finalmente... Que homem bem educado é que se exprime nesse tom? O senhor ofendeu-a e enervou-a.

— Deixe-se disso, Maria Alieksándrovna! Ainda esta manhã, depois de se ter mostrado tão amável comigo quando cheguei com o príncipe, já a senhora me caluniou! Pôs-se a falar de mim pintando-me com as mais feias cores! Sei tudo, tudo!

— E provavelmente através da mesma suja origem, não? — perguntou Maria Alieksándrovna com um sorriso depreciativo. — Sim, Páviel Alieksándrovitch, é verdade; pus-me a falar mal do senhor, a dizer horrores, e confesso-lhe que muito me custou. Mas não servirá isso para demonstrar precisamente como era difícil conseguir que Zina concordasse em renunciar ao senhor? Será possível que não compreenda? Se Zina não gostasse do senhor, que necessidade tinha eu de depreciar o seu caráter, de torná-lo até ridículo, de recorrer a esses meios extremos? Mas o senhor ainda não sabe tudo. Eu tive que apelar para a minha autoridade de mãe para arrancar do seu coração e só depois de esforços inauditos pude conseguir que ela acedesse às minhas súplicas, e isto só na aparência. Se esteve escutando à porta deve ter visto como ela não me apoiou nem com uma palavra nem com um olhar nos meus esforços para ser agradável ao príncipe. Mal abriu a boca durante todo esse tempo. E cantou como um autômato. Tinha a alma cheia de dor. E foi por isso, por compaixão por ela, que me apressei a por termo à cena, levando o príncipe comigo. Tenho a certeza de que ficou chorando, quando se viu só. O senhor, quando entrou, deve ter visto as suas lágrimas...

Mosliakov lembrou-se então de que na verdade, quando entrou no salão, vira lágrimas nos olhos de Zina.

— Mas... qual a razão por que procedeu desse modo para comigo? Para que era preciso falar mal de mim, caluniar-me... conforme acaba de dizer?

— Ah, isso é outro assunto! Escute: se o senhor, desde o princípio, tivesse procedido com discrição e me tivesse feito essa pergunta, ter-lhe-ia dito logo... Sim, o senhor tem razão! Fiz tudo isso unicamente em atenção ao senhor! Não pense em meter Zina em tudo isto. Pergunta por que é que eu fiz isto? Pois vou responder-lhe francamente: em primeiro lugar, por Zina. O príncipe é rico, de nobre linhagem, tem relações influentes, é o que se chama um bom partido. E finalmente, se deixa Zina viúva cedo, segundo todas as probabilidades... visto que todos temos de morrer mais cedo ou mais tarde... a minha filha vai estar nova, livre, princesa, relacionada com a sociedade mais distinta e imensamente rica. Então, se ela assim o desejar, poderá voltar a casar e será um partido brilhantíssimo... Mas é evidente que ela apenas fará um segundo casamento com aquele a quem já antes amava e cujo coração teve de dilacerar ao casar-se com o príncipe. E então, a piedade poderá obrigá-la a reparar o agravo que anteriormente fizera àquele que amava...

— Hum! — resmungou Mosliakov que olhava para o pés, pensativo.

— Em segundo lugar... e isto lhe faço notar apenas de passagem — prosseguiu Maria Alieksándrovna — pois pode dar-se o caso de que não me tenha compreendido bem. O senhor lê Shakespeare e daí tira todos os seus elevados sentimentos; mas, na prática, na realidade, meu amigo, por muito talento que o senhor tenha, é ainda muito novo... ao passo que eu sou mãe, Páviel Alieksándrovitch! Por isso ouça-me: por agora dou ao príncipe a mão de minha filha, e em parte é em atenção a ele, pois quero salvá-lo por meio desse casamento. A minha amizade por esse nobre velho, tão bom e cavalheiresco, não é de agora. Fomos amigos noutros tempos. Ele é muito infeliz nas garras dessa mulher. Acabará por atirar com ele para a sepultura! Deus é testemunha de que eu apenas pude levar Zina a aceitar esse casamento, fazendo-lhe ver a grandeza desse ato de abnegação. E ela deixou-se conduzir pela sua nobreza de alma, pelo seu entusiasmo por tudo quanto seja vencer-se a si mesma. Tem uma alma de heroína romântica. Fiz-lhe ver que é um dever de boa cristã ser o apoio, o consolo, a amiga, a alegria, o ídolo dum homem que talvez conte apenas um ano de vida. Desse modo não ficará em poder dessa desavergonhada, nos últimos dias da sua existência não o rodearão o medo e a solidão, mas, pelo contrário, a serenidade, a amizade e o amor. Os derradeiros dias da sua vida vão lhe parecer um paraíso. É capaz de dizer-me o que há de egoísmo em tudo isso? Diga antes que se trata da abnegação de uma irmã de caridade e não de egoísmo!

— Então... Fez tudo isso apenas para o bem do príncipe, por amor do próximo e não por egoísmo? — murmurou Mosliakov com ironia.

— Também é compreensível essa sua pergunta, Páviel Alieksándrovitch! Não pode ser mais clara. O senhor pensa que eu uni jesuiticamente a conveniência do príncipe com a minha própria conveniência. Que lhe hei de dizer? Pode ser que eu também tenha feito os meus cálculos, não jesuiticamente, mas... sem querer. Bem sei que há de admirar-se de uma confissão tão franca, mas apenas lhe peço uma coisa, Páviel Alieksándrovitch! É que acredite que Zina não teve absolutamente nada a ver com tudo isto! A minha filha é inocente, inocente como um anjo; ela não percebe nada de cabalas... apenas deve amar, a pobrezinha! Se alguém andou aqui com cálculos e combinações, fui eu e só eu. Mas consulte a sua consciência com toda a seriedade e diga-me: quem em meu lugar não teria feito o mesmo? Nós atendemos sempre à nossa conveniência, mesmo nos atos mais desinteressados, e fazemo-lo quase inconscientemente, sem darmos por isso! Claro que todos se costumam enganar, atribuindo-os à sua nobreza de alma; mas no meu caso pessoal, não me engano; confesso-lhe sinceramente que, apesar de toda a sublimidade do meu afeto... procedi interesseiramente! Mas o senhor perguntou-me se eu tive presente a minha conveniência. Eu já não preciso de nada, Páviel Alieksándrovitch. Já estou no fim da vida! Pensei apenas no meu anjo, na minha filha! E que mãe seria capaz de me censurar?

Brilhavam lágrimas nos olhos de Maria Alieksándrovna. Mosliakov escutava, estupefato, toda aquela descarada confissão e, como tudo aquilo se lhe afigurava absolutamente incompreensível, não fazia senão pestanejar.

— Bom, sim... Que mãe? — balbuciou por fim. — A senhora sabe falar lindamente, Maria Alieksándrovna... Mas... o que é certo é que a senhora me tinha dado a sua palavra... A senhora fez-me alimentar certas ilusões! Que efeito pensa a senhora que a sua conduta pode ter produzido em mim? Medite sobre isso! Não posso ir-me embora, assim...

— Mas julga que, ao proceder assim, também não me lembrei do senhor, *mon cher Paul?* Ora ouça, criatura: em todas maquinações eu tinha sempre presente o seu próprio interesse, foi precisamente por causa do seu interesse que eu me lancei nesta aventura!

— Por causa do meu interesse! — exclamou Mosliakov atônito. — Como vem a ser isso?

— Meu Deus! Será possível que seja tão pouco perspicaz? — exclamou Maria

Alieksándrovna num repto de eloquência. — Oh, esta mocidade, esta mocidade! Por aqui já pode ver o que se ganha em ler Shakespeare, em sonhar e crer que se vive realmente... quando afinal não faz senão pensar por outra cabeça e guiar-se por ideias alheias! Pergunta-me o senhor, meu bom Páviel Alieksándrovitch, que interesse era esse que eu tomei pelo senhor. Dê-me licença que lhe explique: é que Zina o ama... Disto é que não há dúvida! Bom. Mas eu tinha notado que, apesar do seu amor evidente, a moça sentia qualquer desconfiança a seu respeito, sim... uma desconfiança dos seus sentimentos, do seu amor. Já tinha reparado que ela se esforçava muitas vezes por mostrar-se fria com o senhor... O que era consequência das suas reflexões e dos seus receios. Não reparou nisso também, Páviel Alieksándrovitch?

— Sim... E chocava-me, naturalmente... Ainda hoje... Mas onde é que quer chegar com o seu discurso, Maria Alieksándrovna?

— Calma, calma, que já lhe digo. Assentamos em que o senhor também já o tinha notado, não é verdade? Bem; e eu, naturalmente, não podia enganar-me. A minha filha desconfiava do senhor, precisamente pela constância das suas boas inclinações. Eu, que sou mãe, como é que não havia de adivinhar o que se passava no coração de minha filha? Imagine agora o senhor que, em vez de ter penetrado na sala com censuras e quase com juramentos que forçosamente tinham de irritar e ofender a pobrezinha, que, inocente, bela e altiva, estava diante do senhor, e com o que, além disso, não fazia mais senão firmá-la na desconfiança que sentia a respeito da segurança das suas boas qualidades... imagine, repito, que em vez disso o senhor tinha escutado essa notícia tranquilamente, com lágrimas de pesar e até de desespero, e até com altiva dignidade, que teria demonstrado a nobreza do seu espírito...

— Hum!

— Não, não me interrompa, Páviel Alieksándrovitch. Quero pintar-lhe esse quadro que não pode deixar de impressioná-lo. Imagine que, nessa disposição de ânimo que acabo de lhe dizer, o senhor vem, aproxima-se dela e diz-lhe simplesmente: "Zinaída! Amo-te mais do que à vida, mas razões de família nos separam, Compreendo os motivos que se interpõem entre nós. Trata-se da tua felicidade e não me atrevo a ser um obstáculo para ela. Zinaída! Adoro-te! Sê muito feliz, se é que o podes ser!". Depois do que, lança-lhe um olhar... Um olhar de carneiro mal morto, se me permite a comparação; imagine que cena e diga-me que impressão não teriam feito as suas palavras no coração de minha filha!

— Bem... Maria Alieksándrovna; suponhamos que isso seja como diz. Compreendo-o perfeitamente, mas... afinal de contas, que teria eu ganho com isso? O mesmo que agora... ir daqui com as mãos abanando...

— Nada disso, meu amigo! Não me interrompa! Tenho o maior interesse em pintar-lhe o quadro completo, com todas as suas ulteriores consequências, para ver se assim o convenço. Continue a imaginar que, passado algum tempo, se encontram os dois na alta sociedade. Encontram-se, num baile, por exemplo, no meio duma iluminação radiosa e dos acordes duma música arrebatadora, entre grupos de mulheres lindíssimas e... apesar de toda essa alegria que o rodeia, o senhor é o único que aí está triste, pensativo e pálido, e seguindo-a com o olhar, apoiado à branca coluna... mas de maneira que possa ser visto com facilidade... Enquanto ela se agita no torvelinho da alta sociedade. Ela dança. Os sons cativantes duma valsa de Strauss deleitam os seus ouvidos, à sua volta o talento da alta sociedade faísca em frases brilhantes... Mas o senhor está sozinho, pálido e consumido de paixão. E Zinaída, que sentirá nessa altura? Imagine! Com que olhos o fitará? "É possível — dirá para si própria — que eu tenha duvidado deste homem que sacrificou tudo por mim, tudo, e tem o coração dilacerado por minha causa?" Oh, acredite em mim: todo o seu antigo amor surgirá na sua alma com o ímpeto duma paixão dominadora.

Maria Alieksándrovna fez uma pausa breve para poder respirar. Mosliakov recostou-se na cadeira tão pensativo, que esta tornou a ranger pela segunda vez. Maria Alieksándrovna prosseguiu:

— Velando pela saúde do príncipe, empreende Zináida em sua companhia uma viagem pelo estrangeiro, pela Itália, pela Espanha... a Espanha onde florescem as murtas e as laranjeiras, o céu é de um azul profundo e corre o Guadalquivir... Pela terra do amor, onde não é possível a vida sem amor e onde rosas e beijos se enlaçam no ar, por assim dizer. Pois o senhor irá também, aí começa ela a sentir pelo senhor uma paixão irresistível. Amor, juventude, Espanha... Meu Deus! É claro que o vosso amor é um amor platônico, puríssimo. Mas, enfim, o certo é que ambos podem consolar-se mutuamente olhando um para o outro! Compreende, meu amigo? Claro que as pessoas más, que nunca faltam, não deixarão de dizer que o que o leva ali não é a amizade de parente que possa sentir pelo velho doente. Mas foi intencionalmente que eu qualifiquei o vosso amor de platônico, para que essa gentinha possa dar-lhe outra interpretação. Eu sou mãe, Páviel Alieksándrovitch... Será eu quem lhe aconselharia alguma coisa de mal? É verdade que o príncipe não se encontra em estado de vigiá-los, mas... que mal haverá nisso? Seria assim, tão simplesmente, que iriam dar crédito a uma calúnia tão infame? Isto para não dizer que um dia terá de morrer e morrerá abençoando os últimos anos da sua vida. Agora diga-me: com quem casaria então Zina senão com o senhor? O senhor é parente do príncipe, mas já afastado; por isso, legalmente, nada se pode objetar contra esse casamento. De maneira que o senhor casa com a jovem, rica e distinta princesa... e o senhor deixaria com um nariz de palmo e meio os mais distintos aristocratas que tinham já erguido o sonho de levá-la ao altar. Então, graças à sua mulher, irão se abrir para o senhor as portas dos mais seletos salões; graças à sua mulher, chegará o senhor a ocupar uma posição importante no mundo oficial e terá títulos e condecorações a granel. Agora possui apenas cento e cinquenta almas, mas depois será rico, o que se chama rico. O príncipe deixara tudo previsto no testamento: disso encarrego-me eu. E depois, o principal é que... ela terá entretanto, ocasião de convencer-se completamente da lealdade do seu coração, da sua amizade, e o senhor surgirá de repente como um herói de nobreza de alma e de abnegação... E depois venha perguntar-me que vantagem tira de tudo isso... É preciso estar cego para não ver essa vantagem nem compreendê-la... quando está à sua mão e lhe acena e lhe sorri e até lhe diz: "Olha para mim, eu sou a tua sorte". Por amor de Deus, Páviel Alieksándrovitch!

— Maria Alieksándrovna! — Mosliakov estava possuído de uma agitação indescritível. — Agora, sim, já compreendo tudo! Portei-me com ela de uma maneira vil e grosseira!

Saltou da cadeira e arrepelou os cabelos.

— É de compreensão lenta — acrescentou Maria Alieksándrovna. — Sobretudo de compreensão lenta.

— Sou um burro, Maria Alieksándrovna! — exclamou Mosliakov desespera-do. — Agora já perdi tudo e amo-a com loucura!

— Pode ser que ainda não esteja tudo perdido — disse em voz baixa a senho-ra Moskaliova como se falasse para si mesma, como se refletisse.

— Oh, se isso fosse verdade! Ajude-me! Diga-me uma palavra, salve-me!

E Mosliakov pôs-se a chorar.

— Meu amigo — disse-lhe Maria Alieksándrovna, compassiva, e estendeu--lhe a mão. — Procedeu com excessiva veemência, num arrebatamento passional, e, portanto, levado apenas pelo amor que lhe tem. O senhor estava desesperado, fora de si. Com certeza que ela viu isto perfeitamente...

— Amo-a com loucura e estou disposto a sacrificar tudo por ela!

— Olhe, vou tentar justificá-lo perante Zina...

— Maria Alieksándrovna!

— Sim, vou cuidar disso. Vou levá-lo à sua presença. E o senhor explicará a ela tudo como eu lhe acabo de explicar.

— Meu Deus! Como a senhora é bondosa, Maria Alieksándrovna! Mas não poderia fazer isso imediatamente?

— Deus me livre de uma coisa dessas. Oh, que pouca experiência a sua, meu amigo! Da maneira que ela é soberba! Tomaria isso por uma nova ofensa, por um atrevimento. Amanhã, sim, procurarei tratar de tudo, mas agora... agora deve sair, deve ir a qualquer lugar; o melhor que tem a fazer é ir a casa desse comerciante... do seu padrinho... à noite talvez pudesse voltar, embora eu não aconselhe.

— Bem, bem, então vou-me embora. Meu Deus, a senhora é a minha salvado-ra! Mas se o príncipe não morrer tão depressa?

— Meu Deus, que ingênuo o senhor é, *mon cher Paul!* Mas pelo contrário, nós próprios devemos desejar que ele viva com saúde ainda uns dois anos! Devemos amá-lo, sim, a esse velho bondoso e cavalheiresco e desejar-lhe de todo o coração uma vida longa. Dia e noite pedirei eu a Deus, com lágrimas nos olhos, pela feli-cidade da minha filha. Mas infelizmente parece-me que não devemos ter muitas ilusões sobre a saúde do príncipe. Tanto mais que seria bom que tivesse ainda tem-po de instalar-se na sua residência e deixar Zina bem apresentada e admitida na sociedade. Tenho muito medo que todos estes trabalhos, na sua idade, lhe deem o golpe de misericórdia. Mas nós rogaremos a Deus, em cujas mãos está tudo. Já se vai embora? Dou-lhe a minha benção, *mon ami.* Tenha esperança e paciência, não perca a coragem, e acima de tudo seja homem. Nunca pus em dúvida a sua nobreza de sentimentos...

Apertou-lhe a mão com força a Mosliakov esgueirou-se na ponta dos pés para fora do quarto.

"Oh, deste imbecil já eu me livrei! — pensou Maria Alieksándrovna triunfan-te. — Agora é a nossa vez."

A porta abriu-se naquele instante e Zina entrou. Estava horrivelmente pálida e os olhos cintilavam-lhe.

— Mamãe — disse — acaba depressa com isto ou não suporto mais! Isto é tão sujo e repugnante que me dá vontade de sair correndo para fora desta casa! Por que me atormentas assim, por que me irritas desta maneira? Vou adoecer, ouviste? Vou adoecer de nojo.

— Zina! Mas que tens tu, meu anjo? Estiveste escutando à porta? — exclamou Maria Alieksándrovna e olhou angustiosamente, inquiridora, para a filha.

— Sim, estive escutando. Queres talvez enganar-me, como a esse idiota? Ouve: juro-te que se continuas a atormentar-me e a fazer-me desempenhar um papel tão vergonhoso nesta escandalosa comédia, deitarei tudo a perder e tudo acabará mal. Já não chega que eu me tenha prestado ao principal e me tenha declarado disposta a carregar com esse enorme fardo? E prestei-me porque não me conhecia... Pois o certo é que me sinto atolada em lama.

Saiu do quarto e fechou a porta atrás de si.

Maria Alieksándrovna seguiu-a atentamente com os olhos e ficou pensativa.

"Tenho de me apressar — murmurou, refletindo. — Zina é o maior perigo! E se todos esses velhacos não acabam por nos deixar em paz e vão espalhar pela terra a grande novidade... o que com certeza já devem ter feito a estas horas... então posso dar tudo por perdido. Zina não poderá resistir ao escândalo e voltaria com a sua palavra atrás. É necessário, levar imediatamente o príncipe para as nossas propriedades, custe o que custar. Vou pôr-me a caminho e trago o palerma do meu marido. Para alguma coisa há de servir! Ali, o velho poderá descansar e depois... Por isso, a caminho!"

Tocou a campainha.

— O trenó está pronto? — perguntou ao criado que acudiu à chamada.

— Há muito tempo, minha senhora — respondeu ele.

Mandara preparar o trenó quando acabara de levar o príncipe ao andar de cima, aos aposentos dos hóspedes.

Vestiu-se e foi imediatamente buscar Zina, a fim de pô-la ao corrente da sua resolução e, se possível, ensinar-lhe como devia conduzir-se. Mas Zina já não quis ouvi-la; deitara-se na cama e apertava o rosto contra o travesseiro. Enterrando as lindas mãos nos negros e longos cabelos, deixava ver até ao cotovelo os braços alabastrinos. De vez em quando estremecia, como se de repente um calafrio lhe percorresse todo o corpo. Maria Alieksándrovna começou a falar-lhe mas Zina nem sequer levantou a cabeça.

Depois de permanecer um momento de pé, junto dela, saiu preocupada e ordenou ao cocheiro que levasse os cavalos a galope, a fim de ganhar tempo.

"O pior de tudo foi Zina ter-nos ouvido! — pensou ao sentar-se no seu cômodo trenó coberto, que corria velozmente em direção ao seu destino. — O que eu disse a Mosliakov foi quase o mesmo que lhe disse a ela. E, orgulhosa como é, pode ser que se sinta ofendida... Mas o principal, o principal é resolver tudo antes... antes que os outros saibam. Mas... e se o palerma do meu marido não estivesse agora em casa?"

Essa ideia deixou-a indescritivelmente furiosa, tomada de uma cólera que não augurava nada de bom para Afanássi Matviéievitch. Revolvia-se, nervosa, sobre o assento. Não podia sossegar.

Capítulo X

Os cavalos arrancaram. Já dissemos como, ao sair naquela manhã em busca do príncipe para trazê-lo outra vez para sua casa, Maria Alieksándrovna tivera uma ideia genial. Não era outra senão a de *confiscar* o príncipe e levá-lo o mais cedo possível para as suas terras situadas nas redondezas da cidade, onde então se encontrava seu marido, Afanássi Matviéievitch, completamente despreocupado e gozando de perfeita tranquilidade. Não queremos esconder o fato de Maria Alieksándrovna se sentir cada vez mais atormentada por uma inexplicável inquietação. O que aliás costuma acontecer até aos verdadeiros heróis, e precisamente no momento de conseguirem o seu triunfo ou quando já a dois passos de conseguir. Uma voz secreta lhe dizia que havia perigo em permanecer em Mordássov. "Mas quando me vir no campo, já não me importo que a cidade se alvoroce!" E nem é preciso dizer que no campo também ela não tinha tempo a perder. De um momento para o outro podia acontecer qualquer coisa de imprevisto... ainda que não concedamos crédito aos rumores que os inimigos da nossa heroína espalharam depois à sua custa, dizendo que naqueles instantes críticos chegou mesmo a temer a intervenção da Polícia. Em resumo: era preciso casar Zina com o príncipe o mais urgentemente possível. Maria Alieksándrovna tinha ao seu alcance tudo quanto era necessário para isso. Ali, nas suas propriedades, o cura da aldeia podia abençoar a boda. Esta podia celebrar-se dali a dois dias e, em caso de necessidade, até no dia seguinte. Quantos casamentos se não tinham realizado no espaço de duas horas! Ao príncipe podia fazer-se acreditar que aquela pressa e aquele prescindir de todas as cerimônias e festas de costume, como os banhos e o banquete nupcial, representavam a última palavra do *comme il faut* e que,com essa simplicidade, a boda se tornava mais imponente. Ou então também se lhe podia pintar tudo aquilo como uma aventura romântica, fazendo vibrar assim a fibra mais sensível do coração do velho. E supondo que as coisas assim não caminhassem bem, restava ainda o recurso de *tranquilizá-lo* com vinho, e, o que era ainda melhor, mantê-lo meio bêbado todo o tempo que aquilo durasse. Depois, acontecesse o que acontecesse, já ninguém podia impedir que Zina fosse princesa. E no caso de que o escândalo não pudesse evitar-se, quer em Petersburgo, quer em Moscou, onde viviam os parentes do príncipe, restava a consolação de pensar que se achavam muito longe dali, no campo, isto para não dizer que Maria Alieksándrovna estava convencida de que na alta sociedade ocorria sempre algum escândalo, sobretudo em questão de casamentos, e que era até de bom-tom que os houvesse, pois os escândalos da alta sociedade, em sua opinião, traziam sempre qualquer coisa de especial... qualquer coisa no gênero d'*O Conde de Monte Cristo*, ou das *Memórias do Diabo*. Bastava que Zina se apresentasse depois acompanhada de sua mãe para que todos se rendessem perante os fatos consumados e sem que nenhuma daquelas condessas e princesas de Mordássov pudesse fazer-lhe frente, todas as quais Maria Alieksándrovna saberia aniquilar ao mesmo tempo ou cada uma por sua vez. Em consequência de todas estas reflexões Maria Alieksándrovna voava agora a caminho das suas propriedades em busca de Afanássi Matviéievitch, que lhe era necessário para o bom êxito dos seus projetos.

De fato, levar o príncipe para as suas terras, levá-lo a Afanássi Matviéievitch, ao qual talvez não quisesse ser apresentado, pedia muita reflexão. Mas se fosse Afanássi Matviéievitch quem tomasse a iniciativa de convidar o príncipe a visitá-lo, o caso tomava outro aspecto. Isto para não falar em que a apresentação de um digno e já maduro pai de família, de fraque, gravata branca e chapéu na mão, havia fatalmente de fazer impressão; e se a isso se acrescentasse que o tal digno pai de família, ao ter a primeira notícia da chegada do príncipe, se apressava a vir cumprimentá-lo de tão longe, o caso não podia deixar de ser extremamente lisonjeiro para o velho magnata. "Diante de um convite feito nessas condições, torna-se difícil recusar", pensava Maria Alieksándrovna.

Os cavalos percorreram finalmente as três verstas, e Sofron, o cocheiro, deteve-os diante do vestíbulo da casa rústica, de madeira, ampla e de um só piso, que, com a comprida fila de janelas e as velhas tílias que a circundavam, tinha uma aparência decrépita e completamente denegrida pelos ventos e pelas chuvas. Era essa a residência de verão de Maria Alieksándrovna.

— Onde para esse parasita? — gritou Maria Alieksándrovna penetrando no quarto como um pé-de-vento. — Que faz aqui esta toalha? Ah! Estava secando! Pelo visto, voltaste à mania dos banhos. Então, tomando chá? Não tens nada a dizer, meu palerma? Por que não cortaste o cabelo? Grichka! Grichka! Por que não cortaste o cabelo ao senhor, como te mandei a semana passada?

Maria Alieksándrovna trazia a intenção de maltratar amavelmente o marido; mas ao verificar que este acabava de sair do banho e estava tomando muito tranquilamente o seu chá, já não pode conter a cólera. Tanta inquietação e desassossego por seu lado e tão venturosa placidez pelo de seu inútil e completamente supérfluo Afanássi Matviéievitch, formavam um contraste que a encolerizava. Enquanto ela falava, o parasita, ou, para falar mais cortesmente, o suposto parasita, estava sentado, sofrendo de um pânico silencioso, diante do seu samovar; escancarava os olhos, a boca e os ouvidos, e olhava atônito para a mulher, cujo súbito aparecimento o tinha deixado petrificado. À porta do vestíbulo esperava de pé a robusta figura de Grichka, que parecia sempre ter passado uma noite má e ainda naquele momento contemplava a cena com olhos sonolentos e piscos.

— O senhor não deixa, por isso é que não cortei — disse, muito murcho, com voz surda. — Pelo menos umas dez vezes aproximei-me com as tesouras... "Vamos, menino, vamos que a senhora pode vir e depois ralha conosco, se não tiver o cabelo cortado..." Mas o senhor respondia sempre: "Espera, homem, espera, que no domingo tenho que fazer uns caracóis e para isso é preciso tê-lo comprido".

— Que? Mas tu fazes caracóis, homem! Tu usas caracóis postiços? Hão de ficar muito bem nessa cabeça de martelo! Valha-me Deus, que desordem vai nesta casa! A que cheira aqui? Responde, idiota, responde, é a ti que eu pergunto! — exclamou Maria Alieksándrovna cada vez mais encolerizada com o inocente Afanássi Matviéievitch, que sentia um pânico mortal.

— Mãe...zinha! — balbuciou por fim o sobressaltado marido, sem se levantar do lugar e dirigindo um olhar implorativo à severa esposa. — Mãezinha!

— Quantas vezes já te disse, quantas vezes tentei fazer entrar nessa cabeça de burro, que não sou tua mãe? Eu, tua mãe, idiota? Como te atreves a dirigir-te com esse nome a uma senhora distinta, que devia estar na alta sociedade e não ao lado dum brutamontes como tu?

— Bem... bem... no entanto tu és... tu és minha mulher perante a lei... E por isso é que eu te chamava como é costume... entre os casados — disse Afanássi Matviéievitch procurando desculpar-se, mas erguendo ao mesmo tempo as mãos à cabeça para proteger os cabelos.

— Ah... idiota! Alguém ouviu alguma vez resposta mais tola? Mas que entenderá este pacóvio por sua mulher perante a lei? Quem no mundo ou na boa sociedade emprega hoje essa expressão estúpida, própria dum seminarista, essa frase tão vulgar e repelente de "mulher perante a lei"? E, sobretudo, como te atreves a recordar-me que sou tua mulher, precisamente quando ponho todo o meu engenho e me esforço o mais possível para me esquecer de que o sou? Bem, não vais acabar de secar esse cabelo, criatura? Pelo menos uma três horas ainda levas! Como hás de vir comigo nesse estado? Como hei de apresentar-te assim às pessoas? Não sei que fazer contigo!

Maria Alieksándrovna juntou as mãos num gesto de desespero, enquanto andava no quarto de um lado para o outro. Afinal, o percalço não era tão grande que não pudesse reparar-se; mas é que a boa senhora nem sempre podia dominar o seu gênero despótico e dominador. E por isso tornara-se uma necessidade para ela descarregar sempre a sua cólera sobre a cabeça do pobre Afanássi Matviéievitch, pois a tirania é um costume que acaba sempre por se converter numa necessidade. E além disso já sabemos de que classe de expressões se servem na intimidade muitas senhoras finas, de certa classe social... observação que eu não queria deixar de fazer.

Afanássi Matviéievitch seguia tremendo as evoluções de sua esposa e suava de medo.

— Grichka! — exclamou a senhora. — Veste o senhor imediatamente! Com o fraque, as calças, a gravata branca, o colete... Depressa! Onde está a sua escova de cabelo, onde está ela?

— Mãezinha! Mas se eu ainda há pouco saí do banho! Não vês que me posso constipar se vou sair com um tempo destes?

— Não te preocupes, que não te hás de constipar.

— Mas tenho o cabelo todo molhado!

— Já seca num instante... Vamos Grichka, pega na escova e esfrega com força! Com mais força, homem! Mais força! Assim!

O solícito e submisso Grichka cumpria as suas ordens escovando com todas as forças a cabeça do senhor, ao qual, para fazer essa operação com mais comodidade, segurava pelos ombros e sacudia por detrás, sem reparar sequer que o nariz da sua vítima quase batia na beira da mesa.

Afanássi Matviéievitch estava quase a chorar.

— Bem, agora vem cá. Levanta-o, Grichka! Onde está a brilhantina? Baixa um pouco a cabeça, meu estúpido; vamos, baixa-a, não ouviste o que eu te disse?

A Maria Alieksándrovna aplicou-se ela própria à tarefa de brilhantinar o marido, puxando implacavelmente pelas suas madeixas de fartos e grisalhos cabelos, que, por infelicidade sua, não cortara como devia. Afanássi Matviéievitch, soluçava, resfolegava, mas não soltou um só grito, suportando pacientemente aquela unção forçada.

— Acabaste com o resto das minhas forças, porco! — exclamou Maria Alieksándrovna. — Baixa mais a cabeça, descarado; baixa mais a cabeça! Percebes?

— Mas, como te deixei eu sem forças, mãezinha? — perguntou titubeando, o marido, e baixou a cabeça o mais que pôde.

— Parasita! Serás tão tolo que não possas compreender uma alusão? Bem, agora penteia-te. E agora põe a roupa, mas depressa!

A nossa heroína sentou-se num cadeirão e dispôs-se a contemplar com um olhar inquisitorial a cerimônia do vestir de seu marido. Este estava um pouco mais refeito e recuperara a presença de espírito. Quando chegou o instante de pôr a gravata atreveu-se mesmo a formular uma observação pessoal sobre a forma e a beleza do nó. E quando enfiou finalmente o fraque, deu mostras de ter perdido todo o medo e mirou-se até ao espelho com certa veneração.

— Onde me levas, Maria Alieksándrovna? — perguntou, satisfeito de si próprio.

Sua esposa nem queria acreditar naquilo que ouvia.

— Mas já se viu uma coisa destas?! Como te atreves, meu idiota, a perguntar onde te levo?

— Mas, mãezinha, sempre é conveniente saber...

— Cala-te e não tornes a ter o atrevimento de me chamares mãezinha, especialmente no lugar onde vamos agora... senão já sabes que durante um mês não provas nem uma gota de chá.

Assustado, o marido calou-se

— Mas vejam isto! Nem sequer soube arranjar uma condecoração, este vadio! — disse, olhando com desprezo para o seu fraque preto.

Afanássi Matviéievitch sentiu-se ofendido.

— As condecorações, mãezinha, dão-se aos chefes superiores; e eu sou conselheiro, não nenhum vadio — disse com uma nobre repugnância.

— Mas que vem a ser isto? Porventura aprendeste a pensar? É pena que eu não tenha tempo, agora, para me haver contigo, senão... Mas não aches que me esqueço, não perdes por esperar... Grichka, dá-lhe o chapéu! E o casaco de peles! Agora, até eu voltar, limpem bem estes três quartos e o quarto do canto também. Em seguida, estão ouvindo? tirem as coberturas dos espelhos e dos relógios. E tu, Grichka, vê se tudo está pronto daqui a uma hora. E pões o fraque, ouves, Grichka?

Subiram para o trenó e os cavalos arrancaram. Afanássi Matviéievitch estava assombrado e Maria Alieksándrovna meditava em silêncio sobre a maneira de meter na cabeça dura do marido algumas regras de etiqueta, com a maior simplicidade e clareza. Mas o marido falou primeiro.

— Olha, queres saber uma coisa? Esta noite tive um sonho muito estranho — disse ele quebrando o silêncio repentinamente.

— Ah, sim? Vejam só! E eu pensando que ele ia dizer qualquer coisa de especial! Um sonho! Mas que atrevimento é esse de vires falar-me dos teus sonhos? Muito estranho... Mas sabes o que significa estranho? Olha, não tornarei a repetir-te outra vez: se te atreveres a dizer uma só palavra que seja acerca do teu sonho ou de qualquer outra coisa, nem sei o que te faço! Agora dá atenção ao que vou dizer-te: o príncipe K... veio visitar-me. Lembras-te do príncipe K...?

— Sim, lembro-me, mãezinha, lembro-me. Mas por que foi ele visitar-te?

— Cala-te! Isso não é da tua conta! Quando o cumprimentares apressa-te a convidá-lo com toda a amabilidade, a título de dono da casa, a visitar as nossas propriedades. Mas se te atreves, hoje, esta noite ou amanhã, ou depois de amanhã, a dizer uma palavra que seja, ponho-te um ano inteiro... a guardar pratos. Assim, muito cuidado com a língua, hem? É tudo o que tens a fazer... compreendes?

— Mas... se me perguntarem alguma coisa?

— Não respondes, faz de contas que não ouviste.

— Mas... isso não parecerá mal, Maria Alieksándrovna?

— Bem, então dizes um monossílabo, como por exemplo, hum!, ou qualquer coisa do gênero... de maneira que dês a entender que és um homem esperto e pensas duas vezes antes de dizer uma coisa.

— Hum!

— Compreendes? Vens comigo e eu digo que tu, assim que soubeste da visita do príncipe, te apressaste, muito lisonjeado, a vir à cidade com a intenção de apresentar-lhe os teus respeitos e de convidá-lo para as nossas terras. Compreendes?

— Hum!

— Agora deixa-te desse hum, mastruço, e responde ao que te pergunto.

— Está bem, mãezinha, farei tudo como dizes; mas... para que é que se convida o príncipe?

— Outra vez! Mas tu voltaste a pensar? Que te importa a ti para que seja? E, sobretudo, como tens coragem de fazer-me perguntas?

— É que... Maria Alieksándrovna, como é que eu posso convidá-lo se tu me proíbes de falar?

— Eu falarei por ti, ouves? Tu te limitas a fazer reverências, compreendes, com o chapéu na mão... Compreendeste?

— Sim, Ma... Maria Alieksándrovna.

— O príncipe é muito talentoso. Se ele te disser alguma coisa, mesmo que se dirija a ti, limitas-te a responder com um sorriso jovial e bonacheirão... Ouviste?

— Hum!

— Lá estás tu outra vez com o hum! Responde-me, claramente, se compreendeste ou não!

— Ouvi, Maria Alieksándrovna, ouvi, como é que não havia de ouvir? Isto do hum faço-o apenas para praticar, conforme me recomendaste. Mas estava pensando no que me compete fazer. Portanto, se o príncipe me disser qualquer coisa, tenho apenas que olhá-lo e sorrir, como me mandaste. Mas se ele me fizer alguma pergunta?

— Meu Deus, que cabeça dura a tua! Como é difícil fazer-te compreender as coisas! Já te disse, nesse caso não tens nada que falar, eu falarei por ti. Limitas-te a olhá-lo e a rir.

— Mas então o príncipe há de pensar que sou parvo!

— Estão vendo? De toda a maneira acabaria por notá-lo...

— Hum! Bem... e se outra pessoa me pergunta qualquer coisa?

— Ninguém te perguntará nada, ninguém estará presente. E no caso de estar alguém presente — Deus nos livre disso! — e te perguntasse ou te dissesse alguma coisa, respondes-lhe com um sorriso sarcástico. Sabes o que é um sorriso sarcástico?

— É um sorriso de pessoa talentosa, não?

— Eu te dou o... talento! Quem é que se lembra de esperar de ti, meu burro, um sorriso espiritual? O que seu quero dizer é um sorriso trocista, um sorriso zombeteiramente depreciativo.

— Hum!

"Só Deus sabe como é que nos vamos sair desta! — pensou Maria Alieksándrovna suspirando. — Até parece que jurou fazer-me perder a cabeça! Talvez fosse melhor não o ter trazido."

Ao mesmo tempo que se entregava a estes pensamentos inquietantes e se censurava amargamente a si própria, Maria Alieksándrovna assomava continuamente à janela do trenó para apressar o cocheiro. Os cavalos corriam mas parecia-lhe que avançavam cada vez menos. Afanássi Matviéievitch ia encolhido no seu canto e repetia mentalmente as lições recebidas. Por fim chegaram à povoação e os cavalos pararam diante da casa de Maria Alieksándrovna.

Mal a nossa heroína se apeara reparou noutro trenó, também de dois assentos e coberto, cujos cavalos suados pararam naquele momento à porta de sua casa. Era o veículo em que Anna Nikoláievna Antípova costumava dar os seus passeios. No interior do carro estavam sentadas duas senhoras. Uma era Anna Nikoláievna, e a outra, Natália Dimítrievna, que havia algum tempo se tornara sua amiga mais sincera e sequaz.

O coração de Maria Alieksándrovna sobressaltou-se violentamente. Acabara de reprimir um grito de assombro, quando avistou um segundo carro também ocupado. Nesse momento ouviram-se cumprimentos afetuosos.

— Maria Alieksándrovna! E em companhia de Afanássi Matviéievitch! São eles! Mas donde virão? Chegaram mesmo a tempo! Nós vínhamos precisamente visitá-los! Que surpresa!

As senhoras subiam as escadas e chilreavam como andorinhas. Maria Alieksándrovna não queria acreditar naquilo que os seus olhos viam e os seus ouvidos ouviam.

— Tanta gente aqui! — disse. — Isto parece uma conspiração! Vamos a ver o que isto vai dar! Embora, a mim... não me metam medo estas palermas... Esperem que já vão ver!

Capítulo XI

Mosliakov despediu-se de Maria Alieksándrovna completamente tranquilo, com respeito aos seus temores, segundo parecia. Ela soubera conquistá-lo para a sua causa. Aconteceu que o rapaz não foi ver Boródniev, pois desejava estar só. A vaga de sonhos românticos e heroicos que o inundava de repente tirava-lhe todo o sossego. Pensou numa solene entrevista com Zina, nas nobres lágrimas do seu coração generoso, na sua palidez e no seu desespero, no brilhante baile petersburguês, na Espanha, no Guadalquivir, no seu amor e no príncipe moribundo, que antes de exalar o último suspiro uniria as mãos dos dois. Depois pensou na sua maravilhosa mulher, que se lhe mantém fiel e todos os dias o enche de admiração com o seu caráter heroico e os seus delicados sentimentos; pensava também — assim, em silêncio — nas atenções de alguma condessa da mais alta sociedade, em cujos salões infalivelmente teria acesso, em virtude do seu casamento com Zina, a princesa viúva de K..., e também, finalmente, no cargo de vice-governador, na riqueza... Numa palavra: tudo isso continuava agora falando eloquentemente na sua alma, imensamente satisfeita, de modo atraente e sedutor, lisonjeando sobretudo o seu amor-próprio. Mas — e não sei verdadeiramente a explicação — quando começou depois a cansar-se um tanto de todo esse entusiasmo, ocorreu-lhe de repente um pensamento muito aborrecido: o de que tudo aquilo, supondo que se realizasse, era ainda algo que estava para vir e, de momento, apesar de tudo, o haviam ludibriado. Quando lhe ocorreu este pensamento observou também que fora demasiadamente longe, e que nessa altura se encontrava num subúrbio de Mordássov, solitário e desconhecido. Escurecera. Pelas ruas, onde as casinhas pareciam surgir da terra, todos os cães que, como acontece nas cidades da província, se reuniam em número pavoroso naquele arrabalde onde precisamente não havia nada que guardar nem que pudesse tentar os ladrões, uivavam desesperados. Começava a nevar. Caíam flocos úmidos e pesados. De vez em quando passava algum camponês retardatário ou alguma mulher de tamancos. Tudo isto punha Mosliakov de mau humor... péssimo indício, pois, quando as coisas nos correm bem, tudo nos parece cor-de-rosa. Páviel Alieksándrovitch pensava involuntariamente em que, até então, era ele quem preponderava em Mordássov, lisonjeava-o muito que em todas as casas lhe dessem a entender que o consideravam um bom partido, caso ele se lembrasse de pedir-lhes as filhas em casamento. E agora, de repente, teria de arrostar com a sua derrota? Como iriam rir-se dele! E, de fato, não podia ir informar todas as pessoas do que acontecera e contar-lhes aquilo dos futuros bailes de Petersburgo, dos salões ornados de colunas, nem falar-lhes do Guadalquivir. Por isso, enquanto pensava acerca destas coisas, afligia-se a si mesmo e, lamentando a sua sorte, lembrou-se no entanto de qualquer coisa que inconscientemente havia algum tempo trazia cravado no coração com um espinho.

"Mas, será verdade tudo isso? Chegará de fato a realizar-se tudo isso que Maria Alieksándrovna pintou com tão lindas cores?"

Ao mesmo tempo disse para si próprio que Maria Alieksándrovna era uma mulher muito astuta e, por muito grande que fosse a estima de que ela gozasse na cidade, passava a vida a intrigar e a mentir. Compreendia que, ao *eliminá-lo,* o fizera por sua conta e risco, e que, em última análise, pintar quadros brilhantes com a imaginação estava ao alcance de qualquer pessoa. Pensava também em Zina e revia o último olhar que a jovem lhe dirigira, o qual podia falar de tudo menos de amor recalcado e apaixonado. E, como se tudo isso ainda não chegasse, disse também para consigo que, no fim de contas, ela o repelira com todas as letras e lhe passara selo de parvo. Estes pensamentos fizeram que Páviel Alieksándrovitch ficasse pregado ao chão e corasse de vergonha, de tal maneira que até lhe saltaram as lágrimas. E para cúmulo de desgraça aconteceu-lhe naquele momento qualquer coisa de desagradável: escorregou e foi cair sobre um monte de neve. Enquanto enterrava os joelhos naquela massa branda e solta e se esforçava por se levantar, caiu sobre ele toda a matilha que algum tempo o perseguia e se pôs a provocá-lo por todos os lados. O menor e mais atrevido deles teve até a insolência de ferrar-lhe os caninos no sobretudo de peles, ficando agarrado a ele. Com interjeições ofensivas, Mosliakov conseguiu libertar-se do cão e seguiu depois para diante, cambaleando, até à mais próxima esquina, com o sobretudo esfarrapado. Quando aí chegou percebeu pela primeira vez que se perdera. Já se sabe, não há ninguém que ao ver-se perdido num bairro desconhecido — e sobretudo de noite — chegue a percorrer uma rua até o fim, e que uma força misteriosa o vai impelindo a meter-se por becos e travessas, num ziguezaguear afadigado... E como Mosliakov não devia constituir exceção a essa regra, acabou por se extraviar completamente.

"Quero lá saber de todas essas ideias sublimes! — murmurou para consigo, cuspindo, raivoso. — O diabo leve todos esse sentimentos nobres mais o Guadalquivir!"

Não quero afirmar que Mosliakov estivesse muito atraente nesse momento.

Passadas duas horas de vagabundagem, encontrava-se completamente esgotado e aflitíssimo, diante da casa de Maria Alieksándrovna. Vendo tantos carros diante da porta não pode deixar de ficar assombrado.

"Mas haverá recepção? — perguntou a si mesmo. — Para que será tudo isto?"

Interrogou o criado e soube por ele que Maria Alieksándrovna fora às suas terras, donde voltara acompanhada de Afanássi Matviéievitch, que se apresentara de fraque e de gravata branca. O príncipe acabara de dormir a sua sesta, mas ainda não aparecera às visitas. Mosliakov, sem dizer palavra, encaminhou-se para o andar superior, em busca do príncipe. Encontrava-se precisamente nessa disposição de espírito em que os de caráter fraco se sentem capazes de tudo, até dos mais repugnante ato de vingança, sem pensar que talvez venham a ter remorsos toda a vida.

Foi encontrar o príncipe numa cômoda cadeira de braços, diante da sua *nécessaire* de viagem, com a calva ao léu, mas já com a mosca e as suíças postas. A peruca estava ainda nas mãos do seu já encanecido ajudante de câmara, seu favorito Ivan Pakhômitch, que a escovava com uma cara muito séria, preocupada e respeitosa.

O príncipe, demonstrando ainda não estar completamente curado da bebedeira, apresentava um aspecto lamentável: parecia esgotado de cansaço, não fazia senão abrir e fechar os olhos e olhou para Mosliakov como se nunca o tivesse visto na vida.

— Como está, tio, como se sente? — perguntou-lhe Mosliakov.

— Ah! És tu? — o príncipe acabou por reconhecê-lo. — Dormi uma sestazinha. Ai, meu Deus! — disse, reanimando-se num instante. — Ai que não tenho a minha cabeleira posta!

— Oh, não se preocupe com isso, tio! Eu o ajudarei a pô-la, se lhe faz falta.

— Olha, acabaste de descobrir o meu segredo. Eu mandara fechar a porta. Mas, meu amigo, dá-me tua palavra de hon...ra... de que não revelarás a ninguém o meu se...gredo nem dirás que uso cabeleira postiça.

— Por amor de Deus, tio, tem cada ideia! Acha-me capaz de uma coisa dessas?

— Bem... bem... Mas... Já vejo que és um rapaz de bons sentimentos e por isso vou fazer-te uma sur...presa e revelar-te os meus se...gredos todos. Ora vamos lá a ver: que tal achas o meu bigode?

— Admirável, tio! Simplesmente prodigioso! Como é que conseguiu conservá-lo durante tanto tempo e tão bem?

— Pois olha, é para que saibas, é pos...tiço! — exclamou o príncipe, pousando sobre Mosliakov um olhar de triunfo.

— Mas será possível? Ninguém diria! E as suíças? Confesse, tio, que as suíças, pinta-as.

— Pinto-as! Sim, pinto-as! Também são completamente... pos...tiças!

— Isso não pode ser, tio! Desculpe, mas não acredito. O senhor está brincando comigo!

— *Parole d'honneur, mon ami!* — encareceu o príncipe, vaidoso. — Olha, é para que vejas: com as outras pessoas acontece o mesmo que contigo, todos se iludem. Até a própria Stiepanida Matviéievna não quer acreditar, embora seja ela quem as coloca em mim algumas vezes... Mas estou conven...cido, meu filho, de que saberás guardar o segredo. Palavra de honra?

— Palavra de honra, tio, que não direi nada a ninguém! Acha realmente que eu sou capaz disso?

— Ai, meu amigo, se soubesse quantas coisas me aconteceram na tua ausência! Fie...o...fil atirou-me ao chão pela segunda vez!

— Pela segunda vez? Como?

— Já vais saber; quando íamos perto do mosteiro...

— Ah, já sei, tio. Esta manhã...

— Não, não. Não devia ter sido há mais de duas horas. Eu entrei no mosteiro, mas ele fez virar o coche. Que horror! Parece que sinto o coração parar, só de lembrá-lo!

— Mas o tio tem dormido...

— Depois fui fazer essa viagem, conforme te disse... No entanto pode ser que tenhas razão... Que... Mas que es...tranho isto tudo!

— Com certeza foi um sonho, tio, pois esteve toda a tarde dormindo, aqui!

— Sério? — e o príncipe ficou pensativo. — Sim, pode ser que tenha sido tudo um sonho. Mas, seja como for, lembro-me muito bem de tudo quanto sonhei. Primeiro sonhei com um búfalo cinzento, com uns chifres enor...mes; depois com um administrador do Estado, também com chi...fres, se não me engano...

— Não seria Nikolai Vassílitch Antípova, tio?

— Sim, talvez fosse ele. E depois também sonhei com Napole...ão Bonaparte... Sabes uma coisa, rapaz? Tenho uma semelhança espantosa com Napoleão... E de perfil... pareço-me muitíssimo com um papa da antiguidade... Não me achas parecido com um papa?

— Acho mais parecido com Napoleão, tio.

— Bem, isso *en face*. Já te disse que assim, também noto essa semelhança. Bom, pois sonhei que o via sentado na sua ilha, e que estava tão fala...dor, tão ani... mado, tão espiri...tuoso, que lhe achei uma graça enor...me...

— Refere-se a Napoleão? — perguntou Mosliakov olhando pensativo para o príncipe. Ocorrera-lhe de repente uma ideia singular, que, de momento, não via ainda muito clara.

— Sim, rapaz, de Napoleão. Falamos de filo...sofia. E olha, meu filho, tive muita pena de que os ingleses... se portassem com tanta severidade para com ele. É a pura verdade; se não o tivessem mantido com grilhetas, era pássaro para lhes fugir das mãos. Que doido! No entanto tenho pena do infeliz. Eu não o teria tratado com tanta dureza. Tê-lo-ia levado para uma ilha des...abitada...

— Mas por que havia de ser desabitada? — perguntou Mosliakov, distraído.

— Bem, podia ser uma ilha habitada, mas por homens ra...zoáveis... E, além disso, teria preparado para ele várias distrações: teatros, música, bailes... e tudo à custa do Estado. É claro que não o deixaria passear sem a competente vigi...lância, pois, do contrário, não demoraria em dar às de vila-diogo. Parece que apreciava muito um certo gênero de empadas. Pois eu mandaria que as servissem todos os dias. Teria até olhado por ele com um amor pa...ternal. Comigo estaria bem!

Mosliakov ouvia distraidamente a tagarelice do príncipe, ainda não bem acordado e, impaciente, tamborilava com os dedos sobre a mesa. Procurava a maneira de fazer recair a conversa sobre o casamento. Para dizer a verdade, nem ele próprio sabia ao certo o que queria. Sentia um desejo intenso de vingança. De repente o velho lançou uma leve exclamação, um grito de assombro.

— Ah, *mon ami!* Esqueci-me de dizer-te! Imagina que fiquei hoje noivo!

— Noivo?! — perguntou Mosliakov com uma animação extraordinária.

— Sim, tal qual! Noivo! Que? Já te vais embora, Pakhômitch? Ótimo. Pois trata-se de *une charmante persone... Mais...* Confesso-te, meu filho, que procedi com levi...an...dade... Só agora o percebo... Ai, valha-me Deus!

— Mas... dê-me licença, tio... Quando foi isso?

— Olha, para te dizer a verdade, rapaz, nem sei ao certo quando foi. Talvez tivesse sonhado... Mas que coisa estranha!

Mosliakov estremeceu de alegria. Que ideia magnífica!

— Mas quando e como ficou noivo? — perguntou, impaciente.

— Trata-se da filha da dona desta casa, *mon ami... Cette belle persone...* Não me lembro do nome! Mas olha, *mon ami:* o caso é que eu não posso casar... com ela... Que hei de fazer agora?

— Claro! O casamento para o senhor, tio, seria uma ruína. Mas deixe lhe fazer uma pergunta, tio. Tem a certeza de que, efetivamente, se comprometeu a casar com essa meninas?

— Sim, rapaz, certeza absoluta!

— Mas não terá sido tudo um sonho, como aquele da queda do coche pela segunda vez, que teve durante a sesta desta tarde?

— Sim, dever ter razão... Talvez fosse um sonho... Olha, agora já não sei como devo conduzir-me! *Mon ami*, como hei de saber agora se me comprometi ou não a casar com ela? Meu filho, avalia bem a minha situação!

— Olhe, tio, a meu ver, acho que não precisa de saber nada disso.

— Por quê?

— Porque estou convencido de que tudo isso não foi mais do que um sonho!

— Também penso o mesmo, *mon ami*, tanto mais que costumo ter sonhos pa...re...cidos!

— Pois então, repare, tio: não se esqueça de que esta manhã bebeu um bocadinho mais da conta, e depois, ao meio-dia, também, e finalmente...

— Sim, é verdade, meu filho... Está claro... Deve ser este o motivo!

— E, além disso, tio, supondo ainda que tivesse ficado tocado até esse ponto, não me parece se tivesse excedido de maneira a comprometer-se a casar com essa senhora. Porque eu o conheço, sei que é bastante sensato para não fazer uma coisa dessas e...

— Sim, sim, tens razão.

— Imagine o que diriam os seus parentes, que mesmo sem isso já não estão de bem com o senhor, se viessem a saber...

— Meu Deus! — exclamou o príncipe horrorizado. — Que diriam...

— Então já vê! Diriam todos em uníssono que o tio não podia ter feito uma coisa dessas se estivesse em seu perfeito juízo, que isso era prova de que não estava, e que, portanto, era preciso nomear-lhe um tutor; que o tio os enganara, e, enfim, haviam de encerrá-lo num lugar onde ficasse sujeito à vigilância.

Mosliakov sabia bem como aterrorizar o velhote.

— Anjos do céu! — e o príncipe tremia como vara verde. — Achas que me enclausuravam, de verdade?

— Ai, não! Por isso lhe digo, tio, não é possível que se tenha precipitado e comprometido desse modo. O tio sabe muito bem o que lhe convém! Por isso afirmo redondamente que tudo isso não foi mais do que um sonho.

— É claro que foi um sonho, filho! — confirmou o príncipe amedrontado. — Como explicaste tudo tão acertadamente! Agradeço-te muito por me teres tran... qui...li...zado!

— E eu estou muito satisfeito por tê-lo encontrado hoje! Porque, se eu não estivesse aqui, talvez ficasse nessa ilusão, podia acreditar que se comprometera de fato com essa menina e então... não teria outro remédio senão cumprir a sua palavra e casar com ela. Imagine os perigos que isso lhe acarretava!

— Sim, sim, muitos pe...ri...gos!

— Pois repare que essa moça tem apenas vinte e três anos. Aqui, não encontra quem case com ela, mas eis que surge o tio, um aristocrata rico e distinto, como seu salvador. A família dela havia de pegar na sua proposta de casamento... e seria casado à força, se preciso. E depois punham-se à espera de que o tio morresse... talvez prematuramente.

— Deveras?

— E depois, imagine o tio, um homem com os seus dotes...

— Isso, com os meus dotes!

— Com o seu talento e o seu espírito!

— Isso, com o meu talento!

— E ainda por cima, príncipe! É claro que não podiam encontrar partido melhor para a filha do que o tio! Agora imagine o que diriam seus parentes!

— Ah, *mon ami!* Meus parentes acabavam comigo! Já me fizeram sofrer bastante... Olha, penso que até eram capazes de me meterem num ma...ni...cô...mio! Por isso, acabou-se, *mon ami*, não falemos mais disto! Por que... que havia eu de fazer num ma...ni...cô...mio?

— Está claro, tio! E por isso, agora, quando for lá para baixo ter com essas pessoas, eu não o deixarei sozinho. Lá embaixo estão visitas!

— Visitas! Valha-me Deus!

— Não se aflija, tio, que estarei a seu lado!

— Obrigado, filho, obrigado, és o meu salvador. Mas olha, preferia ir-me embora!

— Isso, amanhã, tio, amanhã às sete da manhã. Agora temos de nos despedir de todos e participar-lhes que partimos amanhã.

— Tenho que ir sem fal...ta, como te disse, ver o Padre Misail... *Mais, mon ami*, e se teimassem no casa... men... to?

— Não tenha medo, tio, aqui estou para defendê-lo. O que lhe recomendo muito é que, por mais que digam e afirmem, o tio teime sempre a dizer que foi um sonho...

— Não te preocupes, não te preocupes! Foi tudo um sonho, não há dú...vi...da! Agora, aqui para nós, digo-te que foi um sonho de...li...cio...so! A rapariga é ma...ra...vi...lho...sa...mente bonita, e se visses, que formas!

— Bem, até já, tio. Vou lá embaixo ver o que se passa e o tio...

— Que? Vais-te embora e deixas-me aqui sozinho? — exclamou o príncipe assustado.

— Não... Mas como temos de ir os dois lá para baixo, não convém que nos vejam entrar juntos, mas primeiro a mim e depois o tio...

— Ah, bom! Entretanto vou registrar um pensamento!

— Está bem, tio. Escreva o pensamento e depois desça. E amanhã, muito cedinho...

— E depois de amanhã, sem falta... vamos ao convento. *Charmante, charmante!* Mas ouve, *mon ami*: se visses, que formas! Um prodí...gio! Se de fato tivesse de casar, casava...

— Deus o livre de uma coisa dessas, tio!

— Bem, pois que me livre! Até à vista, filho... Eu já vou... Depois de escrever isto... E a pro...pósito: já leste as memórias de Casanova?

— Sim, já li... Mas por quê?

— Ora, porque... Por nada, meu filho, já não me lembro por que te perguntei isto.

— Depois lembra-se, tio. Até já!

— Até já, *mon ami!* Até já! O certo é que foi um sonho de...li...cio...so, de...li...cio...so!

CAPÍTULO XII

— Viemos todas, todas, para vê-los, até Praskóvia Ilínichna e Luísa Kárlovna quiseram vir — cochichava Anna Nikoláievna ao entrar no salão e olhando com grande curiosidade para tudo quanto via à sua volta.

Era uma mulher pequenina e bonita, vestida com um luxo ostensivo e muito consciente da sua beleza. Trazia a convicção de que ia encontrar o príncipe conversando com Zina no extremo do salão.

— E Ekatierina Pietrovna e Felissata Mikháilovna também queriam vir — acrescentou Natália Dimítrievna, senhora de grande corpulência (a mesma cujas formas eram tanto do gosto do príncipe e que fazia lembrar um granadeiro).

Trazia um capuz cor-de-rosa, extraordinariamente pequeno, que lhe ficava apenas no alto da cabeça. Havia três semanas convertera-se na maior amiga de Anna Nikoláievna, à qual já há tempos assediava, e que, a julgar pelas aparências, de boa vontade teria engolido de uma vez... com ossos e tudo.

— Com certeza não será preciso dizer como me sinto encantada por vê-las todas em minha casa, e, sobretudo, a esta hora da noite — balbuciou Maria Alieksándrovna depois de refeita do primeiro choque. — Mas tenham a bondade de dizer-me: a que prodígio se deve o terem-se recordado hoje de mim, quando há muito renunciara à honra das vossas visitas?

— Pelo amor de Deus, Maria Alieksándrovna!

— Pelo amor de Deus, Maria Alieksándrovna! O que diz! — exclamou Natália Dimítrievna bajuladoramente envergonhada, com uma voz afetada e infantil destoando notavelmente da sua corpulência.

— *Mais ma charmante* Maria Alieksándrovna! — gorjeou entretanto Anna Nikoláievna. — Temos de acabar com os preparativos para a nossa representação teatral! Ainda hoje Piotr Mikháilovitch disse a Kalist Stanislávitch que não achava nada bem nunca mais nos despacharmos com isto e não fazermos senão discutir! Por isso hoje nos reunimos todas e pensamos: "Vamos a casa de Maria Alieksándrovna e encontremo-nos ali todas!". Natália Dimítrievna encarregou-se de avisar as outras. Hão de vir todas, sem falta. E assim poderemos deliberar em conjunto para ver se isto, finalmente, anda para diante... É para não poderem dizer que não fazemos senão discutir, não é verdade, *mon ange?* — acrescentou graciosamente, beijando Maria Alieksándrovna. — Ah, olha Zinaída Afanássievna! Não há dúvida! Está cada dia mais bonita!

E Anna Nikoláievna apressou-se a ir ao encontro de Zina e a dar-lhe um beijo.

— Cada vez ficas mais bonita! — observou lisonjeadora Natália Dimítrievna, e esfregou as manápulas.

"O diabo que as carregue a todas! Esqueci-me dessa história do teatro! Espertalhonas!" — pensou Maria Alieksándrovna mordendo-se de raiva.

— Além do mais, minha querida — continuou Anna Nikoláievna — tens agora em casa o nosso querido príncipe! Bem sabes que, em Dunákovo, dantes, havia um teatro. Já nos informamos e ficamos sabendo que ainda lá existem em qualquer lugar, velhas decorações, um pano de cena e até algum guarda-roupa. O príncipe esteve hoje em minha casa, e tão admirada fiquei com a sua visita que nem me lembrei de falar-lhe nisso. Mas, agora, aqui, podemos comunicar-lhe os nossos projetos teatrais. Apoias as nossas diligências, e o príncipe, com certeza, nos deixará ir buscar essas coisas... Vais ver! Porque se não fosse assim, a quem iríamos encarregar das decorações? Além disso, e isto é o mais importante, queremos interessar o príncipe na representação. Não tem outro remédio senão contribuir para a subscrição... Pois é em benefício dos pobres... E quem sabe se ele não quererá também encarregar-se de algum pequeno papel! Como é tão amável e amigo de agradar! E para isso não seria preciso mais nada senão convidá-lo.

— Sim, com certeza ele aceitará algum papel. Podemos fazê-lo representar todos os que quisermos — observou Natália Dimítrievna ambígua.

Anna Nikoláievna não enganara Maria Alieksándrovna: a todos os instantes chegavam novas visitas. A dona da casa mal tinha tempo para receber as recém-chegadas e responder a todas essas exclamações que o decoro e o bom-tom impõem em tais casos.

Não vou descrever todas essas senhoras. Direi apenas que nos seus olhos brilhavam centelhas de uma malícia especial. Todos os rostos mostravam expectação e uma impaciência verdadeiramente doentia. Algumas tinham ido ali com o propósito deliberado de testemunhar um escândalo, daqueles que se tornam famosos, e não perdoariam a si próprias se perdessem semelhante oportunidade. Aparentemente desfaziam-se todas em bajulações para com Maria Alieksándrovna, mas, apesar disto, esta pressentia a tempestade. Todas lhe faziam perguntas a respeito do príncipe; perguntas que à primeira vista não pareciam ter nada de particular, no entanto encerravam alguma alusão e denotavam uma intenção secreta.

Começaram a servir o chá. As senhoras sentaram-se. Algumas, em grupo, aproximaram-se do piano. Pediram a Zina que cantasse qualquer coisa; esta respondeu-lhes secamente que não se sentia muito bem. O seu rosto pálido tornava a resposta aceitável. Seguiram-se perguntas de comiseração que deixavam também suspeitar de uma segunda intenção. Perguntaram por Mosliakov, e quando o fizeram, dirigiram-se exclusivamente a Zina. Maria Alieksándrovna estava atenta, nada lhe escapava, via tudo quanto sucedia até ao último pormenor e ouvia o que dizia cada uma daquelas senhoras, quase uma dezena, e respondia imediatamente a todas as perguntas, sem se preocupar, como se vê, com a escolha das palavras. Tremia por causa de Zina e admirava-se de que ela não se tivesse já escapado, conforme costumava fazer em ocasiões semelhantes.

Entretanto, também as visitas tinham reparado em Afanássi Matviéievitch. Costumavam todas desfazer-se em atenções para com ele, procurando desde modo ferir Maria Alieksándrovna. Esperavam agora conhecer mais pormenores pelos lábios daquele pobre homem, estúpido e de caráter fraco, Maria Alieksándrovna observava inquieta o assédio de que era objeto aquele... É verdade que a todas as perguntas respondia invariavelmente: "Hum!"; mas fazia-o com uma expressão tão triste e abatida, tão pouco natural, que a pobre senhora estava sobre brasas.

— Maria Alieksándrovna! Afanássi Matviéievitch não nos quer falar! — exclamou uma jovem astuta e de olhos penetrantes, a qual, pelo visto, nada receava nem se deixava enganar. — Diga-lhe que seja um pouco mais delicado com as senhoras!

— Eu?! Mas se nem eu mesma sei o que ele tem hoje! — respondeu Maria Alieksándrovna interrompendo a conversa com Anna Nikoláievna e sorrindo jovialmente. — Nunca o vi tão pensativo nem tão taciturno! Nem eu pude arrancar-lhe uma palavra da boca! Por que não respondes a Felissata Mikháilovna, *cher* Athanase?

— Mas... mas... mãezinha, foste tu mesma quem... — balbuciou o marido, atônito. Encontrava-se nesse momento, de pé, junto da chaminé do fogão de sala, aceso; as mãos baixas, numa atitude pitoresca que ele próprio descobrira, e dispunha-se a tomar o chá. As perguntas daquelas senhoras perturbavam-no de tal maneira que se ruborizava como um colegial. Quando balbuciou as primeiras palavras de defesa, caiu sobre ele um tão terrível olhar de sua esposa, que, de tão assustado, ia perdendo os sentidos. Como não sabia o que fazer e, por outro lado, desejava reparar o seu erro, ganhar as boas graças da esposa e alcançar novamente a sua consideração, resolveu ingerir imediatamente um gole de chá. Como estava muito quente, e engolira um trago demasiadamente grande, queimou a boca e a garganta, deixou cair a chávena, o chá passou-lhe para a traqueia e foi acometido de um ataque de tosse tão forte que teve de sair do quarto, deixando atônitos todos os presentes. Em resumo: a dona da casa percebeu claramente que as amigas estavam a par de tudo e não tinham ido visitá-la com boas intenções. A situação era perigosa, pois podiam entabular na sua presença uma conversa com o seu imbecil marido e saber por ele coisas inconvenientes. E podiam até disputar-lhe o príncipe e levá-lo dali naquela mesma noite; sim senhor, roubá-lo, muito simplesmente. Tudo era possível. Mas o destino preparava-lhe outro golpe. De súbito, viu surgir Mosliakov à porta, quando supunha estivesse em casa de Boródniev. Podia esperar tudo nessa noite, menos essa visita. Estremeceu no seu lugar, como se a tivessem picado.

Mosliakov deteve-se à entrada do salão e pareceu desconcertado perante tão numerosa afluência. Não podia disfarçar a comoção, visível mesmo de longe.

— Oh, meu Deus! Páviel Alieksándrovitch! — exclamaram ao mesmo tempo várias senhoras.

— Mas é Páviel Alieksándrovitch! Veja isto, Maria Alieksándrovna! Não estava em casa de Boródniev? Diziam até que o senhor se escondera em casa do seu parente! — acrescentou Natália Dimítrievna.

— Escondido? — respondeu Mosliakov com um sorriso forçado. — Que expressão estranha! Desculpe, Natália Dimítrievna; não preciso esconder-me de ninguém, nem tampouco desejo esconder-me de ninguém — acrescentou deitando um olhar significativo para Maria Alieksándrovna.

Maria Alieksándrovna tremeu.

"Também este burro põe as orelhas de fora? — disse e lançou-lhe um olhar de soslaio. — Isto, agora, é o pior..."

— É verdade, Páviel Alieksándrovitch, que foi demitido... do serviço, bem entendido? — perguntou-lhe sub-repticiamente Felissata Mikháilovna fitando-o nos olhos.

— Demitido?! Que quer dizer com isso? Trata-se apenas de uma transferência. Vou para Petersburgo — respondeu Mosliakov secamente.

— Ah, então devo felicitá-lo! — continuou Felissata Mikháilovna. — Ficamos muito alarmadas quando nos disseram que pretendia um emprego aqui em Mordássov. Aqui, como sabe, Páviel Alieksándrovitch, os empregos não são seguros, fogem antes que tenhamos tempo de os agarrar.

— Em todo caso, o senhor podia encontrar aqui um lugar de mestre-escola do distrito; dizem que está vago, agora — observou Natália Dimítrievna.

A alusão era tão transparente que Anna Nikoláievna ficou um pouco inquieta e fez um sinal com o pé, às escondidas, à sua maliciosa amiga.

— Pensa então que Páviel Alieksándrovitch aceitaria um lugar de mestre-escola? — perguntou Felissata Mikháilovna.

Mosliakov não sabia o que responder. Voltou as costas àquelas senhoras e fez menção de se retirar. Naquele momento encontrou-se com Afanássi Matviéievitch, que lhe estendia a mão num gesto bonacheirão, Mosliakov evitou estender-lhe a mão e fez-lhe um cumprimento trocista e exagerado. Extremamente agitado, dirigiu-se a Zina, assestou-lhe um olhar de ódio e disse-lhe:

— Tudo isto é à sua bondade que tenho de agradecer. É só esperar um pouco, e ainda esta noite ficará sabendo como sou estúpido!

— Para que esperar até logo? Neste momento já se vê — respondeu Zina em voz alta e olhou o seu antigo pretendente de alto a baixo com uma expressão de repugnância.

Mosliakov afastou-se rapidamente... pois aquela resposta em voz alta enchera-o de espanto.

— Vem de casa de Boródniev? — atreveu-se por fim a perguntar-lhe Maria Alieksándrovna.

— Não, minha senhora, estive com meu tio.

— Com seu tio? Mas esteve agora com o príncipe?

— Ah! então o príncipe já acordou? Disseram-nos que estava dormindo! — exclamou assombrada Natália Dimítrievna e dirigiu um olhar extremamente penetrante para a dona da casa.

— Não se preocupe com o príncipe, Natália Dimítrievna! — acrescentou Mosliakov. — Já acordou e, graças a Deus, também já está lúcido, outra vez. Fizeram-no beber, primeiro em sua casa, Natália Dimítrievna, e depois aqui, até que o pobre acabou por perder o juízo, que, na verdade, não é muito. Mas agora, felizmente, pudemos os dois trocar impressões e recuperou a faculdade de raciocinar com coerência. Não tarda que ele venha aí para despedir-se da senhora, Maria Alieksándrovna, e agradecer sua hospitalidade. Porque amanhã, muito cedo, partimos os dois para o mosteiro, donde o acompanharei pessoalmente a Dunákovo, para protegê-lo contra um possível assalto, como o de outro dia. Em Dunákovo voltará a cair nos braços de Stiepanida Matviéievna, que já deve ter voltado de Moscou, e então não é possível pensar que ele faça alguma viagem... Por isso, respondo eu!

Enquanto falava, Mosliakov não deixava de lançar a Maria Alieksándrovna olhares carregados de ódio. Esta permanecia muito calada, como se o medo lhe tivesse tirado a fala. Devo confessar com certa mágoa que a minha heroína se sentia, pela primeira vez na vida, seriamente preocupada.

— Então partem amanhã? — perguntou Natália Dimítrievna dirigindo-se a Maria Alieksándrovna.

— Ah, sim?! — foi a exclamação que se ouviu de todos os lados do salão, pronunciada com acentos de ingenuidade. — E nós contando... Quem esperava uma coisa destas?

A dona da casa já não sabia o que responder. De repente deu-se um incidente inaudito, que desviou a atenção de todos: no quarto contíguo ouviu-se um estranho ruído e um clamor lastimoso, depois do que surgiu na sala, inopinadamente, Sófia Pietrovna Karpúkhina.

Sófia Pietrovna era a mulher mais extravagante de toda a cidade de Mordássov. Tão extravagante que, ultimamente, todas as famílias distintas lhe tinham cerrado as portas. Devo informar também que a referida senhora tomava invariavelmente todos os dias, às sete em ponto da tarde, um par de copinhos de vodca... por causa das dores de estômago, conforme dizia. Assim tonificada, adquiria geralmente uma estranha disposição de espírito... isto, para não empregar expressões demasiado fortes. Nessa disposição de espírito se achava agora de penetrar como um tufão em casa de Maria Alieksándrovna.

— Ah, como a senhora é, Maria Alieksándrovna! — exclamou. — É assim que a senhora procede para comigo! Mas não se incomode, venho apenas por um momento; nem sequer penso sentar-me! Vim apenas para ver com meus próprios olhos se era verdade o que me disseram! Hem? Então temos baile, solene banquete de bodas e a Sófia Pietrovna deixam-na para um canto, em casa, a passar as meias! Convidam a todos, menos a mim! Mas ainda há pouco me chamava "querida amiga", e *mon ange,* quando vim para informá-la do que se passava em casa de Natália Dimítrievna com o príncipe. E agora vejo que essa Natália Dimítrievna, que a senhora dantes punha na rua da amargura, se encontra em sua casa, como convidada de honra. Não, não se incomode, Natália Dimítrievna! Não preciso do seu chocolate à *la Santé,* a dez copeques a onça! Eu bebo em minha casa muito melhor do que esse!

— Bem se vê! — respondeu a Dimítrievna.

— Mas, pelo amor de Deus, Sófia Pietrovna! — exclamou Maria Alieksándrovna, vermelha de cólera. — Que lhe aconteceu hoje? Acalme-se, mãezinha!

— Oh, não se preocupe comigo, Maria Alieksándrovna! Eu sei tudo, tudo! — gritou Sófia Pietrovna com uma voz aguda e desagradável, rodeada por todas aquelas senhoras, que pareciam divertir-se com a cena. — Sei tudo, absolutamente tudo, sim, senhora! A sua parenta Nastássia veio correndo a minha casa e contou-me tudo! A senhora sequestrou esse pobre príncipe, embebedou-o e depois obrigou-o a prometer casamento à sua filha, sim, à sua filha, com a qual ninguém quer casar, e agora julgava que de uma cajadada matava dois coelhos... e te vias de um dia para o outro feito duquesa... Oh, não se incomode, que eu também sou coronela! E se não quer convidar-me para o casamento, a mim, que me importa? Eu estou mais acostumada a frequentar a alta sociedade do que a senhora! Eu jantei em casa da Condessa Zalikhvátski e tive como pretendente à minha mão o Comissário-geral Kúrotchkin! Como se o seu convite me fizesse alguma falta!

— Sófia Pietrovna! — exclamou Maria Alieksándrovna relativamente tranquila, apesar de estar como sobre brasas. — Ouça o que eu lhe digo: acho que não está certo entrar, da maneira que o fez, numa casa distinta, e, além disso, nestas circunstâncias, e se não se retira imediatamente e acaba com essa lengalenga, terei de tomar providências...

— Já sei, já sei, chama os seus criados e manda-me por na rua! Não é? Mas não se incomode, eu vou-me embora sem ser preciso isso. Adeus e case a sua filha com quem quiser; e a senhora, Natália Dimítrievna, não tem nada que rir de mim, vá para o diabo mais o seu chocolate. Eu não fui convidada para esta casa, mas também não dancei o *kasatchok* diante do príncipe para o distrair! Mas afinal por que se ri, pode saber-se, Anna Nikoláievna? Pois olhe, fique sabendo que Suchílov acaba de quebrar uma perna e tiveram que levá-lo para casa. E a senhora, Felissata Mikháilovna, tome cuidado, se a sua criada Matriona, que anda descalça, coitada, não se lembrar de levar a vasa todas as manhãs para o campo, de maneira que não se ponha a mugir todos os dias junto das janelas, qualquer dia quebro-lhe uma perna. Bem... Fique com Deus, Maria Alieksándrovna, e passe muito bem!

Sófia Pietrovna desapareceu. As senhoras puseram-se a rir, mas Maria Alieksándrovna não sabia o que fazer nem o que dizer.

— Parece-me que estava bêbada! — disse Natália Dimítrievna de maneira muito afetada.

— Mesmo assim... é um descaramento!

— *Quelle abominable femme!*

— Sim... No entanto sempre nos distraiu!

— Mas disse coisas horríveis!

— Ela falou num casamento... De que se trata? — perguntou Felissata Mikháilovna.

— Mas isso é horrível! — exclamou finalmente Maria Alieksándrovna. — E foram estes monstros que espalharam esses boatos absurdos! Não é para admirar. Felissata Mikháilovna, que semelhantes senhoras se encontrem em nossa melhor sociedade... Não... O mais surpreendente, parece, é que as referidas senhoras não possam prescindir de que as escutem, as apoiem, lhes deem crédito, as...

— O príncipe, o príncipe! — exclamaram de repente e ao mesmo tempo todas as senhoras presentes.

— Oh, meu Deus! *Cher prince!*

— Ora, até que enfim, graças a Deus! Agora é que vamos saber a verdade — murmurou Felissata Mikháilovna ao ouvido da sua vizinha.

Capítulo XIII

O príncipe entrou no salão com um sorriso nos lábios. Vendo tantas senhoras juntas, sumiu da sua fraca memória, como por encanto, toda a perturbação em que Mosliakov o lançara. As senhoras receberam-no com exclamações de alegria e ele derreteu-se como um doce. Geralmente, as senhoras eram sempre muito gentis para com ele. Tratavam-no com muita familiaridade. Tinha o privilégio de distraí-lo com a sua interessante pessoa. Felissata Mikháilovna chegara mesmo a afirmar nessa tarde — claro que só por graça — que estava disposta a lançar-se aos seus pés, se isso lhe agradasse, pois era "velhinho tão simpático, tão simpático...". Maria Alieksándrovna, assim que o viu entrar, envolveu-o com o olhar, com a intenção de ler qualquer coisa no rosto... Para ver se adivinhava o desenlace daquela situação tão crítica. Era evidente que alguma coisa havia de acontecer; com certeza Mosliakov tramara alguma. O plano da nossa heroína corria um sério risco de falhar... Mas, da cara do príncipe nada se podia concluir, era a mesma de sempre.

— Mas, graças a Deus! Aqui está o príncipe! Fez-nos esperar tanto! — exclamaram algumas senhoras.

— Estávamos impacientes, príncipe, mais que impacientes! — gritaram todas.

— Isso lison...jeia-me muito! — tartamudeou o príncipe e sentou-se à mesa onde se via o samovar. Num instante, as senhoras o rodearam. Apenas Anna Nikoláievna e Natália Dimítrievna continuaram ao lado da dona da casa. Afanássi Matviéievitch sorria respeitosamente. Mosliakov sorria também, olhando impertinentemente para Zina, que não lhe ligava a menor importância. A moça aproximou-se do pai e sentou-se junto dele, ao lado da chaminé.

— Mas, príncipe, é verdade que pensa em nos deixar? — perguntou Felissata Mikháilovna.

— De fato, mes... dames, tenho de ir embora! Devo fazer sem fal...ta, uma viagem ao es...tran...gei...ro!

— Ao estrangeiro, príncipe, ao estrangeiro? — exclamaram todas em coro. — Como se lembrou de uma coisa dessas?

— Sim, sim, ao es...tran...gei...ro! — confirmou o príncipe, jovial. — Sim, e aquilo precisamente que me incita a essa viagem são as novas i...dei...as!

— As nova ideias?! A que ideias se refere, príncipe?

— As novas ideias — insistiu o príncipe com uma grande convicção, segundo parecia. — Agora toda a gente lá vai por causa das novas i...dei...as! Ora, como eu também quero adquirir novas i...dei...as...

— Talvez o tio queira entrar para a maçonaria — perguntou Mosliakov, desejando evidentemente fazer-se espirituoso perante as senhoras.

— Olha, acertaste — respondeu o tio um pouco admirado. — Há alguns anos pertenci a uma loja maçônica do estrangeiro e adquiri ali muitas ideias no...vas! Nesse tempo pretendia contribuir para a ilustração dos meus contemporâneos, e em Frank...fort decidi dar alforria ao meu Sidor, que levara comigo para o es...tran...gei...ro! Simplesmente, ele, com grande espanto meu, libertou-se a algum tempo, tornei a encontrá-lo em Pa...ris. Era amante duma senhorita dos *boulevards*. Olhou para mim e fez-me um aceno com a cabeça. Por sinal a tal senhorita era bem bonita!

— Mas, tio, se fizer essa viagem ao estrangeiro, pensa emancipar todos os seus camponeses? — exclamou Mosliakov rindo-se às gargalhadas.

— É claro! Adivinhaste o meu pen...sa...mento! — respondeu imediatamente o príncipe. — É essa a minha intenção. Transformá-los, de servos em trabalhadores livres.

— Mas, por amor de Deus, príncipe, olhe que lhe fogem todos quando fizer isso, e depois, quem é que paga as rendas? — objetou Felissata Mikháilovna.

— É mesmo, fugiam todos! — afirmou muito agitada Anna Nikoláievna.

— Valha-me Deus! Mas acham que realmente fu...gi...riam todos? — perguntou o príncipe assombrado.

— É inevitável! Quando lhes der a liberdade, todos irão embora e ficará sozinho! — corroborou Natália Dimítrievna.

— Ah, sim? Pois então não lhes darei a liberdade! Eu disse que se tratava apenas de uma intenção.

— Isso está bem, tio! — opinou Mosliakov.

Maria Alieksándrovna ouvia e observava em silêncio. Parecia-lhe que o príncipe se esquecera completamente de tudo...

— Dê-me licença, príncipe — começou em voz alta e cheia de dignidade — que lhe apresente o meu marido... Afanássi Matviéievitch. Chegou há pouco das nossas propriedades, logo que soube da sua chegada, para vir cumprimentá-lo.

Afanássi Matviéievitch adotou uma atitude rígida. Parecia-lhe que lhe tinham feito um elogio.

— Ah, muito, muito prazer, muito prazer! — disse o príncipe. — Afanássi Matviéievitch! Dê-me licença... Lembrei-me de uma coisa... Afaná...ssi Matviéievitch. Bem, é este o tal que vive nas suas propriedades, *charmant, charmant*. Muito prazer, repito, muito prazer! — e voltou-se para Mosliakov. — Este é o tal, sabes, de que se falava naqueles versos? Como eram eles? Ah, sim, já me lembro: "Mal o homem assomou à porta, a mulher saiu para a rua..." É isto, a mulher também ia a algum lugar...

— Ah, ótimo! "Mal o homem assomou à porta, a mulher saiu para a rua..." É a letra do *vaudeville* que representaram aqui há uns dois anos — precisou Felissata Mikháilovna.

— É isso, da casa! Esqueço-me sempre! *Charmant, charmant!* Com que então o senhor é o tal? Pois muito prazer em conhecê-lo! — disse o príncipe estendendo mão a Afanássi Matviéievitch sem se levantar da cadeira. — Bem, então como tem passado?

— Hum!

— De saúde, muito bem, príncipe, mesmo muito bem — apressou-se a responder Maria Alieksándrovna.

— Vê-se logo que está bem. Vive sempre no campo, não? Faz muito bem! É ver estas faces coradas e o que deve se divertir por lá...

Afanássi Matviéievitch sorriu e fez uma reverência. Mas perante a última observação do príncipe não se conteve e irrompeu em grandes gargalhadas. A hilaridade tornou-se geral. As senhoras rebolavam-se a rir. Zina corou e fixou os olhos chamejantes em Maria Alieksándrovna, que estava furiosa. Era tempo de mudar de conversa.

— Então, descansou muito, príncipe? — perguntou com sorriso adulador, ao mesmo tempo que dava a entender ao marido, com um sorriso colérico, que devia tornar a sentar-se imediatamente.

— Oh, dor...mi lindamente! — disse o príncipe — e por si...nal que tive um sonho en...can...ta...dor, verdadeiramente en...can...ta...dor!

— Um sonho? Então conte-o! eu gosto muito de ouvir contar sonhos — exclamou Felissata Mikháilovna.

— E eu também! Eu também! — concordou Natália Dimítrievna.

— Um sonho en...can...ta...dor! — repetiu o príncipe com um sorriso desvanecido. — Mas é se...gre...do!

— Ah! Mas por que é que não pode contá-lo? Foi assim um sonho tão extraordinário, príncipe? — perguntou Anna Nikoláievna.

— Foi, é um grande se...gre...do!

— Oh, então deve ser terrivelmente interessante!

— Aposto que o príncipe sonhou que se lançava aos pés de alguma beldade e lhe declarava o seu amor — exclamou Felissata Mikháilovna. — Vamos, confesse, príncipe, que foi isso que sonhou! Vamos, querido príncipe, confesse!

— Confesse, príncipe, confesse! — pediram de todos os lados do salão.

O príncipe escutou, muito vaidoso e visivelmente envaidecido por todas aquelas exclamações. A suposição de Felissata Mikháilovna lisonjeava extraordinariamente o seu amor-próprio. Não podia esperar nada mais agradável e até lambia os lábios, de gosto.

— Apesar de ter dito que o meu sonho é um grande se...gre...do — respondeu finalmente — vejo-me obrigado a confessar que a senhora acertou por com...ple...to, o que muito me espanta!

— Então acertei?! — exclamou Felissata Mikháilovna. — Ótimo, príncipe! Pois agora, faça como quiser, mas eu penso que devia dizer-nos quem era a beldade!

— Não tem outro remédio senão dizer!

— É desta terra?

— Ah, querido príncipe, diga, diga!

— *Mesdames, mesdames!* Se desejam assim tanto sabê-lo, apenas posso dizer-lhes uma coisa: que é mais en...can...tado...ra e a mais pura de quantas meninas conheço!

O príncipe derretia-se de gozo.

— A mais encantadora! É... daqui? Quem poderá ser? — perguntavam a si próprias as senhoras, trocando olhares e sinais significativos.

— Com certeza será a mesma que nesta terra goza da fama de mais bela entre todas! — disse Natália Dimítrievna esfregando as manápulas vermelhas e olhando significativamente com os seus olhos de gata para Zina. Ao mesmo tempo todos os olhares convergiram sobre a jovem.

— Mas, príncipe, uma vez que sonha coisas dessas... por que não casa a sério? — perguntou-lhe a fanhosa Felissata Mikháilovna, espalhando à sua volta um olhar muito significativo.

— Teríamos muito gosto em vê-lo casado — exclamou outra senhora.

— Ah, querido príncipe, case, case por favor!

— Case, case! — exclamaram por todos os lados. — Por que não havia de casar?

"Sim, de fato... por que não hei de casar?", pensou também o príncipe, ao qual toda aquela vozearia entontecera um pouco.

— Veja lá, tio! — exclamou de repente Mosliakov.

— Ah, sim, meu filho! Já compreendo! Pois bem, *mes...dames*, já não estou em condições de casar, e, depois de ter passado uma noite en...can...ta...do...ra em casa da nossa querida amiga, penso partir amanhã de manhã, cedinho, para ir visitar o Padre Mis...sail no seu mosteiro, de onde sairei diretamente para o estrangeiro, a fim de poder observar de perto os pro...gres...sos da cultura eu...ro...peia.

Zina empalideceu e olhou para a mãe. Mas Maria Alieksándrovna já tomara uma resolução. Até ali limitara-se a aguardar, mantendo-se na expectativa, pois pensava que as suas inimigas tinham se adiantado a ela. Mas finalmente acabou por compreender tudo e resolveu cortar imediatamente as cem cabeças daquela hidra. Levantou-se majestosamente da cadeira, aproximou-se da mesa com um passo firme e olhou com um orgulho olímpico para as suas inimigas anãs. Via-se nos seus olhos o fogo do entusiasmo e da inspiração. Estava decidida a cortar pela raiz todo aquele aborrecido falatório, a aniquilar, simplesmente, aquele velhaco de Mosliakov, a esmagá-lo como a uma barata e a recuperar de novo, de um golpe decisivo, toda a sua perdida influência sobre o idiota do príncipe. Para tal era preciso uma extraordinária desenvoltura, mas isso nunca faltava a Maria Alieksándrovna.

— *Mesdames* — começou num tom solene e majestoso (Maria Alieksándrovna adorava a solenidade). — *Mesdames*, já ouvi, durante muito tempo, a vossa tagarelice, as vossas alegres e espirituosas brincadeiras, acho que por agora basta, e que chegou a minha vez de dizer duas palavras. Como sabe, encontramo-nos aqui todas reunidas por casualidade... no que tenho o maior prazer! Nunca me decidiria a comunicar-vos precipitadamente um importante segredo de família, antes do que exige o decoro. Mas parece-me que ele próprio procura chamar a atenção, por meio de discretas alusões, sobre a referida circunstância, o que me leva a pensar que não só não lhe desagradará de maneira nenhuma a declaração formal e solene do nosso segredo familiar, como até a deseja... Não é verdade, príncipe, que eu não me engano?

— Não... Não se engana, não... E tenho muito gosto... Muito gosto — disse o príncipe que não percebera patavina de tudo aquilo.

Maria Alieksándrovna conteve a respiração por um instante, para observar a impressão das suas palavras e tomar fôlego. Passou revista a toda a assembleia: as senhoras seguiam com uma avidez de aves de rapina as suas palavras. Mosliakov estremeceu. Zina corou e levantou-se do seu lugar, e Afanássi Matviéievitch assoou-se, na expectativa de um grande acontecimento.

— Pois, *mesdames*! É com muito prazer que estou disposta a confiar-lhes o meu segredo de família. Vão ficar sabendo que esta tarde, depois do jantar, o príncipe, seduzido pela beleza e... e por outros predicados de minha filha, me deu a honra de pedir a sua mão. Príncipe — terminou com uma voz de comoção e de pranto — não leve a mal a minha franqueza! Somente o excesso de alegria pôde arrancar, antes do tempo, este segredo do meu coração e... que mãe me censuraria por isso?

Não tenho palavras para descrever a impressão que causou em todos os presentes aquela declaração de Maria Alieksándrovna. Todos pareciam petrificados de assombro. As amigas desleais que quiseram assustar Maria Alieksándrovna, dando-lhe a entender que estavam informadas de tudo e pensavam aniquilá-la com a revelação prematura do segredo — tinham começado com piadas indiretas — mostravam-se agora abatidas, elas próprias, por aquela hábil sinceridade. Não faltava certa coerência a todo aquele jogo tão ousado. Era verdade que o príncipe queria espontaneamente casar-se com Zina? Então não tinham feito cair em nenhuma armadilha, embebedando-o e enganando-o? Não pensa casar-se em segredo nem longe daqui? Porventura Maria Alieksándrovna não tem medo de nada nem de ninguém? Então não há forma de impedir esse casamento, uma vez que o príncipe se casa por sua vontade e sem que ninguém a isso o force? Houve um instante de vozearia geral, depressa transformado numa exclamação de alegria, Natália Dimítrievna foi a primeira a aproximar-se de Maria Alieksándrovna para abraçá-la; seguiu-se Anna Nikoláievna, e a esta, Felissata Mikháilovna. Todos se levantaram dos seus lugares e formaram um círculo em torno da dona da casa. Muitas senhoras empalideceram de inveja. Zina viu-se envolvida por pessoas que a felicitavam. Até à volta de Afanássi Matviéievitch se formou também um pequeno círculo. Maria Alieksándrovna estendia os braços teatralmente e estreitava quase violentamente a filha contra o peito. Apenas o príncipe contemplava a cena com assombro, embora não deixasse de sorrir amavelmente. E além disso, toda aquela algaravia lhe agradava imenso. E quando viu que a mãe abraçava a filha de maneira tão patética, puxou do lenço e enxugou as lágrimas do seu único olho.

— Felicidades, príncipe, felicidades! — gritavam por todos os lados.

— Então, vai casar, príncipe?

— É verdade que casa?

— Vai casar, o príncipe! Vai casar!

— É verdade, é verdade — respondia o príncipe ao qual agradavam muito todo aquele rebuliço e aquelas felicitações — e confesso-lhes que agradeço muito a simpatia que por este motivo me de...mons...tram e que não as esquecerei nun...ca, nun...ca. *Charmant, charmant!* Fizeram-me comover tanto, que tenho até vontade de chorar...

— Dê-me um beijo, príncipe! — exclamou Felissata Mikháilovna, dominando com sua voz desagradável toda aquela algaraviada.

— E confesso-lhes também — prosseguiu o príncipe apesar de o interromperem de todos os lados — que o que mais me espanta é que Maria Ivâ...nov...na, a digna dona desta casa, tenha adivinhado, com tão es...pan...to...sa exá...tidão, o meu sonho. Tal qual, como se ela própria o tivesse sonhado! Extraordinária intuição! Extraordinária intuição!

— Mas, príncipe, já está o senhor outra vez falando do seu sonho!

— Diga, príncipe, diga! — pediram as senhoras rodeando-o.

— Sim, príncipe: a que propósito vem esse segredo? Já é tempo de descobrir o mistério — disse Maria Alieksándrovna decidida e severa. — Eu compreendi muito bem a sua delicada alegoria, a encantadora ternura com que dava a entender o seu desejo de tornar público o seu compromisso. Sim, *mesdames*, é verdade que hoje, o príncipe, bem acordado e não em sonhos, se ajoelhou aos pés da minha filha e lhe deu formalmente a sua palavra de casamento.

— Sim, minhas senhoras, tal como na realidade e nas mesmas cir...cuns...tân... cias — confirmou o príncipe. — *Mademoiselle* — prosseguiu dirigindo-se a Zina com desusada costesia; a Zina ainda não completamente refeita da sua comoção. —

Mademoiselle! Juro-lhe que nunca teria ousado pronunciar o seu nome se ou...tros o não tivessem feito antes! Foi um sonho em...can...ta...dor e considero-me duplamente feliz por poder contá-lo a você, minha menina. *Charmant... charmant!*

— Mas, por amor de Deus, lá vem outra vez a história do sonho! — murmurou Anna Nikoláievna ao ouvido de Maria Alieksándrovna, muito comovida e um pouco pálida.

Mas, oh dor! Nem era necessário tanto para que Maria Alieksándrovna se pusesse a tremer de medo.

— Que vem a ser isto? — murmuraram também entre si as outras senhoras, trocando olhares significativos.

— Mas, por favor, príncipe — exclamou Maria Alieksándrovna com um sorriso doloroso — permita-me dizer-lhe que me deixa assombrada. Que ideia é essa tão estranha, de se pôr agora a falar em sonhos? Digo-lhe francamente que, até este momento, pensei tratar-se unicamente de uma brincadeira; mas... se é brincadeira, não pode ser mais inoportuna... Eu só posso atribuir isso a uma distração sua, mas...

— Sim, isso deve ser por causa da sua distração — opinou também Natália Dimítrievna.

— Sim, pode ser o efeito de uma distração — confirmou o príncipe, cada vez compreendendo menos do que lhe falavam, nem ao certo o que dele desejavam. — E olhem, minhas senhoras: vou contar-lhes uma a...ne...do...ta. Uma vez, em Petersburgo, convidaram-me para um enterro em uma *maison bourgeoise, mais honnête,*[8] e eu pensei tratar-se de uma festa de aniversário. Mas essa realizara-se na semana anterior. Bem. Fui e encomendei um ramo de ca...mélias para a dona da casa, peguei nele, vou até lá e sabem o que fui encontrar? Um respeitável ancião metido no ataúde, coisa que me espantou. E fiquei sem saber o que fazer com o meu ramalhete.

— Príncipe, agora não é ocasião de se pôr a contar historietas! — interrompeu-o, furiosa, Maria Alieksándrovna. — A minha filha não precisa de andar à caça de maridos, mas ainda hoje, esta tarde, o senhor lhe prometeu casamento, junto desse piano. Nada fiz para o obrigar... Posso até firmar que a sua decisão me causou grande estranheza... Fosse como fosse, tive depois uma ideia, mas não quis falar nisso enquanto o príncipe não despertasse. Mas eu sou mãe... Trata-se da minha filha... O senhor acaba de falar-nos de um sonho e pensei que queria revelar publicamente o seu compromisso sob a forma duma alegoria. Sei que podem ter tentado dissuadi-lo disso... e calculo até quem poderá ser... Mas explique-se, por amor de Deus, príncipe, explique-se categoricamente. Graças deste gênero não se permitem numa casa decente.

— Claro! Graças como esta não se permitem numa casa decente! — confirmou o príncipe sem saber o que dizia, embora começasse a sentir-se pouco à vontade.

— Isso não é resposta à minha pergunta, príncipe! Peço-lhe uma resposta categórica; declare agora mesmo, diante de todos os presentes, que me pediu a mão de minha filha!

— Pois bem, não tenho inconveniente em declará-lo. Como disse, já contei tudo e, Felissata Mikhái...lovna adivinhou perfeitamente o meu sonho.

— Qual sonho! Qual sonho! — exclamou Maria Alieksándrovna furiosa. — Não foi um sonho mas uma realidade, príncipe! Está ouvindo? uma realidade!

---

8 Casa burguesa, mas decente.

— Rea...li...dade! — exclamou o príncipe assombrado e de tão espantado até se pôs de pé. — Estás ouvindo, meu filho? Cumpriu-se o que há pouco me pro...fe... ti...zaste! — disse, olhando para Mosliakov. — Mas eu afirmo-lhe, Maria Alieksándrovna, que está enganada! Eu estou ab...so...lu...ta...men...te com...ven...ci...do de que foi tudo um sonho!

— Meu Deus! — exclamou Maria Alieksándrovna juntando as mãos.

— Acalme-se, Maria Alieksándrovna — interveio Natália Dimítrievna. — Pode ser que se trate de um esquecimento do príncipe... Talvez daqui a pouco se lembre...

— Isso não me interessa, Natália Dimítrievna — exclamou Maria Alieksándrovna mal-humorada. — Como é possível que ele se tenha esquecido de uma coisa destas? Quem se esqueceria de uma coisa destas? Por favor, príncipe! Quer divertir-se à nossa custa? Não quererá o senhor fazer-nos uma brincadeira como as que estavam em moda no tempo da Regência e aquelas que agora Dumas nos descreve nos seus romances? Mas, sem falar em que isso, na sua idade, já não lhe fica bem, digo-lhe que não há de levar a sua avante. A minha filha não é nenhuma viscondessa francesa! Esta tarde, como disse, quando ela estava aqui, depois de ter cantado uma *romanza*, o senhor lançou-se aos pés dela e pediu-lhe aceitasse o seu nome. Não estou delirando! Não estou sonhando! Diga, príncipe, estou dormindo ou acordada?

— Bem... Embora, talvez — respondeu o príncipe aturdido. — Isto é, parece-me que agora não está dor...mindo. mas há pouco, note bem, foi por isso que eu tive aquele sonho, porque adormeci.

— Deus do Céu! Que vem a ser isto? Tão depressa dorme como acorda... O diabo que o entenda... Suponho que está delirando, príncipe!

— Sim, o diabo que o entenda... Aliás, parece-me que, agora, já não sei nada! — murmurou o príncipe dirigindo à assistência um olhar inquieto.

— Mas como é possível que o príncipe tenha visto tudo isso em sonho quando fui eu que lhe contei esse suposto sonho, com todos os pormenores e, além disso, o senhor não o contara antes a ninguém?

— Mas pode ser que o tenha contado a alguém! — opinou Natália Dimítrievna.

— Sim, pode ser que o tenha contado a alguém — repetiu o príncipe completamente desorientado.

— Isto é uma comédia! — murmurou Felissata Mikháilovna ao ouvido da sua vizinha.

— Santo Deus! Isto é de fazer perder a paciência! — exclamou Maria Alieksándrovna juntando as mãos num desespero. — Ela lhe cantou uma *romanza*, príncipe, uma *romanza*! Também pensa que isso foi apenas um sonho?

— Sim, de fato parece-me que me cantou qualquer coisa — murmurou o príncipe, pensativo.

De repente, uma recordação iluminou-lhe o rosto.

— Meu filho! — exclamou, dirigindo-se a Mosliakov, — esqueci-me de dizer-te que, efetivamente, a tal menina me cantara qualquer coisa, assim como uma *ro...man...za*, uma *ro...man...za* em que se falava de palácios e de um trovador! Sim, sim, agora me lembro muito bem... Por sinal até me fez chorar. Pois olhem, meus senhores, estou fazendo uma grande con...fu...são, parece-me que não foi um sonho mas sim uma rea...li...dade!

— Muito obrigado pela sua sinceridade, tio! — observou Mosliakov com a maior tranquilidade, embora a sua voz deixasse transparecer um tremor de comoção. — Fica-lhe muito bem essa franqueza. Parece-me que o problema não pode ser mais fácil de resolver do que é. Acho que, na verdade, deve ter ouvido essa canção. Zinaída Afanássievna canta muito bem. Trouxeram-no para aqui, depois do almoço, e Zinaída Afanássievna cantou-lhe essa *romanza*. Eu não estava presente nessa ocasião; mas é de supor que o tio se tivesse deixado arrastar pelo entusiasmo e recordasse os antigos tempos em que também cantava *romanzas*... com a viscondessa de que nos falou de manhã... E depois, agradavelmente impressionado com tudo isso, foi e sonhou que estava apaixonado e noivo...

Maria Alieksándrovna estava pasmada. Nunca julgara possível aquele descaramento.

— Sim, filho, sim! Deve ter sido isso! — exclamou o príncipe entusiasmado. — Precisamente por estar tão agradavelmente impres...sio...nado! lembro-me muito bem e que me cantaram uma *romanza!* E devia ter sido por isso que eu sonhei que ia casar! E por isso também me lembrei da viscondessa... Mas como percebeste tudo tão bem! Agora sim, já estou ab...so...lu...ta...men...te convencido de que foi tudo um sonho! Maria Alieksándrovna! Afirmo-lhe que foi tudo um sonho! Um sonho e nada mais. Pois, de maneira alguma me atreveria a brincar com os seus no...bi...lís...si...mos sentimentos...

— Ah, agora percebo perfeitamente quem anda metido nisto tudo, — exclamou Maria Alieksándrovna, raivosa, encarando Mosliakov. — É o senhor o vil culpado de tudo isto! Foi o senhor quem, para se vingar de minha filha o ter repelido, transtornou o juízo deste pobre idiota! Mas vais pagar por isso, seu tratante! Sim, vais pagar, espera!

— Maria Alieksándrovna! — exclamou Mosliakov vermelho como um tomate. — Essas palavras são de tal índole... Nem sei como qualificá-las... Sei apenas que nenhuma senhora educada se permitiria... Eu não procuro defender o meu parente... Mas há de reconhecer que enganar assim um velho, fazê-lo cair numa armadilha...

— Precisamente: fazê-lo cair numa armadilha! — respondeu o príncipe, esforçando-se por esconder-se atrás de Mosliakov.

— Afanássi Matviéievitch! — gritou Maria Alieksándrovna com uma voz que não parecia sua. — Ouves como nos insultam e envergonham? Ou te consideras desligado de todos os deveres para conosco? És um pai de família ou um estafermo, simplesmente? Outro marido teria lavado com sangue a afronta feita aos seus...

— Mãezinha! — exclamou Afanássi Matviéievitch, muito vaidoso por terem solicitado o seu auxilio. — Mãezinha! Por acaso não sonhaste tudo isso, e ao acordares, confundiste, como é costume?

Mas não consentiram que Afanássi Matviéievitch expusesse até o fim sua lúcida explicação. Até então, as senhoras tinham-se contido, mantendo um aspecto de digna gravidade, embora, por dentro, se remordessem de maldosa alegria. Mas agora romperam todas ao mesmo tempo em estrondosas gargalhadas. Maria Alieksándrovna, esquecendo-se de todo o seu *comme il faut*, dispunha-se a lançar-se sobre o marido para arrancar-lhe os olhos; mas as outras não a deixaram. Natália Dimítrievna aproveitou no entanto a ocasião para verter algumas gotas de veneno.

— Maria Alieksándrovna, talvez tenha sido assim, não seja tão exaltada — disse com voz pegajosa.

— Mas que é que talvez tenha sido assim? Que é que talvez tenho sido assim? — gritou Maria Alieksándrovna, que não compreendera bem.

— Olhe, Maria Alieksándrovna, isso costuma acontecer...

— Mas que é que costuma acontecer? — perguntou Maria Alieksándrovna.

— Que talvez tenha sido só um sonho!

— Um sonho? Que fui eu que sonhei? E atreve-se a dizê-lo na minha cara?

— Realmente, pode ser que tenha sido um sonho! — opinou também Felissata Mikháilovna.

— De fato, talvez real...ment...te tenha sido só um sonho! — murmurou também o príncipe.

— Até ele! Até ele! — lamentou-se Maria Alieksándrovna juntando as mãos.

— Mas não desespere, Maria Alieksándrovna! Pense que é Deus quem nos manda os sonhos. E se Deus desejar uma coisa, há de realizar-se forçosamente, pois tudo está nas suas mãos. Por isso não vale a pena afligir-se!

— É verdade... Não vale a pena afligir-se — concordou o príncipe.

— Mas julgam todos que eu estou doida? — exclamou Maria Alieksándrovna, que mal podia falar, tamanha a sua agitação. Aquilo superava suas forças! Procurou rapidamente uma cadeira e... "desmaiou". Todos se precipitaram para ela.

— Isto é fingimento — disse Natália Dimítrievna ao ouvido da sua amiga Anna Nikoláievna.

Mas, naquele instante de excitação e de angústia supremas, apareceu em cena uma nova personagem que até então não pronunciara palavra, e, de repente, como por artes mágicas, tudo tomou outro aspecto.

Capítulo XIV

De maneira geral, Zinaída Afanássievna era muito romântica. Não sei se devido ao fato de ter lido, juntamente com o seu "menino", como sua mãe dizia, os livrecos desse "estouvanado de Shakespeare", o certo é que nunca Zinaída se permitira um arrebatamento tão romântico, ou melhor, heroico, como o que vou contar.

Pálida, olhos resolutos, tremendo quase de comoção, adiantou-se uns passos, lentamente, formosa no meio da sua cólera. Observou os presentes, pousando sobre eles um longo olhar de desafio e, depois, no meio daquele silêncio que, de repente, caíra no salão, encarou sua mãe que acabava de refazer-se do desmaio e voltara a abrir os olhos.

— Mamãe — exclamou Zina. — Para que enganar as pessoas? Para que rebaixar-se a mentir? Mesmo sem isto já é tudo tão sujo que não vale a pena agacharmo-nos mais para esconder esta sujeira!

— Zina, Zina... Que dizes, minha filha?! Vê se voltas a ti! — exclamou cheia de sobressalto Maria Alieksándrovna, e levantou-se de um pulo.

— Já te disse, já te preveni, mamãe, que eu não podia suportar esta vergonha — continuou Zina. — Vamos-nos rebaixar, vamo-nos ainda manchar mais? Olha, mamãe: eu assumo todas as responsabilidades, pois sou eu a mais culpada. Fui eu quem... com o meu consentimento, dei ensejo a toda esta odiosa trama! Tu és minha mãe, gostas de mim e julgaste fazer-me feliz à tua maneira, do modo por que entendes a felicidade! A ti, tudo se pode perdoar, mas a mim, nada!

— Zina, mas irás contar... Meu Deus! Bem desconfiava que ainda me estava reservada esta nova provação.

— Sim, mamãe... Vou contar tudo! Fomos injuriados, fomos todos injuriados!

— Tu exageras, Zina! Estás fora de ti e não sabes o que dizes! Além disso, para que vais contar tudo? Com que fim? A vergonha não cai sobre nós... vou mostrar que o escândalo pouco nos incomoda...

— Não, mamãe — exclamou Zina, e a voz tremia-lhe de cólera. — Não quero calar-me mais diante desta gente cuja opinião desprezo e que veio apenas para divertir-se à nossa custa! Não sofrerei mais tempo, passivamente, os seus insultos. Nenhuma delas tem direito a cobrir-me de lama. Todas elas são capazes de fazer coisas mil vezes piores do que aquelas que tu ou eu tenhamos feito. Não, nenhuma delas tem o direito de nos julgar!

— Não querem ver isto? Que tal está a pequena? Que quer ela? Insultar-nos? — exclamaram de todos os lados do salão.

— Realmente, parece que não sabe o que diz! — disse Natália Dimítrievna.

Digamos de passagem que, dessa vez, Natália Dimítrievna tinha razão. Se Zina considerava aquelas senhoras indignas de julgá-la, por que se dignava fazer-lhe aquelas confissões? Pelo menos tratava-se de qualquer coisa de precipitado... segundo opinaram depois as melhores cabeças de Mordássov. Tudo se poderia ter arranjado! Podiam deixar de ligar importância a tudo aquilo! É verdade. Mas a própria Maria Alieksándrovna tinha incorrido nessa noite em muitos erros por se ter deixado arrastar pela precipitação e pela soberba. Porque afinal ainda tinha o recurso de meter a ridículo o velho idiota dizendo que, efetivamente, fora tudo uma brincadeira. E, em última instância, tê-lo posto na rua! Mas Zina, desmentindo todo o bom senso e toda a sabedoria mordassovianas, virou-se para o príncipe.

— Príncipe — disse para o velhote, que se levantou do seu lugar numa atitude de respeito pela jovem — perdoe-me, perdoe-nos a todos! Enganamo-lo, fizemo-lo cair numa armadilha!

— Por que não te calas, desgraçada? — exclamou Maria Alieksándrovna, presa de enorme desespero.

— Menina! Menina! *Ma charmante enfant!* — balbuciou o príncipe completamente estupefato.

Mas Zina deixou-se arrebatar pelo seu caráter orgulhoso, impulsivo e fantasista no mais elevado grau, e esqueceu todas as regras de conveniência que a realidade lhe impunha. Esqueceu-se até de sua mãe, que durante todas aquelas confissões da filha se contorcia em íntimas convulsões.

— Sim, enganamo-lo príncipe! A minha mãe, ao querer arranjar as coisas de maneira que o senhor se casasse comigo, e eu, ao aceitar e apoiar a sua proposta. À mesa, fizeram-no beber demais e eu prestei-me a cantar e a seduzi-lo... Sim, ao senhor, fraco e inválido, queríamos lisonjeá-lo, sim, lisonjeá-lo por causa da sua riqueza, como disse Páviel Alieksándrovitch, e do seu título de príncipe. Tudo isto é muitíssimo vil e eu quero expiá-lo mas juro-lhe, príncipe, que eu não me decidi a esta vileza com um fim baixo. Eu queria... Mas para que falar, afinal? É uma vergonha dupla, querer justificar-me, apesar de tudo! Mas olhe, vou lhe dizer apenas que... se tivesse recebido qualquer coisa do senhor... que eu... se tivesse chegado a receber qualquer coisa do senhor, em compensação havia de ser o seu brinquedo, a sua criada, a sua bailarina, a sua escrava! Teria jurado isso a mim própria e cumpriria rigorosamente o meu voto, isso é que lhe posso afirmar!

Calou-se um momento para respirar. As senhoras pareciam ter emudecido e ouviam-na com os olhos muito abertos. A inesperada saída de Zina, para elas completamente incompreensível, deixava-as atordoadas. Somente o príncipe parecia comovido até as lágrimas, apesar de não compreender nem metade das coisas que Zina dizia.

— Mas eu caso com você, *ma belle enfant,* se tem assim tanto empenho nisso — balbuciou — e terei muita honra nisso, minha menina! O que lhe afirmo é que tudo isto, me pa...re...ce um so...nho! mas por que se aflige assim? A mim parece-me que ainda não com...pre...en...di tu...do! *Mon ami* — continuou dirigindo-se a Mosliakov — explica-me, rapaz!

— E o senhor, Páviel Alieksándrovitch — interrompeu-o Zina dirigindo-se também a Mosliakov — o senhor, que, em tempos cheguei a considerar como meu futuro marido; o senhor que se vingou de mim com tanta crueldade... será possível, realmente, que se tenha juntado a essas víboras para arrastar-me pelo chão e cobrir-me de lama? Mas não sou eu quem deve censurá-lo. E dizia o senhor que me amava! Mas eu ainda sou mais culpada do que o senhor! Ofendi-o e magoei-o e o que esta tarde lhe disseram, a demonstrar-lhe que não, era pura mentira, puro embuste. Eu nunca o amei, e embora estivesse resolvida a ser sua esposa, fazia-o apenas para sair daqui, desta vilória miserável, e sacudir de mim toda esta lama... Mas pode estar certo de que se me tivesse chegado a casar com o senhor, teria encontrado em mim uma esposa boa e fiel... O senhor vingou-se de mim cruelmente... e se isto pode lisonjear o seu amor-próprio...

— Zinaída Afanássievna! — interrompeu-a Mosliakov.

— Sim, e continua a odiar-me...

— Zinaída Afanássievna!

— Se alguma vez — prosseguiu Zina contendo as lágrimas que lhe subiam aos olhos — se alguma vez me quis...

— Zinaída Afanássievna!

— Zina, Zina! Minha filha! — soluçava Maria Alieksándrovna.

— Eu sou um patife, Zinaída Afanássievna, um patife e nada mais! — afirmou Mosliakov provocando uma grande celeuma com as suas palavras.

Ouviram-se exclamações de assombro e de pesar; mas Mosliakov continuava fixo no seu lugar, e pelo menos na aparência, sem poder dizer palavra. Para os caracteres fracos, acostumados a uma permanente submissão, existe sempre, quando algum dia se decidem a revoltar-se e a protestar, numa palavra, a proceder com resolução e com firmeza, para esses caracteres, dizia, existe sempre certo limite, bem próximo, no qual vem a abater-se a sua energia e a sua fortaleza de um momento. A princípio o seu protesto costuma ser muito enérgico. Estão possuídos de um arrebatamento que toca as raias da loucura. Arremetem de um golpe, com os olhos chamejantes, contra os obstáculos, e deitam sobre os ombros cargas demasiado pesadas para as suas forças. Mas esse mesmo homem que se mostra tão furioso não tardará a atingir o tal limite e imediatamente o vereis pálido, como que assustado de si próprio, atordoado perante a terrível pergunta: "Que fiz eu?". Depois, o seu nervosismo se afunda e é até muito possível que desate a chorar, se empenhe em dar explicações, se roje de joelhos, peça perdão, implore e rogue que tudo torne a ser como antes. Foi o que aconteceu pouco mais ou menos a Mosliakov. Depois de se ter revoltado, de ter jurado perder aquela a quem julgava culpada de tudo, depois de ter satisfeito a sua cólera e a sua vaidade, e de se ter tornado odiado e odioso perante si próprio, agora, de repente, sentia remorsos e vinha rebaixar-se perante a inesperada intervenção de Zina. As suas últimas palavras significavam a sua ruína definitiva. Pois muito bem: num momento, passou de um extremo ao outro.

— Sou um burro, Zinaída Afanássievna! — exclamou num ímpeto de sincero desespero. — Mas, não, que digo eu?! Um burro ainda é pouco! Sou incomparavelmente pior do que um burro! Hei de demonstrar-lhe, Zinaída Afanássievna, que um burro também pode ser um homem de nobres sentimentos! Tio! Eu o enganei! Sim! Fui eu e só eu que o enganei! Não, não foi em sonhos, mas acordado e na realidade, que o tio prometeu casamento a esta menina. Fui eu, velhacamente, quem, despeitado por ela ter me repelido, lhe fiz acreditar, para me vingar, que fora tudo um sonho!

— Que coisas interessantes se descobrem nesta casa — murmurou Natália Dimítrievna para a sua vizinha Nikoláievna.

— Meu filho! — respondeu o príncipe. — A...cal...ma-te! A...cal...ma-te! Até me assustas com esses gritos. Afirmo-te que estás em er...ro. Estou absolutamente decidido a casar se isso é assim tão necessário... Mas não disseste que aquilo fora um sonho?

— Meu Deus! Como hei de convencê-lo agora? Diga-me, diga-me, tio, que hei de fazer para convencê-lo? Tio, tio! Repare que se trata de uma coisa muito séria, do assunto mais importante para uma família... Reflita, tio, reconsidere!

— Está bem, meu filho, farei como tu dizes, re...con...si...de...ra...rei! Mas espera um momento, deixa ver se me lembro! Primeiro, sonhei com o meu cocheiro Fie...o...fil...

— Deixe-se agora de Fieofil!

— Bem. Suponhamos que não foi com ele que eu estive. Depois sonhei com Napo...le...ão e então pareceu-me que estávamos embriagados e que surgia uma senhora que comia o açúcar todo...

— Mas, tio — atalhou Mosliakov, provavelmente num momento de paralisação de seu raciocínio — isso foi o que Maria Alieksándrovna lhe contou, depois do almoço, referindo-se a Natália Dimítrievna! Eu estava presente e ouvi tudo! Tinha-me escondido e ouvia e olhava por uma frincha da porta...

— Então, Maria Alieksándrovna! — exclamou Natália Dimítrievna. — Então também foi contar ao príncipe que eu tirei o açúcar do seu açucareiro! De maneira que eu venho a sua casa para lhe roubar açúcar!

— Saia! Faça favor de sair! — exclamou Maria Alieksándrovna desesperada.

— Que vem a ser isso, Maria Alieksándrovna? Não pode falar-me nesse tom... Então eu venho a sua casa para roubar açúcar! Já sabia que, desde há algum tempo, você se dedicava a propalar essas mentiras a meu respeito! Sófia Pietrovna já me informara de tudo... Então eu roubo-lhe o açúcar, hem?

— Mas, *mesdames* — interveio o príncipe — se isso foi tudo um sonho que eu tive! Como muitos outros que tive e posso ainda vir a ter!

— Sua bruxa! — resmungou baixo Maria Alieksándrovna.

— Isso de bruxa é comigo? — exclamou Natália Dimítrievna. — E a senhora que é, pode saber-se? Sei, desde há algum tempo, que você me pôs a alcunha da camela! Tudo isso está muito bem; mas eu, ao menos, tenho um marido que é homem de fato, ao passo que o seu não passa de um fantoche...

— Bem se vê que anda em tudo isto língua de velha — disse o príncipe, recordando a sua conversa com Maria Alieksándrovna.

— Que? Também o senhor! Também o senhor se dá ao luxo de insultar uma senhora respeitável? Então tem esse descaramento? Pois se eu sou uma velhorra, que não será você, seu estafermo... que só tem uma perna?

— Que? Eu só tenho uma perna?

— E é zarolho! — exclamou Maria Alieksándrovna.

— E usa colete para disfarçar as costelas que lhe faltam! — insistiu Natália Dimítrievna.

— Está todo montado sobre molas!

— Não tem na cabeça um só cabelo seu!

— E o bigode também não é seu! — exclamou Maria Alieksándrovna.

— Mas... o nariz, ao menos deixe-me o nariz, Maria Stiepâ...nova! — interrompeu o príncipe, com a alma dilacerada por todas aquelas revelações inesperadas. — Meu filho, atraiçoaste-me! Foste contar a todos que uso cabeleira postiça...

— Tio, tio...

— Não, meu filho; eu não posso com...ti...nu...ar aqui nem mais um momento! Leva-me para qualquer parte! *Quelle société!* Mas para onde me trouxeste tu, homem?

— Velho idiota! Velho gaiteiro! — exclamou Maria Alieksándrovna.

— Meu Deus! — balbuciou, lívido, o príncipe. — Tinha-me es...que...ci...do um momento do motivo por que vim, mas do motivo por que me vou, hei de lembrar-me para sem...pre... Vamos, *mon ami*, leva-me daqui, senão estas fúrias dão cabo de mim. Além disto, tenho de ir es...cre...ver um novo pensamento.

— Já vamos, tio, ainda é cedo. Daqui a pouco levo-o a uma estalagem onde hei de dormir também...

— Bem, bem, vamos então para a estalagem! *Adieu, ma charmante enfant!* Só...só tu... és boa e virtuosa. És uma verdadeira senhora! Vamos, meu filho! Meu Deus!

Não tentarei descrever o final desta desagradável cena, depois da partida do príncipe. As senhoras retiraram-se no meio duma grande algazarra e gritaria. Maria Alieksándrovna acabou por ficar sozinha... entre os escombros da sua glória. Todo o seu poder. Todo o seu prestígio, toda a sua importância... desabaram numa noite. Compreendia que nunca mais poderia elevar-se de novo a tal altura. O seu despótico domínio de tantos anos na boa sociedade de Mordássov ruíra definitivamente. Que lhe restava agora fazer? Filosofar? Mas não gostava de filosofias. Passou a noite toda muito indisposta. Zina estava desonrada e os mexericos nunca mais acabariam! Um horror!

Como historiador consciencioso devo, no entanto, informar que o que mais teve de sofrer com a má disposição da senhora foi o pobre Afanássi Matviéievitch.

Acabou por acocorar-se no quarto das arrumações, onde passou a noite, transido de frio.

Finalmente, amanheceu; mas o novo dia também não trouxe nada de bom. É sabido que uma desgraça nunca vem só.

Capítulo XV

Quando a desgraça teima em nos perseguir, não nos larga tão cedo. É coisa que já se sabe há muito tempo. Como se toda esta vergonha e este escândalo não tivessem sido bastantes para Maria Alieksándrovna, a sorte reservara-lhe ainda outras surpresas.

Na manhã seguinte, antes das dez horas, espalhou-se inesperadamente pela povoação um estranho e quase inverossímil boato, que toda a gente acolheu com maldosa alegria, como a qualquer escândalo desacostumado que caia por cima do nosso querido próximo.

— Será possível! Perder a consciência e a vergonha até um extremo desses! — diziam todos. — Rebaixar-se dessa maneira, prescindir até esse ponto de toda a cautela, soltar as rédeas desse modo! — e outras coisas assim.

O que aconteceu foi o seguinte:

Nessa manhã, muito cedo, por volta das sete horas, chegou à casa de Maria Alieksándrovna, numa grande ansiedade, uma pobre velha, pedindo à criadagem, com lágrimas nos olhos, que fosse acordar a menina, mas em segredo, sem que Maria Alieksándrovna soubesse. Zina surgiu imediatamente, pálida e assustada. A velha lançou-se a seus pés, beijou-os, salpicou-os de lágrimas e implorou-lhe que fosse ver o seu pobre filho doente, Vássia, que passara a noite toda com uma respiração ofegante, tão ofegante, que talvez não passasse daquele dia. Contou-lhe a velha, soluçando, que era o próprio Vássia quem a chamava para despedir-se dela antes de morrer e que por todos os anjos do céu e por tudo quanto em outro tempo houvera entre eles, lhe suplicava que fosse, pois, do contrário, o infeliz morreria desesperado.

Zina decidiu imediatamente ir vê-lo, sem se demorar a pensar que com aquela visita ao doente, confirmaria os boatos correntes em outro tempo pela povoação a respeito da sua correspondência, daquela escandalosa carta e da sua indecorosa maneira de conduzir-se, etc.

Sem dizer palavra à mãe, envolveu-se num casaco de peles e partiu em companhia da velha. Teve de atravessar toda a povoação para chegar a um dos bairros mais pobres. Aí, no extremo da ruela solitária, erguia-se uma casinha velha e empenada, cujas janelas pareciam frinchas ou buracos, e em volta da qual a neve se amontoava até uma grande altura.

Aí, num quartinho estreito e de teto baixo, mal cheiroso, e cujo espaço era ocupado, em metade, por um gigantesco fogão, jazia sobre um catre de tábuas, sobre um enxergão de, no máximo, uns dois dedos de espessura, um rapaz embrulhado num velho capote de uniforme. Tinha o rosto pálido e definhado; nos olhos via-se um hesitante brilho febril, as mãos secas e afiladas e os braços pareciam dois pauzinhos; a respiração cava e ofegante e a voz rouca. Percebia-se que devia ter sido um bonito rapaz, mas a doença o desfigurara, e olhá-lo provocava nas pessoas essa dor que causa sempre a contemplação dos tuberculosos e dos moribundos. Sua velha mãe, que durante um ano e quase até ao último momento acreditara que o seu Vássienhka recuperaria a saúde, não tinha outro remédio senão reconhecer agora que ao seu pobre filho apenas restavam poucos dias de vida. Estava de pé, junto do seu leito miserável, com as mãos juntas, amarfanhada pela dor, mas de olhos enxutos. Contemplava-o, não se cansava de o olhar... Não queria acreditar, apesar de saber, que daí a poucos dias a terra fria havia de cobrir o seu pobre Vássienhka e a neve acumular-se sobre a sua sepultura. Mas Vássia não olhava para ela. Todo o seu rosto exausto de mártir respirava felicidade. Via finalmente diante de si aquela com a qual sonhava acordado havia ano e meio e que de dia e de noite não lhe saía do pensamento. Sabia que ela lhe perdoaria, que viera como um anjo de Deus consolá-lo no seu leito de morte. Estreitava as suas mãos, ria e chorava ao mesmo tempo, não se cansava de olhá-la, maravilhado e... todo o passado, tudo o que já não podia voltar outra vez começou a ressuscitar de novo na alma do moribundo. A vida voltou a pulsar no seu coração e parecia querer fazer sentir à jovem, antes de despedir-se dela, a grande dor de sua perda.

— Zina! — exclamou — Zinotchka! Não chores por mim, não te aflijas, não te entristeças porque eu vou morrer. Eu hei de ver-te sempre... Como agora... Hei de sentir que as nossas almas continuam unidas, que me perdoaste. Beijarei as tuas mãozinhas, como antes, lembras-te? E morrerei sem sentir a morte. Como estás magra, Zina! Meu anjo, com que bondade me olhas! Lembras-te como te rias, dantes? Lembras-te? Ah, Zina, eu não te posso pedir que me perdoes, não quero recordar-me de nada do que se passou, pois mesmo que me perdoes, eu nunca perdoarei a mim próprio. Passei muitas e longas noites sem dormir, noites terríveis, Zina. E nessas noites, prostrado nesta cama, pensava e meditava, e dizia que era muito melhor para mim morrer... Sim, muito melhor! Eu já não mereço viver, Zina!

Zina chorava e estreitava em silêncio a sua mão, como se quisesse assim exortá-lo a continuar falando-lhe.

— Por que choras, meu amor? — continuou o doente. — Por eu ir morrer, só por isso, meu anjo? Quanto ao resto há muito tempo que morreu e o enterramos. Tu és mais dotada do que eu, tens um coração melhor do que o meu, e por isso deves compreender quanto eu sou mau. Como é possível gostares de mim? Se visses como me fez sofrer a ideia de que saibas como eu sou mau e inútil... Questão de amor-próprio e talvez também de dignidade... não sei... Tu... que eras para mim o amor e a vida, tornaste-te para mim um sonho. E eu não fazia outra coisa senão sonhar e sonhar, e não viver. Era orgulhoso, desprezava o povo... Mas por que tinha eu aquele orgulho perante as pessoas? Tudo isto era um sonho, Zina, quando líamos Shakespeare; mas quando chegou a ocasião, foi ver a prova que eu dei da minha pureza de coração e da minha nobreza de sentimentos!

— Cala-te! — interrompeu-o Zina. — Não continues! Não foi assim, como dizes... Estás-te a martirizar inutilmente.

— Não me interrompas, Zina. Já sei que me perdoaste, e talvez desde há muito tempo. Mas tu examinaste a minha conduta, formaste o teu juízo e compreendeste quem eu sou; e é isso precisamente o que me atormenta. Eu sou indigno do teu amor, Zina. Tu, quando chegou o momento, deste provas de ser verdadeiramente boa e generosa; disseste à tua mãe que não te casarias com mais ninguém senão comigo, e terias cumprido a tua palavra, pois cumpres sempre aquilo que prometes. Ao passo que eu, eu... quando chegou o momento de agir... Olha, Zina: então, eu não compreendia tudo o que terias sacrificado por mim, se tivesses casado comigo. Então eu não podia compreender que se tivesse casado comigo, talvez tivesses morrido de fome. Pensava apenas que, se casasses comigo, casavas com o grande poeta... o futuro grande poeta... e não quis compreender as razões que me expuseste ao pedir-me que adiássemos o nosso casamento. Acusei-te, atormentei-te, tiranizei-te, desprezei-te e, por fim, recorri à ameaça de tornar pública aquela carta. Portei-me como um patife, como um fanfarrão! Oh, que desprezo devias ter sentido por mim! Ainda bem que não nos casamos. Eu nunca poderia ter compreendido o teu sacrifício; ia te atormentar continuamente e te afligir com a nossa pobreza. E os anos passariam. E talvez chegasse a odiar-te... como a um estorvo na minha vida. Assim foi muito melhor. Agora, pelo menos, as lágrimas purificaram o meu coração. Ah, Zina! Tem por mim um pouco daquele amor que dantes sentias. Ainda que seja apenas nestes últimos instantes... Já sei que sou indigno do teu amor... mas... mas... alma da minha alma, minha vida!

Durante todo este discurso Zina tentou por várias vezes fazê-lo calar; mas ele não fazia caso. Instigava-o o desejo de desabafar com ela; por isso continuou a falar, penosa e apressadamente, com uma voz cada vez mais rouca e fraca.

— Se não me tivesses conhecido, se não me tivesses tomado essa amizade, pode ser que não estivesses assim agora — disse Zina. — Ah, por que havíamos de nos conhecer, por que?

— Não, meu amor, não te censures pelo fato de eu ir morrer! — continuou o doente. — Sou eu o único culpado! Meu Deus, como eu era o orgulhoso! E romântico! Mas conhecerás bem toda a minha estúpida história, Zina? Olha, faz alguns anos houve aqui um criminoso, um grande bandido e assassino que, ao chegar a hora do castigo, demonstrou ser um pobre-diabo. Sabia que, se estivesse doente, a sentença não lhe seria aplicada, e então foi arranjar vodca, deitou nela tabaco do mais reles e bebeu a mistura. Não tardou que vomitasse sangue e bílis. E assim continuou até que por fim adoeceu realmente dos pulmões. Levaram-no para o lazareto e, passados poucos meses, morreu tuberculoso. Pois bem, meu amor: eu me lembrei dele... naquele dia... já sabes... depois do caso da carta... e decidi imitá-lo. Mas por que pensas tu que escolhi a tísica? Por que não me enforquei ou me atirei à água? Julgas talvez que tivesse medo da morte. Talvez... Mas a mim há de parecer-me sempre, Zina, que em tudo aquilo houve qualquer coisa de sugestão. Eu pensava apenas como seria bonito ver-me prostrado numa cama, tísico, moribundo, e que sofresses e dirigisses censuras a ti mesma, e torturasses a alma por me teres posto nesse estado... e viesses então ver-me, cheia de arrependimento... e te ajoelhasses perante mim... E que eu te perdoaria e morreria nos teus braços... Não é verdade que eu era tolo, Zina, terrivelmente tolo?

— Cala-te, não digas essas coisas! — implorou Zina. — Não fales assim. Tu não és tão... Pensemos noutra coisa, nas nossas horas de felicidade.

— É que tudo isso me faz sofrer, meu amor, e portanto gosto de falar nisso! Há ano e meio não te via. Tenho que dizer-te tudo. Desde aquele dia, sabes, tenho vivido completamente só e não houve um só minuto que não pensasse em ti, em ti, meu anjo, ao qual não me canso de olhar... Ah, com que prazer eu teria feito qualquer coisa, qualquer coisa de grande, de bom, a fim de obrigar-te a não mudar de opinião a meu respeito. Até o ultimo momento, nunca julguei que morria. A doença não me abateu de repente, e durante algum tempo ainda pude andar por aí, com os pulmões doentes... E se visses que caprichos ridículos me assaltavam. De repente, por exemplo, ambicionava ser um grande poeta, publicar uma poesia nos *Anais* de Mordássov; uma poesia como até então nunca se tivesse escrito. Nessa poesia eu havia de exprimir todos os meus sentimentos, havia de pôr toda a minha alma, para que sempre, onde quer que estivesses, pudesses ter-me junto de ti e recordar-te de mim, graças aos meus versos, e reconhecesses finalmente... que eu não era tão mau como eu próprio pensava. Um disparate, não é verdade, Zínotchka? Um disparate!

— Não, não, Vássia, nada disso! — implorou Zina.

Lançou-se sobre o seu peito e beijou-lhe as mãos.

— E como os ciúmes me atormentavam! Julgo que... teria morrido se soubesse que te casaras. Eu mandaria vigiar-te, espiar-te... fazia-o sempre por mi... — e apontou para a velha. — Não gostavas de Mosliakov, não é verdade, Zínotchka? Oh, meu anjo! E continuarás a pensar em mim quando eu morrer? Já sei que não me esquecerás... mas com o tempo, o teu coração há de esfriar um dia, chegará o inverno na tua alma, e então acabarás por esquecer-me, Zínotchka.

— Não, não... Nunca! Nunca irei casar... Tu és o primeiro... e o último... Serei eternamente tua!

— Tudo morre, Zínotechka; tudo, até as recordações... até os nossos mais nobres sentimentos se extinguem. E em seu lugar ocupam a nossa alma os pensamentos razoáveis. E por que levar isso a mal? Por isso goza a vida, Zínotchka, e que seja longa e feliz. Não te proíbas amar de novo, se tornares a sentir amor... Não é possível amar toda a vida um morto... Bastará que penses em mim de vez em quando e me dediques uma recordação... Não te lembres nunca daquilo que foi mau, esquece-o, apaga-o na tua memória. E o nosso amor também teve coisas boas, Zina. Oh, aqueles dias maravilhosos que fugiram para sempre! Escuta, meu anjo: eu senti sempre predileção pelas horas da noite e pelo crepúsculo vespertino. Pensa muito em mim quando vires o pôr do sol... Oh, não, não! Para que morrer? Oh, quanto daria eu agora para que a nossa vida pudesse renascer! Não, não te esqueças, meu amor, não te esqueças daqueles tempos! Era primavera, o sol brilhava, luminoso, as flores lançavam para o ar os seus perfumes e à nossa volta tudo parecia em festa... E agora, em comparação, olha, olha...

E o infeliz apontou com a mão esquálida para a janela obscura, cheia de geada. Depois pegou de súbito na mão de Zina, apertou-a contra os seus olhos e pôs-se a chorar, pôs-se a chorar de uma maneira que cortava o coração. Aquele pranto parecia dilacerar-lhe o peito doente.

Esteve todo esse dia afligindo-se assim. Zina consolava-o como podia, pois também ela sofria angústias mortais. Afirmava-lhe que nunca o esqueceria e jamais poderia amar homem algum como o amara. Ele acreditava nas suas palavras, sem contradizê-la; sorria, beijava-lhe as mãos; mas no seu coração pungiam-lhe as recordações do passado, como se o fossem aniquilar. Passou assim um dia inteiro. Maria Alieksándrovna mandar buscar a filha, pelo menos dez vezes, suplicando-lhe voltasse para casa para que não acabassem de lhe fechar para sempre as portas da sociedade distinta. Por fim, ao escurecer, quase fora de si, com medo, resolveu-se ir buscá-la pessoalmente. Mandou-a vir para o quarto contíguo e quase se pôs de joelhos, pedindo-lhe não "cravasse no seu coração aquele último e mais agudo punhal". Zina veio ter com ela e ouvia tudo quanto a mãe lhe dizia; não compreendia, porém, o sentido das suas palavras. Parecia-lhe que a cabeça lhe ia saltar de dor. O encontro terminou e Maria Alieksándrovna teve de voltar só e desesperada. Zina resolvera passar a noite no tugúrio do moribundo.

Passou toda a noite sentada à cabeceira da sua cama. O estado do doente agravava-se cada vez mais. O novo dia amanheceu e não havia esperança de que o moribundo lhe sobrevivesse. A velha mãe andava pela casa, de um lado para o outro, como uma louca, como se não desse por nada. Oferecia remédios ao filho, mas este não queria tomá-los. A agonia foi longa. O doente já não podia falar. Do seu peito apenas saíam de quando em quando uns sons roucos e sem ritmo. Até o último momento fixou o olhar sobre Zina, procurando-lhe os olhos, e quando sua vista começava a escurecer, a sua mão insegura continuou a procurar as da jovem para estreitá-las. Acabou-se o curto dia de inverno. E quando o último raio do sol poente tingiu de vermelho os cristais da geada, na única janela do quarto, a alma do infeliz abandonou o seu corpo gasto.

Quando a velha viu o cadáver do seu Vássia idolatrado, começou a torcer as mãos e, gritando com todas as forças, atirou-se sobre o despojo inanimado.

— Foste tu que o mataste, pérfida, víbora. Tu é que o enfeitiçaste! — exclamou, desesperada, dirigindo-se a Zina. — Foste, tu, feiticeira maldita, assassina, foste tu que o mataste!

Zina não a ouvia. Estava de pé, pasmada, inclinada sobre o morto. Finalmente pareceu voltar a si; persignou-se, deu um beijo no morto e, como um autômato, deixou o quarto. Ardiam-lhe os olhos e sentia-se tonta. O suplício daqueles dois dias e duas noites sem dormir deixara-a estonteada, meio morta. Sentia apenas vagamente que o passado se lhe desprendia do coração, e começava agora para ela uma nova vida, triste e baça... Mal caminhara dez passos, encontrou Mosliakov, como surgido da terra. Parecia esperar por ela.

— Zinaída Afanássievna — começou, num murmúrio angustioso, depois de olhar para um lado e para outro, pois ainda havia luz na rua — Zinaída Afanássievna. Eu, não há dúvida, sou um tolo. Mas se quisesse, deixaria de ser um tolo, pois, veja, afinal procedi nobremente. No entanto lamento ser um tolo... Além disso, com certeza me perdoa... pois tinha as minhas razões...

Zina olhou para ele sem compreendê-lo e continuou o seu caminho em silêncio. Mas o passeio, alto, não chegava para duas pessoas, e, como Zina não se chegara para o lado e caminhava pelo meio, Mosliakov via-se obrigado a seguir junto dela e a olhá-la de frente, e a caminhar pisando a neve da rua.

— Zinaída Afanássievna — continuou — eu pensei muito, e, se não vê inconveniente, eu, pelo meu lado, estou disposto a pedir de novo a sua mão. Estou disposto até a esquecer tudo, Zinaída Afanássievna; a esquecer todo esse escândalo. Mas com uma condição: que, enquanto estivermos aqui, isto seja para todos um segredo. Zinaída sairá daqui o mais cedo possível e também sem que ninguém o saiba. Faremos com que um padre, em qualquer lugar, nos case, também no maior segredo, e depois *iremos para Petersburgo*, se possível na diligência do correio, de maneira que só poderá trazer consigo um baú... Hem? Que diz a isto? Estamos de acordo? Zinaída Afanássievna, fale depressa. Olhe que não posso esperar... podem ver-nos!

Zina não lhe respondeu; mas ficou parada e olhou para ele, e olhou-o de tal maneira que ele compreendeu tudo imediatamente; pôs o chapéu e desapareceu na primeira esquina.

"Mas, como teria sucedido isto? — disse, maravilhado. — Antes de ontem, ainda as coisas estavam muito frescas e ela deitava sobre si as culpas de tudo... sim, de tudo... e agora, pelo contrário... Bem se vê que houve já dois dias de permeio."

Enquanto tudo isto se passou deram-se em Mordássov vários acontecimentos. Um deles, muito dramático: o príncipe, que Mosliakov conduzira à estalagem, adoeceu nessa noite e com bastante gravidade. Mas na cidade só vieram a ter conhecimento do fato no outro dia de manhã. Kalist Stanislávitch não se separava nem um momento da cabeceira do enfermo. À noite houve uma conferência de todos os médicos de Mordássov, aos quais foi dirigido um convite para esse fim, redigido em latim. Mas, apesar do latim, o príncipe perdeu os sentidos, começou a delirar, e pedia a Kalist Stanislávitch que lhe cantasse uma certa *romanza* e falava muito de perucas. Às vezes parecia transido de medo e gritava cada vez com mais força. Os médicos chegaram à conclusão, na sua conferência, que em consequência da hospitalidade mordassoviana, se declarara ao príncipe uma gastrite, e esta — provavelmente durante o trajeto para a estalagem — subira-lhe à cabeça. Reconheciam também que alguma comoção moral devia ter também as suas culpas. Como resultado das suas deliberações, concordaram igualmente que havia algum tempo o príncipe se aproximava da morte e que, portanto, faleceria inevitavelmente. Pelo menos nisto não erraram, pois o pobre velho morreu nessa noite — inevitavelmente. A sua morte causou grande admiração aos mordassovianos, pois ninguém podia imaginar esse fatal desenlace. Afluíram em bando à estalagem onde o cadáver jazia ainda por amortalhar; falaram muito e remexeram-se ainda mais; moveram muito a cabeça e, para remate, condenaram unânime e severamente o assassinato do desventurado príncipe, evidentemente, com o pensamento em Maria Alieksándrovna e em sua filha. Compreendiam todos que aquele incidente, quanto mais não fosse, pelo que tinha de escandaloso, havia de ser muito falado e a sua notícia chegaria, só Deus podia saber até onde e... Mas é impossível reproduzir aqui tudo o que aquela gente disse e receou nessa noite.

Moaliakov, enquanto estas coisas se passavam, andava de um lado para o outro, de cabeça perdida. Nessa disposição de espírito se encontrava quando falou com Zina. Na verdade, a sua situação não podia ser mais difícil: fora ele quem levara o príncipe para aquela terra, levando-o primeiro a casa de Maria Alieksándrovna e dali para a pousada, e agora nem sequer sabia o que havia de fazer do cadáver, como e onde enterrá-lo, nem a quem comunicar a triste notícia. Devia levá-lo para Dunákovo? Além disto, ele era, de certo modo, *sobrinho* do defunto. Tremia de pensar que pudessem imputar-lhe a morte do príncipe.

"Esta história vai saber-se em Petersburgo, há de chegar até à alta sociedade", pensava com inquietação.

Aos mordassovianos não podia pedir conselho: pareciam todos igualmente inquietos, todos se afastavam do morto e deixavam Mosliakov a velá-lo, sozinho, lugubremente. Estavam as coisas neste pé quando aconteceu algo de imprevisto, que mudou radicalmente a situação.

No segundo dia depois da morte do príncipe, apresentou-se na cidade, pela manhã, um cavalheiro de aspecto distinto. Logo todo Mordássov começou a falar dele, não em voz alta mas baixa e misteriosamente, e quando passava pela rua para ir ver o governador, todos os mordassovianos espreitavam às furtadelas pelas frinchas das portas e por detrás das cortinas o importante hóspede. Até o nosso governador, Piotr Mikháilovitch, devia estar um tanto perplexo e indeciso sobre o que devia fazer. O referido hóspede não era outro senão o célebre príncipe Chtchepietílov, parente do falecido príncipe K..., homem ainda novo, de uns trinta e cinco anos, com distintivos de coronel. Esses galões fizeram tal impressão no mundo da burocracia que até os mais humildes escriturários sentiram um arrepio nas costas ao vê-los e todos se perfilaram marcialmente. O Chefe da Polícia, por exemplo, perdeu completamente a cabeça — claro que em sentido figurado — moralmente falando. Fisicamente, apresentou-se em pessoa, embora com uma cara de palmo e meio.

Toda a cidade soube imediatamente que o príncipe Chtchepietílov vinha de Petersburgo e, de passagem, estivera em Dunákovo. Como não encontrara o príncipe ali, viera buscá-lo a Mordássov, onde como um raio, caíram sobre ele a notícia da morte do seu parente e os rumores que circulavam sobre as circunstâncias e a causa do seu falecimento. Piotr Mikháilovitch — o nosso governador — viu-se muito aflito quando teve de fornecer-lhe os dados necessários. Ademais, todos os mordassovianos andavam com cara de réus. Acrescente-se a isto que o príncipe recém-chegado tinha uma cara séria, de quem não é para brincadeira, embora estivesse ansioso pela herança.

Encarregou-se imediatamente de todas as diligências necessárias naquelas circunstâncias. Mosliakov escondia-se com vergonha do verdadeiro e não hipotético parente e apressou-se a desaparecer... sabe-se lá para onde.

A primeira coisa que o parente verdadeiro do príncipe fez foi ordenar se desse imediatamente sepultura ao cadáver, no mosteiro, onde deviam também celebrar-se as exéquias. O príncipe dava as suas ordens seca, séria e brevemente; mas ao mesmo tempo com muito tato e acerto.

Toda a povoação se juntou no mosteiro para assistir às exéquias. Espalhara-se entre as senhoras o absurdo boato de que Maria Alieksándrovna viria à igreja e, junto do catafalco, de joelhos e em voz alta, pediria perdão das suas culpas, e que assim devia fazer, segundo a lei. Claro que isso era uma loucura e que pela cabeça de Maria Alieksándrovna nem sequer passara a ideia de ir à igreja. Além disto, esqueci-me de dizer que depois de Zina ter regressado a casa, ela e sua mãe se puseram a caminho, nessa mesma noite, para as suas propriedades, pois Maria Alieksándrovna considerava impossível continuar a viver naquela cidade. Daí seguia ela, excitada, os novos boatos que as suas inimigas espalhavam, e enviava os seus criados à cidade para lhe trazerem pormenores sobre o príncipe forasteiro... Numa palavra: estava numa contínua excitação. A estrada que levava do mosteiro a Dunákovo passava a menos de uma versta de distância da chácara de Maria Alieksándrovna, e assim ela pode contemplar perfeitamente, das suas janelas, o desfile do cortejo fúnebre, o qual, terminados os ofícios religiosos, se trasladava do mosteiro para a aldeia onde o cadáver do príncipe devia ser sepultado. O féretro ia num alto carro mortuário, atrás do qual seguia a interminável fila de carruagens que escoltavam o coche fúnebre até ao cruzamento do caminho, para aí dar meia volta e regressar à povoação. E durante muito tempo, a comprida fila de trenós foi deslizando sobre os campos nevados, à retaguarda do negro carro fúnebre que avançava lentamente, com imponente majestade. Maria Alieksándrovna não pode contemplar aquilo durante muito tempo e afastou-se da janela.

Passada uma semana mudou-se com sua filha e seu marido para Moscou, e, passado um mês, soube-se em Mordássov que pusera à venda a sua chácara e a sua casa da cidade. E assim Mordássov perdera para sempre a sua turbulenta e mais importante dama. É claro que não deixaram de fazer-se comentários maliciosos. Assim, por exemplo, houve quem afirmasse que a chácara seria vendida por Afanássi Matviéievitch...

Mas um ano passou, e outro e outro, e Maria Alieksándrovna caiu no esquecimento. Oh, dor! Assim costuma acontecer neste mundo. No entanto não faltou quem dissesse que fora viver noutra povoação do mesmo distrito, em cujas imediações comprara uma chácara é que voltava de novo a impor aí o seu império a toda gente; que Zina continuava solteira e que Afanássi Matviéievitch... Mas para que repetir esses boatos? Não contêm uma só palavra de verdade.

* * *

Três anos se passaram desde que se escreveram as últimas linhas desta linda história da crônica mordassoviana, e quem poderia imaginar devesse eu ainda desenrolar o meu manuscrito e acrescentar uma notícia à minha narrativa. Vamos ao caso. Começarei por Páviel Alieksándrovitch Mosliakov.

Quando deixou Mordássov, dirigiu-se para Petersbugo, onde, graças a certas pessoas influentes, pode conseguir aquele bom emprego que em tempos lhe fora prometido. Não tardou a esquecer todos os acontecimentos mordassovianos, imiscuindo-se no bulício da grande cidade — na ilha Vassíliev e nos cais — entregando-se ao jogo e à boêmia. Constantemente preocupado com a ideia de seguir as correntes do século, apaixonou-se outra vez e de novo o repeliram solenemente. Na sua desorientação e no seu tédio decidiu-se, sem ter sequer refletido sobre o assunto, a tomar parte numa expedição enviada a uma das fronteiras da nossa pátria infinita, com o fim de inspecionar outra empresa semelhante, não sei bem ao certo do que se tratou. Felizmente que a expedição atravessou todas as selvas e desertos, depois de longas jornadas à capital da remota região fronteiriça, e apresentou-se ao governador-geral. Este era um militar severo, alto e magro, um veterano com muitas cicatrizes ganhas nas batalhas, duas estrelas no peito e uma cruz branca ao pescoço. Recebeu a expedição com muita dignidade e cortesia e convidou os seus membros para um baile que devia nessa mesma noite celebrar-se para comemorar o dia do santo onomástico da generala governadora. Mosliakov ficou louco de alegria. Vestiu o seu irrepreensível traje de baile, de Petersburgo, com o qual pensava conseguir um êxito enorme, e entrou no salão, pomposamente decorado, com um ar muito jovial e passos ligeiros. Mas imediatamente baixou um pouco a sua altivez ao encontrar-se de repente com muitos uniformes com dragonas de retorcidos e grossos cordões de ouro, e dólmãs com o peito coalhado de condecorações. Em primeiro lugar teve de fazer a competente reverência à generala governadora, que ouvira dizer ser jovem e bonita. Dirigiu-se para ela cheio de vaidade e aprumo; mas, de súbito, estacou. À sua frente estava Zina, num riquíssimo vestido de baile e ostentando luxuosos adereços de brilhantes, orgulhosa, bela e cheia de gravidade.

Ela não o reconheceu. O seu olhar passou com indiferença sobre o seu rosto e logo a seguir voltou-se para outro indivíduo. Mosliakov afastou-se, muito nervoso, e entre a multidão encontrou um jovem funcionário que parecia morto de medo por estar no baile da governadora. Mosliakov pôs-se a fazer-lhe perguntas e por ele ficou sabendo coisas muito interessantes. Contou-lhe, em primeiro lugar, o empregadinho, que o governador casara havia dois anos, que esse casamento se realizara por ocasião de uma viagem a Moscou, e que a sua jovem esposa procedia de uma riquíssima e distinta família. Que era de uma beleza assombrosa e se lhe podia chamar, sem exagero, formosa entre as formosas. Era, porém, muito orgulhosa e apenas dançava com os generais. Nesse baile encontravam-se ao todo nove generais, tanto da localidade como de fora, incluindo os verdadeiros conselheiros do Estado. A generala governadora tinha mãe, a qual vivia ali com ela e procedia também de muito boa família, e devia ser muito espirituosa; mas que, sem recalcitrar, se submetia em tudo à vontade da filha, e o general governador estava loucamente apaixonado pela mulher. Mosliakov perguntou-lhe também por Afanássi Matviéievitch; mas naquela *remota região fronteiriça* não faziam a menor ideia acerca da sua pessoa. Mais refeito da sua comoção, percorreu Mosliakov as salas contíguas e não tardou a encontrar-se com Maria Alieksándrovna, suntuosamente vestida, abanando-se com um leque riquíssimo e falando animadamente com um dos principais dignitários da expedição. À sua volta formara-se um círculo de aspirantes às sua atenções... e ela... tratava-os a todos com a maior amabilidade.

Mosliakov teve a ousadia de dar-se a conhecer. No primeiro momento Maria Alieksándrovna mostrou certa perturbação, mas logo serenou. Com um amável sorriso, dignou-se reconhecê-lo, depois do que lhe perguntou pelos seus conhecimentos petersburgueses e por que não partira para o estrangeiro. À cidade de Mordássov nem sequer a mencionou, como se nunca tivesse estado ali. Depois de trazer à baila o nome de não sei que príncipe, de muita influência em Petersburgo, e de informar-se do estado da sua saúde — note-se que Mosliakov não tinha a menor notícia do referido magnata nem do grau de amizade que Maria Alieksándrovna tivera com ele — voltou-se com indiferença para um dos dignitários que a rodeavam, já de cabeça branca, e pôs-se a falar com ele, esquecendo-se completamente de Mosliakov. Este, com um sorriso sarcástico e chapéu na mão, regressou ao grande salão de baile. Conservou toda a noite uma cara séria e distraída, e nos lábios, um sorriso diabólico e mordaz. Encostado a uma coluna, numa atitude teatral — o salão, de propósito, tinha colunas — assim ficou enquanto durou o baile, sem se mexer, sem estremecer sequer e devorando Zina com os olhos. Mas infelizmente todos os esforços que fez para chamar a sua atenção, todas as suas estranhas atitudes e desesperada expressão do rosto foram tempo perdido. Zina nem sequer reparou nele. Até que, finalmente, com as pernas entorpecidas e os pés cansados de estar tanto tempo parado, voltou para o seu alojamento, furioso, irritado e com uma fome assassina... pois, apesar de apaixonado e de sofrer, não podia ficar sem cear. Sentia-se completamente esgotado e como se lhe tivessem dado uma sova. No entanto, ainda durante muito tempo andou pelo quarto às voltas e reviravoltas, meditando no passado longínquo.

Na manhã seguinte, em consequência de uma notícia recebida durante a noite, foi necessário destacar uma pessoa da expedição e Mosliakov ofereceu-se com alegria para desempenhar esse serviço. Quando se afastou da cidade, respirou livremente, pois começava a sentir-se de novo reviver. Na planície imensa e lisa refulgia a brancura da neve. Somente ao longe, no horizonte, se via a faixa escura da floresta.

Os cavalos, fogosos, corriam tão ligeiros e tranquilos que dava gosto, e os cascos arrancavam pedaços duros de neve que caíam sobre a capota do trenó.

O tinir das campainhas e dos guizos vibrava, nítido, e soava nas lonjuras da claridade invernal. Mosliakov, primeiro, ficou pensativo; depois começou a devanear e, por fim, adormeceu. Quando chegou à terceira paragem despertou fresco e são e animado de pensamentos completamente diferentes.

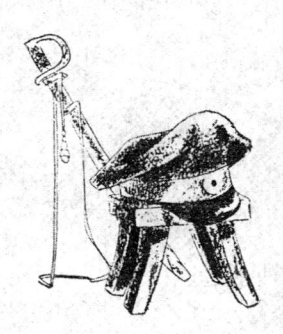

A GRANJA DE STIEPÂNTCHI-KOVO E OS SEUS MORADORES

A GRANJA DE STIEPÂNTCHIKOVO E OS SEUS MORADORES (1859)

PRIMEIRA PARTE

CAPÍTULO PRIMEIRO / INTRODUÇÃO

O meu tio, o coronel Iegor Ilhitch Rostâniev, depois de ter pedido a reforma, foi viver em sua propriedade de Stiepântchikovo, que lhe coubera em herança, e aí se fixou de tal maneira que qualquer pessoa o teria tomado por um senhor rural de nascimento e acreditado piamente que nunca em toda a sua existência transpusera os limites do seu patrimônio.

Há na verdade caracteres que a tudo se acomodam e a tudo se moldam. E o meu tio coronel pertencia a esse gênero de pessoas. Seria difícil imaginar um homem de temperamento mais bonacheirão e conciliador, em todos os sentidos. Se alguém se lembrasse de lhe pedir, com a cara mais séria, que levasse aos ombros, durante um trajeto de duas verstas, um indivíduo que lhe fosse completamente estranho, é muito provável que o tivesse feito.

Tão bondoso era o meu tio que, de boa vontade, cederia ao primeiro que lhe pedisse... e ao primeiro mendigo daria até a camisa. A sua estatura era de gigante; corpanzil alto e rígido, cara bonita, dentadura branca de neve, bigode enorme, louro escuro, voz sonora e forte de sorriso franco e ruidoso. Falava depressa e por frases sincopadas.

Ao tempo em que foi viver em Stiepântchikovo ainda não completara quarenta anos. Desde o berço, ou melhor, desde os dezesseis anos era hussardo. Casou muito novo, idolatrou a mulher, mas não tardou a perdê-la. Guardou sempre por ela, no coração, uma recordação indelével e de funda ternura. Quando herdou depois essa propriedade de Stiepântchikovo, que aumentava de seiscentas almas o seu patrimônio, pediu a reforma e, como dissemos, mudou-se para o campo, juntamente com os seus dois filhos: Iliúchka, de oito anos — e cujo nascimento custara a vida a sua mãe — e Alieksandra, a filha mais velha, já de quinze anos, à qual todos chamavam Sáchenhka e também Sacha, e que ao tempo da morte da mãe se encontrava interna num pensionato em Moscou. Não tardou que a casa de meu tio parecesse a arca de Noé. Eis como isso aconteceu.

Na época em que tomou posse da sua herança e pediu a reforma, enviuvou sua mãe, a generala Krakótkina, casada em segundas núpcias com o general desse nome, durante uns dezesseis anos, quando o meu tio era ainda simples corneteiro, apesar de já ir pensando em casar. A sua mamãe negou-se durante muito tempo a dar-lhe autorização para o casamento; derramou lágrimas ardentes, censurou-lhe o egoísmo, a ingratidão, a falta de respeito; demonstrou-lhe que os seus rendimentos — possuía duzentas e cinquenta almas[1] — mal chegavam para o sustento de sua família (isto é, para o sustento da sua mamãe, com toda a sua corte de amigas, que invariavelmente viviam em sua casa, e dos seus cãezinhos mimados, gatinhos da China etc.) e, no meio destas censuras, comédias e lágrimas, de repente, de um modo completamente inesperado, casou ela própria, adiantando-se ao filho, apesar de andar já nos seus quarenta e dois anos.

Aliás, ela encontrou maneira de explicar o fato ao meu pobre tio, fazendo-o acreditar que casava unicamente com o intento de alcançar um apoio para os dias da sua velhice, e assim lhe jogava ainda na cara o seu vergonhoso egoísmo, visto que, com uma insolência tão reprovável, pensava em abandonar a casa.

Não consegui jamais saber a razão que pode impelir um homem tão sensato, segundo parecia, como o general Krakótkin, àquele casamento com uma viúva de quarenta e dois anos. Somos levados a pensar que o que ele procurava eram os seus bens. No entanto há quem pense que era muito simplesmente uma mulher que cuidasse dele, pois já então pressentia a iminência de todo aquele tropel de achaques que haviam de assaltá-lo nos anos seguintes. O certo é que o general não tinha uma grande paixão pela mulher e todo o tempo que viveu em sua companhia se comprouve em dizer-lhe graças amargas a toda hora. O general era um *avis rara*. Medianamente culto, muito esperto, sentia um grande desprezo por toda a gente; não tinha consideração por ninguém; ria-se de tudo e de todos, e quando se ia já fazendo velho, melindroso, carregado de achaques, herança duma vida não muito regular nem muito ordenada, tornou-se maldoso, irritável e cruel.

Teve sorte no serviço; mas apesar disso viu-se exposto a não sei que contratempo aborrecido, o que o obrigou a pedir a reforma às pressas para não ter de comparecer perante o Conselho de Guerra e perder o ordenado. Este percalço acabou por azedar-lhe o gênio. Quase desprovido de recursos, sem outro patrimônio senão uma centena de almas, afundado na miséria, ninguém explicava como vivia nem quem o ajudava. Entretanto de nada se privava nem reduzia os seus gastos e tinha carruagem própria. Não tardou em ver-se privado do uso das pernas, e os dez anos seguintes passou-os muito bem sentado em cômodas poltronas, que dois criados de libré arrastavam quando preciso. Esses criados só o ouviam abrir a boca para dizer os mais cruéis insultos. A carruagem, os criados e as poltronas eram pagos pelo seu insolente enteado, que mandava à mãe tudo quanto podia, onerava com duplas e triplas hipotecas as suas terras, privava-se até do mais necessário, contraía dívidas e mais dívidas, que jamais poderia pagar e, apesar de tudo isso, não conseguia que deixassem de considerá-lo um filho mau e ingrato. Tal era o caráter de meu tio que ele próprio acabou por acreditar que era verdadeiramente um egoísta e, para castigar-se a si mesmo e não ser egoísta, cada vez enviava maiores quantias à mamãe. A generala sentia verdadeira adoração pelo marido. Aliás, talvez o que nele a encantasse mais fosse o fato de ser general, e ela, como sua mulher que era... generala.

Tinha a casa dividida em duas metades: uma para cada cônjuge. E foi naquela que lhe competia que a generala viveu todo o tempo que durou a precária existência do marido, rodeada de uma corte de amigas e cãezinhos mimados, bem como das mexeriqueiras da cidade que iam a sua casa tomar café.

---

1 Calculava-se a riqueza dos proprietários rurais pelo número de "almas" (servos da gleba) que possuíam.

A generala era uma pessoa muito conceituada na cidade. O comadrio, os pedidos para que fosse madrinha de batismo, assim como o jogo da paciência compensavam-na plenamente das suas contrariedades domésticas. Todas as pessoas mais velhas da povoação lhe contavam coisas, em todas as partes lhe guardavam sempre o melhor lugar... Numa palavra: tirava do seu generalato todo o proveito que podia. O general não se preocupava absolutamente com estas coisas; mas às vezes troçava da mulher, diante de estranhos, afetando ingenuidade e, por exemplo, perguntava a si próprio por que teria casado com semelhante criatura e ninguém se atrevia a responder-lhe. Pouco a pouco todas as suas amizades o iam abandonando e, no entanto, não podia passar sem companhia; gostava de tagarelar, de discutir, e sentia-se muito orgulhoso por ter sempre alguém que o escutasse. Era livre-pensador e ateu da velha guarda e, assim, gostava de enredar-se em filosofias, discutindo os temas mais elevados.

Mas, infelizmente, à gente da cidade não interessavam esses temas elevados, e foi por isso que, pouco a pouco, todos o foram abandonando. E que os parentes tentaram organizar, por causa dele, partidas noturnas de *whist* ou de *préférence*; mas o general costumava pôr fim aos seus jogos com tais fúrias de cólera, que a generala e a sua corte de amigas, aterrorizadas, punham-se a acender velas às imagens dos santos, mandavam dizer missas e procuravam adivinhar o futuro por meio de favas e de cartas. Iam distribuir pão branco pelos presos e aguardavam, arrepiadas, a hora de voltar ao *whist* e à *préférence*. Estariam, portanto, obrigadas a suportar, ao menor descuido, gritos, insultos e até pancada, como recompensa. O general, quando qualquer coisa lhe desagradava, não se continha, diante de quem quer que fosse. Guinchava como uma velha, proferia insultos como um cocheiro. Às vezes, depois de ter mandado para o diabo todos os seus companheiros de jogo, de ter feito em tiras o baralho e de o ter arremessado à cabeça de algum dos parceiros, punha-se entretanto a chorar de raiva e de desgosto, e isso tudo apenas pelo motivo de alguém ter jogado uma dama em vez de um nove. Até que, finalmente, como ia já perdendo a vista, teve necessidade de uma pessoa que lhe lesse as coisas. E foi então que surgiu em cena a figura de Fomá Fomitch Opískin.

Confesso que é com certa solenidade que apresento esta personagem. É, sem sombra de dúvida, uma das mais importantes da minha narrativa. Até que ponto será merecedora da atenção dos meus leitores... não posso dizer; será preferível que o próprio leitor responda a esta pergunta.

Surgiu Fomá Fomitch em casa do General Krakótkin como parasita da sua mesa...nem mais, nem menos. De onde teria ele vindo, é coisa que permanece envolta nas brumas do mistério. Aliás, realizei ultimamente investigações com o propósito de procurar dados acerca do passado desta notável personagem.

A princípio disseram que fora funcionário não sei onde, e tivera de sofrer, é claro que se subentende logo, sofrer por amor da verdade. Acrescentavam também que em outros tempos cultivara a literatura em Moscou. O que não tem nada de estranho; a ignorância crassa de Fomá Fomitch não podia ser de maneira nenhuma um obstáculo para a sua carreira literária.

Mas, de fonte segura, sabe-se apenas que em nada conseguira prosperar, e se vira finalmente obrigado a entrar para o serviço do general, na qualidade de leitor e de filósofo. Não houve humilhação que não tivesse de sofrer para comer as sopas do general. Na verdade, já muito depois da morte deste, quando Fomá se viu de repente convertido, de uma maneira completamente imprevista, numa figura importante e extraordinária, costumava afirmar a todos que, no momento em que se apresentou para desempenhar o papel de bobo, nada mais fizera senão sacrificar-se generosamente em honra do seu amigo, e que o general era o seu benfeitor, um grande homem incompreendido; que somente a ele, Fomá, se dignara confiar os mais íntimos segredos da sua alma, e que por fim, se ele, Fomá, a pedido do general, imitara certos animais e representara alguns quadros vivos, a isso descera unicamente para distrair e alegrar a alma do paciente amigo, achacado de toda a espécie de maleitas. Mas as afirmações e declarações de Fomá Fomitch sobre este ponto dão lugar a muitas dúvidas. Fosse como fosse, o certo é que Fomá Fomitch, ao tempo em que fazia de bufão, desempenhava ainda outro papel na outra metade da casa do general, ocupada pelas senhoras. Como procedia é coisa que não pode imaginar quem não for especialista nestas doenças.

Sentia pela generala uma espécie de mística veneração... Por quê? Mistério. Pouco a pouco foi assumindo sobre toda a metade feminina da casa do general um poder surpreendente, em parte semelhante ao prestígio de certo Ivan Iákovlievitch e de outros sábios e profetas do seu calibre, os quais são visitados nos manicômios, onde têm o seu domicílio natural, por muitas senhoras que os admiram. Lia-lhes livros que tratavam da salvação das almas, falava-lhes, com lágrimas eloquentes, das virtudes cristãs; contava-lhes a sua vida e os atos de heroísmo que praticara, ia todos os dias à igreja e, de manhã cedinho, dedicava-se a adivinhar o futuro, em certas ocasiões. Sabia sobretudo explicar magistralmente os sonhos e falar mal do próximo. Não tardou que o general se apercebesse daquilo que se passava na outra metade da sua casa e levou então o despotismo sobre o seu parasita até ao extremo. Mas o martírio de Fomá Fomitch serviu para avivar o respeito com que o olhavam a generala e todas as amigas da sua corte.

Até que finalmente se deu uma mudança. Morreu o general. Por sinal que teve morte bastante estranha. Tendo sido sempre livre-pensador e ateu, encheu-se de repente de uns remorsos inverossímeis. Chorava, fazia atos de contrição, beijava as imagens e chamava o padre. Mandava dizer missas e pedia que rezassem por ele. O infeliz dizia em altos gritos que não queria morrer e, com lágrimas nos olhos, pedia a Fomá que lhe perdoasse. Sobretudo este fato deu imediatamente a Fomá um extraordinário poder. Ademais, pouco tempo antes que a alma do general se separasse do seu generalesco corpo, aconteceu o seguinte: a filha do general, havida do seu primeiro matrimônio, minha tia Praskóvia Ilínichna, ainda solteira e permanentemente em casa do general, uma das suas vítimas prediletas e indispensável a ele durante aqueles dez anos da sua paralisia, prestando-lhe todo o gênero de serviços, e detentora de sua simpatia, graças à sua simples e modesta bondade, aproximou-se do seu leito, chorando muito, com o intento de acomodar o travesseiro do moribundo. Este agarrou-a pelos cabelos, deu-lhe três safanões e gritou ao mesmo tempo, iracundo. Dez minutos depois era cadáver. A notícia foi imediatamente comunicada ao coronel, meu tio, apesar da generala ter dito muitas vezes que não queria vê-lo, que preferia morrer a encontrar-se com seu filho em circunstâncias semelhantes. Escusado será dizer que o enterro foi dos mais pomposos... evidentemente que a expensas daquele mau filho, que ela não queria ver.

Na granja de Kniássev, pertencente a vários proprietários, e na qual a generala contava as suas cem mil almas, ergueu-se entretanto uma mausoléu de mármore branco, ornado de inscrições celebrando o espírito, as várias aptidões, a bondade de alma e os excelentes dotes militares do falecido general. Fomá Fomitch colaborou ativamente na redação dessas inscrições. A generala ficou durante muito tempo ressentida, negando-se a perdoar ao seu insolente filho. Soluçando, jurava e trejurava, rodeada da sua corte de amigas parasitas e dos seus cãezinhos mimados, que preferia comer pão duro e, é claro, regado com as suas lágrimas, e ir por esse mundo afora com umas muletas a pedir esmola, a ceder aos pedidos do seu desobediente filho para viver com ele em Stiepântchikovo, e que nunca, nunca havia de pôr ali os pés. Geralmente, a palavra pés aplicada neste sentido era pronunciada pelas senhoras de um modo impressionante. A generala fazia-o de maneira magistral, prodigiosa... Numa palavra: demonstrava uma eloquência inverossímil. Mas devo informar que, ao mesmo tempo que proferia estas lamentações, ia-se já pouco a pouco habituando à ideia de se mudar para Stiepântchikovo. O coronel acabou por estafar os cavalos, pois percorria todos os dias as quarenta verstas que separavam Stiepântchikovo da cidade, e só ao fim de duas semanas, depois do enterro do marido, consentiu a generala em aparecer ao seu desnaturado filho. Fomá Fomitch ficou encarregado de dirigir as negociações. Durante estas duas semanas não se cansou de censurar e de pintar com as mais negras cores a conduta repreensível e desumana daquele ingrato, fazendo-lhe verter lágrimas sinceras e pondo-o a dois passos do desespero. Por este tempo começou a absurda influência, o despotismo cruel que Fomá Fomitch viria a exercer sobre o meu tio. Fomá percebeu imediatamente o tipo de pessoa que ele era. Pensou logo que os seus tempos de bobo tinham acabado, e que daí por diante também ele podia dar-se ares de grande senhor. Vingava-se assim do passado.

— Que diria o senhor — dizia Fomá — se a sua mãe, como costuma dizer-se, a autora dos seus dias, pegasse num bordão e, apoiando sobre ele as suas mãos trêmulas e descarnadas pelas privações, se lançasse a pedir esmola por esses caminhos? Não seria isto um pouco estranho, em primeiro lugar atendendo à sua categoria de generala, e em segundo às suas virtudes? Que lhe pareceria se de repente ela tropeçasse, o que não seria nada de extraordinário, precisamente debaixo da sua janela, e estendesse para ela as suas mãos, enquanto o senhor dormia tranquilamente num fofo colchão de penas e... sim, senhor, rodeado de luxo? Mas o mais horrível de tudo — permita-me que lhe diga com toda a franqueza, coronel — o mais horrível de tudo é o senhor estar neste momento embasbacado diante de mim e insensível, de boca aberta e olhos enxutos, numa atitude imprópria daquele a quem põem diante da imagem de tamanha desdita, quando deveria estar com os cabelos em pé e chorar torrentes de lágrimas... sim, senhor, torrentes, lagos, mares, oceanos de lágrimas!

É que Fomá, levado pelo seu excesso de eloquência, acabava por fazer umas grandes confusões. Assim acabavam sempre as suas tiradas de eloquência. Como é de prever, o caso acabou por a generala, acompanhada das suas amigas parasitas e dos seus cãezinhos, de Fomá Fomitch e da menina Pieriepelítsina, a sua favorita, se mudar finalmente para Stiepântchikovo, com todos os seus hábitos. Dizia ela que se tratava apenas de um "ensaio", para ver até onde chegava o respeito de seu filho. Já podem imaginar a situação do coronel e até que ponto levaria o seu respeito! A princípio, a generala, na sua qualidade de viúva recente, considerava seu dever entregar-se duas ou três vezes por semana a demonstrações de desespero perante a recordação do seu inolvidável general e, durante essas demonstrações, não sabemos por que razão, implicava sempre com o coronel. Às vezes, sobretudo quando presente alguma visita, levando consigo o seu netinho Ilínichna e a neta Sáchenhka, então de quinze anos, a generala punha-os a seus pés, diante da cadeira onde se sentava, e olhava-os longa, triste e chorosamente, contemplando-os como a umas pobres crianças, como aos filhos "daquele pai". Lançava fundos e contritos suspiros e, finalmente, rompia em queixumes e lágrimas reprimidas, ficando assim pelo menos uma hora. Ai do coronel se não soubesse compreender estas lágrimas! Realmente, o desgraçado quase nunca sabia compreendê-las, e quase sempre o grande ingênuo se apresentava, parecia que de propósito, nestes lacrimosos instantes, e, quisesse ou não, tinha de suportar uma nova repreensão. Mas o seu respeito pela mãe não diminuía e, por fim, atingiu até limites extremos.

Em resumo: ambos, a generala e Fomá Fomitch, compreenderam que a tempestade, representada pela pessoa do General Krakótkin, que durante tantos anos ribombara por cima das suas cabeças... passara para não voltar. Às vezes acontecia que a generala, por qualquer coisa insignificante, se deixava cair desmaiada sobre um divã. Armava-se um grande reboliço e uma grande gritaria. O coronel ficava aterrado e tremia como uma vara verde.

— Que filho teimoso! — gritava a generala ao recuperar os sentidos. — Dilaceras-me as entranhas, *mes entrailles, mes entrailles!*

— Mas, *mámienhka*, por que havia eu de dilacerar-te as entranhas? — exclamava ingenuamente o coronel.

— Dilaceras-me, dilaceras-me! E ainda troças, malvado! Dás risada! Ai, que eu morro!

O coronel, como era natural, ficava acabrunhado.

Mas, fosse como fosse, a generala nunca chegava a morrer. Passada meia hora o coronel explicava a algum dos presentes o que acontecera, pegando-lhe por um botão do casaco à americana:

— Uma *grande dame*, a generala...não é verdade, meu amigo? É uma boa velhinha; mas, é claro, como está habituada a viver com muito luxo... E eu, pobre de mim, não sei compreendê-la! Agora está ressentida comigo. De fato, sou culpado. Eu, meu amigo, ainda não sei bem em que consiste a minha culpa; no entanto, de qualquer modo, sei que sou culpado...

Acontecia que a menina Pieriepelítsina se julgava obrigada a passar-lhe um sermão diante de todos os presentes. Já entrada em anos, sem pestanas, o cabelo postiço, uns olhinhos pequeninos e penetrantes, uns lábios finos como lâminas e mão ásperas, considerava-se obrigada a aplicar ao coronel a seguinte prática:

— A culpa disto tudo está na sua falta de respeito. Tudo isto se dá por ser o senhor um egoísta e não fazer outra coisa senão atormentar a sua pobre *mámienhka*, a qual não está acostumada a este tratamento. Porque ela é generala, ao passo que o senhor não é mais do que coronel...

— Repara, meu amigo, nisto que diz a menina Pieriepelítsina — observava o coronel ao seu interlocutor. — No fundo é uma excelente criatura; para mim, a mãezinha é como um homem. Que mulher enérgica! Não imagines que ela gosta de viver à custa dos outros, ela também é filha de um tenente-coronel, meu caro! É como te digo!

Mas tudo isso era fogo de vista. A mesma generala que experimentava esses arrebatamentos, tremia como um ratinho diante do antigo bobo do seu falecido marido. Fomá Fomitch trazia-a completamente enamorada. Não se atrevia a dizer palavra, quando ele falava e, pelo contrário, era toda ouvidos e não tirava dele os olhos. Um primo segundo de meu tio, que era também hussardo reformado, ainda novo, mas que por duas vezes malbaratara seus haveres e vivia desde há algum tempo a expensas de meu tio, confessou-me um dia com toda a franqueza e simplicidade que estava absolutamente convencido de que a generala mantinha relações ilícitas com Fomá. Eu, é claro, repudiei, indignado semelhante suposição, como coisa demasiado grosseira e ordinária. Não, tratava-se de qualquer coisa de muito diferente, e esta não a posso explicar se não puser primeiramente o leitor a par de certos aspectos do caráter de Fomá Fomitch, como eu próprio vim depois a conhecê-lo.

Imaginem pois um homem, o mais inútil e pusilânime, receoso das pessoas, sem préstimo para nada, completamente inútil, muitíssimo feio, mas extraordinariamente soberbo da sua pessoa e egoísta, sem possuir a mínima qualidade que pudesse justificar o seu amor-próprio, morbidamente exagerado. Desde já informo o seguinte: Fomá Fomitch estava imbuído de um ilimitado amor-próprio, mas de uma índole especial, desse amor-próprio que apenas existe nas criaturas mais inúteis e, como acontece geralmente nesse caso, um amor-próprio ressentido, elevado pelos desastres sofridos, que se foi exasperando pouco a pouco, e que destila inveja e fel a cada novo conhecimento do êxito do próximo. Escusado será dizer que, por cima de tudo isto, possuía ainda uma sensibilidade extremamente melindrosa e a mais aguda desconfiança. Talvez o leitor pergunte: mas em que se fundamentava todo esse amor-próprio? Como é que, sendo tão inúteis, podem criar tal amor-próprio indivíduos que pela sua posição social deviam aperceber-se do verdadeiro lugar que lhes corresponde na vida? Como responder a essa pergunta? Sabe-se lá! Talvez haja exceções e seja o meu herói uma delas. E de fato constituía exceção à regra, como teremos ocasião de ver.

Mas permitam-me por minha vez uma pergunta: julgam que os indivíduos que tiveram a honra e a sorte de ser os vossos bobos e os vossos parasitas, julgam porventura que eles se despojaram por completo do seu amor-próprio? Mas... e a inveja, a intriga, a calúnia, os mexericos e o surdo murmurar pelos cantos da vossa própria casa, nas vossas costas, junto da vossa própria mesa? Quem sabe?! Pode suceder que, em alguns destes parasitas, humilhados pela sorte destes vossos bobos e palhaços, não só não tenham morrido o amor-próprio, a humilhação, o parasitismo e a bufoneria, mas precisamente devido a eles, tenha ainda tomado maiores proporções! Pode muito bem suceder que esse desmedido amor-próprio fosse simplesmente no seu princípio um falso sentimento de dignidade pessoal ofendido pela primeira vez ainda na infância... pela arbitrariedade alheia, pela pobreza e pela sujidade, e talvez exacerbado porque a criança, o futuro parasita, tivesse visto os seus pais tratados com desprezo. Mas eu disse também que Fomá Fomitch constituía exceção à regra geral. E, na verdade, o nosso homem acalentava as suas presunções de literato, todavia era desprezado e desconhecido pelos outros. Mas a literatura é capaz de perder não só a um Fomá Fomitch como a qualquer outra pessoa. Refiro-

-me, é claro, aos incompreendidos. Não sei ao certo, mas devemos supor que as coisas também não haviam corrido muito bem a Fomá Fomitch, antes de ele praticar a literatura. Talvez nos seus outros empreendimentos apenas tivesse encontrado pateada, ou quem sabe se qualquer coisa ainda pior, em vez do galardão desejado. Eu, afinal de contas, não o sei; mas tive ensejo de averiguar depois, e consta-me de boa fonte que efetivamente Fomá apresentou em Moscou um romanisco muito semelhante àqueles que há trinta anos apareciam aí às dezenas, todos os anos, no gênero de *A libertação de Moscou, Os filhos do amor e Os russos em 1104,* e outros dramalhões que, no seu tempo, proporcionavam um agradável deleite ao agudo espírito do barão Brambeus. Isto fora havia muito tempo; mas o veneno da vaidade literária costuma corroer às vezes profundamente e de modo incurável, sobretudo quando se trata de indivíduos inúteis e néscios. Fomá Fomitch azedou-se logo nos seus primeiros passos na senda da literatura, e desde então juntou-se definitivamente a essa imensa legião de ressentidos, da qual saem depois todos os loucos, todos os velhacos e vagabundos. Calculo ter-se manifestado nele por este tempo essa presunção monstruosa, essa sede de glória, de distinções e de aplausos. Até como bobo soubera arranjar uma corte de idiotas que se extasiavam diante dele. Distinguir-se sempre e em todas as partes, granjear aplausos e louvores... eis toda a sua ambição. Como não havia quem o elogiasse... elogiava-se ele a si próprio. Tive oportunidade de ouvir certa frase a Fomá Fomitch, em casa de meu tio, em Stiepântchikovo, quando campeava ali como senhor e déspota absoluto: "Eu não sou do vosso mundo — costumava dizer às vezes com uma gravidade misteriosa — não sou dos vossos. Meu lugar não é aqui! Tomo conta de vós, ponho as vossas coisas em ordem, sirvo-vos de mestre, sim, mas, depois, um belo dia, adeus, toca para Moscou para editar um jornal! Trinta mil pessoas se juntarão para lê-lo todos os meses. O meu nome soará, finalmente, e então... ai dos meus inimigos!". Entretanto aquele gênio ia-se louvando a si próprio e exigia recompensa imediata. De maneira geral é sempre agradável receber adiantado, e especialmente neste caso. Sei que se esforçava com toda a seriedade por convencer o meu tio, de que ele, Fomá, tinha uma grande missão a realizar, que para ela viera a este mundo e era incitado ao seu cumprimento por um espírito alado, ou qualquer coisa assim, que costumava aparecer-lhe em sonhos. Consistia essa missão em escrever uma obra cheia de pensamentos profundíssimos, destinada a salvar o gênero humano, que havia de provocar um terremoto universal e sacudiria a Rússia inteira. E quando toda a Rússia tremesse, ele, Fomá, voltando as costas à glória, ia se recolher a um convento e passaria as noites e os dias em oração, nas cavernas de Kiev, pedindo a Deus pela felicidade da pátria. Tudo isto encantava o meu tio.

Imaginem, pois, como não se sentiria Fomá, homem experimentado em todos os reveses da vida, que talvez tivesse apanhado por mais de uma vez. Fomá, no fundo um voluptuoso e um egoísta; Fomá... literato ressentido; Fomá, bobo por causa do pão de cada dia; Fomá, com alma de déspota, apesar de todas as misérias passadas e humilhações; Fomá, vaidoso e transtornado pelo êxito, graças a uma proteção idiota e à sua arte para ludibriar — colocado em tudo ao mesmo nível que o seu protetor, em cuja casa finalmente se instalara depois de tanto vagabundear.

Devo descrever mais minuciosamente o caráter de meu tio, pois sem isso não é possível explicar o triunfo de Fomá. Por agora direi apenas que lhe assentava perfeitamente o ditado: "Deram-lhe o pé e ele tomou a mão". Como sabia se compensar dos antigos vexames! As almas baixas, quando se libertam da opressão, transformam-se em opressoras. Fomá fora oprimido... e sentia agora necessidade de oprimir os outros; tinham passado por cima dele... e agora era ele quem punha os pés por cima dos outros. Tinha servido de bobo e agora sentia um desejo invencível de ter bobos também. Tornara-se de uma insolência extrema. Era exigente até ao limite do impossível, capaz de pedir a lua; tiranizava os outros sem consideração alguma e chegava finalmente a um ponto que as pessoas simples, que não tinham presenciado estes seus excessos e apenas os conheciam de ouvido, olhavam para tudo isso com um sortilégio, uma obra de bruxaria, benziam-se e cuspiam.

Referi-me a meu tio. Sem explicar seu caráter invulgar — repito-o — é impossível compreender aquele domínio absoluto que Fomá exercia numa casa alheia. Impossível também compreender toda essa metamorfose dum palhaço num grande senhor. Não só era muito bondoso... como também cheio de delicadeza, apesar de certa rudeza exterior, de uma requintada nobreza de alma e de uma coragem evidente. Digo coragem intencionalmente: meu tio não recuava perante a responsabilidade, perante o dever e, o que importa ainda mais neste caso, nenhum obstáculo o detinha. Possuía a alma pura como uma criança. E de fato era uma criança, uma criança de quarenta anos, expansiva no mais alto grau, sempre de bom humor, acreditando sempre que todos os homens eram bons, preocupado com as necessidades alheias e capaz de pôr nas alturas as qualidades do próximo e ver até virtudes onde não era possível existirem. Era um desses homens de coração puro que se recusam a admitir a maldade dos outros, sempre prontos a prestar toda espécie de favores aos semelhantes, alegram-se com a prosperidade alheia, vivem permanentemente num mundo ideal e, nos seus insucessos, deitam as culpas sobre si mesmos e nunca sobre outrem. Sacrificar-se pelo bem do próximo... eis a sua vocação! Não faltará quem chame a isto pobreza de espírito, falta de caráter e fraqueza. Em suma: era de fato fraco, excessivamente brando de caráter, não por falta de integridade, mas sim pelo medo de ofender, de parecer cruel, pelo excessivo respeito pelos outros e pelo homem, de maneira geral. Quanto ao mais, apenas mesquinho e falto de caráter quando se tratava dos seus próprios interesses, dos quais muito se desprendera, e por isso toda a vida não foram poucas as vezes que teve de sofrer as burlas daqueles pelos quais sacrificava as suas próprias conveniências. Embora no fim de tudo jamais acreditasse que podia ter inimigos; e no entanto tinha-os, simplesmente não dava por isso. Demonstrava um medo horrível dos gritos e das rusgas domésticas, tal como de um incêndio, mas depois acomodava-se e conformava-se com tudo. Procedia assim por certa bondade tímida da alma, por certa delicadeza coibida. "Para quê — dizia ele à pressa, alijando de si toda espécie de censuras, de pusilanimidade e de fraqueza — para quê? Gozemos a vida e sejamos felizes!" Escusado dizer que era, de seu natural, propenso a ceder a todos os impulsos nobres. Acontecia simplesmente que um velhaco astuto conseguira apoderar-se completamente do seu espírito e induzi-lo até a cometer uma vileza, contanto que a mascarasse com aspectos de bondade, é claro. Meu tio era extremamente propenso a deixar-se convencer pelos outros e neste ponto cometia os seus erros. Quando, depois de muitos dissabores, acabava por convencer-se de que fora joguete dum desonesto, a primeira coisa que fazia era deitar a culpa sobre si mesmo e apenas sobre si. Imaginem agora aquela casa tranquila a ser governada por aquela mulher dominante, caprichosa, idiota, a sua mãe, secundada pelo outro idiota... o seu ídolo, que até aí apenas temera o general, e agora não receava ninguém, e possuído, além disso, da ânsia de libertar-se de todo o passado... Uma idiota perante a qual meu tio considerava dever inclinar-se sem retorquir, pela simples razão de que era sua mãe. Começaram por fazer ver a meu tio que era um homem rude, irritável, inculto e, o que era pior, egoísta até ao mais alto grau. O mais curioso é que a idiota da velha acreditava nessas acusações. Sim, senhor, e penso que Fomá Fomitch também, em parte. Convenceram até o meu tio de que Fomá Fomitch era um ser enviado por Deus para salvar-lhe a alma, assim como para aplacar as suas desenfreadas paixões, e que ele dava mostras de orgulho, rico como era, ao atirar-lhe na cara, a Fomá Fomitch, o pão de cada dia. Não tardou que meu pobre tio se convencesse rapidamente do seu profundo relaxamento, arrepelasse os cabelos e pedisse perdão...

— Eu, meu caro, eu é que tenho a culpa — dizia para o primeiro amigo que ia visitá-lo. — Sou eu quem tem a culpa de tudo! Preciso de portar-me com o dobro da delicadeza para com aquele a quem faço bem... isto é... eu! Que fazes tu de bem? Mas que estou eu dizendo aqui? Não fazes bem nenhum; pelo contrário, ele é que me faz bem, consentindo em viver em minha casa, e não eu a ele! E, como se isto ainda fosse pouco, ainda por cima lhe jogo na cara o pão que come... Isto é, jogar-lhe na cara, verdadeiramente, não jogo; mas, pelo visto, devia ter-me descuidado com a língua... Eu me descuido muitas vezes com a língua... E convenhamos... o homem tem sofrido bastante e fez grandes coisas: dez anos, nada mais, nada menos, assistiu ao seu amigo doente, sem fazer caso dos vexames, e tudo isto merece recompensa! Além disto, trata-se de um homem de ciência! Escritor! Um homem muito culto! Um modelo de nobreza de alma... numa palavra, uma excelente criatura!

A figura de Fomá, sábio e infeliz, fazendo de bobo para um senhor caprichoso e cruel, suscitava no coração generoso do meu tio piedade e indignação. Todas as extravagâncias de Fomá, todas as indelicadezas da sua conduta, desculpava-as imediatamente o meu tio, atribuindo-as aos seus sofrimentos, humilhações e amarguras de outrora. Decidiu na sua alma terna e sensitiva que, a um homem que sofreu não se pode dispensar o mesmo trato que a uma pessoa vulgar, que não só nada se lhe tem a perdoar, como além disso e em primeiro lugar se deve tentar sanar-lhe as feridas com doçura, ajudá-lo a levantar-se e a reconciliar-se com a Humanidade. Tendo-se proposto este fim, entusiasmou-se extraordinariamente e chegou a perder por completo a faculdade de aperceber-se, embora de longe, que aquele seu brilhante amigo era um patife presunçoso, caprichoso, egoísta, vadio e parasita... e tudo o mais que quiserem pensar. Acreditava de olhos fechados na ciência e na genialidade de Fomá. Esquecera-me de dizer que, perante a palavra ciência ou literatura, meu tio se inclinava com a reverência mais ingênua e submissa, embora nunca tivesse estudado.

Esta uma das suas principais e inocentes manias.

— Está escrevendo a sua obra! — costumava dizer, caminhando na ponta dos pés, depois de ter atravessado dois compartimentos desde o gabinete de Fomá Fomitch. — Não sei ao certo do que se trata — acrescentava com uma expressão vaidosa e séria. — Mas, meu amigo, que coisa confusa... Digo isto com a melhor das intenções... Muitos compreenderão do que se trata, mas aqui para nós, meu amigo, tudo isso é incompreensível... Parece-me que anda escrevendo não sei que acerca de forças produtoras... Pelo menos assim diz. Naturalmente trata-se de política. Sim, o seu nome há de ser conhecido! E então nós dois seremos também célebres graças a ele. Foi ele quem me disse, meu amigo!

Sei de boa fonte que o meu tio, por indicação de Fomá, se viu obrigado a rapar as suas bonitas suíças, de um louro escuro. Observou-lhe que, com elas, parecia um francês e podia fazer supor aos outros que não amava muito a sua pátria. Pouco a pouco começou também Fomá a imiscuir-se na administração da propriedade e a dar a meu tio sábios conselhos. Sábios conselhos esses que eram terríveis. Os camponeses não tardaram a compreender com quem tinham de haver-se e quem era o verdadeiro senhor. Eu próprio tive ocasião de ouvir uma conversa de Fomá com os camponeses; conversa que, confesso, escutei às escondidas. Fomá declarara antes disso que apreciava conversar com os espertos camponeses russos. Aconteceu que uma vez se encaminhou para a eira, onde se guardavam as pedras de moer o trigo, e se pôs a falar com os camponeses da propriedade, apesar de não saber distinguir a aveia da cevada, insistindo sobre os sagrados deveres dos campônios para com os senhores, aflorando a questão da eletricidade e o problema do alívio do trabalho, do qual, pelo visto, não percebia palavra. Pôs-se, entretanto, a dar lições aos seus ouvintes acerca do modo como a terra dava voltas em redor do sol, e por fim, comovido até ao fundo da alma com a própria eloquência, passou a dissertar acerca dos ministros. A mim nada daquilo me chocou. Conta Púchkin que um pai dizia para o seu filho — um garoto de quatro anos — que, ele, seu paizinho, "era tão valente que o imperador era louco por ele".

Pelo visto, esse tal pai necessitava de alguém que o ouvisse, ainda que fosse uma criança de quatro anos... Os camponeses escutavam sempre Fomá com muita reverência.

— E ouve cá, paizinho? Tu também recebes um soldo do czar? — perguntou-lhe de repente um velhote pequenino, chamado Arkhip Korótki, de entre o grupo de camponeses que o rodeavam, de pé, com a intenção evidente de fazer-lhe uma pergunta maliciosa. A pergunta pareceu-lhe demasiado familiar e ele não podia suportar familiaridades.

— Que tens tu com isso, parasita? — respondeu Fomá olhando com desprezo para o pobre aldeão. — Quem te mandou meter o nariz onde não és chamado? Queres que te cuspa na cara?

Era sempre nesse tom que Fomá Fomitch falava aos espertos camponeses russos.

— Ai, paizinho! — exclamou outro camponês. — Deves compreender que somos uns ignorantes. Nós sabemos lá se tu és major, coronel, ou até general! Por isso não sabemos que tratamento havemos de te dar!

— Idiotas! — insistiu Fomá Fomitch um pouco mais brando. — Há soldos e soldos. Há muitos generais que não recebem nada... pela simples razão de que não tem utilidade alguma para o czar. Eu, pelo contrário, ganhava vinte mil rublos por ano durante todo o tempo que servi num ministério, embora para dizer a verdade, não recebesse esse dinheiro, pois eu servia só pela honra, que para mim era suficiente. Oferecia o meu soldo para o ensino oficial e para os habitantes da cidade de Kazan, atingida por um incêndio.

— Quê? Foste tu quem reedificou metade de Kazan, paizinho? — tornou a perguntar, maravilhado, o mesmo camponês.

De maneira geral os camponeses admiravam Fomá Fomitch.

— Sim, também tenho o meu quinhão nisso — respondeu Fomá por entre os dentes, como se censurasse a si próprio o ter-se dignado entabular tal diálogo com "semelhante" indivíduo.

Os diálogos com meu tio eram de outro gênero.

— Que espécie de pessoa era o senhor? — dizia Fomá, por exemplo, refestelando-se, depois do opíparo jantar, na sua poltrona, junto da qual postava-se um criado a enxotar-lhe as moscas com um ramo fresco de tília. — Que espécie de homem era o senhor antes de me conhecer? Eu, agora, acendi na sua alma uma pequena centelha de fogo divino. Ora diga lá: não é verdade que eu acendi na sua alma uma pequena centelha de fogo divino? Responda: acendi ou não essa centelha?

Verdadeiramente, não compreendia Fomá Fomitch por que formulava a meu tio tais perguntas. Mas o silêncio e a inquietação de meu tio exasperavam-no. Ele, dantes tão obsequioso e submisso, inflamava-se agora como a pólvora à menor contrariedade. O silêncio de meu tio parecia-lhe um insulto, e insistia para arrancar-lhe uma resposta.

— Mas responda, homem, responda! É verdade ou não, que eu acendi uma pequena centelha na sua alma?

O meu tio matava o juízo, na sua perplexidade, revolvia-se no seu lugar e não sabia que responder.

— Tomo a liberdade de lhe fazer notar que estou à espera da sua resposta — continuava Fomá Fomitch num tom ressentido.

— *Mais respondez, doc,* Iegóruchka! — intervinha a generala encolhendo os ombros.

— O que eu lhe perguntei foi isto: arde ou não em sua alma essa pequena centelha? — repetia Fomá, condescendente, tirando um bombom da caixa sempre ali, sobre a mesa, ao alcance da sua mão, segundo as ordens da generala.

— Confesso que não sei o que hei de dizer-te! — respondia o meu tio, por fim, com o desespero nos olhos. — Pode ser que sim, ou qualquer coisa semelhante... Mais vale não me perguntar nada, porque pode ser que eu diga algum disparate...

— Muito bem! Então tenho eu tão pouco valor para o senhor que nem vale a pena responder-me! É isso o que quer dizer, não é? Sim, deve ser isso, eu, para o senhor, não valho nada.

— Valha-nos Deus, Fomá! Não é isso! Como é que eu podia pensar uma coisa dessas?

— Mas afinal foi isso o que o senhor disse!

-- Vamos, Fomá, não queira desmentir-me, não foi isso!

— Esta é boa! Então agora sou mentiroso? Assim, em sua opinião, faço-lhe essas perguntas só para travar discussão! Muito bem, junto mais este vexame aos muitos que lhe tenho suportado! Seja!

— *Mais, mon fils!* — exclama muito assustada a generala.

— Fomá Fomitch! *Mamacha!* — exclamava o meu tio desesperado. — Juro pelo amor de Deus que não foi por mal! Pode ser que eu não tenha tido o devido cuidado com as palavras... Mas não ligues importância ao que eu digo, Fomá, eu sou um tolo... Sim, compreendo que o sou; eu próprio sei que não tenho nada de esperto... Eu sei, Fomá, sei muito bem. Não precisas me dizer — acrescentava, agitando os braços. — Tenho quarenta anos e, até agora, que te conheci, até ao momento preciso em que te conheci, imaginava que era um homem... digamos, um homem em toda acepção da palavra. Olha, até hoje ainda não tinha percebido que era um grande pecador, um egoísta de primeira categoria, e que tenho feito tantas coisas más na vida que até é de espantar possa andar ainda de cabeça erguida.

— Sim, na verdade é egoísta! — observava Fomá Fomitch condescendente.

— Agora eu próprio compreendo que o sou. Mas juro que vou me emendar!

— Deus te ouça! — sentenciava, à guisa de remate, Fomá Fomitch, suspirando com unção e erguendo-se da poltrona para fazer a sua costumada sestazinha depois do almoço. Fomá Fomitch dormia sempre um pouco depois das refeições.

Para acabar este capítulo, permitam-me falar mais concretamente das minhas relações pessoais com o meu tio e explicar de que modo me vim a encontrar inesperadamente com Fomá Fomitch e a imiscuir-me, sem querer, em todos os acontecimentos mais importantes nessa famigerada granja de Stiepântchikovo. Assim poderei dar por acabada a minha introdução e passar diretamente à minha história.

Na minha infância, quando os meus pais morreram e me vi só no mundo, o meu tio passou a fazer para mim às vezes de pai. Encarregou-se de me educar à sua custa e... numa palavra, fez por mim o que nem sempre costumam fazer os pais verdadeiros. Logo no primeiro dia em que me levou para sua casa me senti unido a ele por uma grande amizade. Contava eu então dez anos e creio que simpatizamos logo os dois um com o outro e nos compreendemos mutuamente. Jogávamos pião os dois, escondíamos a touca de dormir duma velhota, uma solteirona muito irascível, nossa parenta afastada. Depois pegava na touca e atava-a à cauda do meu papagaio, que subia com ela pelos ares.. Passaram muitos anos e só voltei a ver o meu tio em Petersburgo, onde, por esse tempo, terminava os estudos que ele custeava. Dessa vez dediquei-me a ele com todo o ardor da juventude. Havia no seu caráter qualquer coisa de nobre, de distinto, de sincero, jovial e simples, que me atraía como os outros. Quando saí da Universidade, vivi algum tempo em Petersburgo, sem nada fazer e, como costuma acontecer aos mancebos da minha idade, firmemente convencido de que não tardaria muito havia de realizar alguma façanha extraordinariamente notável e até grandiosa. Não me podia conformar com ficar em Petersburgo. Necessitado de dinheiro, escrevia ao meu tio, que nunca dizia não. Estavam as coisas neste pé quando me aconteceu ouvir da boca dum camponês do meu tio, que fora a Petersburgo tratar de uns negócios, que em Stiepântchikovo se passavam umas coisas muito estranhas. Esses primeiros boatos despertaram o meu interesse e a minha admiração. Comecei a cartear-me a miúdo com o meu tio. Respondia-me sempre de modo um tanto obscuro e estranho e apenas me falava dos estudos, exprimindo as grandes esperanças que, no aspecto científico, depusera em mim, e dizendo esperava poder orgulhar-se dos meus futuros triunfos. De repente, após um longo silêncio, recebi uma carta muitíssimo estranha e completamente diferente das anteriores. Continha tais e tão invulgares alusões, tal confusão de termos contraditórios, que não entendi quase nada do seu conteúdo. Consegui apenas compreender que o seu autor queria dar um sinal de alarma. Uma coisa somente saltava à vista: o meu tio pedia-me muito a sério, e quase de joelhos, lhe escrevesse pelo correio seguinte, dizendo que consentia em casar-me com a preceptora dos seus filhos, filha dum pobre empregado da província, de sobrenome Ietchóvkin, excelentemente educada numa escola de estudos clássicos, em Moscou, à custa do meu tio. Escrevia-me dizendo que a criatura era uma infeliz e eu podia reparar a sua desdita, o que eu faria, sem dúvida movido pela minha nobreza de sentimentos, pelo que me mandava antecipadamente os agradecimentos mais cordiais e se comprometia a pagar-lhe o enxoval de noiva. Quanto ao mais, falava deste enxoval com certo mistério e timidez, e terminava pedindo-me nada dissesse a ninguém acerca do assunto. Esta carta deixou-me num tal estado de excitação que acabei por sentir vertigens. E a que rapaz da minha idade, que acaba de sair da Universidade, não teria causado profunda impressão aquela proposta de casamento, quanto mais não fosse pelo seu aspecto romântico? Além disso eu ouvira dizer que a jovem preceptora era muito bonita. No entanto, eu não sabia o que decidir; apesar disso apressei-me a escrever ao meu tio dizendo-lhe que me ia pôr imediatamente a caminho de Stiepântchikovo. Meu tio incluíra na carta uma quantia para os gastos da viagem. Mas, apesar de tudo, cheio de dúvidas e de hesitações, demorei-me ainda em Petersburgo umas três semanas.

De repente tive um dia oportunidade de encontrar-me com um antigo companheiro de armas do meu tio, que de passagem, no seu regresso do Cáucaso para Petersburgo, parara em Stiepântchikovo. Era um homem já entrado em anos e muito discreto, mas solteirão inveterado. Falou-me com antipatia de Fomá Fomitch e contou-me um episódio do qual até àquele momento eu não tinha a menor notícia, isto é, que Fomá Fomitch e a generala tinham proposto casar o meu tio com uma solteirona extravagante, meio doida e com meio milhão de dote pelo menos; que a generala já conseguira lograr a velha, convencendo-a de que ainda eram parentes, e assim a trouxera para viver em sua casa; que o meu tio estava desesperado; mas que, com todas as probabilidades, acabaria por resignar-se a casar com o meio milhão do dote; e por último, que aquelas duas grandes cabeças, a generala e Fomá Fomitch, tinham uma conduta horrorosa para com a pobre e desamparada preceptora dos meus primos e mostravam o máximo empenho em pô-la fora de casa, provavelmente com receio de que o coronel se apaixonasse por ela e talvez por já ter-se apaixonado. Estas últimas notícias puseram-me fora de mim. A todas as perguntas que lhe fiz para saber se o meu tio estaria de fato apaixonado pela preceptora o meu interlocutor não quis ou não pode responder de maneira decisiva. Aliás, falou-me de tudo isso em termos de grande laconismo e com evasivas, evitando claramente entrar em pormenores. Pus-me a pensar. Aquela estranha notícia contradizia a carta de meu tio e estava em desacordo com a sua proposta matrimonial... Mas não havia tempo a perder. Decidi pôr-me imediatamente a caminho de Stiepântchikovo, desejoso não só de tranquilizar e de tornar razoável o meu tio, como também de salvá-lo, se possível; isto é, pôr Fomá na rua, impedir o seu odioso casamento com a solteirona e, finalmente... como, para mim, em suma, o suposto amor de meu tio pela preceptora era simplesmente uma invenção do tal Fomá Fomitch, tornar feliz aquela desditosa ou, por outras palavras, oferecer a minha mão à interessante jovem etc. Pouco a pouco fui-me entusiasmando a tal ponto que, como costuma acontecer quando se é ainda novo, passei da dúvida para o extremo oposto. Enchi-me de repente de uma ansiedade enorme por realizar imediatamente maravilhas e coisas portentosas. Parecia-me até que dava mostras de uma grandeza de alma pouco comum ao sacrificar-me para tornar feliz uma criatura inocente e boa... Numa palavra: durante a viagem senti-me extraordinariamente vaidoso de mim próprio. Estávamos em julho. O sol brilhava, resplandecente; a toda a volta os meus olhos contemplavam incomensuráveis lonjuras de campos com os trigais maduros. Passara tanto tempo em Petersburgo que agora me parecia nunca ter visto de verdade este vasto mundo de Deus.

Capítulo II / O senhor Baktchéiev

Aproximava-se o fim da minha viagem. Quando cheguei à pequena aldeia de B..., distante apenas dez verstas de Stiepântchikovo, vi-me obrigado a parar no ferreiro próximo da barreira, por ter saltado o aro duma das rodas dianteiras da minha *tarantás*. Arranjá-la de qualquer maneira para que pudesse andar ainda aquelas dez verstas seria provavelmente coisa de pouca demora; por isso, em vez de vaguear pela aldeia, decidi aguardar ali mesmo que o ferreiro reparasse a avaria. Quando desci do carro, avistei um senhor gordo que, como eu, se vira obrigado a parar também para que consertassem a sua carruagem. Havia já uma hora que suportava a névoa sufocante, gritava e proferia insultos com uma impaciência resmungona, fustigava os operários e dava voltas em redor da sua magnífica carruagem. À primeira vista, esse irascível senhor pareceu-me um autêntico brutamontes. Devia andar pelos quarenta e cinco, estatura mediana, muito gordo e picado de bexigas. A gordura, a papada e a barriga, assim como as faces pálidas e flácidas, eram sinais evidentes da sua vida de proprietário opulento. Havia qualquer coisa de feminino em toda a sua figura, que saltava imediatamente à vista. Vestia um terno amplo, que apesar disso ainda lhe ficava um pouco justo, bonito e caro, mas que não era precisamente da última moda.

Não consigo explicar por que se zangou comigo, tanto mais que pela primeira vez me via e nem sequer tínhamos trocado uma palavra. Assim que desci da minha *tarantás*, reparei logo na sua antipatia, nos seus olhares estranhamente iracundos. Eu, pelo contrário, sentia uma grande vontade de travar conhecimento com ele. Das conversas dos criados concluí que viera nesse altura de Stiepântchikovo, da casa de meu tio, e por isso era natural que eu quisesse fazer-lhe várias perguntas. Tirei o chapéu e, com a maior amabilidade, referi-me a como eram aborrecidos estes contratempos durante uma viagem. Mas o gordanchudo olhou-me dos pés à cabeça com um olhar hostil e displicente, resmungou qualquer coisa por entre os dentes e, com a maior calma, voltou-me as costas. Esta parte da sua pessoa, apesar de ser um objeto bastante curioso para ser observado, não podia, no final de contas, prestar-se a nenhum diálogo amistoso.

— Grichka! Não resmungues! Senão parto-te a cara! — gritou de repente para o criado, como se não tivesse ouvido uma palavra daquilo que eu lhe dissera a respeito dos contratempos durante a viagem.

O tal Grichka era um criado velho, grisalho, que vestia um sobretudo de abas compridas e usava umas enormes suíças cinzentas. A avaliar por certos indícios era também muito resmungão e mastigava continuamente palavras, muito mal-humorado. Entre o senhor e o criado houve imediatamente uma explicação.

— Vai berrando! — resmungou Grichka, mas tão alto que todos o ouviram e, com mau modo, afastou-se dali dirigindo-se para a carruagem.

— Que estavas dizendo? Essa do "vai berrando!" Estás ficando descarado? — gritou o gordalhufo ficando muito vermelho.

— Por que lhe há de dar para embirrar comigo? Já não se pode abrir a boca?

— Embirrar com ele! Estão vendo? Então ele pode resmungar contra mim e eu não posso dizer-lhe nada?!

— Mas por que havia eu de resmungar?

— Por quê? Como se eu não soubesse! Eu bem sei por que resmungas! É porque nos metemos ao caminho antes do jantar... é por isso!

— Como se isso me incomodasse alguma coisa! Por mim, se quiser, pode passar até o dia em jejum. Eu não estava falando do senhor, e sim com os ferreiros.

— Com os ferreiros? Que tinhas que falar com eles?

— Eu não me queixava deles, mas sim da carruagem...

— E que tem a carruagem?

— Por lhe ter dado para se escangalhar! Já podíamos estar em casa!

— Sim... mas tu estavas falando do coche... Dizias qualquer coisa a meu respeito e não dele! Tem graça! Ele é o culpado de tudo e ainda se aborrece!

— Eu não sei por que é que o senhor havia de embirrar comigo hoje. Deixe-me em paz, sim?

— Por que vieste sentado durante todo o caminho, como um basbaque, sem abrir a boca? Por quê? Em compensação, outras vezes falas pelos cotovelos!

— É que me tinha entrado uma mosca pela boca adentro... Era por isso que eu não falava e estava calado como um basbaque. Além disso não tinha nada para lhe dizer... Se queria ouvir histórias, devia ter trazido consigo a tagarela da Melânia.

O gordalhufo abriu a boca como se fosse responder alguma coisa; mas pelo visto não lhe veio nada à ideia e calou-se. O criado, por seu lado, muito ufano da sua dialética, e por ter demonstrado perante os presentes a sua ascendência sobre o patrão, foi juntar-se, muito vaidoso, aos trabalhadores, e pôs-se a falar com eles. As minhas tentativas para travar conhecimento com o senhor gordo foram infrutíferas, especialmente devido à minha falta de jeito. Uma circunstância imprevista veio, porém, inesperadamente, em meu auxílio. À janela de uma carruagem, hermeticamente fechada, que devia estar ali há muitíssimo tempo à espera de conserto, assomou um rosto meio adormecido, sujo e de cabelos revoltos. Seu aparecimento suscitou a hilaridade geral entre os trabalhadores. Tinham fechado aquele homem, perdido de bêbado, no carro, e agora, que curtira e bebedeira, via que não podia sair dali. Suplicava em vão aos brincalhões que o libertassem, mas ninguém fazia caso dele. Até que por fim implorou a um deles que lhe trouxesse as suas ferramentas. Mas este pedido serviu apenas para aumentar a algazarra jovial.

Há pessoas que se divertem com coisas bastante estranhas. Os esgares dum bêbado que tropeça e se estatela no chão, duas mulheres que se puxam os cabelos e outra coisas assim costumam levar essas criaturas a um riso sincero, sem saberem por que. O obeso proprietário devia pertencer sem dúvida a este número. Pouco a pouco, a sua fisionomia, até então mal-humorada e severa, foi-se animando e dulcificando, até que por último desapareceram dela todos os vestígios de aborrecimento.

— Mas é Vassíliev! — exclamou surpreendido. — Como teria ele caído na armadilha?

— Vassíli, sim, senhor, Stiepan Alieksiéievitch! Vassíliev! — gritaram todos ao mesmo tempo.

— É um vadio, senhor — acrescentou um dos trabalhadores, indivíduo vigoroso, corpulento e bem-apessoado, com uma expressão pedantesca no semblante e evidentes pretensões de sobressair entre os companheiros. — Há três dias ele fugiu de casa do amo e veio refugiar-se aqui. E agora se põe a pedir o formão. Mas para que queres tu o formão, cabeça de alho chocho? Vai ver que queres empenhar a tua última ferramenta...

— Eh, Arkhípuchka! O dinheiro... evapora-se. Vem e vai-se! Vamos, tira-me daqui pelo amor de Deus! — suplicou Vassíliev com uma voz fraca e insegura, deitando a cabeça pela janela do coche.

— Fica quietinho, meu caro! — respondeu-lhe Arkhip, implacável. — Há três dias conseguiste fugir; hoje, ao amanhecer, apanharam-te no meio da rua e trouxeram-te para aqui. Dá graças a Deus porque te tenhamos arranjado um esconderijo e dito a Matviéi Ilhitch que estavas doente e apresentavas sintomas de ter a *febre pútrida mucosa.*

Repetiram-se as gargalhadas.

— Mas onde está o meu formão?

— É o nosso aprendiz que o tem! Onde havia de estar? Aqui o tem o homem, Stiepan Alieksiéievitch!

— Ah, ha, ha! Ah, vadio! Na cidade é que te espera um trabalho, o de empenhar a ferramenta! — exclamou o gorducho sorrindo muito ufano e passando de repente para uma prazenteira disposição de espírito.

— E pensar que és um carpinteiro como não há nenhum em Moscou! Mas veja como se porta aquele malandro! — acrescentou, aproximando-se de mim de repente. — Tira-o dali, Arkhip, pode ser que precise de alguma coisa!

Obedeceram ao senhor. Tiraram a barra com que tinham trancado a portinhola do coche para se divertirem à custa de Vassíliev quando ele acordasse, e ele saiu então, todo sujo, negro e esfarrapado. Piscava os olhos diante do sol, espirrava e cambaleava; depois, pondo uma mão diante dos olhos, à maneira de viseira, olhou à sua volta.

— Tanta gente, tanta gente! — murmurou movendo a cabeça. — E ninguém está bê... ba... do! — acrescentou titubeando tristemente, como se se censurasse a si próprio.. — Vamos, meus amigos, bom dia!

Os risos repetiram-se.

— Bom dia! Ó homem, abre bem os olhos e vê onde já vai a manhã! Tolo!

— Não mintas, Emiélia, agora é a tua semana.

— Cá, por mim, pode ser já, vamos!

— Eh, eh, eh! Não és má pessoa! — exclamou o gorducho, tornando a sorrir e pousando outra vez sobre mim um olhar amável. — Mas tu não tens vergonhas, Vassíliev?

— É uma pena, senhor, é uma grande pena, Stiepan Alieksiéievitch — respondeu Vassíliev muito sério, movendo os braços e visivelmente satisfeito por ter oportunidade de falar dos seus desgostos.

— Mas o que é que é pena, seu burro?

— É uma enormíssima pena que nos passem para Fomá Fomitch.

— Quem? Como? — exclamou o gorducho muito impressionado.

Eu dei um passo em frente. Aquele incidente também me tinha impressionado.

— Sim, com todo o domínio de Kapitónovka. O nosso amo, o coronel, a quem Deus dê saúde, decidiu ceder a Fomá Fomitch todo o domínio de Kapitónovka, todo o seu patrimônio, que tem sessenta almas. "É para ti, Fomá — disse ele! Tudo isso é para ti e não é muito, não és um rico proprietário; tens apenas, ao todo, dois peixes de renda, no lago Ladoga! Foi isso que o teu falecido pai te deixou quando morreu! O teu pai foi — continuou Vassíliev com certa satisfação maldosa, pondo uma ponta de maldade em tudo quanto se referia a Fomá Fomitch — o teu pai foi um pilar da nobreza, embora não se saiba de onde nem quem era. Como tu, vivia à grande, e era doido pela boa comida. E agora que eu te cedo Kapitónovka, tornas-te um proprietário, um pilar da nobreza, terás pessoas que te pertençam e poderás sentar-te junto do fogão e levar vida de fidalgo..."

Mas Stiepan Alieksiéievitch já não o escutava. O efeito que sobre ele produziu a dúbia história de Vassíliev foi extraordinário. Tão comovido ficou o gordalhufo que até empalideceu; a papada tremia-lhe e tinha os olhos injetados. Julguei que ia ter uma congestão.

— Era o que faltava — disse resfolegando com força. — O parasita de Fomá transformado em proprietário! Livra! Um raio os parta a todos! Vamos, homem, depressa! Despacha-te! Vamos para casa!

— Dê-me licença que lhe pergunte — disse-lhe eu colocando-me resolutamente na sua frente. — O senhor acaba de nomear Fomá Fomitch; parece-me que o seu sobrenome, se não me engano, é Opískin. Bem, pois eu desejava... numa palavra, tenho as minhas razões particulares para interessar-me por esse sujeito, e teria muito gosto em ouvir da sua boca até que ponto pode dar-se crédito ao que disse este homem acerca do fato de seu amo, Iegor Ilhitch Rostâniev, ter decidido ceder uma das suas terras a Fomá Fomitch. Não pode calcular o que isto me interessa e eu...

— Permita que lhe pergunte por minha vez — respondeu-me o senhor gordo — até que ponto se interessa por esse sujeito, conforme disse, apesar de que, para mim, não é esse o nome que ele merece, mas o de impostor! Em que alturas ele se pôs! Um refinado malandro é que ele é!

Respondi-lhe que até ao presente não tinha o prazer de conhecer o tal indivíduo; mas que Iegor Ilhitch Rostâniev era meu tio e eu... o meu nome era Sierguiéi Alieksándrovitch.

— Então é o senhor o tal rapaz muito instruído?! *Bátiuchka*[2], em casa dele estão à sua espera com a maior impaciência! — exclamou o gorducho com uma alegria indescritível. — Olhe, eu vim agora de lá, de Stiepântchikovo. Levantei-me da mesa a meio do jantar e vim sem provar o *pudding*; não podia estar mais tempo sentado à mesa com Fomá Fomitch. Briguei com todos e fiquei zangado, por causa de Fomá! Mas isto é o que se pode chamar um feliz encontro! O senhor vem comigo, sim? Eu sou Stiepan Alieksiéievitch Baktchéiev, e ainda tenho uma vaga ideia do senhor, de quando era pequeno... Quem havia de dizer! Permita-me que...

---

2 Forma de tratamento, de respeito amistoso.

O gorducho pôs-se na ponta dos pés e beijou-me.

Passados os primeiros momentos de perturbação, crivei-o imediatamente de perguntas. A ocasião era de aproveitar.

— Mas quem é esse Fomá? — perguntei-lhe. — Como é que esse homem conseguiu impor a sua vontade até esse ponto naquela casa? Por que não o correm à chibatada? Confesso-lhe que...

— Corrê-lo, diz o senhor? Sabe o que está dizendo? Iegor Ilhitch, diante dele, anda na ponta dos pés. Olhe, uma vez meteu-se na cabeça de Fomá que era quarta e não terça; havia de ver como todos diziam que, de fato, era quarta e não terça-feira. "Não quero — disse ele — que hoje seja terça-feira, mas sim quarta." De maneira que aquela semana teve duas quartas-feiras em vez de uma, como as demais. Acha talvez que eu exagero? Pois olhe, é pura verdade o que eu lhe disse. E afirmo-lhe que é caso para uma pessoa fugir dali correndo!

— Já ouvi dizer qualquer coisa a esse respeito, mas pensava...

— Pensava, pensava! Não sabe fazer outra coisa! Que é que está sempre pensando? Não seria melhor que me perguntasse de uma vez e francamente aquilo que quer saber? Pois bem, vou eu próprio dizer-lhe. Fique sabendo que a mãe de Iegor Ilhitch, se bem que seja uma autêntica senhora, e, além disso, generala, a meu ver perdeu o juízo e não se atreve sequer a respirar diante de Fomá. É ela quem tem a culpa de tudo, foi ela quem o meteu lá em casa. Agora está enfeitiçada por ele, está meio maluca, a pobre criatura, isto sem ofensa do seu título de Excelência... Com os seus cinquenta anos, dependurou-se ao pescoço do velho Krakótkin... Da irmã de Iegor Ilhitch, de Praskóvia Ilínichna, a solteirona, que anda já pelos quarenta... dessa nem quero falar. Apenas se lhe ouvem queixumes e ais... Estou cheio dela até aqui... A única coisa que lhe vale é ser uma mulher! E eu a respeito, não por isto ou por aquilo, mas atendendo simplesmente a que é uma senhora. Ufa! Mas que estou eu dizendo? Só agora me lembro de que ela é sua tia! Em compensação, a filha do coronel, embora seja ainda uma garota... anda nos dezesseis anos, a meu ver tem mais juízo do que os outros todos juntos; não pode suportar Fomá e dá gosto vê-la. Uma senhora em toda acepção da palavra! E por que havia ela de vê-lo com bons olhos? Por que havia de respeitar esse tal Fomá que ganhava a vida fazendo de bobo para o falecido General Krakótkin? Como se fosse preciso, para divertir o general, imitar todos os animais que ele lhe mandava! Isto faz lembrar aquele ditado que diz: "Vânia ainda ontem cavava a terra, e hoje já é uma pessoa importante". Porque agora, o seu tio, o coronel, encara esse bobo laureado como o seu próprio pai, tem-no como guia, àquele patife, e pouco falta que lhe faça reverências, àquele parasita! Arre!

— No fim de contas, a pobreza não é nenhum vício... e... confesso-lhe... permita-me uma pergunta: é interessante, tem espírito?

— Quem? Fomá? Qual o quê! É mesmo uma beleza! — respondeu Baktchéiev com um estranho tremor na voz. A minha pergunta devia ter-lhe causado grande impressão e a partir daquele momento começou a olhar-me com desconfiança. — Uma beleza! Vejam só! Sabe o que lhe digo, paizinho? É que o tipo se parece com todo o gênero de animais. Enfim, não seria eu quem diria alguma coisa se ele ao menos tivesse talento e se preocupasse em nos agradar, aquele malandro... Nesse caso, eu, embora com pouca vontade, não teria outro remédio senão inclinar-me perante o seu talento; mas o pior é que ele não tem nem uma ponta de talento! O que parece é que ele deu de beber um filtro a todos os daquela casa e que é um grande bruxo! Ufa! Até já estou cansado de falar dele. É caso para cuspir e calar-me. Livra, paizinho, deu-me até vontade de vomitar, com as suas perguntas! Mas vamos a ver, criaturas, isso ainda não está pronto?

— É preciso tornar a pintar a parte preta — respondeu Grigóri muito aborrecido.

— Que preta! Eu te darei a preta! Sim, senhor, eu podia contar-lhe tais coisas que o senhor ficaria de boca aberta até ao dia do Juízo Final! Olhe, eu, a princípio, também lhe tinha respeito, é o que lhe digo. Mas bem arrependido estou, muito me custa, fui um burro! É que ele me deu volta ao miolo. Aquele sabichão! Não havia nada que ele não soubesse, era doutor em todas as ciências! Ora veja: uma vez deu-me umas gotas para tomar. Porque eu, paizinho, ando sempre doente, é o que lhe digo. Naturalmente não acredita que eu seja um doente. Pois bem, com as tais gotas, se me descuido, ia desta para melhor. Mas espere, deixe estar que já vai ter ocasião de ver tudo com os seus próprios olhos, quando estiver lá. E a gracinha há de custar lágrimas de sangue ao pobre coronel. Com o tempo verá. Hoje já não há ninguém nesta comarca que não se tenha indisposto com ele por causa desse malvado Fomá. O insolente não respeita ninguém que vá àquela casa. De mim, nem vale a pena falar, mas o tipo é atrevido até para pessoas de categoria. Diz desaforos a toda gente, a todos passa sermões, aquele patife. "Eu sou um sábio, eu sou mais inteligente do que ninguém, todos têm de obedecer-me. Eu sou um poço de ciência." Bem, e ainda que fosse? Por que motivo um sábio há de tratar a pontapé aqueles que não sejam? E quando o tipo se põe a falar da sua ciência, nunca mais acaba... tá... tá... tá... Tem uma língua que se fosse cortada e atirassem com ela para uma estrumeira, ainda ali continuaria badalando. Agora anda num frenesi, parece que tem bicho-carpinteiro. Quer fazer coisas impossíveis. Mas para que falar mais dele? Só lhe digo que agora se lhe meteu na cabeça que os criados deviam todos falar francês! Quê?! Não acredita? Pois olhe, ele diz que isso há de ser muito útil para todos. Veja: até com os criados! Livra! Veja que palhaço! Não me diz para que pode servir o francês aos criados? E a nós também, que falta é que nos faz? Para fazer a corte às garotas, nos bailes, ou entendermo-nos com as mulheres casadas? Uma idiotice... e nada mais! Olhe, afinal basta emborcar uma garrafa de vodca, que ficamos logo falando todas as línguas. Quero lá saber do vosso lindo francês! Mas espere, o senhor também deve falar um bocado de francês... porque isto, etc. e tal... — Baktchéiev afastou-se para o lado visivelmente mal-humorado. — O senhor, paizinho, deve ser um homem culto, não é verdade? Também procurou arranjar cultura?

— Sim, até certo ponto... interessei-me.

— E aprofundou todas as ciências?

— Aprofundar, verdadeiramente, não... Confesso-lhe que, por agora, me dedico mais à observação. Até aqui tenho vivido em Petersburgo e agora vou para casa do meu tio...

— E que é que o leva lá? Era melhor que tivesse ficado onde estava, se é que tinha onde. Não, paizinho, desde já lhe afirmo que, aqui, pouco proveito há de tirar da sua cultura e o seu tio de pouco há de valer-lhe... Vai-se meter na boca do lobo! Talvez não acredite, mas em vinte e quatro horas que estive ali até emagreci! Quê?! Não acredita que emagreci? Não, não acredita; seja, mas olhe que é como lhe digo.

— Não, não, desculpe, eu acredito! Simplesmente não compreendo como é que isso possa ser — respondi-lhe cada vez mais perplexo.

— Sim, sim... o senhor diz que acredita, mas eu é que não acredito no senhor! Os senhores são todos uns malabaristas, com a sua cultura. Gostariam de ver-nos andar todos pulando num único pé só pelo gosto de observar! Não, paizinho, eu não estou a par da cultura, não posso tragá-la! Basta o que tive de conviver com os senhores de Petersburgo... esses inúteis! São todos uns maçons; de longe já cheiram a incredulidade! Não se atrevem a beber nem um copinho de vodca, como se a vodca mordesse... Ufa! Fez-me excitar, paizinho, já não estou para mais conversas! Não quero estar aqui a contar-lhe historietas, até já tenho a língua dormente. Não se pode falar mal de toda gente, paizinho, é pecado... Agora, em casa do seu tio, meteram um tal Vidopliássov, o cocheiro, que também é um homem culto. É tudo obra de Fomá Fomitch...

— Se fosse eu — interveio Grigóri que até àquele momento assistira ao diálogo conservando um silêncio digno — não o tinha deixado sair com vida do chicote. Se me tivesse caído debaixo das mãos, acabava-lhe com a raça! Havia de lhe ter dado tantas que nem os números todos chegariam para contá-las!

— Cala-te! — gritou o patrão. — Mete a viola no saco, que ninguém falou contigo!

— Vidopliássov — disse eu titubeando, sem saber o que havia de falar — Vidopliássov... Que nome tão estranho, não é?

— Mas por que é que é estranho? Lá vem o senhor também com essa! Esta gente instruída...

Eu perdi a paciência.

— Desculpe — disse-lhe eu — mas por que está assim mal disposto comigo? Que mal lhe fiz eu? Confesso-lhe que há uma hora o escuto e no entanto ainda não consegui compreender do que se trata...

— Mas por que se zanga, paizinho? — respondeu o gordo. — Ninguém o ofendeu! Eu não fui capaz de lhe falar com mais delicadeza. Não leve a mal por eu ser tão falador e ter gritado com o meu criado. Embora esse Grichka seja um velhaco acabado, eu, precisamente por isso, tenho amizade a esse vadio. A mim, o que me perde é ser tão sensível... Digo-lhe francamente, o único culpado de tudo isto é esse malvado Fomá! Há de dar cabo de mim; juro-lhe que há de dar cabo de mim! Há duas horas estou aqui assando ao sol por causa dele! Tinha a intenção de ir visitar o *protopope* enquanto estes malandros arranjavam a avaria. É uma boa pessoa, o tal *protopope*. Esse Fomá transtornara-me a cabeça de tal maneira que já não podia vê-lo. Nem a ninguém dos seus! Aqui, fique sabendo, não há sequer uma casa de pasto decente onde se possa comer qualquer coisa. Nesta aldeia, desde o primeiro até ao último, são todos uns presunçosos. Porque veja: eu não diria nada se ele fosse uma grande besta — continuou Baktchéiev, implicando outra vez com Fomá Fomitch, que, pelo visto, não lhe saía do pensamento — porque então, vamos lá, talvez esse título chegasse para explicar tudo; mas ele nem a isso chega. Juro-lhe que nem essa categoria tem, sei-o de certeza; ele diz que sofreu por causa da verdade... talvez nos tempos de Santa Engrácia[3]; e por isso agora temos de adorá-lo de joelhos! Julga-se muito

---

3 Literalmente, *nos tempos do czar Ervilha*.

acima de nós. Se alguém se atreve a não lhe fazer a vontade em qualquer coisa... aí o tem gritando e queixando-se: "Aí está, insultam-me! Lá porque sou pobre, não me têm respeito!". Ninguém se atreva a sentar-se à mesa sem Fomá... ao passo que ele, em compensação, pode ficar no seu quarto a resmungar: "Aí está, ofendeu-me; eu sou um estranho, um pobre, como um farrapo!". Mas os outros que se sentem sem ele e depois o verão aparecer entoando a mesma cantilena: "Então sentaram-se à mesa sem contar comigo? Não têm a mínima atenção para comigo". Em suma: é a cantiga do costume. Eu, paizinho, calei-me durante muito tempo. Ele julgava que eu me havia também de por a dançar diante dele, como um cão amestrado sobre as patas traseiras... Sim, sim, não queria mais nada? Desculpa, meu caro, vai na boleia que eu subo para a almofada! Eu, veja lá, servi no mesmo regimento que Iegor Ilhitch. Deixei o serviço no posto de alferes, ao passo que ele chegou até coronel, e foi com essa patente que apareceu a visitar-me na minha chácara, haverá um ano. Nessa altura eu lhe disse: "Olha, meu amigo, toma cuidado, não apapariques Fomá dessa maneira, olha que ainda te hás de arrepender!". Mas ele respondeu-me: "Qual, homem, ele é uma excelente pessoa, é meu amigo (referia-se a Fomá); anda me dando lições de moral". "Bem — disse eu cá para comigo — com a moral não se brinca. Se ele se pôs a ensinar-lhe moral... adeus, minhas encomendas!" Sabe por que é que ele começou hoje outra vez com histórias? Porque amanhã é dia de Santo Elias (e o senhor Baktchéiev benzeu-se), que é o nome de Iliúchka, de seu priminho. Eu pensara ir passar o dia com eles, jantar lá e levar ao garoto um brinquedo que mandei vir da capital, um alemãozinho que, por meio de umas molas, beija a mãozinha da noiva e depois enxuga uma lágrima com o lenço... Coisa bonita! Mas agora já não vou lhe dar nada! Olhe, está aí, no fundo do coche, e o alemãozinho até já tem o nariz partido. Iegor Ilhitch de boa vontade teria dado feriado no dia do seu santo, mas Fomá não o deixou: "Mas que interesse é esse agora por Iliúchka? De mim nunca ninguém se lembra". Grande estupor! Ter inveja de um garoto de nove anos que celebra o seu dia onomástico! "Não — disse ele — também é o dia do meu santo!" Ora, hoje é dia do santo de Iliá e não do de Fomá. "Não, não, também é o do meu santo — disse ele." Eu olhei para ele mas não disse nada. Então que tal lhe parece isto? Pois era vê-los andarem todos na ponta dos pés e cochichando em conciliábulos sobre o que haviam de fazer. Se deviam celebrar o seu santo no dia de Iliá, se deviam felicitá-lo ou não. Se não o felicitavam podia sentir-se ofendido, mas se o felicitavam... podia rir na cara deles. Livra! Sentamo-nos à mesa... Mas, paizinho, está-me ouvindo ou não?

— Sim, estou a ouvi-lo e com grande prazer, porque graças ao senhor cheguei finalmente a saber... e confesso-lhe...

— Sim, sim... há de ter um grande prazer, não há dúvida! Já sei o que isso quer dizer... É capaz de estar caçoando de mim!

— Desculpe, mas por que havia eu de caçoar do senhor? Pelo contrário. Além disso o senhor exprime-se de maneira tão original... que de boa vontade tomaria nota de tudo quanto diz.

— Hem? Que vem a ser isso de tomar nota, paizinho? — perguntou o Senhor Baktchéiev com certo receio e olhando-me desconfiado.

— Não, em última análise... é muito possível que não o faça... dizia-lhe isto unicamente...

— Mas, seriamente, quer tirar-me o suco?

— Que vem a ser isso de tirar-me o suco? — perguntei-lhe eu assombrado.

— Ora, o que é! É pensares em aproveitar-te das minhas palavras; porque eu estou aqui a dar à língua e depois tu vais e chapas-me num livro.

Apressei-me a afirmar ao Senhor Baktchéiev que eu não era daqueles que faziam isso, mas ele continuou a olhar-me com desconfiança.

— Que não és desses, já se vê! Mas pode ser que ainda faças pior do que eles. Fomá já me tem ameaçado de me por num livro.

— Permita-me uma pergunta — interrompi-o, desejoso de mudar de tema. — É verdade que o meu tio se quer casar?

— Quer casar? Não é aí que está o mal. Se lhe apetece casar, case-se. O mal — acrescentou o Senhor Baktchéiev pensativo — é outra coisa. Hum! A isso, paizinho, não lhe posso dar uma resposta categórica. As mulheres, agora, andam ali como moscas em volta de sopa; mas verdadeiramente ninguém sabe qual é que quer casar-se. Aqui, entre nós, paizinho, digo-lhe que não simpatizo muito com as mulheres. Simplesmente elas também são pessoas; mas é certo que é uma vergonha andar atrás das saias e prejudica a salvação da alma. Mas que o seu tio está apaixonado como um gato da Sibéria, disso posso dar-lhe a certeza. A respeito disso, paizinho, como vê não quero dizer nada; mas acho que é uma vergonha nunca mais decidir nada. Se queres casar, casa; não te atrevas, porém, a dizer nada a Fomá, nem também à velhota, porque viria a casa abaixo com o barulho e cortavam-te logo as vazas. A velha, como é natural, está do lado de Fomá; o velhaco de Fomá Fomitch ficaria furioso se entrasse lá em casa outra mulher, pois sabe que então não parava ali nem mais um minuto. É muito possível que a dona da casa o agarrasse pela gola do casaco com as suas próprias mãos e o expulsasse de casa, ou, se fosse pessoa decidida, de qualquer outra maneira, pois não há em toda a comarca quem o queira nem para escriturário. Está vendo o que aquele biltre é capaz de urdir, de acordo com a velha, para ver se o casa com essa... Paizinho, por que me interrompeste? Eu ia contar-te o mais importante — vais e cortas-me a palavra! Sou mais velho do que tu e os mais velhos não devem ser interrompidos.

Pedi-lhe desculpa.

— Deixa-te de desculpas! Eu queria que tu apreciasses, como homem culto que és, a maneira como hoje fui tratado nessa casa. Bom, se és homem de bem, pensa e aprecia. Tínhamo-nos sentado à mesa e aquele malvado, durante toda a refeição, acredita, comia-me com os olhos. Eu já sabia o rancor que ia suscitar-lhe. Ele se sentou e, de tão furioso, nem podia sossegar. De boa vontade me engoliria, aquele rancoroso! É um tipo com tanto amor-próprio que mal pode dominar-se! E ainda uma vez queria dar-me lições de moral! Por que, não me dirá, por que estou tão gordo? Esse o seu estribilho: por que estou tão gordo, por que não sou magro? Está vendo só? Respondi-lhe com toda a paciência: "Então, Deus quer que seja assim, Fomá Fomitch; uns são gordos, outros magros, e contra a divina Providência nada podem os mortais". Boa resposta... não acha? Pois ele respondeu-me por sua vez: "Não, tu possuis quinhentas almas, levas vida folgada e não prestas o mínimo serviço à nação; é preciso servir, mas tu te deixas ficar muito bem sentado em casa, tocando harmônio". É verdade: quando estou aborrrecido, ponho-me a tocar harmônio". Mas respondi-lhe outra vez com toda a paciência: "E em que hei de servir, Fomá Fomitch? Em que farda posso embrulhar esta minha gordura? Se vestir uma farda, talvez apertando-me muito possa caber nela; e nas primeiras vezes posso sentir vontade de espirrar e depois saltam-me todos os botões; isto pode muito bem me acontecer. E se isso acontecesse na presença do comandante? Deus me livre... e então...". Bem, diga-me cá, paizinho, isto era coisa para rir? Pois bem, ele riu à minha custa, já se vê; até parecia que rebentava com tanto ah! ah! E tanto hi! hi! Repito-lhe que é um tipo sem uma ponta de vergonha; além disso pôs-se a insultar-me em francês, chamando-me *cochon*. Isso de *cochon*, bem sei o que quer dizer. Vai ver que ele julga que eu sou talvez algum pateta? Mas apesar de tudo, calei-me e aguentei, sim, senhor, aguentei; mas depois acabou por faltar-me a paciência, levantei-me da mesa e disse diante de todos em voz bem alta: "Confesso que me enganei contigo, Fomá Fomitch; pensava que eras bondoso, bem educado, e vejo agora, irmão, que és tão reles como nós". Foi isto o que eu lhe disse e saí da mesa sem provar o *pudding*, que ali deixei quando tinham acabado de servi-lo... Adeus, fiquem aí com o seu *pudding* e com tudo mais!

— Desculpe — disse eu depois de ter escutado toda a narrativa do Senhor Baktchéiev. — Estou disposto a dar-lhe razão em tudo. Mas, no fim das contas, ainda não sei o principal... e olhe... eu tinha feito umas certas ideias acerca dessa pessoa...

— Que ideias, paizinho? — perguntou o Senhor Baktchéiev com alguma malícia.

— Escute — comecei um pouco receoso — pode ser que não seja oportuno agora... mas vou expor-lhe os meus pensamentos. Veja o que eu pensei: é muito provável que estejamos equivocados a respeito de Fomá Fomitch; pode acontecer que todas essas suas razões fossem consequência do seu feitio especial, talvez até da sua própria inteligência... Quem sabe? Pode ser que o seu temperamento exaltado, exacerbado pelos sofrimentos, segundo dizem, sentisse ânsias de vingança contra toda a Humanidade. Ouvi dizer que foi uma espécie de bobo; quem sabe se isso não representava para ele uma humilhação, um agravo, um insulto? Ora suponha: um homem inteligente... a fazer o papel de bobo! Podemos pensar que a partir daí se tornou desconfiado para com toda a Humanidade e... talvez se tenha reconciliado depois com ela... isto é, com as pessoas, mas ainda assim não estranharia tivesse adquirido um caráter especial, originalíssimo e... e... e, sem dúvida deve haver qualquer coisa de invulgar nesse homem. Deve haver alguma razão para que todos lhe rendam homenagens!

Eu próprio me apercebi de que me enredava numa grande confusão. O que poderia perdoar-se atendendo à minha pouca idade. Mas o Senhor Baktchéiev não quis saber disso. Fitou-me nos olhos com muita gravidade e sisudez e depois corou como um tomate.

— Esse Fomá, um homem especial? — perguntou com voz insegura.

— Desculpe, mas isso não quer dizer que eu, no entanto, esteja convencido de tudo quanto disse. Eu levantava apenas algumas hipóteses...

— Ah, paizinho, olhe, gosto muito de fazer perguntas; estudou Filosofia?

— Por que me pergunta isso? — exclamei surpreendido.

— Deixe-se disso e responda-me sem rodeios, paizinho, e com toda a franqueza: estudou Filosofia?

— Sim, estudei, confesso, mas...

— Ora aí está! — clamou o Senhor Baktchéiev dando largas à sua indignação. — Antes que o senhor tivesse aberto a boca já eu tinha o pressentimento de que estudara Filosofia! A mim ninguém me engana! Farejo um filósofo a três verstas de distância! Ora, então queira Deus que se dê muito bem com o seu Fomá Fomitch! Agora é um homem especial! Arre! Este mundo está perdido! Eu pensava que o senhor era uma pessoa sensata, mas o senhor... Vamos! — gritou para o cocheiro empoleirado na boleia do coche já consertado. — Para casa!

Tentei acalmá-lo e, por fim, de fato abrandou um pouco; mas demorou muito até decidir-se a voltar às boas. Entretanto subiu também para o coche, com a ajuda de Grigóri e de Arkhip, o mesmo que contara as peripécias de Vassíliev.

— Deixe-me fazer-lhe uma pergunta — disse-lhe aproximando-me do carro. — Não tenciona voltar mais à casa de meu tio?

— À casa do seu tio? Mas quem disse isso? Julga que eu sou pessoa de guardar rancor? A minha infelicidade consiste precisamente em ser eu um banana e não um homem! Não deve tardar uma semana que eu não esteja ali outra vez. Esta é a minha desgraça! O Senhor mandou-me este Fomá para castigo dos meus pecados! Tenho raça de mulher, falta-me firmeza para tudo! Sou um covarde de primeira categoria, paizinho!

Apesar de tudo separamo-nos amigavelmente e ele convidou-me até para jantar com ele.

— Venha, paizinho, venha jantar comigo! Lá em casa temos uma vodca chegada agora mesmo de Kiev e um cozinheiro de Paris. E sabe arranjar uns fricassés e umas empadas que a gente não tem outro remédio senão comer e lamber os dedos e fazer-lhe uma reverência até aos pés. É um tipo muito instruído! Simplesmente, há algum tempo que não lhe chego a roupa ao pelo e o homem está um pouco soberbo... Venha à minha casa! Eu o convidava para hoje mesmo, mas é que não estou bem disposto, sinto-me cheio de bílis e mal posso ter-me de pé! Eu sou um pobre doente, um homem cheio de achaques. Talvez não acredite... Mas, vamos lá, adeus, paizinho! Já são horas e mais que horas. Olhe, a sua *tarantás* também já está pronta. Diga a Fomá que faça o possível por não se encontrar comigo, senão arreio-lhe uma que...

Mas as suas últimas palavras não chegaram aos meus ouvidos. O seu coche, puxado por quatro cavalos vigorosos, arrancou de uma vez e perdeu-se entre nuvens de pó. A minha *tarantás* já estava pronta, subi para ela e passado pouco tempo a aldeia ficava para trás. "Em resumo, esse senhor exagera — pensei eu. — É demasiado colérico e não pode ser imparcial. Mas seja como for, é muitíssimo estranho aquilo que contou a respeito do meu tio. E já tenho duas afirmações que me asseguram que o meu tio está apaixonado por essa moça... Hum! Caso-me ou não me caso?" E afundei-me outra vez em reflexões.

Capítulo III / O meu tio

Confesso que fiquei numa certa inquietação. Os meus devaneios românticos tomaram de repente um rumo muito estranho e melancólico à medida que me ia aproximando de Stiepântchikovo. Seriam umas cinco da tarde. O caminho seguia ao lado do jardim senhorial. De novo, volvidos longos anos de ausência, voltava eu a ver aquele jardim enorme no qual passara alguns dias felizes da minha infância e não poucas vezes revivida nos meus sonhos, no dormitório do colégio. Desci do carro e *encaminhei-me diretamente*, atravessando o jardim, para a chácara senhorial. Desejava chegar ali em segredo, sem ninguém saber, sem que ninguém me visse, e falar em primeiro lugar acerca de tudo com o meu tio e, se possível, bisbilhotar um pouco. Assim fiz. Atravessando a álea de tílias velhíssimas, fui dar ao terraço, do qual se passava para os compartimentos internos por uma porta envidraçada. Esse terraço estava rodeado de alegretes floridos e adornado com vasos de plantas caras. Aí me encontrei com o velho Gavrila, que noutros tempos me carregara ao colo e agora era o digno criado particular do meu tio. O velho, de óculos encavalitados no nariz, trazia um caderno na mão, no qual lia com extraordinária atenção. Vira-o dois anos antes em Petersburgo, onde fora acompanhado do meu tio, e agora me reconheceu imediatamente. Com lágrimas de alegria aproximou-se e beijou-me as mãos, e com esse movimento os óculos escorregaram-lhe do nariz e cairam no chão. Essas demonstrações de amizade do velho comoveram-me profundamente. Mas lembrando-me do diálogo travado com o Senhor Baktchéiev, a primeira coisa que me chamou a atenção foi aquele caderninho suspeito que Gavrila trazia entre as mãos.

— Que é isso, Gavrila? Lembraste-te agora de aprender francês? — perguntei ao velho.

— De fato ando a aprendê-lo, na minha idade, como se fosse um garoto! — confirmou tristemente Gavrila.

— Quem é que te ensina? É Fomá Fomitch?

— É, paizinho. Deve ser uma pessoa muito inteligente.

— Sim, deve ser! Mas diz-me uma coisa: ele ensina de viva voz?

— É pelo caderno, paizinho!

— Esse que tens aí? Ah! Palavras francesas em caracteres russos... Engenhoso! E vocês deixam-se enganar assim por um finório, por um burro como esse... Não tens vergonha, Gavrila? — exclamei e, num instante, esqueci-me de toda aquela minha benevolência para Fomá Fomitch, por causa da qual havia um momento se aborrecera comigo o Senhor Baktchéiev.

— Mas como pode ser isso, paizinho? — respondeu-me o velho — Como pode ser burro quando tem os senhores dominados dessa maneira?

— Hum! Pode ser que tenhas razão, Gavrila — respondi desconcertado perante aquela observação. — Leva-me à presença do meu tio.

— O senhor desculpe, mas eu não me atrevo a apresentar-me diante dele. Ganhei-lhe medo. Já pode fazer uma ideia: as coisas andam de tal maneira que eu me venho refugiar aqui, e quando percebo que Fomá Fomitch sai de casa, escondo-me entre os vasos.

— Mas por que tens esse medo?

— Porque não sei a lição. Fomá Fomitch mandou-me pôr de joelhos e eu... não me pus. Já sou velho. Sierguiéi Alieksándrovitch, para que hão de fazer-me essas partidas? O senhor pôs-se furioso por eu não ter obedecido a Fomá Fomitch. "Ele — disse — se interessa pela tua educação, meu pacóvio, e quer que tu aprendas francês..." Bem, farei por lhe agradar, vou ver se decoro umas palavras. Fomá Fomitch prometeu dar-me aula esta noite.

Tudo aquilo me parecia muito confuso. "Nisto do francês deve haver de permeio alguma história que o velho não pode explicar-me", pensava eu.

— Uma pergunta, Gavrila: que tipo tem esse homem? É bem apessoado, de estatura corpulenta?

— Quem? Fomá Fomitch? Qual, paizinho, é um tampinha!

— Hum! Tem um pouco de paciência, Gavrila, que isto ainda se há de arranjar; prometo-te que se há de arranjar, Gavrila... Mas onde está o meu tio?

— O senhor está atrás da cavalariça falando com os delegados dos camponeses. Os velhos de Kapitónovka vieram com muitas homenagens e reverências. Ouviram dizer que o senhor tem a intenção de cedê-los a Fomá Fomitch. E vinham pedir-lhe não o fizesse.

— Mas por que é que se reuniram por detrás da cavalariça para falar?

— Por precaução, paizinho...

Efetivamente fui encontrar o meu tio atrás da cavalariça. Ali, num pequeno campo, estava ele diante de um grupo de camponeses que lhe faziam muitos salamaleques e pareciam pedir-lhe qualquer coisa com muita insistência. O meu tio, segundo parecia, dava-lhes explicações. Aproximei-me e chamei-o em voz alta. Voltou-se e caímos nos braços um do outro.

O meu tio ficou extraordinariamente contente com a minha chegada e o seu alvoroço tinha qualquer coisa de frenético. Abraçava-me, apertava-me as mãos. Parecia que recebia um filho salvo de algum perigo mortal. E também como se eu, com a minha presença, viesse libertá-lo de algum perigo mortal e trouxesse comigo a solução de todas as suas dúvidas, a felicidade e a alegria da sua vida, da sua e da de todos os que amava. Porque o meu tio não conseguia ser feliz sozinho. Passadas as primeiras impressões de júbilo começou a falar com tal veemência que não tardou a fazer uma enorme embrulhada e a perder o fio à meada. Encheu-me de perguntas, teimou que havia de apresentar-me imediatamente à família. E assim dirigimo-nos logo para casa... mas, a meio caminho, regressou, quis apresentar-me aos camponeses de Kapitónovka. Depois, lembro-me, pôs-se a falar de um indivíduo que eu não conhecia, um tal senhor Koróvkin, um homem muito estranho do qual se tornara amigo três dias antes, na cidade, e ao qual esperava agora impacientemente para hospedá-lo em sua casa. Deixou de referir-se a Koróvkin e pôs-se a falar de outro. Eu o contemplava com prazer. Respondendo às suas confusas perguntas, declarei-lhe que não queria ir para o serviço militar, mas pensava prosseguir nos estudos. Assim que eu pronunciei a palavra estudos o meu tio franziu o sobrolho e tomou um aspecto de gravidade desacostumada. Sabendo que eu nos últimos tempos me dedicara à mineralogia, levantou a cabeça e passeou o olhar com orgulho à sua volta, como se sozinho e sem ajuda de ninguém houvesse descoberto todos os minerais. Já disse que, ao ouvir a palavra ciência, dava sempre mostras de profundo respeito, tanto mais desinteressado quanto ele não compreendia uma palavra de coisa alguma.

— Ah, meu amigo, são raras no mundo pessoas que sabem tudo! — disse-me, com uns olhos cintilantes de alegria. — Tu te vês no meio delas, as escutas e embora reconheças que não sabes nada, sentes uma alegria sincera! E por quê? Porque nisso se resume a utilidade, a inteligência, o bem-estar de todos! Assim o entendo eu. Assim é que eu vejo as coisas. Eu, agora, ando de trem; mas o meu Iliúchka, quem sabe, talvez voe pelos ares... Mas, vamos lá, o comércio e a indústria... estas grandes estradas, segundo dizem... Oh! Vamos, quero dizer que, encares o fato por onde o encares, também isto é útil para a Humanidade... É útil, não é verdade?

Mas voltemos ao nosso encontro.

— Tem paciência, meu amigo, tem paciência — começou ele, esfregando as mãos e falando muito depressa. — Admiro o homem. O homem de ciência; há de ficar na história. Mas é assim que se diz, ficar na história? Foi assim que Fomá me explicou... Espera um pouco, já vais conhecê-lo...

— Refere-se a Fomá Fomitch, tio?

— Não, não, meu amigo! Agora me referia a Koróvkin. Também se chama Fomá e... Mas isso dizia-o eu agora a respeito de Koróvkin — acrescentou ruborizando-se sem saber por que e como se receasse que as suas palavras pudessem chegar aos ouvidos de Fomá.

— A que ciência se dedica ele, tio?

— Às ciências, meu amigo, às ciências em geral. Não sei dizer-te ao certo a qual ciência em especial, mas é a todas elas. Precisas ouvi-lo dissertar acerca dos caminhos de ferro. Como ele sabe! — acrescentou o meu tio baixando a voz e piscando significativamente o olho direito. — Sabe muito, e olha, tem ideias livres... Eu já o tenho notado, sobretudo quando fala das delícias da família... O pior é que eu não percebi quase nada do que ele disse — não tinha muito tempo. — Se não fosse isso poderia agora repetir-te de memória as suas palavras... E além disso, é um homem de excelentes qualidades. Convidei-o para hoje. Estou à espera dele de um momento para o outro.

Enquanto ele falava, os camponeses não tiravam os olhos de mim, com as bocas muito abertas e os olhos arregalados, como se presenciassem algum prodígio.

— Desculpe, tio — interrompi-o eu. — Segundo parece vim atrapalhar a sua conversa com os camponeses. Com certeza estão aqui por causa de alguma coisa importante. Confesso-lhe que tenho as minhas presunções e gostaria muito de escutá-los.

O meu tio pôs-se, de repente, a falar com muita eloquência e entusiasmo.

— Ah, sim! Já me tinha esquecido! Bem vês... Não sei o que hei de fazer! Corre o boato... e eu gostaria de saber quem foi o primeiro que supôs isso... de que eu ia cedê-los a Fomá Fomitch com toda a Kapitónovka — lembras-te da Kapitónovka? Quando a falecida Kátia ainda era viva, íamos para ali brincar todas as tardes — toda a Kapitónovka que conta ao todo sessenta e oito almas.

— Bom. Pois nós — exclamaram os camponeses — não queremos sair da tua dependência.

— Isso é verdade, tio? Então não lhe cede a Kapitónovka? — exclamei eu quase transtornado de alegria.

— Nunca o pensei, nunca me passou isso pela ideia. Mas quem é que te disse? Devo ter dito qualquer coisa e a partir daí armaram uma embrulhada! Mas por que não gostam de Fomá? Espera um pouco, Sierguiéi, que já serás a ele apresentado — acrescentou, lançando-me um olhar tímido, como se pressentisse em mim outro inimigo de Fomá Fomitch. — Já vais ver, meu amigo, que homem...

— Não queremos sair do teu poder, não queremos outro — exclamaram de repente os camponeses, todos ao mesmo tempo. — Tu és nosso pai e nós somos teus filhos!

— Dê-me licença, tio — intervim eu. — Ainda não conheço Fomá Fomitch mas... se soubesse as coisas que me contaram dele... Vou dizer-lhe uma coisa: quando vinha para cá encontrei-me com o Senhor Baktchéiev. Aliás, acerca de tudo isto já formei as minhas ideias. Seja como for, tio, despeça agora os camponeses e fiquemos os dois sós para falar sem testemunhas. Quero confessar-lhe que foi para isso que eu vim...

— Está bem, está bem! — exclamou o meu tio. — Bem pensado! Despedimos os camponeses e depois falamos os dois a sós, amigavelmente, cordialmente, discretamente. Bem — acrescentou falando depressa e dirigindo-se aos camponeses — por agora façam o favor de nos deixarem, meus amigos. E daqui por diante, quando precisarem, venham ter sempre comigo, sempre comigo; seja em que ocasião for, dirijam-se sempre primeiro a mim.

— Paizinho! Tu és o nosso pai e nós somos teus filhos! Não nos entregues a Fomá Fomitch! São os pobres que isso pedem! — clamaram ainda os camponeses.

— Não sejam tolos! Já não lhes disse que não penso cedê-los?

— Porque senão vai pôr-nos tontos com os seus ensinamentos, paizinho. Aos daí de casa já os trantornou a todos...

— Quê? Também vos quer ensinar francês? — exclamei eu quase alarmado.

— Não, paizinho; até agora Deus tem tido piedade de nós — respondeu um dos camponeses que, segundo parecia, era o porta-voz dos outros, grande tagarela, ruivo, com uma enorme calva que lhe vinha até à parte traseira da cabeça, e uma barbicha rala, clara e em forma de cunha, a qual mexia toda quando ele falava, como se estivesse viva. — Não senhor, até agora Deus teve piedade de nós.

— Então que vos anda ele ensinando?

— Coisas que em nosso entender se reduzem a isto: compra um cofrinho de ouro mas dá cá os teus cobres...

— Mas que quer dizer isso de cobres?

— Sieriójka! Tu estás errado! Isso é uma calúnia! — exclamou o meu tio corando e dando mostras de grande excitação. — Eles, os grandes tolos, não compreendem o que ele lhes diz. Ele apenas... A que propósito vem isso dos cobres? E tu fazes mal em precipitar-te a julgar as coisas e em disparatar logo a seguir. — Depois o meu tio olhou ameaçadoramente para o camponês e disse: — Queremos ajudar-te, seu animal, tu não percebes e ainda por cima gritas!

— Desculpe, tio; mas... e isso do francês?

— Ele faz isso unicamente por causa da pronúncia, Sieriójka, unicamente por isso — continuou o meu tio com uma voz um pouco suplicante. — Ele próprio me disse que o fazia unicamente por causa da pronúncia... Acerca disso inventaram uma história estranha... Tu não estás a par, por isso não podes apreciá-la. Meu amigo, primeiro é preciso conhecermos bem os fatos para os podermos julgar... Acusar é muito fácil.

— Mas eu não os compreendo! — exclamei com veemência, tornando a olhar para os camponeses. — Por que não lhe disseram francamente: "Isso não pode ser assim, Fomá Fomitch, por que isto e mais aquilo?" Não sabem falar?

— Onde está o rato capaz de pôr um guizo na coleira do gato? "Eu, camponês ignorante — disse ele — venho ensinar-te a higiene e a ordem. Por que andas com essa camisa tão suja?" Nós respondemos: "Por estar encharcada de suor, é por isso que não está limpa. Não podemos mudar de camisa todos os dias. A limpeza não ressuscita e a pobreza não mata".

— Há pouco esteve ele na eira — terminou outro camponês alto e magro, a roupa toda esburacada, umas sandálias velhíssimas e, segundo parecia, daqueles que estão sempre descontentes por qualquer coisa e têm sempre na ponta da língua uma palavrinha mordaz e amarga. Até àquele momento apoiara-se nos ombros dos outros camponeses, escutando em silêncio, com má vontade, e durante todo aquele tempo não lhe desapareceu do rosto um sorrisinho ambíguo, amargo e velado.

— Sim, esteve na eira. "Sabem — perguntou-nos ele — quantas verstas são daqui ao Sol?" Mas quem é que pode sabê-lo? Isso da ciência não é conosco mas com os senhores. "Nada disso — respondeu ele. — Vocês são uns broncos, não conhecem a sua utilidade; ao passo que eu — disse — sou astrólogo. Conheço todos os astros que Deus criou."

— Bem, ele disse-te as verstas que vão da Terra ao Sol? — perguntou o meu tio animando-se de repente e piscando-me um olho, alegremente, como se dissesse: "Vamos ver o que vai sair daqui!".

— Disse... disse que eram muitas — respondeu sem querer o camponês, que não esperava aquela pergunta.

— Mas quantas é que ele disse... quantas?

— O senhor deve saber melhor do que nós, que somos uns ignorantes.

— Já sei, meu amigo, mas vê se te lembras.

— Muitas, centos ou milhares de verstas, disse ele. Uma enormidade. Carradas de verstas.

— Ora essa! meu amigo! E tu a julgares que daqui ao Sol havia só uma versta, que lhe podias tocar com um dedo! Pois não é assim, meu amigo. Fica sabendo que a Terra é redonda como uma bola... compreendes? — continuou o meu tio colocando as mãos de uma certa maneira, como para formar uma esfera.

O camponês sorriu amargamente.

— Sim, como uma bola. Segura-se no ar, mantém-se sozinha e dá voltas ao redor do Sol. E o Sol não se move, embora te pareça que sim. É curioso, não é verdade? Pois quem descobriu isto foi um tal Capitão Cook, um marinheiro... No entanto, vá-se lá bem saber quem é quem o descobriu — acrescentou o meu tio em voz baixa, dirigindo-se a mim. — Eu, meu amigo, não estou muito a par... E tu sabes qual é a distância da Terra ao Sol?

— Sim, sim, tio — respondi eu contemplando admirado toda aquela cena. — Mas quero dizer-lhe uma coisa: é verdade que a ignorância é como a sarna; mas essa de se pôr a ensinar astronomia aos camponeses...

— Isso mesmo, é uma espécie de sarna! — exclamou o meu tio entusiasmado com a minha comparação, que lhe parecia extraordinariamente justa. — Que bela ideia! Uma verdadeira sarna! Eu sempre disse... isto é, dizer, propriamente... nunca disse, mas pensei muitas vezes. Ouçam, rapazes — acrescentou voltando-se para os camponeses — a ignorância é uma espécie de sarna, uma autêntica porcaria! Por isso Fomá Fomitch os queria instruir. Queria ensinar-lhes coisas úteis, disso não há dúvida. A instrução é uma coisa conveniente para todos, até para os criados. Oh, a ciência! Bem, bem, meus amigos, vão com Deus. Estou tão contente! Não se apoquentem que não penso cedê-los!

— Protege-nos, paizinho!

— Que vivas muitos anos, paizinho!

E os camponeses ajoelharam-se.

— Não, não, levantam-se! Guardem essas reverências para Deus e para o czar e não para mim... Bem, vão-se com Deus, portem-se bem, façam por que gostem de vocês...etc., etc... Sabes — disse depois dirigindo-se para mim quando os camponeses se retiraram, e transtornado de alegria — o camponês gosta de palavras amáveis e também de que lhe deem algum pequeno presente. Que achas? Dou-lhes alguma coisa... para celebrar a tua chegada? Sim ou não?

— Sim, tio, o tio é um Frol Silin, um benfeitor da humanidade, segundo vejo.

— Não, isso não, meu amigo, deixa-te de comparações. É que já há algum tempo eu queria dar-lhes um presente — acrescentou o meu tio a título de explicação. — Mas por que achavas tu graça por querer eu instruir os camponeses? Não, meu amigo, dizia tudo aquilo por estar satisfeito por te tornar a ver, Sieriójka. Simplesmente, queria que o camponês soubesse... a distância que vai daqui ao Sol e ficasse de boca aberta. É engraçado vê-lo quando ele fica assim, como um papalvo... Até parece que estremeço todo por dentro. Mas olha, meu amigo, não digas nada em casa acerca de minha palestra com os camponeses. Escolhi precisamente esse local, por detrás da cavalariça, para que não nos vissem. Não é natural que ele passasse por aí; é uma coisa muito importante e eles próprios se foram embora, muito calados. Olha, fiz isso para bem deles...

— Bem, tio, aqui me tem finalmente — exclamei eu mudando de tema e desejoso de tocar o mais depressa possível no assunto principal. — Confesso-lhe que a sua carta me inquietou de tal maneira que...

— Meu amigo, nem uma palavra a este respeito — atalhou-me ele sobressaltado e baixando até a voz. — Depois, depois falaremos de tudo. Talvez eu seja culpado para contigo, é possível até que muito culpado...

— Culpado para comigo, tio?

— Depois, depois, meu amigo! Depois te explicarei tudo. Mas tu estás um rapagão, meu jovem! A minha vontade era abrir-te o meu coração e dizer-te... a ti, que és culto e a única pessoa com quem conto... além de Koróvkin... Escusado será dizer-te que, aqui, ninguém te pode ver. Por isso procura ser prudente e estar de sobreaviso.

— Não me podem ver? — perguntei olhando assombrado para o meu tio, pois não podia compreender como é que pessoas que nem sequer me conheciam ainda, já me odiavam. — A mim?

— A ti, meu amigo. Que se há de fazer? Fomá Fomitch tem-te um pouco... Bom! E a mãezinha, que vê pelos olhos dele, também. Por isso sê prudente e respeitador; não os contradigas e, sobretudo; tem muito respeito...

— Para com Fomá Fomitch, tio?

— Que se há de fazer, meu amigo? Não penses que estou a defendê-lo. De fato é possível que o homem tenha os seus defeitos, e talvez agora, neste mesmo instante... Ah, meu amigo, Sieriójka, se soubesses como tudo isto me incomoda! E pensar que tudo isto podia arranjar-se e podíamos ser todos muito felizes! Mas, enfim, quem é que não tem defeitos? De fato, ninguém é perfeito!

— Tome cuidado, tio. Veja o que faz...

— Ah, meu amigo! Tudo isto são intrigas, nada mais. Olha, vou dar-te um exemplo: agora anda ele zangado comigo. E sabes qual é o motivo? Talvez, no fundo, eu tivesse culpa. Mas é melhor explicar-te tudo depois...

— Olhe, tio, eu, a respeito desse caso tenho uma ideia especial — interrompi-o, ansioso por expor-lhe meu pensar. Estávamos os dois ansiosos por fazer mútuas confidências. — Em primeiro lugar, ele foi um palhaço, e isto o amargurou, o diminuiu, cortou os seus ideais; e por isso se tornou mau, rancoroso, e sente a ânsia de se vingar do gênero humano... Mas se conseguíssemos reconciliá-lo com a Humanidade, fazer com que voltasse a sua primitiva natureza...

— Isso, isso mesmo! — exclamou o meu tio entusiasmado. — Bem pensado! Ótima ideia! Também seria vergonhoso e vil se nos precipitássemos em condená-lo sem mais nem menos. Isso! Ai, meu amigo, compreendes-me, trouxeste-me uma grande consolação... Talvez se possa ainda arranjar tudo! Olha, queres saber uma coisa? Não me atrevo a aparecer ali. Tu vieste e agora me vão fazer pagar caro a tua chegada.

— Tio, se é assim... — balbuciei eu; atônito, perante aquela declaração.

— Não, não, não! Por nada deste mundo! — exclamou ele pegando-me no braço. — Tu és o meu hóspede, sou eu que o quero! Tudo isto me deixou assombrado.

— O tio vai dizer-me agora mesmo — comecei eu acentuando as palavras — para que desejou que eu viesse. Que espera de mim e por que se sente culpado para comigo?

— Meu amigo, não me perguntes nada! Depois, depois! Depois te explicarei tudo! Pode ser que seja muito culpado para contigo, mas não queria ficar mal nisto e... e... casar-te com ela — acrescentou pondo-se muito vermelho, não sei devido a que sentimento, e apertando-me a mão efusivamente, com violência. — Mas, chega, nem mais uma palavra! Em breve saberás tudo... De ti dependerá... O principal é que te tornes simpático a ele, e lhe causes boa impressão. Sobretudo não o contradigas...

— Mas diga-me uma coisa, tio: que pessoas estão aqui em casa? Eu, na verdade, lhe confesso, tenho tido tão pouca convivência social que...

— E isso preocupa-te agora? — interrompeu-me o meu tio, sorrindo. — Ora! Não te preocupes! O que é preciso é que não percas o ânimo. O principal é ter coragem, não ter medo. Perguntaste-me quem está aqui em casa? Vais ver: em primeiro lugar a minha mãe — começou a dizer-me muito depressa. — Ainda te lembras da mamãe? É uma boa velhinha, tem muito bom coração; muito desinteressada. Um pouco antiga, mas isso só a dignifica. Às vezes enfia certas coisas na cabeça e então... Agora também está zangada comigo; mas reconheço que tenho a culpa; sim, sei que sou o culpado. Bem, em resumo, é o que se chama *une grande dame,* uma generala, viúva de um homem excelente; era general, e portanto uma pessoa cultíssima; é claro que não deixou bens, mas estava coberto de belas cicatrizes; numa palavra... inspirava respeito. Também temos conosco a menina Pierieplítsina. Bom... ela está... não sei... nestes últimos tempos... arranjou um feitio.. . Mas não se pode condenar toda gente... Bem, deixemos a menina Pierieplítsina em paz... Não vás julgar que ela seja uma parasita. Olha, meu amigo, o pai dela era tenente-coronel. Ela é a preferida da mamãe, meu caro. Também temos em casa a minha irmã Praskóvia Ilínichna. Bom, desta não há muito a dizer: simples e boa, um pouco introvertida, mas um coração! Tu atendes sempre ao principal, ao coração... É solteira, sabes? Mas esse animal do Baktchéiev, segundo parece, anda a fazer-lhe a corte e tem a intenção de pedir a sua mão. Mas tu, caladinho, que é segredo! Bem, vamos ver quem é que falta nomear. Dos pequenos não é preciso falar; tu próprio os vais ver. Amanhã é o dia do santo de Iliúchka... Vais ver! Ah, esquecia-me: temos também como hóspede, há um mês, Ivan Ivânitch Mizíntchikov, que parece é teu parente em terceiro grau; é isso, em terceiro grau! Pediu a reforma há pouco tempo, servia nos hussardos; ainda é um homem novo. Um coração de ouro! Mas escuta: gastou tanto dinheiro que, para dizer a verdade, não percebo como conseguiu isso! Se bem que ele não tivesse grande coisa, mas apesar disso esbanjou, contraiu dívidas... Agora está aqui como hóspede. Até há pouco mal o conhecia; ele apareceu e se apresentou. Um bom homem, pacífico, digno. Ninguém aqui em casa lhe ouve uma palavra. Está sempre calado. Fomá pôs-lhe a alcunha de "silencioso desconhecido", e ele, nada, não se aborreceu absolutamente. Fomá está muito contente com ele; simplesmente, diz que não deve ir muito longe. Também Ivan nunca se mete com ele e dá-lhe razão em tudo. Hum... É muito agradável. Bem, Deus o ajude! Hás de vê-lo. Temos também hóspedes da cidade: Páviel Siemiônitch Obnóskin, com a mãe; ele é um rapaz muito inteligente, mas um pouco austero, sabes? Para dizer a verdade, não sei bem caracterizá-lo, mas é de uma moralidade excelente, rígida. Bom, e para terminar temos também Tatiana Ivânovna, a quem julgo que conheces. Também é nossa parenta afastada; não, não a conheces; é uma solteirona, já não é muito nova, é verdade, mas muito simpática, rica, meu amigo, tem dinheiro que chegava para comprar dois Stiepântchikovos. Recebeu há pouco uma herança; mas até então vivia na maior pobreza. Mas tu, meu amigo, Sieriójka, não a julgues de ânimo leve; é um pouco doente... sabes? Tem um caráter bastante fantasmagórico... Mas tens uma alma nobre e saberás compreendê-la, pois segundo dizem sofreu muito nesta vida. É preciso ter muito tato com as pessoas que sofrem. A princípio não faças suposições. Não há dúvida de que ela tem as suas fraquezas, de que algumas vezes faz umas grandes baralhadas, fala comendo as palavras e não sabe o que quer; não a julgues mentirosa; tudo quanto diz, meu amigo, brota de um coração puro e nobre, e se por acaso diz alguma mentirazinha, isso deve-se unicamente, segundo dizem, à invulgar nobreza da sua alma... Compreendes?

Parecia-me que o meu tio fazia uma terrível confusão.

— Dê-me licença, tio — disse-lhe eu. — Bem sabe como gosto do senhor. Consinta que lhe pergunte francamente: pensa casar com alguma dessas senhoras ou não?

— Quem é que disse isso? — respondeu-me ele corando como uma criança. — Olha, meu amigo, vou-te contar tudo: em primeiro lugar, não caso. A mamãe, e em parte a minha irmã também, e principalmente Fomá Fomitch, pelo qual a mamãe sente veneração... e efetivamente tem motivos para lhe estar agradecida... estão os três empenhados em que eu case com essa Tatiana Ivânovna de que te falei, por certas razões, para bem de toda a família... Não há dúvida de que ela gosta de mim... não o nego; mas nem por isso hei de casar... jurei-o a mim próprio. Mas, apesar de tudo, ainda não me atrevi a dar-lhes resposta; não lhes disse que sim nem que não. A mim, meu amigo, acontece-me sempre a mesma coisa em todas as circunstâncias. Imaginam que estou de acordo com os seus desejos e querem à viva força que eu, amanhã, a pretexto de ser dia de festa familiar, declare as minhas intenções. E eu, meu filho, eu estou... não sei o que fazer... Além disso não sei por que motivo Fomá Fomitch está zangado comigo e a mamãe também. Eu, meu amigo, confesso que estava apenas à espera de vocês, de ti e de Koróvkin... para os convencer, como se diz...

— Mas, tio, em que pode valer-lhe esse Koróvkin de que fala?

— Pode, meu amigo, pode. Se visses o gênero de homem que é... Só te digo que é um homem de ciência. Confio nele cegamente. É ouvi-lo falar das delícias da família! Eu, confesso, também confio em ti. Estou convencido de que lhes farás ver as coisas. Bem. Suponhamos que eu sou culpado... verdadeiramente culpado; compreendo tudo, não sou insensível. Mas nesse caso podiam perdoar-me. E como poderíamos viver então! Ai, meu amigo, como está crescida a minha Sáchenhka! Já podia casar! E o meu Iliúchka também está muito desenvolvido! Amanhã é o dia do seu santo. De Sáchenhka é que tenho medo... Tem um temperamento muito vivo...

— Tio, onde está a minha mala? Vou mudar de roupa e volto já...

— No quarto dos hóspedes, meu amigo, lá em cima. Eu já tinha mandado que, quando chegasses, te levassem para esse quarto lá de cima, para que não te vissem. Isso mesmo, isso mesmo, vai mudar de roupa! Muito bem, muito bem, muitíssimo bem! Eu, entretanto, vou prepar– los. Anda, vai com Deus! E já sabes, meu amigo, silêncio! Quer queiras quer não, tens de ser um Talleyrand. Pronto, chega! Eles devem estar lá embaixo tomando chá. Fomá Fomitch gosta de tomá-lo quando acaba de dormir a sesta já sabes; sim, é melhor... Bem, eu vou até lá e não demores a aparecer, não me deixes muito tempo sozinho; sinto-me um pouco constrangido quando estou com eles. Bem, adeus! Olha, espera, quero pedir-te uma coisa: não tornes a fazer-me censuras como aquelas de há pouco, ouviste? É preferível, se tiveres qualquer coisa para me dizer, que a deixes para depois, para quando estivermos sozinhos, e até lá vai suportando tudo com paciência. Eu, por causa disso, já vês, deitei tudo a perder. Estão todos zangados comigo...

— Desculpe tio, mas de tudo quanto tive ocasião de ouvir e de ver, concluí que...

— Que sou um covarde, não? Vamos, pode dizer com toda a franqueza — atalhou-me, de um modo completamente inesperado. — Que se há de fazer, meu amigo! Não julgues que não o sei. Mas agora aqui estás. Vai, despacha-te depressa e volta logo em seguida.

Assim que cheguei lá em cima abri a mala às pressas e tirei a roupa necessária, seguindo as recomendações do meu tio, para não me demorar. Depois de mudar de roupa apercebi-me de que ainda não sabia nada do que desejava, apesar de ter conversado com o meu tio uma hora bem puxada. Isto desconcertava-me. Apenas uma coisa para mim estava bem clara: meu tio continuava ainda empenhado em que eu me casasse, e portanto eram infundadas todas as afirmações em contrário, no tocante a estar meu tio apaixonado pela tal moça. Lembro-me de que, no entanto, me sentia muito agitado. Entre outras coisas veio-me à ideia de que, eu, com a minha chegada e o meu silêncio perante o meu tio, quase havia feito uma promessa, dando-lhe a minha palavra e comprometendo-me para sempre. "Como é fácil — pensava eu — pronunciar uma palavra que depois há de prender-nos para sempre, de pés e mãos! E isto sem ter sequer visto a noiva." E depois prossegui nos meus pensamentos: "A que se deverá essa embirração que toda a família tem por mim? Por que motivo todos hão de julgar-se obrigados a não ver com bons olhos, como diz o meu tio, a minha vaidade? E que papel estranho faz ele na sua própria casa! Por que anda com todos estes segredinhos e estes sustos?". Confesso que tudo isto me parecia completamente absurdo; os meus sonhos românticos e heroicos desvaneciam-se ao. primeiro contacto com a realidade. Ainda conservava nos ouvidos aquela primeira conversa com o meu tio e já a sua proposta me parecia estranha e extravagante, e compreendia que ela, nas circunstâncias presentes, apenas podia convir a ele. E compreendia também que praticara um disparate ao aceder assim, sem mais nem menos, à sua proposta, com aquele entusiasmo. Vesti-me às pressas, cheio de dúvidas inquietantes, e tão distraído estava que nem reparei no criado que me ajudava com tanta solicitude.

— O senhor põe esta gravata de cor adelaidina, ou prefere esta de quadradinhos? — perguntou-me de repente o criado com uma submissão fastidiosa.

Olhei para ele e pareceu-me digno de observação. Era um indivíduo novo ainda, muito bem vestido para peralta de cidade: fraque cor de canela, calças brancas, colete cor de palha, sapatos de verniz e uma pequena gravata cor-de-rosa; tudo isto, indubitavelmente, escolhido com certa intenção. Tudo chamava imediatamente a atenção, fazendo pensar no bom gosto do rapaz. Também com o mesmo fim pusera bem à vista a corrente do relógio. O rosto era pálido e um tanto esverdeado; o nariz grande, curvo, fino, extraordinariamente branco, de uma brancura de porcelana. O sorriso dos lábios finos, embora muito delicado, revelava um certo tédio. Os olhos grandes, vivos, pareciam de vidro e olhavam com uma parvoíce pouco vulgar; no entanto deixavam também transparecer certa delicadeza. Nas orelhas, finas e macias, trazia, também por delicadeza, uma pequena bola de algodão. Os cabelos, de um louro esbranquiçado, compridos e escassos, usava-os frisados e untados de brilhantina. Tinha as mãos pálidas, pequeninas e como que ungidas com água de rosas; os dedos terminavam em unhas compridas e rosadas, muito cuidadas. Em suma: todo ele revelava finura e vaidade. Tanta era a sua distinção, que ciciava, em vez de pronunciar, o *erre;* baixava e levantava a vista, suspirava e cansava-se de maneira inacreditável. Exalava um cheiro a perfume. Era baixo, fraco, com um ar gasto, e, quando andava, as pernas fraquejavam-lhe, como se a cada passo tivesse vontade de sentar-se, o que sem dúvida se lhe afigurava o cúmulo da distinção. Numa palavra: era o representante máximo da distinção, da finura, e possuía o mais requintado sentimento da dignidade própria. Esta última circunstância, não sei por que, me pareceu antipática, não foi de maneira nenhuma do meu agrado.

— Então esta gravata é de cor adelaidina? — perguntei-lhe eu olhando-o fixamente.

— Sim, senhor, adelaidina — respondeu-me com muita delicadeza.

— E não há alguma de cor agrafenina?

— Não, não senhor. Isso não é possível.

— Por quê?

— Porque o nome de Agrafiena não tem nada de distinto.

— Não? Por quê?

— Não posso lhe dizer. Adelaide, pelo menos é um nome estrangeiro, nobre; ao passo que Agrafiena é o nome de qualquer mulherzinha.

— Mas estás em teu perfeito juízo?

— Estou, sim, senhor. O senhor pode pensar de mim o que quiser; mas muitos generais e não poucas senhoras se têm sempre sentido muito satisfeitos com o meu convívio.

— Está bem. Como te chamas?

— Vidopliássov.

— Ah! Então és o Vidopliássov?

— Sou sim, senhor.

— Então, tem paciência, meu amigo, que hei de ficar a conhecer-te melhor.

"Mas isto parece-me uma casa de loucos", disse eu para comigo enquanto descia as escadas.

CAPÍTULO IV / A HORA DO CHÁ

A saleta do chá era aquele compartimento que dava para o terraço, onde ao chegar me encontrei com Gavrila. Aquela advertência cautelosa de meu tio sobre a antipatia com que eu ia ser recebido enchera-me de inquietação. A juventude, às vezes, costuma transbordar de amor-próprio; mas o amor-próprio juvenil é quase sempre pusilânime. E por isto senti extraordinária contrariedade quando, ao assomar à entrada da saleta e ao ver ali reunidas, em volta da mesa do chá, tantas pessoas, me sucedeu tropeçar no tapete, e embora não caísse fui de roldão parar ao centro da sala. Fiquei tão perturbado como se por um instante me sentisse em riscos de perder a própria carreira, a honra e o bom nome, e fiquei ali parado, sem me mexer, vermelho como um tomate, olhando estupidamente para toda gente. Lembro-me muito bem desse acidente, aliás, vulgar, mas de grande influência sobre o meu estado de espírito durante quase todo aquele dia e, por consequência, nas minhas relações com algumas das personagens da minha história. Esbocei um cumprimento a todos os presentes, cumprimento que não acabei e, pondo-me ainda mais corado, dirigi-me ao meu tio e peguei-lhe na mão.

— Boa tarde, tio — disse-lhe eu ofegante e, embora pretendesse dizer qualquer coisa diferente, mais oportuna, nada me ocorreu e larguei de repente, inesperadamente, aquele boa-tarde.

— Boa tarde, meu amigo — respondeu o meu tio muito preocupado comigo. — Como vês, estamos todos bem. Mas não te atrapalhes, homem — disse em voz baixa. — Isso acontece a qualquer pessoa. Embora saiba muito bem que num caso desses uma pessoa chegue quase a desejar que a terra o engula... Mamãe, deixa-me apresentar-te o nosso rapaz; é um pouco envergonhado, mas certamente que vais gostar dele. O meu sobrinho Sierguiéi Alieksándrovitch — acrescentou, dirigindo-se a todos em geral.

Mas antes de prosseguir na minha narrativa, querido leitor, permite-me que te apresente uma por uma todas aquelas personagens, entre as quais me sucedeu encontrar-me tão de repente. É necessário para a boa compreensão da minha história.

Compunha-se a assistência de algumas senhoras e apenas de dois homens, além de mim e do meu tio. Fomá Fomitch — que tanto desejava conhecer, e que — naquele mesmo instante o percebi — era o dono onipotente de toda a casa — não estava presente. Brilhava pela sua ausência e parecia ter levado consigo toda a luz do aposento. Estavam todos murchos e tristes. Era impossível não reparar nisto logo ao primeiro olhar; apesar de não me achar nem muito sereno nem muito lúcido naquele momento, pude observar muito bem que o meu tio, por exemplo, embora não tão excitado como eu, recorria no entanto a todas as suas energias para ocultar a sua inquietação sob uma aparência de despreocupação. Mas parecia ter uma pedra sobre o coração. Um dos homens que se encontravam na saleta era um rapaz de uns vinte e cinco anos, precisamente aquele Obnóskin do qual pouco antes o meu tio me falara, gabando a sua inteligência e a sua moralidade. Achei esse indivíduo sumamente antipático; todo ele emanava um *chic* de mau gosto; a roupa, embora na moda, um pouco gasta e pobre, e o rosto aparentava também qualquer coisa de gasto. O bigode, de um louro claro e pouco espesso, e a barbicha descuidada, deviam querer revelar um homem de caráter independente e talvez um livre-pensador. Continuamente fazia caretas; sorria com malícia fingida; balançava-se na cadeira e revistava-me minuciosamente com as lunetas. Quando eu me dirigia a ele, tirava-as imediatamente, como se não se atrevesse a olhar-me de frente.

O outro homem, também novo, de uns vinte e oito anos, era aquele meu parente afastado, que se chamava Mizíntchikov. Efetivamente era muito taciturno. Durante todo o tempo do chá não disse uma só palavra, nem sorriu quando as pessoas sorriam. Não vi nele o menor indício daquela timidez de que falara meu tio; pelo contrário, os olhares dos seus olhos verdes exprimiam resolução e um caráter muito pessoal. Mizíntchikov era moreno, de cabelo preto, bem parecido; vestia com muita distinção, mas à custa do meu tio, como mais tarde vim a saber. De entre as senhoras, a que mais chamou a minha atenção foi a menina Pieriepelítsina, por causa do seu rosto extraordinariamente feio e descolorido. Estava sentada junto da generala, da qual falaremos depois; não com a cadeira ao mesmo nível da outra, mas um pouco afastada para trás, em sinal de respeito; inclinava-se a todo momento e murmurava qualquer coisa ao ouvido da sua protetora. Outras três senhoras, velhas, parasitas da dona da casa, sentavam-se em fila junto de uma janela, caladas, esperando o chá com muita dignidade e sem tirarem os olhos da generala. Chocou-me também imediatamente uma senhora gorda, literalmente inchada, de uns cinquenta anos, vestida com péssimo gosto, toda cheia de enfeites e quase sem dentes, em vez dos quais se viam as raízes negras e apodrecidas, o que não a impedia de escancarar a boca, falar aos gritos e fazer até olhinhos para os homens e coquetear. Ostentava como adorno muitas pulseirinhas e, da mesma maneira que *Monsieur* Obnóskin, não fazia outra coisa senão assestar sobre mim as lunetas. Era a mãe deste. A tranquila Praskóvia Ilínichna, minha tia, ia servindo o chá. Esta, via-se bem, de boa vontade teria corrido a abraçar-me e a beijar-me, e teria até derramado algumas lágrimas ao ver-me depois de tão longa ausência; mas, naturalmente, não se atrevia a fazê-lo. Pareciam todos inibidos. Junto dela sentava-se uma linda jovem, dos seus quinze anos, olhos pretos, os quais não tirava de cima de mim, tomada de uma curiosidade infantil; era a minha prima Sacha. Finalmente os meus olhos pousaram na mais interessante talvez de todas aquelas personagens, uma senhora muito esquisita, luxuosamente vestida e como uma garota, embora estivesse já muito longe daquela condição, pois devia pelo menos contar uns trinta e cinco anos. Rosto pálido, magro e seco, mas de grande vivacidade de expressão. Ondas de rubor subiam a todos os instantes às suas faces pálidas, quase a cada um dos seus gestos, a cada excitação do seu espírito. Agitava-se constantemente, balouçava-se como se não pudesse dominar-se e estar uns minutos sossegada. Olhava para mim com uma curiosidade ávida; inclinava-se a todos os momentos para dizer qualquer coisa ao ouvido de minha prima Sáchenhka ou a outro vizinho de cadeira, e a seguir punha-se a sorrir da maneira mais ingênua e pueril. Todas essas suas singularidades, com grande assombro da minha parte, passavam completamente despercebidas aos demais, como se previamente se tivessem posto de acordo. Adivinhei que era Tatiana Ivânovna, a qual, segundo a expressão do meu tio, era um pouco fantasmagórica, e com a qual o davam por comprometido em casamento, e à qual todos naquela casa rendiam homenagem por causa da sua riqueza. Agradaram-me muito os seus olhos doces e azuis, e embora já cercados de rugas, havia tal candura na sua expressão, tanta bondade e tanta alegria que era um prazer encontrar o seu olhar. Desta Tatiana Ivânovna, uma das principais heroínas da minha história, falarei mais pormenorizadamente; a sua biografia é interessante. Cinco minutos depois do meu aparecimento na sala de chá, chegou do jardim um bonito rapaz. Era o meu primo Iliúchka, que celebrava o seu santo no dia seguinte, e trazia os bolsos cheios de bolos e um pião nas mãos. Atrás dele entrou uma garota já crescida, um pouco pálida e cansada, mas bonita. Lançou a todos um olhar curioso, desconfiado e até arredio, pousou ligeiramente os olhos em mim e foi sentar-se ao lado de Tatiana Ivânovna. Lembro-me que o meu coração se sobressaltou, pois adivinhei que ela era a tal preceptora. Recordo-me também de que o meu tio, quando a viu entrar, lançou-me um rápido olhar e corou muito, depois do que se inclinou de repente, levantou Iliúchka ao ar e o trouxe até mim para que eu lhe desse um beijo. Reparei também que *Madame* Obnóskina, a princípio olhou levemente para o tio, e depois, com um sorriso característico, fixou as lunetas sobre a preceptora. O meu tio ficou muito perturbado e, não sabendo o que fazer, chamou Sáchenhka para me apresentar; a menina levantou-se em silêncio e, com muita gravidade e solenidade, fez-me uma grande reverência. Isso desvaneceu-me, pela sua espontaneidade. Nesse mesmo instante, a minha boa tia Praskóvia Ilínichna, sem poder reprimir-se mais, deixou de servir o chá, correu para mim e pôs-se a falar comigo. Mal tivera tempo de dizer-lhe duas palavras, quando se ouviu a voz guinchona da menina Pieriepelítsina, gritando que, "pelo visto, Praskóvia Ilínichna se tinha esquecido da mamãe (a generala); a mamãe pedia o chá, ela não lhe servia e estavam à espera"; Praskóvia Ilínichna afastou-se de mim e, com a maior diligência, começou de novo a cumprir a sua obrigação. A feliz generala, a pessoa mais importante de toda aquela reunião, e a cuja voz todos obedeciam, era uma velhinha magra, que vestia luto rigoroso, de aspecto maldoso, sobretudo por causa da idade e por ter perdido as suas últimas faculdades mentais (que nunca foram muitas), pois noutros tempos fora bondosa. O generalato tornara-a mais estúpida e presunçosa. Quando de mau humor; a casa tornava-se um inferno. De duas maneiras manifestava seu mau humor; a primeira era a do silêncio, e então por dias inteiros não abria a boca, conservando um silêncio teimoso, batendo com o pé em tudo quanto encontrava pela frente e atirando-o propositadamente ao chão. A outra maneira era completamente diferente, era eloquente. Costumava pôr-se, a minha avó — pois era minha tia-avó — extraordinariamente triste, à espera do fim do mundo, de todos os seus bens e da família, estado em que profetizava pobreza e todas as desgraças imagináveis. Entusiasmava-se com os seus vaticínios; punha-se a contar pelos dedos as calamidades futuras e parecia sentir um estranho entusiasmo e fúria na sua descrição. Dizia que havia muito previra tudo isso, mas se conservava calada, pois "naquela casa" não se podia falar. Mas que se lhe guardasse o devido respeito, se ao menos lhe prestassem ouvidos, seria outra coisa, e mais isto e mais aquilo, com o que imediatamente concordava toda a sua corte de parasitas, a senhora Pieriepelítsina e, por fim, era solenemente confirmado por Fomá Fomitch. No momento em que cheguei, estava terrivelmente rabugenta e, segundo parecia, da primeira maneira, a silenciosa, a mais estranha. Todos olhavam para ela, inquietos. Apenas Tatiana Ivânovna, que não ligava importância nenhuma a tudo aquilo, se mostrava numa excelente disposição de espírito. O meu tio levou-me até junto da anciã, numa atitude especial, até com certa solenidade; mas esta, fazendo uma careta de desagrado, afastou maldosamente a chávena.

— Quem é este *vol... tigeur*?[4] — murmurou por entre dentes e, erguendo-se, voltou-se para a senhora Pieriepelítsina.

Aquela pergunta estúpida deixou-me intrigado. Não conseguia perceber por que havia ela de chamar-me *voltigeur*. Mas essas saídas eram vulgares nela. A Pieriepelítsina inclinou-se e murmurou-lhe qualquer coisa ao ouvido; mas a velha moveu os braços maldosamente. Eu estava de boca aberta e olhava interrogativamente para o meu tio. Todos tinham os olhos fixos em mim e Obnóskin mostrava os dentes, o que não me agradava nada.

— Olha, meu amigo, às vezes, não sabe o que diz — murmurou-me o meu tio ao ouvido, também desconcertado. — Isto não tem importância, ela é assim, mas tem um coração excelente. Deves atender ao principal, ao coração!

— Isso, ao coração, ao coração! — clamou inesperadamente a voz guinchona de Tatiana Ivânovna, que enquanto tudo isto se passava não tirava os olhos de cima de mim e não sossegava no lugar. Naturalmente, a palavra "coração", que o meu tio pronunciara em voz baixa, chegara aos seus ouvidos.

Não continuou, embora se percebesse que desejava acrescentar algo. Ou porque se tivesse atrapalhado, ou por outra coisa qualquer, o certo é que se calou de repente, corou muito, olhou rapidamente para a preceptora, disse-lhe qualquer coisa ao ouvido e, de súbito, recostou-se no espaldar da cadeira e desatou a rir às gargalhadas, como atacada de histerismo agudo. Eu olhava para todos com grande inquietação; mas com grande surpresa minha pude ver todos muito tranquilos e como se nada de particular tivesse acontecido. Compreendi imediatamente quem era Tatiana Ivânovna. Finalmente serviram-me o chá e fiquei um pouco mais refeito. Não sei por que, de repente ocorreu-me a ideia de entabular uma conversa muito amável com as senhoras.

— O tio tem razão — comecei — em dizer-me que qualquer pessoa pode atrapalhar-se. Confesso-lhe francamente... — para que dissimulá-lo? — e dirigi um sorriso amável a *Madame* Obnóskina — que, até hoje, mantive pouca convivência com senhoras; por isso quando há pouco tive essa entrada tão pouco elegante, pareceu-me que a minha atitude no meio da sala era ridícula e fazia lembrar *O saco do mendigo. Não* é verdade? Leram *O saco do mendigo?* — concluí e, atrapalhando-me cada vez mais e corando, por causa daquela sedutora franqueza, voltei-me para olhar para *Monsieur* Obnóskin, que mostrava de novo *os* dentes e me passava revista com os olhos, dos pés à cabeça.

— É verdade! É verdade! É verdade! — exclamou logo o meu tio com extra-

---

4 Cabeça de vento.

ordinária animação e muito contente de que pelo menos se tivesse entabulado um diálogo e eu me refizesse da minha timidez. — Realmente, meu amigo; o que dizes da atrapalhação, não tem nada de extraordinário! Atrapalhar-se e perder a cabeça... Olha, eu, no meu *début* até disse uma mentira, não acreditas? Não, pelo amor de Deus, Anfissa Pietróvna, olhe que é uma coisa digna de ouvir-se! Quando saí tenente, mandaram-me para Moscou e fui então visitar uma senhora de alto coturno, para a qual me entregaram uma carta de apresentação. Não há dúvida de que era uma senhora muito orgulhosa, mas no fundo muito bondosa, excelente pessoa, numa palavra. Bem. Pois eu vou a sua casa... e mandam-me entrar. A sala de visitas estava cheia de pessoas importantes. Faço uma reverência e sento-me. Passado um momento a senhora pergunta-me: "Então, paizinho, tu também tens terras?". Devo dizer que eu, naquela altura, não tinha nem uma galinha... mas que havia de responder? Fiquei completamente desorientado. Todos olhavam para mim (puf, um tenentezinho!). Ora bem, por que não havia eu de confessar: "Não, senhora, não tenho"? Dizer a verdade é que teria sido proceder com nobreza. E no entanto não tive coragem. "Sim, tenho — respondi eu — cento e setenta almas." Por que teria eu dito precisamente cento e setenta? Já que mentia, podia arredondar a conta... não é verdade? Um momento depois, pela minha carta de apresentação viria ela a saber que eu era um pobretão e também um mentiroso. Mas que se havia de fazer? Ora, o que eu fiz: sair dali de orelha murcha e não voltar nunca mais na minha vida. Eu, nessa época, não possuía absolutamente nada. E ainda agora, tudo quanto tenho se reduz a trezentas almas que herdei de meu tio Afanássi Matviéievitch, mais as duzentas almas de Kapitónovka, herdadas antes de minha avó Akulina Panfílovna; ao todo umas quinhentas, pouco mais ou menos. E é tudo! Mas a partir de então jurei a mim mesmo nunca mais mentir e não minto.

— Bom, eu, no seu caso, não teria jurado nada. Sabe-se lá o que pode acontecer! — observou Obnóskin sorrindo ironicamente.

Obnóskin pôs-se a rir alto, refestelando-se no espaldar da cadeira; a sua mamãe sorriu; a menina Pieriepelítsina guinchou de um modo particularmente desagradável; Tatiana Ivânovna desatou também às gargalhadas, sem saber por que, e até bateu palmas, de tão divertida... Numa palavra, eu tive assim oportunidade de ver claramente a consideração que ali manifestavam por meu tio. Sáchenhka, piscando maliciosamente os olhos, fixou-os com hostilidade sobre Obnóskin. A preceptora corou e pôs os olhos no chão. Meu tio parecia assombrado.

— Mas que é isto? Que aconteceu? — repetia e olhava para todos, atônito.

Enquanto tudo isto se passava, o meu parente Mizíntchikov permanecia sentado, um pouco à parte, calado e tranquilo, e nem sequer riu quando todos riram. Bebia o seu chá, saboreando-o; olhava filosoficamente para os presentes e, às vezes, como se estivesse prestes a sofrer um intolerável ataque de aborrecimento, espetava os lábios e punha-se a assobiar baixinho, naturalmente obedecendo a um antigo costume. Não tardou a moderar-se. Obnóskin, que se divertia à custa do meu tio e queria fazer o mesmo comigo, parecia não se atrever a olhar para Mizíntchikov, conforme observei. Reparei também que o meu tristonho parente olhava de quando em quando, de soslaio, para mim, e com visível curiosidade, como se procurasse adivinhar quem era eu.

— Estou convencida — exclamou de repente *Madame* Obnóskina — estou absolutamente convencida, *Monsieur* Serge — é assim que se chama não é verdade? — que no seu Petersburgo não foi muito devoto das senhoras. Eu sei que agora há lá muitos, mesmo muitos rapazes, que fogem do convívio das senhoras. Cá para mim acho que são todos livre-pensadores. Só dessa maneira, isto é, como um ato de livre-pensamento, consigo explicar essa atitude. E confesso-lhe que isto me espanta, espanta-me simplesmente!

— Nunca frequentei a alta sociedade — respondi com uma veemência desacostumada. — Mas isso... eu, pelo menos... penso... Eu vivia, isto é, geralmente alugava um quarto... mas, apesar de tudo, estou de acordo com a senhora. Depois arranjarei amizades. Até agora nunca saí de casa...

— Consagrava-se às ciências — observou o meu tio muito vaidoso.

— Ah, tio! Lá vem o senhor com as ciências! Imagine — exclamei com grande amabilidade e o sorriso nos lábios, dirigindo-me outra vez à Senhora Obnóskina. — O meu tio é a tal ponto devoto da ciência que até descobriu, não sei onde, em plena estrada, um admirável filósofo prático chamado Koróvkin. As primeiras palavras que hoje me dirigiu, depois de alguns anos de ausência, foi que esperava esse mago fenomenal com uma impaciência que posso qualificar de convulsiva... por amor da ciência, já se vê...

Pus-me a rir, esperando provocar o riso geral, como glorificação da minha sutileza.

— A quem se refere? Que nome disse? — perguntou secamente a generala dirigindo-se à Pieriepelítsina.

— Um dos hóspedes de Iegor Ilhitch, que são sempre pessoas cultas — respondeu com perverso deleite a solteirona.

O meu tio estava estupefato.

— Ah, sim! Tinha-me esquecido! — exclamou dirigindo-me olhares carregados de censuras. — Estou à espera de Koróvkin. É um homem de ciência, um homem que há de sobreviver ao nosso século...

Interrompeu-se e ficou silencioso. A generala mexeu as mãos, e desta vez num gesto de desdém tão ostensivo que deu um empurrão na chávena de chá a qual caiu ao chão e se fez em cacos. Houve um reboliço geral.

— Quando está de mau humor pega sempre em qualquer coisa e atira-a ao chão — disse-me em voz baixa o meu tio, desconcertado. — Mas isso é só quando está zangada... Meu amigo, não repares, não olhes, desvia a atenção para outra coisa... Mas que ideia foi essa de mencionares Koróvkin?

Mas eu, sem necessidade dessa advertência, desviara a vista e nesse preciso instante os meus olhos encontraram os da preceptora. Pareceu-me que no olhar dela havia uma espécie de censura e até um pouco de desprezo. O rubor da irritação afogueava-lhe as faces pálidas, Compreendi o seu olhar e adivinhei que, com o meu odioso e estúpido intento de meter meu tio a ridículo, a fim de fazer esquecer um pouco o meu próprio aspecto grotesco, não granjeara a simpatia daquela moça. É impossível dizer até que ponto me senti envergonhado por causa disto!

— Gostaria de falar com o senhor a respeito de Petersburgo — começou de novo Anfissa Pietróvna, logo que passou o reboliço provocado pela queda da chávena. — Recordo-me com tanto deleite, posso mesmo dizer assim, da nossa vida nessa cidade encantadora... Não é verdade, Pol? O general Polovítsin... Ah, e que mulher encantadora, en-can-ta-do-ra era a generala! Aquilo é que era aristocracia, o *beau monde!* Diga-me: conhecia-a, por acaso? Eu, confesso-o, esperava-o com impaciência, esperava saber por seu intermédio muitas coisas dos nossos amigos de Petersburgo...

— Tenho muita pena de não poder... Mas imagine ... Já lhe disse que raramente aparecia nos salões. Por isso nem sequer conheço de vista o general Polovítsin, nem sequer a ouvi mencionar até agora — respondi com impaciência, trocando de repente, a minha amabilidade anterior por um estado de alma altamente irritável e esquivo.

— Dedica-se à mineralogia! — exclamou, muito ufano, o meu incorrigível tio. — Isso da mineralogia consiste em colecionar pedrinhas de todos os gêneros, não é, rapaz?

— Sim, tio, trata de pedregulhos...

— Hum! Há tantas ciências e todas tão úteis! Olha para te dizer a verdade, rapaz, eu não sabia ao certo o que fosse essa famosa mineralogia! Em outros assuntos, melhor ou pior, cá me arranjo; mas em questões de ciências, não percebo patavina.... Confesso-o francamente!

— Que é que confessa francamente? — repisou Obnóskin com um sorrisinho.

— Paizinho! — exclamou Sáchenhka, dirigindo a seu pai um olhar de censura.

— Que é, meu amor? Ai, meu Deus, estou sempre a interrompê-la, Anfissa Pietróvna! — lamentou o meu tio, que não compreendera o significado do olhar de sua filha. — Desculpe-me, pelo amor de Deus!

— Oh, não se incomode — respondeu-lhe Anfissa Pietróvna com um sorrisinho agridoce. — Aliás eu já disse tudo quanto tinha a dizer ao seu sobrinho, e para conclusão acrescentarei apenas, *Monsieur* Serge, é o seu nome, não é verdade? que é absolutamente necessário que se emende daqui para diante. Eu acho que a ciência, a arte... a cultura, por exemplo... numa palavra, todas essas ideias elevadas, possuem, por assim dizer, as suas qualidades se-du-to-ras, mas nunca poderão substituir as senhoras... As mulheres, as mulheres, rapaz, é que hão de ajudá-lo a fazer-se, e sem elas não é possível caminhar para a frente. É impossível, impossível!

— Impossível, impossível — exclamou outra vez a voz um tanto guinchona de Tatiana Ivânovna. — Desculpe — começou com precipitação infantil e, é claro, fazendo-se muito vermelha — permita-me, queria perguntar-lhe uma coisa...

— Faça favor de dizer — respondi, olhando-a atentamente.

— Queria perguntar-lhe uma coisa: tenciona demorar-se aqui muito tempo?

— Não sei, depende do ponto em que estiver o caso...

— O caso! Mas que caso é esse? Oh... louco...

E Tatiana Ivânovna, corando até mais não poder, cobriu o rosto purpúreo com o leque, inclinou-se para a preceptora e começou a murmurar qualquer coisa ao seu ouvido.

— Esteja sossegada, esteja sossegada! — exclamou depois, afastando-se da sua confidente e encarando rapidamente comigo, como se receasse pudesse escapar-lhe das mãos. — Com licença: sabe o que eu lhe digo? É que o senhor é parecido com um rapaz jei-to-sís-si-mo! Sáchenhka, Nástienhka, vocês se lembram? Parece-se terrivelmente com esse doido... Lembras-te Sáchenhka? Esse que nós encontramos no passeio... a cavalo e com um colete branco... Esse que me fita com as lunetas, de um modo tão descarado! Lembram-se? Eu rasguei o véu, perdi a paciência e, inclinando--me para o coche, gritei-lhe: "Insolente!" e depois atirei para a estrada o meu ramo de flores... Não te lembras, Nástienhka?

E a solteirona, muito agitada, cobriu o rosto com as mãos; depois, de repente, levantou-se do seu lugar, foi até à janela, tirou uma rosa de um vaso e atirou-a aos meus pés, e a seguir abandonou a sala com precipitação. Isto passou-se num abrir e fechar de olhos. Produziu-se certo reboliço, mas dessa vez a generala permaneceu no seu lugar completamente tranquila. Anfissa Pietróvna, por exemplo, também não deu mostras de assombro, mas, pelo contrário, ficou até muito despreocupada e olhou com certa tristeza para o filho. As outras senhoras ruborizaram-se, e Páviel Ob-nóskin, com um aborrecimento para mim incompreensível, levantou-se do seu lugar e dirigiu-se para a janela. O meu tio começou a me fazer sinais, mas naquele instante apareceu na sala outra personagem sobre a qual se concentrou a atenção geral.

— Ah, até que enfim aparece Ievgraf Lariônitch! Acorreu à minha chamada! — exclamou o meu tio com indescritível júbilo. — Que nos trazes da cidade, meu amigo?

"Que bicho raro! Parece que os juntou aqui todos de propósito!", pensei comigo sem no entanto me compenetrar bem de tudo quanto acontecera diante dos meus olhos e sem também me demorar a pensar no caso; eu, pelo visto, tinha vindo enriquecer a coleção daqueles tipos estranhos, rivalizando com eles.

Capítulo V / Ietchóvkin

Entrou na sala, ou para melhor dizer, infiltrou-se (apesar de as portas serem bem largas), uma insignificante figura que logo na entrada começou a fazer sala-maleques e a rir, mostrando os dentes e olhando para todos com uma curiosidade extraordinária. Era um velhinho pequenino, picado de bexigas, com uns olhos penetrantes e astutos, quase completamente calvo e com um sorrisinho ambíguo e sutil nos lábios grossíssimos. Trazia fraque, um fraque muito usado e que parecia ter sido feito para outra pessoa. Um dos botões estava apenas preso por um fio, e outros dois ou três tinham desaparecido. Sapatos escalavrados e um gorro engordurado completavam o resto da sua indumentária; Trazia na mão um lenço de lã, de quadrados, já muito gasto pelo uso, e com o qual enxugava o suor da testa e das fontes. Reparei que a preceptora corou um pouco e me dirigiu um olhar penetrante. Pareceu-me que nesse olhar havia qualquer coisa de orgulhoso e de ameaçador.

— Vim diretamente da cidade até aqui, meu protetor! Direitinho da cidade! Já lhe conto tudo, mas primeiro deixe-me apresentar-lhe os meus respeitos — disse o velho enquanto ia entrando e depois dirigiu-se em primeiro lugar à generala, mas a meio caminho deteve-se e tornou a dirigir-se ao meu tio.

— O senhor já conhece a nota principal do meu caráter, meu protetor. Sou um patife, um verdadeiro patife! Repare como eu, assim que entro, vou logo procu-*rar a pessoa mais importante da casa*, me dirijo a ela, para assim granjear de início a sua benevolência e proteção. Sou um malandro, paizinho, um autêntico malandro, meu protetor! Peço licença, mãezinha, minha senhora, Excelência, para beijar a fímbria do seu vestido, pois os meus lábios manchariam a sua mãozinha preciosa, a sua excelentíssima destra!

A generala, com grande assombro meu, estendeu-lhe a mão e com bastante deferência.

— E à senhora também, minha beldade, tenho a honra de cumprimentá-la — continuou, encarando com a menina Pieriepelítsina. — Que se há de fazer, menina, eu sou um fanfarrão! Já em 1841 ficou decidido que eu devia ser um fanfarrão quando me eliminaram do serviço e deram a Valentim Ignátievtch Tíkhontsev o título de Excelência. Deram-lhe uma assessoria, fizeram-no assessor, e a mim fizeram-me patife. Eu sou de tal qualidade que até declaro isso. Que se há de fazer! Tentei viver honradamente, lá isso tentei, sim senhor; mas agora tenho de fazer as coisas de outra maneira. Alieksandra Iegórovna, minha flor — continuou, dando volta à mesa e aproximando-se de Sáchenhka — dê-me licença que lhe beije a fímbria do vestido; você cheira a maçã e a tudo que é delicado. Ao nosso menino, que celebra amanhã o seu santo, hei de trazer-lhe um arco e uma flecha, que estive fazendo esta manhã, ajudado pelos meus garotos. Qualquer dia será capaz de dispará-lo. Mas antes disso terá de crescer, fazer-se um militar e cortar uma cabeça de turco... Tatiana Ivânovna... ah, se não estivesse aqui a nossa protetora também lhe beijaria a orla do vestido. Praskóvia Ilínichna, mãezinha nossa: não posso aproximar-me da senhora, pois se não fosse isso, não só lhe beijaria as mãos como até os pés... Tal qual! Anfissa Pietróvna, apresento-lhe os meus respeitos. Ainda hoje rezei a Deus pela senhora, protetora nossa. De joelhos e com lágrimas nos olhos, pedi a Deus pela senhora e pelo senhor seu filho, para que lhe conceda muitas honras e inteligência, sobretudo esta última! Cumprimento também respeitosamente a Ivan Mizíntchikov. Deus lhe conceda tudo quanto deseja! Porque é difícil saber ao certo o que deseja; o senhor é tão calado e... Boa tarde, Nástia! Os meus garotos mandam-te muitos cumprimentos; todos os dias falamos em ti. E agora, finalmente, os meus cumprimentos mais solenes ao dono da casa. Vim da cidade, senhor, vim direitinho da cidade. Este é o seu sobrinho que estava a estudar na Universidade, não é verdade? Então os meus mais humildes respeitos; queira estender-me a mão.

Todos se riram. Compreendi que aquele velhote, de certa maneira fazia ali o papel de bobo. As suas palhaçadas provocavam a hilaridade geral. Alguns não compreendiam seus sarcasmos, mas ele não poupava quase ninguém. Somente à preceptora é que se limitou a chamá-la simplesmente Nástia, com uma cara muito séria e fazendo-se corado. Eu retirara a minha mão; mas, pelo visto, era precisamente isso o que o velho esperava para dirigir-me a palavra.

— Eu apenas queria que me deixasse apertar a sua mão; não julgue que eu tivesse a pretensão de beijá-la! Achou que era isso o que eu queria? Não, paizinho, por agora apenas queria apertá-la. O senhor, naturalmente, tomou-me por um bobo! — continuou olhando-me com uma expressão zombeteira.

— Nada disso... Desculpe... Eu...

— Deixe, deixe, paizinho! Se eu fosse bobo, no final de contas, não seria o único nesta casa! Mas o senhor deve respeitar-me. Afinal não sou o bobo que imagina. Eu... sou um escravo, a minha mulher uma escrava. Eu me dedico a adular as pessoas! Creia-me! Assim consegue-se sempre alguma coisa, quanto mais não seja, o suficiente para comprar leite para a petizada! Açúcar, semeia açúcar por todos os lados, que assim a vida te correrá melhor! Isto digo-lhe em segredo, paizinho; quem sabe se não lhe virá também a ser útil... Ando por aqui aos azares da sorte e por isso faço palhaçadas!

— Hi... hi... hi... Ah, que atrevido é este velho! Não temos outro remédio senão rir das coisas que diz — exclamou Anfissa Pietróvna.

— Mãezinha, minha protetora, fique sabendo que os burros são aqueles que melhor vivem neste mundo! Se eu tivesse descoberto isto há mais tempo, teria começado logo de pequeno a fazer-me burro e talvez hoje fosse mais esperto. Mas como em pequeno me esforcei por ser esperto, agora não passo de um burro velho.

— Faz favor de me dizer — interveio Obnóskin, ao qual pelo visto não agradara aquela observação de há pouco, sobre a *intieligéntsia*, pois se refestelou pedantescamente na sua poltrona e olhou para o velhote através das lunetas, como para um micróbio — faça favor de dizer... esqueço-me sempre do seu nome... Como é que se chama?

— Ai, paizinho! O meu apelido é Ietchóvkin, mas que interessa isso? Há nove anos estou desempregado... e vivo ao deus-dará. Mas tenho filhos, e, como diz o ditado: "Deus dá cordeiros ao rico e filhos ao pobre".

— Ah, sim... filhos! Mas isso, agora, não vem ao caso. Isso fica para depois. Olhe, há muito tempo eu queria perguntar-lhe uma coisa: por que é que o senhor, quando entra, parece que vem sempre olhando para trás? Isso é muito ridículo.

— Por que olho sempre para trás? Pois olhe: é que me parece sempre que vem alguém atrás de mim para dar-me um piparote, como se faz a uma mosca; é por isso que olho para trás. Manias, paizinho, manias.

Todos se riram novamente. A preceptora levantou-se e fez menção de retirar-se; mas logo a seguir tornou a deixar-se cair no seu lugar. No seu rosto transpareceu qualquer coisa de doentio, de doloroso, apesar do rubor que lhe cobria as faces.

— Olha, rapaz! Sabes quem ele é? — murmurou-me o meu tio ao ouvido. — É o pai dela!

Encarei o meu tio. Esquecera-me completamente do apelido de Ietchóvkin. Viera todo o caminho animado de heroicos pensamentos; sonhando com o destino daquela jovem, idealizando para ela planos generosos, e com tudo isto acabei por esquecer-me do seu apelido, ou, para melhor dizer, ao princípio não dei a mínima, atenção a esse pormenor.

— O pai dela?! — perguntei em voz baixa. — Mas eu pensava que ela era órfã!

— É verdade, rapaz, é o pai dela. E é um homem muito digno, de alma nobre, e não vás julgar que ele bebe, faz isto por inclinação natural para as palhaçadas. Vive na maior miséria, tem oito filhos a seu cargo! E vivem todos à custa do ordenado de Nástienhka. Puseram-no fora do emprego por causa da sua má-língua. Vem ver-nos todas as semanas. É muito melindroso... Nunca quer aceitar nada. Já quis ajudá-lo muitas vezes... Tenho querido... mas nunca consegui que ele aceitasse nada! Pois bem, vamos lá, Ievgraf Lariônitch: que nos contas de novo? — perguntou o meu tio dando uma palmada no ombro do velho, ao notar que ele, desconfiado, ouvira o nosso diálogo.

— Que conto de novo, meu protetor? Que Valentim Ignátievitch apresentou ontem uma contestação no caso Trítchin. Ficou comprovado que ele não tem nada em seu poder. Trata-se desse mesmo Trítchin que, ao olhar para uma pessoa, parece um samovar a resfolegar. Não se lembra? Pois, falando de Trítchin, escreve Valentim Ignátievitch: "Se esse tão falado Trítchin — disse ele — não soube guardar a honra da sobrinha, quando ela o ano passado fugiu com um oficial, como havia de saber guardar a caixa?". É assim mesmo que ele diz no tal escrito... Juro-lhes que não estou mentindo!

— Arre! Que está dizendo o senhor? — exclamou Anfissa Pietróvna.

— Falando da vida alheia de novo! Seja comedido, meu caro Ievgraf! — admoestou o meu tio. — Que língua a sua! É um homem reto, honrado, franco... posso afirmá-lo... Tu tens uma língua venenosa! E não compreendo como não lhe tens medo! Porque neste mundo também há gente boa, simples...

— Deus me livre da gente simples, meu pai e protetor! — exclamou o velhote com uma vivacidade especial.

Esta observação agradou-me. Aproximei-me dele com decisão e apertei-lhe a mão com força. Para dizer a verdade o que eu queria era protestar abertamente contra a opinião geral, demonstrando abertamente ao velho a minha simpatia. Embora pudesse ter acontecido que eu pretendesse ganhar desse modo as boas graças de Nástienhka Ievgráfovna. Mas o meu gesto repentino não produziu grande efeito.

— Permita fazer-lhe uma pergunta — disse eu corando e atrapalhando-me, como de costume. — Já ouviu falar dos jesuítas?

— Não, paizinho, a esse respeito nada sei, ou melhor, sei muito pouco... Mas diga o senhor o que sabe...

— Sim, efetivamente... queria dizer-lhe, qualquer coisa sobre esse assunto... Mas já falaremos disso... Por agora queria apenas dizer-lhe: pode ter a certeza de que eu o compreendo... e... sei apreciar...

— Não me esqueço do senhor, paizinho, não me esqueço... Gravarei a sua recordação na minha memória com letras de ouro: olhe, vou dar um nó no lenço para não me esquecer.

E de fato pôs-se a fazer um nó no lenço, unindo os extremos do mesmo, que estava roto e manchado de fumo.

— Ievgraf Lariônitch, tome o seu chá — exclamou Praskóvia Ilínichna.

— E já, minha linda senhora! É já, princesa e não só senhora! Isto é por causa do chá. Tenho o prazer de participar-lhe que encontrei no caminho Stiepan Alieksiéievitch Baktchéiev, minha senhora. Ia tão contente que até dava gosto vê-lo! Pensei que fosse por andar com ideias de casamento! "Bajula, bajula!" — acrescentou em voz baixa quando passou junto de mim com a chávena de chá, fazendo-me sinais significativos. — Então não está aqui o maior dos meus protetores, Fomá Fomitch? Naturalmente não vem tomar chá...

O meu tio estremeceu, como assustado e olhou com inquietação para a generala.

— Eu, para dizer a verdade, não sei — acrescentou com hesitação, com autêntico medo. — Nós avisamo-lo, mas ele... Sinceramente, não sei... Talvez não esteja com disposição para... Eu já mandei Vidopliássov chamá-lo e... se for preciso, irei eu mesmo.

— Vi-o há pouco — disse-lhe Ietchóvkin em segredo.

— Ah, sim? — exclamou o meu tio com inquietação. — E então?

— A primeira coisa que fiz assim que cheguei foi ir ter com ele para lhe apresentar primeiro do que a todos os meus cumprimentos. Disse-me que tomava o chá sozinho e acrescentou que talvez mordiscasse também um naco de pão seco. Tal qual.

Estas palavras, segundo parecia, causaram um verdadeiro espanto no meu tio:

— Mas devias ter-lhe explicado, levgraf Lariônitch, devias ter-lhe explicado — exclamou finalmente o meu tio olhando para o velho com severidade e censura.

— Eu lhe disse, lhe disse...

— Quê?

— Ele demorou muito tempo a responder. Estava a trabalhar na resolução de não sei que problema de matemática, investigando não sei o quê. Tratava-se, parece, de um problema muito difícil. À minha frente esteve ele a esboçar as tábuas de Pitágoras... Eu bem o vi. Repetiu a operação por três vezes, até que por fim à quarta levantou a cabeça e dava a ideia de que até esse momento não reparara na minha presença. "Não, não vou, parece que está lá um desses tais tipos 'cultos'. Que posso eu fazer ao lado de um luminar desses?" Foi assim que teve a gentileza de falar, a respeito desse luminar...

E o velho, zombeteiro, olhou-me de soslaio.

— Bem, já esperava isso! — exclamou o meu tio erguendo os braços. — Meu coração já tinha adivinhado! Isso de "culto" é contigo, Sierguiéi. Mas que se há de fazer agora?

— Confesso-lhe, tio — respondi eu encolhendo os ombros com dignidade — que, a meu ver, se trata de uma frase ridícula, que não vale a pena tomar-se a sério e, francamente, não compreendo a sua preocupação...

— Ah, meu amigo, não sabes o que isto é! — exclamou ele fazendo um gesto enérgico.

— Agora é tarde para lamentar — exclamou de repente a menina Pieriepelítsina. — O senhor, Iegor Ilhitch, é o principal culpado de tudo isto. Depois do mal feito... Se tivesse ligado mais importância a sua mãe, não teria agora de que lastimar-se.

— Mas, Anna Nílovna, é capaz de me dizer em que pequei eu? Pelo amor de Deus! — respondeu o meu tio em voz tão sumida como se fosse fazer-lhe uma declaração de amor.

— Eu temo a Deus, Iegor Ilhitch! Tudo isto deriva de ser o senhor um egoísta e não estimar sua mãe — respondeu, muito digna, a menina Pieriepelítsina. — Por que não a respeitou logo de princípio? Ela é sua mãe. O que lhe digo é verdade. Porque eu também sou filha dum tenente-coronel, não sou uma qualquer...

Pareceu-me que a Pieriepelítsina se metia na conversa apenas com o fim de nos informar a todos, especialmente a mim, recém-chegado, que era filha dum tenente-coronel e não uma qualquer...

— Sim, a causa de tudo está em ele ter ofendido sua mãe! — exclamou por fim a generala num tom azedo.

— Mamãe, por piedade! Em que te ofendi eu?

— Tudo isto é por seres um monstro de egoísmo, Iegóruchka — continuou a generala cada vez mais acalorada.

— Mamãe, mamãe! Mas por que sou eu um monstro de egoísmo? — exclamou o meu tio quase desesperado. — Há cinco dias, há cinco dias que está zangada comigo, sem dirigir-me uma palavra! E tudo isso, por quê? Por quê? Que me julguem, que um tribunal completo venha para me julgar! E ouçam a minha defesa! Há muito tempo me tenho calado, mamãe, mas a senhora nem sequer se dignou prestar-me um momento de atenção! Anfissa Pietróvna! Páviel Semiônitch, generoso Páviel Semiônitch! Sierguiéi, meu amigo! Tu és imparcial nesta questão, tu podes julgar desinteressadamente.

— Acalme-se, Iegor Ilhitch, acalme-se — exclamou Anfissa Pietróvna. — Não mate a sua mãezinha!

— Eu não mato a minha mãe, Anfissa Pietróvna; aqui tem o meu peito... dilacere-o! — continuou o meu tio com essa exaltação exacerbada que costuma apoderar-se das pessoas fracas de caráter, quando se lhes esgota a paciência, embora toda essa exaltação não passe de fogo de palha. — Quero que fiquem sabendo que eu não ofendi ninguém! Sou o primeiro a reconhecer que Fomá Fomitch é uma excelente pessoa, digníssima e, sem dúvida alguma, dotada de excelentes qualidades; mas... mas, neste caso tratou-me injustamente.

— Hum! — murmurou Obnóskin como se quisesse excitar o meu tio ainda mais.

— Páviel Semiônitch, meu bom Páviel Semiônitch! O senhor, de fato, também pensa que eu sou, como costuma dizer-se, um madeiro insensível? Pois olhe que eu vejo e compreendo é com o coração sangrando e chorando que eu lhe digo: toda esta baralhada deriva do grande amor que ele me tem. Mas, diga o que quiser, afirmo em nome de Deus que nesta ocasião se portou de maneira injusta para comigo. Vou contar-lhe tudo. Quero contar agora essa história, Anfissa Pietróvna, com todos os pormenores e o mais claramente possível, para que se veja bem de que se trata e se a minha mãezinha tem razão para estar zangada comigo, por eu não ter obedecido a Fomá Fomitch. Escuta tu também, Sierioga — acrescentou, encarando comigo, atitude que manteve todo o tempo que durou a sua narrativa, como se lhe metessem medo os outros ouvintes e duvidasse da sua simpatia — escuta tu também e decide se eu tenho ou não tenho razão. Olha, vou dizer-te por onde é que começou esta história: há uma semana, apenas há uma semana, passou pela nossa capital o meu antigo chefe, o General Russapiétov, com a esposa e a sogra, e demoraram-se aí alguns dias. Eu fiquei muito contente. Aproveitei a ocasião para ir até lá visitá-los e convidá-los para jantarem conosco. Eles me prometeram que viriam assim que tivessem tempo. Podes acreditar que se trata de um homem excelente, que tem feito muito bem neste mundo e é, sem dúvida alguma, uma pessoa importante. Tem sido muito bom para a sogra e, além disso, casou uma órfã com um rapaz muito sério (que atualmente é cozinheiro em Malínovo, mas que possui uma cultura que poderíamos chamar universal), numa palavra, é um general às direitas! Bem. Nós tivemos bastante trabalho, preparando doces e fricassés; e até mandamos vir uma banda de música. Eu, é claro, não cabia em mim de contente e até parecia que era o dia de meu santo! Mas Fomá Fomitch não gostou de me ver tão contente! Estava sentado à mesa, ainda me lembro, e serviram-lhe o seu assado predileto, com natas, e ele, muito calado, até que por fim disse: "Não me ligam importância, não me ligam importância". "Por que dizes isso, Fomá Fomitch?" — perguntei-lhe eu. "Sim, agora já ninguém quer saber de mim, só se preocupam com os generais, agora preferem os generais!" Bom, eu, é claro, agora conto tudo abreviadamente, atendendo apenas ao essencial; mas se soubessem o que ele largou por aquela boca... Em resumo: perdi por completo a vontade de dar a festa! Que se havia de fazer? Eu, naturalmente, não tinha mais disposição para nada e estava como um coelho ao qual deram uma cacetada.

Chega o dia solene. O general manda dizer que não pode vir, pois tem de partir sem demora. Corro ao encontro de Fomá Fomitch e digo-lhe: "Olha, Fomá, podes estar descansado! Ele não vem." Que pensas tu? Nem por isso me perdoou. "Ofenderam-me — insistiu — ofenderam-me", e daí ninguém o arrancou. Fiz-lhe ver isto e mais aquilo. "Não — dizia ele — fique-se com o seu general. — Para você, o general vale mais do que tudo — acrescentou. — Quebraram-se os laços da nossa amizade." Aqui tens, meu amigo, o motivo pelo qual, segundo julgo, está ressentido comigo. Não sou nenhum palerma, nenhum burro, nenhum cordeirinho. Tudo isto, bem sei, deve-se à grande amizade que ele me tem, aos ciúmes que sentiu. Ele próprio dizia ter ciúmes do general. Receia perder a minha estima; quer pôr-me à prova e saber o que eu seria capaz de sacrificar por ele. "Não — disse ele — eu, para o senhor, sou o mesmo que o general, eu para o senhor também tenho o título de Excelência. Vou me reconciliar com o senhor, quando me demonstrar o seu respeito!" "Como posso eu demonstrar-lhe o meu respeito, Fomá-Fomitch?" "Quando passar um dia inteiro a chamar-me Excelência, então terá demonstrado o seu respeito." Fiquei como se me tivesse caído um raio aos pés! Podes calcular o meu espanto! "Isto — disse ele — deve servir-lhe de lição para que não se envaideça tanto com os seus generais quando há quem possa ser muito mais digno do que todos os seus generais juntos." Bem, então perdi a paciência, confesso, confesso francamente! "Fomá Fomitch — disse-lhe eu — achas seriamente que isso é possível? Achas que sou capaz de uma coisa dessas? Então posso dar-te o tratamento de Excelência? Mas como é que eu hei de chamar-te Excelência, meu Deus?! Pensa na maneira como se chega a general! Olha, eu próprio vou dizer-te. Isso seria, como costuma dizer-se, um atentado contra a lei. Porque, repara: o general serve à Pátria, dá por ela a sua vida, derrama o seu sangue no campo de batalha. Como posso eu chamar-te Excelência?" Mas Fomá não se deu por vencido. "Farei por ti tudo o que quiseres, Fomá. Uma vez mandaste-me cortar as suíças porque eram indício de pouco patriotismo... e eu cortei-as, embora me custasse muito, mas cortei-as. Enfim, isso não tem importância, farei tudo o que possa dar-te agrado; mas renuncia ao título de general." "É que isso seria proveitoso para o seu orgulho., serenava-lhe o espírito." Foi isto o que ele disse. E é por isto que há uma semana inteira não me fala e corre com todos que vão procurá-lo. De ti, ouviu dizer que eras um rapaz culto... disso tenho eu a culpa. Disse-lhe por casualidade, quando se falou de ti; envaideci-me, quis-me gabar... E ele logo depois disse que, no momento em que tu pusesses os pés aqui, se retiraria. "Já vejo que eu, para o senhor, não sou um homem culto." O que não vai ser quando chegar Koróvkin! Ora vê lá tu, julga por ti mesmo se eu tive alguma culpa. Só por não ter querido tratá-lo por Excelência... Vamos, diz-me a verdade, achas que é possível viver desta maneira? E por que motivo, esta tarde, fez com que o pobre Baktchéiev se levantasse da mesa? Suponhamos que Baktchéiev não sabe patavina de astronomia e que a mim me acontece o mesmo... Bem, e no fim de contas, por quê?

— Porque és um invejoso, Iegóruchka — tornou a grunhir a generala.

— Mãezinha! — exclamou o meu tio completamente desesperado. — Faz-me perder a cabeça! A senhora não fala por si, repete palavras de outra pessoa... Hei de acabar por ser um mono, um pau insensível e não seu filho!

— Tio, eu ouvi dizer — antepus, extremamente impressionado com a discussão — ouvi dizer a Baktchéiev... não sei se com razão ou sem ela, que Fomá Fomitch tinha inveja de Iliúchka, que festeja amanhã o seu santo, e afirmava que amanhã era também o seu. Confesso que esta demonstração do seu caráter me deixou estupefato, que...

— O seu aniversário, rapaz, o seu aniversário, o seu santo não, o seu aniversário![5] — atalhou rapidamente o meu tio. — Não foi assim que ele disse, mas tinha razão: amanhã é o dia dos seus anos. A verdade acima de tudo, meu amigo...

— Mas é que não, também não é o dia do seu aniversário! — exclamou Sáchenhka.

— Não? — respondeu o meu tio muito confuso.

— Não é, não, paizinho! O pai diz isso, apesar de saber que não é verdade, para enganar a si mesmo e tornar-se simpático a Fomá Fomitch. O dia dos anos dele é em março... Lembre-se de que no dia anterior tínhamos ido ouvir missa no mosteiro e que ele não deixou ninguém em paz, no coche. Passou o tempo todo a gritar que a almofada lhe comprimia as costas e a beliscar-nos a todos; até deu dois socos na tia. E depois, quando fomos felicitá-lo pelo seu aniversário, ficou furioso por nós não termos posto camélias no ramo de flores que levávamos. "Eu gosto de camélias — disse ele — porque sou de gostos delicados; mas vocês não quiseram dar-se ao trabalho de cortarem algumas camélias para mim, na estufa." E todo o dia esteve intratável, sem dignar-se dirigir-nos a palavra.

Poderia jurar que uma bomba que tivesse caído ali, no meio da sala, de repente, não teria provocado a estupefação e o terror geral que provocou aquela franca insurreição... E da parte de quem? De uma garota à qual nem sequer era permitido erguer a voz diante da avó. A generala, muda de espanto e, aturdida, endireitou-se, voltou a cabeça e ficou a olhar para a audaciosa garota como se não acreditasse no que viam os seus olhos. O meu tio estava meio morto de espanto.

— Que insolente! Acabam por matar a avozinha, tantos são os desgostos que lhe dão! — exclamou a Pieriepelítsina.

— Sacha, Sacha! Cai em ti! Que tens, Sacha? — gritou o meu tio olhando alternadamente para a generala e para Sáchenhka, querendo que ela ficasse quieta.

— Não me calarei, paizinho! — exclamou Sacha saltando subitamente da cadeira, batendo no chão com os pés e de olhos chamejantes. — Não quero calar-me! Há muito tempo me irritam com o vosso Fomá Fomitch, com o vosso horrível e antipático Fomá Fomitch! Esse tal Fomá Fomitch domina todo mundo, porque todos o julgam um indivíduo de um talento enorme, um coração de ouro, de uma cultura colossal, um benfeitor dos pobres, um poço de virtudes! E ele, o burro, também julga que tem isso tudo! Tantos pratos de doce lhe têm dado que outro qualquer já estaria enjoado; mas ele engole tudo o que lhe põem na frente e ainda pede mais. Hão de ver como ele ainda vai nos engolir a todos e depois põe a culpa no paizinho. Esse Fomá Fomitch é um desavergonhado, um desavergonhado, digo-o bem alto e sem medo de ninguém! É um estúpido, um egoísta, um porco, um coração cheio de fel, um tirano,

---

5   O dia festivo de cada indivíduo era o do Santo do seu nome, e não o do aniversário.

um mexeriqueiro, um mentiroso... Cá por mim punha-o no olho da rua, imediatamente, imediatamente, mas o pai adora-o, o paizinho está enfeitiçado por ele...

— Ah! — exclamou a generala e tombou desfalecida sobre o divã.

— Minha querida, Agáfia Timofiéievna, meu anjo! — gritou Anfissa Pietróvna. — Onde está o frasco de sais? Água, água depressa!

— Água, água! — gritou também o meu tio. — Mãezinha, mãezinha, acalme-se! Peço-lhe de joelhos, sossegue!

— Vais ficar a pão e água, fechada no quarto escuro! Assassina! — ameaçou a Pieriepelítsina dirigindo-se a Sáchenhka, trêmula de cólera.

— Pois que me ponham a pão e água! Eu não tenho medo de nada! — gritou Sáchenhka por sua vez, num paroxismo. — Tenho de defender o paizinho, já que ele não sabe defender-se! Quem é esse Fomá Fomitch comparado com o meu paizinho? Come o seu pão e ainda o humilha, esse malvado! Ah, garanto-vos que hei de fazer em migalhas o vosso Fomá Fomitch! Desafio-o e mando-o para o outro mundo com dois tiros...

— Sacha! Sacha — clamou o meu tio desesperado. — Diz uma palavra mais... e estou perdido... perdido sem salvação...

— Paizinho! — exclamou Sáchenhka abraçando-se convulsivamente ao pai, numa torrente de lágrimas. — Paizinho! Mas como é que tu, tão bom, tão bom, tão inteligente, te deixas dominar dessa maneira? Como podes rebaixar-te tanto diante desse insolente, desse ordinário, tornares-te um joguete seu e cair assim no ridículo? Paizinho, meu paizinho tão bom...

A menina rompeu em soluços, cobriu o rosto com as mãos e saiu da sala correndo.

Armou-se um enorme reboliço. A generala continuava desmaiada. O meu tio continuava ajoelhado a seus pés, beijando-lhe as mãos. A menina Pieriepelítsina andava de um lado para o outro à volta dos dois, e lançava a todos olhares coléricos e solenes. Anfissa Pietróvna borrifava as fontes da generala com água e dava-lhe o frasquinho de sais a cheirar. Praskóvia Ilínichna tremia e chorava em silêncio. Ietchóvkin procurava um buraco onde esconder-se, mas a preceptora estava de pé, muito pálida, com uma expressão repassada de dor. Mizíntchikov era o único que continuava impassível. Levantou-se do seu lugar, dirigiu-se para a janela e pôs-se a olhar para longe, sem prestar a mínima atenção àquela cena.

De repente, a generala ergueu-se no divã, levantou-se e lançou-me um olhar ameaçador.

— Fora! — gritou batendo com o pé no chão.

Devo confessar que nem de longe esperava uma coisa daquelas.

— Fora! Fora da minha casa! Ponha-se na rua! Quem é que o mandou vir? Não quero respirar o seu hálito! Fora!

— Mamãe, mamãe! Que é isso? Mas é o Sierioga! — murmurou o meu tio com o corpo todo sacudido por um tremor. — Mamãe, ele veio para passar uns tempos conosco!

— Que dizes? Sierioga? Não pode ser! Não quero ouvir mais nada; fora, já disse! É Koróvkin. Tenho a certeza de que é Koróvkin. Os meus pressentimentos não me enganam. Veio para expulsar Fomá Fomitch; foi para isso que escreveram, a chamá-lo. Eu já adivinhava... Fora daqui, miserável!

— Tio, se é assim — disse eu num tom vibrante de indignação — se é assim, desculpe — e peguei no chapéu.

— Sierguiéi, Sierguiéi, que fazes? Só faltava isto... mamãe! Mas repara que é Sierioga! Sierguiéi, acalma-te! — gritou o meu tio correndo atrás de mim e procurando tirar-me o chapéu das mãos. — Tu és meu hóspede, deves ficar, sou eu que o quero! Trata-se simplesmente — acrescentou em voz baixa — ela só se põe assim quando se zanga! Não devias ter aparecido... logo de entrada... assim, logo de entrada, compreendes? Mas tudo se há de arranjar. Ela vai te perdoar... Vais ver como te perdoa! É boa, coitadinha, mas às vezes desvaria... Ouve, confundiu-te com Koróvkin. Mas vais ver como depois te perdoa, estou convencido disso... Mas quem trazes tu? — exclamou dirigindo-se a Gavrila que naquele momento entrava na sala.

Gavrila não vinha só; acompanhava-o outro criado, um rapaz de dezesseis anos, de muito boa figura, admitido em casa precisamente devido à sua boa apresentação, conforme soube depois. Chamava-se Falálei. Trazia um terno especial: blusa russa, de seda, decotada à volta do pescoço e cingida por um cinturão de entrançado dourado, calções amplos, pretos, e botas de pele de cabra com dobras vermelhas. O rapaz chorava amargamente, e as lágrimas, umas atrás das outras, brotavam dos seus grandes olhos de pombo.

— Que aconteceu? — exclamou o meu tio. — Que aconteceu? Vamos, fala, malandro!

— É que Fomá Fomitch mandou-nos chamar aos dois — respondeu Gavrila a medo. — A mim, para me examinar, e a ele...

— E a ele... para quê?

— A este viu-o dançando! — respondeu Gavrila com voz chorosa.

— Dançando? — exclamou assustado o meu tio.

— Dan...çando, sim senhor!

— A *kamárinskaia*.

— A ka ... má ... rinskaia!

— E Fomá Fomitch bateu-te!

— Ba ... teu!

— Era só o que faltava! — gritou o meu tio. — Ai a minha cabeça! — e levou as duas mãos à cabeça.

— Fomá Fomitch! — anunciou Vidopliássov entrando na sala.

A porta abriu-se e Fomá Fomitch apareceu em pessoa perante os circunstantes perplexos.

Capítulo VI / Do touro branco e do mujique de Kamarinsk

Antes de ter a honra de apresentar ao leitor Fomá Fomitch, no seu aspecto externo, o melhor que possa, considero imprescindível dizer algumas palavras acerca de Falálei e de explicar por que era tão terrível o fato de ter dançado a *kamárinskaia*, até ao ponto de Fomá Fomitch o castigar. Falálei era um jovem mujique, órfão desde tenra idade, e afilhado da falecida esposa de meu tio. Por isso o meu tio lhe dedicava grande amizade. Bastava isto para que Fomá Fomitch, ao estabelecer-se em Stiepântchikovo e ao dominar a vontade de meu tio, embirrasse com seu favorito. Mas o rapaz, fosse lá por que fosse, era muito grato para com a generala, e apesar da aversão de Fomá Fomitch, continuou lá em casa com os senhores. A própria generala o quis e Fomá Fomitch teve de aguentar, mas encarou aquilo como uma ofensa — para ele tudo o era — e descarregando a sua zanga sobre o meu tio, completamente inocente, e do qual aproveitava todas as ocasiões para se vingar. Falálei era, no seu gênero, um bonito moço. Tinha rosto de menina, o rosto de uma galante jovem aldeã. A generala mimava-o e protegia-o, estimava-o como a um brinquedo bonito e invulgar. Seria difícil dizer de quem mais gostava, se do seu mimado cãozinho, *Ami* ou de Falálei. Já descrevemos o seu traje, invenção da generala. Era ela quem lhe pagava a brilhantina, e Kuzmá, o barbeiro, frisava-lhe o cabelo nos dias de festa.

O rapaz tinha um caráter muito estranho. Declará-lo completamente idiota ou imbecil, não seria exato. Era verdadeiramente tão lento de compreensão e tão ingênuo que às vezes se poderia tomar por um perfeito imbecil. Quando tinha um sonho ia logo contá-lo aos senhores. Intrometia-se nas suas conversas e, sem a menor cerimônia, cortava-lhes a palavra. Referia-lhes coisas de maneira nenhuma dignas de ouvir-se. Derramava as mais ardentes lágrimas quando a senhora desmaiava ou acusavam demasiado o senhor. Associava-se a todas as desditas da casa. Algumas vezes aproximava-se da generala, beijava-lhe a mão e perguntava-lhe por que estava zangada... e a generala, generosamente, perdoava-lhe todas essas impertinências. Tinha um temperamento extremamente sensível: manso e inofensivo como um cordeirinho e alegre como uma criança feliz. A mesa davam-lhe sempre uma guloseima.

Às refeições colocava-se por detrás da cadeira da generala e era louco por açúcar. Se lhe davam algum torrãozinho punha-se a mordiscá-lo com os dentes fortes, brancos como a neve, e uma satisfação indescritível brilhava-lhe nos olhos alegres de pombo e em todo o lindo rosto.

Havia muito Fomá Fomitch embirrava com ele; mas, compreendendo que, por mal, nada conseguiria, decidiu de repente transformar-se em protetor do rapaz. Começando por censurar ao meu tio o não fazer nada pela educação dos servos, ele, por seu lado, resolveu aplicar-se depois à tarefa de ensinar ao pobre rapazinho elegância, boas maneiras e francês. "Assim, não pode ser! — disse ele disfarçando o seu perverso pensamento (pensamento que, por outro lado, não ocorreu somente a Fomá Fomitch, conforme pode asseverar o autor da presente história). — Assim, não pode ser! Ele está sempre aqui, ao lado da senhora; mas imagine que ela, de repente, esquecendo-se de que ele não sabe francês, vai e lhe diz por exemplo: *Donné muá mon muchuar*[6]. Ora é necessário que possa livrar-se de dificuldades e servir a sua senhora!" Não só era impossível meter o francês na cabeça de Falálei, como também o seu tio Andron, o cozinheiro, que em tempos pretendera ensinar-lhe o alfabeto russo teve de desistir do seu intento e pôr a cartilha de lado. Tão rude era Falálei em questões de letras, que não era possível fazer-lhe compreender nada. E mais: sobre isso tinham até inventado uma história. Os servos começaram a fazer troça de Falálei por causa do francês; mas o velho Gavrila, criado particular do meu tio, atreveu-se a renunciar abertamente à conveniência de aprender a pronúncia francesa. A coisa chegou aos ouvidos de Fomá Fomitch, e este, muito zangado, determinou que o seu inimigo Gavrila se pusesse também a aprender francês. E foi

---

6 Corruptela de: *Donnez moi mon mouchoir*. — Dê-me o meu lenço.

este o princípio de toda essa história do francês que tanto indignara Baktchéiev. Pior ainda foi o caso das boas maneiras. Fomá não conseguiu ensiná-las a Falálei, o qual, apesar de todas as descomposturas, continuou a ir todas as manhãs contar os sonhos que tivera durante a noite, o que, para Fomá Fomitch, era uma coisa do maior mau gosto e demasiado familiar. Mas Falálei teimou em ser Falálei. É de ver que este fiasco, quem em primeiro lugar havia de pagar era o meu tio.

— Querem saber o que ele fez hoje, querem? — exclamou uma tarde Fomá Fomitch, que escolhera, para produzir, maior efeito, a hora em que estavam todos reunidos. — Sabe, coronel, até onde conduz o seu sistemático descuido? Hoje devorou o pedaço de empada de peixe que o senhor lhe deu à mesa; pois sabe o que ele dizia? "Vem cá, vem cá, alma infeliz; vem cá idiota, mamarracho."...

Falálei aproximou-se, chorando e enxugando os olhos com ambas as mãos.

— Que dizias tu enquanto comias a empada? Repete-o diante de todos!

Falálei não respondia e continuava a chorar amargamente.

— Pois então, eu vou contar. Tu dizias, dando pancadinhas na tua barriga farta e ordinária: "Empanturrei-me de empada, como Martinho de sabão". Repare, coronel: será permitido dizer tais palavrões numa sociedade bem-educada, e muito mais, na alta sociedade? Foi isso o que disseste ou não? Fala!

— Foi! — confirmou Falálei soluçando.

— Bem. E agora vais dizer-me: por acaso Martinho come sabão? Onde é que viste algum Martinho comendo sabão? Vamos, diz, mostra-me onde existe esse Martinho fenomenal!

Silêncio.

— Estou-te perguntando — insistia Fomá — quem é esse Martinho. Quero vê-lo, tenho vontade de conhecê-lo. Vamos, diz: quem é ele? Inspetor, astrônomo, inventor, poeta, capitão do exército, camponês... Alguma destas coisas tem de ser. Responde!

— Cam... po... nês! — respondeu finalmente Falálei sem deixar de chorar.

— De quem? Quem é o seu senhor?

Mas Falálei não sabe dizer quem é o seu senhor. Como é de supor, a cena terminou com a saída de Fomá, colérico, da sala, e dizendo em altos gritos que o tinham ofendido. A generala sofreu o costumado faniquito e o meu tio amaldiçoou a hora em que nasceu. Pediu perdão a todos e passou o resto do dia nos seus aposentos privativos, caminhando na ponta dos pés.

Como aconteceu no dia seguinte ao da referida história do sabão martinesco, Falálei foi levar de manhã o chá a Fomá Fomitch, e esquecera completamente o tal Martinho da cena da véspera. Então contou-lhe que nessa noite sonhara com um touro branco. Aquilo era o cúmulo. Fomá Fomitch ficou extraordinariamente zangado; mandou imediatamente chamar o meu tio e pôs-se a recriminá-lo pelo sonho de tão mau gosto que Falálei tivera. Dessa vez tomaram-se medidas enérgicas; fizeram comparecer Falálei e, para castigo, mandaram-no pôr num canto, de joelhos. E admoestaram-no severamente por ter uns sonhos tão ordinários, próprios de camponeses. "Eu tenho razão para estar aborrecido — disse Fomá. — Além de que ele não devia ter o atrevimento, nem sequer devia passar-lhe pela cabeça a ideia de vir aqui incomodar-me, contando os seus sonhos, sobretudo quando se referem a um touro branco. Sem falar de tudo isso, coronel, o senhor não tem outro remédio senão dar-me razão e concordar comigo: esse touro branco é uma prova mais da ordinarice, da grosseria de alma de servo do seu mal-educado Falálei. Os sonhos são conforme os pensamentos das pessoas... Já não disse que não há nada a fazer dele e não convém esteja na sala com os senhores? Nunca, nunca hão de conseguir que este papalvo, esta cabeça oca, se eleve à altura de qualquer coisa de grande ou de poético. "Será possível que não possas — continuou, dirigindo-se a Falálei — que não possas ver em sonhos qualquer coisa de delicado, de nobre, uma cena da boa sociedade, como por exemplo dois cavalheiros jogando cartas ou senhoras passeando por um jardim ameno?" Falálei prometeu-lhe que nessa noite veria cavalheiros ou senhoras a passearem por um jardim ameno.

Quando se deitou, Falálei rezou a Deus, de lágrimas nos olhos, e durante muito tempo ficou a pensar como haveria de fazer para não tornar a ver aquele malvado touro branco. Mas as ilusões humanas são falazes. Quando se levantou na manhã seguinte, lembrou-se com espanto de que durante toda a noite não fizera outra coisa senão sonhar com o horrível touro branco e não com nenhuma senhora passeando por um jardim ameno. Desta vez as consequências foram extraordinárias. Fomá Fomitch declarou resolutamente não acreditar na possibilidade de semelhante ocorrência, repetição de um mesmo sonho, e que qualquer pessoa da casa, talvez o próprio coronel, doutrinara Falálei com o fim de zombar dele. Por causa disto houve muitos gritos, censuras e lágrimas. A generala adoeceu nessa noite. Todos lá em casa estavam consternados. Restava apenas a fraca esperança de que Falálei, na noite seguinte, ou seja, na terceira, visse em sonhos algo de delicado e seleto. Que grande não foi o desgosto geral quando se passou a semana toda sem que Deus enviasse a Falálei todas as santas noites outro sonho senão aquele do touro branco e só do touro branco! De coisas delicadas, nem amostra!

Mas o mais curioso de tudo isso é que Falálei, durante todo esse tempo não se lembrou de mentir, de dizer muito simplesmente que não tinha visto em sonhos o touro branco, mas outra coisa qualquer, por exemplo, um coche cheio de senhoras e Fomá Fomitch entre elas, tanto mais que mentir, num caso destes, não seria nenhum pecado. Falálei era tão simplório que, embora quisesse mentir, não teria sabido. E por isso ninguém se lembrou de o induzir a tal. Todos sabiam que Falálei havia de desdizer-se na primeira oportunidade e Fomá Fomitch ia então apanhá-lo a mentir. Que fazer? A situação de meu tio tornou-se insuportável. Falálei era decididamente incorrigível. O pobre rapaz chegou a emagrecer devido à inquietação em que andava. A ama da casa, Melânia, afirmava que ele estava endemoninhado e borrifava-o com água que lhe atirava dum canto da casa. Nesta proveitosa operação tomava parte também Praskóvia Ilínichna. Mas nem isso serviu de nada. Não havia poder contra uma coisa daquelas!

— Diabos levem o touro! — exclamava Falálei por seu lado. — Todas as noites hei de sonhar com ele! Pois eu, todas as noites antes de me deitar, rezo: "Que não sonhe com o touro branco, que não sonhe com o touro branco!". E de repente, não sei como, ele está em cima de mim, o malvado, muito gordo, com uns chifres tamanhos que metem medo, ui, ui, ui!

O meu tio estava desesperado. Mas felizmente Fomá Fomitch pareceu esquecer-se de repente do touro branco. No entanto ninguém pensava que Fomá

Fomitch pudesse esquecer-se de uma coisa importante. Convencemo-nos todos, com grande desgosto de que guardaria o touro branco de reserva, para largá-lo na primeira oportunidade. Mas aconteceu que até à data da minha chegada Fomá Fomitch não voltara a soltar o touro branco. Outros assuntos, outras preocupações e outros pensamentos buliam na sua fecunda e engenhosa cachimônia. Eis aqui por que deixou respirar em paz a Falálei. E ao mesmo tempo que Falálei, todos respiravam em paz. O moço recuperou a alegria e chegou a esquecer-se por completo do passado. O touro branco começou a aparecer com menos frequência nos seus sonhos, embora uma vez por outra o rapazinho se lembrasse da sua fantástica existência. Em suma: tudo teria corrido às mil maravilhas se no mundo não existisse a *kamárinskaia*.

É preciso que se saiba que Falálei dançava muito bem; era esta a sua graça principal, o seu dom inato; bailava com um brio e uma alegria extraordinários; mas o que ele dançava melhor era a dança do mujique de Kamarinsk. E não era que achasse muita graça à estouvadice, às insensatas ações desse aturdido camponês; não, apenas gostava de dançar a *kamárinskaia* porque ouvir essa música e não começar a dançar era-lhe absolutamente impossível. Às vezes; à noite, dois ou três lacaios, o cocheiro e o jardineiro, que tocava violino, e também algumas moças, reuniam-se, formando círculo em qualquer lugar, num pequeno campo, por detrás das cavalariças dos senhores, e o mais longe possível de Fomá Fomitch. Começavam a tocar e a dançar e, por fim, solenemente, lá chegava também a vez da *kamárinskaia*. A orquestra compunha-se de duas balalaicas, uma guitarra, um violino e um tamborim, no qual batia muito bem Mitiúchka, o moço de recados. Era digno de ver-se o que acontecia então a Falálei: punha-se a dançar até esquecer-se de tudo, até esgotar as últimas forças, excitado pelos risos e pelos gritos da assistência. Soluçava, gritava, ria, batia palmas; bailava como se uma força estranha o arrastasse, incompreensível, à qual não pudesse resistir e que o obrigasse a acelerar cada vez mais o ritmo da sua dança furiosa, ferindo o solo com os tacões. Eram esses os momentos do seu maior entusiasmo e tudo teria corrido bem se não tivesse chegado finalmente aos ouvidos de Fomá Fomitch o caso da *kamárinskaia*.

Fomá Fomitch ficou furioso e mandou imediatamente chamar o coronel.

— Eu só queria que me dissesse uma coisa, coronel — começou Fomá. — Jurou acabar com o resto de juízo deste pobre idiota? Se assim for, eu sairei imediatamente desta casa; se não, eu....

— Mas a propósito de que vem isso? Que aconteceu? — perguntou o meu tio assombrado.

— Que aconteceu? Então o senhor não sabe que este franganote dança a *kamárinskaia?*

— Bem... e que tem isso? — perguntou o meu tio.

— Que tem isso?! — exclamou Fomá. — Ainda o pergunta! O senhor é o seu amo e em certo sentido também o seu pai! Então nessa idade ainda não sabe o que é a *kamárinskaia?* O senhor não saberá, por acaso, que essa dança representa, secundada pela letra, um camponês grosseiro que se embriaga e comete depois todo o gênero de atentados contra a moral? O senhor não sabe o que fez esse velhaco manhoso? Pois rompeu os mais estimados, os mais sagrados laços, espezinhou-os com os seus sapatões de ganhão acostumado a pisar somente o chão da taberna. O senhor não percebe que com essa resposta me inflige uma terrível ofensa? Compreende ou não?

— Mas, Fomá... Lembre-se de que se trata apenas de uma canção...

— Apenas de uma canção! E o senhor não tem vergonha de confessar que conhece essa canção? O senhor, um membro da boa sociedade, um pai de filhos delicados e inocentes, e ainda por cima, coronel! Apenas uma canção! Mas eu tenho a certeza de que essa cançoneta nasceu de algum acontecimento real! Apenas uma canção! Mas qual é a pessoa decente que pode, — sem morrer de vergonha, confessar que conhece essa canção, que ouviu alguma vez essa canção? Qual a pessoa decente?

— Sim, mas pelo visto tu também a conheces, uma vez que perguntas isso — respondeu o meu tio ingenuamente aparvalhado.

— Quê?! Eu a conheço? Eu... Eu... Aí está. Já me ofendeu! — exclamou de, repente Fomá e deu um salto da cadeira, trêmulo de cólera. Nunca teria esperado uma resposta tão esmagadora.

Não é necessário descrever a cólera de Fomá Fomitch. O coronel foi ignominiosamente afastado da vista daquele paladino da moral, pela incongruência e pela estupidez da sua resposta. Mas a partir daí Fomá Fomitch jurou a si próprio estudar a maneira de apanhar Falálei com a boca na botija, isto é, dançando a *kamárinskaia*. À noite, quando todos estavam entretidos com qualquer coisa, ele saía cautelosamente para o jardim, dava a volta à horta e escondia-se num matagal, donde podia ver ao longe o pequeno campo onde se fazia a tal dança. Daí espiava o pobre Falálei, como o caçador espia o pássaro, imaginando com deleite o escândalo que, se se saísse bem do seu estratagema, poderia armar perante todos, e principalmente perante o coronel. Até que por fim o êxito veio coroar os seus aturados esforços. O rapaz lá estava, dançando a *kamárinskaia*. Depois disto poderá compreender-se como não teria ficado o coronel com os cabelos em pé, quando viu o sovado Falálei, e ouviu Vidopliássov anunciar Fomá Fomitch, que de maneira tão inesperada e em tão crítico momento se apresentava em pessoa diante dos nossos olhos.

Capítulo VII / Fomá Fomitch

Contemplei o homem com a maior curiosidade. Gavrila teve uma frase justa ao descrevê-lo como uma fraca figura. Fomá era baixinho, louro mas já grisalho, o nariz acavalado e pequenas rugas espalhadas por todo o rosto. A meio da barbicha tinha um grande sinal. Andava pelos cinquenta anos. Entrou na sala muito devagar, com um passo lento e de olhos baixos. O rosto e toda a sua pedante figura denotavam a mais insolente fatuidade. Com grande assombro meu, apresentou-se de roupão, é certo que um ótimo roupão de corte estrangeiro, mas, em última análise, de roupão, e além disso também de chinelos. Trazia a gola da camisa aberta à *l'enfant*, o que dava a Fomá Fomitch um aspecto aparvalhado. Caminhou para uma cadeira vaga, aproximou-a da mesa e sentou-se sem dizer palavra. Imediatamente se acalmou todo aquele burburinho, toda a agitação que ali reinava minutos antes. Fez-se um silêncio tão profundo que podia ouvir-se o voo duma mosca. A generala acalmou-se e ficou mansa como um cordeiro. Toda a submissão de escrava daquela pobre louca para com Fomá Fomitch ficou bem à vista, Não tirava os olhos do seu favorito, estava suspensa de um olhar seu. A menina Pieriepelítsina, mostrando os dentes, esfregava as mãos, e a pobre Praskóvia Ilínichna tremia de medo.

— Chá, chá! Mas um bocadinho mais doce, porque Fomá Fomitch, depois da sesta, gosta dele mais doce... Não é verdade, Fomá Fomitch?

— Quero lá saber de chá, agora! — exclamou depois Fomá e com um gesto de dignidade ressentida recusou a oferta. — A senhora é que gosta de tudo doce demais!

Aquelas palavras e a entrada de Fomá Fomitch na sala, de um ridículo inverossímil devido à sua solenidade pedante, despertaram em mim um interesse extraordinário. Sentia curiosidade para ver até onde podia chegar o descaramento daquele homenzinho tão pegado a si mesmo.

— Fomá! — disse o meu tio. — Apresento-te o meu sobrinho, Sierguiéi Alieksándrovitch! Acaba de chegar!

Fomá Fomitch olhou-me dos pés à cabeça.

— É assombroso como o senhor, coronel, se compraz em me cortar sempre a palavra de um modo sistemático — continuou depois de um silêncio significativo, sem dedicar-me a menor atenção. — Estava a falar-lhe de um assunto sério e o senhor começa a falar... sabe Deus de quê... Não viu Falálei?

— Vi sim, Fomá...

— Oh! viu? Bem, pois se o viu não tenho nada a dizer-lhe. Pode sentir-se ufano do resultado... Em sentido moral! Vem cá, idiota! Aproxima-te, boneco holandês! Não tenhas medo!

Falálei avançou, soluçando, de boca entreaberta e bebendo as lágrimas. Fomá Fomitch contemplava-o com gozo.

— Foi intencionalmente que eu lhe chamei boneco holandês, Páviel Siemiônitch — observou, recostando-se na cadeira e inclinando-se levemente para Obnóskin, sentado à sua esquerda. — De maneira geral já sabe que não sou partidário de que ninguém suavize a sua maneira de falar seja em que caso for. A verdade, em primeiro lugar. Pois podem tapar o lodo com o que quiserem: será sempre lodo. Para que tornar as coisas mais bonitas do que são? Para que enganar-se a si próprio e enganar os outros? Só no estúpido toutiço de um homem da chamada alta sociedade podia caber o desejo dessas absurdas regras de conveniência. Diga-me, faço-o minha testemunha: encontra qualquer coisa de belo neste boneco? Quero dizer, qualquer coisa de elevado, de distinto, de admirável... e, como costuma dizer-se, qualquer coisa de bonito?

Fomá Fomitch falava devagar, serenamente e com certa indiferença elegante.

— Alguma coisa de belo, nele? — respondeu Obnóskin com um desdém insultante. — A mim parece-me apenas um bocado de bife e nada mais...

— Hoje me aproximei do espelho e olhei para mim — continuou Fomá, omitindo o eu por dignidade. — Evidentemente que nunca me considerei bonito, mas contra minha vontade cheguei à conclusão de que há contudo qualquer coisa nestes olhos cinzentos que me distinguem de um Falálei. Que pensamento, que vida, quanta alma neste olhar! Não o digo por vaidade. Falo, em termos gerais, da minha pessoa. E agora me diga o senhor: pode haver sequer um átomo de alma nesse pedaço de carne vivente? Não, não pode; repare, Páviel Siemiônitch, como nestas criaturas, absolutamente desprovidas de ideias e de ideais, e que apenas comem carne de vitela, como nelas é sempre repugnantemente fresco o tom do seu rosto, de uma frescura ostensiva e estúpida. Quer ver até onde vai a sua capacidade de pensar? Vamos ver este caso! Aproxima-te mais, vem cá para seres examinado! Por que abres assim a boca? Queres engolir alguma baleia? És bonito? responde: tu és bonito?

— Bo...ni...to! — respondeu Falálei com soluços reprimidos.

— Ouviu? — continuou Fomá dirigindo-se triunfalmente a Obnóskin. — Pois ainda lhe há de ouvir outras coisas! Estou disposto a submetê-lo a um exame. Pode ver, Páviel Siemiônitch, há pessoas que se comprazem em corromper e arruinar este pobre idiota. Talvez eu julgue com demasiada severidade ou me engane; mas falo por amor à Humanidade. Este boneco acabou agora mesmo de dançar a mais ordinária das danças, E parece que, aqui, não há ninguém que se importe com isso. Faça o favor de escutar... Responde: que estavas tu fazendo há pouco? Responde, responde imediatamente... Ouviste?

— Estava dançando — exclamou Falálei contendo os soluços.

— E que dançavas tu? Que dança era? Diz.

— A *kamárinskaia*.

— A *kamárinskaia!* Que dança vem a ser essa? Que é isso de *kamárinskaia?* Pode saber-se alguma coisa desta resposta? Vejamos: dá-nos uma ideia do que é essa tua *kamárinskaia!*

— Um cam... po... nês...

— Um camponês! Só um camponês? É espantoso! Com certeza deve ser um camponês célebre! Quer dizer que, uma vez posto em verso e em danças, é porque deve ser um mujique famoso! Vamos, responde!

Torturar o próximo... era uma necessidade para Fomá. Entretinha-se a brincar com a sua vítima como o gato com o rato; mas Falálei calava, soluçava e não compreendia a pergunta.

— Vamos, responde! — insiste Fomá. — Perguntaram-te quem era esse mujique! Fala, de uma vez! Era servo da gleba ou da Coroa, era livre, servo, ou da Economia?[7] Há mujiques de mujiques...

— Da Economia.

— Ah, era da Economia! Está ouvindo, Páviel Siemiônitch? Um novo acontecimento histórico: o mujique de Kamarinsk era... da Economia. Hum! Bem. E que fazia esse tal mujique econômico? Que proezas fez ele para ter ficado memória sua em canções e bailados?

A pergunta era grave e, dirigida a Falálei, perigosa.

— Vamos... o senhor... no entanto... — observou Obnóskin olhando de soslaio para a mãe, que começava a remexer-se no divã, de um modo estranho. Mas que podia ser feito? Os caprichos de Fomá Fomitch tinham força de lei.

— Por favor, tio, é melhor deter a língua a esse pedante... Repare no seu atrevimento... É capaz de obrigar Falálei a dizer alguma tolice, com certeza — murmurei

---

7 Categoria de servos pertencentes aos mosteiros.

ao ouvido do meu tio, transtornado e sem saber o que fazer.

— Fomá, se tu... — balbuciou. — Olha, apresento-te o meu sobrinho, este rapaz, que se dedica à mineralogia...

— Torno a pedir-lhe, coronel, não me interrompa com a sua mineralogia, da qual o senhor não sabe palavra e que talvez muitos outros ignorem também. Não sou nenhuma criança. Ele vai responder-me que o tal mujique, em vez de preocupar-se com o bem dos filhos, se dedicava a esvaziar copos na taberna e depois vinha para a rua caindo de bêbado. É a isto que se reduz o argumento desse poema, uma glorificação da bebida. Não se preocupe que ele já sabe o que há de responder... Vamos lá, responde: que fazia o tal mujique? Olha que eu já o disse, já te preparei a papinha. Mas quero ouvi-lo da tua boca: que fazia ele, por que se tornou célebre, por que alcançou essa glória imortal que agora celebram os versejadores?

O desventurado Falálei olhou angustiosamente à sua volta e, sem saber o que dizer, abria e fechava a boca como um peixe fora da água e posto sobre a areia.

— Tenho vergonha de di...zer! — gemeu por fim, profundamente consternado.

— Ah, tens vergonha de dizer! — exclamou Fomá triunfante. — Já esperava esta resposta, coronel! Tem vergonha de dizer mas não tem de fazer. Foi esta a moral que o senhor pôs na sua alma, que ele tem já bem enraizada e que o senhor continua a infundir-lhe! Mas para que gastar mais saliva? Podes ir para a cozinha, Falálei! Não te direi mais nada, por consideração pelos presentes; ainda hoje hás de receber um castigo implacável e doloroso. Se assim não for, se desta vez preferirem agradar-te e não a mim, nesse caso podes ficar aqui divertindo os teus senhores com a *kamárinskaia*. Eu não permanecerei nem mais um dia nesta casa. Estou farto. Está dito. Vai-te!

— Esta parece-me um pouco forte demais — murmurou Obnóskin.

— É verdade! — exclamou o meu tio, mas interrompeu-se e não continuou. Fomá lançou-lhe um olhar terrível.

— Há uma coisa que me espanta, Páviel Siemiônitch — continuou Fomá. — Que fazem afinal todos esses literatos, poetas, homens cultos e pensadores do nosso tempo? Não reparam nas canções que o povo russo canta e a que letra adapta os seus bailados esse mesmo povo russo? Que fizeram até o dia de hoje esses Púchkini, Liémontoves e Borodini? O povo dança a *kamárinskaia,* essa apoteose da bebedeira, enquanto eles cantam *Não me esqueças*. Por que motivo não compõem, em vez disso, canções decentes para que o povo as cante e eles deixem em paz os seus botequins? Eis aqui um problema social! Que me descrevam um mujique, mas que seja um mujique enobrecido, um lavrador, e não um mujique. Que me descrevam este bom aldeão em toda a sua simplicidade, inclusive com os seus *lápti*... Eu nada teria a dizer... Mas ao mesmo tempo que o descrevam ornado dessas virtudes pelas quais — atrevo-me a dizer — poderia incutir inveja ao próprio Alexandre da Macedônia... Conheço a Rússia e a Rússia me conhece, e é por isso que falo assim. Que nos pintem esse mujique, carregado de filhos e de cãs, numa úmida isbá, agrilhoado pela fome até, mas contente e bem disposto, fazendo alarde na sua pobreza e cheio de desdém pelo ouro dos ricos. Admitamos mesmo que o rico, comovido, lhe leve o seu ouro... e admitamos também que nesta ocasião me preocupa a união de virtudes do mujique com as do seu senhor, ou melhor, do aristocrata nato. O aldeão e o aristocrata, tão distanciados na escala social, unidos enfim na virtude... Que ideia sublime! Mas, em vez disso, que vemos nós? De um lado, botequins, e de outro... visitas às tabernas de onde saem depois bêbados cá para fora! Ora digam-me lá se isto tem alguma coisa de poético? De que se envaidecem? Onde está o talento? Onde a graça? Onde a moral? Eu não as vejo!

— Devo-te cem rublos, Fomá Fomitch, pelo que acabas de dizer! — exclamou Ietchóvkin ao que parece muito entusiasmado. — Espera lá por essa! Nem um copeque furado! — murmurou depois ao meu ouvido. — Adula, meu amigo, adula!

— Sim, senhor, falou muito bem — concordou Obnóskin.

— É verdade, é verdade, é verdade! — exclamou o meu tio que escutara tudo aquilo com uma atenção vivíssima e lançando-me de vez em quando olhares triunfantes. — Olha o tema em que ele tocou, hem? — disse-me discretamente ao ouvido enquanto esfregava as mãos muito satisfeito. — Palavras profundas as tuas, Fomá Fomitch. Olha, aqui está o meu sobrinho — acrescentou num impulso comovido. — Ele também se dedica à literatura... Tenho o prazer de apresentá-lo a ti.

Tal como antes, também dessa vez Fomá Fomitch não ligou importância à minha pessoa nem à apresentação do meu tio.

— Por amor de Deus não me apresente mais! Peço-lhe a sério — disse eu em voz baixa ao meu tio, com um gesto enérgico.

— Ivan Ivânitch! — começou Fomá de repente, encarando com Mizíntchikov e olhando-o de frente. — Eu já falei, e o senhor o que pensa?

— Eu? Pergunta-me a mim? — inquiriu Mizíntchikov com ar de quem acaba de acordar.

— Sim, ao senhor. Se lhe pergunto é porque dou grande apreço às pessoas de talento positivo e não a esses indivíduos de uma cultura problemática, que só têm talento porque estão continuamente falando dele e de cultura, e que às vezes importunam intencionalmente uma pessoa só para poderem exibi-los em alguma feira ou coisa parecida.

Essa pedra vinha, evidentemente, contra o meu telhado. Eu não tinha a menor dúvida de que toda aquela arenga de Fomá Fomitch, juntamente com o fato de ele não me ter dedicado a menor atenção, com todo aquele discurso a propósito de literatura, eram exclusivamente dirigidos contra mim com o objetivo de fazer esbarrar, de aniquilar e destruir de uma vez, desde o seu primeiro passo, o petersburguês culto e inteligente. Eu não tinha a menor dúvida a este respeito.

— Se quer que lhe diga a minha opinião... Olhe, nada, estou de acordo com a sua — respondeu Mizíntchkov com indolência e aborrecimento.

— Estão todos de acordo comigo! É para uma pessoa sentir-se vaidosa! — observou Fomá Fomitch. — Digo-lhe com franqueza, Páviel Siemiônitch — continuou depois de uma pausa, dirigindo-se de novo a Obnóskin. — Se por alguma coisa respeito ao imortal Karamzin, não é pela sua história. nem pela sua *Marfa Possádnitsa*, mas unicamente por ter escrito *A velha e a nova Rússia*, unicamente por ter escrito *Frol Silin*, essa epopeia sublime. Essa obra sua honra a raça e há de ficar ao longo dos séculos. É uma epopeia sublime!

— Isso mesmo, isso mesmo, isso mesmo! É uma epopeia sublime! Frol Silin, que homem generoso! Lembro-me de a ter lido, que o herói deu liberdade a duas donzelas, e depois ergueu os olhos ao céu e chorou. Que gesto sublime! — exclamou o meu tio radiante de satisfação.

Pobre tio. Nunca podia dominar-se para não intervir num diálogo "culto". Fomá sorriu maliciosamente mas não disse nada.

— Aliás, hoje, também se escrevem boas coisas — observou prudentemente Anfissa Pietróvna. — Por exemplo, aí têm os senhores *Os segredos de Bruxelas*.

— Não digo que não — disse Fomá, condescendente. — Ainda há pouco li um poema... Como se chama ele? Ah, sim! *Não me esqueças*. Mas, para lhes dizer a verdade, de todas as coisas modernas, o que me agrada mais é *O copista*, uma pena leve!

— *O copista*! — exclamou Anfissa Pietróvna. — É esse que escreve cartas para os jornais? É encantador! Que jogos de palavras!

— É assim mesmo: jogos de palavras. Ele brinca, como se costuma dizer, com a pena. Tem uma pena de uma leveza extraordinária.

— Sim, mas é um pedante — observou repentinamente Obnóskin.

— Pedante... não discuto; mas que pedante simpático e gracioso! Não há dúvida de que, no fundo, nenhuma das suas ideias poderia resistir ao embate da crítica; mas a verdade é que arrebata as pessoas com a sua leveza. Palavreado puro... concordo; mas um palavreado simpático, um palavreado gracioso. Lembra-se daquele artigo em que ele dizia que também possuía propriedades?

— Propriedades? — exclamou o meu tio. — Isso está bem.. E em que distrito?

Fomá deteve-se, olhou fixamente para o meu tio e continuou neste tom:

— Bem, agora me diga, em nome da sã razão: que me interessa a mim, leitor, saber que esse senhor tem propriedades? Se assim é... ainda bem! Mas com que donaire, com que talento ele escreve! Chispa talento, torrentes de talento! Assim, assim é que se deve escrever! Penso que seria assim que escreveria se me desse para colaborar nos jornais...

— Assim e talvez ainda melhor — observou respeitosamente Ietchóvkin.

— Tem até qualquer coisa de melodioso no estilo — insistiu o meu tio.

Fomá Fomitch, por fim, não pôde conter-se.

— Coronel! — exclamou. — Permita-me que lhe peça, de uma vez para sempre, com a maior delicadeza, que não se meta na nossa conversa e nos deixe terminá-la em paz. O senhor não pode dar opiniões acerca daquilo em que falamos; não pode, não senhor. Não estrague o nosso amável colóquio. Preocupe-se com os assuntos da casa, beba chá, mas deixe a literatura tranquila... que não perderá nada com isso, garanto-lhe.

Isto era o cúmulo da insolência. Eu não sabia o que havia de pensar.

— Fôste tu próprio que disseste, Fomá, que o estilo dele é melodioso — disse o meu tio atrapalhado, procurando defender-se.

— É verdade. Mas eu falava com conhecimento de causa, com base, ao passo que o senhor...

— É verdade: nós dizemo-lo com inteligência — ponderou Ietchóvkin, que lisonjeava descaradamente Fomá Fomitch. — Porque nós somos muito inteligentes e, se for preciso, ainda podemos emprestar alguma aos outros, pois a que temos chega para dois ministérios e, talvez, ainda podíamos fornecer dela um terceiro. É para que se veja como nós somos!

— Bem... lá disse eu outra tolice — concluiu o meu tio, sorrindo com a sua bonacheirice habitual.

— Ainda bem que o reconhece — observou Fomá Fomitch.

— Não, não, Fomá, eu não me zango. Sei que tu, como os outros, me tratam como uma pessoa de família, como a um irmão. E isso, não só te permito como até peço. Acho isso muito bem, mesmo muito bem! Isso, para mim, é conveniente. Agradeço-vos, porque assim posso corrigir-me!

A minha paciência estava quase esgotada. Tudo quanto até então ouvira dizer de Fomá Fomitch parecia-me um tanto exagerado. Mas agora via tudo por mim próprio, o meu assombro não reconhecia limites. Não queria acreditar naquilo que via e ouvia; não podia compreender tamanha insolência, tão grande fatuidade, de um lado, e tão voluntária submissão, tão dócil conformidade do outro. Até o meu tio parecia espantado daquela ousadia. Saltava à vista que aquilo era por causa de... Eu ansiava ardentemente por ter algum atrito com Fomá, bater-me de algum modo com ele, dizer-lhe duas coisas... acontecesse depois o que acontecesse. Este pensamento punha-me num desassossego. Procurava uma ocasião propícia e, enquanto ela não chegava, machuquei completamente a aba do meu chapéu. Mas a ocasião não se apresentou; Fomá não queria, decididamente, reparar em mim.

— Tens razão, tens razão, Fomá — continuou o meu tio, procurando justificar-se com o maior empenho e, de certo modo, reparar a aspereza das suas palavras anteriores. — Tiveste muita razão em dizer isso, Fomá. Agradeço-te. Para apreciar um assunto é preciso conhecê-lo primeiro. Lamento. Não é a primeira vez que isto me acontece. Calcula tu, Sierguiéi, que uma vez até examinei... Dás risada? Bom! Mas juro-te que examinei. Convidaram-me para um estabelecimento de ensino, para que assistisse aos exames e me sentasse entre os examinadores, por atenção para comigo, pois havia um lugar de sobra. E confesso-te que tive medo e me vi aflito, pois não sei uma palavra de nenhuma ciência. Mas que havia eu de fazer? Caíste na ratoeira... Mas depois... não aconteceu nada, tudo correu lindamente; abalancei-me até a fazer pequenas perguntas aos examinandos, como por exemplo: "Quem foi Noé?". De maneira geral respondiam muito bem; depois almoçamos e bebemos champanhe pelo êxito do estabelecimento. E por sinal que era bem bom!

Fomá Fomitch e Obnóskin riram.

— Eu, depois também dei risada — exclamou o meu tio sorrindo da maneira mais bonacheirona, muito contente por ver os outros também contentes. — Deixa estar, Fomá, que ainda os hei de fazer rir mais. Vou contar-lhes o fiasco em que incorri uma vez... Calcula Sierguiéi, que nós estávamos em Krasnogorsk...

— Permita-me uma pergunta, coronel: é muito comprida essa história? — interrompeu-o Fomá.

— Ah, Fomá! É que se trata de uma história muito estranha, absolutamente para morrer de riso. Cala-te e escuta; juro-te que vale a pena. Vou contar o meu fiasco.

— Eu escuto sempre com muito prazer as suas histórias quando são desse gênero — disse Obnóskin bocejando.

— É escusado; temos de ouvi-la — disse Fomá.

— Bom. Juro-te que vale a pena, Fomá. Vou contar o meu fiasco, Anfissa Pietróvna. Escuta tu também, Sierguiéi, que é urna coisa instrutiva. Estávamos em Krasnogorsk — começou o meu tio radiante de satisfação, atropelando e comendo as palavras, e empregando intermináveis preâmbulos, como fazia sempre que se punha a contar alguma coisa para distrair a tertúlia. — Acabara eu de chegar ali, quando, naquela mesma noite, fui até o teatro. A primeira atriz era a Kuropátki-na, uma mulher lindíssima, que ainda antes de ter terminado o espetáculo fugiu com Zvierkov, o professor de equitação, de maneira que tiveram de descer o pano... Quero avisar que o tal Zvierkov era uma besta, bebia e jogava cartas, e não era na verdade nenhum bêbado, mas estava sempre disposto a passar horas com os companheiros. Agora, quando se embebedava, esquecia-se de tudo: do lugar onde vivia, em que país, como se chamava... Numa palavra, de tudo, embora no fundo fosse um bom rapaz... Bem, pois eu tinha ido ao teatro. No intervalo levanto-me do meu lugar e venho até ao corredor, onde encontro o meu antigo companheiro Kornukov. Por sinal um rapaz muito simpático. Havia seis anos não nos víamos. Estivera numa campanha militar e trazia o peito coberto de cruzes; agora, segundo me disseram não há muito, é conselheiro de Estado; ingressou na burocracia e há de vir a ocupar altos cargos... Bem. Como é natural ficamos muito contentes por nos termos encontrado. Falamos de muitas coisas. Ora muito bem: à nossa direita, num camarote, havia três senhoras; a da esquerda tinha a cara mais horrível que se possa imaginar... Soube depois que era uma excelente mulher, mãe de família e que tem feito o marido muita feliz... Bom. Pois eu, como um imbecil, vou e pergunto a Kornukov: "Ora diz-me lá, meu amigo, sabes que gênero de estafermo é aquele?". "A quem te referes?" "Aquela." "Ah, sim, é a minha prima!" "Ó diabo!" Imaginem a minha situação! Então, para remediar o erro, disse-lhe: "Não, meu caro, não me referia a essa. Olha bem. Referia-me àquela que está sentada ao lado; quem é?". "Essa é a minha irmã." Ó diacho, que fiasco! A irmã, de fato, era um verdadeiro botão de rosa, muito bonita e bem vestida; toda enfeitada com pulseirinhas de ouro, fitas e rendas; numa palavra, parecia um anjo. Veio a casar-se com um bom homem, um tal Píktin. Fugiu com ele e depois casou-se sem o consentimento dos pais; mas agora já tudo se arranjou, vivem muito bem, e os pais, estão felicíssimos... Bem. Pois como ia contando, depois virei-me para o meu amigo e disse: "Não, homem, não dizia essa — a verdade é que eu já não sabia o que havia de fazer — não dizia essa". "Então é a do meio, não?" "Isso mesmo, a do meio!" "Essa, meu caro; é a minha mulher!" Aqui para nós, era um autêntico mimo e não uma mulher. Dava até vontade de comê-la. "Bem — disse eu então ao meu amigo — já viste um burro alguma vez? Pois olha: aqui tens um ao teu lado, junto de ti; e a sua cabeça está à tua disposição; bate sem medo." Ele desatou a rir. Depois do espetáculo apresentou-me à família e provavelmente já lhes teria contado o meu fiasco. Como nós nos rimos todos! Nunca na minha vida passei um momento tão divertido! E para que vejas, Fomá, os disparates que uma pessoa pode fazer! Ah, ah, ah!

Em vão se riu o meu pobre tio, em vão relanceou à sua volta o olhar jovial e bonacheirão: um silêncio de morte foi a resposta à sua divertida história. Fomá Fomitch conservava-se num silêncio severo e os outros faziam o mesmo; apenas Obnóskin sorriu brevemente, pressentindo sem dúvida a descompostura que aguardava o meu tio. Este ficou muito atrapalhado e pôs-se vermelho como um tomate. Era precisamente o que Fomá queria.

— Já acabou? — perguntou-lhe por fim, dirigindo-se com muita gravidade ao desconcertado narrador.

— Sim, acabei, Fomá.

— E então, sente-se vaidoso?

— Como vaidoso, Fomá? — exclamou quase compungido o meu tio.

— Sente-se agora mais leve? Sente-se satisfeito por ter interrompido uma agradável sessão literária entre amigos, apenas com o fim de dar pasto ao seu excessivo amor-próprio?

— Basta; não continue, Fomá! A única coisa que eu pretendia era divertir-vos, e tu...

— Divertir-nos? — exclamou Fomá subitamente excitado. — Mas se aquilo para que o senhor tem jeito é para amargurar a vida de uma pessoa e não para diverti-la! Divertir! Não percebe o senhor que essa historieta que contou é quase imoral? Não preciso dizer por que, seria inconveniente... aliás é bem claro... O senhor acaba de contar-nos, alardeando uma lamentável rudeza de sentimentos, como foi capaz de troçar de uma senhora digna e distinta, apenas porque ela não teve a honra de agradar-lhe. E também queria que nós, que nós também troçássemos dela; isto é, queria fazer com que aplaudíssemos o seu procedimento grosseiro e vulgar, e tudo pela simples razão de ser o dono desta casa. O senhor pode fazer o que quiser, coronel, pode arranjar uma corte de parasitas, de aduladores e mais gente da mesma casta; pode até fazê-los vir de países longínquos para aumentar a sua corte, com prejuízo da sensatez e da nobreza de alma; mas nunca Fomá Fomitch será o seu adulador nem o seu parasita. Disso pode estar o senhor certo...

— Mas, Fomá, não te zangues assim comigo, Fomá?

— Não, coronel; já, há muito tempo que o conheço, que leio no seu íntimo. O senhor possui um amor-próprio sem limites; tem a pretensão de possuir um espírito irresistível e esquece-se de que essa própria pretensão o impede de tê-lo. O senhor...

— Chega, Fomá, pelo amor de Deus! Envergonhas uma pessoa!

— É que é muito triste ver tudo isto e, depois de ter visto, uma pessoa não pode calar-se. Sou pobre, vivo em casa da senhora sua mãe. Podem julgar que pretendo lisonjeá-lo com o meu silêncio, e não quero que qualquer fedelho possa tomar-me por um parasita seu. Talvez eu, ao entrar aqui esta tarde, tenha recalcado intencionalmente a minha legítima franqueza, talvez me tenha visto obrigado a incorrer quase em grosseria, devido precisamente a que o senhor me coloca nesse transe. O senhor trata-me com demasiada desconsideração, coronel. A avaliar pela sua maneira de conduzir-se comigo, poderiam tomar-me por um parasita da sua mesa. O senhor parece comprazer-se em humilhar-me perante desconhecidos, quando eu sou seu igual, está ouvindo? Sou igual em todos os pontos de vista. Pode ser que seja eu quem lhe faça um favor em viver em sua casa, e não o senhor a mim. A mim humilham-me; depois eu tenho de me fazer valer... O que é muito legítimo. Eu não posso calar-me, tenho de falar, tenho de protestar imediatamente, para dizer-lhe franca e lealmente que o senhor é fenomenalmente invejoso. O senhor vê, por exemplo, que uma pessoa com a sua conversa simples e afável, evidencia a sua cultura, o seu saber e o seu bom gosto; pois logo aí o temos a morder-se todo por dentro e a dizer para consigo: "Pois também eu vou demonstrar a minha ilustração e o meu bom gosto." E qual é esse seu bom gosto, se me permite a pergunta? A respeito de bom gosto o senhor percebe tanto como, por exemplo, um bocado de carne de vitela. Isto é duro, violento, reconheço-o; mas ao menos é franco e justo. Estas coisas não as ouve aos seus aduladores, coronel.

— Mas... Fomá!

— Deixe-se, de tantos "Mas, Fomá!". Já sabemos que a verdade é amarga. Mas está bem, deixemos a questão para depois; agora permita-me a mim também que eu faça por divertir estes senhores. O senhor não pode açambarcar todas as oportunidades de brilhar. Páviel Siemiônitch, já alguma vez viu, porventura, um monstro marinho com forma humana? Eu, já há algum tempo que o estou admirando. Olhe para ele, olhe como quer comer-me com os olhos...

Voltara-se agora para Gavrila. O velho criado estava de pé diante dele e, efetivamente, via com pesar como troçavam de seu amo.

— Quero que goze também este espetáculo, Páviel Siemiônitch. Ora vamos lá, fantasma, chega-te aqui! Digna-te aproximar-te mais, Gavrila Ignátitch! Ora aqui tem Gavrila, Páviel Siemiônitch; como castigo da sua estupidez, pusemo-lo a estudar francês. Eu, tal como Orfeu, também amansei estas feras, apenas, em vez da música emprego o francês. Ora vamos lá, *franciú, messiú* Chematon — ele fica desesperado quando o chamam *messiú* Chematon — já sabes a lição?

— Já, sim, senhor — respondeu Gavrila baixando a cabeça.

— E *parlé vú fransé?*

— *Guí, messiú, je li parle an pu...*[8]

Não sei se a triste figura de Gavrila ao pronunciar aquelas frases francesas seria a causa, ou se o teriam feito para agradar a Fomá; o certo é que todos desataram a rir assim que Gavrila começou a abrir a boca. Até a generala se dignou sorrir. Anfissa Pietróvna deixou-se cair sobre o espaldar do divã, soluçando e guinchando de riso. Mas aquelas risadas gerais fizeram com que Gavrila, ao ver qual era a finalidade do exame, não pudesse conter-se e murmurasse com desgosto:

— Vejam ao que eu cheguei na minha velhice!

Fomá Fomitch deu um pulo:

— Que é isso? Que disseste? Atreves-te a resmungar?

— Não, Fomá Fomitch — respondeu Gavrila com dignidade — não disse uma palavra, pois eu não devo abrir a boca na tua frente, que és um senhor. Mas todos os homens são feitos à imagem e semelhança de Deus. Eu já fiz sessenta e três anos. O meu pai ainda se lembrava de Pugátchov,[9] e o meu avô, juntamente com o seu amo, Matviéi Nikititch que Deus tenha em Sua glória — e também com o senhor Pugátchov, morreu na forca, e por isso o falecido senhor, Afanássi Matviéievitch, o tinha em grande apreço; o meu pai serviu-lhe de ajudante de câmara e morreu como camponês livre. Mas eu, senhor Fomá Fomitch, apesar de ser simplesmente o servo dum senhor, nunca tive de sofrer afronta semelhante.

E ao dizer estas últimas palavras Gavrila abriu os braços frouxos e baixou a cabeça.

O meu tio olhava-o inquieto.

— Bem, chega, Gavrila! — exclamou. — Para que tanta tagarelice? Cala essa boca!

— Deixe-o, deixe-o! — interveio Fomá empalidecendo um pouco e sorrindo com esforço. — Que fale. São estes os frutos do seu...

8   Corrupção de: *Parlez vous français?* e de *Oui, monsieur, je le parle un peu...*

9   Cabecilha da insurreição cossaca de 1773. Fez-se passar pelo czar Pedro III, que os rebeldes tinham assassinado, e foi executado na forca em 1775.

— Vou dizer tudo — continuou Gavrila com uma vivacidade desacostumada — e não hei de perdoar nada. Podem me amarrar as mãos, mas não a língua! Já sei, Fomá Fomitch, que eu para ti sou um criado, um ser inferior; mas ainda assim também tenho os meus pontos de honra a defender. Sou obrigado a servir-te e a obedecer-te porque nasci servo e devo cumprir os meus deveres conscientemente e com respeito. Se tu te fechas para escrever um livro, eu tenho a obrigação de ficar de guarda à tua porta e de não deixar entrar ninguém. Se me mandas estudar um livro, eu não devo discutir contigo, porque essa é a minha obrigação, porque esse é o meu dever nesse caso. Servir-te em tudo quanto me mandas: eis aqui o que eu faço com o maior gosto. Mas isso de pôr-me a ladrar no fim da minha vida, como um estrangeiro, de envergonhar-me ainda diante das pessoas, não! Pois o que é certo é que, agora, não posso dar um passo pela aldeia sem que todos me digam: "Diz-nos qualquer coisa, *franciú*, diz-nos qualquer coisa!". Não, senhor Fomá Fomitch, eu não só sou burro, como as pessoas decentes começam já a dizer que o senhor é mau, e que o nosso amo diante do senhor não é mais do que uma criança, e que o senhor embora pelo nascimento seja como o filho dum general, e até pode ser que lhe tenha faltado muito pouco para chegar a isso é, apesar de tudo isso, tão mau como uma fúria.

Gavrila deu por terminados os seus desabafos. Eu estava louco de entusiasmo. Fomá Fomitch mostrava-se pálido de raiva, entre a expectativa geral, e como se não se tivesse ainda apercebido completamente da inesperada arremetida de Gavrila, como se naquele momento estivesse calculando até que ponto devia zangar-se. Por fim a sua cólera estalou:

— Quê?! Atreveu-se a insultar-me! A mim! Mas isto é uma rebelião! — gritou Fomá levantando-se da cadeira.

Atrás dele levantou-se a generala, estendendo os braços. A tempestade ia começar. O meu tio esforçava-se por afastar o culpado Gavrila da vista dos presentes.

— Ponham-lhe as cadeias, cadeias com ele! — gritou a generala. — Levem-no imediatamente para a aldeia e entreguem-no aos soldados, legóruchka! Se não o fizeres, não contas com a minha benção de mãe! Ponham-lhe imediatamente as grilhetas e entreguem-no à tropa!

— Quê! — gritava Fomá. — Escravo! Hamlet! Atrever-se a insultar-me, a mim! Ele, ele é que é um pedaço da sola dos meus sapatos! Atrever-se a chamar-me "fúria"!

Eu me pus de pé com uma resolução inesperada.

— Confesso que neste caso estou completamente de acordo com a opinião de Gavrila — disse eu olhando Fomá Fomitch nos olhos e tremendo de comoção.

Este ficou tão desconcertado com esta investida que, no primeiro momento, parecia nem querer acreditar naquilo que ouvira.

— Também este? — exclamou por fim avançando para mim como um louco furioso e verrumando-me materialmente com os seus olhinhos injetados de sangue. — Quem és tu?

— Fomá Fomitch — exclamou o meu tio completamente desorientado. — É Sierioga, o meu sobrinho.

— Ah, é o tal que é muito "culto"! — grunhiu Fomá. — Então é este o tal que é culto? *Liberté, egalité, fraternité! Journal des Débats!* Não, meu caro, tu mentes! Aqui não é á Saxônia! Aqui não é Petersburgo! Não nos podes enganar! Deixa-me em paz com os teus *débats!* Fica-te aí com os teus *débats,* que nós dizemos: "Vai dar esse osso a roer a outro cão!". Culto! Se tu sabes muito... eu já esqueci sete vezes mais que tudo isso! Olhem a grande cultura!

Se os outros o não tivessem contido, creio que se teria lançado sobre mim, de punhos cerrados.

— Mas este homem está bêbado — exclamei eu olhando perplexo à minha volta.

— Quem? Eu?! — gritou Fomá com uma voz diferente da sua.

— Tu, sim!

— Bêbado?

— Bêbado, sim!

Isso já ele não foi capaz de suportar. Deu um grito, como se lhe tivessem atravessado o corpo e atirou-se para fora da sala. A generala, segundo parecia, queria desmaiar; mas achou preferível correr atrás de Fomá Fomitch. Correram todos atrás dela e, atrás de todos, o meu tio. Quando voltei a mim e olhei à minha volta, vi-me só com Ietchóvkin. O qual sorria e esfregava as mãos...

— Dos jesuítas... Há um momento o senhor me prometeu — disse ele com uma voz aduladora.

— Quê? — perguntei-lhe eu, que já me tinha esquecido daquilo.

— Prometeu falar-me dos jesuítas... referiu-se a não sei que anedota...

Eu saí para o terraço e daí desci até ao jardim. Minha cabeça estava rodando...

Capítulo VIII / Declaração de amor

Haveria já um quarto de hora andava eu às voltas pelo jardim, mal-humorado e aborrecido comigo próprio e perguntando a mim mesmo: "E agora, que hei de fazer?". Era a hora do poente. De súbito, na sombra duma alameda deparei Nástienhka. Havia lágrimas nos seus olhos e trazia nas mãos um lenço, com o qual as enxugava.

— Andava à sua procura — disse-me ela.

— E eu à sua — respondi-lhe. — Diga-me: isto é uma casa de doidos ou estou enganado?

— Não senhor, não é uma casa de doidos — respondeu ela como se tivesse ficado ofendida e olhando-me fixamente.

— Mas se não, como é que podem passar-se coisas destas? Pelo amor de Deus, diga-me qualquer coisa! Para onde foi o meu tio? Posso ir ter com ele? Estou muito contente por tê-la encontrado; talvez possa explicar-me alguma coisa.

— Não, o melhor é ir ter com ele. Eu venho agora de lá.

— Mas onde estão eles?

— Vá-se lá saber! Talvez estejam outra vez na horta — disse, excitada.

— Mas em qual horta?

— Ora escute: a semana passada Fomá pôs-se a gritar que não podia estar fechado em casa, e de repente foi para a horta, encontrou por acaso aí um sacho e pôs-se a cavar a terra. Todos nós ficamos espantados. Teria enlouquecido? "Agora — dizia ele — já não poderão dizer-me que como o seu pão sem fazer nada; ponho-me a cavar a terra, hei de ganhar o pão que aqui comi e depois vou-me embora. É para que se veja a necessidade em que me encontro!" Ouvindo-o, todos se puseram a chorar e quase se ajoelharam e queriam tirar-lhe o sacho; mas ele, sempre a cavar; quase arrancou os nabos todos! Se fez isso uma vez, agora é possível que queira repetir a façanha. É capaz de tudo.

— E conta-me isso, assim, com essa calma! — exclamei eu terrivelmente desgostoso.

Ela me olhou com os seus olhos brilhantes.

— Desculpe, mas eu também já nem sei o que digo! Deixe-me fazer-lhe uma pergunta: sabe para que vim eu aqui?

— Não — respondeu ela corando intensamente e um sentimento de desgosto pareceu refletir-se no seu rosto agradável.

— Desculpe — continuei. — Agora estou nervoso; compreendo que não devia pôr-me a falar disto, especialmente com a senhora... Mas tanto faz! A meu ver, nestes assuntos, a franqueza é o melhor. Confesso... isto é, quero dizer... Está a par das intenções do meu tio? Pois fique sabendo que ele me rogou pedisse a sua mão...

—Oh, que loucura! Não diga uma coisa dessas, por favor! — implorou ela cortando-me a palavra ao mesmo tempo que se ruborizava extraordinariamente.

Fiquei estupefato.

— Mas por que loucura? Foi por isso que ele me escreveu!

— Que lhe escreveu? Ao senhor? — perguntou-me com vivacidade. — Mas como, se me prometera não fazê-lo! Que loucura, que loucura!

— Desculpe — balbuciei sem saber o que havia de dizer. — Talvez tenha sido uma imprudência da minha parte, uma precipitação, mas é que neste momento... Avalie bem: nós estamos rodeados sabe Deus de quê...

— Oh, por amor de Deus, não se desculpe! Acredite que mesmo sem isso me havia de ser sempre doloroso escutar qualquer coisa a esse respeito; entretanto, calcule, eu também desejava falar com o senhor para averiguar alguns pormenores... Ah, que desgosto! Por que havia ele de lembrar-se de escrever-lhe! Era precisamente isso que eu receava! Meu Deus, que homem! E o senhor levou o caso a sério e apressou-se logo a vir! Era só o que faltava!

Não escondia o seu desgosto. A minha situação não era nada invejável.

— Confesso-lhe que não esperava — disse eu no meio da maior perturbação — semelhante acolhimento, e que, pelo contrário, pensava...

— Ah! Que pensava o senhor? — exclamou ela com uma leve ironia, e mordeu levemente os lábios. — Olhe, diga-me uma coisa: que lhe dizia ele nessa carta?

— Bem...

— Não se aborreça comigo, por favor, não se ofenda; eu não preciso disso para ter já bastantes aborrecimentos — disse ela com amargura e ao mesmo tempo um breve sorriso lhe assomou aos lábios encantadores.

— Ah, por favor, não me tome por um imbecil! — exclamei com veemência. — Pode acontecer que esteja prevenida contra mim. Que lhe tivessem falado mal de mim. Talvez pelo arrebatamento que tive há pouco, lá dentro. Mas não falemos disso... Isso não tem importância, afirmo-lhe. Eu próprio penso que devo parecer-lhe um tolo. Por favor, não ria de mim! Já nem sei o que digo... Tudo isto é por causa dos meus vinte e dois anos...

— Oh, meu Deus! E isso que importa?

— Que importa? Quando se tem vinte e dois anos vê-se logo na cara, como aconteceu comigo há pouco, no meio da sala, ou como agora, aqui, na sua frente. Oh, maldita idade!

— Oh, não, não! — respondeu Nástienhka contendo o riso com esforço. — Estou convencida de que o senhor é bom, amável e inteligente, e digo-lhe a sério que lhe falo com o coração nas mãos. Simplesmente... é muito egoísta. Mas disso não pode uma pessoa corrigir-se.

— Parece-me que sou egoísta apenas até onde é preciso.

— Ah, não! Mas há pouco, quando ficou tão sobressaltado... e por quê? Por ter tropeçado quando entrou... Que direito tinha o senhor de rir do seu tio, tão bom, do seu tio tão generoso e do qual só tem recebido bem? Por que pretendia fazê-lo passar por ridículo, quando o senhor também o era? Isso não foi uma coisa vergonhosa, muito mal feita? Isso não o dignificou nada e confesso-lhe, nesse instante, inspirou-me ódio.

— E tinha razão. Eu não me portei bem. Pior, fui grosseiro. A senhora reparou nisso... é quanto basta para me sentir castigado. Ralhe comigo, ria de mim; mas escute: é possível que ainda venha a mudar de opinião — acrescentei, dominado por não sei que estranho sentimento. — Conhece-me há tão pouco, depois, quando me conhecer melhor... talvez...

— Pelo amor de Deus, não falemos mais nisso! — exclamou Nástienhka com impaciência.

— Muito bem, muito bem; pronto, já aqui não está quem falou! Mas... onde é que eu poderei... encontrá-la?

— Onde pode encontrar-me?

— Olhe, pode ser que não nos tornemos a ver, Nastássia Ievgráfovna. Pelo amor de Deus, conceda-me uma entrevista, se possível para hoje mesmo. Porque agora já está escurecendo. Bom; suponhamos que seja amanhã de manhã, o mais cedo possível; direi para me acordarem cedo. Já sabe: ali, junto daquele tanque, há um caramanchel. Eu me lembro bem e conheço o caminho. Vivi aqui quando era pequeno.

— Uma entrevista? Mas para quê? Se já estamos aqui falando!

— Mas é que eu por enquanto ainda não sei nada, Nastássia Ievgráfovna. Primeiro preciso de saber tudo quanto respeita ao meu tio. Ele não tem outro remédio senão dizer-me tudo, e então é possível que possa dizer-lhe qualquer coisa de muito importante...

— Não, não! Não é preciso, não é preciso! — exclamou Nástienhka. — Digamos tudo agora para não termos de tornar a falar deste assunto. Mas tire da ideia isso de ir ao caramanchel; garanto-lhe que não vou... Peço-lhe seriamente.

— De maneira que isto significa que o meu tio se portou comigo como um louco! — exclamei num ímpeto de contrariedade insuportável. — Para que me teria ele mandado vir, afinal? Mas escute: que barulho é este?

Estávamos próximo da chácara. Pelas janelas abertas ouviam-se choros e gritos extraordinários.

— Meu Deus! — exclamou ela empalidecendo. — Outra vez! Meu coração bem estava adivinhando!

— Seu coração estava adivinhando? Apenas uma pergunta, Nastássia Ievgráfovna. Eu, é claro, não tenho o mínimo direito para tal, mas se me decido a fazer-lhe esta última pergunta é por bem do meu tio. Diga-me: é verdade que ele está apaixonado pela senhora ou não?

— Ah! Afaste de uma vez para sempre da sua cabeça essa loucura! — exclamou ela num ímpeto de aborrecimento. — Também o senhor! Se estivesse apaixonado por mim não pensaria em casar-me com o senhor — acrescentou com um amargo sorriso. — Mas por que será isto? Não sabe do que se trata? Não ouve esses gritos?

— Mas... é Fomá Fomitch...

— Sim, devem estar falando de mim; é por minha causa tudo isto, eles dizem o mesmo disparate que o senhor; também pensam que ele está apaixonado por mim. E como eu sou pobre e não tenho importância nenhuma neste mundo; mas nada de mau podem dizer a meu respeito, servem-se do recurso de casá-lo com outra e empenham-se em conseguir que ele me expulse de sua casa, assim como ao meu pai, para estarem mais tranquilos. Quando eu lhe disse isto, ficou fora de si e parecia disposto a acabar com Fomá Fomitch. Agora tenho a certeza, é sobre isto que eles falam, o coração está me dizendo que é.

— Tem razão. Portanto o meu tio não tem outro remédio senão casar com essa Tatiana?

— Com qual Tatiana?

— Ora, com essa doida...

— Não tem nada de doida. É uma boa mulher. Não tem o direito de falar assim. Tem um coração de ouro, mais nobreza de alma do que muitos. Ela não tem culpa de ser infeliz.

— Desculpe. Suponhamos que tem toda a razão naquilo que diz; mas não estará enganada quanto ao principal? Por que dispensam eles tão bom acolhimento ao seu pai? Se estivessem tão aborrecidos com a senhora, como diz, e quisessem pô-la fora daqui, também estariam zangados com o seu pai e não o receberiam dessa maneira.

— Mas o senhor não percebe o que o meu pai faz aqui por minha causa? Papel de bobo, é o que o pobrezinho representa para eles. Se o recebem bem é principalmente porque ele procura lisonjear Fomá Fomitch. E como o próprio Fomá Fomitch foi bufão, gosta agora de ter também um bufão. Sabe por que meu pai faz isto tudo? É só por minha causa, só por minha causa. Pode parecer ridículo a algumas pessoas mas é muitíssimo bondoso. Ele pensa, só Deus sabe por que, não deve ser pelo bom ordenado que eu ganho aqui, afirmo-lhe, mas pensa que me conviria continuar nesta casa. Agora já o convenci do contrário. Escrevi-lhe uma carta peremptória. O meu pai veio para levar-me com ele, se for possível ainda amanhã mesmo, pois está tudo acabado. Querem comer-me viva e sei muito bem que neste momento estão disparatando por minha causa. Por minha causa dão-lhe desgostos atrás de desgostos, tudo por minha causa, e por minha causa ainda hão de acabar com ele. Para mim é como um pai... e olhe, talvez mais do que um pai verdadeiro. Não quero esperar mais. Sei mais coisas do que os outros. Amanhã, amanhã mesmo vou-me embora. Quem sabe? Pode ser que, assim, desistam a tempo de casá-lo com Tatiana Ivânovna... Pronto, já lhe disse tudo. Diga-lhe o senhor também isto tudo, pois agora já não tenho tempo de falar-lhe; nem me deixam fazer em parte alguma, sobretudo a Pieriepelítsina. Diga-lhe que não se aflija por minha causa; que prefiro comer pão negro e viver numa cabana com o meu pai, a ser a causa da sua ruína. Sou pobre e devo viver como pobre. Mas, meu Deus, que alvoroço! Que gritaria! Que se estará passando lá dentro? Não, seja o que for, vou agora mesmo lá! E direi tudo, na frente de todos, aconteça o que acontecer! Adeus.

Saiu correndo. Fiquei cravado no meu lugar, meditando em tudo que havia de ridículo no papel que pouco antes me decidira a representar e ao mesmo tempo nas consequências de tudo aquilo. De súbito, Gavrila surgiu na minha frente.

— Faz favor de ir ter como seu tio? — disse-me com uma voz triste.

Eu caí em mim.

— O meu tio? Mas onde está ele? Que aconteceu?

— Está na sala de chá. No mesmo lugar onde há pouco o tomaram os senhores.

— E quem está com ele?

— Está só. Está à sua espera.

— De quem? De mim?

— Mandou chamar Fomá Fomitch. Acabaram-se os bons tempos — acrescentou com um profundo suspiro.

— Fomá Fomitch. Hum! E os outros onde estão? Onde está a senhora?

— Nos seus aposentos. Desmaiou e agora está deitada, sem conhecimento e chorando.

Entretanto chegáramos ao terraço. Era-quase noite. O meu tio, efetivamente, achava-se só na mesma sala em que eu acabara de travar aquela discussão com Fomá Fomitch e passeava, dando grandes passadas. Quando me viu, dirigiu-se para mim e estreitou-me a mão com força. Estava pálido e respirava ofegantemente; as mãos tremiam-lhe e um estremecimento nervoso lhe corria de vez em quando pelo corpo.

Capítulo IX / Sua Excelência

— Meu amigo, tudo acabou, está tudo resolvido! — exclamou com uma voz sumida e um tanto trágica.

— Tio — disse-lhe eu — que gritos eram esses que ouvi?

— Gritos, meu amigo, gritos? Gritos de todos os gêneros. A mamãe desmaiou e armou-se logo o alvoroço do costume. Mas estou decidido e mantenho-me assim... Agora não tenho medo de ninguém, Sierioga. Quero mostrar-lhe que tenho caráter... e vou demonstrar. Olha, foi para isso apenas, que te mandei chamar, para que me ajudes a demonstrá-lo... Sinto o coração destroçado, Sierioga! Mas tenho o dever, estou obrigado a proceder com energia. Justiça inexorável!

— Mas que se passou, tio?

— Rompi com Fomá — respondeu o meu tio com voz resoluta.

— Tio! — exclamei eu entusiasmado. — Não podia ter-se lembrado de nada melhor. E se eu puder ajudá-lo em qualquer coisa, disponha de mim à vontade.

— Obrigado, meu amigo, obrigado! Agora já está tudo resolvido. Estou à espera de Fomá; já mandei chamá-lo. Ou ele ou eu! Temos de separar-nos! Se amanhã ele não sair desta casa, junto todas as minhas coisas e volto para os hussardos. Hão de receber-me e vão me entregar uma divisão. Fora com esta maneira de viver! Vida nova! Mas tu ainda andas com o caderno na mão? — exclamou com aborrecimento, dirigindo-se a Gavrila. — Tira dele, rasga, deixa-o em pedaços! Eu sou o teu senhor e ordeno-te que não estudes francês. Tu não podes, tu não te atreves a desobedecer-me, porque sou eu o teu amo e não Fomá Fomitch.

"Louvado seja Deus! — disse consigo Gavrila: — A coisa, parece, foi a sério."

— Meu amigo! — prosseguiu o meu tio com uma profunda comoção. — Essa gente exige de mim o impossível. Senão, avalia por ti mesmo: tu, agora, estás entre ele e mim como juiz imparcial. Tu não sabes, tu não sabes o que eles querem, o que me exigem peremptoriamente. É qualquer coisa contra a Humanidade, a nobreza de alma, a honra... Já te conto tudo, mas agora...

— Já sei tudo, tio! — exclamei, interrompendo-o. — Já tinha adivinhado. Falei há pouco com Nastássia Ievgráfovna.

— Meu amigo, agora nem uma palavra, nem uma palavra a respeito disso! — atalhou-me depressa, como assustado. — Depois te contarei tudo, mas por agora... Que é isso? — exclamou dirigindo-se a Vidopliássov, que entrava. — E Fomá Fomitch?

Vidopliássov comunicou-lhe a notícia de que Fomá Fomitch "não queria vir e aceder à exigência de encontrar-se com um indivíduo grosseiro, com o qual se incompatibilizara, e que estava muito ressentido".

— Vai chamá-lo e que ele venha cá! Traga nem que seja de rastos! Que venha aqui! É para vir, ainda que seja à força! — exclamou o meu tio batendo com os pés no chão.

Vidopliássov, que nunca vira o amo possuído de tal cólera, retirou-se intimidado. Eu não saía do meu assombro.

"Com certeza se trata de qualquer coisa muito séria — pensei — para um homem do seu temperamento ser capaz de mostrar tal zanga e resolução."

Durante um momento, o meu tio, em silêncio, passeou pela sala, como se travasse uma luta consigo mesmo.

— Tu, por agora, não rasgues ainda o caderno — disse finalmente para Gavrila — Tem paciência e deixa-te ficar aqui, pode ser que me faças falta... Meu amigo! — acrescentou dirigindo-se a mim. — Olha, acho que gritei demais. Todos os problemas se devem tratar com dignidade, virilmente, sem gritos e sem ofensas. Sobretudo sem ofensas, sabes, Sierioga? Não seria melhor que fosses até lá fora? Para ti, tanto faz. Eu, depois, hei de contar-te tudo... Não é verdade? Que pensas? Peço-te que o faças por mim.

— O tio tem medo? Arrependeu-se? — disse-lhe eu olhando-o fixamente no rosto.

— Não, não, meu amigo, não me arrependo! — exclamou com violência redobrada. — Agora não tenho medo de nada. Tomei medidas decisivas, bem decisivas. Não sabes, não podes imaginar o que essa gente exigia de mim. Que obrigação tinha eu de lhes fazer a vontade? Já lhes demonstrei que nenhuma. Vou me revoltar e vou lhes mostrar! Hei de lhes mostrar alguma vez! Mas olha, meu amigo, estou arrependido de ter mandado chamar-te. Para Fomá poderia ser muito doloroso que estivesses aqui como testemunha da sua humilhação. Escuta: quero pô-lo fora desta casa de maneira nobre, sem humilhá-lo. É um assunto tão melindroso que, nele, até as palavras doces amargam, e de certo modo ofendem. Eu... sou rude, não tenho cultura e digo às vezes coisas de que depois me arrependo. Além disso ele tem feito muito por mim... Vamos, meu amigo, vai lá para fora... Mas descansa que hei de fazer-lhe sentir a minha força! Sierioga, peço-te, sai! Eu depois te conto tudo. Mas sai, pelo amor de Deus!

E o meu tio empurrou-me para o terraço no momento preciso em que Fomá entrava na sala. Confesso: não me afastei dali, mas continuei no terraço, onde já estava muito escuro e onde, portanto, era muito difícil que me vissem da sala. Decidira escutar tudo.

Não quero justificar de maneira nenhuma a minha conduta, mas atrevo-me a dizer que, ao permanecer meia hora bem puxada no terraço e ao não ter perdido a paciência, realizei uma proeza de mártir. No meu lugar, não só podia ouvir tudo muito bem, como conseguia ver: as portas da sala eram de vidro. Passarei agora a descrever Fomá Fomitch, ao qual tinham mandado chamar, com ordem de empregar a violência, caso ele opusesse resistência.

— Que ameaça foi essa que chegou aos meus ouvidos, coronel? — disse Fomá entrando na sala. — Referia-se à minha pessoa?

— A ti, sim, Fomá; tranquiliza-te — respondeu corajosamente o meu tio. — Senta-te aqui; falemos seriamente, amistosamente, fraternalmente; senta-te, Fomá...

Fomá Fomitch sentou-se solenemente numa cadeira. Meu tio andava na sala de um lado para o outro, dando grandes e desajeitadas passadas, visivelmente preocupado com a maneira de começar o seu pequeno discurso.

— Sim, fraternalmente — repetiu. — Tu deves compreender, Fomá; não és nenhuma criança e eu também já não sou um rapaz. Numa palavra: nós dois já temos uma certa idade. Hum! Olha, Fomá: os nossos temperamentos coincidem em alguns pontos... sim, em alguns pontos, e, portanto, Fomá, não seria melhor separarmo-nos? Eu estou convencido de que tu tens uma alma nobre, de que me tens amizade, e por isso... Mas, para que falar tanto? Fomá, eu sou e serei teu amigo para sempre, juro por todos os santos. Aqui tens quinze mil rublos; isto, meu amigo, é tudo quanto pude amealhar, juntando tudo e tirando alguma coisa aos meus. Fica com ele, sem mais preocupações! Tenho a obrigação, sinto-me no dever de olhar por ti! Aqui tens essa quantia, quase toda em notas. Guarda-a sem relutância. Não tens obrigações nenhumas para comigo, porque eu nunca estarei em condições de poder recompensar tudo o que fizeste por mim. Sim, é isto o que eu sinto, embora de momento discordemos em pontos capitais. Amanhã ou depois de amanhã... ou quando te convier, havemos de nos separar. Diriges-te à aldeia, que fica a umas dez verstas daqui; aí encontrarás uma casinha atrás da igreja, na primeira travessa, com cortinas verdes e os caixilhos das janelas, brancos; uma casinha muito bonita, que pertence à viúva do *pope*, e que parece feita de propósito para ti. A dona quer vendê-la. Quero comprá-la para ti, é claro, não com esse dinheiro. Podes estabelecer-te aí, próximo de nós. Dedica-te à literatura, à ciência; alcançarás a glória... Esses empregados todos, desde o primeiro até ao último, são boa gente, simpática, pacífica; o *protopope* é um homem instruído. Virás passar os dias de festa conosco... e a nossa vida será um paraíso! Ora diz-me lá: queres assim ou não?

"São estas as condições para expulsar Fomá — pensei eu. — O meu tio não me falou na questão do dinheiro."

Durante muito tempo houve um grande silêncio. Fomá, sentado na sua cadeira e, aturdido, contemplava o meu tio, imóvel, o qual dava sinais de não estar muito tranquilo diante daquele silêncio e daqueles olhares.

— Dinheiro! — exclamou enfim Fomá com uma voz surda, de aborrecimento. — Onde, onde está esse dinheiro? Venha ele para cá, que venha para cá imediatamente!

— Aqui o tens Fomá; são as últimas reservas, tudo o que tenho, São letras de câmbio e notas... Podes ver... Toma.

— Gavrila! Fica com esse dinheiro! — exclamou humildemente Fomá. — A ti, velho, pode ser-te útil... Não! — tornou a gritar com uma voz que vibrava estranhamente, e levantando-se de um salto da cadeira. — Não! Me dá, me dá esse dinheiro, Gavrila! Me dá! Me dá! Me dá essas notas para que eu as espezinhe, para que eu as destrua e lhes cuspa e as atire ao ar, lhes urine em cima e as conspurque! Oferecerem-me dinheiro a mim, a mim! Subornarem-me para que eu saia desta casa! Mas teria eu ouvido bem? É possível que eu tenha sofrido este último escárnio? Aqui, aqui tem os seus milhões! Olhe, é isto, isto e isto que eu faço com eles! É para que veja como se porta Fomá Opískin, visto que até agora não o tinha ainda percebido!

E Fomá espalhou pelo ar, na sala, todo o maço das notas. É de notar que não rasgou nenhuma, nem lhes cuspiu como dissera numa fanfarronada, limitando-se a amarrotá-las um pouco, e isto muito ao de leve. Gavrila apressou-se a apanhar as notas do chão e depois de Fomá ter saído entregou-as ao amo.

O gesto de Fomá fez com que meu tio ficasse convertido numa autêntica estátua. Estava agora diante de Fomá, imóvel, aturdido, de boca aberta. Entretanto, Fomá tornou a sentar-se na sua cadeira e respirava ofegantemente, como assaltado por uma comoção indescritível.

— És um homem digno, Fomá — exclamou o meu tio como se despertasse de um sonho. — És o mais nobre dos homens!

— Já sei — respondeu Fomá numa voz débil mas de inexcedível dignidade.

— Fomá, perdoa-me! Eu me portei contigo como um embusteiro! Fomá!

— Sim — confirmou Fomá.

— Fomá, não me espanta a tua nobreza de alma! — continuou o meu tio tomado de entusiasmo. — O que me assombra é que eu tenha podido descer até um tal extremo de grosseria, de inépcia e maldade, para assim oferecer-te dinheiro, a ti, nestas condições. Mas, Fomá, tu te enganas numa coisa, eu não queria de maneira nenhuma subornar-te nem pagar-te para que saísses desta casa; o que eu queria pura e simplesmente era que pudesses contar com algum dinheiro, para que não passasses dificuldades quando saísses do meu lado. Juro-te! Estou pronto a implorar o teu perdão de joelhos, de joelhos, Fomá, e se quiseres, agora mesmo me lançarei a teus pés, de joelhos... Basta que o queiras.

— Eu não preciso dos seus joelhos para nada, coronel!

— Mas, pelo amor de Deus, julga por ti próprio: eu estava furioso, de cabeça perdida... Mas olha: diz-me a maneira, diz-me como é que eu posso apagar esta ofensa. Ensina-me, fala...

— De maneira nenhuma, de maneira nenhuma, coronel! E. pode estar certo de que amanhã mesmo sacudirei o pó dos meus sapatos nos umbrais desta casa.

E Fomá começou a levantar-se da cadeira. O meu tio, cheio de espanto, obrigou-o a sentar-se outra vez.

— Não, Fomá, tu não te vais embora, suplico-te! — exclamou o meu tio. — Não é preciso falar de pó nem de sapatos, Fomá. Tu não te vais, se não queres que eu vá atrás de ti até ao fim do mundo e não te deixe um momento até que finalmente consintas em perdoar-me... Juro, Fomá, que assim farei!

— Perdoar-lhe, ao senhor! — exclamou Fomá. — Mas o senhor pensa que são de agora as suas culpas para comigo? Julga que o é mais agora do que quando me dava um pedaço de pão? Julga que foi agora, num minuto, que envenenou todos os pedaços de pão que eu comi nesta casa? O senhor acabou de me atirar à cara cada um desses pedaços de pão que eu comi nesta casa; o senhor acaba de dar-me a entender que eu tenho vivido aqui como um escravo, como um lacaio, como aquele que lhe limpa as botas. E eu a julgar, devido à minha dignidade própria, que ocupava em sua casa o lugar dum amigo, dum irmão. Não foi o senhor mesmo quem, com as suas palavrinhas traiçoeiras, me convenceu mil vezes dessa fraternidade? Para que é que o senhor urdia em segredo essas redes em que eu acabei caindo como um tolo? Por que é que o senhor urdia na sombra esta armadilha de lobo na qual agora acaba de lançar-me? Por que não acabou comigo de uma só vez, com um só golpe desse porrete? Por que, logo de princípio, não me cortou a cabeça, como a um galo, como castigo de... bem, como castigo, por exemplo, de eu não pôr ovos? Sim, porque de fato assim é, na realidade. Insisto nesta imagem, coronel, embora a tenha ido buscar à vida provinciana e recorde o tom vulgar da literatura contemporânea. Insisto nela porque põe à vista todo o absurdo das suas acusações, pois eu perante o senhor não cometi outro delito senão o desse galo, que se torna odioso para o seu dono insensato, pelo fato de não pôr ovos. Desculpe, coronel, mas porventura pode pagar-se ao amigo ou ao irmão, com dinheiro...? O principal está aqui: "Sim, querido amigo; eu estou muito grato para contigo, salvaste-me a vida. Aqui tens dois dinheiros de prata, de Judas; mas tira-te da minha frente". Que ingenuidade! Como se portou grosseiramente para comigo! O senhor julgava que eu só pensava no seu dinheiro, quando eu sentia apenas um sentimento paradisíaco ao velar pelo seu bem. Oh, como me dilacerou o coração! O senhor brincou com os meus sentimentos mais nobres, como um escaravelho brinca com a sua bola de estrume. Há muito tempo, há muito tempo, coronel, que eu previa tudo isto... e por isso, há muito tempo me parecia que o seu pão me ficava atravessado na garganta e que me amargava. Por isso os seus colchões de penas me picavam, em vez de serem cômodos. Por isso o seu açúcar e os seus doces eram para mim pimenta pura e não doces. Não, coronel! Fique o senhor sozinho; seja o senhor, sozinho, muito feliz, e deixe Fomá seguir o seu triste caminho com a sua roupa ao ombro. Assim será, coronel.

— Não, Fomá, não! Não será assim, não é possível que seja! — gritou o meu tio completamente abatido.

— Sim, coronel, sim. Será, pela simples razão de que assim deve ser. Amanhã mesmo sairei desta casa. Espalhe todas as suas notas à minha volta, cubra até com elas o meu caminho, atapete toda a estrada até Moscou com as suas notas... que eu, muito ufano, caminharei por cima delas. Estes meus pés, coronel, espezinharão, encherão de lodo, espatifarão essas notas, e Fomá demonstrará amplamente a sua nobreza de alma. Disse-o e hei de cumpri-lo... Adeus... coronel! A... deus, coronel!

E Fomá começou de novo a levantar-se da sua cadeira.

— Perdão, Fomá, perdão! Esquece! — insistiu o meu tio com uma voz implorante.

— Perdão! Mas para que precisa o senhor do meu perdão? Bem. Suponhamos que eu lhe perdoe; eu sou cristão, não posso deixar de perdoar e quase já lhe perdoei. Mas resolva o senhor mesmo. Serão compatíveis as duas coisas: ter uma ponta de razão e de nobreza de alma e continuar depois disto, um minuto só que seja, em sua casa? Porque o senhor expulsou-me!

— Sim, são compatíveis, Fomá, são compatíveis! Afirmo-te que são!

— Compatíveis? Mas seria possível que continuássemos como antes? O senhor não vê que eu, com a minha nobreza de sentimentos, o aniquilei, ou, para melhor dizer, que o senhor, com o seu vil procedimento, se rebaixou a si mesmo? O senhor arrasta-se pela lama, enquanto eu me elevo. Como poderíamos ser agora iguais? Mas não é verdade que só pode existir amizade entre iguais? Digo isto com, o coração sangrando e não pavoneando-me nem elevando-me acima do senhor, como pode julgar.

— Mas se a mim também me sangra o coração, Fomá, juro-te!

— E é este o mesmo homem — continuou Fomá mudando de tom e chegando até à doçura. — E é este o mesmo homem pelo qual tantas vezes perdi o sono de noite? Quantas vezes, nas minhas noites de insônia, eu me levantei do leito, acendi a luz e disse para mim próprio: "Agora ele dorme tranquilamente, confiado em ti. Não durmas, Fomá; vela por ele, talvez descubras qualquer coisa para a felicidade desse homem". É para que veja o que pensava Fomá nas suas noites de insônia, coronel. Mas chega, chega!

— Mas eu farei por merecer, Fomá, eu farei por merecer novamente a tua amizade... Juro-te!

— Merecer! E onde está a garantia? Como cristão perdoo e até lhe quero; mas como homem, e como homem bem nascido, não posso deixar de desprezá-lo. Devo fazê-lo, vejo-me obrigado a fazê-lo em nome da moral; porque o senhor enlameou-se com a sua conduta, ao passo que eu tive o mais nobre dos gestos. Bem. É capaz de me dizer qual dos seus seria capaz de um gesto semelhante? Qual deles recusaria essa considerável soma de dinheiro que acaba de recusar o mais humilde e desprezível de todos, Fomá, enfim, pelo seu amor à grandeza de alma? Não, coronel; para tornar-se igual a mim tem de realizar uma série de grandes ações! Mas de que ações será o senhor capaz, se nem sequer pode tratar-me por senhor, como seu igual, mas só por tu, como a um criado?

— Mas olha, Fomá, se eu te trato por tu é por amizade! — exclamou o meu tio. — Eu não sabia que tu não gostavas disso. Meu Deus! Se o tivesse sabido!

— O senhor — continuou Fomá — o senhor, que não pôde, ou, para melhor dizer, que não quis aceder ao pedido mais simples e insignificante, quando eu lhe pedi que me desse, como a um general, o título de Excelência...

— Mas, Fomá, isso teria sido um atentado... Fomá!

— Um grande atentado! Aprendeu essa frase em algum livro e agora a repete como um papagaio? Mas o senhor não sabe que me ofendia, me desonrava com a sua negativa de tratar-me por Excelência? Sim, atentava contra a minha dignidade, na medida em que não compreendia as minhas razões, tomando-me por um tolo caprichoso, digno do manicômio. Ora vejamos: o senhor pensa que eu não compreendo que seria ridículo aos seus olhos, se quisesse que me tratassem por Excelência, eu, que desprezo todas essas honras e grandezas terrenas, insignificantes em si mesmas, se não forem acompanhadas de virtude? Nem a troco de milhões quereria o título de general sem a virtude. Mas o senhor, afinal, tomava-me por um imbecil! Era em seu proveito que eu sacrificava o meu amor-próprio e consentia que o senhor me tomasse por um idiota, o senhor e os seus amigos cultos; unicamente para iluminar a sua inteligência, desenvolver a sua moralidade e induzi-lo ao contacto de novas e melhores ideias, é que eu me decidi a pedir-lhe que me desse o tratamento de general. Eu queria sobretudo que daí para diante o senhor não considerasse os seus generais pelos mais resplandecentes luminares do globo; queria demonstrar-lhe que a hierarquia... não é nada sem a grandeza de alma, e que não havia motivo para alegrar-se tanto com a visita do tal general, pois talvez tivesse ao seu lado pessoas virtuosas. Mas o senhor pavoneia-se continuamente na minha frente com a sua graduação de coronel, a tal ponto que, evidentemente, devia ser-lhe muito difícil resolver-se a tratar-me por Excelência. Aí é que estava o nó da questão! É ai que é preciso ir procurar o motivo e não a nenhum atentado contra nenhum regulamento. A razão de tudo isto reduz-se a que o senhor é coronel, e eu simplesmente Fomá...

— Não, Fomá, não! Juro-te que não é isso! Tu és um homem culto; tu não és simplesmente Fomá... Eu te estimo...

— Muita honra. Está bem. Então se é verdade que me estima, dê-me a sua opinião: eu sou digno do título de general? Responda imediata e categoricamente sou digno dele ou não? Quero ver até onde chega a sua inteligência e a sua maturidade espiritual.

— Pela tua honorabilidade, pela tua generosidade, pela tua inteligência, pela tua sublime grandeza de alma... és digno! —declarou, orgulhoso, o meu tio.

— Pois, se sou digno, por que não me trata por Excelência?

— Fomá, se quiseres eu te trato...

— E eu exijo. Agora sou eu quem exige, coronel; insisto nisso e imponho. Vejo como isso lhe custa e por isso imponho. Este sacrifício será o primeiro passo para a série das suas façanhas, porque... não se esqueça, o senhor fica obrigado a realizar toda uma série de grandes ações para poder igualar-se a mim; fica obrigado a dominar-se a si próprio e só então acreditarei na sua sinceridade...

— Amanhã começarei a tratar-te por Excelência, Fomá.

— Não, amanhã não, coronel. Amanhã? Nem falar nisso. Eu lhe exijo que a partir de agora, deste mesmo instante, comece a tratar-me por Excelência.

— Desculpa, Fomá, eu não vejo inconveniente nenhum... Simplesmente, assim de repente, Fomá!

— Por que não há de ser agora mesmo? Ou terá vergonha? Nesse caso terei de considerar-me ofendido por o senhor ter vergonha.

— É que... Fomá, eu estou disposto e até o considero uma honra... Mas é que, assim, sem mais nem menos, logo no começo, dizer: "Bom dia, Excelência...". Olha, isso é impossível.

— Não, nada de "Bons dias, Excelência". Esse tom é ofensivo, faz lembrar os bobos, a farsa. Eu não consinto bufões ao meu lado. Corrija, corrija isso imediatamente, coronel. Mude de tom.

— Mas tu não estás brincando, Fomá?

— Em primeiro lugar nada de tu, Iegor Ilhitch, mas tu... o senhor... não se esqueça; e não me chamo Fomá, mas Fomá Fomitch.

— Ah, por amor de Deus! Fomá Fomitch, está bem; pois com muito prazer, com muitíssimo prazer. Simplesmente... que ia eu a dizer?

— Custa-lhe acostumar-se à expressão Excelência; é compreensível, é compreensível. Se já se tivesse acostumado há mais tempo a empregá-la... Mas é desculpável, sobretudo tratando-se de um homem inculto; que tem certa dificuldade em exprimir-se bem. Bom, se não pode por si sozinho, eu o ajudarei. Pois diga: Vossa Excelência.

— Bom; Excelência.

— Não, não é assim. Muito bem, Excelência, mas simplesmente, Excelência. Eu já lhe disse, coronel, mude de tom. Espero também que não levará a mal que eu lhe proponha que se incline levemente e ao mesmo tempo deite o corpo para diante, dando a entender desse modo o respeito que sente e como está disposto a cumprir rigorosamente as ordens que lhe deem. Eu convivi com generais e sei muito bem tudo isso... Ora vamos lá: Excelência!

— Excelência!

— Folgo imenso por encontrar finalmente ocasião para pedir-lhe perdão por não ter apreciado desde o princípio a excelência da sua alma. Atrevo-me a acreditar que daqui para diante não regatearei as minhas forças débeis em proveito dos demais... Bem, chega.

Meu pobre tio! Viu-se obrigado a repetir toda essa arenga, frase por frase, palavra por palavra. Eu presenciava aquilo e ruborizava-me como culpável. A cólera ia-se apoderando de mim.

— Bem. Não lhe parece agora — exclamou aquele verdugo — que de repente se lhe tornou mais leve o coração, que na sua alma esvoaça um anjo? Não sente a presença desse anjo? Responda-me!

— Sim, Fomá. Efetivamente sinto-me mais leve — respondeu o meu tio.

— Como se o seu coração, depois de ter-se vencido a si próprio se banhasse num tanque de azeite, como costuma dizer-se?

— Sim, Fomá, sim. De fato parece-me que me derreto como manteiga.

— Que vem a ser isso de manteiga? Hum! Eu não falei em manteiga... Mas, está bem, tanto faz... Isto é o que se diz, coronel, ter cumprido o seu dever. Vença-se a si mesmo. O senhor está cheio de amor-próprio, ama-se a si mesmo de um modo horrível.

— Sim, é verdade, Fomá; tenho muito amor-próprio, reconheço-o — respondeu o meu tio com um suspiro.

— O senhor é um egoísta, um tremendo egoísta...

— Sim, na verdade sou egoísta, Fomá. Eu próprio o reconheço, e foi desde que te conheci que descobri isso.

— Eu agora lhe estou falando como um pai, como uma mãe carinhosa... O senhor afasta todas as pessoas do seu lado.

— Tens razão, Fomá.

— O senhor é um grosseirão. Trata com tanta brutalidade os sentimentos humanos, aferra-se com tanto amor-próprio às suas opiniões, que todo homem reto sente impulsos de sair correndo e pôr entre o senhor e a sua pessoa trinta léguas de distância.

O meu tio voltou a suspirar profundamente.

— Seja mais afável, mais atento, mais afetuoso com o próximo; esqueça-se de si próprio a favor dos outros e depois olhe então para si. Viva e deixe viver o próximo... é essa a minha norma. Seja paciente, trabalhe, reze e espere... eis aí os princípios que eu desejaria poder inculcar de uma vez para sempre a toda a Humanidade. Aprenda-o de memória e então eu lhe abrirei o meu coração e chorarei pelas suas dores... se for preciso... De outra maneira não existirá no senhor senão o eu, o eu e a vontade de dominar... Até que por fim uma pessoa acaba por envaidecer-se com tanta autoridade.

"Mas que homem!", murmurou Gavrila, de pé junto da porta.

— Tens razão, Fomá, eu mesmo sinto em mim a verdade do que dizes — concordou, comovido, o meu tio. — Mas, no fundo, a culpa não é toda minha. Bem sabes a educação que me deram e como vivi entre soldados. Juro-te, Fomá, que tudo isso o senti eu mesmo. Quando deixei o serviço, todos os hussardos, toda a divisão chorava e diziam que nunca tinham visto outro como eu... E eu, ao ouvi-los, sentia no meu íntimo que talvez não fosse completamente um homem perdido...

— Outra vez o acesso de egoísmo! Lá o apanho eu outra vez em pleno ataque de egoísmo! O senhor gaba-se e ao mesmo tempo faz-me uma censura com essas lágrimas dos hussardos. Mas por que nunca me gabo das lágrimas alheias? E sabe Deus se teria motivos para fazê-lo, pode ser que os tivesse.

— Escapou-se da boca isto, Fomá, não te zangues... Estava a recordar-me dos bons tempos de outrora.

— Os bons tempos não caem do céu, somos nós próprios que os fazemos; estão contidos no nosso coração, Iegor Ilhitch. Porque eu fui sempre feliz e, apesar de todos os sofrimentos, mantive-me alegre, com a alma em paz, nunca tive antipatia por ninguém, a não ser por esses imbecis que se têm por cultos e aos quais nunca pude nem poderei suportar. Não simpatizo com os imbecis. E que são, no fim de contas, esses tipos cultos? Homens de ciência. Mas a ciência converte-se para eles em algo de aprendido e não em ciência. Bem. De que falava esse, há pouco? Mande-o para cá. Traga para cá todos esses tipos cultos que eu me atrevo a rebater-lhes todas as regras convencionais; posso atirar à cara de todos eles a sua verdadeira condição. E isto para não falarmos da minha nobreza de alma...

— Sem dúvida, Fomá; sem dúvida... Quem pode duvidar disso?

— Há pouco, por exemplo, demonstrei eu, além de inteligência, cultura extraordinária, conhecimento do coração humano, domínio da literatura contemporânea. Fiz ver e demonstrei irrefutavelmente como um tema tão vulgar como esse da dança *kamárinskaia* pode converter-se num tema elevado de conversa, quando aquele que o maneja é um homem de talento. E depois? Soube algum deles apreciá-lo devidamente? Não, ainda por cima foram insolentes. E olhe, estou convencido de que ele já lhe disse que eu sou um ignorante. Mas até o próprio Maquiavel ou Mercadante, eles não teriam pejo de acusá-los de ignorantes, se os soubessem pobres e desconhecidos... Mas eu ouvi falar de um Koróvkin... Que tipo é esse?

— É um homem muito inteligente, Fomá, um homem de ciência... Estou à espera dele. Tenho a certeza de que vais simpatizar com ele, Fomá.

— Hum! Duvido. Provavelmente será algum burro contemporâneo, a abarrotar de sabedoria livresca. Esses tipos não têm alma, coronel, nem sequer coração. E que vale o saber sem a virtude?

— Mas este, Fomá, não é assim. Se visses como fala dos prazeres da família! Asseguro-te que é uma boa pessoa, Fomá.

— Hum! Está bem, depois veremos, examinaremos Koróvkin — terminou Fomá endireitando-se no seu lugar. — No entanto eu ainda não lhe perdoei tudo, coronel. A ofensa foi muito dura. Mas rezarei e talvez Deus envie a paz ao coração ulcerado. Amanhã voltaremos a falar disto, mas agora permita-me que me retire. Estou fatigado, esgotado...

— Ah, Fomá! — exclamou o meu tio assustado. — Vês como estás cansado? Sabes uma coisa? Por que não queres restaurar um pouco as tuas forças, tomar qualquer coisa? Vou dizer imediatamente...

— Tomar qualquer coisa? Ah, ah, ah! — respondeu Fomá com um riso depreciativo. — Primeiro envenenam-te com um tóxico e depois suplicam-te: "Não queres tomar qualquer coisa?". Agora vem então com panos quentes... O senhor, coronel, é um materialista!

— Olha, Fomá, eu disse isso na melhor das intenções.

— Está bem, chega. Não falemos mais disso. Eu me retiro e o senhor vai agora já ver a sua mãe; deite-se a seus pés, de joelhos; soluce, chore, peça-lhe perdão. Este é o seu dever, a sua obrigação.

— Ah, Fomá! Eu já tinha pensado nisso; agora mesmo, quando falavas, pensava nisso. Estou disposto a deitar-me aos seus pés de joelhos, até à eternidade. Mas já pensaste bem, Fomá, naquilo que exigem de mim? Repara que isso é uma injustiça; olha que isso é uma coisa horrível, Fomá. Sê completamente generoso, faz-me completamente feliz, pensa, resolve e então... então... juro...

— Não, Iegor Ilhitch, não; isso não é da minha conta — respondeu Fomá. — O senhor sabe muito bem que eu não não tenho nada com isso; ou melhor, suponhamos que o senhor está convencido de que sou eu a causa de tudo. Pois afirmo-lhe que desde o primeiro momento estive alheio a este assunto. Trata-se exclusivamente da vontade de sua mãe, a qual, naturalmente, só deseja o seu bem... Vá até junto dela, apresse-se a resgatar a sua culpa, mostrando-se ao menos obediente... E não se arrependa. Mas eu... eu passarei toda a noite pedindo a Deus pelo senhor. Já há muito tempo não sei o que é sono, Iegor Ilhitch. Adeus! Adeus também a ti, velho! — acrescentou, dirigindo-se a Gavrila. — Sei que não procedeste por impulso próprio. Desculpa-me também se em alguma coisa te ofendi... Adeus, adeus, adeus a todos e que o Senhor vos abençoe!

Fomá retirou-se. Eu me precipitei imediatamente para o quarto.

— Estiveste ouvindo? — perguntou o meu tio.

— Estive, sim, tio. Estive ouvindo. E o senhor teve coragem de chamar-lhe Excelência!

— Que havia eu de fazer, meu amigo? E sinto-me até orgulhoso... Isso não é nenhuma façanha, comparado com o seu gesto tão nobre. Mas que homem generoso e grande! Sierguiéi, tu já o ouviste... O que eu não consigo explicar de maneira nenhuma é como fui capaz de decidir-me a oferecer-lhe esse dinheiro. Meu amigo! Estava cego, estava furioso; eu não o compreendia; odiava-o, deitava-lhe a culpa de tudo. Mas não. Ele não pode ser meu inimigo. Agora é que eu vejo. E reparaste na expressão de nobreza que se desenhou no seu rosto quando recusou o dinheiro?

— Está muito bem, tio. Orgulhe-se quanto quiser; porque eu vou-me embora. Minha paciência acabou. É a última vez que falo com o senhor. Diga-me: que quer de mim? Por que me mandou vir e que espera de mim? Sim, está tudo terminado, não posso ser-lhe útil em nada, vou-me embora. Não posso suportar estas cenas. Vou-me embora hoje mesmo.

— Meu amigo! — balbuciou o meu tio, segundo o seu costume. — Espera ao menos dois minutos; eu, meu amigo, vou agora mesmo ver a mamãe... É preciso decidir junto dela um assunto grave, importante, transcendente... Mas tu, entretanto, vai para os teus aposentos. Olha, Gavrila, leva-te ao pavilhão de verão, sabes, ao pavilhão de verão! Aquele que tem saída para o jardim. Eu já tratei de tudo e mandei levar para lá a tua mala. E eu vou lá em cima pedir perdão à minha mãe. Resolvo este assunto... Agora já sei o que hei de fazer e a seguir corro à tua procura e conto-te tudo, até o último pormenor, e abro-te o meu coração... E... e.... voltarão a brilhar dias felizes para nós. Apenas dois minutos, só dois minutos, Sierguiéi!

Apertou-me a mão e saiu apressadamente da sala. Não me restava outro recurso senão deixar-me conduzir por Gavrila.

Capítulo X / Mizíntchikov

A parte da casa a que Gavrila me conduziu chamava-se a *ala nova,* apenas pela força do hábito, pois na realidade era de construção já antiga, obra dos anteriores proprietários. Era uma casinha de madeira, muito bonita, que se erguia a alguns passos da casa velha, a meio do jardim. Por três dos seus lados era rodeada de tílias velhíssimas, que com as suas copas sombreavam o seu teto. Os três quartos estavam bem mobilados e dispostos para receber o hóspede. Quando entrei no quarto que me era destinado e para o qual já tinham mudado a minha mala, vi em cima de uma mesinha, ao lado da cama, uma folha de papel de carta escrevinhada por um verdadeiro calígrafo com todo o gênero de gatafunhos e adornada com grinaldas e florinhas. As letras maiúsculas e as grinaldas estavam avivadas com várias cores. Tudo aquilo, no seu conjunto, representava um trabalho de caligrafia realmente notável. As primeiras palavras que li, compreendi logo tratar-se de uma petição a mim dirigida, e na qual me chamavam "ilustre benfeitor". No sobrescrito lia-se: *Lamentações de Vidopliássov.* Mas quando concentrei a atenção para compreender qualquer coisa do que estava escrito, todos os meus esforços foram inúteis; tudo aquilo era um enorme disparate, escrito no elevado estilo próprio de lacaio. Apenas fui capaz de compreender que Vidopliássov se encontrava não sei em que aflitiva situação, que pedia o meu auxílio, no qual punha todas as suas esperanças, atendendo à minha cultura e, para terminar, pedia-me intercedesse por ele junto de meu tio e para esse fim pusesse a funcionar a minha máquina, conforme dizia literalmente como remate da petição. Ainda eu a estava lendo quando a porta se abriu e entrou Mizíntchikov.

— Espero que me permita privar de sua amizade — disse-me com naturalidade, mas muito às pressas e estendendo-me a mão: — Há pouco não tive oportunidade de dizer-lhe duas palavras, apesar de que assim que o vi, tive logo vontade de falar-lhe.

Respondi-lhe que também eu tinha muito prazer etc., embora me encontrasse na mais lamentável disposição de espírito. Sentamo-nos.

— Que lhe aconteceu? — perguntou-me, fixando o olhar na folha de papel que eu segurava ainda na mão. — Talvez alguma lamentação de Vidopliássov. É isso mesmo. Eu tinha certeza de que Vidopliássov havia de assediá-lo. Também a mim me entregou uma cartinha semelhante, com as mesmas lamentações; mas ao senhor, como já há algum tempo que o esperavam, provavelmente devia tê-la preparado com antecedência. Não se admire. Há aqui muitas coisas estranhas e também, verdadeiramente, coisas que fazem rir...

— Que fazem rir?

— Sim. Ou prefere chorar? Se quiser, posso contar-lhe a biografia de Vidopliássov, e tenho a certeza de que o fará rir.

— Confesso-lhe que, agora, não estou para Vidopliássov — respondi-lhe eu aborrecido.

Parecia-me que a visita de Mizíntchikov e as suas amáveis palavras tinham qualquer intenção, e que o Senhor Mizíntchikov, muito simplesmente precisava de mim. Há pouco mantivera-se taciturno e sério; agora se mostrava alegre, sorridente e disposto a contar-me uma longa história. Era evidente, logo à primeira vista, que aquele homem possuía em elevado grau o domínio de si próprio e conhecia as pessoas.

— Maldito Fomá! — exclamei eu e dei raivosamente um soco sobre a mesa. — Não tenho a menor dúvida de que é o único culpado de todas as coisas más que aqui acontecem e que anda metido em tudo. Maldito velhaco!

— O senhor, ao que parece tem por ele uma antipatia excessiva — observou Mizíntchikov.

— Antipatia excessiva! — exclamei exaltando-me. — Não há dúvida de que há pouco me deixei arrebatar pela cólera e que dei ocasião a que toda a gente fizesse mau juízo de mim. Eu compreendi muito bem que me excedi e me conduzi mal sob todos os pontos de vista, e calculo que isto ninguém vai me perdoar. Compreendo também que isso não era maneira de portar-se numa reunião de pessoas decentes. Mas diga-me: como era possível não me revoltar? Olhe, sabe o que digo? Que isto é uma casa de loucos. E... e em resumo: que me vou embora, muito simplesmente... e pronto!

— Fuma? — perguntou-me Mizíntchikov muito tranquilo.

— Sim.

— Então acho que não lhe parecerá mal que eu fume. Lá em casa não é permitido e eu já estou meio hipocondríaco por causa disso. Concordo — continuou, depois de acender um cigarro — que tudo isto parece um manicômio; mas tenha a certeza de que eu não me permito fazer mau conceito do senhor, precisamente porque, no seu lugar, pode ser que eu me tivesse exaltado e excedido ainda mais do que o senhor.

— Mas por que o não fez na ocasião, se estava assim tão aborrecido? Eu me lembro de que o senhor, pelo contrário, demonstrou até muito sangue frio, e confesso-lhe que me pareceu muito estranho não tivesse defendido o meu pobre tio, o qual está sempre disposto a fazer bem... a todos e a cada um em particular...

— O senhor tem razão. Ele é muito amigo de fazer bem; mas, ir em sua defesa, tenho-o por perfeitamente inútil. Em primeiro lugar porque é inútil para ele e até um pouco humilhante; e em segundo porque no dia seguinte me poriam na rua. Mas eu lhe digo com toda a franqueza: a minha situação é de tal índole que me vejo obrigado a ter em grande apreço a hospitalidade que aqui desfruto.

— Mas eu não aspiro de maneira nenhuma à sua franqueza a respeito da situação... Embora no fim de contas tenha vontade de perguntar-lhe como consegue viver aqui já há alguns meses...

— Faça o favor de perguntar o que quiser, eu estou à sua disposição — respondeu-me Mizíntchikov rapidamente, aproximando a sua cadeira.

— Olhe, explique-me então, por exemplo, uma coisa: há um momento Fomá Fomitch repudiou quinze mil rublos que já estavam nas suas mãos... Vi-o com os meus olhos.

— Quê? Sério? — exclamou Mizíntchikov. — Conte-me, faça o favor!

Eu lhe contei tudo, mas sem falar no caso do *Vossa Excelência*... Mizíntchikov escutou-me com viva curiosidade; o seu rosto deixou, também transparecer qualquer coisa quando ouviu a menção da entrega dos quinze mil rublos.

— Refinado malandro! — exclamou, depois de ter ouvido tudo. — Não esperava isso de Fomá.

— Pois o certo é que recusou o dinheiro. Como explicar isto? Talvez invocando a sua nobreza de alma...

— Recusou quinze mil para apanhar mais tarde trinta mil. Mas sabe uma coisa? — acrescentou pensativo. — Eu duvido que Fomá tenha deitado contas. Trata-se de um homem prático e também a seu modo, um pouco poeta. Quinze mil... Hum! Olhe, ele, de boa vontade teria ficado com o dinheiro, mas não pôde resistir à tentação de representar um papel, de dar-se ares de magnânimo. Afianço-lhe que é um cogumelo venenoso cheio de amor-próprio.

Mizíntchikov também estava aborrecido. Era visível que estava muito magoado e até um pouco invejoso. Eu o contemplava com curiosidade.

— Hum! É preciso esperar grandes mudanças — acrescentou pensativo. — Agora, Iegor Ilhitch está disposto a obedecer em tudo a Fomá. Que coisa melhor poderá ele fazer senão casar? — resmungou por entre dentes.

— Então acha que esse casamento virá fatalmente a realizar-se... esse absurdo, esse antinatural casamento com essa pobre idiota?

Mizíntchikov olhou-me com olhos penetrantes e disse:

— Aliás, eles se apoiam numa ideia fundamental. Afirmam que ele tem a obrigação de fazer qualquer coisa pela família.

— Como se ainda fizesse pouco! — exclamei indignado. — E o senhor, o senhor atreve-se a dizer que essa é uma ideia fundamental... casar-se com uma velha estúpida!

— Não há dúvida de que estou de acordo com o senhor a respeito de que se trata de uma velha idiota... Hum! Fica-lhe muito bem gostar do seu tio e eu também partilho dos seus sentimentos... embora, considerando os seus haveres, ele pudesse muito bem dar maior incremento às suas terras. Mas eles jogam, além dessa, com outras razões: receiam que Iegor Ilhitch se case com a preceptora dos filhos. Reparou como a moça é bonita?

— Mas, por acaso... isso será verossímil? A mim parece-me uma calúnia. Diga-me, pelo amor de Deus, pois isso interessa-me muito...

— Oh, apaixonado, completamente apaixonado! Mas é claro que o esconde.

— Que o esconde? Acha que ele o esconde? Bem. E ela? Também gosta dele?

— Pode ser que também goste muito dele. Além disso todas as vantagens são para ela, porque é muito pobre.

— Mas que provas tem o senhor de que eles gostam um do outro?

— É impossível não o notar; aliás, segundo parece, têm encontros secretos. Afirmam também que ela mantém relações ilícitas com ele. Mas peço-lhe que não lhe vá dizer. Eu lhe falo com toda a franqueza.

— Mas será possível acreditar numa coisa dessas? — exclamei eu. — E o senhor é capaz de dizer que também o crê?

— É claro que não acredito completamente, não chego a tanto. Embora pudesse muito bem ser verdade.

— Mas como? Lembre-se da nobreza de alma, da honorabilidade do meu tio.

— De acordo. Mas é possível que ele se tenha deixado arrastar até esse extremo com a intenção de converter depois as suas relações num casamento legal. Há muitos que procedem assim. Aliás, repito-lhe que de maneira nenhuma dou crédito absoluto a esses boatos, tanto mais quanto já têm dito horrores a respeito dela. Já têm chegado a afirmar que anda metida com Vidopliássov.

— Aí tem, já pode ver! — exclamei eu. — Com Vidopliássov! Diga-me, isso é possível? Não mete nojo ouvir semelhantes coisas? Ou acredita realmente nesse boato?

— Afirmo-lhe que não acredito nada desses falatórios — respondeu tranquilamente Mizíntchikov. — Embora, por outro lado, pudesse muito bem ser. No mundo, tudo pode acontecer. Eu não estava presente e, além do mais, isso não é coisa que me interesse. Mas como vejo que o senhor, seja lá pelo que for, tem um grande interesse no caso, considero dever meu acrescentar que, efetivamente, pouco crédito merece, a meu ver, a suposta ligação com Vidopliássov. Tudo isso são intrigas de Anna Nílovna, isto é, da Pieriepelítsina. É ela quem espalha esses boatos por inveja, pois pensou em tempos vir a ser mulher de Iegor Ilhitch — valha-me Deus! — atendendo a que era filha de um tenente-coronel. Agora teve de renunciar às suas ilusões e daí sua raiva. Mas, enfim, creio que já lhe contei o que sei acerca deste assunto, e confesso-lhe que não me agradam os mexericos, tanto mais que, com isso, a única coisa que se faz é perder um tempo precioso. Eu vim procurá-lo com um intento bem modesto.

— Intento? Se em alguma coisa posso ser-lhe útil...

— Penso e espero também que lhe interessará qualquer coisa, porque, segundo vejo, gosta muito do seu tio e partilha da sua maneira de pensar a respeito do casamento. Mas antes de fazer-lhe esse pedido, tenho ainda de solicitar-lhe outro previamente.

— Diga.

— Então ouça. Pode acontecer que esteja disposto a aceder ao meu pedido principal, mas também pode acontecer o contrário; mas, seja como for, antes de expor-lhe o meu caso, peço-lhe que me dê a certeza mais absoluta, a sua palavra de honra, como homem nobre e honrado, de que tudo quanto acaba de ouvir-me ficará entre nós no mais profundo segredo, e que o senhor, em ocasião alguma nem por ninguém, há de violar este segredo ou aproveitar-se em seu favor da ideia que vou passar imediatamente a expor-lhe. Está de acordo comigo nesse ponto?

Aquele preâmbulo era solene. Dei-lhe a minha palavra. — Bem — disse-lhe eu. — Fale...

— A coisa, no fundo, não pode ser mais simples — começou Mizíntchikov. — Eu, confesso-lhe, o que quero é raptar Tatiana Ivânovna e casar com ela. Compreende?

Eu olhei cara a cara para o senhor Mizíntchikov e durante um momento não pude articular uma palavra.

— Confesso-lhe que não estou entendendo nada — disse-lhe por fim. — E, além disso — continuei — julgando que estava falando com um homem sensato, não esperava da sua parte...

— Esperasse ou não esperasse — atalhou Mizíntchikov — isso quer dizer, em última análise, que tanto eu como as minhas intenções somos disparatados... Não é verdade?

— Não queria dizer tanto, mas...

— Oh, por favor, não se canse procurando as palavras! Não se incomode. Com isso proporciona-me o senhor uma grande satisfação, pois assim vamos nos entender mais depressa. Eu, além disso, reconheço que tudo isto deve parecer-lhe, à primeira vista, um tanto estranho. Mas atrevo-me a afirmar-lhe que o meu projeto não só não é absurdo, como é até muitíssimo razoável. E se o senhor quiser ter a amabilidade de ouvir todas as circunstâncias...

— Oh, pelo amor de Deus! Escutarei com a máxima atenção.

— Afinal de contas, não tenho muito para contar. Olhe, encontro-me presentemente com grandes encargos e sem um copeque. Tenho de sustentar uma irmãzinha de dezenove anos, órfã de pais, que tem de ganhar a vida, pois não dispõe de quaisquer recursos. Do que, em parte, sou eu o culpado. Recebi como herança quarenta almas. Precisamente nesse tempo devia eu ascender a alferes. Bom. A primeira coisa que fiz, é claro, foi hipotecar as quarenta almas, para gastar o dinheiro, já se vê. Comecei a levar uma vida estúpida, só para me fazer notado, para tornar-me elegante; joguei na Bolsa e na roleta, bebi; enfim, uma vida absurda, como lhe digo, e que me envergonho de recordar. Agora já assentei esta cabeça e estou terminantemente decidido a mudar de gênero de vida. Mas para isto necessito absolutamente de contar com uma soma de cem mil rublos em metal soante. Ora, como eu não posso arranjá-la com o meu ordenado de oficial, não tenho habilitações nem sei fazer nada, e a minha cultura é insignificante, é claro que só tenho um recurso: ou dedicar-me ao roubo ou casar-me com uma mulher rica. Eu vim para aqui quase descalço e a pé, não de carruagem. A minha irmã deu-me os seus últimos três rublos quando saí de Moscou. Aqui tive ocasião de conhecer a referida Tatiana Ivânovna e ocorreu-me imediatamente essa ideia. E logo a seguir tomei a resolução de sacrificar-me e de casar com ela. Há de concordar que tudo isto não pode ser mais sensato. Aliás, faço-o eu principalmente por causa da minha irmã... e claro que também por minha causa...

— Mas, diga-me, pensa pedir formalmente a mão de Tatiana Ivânovna?

— Deus me livre disso! Punha-me imediatamente na rua e ela nem sequer teria tempo de me dizer que não. Mas se eu lhe propuser um rapto, uma fuga, será outra coisa, dirá logo que sim. Isto é o principal; que a coisa tenha algo de romântico, de espalhafatoso. Escusado será dizer que logo a seguir nos casaríamos como Deus ordena. O principal é tirá-la daqui!

— Mas por que está o senhor tão convencido de que ela deve estar disposta a fugir com o senhor sem mais nem menos?

— Oh, não se preocupe! Tenho a certeza absoluta. É nisso precisamente que assenta a ideia fundamental: que Tatiana Ivânovna está disposta a meter-se de amor com o primeiro homem que encontre, com qualquer que a requeste. É por isso que, antes de lhe falar, apresentei a condição prévia de que não se aproveitaria da minha ideia a seu favor. O senhor, com certeza, há de reconhecer que seria uma tolice uma pessoa não se valer de uma oportunidade destas, sobretudo nas circunstâncias em que eu me encontro.

— Mas se é assim, trata-se de uma doida varrida... Ah, desculpe — interrompi-me, de repente, apercebendo-me da situação. — Visto que tem essas intenções a seu respeito...

— Por favor, chega de rodeios! Já lhe pedi. O senhor perguntava-me se ela não será completamente louca. Como hei de responder a uma coisa dessas? É claro que se não a meteram num manicômio é porque não está completamente louca. Além disso, nessa sua mania pelos amoricos não acho nada que acuse uma loucura especial. Ela, no fim de contas, é uma solteirona decente. Olhe, até o ano passado viveu na maior pobreza e assim desde que nasceu, submetida ao domínio das suas protetoras. Tem um coração extraordinariamente sensível; nenhum homem pedia a sua mão... por isso, imagine, sonhos, ilusões, esperanças, as paixões que sempre teve de abafar no fundo do seu coração, os costumados escárnios das suas supostas benfeitoras... tudo isso, naturalmente, deve ter levado a azedar um caráter sensível como o seu. Mas de repente vê-se com uma fortuna nas mãos; deve reconhecer que isto pode subir à cabeça de qualquer pessoa. Bem. Agora, naturalmente todos andam à volta dela e a amimam, de maneira que ressuscitam todas as suas ilusões. Há pouco falava de um almofadinha de colete branco. Esse fato ocorreu exatamente como ela o contava. Por esse pormenor já pode fazer ideia do resto. Com suspiros, com cartinhas e com versos, podemos fazê-la render imediatamente. Se a isso acrescentar as entrevistas secretas, as serenatas à espanhola e outras ninharias quejandas, pode fazer dela o que quiser. Já fiz a prova e, sem qualquer dificuldade, concedeu-me uma entrevista secreta. Quanto ao resto, por agora aguardo uma ocasião propícia. Mas daqui a quatro dias, o mais tardar, não tenho outro remédio senão raptá-la. No dia anterior ao do rapto redobrarei os suspiros e as piscadelas de olhos: eu toco um pouco de guitarra e também canto. À noite, encontro no caramanchão, e ao despontar da aurora, estará pronto o coche. Tomo-a nos braços, montamos e levantamos voo. Há de compreender que em tudo isto não haverá o menor perigo. Ela não é nenhuma menina e além disso terá até prazer em ser raptada. Mas logo que tenha fugido comigo, contrairá assim, disso não há dúvida, um compromisso. Vou levá-la para uma casa decente, mas pobre... Mantenho-a aí, a umas quarenta verstas, onde, até ao dia do casamento, a trarão na palma da mão, mas sem consentir que homem algum se aproxime dela. Entretanto não quero perder tempo, casaremos dentro de três dias... se for possível. Naturalmente, para tudo isso preciso de dinheiro. Fiz as contas e vejo que não preciso de mais de quarenta rublos para já, e para isso confio em Iegor Ilitch; ele vai me dar esse dinheiro sem saber para que é. Compreende agora?

— Compreendo — disse eu acabando finalmente por perceber tudo. — Mas diga-me, em que posso ser-lhe útil?

— Ah, o senhor pode ser-me utilíssimo! Se não fosse assim, não lhe teria dito nada. Acabo de confessar-lhe que tenho em vistas uma família honrada, mas pobre. Pois o senhor podia ajudar-me, tanto aqui como aí, e, por último, como padrinho do meu casamento. Confesso-lhe que sem a sua ajuda serei como um homem sem braços.

— Outra pergunta. Por que se dignou o senhor escolher-me para me honrar com a sua confiança, a mim, a quem o senhor ainda não conhece, pois estou aqui apenas há umas horas?

— A sua pergunta — respondeu Mizíntchikov com o mais amável sorriso — a sua pergunta dá-me um grande prazer, digo-o francamente, porque me proporciona uma ocasião para exprimir-lhe a alta estima em que o tenho.

— Oh, muita honra!

— Não. Olhe, eu estudei-o um pouco. O senhor é impetuoso e... e bom e jovem. Mas eu estou convencido de uma coisa: se o senhor me dá a sua palavra de que não contará a ninguém o que aqui falamos, tenho a certeza de que há de cumpri-la. O senhor não é Obnóskin... isto, em primeiro lugar. Em segundo é um homem honrado e não há de aproveitar-se da minha ideia a seu favor, a não ser, naturalmente, que quisesse entrar em amigável competição comigo. Nesse caso podia acontecer que eu tivesse muito gosto em ceder-lhe a minha ideia, ou melhor, ceder-lhe Tatiana Ivânovna, e estivesse disposto a ajudá-lo na sua empresa mas com uma condição: a de receber de si, uns meses depois do casamento, cinquenta mil rublos, para o que naturalmente o senhor me passaria previamente, já se vê; a correspondente letra a tantos por cento...

— Quê? — exclamei eu. — Quê? O senhor a está oferecendo?

— Naturalmente que posso cedê-la, desde que ela consinta e queira. Eu, não há dúvida, ficaria,perdendo; mas... a ideia pertence-me, e, bem sabe, as ideias valem dinheiro. Em terceiro e último lugar, escolhi-o porque não haveria outro. E esperar mais tempo, obrigado por este conjunto de circunstâncias, era impossível... Acresce que estamos em vésperas da Páscoa e da Ascensão e então interrompem-se os saraus. Espero que agora me compreenda já completamente!

— Perfeitamente, e uma vez mais lhe prometo guardar o seu segredo com toda a discrição, simplesmente, não posso ser seu camarada neste assunto, o que considero meu dever, participar-lhe desde já.

— Mas por quê?

— Por quê? — exclamei dando por fim largas aos meus sentimentos. — Não compreende que semelhante procedimento nada teria de honesto? Suponhamos que faz bem os seus cálculos, baseando-se na fraqueza mental e na infeliz mania, dessa criatura. Não deveria isso precisamente, por si só, fazê-lo desistir dos seus propósitos, como fidalgo que é? É o senhor mesmo quem diz que ela é digna de respeito, apesar de todo o seu ridículo. E quer o senhor aproveitar-se assim, de repente, da sua infelicidade, com o fim de extorquir-lhe cem mil rublos? O senhor, naturalmente, não pensa ser seu marido verdadeiro, cumprir os seus deveres conjugais; o senhor vai sem falta abandoná-la... Isto é tão pouco cavalheiresco que, desculpe, não compreendo como é que se atreveu a pedir o meu auxílio.

— Oh, oh, meu Deus, que romantismo! — exclamou Mizíntchikov olhando-me com honesta admiração. — Embora ao fim de contas não se trate de romantismo. É que o senhor, segundo parece, não percebeu bem. Diz que isto é pouco cavalheiresco, no entanto quem lucra neste caso não sou eu mas ela... Pense um pouco!

— Não há dúvida de que, se nos colocarmos no seu ponto de vista, o senhor realiza a ação mais generosa casando-se com Tatiana Ivânovna! — respondi com um sorriso sarcástico.

— Não é assim? É. Trata-se precisamente de uma ação generosa — exclamou Mizíntchikov, que agora se ia excitando por sua vez. — Repare. Em primeiro lugar eu me sacrifico e me conformo, em ser seu marido... parece-me que isto já.. é alguma coisa! Em segundo lugar, apesar de ela possuir várias centenas de milhares de rublos efetivos, apesar disso, vou me contentar em ficar apenas com cem mil, e já dei a mim próprio a palavra de honra de que não lhe tomaria nem um só copeque mais em toda a minha vida, embora pudesse fazê-lo. Isto também é qualquer coisa, não acha? Finalmente; reflita um pouco: poderá ela vir a viver em paz? Para que ela vivesse em paz seria preciso recolhê-la num manicômio, pois é de esperar que a cada momento se lhe atravesse um bandido no caminho, um vigarista ou aventureiro, de barbicha em ponta e bigodinho, e a imprescindível guitarra para dar as serenatas consabidas, no estilo de Obnóskin — o qual já a traz enamorada — que se case com ela, lhe tire tudo e depois a deixe abandonada no meio do caminho. Esta, por exemplo, é uma casa muito decente, e no entanto o senhor pode ver como a animam, porque deitaram os olhos para o seu dinheiro. É preciso livrá-la dessas ciladas, salvá-la. Bem. Suponhamos pois que ela casa comigo... Acabavam-se de uma vez todas essas maquinações. Eu me comprometo a vigiá-la para que fique a salvo de todas essas desditas. Em primeiro lugar vou levá-la imediatamente para Moscou, para uma família honrada, embora, pobre... não me refiro a essa de que falei há pouco, essa é outra. Nesta outra estará constantemente em contato com minha irmã e olharão por ela com todo cuidado. De capital vão lhe ficar duzentos e cinquenta mil rublos, talvez trezentos mil; com essa quantia, já sabe como se pode viver. Poderá permitir-se todos os divertimentos, bailes de máscaras, concertos. Poderá também pensar em amoricos; simplesmente, eu, naturalmente, tomarei as minhas medidas; sonhar, pode sonhar o que quiser; mas realizar, nem por sombras. Agora, por exemplo, todos podem ofendê-la; mas depois ninguém poderá fazê-lo; será minha mulher, a Mizíntchikova, e eu não consinto que trocem do meu apelido. Então isto não vale alguma coisa? Como é natural, eu não farei vida com ela. Ela ficará em Moscou e eu em qualquer parte, em Petersburgo. Digo-lhe já isto porque quero tratar do caso honestamente. E que tem de particular o fato de vivermos separados? Ora veja. Reflita sobre o seu caráter. Será ela uma mulher para casar e viver com o marido? Será possível, por acaso, esperar constância dela? Da maneira que é estabanada! Muda de opinião constantemente e é capaz de esquecer-se no dia seguinte que se casou na véspera e realizou um matrimônio legal. Sim, no fim de contas eu fazia-a desgraçada se vivesse na sua companhia e lhe exigisse o cumprimento severo das suas obrigações. Evidentemente eu iria visitá-la pelo menos uma vez por ano, e não pelo dinheiro... garanto-lhe. Já lhe disse que apenas quero cem mil rublos... e assim há de ser. Em questões de dinheiro vou me portar com ela do modo mais cavalheiresco. Quando estiver junto dela um dia ou dois, talvez três, hei de procurar dar-lhe alegria e não aborrecimentos. Brincarei com ela, conto-lhe anedotas picantes, levo-a a um baile, trato-a com muito mimo, dou-lhe prendas, canto-lhe romanzas, levo-lhe um cãozinho, vou agir românticamente e manterei com ela uma correspondência amorosa. Ela vai ficar encantada por ter um maridinho tão romântico, tão apaixonado e divertido. Em minha opinião, tudo isto é racional. Oxalá todos os maridos se portassem desse modo. As mulheres só gostam dos maridos quando eles estão ausentes, ao passo que, na realidade, e seguindo o meu sistema, eu conquistarei o coração de Tatiana Ivânovna da maneira mais suave, para toda a vida. Que mais pode ela desejar? Ora, diga-me, não acha que isto seria o paraíso nesta vida?

Eu o escutei em silêncio, assombrado. Compreendia que discutir com o senhor Mizíntchikov seria impossível. Estava fantasticamente convencido de que tinha razão e também da grandeza das suas intenções, e falava delas com o entusiasmo dum inventor. Mas restava tocar num ponto doloroso e não havia outro remédio senão aclará-lo.

— O senhor já pensou — disse-lhe eu — que ela está mais ou menos comprometida com o meu tio? Roubando-lhe a noiva inflige-lhe uma grave ofensa; irá roubá-la quase na véspera do casamento e, como se isto ainda fosse pouco, tira-lhe o dinheiro necessário para a realização dessa façanha.

— Ah, o senhor de fato é muito simpático! — exclamou Mizíntchikov com entusiasmo. — Mas esteja tranquilo, eu já previra a sua objeção. Em primeiro e principal lugar, o seu tio ainda não lhe pediu uma declaração. Por isso eu ainda não posso saber se ela é sua noiva. Além disso peço-lhe observar que já há três meses ando às voltas com esta ideia, muito antes de poder estar informado das intenções desta gente; e por fim estou perfeitamente justificado perante ele, no ponto de vista moral, e até, se proceder com alguma severidade no seu juízo, há de reconhecer que não sou eu quem a rouba, mas é ela quem me rouba... com a qual já tive, repare bem, encontros secretos à meia-noite, no jardim. Finalmente dê-me licença: não se mostrava o senhor indignado há pouco porque queriam obrigar o seu tio a casar com Tatiana Ivânovna? Como vem agora defender esse casamento e tem coragem de falar de ofensa à família e de honra? Eu, pelo contrário, presto ao seu tio um serviço inestimável: o de salvá-lo. Isto... deve por força reconhecê-lo. Ele encara esse casamento com horror e além disso está apaixonado por outra mulher. E que mulher seria Tatiana Ivânovna para ele? Ela, com ele, seria uma infeliz, porque, pode dizer o que quiser, mas o certo é que, com ele, ela teria de dominar-se para não atirar rosas aos rapazes. Ao passo que, na noite em que eu a raptar, não haverá generala nem Fomá Fomitch capazes de impedi-lo. Pense que casar-se uma pessoa com uma senhora que se escapa das mãos do noivo, não é nenhuma honra. Então, porventura, não farei um favor, uma boa ação a Iegor Ilhitch?

Confesso que este último argumento me impressionou fortemente.

— Mas se o meu tio se lhe declarasse já amanhã? — disse eu. — Nesse caso, para o senhor seria um pouco tarde, ela seria oficialmente sua noiva.

— É claro, seria tarde! E, portanto, exatamente por isso preciso de apressar-me, para isso não suceder. Para que vim eu pedir-lhe auxílio? Para mim só há uma coisa difícil. Mas, unidos, sairemos triunfantes e impediremos que Iegor Ilhitch se declare formalmente. É preciso empregarmos todas as nossas energias e, em caso extremo, dar uma boa sova a Fomá Fomitch, e com isso desviar a atenção geral, a fim de que não se lembrem desse casamento. É claro que isto só num caso extremo, é apenas um exemplo. Para isto conto também com o senhor.

— Mas uma coisa ainda, uma última pergunta. O senhor não revelou a mais ninguém senão a mim as suas intenções?

Mizíntchikov coçou a orelha e fez uma careta azeda.

— Confesso-lhe — respondeu-me — que essa pergunta, para mim, é pior do que a pílula mais amarga. O mal está precisamente em que já revelei parte do meu pensamento... Numa palavra: portei-me como um tolo chapado! E sabe a quem? A Obnóskin! Digo-lhe que a mim próprio me parece incrível. Não explico como poderia ter feito uma coisa dessas. Ele farejava por aqui. Eu não o conhecia bem, mas como acabara de ter esta ideia, estava impaciente. E como além disso já então compreendia que havia de precisar de um ajudante, fui e escolhi Obnóskin. É imperdoável, imperdoável!

— E que fez ele?

— Acedeu com entusiasmo; mas ao outro dia, de manhã cedo, desapareceu. Passados três dias apareceu de novo acompanhado da mamãe. A mim nem palavra me deu, e até foge da minha sombra como se tivesse medo dela. Eu compreendi imediatamente o que ele tramava. E a mãe é uma mulher tão ladina e astuta que seria difícil encontrar outra em todo o mundo. Eu já a conhecia antes. Não há dúvida que lhe contou tudo. Calo-me e espero; espiam-me e o assunto encontra-se um tanto comprometido... Por isso tenho tanta pressa.

— Mas, concretamente, que receia deles?

— Muito, sem dúvida que não podem fazer; mas podem criar dificuldades... é verdade. Exigem dinheiro como recompensa do seu silêncio e da sua ajuda, isso eu sei... Simplesmente, eu não lhes posso dar grande coisa, e não lhes hei de dar... já o decidi. Mais de três mil rublos é impossível. Avalie o senhor por si: três mil para eles, quinhentos para a boda, mais o que o seu tio me emprestar, que terei fatalmente de restituir-lhe. Acrescente a isto as taxas do costume. Bom. À minha irmã também é preciso dar qualquer coisa, seja lá o que for... Vão me ficar assim muito mais de cem mil rublos? Além do mais os Obnóskini vão-se hoje embora.

— Vão-se embora? — perguntei-lhe com curiosidade.

— Daqui a pouco, depois do chá. O diabo que os leve! Mas vai ver como amanhã aqui estão outra vez. Bom. Então estamos de acordo?

— Confesso-lhe — respondi titubeando — não sei o que hei de responder-lhe. O assunto é bastante espinhoso... O que pode ter a certeza é que guardarei um segredo absoluto acerca de tudo isto. Eu não sou Obnóskin. Mas creio que não pode contar com a minha ajuda.

— Já vejo — exclamou Mizíntchikov levantando-se da cadeira — que Fomá Fomitch e a sua tia-avó ainda não esgotaram a sua paciência e que embora goste muito do seu bom e nobre tio, ainda não se apercebeu bem de como o fazem sofrer! O senhor ainda é muito novo. Mas paciência. Amanhã vai se levantar, vai se informar, e à noite estará de acordo comigo. Olhe que de outra maneira o seu tio será um homem perdido... Compreende? É preciso evitar que o casem. Não se esqueça de que é muito provável que amanhã ele se declare formalmente. E então será tarde. É preciso decidir hoje.

— Eu lhe desejo o maior êxito, mas ajudá-lo, verdadeiramente... não sei como.

— Não sabe? Bom. Deixemos isto para amanhã! — resolveu Mizíntchikov sorrindo, ironicamente. — *La nuit porte conseil*[10]. Até à vista. Eu virei procurá-lo amanhã, muito cedo. Mas o senhor, pense...

Fez uma reverência e foi-se, murmurando qualquer coisa por entre os dentes.

Saí logo atrás dele, para dar umas voltas. A lua ainda não aparecera; a noite estava escura, o ar morno e leve. As folhas das árvores não se moviam.

Apesar do meu horrível cansaço sentia vontade, de passear, de distrair-me e de concentrar os meus pensamentos. Mas não teria dado dez passos quando, de súbito, ouvi a voz do meu tio. Este subia, não sei com quem, a pequena escada da casinha de verão e falava com extraordinária animação. Eu me voltei imediatamente e chamei-o. O meu tio ia em companhia de Vidopliássov.

CAPÍTULO XI / NO CÚMULO DA DÚVIDA

— Tio! — exclamei — Até que enfim o encontro.

— E eu, meu amigo, ia precisamente à tua procura. Vou acabar de dizer umas coisas a Vidopliássov, e depois vou para junto de ti, para conversarmos. Tenho muito que contar-te.

— Ainda com Vidopliássov! Bem. Então acabe o que tem a dizer-lhe.

— Apenas cinco ou dez minutos, Sierguiéi, e estarei absolutamente à tua disposição. Olha, tenho de tratar de um assunto.

— Sim, provavelmente de alguma tolice — exclamei eu aborrecido.

— Mas que queres que te diga? Ora veja, atravessar-se no caminho duma pessoa quando ela vai para se deitar. Mas, meu amigo, não podias ter escolhido outra ocasião para me apresentares as tuas queixas? Não posso mais, vocês dão cabo de mim! Os meus protestos não se referem a ti, Sierguiéi!

E o meu tio movimentou as mãos com extraordinária energia.

— Mas trata-se assim de um assunto tão importante que não possa ser adiado? Tio, é que precisava de...

— Ah, meu amigo! Se visses o barulho que fazem, dizendo que eu não velo pela moralidade dos meus criados! Amanhã viriam com queixas por eu não o ter atendido, e por isso...

E o meu tio moveu novamente os braços.

— Bem, então trate disso o mais depressa possível! Veja se quer que o ajude. Vamos para casa. De que se trata? — disse eu enquanto entrávamos.

— Olha, é que ele está aborrecido com o sobrenome que tem e quer mudá-lo. Que pensas tu?

— Com o sobrenome? Mas por quê? Bem, tio, antes de continuarmos permita dizer-lhe que ele próprio diz que só nesta casa podem acontecer coisas dessas —

10 A noite é boa conselheira.

acrescentei, deixando cair os braços, assombrado.

— Ah, meu amigo. Também sei abrir os braços, mas isso não serve para nada — exclamou o meu tio aborrecido. — Vamos, fala tu, tenta conversar com ele. Há dois meses que não me deixa em paz...

— É um sobrenome sem significado — exclamou Vidopliássov.

— Por que sem significado? — perguntei-lhe estupefato.

— Porque é. É o mais horrível que se pode imaginar.

— Mas por que é horrível? E, além disso, como mudá-lo? Há alguém que mude de sobrenome?

— Desculpe, mas haverá muitos sobrenomes como este?

— De fato, reconheço que é um sobrenome um pouco estranho — continuei no cúmulo do assombro. — Mas que se há de fazer? Não era o sobrenome do teu pai?

— É verdade, e por culpa do meu pai estou condenado a sofrer eternamente, pois me coube em sorte ter de usar um sobrenome que só me traz desgostos e troças — respondeu Vidopliássov.

— Era capaz de apostar como no meio disto tudo anda Fomá Fomitch! — exclamei com aborrecimento.

— Não, meu amigo, isso não, estás enganado. É verdade que Fomá Fomitch o protege. Tomou-o como secretário e a isso se reduz o seu trabalho. É claro que tem cuidado também da sua educação espiritual, infundiu-lhe nobres sentimentos, de tal maneira que, em certo sentido, é hoje uma pessoa esclarecida... Bem, eu hei de contar-te tudo.

— É verdade — atalhou Vidopliássov. — Fomá Fomitch é o meu verdadeiro protetor, e como o é, efetivamente, fez-me ver a minha insignificância, que sou um verme da terra, coisa que até à data ainda não cheguei a compreender.

— Já vês, Sierioga, já vês do que se trata — continuou o meu tio atrapalhando-se enquanto falava, conforme era seu costume. — Ele viveu em Moscou quando era ainda criança, ao serviço dum professor de caligrafia. Se soubesses como ele aprendeu a escrever junto desse homem! Sabe fazer curvas e traços e iluminar as letras a cores e ouro, sabes? E pintar cupidos. Numa palavra, é um artista. Iliúchka anda aprendendo com ele. Pago-lhe meio rublo por lição. Foi o próprio Fomá quem fixou esse preço. Também vai à casa de três proprietários destes arredores e também lhe pagam. Já vês de quem se trata! E também faz versos.

— Versos! Só faltava isso!

— Versos, meu amigo, não penses que exagero; versos a sério, com rima, como dizem, com consoantes no fim e sobre todos os assuntos, que compõe rapidamente sobre qualquer coisa. Um verdadeiro talento! Para o dia do santo da minha mãe escreveu uma carta tão bonita que ficamos de boca aberta. Até metia coisas da Mitologia e as musas esvoaçavam de maneira que... Olha, como se chama isso? Ah, sim, chama-se perfeição de estilo... uma autêntica perfeição de estilo. Foi Fomá quem a corrigiu. Bom. E a mim, é claro, tudo isto me agrada. Que faça todos os versos que quiser, contanto que não abuse muito! Eu, meu caro Grigóri, falo-te, bem vês que te falo como um pai. Fomá ouviu falar disto, quis que lhe mostrassem os versinhos e entusiasmou-o, nomeou-o seu leitor e seu copista. Numa palavra, encarregou-se da sua educação. Por isso ele tem razão quando diz que Fomá é o seu protetor. Bom.

Pois olha que tem um nobre romantismo naquela cabeça e um prurido de independência... Foi Fomá quem me explicou tudo isto, e eu, é verdade, não o esqueci. Mas, confesso-o, até sem necessidade de Fomá queria dar-lhe a alforria. É uma vergonha, sabes? Fomá opõe-se a isso. Diz que precisa dele, que lhe tem amizade, e além disso acrescenta ainda: "Para mim, senhor, é também uma grande honra poder contar um trovador entre os meus criados particulares. Assim se usa entre certos barões e pessoas que vivem *en grand*". Assim, tal qual: *en grand;* com todas as letras: *en grand*. Só Deus sabe como ele se porta. *O* pior de tudo: toma uma tal soberba diante dos outros criados, por causa dos versos, que chega a não lhes querer falar... Não te ofendas por isto, Grigóri, falo-te como pai... Como se isto ainda fosse pouco, o ano passado enfiou na cabeça que havia de casar com uma camponesa, Matriona, por sinal bem bonita, honesta, trabalhadora e muito prazenteira. Bom. Pois de repente disse que não a queria... e deixou-a. Estará ele assim tão vaidoso da sua pessoa que pense primeiro tornar-se célebre e procurar depois outra noiva?

— Fiz isso aconselhado por Fomá Fomitch — observou Vidopliássov — que é o meu verdadeiro protetor...

— Bom. Guarda para ti esse Fomá Fomitch! — exclamei aborrecido.

— Ah, meu amigo, deixa isso! — apressou-se o meu tio a dizer-me. — Mas olha, agora não o deixam em paz. Essa moça, muito esperta e conflituosa, pôs todos contra ele; apupam-no constantemente e até os garotos o tratam como a um palhaço...

— Quem tem a culpa de tudo é Matriona — observou Vidopliássov — porque a tal Matriona é uma imbecil e, além de ser também uma autêntica idiota, é uma mulher de gênio insuportável. Por causa dela vivo neste inferno.

— Ah, Grigóri! Eu bem te disse — continuou o meu tio olhando severamente para Grigóri. — Sabes, Sierguiéi? As pessoas daqui encontraram um mote que rima com o sobrenome dele.

— Um sobrenome ignóbil! — exclamou Vidopliássov.

— Bem, faz o favor de te calares, Grigóri. Fomá também acha... Ou melhor, não se trata verdadeiramente de que tenha aprovado qualquer outro, mas é que se por acaso vier a publicar os seus versos como Fomá pensa, um apelido assim não poder favorecê-lo... Não é verdade?

— Mas ele quer publicar os versos, tio?

— Publicá-los, sim, meu caro. É coisa decidida. ... mas à minha custa. E no frontispício dirá *pelo servo Fulano de tal;* e no prefácio exprimirá a sua gratidão a Fomá por tê-lo ilustrado. Será dedicado a Fomá, Fomá escreverá também o prólogo. Ora bem. Como supor sequer que no frontispício pudesse figurar: *Obras de Vidopliássov?*

— *Lamentações de Vidopliássov* — corrigiu o autor.

— Bem. Portanto, já vês, e para mais lamentações. Que sobrenome vem a ser esse de Vidopliássov? Fere o sentimento da delicadeza, como diz Fomá. E todos os críticos haviam de dizer sabe Deus que gracejos à sua custa. Lembra-te de Brambeus, por exemplo... Mas esse pouco se importava! Começaram por rir e do sobrenome, e aquilo foi de caixão à cova, não é verdade? Repara no que digo: eu, por mim, poria um nome qualquer ao pé dos versos um — pseudônimo, creio que é assim que se chama, não tenho certeza — qualquer coisa que acabasse em imo.

"Não senhor — disse ele — comunique a toda a povoação que daqui para diante passarei a ter outro nome, visto que sou um homem de talento e portanto devo ter um sobrenome nobre."

— Aposto como o tio lhe fez a vontade.

— Eu, só para não levantar conflitos... Nessa altura existia um desacordo entre mim e Fomá... Bem, pois a partir daí todas as semanas muda de sobrenome e escolhe sempre :os mais delicados: Olieándrov, Tiulpânov... Olha, Grigóri, começaste por dizer que querias chamar-te Viérni!![11] Grigóri Viérni desagradou-te logo depois porque houve qualquer pessoa da povoação que o fez rimar com *skviérni*[12]. Reclamaste. Castigamos o brincalhão. Andaste duas semanas pensando noutro nome — quantos não te vieram à cabeça! — até que por fim decidiste pedir que te chamassem Ulánov. Mas não quererás dizer-me se não há coisa mais estúpida do que esse nome de Ulánov? Eu, no entanto, acedi e tornei a participar a toda a gente a mudança do teu sobrenome para Ulánov. Isto, meu amigo — acrescentou o meu tio dirigindo-se a mim — só para tirar este peso de cima de mim... Durante três dias chamaste-te Ulánov. Sujaste todas as paredes, todas as tábuas do caramanchão, riscando tudo com o lápis: Ulánov. Depois começaste a escrevê-lo por todos os lados; Ulánov, experiência; Ulánov, experiência. Até que o resultado foi este; arranjaram-te outra vez uma rima, Bolvanov[13]. Não achei graça nenhuma a essa do Bolvanov... e aí torna ele a mudar de sobrenome. Já me esqueci do que escolheste a seguir.

— Plhassati[14] — respondeu Vidopliássov. — Se pelo meu sobrenome me podem tomar por um bailarino, ao menos ficará mais distinto adaptando-o ao estrangeiro: Tántsev.

— Bem, seja Tántsev — concordei eu, Sierguiéi, e assim ficamos. Simplesmente apareceu logo outro brincalhão que arranjou nova rima para o flamante apelido, rima que não se pode dizer. E agora aqui está ele de novo à procura de outro nome. Era capaz de apostar em como já pensou noutro sobrenome. Acertei ou não, Grigóri? Fala!

— Eu, na verdade, há algum tempo queria submeter à sua apreciação um nome novo, muito elegante.

— Qual é?

— Esbukietov.[15]

— Mas não tens vergonha, Grigóri? O nome dum cosmético! E ainda te consideras inteligente! Sabe-se lá os dias que andaste a ruminar sobre isso! Anda escrito nos frascos de perfume...

— Desculpe tio, — disse-lhe em voz baixa — este tipo é simplesmente um cretino, um cretino, um cretino chapado.

— Que se há de fazer, meu amigo? — respondeu-me também a meia voz. — Aqui em casa estão todos convencidos de que tem muito talento e de que todas as

11   Embora empregado como nome de pessoa, é termo comum russo. Significa leal, fiel.

12   Também termo comum russo. Significa desagradável, ruim.

13   Sobrenome derivado de *bolvan*, bobo. Sátira evidente do autor. Aliás era esta uma das características de Dostoiévski — formar nomes derivados de termos comuns russos, para qualificar os personagens, como acontece, logo a seguir, com Plhassat.

14   Significa *bailarino*, e isto explica as lamentações de Vidopliássov.

15   Empregado na. acepção de delicado, femini. Na época, marca de determinado cosmético. Da mesma forma que os anteriores, é nome forjado.

suas qualidades são excelentes...

— Bem. Mas acabe de falar com ele, por amor de Deus!

— Escuta, Grigóri. Olha, meu amigo, agora não tenho tempo — começou o meu tio num tom de desculpa, como se também tivesse medo de Vidopliássov. — Vê bem se é agora altura de eu atender às tuas desventuras... Tu dizes que voltaram a fazer-te não sei que ofensa. Bem. Muito bem. Eu te dou a minha palavra de honra que ainda amanhã resolverei o caso. Mas agora vai com Deus... Espera! E Fomá Fomitch?

— Já se recolheu. Disse que se alguém perguntasse por ele, respondêssemos que tencionava passar esta noite toda em oração.

— Hum! Bem, adeus, adeus! Olha, Sierioga: ele está sempre do lado de Fomá, de maneira que também tenho medo dele. E aqui ninguém gosta dele porque vai contar tudo a Fomá. Agora foi-se embora mas amanhã é capaz de vir com ditos e contos. Mas eu, meu amigo, como lá em cima já tudo se arranjou, estou agora tranquilo... Só tinha pressa por tua causa. Até que enfim estou de novo só contigo — acrescentou apertando-me as mãos fraternalmente. — Eu pensava, meu amigo, que estavas zangado e querias ir-te embora. Até mandei que te vigiassem. Mas, graças a Deus, agora... Uma coisa... que foi aquilo? O velho Gavrila... que dizia ele? E Falálei e tu... todos à uma! Bem, graças a Deus, graças a Deus! Até que enfim posso falar-te à vontade. Vou abrir-te o meu coração. Tu, Sierioga, não te vás embora, porque só te tenho a ti... a ti e a Koróvkin...

— Mas desculpe, tio... Que se arranjou lá em cima, tio, e que tenho eu a esperar aqui, agora, depois do que aconteceu? Confesso-lhe que com tudo isto tenho a cabeça rodando!

— E a minha, achas que está boa? Já há meio ano, meu amigo, que ando com a cabeça à roda. Mas, graças a Deus, agora tudo se arranjou. Em primeiro lugar, perdoaram-me, perdoaram-me tudo, dentro de certas condições, sem dúvida; eu quase não tenho medo de nenhuma. A Sáchenhka perdoaram. Sacha também. Sacha, há pouco... É uma impetuosa! Às vezes sai um pouco da linha mas tem um coração de ouro. Sinto-me orgulhoso desta moça, Sierioga. Deus lhe dê todas as felicidades. A ti também perdoaram e sabes como? Poderás fazer quanto quiseres, andar por todas as salas e até pelo jardim, mesmo quando haja hóspedes... Em suma, fazer quanto te apetecer, mas com uma condição: a de que amanhã não abrirás a boca diante da mamãe nem de Fomá Fomitch. É uma condição irrecusável, isto é, para dizer tudo, nem uma palavra. Eu já respondi por ti que estava bem, que te limitarás a escutar o que as pessoas mais velhas... Isto quer dizer que os outros é que falam. Dizem que és muito novo... Foi o que disse também Anna Nílovna...

Sem dúvida alguma eu era muito novo e bem o demonstrei nessa ocasião, exprimindo a minha indignação perante tão injuriosas condições.

— Desculpe, tio — exclamei quase sem poder respirar. — Diga-me apenas uma coisa, para poder sossegar: estou ou não numa casa de doidos?

— Ora, rapaz, lá vens tu com críticas! Tens muito pouca paciência! — respondeu o meu tio assustado. — De maneira nenhuma, não estás numa casa de doidos. Acontece simplesmente que de ambos os lados se encarniçam demasiado. Mas olha, meu amigo, tu mesmo deves reconhecer que não te conduziste lá muito bem. Reflete sobre o que disseste... a um homem respeitável pela sua idade.

— Esses tipos não são respeitáveis pela idade, tio.

— Olha, meu amigo, já estás abusando. Isso é ser livre-pensador... Não sou inimigo de um livre-pensador razoável; mas isto, assim, não está certo, e de fato surpreendes-me, Sierguiéi.

— Não se zangue, tio. Sou culpado, mas é para com o senhor. Agora quanto ao seu Fomá Fomitch...

— Mau. A que propósito vem isso do seu, caro Sierguiéi? Não o julgues tão severamente. É um misantropo... e nada mais, e um pouco adoentado. Com isso não é possível ser severo. Mas apesar de tudo é nobre, quero dizer, é mesmo a mais nobre das criaturas. Olha, tu próprio fôste testemunha disso, há pouco: parecia mesmo ter uma aura à sua volta! Embora às vezes tenha as suas esquisitices, não devemos reparar nisso. A quem isso não acontece?

— Desculpe, tio, mas pelo contrário, a quem é que isso acontece?

— E insistes! És pouco generoso, Sierioga, não sabes perdoar.

— Bem, está bem, tio, está bem. Deixemos isso. Diga-me: viu Nastássia Ievgráfovna?

— Ah, meu amigo. Também falamos sobre ela. Olha, Sierioga, vou dizer-te, antes de mais, o principal. Nós todos combinamos... felicitar amanhã Fomá Fomitch, sem falta, pelo seu aniversário, porque amanhã, de fato, é o seu aniversário. Sáchenhka é uma boa môça, mas está enganada. Por isso iremos todos em grupo, cedo, antes do jantar. Iliúchka vai lhe levar uns versos que o hão de deixar todo derretido... uns versos lisonjeiros. Ah, se viesses também conosco felicitá-lo, Sierioga! Talvez te perdoasse tudo. Como seria bom reconciliarmo-nos todos! Meu amigo, esquece a ofensa, Sierioga, que tu também o ofendeste... A um homem tão respeitável!

— Tio, tio — exclamei, acabando por perder a paciência. — Eu queria precisamente falar com o senhor sobre esse assunto, mas o tio... Não sabe, torno a repetir--lhe, o tio não sabe o que se passa com Nastássia Ievgráfovna.

— Mas que é isso, rapaz, que tens? Por que gritas? Precisamente por causa dela é que foi toda esta história de há pouco. Embora a questão não venha só de agora, mas já desde há muito tempo. Eu não quis falar-te disso até este momento, para não te inquietar, mas eles pretendiam nada mais nada menos do que expulsá-la desta casa, e agora exigem de mim que seja eu quem a despeça. Podes imaginar a minha situação... Bom. Agora, graças a Deus, está tudo arrumado! Olha, não te escondo nada, eles julgavam que eu estava apaixonado por ela e queria casar com ela. Numa palavra, que eu me encaminhava para a ruína, porque isto, na verdade, seria correr para a perdição. Foi isto o que eles me fizeram ver... de maneira que, para me salvarem, concordaram em despedi-la. Tudo isto foi obra da mamãe, mas a pior de todas era Anna Nílovna. Fomá, até agora tem estado calado. Já os convenci a todos e lhes comuniquei a tua intenção de te casares com Nástienhka e precisamente para isso vieste. Bem. Com isto tranquilizaram-se imediatamente e agora ela está aqui em casa, mas apenas provisoriamente o que interessa é que ela continua aqui. Também te reabilitei na opinião geral ao expor a tua intenção de te casares. A mamãe, pelo menos, ficou completamente tranquila. Anna Nílovna continua a resmungar. Não sei o que fazer para contentá-la. Que quererá, verdadeiramente, essa tal Anna Nílovna?

— Tio, como está enganado, tio! O senhor não sabe que Nastássia Ievgráfovna se vai embora já amanhã, se já não foi? Não sabe que o pai veio hoje de propósito para levá-la? Que isso é já uma coisa assente? Que foi ela própria quem me disse hoje, e para remate foi procurá-lo? Sabe isto tudo ou não sabe?

O meu tio ficou parado diante de mim, de boca aberta. Pareceu-me que estremecia e do seu peito saiu um pequeno suspiro.

Sem perder um minuto, apressei-me a contar-lhe toda a minha conversa com Nástienhka, a minha oferta de casamento, a sua negativa formal, o seu aborrecimento contra o meu tio por ter-se atrevido a mandar-me vir por meio de uma carta; expliquei-lhe como ela pensava salvá-lo com a sua saída; do casamento com Tatiana Ivânovna... Em resumo, não lhe escondi nada, fazendo com que ele notasse, pelo contrário, tudo o que havia de desagradável naquelas notícias. Eu queria excitar o meu tio para que se resolvesse a tomar medidas definitivas e, de fato, excitei-o.

— Onde está ela, não sabes? Onde está ela agora? — exclamou finalmente, empalidecendo de ansiedade. — E eu, tão tolo, pensando que lá em cima já estava o caso arrumado! — acrescentou com um gesto desolado.

— Não sei onde ela está neste instante. Apenas posso dizer-lhe que, há um momento, quando se ouviram aqueles gritos, ela correu à sua procura e queria dizer-lhe tudo isso alto e bom som, diante de todos. Provavelmente não lhe foi possível.

— E ainda que o tivesse conseguido, que poderia fazer ali? Ai, aquela cabecinha exaltada! Mas tu, tu fizeste bem. Mas por que te teria ela repudiado? É absurdo! Devias ter-lhe agradado. Por que não lhe terias agradado? Responde, diz-me por amor de Deus, por que não lhe terias agradado?

— Desculpe, tio, mas como posso responder a tais perguntas?

— Olha, isso não é possível. Tens forçosamente de casar com ela, Para que te mandei vir de Petersburgo? Tens de fazê-la feliz. Daqui a pouco vão expulsá-la daqui. Quando for tua mulher, minha sobrinha por afinidade... já não poderão fazê-lo. Para onde ela havia de ir? Colocar-se como preceptora? É um absurdo disparatado pensar que vá colocar-se como preceptora. Ora diz-me onde vai ela encontrar uma colocação, em que casa há de ir viver? O velho já tem nove bocas a seu cargo, ali todos passam fome. Olha; ela, de mim não aceitaria absolutamente nada se sair por causa destes mexericos, nem ela nem o pai. Mas como é que ela pode ir-se embora assim? Que horror! É claro que aqui vai haver barulho... bem sei. Há muito tempo recebe o ordenado adiantado para atender às necessidades da família. Se é ela quem a mantém! Bem. Suponhamos que eu a recomendo como preceptora, que lhe encontro colocação em qualquer família honesta e boa. Mas, ó diabo, onde encontrar por aqui uma família decente, verdadeiramente decente? E suponhamos entretanto... isso seria de bradar aos céus... Mas, meu amigo, aí é que está o mal. É possível confiarmos nas pessoas? Além disso trata-se de um homem pobre e desconfiado, ao qual parece que o obrigam a pagar o pão e as atenções com humilhações. Eles ofendem-na, ela é orgulhosa, e então... sim, que se passará então? E se ainda por cima disto tudo se lhe atravessasse no caminho um desses tipos que arvoram em conquistadores? Ela era capaz de lhe cuspir na cara; estou certo disso, mas, apesar de tudo, o aparecimento de um sedutor é sempre uma ofensa. Além disso podem correr boatos que a prejudiquem, pairar sobre ela uma sombra, uma suspeita, e então. Parece que a cabeça me quer voar! Ai, meu Deus!

— Tio! Permita-me uma pergunta! — disse-lhe eu solenemente. — Não fique aborrecido comigo. Pense que a resposta a esta pergunta pode ser decisiva, e que também eu, até certo ponto, tenho direito a exigir-lhe uma resposta, tio!

— Mas de que se trata?

— Diga-me, como se estivesse diante de Deus, franca e sinceramente: não acha que está um tanto apaixonado por Nastássia Ievgráfovna e desejava casar com ela? Pense bem, repare que é por causa disso que a expulsam daqui.

O meu tio fez o mais enérgico gesto de justo repúdio.

— Eu? Apaixonado? Por ela? Por acaso estarão todos doentes da cabeça ou se terão conjurado contra mim? Para que te mandei eu então chamar, senão para demonstrar-lhes que estavam todos erganados? Para que quereria eu então casar-te com ela? Eu? Apaixonado? Por ela? Na verdade estão todos...

— Se é assim, dê-me licença, tio, que lhe diga tudo. Afirmo-lhe solenemente. que não acho nada de insensato na sua proposta. Pelo contrário, pelo contrário, o tio iria fazê-la feliz, se é que gosta dela e... que Deus o ajude. Que Deus o ampare e aconselhe!

— Mas, tu dizes isso... — exclamou o meu tio quase horrorizado. — Espanta--me que possas falar assim, com esse sangue frio... e... de uma maneira geral, tu, meu, amigo, procedes sempre com certa leviandade, já notei em ti esse defeito. Bom. Mas não te parece um absurdo o que dizes? Como, diz-me lá, como podia eu casar com ela, se a encaro como uma filha e não de outro modo? Se teria vergonha de olhá-la de outra maneira e até considerava isso um pecado?! Eu já sou velho... e ela é uma garotinha. Foi isto que Fomá me fez ver, empregando até as mesmas expressões. Eu a amo com um amor paternal, mas tu podes sentir por ela amor de marido. Ela, talvez por gratidão, não me repudiaria; mas depois não deixaria de olhar-me com desprezo, por ter-me querido aproveitar da sua gratidão, ou então ia torná-la infeliz e perderia a sua amizade. Mas eu seria capaz de dar a vida por ela, pela minha filhi-nha! Gosto dela tal como de Sacha, talvez mais, confesso-te. Sacha é minha filha se-gundo o direito, segundo a lei, ao passo que esta, faço dela minha filha por amor. Eu a recebi por causa da sua pobreza, criei-a. Kátia, a minha adorada falecida, gostava muito dela e a deixou para mim como outra filha. Fui eu que a eduquei, mandei-a aprender francês e piano, ofereci-lhe livros e tudo mais... Reparaste no sorriso dela? Viste-o, Sierioga? Parece que troçava de ti; mas não, não troça, pelo contrário, até gosta de ti... Eu pensava que tu irias ter com ela e lhe oferecerias a tua mão. Assim, ia se convencer de que eu não tenho quaisquer intenções e deixariam de pôr a cor-rer todos esses ignóbeis boatos. Ela ficaria então conosco em paz e sossego; e como seríamos todos felizes então! Olha, vocês dois já são meus filhos, os dois órfãos, pouco mais ou menos foram criados os dois debaixo da minha tutela. E como gosto de vocês dois, como gosto! Dedicaria a vocês a minha vida inteira; não havia nunca de separar-me de vocês. Ah, como poderíamos ser felizes! Por que há de essa gente estar sempre de mau humor, indispor-se uns com o outros e não se poder ver? Oh, como eu os acolheria a todos e faria por explicar-lhes tudo do fundo do coração! Como lhes poria diante dos olhos a sinceridade do meu coração! Ah, meu Deus!

— Sim, tio, sim. Tudo isso está muito bem mas o certo é que ela me disse que não.

— Disse-te que não! Hum! Olha, para te dizer a verdade, eu tinha esse pressentimento — exclamou ele distraído. — Mas não — continuou — não acredito! Isso não é possível. Mas vê como é que terias tratado do caso. Naturalmente tocaste no assunto de um modo pouco discreto e até é possível que a tivesses ofendido. Desculpa, mas até as pessoas delicadas podem ser inconvenientes... Conta-me tudo outra vez, diz-me como as coisas se passaram, Serguiei!

Eu lhe repeti outra vez tudo com todas as minúcias. Quando cheguei ao passo em que Nástienhka dissera que esperava salvar o meu tio de Tatiana Ivânovna, com o seu afastamento, ele sorriu amargamente.

— Salvar-me! — disse ele. — Salvar-me até amanhã de manhã!

— O senhor não quer dizer com isso que vai casar-se com Tatiana Ivânovna, tio! — exclamei inquieto.

— Mas por que queria eu que não despedissem Nástienhka amanhã? Amanhã será o pedido de casamento, prometi-o formalmente.

— Está assim decidido, tio?

— Que hei de eu fazer, rapaz, que hei de eu fazer? É uma coisa que me dilacera o coração, mas estou decidido. Amanhã pedirei a sua mão. Querem que o casamento se realize sem fasto, em família; assim, meu amigo, será melhor. Tu serás o meu pajem. Eu já falei por ti. De maneira que nessa altura não terão outro remédio senão te terem cá em casa. Eles dizem: "É uma fortuna que fica para os teus filhos". Sem dúvida. Que não faz uma pessoa pelos filhos? De gatinhas, seria eu capaz de andar por eles, tanto mais que na verdade é justo. Estou obrigada a fazer tudo pelos meus. Não hei de ser sempre um egoísta.

— Mas tio, olhe que ela está doida! — exclamei eu num momento de distração e senti o coração apertado.

— E que tem isso? Doida, completamente, não está. É uma mulher que sofreu muito sabes? É uma infeliz... Que se há de fazer, meu amigo. Com certeza que eu preferia uma com o juízo todo! Esta, em compensação, é tão boa... Se soubesses! Tem um coração tão nobre!

— Mas, valha-me Deus, como o tio já está acostumado a essa ideia! — exclamei desesperado.

— Mas que havia eu de fazer senão isto? Por minha causa todos se preocupam e, no final de contas, eu bem adivinhava que mais cedo ou mais tarde não haveria salvação para mim, que haviam de obrigar-me a casar. Pois então, quanto antes, melhor; ao menos deixam de falar mais nisso. Olha, Sierioga, vou dizer-te tudo com a máxima franqueza; em parte até estou contente. Uma vez que estou decidido, já agora, deito tudo para trás das costas... Dá mais tranquilidade. Parece que era este o meu fado. Mas o principal, o que conta ainda é que Nástienhka fica. Foi com esta condição que eu acedi. E pensar que agora é ela que quer ir-se embora! Mas não há de ser assim! — exclamou o meu tio batendo com os pés no chão. — Ouve, Sierguiéi — acrescentou com um gesto enérgico — espera aqui por mim, não vás lá para casa; eu estarei aqui dentro dum momento.

— Mas aonde vai, tio?

— Talvez possa encontrá-la, Sierguiéi. Tudo se há de esclarecer, verás que tudo se há de esclarecer e ... e ... casarás tu com ela... dou-te a minha palavra de honra.

O meu tio saiu rapidamente da sala, dirigiu-se para o jardim e não para a chácara. Eu, da janela, seguia-o com a vista.

Capítulo XII / A catástrofe

Fiquei sozinho. A minha situação era insuportável. Eu fazia resistência, mas o meu tio queria casar-me quase à força. Eu me afundava e me esgotava em congeminações. Mizíntchikov e a sua proposta não me saíam do pensamento. Fosse como fosse, era preciso salvar o meu tio. Eu pensava até em ir buscar Mizíntchikov e contar-lhe tudo. Mas, entretanto, onde tinha ido o meu tio? Ele dissera que ia procurar Nástienhka; mas o certo é que se metera no jardim. A ideia de encontros clandestinos passou-me pela imaginação e um sentimento de desgosto se apoderou da minha alma. Recordei-me das palavras de Mizíntchikov referentes a umas relações secretas... Depois de ter refletido um momento, repudiei com aborrecimento todas as minhas suspeitas. O meu tio não podia enganar-me, isso era evidente. A minha inquietação crescia de instante para instante. Indeciso, desci os degraus, saí para o jardim escuro e avancei pela mesma alameda pela qual enveredara o meu tio. A lua começava a elevar-se. Eu conhecia perfeitamente o jardim e não temia perder-me. A caminho do velho caramanchão, que se erguia solitário, junto do antigo lago coberto de lodo, parei de repente e fiquei pregado ao chão. Até mim chegavam rumores de vozes no caramanchão. Não poderia exprimir o sentimento de desgosto que se apoderou de mim. Estava convencido de que eram o meu tio e Nástienhka, e segui para diante, tranquilizando em todo caso a minha consciência, dizendo para comigo que caminhava no mesmo passo de há pouco e que não pretendia esconder-me. De repente ouviu-se claramente o ruído dum beijo, seguido do rumor dumas palavras de protesto, e imediatamente depois um grito agudo de mulher. No mesmo instante, uma mulher vestida de branco saiu a correr do caramanchão e passou por mim roçando-me como uma andorinha. Pareceu-me que ela tapava a cara com as mãos para não ser conhecida. Provavelmente tinha me visto do caramanchão. Mas qual não foi o meu assombro ao ver Obnóskin à entrada deste, atrás da assustada dama... Obnóskin, o qual, segundo me dissera Mizíntchikov, havia pouco partira. Por seu lado também Obnóskin, quando me viu, ficou muito perturbado; todo o seu descaramento desapareceu.

— Desculpe mas... não esperava encontrá-lo — exclamou sorrindo e balbuciando.

— Nem eu ao senhor — respondi com certa maldade. — Tanto mais que me comunicaram que o senhor fora embora.

— Não... fui apenas acompanhar a minha mãe até um lugar que também não fica longe daqui. Mas seria possível confiar na sua discrição?

— Para quê?

— Há ocasiões... Deve concordar comigo... há ocasiões em que um homem verdadeiramente honrado precisa de contar com todos os nobres sentimentos de outro homem, também verdadeiramente honrado... Espero que há de compreender-me...

— Pois não compreendo absolutamente nada.

— Viu uma senhora, que estava aqui comigo no caramanchão?

— Vi-a mas não a conheci.

— Não a conheceu?! Pois essa senhora vai ser em breve minha mulher.

— Os meus parabéns. Mas em que posso ser-lhe útil?

— Numa coisa: guardando o mais profundo segredo sobre o fato de me ter visto em companhia dessa mulher.

"É tudo? — pensei para mim. — Senão..."

— Verdadeiramente não sei — respondi a Obnóskin — Espero que me desculpe, mas não posso dar-lhe a minha palavra...

— Pelo amor de Deus seja amável! — suplicou Obnóskin.

— Pense na minha situação; trata-se de um segredo. O senhor também pode ter uma noiva e então eu, pelo meu lado...

— Psiu! Vem aí alguém.

— Por onde?

Efetivamente, a trinta passos de nós distinguia-se já a figura dum homem que caminhava ao longo do lago.

— Provavelmente... deve ser Fomá Fomitch — murmurou Obnóskin com um tremor que lhe percorreu todo o corpo. — Conheço-o pela maneira de andar. Meu Deus! Mais um passo e ele chega aqui. Ouça... Desculpe! Hei de agradecer-lhe... peço-lhe!

Obnóskin desapareceu. Passado um minuto o meu tio surgiu diante de mim, como nascido do chão.

— És tu? — disse-me. — Está tudo estragado, Sierioga, está tudo estragado!

Reparei que ele tremia também dos pés até à cabeça.

— Mas que aconteceu, tio?

— Vamo-nos embora daqui! — exclamou respirando ofegantemente.

E pegando-me com força no braço, obrigou-me a segui-lo. Durante todo o caminho até à casinha não disse uma palavra nem me deixou falar. Eu esperava qualquer coisa de extraordinário e não me enganei. Assim que entramos em casa, quase desfaleceu, fez-se lívido como um cadáver. Salpiquei-o imediatamente com água.

"Deve ter acontecido qualquer coisa de terrível — pensei — para que um homem como ele desmaie."

— Tio, que lhe aconteceu? — perguntei-lhe finalmente.

— Está tudo estragado, Sierioga. Fomá encontrou-me no jardim com Nástienhka, no instante preciso em que eu a beijava...

— Beijava! No jardim! — exclamei, olhando atônito para o meu tio.

— No jardim, sim, meu amigo! Deus me valha! Atravessava eu o jardim com a ideia de encontrá-la... Queria falar com ela, sobre ti, está claro. Mas havia já uma hora que ela me esperava ali, junto do banco que há por detrás do lago... Era para aí que ela costumava ir algumas vezes quando precisava falar comigo.

— Algumas vezes, tio?

— Algumas, meu amigo! Nestes últimos tempos víamo-nos ali quase todas as noites. Mas naturalmente eles espiaram-nos... sim, estou informado de que nos espiavam, que foi Anna Nílovna quem tramou tudo. Suspendemos as nossas entrevistas a tempo; havia já quatro dias que não nos encontrávamos ali e só hoje tornamos a falar. Tu bem vês como isto era preciso; se não fosse assim, como havíamos de ter combinado a entrevista? Fui ali na esperança de encontrá-la e havia já uma hora que ela lá estava à minha espera. Precisávamos trocar impressões...

— Meu Deus, que imprudência! Mas o tio não sabia que eram espiados?

— Sim, mas é que se tratava de uma situação crítica, Sierioga. Tínhamos muitas coisas a dizer urgentemente. De dia não me atrevo a olhar para ela. Ela olha para um lado e eu desvio a vista para o outro, como se nem sequer soubesse que ela existe neste mundo. Mas à noite reunimo-nos e falamos...

— Bom. Continue, tio!

— Quase que nem tinha tempo para dizer-lhe duas palavras, sabes? O coração batia-me, dos meus olhos corriam lágrimas... Eu lhe dizia que devia aceitar as tuas propostas... e ela respondia-me: "Afinal, não gosta de mim... não há dúvida que não compreende nada". E de repente foi e atirou-me os braços, estreitou-me e rompeu em pranto e soluços. "Eu — dizia ela — só gosto de você e não casarei com mais ninguém. Há muito tempo gosto de você, mas não casarei com você, amanhã sairei desta casa e irei para um convento."

— Meu Deus! Seriamente que ela falava assim? Bem. E que mais, que mais, tio?

— Levanto os olhos e diante de nós estava Fomá. De onde teria ele vindo? Estaria por acaso escondido atrás de um arbusto, esperando este pecado?

— Canalha!

— Eu perdi os sentidos. Nástienhka saiu correndo e Fomá Fomitch, em silêncio, avançou para nós, ficou a dois passos de mim e pôs-se a proferir ameaças... Imagina tu, Sierguiéi, o escândalo que amanhã vai haver.

— Bem. Não pense nisso.

— Mas tu não compreendes — exclamou o meu tio desesperado e saltando da cadeira — não compreendes que eles queriam perdê-la, culpá-la, desonrá-la, achar um pretexto para cobri-la de infâmia e depois expulsarem-na daqui, e que agora já têm esse pretexto? Eles diziam que nós dois mantínhamos relações ilícitas. Não chegaram a dizer que ela também andava metida com Vidopliássov? Tudo isto eram intrigas de Anna Nílovna. Pois que não dirão agora essas vis criaturas? Que se irá passar amanhã? E se Fomá vai contar tudo? Achas que devo falar com Fomá?

— Não há dúvida de que ele irá contar tudo.

— Pois ele que conte, que conte... — exclamou o meu tio cerrando os dentes e apertando os punhos. — Mas acho que não, acho que não. Não contará, guardará tudo para si... é um homem muito digno! Terá consideração por ela...

— Tenha ou não tenha — respondi eu com energia. — Seja como for, o tio tem obrigação de pedir já amanhã a mão de Nastássia Ievgráfovna.

O meu tio ficou a olhar-me de alto a baixo.

— O tio não vê que será o causador da desonra dessa moça, se essa história se espalha? Não compreende que é preciso reparar o mais depressa possível o seu erro? Que é necessário poder encarar todos bem de frente? Que deve fazer com que todos saibam que pediu a mão da moça, trocando as voltas a Fomá, se ele se atrever a atacá-la?

— Meu amigo! — exclamou o meu tio. — Enquanto me encaminhava para aqui vinha eu pensando nisso tudo.

— E que decidiu?

— Decidi começar por te contar tudo, primeiro.

— Bravo, tio!

Eu abracei o meu tio.

Ficamos conversando durante muito tempo. Eu lhe expus todas as razões, toda a necessidade inadiável em que ele se encontrava de casar com Nástienhka o que, no fundo, compreendia muito melhor do que eu. Mas a minha eloquência incitava-o. Eu me entusiasmava por ele. Era preciso incitá-lo, pois de outro modo nunca se resolveria. Perante o dever, perante a responsabilidade, submetia-se sempre. Mas apesar de tudo não sabia como conduzir aquele assunto. Eu sabia e acreditava firmemente que o meu tio não retrocederia um passo perante aquilo que reconhecesse como seu dever; mas não conseguia acreditar tivesse energia suficiente para revoltar-se contra os parentes. Eu me esforçava por instigá-lo e encorajá-lo e exprimia-me com toda a veemência da juventude.

— Mais vale assim, mais vale — dizia eu — pois agora está tudo decidido e dissiparam-se as suas últimas dúvidas. Aconteceu aquilo que o tio não esperava, embora na realidade tudo isso os outros já viam e tinham notado antes do senhor. Nastássia Ievgráfovna ama-o. Ou o tio prefere que este honesto amor redunde na sua desonra e infâmia?

— Nunca! Mas, meu amigo, poderei eu realmente vir a ser tão feliz? — exclamou o meu tio abraçando-me. — Mas por que é que ela me ama, por quê? Entendo que não tenho nada... Eu já sou velho para ela; sério que não podia esperar... Meu anjo, meu anjo! Ouve, Sierioga. Há pouco me perguntaste se eu não estaria apaixonado por ela. Tinhas alguma ideia de que isso pudesse ser?

— Eu via apenas que o tio gostava dela como não é possível gostar mais. Amava-a, sem saber. Mandou-me vir, queria casar-me com ela unicamente para que virasse sua sobrinha e não se afastasse do seu lado...

— E tu... tu desculpas-me, não é verdade, Sierguiéi?

— Oh, tio!

E caímos de novo nos braços um do outro.

— Olhe, tio, tudo se conjura contra si. É preciso fazer frente e lutar contra todos, já a partir de amanhã...

— Sim... sim, amanhã! — repetiu ele um tanto pensativo. — Atacaremos o assunto com energia viril, com verdadeira nobreza de alma, com inteireza de caráter.

— Não se amedronte, tio.

— Eu não me amedronto, Sierioga. Simplesmente, não sei como hei de começar, como iniciar o ataque.

— Não se preocupe com isso, tio. Deixe tudo para amanhã. Hoje descanse. Quanto mais se pensa nas coisas, pior. E se Fomá der à língua... é expulsá-lo imediatamente desta casa e abrir fogo contra ele...

— E se não for possível expulsá-lo? Eu resolvi isto, meu amigo. Amanhã vou vê-lo cedinho, assim que amanhecer, e digo-lhe tudo de quanto falamos. Não tem outro remédio senão compreender-me, ele que é tão nobre, o mais digno deste mundo. Mas uma coisa me inquieta: e se a minha mãe disse a Tatiana Ivânovna que eu ia amanhã pedi-la em casamento? Isso seria terrível!

— Não se preocupe por causa de Tatiana Ivânovna, tio.

E contei-lhe a cena do caramanchão com Obnóskin. O meu tio ficou pasmado. Mas não lhe disse uma palavra a respeito de Mizíntchikov.

— Que criatura fantástica! Verdadeiramente fantástica! — exclamou. — Coitada! Andam atrás dela. Querem aproveitar-se da sua ingenuidade. Ora esta, Obnóskin! Mas ele não tinha ido embora? Que estranho, sim, estranho! Estou desconcertado, Sierioga... Amanhã mesmo é preciso sabermos e adotarmos medidas... Mas tens certeza de que era Tatiana Ivânovna?

Eu lhe respondi que, para dizer a verdade, não conseguira ver-lhe o rosto; mas tinha as minhas razões para estar realmente seguro de que era Tatiana Ivânovna.

— Hum! Não se tratará antes de algum devaneio com alguma jovem daqui e a ti pareceu que era Tatiana Ivânovna? Não seria Dacha, a filha do jardineiro? É uma descarada. Já tem dado que falar e é por isso que te digo isto, já tem dado que falar. Anna Nílovna apanhou-a com a boca na botija. Mas, afinal, que importância tem isso? Para mais o homem dizia que pensava casar-se... É estranho, muito estranho!

Finalmente, separamo-nos. Eu abracei e felicitei o meu tio.

— Amanhã, amanhã — repetiu ele — tudo se resolverá. Vou ter com Fomá e falo-lhe francamente, como a um irmão, vou lhe abrir todos os escaninhos do coração, o meu íntimo. Adeus, Sierioga! Deita-te, que estás cansado. Eu, com certeza que não hei de dormir nada esta noite.

E foi-se. Eu me deitei imediatamente, cansado e esgotado até mais não poder. O dia fora difícil. Os nervos escangalhados, antes de adormecer ainda senti tremores e arrepios. Mas, por muito estranhas que tivessem sido as minhas impressões antes de adormecer, toda a sua estranheza, no entanto, nada significava diante daquela do meu despertar na manhã seguinte.

SEGUNDA PARTE

CAPÍTULO I / A PERSEGUIÇÃO

Dormi com um sono pesado, sem sonhos. De repente senti que sobre os meus pés pesava uma carga de dez *puds*. Dei um grito e acordei. Era já dia; na janela, o sol brilhava claro. Em cima da minha cama, ou, para melhor dizer, em cima dos meus pés estava sentado o Senhor Baktchéiev.

Não era possível haver dúvidas, era ele. Libertando os pés como foi possível endireitei-me na cama e fiquei a olhar para ele, com a surpresa estúpida de quem não está ainda bem acordado.

— A olhar para tudo! — exclamou o gordo. — Mas por que te admiras? Levanta-te, paizinho, levanta-te. Já há meia hora que eu estou aqui, abre os olhos de uma vez!

— Mas que aconteceu? Que horas são?

— Ainda é cedo, paizinho; mas a nossa fada Iefrônia não esperou que fosse dia e partiu. Levanta-te, vamos à sua procura.

— Mas de que Iefrônia se trata?

— Ora, quem há de ser senão a nossa, a nossa musa? Voou. Antes que o sol nascesse, bateu asas. Eu vim até aqui apenas num instante, para acordá-lo; mas cá estou já há duas horas. Levante-se paizinho, que o seu tio está à sua espera. Espera-o uma grande recepção! — acrescentou com um certo timbre irônico na voz.

— Mas de quem e de que fala o senhor? — exclamei eu impaciente e pondo-me logo a fazer conjeturas. — Talvez de Tatiana Ivânovna?

— Pois de quem havia de ser? Acertaste. Eu bem os avisei... não quiseram escutar-me. Pois agora aí a têm! Meteu-se de amores, amor subiu-lhe à cabeça. Ufa! E com quem... com quem? Com o da barbicha!

— Mizíntchikov?

— Frio, frio! Mas, paizinho, esfrega bem os olhos, espevita para a festa! Parece que a ceia de ontem te caiu mal e que ainda estás um pouco tonto. Com Mizíntchikov! Ah, ah! Com Obnóskin é que foi e não com Mizíntchikov! Ivan Mizíntchikov é um homem sério e agora vem conosco à sua procura...

— Que diz? — exclamei, esforçando-me por saltar da cama. — Com Obnóskin!

— Oh, como és pesado! — respondeu o gordo levantando-me da cama. — Eu aqui a perder tempo com ele, a dar-lhe a novidade como se fosse alguém importante, e ele ainda a duvidar. Bem, paizinho, se queres vir conosco, levanta-te já, veste as calças e não me faças estar aqui tagarelando, pois já perdi contigo um tempo precioso.

E saiu, muito aborrecido.

Espantado com esta notícia, saltei da cama, vesti-me rapidamente e corri para fora do quarto. Pensando encontrar o meu tio em casa, onde, segundo parecia, todos dormiam ainda sem saber do que acontecera, dirigi-me cautelosamente para a escada dos senhores, e aí me encontrei com Nástienhka. Ia vestida com roupa de uso caseiro, com um penteador ou um roupão. Tinha os cabelos em desordem; via-se bem que acabava de levantar-se e parecia esperar alguém na escada.

— Diga-me, é verdade que Tatiana Ivânovna fugiu com Obnóskin? — perguntou-me, atropelando as palavras, com a voz entrecortada, pálida e desassossegada.

— Dizem que sim. Eu vou procurar o meu tio, queremos ir atrás dela.

— Oh! Vão, vão, quanto antes. A pobre corre para a perdição, se não a alcançarem a tempo...

— Mas onde está o meu tio?

— Naturalmente além, próximo das cavalariças. Mandou preparar um coche. Eu estou aqui à espera dele. Faça favor de lhe dizer, da minha parte, que eu tenho de sair desta casa ainda hoje sem falta. Que já resolvi tudo. O meu pai veio buscar-me. Eu irei agora mesmo, se for possível. Agora já está tudo perdido. Tudo se desfez!

Enquanto falava assim olhava para mim desvairadamente e, de repente, começou a chorar. Parecia que ia dar-lhe um ataque de histerismo.

— Acalme-se — pedi-lhe eu. — Isto ainda há de acabar tudo bem... Vai ver... Mas que tem, Nastássia Ievgráfovna?

— Eu... eu não sei... o que tenho — disse ela respirando, ofegante, e apertando-me a mão com força. — Diga-lhe...

Nesse momento ouviu-se um ruído na porta próxima.

Ela me apertou mais a mão e, sobressaltada, sem dizer nada, deitou a correr pelas escadas acima.

Eu me encontrei depois com todos, com o meu tio, com Baktchéiev e Mizíntchikov, no cercado traseiro, junto das cavalariças. À caleche de Baktchéiev foram atrelados novos cavalos. Estava tudo pronto para a partida, esperavam apenas por mim.

— Aqui está ele! — exclamou o meu tio quando me viu. — Já sabes? — acrescentou com uma expressão um pouco estranha. Inquietação, distração e, ao mesmo tempo, um pouco de esperança refletiam-se no seu olhar, na sua voz e nos seus gestos. Pensava, provavelmente, que acabava de dar-se uma mudança capital no seu destino.

A seguir informaram-me de tudo, sem omitirem um único pormenor. O Senhor Baktchéiev, que passara uma noite horrível, saíra de sua casa ao despontar do dia, com a intenção de chegar a tempo de ouvir missa no mosteiro, a umas cinco verstas da sua granja. Mas, ao deixar a estrada para tomar um atalho, lobrigou uma *tarantás* que voava como uma seta, e lá dentro viu Tatiana Ivânovna e Obnóskin. Tatiana Ivânovna, choramingando e como que assustada, começou a gritar, ao mesmo tempo que estendia as mãos para o Senhor Baktchéiev, como se implorasse proteção. Era isto, pelo menos, o que se deduzia do que ele contava.

— E o tratante, o barbichas — explicava ele — parecia mais morto do que vivo e queria esconder-se de mim... Pois sim, mas a mim não me escapas tu...

Sem perder tempo a pensar, Stiepan Alieksiéievitch voltou de novo para a estrada, encaminhou-se para Stiepântchikovo, acordou o meu tio, Mizíntchikov e, finalmente, a mim. Resolveram partir imediatamente em sua perseguição.

— Aquele Obnóskin, aquele Obnóskin! — dizia o meu tio voltando-se constantemente para mim, como se em vez disso quisesse dar-me a entender outra coisa. — Quem é que seria capaz de supor uma coisa destas?

— Desse homem ruim era sempre possível esperar uma baixeza — exclamou Mizíntchikov com uma expressão de profunda desolação, mas ao mesmo tempo voltava a cabeça para o outro lado, evitando o meu olhar.

— Então que fazemos? Vamos ou não vamos? Ou vamos ficar aqui a tagarelar até à noite? — interrompeu o Senhor Baktchéiev subindo para o carro.

— Vamos, vamos — exclamou o meu tio.

— Tudo há de acabar bem, tio — murmurei-lhe ao ouvido. — Não vê como as coisas estão correndo otimamente?

— Está bem, rapaz, não gracejes... Ai, meu amigo! Agora eles vão expulsá-la, mais não seja senão como castigo, por não terem conseguido os seus planos... Não compreendes? Um horror, meu coração já adivinhou!

— Mas então, Iegor Ilhitch, quando é que se decide? — gritou pela segunda vez o Senhor Baktchéiev. — Desatrelamos os cavalos e vamos comer qualquer coisa ainda? Que lhe parece? Não teria bebido uns tragos de vodca?

Disse estas palavras com uma ironia tão mordente que já não houve mais possibilidade de não obedecer imediatamente ao Senhor Baktchéiev. A seguir subimos todos para a carruagem e os cavalos arrancaram.

Durante algum tempo seguimos calados. O meu tio deitava-me olhares significativos mas evitava falar-me diante dos outros. De vez em quando afundava-se em meditações; depois, como se acordasse, estremecia e olhava à sua volta. Mizíntchikóv, segundo parecia, estava tranquilo, fumava um cigarro e olhava com a dignidade dum homem injustamente ofendido. Em compensação Baktchéiev não podia estar sossegado. Resmungava por entre dentes, olhava para todos com nítido aborrecimento; corava, resfolegava, cuspia e não podia estar quieto.

— Tem a certeza, Stiepan Alieksiéievitch, de que eles se dirigiam para Míchino? — perguntou o meu tio de repente. — Isso, meu caro, fica a vinte léguas daqui — acrescentou, olhando para mim. — É uma aldeola de trinta almas. Mudou há pouco tempo de dono e passou a ser propriedade dum ex-funcionário público. Um chicaneiro como não deve haver outro. Pelo menos é o que dizem, embora possa não ser verdade. Stiepan Alieksiéievitch, tem a certeza de que Obnóskin se dirigia para lá e que o referido ex-funcionário lhe tinha oferecido auxílio?

— Ora essa! — ripostou imediatamente o senhor Baktchéiev. — Já disse e continuo a dizer que foi para Míchino. Simplesmente, pode acontecer que no tal Míchino chamem Mitkoi[16] ao tal Obonóskin. Perderam três horas a tagarelar junto da cerca...

— Não se preocupe — observou Mizíntchikov — havemos de encontrá-los.

— Sim, sim, esperem lá por essa! Ele está mesmo ali à nossa espera! Tem a faca e o queijo na mão; para que havia de esperar?

— Sossega Stiepan Alieksiéievitch, sossega, que havemos de chegar a tempo! — disse o meu tio. — Ainda não tiveram tempo de fazer nada... Vais ver como é assim.

— Ainda não tiveram tempo de fazer nada? — exclamou com malícia o Senhor Baktchéiev. — Que havia ela de ter tido tempo de fazer, se é tão recatada? "Ajuizada, dizem, ajuizada!", — acrescentou com um tom de voz como se quisesse arremedar alguém. — Tem sofrido muito. Agora é que ela vai saber como as coisas são. E nós aqui a percorrermos o caminho em sua perseguição, com a língua de fora, desde o romper da alva até à noite. Nem ao menos nos deixam rezar ao domingo. Arre!

— No entanto ela não é nenhuma menina — observei eu — e não está sob tutela. Se ela não quiser, não podemos obrigá-la a voltar para trás. Que direito temos nós sobre ela, afinal?

— Isso é verdade — respondeu o meu tio — ela, porém, há de querer, garanto-te. Assim que nos vir... assim que nos vir... virá logo ter conosco; eu respondo por ela. Além disso não é possível abandoná-la assim ao acaso, vítima do destino. É um dever evitá-lo...

— Não está debaixo de tutela — exclamou Baktchéiev olhando para mim com cara de poucos amigos. — Mas se ela é maluca, paizinho, maluca de todo! Ora esta... E que tem que não esteja debaixo de tutela? Ontem, não quis falar-lhe nisso, mas vou dizer agora, por engano entrei no quarto dela e fui encontrá-la sozinha, diante do espelho, com as mãos na cintura e dançando uma escocesa. E a maneira como estava vestida! Um autêntico figurino, um figurino de modas! Cuspi e retirei-me. Então tive o pressentimento disto tudo, como se o tivesse visto escrito.

— Mas quem tem a culpa? — observei com certa timidez. — Bem se vê que Tatiana Ivânovna... não está de perfeita saúde... ou, para melhor dizer, está atacada de uma certa mania... A mim parece-me que o único culpado em tudo isto é Obnóskin e não ela.

— Não está de perfeita saúde? Só faltava esta! — exclamou o gordalhufo corando de raiva. — Pelo visto juraram fazer-me perder a cabeça. Ela é maluca, paizinho, torno a te dizer, maluca chapada, mas lá por isso não deixa de gozar de excelente saúde. Desde pequena que tem a mania das paixonetas. E agora o amor levou-a ao último extremo. Mas, desse tipo da barbicha nem é bom falar. Agora é que ele vai viver à grande com o dinheiro... e depois ainda se há de rir dela.

— Acha que a abandonará?

— Oh, não! Havia de andar de um lado para o outro com o seu tesouro? Que

16 Derivado de *mitki*, irrequieto.

lhe interessa ela? Há de abandoná-la; deixá-la em qualquer lugar, ao pé duma árvore... e adeus, fica aí aspirando o perfume das florzinhas!

— Vamos, tu exageras, Stiepan, não será tanto assim! — exclamou o meu tio. — Mas afinal que tens tu com isso? Não sei por que estás assim, Stiepan.

— Mas eu sou um homem ou não sou? A coisa é de fazer ferver o sangue a qualquer, mesmo que não lhe diga respeito põe uma pessoa fora de si. Talvez fale assim, só por compaixão... Ai, este mundo está podre! Mas, afinal, por que vou eu lá? Por que me apoquento? Que me interessa isto tudo? Que mal tem isto para mim?

Assim resmungava o Senhor Baktchéiev, mas em breve deixei de dar atenção às suas palavras e pus-me a pensar naquela que íamos perseguindo... em Tatiana Ivânovna. Eis aqui uma breve biografia sua que consegui obter de fontes dignas de crédito e que considero indispensável reproduzir aqui para melhor compreensão da sua aventura. Órfã e pobre, criada entre estranhos, numa casa pouco hospitaleira, assim viveu a infeliz jovem até que se tornou uma solteirona. Tatiana Ivânovna, em toda a sua pobre vida esgotou até às fezes o cálice da amargura: orfandade, humilhações, raptos, e toda a dor de quem come um pão alheio que de má vontade lhe dão. De caráter alegre por natureza, estabanada e despreocupada em alto grau, a princípio foi suportando como pôde a sua amarga sorte e, de vez em quando, até dava risada com um riso alegre e franco; mas, com os anos, essa triste sorte acabou por vencê-la. Pouco a pouco Tatiana Ivânovna foi-se tornando amarelenta, seca, muito sensível, de uma delicadeza mórbida, afundou-se num devaneio contínuo, interrompido por vezes por prantos histéricos e soluços convulsivos. Quanto menos felicidades terrenas lhe concedia a realidade, tanto mais se consolava e compensava do seu abandono graças à fantasia. Quanto mais verdadeira, quanto mais desapiedadamente se iam afundando, até ruírem por fim as suas últimas esperanças nesta vida, mais imperiosamente se apoderavam dela as suas irrealizáveis ilusões... Riqueza espantosa, formosura inultrapassável, pretendentes elegantes, opulentos, distintos, célebres, todos príncipes e filhos de generais, que lhe ofereciam o seu coração, guardado só para ela com infantil virgindade, e que morriam a seus pés pela violência do seu amor. Finalmente ele... *ele*, o ideal da beleza no qual se resumiam todas as perfeições possíveis, apaixonado e submisso e, para cúmulo, artista, poeta, filho dum general, tudo ao mesmo tempo, começou a intoxicá-la, aparecendo-lhe não só em sonhos, mas até quando estava acordada. A sua razão começou a fraquejar e não pôde resistir ao veneno deste ópio dos seus secretos e contínuos devaneios... E de repente, eis que a sorte veio alterar por completo a sua vida. No último grau da humilhação, no meio da mais triste e desolada realidade, quando servia de dama de companhia a uma velha desdentada, a mais insuportável e rabugenta deste mundo, que de tudo lhe lançava culpas e lhe atirava em rosto cada côdea de pão que em sua casa comia ou cada trapo que vestia, na situação duma pobre criada a quem qualquer pessoa pode ofender, desanimada pela sua vida amarga, e além disso presa duma fantasia desenfreada... recebe inesperadamente a notícia da morte dum parente afastado, ao qual havia já um certo tempo (nunca ela, no seu aturdimento, se tinha lembrado dele) tinham morrido todas as pessoas de família; um homem estranho, que vivia escondido no fundo duma província, misantropo solitário, azedo, silencioso, que se dedicava à frenologia e ao empréstimo de dinheiro a juros. E eis assim que uma imensa fortuna, de repente, como por artes mágicas, veio cair-lhe em cima, e uma grinalda de rosas douradas se desfolhou aos pés de Tatiana Ivânovna. Era ela a única herdeira desse parente, que tinha, morrido solteiro. Couberam-lhe cem mil rublos em herança. Esta sorte bizarra acabou de transtorná-la. De fato, como é que a sua razão, já alterada por causa deste acontecimento, não havia de acreditar daí em diante na verdade dos seus desvarios e dos seus sonhos, que começavam já a realizar-se? E a pobre acabou por perder definitivamente a última parcela de juízo que ainda lhe restava. Embriagada de felicidade, entregou-se sem freios ao seu mundo encantador de sonhos impossíveis e arrebatadoras ilusões. Desapareceram todas as suas cautelas, as suas dúvidas, todos os limites da realidade e as suas leis. Trinta e cinco anos, uma beleza que se apagava, uma tristeza outonal, e todo o delíquio de uma ilimitada nostalgia de amor... habitavam na sua alma. Os sonhos já uma vez se tinham concretizado. Por que não haviam de continuar a concretizar-se? Por que não havia ele de aparecer? Tatiana Ivânovna não discernia, limitava-se a acreditar. Mas, enquanto esperava por ele, pelo ideal, nobres, galãs, cavalheiros de todo gênero, ou, simplesmente cavalheiros, militares ou civis, oficiais de diversas armas, aristocratas e poetas, que tinham estado em Paris ou, pelo menos, em Moscou; com barba ou sem ela, com suíças e sem suíças, espanhóis e não espanhóis (mas de preferência espanhóis) começaram a aparecer-lhe dia e noite numa quantidade tão aterradora e desconcertante, despertando grandes inquietações em todos quantos a rodeavam. Dali à Casa Amarela[17] faltava apenas um passo. Como um colar resplandecente, cingiram-se em torno dela todas estas belas ilusões. Acordada na vida real, via tudo de uma maneira fantástica. Olhasse para quem olhasse, ficava imediatamente rendida, qualquer homem que passasse diante dela era um espanhol, se algum homem morria, morria de amor por ela. Tudo isto se enraizou ainda mais no seu espírito pelo fato de, por aquela altura, terem começado a revolutear à sua volta indivíduos como, por exemplo, Obnóskin, Mizíntchikov e muitos outros, que perseguiam os mesmos fins. Começaram todos de repente a lisonjeá-la, a elogiá-la e a adulá-la. A pobre Tatiana Ivânovna não queria suspeitar sequer que tudo isso fosse por causa do seu dinheiro. Estava perfeitamente convencida de que, como por artes mágicas, todos os homens se tinham emendado de um momento para o outro, e eram todos, desde o primeiro ao último, joviais, simpáticos, afetuosos e bons. Ele ainda não aparecera, mas não havia a menor dúvida de que havia de aparecer, e, mesmo sem isso, a vida atual era tão agradável, tão sedutora, tão cheia de todo gênero de prazeres e distrações, que não custava muito esperar por ele. Tatiana Ivânovna saboreava doces, desfolhava as flores da satisfação, lia romances. Os romances esquentavam ainda mais a sua imaginação e, em geral, não costumava passar da segunda página. Não levava a leitura mais por diante, absorvida pelos sonhos mais arrebatadores, à mais breve alusão ao amor, e às vezes, simplesmente, perante a descrição de uma paisagem, de uma sala ou de um vestido. Encomendava constantemente novos vestidos, rendas, chapéus, fitas, cordões, bordados, modelos, doces, flores e cãezinhos mimados. Na modista, três moças passavam o dia fazendo os seus vestidos, enquanto a senhora os provava diante do espelho. Parecia até mais nova e bonita desde que herdara. Até ao presente não sabia precisamente qual o seu parentesco com o falecido Krakótkin. Sempre estive convencido de que esse parentesco era uma invenção da generala, desejosa de

---

17 *Sic.* O manicômio.

apanhar Tatiana Ivânovna, para, fosse como fosse, casar o meu tio com o seu dinheiro. O Senhor Baktchéiev tinha razão em falar de paixonetas que absorviam o juízo de Tatiana Ivânovna, e a ideia do meu tio, ao saber a notícia da sua fuga com Obnóskin, de correr no seu encalço e de fazê-la voltar para casa, mesmo à força, era muitíssimo racional. A pobre criatura não era capaz de viver sem uma tutela e com certeza que acabariam com ela se caísse nas mãos de aventureiros.

Eram dez horas quando chegamos a Míchino. Era esta uma pobre e pequena aldeola, a três verstas de distância da estrada real, e reduzia-se a poucas casas. Seis ou sete cabanas de camponeses, encarquilhadas e escurecidas pelo fumo, cobertas de colmo, e que mostravam um aspecto desolado e hostil ao viajante. Num quarto de versta ao redor não se descobria nem uma horta nem uma árvore. Com certeza que semelhante lugarejo não podia causar boa impressão em Tatiana Ivânovna. A casa do senhor da terra consistia num edifício moderno, comprido e estreito, com sete janelas em fila e coberto provisoriamente de colmo. O funcionário-proprietário acabara de instalar-se na sua chácara. A entrada ainda não tinha cerca e apenas num dos seus lados começavam a levantar a paliçada com uns troncos de nogueira, aos quais ainda não tinham tido tempo de arrancar as folhas secas. Aí, junto do muro, estava a carruagem de Obnóskin. Caímos sobre os culpados como a neve sobre a cabeça dos que passam. Pela janela aberta ouviam-se gritos e choros.

Um rapagão descalço, que encontramos à entrada, deitou a correr voltando a cabeça. Na primeira sala, num divã turco, comprido e sem espaldar, estava sentada, toda chorosa, Tatiana Ivânovna. Quando nos viu deu um grito e cobriu a cara com as mãos. Junto dela encontrava-se Obnóskin, tão assustado e perturbado que até fazia pena. Tão perturbado estava que se adiantou para nos apertar as mãos, como se tivesse ficado contente com a nossa chegada. Pela porta que dava para o quarto contíguo via-se um vestido de senhora; alguém parecia escutar por uma fresta, sem que nós tivéssemos reparado nisso. A dona da casa não veio receber-nos. Segundo parecia, não se encontrava em casa; ali, todos se escondiam.

— Aqui está a nossa viajante! E escondendo o rosto! — exclamou o Senhor Baktchéiev entrando atrás de nós naquela sala.

— Refreie o seu entusiasmo, Stiepan Alieksiéievitch. Isso é de mau gosto. O único que neste instante tem direito a falar é Iegor Ilhitch. Nós estamos em segundo lugar — observou Mizíntchikov com energia.

O meu tio, lançando um olhar severo ao Senhor Baktchéiev e como se não reparasse em Obnóskin, que se dirigia para ele com a mão estendida, foi até onde estava Tatiana Ivânovna, que continuava ainda escondendo o rosto com as mãos e, com a voz mais doce e a mais sincera simpatia, disse-lhe:

— Tatiana Ivânovna, todos nós gostamos tanto de você e sentimos por você tanto respeito, que viemos para nos informarmos das suas intenções. Quereria acompanhar-nos até Stiepântchikovo? Hoje é o dia do santo de Iliúcha. A mamãe a espera impacientemente e tanto Sáchenhka como Nástienhka não têm feito outra coisa senão chorar por sua causa toda a manhã...

Tatiana Ivânovna ergueu de súbito a cabeça, olhou-o por entre os dedos e, de repente, desatou a chorar, atirando-se ao pescoço dele. — Ah, sim, levem-me, levem-me daqui quanto antes! — disse, soluçando. — E já, e já!

— Apagou-se o incêndio! — murmurou Baktchéiev puxando-me pelo braço.

— Isto quer dizer que está tudo acabado — exclamou o meu tio dirigindo-se com muita secura a Obnóskin e quase sem olhar para ele. — Tatiana Ivânovna, digne-se dar-me o braço. Vamos!

No quarto contíguo ouviu-se um rumor de saias. A porta rangeu e entreabriu-se mais.

— No entanto, se encarar o fato noutro ponto de vista — observou Obnóskin, olhando inquieto para a porta entreaberta — ponha-se no meu lugar, Iegor Ilhitch... A sua maneira de proceder em minha casa... E eu juro-lhe... Mas o senhor nem sequer se dignou cumprimentar-me, Iegor Ilhitch...

— O seu procedimento em minha casa não foi nada decente — respondeu o meu tio fixando o olhar severo no seu interlocutor — e esta casa também não é sua, segundo ouvimos dizer. Tatiana Ivânovna não quer permanecer aqui nem mais um minuto. Que mais deseja saber? Nem uma palavra, escute, nem uma palavra mais, peço-lhe. Tenho o maior desejo de evitar mais explicações e ao senhor convém também que assim seja.

Mas Obnóskin atrapalhou-se de tal maneira que proferiu as mais inesperadas asneiras.

— Não me despreze, Iegor Ilhitch — começou em voz baixa, contendo as lágrimas por vergonha e com os olhos fixos na porta, provavelmente com receio de que lá dentro o ouvissem. — Tudo isto foi obra da mamãe e não minha. Eu não fiz isto por interesse, Iegor Ilhitch; fiz, unicamente, por fazer; eu, não há dúvida que o fiz por interesse, Iegor Ilhitch, mas com um fim digno. Havia de tirar bom rendimento do capital... ajudaria os pobres. Eu queria desenvolver o movimento contemporâneo a favor da cultura e propunha-me também fundar uma bolsa de estudo para a Universidade. Já pode ver o emprego que eu me propunha dar à minha riqueza, Iegor Ilhitch. Eu não... não deve pensar isso, Iegor Ilhitch...

Todos nós, de repente, sentimos uma vergonha enorme. Mizíntchikov corou também e voltou a cara para o outro lado; o meu tio atrapalhou-se de tal maneira que ficou sem saber o que havia de dizer.

— Pronto, pronto, está bem! — exclamou finalmente. — Esteja tranquilo, Páviel Siemiônitch. Que se há de fazer! Uma coisa destas acontece a qualquer pessoa... Se quiseres, meu amigo, vem também almoçar conosco... Eu estou muito contente, sim senhor, muito contente.

Mas o Senhor Baktchéiev agiu de outra maneira.

— Fundar uma bolsa, hem? — exclamou impetuosamente. — Bela maneira de fundar bolsas! Tu, que és capaz de arrancar a pele ao primeiro que encontras... Ainda não ganhou na sua vida nem para umas calças e já fala em fundar bolsas! Ah, vadio, vadio! Conquistaste um coração terno! Mas onde está a tua mamãezinha? Aposto como está aí, atrás de algum biombo ou debaixo da cama, escondida e mortinha de medo...

— Stiepan, Stiepan — gritou o meu tio.

Obnóskin ficou vermelho como um tomate e fez menção de protestar; mas, antes que tivesse tido tempo de abrir a boca, abriu-se a porta e a própria Anfissa Pietróvna, vermelha de raiva, entrou como um pé-de-vento no quarto.

— Que é isto? — exclamou. — Que vem a ser isto que se passa aqui? O senhor,

Iegor Ilhitch, entra por uma casa honesta acompanhado dos seus acólitos, assusta as senhoras e põe-se a discutir... Já se viu alguma vez uma coisa parecida? Eu, graças a Deus, ainda não perdi a cabeça, Iegor Ilhitch. E tu, meu pateta — continuou falando exaltadamente e encarando agora o filho — pões-te a chorar diante dele! Ofendem a tua mãe, na sua própria casa, e tu de boca fechada! Como é que depois disto quererás ser tido na conta de um homem honrado? Tu, depois disto, és um miserável e não um homem!

Anfissa Pietróvna, naquele momento, não tinha nem os salamaleques nem as denguices, nem as lunetas do costume. Era agora uma autêntica fúria, uma fúria desmascarada.

O meu tio, assim que a viu entrar apressou-se a pegar no braço de Tatiana Ivânovna e preparou-se para abandonar o campo; mas Anfissa Pietróvna atravessou--lhe o caminho.

— O senhor não há de ir-se embora sem mais aquelas, Iegor Ilhitch! — exclamou de novo. — Com que direito leva daqui à força Tatiana Ivânovna? Custa-lhe que ela se tenha escapado das malhas da sua rede, nas quais pretendia apanhá-la; ajudado por sua mãe e por esse imbecil de Fomá Fomitch. O senhor queria casar com ela movido pelo vil interesse. Desculpe, mas nós pensamos com mais honestidade... Tatiana Ivânovna, quando viu o que se tramava em sua casa contra ela, com o fim de a casarem, procurou ela própria refúgio em Pávlucha. Foi ela própria quem lhe pediu a salvasse da sua rede e assim se viu obrigada a fugir de noite... aí tem. Foi a isto que a levaram! Não é assim, Tatiana Ivânovna? E, se é assim, como se atreve a entrar com toda essa tropa numa casa decente e distinta, com a pretensão de levar consigo à força uma senhora honesta, apesar dos seus gritos e das suas lágrimas? Eu não consinto numa coisa dessas! Não consinto! Eu ainda tenho o juízo todo! Tatiana Ivânovna fica porque é essa a sua vontade! Venha cá, Tatiana Ivânovna, não dê ouvidos a essa gente, são seus inimigos e não amigos. Não hesite, venha cá! Eu hei de ajustar contas com eles!

— Não, não! — exclamou assustada Tatiana Ivânovna. — Não quero, não quero! Mas que homem! Eu não quero casar-me com o seu filho! Olhem que marido esse!

— Não quer? — gritou Anfissa Pietróvna resfolegando, raivosa. — Não quer? Venha cá, mesmo que não queira! Mas então como é que se atreveu a enganar-nos? Então como é que teve o atrevimento de lhe dizer que sim, de fugir com ele de noite, de abraçar-se a ele e de ocasionar-nos despesas? Quem sabe se o meu filho não terá perdido algum bom partido por sua causa? Pode ser que, por sua causa, tenha perdido dez mil rublos de dote! Não, não! A senhora tem de pagar-nos uma indenização, não tem outro remédio senão pagá-la. Temos provas. A senhora fugiu de noite...

Mas nós não escutamos até o fim aquele arrazoado. Todos ao mesmo tempo, agrupados à volta do meu tio, desfilamos diante de Anfissa Pietróvna, saímos para a escada e preparamo-nos imediatamente para subirmos para a carruagem.

— É assim que se conduzem sempre os velhacos! — gritou Anfissa Pietróvna no alto da escada, fora de si. — Mas eu lhes direi! Vão me pagar... Levam-na para uma casa indecente, Tatiana Ivânovna! A senhora não pode casar-se com Iegor Ilhitch, anda metido com a preceptora, mesmo à frente do seu nariz...

O meu tio estremeceu, empalideceu e dispôs-se a ajudar Tatiana Ivânovna a subir para a carruagem. Eu me coloquei do outro lado do carro, e estava à espera da minha vez de me sentar, quando de repente surgiu na minha frente a figura de Obnóskin, o qual me puxou pelo braço.

— Ao menos deixe-me pedir-lhe a sua amizade — disse, apertando-me a mão com força e com uma certa expressão de dor no rosto.

— Amizade? — perguntei pondo-me de pé no estribo da carruagem.

— Sim, amizade. Eu, ontem, descobri que o senhor era um homem cultíssimo. Não pense mal de mim... Eu, verdadeiramente, fui nisto tudo um joguete da minha mãe, uma personagem secundária. Eu, para o que tenho inclinação é para a literatura, acredite; isto foi tudo obra da minha mãe...

— Acredito, acredito — respondi-lhe. — Adeus!

Subimos para a carruagem e os cavalos arrancaram. Os gritos e as pragas de Anfissa Pietróvna ouviram-se ainda durante algum tempo, e por todas as janelas da casa assomaram de repente caras desconhecidas que nos olhavam com selvagem curiosidade.

Na carruagem íamos agora os cinco; Mizíntchikov sentou-se na boleia cedendo o seu anterior lugar ao Senhor Baktchéiev, que se viu assim diante de Tatiana Ivânovna. Esta estava muito contente por vir conosco, embora continuasse a choramingar.

O meu tio esforçava-se por consolá-la conforme podia. Também ele estava triste e pensativo. Era visível que as insultantes palavras de Anfissa Pietróvna a propósito de Nástienhka pesavam dolorosamente sobre o seu coração. Quanto ao mais a nossa viagem de regresso teria se realizado sem nenhum incidente se o Senhor Baktchéiev não tivesse vindo conosco.

Assim que se viu sentado em frente de Tatiana Ivânovna, pareceu transformar-se noutro homem. Não podia fixar a vista com serenidade em parte nenhuma, revolvia-se no seu lugar, corava como um tomate e voltava os olhos para um lado e para outro, muito perturbado; sobretudo quando o meu tio se pôs a consolar Tatiana Ivânovna, o gorducho ficou decididamente fora de si e pôs-se a rosnar como um *bull-dog* irritado. O meu tio olhou para ele, sobressaltado. Finalmente Tatiana Ivânovna acabou também por reparar na estranha disposição de espírito do seu vizinho e começou a fitá-lo de alto a baixo; depois olhou para nós e sorriu; de repente esgrimiu a sombrinha e, com um gesto gracioso, deu com ela uma pancadinha no ombro do Senhor Baktchéiev.

— Louco! — exclamou com a mais sedutora coqueteria e depois cobriu logo o rosto com o leque.

Esta saída foi a gota que fez transbordar o vaso.

— Que significa isso? — gritou o gordo. — Que quer dizer isso, *madame*? Agora mete-se comigo?

— Louco, louco! — respondeu Tatiana Ivânovna e de súbito desatou a rir e a bater palmas.

— Para! — exclamou o Senhor Baktchéiev dirigindo-se ao cocheiro.

O carro parou. O Senhor Baktchéiev abriu a portinhola e dispôs-se a descer da carruagem a toda a pressa.

— Mas, que tens tu, Stiepan Alieksiéievitch? Onde vais? — gritou estupefato o meu tio.

— Nada, que já estou até aqui! — respondeu o gordo trêmulo de cólera. — O mundo está perdido! Eu já sou velho, *madame,* para andar com namoros. Prefiro morrer a meio do caminho. Adeus, *madame, comã-vu-porté-vu?*[18]

E depois de dizer isto apeou-se rapidamente. A carruagem correu um pouco atrás dele.

— Stiepan Alieksiéievitch! — gritou o meu tio, perdendo por fim a paciência. — Não sejas tolo, vamos, sobe! Olha que já são horas de voltarmos para casa.

— Vão vocês — resmungou Stiepan Alieksiéievitch, resfolegando com força, por causa do cansaço, pois, devido à sua gordura, já quase não estava habituado a andar.

— Depressa, cocheiro! — gritou Mizíntchikov.

— Mas que fazes tu, homem, que fazes? Para — exclamou o meu tio. Mas a carruagem já se pusera de novo em movimento. Mizíntchikov calculara bem: conseguimos imediatamente o resultado desejado.

— Para, para — gritou atrás de nós uma voz desesperada. — Para, bandido, para, criminoso, tu és...

O gordalhufo aproximou-se finalmente, esgotado, ofegante, escorrendo suor pela testa, a gravata desmanchada e em mangas de camisa. Taciturno e insociável, voltou a subir para a carruagem e desta vez cedi-lhe o meu lugar. Pelo menos assim já não ficava em frente de Tatiana Ivânovna, a qual durante toda esta cena não parara de rir e de bater palmas, e durante todo caminho não foi capaz de olhar serenamente para Stiepan Alieksiéievitch. Este, por seu lado, até chegarmos a casa, não disse nem uma só palavra e permaneceu durante todo o trajeto com os olhos obstinadamente fixos nas voltas das rodas de trás da carruagem.

Era já meio-dia quando chegamos a Stiepântchikovo. Dirigi-me imediatamente para os meus aposentos, onde depois Gavrila me veio trazer o chá. De boa vontade teria interrogado o velho; mas quase a seguir, apareceu o meu tio, que o mandou sair.

CAPÍTULO II / NOVIDADES

— Eu, meu amigo, venho apenas por um momento — começou o meu tio atrapalhando-se logo. — Tinha pressa de comunicar-te... Já sei tudo. Nenhum deles assistirá hoje ao jantar exceto Iliúcha, Sacha e Nástienhka. A mamãe, segundo dizem, está com os seus desmaios. Só com muito custo conseguiram que voltasse a si. Bom trabalho lhes deu! Agora decidiram reunir-se todos nos aposentos de Fomá e a mim também me convidaram. Mas o caso é que não sei se hei de felicitar ou não Fomá pelo seu aniversário... o que é importante. E, finalmente, como teriam encarado todo este incidente? É terrível, Sierioga, meu coração está adivinhando...

— Pelo contrário, tio — apressei-me a interrompê-lo — caminha tudo às mil maravilhas. Agora é impossível pensarem em casá-lo com Tatiana Ivânovna... e isso é o principal. Já no caminho senti vontade de lhe dizer isto.

— Sim, sim, meu caro, mas nem tudo se resume nisso. Em tudo isso se vê sem dúvida a mão de Deus, como dizes; mas eu não me referia a isso... Pobre Tatiana Ivânovna! Em que embrulhada ela está metida... Que reles, que baixo, esse Obnóskin! Mas, afinal, por que lhe chamo eu reles? Não estava disposto a fazer o mesmo que

---

18 Corrupção de *Comment vous portez-vous?*

ele, a casar-me com ela? Mas aliás não era bem isto o que eu queria dizer-te... Não ouviste o que disse em altos gritos, está manhã, essa embusteira de Anfissa Pietrovna, a propósito de Nástia?

— Ouvi, tio. Não vê agora como é preciso meter mãos à obra, depressa?

— Imediatamente, aconteça o que acontecer — respondeu o meu tio. — Soou a hora solene. Simplesmente, nós, ontem, esquecemo-nos de tratar de um ponto, e eu, depois, passei a noite inteira a dar voltas à cabeça. Ela aceitará? Este é que é o ponto.

— Por favor, tio! Pois se ela mesma disse que o queria!

— Isso é verdade, meu amigo. Mas não te esqueças que, depois, ela acrescentou: "Por nada deste mundo me casaria com ele".

— Ora, tio! Isso são palavras, e além disso as coisas, hoje, mudaram de figura.

— Achas? Não, meu caro Sierguiéi, isto é um assunto delicado, terrivelmente delicado. Hum! Mas olha: se bem que eu esteja muito triste, no entanto toda a noite uma alegria remexeu no fundo do meu coração... Bem, vou-me embora, estou com pressa. Estão à minha espera, já vou chegar atrasado. Espera, já me esquecia. Ai, meu Deus! — exclamou voltando para trás. — Já me esquecia do mais importante. Sabes uma coisa? Escrevi uma carta a Fomá.

— Quando?

— Ontem à noite; de manhã cedo mandei-a por intermédio de Vidopliássov. Nela explico tudo em duas palavras; digo-lhe tudo sincera e francamente. Numa palavra: disse-lhe que me vejo na obrigação absoluta — compreendes? — de pedir a mão de Nástienhka. Peço-lhe também que não diga nada do nosso encontro do jardim e invoco toda a sua nobreza de alma para que interceda por mim junto da mamãe. Pode ser, meu amigo, que eu tenha escrito uma carta mal redigida, mas foi sincera e, como se costuma dizer, salpicada pelas minhas lágrimas...

— E então? Ele respondeu?

— Até agora, não, mas há pouco, antes de termos saído esta manhã para aquela perseguição, encontrei-o em traje de noite, com chinelas e gorro (ele dorme de gorro); não sei donde vinha, mas não me disse nem uma palavra. Nem sequer olhou para mim. Fitei-o bem de frente, na cara... e nada!

— Tio, não tenha ilusões acerca dele. Ainda lhe vai armar alguma...

— Não, meu amigo, não fales assim — exclamou o meu tio agitando as mãos. — Eu já estou convencido. Ao fim e ao cabo esta é a minha esperança. Ele há de compreender. É volúvel, é caprichoso... não digo que não. Mas quando se trata de um assunto que requer grandeza de alma, então brilha como uma pérola... tal qual, como uma pérola. Tu, até agora, Sierguiéi, ainda não tiveste ocasião de ver a sua nobreza de sentimentos... Mas, meu Deus! Se de fato ele não guardasse o segredo de ontem à noite, então... Eu não sei o que sucederia nesse caso, Sierguiéi. Em quem é que eu hei de acreditar, afinal, neste mundo? Mas não, não é possível que ele desça a tamanha baixeza. Eu valho menos do que o seu dedo mindinho. Não abanes a cabeça, meu amigo; é a pura verdade... que não valho.

— Iegor Ilhitch a sua mãe está num desassossego — ouviu-se dizer de repente a antipática voz da Pieriepelítsina, a qual, provavelmente, teria conseguido escutar todo o nosso diálogo pela janela aberta. — Andam à sua procura por toda a casa e não são capazes de encontrá-lo.

— Meu Deus, que me atrasei! — exclamou o meu tio. — Veste-te depressa pelo amor de Deus e vamos até lá! Vim apenas para avisar-te... Já vou, já vou, Anna Nílovna, já vou!

Quando fiquei sozinho recordei-me do meu encontro dessa manhã com Nástienhka e alegrei-me muito por não ter falado no caso ao meu tio, pois o teria lançado ainda em maior confusão. Eu pressentia que um grande escândalo estava para se dar, e não conseguia compreender como é que o meu tio se arranjaria para levar por diante o seu propósito e pediria a mão de Nástienhka. Repito: apesar de toda a minha confiança na sua nobreza de alma duvidava no entanto daquilo que seria capaz de fazer.

Mas era necessário apressarmo-nos. Eu me considerava na obrigação de ajudá-lo e comecei imediatamente a vestir-me; mas embora me apressasse, atrasei-me no meu desejo de vestir bem. E no meu quarto apareceu então Mizíntchikov.

— Venho por sua causa — disse-me ele. — Iegor Ilhitch chama-o urgentemente.

— Então vamos lá.

Eu já estava completamente pronto. Saímos.

— Que temos de novo? — perguntei-lhe no caminho.

— Reuniram-se todos nos aposentos de Fomá — respondeu-me Mizíntchikov. — Fomá está bem disposto mas um pouco, apreensivo e apenas fala e range os dentes. Além disso deu um beijo a Iliúcha e felicitou-o, o que fez com que Iegor Ilhitch ficasse todo derretido. E, como se isto ainda fosse pouco, há pouco comunicou a todos, por intermédio da Pieriepelítsina, que não queria que o cumprimentassem pelo seu aniversário, e que dissera o contrário, a princípio, para nos pôr à prova... A velha ficou de nariz torcido mas, assim como assim, acabou por sossegar quando viu Fomá contente. Da nossa aventura ninguém disse nem uma palavra, como se nada tivesse acontecido; como Fomá está calado, calam-se também. Durante toda a manhã não quis receber ninguém, apesar de a velha, antes de nós termos chegado, lhe ter pedido por todos os santos que fosse falar um pouco com ela. E por fim foi em pessoa bater à sua porta. Mas ele tinha-se fechado por dentro e respondeu que estava rezando pelo gênero humano ou alguma coisa do estilo. Traz alguma fisgada, conhece-se na cara. Mas como Iegor Ilhitch não é capaz de ler nada na cara dele, está que não cabe em si de contente, de entusiasmo, com a piedade de Fomá Fomitch; parece uma criança. Iliúcha rabiscou uns versinhos e o coronel mandou-me vir buscá-lo.

— E Tatiana Ivânovna?

— Tatiana Ivânovna o quê?

— Sim. Está com ele?

— Não, está no seu quarto — respondeu secamente Mizíntchikov. — Suspira e chora. Pode ser que esteja envergonhada. Ao pé dela está, segundo parece... a preceptora. Mas... que é isto? Parece que vem aí uma tempestade. Ora, olhe para o céu.

— De fato parece — respondi, descobrindo uma nuvem escura no extremo do horizonte.

Nesse momento chegávamos ao terraço.

— Mas confesse que Obnóskin... hem? — continuei, sem poder conformar-me em não saber o que pensaria Mizíntchikov sobre este ponto.

— Não me fale nisso! Não me recorde esse canalha! — exclamou de repente, parando, fazendo-se encarnado e batendo com os pés no chão. — Que imbecil! Que imbecil! Estragar desta maneira uma coisa tão boa, uma ideia tão luminosa! Olhe, não há dúvida nenhuma de que eu fui um burro em não ter desconfiado dos seus manejos... Reconheço-o solenemente. Talvez o senhor estivesse à espera de que eu lhe fizesse esta confissão. Mas juro-lhe que, se ele tivesse conseguido levar o assunto por diante, como devia ser, podia suceder que lhe tivesse perdoado. Idiota, três vezes idiota! Como suportar estes tipos ao pé de nós? Por que não os mandam para a Sibéria como colonos? Mas não me importa. Agora, ao menos, já tenho experiência e ainda havemos de ver quem é que fica a ganhar. Acaricio já uma nova ideia. O senhor há de concordar: por que haverá uma pessoa de desistir de uma ideia, só porque um imbecil qualquer a roubou e não soube levá-la a bom termo? Isso seria injusto! E finalmente essa Tatiana Ivânovna não tem outro remédio senão casar... é o seu destino. E se até agora não houve ninguém que a metesse num manicômio é porque, afinal, pode muito bem casar. Vou pô-lo a par do meu novo plano...

— Bem... mas isso, depois — interrompi-o — porque já chegamos.

— Está bem, fica para depois! — respondeu Mizíntchikov com um sorriso ambíguo nos lábios. — Mas agora... aonde vamos? Falo com o senhor. Ah, diretamente ter com Fomá Fomitch. Venha comigo, pois é a primeira vez que o senhor se apresenta lá... Verá como tudo isto vai acabar numa comédia..

Capítulo III / O SANTO DE ILIÚCHA

Fomá ocupava duas divisões amplas e bonitas, que estavam mais bem mobiladas que o resto da casa. Estava rodeado do maior *confort*, aquele grande homem. Flamantes e custosas tapeçarias pelas paredes, cortinas de seda bordadas nas janelas; tapete, espelho, chaminé, poltronas fofas e elegantes... tudo demonstrava a terna amizade dos donos da casa por Fomá Fomitch. Nas janelas viam-se vasos de flores e à frente delas, em floreiras de mármore. No meio do escritório havia uma mesa grande, coberta com um pano encarnado e cheia de livros e manuscritos. Um magnífico tinteiro de bronze e uma quantidade de penas de ganso, que estavam ao cuidado de Vidopliássov. Todo este conjunto demonstrava os árduos trabalhos espirituais de Fomá Fomitch. Diga-se de passagem que havia já oito anos que Fomá vivia aqui e não tinha escrito nada. Mais tarde, quando ele morreu, recolhemos os manuscritos que deixara. Não tinham o mínimo valor. Encontramos, por exemplo, o princípio dum romance histórico que se passava em Nóvgorod no século VII;[19] e também uma poesia monstruosa: "O anacoreta no cemitério", escrita em versos livres; uma absurda investigação sobre o significado e características do camponês russo e acerca da maneira como devia ser tratado; e por fim um pequeno romance: *A condessa Mónskaia*, também por acabar. E era tudo. E para isto fazia Fomá Fomitch gastar ao meu tio todos os anos uma boa soma de dinheiro em livros e revistas. E muitos deles estavam por abrir. E também, com o tempo, por mais de uma vez surpreendi Fomá lendo Paul de Kock, para o que — é claro — se escondia o mais possível das pessoas. Na parede posterior do escritório havia uma porta envidraçada que comunicava com o resto da casa.

---

19 Quando esta cidade ainda não existia.

Estavam à nossa espera. Fomá Fomitch estava sentado numa cômoda poltrona, embrulhado num capote muito comprido que lhe chegava até aos pés, e sem gravata. De fato, mostrava-se taciturno e pensativo. Quando entramos, franziu levemente as sobrancelhas e lançou-me um olhar curioso. Cumprimentei-o; correspondeu-me com brevidade, embora de modo cortês. A minha tia-avó, ao ver que Fomá Fomitch me cumprimentava com tanta benevolência, baixou-me a cabeça com um sorriso. A pobre criatura não esperara nessa manhã que o seu favorito recebesse com tanta tranquilidade a notícia da aventura de Tatiana Ivânovna, e por isso estava agora contentíssima; embora fosse verdade que desde a manhã estava com vertigens e espasmos. Atrás da sua cadeira, como de costume encontrava-se a menina Pieriepelítsina; que apertava os lábios finos, sorria maliciosa e zombeteiramente e esfregava uma na outra as mãos ossudas. Junto da generala sentavam-se duas velhas parasitas, de nobre linhagem, sempre silenciosas. Achava-se também presente uma proprietária da vizinhança, que também não descerrava os lábios, e que tinha ido ali depois da missa apenas com o fim de felicitar a mamãe-generala no dia da festa. A tia Praskóvia Ilínichna escondia-se em qualquer parte, em algum canto, onde observava em sobressalto Fomá Fomitch e a avó. O meu tio estava sentado numa poltrona e uma alegria fora do vulgar brilhava nos seus olhos. Junto dele encontrava-se Iliúcha, ostentando uma linda blusa de gala e, com a sua cabecinha encaracolada, parecia belo como um anjo. Sacha e Nástienhka, às escondidas de todos, tinham-no feito decorar uns versos para que ele desse assim uma grande alegria a seu pai naquele dia, demonstrando o seu adiantamento nos estudos. O meu tio quase chorava de alegria; a invulgar cortesia de Fomá, o bom-humor da generala, o santo de Iliúcha... tudo isso lhe fazia literalmente a cabeça dar voltas e por isso me mandou chamar solenemente para que eu participasse também, o mais cedo possível, do alvoroço geral, e ouvisse ler os versinhos. Sacha e Nástienhka, que tinham chegado pouco depois de nós, estavam agora à volta de Iliúcha. Sacha não deixava de sorrir e naquele momento parecia feliz como uma criança. Nástienhka tentava também sorrir, embora um minuto antes, quando entrara, viesse pálida e triste. Somente ela fora cumprimentar e tranquilizar Tatiana Ivânovna, no regresso da sua aventura, tendo permanecido até esse momento no seu quarto, fazendo-lhe companhia. O travesso Iliúcha só com esforço continha o riso, olhando para as suas professoras. Conforme disse, tinham inventado os três uma comédia, que se dispunham agora a representar... Esperem, já me esquecia de Baktchéiev. Estava sentado a uma certa distância dos outros, numa poltrona, ainda triste e corado, arredio; resmungão e desempenhando assim um papel bem estranho numa festa de família. Junto dele passarinhava Ietchóvkin que, aliás, passarinhava por todos os lados; beijava as mãos à generala e à proprietária vizinha, quando passava em frente dos convidados, dizia qualquer coisa ao ouvido da menina Pieriepelítsina ou bajulava Fomá Fomitch... Em suma: estava em todas as partes. Esperava também, numa atitude simpática, os versinhos de Iliúcha e, quando eu entrei, desfez-se em reverências, sinal de altíssimo respeito e estima. Não parecia de maneira nenhuma que tivesse ido ali para olhar pela filha e para levá-la para sempre de Stiepântchikovo.

— Ora cá o temos nós! — exclamou o meu tio alvoroçado. — Meu caro Sierguiéi, Iliúcha tem ali uns versos engatilhados... uma coisa inesperada, uma verdadeira surpresa! Eu fiquei espantado e então mandei-te buscar, e até que chegasses ficou suspensa a recitação dos versos... Vamos, senta-te aqui! Vamos lá ouvi-los. Fomá Fomitch, por que não confessas, meu amigo, que foste tu que te lembraste disto tudo para dar uma alegria a este pobre velho? Vamos, confessa que foste tu!

Ao ouvir o meu tio falar diante de Fomá, naquele tom de voz, qualquer pessoa pensaria que as coisas se tinham arranjado da maneira mais feliz. Mas embora o meu tio não fosse capaz de ler na cara das pessoas, segundo a frase de Mizíntchikov, eu, quando olhei para Fomá, não pude deixar de dar razão àquele e pensar que alguma coisa estava para acontecer...

— Não se preocupe comigo, coronel — respondeu Fomá com uma voz fraca, num tom de voz de homem que perdoa ao seu inimigo. — Eu também tive uma grande surpresa com isto; tudo isto é devido à sensibilidade e à delicadeza dos seus filhos. Os versos sempre têm alguma utilidade, até para a pronúncia... Mas eu esta manhã não estava para versos, Iegor Ilhitch. Eu estava rezando... O senhor já sabe... Mas terei muito prazer em escutar esses versos...

Eu, entretanto, felicitei Iliúcha e dei-lhe um beijo.

— Está bem, Fomá, está bem! Já me esquecia... mas eu tenho certeza da tua amizade, Fomá. Dá-lhe outro beijinho, Sierioga! Olha que rapagão ele está! Bem, começa já, Iliúcha! De que se trata? Naturalmente de alguma ode solene, qualquer coisa de Lomonóssov!

E o meu tio adotou uma atitude digna. Mal podia estar quieto de tão contente e alvoroçado.

— Não, paizinho, não é nada de Lomonóssov[20] — respondeu Sáchenhka contendo o riso a custo. — É uma coisa de guerreiros que pelejam com os seus inimigos; assim, Iliúcha vai aprendendo já qualquer coisa do exército. Chama-se o *Assédio de Pamba,* paizinho!

— O *Assédio de Pamba!* Não me lembro. Que Pamba vem a ser essa? Tu a conheces, Sierioga? Deve ser qualquer coisa de heroico.

E o meu tio voltou a adotar uma atitude séria.

— Anda, começa Iliúcha! — ordenou Sáchenhka.

Nove anos o capitão...

Começou Iliúcha com voz fraca, igual e compassada, sem marcar pontos nem vírgulas, como costumam geralmente fazer as crianças que recitam poesias aprendidas de memória:

Nove anos o capitão
A Pamba já sitiava,
Nem ele nem sua tropa,
Nenhuma carne provava.
De leite puro de ovelha
Sua gente sustentava.

---

20 Mikhail Lomonóssov (1711-1765). Uma das personalidades mais notáveis da Rússia do século XVIII, depois do reinado de Pedro o Grande; filho dum pescador, foi ao mesmo tempo poeta, historiador, gramático e físico. É sobretudo conhecido por suas odes à Imperatriz Catarina e é considerado como o criador da moderna linguagem literária russa.

Seus nove mil combatentes,
Aceitando o que ele disse,
Tinham voto de jejum
Até que a praça caísse.

— Mas como é isso? Por que não haviam de beber senão leite? — exclamou o meu tio olhando-me estupefato.

— Continua Iliúcha! — ordenou Sáchenhka.

Faltam as forças a todos
E a praça está como antes;
Dezenove homens apenas
São agora os sitiantes...

— Mas que trapalhada é essa? — exclamou o meu tio desassossegado. — Isso é impossível! Restarem apenas dezenove homens de todo o exército, quando antes formavam um corpo de tropas tão importante! Como é isso, rapaz? Como pode ser isso?

Mas quando chegou aqui, Sacha não pôde mais conter-se e desatou a rir com um riso franco e infantil, e ainda que não houvesse motivo algum para rir, teria sido impossível, ao vê-la, não nos rirmos também.

— Paizinho, é que são versos cômicos — exclamou muito vaidosa do êxito da sua travessura infantil. — O autor os escreveu assim intencionalmente, paizinho, para fazer rir!

— Ah, cômicos — exclamou o meu tio com uma cara resplandecente. — Cômicos! Já vejo, já... é verdade, é verdade, cômicos! E muito engraçados, por sinal, muitíssimo engraçados; porque essa de pôr a leite um exército inteiro, em cumprimento de um voto! É que não vejo a necessidade de fazer esse voto! Muito engraçado! Não é verdade, Fomá Fomitch? Olhe, mamãe, são uns versos cômicos, como aqueles que os poetas fazem às vezes... Não é verdade, Sierguiéi, que os escrevem? Sim senhor, e, estes são bem engraçados... Muito bem. Vamos lá, Iliúcha, continua.

Dezenove homens somente!
Grita, aflito, o capitão,
Ó meus bravos camaradas,
O sacrifício foi vão.
Desfraldai vossas bandeiras
E toquem a retirada.
Não temos corpo nem alma
Para mais uma arrancada.
E que fique de memória
A promessa malfadada
De beber apenas leite,
Leite apenas e mais nada!

— Mas que disparate! Como consolar-se — voltou o meu tio a interromper — de ter estado nove anos sem provar senão leite? Que virtude invulgar! Não teria sido melhor comer um cabrito inteiro por pessoa, para que a tropa não perecesse? Admirável, magnífico! Agora vejo, agora vejo, é uma sátira, ou para melhor dizer... como se chama isso? Uma alegoria, não é verdade? Sim, talvez uma sátira de algum general estrangeiro — acrescentou o meu tio dirigindo-se a mim, franzindo as sobrancelhas com gravidade e piscando-me o olho. — Então que dizes? No entanto é uma sátira inocente, nobre, que não ofende ninguém! Magnífica, magnífica! E o que é mais importante ainda, muito digna. Bem, Iliúcha, continua! Ah, que diabo de moça! — acrescentou, olhando com amor para Sáchenhka e de soslaio para Nástienhka, que se pôs encarnada e sorriu.

> Os dezenove, ao ouvi-lo,
> Valor querem recobrar,
> Mas vacilam no seu posto,
> Sem forças para marchar.
> Levanta-se o capelão
> E diz logo sem demoras:
> Se eu tivesse um bom presunto
> E de vinho uma garrafa,
> A cidade a estas horas,
> Já nas nossas mãos estava...

— Aí está! Eu não dizia? — exclamou o meu tio no cúmulo da alegria. — Em todo o exército havia apenas um homem sensato, esse capelão! Que grau é esse, Sierguiéi? Qualquer coisa como capitão, não é verdade?

— Não, tio, trata-se de um padre, de um religioso.

— Ah, sim, sim, sim! Capelão, capelão! Que os há de várias Ordens, não é? Beneditinos, creio... Há beneditinos?

— Há, sim, tio!

— Hum! Bem me queria parecer! Bem, Iliúcha, continua. Admirável, magnífico!

> Começou o capitão
> A rir de boa vontade,
> A toda a gente ordenando
> Que já dali não se aparte.
> "Venha uma ovelha, somente
> Para o bom do capelão,
> Que eu reconheço que tem...
> Tem carradas de razão!"

— Agora é que é de rebentar a rir! Já se viu semelhante. burro? É cômico até o fim! Então um cordeiro, hem? Então lá havia cordeiros. Então porque não os comiam? Bem, Iliúcha; continua! Absolutamente admirável! Extraordinariamente engraçado!

— Já acabou, paizinho!

— Ah, já acabou! Realmente, que mais havia ainda para dizer? Não é verdade,

Sierguiéi? Magnífico, Iliúcha! Ah, meu caro, de quem foi a ideia? Foi tua, Sacha?

— Não, foi de Nástienhka. Isto é, nós estávamos a ler e ela então disse de repente: "Que versos engraçados! Olhem, o dia do santo de Iliúcha está chegando; vamos ver se ele os aprende de cor para depois os recitar. Vão ver como todos se hão de rir!".

— Então foi ideia de Nástienhka? Pois muito obrigado, muito obrigado — balbuciou o meu tio pondo-se imediatamente muito encarnado, como um rapazinho. — Dá-me outro beijinho, Iliúcha? Beija-me tu também, minha marota — disse chamando Sáchenhka e olhando-a ternamente nos olhos.

— Tem paciência, Sáchenhka, que também chegará o dia do teu santo — acrescentou, como se não soubesse o que havia de dizer, de tão contente.

Eu me dirigi a Nástienhka e perguntei-lhe: — Mas de quem são os versos?

— Sim, de quem são? — exclamou o meu tio. — Com certeza foi um grande poeta que os escreveu, não é verdade, Fomá?

— Hum! — murmurou Fomá por entre os dentes.

Mas durante todo o tempo que durou a leitura não lhe saiu dos lábios um sorrisinho zombeteiro.

— Para dizer a verdade, esqueci-me — respondeu Nástienhka olhando timidamente para Fomá Fomitch.

— Esses versos foram escritos pelo Senhor Kuzmá Prútkov, paizinho, e foram publicados no *Contemporâneo* — declarou Sáchenhka.

— Kuzmá Prútkov! Não me recordo: — repetiu o meu tio. — Eu conheço é Púchkin! Que, aliás, é um poeta muito digno! Não é verdade, Sierguiéi? E além do mais é um homem de bom coração... Que admirável revista esse *Contemporâneo!* Não tenho outro remédio senão assiná-la, uma vez que conta com poetas dessa altura... Os poetas entusiasmam-me! Admiráveis rapazes! Dizerem tudo em verso! Recordas-te, Sierguiéi, daquele literato que conheci em Petersburgo em tua casa? Lembro-me que tinha um nariz muito especial... Não era? Que dizias tu, Fomá?

Fomá Fomitch, que cada vez estava mais sombrio, resmungou qualquer coisa por entre os dentes,

— Não, não... Não é nada — disse, como se contivesse o riso com grande custo. — Continue, Iegor Ilhitch, continue! Eu depois falarei também... Olhe, aí tem Stiepan Baktchéiev, que escutou com grande satisfação isso que o senhor disse de ter conhecido um literato de Petersburgo...

Stiepan Alieksiéievitch, que permanecera todo o tempo sentado à distância, apreensivo, levantou imediatamente a cabeça, fez-se muito vermelho e deu meia volta na cadeira.

— Tu, Fomá, não te metas comigo e deixa-me em paz! — disse olhando colérico para Fomá com os seus olhinhos pequenos, injetados de sangue. — Que me interessa a tua literatura? O que eu quero é saúde — resmungou por entre os dentes. — E quanto ao resto... São todos uns voltairianos, essa é que é a verdade!

— Os literatos são voltairianos? — exclamou Ietchóvkin, colocando-se em seguida ao lado do Senhor Baktchéiev. — Acaba de dizer uma grande verdade, Stiepan Alieksiéievitch. Foi assim que ainda há pouco tempo se dignou exprimir-se Valientin Ignátitch. A mim chamou-me voltairiano... Meu Deus! Mas olha, todos sabem que eu não escrevi nem uma linha... A culpa é de Voltaire! É sempre a mesma coisa!

— Bem, já chega — observou o meu tio com gravidade: — Isso é um erro! Voltaire foi apenas um escritor engenhoso, ria-se dos preconceitos, mas nunca foi voltairiano. Isso foi o que disseram dele os seus inimigos. Mas, na verdade, por que hão de deitar sobre o infeliz as culpas de tudo?

Tornou a ouvir-se o risinho antipático de Fomá Fomitch. O meu tio olhou-o, inquieto, e ficou imediatamente muito atrapalhado.

— Não, eu, já sabes, Fomá, leio tudo nos jornais — observou confusamente, como se quisesse justificar-se. — Tu, Fomá, tinhas muita razão quando disseste há pouco que era preciso fazer uma assinatura. Eu também pensava o mesmo! Hum! Não há dúvida de que espalham a cultura! E, uma vez que é assim, quem poderá chamar-se filho da sua pátria, se não se tornar assinante? Não é verdade, Sierguiéi? Hum... Sim, senhor... Aí têm vocês o *Contemporâneo*. Mas olha, Sierioga a ciência mais poderosa, a meu ver, a que se guarda nas folhas dessa revista tão volumosa que se chama, não me lembro como... Uma que tem a capa amarela...

— *Os Anais da Pátria*, paizinho.

— Isso mesmo, *Os Anais da Pátria,* belo título, Sierguiéi... Não é verdade? Toda a pátria está ali, viva! Finalidade nobilíssima! Revista utilíssima! E que grande! Procura e vê lá se vês outra igual! É uma ciência que, pode dizer-se, nos entra pelos olhos adentro... Ainda não há muito... que eu vi a mesa um livro; pego nele por curiosidade, abro-o e leio três páginas. Olha, meu, amigo, fiquei simplesmente estonteado. Ali explicava-se tudo, sabes? O que significam por exemplo vassoura, pá, concha, cão! Porque para mim vassoura significava vassoura e cão significava cão! Mas não, meu amigo, para as pessoas cultas, não é vassoura, é qualquer coisa da mitologia; ou algo parecido, já não me lembro... É para que vejas, meu caro, como nós somos ignorantes!

Não sei o que Fomá pensaria fazer depois daquele novo disparate do meu tio; mas naquele mesmo instante Gavrila entrou e ficou de cabeça baixa, parado à porta.

Fomá Fomitch olhou significativamente para ele.

— Já está, Gavrila? — perguntou em voz baixa e indecisa.

— Já — respondeu Gavrila tristemente e lançando um suspiro.

— Puseste também a minha trouxa no carro?

— Sim.

— Bem, pois então eu também estou pronto! — exclamou Fomá e levantou-se da cadeira, devagar. O meu tio olhou para ele, estupefato. A generala levantou-se logo e rodou, inquieta, a vista à sua volta:

— Desculpe-me, coronel — começou Fomá com um gesto digno — que lhe peça que suspenda por um momento a sua interessante dissertação acerca das escolas literárias, Poderá continuá-la quando eu tiver saído. Eu, ao despedir-me de vós para sempre, queria dizer lhes algumas palavras derradeiras...

De todos os presentes se apoderou o temor e a estranheza.

— Fomá! Fomá! Mas que te aconteceu? Aonde vais? — exclamou finalmente o meu tio.

— Vou deixar a sua casa, coronel — disse Fomá com uma voz muito tranquila. — Decidi partir numa simples carroça de camponês. Nela tenho já os meus haveres, que não são muitos, com alguns livros queridos, duas mudas de roupa... e nada mais! Eu sou pobre, Iegor Ilhitch; mas por nada deste mundo aceitaria agora o seu dinheiro, que ontem recusei!

— Mas, por amor de Deus, Fomá! Que significa isso? — exclamou o meu tio fazendo-se branco como a cal.

A generala começou a soluçar e olhou desolada para Fomá, estendendo-lhe os braços. A menina Pieriepelítsina preparou-se para ampará-la. As outras parasitas ficaram petrificadas nos seus lugares. O Senhor Baktchéiev levantou-se pesadamente da sua cadeira.

— Bem, a história do costume! — murmurou Mizíntchikov ao meu ouvido.

Nesse momento ouviram-se uns trovões longínquos; a tempestade ia começar.

Capítulo IV / A expulsão

— Parece-me que o senhor coronel perguntava: "Que significa isto?" — inquiriu Fomá solenemente, no meio da admiração geral. — Muito me admira essa pergunta! Comece antes por explicar-me primeiro como é que pode olhar-me ainda na cara! Explique-me ainda essa feição psicológica da humana insolência, que assim eu poderei partir enriquecido ao menos com um novo conhecimento acerca da perversidade do gênero humano.

Mas o meu tio não estava em condições de responder. Olhava para Fomá, espantado e abatido, com a boca aberta e os olhos exorbitados.

— Senhor, que desgosto! — exclamou a menina Pieriepelítsina.

— O senhor não compreende, coronel, que a sua obrigação, agora, é deixar-me partir sem fazer pergunta alguma? Parece-me que em sua casa a minha moral de homem já maduro e sensato corre sério perigo. Acredite que as suas perguntas só podem conduzir ao descobrimento da sua vergonha...

— Fomá! Fomá! — exclamou o meu tio, com um suor frio a correr-lhe pela fronte.

— Por isso dê-me licença que, sem mais preâmbulos, lhe dirija algumas palavras de despedida, as últimas da minha estada em sua casa, Iegor Ilhitch. O mal está feito e já não tem remédio. Espero que compreenda aquilo a que quero referir-me. Mas, de joelhos lhe peço, se guarda ainda no seu coração uma centelha de honestidade, refreie a impetuosidade das suas paixões. E se o fogo da concupiscência não consumiu ainda de todo o edifício da sua alma, faça o possível por apagar esse fogo.

— Fomá, asseguro-te que estás em erro! — exclamou o meu tio exaltando-se pouco a pouco e pressentindo com espanto até onde aquilo iria parar.

— Refreie as suas paixões — continuou Fomá em tom solene como se não tivesse ouvido os protestos do meu tio. — Vença-se a si próprio! "Se queres dominar o mundo inteiro... domina-te a ti próprio." Eis aqui a minha norma de sempre. O senhor é proprietário, necessita de brilhar pelas suas virtudes, como uma pérola, mas em vez disso, que exemplo tão triste dá aos seus inferiores! Noites inteiras eu pedi pelo senhor a Deus, tremendo, esforçando-me pela sua sorte. Mas não pude conseguir, porque a felicidade resume-se na virtude.

— Mas isso não é possível, Fomá! — voltou a interrompê-lo o meu tio. — Tu não estás bem informado, tu fazes confusão.

— Na verdade o senhor esquece que é proprietário — continuou Fomá mais uma vez desinteressado dos protestos do meu tio. — Mas não pense que a ociosidade e a entrega aos prazeres são a condição do estado de senhor rural. Isso seria a perdição! Nada de ociosidade, mas sim de responsabilidade perante Deus, o czar e a Pátria. A trabalhar, a trabalhar é que um proprietário rural deve estar, como o último dos seus campônios!

— Mas, isso quer dizer que, daqui para diante, terei eu de trabalhar para os meus servos? — resmungou Baktchéiev. — Porque eu também sou proprietário rural.

— Agora falo convosco, criados — continuou Fomá dirigindo-se a Gavrila e a Falálei, que espreitavam à porta. — Amai os vossos senhores e cumpri a sua vontade com docilidade e submissão. Deste modo também os vossos senhores vos amarão a vós. E o senhor, coronel, seja justo e compassivo para com eles. Porque eles também são homens... imagem de Deus, já se tem dito; humildes cujo cuidado está a seu cargo, como se fossem filhos, ao do czar e ao da Pátria. Grande dever, mas grande mérito também o seu.

— Fomá Fomitch... Querido!... Como te lembraste de uma coisa dessas? — exclamou a generala desolada, quase a desmaiar de susto.

— Bem, já chega! — concluiu Fomá sem dar sequer atenção à generala. — Agora entremos em pormenores, confessemos que são desagradáveis mas indispensáveis, Iegor Ilhitch. O senhor ainda não mandou segar o feno no campo de Karínskoie. Não demore mais, faça-o já, é esse o meu conselho.

— Mas... Fomá!

— Bem sei que o senhor queria deitar abaixo o bosque de Sirianóvski. Não o faça... é outro conselho que lhe dou. Conserve o bosque intacto, porque os bosques mantêm a umidade da superfície terrestre... É verdadeiramente lamentável que o senhor se tenha lembrado tão tarde de semear o trigo de verão, é assombroso que o tenho deixado atrasar-se tanto...

— Mas... Fomá!

— Já chega. Não é possível dizer tudo, visto que não há tempo. Eu vou lhe enviar instruções por escrito, num caderno, se for preciso. Mas adeus, adeus a todos. Deus os proteja e abençoe. A ti abençoo-te eu, meu filho — continuou, dirigindo-se a Iliúchka — e que o Senhor te livre do fogo voraz das tuas futuras paixões. Também te abençoo a ti, Falálei; esquece-te da *kamárinskaia*... E a vós outros, todos... lembrai-vos de Fomá... Eia, vamos, Gavrila! Conduz-me, velho!

E Fomá encaminhou-se para a porta. A generala rompeu em soluços e correu atrás dele.

— Não, Fomá! Eu não te deixarei partir assim! — exclamou o meu tio e, aproximando-se dele, pegou-lhe num braço.

— Isso significa que deseja empregar a violência? — perguntou-lhe logo Fomá.

— Sim, Fomá, se for necessário empregarei a violência — respondeu o meu tio tremendo de irritação. — Tu, há um momento, disseste qualquer coisa que tens de explicar. Não recebeste a minha carta, Fomá?

— A sua carta! — suspirou Fomá excitando-se, como se apenas estivesse à espera daquela pergunta para explodir. — A sua carta! Agora vem com essa da carta! Que carta! Eu rasguei essa carta, cuspi sobre ela! Espezinhei-a com os meus pés, cumprindo assim um sagrado dever de humanidade! Aí tem tudo, já que me obriga a dar-lhe explicações. Olhe, olhe, olhe...

E umas folhas de papel voaram pelo quarto.

— Repito, Fomá, que não compreendeste bem — exclamou o meu tio empalidecendo cada vez mais. — Eu falava nessa carta de um pedido de casamento, Fomá, e da minha felicidade.

— Pedido de casamento! O senhor seduziu uma moça e procura enganar-me com esse pedido de casamento, pois eu o vi com ela, de noite, no jardim, ao pé duma árvore.

A generala deu um grito e deixou-se cair desmaiada na cadeira. Armou-se um enorme reboliço. A pobre Nástienhka pôs-se muito pálida e parecia uma morta. Sáchenhka, assustada, abraçou-se a Iliúchka, tremendo como se estivesse com febre.

— Fomá! — exclamou o meu tio fora de si. — Se divulgas esse segredo cometerás a ação mais ignóbil do mundo!

— Eu divulgo esse segredo — gemeu Fomá — e com isso realizo uma ação nobilíssima. Eu fui enviado por Deus para informar o mundo todo dos seus pecados. Estou disposto a subir ao teto de palha duma choça de camponês para gritar daí aos quatro ventos a sua feia conduta, para que todos os desta terra fiquem a saber e todos os que por ela passarem. Sim, que todos o saibam, todos: ontem à noite eu surpreendi-o com esta menina, de aspecto tão inocente, no jardim, junto duma árvore!

— Oh, que horror! — exclamou a Pieriepelítsina.

— Fomá, não me faças perder a cabeça! — gritou o meu tio apertando os punhos e chispando fogo pelos olhos.

— Mas ele — gemeu Fomá — ele, com receio de que eu o tivesse visto, teve o descaramento de escrever-me uma carta enganadora, a mim, um homem honesto e reto, para fazer-me cúmplice do seu crime, sim, do seu crime... porque de uma jovem inocente o senhor fez...

— Uma só palavra mais que possa ofendê-la e eu... mato-te, Fomá, juro-te!

— Pois eu vou proferir essa palavra, porque de uma jovem até aqui inocentíssima o senhor fez a fêmea mais corrompida...

Ainda Fomá mal tinha pronunciado a última palavra, logo o meu tio se atirou a ele, agarrou-o pelo pescoço, deu-lhe meia volta como se fosse um trapo e, de um empurrão, impeliu-o até à porta de vidro que do gabinete levava à entrada da casa. Tão violento foi o embate, que a porta se abriu com estrépito, e Fomá, saltando aos tropeções os sete degraus de pedra, foi parar ao vestíbulo. Os vidros partidos voaram pelos ares e foram cair na escada.

— Gavrila, leva-o! — exclamou o meu tio, lívido como um morto. — Leva-o na carroça e que não esteja nem dois minutos mais em Stiepântchikovo!

Por muito que Fomá Fomitch tivesse calculado, não podia esperar semelhante desenlace.

968 FIÓDOR DOSTOIÉVSKI *Obra completa* Volume 1

Não ousarei descrever o que sucedeu nos primeiros minutos seguintes àquele episódio. O pranto da generala, desmaiada na sua cadeira, era de partir o coração; a estupefação da menina Pieriepelítsina perante o inesperado arrebatamento do meu tio, sempre tão pacífico; os ais e os uis das parasitas; o susto, que ia quase dando um desmaio, de Nástienhka, junto da qual estava o pai, solícito; a dor de Sáchenhka, que ficou estonteada; as idas e vindas do meu tio, pelo quarto, tomado de um sofrimento indescritível, à espera que a mãe voltasse a si; e finalmente o choramingar ruidoso de Falálei, apiedado dos senhores... tudo isso formava um espetáculo inenarrável. Acrescentarei ainda que naquele momento desabou uma tempestade enorme; o fragor dos trovões ouvia-se cada vez mais próximo e na varanda caíam catadupas de chuva.

— Está linda a festa! — resmungava o Senhor Baktchéiev movendo a cabeça e abrindo os braços.

— Um horror! — murmurei eu ao seu ouvido, também fora de mim, com o desgosto. — Mas ao menos já correram Fomitch e desta vez não voltará.

— *Bátiuchka!* Volte a si! Sente-se melhor? Já pode ouvir-me? — perguntou o meu tio parando diante da cadeira da velha.

Ela levantou a cabeça, estendeu os braços e, de olhos suplicantes, olhou para o filho que nunca vira tão arrebatado.

— *Bátiuchka!* — continuou ele. — A medida encheu-se, a mãezinha bem viu. Eu não queria resolver este assunto desta maneira, mas a ocasião apareceu e não podia já ser adiado. Ouviu a calúnia, ouça agora a justificação. Mãezinha, eu amo esta bondosa e honestíssimo menina. Amo-a desde há algum tempo e nunca deixarei de amá-la. Ela fez a felicidade dos meus filhos e será para a senhora a filha mais respeitadora; e por isso, agora, diante da senhora, na presença dos de minha família e amigos, eu, solenemente, ponho a seus pés o meu pedido e peço-lhe que me dê a honra imensa de consentir em ser minha esposa.

Nástienhka estremeceu, corou imediatamente e levantou-se do seu lugar. A generala esteve um momento com o olhar fixo no filho, como se não compreendesse o que ele dizia e, de repente, pôs-se diante dele de joelhos e numa grande gritaria.

— Iegóruchka... meu pombinho... Traz-me outra vez Fomá Fomitch! — exclamou. — Traz agora mesmo senão eu morro!

O meu tio ficou estupefato ao ver sua velha mãe, voluntariosa e egoísta, de joelhos, a seus pés. Uma dolorosa comoção se refletia no seu rosto; finalmente, voltando a si, apressou-se a levantá-la do chão e a colocá-la na cadeira.

— Traz-nos outra vez Fomá Fomitch, Iegóruchka! — continuou gemendo a velha. — Traz, meu querido, que eu não posso viver sem ele!

— *Bátiuchka!* — exclamou o meu tio com veemência. — Não ouviu o que ele disse? Eu não posso trazer Fomá, pense bem. Não posso, não posso fazê-lo, depois da sua ruim e baixa calúnia contra este anjo de honestidade e de virtude. Não vê, mãezinha, que eu tenho um dever a cumprir, que a minha honra me manda agora proteger a virtude? Já ouviu, eu peço a mão desta menina e suplico-lhe a si que abençoe a nossa união.

A generala voltou a levantar-se do seu lugar e ajoelhou-se diante de Nástienhka.

— Minha querida, minha filha! — gemeu. — Não te cases com ele, não te cases com ele e pede-lhe que traga Fomá Fomitch! Minha pombinha, Nastássia lev-gráfovna! Darei tudo, sacrificarei tudo por ti, contanto que não lhe dês a tua mão. Eu ainda não gastei tudo, ainda me restam bens de meu falecido marido. Tudo, darei tudo, e a Iegóruchka também, desde que não me enterres viva e lhe peças que traga Fomá Fomitch!

E durante muito tempo teria continuado a velha gemendo assim, se a Pierie-pelítsina e as outras parasitas, entre suspiros e soluços, não se tivessem decidido a erguê-la do chão, aborrecidas por a verem assim aos pés duma preceptora assalaria-da. Nástienhka mal podia ter-se em pé, de nervosa, e a Pieriepelítsina choramingava também, mas de raiva:

— Dá cabo da sua mãe! — exclamou, dirigindo-se ao meu tio. — Mata-a! Nas-tássia levgráfovna, não dê ocasião a que mãe e filho se zanguem, isto brada aos céus!

— Anna Nílovna, modere a sua língua! — gritou o meu tio. — Já tenho tido bastante paciência.

— Também eu tenho tido bastante paciência para suportá-lo! Por que me há de deitar em cara a minha orfandade? Acha bem insultar uma órfã? Apesar de tudo eu não sou sua escrava. Sou filha dum tenente-coronel! Não tornarei a pôr os pés nesta casa! Não tornarei... Ainda hoje mesmo...

Mas o meu tio nada escutava; dirigiu-se para Nástienhka e, com muita genti-leza, pegou-lhe na mão:

— Nastássia levgráfovna, ouviu o meu pedido de casamento? — disse-lhe, olhando-a com tristeza, quase desolado.

— Não, Iegor Ilhitch, não! Deixemos isso respondeu Nástienhka que, por sua vez, se sentia desanimada. — Tudo isto é inútil — continuou, estreitando-lhe a mão e rompendo a chorar. — Isto, depois daquilo de ontem... não; isto não pode ser, o se-nhor deve compreender. Enganamo-nos, Iegor Ilhitch... Mas eu vou recordá-lo sem-pre como meu protetor e ... sempre pedirei a Deus pelo senhor...

As lágrimas apagaram a sua voz. O meu pobre tio, parece, esperava aquela resposta; nem por um momento se lembrou de porfiar, de insistir... Escutou-a, incli-nado na sua frente, sem largar-lhe a mão, silencioso e abatido. Assomaram lágrimas aos seus olhos.

— Ainda ontem lhe disse — continuou Nástia — que não podia ser sua espo-sa. Porque; bem vê, não me querem em sua casa; eu já pressentia tudo isto há muito tempo, há muito tempo; a sua mãe não nos dá a sua bênção... Os outros também não. E o senhor, supondo ainda que não viria a arrepender-se depois, não seria com-pletamente feliz ao meu lado... com o seu bondoso caráter.

— Lá isso é, bondoso caráter. Isso mesmo, bondoso. Lá isso é, Nástienhka, de fato! — concordou seu velho pai que estava de pé, do outro lado do seu lugar. — Essa é a palavra que se lhe ajusta perfeitamente e é preciso que todos o saibam.

— Eu não quero que haja discórdias em sua casa por minha culpa — conti-nuou Nástienhka. — Mas não se preocupe comigo, Iegor Ilhitch; a mim ninguém me há de ultrajar nem ofender... Eu vou com o meu pai hoje mesmo... É melhor separarmo-nos, Iegor Ilhitch..

E a pobre Nástienhka tornou a desfazer-se em lágrimas.

— Nastácia levgráfovna, é essa a tua última palavra? — perguntou o meu tio olhando-a com uma angústia inexprimível. — Diga-me só uma palavra, que eu sacrificarei tudo pela senhora.

— A última palavra; a última, Iegor Ilhitch — voltou Ietchóvkin a concordar — e ela explicou-lhe tudo tão bem, que eu, confesso, nem o esperava. O senhor é um homem muito bondoso, Iegor Ilhitch; assim, tal qual, um homem muitíssimo bondoso, e concedeu-nos uma grande honra. Uma grande honra, é como lhe digo, uma grande honra! Mas, apesar de tudo nós não somos seus iguais, Iegor Ilhitch... O senhor, Iegor Ilhitch, precisa de uma noiva que seja rica, distinta, bonita, e que tenha também uma boa voz; e que, toda carregada de brilhantes e até de plumas de avestruz, vá e venha por estas salas... Então pode ser que Fomá Fomitch se declare vencido e dê a sua bênção. Porque o senhor há de trazer outra vez Fomá Fomitch. Foi inutilmente, inutilmente que se permitiu ofendê-lo assim. Pois veja como ele falava só por pura virtude, pelo seu amor à moral... Será o senhor mesmo quem dirá depois que ele o fazia por virtude... vai ver. É um homem muito digno. Mas nesta altura já deve estar todo molhado. O melhor era trazê-lo agora... Porque, bem vê, não tem outro remédio senão trazê-lo.

— Trazê-lo, trazê-lo! — exclamou a generala. — Ele, meu querido, apenas te dizia a verdade!

— Lá isso era — continuou Ietchóvkin. — Já pode ver como sua mãe sofre inutilmente... Traga-o já, sim! Mas nós, com Nástienhka, vamo-nos embora... agora mesmo...

— Espera, Ievgraf Lariônitch! — exclamou o meu tio. — Por favor! Uma palavra, Ievgraf, uma palavra apenas!

Depois de ter dito isto, retirou-se, foi sentar-se num canto, baixou a cabeça e cobriu o rosto com as mãos, como se meditasse em qualquer coisa.

Neste instante um trovão imponente se ouviu quase por cima da nossa casa. Todo o edifício retumbou. A generala começou a guinchar, a Pieriepelítsina imitou--a, as amigas parasitas persignaram-se, mortas de medo, e o Senhor Baktchéiev fez o mesmo.

— Paizinho, profeta Elias! — murmuraram cinco ou seis vozes ao mesmo tempo, em coro.

Depois daquele trovão iniciou-se um aguaceiro tão violento que parecia que um oceano inteiro se despenhara de repente sobre Stiepântchikovo.

— E Fomá Fomitch? Que irá ser dele? — gritou a menina Pieriepelítsina.

— Iegóruchka, vai buscá-lo! — gritou a generala numa voz desolada e, como se tivesse endoidecido, encaminhou-se para a porta. As amigas fizeram-na parar, rodearam-na, consolaram-na, soluçando e gemendo. Aquilo era pior do que Sodoma!

— Foi com um sobretudo e de sapatilhas! — insistiu a Pieriepelítsina. — Nem sequer levou guarda-chuva! É capaz de ser morto por alguma faísca!

— Lá isso é — concordou Baktchéiev. — E depois, com esta chuva ficará numa sopa.

— Cale-se! — disse-lhe eu em voz baixa.

— Mas ele também é uma pessoa, ou não será? — respondeu-me, mal--humorado, o senhor Baktchéiev. — Não é nenhum cão. Que diabo, o senhor não era capaz de ir agora para a rua! E, senão, vá e saia lá...

Pressentindo uma disputa e receando-a, aproximei-me do meu tio, o qual permanecia mergulhado numa grande letargia, sentado numa cadeira.

— Tio — disse-lhe eu colando a boca ao seu ouvido. — Concorda em trazer Fomá Fomitch? Pense que isso seria o cúmulo do escândalo, sobretudo enquanto aqui estiver Nastássia Ievgráfovna.

— Meu amigo — respondeu-me o meu tio erguendo a fronte e olhando-me nos olhos com energia — eu julgo-me a mim próprio neste instante e sei muito bem o que devo fazer. Não te preocupes; ninguém insultará Nástia... foi o que decidi:

Levantou-se do seu lugar é aproximou-se da mãe.

— Mamãe — disse — acalme-se que eu vou buscar Fomá Fomitch; ainda hei de alcançá-lo. Ainda não pode ir muito longe. Mas juro-lhe que apenas o trarei com uma condição a de que aqui, em público, diante de todas as testemunhas da ofensa, se comprometa a confessar-se culpado e peça solenemente perdão a esta honesta menina. Eu conseguirei isto dele. Vou obrigá-lo! De outra maneira não mais transporá os umbrais desta casa. Juro-lhe também, mamãe, solenemente, que se ele aceder a isto de boa vontade estou disposto a lançar-me aos seus pés e a dar-lhe tudo, tudo, tudo quanto me for possível, sem prejudicar os meus filhos! Porque eu, a partir deste dia, renuncio a tudo. Apagou-se a estrela da minha felicidade. Sairei de Stiepântchikovo. Continuai vós a viver aqui, tranquilos e felizes. Eu volto para o regimento... e, no fragor da guerra, no campo de batalha, porei fim à minha sorte desesperada... Já chega! Vou-me!

Naquele momento a porta abriu-se e Gavrila, todo encharcado, completamente coberto de lama, apareceu perante a assistência estupefata.

— Que é isso? Donde vens? Onde está Fomá? — exclamou o meu tio precipitando-se sobre Gavrila.

A seguir a ele todos fizeram o mesmo e com viva curiosidade rodearam o velho, o qual escorria verdadeiras torrentes de água lodosa. Soluços, ais, gritos sublinhavam cada palavra de Gavrila.

— Ficou junto da plantação de álamos, a meia versta daqui — começou com uma voz lamentosa. — O cavalo espantou-se com um relâmpago e atolou-se na valeta,.

— Como? — gritou o meu tio. — A carroça virou...

— Mas... e Fomá?

— Caiu na valeta.

— Continua, conta!

— Magoou-se nas costas e começou a chorar. Eu, então, desatrelei o cavalo e vim a correr para dar a notícia.

— E Fomá? Ficou lá?

— Levantou-se e continuou a caminhar para a frente, apoiado a um pau — concluiu Gavrila, depois do que lançou um suspiro e baixou a cabeça.

Os choros e os gemidos do belo sexo eram indescritíveis.

— Polkan! — exclamou o meu tio e saiu imediatamente da sala. Trouxeram-lhe Polkan, montou e, passado um momento, o galope do cavalo anunciou-nos a todos que tinha começado a busca de Fomá Fomitch. O meu tio tinha-se lançado ao caminho sem ter sequer posto o gorro.

As senhoras correram à janela. Entre ais e gemidos ouviram-se também conselhos. Falavam das excelências dum banho morno imediato, de dar a Fomá Fomitch fricções com álcool, de tisanas, e de que Fomá Fomitch desde a manhã nem sequer tinha levado à boca um pedaço de pão, que estava em jejum. A menina Pieriepelítsina encontrou os seus óculos, por ele esquecidos no estojo, e o achado produziu uma impressão extraordinária; a generala pegou neles, entre suspiros e lágrimas e, sem largá-los da mão, foi até à janela para olhar o caminho. A expectativa alcançou finalmente o último grau da tensão nervosa... Noutro extremo da sala estava Sáchenhka consolando Nástia; ambas se abraçavam e choravam. Nástienhka segurava Iliúchka e beijava o discípulo, a despedir-se. Iliúchká chorava aflitivamente, embora não soubesse bem por que Ietchóvkin e Mizíntchikov, à parte, falavam de qualquer coisa. A mim parecia-me que Baktchéiev, ao ver as senhoras, estava prestes também a chorar. Aproximei-me dele.

— Não, meu caro — disse-me. — Fomá estava decidido a ir-se embora, simplesmente o tempo não o permitiu; além disso não lhe atrelaram ao carro bois com chifres de ouro. Não se preocupe, meu amigo, o dono da casa terá de ir-se e ele ficará.

A tormenta tinha-se afastado e o Senhor Baktchéiev, parece, mudara já de maneira de pensar.

De repente ouviram-se gritos de "Já aí vem!", e as senhoras, soluçando, correram para a porta. Não tinham decorrido talvez dez minutos desde que o meu tio partira. Parecia impossível que em tão pouco tempo tivesse trazido Fomá Fomitch; mas não tardou que o mistério se aclarasse muito simplesmente. Fomá Fomitch, ao despedir-se de Gavrila, caminhou de fato para diante, apoiado a um pau; mas quando se viu completamente sòzinho, no meio dos trovões, dos relâmpagos e da chuva, deitou a vergonha para trás das costas, voltou-se para os lados de Stiepântchikovo e pôs-se a caminhar no rastro de Gavrila. O meu tio encontrou-o já na granja. Chamaram imediatamente um viajante, colocaram o recém-chegado na carroça, acudiram camponeses e fizeram subir para ela o completamente encharcado Fomá Fomitch. Assim o levaram também até aos braços abertos da generala, a qual estava quase aparvalhada de susto, ao vê-lo naquele estado. Estava ainda mais molhado e enlameado do que Gavrila. Armou-se um reboliço enorme; queriam levá-lo imediatamente aos aposentos superiores para que mudasse de roupa. Outros queriam que lhe dessem uma tisana e outros medicamentos tonificantes; andavam todos alvoroçados, de cabeça transtornada; falavam todos ao mesmo tempo. E Fomá, como se não reparasse em nada nem em ninguém. Carregaram-no em braços. Quando o depuseram na poltrona, deixou-se cair nela pesadamente e tapou os olhos. Alguém gritou que ele ia morrer; ergueu-se um clamor enorme Quem mais gritava era Falálei, esforçando-se por abrir caminho através do grupo de senhoras que rodeavam Fomá Fomitch, para beijar-lhe as mãos...

Capítulo V / Fomá Fomitch torna todos felizes

— Para onde me trouxeram? — perguntou finalmente Fomá Fomitch com uma voz de quem morre pela verdade.

— Grande embusteiro! — murmurou Mizíntchikov, junto de mim. — Nem sequer sabe para onde o trouxeram. Agora vai representar outra comédia!

— Estás conosco, Fomá, rodeado dos teus! — exclamou o meu tio. — Anima-te, acalma-te! De fato convinha que mudasses de roupa, senão podes apanhar um resfriado... Não queres tomar alguma coisa para te fortaleceres um pouco? Um copinho de qualquer coisa, para aqueceres...

— Um pouco de Málaga, tomaria — insinuou Fomá tornando a abrir os olhos.

— Málaga? Haverá aqui em casa? — disse o meu tio olhando preocupado para Praskóvia Ilínichna.

— Então não havia de haver? — insistiu Praskóvia Ilínichna. — Ainda temos quatro garrafas intactas — e imediatamente, fazendo tilintar as chaves, correu em busca do vinho de Málaga, seguida pelos gritos de todas as senhoras, que andavam em redor de Fomá como moscas à volta do mel... O que pôs o Senhor Baktchéiev no cúmulo do mau humor.

— Agora pede Málaga! — resmungou. — Quer um vinho que ninguém bebe! Pois vejamos: quem é que bebe Málaga, a não ser algum trampolineiro como ele? Arre! Mas por que estou aqui? De que estou à espera?

— Fomá — começou o meu tio parando a cada palavra — agora que... já estás descansado... e te encontras entre nós... queria dizer-te, Fomá, que não sei como pudeste acusar há pouco uma criatura tão inocente...

— Onde, onde está a minha inocência? — gritou Fomá como se tivesse febre e delirasse. — Onde, os meus dias dourados? Onde estás tu, minha adorada infância, tempo em que eu, inocente e bom, corria pelos campos atrás das mariposas? Onde, onde esses tempos? Restituam-me a minha inocência; restituam-ma!

E Fomá, juntando as mãos, olhava para todos como se alguém tivesse a sua inocência no bolso. Baktchéiev estava quase a estalar de cólera.

— É ver o que ele pede! — resmungou mal-humorado. — Deem-lhe a sua inocência... talvez queira dar-lhe algum beijinho. Quem sabe se, quando era pequeno, não era já tão patife como agora...

— Fomá! — começou de novo o meu tio.

— Onde, onde estão esses tempos em que eu ainda acreditava no amor e amava os homens? — gritava Fomá. — Em que eu abraçava os homens e chorava pelos seus sofrimentos! Ao passo que agora... Onde estou eu? Onde estou?

— Estás conosco, Fomá, tranquiliza-te! — exclamou o meu tio. — Mas eu queria dizer-te uma coisa, Fomá!

— Faça o favor de se calar — admoestou-o a menina Pieriepelítsina chispando fogo pelos seus olhinhos maldosos.

— Onde estou eu? — continuou Fomá. — Quem está à minha volta? São búfalos e touros que me ameaçam com os seus chifres. Vida, quem és tu? Vive, vive, sofre desonra, desprezos, chicotadas, pancadas, e só quando os teus restos tiverem descido ao sepulcro os homens se recordarão e elevarão aos teus pobres ossos um monumento!

— Agora fala de um monumento! — murmurou Ietchóvkin juntando as mãos.

— Oh! Não levanteis monumentos, a mim! — gritou Fomá. — Não levanteis! Eu não preciso de monumentos! No vosso coração, sim, erigi-me aí um monumento, embora também aí não seja necessário, pois não preciso dele, não preciso dele!

— Fomá — interrompeu-o o meu tio — chega! Deixa os monumentos em paz e escuta. Olha, Fomá, eu penso que tu, ardendo num fogo sagrado, como costuma dizer-se, me fizeste aquelas censuras; mas enganaste-te levado pelo teu zelo pela virtude... garanto-te que estavas em erro...

— Mas por que não o deixa em paz? — tornou a admoestá-lo a menina Pieriepelítsina. — Tenciona dar cabo desse infeliz, que está agora nas suas mãos?

Depois da Pieriepelítsina revoltou-se também a generala e atrás dela todo o seu séquito; todas agarraram o meu tio pelos braços, para que deixasse Fomá.

— Cale-se, Anna Nílovna, porque eu sei muito bem o que estou dizendo! — respondeu o meu tio com energia. — Trata-se de uma coisa sagrada! Tu és razoável, tu tens a obrigação de pedires perdão agora mesmo, à inocente menina que ofendeste...

— Que menina? Que menina é que eu ofendi? — exclamou Fomá arregalando os olhos, estupefato, como se esquecido completamente do incidente e não compreendesse do que se tratava.

— Sim, Fomá; e se neste momento espontaneamente reconheceres a tua culpa, juro-te, Fomá, que me deitarei a teus pés e então...

— Mas a quem é que eu ofendi? — lamentou-se Fomá. — A que menina? Onde está ela? Onde está essa menina? Dê-me algum sinal dessa menina!

Nesse momento Nástienhka, sobressaltada e receosa, aproximou-se de Iegor Ilhitch e puxou-o pelo braço.

— Não, Iegor Ilhitch, deixe-o, não é preciso que ele se desculpe! Para quê? — disse, com uma voz suplicante. — Deixe-o!

— Ah, agora me lembro! — exclamou Fomá. — Meu Deus! Agora me lembro! Oh, ajudai-me, ajudai-me todos a lembrar! — pediu, tomado, segundo parecia, de terrível aflição.

— Digam-me, é verdade que fui corrido daqui como um cão e que um raio me atingiu? É verdade que me fizeram rolar pelas escadas? É verdade tudo isto?

Os choros e lamentos das senhoras foram a resposta mais eloquente às perguntas de Fomá Fomitch.

— Sim, é verdade — continuou ele. — Agora me lembro... Lembro-me de que, depois do raio e da minha queda, corri para aqui, perseguido pela tempestade, para vir cumprir o meu dever e depois desaparecer definitivamente. Levantai-me, que me faltam as forças, mas tenho obrigação de cumprir o meu dever!

Imediatamente o levantaram da poltrona. Fomá adotou a atitude oratória e estendeu os braços.

— Coronel! — exclamou. — Agora me lembro de tudo; a tempestade não aniquilou as minhas faculdades mentais; deixou-me apenas um pouco surdo do ouvido direito, o que talvez seja devido não só à tempestade, como também à queda... Mas isso não tem importância. Quem é que se preocupa com o ouvido direito de Fomá?

Fomá imprimiu uma certa ironia às suas últimas palavras e sublinhou-se com um sorriso tão doloroso que imediatamente as senhoras, aflitas, redobraram os seus lamentos. Todas elas, com olhos de censura e algumas com verdadeira raiva, fixaram o olhar sobre o meu tio, que começava já a acovardar-se perante tão unânime expressão da opinião geral. Mizíntchkov cuspiu e foi para a janela. Baktchéiev tocava-me com o cotovelo cada vez com mais força, não podia estar quieto.

— Agora... escutai a minha confissão! — exclamou Fomá abrangendo-nos a todos com um olhar ufano e enérgico. — E ao mesmo tempo apreciem a sorte do infeliz Opískin, Iegor Ilhitch! Já há algum tempo que eu o observo, que eu o observo com tristeza do meu coração, e vejo tudo, ao passo que o senhor nem sequer suspeitava que eu o estivesse observando. Coronel! É possível que eu me tenha enganado, mas conhecia o seu egoísmo, o seu infinito amor próprio e a sua fenomenal concupiscência; e quem pode acusar-me por eu ter tremido involuntariamente pela honra de uma criatura inocentíssima?

— Fomá, Fomá! Toma cuidado com a língua, Fomá! — gritou o meu tio olhando com inquietação para a torturada expressão do rosto de Nástienhka.

— Não só me inquietava o fato de essa menina ser inocente e digna de toda a confiança, como também a sua inexperiência — continuou Fomá corno se não tivesse ouvido a advertência do meu tio. — Eu via que um terno sentimento florescia no seu coração, como uma rosa fresca, e sem querer lembrava-me de Petrarca, que diz que a inocência confina às vezes com a imoralidade; eu suspirava, lamentava-me, e ainda que, por esta jovem, pura como uma pérola, eu teria dado o meu sangue como penhor, quem me respondia por si, Iegor Ilhitch? Conhecendo a irreprimível impetuosidade das suas paixões, sabendo, por o conhecer, que está sempre disposto a sacrificar tudo pelo mais insignificante dos seus prazeres, eu, de repente, comecei a sentir um grande espanto e sobressaltei-me pela sorte que esperava esta menina honestíssima...

— Fomá! Mas tu pensaste uma coisa dessas? — exclamou o meu tio.

— Com grande dor do meu coração, pensei-o pelo senhor. Se quer saber tudo: o que sofri, pergunte-o a Shakespeare; ele lhe dirá no seu *Hamlet* o estado da minha alma. Eu estava aterrorizado. Na minha inquietação, na minha tristeza, eu via tudo negro, e não era esse o negrume de que se fala em um romance famoso... garanto-lhe! Daí o meu desejo, que o senhor pôde ver, de afastá-la desta casa. Eu queria salvá-la, daí também o fato de, nestes últimos tempos, o senhor me ver cheio de aborrecimento e aversão por todo o gênero humano... Oh! Quem teria sido capaz, então, de reconciliar-me com a Humanidade? Sinto que talvez tenha estado desatento e injusto para com os seus hóspedes, para com o seu sobrinho, para com o Senhor Baktchéiev, ao exigir-lhe que soubesse astronomia; mas quem poderá acusar-me, se levar em conta o estado da minha alma nessa altura? Voltando a apoiar-me em Shakespeare, direi que o futuro me aparecia como um imenso abismo de profundidade insondável, no fundo do qual se escondia um crocodilo. Sentia que o meu dever era impedir a catástrofe, que era essa a minha obrigação... E que sucedeu? O senhor não soube compreender as nobilíssimas intenções da minha alma, e sempre me tem pago com maldade, ingratidão, troças, vexames...

— Fomá! Se é assim... sim, sem dúvida eu sinto — exclamou o meu tio com extraordinária veemência.

— Se o senhor sente, efetivamente, então tenha a bondade de escutar-me até o fim e não me interrompa. Continuo: toda a minha culpa se reduz, pois, a que eu me preocupava demasiado com o destino desta menina, porque é uma criança, comparada consigo. Era o meu imenso amor pela Humanidade que me fazia parecer nesse tempo algo de parecido com um demônio de ira e de desdém. Eu estava disposto a lançar-me sobre as pessoas e a devorá-las. E o senhor sabe, Iegor Ilhitch, que todos os seus atos, como se fosse de propósito, vinham fomentar o meu desprezo e convencer-me da razão de todas as minhas dúvidas? Sabe que ontem à noite, quando o senhor me atirou com o seu dinheiro à cara, para que eu saísse desta casa, eu pensei: "Quer assim afastar de si, juntamente com a minha pessoa, o meu conselho, para mais fàcilmente cometer o seu crime?".

— Fomá! Fomá! Mas foi ontem que tu pensaste isso? — exclamou espantado o meu tio. — Meu Deus, e eu que estava tão alheio a tudo!

— Foi o próprio Céu que me infundiu essas suspeitas — continuou Fomá. — E diga francamente: que havia eu de pensar quando um ignominioso acaso me levou nessa mesma noite àquele banco de pedra do jardim, que havia eu de sentir nesse instante... oh, meu Deus, ao verificar finalmente, com os meus próprios olhos, que todas as minhas suspeitas ficavam assim de repente absolutamente justificadas? Mas a mim ainda me restava uma esperança, débil; é verdade, mas apesar de tudo, uma esperança... E que foi feito dessa esperança? Esta manhã o senhor encarregou-se de reduzi-la a cinzas e a pó. Enviou-me aquela carta, declarava-me nela a sua intenção de casar-se, pedia-me que lhe desse o meu consentimento... "Por que — disse eu para comigo — por que me escreve ele precisamente agora, que já o surpreendi, e não antes? Por que, dantes não se aproximava ele de mim, feliz e contente — pois o amor lê-se no rosto — por que não vinha então abraçar-me, chorar sobre o meu peito lágrimas de felicidade imensa e não me contava tudo, tudo? Sou eu por acaso algum crocodilo capaz de o comer e não de dar-lhe um conselho proveitoso? Ou algum escaravelho repugnante que não servisse senão para picá-lo e não para contribuir para a sua felicidade? Serei eu para ele um amigo ou um vil inseto?" Eis aqui a pergunta que a mim mesmo eu fazia esta manhã. "Para quê, afinal — pensei eu — para que mandou vir o sobrinho da capital e o pôs em contacto com esta menina, senão para enganar-nos, tanto a nós como ao seu insensato sobrinho, e entretanto consumar em segredo a mais criminosa das suas intenções?" Não, coronel, se alguém confirmava perante mim a ideia de que o seu amor correspondido era um crime, era o senhor e apenas o senhor. Além disso o senhor era um criminoso também para com esta jovem, porque, com a sua concupiscência e o seu egoísmo, a expunha a ela, pura e honesta, à calúnia e a suspeitas terríveis!

O meu tio permanecia calado, abanando a cabeça; a eloquência de Fomá vencia todas as suas objeções e sentia-se já disposto a reconhecer-se carregado de crimes. A generala e o seu séquito calavam-se e escutavam Fomá com agrado; mas a Pieriepelítsina contemplava a pobre Nástienhka com maldosa solenidade.

— Desorientado, de coração trespassado, morto — continuou Fomá — fechei-me hoje à chave e pus-me a rezar para que Deus me enviasse bons pensamentos! Finalmente prometi a mim mesmo, pela última vez e em público, admoestá-lo a si. Talvez eu tenha tomado demasiado calor por esta causa, talvez me deixasse arrastar demasiado pela minha indignação; mas como recompensa do meu nobre propósito, o senhor foi e expulsou-me. Quando saí, a rebolar, disse para comigo: "Aí tens como o mundo recompensa sempre a virtude". Então caí por terra e depois mal me lembro do que aconteceu.

Soluços e lamentos interromperam Fomá Fomitch nesta trágica evocação. A generala dirigiu-se para ele levando na mão uma garrafa de Málaga, que apenas para este fim arrancara das mãos de Praskóvia Ilínichna, que estava já de volta; mas Fomá empurrou aquela mão, o vinho e a generala, com magnanimidade.

— Estejam quietos — exclamou — que preciso de acabar! Pois bem: o que aconteceu depois da minha queda, ignoro-o. Sei apenas uma coisa, é que agora, molhado até aos ossos e em perigo iminente de apanhar uma febre, estou aqui para fazer todos felizes. Coronel! Por muitos indícios, que agora não quero explicar, estou firmemente convencido de que o seu amor era puro e até sublime, embora ao mesmo tempo pecaminosamente desconfiado. Rebaixado, adulterado, suspeito de ofensa a uma jovem, a essa mesma jovem por cuja honra, como um cavaleiro da Idade Média, estava disposto a derramar a minha última gota de sangue... Decidi agora demonstrar-lhe como se vinga Fomá Opískin da afronta recebida! Dê-me cá a sua mão, coronel!

— Com muito prazer, Fomá — exclamou o meu tio. — E visto que tu, agora, puseste as coisas no seu lugar, no que respeita à honestidade desta nobre senhora, eu... naturalmente... aqui tens a minha mão, Fomá, juntamente com o meu pesar...

E o meu tio, com veemência, estendeu-lhe a sua mão sem suspeitar no entanto o que ele ia fazer com ela.

— Dê-me também a sua mão — continuou Fomá com voz débil, afastando o círculo de senhoras que o rodeava e dirigindo-se a Nástienhka.

Nástienhka sobressaltou-se, deu um passo e olhou com timidez para Fomá.

— Aproxime-se, aproxime-se, minha filha! É preciso para a sua felicidade — acrescentou Fomá amavelmente, que continuava com a mão do meu tio entre as suas.

"Que estará ele tramando?", perguntou Mizíntchikov a si mesmo.

Nástia, assustada e trêmula, aproximou-se de Fomá e, timidamente, estendeu-lhe a sua mãozinha.

Fomá pegou nela e colocou-a na mão do meu tio.

— Uno-vos e abençoo-vos — declamou em tom soleníssimo — e, se a bênção de um desgraçado, morto de amargura, pode servir-vos de alguma coisa, sede felizes. Eis aqui como se vinga Fomá Opískin! Viva!

A estupefação geral foi enorme. Aquele desenlace foi tão inesperado que para todos foi um pouco incompreensível. A generala ficou tal como estava, de boca aberta e com a garrafa de Málaga na mão. A Pieriepelítsina empalideceu e começou a tremer de raiva. As parasitas ergueram os braços e ficaram petrificadas nos seus respectivos lugares. O meu tio estremeceu, fez menção de dizer qualquer coisa, mas não pôde. Nástia ficou pálida como uma morta e, com uma voz tímida, disse que "aquilo não podia ser"... Mas já era tarde. Baktchéiev foi o primeiro — é preciso fazer-lhe esta justiça — a responder ao hurra de Fomá Fomitch, em seguida eu, e depois de mim, Sáchenhka, com a sua vozinha guinchona, que correu também a abraçar o pai; depois Iliúchka; depois Ietchóvkin e no fim de todos Mizíntchikov.

— Hurra! — gritou pela segunda vez Fomá. — Hurra! E de joelhos, filhos da minha alma, de joelhos diante da vossa terna mãezinha. Pedi-lhe que vos dê a sua bênção e, se for preciso, também eu me porei a seus pés de joelhos convosco.

O meu tio e Nástienhka, que ainda não tinham trocado um olhar, sem compreenderem o que lhes tinha acontecido, prostraram-se de joelhos diante da generala; todos se juntaram à sua volta; mas a velha estava meio tola, sem nada compreender também. Fomá salvou a circunstância: ajoelhou-se ele também aos pés da sua protetora. O que acabou de uma vez com todas as suas dúvidas. Vertendo lágrimas, declarou finalmente que dava o seu consentimento. O meu tio levantou-se e encheu Fomá de abraços.

— Fomá! Fomá! — exclamou; mas a voz embargou-se e não pôde continuar.

— Champanhe! — gritou Stiepan Alieksiéievitch. — Hurra!

— Não senhor, nada de champanhe! — replicou a Pieriepelítsina, que tinha tido tempo de reconsiderar e de pesar todas as circunstâncias, juntamente com as suas consequências. — Acendamos antes uma vela a Deus, rezemos e demos-lhe graças, assim como também a todos os santos e anjos do Céu...

Imediatamente resolveram todos obedecer ao sensato conselho; estabeleceu-se uma confusão horrível. Foi preciso acender uma vela. Stiepan Alieksiéievitch aproximou uma cadeira e subiu para ela para colocar a vela diante da imagem; mas a cadeira resvalou, e ele juntamente com ela, embora se equilibrasse depois. Muito, calmo, declinou a tarefa nas mãos da Pieriepelítsina. A fraca solteirona resolveu o caso num abrir e fechar de olhos; a vela começou logo a arder. A freirinha e as amigas parasitas puseram-se a benzer-se e a fazer reverências até ao chão. Pegaram na imagem do Salvador e apresentaram-na à generala. Meu tio e Nástienhka tornaram a ajoelhar-se e a cerimônia realizou-se segundo as devotas indicações da Pieriepelítsina, que acrescentava a cada palavra: "De joelhos, beijem a imagem e a mão da mamãe!". O Senhor Baktchéiev sentiu-se também na obrigação de beijar a imagem, a seguir aos noivos, e aproveitou também a oportunidade para beijar ainda a mãozinha da mamãe! Dava mostras de um orgulho indescritível.

— Hurra! — tornou a gritar. — E agora já podemos beber champanhe!

Todos estavam contentes. A generala chorava mas ao mesmo tempo sorria por entre as lágrimas, pois aquela união, abençoada por Fomá, adquiria agora aos seus olhos um caráter sagrado e sacrossanto; e o mais importante era ela sentir que Fomá tinha realizado algo de grande e que daqui por diante ficaria em sua casa pelos séculos dos séculos. Todos os parasitas, pelo menos os que estavam presentes, se entregaram ao júbilo geral. O meu tio... voltou a ajoelhar-se diante da mãe, beijou-lhe as mãos, depois do que me veio abraçar a mim, a Baktchéiev, a Mizíntchikov e a Ietchóvkin. Por pouco que não esmagava Iliúchka nos braços. Sacha foi abraçar e beijar Nástienhka. Praskóvia Ilínichna estava desfeita em lágrimas. O Senhor Baktchéiev, quando tal viu, dirigiu-se a ela... e beijou-lhe a mão. O velho Ietchóvkin retirou-se para um canto, onde chorava, enxugando os olhos com um lenço de quadrados. Noutro canto Gavrila choramingava e contemplava Fomá Fomitch com veneração; e dos olhos de Falálei as lágrimas saltavam em torrentes, enquanto ele se aproximava de todos os presentes e lhes beijava a mão. Estavam todos muito comovidos. Ninguém falava, ninguém pensava em dar explicações; parecia que já estava tudo dito; ouviam-se unicamente exclamações de alvoroço. Entretanto, ninguém conseguia compreender como é que aquilo se tinha dado, assim, tão de repente. Sabiam apenas uma coisa que era tudo obra de Fomá Fomitch, e por isso qualquer coisa de irrevogável e definitivo.

Não teriam decorrido ainda cinco minutos sobre a alegria geral, quando de súbito apareceu na sala Tatiana Ivânovna. De que maneira, devido a que rumor, é que ela, que estava lá para cima, pôde ser informada tão depressa daqueles amores e daquele casamento? Entrou na sala, de rosto radiante, com lágrimas de alegria nos olhos, com um vestido elegantíssimo (tinha tido tempo de mudar de roupa) e dirigindo-se imediatamente para Nástienhka, abraçou-a com grandes exclamações.

— Nástienhka, Nástienhka! Tu o amavas e eu sabia! — exclamou. — Meu Deus!

Eles se amavam e sofriam às escondidas, em segredo! Perseguiam-nos! Que romance! Nástia, minha adorada, diz-me a verdade toda, amavas este louco, não é assim?

Como resposta, Nástia abraçou-a e beijou-a.

— Meu Deus, que romance encantador! — e Tatiana Ivânovna pôs-se a bater palmas. — Ouve, Nástia, ouve, meu anjo; os homens todos... todos, desde o primeiro até ao último... são uns monstros de maldade e não merecem o nosso amor. Mas talvez este seja melhor que os outros. Vem cá, louco! — exclamou dirigindo-se ao meu tio e pegando-lhe na mão. — Gostas dela a sério? Serás verdadeiramente capaz de amar? Olha bem para mim, quero olhar-te nos olhos, quero ver se esses olhos mentem ou falam verdade. Mas não, não mentem, brilha neles o amor. Oh, que felicidade! Nástienhka, minha amiga, ouve-me; tu não és rica, ofereço-te trinta mil rublos. Toma-os, em nome de Deus! Eu não preciso deles, não preciso, ainda me fica muito. Não, não, não! — exclamou, ao ver que Nástia não queria aceitá-los. — Cale-se o senhor também, Iegor Ilhitch, que isto não lhe interessa. Não, Nástia, eu já tinha pensado... dar-te um presente; já há muito tempo queria fazer isso, esperava apenas pelo teu primeiro amor. Eu velarei pela vossa felicidade. Ofendes-me se não aceitas; fazes-me chorar, Nástia... Não, não e não!

Tatiana Ivânovna estava tão entusiasmada que, pelo menos naquele instante, era impossível contradizê-la. O caso não ficou completamente resolvido mas sim adiado para mais tarde. Pôs-se a beijar a generala, a Pieriepelítsina... a todos nós. Baktchéiev, da maneira mais respeitosa, aproximou-se dela e tomou-lhe a mão.

— Minha mãezinha! Minha pomba! Perdoa a este imbecil, por tudo o que aconteceu; não sabia que tinhas este coração de ouro!

— Louco! — murmurou Tatiana Ivânovna dando um piparote no nariz de Stiepan Alieksiéievitch com a luva e afastando-se depois ligeira como um zéfiro, e roçando-o com a saia luxuosa. O gordo afastou-se para o lado respeitosamente.

— Minha digna senhora! — murmurou desconcertado. — Já colaram o nariz ao alemão! — acrescentou, atrapalhado, e olhando-me nos olhos com alegria.

— Que nariz? A que alemão? — perguntei-lhe admirado.

— Aquele de que lhe falei, aquele que beija a mão à sua alemã e enxuga as lágrimas com o lenço. Foi o meu Ievdókhin quem o colou ontem; e depois, quando voltei da nossa perseguição, pedi-lhe que o enviasse para mim... Um encanto!

— Fomá! — exclamou o meu tio no cúmulo da felicidade. — Tu és o causador da minha felicidade! Como poderei pagar-te?

— Não é preciso, coronel — respondeu Fomá com um gesto de asceta. — "Viva sem se lembrar de mim" e seja feliz sem Fomá.

Pelo visto, estava ressentido; no meio da alegria geral, tinham-se esquecido dele.

— Isto tudo é alegria, Fomá! — exclamou o meu tio. — Eu, meu amigo, nem sei onde estou. Ouve, Fomá, ofendi-te. Toda a minha vida, o meu sangue todo não seriam suficientes para reparar essa ofensa, e por isso calo-me e não digo nada. Mas se alguma vez precisares da minha cabeça para alguma coisa ou da minha vida; se for necessário que eu, por ti, me arroje ao fundo dum precipício, não tens mais do que mandar e depois verás... É o que te posso dizer, Fomá!

E o meu tio, deixando cair as mãos, declarou a impossibilidade de acrescentar mais qualquer coisa que pudesse exprimir melhor o seu pensamento. Limitou-se a fixar em Fomá os olhos agradecidos; arrasados de lágrimas.

— És um anjo! — exclamou por sua vez; elogiando Fomá, a menina Pieriepelitsìna

— Sim, sim — acrescentou Sáchenhka. — Eu não sabia como Fomá Fomitch era bom, e por isso me portava tão mal para com ele. Mas desculpe-me, Fomá Fomitch, e esteja certo de que, daqui para diante, hei de querer-lhe com todas as veras da minha alma. Se soubesse como gosto de você, agora!

— Sim, Fomá! — concordou Baktchéiev. — Desculpa-me a mim também, que sou um burro! E não te conhecia, não te conhecia! Tu, Fomá Fomitch, não só és uma pessoa culta como também és... um herói! Ponho a minha casa à tua disposição. E o melhor é vires até lá, meu amigo, depois de amanhã; tu e a mamãe-generala e os noivos... Todos, todos à minha casa! Hão de ver como vamos comer... Embora eu não seja de basófias, quero dizer-vos: a única coisa que não encontrarão em minha casa é leite de ave! Palavra de honra! Quanto ao mais, há tudo!

No meio destas efusões, Nástienhka aproximou-se também de Fomá Fomitch e, sem mais preâmbulos, abraçou-o e beijou-o.

— Fomá Fomitch! — exclamou a moça. — Tu és o nosso benfeitor; fizeste conosco aquilo que eu não sei como pagar-te e apenas poderei dizer-te que serei para ti como uma irmã terna e respeitosa...

Não pôde terminar: as lágrimas apagaram a sua voz. Fomá beijou-a na fronte e as lágrimas saltaram-lhe também.

— Minha filha, filha do meu coração! — disse — Vive e goza a vida e nos instantes de felicidade lembra-te algumas vezes deste pobre proscrito! De mim posso eu dizer que a desdita deve ser a mãe da virtude. Parece-me que quem disse isto foi Gógol, escritor frívolo, mas no qual se encontram às vezes pensamentos valiosos. O desterro é uma infelicidade! Agora vou andar errante pelo mundo, com o meu cajado, e quem sabe? Pode ser que devido à minha própria desdita me torne mais virtuoso! Esta ideia... é o único consolo que me resta!

— Mas onde pensas tu ir, Fomá? — exclamou o meu tio com inquietação. Todos estremeceram e fixaram o olhar sobre Fomá. — Mas poderei eu ficar em sua casa, depois da maneira como procedeu para comigo, coronel? — perguntou Fomá com extraordinária dignidade.

Mas não o deixaram falar; um alarido geral lhe abafou a voz. Obrigaram-no a sentar-se na cadeira, puseram-se a chorar e não sei quantas coisas mais fizeram. Não havia dúvida nenhuma de que não estava nos seus planos abandonar esta casa, como também não fora sua intenção fazê-lo no dia anterior nem naquele mesmo dia, quando caiu no caminho. Ele sabia de sobra que agora todos se agarrariam a ele, já que a todos tinha feito felizes e tinham novamente fé na sua pessoa e estavam dispostos a levá-lo ao colo e a considerar isto como uma honra e uma felicidade. Mas, provavelmente, a anterior covardia da sua alma, ao assustar-se com a tempestade, feria agora um pouco a sua vaidade e incitava-o a tentar algo de heroico e, sobretudo... havia ainda a tentação de dar-se ares de grande homem; podia falar bem, escrever, colocar-se a si mesmo nas nuvens; não era possível resistir à tentação. E ele não resistia; fazia por livrar-se dos que o seguravam; pedia imperiosamente o seu cajado, implorava que lhe devolvessem a sua liberdade, que o deixassem completamente livre; gritava dizendo que nesta casa estava desonrado, humilhado; que apenas tinha regressado para fazer todos felizes. Finalmente conseguiu libertar-se, mas obrigaram-no novamente a sentar. Não foram capazes foi de conter a sua eloquência.

— Não é verdade que me ofenderam aqui? — gritou. — Não me mostraram os dentes? Não é verdade que o senhor, coronel, tal como os rapazes da rua, mal-educados, não me mostrou também os punhos cerrados? Sim, coronel! Sirvo-me desta imagem, porque se os não mostrou fisicamente, tanto faz, foram golpes morais, que às vezes ferem mais do que os materiais. E não quero já falar desses golpes...

— Fomá! Fomá — exclamou o meu tio. — Não me mates com essas recordações. Já te disse que todo o meu sangue seria pouco para resgatar essa ofensa. Sê generoso! Esquece, perdoa e fica conosco, compartilhando da nossa felicidade! Que é obra tua, Fomá!

— Eu quero amar, amar o homem — gritou Fomá — mas a mim não me dão o homem, proíbem-me de amar, roubam-me o homem. Dai-me o homem para que eu possa amá-lo! Onde está o homem? Onde se esconde esse homem? Como Diógenes com a sua lanterna, tenho andado a procurá-lo durante toda a vida e não posso encontrá-lo, e não posso amar ninguém enquanto não encontrar esse homem! Ai daquele que me impeça! Eu grito: "Deem-me o homem para que eu possa amá-lo", e quem me trazem é Falálei! E amarei eu a Falálei? Estarei eu disposto a amar a Falálei? Posso eu, em última análise, amar Falálei, ainda que o deseje? Não. Por que não? Ora, porque é Falálei. E porque não amo eu o gênero humano? Porque tudo quanto há neste mundo se reduz... a Falálei ou a coisa parecida. Eu não amo Falálei, eu não quero saber de Falálei para nada; eu cuspo em Falálei; se me obrigarem a escolher, prefiro Asmodeu a Falálei. Vem, vem cá meu verdugo de sempre! Vem cá! — exclamou encarando de repente com Falálei que, da maneira mais inocente, olhava espreitando por cima do círculo que rodeava Fomá Fomitch. — Vem cá! Eu vou lhe demonstrar, coronel — acrescentou Fomá puxando para si a mão de Falálei, pasmado de medo — eu vou lhe demonstrar a justiça das minhas palavras a respeito das zombarias e maus tratos da vida! Olhe, olhe, coronel, olhe para a sua obra! Vamos, Falálei, fala!

O pobre rapaz, tremendo de medo, passou à sua volta um olhar desolado, procurando algum modo, fosse ele qual fosse, de salvar-se; mas o que todos fizeram foi estremecer e aguardar, transidos de espanto, a sua resposta.

— Vamos, anda, Falálei, eu estou à espera!

Como resposta, Falálei contraiu o rosto, abriu a boca e pôs-se a berrar como um bezerro.

— Coronel. Veja que teimosia! Acha isto natural? Pela última vez me dirijo a ti. Falálei, diz-me; que sonhaste esta noite?

— Sonhei...

— Fala, diz que me viste a mim — murmurou-lhe Baktchéiev.

— Sonhei com a sua virtude! — murmurou-lhe Ietchóvkin junto do outro ouvido.

Falálei limitou-se a virar os olhos para um e outro lado.

— Com... com a sua... virt... com um touro branco! — por fim exclamou derramando lágrimas ardentes.

Ouviu-se um ai geral. Mas Fomá Fomitch estava nesse dia animado de uma generosidade extraordinária.

— Ao menos vejo a tua sinceridade, Falálei — sinceridade que não vejo nas outras pessoas. Deus seja contigo! Se procuras troçar de mim com esse sonho, por indicação de outros, que Deus castigue a ti e aos outros. Mas se não é assim, então respeito a tua ingenuidade, pois até na mais ínfima criatura deste mundo, que és tu, tenho o costume de ver a imagem e semelhança de Deus... Perdoo-te, Falálei! Abraça-me, meu filho! Eu fico!

— Fica! — exclamaram todos alvoroçados.

— Fico e perdoo. Coronel, ofereça açúcar a Falálei, para que ele não chore num dia em que estamos todos tão contentes.

Escusado será dizer que semelhante generosidade produziu um efeito surpreendente. Ele, naquele instante, preocupava-se assim... e com quem? Com Falálei! O meu tio apressou-se a cumprir a ordem do açúcar. Imediatamente — Deus sabe como — apareceu nas mãos de Praskóvia Ilínichna um açucareiro de prata. O meu tio apressou-se a tirar com a mão trêmula, primeiro dois torrões, depois três, e por fim deixou-os todos, ao ver que não estava em condições de fazer nada, tal era a felicidade que sentia.,

— Oh — exclamou — um dia não são dias! Toma, Falálei! — e entregou-lhe o açucareiro todo.

— Para ti, pela tua sinceridade! — acrescentou à guisa de conclusão moral.

— O Senhor Koróvkin — anunciou de repente Vidopliássov, à porta.

Produziu-se um leve reboliço. Pelo visto, a visita de Koróvkin era inoportuna. Todos olharam para o meu tio com ares interrogativos.

— Koróvkin! — exclamou o meu tio com certa indecisão. — Claro que tenho muito gosto... mas — acrescentou, olhando timidamente para Fomá — mas verdadeiramente não sei se desculpar-me, agora... neste momento. Que te parece, Fomá?

— Não faz mal, não faz mal! — exclamou Fomá, benévolo. — Receba Koróvkin, que participe da alegria geral.

Numa palavra: Fomá Fomitch estava numa disposição de espírito angelical.

— Com o maior respeito permito-me comunicar-lhes — observou Vidopliássov — que Koróvkin não se encontra no seu estado habitual.

— Não se encontra no seu estado habitual? O quê? Que significa isso?

— Isto mesmo, que não está em perfeita lucidez.

Mas tivemos a solução do enigma antes que o meu tio tivesse tido tempo para abrir a boca, pôr-se vermelho, inquietar-se e desconcertar-se até ao último extremo. À porta da sala apareceu o próprio Koróvkin; soltou-se do braço de Vidopliássov e avançou, no meio da estupefação geral. Era um homem baixo, bastante forte, de uns quarenta anos, de cabelos escuros mas salpicados de branco, curtos, com uma cara corada e redonda, uns olhinhos injetados de sangue, gravata solta, segura por trás com um elástico, vestindo um fraque todo coçado, como se tivesse andado a rebolar-se pelo feno ou pela lama, já com buracos nos sovacos, com umas calças inverossímeis e um gorro gorduroso até mais não poder, o qual trazia no braço. Aquele homem estava completamente bêbado. Quando se viu a meio da sala parou, cambaleando, de cara virada para o chão, como se refletisse; depois desatou a rir às gargalhadas.

— Desculpem, meus senhores — disse — eu... isso... — elevou a mão à garganta — estou até aqui!

A generala adotou imediatamente uma atitude de dignidade ofendida. Fomá, sentado na sua poltrona, observava com um olhar irônico o extravagante convidado. Baktchéiev olhava para ele atônito, com um espanto que deixava transparecer uma certa simpatia. A estupefação do meu tio era indescritível; com toda a sua alma, sofria por Koróvkin.

— Koróvkin! — começou. — Ouve!

— *Atendé!* [21] — interrompeu-o Koróvkin. — Eu me apresento: filho da Natureza... Mas que vejo eu? Há aqui senhoras... Mas, meu tolo, por que não me disseste que havia aqui senhoras? — acrescentou, olhando para o meu tio com um sorriso velhaco. — Nem uma palavra! Não resmungues! Vou me apresentar também ao belo sexo... Respeitáveis senhoras! — começou, movendo a língua com dificuldade e embrulhando as palavras. — Bem veem, infelizmente, como... bem, para quê continuar? Quanto ao resto, passa-se por alto... Músicos, polca!

— Não seria melhor tirar uma soneca? — perguntou Mizíntchikov, aproximando-se tranquilamente de Koróvkin.

— De maneira nenhuma! — respondeu Koróvkin com azedume. — Imaginas que eu estou bêbado? Pois enganas-te redondamente... E, além disso, onde é que se pode dormir aqui?

— Vamos, eu mesmo o levo.

— Onde? Para a cavalariça? Não, meu amigo, a mim não me levas tu! Eu já lá passei a noite... Mas, está bem, leva-me... Porque não havia eu de ir com um homem bondoso? Não preciso dê almofadas, um militar não precisa de almofadas. Mas tu devias arranjar-me um divãzinho... Sabes? — acrescentou, parando. — Meu amigo, tu pareces-me uma pessoa esperta, olha... Por que não me dás qualquer coisa para matar o bicho... só para matar o bicho, quero dizer, um copinho...

— Está bem, está bem! — respondeu Mizíntchikov.

— Bom... Mas espera, que antes tenho de despedir-me. *Adieu, mesdames et mesdemoiselles!* Tomaram-me de ponta, como costuma dizer-se... Bem, não interessa! Depois nos explicaremos... mas espera por mim para começar... ou uns cinco minutos antes... Mas não comecem sem mim, ouviram? Não comecem...

E o alegre hóspede desapareceu atrás de Mizíntchikov. Estavam todos calados. O espanto geral ainda não desaparecera. Até que finalmente Fomá começou a rir em voz baixa; mas os seus risos paulatinamente subindo de tom, até que se transformaram em gargalhadas. Quando viu aquilo, a generala pôs-se também a rir, embora conservasse no rosto a sua expressão de dignidade ofendida. Começaram a ouvir-se risos involuntários por todos os lados. O meu tio levantou-se, aturdido, vermelho até às lágrimas, e durante um momento não foi capaz de articular uma palavra.

— Meu Deus! — exclamou por fim. — Quem poderia dizer uma coisa destas! Embora, no fim de contas, isto possa acontecer a qualquer pessoa... Garanto-te, Fomá, que é um homem honrado, um homem excelente e até muito culto. Vais ver... Fomá!

— Já vejo, já vejo! — respondeu Fomá sufocado de riso. — Muito culto, lá isso

---

21 Corrupção de *attendez!*, isto é, olhem!

é, muito culto.

— Se o ouvisses falar de vias férreas! — observou Ietchóvkin.

— Fomá! — exclamou o meu tio; mas as risadas gerais apagaram a sua voz e Fomá ria até às lágrimas. O meu tio, ao ver isto, pôs-se também a rir.

— Bem, fazem bem! — disse, resignado. — Tu és generoso, Fomá, tens um grande coração, fizeste-me feliz... Perdoa também a Koróvkin.

A única que não ria era Nástienhka. Com os olhos transbordando de amor, olhava para o noivo e parecia dizer-lhe:

— Como és belo, e bom, e nobre, e como eu gosto de ti!

Capítulo VI / Conclusão

O triunfo de Fomá foi completo e indescritível. Efetivamente, sem ele nada se teria realizado, e o fato consumado eliminava todas as dúvidas e hostilidades. A gratidão daqueles aos quais fizera felizes era infinita. O meu tio e Nástienhka quase queriam comer-me quando eu insinuava vagamente a que se devia o fato de Fomá ter dado consentimento para a sua boda. Sáchenhka gritava: "É bom, muito bom, Fomá Fomitch, tem um lugar no fundo do meu coração". E censurava-me também pela minha dureza de sentimentos. Completamente transformado, Stiepan Aliek-siéievitch teria me estrangulado, por assim dizer, se eu me tivesse lembrado de proferir alguma frase irreverente para Fomá Fomitch. Agora seguia Fomá como um cãozinho, recreava seus olhos nele, e a qualquer coisa que dissesse, acrescentava: "És um homem excelente, Fomá!". Quanto a Ietchóvkin, encontrava-se no cúmulo do entusiasmo. Havia muito tempo que o velho percebera que Nástienhka transtorna-ra a cabeça de Iegor Ilhitch e, desde então, acordado e a dormir, pensava apenas na maneira de unir os dois. Pôs-se a magicar no caso até que Fomá nele se intrometeu. Apesar de que o velho não via Fomá Fomitch com bons olhos; numa palavra, era evidente que Fomá Fomitch estava destinado a reinar naquela casa pelos séculos dos séculos e que a sua tirania não teria fim. É sabido que até os indivíduos mais antipáticos, mais voluntariosos, costumam amansar-se com o tempo, quando satis-fizeram os seus desejos. Fomá Fomitch, pelo contrário, ficava cada vez mais soberbo com os seus êxitos e cada vez levantava mais a grimpa. À mesa, antes do jantar, depois de ter mudado de roupa, refestelava-se no seu lugar, chamava o meu tio e, diante de toda a família, punha-se a dar-lhe lições.

— Coronel! — começava. — O senhor vai contrair um matrimônio legal. Já pensou nas responsabilidades?

E assim por diante; imaginai sete páginas do tamanho do *Journal des Débats*, de tipo miúdo, atafulhadas dos mais grosseiros absurdos, nas quais nada havia semelhante a responsabilidades, mas sim apenas atrevidas reflexões acerca do ta-lento, da perspicácia, da generosidade, da hombridade e desinteresse do próprio Fomá Fomitch. Estavam todos famélicos, todos desejosos de comer, mas apesar dis-so ninguém ousava contrariá-lo e, todos, complacentemente, escutavam o sermão até o fim; até Baktchéiev, apesar do seu descomunal apetite, estava muito quieto, sem mexer-se, no mais absoluto respeito. Quando esgotava todas as reservas da sua eloquência, Fomá Fomitch, finalmente, punha-se de bom humor e atacava então as iguarias com bastante energia, pronunciando as mais estranhas palavras de saudação. Dava-se ares de pessoa de espírito e fazia rir os outros, naturalmente à custa dos mais novos. Todos se riam e aplaudiam as suas graças. Mas algumas delas eram tão baixas e transparentes que até o próprio Baktchéiev ficava perplexo. Finalmente Nástienhka levantava-se e saía. O que entusiasmava Fomá Fomitch até ao delírio; mas retomava imediatamente a sua compostura, com breves palavras, mas contundentes, elogiava a dignidade de Nástienhka e propunha-se brindar à saúde da ausente. O meu tio, depois de uns instantes de sobressalto e de contrariedade, sentia-se disposto então a abraçar Fomá Fomitch. De maneira geral parecia que os noivos sentiam uma timidez recíproca e se envergonhavam da sua felicidade, e esse pormenor não me passou despercebido; até se casarem não trocaram uma palavra e era de dizer que evitavam olharem-se um ao outro. Quando nos levantávamos da mesa, o meu tio ia não se sabia para onde. Eu ia procurá-lo no terraço. Aí, sentado numa cadeira, depois do café, Fomá entregava-se à eloquência, com grande entusiasmo. À sua volta estavam solenemente Ietchóvkin, Baktchéiev e Mizíntchikov. Um dia parei a escutar.

— Por que — clamava Fomá — estarei eu disposto a subir agora mesmo ao cadafalso pelas minhas convicções? E por que motivo nenhum de vós se acha na disposição de subir ao cadafalso? Por quê? Por quê?!

— Mas isso de subir ao cadafalso é escusado, Fomá — dizia Ietchóvkin. — A que conduz isso? Em primeiro lugar é cômico e, em segundo, se te queimassem... que restava de ti?

— Que restava? Restavam umas cinzas nobres. Mas como poderás tu compreender-me, como podes tu apreciar-me? Para ti, a não ser César ou Alexandre da Macedônia, não há ninguém bom. E que fizeram afinal esses Césares? A quem tornaram feliz? Que fez o teu tão gabado Alexandre da Macedônia? Subjugar toda a Terra? Mas dá-me uma falange como a sua que também eu pelejarei, e tu pelejarás e ele pelejará... Simplesmente, ele matou o virtuoso Clito... Enquanto eu não mataria o virtuoso Clito... Pulha! Patife! Uma boa sova lhe daria eu e não essa fama universal da História... e o mesmo faria a César.

— Também não perdoa a César, Fomá Fomitch?

— Nem pela cabeça me passa uma coisa dessas, é um imbecil! — gritou Fomá.

— Faz muito bem em não lhe perdoar — concordava com entusiasmo Stiepan Alieksiéievitch, que também bebera — não perdoes a nenhum desses tipos; eram todos uns farsantes, todos queriam apenas o seu interesse. Vermes! Ainda não há muito que um deles queria instituir uma bolsa de estudos. Sabe-se lá o que isso quer dizer. Apostava em como se trata de alguma nova porcaria. E outro, ainda há pouco tempo, no meio de gente decente, pedia rum. Eu, cá por mim, por que não hei de beber? E bebe tu também, bebe, bebe, e depois para um pouco, e a seguir, se te agradar, torna a beber... Não perdoes a nenhum. São todos uns velhacos! O único que tem cultura és tu, Fomá!

Baktchéiev, quando se dedicava a alguém dedicava-se integralmente, sem restrições de gênero algum.

Fui encontrar o meu tio no jardim, junto do lago, no lugar mais solitário. Estava em companhia de Nástienhka.

Quando me viu, Nástienhka escondeu-se por detrás duma árvore, como se fosse culpada. O meu tio veio ter comigo, de rosto brilhante; nos seus olhos havia lágrimas de alegria. Pegou-me nas duas mãos e estreitou-mas com força.

— Meu amigo! — disse-me — eu nem quero acreditar na minha felicidade... E Nástia também. Não fazemos outra coisa senão admirar-nos e darmos graças a Deus... Neste momento, ela chora. Queres acreditar que até agora ainda não consegui compreender, que tudo se confunde na minha cabeça, que creio e não creio? E por que será isto? Por quê? Que fiz eu? Que fiz para merecê-lo?

— Se alguém o merecia, era o tio — disse-lhe comovido. — Nunca vi um homem tão honesto, tão bondoso, tão nobre como o tio.

— Não, Sierioga, não; isto é demasiado — respondeu o meu tio com uma espécie de nostalgia. — O mau é sermos bons (falo apenas por mim) quando as coisas nos correm bem; mas quando nos correm mal, não se aproximem demais... Há um momento falava eu disto a Nástienhka. Ah, como me seduz a inteligência de Fomá! Mas, quererás acreditar? Eu, até ao dia de hoje, não tive fé nele, embora procurasse convencer-te das suas excelências; ainda ontem, também não cria nele, quando recusou o presente que eu lhe ofereci. É com vergonha que o digo! Mas o meu coração dilacera-se ao pensar no que aconteceu há umas horas! Eu não estava em mim... Quando falava dele, há pouco, a Nástia, parecia que me doía o coração. Eu não compreendia, eu saltei como um tigre...

— E então, tio? Quem sabe se não teria razão?

O meu tio apertou-me as mãos.

— Não, meu amigo, não fales assim. Tudo isso foi simplesmente o resultado da teimosia da minha natureza, de eu ser um egoísta cruel e voluptuoso e de entregar-me sem freio às minhas paixões. Foi isto que disse o próprio Fomá. Que responder a uma coisa destas? Tu não sabes, Sierioga — continuou comovidamente — quantas vezes me tenho eu conduzido como um homem impertinente, cruel, injusto, soberbo, e isto não apenas com Fomá. E agora, de repente, tudo isto me vem à memória e envergonho-me por não ter feito até agora nada para merecer semelhante felicidade. Nástia dizia o mesmo há um momento, embora eu não saiba bem que pecados podia ela ter cometido, visto que é um anjo e não uma criatura humana. Dizia-me que temos grandes obrigações para com Deus e que agora, daqui em diante, nos devemos esforçar por sermos cada dia melhores e fazer muito bem... E se tivesses ouvido com que fervor e que bem dizia isto... Meu Deus, que moça!

Calou-se, de comovido. Depois de um momento continuou:

— Prometemos sermos muito carinhosos para com Fomá, com a mamãe e com Tatiana Ivânovna. Ah, essa Tatiana Ivânovna! Que boa criatura! E como eu sou culpado para com todos! Também para contigo eu tenho culpas... Mas se alguém se atrevesse agora a ofender, pouco que fosse, Tatiana Ivânovna... Oh, então... Bem, não falemos disso! Também havemos de fazer qualquer coisa por Mizíntchikov.

— Sim, tio, agora também já mudei de opinião a respeito de Tatiana Ivânovna. Não é possível não sentir por ela respeito e compaixão.

— Tens razão, tens razão! — concordou o meu tio com veemência. — Não é possível não sentir respeito por ela. E agora, repara em Koróvkin, por exemplo. Tu também te riste dele — acrescentou, olhando-me nos olhos com severidade — e todos fizeram o mesmo. Pois não tinham razão... É uma excelente criatura, excelente;

simplesmente, o destino... Tem sofrido muito... Talvez não acredites, mas é verdade.

— Não tio, por que não havia eu de acreditar?

E comecei a falar com entusiasmo naquilo que, na criatura mais degradada, pode ser encontrado ainda de altíssimo sentido humano, da profundidade insondável da alma humana, de que não devemos desprezar os que fraquejaram, mas, pelo contrário, aproximarmo-nos deles e reabilitá-los; de que, geralmente, a noção que se tem do que é o bem e o mal, não é verdadeira etc., etc. Numa palavra: entusiasmei-me e falei também da escola da Natureza, e, para terminar, recitei uns versos:

Quando, transtornados pela dor...

O meu tio ficou loucamente entusiasmado.

— Meu amigo, meu amigo! — exclamou exaltado. — Tu me compreendes perfeitamente e sabes exprimir melhor do que eu o que eu queria dizer. É assim mesmo, é assim mesmo! Senhor, por que serei eu tão mau? Por que hei de eu cair com tanta frequência na maldade, quando seria tão belo e tão agradável ser bom? Também Nástia dizia o mesmo há um instante... Mas olha que paisagem bonita! — acrescentou olhando à sua volta. — Que natureza! Que quadro! Que árvores! Olha, é completamente humano! Que seiva, que folhas! Que sol! Como depois da tempestade tudo se alegra e resplandece de novo! Olha, parece que as árvores também pensam qualquer coisa e sentem e louvam a vida! Não é verdade? Que pensas tu?

— Que pode muito bem ser assim, tio. Em meu entender, é claro.

— E no meu também... Divino, divino Criador! Tu deves guardar boas recordações deste jardim, Sierioga! O que tu correste e brincaste por aqui, quando eras pequeno! Olha, eu ainda me lembro de quando eras pequenino — acrescentou, olhando-me com uma expressão de afeto e de felicidade indescritível. — Só do lago é que era proibido aproximares-te. Mas lembras-te daquela tarde em que a falecida Kátia te apanhou e se pôs a acariciar-te? Antes, tinhas andado a correr pelo jardim e ficaste todo acalorado; tinhas o cabelo alvoroçado, num emaranhado de caracóis. Ela brincava com os teus cabelos e dizia: "Como fizeste bem em trazer o orfãozinho para nossa casa!" Lembras-te?

— Lembro sim, tio.

— Ainda não tinha escurecido completamente e o sol brilhava claro, em vosso redor, e eu estava sentado num canto e fumava o meu cachimbo, enquanto vos olhava... Eu, Sierioga, todas as semanas vou visitar o seu túmulo à cidade — acrescentou com uma voz comovida, na qual se percebiam um tremor e lágrimas reprimidas. — Falava disto há pouco, com Nástia; e ela dizia que havemos de lá ir os dois juntos...

O meu tio calou-se, esforçando-se por reprimir a sua comoção. Nesse momento Vidopliássov aproximou-se de nós.

— Vidopliássov! — exclamou o meu tio estremecendo. — Vens da parte de Fomá Fomitch?

— Não, venho por minha conta.

— Ótimo! Assim ficaremos a saber de Koróvkin. Há pouco, meu amigo, eu tinha a intenção de perguntar... Mas mandei que o atendessem... a Koróvkin... De que se tratava, Vidopliássov?

— Tomo a liberdade de lembrar-lhe que ontem se dignou o senhor preocupar-

-se com o meu pedido e prometeu-me a sua proteção contra as ofensas cotidianas.

— Outra vez às voltas com a questão do sobrenome? — exclamou o meu tio assustado.

— Que se há de fazer? Ofendem-me a toda a hora...

— Ah Vidopliássov... Vidopliássov! Como posso eu remediar isso? — disse o meu tio pesaroso. — Mas, vamos ver, que ofensas são essas? Parece-me que perdeste o juízo e ainda acabas por ir parar à Casa Amarela.

— Lá isso parece, que perdi o juízo — começou Vidopliássov.

— Bem, bem — atalhou o meu tio. — Eu, meu amigo, disse isso sem intenção de ofender-te, para ser-te útil. Mas vamos lá que ofensas são essas que dizes? Aposto em como se trata de alguma ninharia.

— Já não há salvação possível.

— A que te referes?

— A que é pior de todas é Matriona. Amargura-me a vida. Já se sabe que muitas pessoas de educação que me veem uma vez, dizem logo que eu pareço estrangeiro, sobretudo por causa da minha cara morena. Não acha, senhor? Bem, pois agora para mim já não há salvação. Mal apareço por essas ruas, vêm logo todos atrás de mim, gritando-me coisas feias; até os garotos, aos quais deveriam dar açoites, vêm atrás de mim gritando. Assim que me veem armam logo um grande burburinho... Não há salvação. Prometa que me ampara, senhor!

— Ah, Vidopliássov... Mas que te dizem eles? Com certeza, trata-se de alguma tolice sem importância.

— Não está certo que o repitam.

— Mas afinal de que se trata?

— Seria uma abominação repeti-lo.

— Diz, anda!

— *Grichka-golanetz.*

— Ufa, que homem! E eu a imaginar já nem sei o quê! Pois olha, tu cospe e passa de largo.

— Mas eu cuspo e então ainda gritam mais.

— Desculpe... tio — intervim eu — daquilo que ele se queixa é que o seu lugar não é nesta casa. Mande-o, nem que seja apenas por uma temporada, para Moscou, para junto do tal calígrafo. Creio que o tio me disse que ele tinha vivido ali em casa dum calígrafo.

— Sim, meu amigo, mas isso acabou tragicamente!

— Como?

— O homem — respondeu Vidopliássov — teve a infelicidade de apoderar-se de versos alheios, e por isso, sem atenderem às suas prendas, enviaram-no para a ilha, onde morreu.

— Bem, bem, Vidopliássov; tranquiliza-te, por agora, que eu vou pedir notícias e tudo se há de arranjar — disse o meu tio. — Prometo-te. E Koróvkin? Que faz ele? Dorme?

— Não está em casa, acaba de se retirar. Por isso é que eu vim com as minhas lamentações.

— Foi-se embora? Mas por que o deixaste ir? — exclamou o meu tio.

— Por causa do meu bom coração; fazia pena vê-lo. Quando se sentiu lúcido começou a dar socos na cabeça e a gritar...

— Que dizia ele?

— Com licença do senhor, dizia: "Como poderei eu agora aparecer diante do belo sexo?". E depois acrescentava: "Sou indigno da Humanidade!". E tudo com evidentes sinais de dor e com palavras amargas.

— Que homem tão sensível! Eu não te dizia, Sierguiéi? E tu, Vidopliássov, tê-lo deixado escapar quando eu te dissera que não o perdesses de vista. Ah, meu Deus, meu Deus!

— Tive pena dele. Pediu-me que não dissesse nada. O postilhão que o tinha trazido deu de comer ao cavalo e tornou a atrelá-lo. E quanto à quantia que lhe foi entregue há três dias, mandou agradecer e comunicar que a enviará por uma das primeiras diligências.

— Que quantia é essa, tio?

— Levou vinte e cinco rublos — respondeu Vidopliássov.

— Isso, meu amigo, foi o que eu lhe dei em segredo, na estação de muda; o que ele tinha não chegava. Claro que me mandará essa quantia pelo primeiro correio... Ah, meu Deus, que pena! Achas que devemos mandar alguém buscá-lo?

— Não tio, é melhor não o fazer.

— É o que eu penso também. Olha, Sierioga, não há dúvida de que eu não sou nenhum filósofo, mas acho que todos os homens são muito melhores do que parecem. É o que acontece com Koróvkin: não foi capaz de suportar a vergonha... Mas vamos ter com Fomá. Já nos demoramos aqui bastante; a esta hora já deve estar a chamar-nos ingratos e esquecidos. Vamos até lá. Ah. Koróvkin, Koróvkin!

* * *

Este romance está a chegar ao fim. Os noivos casaram e o gênio do bem impera como senhor absoluto, encarnado na pessoa de Fomá Fomitch. Ao chegarmos aqui, poderíamos demorar-nos em explicações; mas, realmente, todos os esclarecimentos seriam supérfluos. Pelo menos é esta a minha opinião. Em vez dessas explicações, direi ainda umas palavras acerca do destino posterior de todos os heróis da minha narrativa; sem esse pormenor, como é sabido, não pode dar-se por concluída nenhuma novela e assim também o ordenam as regras.

A boda do feliz par celebrou-se umas sete semanas depois dos acontecimentos que acabo de descrever. Realizou-se tudo recatadamente, em família, sem pompa especial e sem hóspedes ilustres. Eu fiz o papel de pajem de Nástienhka; Mizíntchikov, de meu tio. Mas a primeira e mais importante personagem, escusado será dizê-lo, foi Fomá Fomitch. Todos olhavam para ele e o amimavam. Mas aconteceu que de uma vez se esqueceram de servir-lhe a champanhe. Voltou imediatamente à baila com as histórias do costume, desfazendo-se em censuras, lamentações e gritos. Fomá correu a fechar-se à chave no seu quarto, gritando que não lhe ligavam importância, que agora já tinham entrado pessoas novas e por isso ele não era mais do que uma palha que se pode deitar pela janela. O meu tio estava consternado; Nástienhka chorava; a generala, como de costume, teve o seu faniquito... A festa nupcial transformou-se num banquete fúnebre. Foi esta a sorte que coube ao meu tio e à pobre Nástienhka, em oito anos de vida com o seu benfeitor Fomá Fomitch. Até à sua morte (Fomá Fomitch morreu há um ano) foi um egoísta, um homem de mau gênio; zangou-se e resmungou, e apesar disso o afeto do feliz casal por ele não só não diminuiu como, pelo contrário, foi aumentando de dia para dia, à medida que aumentavam os seus caprichos. Iegor Ilhitch e Nástienhka eram tão felizes um com o outro, que até tinham medo da sua felicidade; pensavam que Deus os tinha favorecido em demasia, que não eram dignos de tantas graças e pressentiam que deviam expiar a sua felicidade com dores e aflições. Compreende-se que Fomá Fomitch pudesse fazer, naquela casa tão aprazível, tudo quanto lhe desse na veneta. O que não teria havido nesses sete anos! É impossível imaginar a que extraordinárias fantasias se não entregaria às vezes a sua alma, saturada e ociosa, na invenção dos mais refinados caprichos duma moral verdadeiramente burlesca! Três anos depois do casamento do meu tio morreu a minha tia-avó. Ao ver-se assim, como um órfão, Fomá ficou desesperado. E ainda hoje contam com horror em casa do meu tio qual era então o seu estado de espírito. Quando abriram a sepultura, lançou-se para ela e pediu que o enterrassem com a defunta. Durante um mês tiveram de ter muito cuidado para que não pudesse pegar em algum garfo ou faca; e uma vez quatro pessoas tiveram de lhe tirar à força uma agulha que queria engolir. Houve uma testemunha secundária desta cena que fez a observação de que Fomá podia muito bem ter engolido mil vezes a referida agulha durante a refrega e, no entanto, não a engoliu. Mas esta observação foi acolhida por todos com enérgica reprovação e o seu expositor tachado de dureza de alma. Apenas Nástienhka ficara calada e se sorria, pelo que o meu tio a olhava com alguma inquietação. Fomá Fomitch, de uma maneira geral, embora continuasse a dominar em casa do meu tio e a entregar-se a toda a espécie de fantasias, como antes, abstinha-se agora daquelas despóticas e ofensivas arengas que dantes produzia. Fomá lamentava-se, chorava, censurava, envergonhava; mas não se zangava já como dantes... nem fazia cenas como a do *Vossa Excelência,* o que era obra de Nástienhka. Esta quase sem essa intenção, obrigou Fomá aceder um pouco e a dominar-se. Não se conformava com o presenciar a humilhação de seu marido e conseguiu o seu desejo. Fomá via claramente que ela quase o compreendia. Digo quase porque Nástienhka tratava também Fomá com muitos mimos e concordava sempre com as palavras do marido quando este punha o seu filósofo nas maiores alturas. Ela queria obrigar todos a respeitarem seu marido e por isso chegava até a aprovar a sua amabilidade para com Fomá Fomitch. Mas estou convencido de que o coração de ouro de Nástienhka devia ter esquecido todas as antigas ofensas. Perdoara tudo a Fomá, quando este a unira ao meu tio, e além disso estava absolutamente de acordo com a ideia de que àquele homem que tinha sofrido, ao ex-bobo, não se lhe podia exigir muito, mas que, pelo contrário, seria preciso fazer todo possível para sanar-lhe o coração. A pobre Nástienhka pertencia também ao número dos humilhados, pois tinha sofrido e compreendia aquilo. Durante uns meses Fomá estava tranquilo, até fazia carícias e pantomimas, mas depois... começavam outros ataques inesperados; acabava por cair numa espécie de sonho magnético, pondo todos no cúmulo do receio. De repente, por exemplo, o homem que sofrera dizia qualquer coisa, sorria até, mas de um momento para o outro ficava petrificado, precisamente na mesma atitude em que se encontrava momentos antes do ataque. Se, por exemplo, estava a sorrir, conservava o sorriso nos lábios; se tinha qualquer coisa na mão, mesmo que fosse um garfo, ficava assim, com o garfo na mão, erguido no ar. Depois, naturalmente, a mão baixava; mas Fomá Fomitch já não sentia nada, nem se lembrava de nada quando lhe baixavam a mão. Estava sentado, olhava para os outros, movia até os olhos; mas não dizia uma palavra, nem ouvia, nem tampouco sequer compreendia. Esse estado prolongava-se às vezes por mais de uma hora. Naturalmente, todos lá em casa ficavam mortos de medo; continham a respiração, retiravam-se nas pontas dos pés, choravam. Finalmente Fomá voltava a si queixando-se de uma grande debilidade, e assegurava que durante todo aquele tempo nada tinha visto nem ouvido. Só faltava isso para completar a figura do homem capaz de suportar durante horas inteiras torturas voluntárias... e tudo unicamente para poder dizer depois: "Olhe para mim, a minha sensibilidade é maior". Até que finalmente Fomá Fomitch abandonou o meu tio pelas ofensas de todas as horas e pela falta de consideração, e foi viver com o Senhor Baktchéiev. Stiepan Alieksiéievitch, que depois do casamento do meu tio tinha tido muitas discussões com Fomá Fomitch, mas que acabava sempre por pedir-lhe perdão, dessa vez encarou o caso com um ardor desacostumado, acolheu Fomá com entusiasmo, deu-lhe de comer até empanturrá-lo e falou até seriamente em pedir-lhe contas e em mover-lhe um processo. Entre eles estava pendente uma certa questão por causa de um pedaço de terreno, pelo qual no entanto nunca chegaram a entrar em litígio, pois o meu tio, para evitar questões, cedeu-o a Stiepan Alieksiéievitch. Sem dizer palavra, o Senhor Baktchéiev mandou atrelar a carruagem, partiu para a cidade e apresentou ali uma demanda, reclamando a entrega formal daquele terreno, e as custas judiciais, para desse modo lhe fazer pagar o seu desonesto e egoísta procedimento. Enquanto tudo isto se passava, Fomá, no dia seguinte, aborrecia-se mortalmente em casa do Senhor Baktchéiev, perdoou ao meu tio, que tinha ido ali com esse fim, e voltou para Stiepântchikovo. A raiva do Senhor Baktchéiev, quando voltou da cidade e não encontrou Fomá ali, foi espantosa; mas passados três dias já estava de novo em Stiepântchikovo cantando a palinódia, pedindo perdão, com lágrimas nos olhos, pelo que acontecera, e retirando a demanda. O meu tio, nesse mesmo dia reconciliou-o com Fomá Fomitch, e outra vez Stiepan Alieksiéievitch se pôs a andar atrás de Fomá, como um cão, e a dizer como dantes, a cada palavra sua: "Como tu és inteligente, Fomá! Como és culto, Fomá!".

Fomá Fomitch descansa agora no seu túmulo, junto da generala; sobre o seu sepulcro ergue-se um rico monumento de mármore branco, todo cheio de inscrições elegíacas e de elogios sentenciosos. Às vezes, Iegor Ilhitch e Nástienhka, quando saem a dar um passeio dirigem-se ao cemitério a visitar Fomá. No entanto não podem falar dele sem experimentar um sentimento especial; lembram-se de todas as suas palavras, do que comia, do que gostava. Conservam as suas coisas como relíquias. Sentindo-se assim completamente órfãos, o meu tio e Nástienhka uniram-se ainda mais um ao outro. Deus não lhes deu filhos; falam muitas vezes disso, mas não se atrevem a queixar-se. Sáchenhka, já há muito que se casou com um bom rapaz. Iliúchka faz os seus estudos em Moscou. De maneira que o meu tio e Nástienhka vivem sòzinhos e cada dia gostam mais um do outro. O seu amor é qualquer coisa quase de doentio. Nástia reza a toda a hora. No dia em que um deles desapareça, penso que o outro não poderá sobreviver-lhe uma semana. Mas que Deus lhes dê a ambos uma longa vida. Tratam todas as pessoas com grande afabilidade e estão sempre prontos a partilhar com os desprotegidos tudo quanto possuem. Nástienhka gosta muito de ler vidas de santos e diz muitas vezes que as virtudes vulgares nada significam e que é preciso dar tudo aos pobres e viver feliz na miséria. Se não fosse o pensamento de Iliúchka e de Sáchenhka, seria isso que o meu tio faria, pois está sempre de acordo com a mulher em tudo.

Praskóvia Ilínichna vive com eles e esforça-se o mais possível por agradar-lhes em tudo; é ela quem governa a casa. O Senhor Baktchéiev, por ocasião do casamento do meu tio, fez-lhe propostas matrimoniais, mas ela deu-lhe um não peremptório. De onde todos concluíram que ela tinha o intento de fazer-se freira, mas tal não aconteceu. Praskóvia Ilínichna é por natureza uma criatura interessante; apaga-se completamente diante daqueles a quem ama, preocupa-se a todos os instantes com eles, revê-se neles, rende-se a todos os seus caprichos e anseia por servi-los constantemente. Agora que a generala morreu, considera dever seu não separar-se do irmão e agradar em tudo a Nástienhka. O velho Ietchóvkin ainda é vivo e nos últimos tempos vem mais a miúdo à casa da filha. A princípio o meu tio sentia-se desgostoso porque ele e a sua gente miúda (como diz referindo-se a seus filhos) viviam completamente afastados de Stiepântchikovo. Todos os esforços do meu tio para atraí-lo eram inúteis; não só se mostrava orgulhoso, mas também arredio e irritável. O seu amor-próprio raiava às vezes pelo doentio. A ideia de que o recebessem a ele, um pobretão, numa casa rica, por piedade, era-lhe insuportável, insofrível... matava-o; também recusava às vezes o auxílio de Nástienhka e somente se resignava a aceitar dela o indispensável. Do meu tio, negava-se em absoluto a aceitar qualquer coisa. Nástienhka estava muito enganada ao dizer-me nessa noite no jardim que o pai fazia o papel de bobo por causa dela. É verdade que ele, nessa altura, tinha um desejo imenso de casar Nástienhka, mas aquelas bufonerias fazia-as porque elas lhe saíam do íntimo, correspondiam a uma necessidade que sentia de desabafar o seu mau humor acumulado. A necessidade de fazer palhaçadas e de lançar indiretas, tinha-a na massa do sangue. Caricaturava-se a si próprio, gabando-se de ser o pior e mais descarado dos aduladores; mas ao mesmo tempo dava a entender claramente que o fazia assim por temperamento; e quanto mais baixas eram as suas adulações tanto mais clara e francamente deixava transparecer que o não dizia a sério. Era esse o seu caráter. Conseguiu colocar os filhos nos melhores centros docentes de Moscou e de Petersburgo, mas só depois que Nástienhka lhe garantiu que era ela quem lhes custeava os estudos, da sua algibeira particular, à custa dos trinta mil rublos que Tatiana Ivânovna lhe tinha oferecido. Trinta mil rublos que não chegou verdadeiramente a aceitar de Tatiana Ivânovna, embora tivesse procurado não feri-la no seu amor-próprio, prometendo-lhe recorrer ao seu auxílio na primeira vez que dele necessitasse. E assim fez de fato: por duas vezes recebeu dela empréstimos de vulto. Mas Tatiana Ivânovna morreu, e então Nástia entrou na posse dos trinta mil rublos. A morte da pobre Tatiana Ivânovna foi repentina. Toda a família se tinha reunido num baile que dava um proprietário vizinho e mal ela acabara de pôr o seu vestido de baile e uma grinalda de rosas brancas na cabeça, sentiu-se de repente indisposta, sentou-se numa cadeira e morreu. Enterraram-na com essa mesma grinalda. Todos lá em casa gostavam muito de Tatiana Ivânovna e tratavam-na como a uma menina.

Muito se admiraram com a razoável determinação do seu testamento; além dos trinta mil rublos de Nástienhka, tudo mais, que ascendia a trezentos mil rublos, destinara-o à educação de órfãs pobres e a dotes, que deviam ser-lhes entregues quando saíssem dos estabelecimentos de ensino. No ano da sua morte casou-se também a Pieriepelítsina, a qual, uma vez desaparecida a generala, ficara a viver em casa do meu tio, na esperança de ganhar a amizade de Tatiana Ivânovna. Estavam as coisas neste pé quando surgiu um funcionário-proprietário, o dono de Míchino, aquela pobre granja onde se desenrolou aquele antigo episódio entre Obnóskin e sua mãe, por causa de Tatiana Ivânovna. Esse tal funcionário era muito oportunista e tinha sete filhos da primeira mulher. Suspeitando que a Pieriepelítsina tivesse dinheiro, começou a cortejá-la, e ela não se fez rogada para aceitá-lo. Mas a Pierie-pelítsina não tinha com que mandar tocar um cego; tinha ao todo trezentos rublos, que Nástienhka lhe dera quando se casou. Agora, marido e mulher andam sempre em briga, desde manhã até à noite. Ela puxa os cabelos dos enteados e chega-lhes os seus sopapos; e a ele também lhe arranha a cara (pelo menos é o que se diz) e a todo momento lhe lança em rosto a sua condição de filha dum tenente coronel.

Mizíntchikov também se estabeleceu. Muito discretamente, renunciou aos seus planos acerca de Tatiana Ivânovna e dedicou-se a estudar economia rural. O meu tio apresentou-o a um opulento conde, proprietário, senhor de três mil almas, a dezoito verstas de Stiepântchikovo, o qual ia de longe em longe visitá-lo. Quando reparou na capacidade de Mizíntchikov, e levando em conta a recomendação do meu tio, o conde ofereceu-lhe o cargo de administrador das suas terras e despediu o administrador atual, um alemão que, desmentindo a proverbial honradez teu-tônica, alcançara sobre os seus bens. Passados cinco anos já ninguém reconhecia aquela chácara; os camponeses tinham enriquecido; tinham repartido a proprieda-de, o que dantes era impossível; os rendimentos tinham quase duplicado... Em re-sumo: o novo administrador tornou-se famoso em todo aquele distrito pelos seus processos de economia. Qual não foi a indignação e o assombro do conde, quando Mizíntchikov, passados esses cinco anos, rejeitando todas as propostas e melhorias de soldo decidiu retirar-se do serviço e se assim o pensou, melhor o fez. O conde pensou que algum proprietário vizinho ou de outro distrito talvez o tivessem rou-bado. Mas todos ficaram espantados quando, de repente, dois meses depois de ter pedido a demissão, vieram a saber que Ivan Mizíntchikov era dono duma magní-fica herdade, com cem almas, situada apenas a quatro verstas da do conde, a qual comprara a certo hussardo esbanjador, seu amigo de outros tempos. Sobre estas cem almas tomou imediatamente uma hipoteca e passado um ano já tinha mais setenta almas. Atualmente é também proprietário de umas terras incomparáveis. Toda a gente se admira e pergunta onde é que ele teria ido buscar o dinheiro. Alguns limitavam-se a abanar a cabeça. Mas Ivan Ivânovitch está completamente tranquilo e sente-se em todo o seu direito. Já mandou vir a irmã de Moscou, a mesma que lhe deu os últimos três rublos quando ele foi para Stiepântchikovo, uma jovem muito simpática, que não está já na primeira juventude, franca, amável, instruída, mas ex-traordinariamente pateta. Tinha vivido todo esse tempo em Moscou, em casa duma certa protetora sua; agora é muito dedicada ao irmão, governa-lhe a casa, faz da sua vontade uma lei, e é absolutamente feliz. O irmão não tem muitos mimos para com ela e olha-a um pouco por cima do ombro; mas ela parece não dar por isso. Em

Stiepântchikovo todos gostam muito dela e afirmam que o Senhor Baktchéiev está louco de amor por ela. De boa vontade se declararia mas tem medo que ela lhe diga que não. Aliás, acerca do Senhor Baktchéiev esperamos falar noutra ocasião, noutra história, mais pormenorizadamente.

Já falei, segundo creio, de todas as minhas personagens... Ah! Já me esquecia: Gavrila está já muito velhinho e esqueceu-se completamente do francês. Falálei tornou-se um excelente condutor de diligências, mas o pobre Vidopliássov entrou já há algum tempo no manicômio e, segundo parece, aí morreu... Penso ir em breve a Stiepântchikovo e procurarei saber ao certo o que foi feito dele, pelo meu tio.

APÊNDICE
E ÍNDICE

GLOSSÁRIO DE TERMOS RUSSOS E DE OUTRAS LÍNGUAS, RESPEITADOS NA TRADUÇÃO[1]

ARCHIN. Medida de comprimento equivalente a 0,71 m.

ARKHIEPÍSKOP. Grau hierárquico no clero ortodoxo, intermediário entre bispo e metropolita.

ARKHIMANDRIT. Grau superior do padre-monge, geralmente prelado do mosteiro.

ÁRTIEL. Associação de trabalho comunitário.

AÚL. Povoado no Cáucaso e na Ásia Central.

BABA. Mulher casada na linguagem popular; mulher — em sentido pejorativo, aplicado às mulheres vulgares.

BALALAICA *(balalaika)*. Instrumento musical, popular, de três cordas.

BÁRIN, BÁRINHA. Senhor, senhora. Tratamento respeitoso dado outrora às pessoas da classe privilegiada. Atualmente emprega-se no sentido irônico de comodista, preguiçoso.

BÁTIUCHKA. Paizinho; diminutivo arcaico, em geral utilizado pelo povo ao se dirigir ao pope.

BIECHMIET. Casaco curto pespontado, usado pelos tártaros e povos do Cáucaso.

BIEKIECHA. Casaco de homem ajustado na cintura.

BIELKA. Esquilo.

BLIN. Panqueca. Prato típico da quaresma.

BOGOMÓLIETS. Crente, peregrino.

BOIARDO *(boiárin)*. Na Rússia moscovita, senhor, grande latifundiário pertencente à classe reinante.

BOLVAN. Bobo.

BONHOMIE, *fr.* Bondade de caráter, unida à delicadeza nas maneiras,

BORCHTCH. Sopa de beterraba e outros legumes.

BOUDOIR, *fr.* Pequena sala de estar, geralmente de senhora.

BRAT. Irmão.

---

1   Constam, também, deste vocabulário os termos comuns russos já aportuguesados e registrados nos dicionários, tais como *czar, rublo, vodca* etc., seguidos, porém, da transliteração fonética, entre parêntesis. O mesmo não sucede com os vocábulos doutras línguas, que, por corriqueiros demais, faziam supérflua a sua inclusão p.e. *adieu* do francês, e *pudding* do inglês. *al.* alemão *fr.* francês *in.* inglês *it.* italiano *la.* latim *ta.* tártaro

BRÁTIETS. Irmão. Forma arcaica usada em sentido figurado: irmão de armas, de religião etc.

BRIOCHE, *fr*. Pequeno bolo macio, de farinha, manteiga, leite e ovos.

BRUDERSCHAFT, *al*. Fraternidade; irmandade. Costume dos estudantes alemães de beberem em conjunto, entrelaçando os braços, para em seguida usar, entre eles, a forma de tratamento tu.

BURKA. Capa de pele de carneiro, muito usada nas montanhas do Cáucaso.

BURLAK. Homem que puxava outrora as cordas com que eram arrastados os barcos contra a corrente.

CAFTÃ *(kaftan)*. Antigo traje masculino; casaco comprido.

CHACHKA. Arma branca, do tipo do sabre, de curva pequena.

CHÁRIK. Bolinha.

CHARMANT, *fr*. Encantador, agradável, gentil.

CHIBUK. Cachimbo turco.

CHLIÚPKA. Barco largo e resistente.

CHTCHERBATI. Diz-se das pessoas que têm marcas de varíola no rosto, ou a quem faltam dentes.

CHTCHI. Sopa de couves.

COCHON, *fr*. Porco, porcalhão.

COMPTOIR, *fr*. Balcão, caixa.

COPEQUE *(kopiéika)*. Moeda divisionária, centésima parte do rublo.

COTTAGE, *in*. Casinha de campo.

CREPE, *fr*. Bolo folhado.

CZAR *(tsar)*. Título do monarca na Rússia moscovita.

DATCHA. Casa de veraneio fora da cidade.

DÉBAT, *fr*. Conferência, palestra, debate.

DIÁDUCHKA. Tio. Em sentido figurado, de afeto e respeito.

DIÁKON. Na igreja ortodoxa, auxiliar do padre durante o ofício religioso.

DIESIATINA. Medida de superfície da terra, equivalente a 1 hectare e 9 cm.

DINER, *in*. Janta; convidado para jantar; comensal.

DJIGUITOVKA. Conjunto de arriscados exercícios equestres, de que eram exímios os cossacos.

DRÓJKI. Carruagem leve.

DUGÁ. Parte dos arreios dos cavalos, um arco de madeira.

DVÓRNIK. Porteiro.

DVORÓVI. Servo do serviço doméstico do latifundiário.

EPARQUIA *(epárkhia)*. Diocese ortodoxa administrada por um bispo ou arcebispo ou metropolita.

EPÍSKOP. Grau hierárquico superior a bispo ortodoxo.

FELDSCHER, *al.* Cirurgião militar.

FELDWEBEL, *al.* Primeiro sargento ou sargento ajudante, no Exército imperial russo.

FEUERBACH, *al.* Riacho de fogo.

FRAUENMILCH, *al.* Literalmente: leite de mulher.

FRÜSHTÜCK, *al.* Pequeno almoço, café da manhã.

GLÁSNI. Representante eleito nas assembleias administrativas públicas.

GNIEDÓI. Cavalo baio.

GOLUBTCHIK. Pombinho, querido.

GORIÉLKI. Jogo popular russo semelhante à cabra-cega.

GÓROD. Cidade.

GORÓDSKAIA DUMA. Conselho Municipal ao qual estava confiada a administração da cidade, antes da revolução.

GRÍVIEN. Moeda equivalente a dez copeques.

GROCH. Antiga moeda russa equivalente a meio copeque.

GRUCHA. Pera.

GÚSLI. Antigo instrumento musical de cordas.

GVOZD. Prego, cravo.

IÁ. Pronome russo da primeira pessoa, singular.

ÍCONE *(ikona)*. Imagem de Deus, de um santo ou santos em forma de estampas.

IERARKH. Denominação oficial dos bispos.

IEROMONAKH. Padre-monge.

IKONOSTÁS. Parede enfeitada de ícones, a qual separa o altar da nave, na igreja ortodoxa.

INTIELIGÉNTSIA. Camada social composta pelos intelectuais.

ISBÁ *(isbá)*. Casa camponesa de madeira.

ISPRÁVNIK. Chefe de polícia de distrito na Rússia czarista.

ISVÓSTCHIK. Cocheiro de carro de aluguel.

JÁVORONOK. Calhandra. Fazem-se pãezinhos em forma de calhandras, quando elas regressam da migração às regiões quentes, simbolizando a chegada da primavera.

JUNKER, *al.* Suboficial nobre do Exército imperial russo.

KACHA. Mingau.

KALÁTCHI. Pães de trigo em forma de trança, os de Moscou são os mais famosos.

KAMÁRINSKAIA. Dança popular russa.

KAPITANCHKA. Capitoa, mulher do capitão.

KASATCHOK. Dança popular russa, em que o dançarino se mantém de cócoras e vai lançando as pernas para diante.

KATSAVIÉIKA. Casaco curto, sem botões.

KAVÁRDAK. Confusão.

KEEPSAKE, *in.* Lembrança, presente; espécie de álbum literário, ilustrado, muito em voga no fim do século XIX.

KNUT. Azorrague de cordas, ou tiras de couro, presas a um cabo de madeira que serve para fustigar os cavalos.

KOCHKILDI, *ta.* Saudação tártara.

KRAKOVIAK. Bailado polonês, um tanto agitado, da região de Cracóvia.

KRIEPOSTNÓI. Servo da gleba.

KULIEBIAKA. Empada recheada de carne, peixe etc.

KULITCH. Pão doce em forma cilíndrica, típico, para festejos da Páscoa.

KUMATCH. Tecido de algodão de cor vermelho vivo.

KUNAK, *ta.* Amigo.

KUTIÁ. Arroz doce com passas e mel. Prato típico no dia de finados.

KVAS. Bebida feita de pão de centeio e de lúpulo ou de frutas.

LANDAU, *fr.* Carruagem de quatro rodas e capota dupla que abre e fecha.

LÁPOT. Espécie de alpargatas feitas da entrecasca de tília.

LAVA. Arremesso. Ataque da cavalaria cossaca.

LIKHATCH. Cocheiro de cavalo veloz e carruagem elegante; hoje, chofer que despreza as regras do tráfego.

LINIÉIKA. Carruagem de vários lugares, dispostos lateralmente.

LUTCHINA. Lasca de madeira comprida e fina, usada antigamente para acender luzes ou fogo.

MADONNA, *it.* Gênero de quadro clássico reproduzindo o rosto da Virgem Maria.

MAIDAN. No sul da Rússia, feira, praça da feira.

MAMACHA (*mámienhka*). Mãe.

MÁTUCHKA. Mãezinha; diminutivo arcaico, utilizado especialmente pelo povo para designar a mulher do pope.

MITKI. Irrequieto.

MIR OU SKHOD. Reunião, assembleia municipal nas aldeias.

MITROPOLIT. Grau hierárquico superior dos bispos ortodoxos.

MONAKH. Monge.

MONPLAISIR, *fr.* Recanto de jardim, preparado para repouso e diversão nos parques das grandes mansões.

MUJIQUE *(mujik)*. Camponês.

NAGAIKA. Chicote usado pelos cossacos, curto e de couro.

NARÓDNIK. Movimento político russo da segunda metade do século XIX, conhecido como populista, que considerava os camponeses, e não o proletariado, como a classe revolucionária.

NA TCHAI. Para o chá. Gorjeta.

NHAVHA. Babá.

NIET. Não.

OFITSIÁNSKAIA. Recinto destinado aos criados nas antigas mansões.

OKHRANA. Polícia secreta, especial e de segurança política do Estado imperial russo.

OKROCHKA. Sopa fria de *kvas,* legumes e carne ou peixe cortados em pedacinhos.

ONUTCHA. Faixa de pano grosseiro para enrolar as pernas antes de calçar as botas ou os *lápti.*

OSMÍNIK. Antiga unidade de peso, variável conforme o local. Oitava parte de um total.

ÓSTROV. Ilha.

OTIETS. Pai.

PAPACHA. Pai, paizinho. Em sentido figurado, de respeito e afeto. Também boné de peles usado pelos cossacos.

PARÁCHNIK. Preso escolhido para serviços leves.

PERSPECTIVA (*próspekt*). Avenida, rua larga e reta.

PFEFFERKUCHEN, *al.* Torta de pimenta.

PIATAK. PIATATCHOK (dimin.). Moeda de cinco copeques.

PICHKA. Pãozinho redondo e fofo, doce ou salgado.

PIELHMIÉNI. Prato típico siberiano, semelhante ao ravióli, recheado de carne.

PIKA. Arma branca, espécie de lança longa, muito usada pelos cossacos.

PLHASSAT. Dançar.

PODIOVKA. Casaco de homem comprido e justo na cintura.

PODPOLKÓVNIK. Tenente-coronel.

POLKÓVNIK. Coronel.

PONOMAR. Sacristão ortodoxo.

POPE (*pop*). Padre, sacerdote da hierarquia inferior na igreja ortodoxa.

PORÚTCHIK. Tenente, no Exército czarista.

PÓSLUCHNIK. Irmão converso ou noviço, que jurou obediência, no clero monástico ortodoxo.

PRÁPORCHTCHIK. Alferes.

PRIÁNIK. Biscoito de mel.

PROTODIÁKON. Diácono superior.

PROTOIEIRIÉI. Padre superior.

PROTOPOPE (*protopop*). Sinônimo de *protoieiriéi*.

PSALÓMCHTCHIK. Servidor da igreja ortodoxa, auxiliar do padre durante o ofício religioso.

PUD. Unidade de peso equivalente a 16,4 kgs.

QUADRILLE, *fr*. Contradança de salão, em que tomam parte várias duplas em número par.

RASKÓLHNIK. Sectário da agrupação religiosa dos "velhos crentes".

RUBLO (*rubl*). Unidade monetária russa.

SAJENH. Medida russa de comprimento equivalente a 2,13 m.

SAMOVAR (*samovar*). Aparelho de metal, com aquecimento interno em forma de um tubo comprido, que se enche de carvão, destinado a ferver água.

SARAFAN. Vestimenta das camponesas russas. Vestido sem mangas.

SAUBUL, *ta*. Saudação tártara.

SELIM ALÊIKIM, *ta*. Louvado seja Alá! Fórmula de saudação nos países islâmicos.

SIROTÁ. Órfão.

SKHOD ou MIR. Reunião, assembleia municipal nas aldeias.

SKÓPIETS. Adepto da seita religiosa que tinha por base o voto de castidade. Castrado.

SKVIÉRNI. Ruim.

SPLEEN, *in*. Mau humor.

STABSKAPITAN, *al.* Capitão de Estado-Maior.

STANOVÓI. Chefe da polícia rural na Rússia czarista.

STARCHINÁ. Antes da revolução, representante eleito de uma das camadas sociais para administrar negócios públicos.

STÁRIETS. Homem idoso, mendigo, monge de grande reputação por sua sabedoria, meditação etc.

STÁROSTA. Chefe eleito ou designado de uma entidade. Antes da revolução, chefe eleito da aldeia.

STAROVIER. Adepto de um movimento religioso composto de várias seitas, surgido na Rússia no século XVII como resultado da cisão da igreja. Os staroviéri procuravam conservar os velhos ritos da igreja e seu modo de vida.

SUKHAR. Pão ressequido e grosseiro; espécie de pão de munição constante da ração dos soldados.

SVAKHA. Casamenteira; mulher que tinha por incumbência fazer a ligação entre as famílias dos noivos e combinar o casamento e o dote.

TARANTÁS. Carroça de quatro rodas, coberta ou descoberta.

TARATAIKA. Carro leve, de duas rodas, tipo *charrete*.

TCHERKESKA. Casaco comprido e estreito, dos caucasianos e cossacos, justo na cintura, sem gola e decote em forma de V.

TCHERNOSIOM. Terras férteis, negras, ricas em substâncias orgânicas.

TCHERVÓNIETS. Nota de dez rublos, usada antigamente.

TCHÉTVIERT. Quartilho, antiga medida equivalente a um quarto de um total, aproximadamente dois litros.

TCHETVIERTAK. Moeda no valor de um quarto de rublo, 25 copeques.

TCHIEKMIEN. Vestimenta de homem, espécie de capa muito usada pelos cossacos.

TCHIN. Grau hierárquico dos militares e funcionários civis.

TCHIKIR, *ta.* Vinho do Cáucaso, pouco fermentado.

TCHINÓVNIK. Funcionário do Estado.

TIELIEGA. Carroça de quatro rodas para transporte de cargas.

TIÚRIA. Prato de pão esmigalhado e *kvas*.

TRIEPAK. Dança popular russa, muito animada.

TRÓICA *(tróika).* Trenó ou carro puxado por três cavalos.

TULUP. Casaco comprido de peles de carneiro com o pelo para dentro.

TUNGUS. Antiga denominação dos evenos, habitantes do norte e leste da Sibéria.

UCASSE *(ukás).* Decreto de uma instância superior do regime, equivalente a uma lei.

UGLOV. Esquina, canto.

UIESD. Na Rússia antiga, distrito ou cantão administrativo.

UNIAT. Adepto da *uniá*. Eclesiástico e crente da igreja greco-católica.

UNTEROFFIZIER, *al.* Suboficial.

VATRUCHKA. Pãozinho com requeijão.

VERSTA (*vierstá*). Medida russa de comprimento, equivalente a 1,06 quilômetros.

VIÉRCHOK. Antiga medida russa de comprimento, equivalente a 4,4 cm.

VIÉRNI. Leal, fiel.

VODCA (*vodka*). Bebida alcoólica russa, aguardente feita de trigo.

VOIEVODA. Na antiga Rússia, chefe de exército ou distrito.

VÓLOST. Na Rússia antes da revolução, unidade administrativo-territorial, subdivisão de distrito nas regiões rurais.

YÁKCHI, *ta.* Está bem!

YOK, *ta.* Não.

ZAKÚSKI. Frios para acompanhar o aperitivo.

ZVIER. Besta, fera, alimária.

ZÁVTRAK. Pequeno almoço, café da manhã.

ZIÉMSKI NATCHÁLHNIK. Na Rússia czarista, chefe de distrito com poderes administrativos, jurídicos e policiais.

ZIÉMSTVO. Antes da revolução, poder autônomo local nas regiões rurais, cujos representantes, em sua maioria, eram grandes latifundiários e nobres.

ÍNDICE DO VOLUME

Copyright© 2018 by Global Editora
2ª Edição, Editora Nova Aguilar, São Paulo 2018

Jefferson L. Alves – diretor editorial
Jiro Takahashi – editor executivo
Sebastião Lacerda – consultoria
Flávio Samuel – gerente de produção
Jefferson Campos – assistente de produção
**Luiz Maria Veiga, Eunice Nunes de Freitas
e Márcia Benjamim** – revisão
Homem de Melo & Troia Design – projeto de design
Tathiana A. Inocêncio e Evelyn Rodrigues do Prado – editoração eletrônica

Obra atualizada conforme o
NOVO ACORDO ORTOGRÁFICO DA LÍNGUA PORTUGUESA.

**Dados Internacionais de Catalogação na Publicação (CIP)
(Câmara Brasileira do Livro, SP, Brasil)**

Dostoiévski, Fiódor, 1821-1881
    Fiódor Dostoiévski : obra completa / versão anotada de Natália
Nunes e Oscar Mendes ; precedida de uma introdução geral, prólogos às seções e diversos glossários e índices de Natália Nunes ;
acompanhada de extenso documentário gráfico e ilustrada com
uma centena de desenhos de Luis de Ben. – 2. ed. – São Paulo :
Editora Nova Aguilar, 2019.

    Título original: Fiódor Dostoiévski
    Conteúdo: Introdução geral – Novelas da juventude.
    ISBN 978-85-210-0121-8 (obra completa)
    ISBN 978-85-210-0122-5 (v. 1)

    1. Dostoiévski, Fiódor, 1821-1881 2. Romance russo I. Nunes,
Natália. II. Mendes, Oscar. III. Nunes, Natália. IV. Ben, Luis de.

18-21140   CDD-891.73

         Índices para catálogo sistemático:

1. Romances : Literatura russa   891.73

    Cibele Maria Dias – Bibliotecária – CRB-8/9427

**Editora
Nova
Aguilar**

Direitos Reservados

editora nova aguilar.
Rua Pirapitingui, 111 – Liberdade
CEP 01508-020 – São Paulo – SP
Tel.: (11) 3277-7999 – Fax: (11) 3277-8141
e-mail: global@globaleditora.com.br
www.novaaguilar.com.br

Impresso na Índia

Nº de Catálogo: **10036**